Gesamtverzeichnis des deutschsprachigen Schrifttums (GV) 1700 – 1910

Bearbeitet unter der Leitung von
Hilmar Schmuck und Willi Gorzny

Bibliographische und redaktionelle Beratung:
Hans Popst und Rainer Schöller

107

Pau - Peth

K · G · Saur München · New York · London · Paris 1984

CIP-Kurztitelaufnahme der Deutschen Bibliothek

Gesamtverzeichnis des deutschsprachigen Schrifttums :
(GV). – München, New York, London, Paris : Saur.
Bd. 1 – 6 bearb. unter d. Leitung von Peter Geils
u. Willi Gorzny.
ISBN 3-598-30000-X

1700 – 1910 / bearb. unter d. Leitung von Hilmar
Schmuck u. Willi Gorzny. Bibliograph. u. red.
Beratung: Hans Popst u. Rainer Schöller

NE: Schmuck, Hilmar [Bearb.]

107. Pau - Peth. - 1984.

Techn. Realisierung und Druck: Norbert Gärtner, Mainz-Kastel
Binden: Karl Schaumann, Darmstadt
Printed in the Federal Republic of Germany
ISBN 3-598-30000-X (Gesamtwerk)

Paucapalea, Summa üb. das decretum Gratiani, s.: Schulte, Joh. Frdr. v.

Paucke, Florian, s. Baucke, Florian u.: Pauke, Flor.

Paucke, Martin, a. Berlin: Beiträge zum Nachweis von Arsen. Weida i. Th. 1908: Thomas & Hubert. (77 S.) 8°
Leipzig, Phil. Fak., Ref. Beckmann-Hantzsch, Diss. v. 25. Jan. 1908
[Geb. 18. Okt. 79 Berlin; Wohnort: Berlin; Staatsangeh.: Preußen; Vorbildung: Reife f. Obersek.; Studium: Berlin 1, Leipzig 7 S.]

Paucker, C. P. H. Ehstlands Kirchen u. Prediger seit 1848. Im Anschluß an „Ehstlands Geistlichkeit v. H. R. Paucker" zusammengestellt. gr. 8. (VI, 120 S.) Reval 885, Kluge's Verlag. * 2 40
Die erwähnte Schrift v. H. R. Paucker u. d. T.: „Ehstland's Geistlichkeit in geordneter Zeit- u. Reihenfolge zusammengestellt", erschien 1849 in Reval im Verlag des Consistoriums z. Preise von ** 1 Rub. 50 Kop.

Paucker, Fr. Aug., Diss. inaug. de cura syphilidis sine Mercurio. 8. Dorpat 826.

Paucker, H. R.: Ehstlands Geistlichkeit in geordneter Zeit- und Reihenfolge zusgestellt — Reval 1849: Lindfors. XIV, 424 S.

Paucker, Heinr. v., das Lied von der Heerfahrt Igor's Fürsten von Sêversk. Aus dem Altruss. übersetzt und mit einer literarhistor. Einleitung und Anmerkungen versehen. gr. 8. (63 S.) Berlin 884, Deubner. *

Paucker, J., Die Herren von Lode und deren Güter in Ehstland, Livland und auf der Insel Oesel. Dorpat 1852. 8.

Paucker, Jul. Die Regenten, Oberbefehlshaber und Oberbeamten Esthlands. 8. Reval 1855.

Paucker, Juliane, s.a. Pauker, Juliane.

Paucker, Juliane, neuestes Musterbuch von 103 ausgezeichnet schönen Strick-Muster-Touren. 3e verb. Aufl. Mit 1 Steintaf. gr. 12. Regensburg 833, Pustet; jetzt Kollmann in Augsburg. 1/4 ℔ — 2e Hft. Mit 1 Steintaf. gr. 12. Ebd. 833. 1/4 ℔ — 3e Hft. Enthalt. 50 Pique-Muster. Mit Abbildd. (auf 1 Bl.) 8. Ebd. 835. 1/4 ℔ — 1e u. 2e Hft. 4e verb. Aufl. gr. 12. Regensburg 837. (Augsburg, Kollmann.) à 1/4 ℔

— neueste Strick-Schule. Geordnet in 3 Abthll., welche sich stufenweise vom Leichteren zum Schwereren folgen. Mit 24 Abbildd. 16. Regensburg 839. Pustet. 1/4 ℔

Paucker (geb. Bieber), Juliane, neueste Strick-Schule. Geordnet in 3 Abtheil., welche sich stufenweise vom Leichteren zum Schwereren folgen, u. sowohl für die ersten Anfängerinnen als auch für Geübtere die neuesten Stricktouren enthalten. 2. Aufl. Mit 22 Abbild. 12. Regensburg 842, Pustet. 1/4 ℔

Paucker (geb. Bieber), Juliane, neuestes Unterrichtsbuch im Stricken, Nähen u. Stopfen, praktisch u. systematisch eingetheilt. Ein nützliches Handbuch f. Industrie-Schulen, Haushaltungen u. für junge Mädchen. Mit 31 Abbildungen. 1. u. 2. Hft. 8. (10 B.) Regensburg 842, Manz. —

Paucker, Karl von

Paucker, C., addenda lexicis latinis. Pars I. et II. gr. 8. (III, 75 u. 56 S.) Dorpat 872. Schnakenburg. 6. —

Paucker, C., Addenda lexicis latinis. 2 partes. gr. 8. Dorpat, Gläser. [Schnakenburg.] [Pars 1. (III, 75 S.) 872. ℳ 3,75.; Pars 2. (56 S.) 873. ℳ 2,25.] 6 —

— addendorum lexicis latinis subrelicta. (II.) gr. 4. (60 S.) Dorpati 872. (Mitau, Behre.) n.n. 4. —

Paucker, C. v., Erklärende Anmerk. z. Aeschylos Agamemnon v. 40—71. Pr. 1857. 26 S. 1.25

— Beiträge zur latein. Lexicographie u. Wortbildungsgeschichte I—III. [Mélanges gréco-romains de l'acad. impériale des scienes de St.-Pétersbourg] m. Nachträgen. gr. 8. (261 S.) St.-Pétersbourg 874. (Mitau, Behre's Verl.) n.n. 7. —

— Anhang zu „Beiträge zur lateinischen Lexicographie und Wortbildungsgeschichte I—III nebst den Nachträgen". Lex.-8. (42 S.) Dorpat 875. (Mitau, Behre's Verlag.) ** 1 50

Paucker, C. v., die lateinischen Deminutive auf einfaches -ulus, -ula, -ulum, mit Beziehung der Nomina verbalia gleichlautender Endung. gr. 8. (31 S.) Mitau 876. (Berlin, Calvary und Comp.) *

v. Paucker, Karl, Doppelpalladienraub nach den Lakonerinnen des Sophokles auf einer Vase von Armento. Ein Beitrag zur Sagengeschichte. [Abdr. aus den „Arbeiten der kurl. Gesellschaft f. Liter. u. Kunst. Hft. IX."] gr. 8. (17 S. m. 1 Lith.) Mitau 850. (Neumann.) 6 ℊℓ

Paucker, C. v., de latinitate B. Hieronymi. Observationes ad nominum verborumque usum pertinentes. Editio adjecto indice auctior. gr. 8. (IV, 189 S.) Berlin 880, Calvary und Comp. * 10 —

Paucker, Carl v., Materialien zur lateinischen Wörterbildungsgeschichte. I—VII. gr. 8. Berlin 883. Calvary & Co. n. 6. —; Einzelpr. n. 9. 30

I.	Die m. Präpositionen zusammengesetzten Verba. (26 S.)	n. 1. 50
II.	Die Adiectiua auf -orius. (19 S.)	n. 1. 20
III.	Die Adiectiua auf -bilis. (26 S.)	n. 1. 50
IV.	Die Adiectiua auf -osus [u. -entus]. (21 S.)	n. 1. 50
V.	Die Adjectiva auf -icius. (18 S.)	n. 1. 20
VI.	Die Adjectiva verbalia auf -ivus. (18 S.)	n. 1. 20
VII.	Die Adverbia auf -im. (15 S.)	n. 1. 20

Paucker, C., De latinitae scriptorum historiae Augustae meletemata ad apparatum vocabulorum spectantia. Diss. 1870. 128 u. 50 S.

— de latinitate scriptorum historiae Augustae meletemata ad apparatum vocabulorum spectantia. gr. 8. (III, 214 S.) Dorpat 870. Schnakenburg. n. 4. —

— Meletematum lexistoricorum specimen. Gel. 1873. 42 S.

— Meletematum lexistoricorum specimen. Ed. appendice aucta. gr. 8. (VIII, 45 S.) Dorpati 875. (Mitau, Behre's Verlag.) ** 2 —

— Meletemata lexistorica altera. gr. 8. (122 S.) Dorpat 875, Schnakenburg. * 6 —

— das attische Palladion. Nebst 1 Steintaf. (in gr. 4.) [Abdr. aus den „Arbeiten d. kurl. Gesellschaft f. Liter. u. Kunst. Hft. VII."] gr. 8. (IV u. 136 S.)
Mitau: (Neumann) 1849.

Paucker, C. v., Subrelictorum lexicographiae latinae scrutarium. gr. 8. (61 S.) Revaliae 880. (Berlin, Calvary und Comp.) *

— spicilegium addendorum lexicis latinis. gr. 8. (IV. 315 S.) Ebend. 875. n. 7. 20

—— Supplementum lexicorum latinorum. Fasc. 1—4. gr. 8. (S. 1—384.) Berlin 883,84, Calvary und Comp. à Fasc. ℳ 3. *

Paucker, C. v., supplementum lexicorum latinorum. Fasc. 5. gr. 8. (S. 385—464.) Berlin 885, Calvary und Comp. * 3 —
Fasc. 1—4. Ebendas. 1883,84. à *ℳ 3.—.

— Übersicht d. der sogenannten silbernen Latinität eigenthümlichen Wortschatzes. Hrsg. v. Herm. Rönsch. gr. 8.(III, 80 S.) Ebend. 884. n. 3. —

—— Vorarbeiten zur lateinischen Sprachgeschichte, hrsg. von Herm. Rönsch. 1. Tl.: Materialien zur lateinischen Wörterbildungsgeschichte. (VII, 143 S.) gr. 8. Ebendas. 883. *

Daraus einzeln:

I. Die mit Präpositionen zusammengesetzten Verba. (26 S.) *ℳ 1,50.
II. Die Adiectiua auf -orius. (19 S.) *ℳ 1,20.
III. Die Adiectiua auf -bilis. (26 S.) *ℳ 1,50.
IV. Die Adiectiua auf -osus [und -entus]. (21 S.) *ℳ 1,
V. Die Adiectiua auf -icius. (18 S.) *ℳ 1,20.
VI. Die Adiectiua verbalia auf -ivus. (18 S.) *ℳ 1,
VII. Die Adverbia auf -im. (15 S.) *ℳ 1,20.

—— dass. — 2. Tl.: Übersicht des der sogenannten silbernen Latinität eigenthümlichen Wortschatzes. gr. 8. (III, 80 S.) Ebendas. 884. *

—— dass. — 3. (Schluss-)Tl.: Kleinere Studien. Lexikalisches und Syntaktisches. (117 S.) gr. 8. Ebendas. 883. *

Daraus einzeln:

I. Bemerkungen über die Latinität des Grammatikers Diomedes. (23 S.) *ℳ 1,50.
II. Die Latinität des Orosius. (41 S.) *ℳ 2,40.
III. De latinitate Sulpicii Severi. (38 S.) *ℳ 2.
IV. Eusthatius. (15 S.) *ℳ 1,20.

Paucker, Karl Jul., de vero poenarum forensium fine. Diss. 8. Götting. 818. Brose. 3 gr

Paucker, C. J., de vera poenarum forensium indole, comment. philosophica. 8. Götting., Brose. 818.

Paucker, Karl Julius Alb.

Paucker, C. J. A., Archiv für die Geschichte Liv-, Esth- und Curlands, s. Archiv.

Paucker, C. J. A., s. Inland, das.

Paucker, Karl Julius Alb., s. Monumenta Livoniae, 3. Bd.

Paucker, C. J. A., das Ritter-Lehn- u. Landrecht, s. Sammlung.

Paucker, Car. Jul. Alb., s.
— Sammlung d. Rechtsquellen Liv-, Esth- u. Curlands. —
Wrangell's Chronik v. Esthland.

Paucker, Magnus Georg von

— das ABC der Arithmetik für Examinanden. Eine Zugabe zum prakt. Rechenbuche. gr. 8. Ebend. 842. n. 1/2 Thlr.

Paucker, Magn. Georg, geometrisches ABCbuch, od. hundert Hauptsätze aus den Fundamenten der Geometrie, Trigonometrie, Metrik u. Stereometrie in ihrer Anwendung. Eine Zugabe f. Examinanden. gr. 8. (4 1/2 B. u. 4 Figurentaf.) Mitau 842. Lucas. *

Paucker, Magnus Geo., geometrische Analysis, enthaltend: des Apollonius von Perga Sectio rationis, spatii u. determinata, nebst e. Anhange zu der letztern. Neubearbeitet. Mit 9 Kpfrtaf. gr. 8. Leipzig 837, Voß. n. 2 1/3 Thlr.

Paucker, Magn. Geo., über die Anwendung der Methode der kleinsten Quadratsumme auf physikal. Beobachtt. Progr. 4. Dorpat 819.

v. Paucker, M. G., der Ausgleichungsbau. [Abdr. aus dem 6. Hft. der „Arbeiten" der kurl. Gesellschaft f. Liter. u. Kunst.] gr. 8. (188 S. m. 2 lith. Taf. in 4. u. qu. Fol.) Mitau 850, Neumann. n. 2/3 Thlr.

—— Auszug aus dess. Metrologie Rußlands ꝛc., s. Bericht d. kaiserl. Akademie.

—— die Bildlehre. Mit 100 Seiten Fügungen. gr. 8. (17 1/2 B.) Mitau 846, Lucas. (Leipzig, Hartmann.)

— einiges üb. die geometr. Auflösung kubischer Gleichungen. Mit 1 Tafel in Messingstch. 4. Dorpat 821.

— Diss. inaug. de nova explicatione phaenomeni elasticitatis corporum rigidorum. Mit 1 Kpft. 4. Dorpat 813.

—— fünf berühmte Fragen aus der Bildlehre. 8. (1 B. u. 2 Stnt.) Mitau 845, Lucas. (Leipzig, Hartmann.) *

—— Fundamente der Geometrie. (1. Thl. oder) 1. bis 4. Cursus. Congruenz. — Parallellinien u. Aehnlichkeit. — Flächeninhalt gradliniger Figuren, einfache Eigenschaften des Kreises. — Elemente der Geometrie des Raums. — Mit 285 in den Text eingedruckten Holzschn. gr. 8. (11 B.) Mitau 842, Lucas.

Paucker, Magn. Georg, Fundamente der Geometrie. (2. Thl. od.) 5. bis 7. Curs. Metrik. Trigonometrie. — Stereometrie. Mit 255 in den Text eingedruckten Holzschnitten. gr. 8. (18 1/4 B. u. 1 Stnt.) Ebds. 842. Thlr.

— mathemat. Gedankentafel. 8. Dorpat 820.

— die ebene Geometrie der graden Linie u. des Kreises, od. die Elemente. 1s Buch. Mit 28 Steindr. gr. 8. Königsb. 823. Unzer. 2 Thlr. 16 gr

—— die Gauss'schen Gleichungen der Bogendreiecke u. zwei merkwürdige Sätze vom Raum. 8. (2 1/2 B. u. 1 Stnt.) Mitau 844, Lucas. (Leipzig, Hartmann.) -

—— niedere Grössenrechnung. In 8 Abthlgn. gr. 8. (XIII und 207 S.) Mitau 846, (Lucas.) *

— der Lebensvertrag. Zwei neue Sätze u. 25 neuberechnete Lebenstafeln. [Abdr. aus d. III. Hft. der Arbeiten der Kurl. Gesellschaft f. Liter. u. Kunst.] gr. 8. (80 S.) Mitau 847. (Neumann.) n. 1/2 Thlr.

Paucker, Magnus Geo., Metrologie Rußlands, s. Bericht der K. Academie d. W. ꝛc.

— die Osterrechnung, oder Vorschlag zur Einführung eines kirchl. Kalenders u. Osterkanons, welche mit den Satzungen des nicänischen Conciliums besser als die bisherigen übereinstimmen. Nebst einer genauen Prüfung, in wie fern der gregorianische Kalender diesen Forderungen Genüge leistet. Mit 1 Tabelle. gr. 4. Riga 837. (Frantzen.) n. 2 2/3 Thlr.

—— die Osterrechnung, od. Vorschlag z. Einführ. ein. kirchl. Kalenders u. Osterkanons, welche mit den Satzungen d. nicänischen Conciliums besser als die bisherigen übereinstimmen. Nebst e. genauen Prüfung, in wie fern d. gregorian. Kalender diesen Forderungen Genüge leistet. gr. 4. (18 B. incl. 1 Tab. in qu. 1/2 gr. Fol.) Riga 837, (Kymmel.) *

Paucker, M. G.: „Practisches Rechenbuch für inländische Verhältnisse", 2. Band: „Handels- und Finanzrechnungen", Mitau 1836. — Vorh.: Bücherei der Ind.- und Handelskammer Leipzig.

---- pract. Rechenbuch f. inländ. Verhältnisse. 3 Hfte: Allgem. Regeln. — Handels- u. Finanzrechnn. — Administrative u. ökonom. Rechnn. gr. 8. (32⅛ B. u. 1 Tab.) Mitau 837, (Lucas.)

—— dass. — 1. u. 4. Thl. gr. 8. Mitau, Lucas.
Thl. 1. Arithmetischer Leitfaden f. Schulen. 2., verm. u. verb. Aufl. (13½ B.) 840. 18 Gr.
- 4. Die Uebungsbeispiele zum 1. Thl. enth. (7¼ B.) 841. 12 Gr.

— die Theorie der Derivationen. Progr. 4. Mitau 813.

— Uebersicht der Verhandll. d. kurländ. Gesellschaft für Litt. u. Kunst. 4. Dorpat 818.

Paucker, Magnus Geo., Vermessung des Embachs, seines Laufes und seiner Profile im Sommer d. J. 1808. Mit 1 (lith.) Karte (in gr. Fol.). (Aus dem Archiv für die Naturkunde Liv-, Ehst- und Kurlands abgedr.) Dorpat 855. (Glaeser.) gr. 8. (64 S.) n. 12 ngr.

Pauckinger, s.: Tanzschule, Wiener.

Paucksch, H: Neuer Cornwall-Kessel. Landsberg a. d. Warthe 1900

Paucksch, H: Neuer Cornwall-Kessel mit Stufen-Feuerrohren. Würzburg 1901

Paucksch, H: Kapsel-Compound-Dampfmaschinen. Landsberg a. d. Warthe (1903)

Paucksch, H: Zwangläufige Ventilsteuerung mit Hilfsschluß System Reimann. Landsberg a. d. Warthe (1900)

Paucksch, Hans [aus Landsberg]: Beiträge zur Kenntniss des Ortho- und Para-Amidoaethylbenzols. (Ortho- und Para-Phenaethylamins.) . . . Freiburg i. B., Lehmann's Univ.-Buchdr., 1886: 37 S. 8°. Freiburg i. B., Phil. Fak., Inaug.-Diss. v. 1886.

Paucksch, Hans, Beiträge zur Kenntniss des Ortho- und Para-Amidoaethylbenzols. (Ortho- und Para-Phenaethylamins). Diss. Freiburg i. B. 1886, Fr. Wagnersche Univ.-Buchh. 8°. 37 S.

Paudler, Amand

Paudler, A., Beiträge zur Geschichte der Stadt Schluckenau. 8. (IV, 38 S.) Böhm.-Leipa 883, (Hamann.) **
Aus: Rumburger Zeitung, besonders abgedruckt.

Paudler, A.: Die Bogenschützengesellschaft in Böhmisch-Leipa. Festschrift zur Jubelfeier ihres 300jährigen Bestandes. Böhmisch-Leipa, 1881.

Paudler, A., e. deutsches Buch aus Böhmen. Orig.-Zeichngn. v. O. Pfennigwerth. 1. Bd. gr. 8. (VI, 164 S. m. 45 Abbildgn.) Böhm.-Leipa 894. (J. Künstner.) n. 2. —

Paudler, A. (Hrsg.), s. Dichterbuch, Leipaer.

Paudler, A., Leipaer Dichterbuch. Eine Anthologie. gr. 8. (VIII, 118 S.) Leipa 898. (J. Hentschel.) n. 1. 80

Paudler, Amand: Leipaer Dichterbuch. E. Anthologie. Leipa: Nordböhm. Excursions-Club 1898. (4 Bl., 114 S., 2 Bl.) 8°

Paudler, A. Forschungen u. Wanderungen im nördlichen Böhmen. gr. 8. (VIII, 130 S. m. 16 Abbildgn.) Leipa 889, Künstner. * 1 —

Paudler, A., der neue Kammweg vom Jeschken zum Rosenberge. Mit 32 Initialen u. 1 Vollbilde v. Aug. Frind samt e. Kammwegkarte v. H. Schwarz. (VII, 251 S.) gr. 8. Leipa 904. (J. Hamann.) n. 3. 50; geb. n. 4. 50

Der neue Kammweg vom Jeschken zum Rosenberge. Von A. Paudler. Mit 32 Initialen u. 1 Vollbilde von Aug. Frind samt e. Kammwegkarte von H. Schwarz. 2. Aufl.. *Leipa: Selbstverl. 1904.* (249 S.) 8° [J.]

(F) Paudler, A., Der neue Kammweg vom Jeschken zum Rosenberge. 3. Aufl. Gr. 8°. (ill. 249 S.) K 4.--, geb. K 5.--
Leipa: Selbstvlg. 1904.

Paudler, Amand Graf Joseph Kinsky, Herr auf Bürgstein und Schwoyka. 47 S. 8. Progr. G. Böhm. Leipa 1885.

— Cultur-Bilder u. Wander-Skizzen aus dem nördlichen Böhmen. gr. 8. (VIII, 112 S.) Ebend. 883. n. 1. 20

— s.: Mitteilungen d. nordböhm. Excursions-Clubs.

Paudler Amand: Nachruf an den † Director Prior Caj.tan Posselt. 12. Böhm Leipa 91.
Progr.

— K. k. Ordensgymn. — K. k. Staatsgymn. Ein Beitrag zur neuesten Geschichte des L.-G. v. A. Paudler. 7. 1883.
Progr. Leipa.

Paudler, A., Sagen und Märchen. Umdichtungen. 2. verm. Aufl. 8. (VII, 60 S.) Wien 887, Konegen. * 1 20

Paudler, A[mand]: Die älteste Schulordnung des Böhm.-Leipaer Gymnasiums. Böhm.-Leipa '01. S. 33—40. Böhm.-Leipa, Staats-Ober-G., Jahresb. 1901.

Paudler, Amand Studien zur nordböhmischen Spezialgeschichte. 31 S. 8. Progr. G. Böhm. Leipa 1878.

Paudler, A., Studien zur nordböhmischen Specialgeschichte. gr. 8. (31 S.) Böhm.-Leipa 878, (Hamann.)

— ein Trost-Büchlein. Mit e. Zeichng. v. O. Apitzsch. gr. 8. (VIII, 48 S.) Böhm.-Leipa 894. (J. Hamann.) n. — 80

—— nordböhmische Volkslieder. Eine kleine Sammlung als Vorarbeit zu einem umfassenderen Werke. 8. (48 S.) (Ebendas.) 877. *

Paudler, A., wie Musik u. Gesang während des vorigen Jahrhunderts im nördlichen Böhmen gepflegt worden ist. Ein Vortrag, geh. am 6. März 1880 in der Vierteljahrs-Versammlung d. Böhm.-Leipaer Lehrervereins. gr. 8. (IV, 48 S.) Böhm.-Leipa 881. (Hamann.) n.n. — 80

Paudler, Friedrich: Zur Ethnographie der Genussgiftsitten. Diss., Prag 1906/1907.

Pauer, Zusammenstellung der in Braunschweig, Bremen, Hamburg u. Hannover existirenden Universitäts-Stipendien. gr. 8. (18 S.) Göttingen 890. Peppmüller. n.n. -- 50

PAUER, Albert
Lehrbuch des Eisenbahn-Tarifwesens mit besonderer Berücksichtigung des Tarifwesens der österreichisch-ungarischen Eisenbahnen von Albert Pauer, dargestellt als Unterrichtsbehelf für Eisenbahnbeamte, Eisenbahn- und Handelsakademien, sowie zum Gebrauche für Landwirte, Industrielle, Kaufleute und Spediteure. Wien. 1900. Hof- und Staatsdruckerei. Lex.-8°. X, 401 S. K 6.--

Pauer, Alb., Leitfaden des Eisenbahn-Tarifwesens m. besond. Berücksicht. des Tarifwesens der österr.-ungar. Eisenbahnen, f. Eisenbahnbeamte dargestellt. gr. 8. (VIII, 162 S.) Wien 894. Hof- u. Staatsdruckerei. n. 3. —

Pauer, Bernhard (Adolf)

Pauer, Bernh., Johannisbad im Riesengebirge in topographischer, geschichtlicher und medicinischer Beziehung. Mit 1 (lithogr.) Karte der Umgebung. 8. (XIV, 154 S.) Wien 880, Braumüller. *

Pauer, Bernh.(Adf.) Johannisbad bei Trautenau. Handbuch für Kurgäste u. Riesengebirgsfreunde. Trautenau 865. (Breslau, Aderholz' Buchh.) 12. (XII, 178 S. mit 3 chromolith. Beilagen in 8., 4. u. Fol.) n.n. 1 ₰

Pauer, Bernh., Johannisbad im Riesengebirge, bei Freiheit. [Bahnstazion.] [Mit mehreren Ansichten.] Handbuch f. Kurgäste u. Touristen. 2. Aufl. gr. 8. (IX, 300 S. m. 4 Steintaf. in Tondr.) Johannisbad 871. (Breslau, Aderholz. — Dresden, Adler's Buchh.) n.n. 3. —

Pauer, Bernh., Johannisbad im Riesengebirge, bei Freiheit. [Bahnstazion.] [Mit mehreren Ansichten.] Handbuch für Kurgäste und Touristen. 2. Aufl. gr. 8. (IX, 300 S. mit 4 Stnt. in Tondr.) Johannisbad 871. (Berlin, Gutmann. — Breslau, Aderholz' Buchh. — Dresden, Huhle.) ** 3 —
—— dass. — Handbuch für Kurgäste und Touristen. 3. verb. und verm. Aufl. 8. (XXVIII, 338 S. mit 2 Ansichten von Johannisbad, sonst und jetzt, 1 Chromolithogr. und 1 Lichtdr.) Ebendas. 875. * 3 60

Pauer, Bernh., d. Schlacht bei Sohr. [Aus: „Reichenberger Zeitg."] 12. (31 S.) Trautenau 896. (G. Lorenz.) n. — 40

Pauer, Dr Bernhard, Ehrenbürger von Trautenau etc., praktischer Arzt zu Trautenau. Trautenau 1866. Erinnerungen, Erlebnisse und Schriftstücke aus dem Kriegsjahr in und bei Trautenau. Ein Beitrag zur Geschichte der Stadt und Umgebung jener Zeitepoche. (Mit 1 Portrait.) 8. Trautenau 1891.

Pauer, Dr. Fr., Erzählungen. 1e Samml. A. u. d. T.: Eduard u. Kathinka, die Jugenfreunde, u. andere Erzähll. Mit 1 Kpf. 8. Nürnb. 826. Zeh. 1 ₰ 4 𝒢 2e Samml. 8. Hannov. 826. Hahn. 1 ₰ 8 𝒢

Pauer, Fr., Jacobea, Königin d. Niederlande. Schspl. in 3 Akt. 8. Osterode 829. Hirsch. 12 𝒢

Pauer, Fr., Jacobea, Königinn d. Niederlande. Schausp. in 3 Akt. 8. (6 B.) Osterode 829, [Sorge.]

—— neue Novellen. Bilder aus d. wirkl. Welt. gr. 12. (12½ B.) Mannheim 832, Löffler.

Pauer, Fr., die vereinigten Staaten von Nord-Amerika nach erfolgtem Anschluß der Republik Texas. Mit besonderer Beziehung auf Deutsche Auswanderer. 8. (VIII u. 256 S.) Bremen 847. (Hamburg, Bödecker.) n. ⅚ ₰ (Leipzig, Brandstätter. Herabgef. Pr. n. ⅓ ₰)

—— die Stiefbrüder, od. die Wahnsinnige auf dem Grauenstein. Romant. Gemälde. — A. u. d. T.: Klein Teufelchen od. der Stiefbruder. — Der Holländer. Zwei Novellen. 8. (16 B.) Braunschweig 828. (Halberstadt, Vogler.)

Pauer, Fr., Texas. Ein sicherer Führer f. Auswanderer, nebst ausführl. Beschreibg. d. Viehzucht u. d. Bebauung d. dortigen Landes-Erzeugnisse &c., sowie Andeutungen der Witterungsverhältnisse u. s. w. Nebst e. Anhange den mainzer Verein zum Schutze deutscher Einwanderer in Texas betreff. 8. (13½ B.) Bremen 846, Kaiser. *

Pauer, P. Jakob — Jubiläums-Ablaß-Büchel sammt einem kurzen Berichte über die Entstehung des Wallfahrts- und Gnadenortes Maria-Zell. Herausgegeben von — —. Gratz, 1857. Dr. und Verlag von A. Leykams Erben. (46 S. 8. Mit einem Titelkupfer.)

Pauer, Ignaz

Pauer, Ign., heitere Abende. Wiener Vortrags-Humor. 12. (VIII, 154 S.) Stuttgart 895. Levy & Müller. n. 2. —; geb. n. 2. 50

Pauer, Ign. Logische Consequenzen, s. Volkstheater, Wiener.

Pauer, Ignaz: 'Spottvögel' Berlin: Unterborn [1909] 218 S. 8°
(Deutsche Erzähler Bd 15.)

Pauer, Ign., Spottvögel, s. Erzähler, deutsche. 15.

Pauer, Johann

Pauer, Jos., Historia dioecesis Alba-Regalensis ab erecta sede episcopali 1777—1877. Cum introductione de vicissitudinibus civitatis et capituli olim collegiati. In memoriam anni saecularis scripsit. gr. 8. (XII, 527 S. mit 13 Stnt.) Albae-Regiae 877. (Budapest, Tettey und Comp.) *

PAUER, Johann (Traunstein): Ueber Masern.- München: Deschler 1854. 16 S.
12.8.1852 - Urk (Titel: De morbillis.); F 67
Diss. Ingolst.-Landsh.-Mchn.

Pauer, J(oseph): Absorption ultravioletter Strahlen durch Dämpfe und Flüssigkeiten. Leipzig: J. A. Barth 1897 (21 S.) 8°
Erlangen, Phil. Diss. v. 10. März 1896

Pauer, Josef (Joh.?) Valentin, s. Paur

[J.] **Pauer**, Karl [in Regensburg]: Über die Entschädigungs-Forderung wegen eines widerrechtlich erlangten Arrestes ... München, J. Schweitzer, 1893; 2 Bl., 43 S. 8.
Erlangen, Jur. Fak., Inaug.-Diss. v. 1893

Pauer, Karl [aus Sondermoning]: Über die Erfolge verschiedener Quecksilberpräparate bei Syphilisbehandlung. (Statistische Arbeit über 500 Fälle aus dem Krankenhause München I./d. Isar.) Würzburg, Becker's Univ.-Buchdr., 1886, 31 + 1 S. u. 1 Taf. 8°.
Würzburg, Med. Fak., Inaug.-Diss. v. 1886.

Pauer, Karl, über die Erfolge verschiedener Quecksilberpräparate bei Syphilisbehandlung. (Statistische Arbeit über 500 Fälle aus dem Krankenhause München (I. d. Isar). Diss. Würzburg 1886, Stahelsche Univ.-Buchh. 8°. 31 S. mit einer Taf.

Pauer, Ludwig

Pauer, L., Prinz Eugen von Savoyen, s. Oesterreicher, berühmte.

Pauer, Ludw. Jugend-Rosen. I. Erzählungen f. d. Jugend. 12. (79 S.) Bruck a. M. 890. (Wien, Sallmayer'sche Buchh.) geb. ** — 88

—— der Lehrer von Apfelheim, s. Volks- und Jugend-Bibliothek.

Pauer, Ludw., Räthselbuch. 12. (128 S.) Wien 887, Pichler's Wwe. und Sohn. geb. 1 20

Pauer, Ludw., Räthselbuch. Gesammelt u. hrsg. 2. Aufl. 12. (II, 128 S.) Wien 898. A. Pichler's Witwe & Sohn. Geb. in Leinw. 1.80

Pauer, Ludw., Vinzenz, der Köblerbub, s.: Jugendschriften, hrsg. vom Lehrerhausverein f. Oberösterreich. I.

Pauer, L., Wanderungen durch Bosnien u. Herzegowina, s.: Volks- u. Jugend-Bibliothek.

Pauer, P., De rerum ab Agricola in Britannia gestarum narratione Tacitea. Die 1881. 82 S.

Pauer, *Philipp* Schüler-Liste des Gymnasiums und der Realschule zu Göttingen. (Innerer Titel Adressen von Schülern des Gymnasiums und der Realschule zu Göttingen.) 8 (76, 1 S.).
Progr. G. u. Rg. *Göttingen* 1886.
Nicht im Tauschverkehr

Pauer, Rudolf Ritter und Edler von: Die Entstehungsgeschichte der Washingtoner Regeln. München 1908: Wolf. 69 S. 8°
Würzburg, Jur. Diss. v. 15. Okt. 1908, Ref. Meurer
[Geb. 19. Jan. 83 Cham; Wohnort: München; Staatsangeh.: Bayern; Vorbildung: Gymn. München Reife Juli 02, Studium: München 5, Berlin 1, Würzburg 2 S., Rig. 10. Juli 08.] [U 09. 4078

Pauer, Rusticus. Der Schein deß Monds Gleich dem Liecht der Sonnen / Das ist: Lob- u. Ehren-Rede An dem Fest Francisci Xaverii. Clgft., Kleinmayr. 1737 Quart. 12 S.

Pauer, Samuel (Preßburg/Ungarn), De ossibus sesamoideis. Diss. med. Präs. Jo. Friedrich Crell. [Helmstedt] (P. D. Schnorr) 30. XII. 1746. 30 S. (5.—) 25928
Widm. v.: Jo. Friedrich Crell.

PAUER Xaver Leopold. Grundlinien einer systematischen Encyclopädie der zeichnenden Künste von Gerold, Wien 1790.
1 vol 4 Bl + XXXIV S + 92 S + 3 Bl Inh.

Pauer v. Budahegy, Max, Gefechtsmomente d. Infanterie, s.: Schmid, Hugo.

Pauer v. Kápolna, Stef., üb. den Gebrauch der Kartätschgeschütze [Mitrailleusen, canons à balles etc.]. Taktische Studie. gr. 8. (39 S.) Wien 871. Seidel & Sohn. n. 1. —

Der Kampf um Wohlfahrt. Von Dr. Karl **Paeuer**. 2. Ausg. von desselben Verf. Pseudonym L. Carnio 'Die Menschenseele', erg. m. e. sachl. Vorrede u. Kritikenerwiderung. Leipzig: Dieter 1901. 154 S. 8° [11. 9067

Paeuer, Karl, der Kampf um Wohlfahrt. 2. Ausg. v. desselben Verf. Pseudonym. L. Carnio »Die Menschenseele« — ergänzt m. e. sachl. Vorrede u. Kritikenerwiderg. gr. 8. (154 S.) Leipzig 901. Graz, Oberlandesger.-Rat Dr. Paeuer. n. 3. —

Paeuer, Karl, die Wohltätigkeits-Postkarte. Ein Projekt u. Leitfaden. (24 S.) 8. Graz 908. Leykam. — 50

Pauernfeindt, Christian Johann,
s. Paurnfeindt, Christian Johann

HUSSEIN, Schach, ein Urbild ohne Nachbild, oder das redende Schooßhündchen. Ein Persisches Mährchen in zwei Acten (von *Josef v. Pauersbach*). Leipzig, Barth, 1773. 8°.
Kayser p. 60.

— Dasselbe. Wien 1773. 8°.
Anon.-Lex. II p. 306 (nach Wurzbach u. Meusel).

-- Dass.s.a.:Hussein.

Pauersbach, Jos., s. Wittwe, d. indianische.

Paufler, Adf. Mor., Leitfaden f. das Zahlenrechnen in Realschulen. gr. 8. (156 S.) Leipzig 874. Brockhaus. n. 1.50

— dasselbe. Aufgaben. 2 Hfte. gr. 8. (44 u. 33 S.) Ebend. 874. à n. — 50

Paufler, Adolph. Mor., M. W. Götzinger's deutsche Sprachlehre f. Schulen in tabellarischer Uebersicht dargestellt. gr. 4. (7 B. u. ¾ B. gr. 8.) Dresden u. Leipzig 843, Arnoldische Bh. *

— **das Zahlenrechnen in der Realschule.** gr. 8. (44 S.) Leipzig 871. Hinrichs' Verl. in Comm. n. 1. —

Paufler, Christian Heinrich, s. Cornelius Nepos.

Paufler, Christian Heinrich (Dresden), De necessaria et utili scholarum eruditarum aeque ac popularium cura. Comment. I. qua ad Orationes in schola nostra (ad aedem crucis) invitat. Dresden (Gärtner) 26. IV. (1805). 12 S. mit Namen. (3.50) 25929

— — **De necessaria et utili scholarum eruditarum aeque ac popularium cura. Comment. II. qua ad Orationes in schola nostra (ad aedem crucis) invitat. Dresden (Gaertner) 18. IV. (1806). 12 S. mit Namen. (3.50) 25930**

— — **De necessaria et utili scholarum eruditarum aeque ac popularium cura. Comment. III. qua ad Orationes in schola nostra (ad aedem crusis) invitat. Dresden (Gaertner) 10. IV. (1807). 16 S. mit Namen. (3.50) 25931**

— — **De schola Dresdensi brevis enarratio qua ad orationes in schola ad aedem S. crucis invitat. Dresden (G. M. Walther) 30. IV. (1813). 10 S. mit Namen. (—.—) 25934**

— Progr. Gedanken üb. das öffentl. Singen d. Schüler auf d. Gassen. 4. Leipz. 809. Rein. 4 gr.

Paufler, Chr. Hnr., († d. 1. Oct. 1816.) de Horatio incredulo osore; ad versum CLXXXVIII. epistolae ad Pisones. 8maj. Dresd. 812. Walther. 6 gr.

Paufler, Christian Heinrich, s. Ideen über Volksschulen.

— 200 Lectionen beim Unterricht in d. französ. Sprache. 8. Lpz. 804. Rein. 3 gr.

— Nahrung f. den aufkeimenden Verstand. gr. 12. Leipz. 804. Rabenhorst. 6 gr.

Paufler, Christian Heinrich, s. Phaedrus: Fabulae.

Paufler, C. H., Quaestio antiquaria pueris et puellis alimentariis. I, II, III. Gel. 1809. 10. 11. 115 S. u. 3 Taf. 4°. 3.50

— Progr. Quaestio antiquaria de pueris atque puellis alimentariis. Specim. I cum fig. 4maj. Dresd. 809 Walther. 1 ⅌ 8 gr

— — Quaestio antiquaria de pueris et puellis alimentariis. Comment. secunda qua ad orationes in schola ad aedem S. crucis invitat. Dresden (F. G. Walther) 4. V. (1810). 12 S. mit Namen. (3.50) 25932

— — Quaestio antiquaria de pueris et puellis alimentariis. Comment. tertia qua ad orationes in schola ad aedem S. crucis invitat. Dresden (G. M. Walther) 26. IV. (1811). 8 S. mit Namen. (3.50) 25933

— — De rebus quibusdam dubiis in Cornelio Nepote obuiis. Quaestio histor. grammat. Qua ad orationes in schola ad aedem crucis invitat. Dresden (Meinhold) 7. IV. (1815). 8 S. mit Namen. (—.—) 25936

— — De rectoribus scholae Dresdensis. Prolusio qua ad orationes in schola ad aedem crucis invitat. Dresden (Meinhold) 22. IV. (1814). 16 S. mit Namen. (3.50) 25935

— drey Reden b. feyerl. Gelegenh. 8. Dresden, Arnold. 805.

— drei Reden bei feierl. Veranlassungen gehalten. 8. Dresd. 805. Arnold. 3 gr

— ein Wort zum Besten der Schulen. gr. 8. Dresd. 811. Walther. 6 gr

Paufler Josef: Darstellung der altgenuesischen Mundart nach einem von A. Ive im VIII. Band, Seite 1—97, des Archivs glattol. herausgegebenen Prosadenkmale aus dem Ende des XIV. und dem Anfange des XV. Jahrhunderts.
H. 1886 PN 446 Diss. Wien, Univ.

Paugger, F., Lehrbuch der allgemeinen Elementar-Arithmetik oder Algebra für die oberen Classen der Mittelschulen bearb. und systematisch geordnet. Neue vollständ. Ausg. gr. 8. (VI, 260 S.) Triest 874, Literarisch-artist. Anstalt. * 4 —

Paugger, F., Lehrbuch des terrestrischen Theiles der Nautik. Triest 867. Eßmanns Verlag. Lex.-8. (IV, 251 S. mit 69 in den Text gedr. Holzschn. u. 8. Steintaff. in 4., gr. 4. u. qu. Fol.) n. 3 ⅌

— Lehrbuch d. terrestrischen Theiles der Nautik. Mit 69 in den Text gedr. Holzschn. u. 8 lith. Taf. (in qu. 4.) 2. Aufl. gr. 8. (248 S.) Ebend. 874. n. 8. —

— systematisches Lehrgebäude der mathematischen Synthesis od. der Elementar-Arithmetik f. Mittelschulen bearb. 1. Lfg.: enth. die I. u. II. Rechnungsstufe. gr. 8. (V, 79 S.) Triest 871. Münster. n. 1. —

— Logarithmen-Tafeln f. die Zahlen von 1 bis 1000 u. f. die goniometr. Functionen der Winkel d. ersten Quadranten von 10 zu 10 Minuten auf 4 Decimalstellen m. der Einrichtg. zur näherungsweisen Berücksicht. der 5. Decimale nebst Gebrauchs-Anweisg. gr. 8. (XVI S.) Triest 874. Lit.-artist. Anstalt. n. 1. 20

Paugger's, F., Patent-Dromoskop oder Curs-Direktor, ein neues Instrument zur Sicherung des Seeverkehrs rucksichtlich der vom Magnetismus des Schiffeisens verursachten Compass-Deviationen. (Beigebunden ist dieser Schrift von demselben Verfasser: I. Geometrische Construction der exacten Deviations-Gleichung. II. Allgemeine Idee eines Mechanismus zur Nachahmung der vorigen geometrischen Construktion. III. Nähere Beschreibung des „Dromoskop Paugger" neuester Construktion.)
Triest 1876.

Paugger: Ueber die Vermehrung der Rechnungsoperationen.
16 S.–Wien OR.L., Progr. 1859

Pauk Emanuel: Das Ideal der reinen Vernunft.
H. 1896 PN 978 Diss. Wien, Univ.

Pauke, N. P. Des berühmten Cölln. Poeten wol klingende lustige, von hundert sinnreichen Schertzgedichten ... Berlin 1702. V: *Peucker, Nicol.* (GGr

Pauke, Florian, s.a. B a u c k e , Florian.

Pauke, Fl., Reise in die Missionen nach Paraquay, u. Gesch. der Missionen St. Xaver u. St. Peter. Ein Beitr. z. Gesch. d. Jesuiten in Paraquay. Aus d. Handschr. Pauke's hrsg. v. J. Frast. 8. (10¼ B.) Wien 829, v. Schmid.

Pauke, Fl., Reise in d. Missionen von Paragay rc. hat auch Kummer in Leipzig.

Paukenschläger, Hilarius, des Musikanten Naturgeschichte. 16. Leipzig 843, Binder (Bamberg). ⅔ ⅌

Paukenschläger, Hilar., Naturgeschichte des Musikanten. 16. (7¼ B. m. Holzschn.) Leipzig 843, [Senf.]

Pauker Eduard: Beschreibung und Erklärung der im Museum des Stiftes Klosterneuburg befindlichen sechzehn Bilder, welche die Huldigung der Engel und Heiligen vor Maria, der Königin des Himmels, zum Gegenstande der Darstellung haben. Diss. Wien, Univ
D: Erschien unter dem Titel „Der marianische Bilderzyklus des Stiftes Klosterneuburg". (Ber. u. Mitt. d. Altertumsvereines XXXV, 1899).
1896 PN 960

Pauker, Juliane, s.a. P a u c k e r , Juliane.

Pauker, geb. Bieber, Juliane, neuestes Musterbuch v. 103 ausgezeichnet schönen Strick-Muster-Touren, welche sich vorzügl. eignen zu Serviet-, Strumpf- u. Wickelbändern, Hosenträgern, Geldbörsen, Säckchen u. Kinderhäubchen, Borduren rc.; erfund. u. nach d. prakt. Strickgängen deutlich aufgeführt. Ein nützl. Toilettengeschenk f. Frauenzimmer. 1. n. 2. Hft. gr. 12. Regensburg, Pustet. [1. 1. Aufl. (5½ B. u. 1 Stnt.) 830., 2., u. 3., verb. A. (à 6 B. u. 1 Stnt.) 831, 33. à 6 Gr., Schrbp. 12 Gr., 2. (6½ B. u. 1 Stnt.) 833. 6 Gr., Schrbp. 12 Gr.] 12 Gr., Schrbp.

Pauker, geb. Bieber, Juliane, neuestes Musterbuch von ausgezeichnet schönen Strick-Muster-Touren. 1—3. Hft. gr. 12. Regensburg. [Augsburg, Kollmann'sche Buchh.] [1. u. 2. 4., verb. Aufl. (à 6 B. u. 1 Bl. Abbild.) 837., 3. (7¼ B. u. 1 Bl. Abbild.) 835. à ⅓ Thlr.]

—— neueste Strick-Schule. Geordnet in 3 Abthl., welche sich stufenweise vom Leichteren zum Schwereren folgen, u. sowohl f. d. ersten Anfängerinnen als auch f. Geübtere die neuesten Stricktouren enth. 1. Aufl. 16. (11½ B. u. 24 Abbild.) 839., 2. A. 12. (7⅝ B. u. 22 Abbild.) Regensburg 842, Pustet. à

Pauker, Wolfg., Beiträge zur Baugeschichte des Stiftes Klosterneuburg. Im Auftrage des hochwürd. Hrn. Prälaten Friedrich Piffl bearb. u. hrsg. I. Donato Felice v. Allio u. seine Tätigkeit im Stifte Klosterneuburg. Mit e. Hefte Akten. (95 u. 23 S. m. Abbild. u. Taf.) Lex. 8. Wien 907. W. Braumüller. 8. 40

Pauker, W., u. Joh. Langer, Gesangbuch zum Gebrauche beim katholischen Gottesdienste an Mittelschulen. 8. (92 S.) Wien 902. H. Kirsch. n. 1. —; geb. n. 1. 50

— u. Joh. **Langer,** Gesangbuch zum Gebrauche beim katholischen Gottesdienste an Mittelschulen. Für gemischten Chor. 2., unveränd. Aufl. (93 S.) 8. Wien 910. H. Kirsch. Geb. 1. —

Pauker Dr. Wolfgang, Lehrbuch der katholischen Liturgik für österreichische Mittelschulen. Wien 1905. K. k. Schulbücherverlag. Preis, geheftet 1 K 20 h, gebunden 1 K 50 h.

Pauker, Dr. Wolfgang, Lehrbuch der katholischen Liturgik für österreichische Mittelschulen. 2., im wesentlichen unveränderte, sonach im Sinne des Min.-Erl. vom 30. Juni 1904, Z. 23784, allgemein zulässige Auflage. Wien 1909. Schulbücherverlag. Geh. K 1.20, geb. K 1.50.

Pauker, Dr. Wolfgang, Lehrbuch der Offenbarungsgeschichte des Alten Bundes. Zum Unterrichtsgebrauche an österreichischen Mittelschulen. Wien 1905. K. k. Schulbücherverlag. Geh. K 1.40, geb. K 1.70.

Pauker, Wolfgang: L e h r b u c h der Offenbarungsgeschichte des Neuen Bundes. Zum Unterrichtsgebrauche an österreichischen Mittelschulen. Wien 1908. Schulbücherverlag.

Paukert u. Wilner. Ungarisch. Lehrbehelf f. den Gebrauch an k. u. k. Militär-Erziehungs- u. Bildungsanstalten. (2 Hefte.) (234 S.) gr. 8. Wien 903. 905. L. W. Seidel & Sohn. n. 7. 40

Paukert, Frz., Altäre u. and. kirchl. Schreinwerk d. Gotik in Tirol. gr. Fol. (32 lith. Taf. m. 4 S. Erläutergn.) Leipzig 895. E. A. Seemann. In Mappe n. 12. —

— dasselbe. 2. Sammlg. (Schluss.) gr. Fol. (32 lith. Taf. m. 2 S. Erläutergn.) Ebd. 897. In Mappe n. 12. —

Paukert, F., s. Renaissance, deutsche, in Oesterreich.

— die Zimmergotik in Deutsch-Tirol. I. II. Fol. Leipzig, E. A. Seemann. In Mappe. n. 24. –
I. Süd-Tirol. 32 Taf. m. Erläutergn. (1 S.) 889. In Mappe. n. 12. —
II. Das Etschthal. 32 Taf. m. Erläutergn. (4 S.) 889. In Mappe. n. 12.

Paukert, Frz. Die Zimmergotik in Deutsch-Tirol. I.—IV. Fol. (à 32 Taf. m. 4 S. Erläutergn.) Lpz., E. A. Seemann. In Mappe à * 12 —; * 48 —
I. Süd-Tirol. 1. u. 2. Aufl. 889,92. — II. Etschthal. 1. u. 2. Aufl. 890,92. — III. Nordtirol u. einiges Nachträgliche aus Südtirol. 891. — IV. Schloss Tratzberg. 892.

Paukert, Frz., die Zimmergotik in Deutsch-Tirol. I.—VI. Sammlg. Fol. (à 32 Taf. m. 4 S. Erläutergn.) Leipzig, E. A. Seemann. In Mappe. à n. 12. —
I. Südtirol. 2. Aufl. 892. — II. Das Etschthal. 2. Aufl. 892. — III. Nordtirol u. einiges Nachträgliche aus Südtirol. 891. — IV. Schloss Tratzberg. 892. — V. 1. Nachlese. 893. — VI. 2. Nachlese. 894.

Paukert, Frz., die Zimmergotik in Deutsch-Tirol. VII. Sammlg. 32 Taf. m. Erläutergn. Fol. (VII S.) Leipzig 903. E. A. Seemann. In Mappe n. 12. —

Paukert, Frz., die Zimmergotik in Deutsch-Tirol. VIII. Sammlg. 32 Taf. m. Erläutergn. (VII S.) Fol. Leipzig 904. E. A. Seemann. In Mappe n. 12. —

Paukert, Frz., die Zimmergotik in Deutsch-Tirol. IX. Sammlg. (Schluss.) 32 Taf. m. Erläutergn. (VII S.) 43,5×30,5 cm. Leipzig 907. E. A. Seemann. In Mappe 12. —

Pauk-Comment, Aachener S.-C. gr. 16. (26 S.) Aachen 875. Mayer. n. — 50

Pauk-Komment des V. C. Berlin. Berlin 1901: Denter & Nicolas. (31 S.) 8° [o6. 6399 II

Pauk-Komment der Marburger Burschenschaft. (Marburg 1905): J. Hamel. (12 S.) 8° [Umschlagt.] [05. 13179 4

Paukkomment, Dresdner. Bestimmgn. zur Regelg. schwerer Ehrenhändel. (25 S.) 8. Dresden 908. A. Dressel. — 50

Paukkomment anerkannt von den Kieler Verbindungen Frisia, Slesvigia, Hansea, Stormaria, Ditmarsia, Cheruscia, Arminia. Kiel, W. S. 1907/08. (Kiel 1907): Schmidt & Klaunig. (14 S.) 8° [08. 8601

Paukkomment, offizieller, einschliesslich d. Säbel- u. Pistolenkomments f. die deutschen Universitäten u. Hochschulen. 8. (35 S.) Lpz.-Reudn. 890, M. Hoffmann. * 1 —

Paukkomment, offizieller, einschliesslich d. Säbel- u. Pistolenkomments f. die deutschen Universitäten u. Hochschulen. 3. Aufl. gr. 8. (40 S.) Leipzig-R. 895. M. Hoffmann. n. 1. —

Pauk-Comment, Wiener. 12. (46 S.) Wien 898. F. Schalk. n. — 70

Paukner, Karl, Prag, s.: Miniatur Bibliothek.

Paukovic, B., die Militär-Grenz-Frage in ihrer Beziehung zur orientalischen Frage vom politischen, staatsrechtlichen u. administrativen Standpunkte beleuchtet. Wien 865. (Seidel & Sohn.) gr. 8. (46 S.) n. 10 ngr.

Paukovič, B., der Curort Topusko in der kroatischen Militär-Grenze. Eine historisch-topografisch-balneologisch-landschaftl. Skizze. gr. 8. (IV, 93 S.) Wien 867, (Seidel und Sohn.) *

Pauksch, Julius

Pauksch, J., das magnetische Verhalten der Pflanzengewebe. (23 S.) gr. 8. Wien (906). (A. Hölder.) n. — 70
Sonderabdruck aus: „Sitzungsber. d. k. Akad. d. Wiss.“

Paukstadt, Rudolf Der Begriff des Schönen bei Schiller. 25 S. Progr. *Charlottenburg* 1883.

Paukstadt, R. Entwürfe zu deutschen Aufsätzen u. mündlichen Besprechgn. f. die Sekunda. 8. (V, 208 S.) Dessau 889, Baumann. * 2 50

Paukstadt, Rudolfus: De Martiale Catulli imitatore. Halis Saxonum (1876: Berliner Buchdr.-A.-G., Setzerinnen-Schule des Lette-Vereins in Berlin). 34 S. 8°
Halle-Wittenberg, Phil. Diss. v. 15. Juli 1876
Geb. Goldap 20. 2. 1853. V.
Im Buchhandel Halis Sax. (Berlin: Mayer & Müller) 1876.

Paukstadt, R., griechische Schulgrammatik, s.: Harder, Frz.

Paukstadt, R., griechische Syntax, s.: Harder, Frz., griech. Schulgrammatik.

Paukstat, Bruno, Oberarzt im Dragoner-Reg. König Albert v. Sachsen (Ostpr.) No 10: Betrachtungen über die Skiascopie und ihre Anwendung im militärischen Ersatzgeschäft. *Königsberg i. Pr. 1904: O. Kümmel.* (81 S.) 8°
Königsberg, Med. Diss. v. 20. Juni 1904

Paukul, Ernst [aus Dorpat]: Aus dem Hallerianum zu Bern. Die Zuckungsformen von Kaninchenmuskeln verschiedener Farbe und Structur. (Mit drei Tafeln.) (S.-A. aus d. Archiv f. Anatomie und Physiologie 1904. Phys. Abt.) Leipzig 1903. 23 S. 8°. [31. VII. 03.]
Bern. Vet.-med. Diss. 1903/1904.

Paukul, Ernst. Die Zuckungsformen von Kaninchenmuskeln verschiedener Farbe und Structur. Diss. Vet.-Med. Bern. ([Mit 2 Tafeln. Sep.-Abdr. aus] Archiv für Anatomie und Physiologie. 1904. Physiologische Abtheilung.) *Kopftitel:* (Aus dem Hallerianum zu Bern.) 23 S. 8. Leipzig, Veit & Comp., 1903.

Paul [Sachliches OW]

Paul oder der verlassene Meierhof . . . nach d. Fr. des François Guillaume Ducray-Dumenil. Leipz. u. Sorau 1800. V: *Örtel, Friedrich.* (Ky) (GGr)

Paul, od. d. verlassene Meyerhof, v. Ducray-Dümenil, a. d. Frz. frey übers. von Fr. v. Oertel. 2 Thle. 8. Lpz. Beygang. 802.

Paul, oder der verlassene Mayerhof. Aus dem Franz. des Ducray Dümenil. 2 Theile. 8. Leipzig, Beygang. 803. (Weygand.)

PAUL, Der alte, und seine Enkeltochter Pauline. Eine (zahme) Geschichte. Cassel, Griesbach, 1804. Kl. 8°. 170 S.
— Zuerst gedr. (mit dazu gehörigem schönen Titelkpfr., G. W. Pistorius inv., G. G. Endner sc.) in: Erzählungen u. Schwänke aus d. Gebiete d. Wahrheit u. Dichtung. Cassel, Griesbach, 1802. 8°. S. 1—167. (Die 3 andern Erzählungen dieser Sammlung sind sehr lüstern; s. Erzählungen.)

Paul, der alte, u. seine Enkeltochter Pauline. Eine Geschichte 8. Cassel 804. (Luckhardt).

Paul **Clifford, s.a. Clifford.**

Paul Clifford, vom Verfass. des „Pelham", Verstoßenen" u. „Devereux". Uebers. von C. Richard. 3 Thle. 8. Aachen u. Leipz. 830. Mayer. 4 ₰ 12 gr

Paul der Erste. Historisches Schauspiel. Aachen 1812. V: *Bonafont, Carl Philipp.* (Ky)

Paul I, russischer Kaiser. als Großmeister d. Malthesorordens rc. gr. 8. Aarau 808. Sauerländer. 5 gr

— Kaiser v. Rußland, v. e. unbefang. Beobachter. 8. Leipz. 801. (W. Nauck). 8 gr

Paul I., Kaiser von Russland; von einem unbefangenen Beobachter. 8. Leipzig 1801. Sommer

Paul I., Kaiser und Selbstherrscher alller Reussen. Historische Skizze. Leipzig: W. Nauck 1802. 8°

— Kaiser und Selbstherrscher aller Reussen, e. hist. Skizze. 8. Leipzig, H. Müller. (Sommer.) 802.

Paul der Fünfte und die Republik Venedig. Nach P. Sarpi und Amelot de la Houssaye. Deutschl. [Freib.] 1819. V: *Walchner, Carl.* (Wr)

Paul d. V. u. d. Republik Venedig nach P. Sarpi u. 'Amelot de la Houssaye etc. mit Bemerk. 8. Freyburg, Wagner. 819.

Paul Jones, der kühne Seemann u. Gründer d. amerikan. Marine. Nach Originalpapieren geschild. A. d. Engl. v. *r. (G. W. Becker.) Neue Ausg. 8. (17½ B.) Leipzig 828, Wienbrack.

Paul, des muntern, Reise zu d. merkwürdigsten Völkern aller Welttheile. Ein nützl. u. unterhalt. Buch f. wißbegier. Knaben u. Mädchen bei d. ersten Unterr. in d. Erdkunde. gr. 8. (6 B. u. 21 ill. Abbild.) Leipzig 837, Enobloch.

Ohm **Paul** oder: Die verharmloste Zwangsinnung oder: Dat iss en Appell Grosse karnevalist. Posse mit Gesang u. Tanz in 4 Akten. Text u. Mus. von d. Abendgesellsch. d. Zool. Gartens zu Münster i. W. 1900. *Münster i. W.: Westfale 1900.* (79 S.) 8° [F.] (vi. Sep. 6

Paul Periwinkle, s.a. Periwinkle, Paul.

Paul Periwinkle, oder der Preßgang. Von dem Verfass. von „Cavendish" rc. Aus d. Engl. von Dr C. Brinckmeier. 1r u. 2r Bd. Mit 11 Abbildd. 8. Braunschweig 840. G. C. E. Meyer sen. (à 1 ₰) 2 ₰

Paul Periwinkle, oder der Preßgang. Von dem Verfasser von „Cavendish" rc. Aus d. Engl. von C. Brinckmeier. 3. u. 4. Bd. (Schluß). Mit (8) Abbildungen nach Phiz. kl. 8. Braunschweig 841, G. C. E. Meyer sen. (à 1 ₰) 2 ₰

Paul, Saint, s. Saint.

Paul, Vetter, oder d. Rache d. Deutschen. Schspl. in 1 A. 8. Eisenach 810. (Bärecke). 6 gr

Paul, Vetter; od. die Rache der Deutschen. Schausp. in 1 Akt. 8. Eisenach, Wittekind. 810.

— u. Virginie; Oper. gr. 8. Amsterd. 793. (Lingen, Jülicher). 4 gr

Paul und Virginie, ein Gemälde guter Menschen. A. d. Franz. Pilsen 1794. V: *Saint Pierre, Jacques Henri Bernardin de.* Ü: *Reil, Joh. Adam Fch.* (KY 8/105) (BiblPort)

Paul u. Virginie; e. Gemälde guter Menschen; aus d. Französ. (v. F. Reil). 8. Pilsen 794. Morgensäuler. (Leipz., Köhler).

— u. Virginia, v. St. Pierre, a. d. Frz. m. Anmerk. 8. Frkft. Zeßler. (Diez.) 795.

Paul et Virginie, Ballet pantomime en 3 actes. 8. Vienna, Wallishauser. 809.

— und Virginie, ein Gemälde der Natur, von St. Pierre. Neu übersetzt von Fr. Gleich. 8. Leipzig, Lauffer. 820.

Paul und Virginie. Ein Gemälde der Natur. Nach d. Franz. . . . Kaschau 1834. V: *Saint Pierre, Bern. de.* (KU)

Paul, Werner, s. Werner.

Paul Werner, od. Geschichte meines Freundes. 8. Bresl., Gehr.

Paul [Verfasser]

Paul I., Kaiser von Rußland

Paul I. Verordnungen. Übersetzt auf allerhöchsten Befehl. St. Petersburg 1797. Ü: *Busse, Johann Heinrich.* (KGBerlin II, 2310)

Paul Wilhelm, Herzog von Württemberg, erste Reise nach dem nördl. Amerika in den Jahren 1822 bis 1824. Mit 1 Karte von Louisiana. Lex.-8. Stuttgart 835. Cotta. 2 ß

Paul und Anderer gesammelte Anweisung zur Bereitung künstlicher Selzer-, Spaa-, Seidschützer-, Pyrmonter-, Schwalbacher-, Eger- und anderer Mineralwasser. 8. Lpz. Joachim.

Paul, deutsch-evangelische Aufgaben in den Auslandsgemeinden. Vortrag, geh. auf der 21. Generalversammlg. des Evangel. Bundes in Braunschweig am 6. X. 1908. (17 S.) 8. Leipzig (908). Halle, Verlag des Evangel. Bundes. nn — 10

— dasselbe, s.: Aufgaben, deutsch-evangelische, im Auslande u. in Österreich.

Paul (Red.), s. Beiträge (Bruns') zur klinischen Chirurgie, Mitteilungen aus den Kliniken Tübingen (sp. Heidelberg, Zürich, Basel u.a.)

Paul: Bemerkungen über d. Gedicht v. Schiller ‚Die Künstler'. 27 S. – Thorn, Progr. 1855.

Bericht über die Feier des silbernen Maurer-Jubiläums des Br. Alfred Brand sowie über die Feier des 7. Stiftungsfestes der Loge „Zur Roten Erde" im Or. Herford am Sonntag, den 10. Juni 1906. [Unterz.:] **Paul.** [Herford 1906: Quentin & Sellwig.] 21 S. 8° [Umschlagtit.:] Ein Doppelfest in der Loge „Zur Roten Erde" im Or. Herford am Sonntag, den 10. Juni 1906.
Reden von J. Ostermann, Blumenthal, H. Beudel, u. Rede des Jubilars. 8.

Paul — Ueber d. method. Element.-Unterr. in d. griech. Sprache. 20 S. Progr. Hirschberg 1832

Paul, die Lehre von Verträgen im Allgemeinen und von Bürgschaften, vom Pfand- und Hypothekenrechte insbesondere, nach preuß. Recht. gr. 8. (VIII und 232 S.) Berlin 854, C. Heymann.

Paul, Schubert u. A. Blum, Linienführung u. Bahngestaltung im Eisenbahn-Bau der Gegenwart, s.: Eisenbahn-Technik, die, der Gegenwart.

Paul, großsprechischer Officier, ins Deutsche übers. v. M. S. A. Glock. Reutlingen. (Bürglen in Augsb.) 797.

Paul's Tabellen der Elektrotechnik. Zum prakt. Gebrauch f. Techniker, Werkmeister, Werkstattarbeiter, Maschinisten, Monteure. (Von M. Luxenberg.) qu. 8. (XIX S. u. 25 Tab.) Leipzig 895. O. Leiner. Kart. n. — 60

Paul's Tabellen f. Elektrotechnik. Zum prakt. Gebrauch für Techniker, Werkmeister, Monteure etc. 2. verm. Aufl., bearb. v. Gust. Wilh. Meyer. qu. 8. (XXI, 52 S.) Leipzig 899. O. Leiner. Geb. in Leinw. n. 1.40

Paul, wie schützen wir uns vor der Genickstarre u. wie behandeln wir sie am erfolgreichsten? Eine zeitgemässe Betrachtg. (82 S.) 8. Leipzig (905). O. Borggold. n. — 60

Paul, A., ein Abschiedsabend. gr. 8. (44 S.) Dresden 899. Lehmann'sche Buchdr. n. 1. —

Paul, A., der unheimliche Apfelstrudel u. andere Humoresken. (III, 135 S.) 8. Wien 907. C. Konegen. 1. 50

Paul A.: Entwicklung von $S^{(n)} u v d x^n$ in eine Reihe. 9. Radautz 87. Progr.

Paul, A. Die Kämpfe an der oberen Donau 1805. Mit besond. Berücksichtigung der Ereignisse in Günzburg. Mit Abb. Günzburg 1905. 15 S. 4°

Paul, A., s.: Krischna's Weltengang.

Paul, A., s. Lindsey, B, Die Aufgabe des Jugendgerichts.

Paul, A. G., Großmuttersöhnchen, — Liebe u. Liebelei, } s.: Both's, L. W., Bühnen-Repertoir d. In- u. Auslandes.

Paul, Adolf

Paul, Adf., mit dem falschen u. dem ehrlichen Auge. 1. Taus. (139 S.) kl. 8. Berlin 909. Oesterheld & Co. 2.—; geb. 3. —

Paul, Adf., Hille Bobbe. Komödie in 3 Akten. (79 S.) kl. 8. Berlin 905. Schuster & Loeffler. n. 1. 50

— die Doppelgänger-Komödie. In 3 Akten. (114 S.) 8. Hamburg 903. A. Janssen. n. 2. —

Paul, Adolf: Blauer Dunst. Komödie in 5 Akten. Berlin: Oesterheld 1909. 100 S. 8°

Paul, Adf., Harpagos. Schauspiel in 5 Akten. 8. (VII, 94 S.) Lübeck (900). Lübcke & Nöhring. n. 2.—

— Harpagos. Schauspiel in 5 Akten. Neue deutsche Orig.-Ausg. (90 S.) gr. 8. Leipzig 903. Breitkopf & Härtel. n. 3. —; geb. n. 4. —

— heroische Komödien. 1. Folge. David u. Goliath. — Der Fall Voltaire. — Der Tiger. 8. (XII, 132 S.) Leipzig 902. Breitkopf & Härtel. n. 3.—

— Heroische Komödien. 2. Folge. Der Klingelbeutel. St. Helena. (62 S.) 8. Leipzig 907. Breitkopf & Härtel. 1. 50

— König Kristian II. Schauspiel in 5 Akten. 8. (IV, 92 S.) Lübeck 899. Lübcke & Nöhring. n. 2. —

König Kristian der Zweite. Schauspiel in 5 Akten von Adolf **Paul**. Neue vervollständ. deutsche Originalausg. Leipzig: Breitkopf & Härtel 1903. (132 S.) 8° [F.] [07. 6708

Paul, Adf., ebbes Luschtig's. Gedichte in schwäb. Mundart. 2 Aufl. 8. (102 S.) Kaufbeuren 895. G. Mayr. Kart. 1. —

Ebbes Luschtig's. Gedichte in schwäb. Mundart von Adolf **Paul**, (Günzburg). 5. Aufl. Kaufbeuren: G. Mayr (1907). (110 S.) 8° [F.] [08. 8143

— die Madonna m. dem Rosenbusch. Eine alt-lübsche Geschichte. (278 S.) 8. Hamburg 903. A. Janssen. Geb. in Leinw. n. 5. —

Karin Mänstochter. Schauspiel in 5 Akten von Adolf **Paul**. Deutsche Originalausg. Leipzig: Breitkopf & Härtel 1903. (87 S.) 8° [F.] [07. 6709

Adolf **Paul**. Oedipus im Norden u. andere Erzählungen ... Berlin: Schuster & Loeffler 1907. (108 S.) 8° [F.] [07. 17380

Ein gefallener Prophet. Von Adolf **Paul**. Paris & Leipzig: Langen 1895. X, 200 S. 8° [10. 3/11

— alte Sünden. Spiessbürgerliches Schauspiel in 3 Aufzügen u. e. Intermezzo. 8. (90 S.) Berlin 893. Bibliograph. Bureau. n. 1. 50

Die Teufelskirche. Komödie in 3 Akten von Adolf **Paul**. Berlin & Leipzig: Schuster & Loeffler 1905. (106 S.) 8° [07. 11690 11

— Der Triumph der Pompadour. Komödie in 3 Akten. (Moderne Bühne. Eine Sammlg. dramat. Werke.) (139 S.) 8. 3.—; geb. 4. —
Berlin-Westend: Reiss 1909.

— De veer Uhlen. Ein Nordostseeroman. 3. Aufl. (276 S.) 8. Berlin 910. Oesterheld & Co. 3.—; geb. 4. —
1. Aufl. (276 S.) 909. 5.—; geb. 6. —

Paul, A. Ein Wahn. Dramatische Skizze in 1 Aufzug. gr. 8. (30 S.) Dresd. 891, Pierson. * 1 —

(R) — Ein Wahn. (891.) (KVB 28.) — Auf Wanderwegen. 904. (KVB 31.) Jetzt: Berlin, Verlag Berlin-Wien.

Paul, A., auf Wanderwegen. (VII, 118 S.) 8. Dresden 904. E. Pierson. n. 1. 50; geb. n. 2. 50

Wie die Sünde in die Welt kam. Ein Legendenspiel in 5 Akten von Adolf **Paul**. Berlin-Westend: Reiss 1909. 173 S. 8°
(Moderne Bühne. Eine Samml. dramat. Werke.) [10. 3441

Paul, Adrien, une dette de jeu. 2 Vols. (Bibliothèque choisie. Vol. 384 et 385.) 16. (310 S.) Naumburg 861, Paetz. — 20

Paul, Adr., le chevalier de Floustignac. 2 vols. Leipzig 856. Gerhard. 16. (154; 148 S.) 20 ngr.

—— der Ritter v. Floustignac. Deutsch von Glieb. Walter. 1. Thl. 8. (191 S.) Wien 856, Ludwig und Zang. **

— histoire d'une femme blanche, s. Sand, G., Elle et Lui.

— Blanche Mortimer. Roman. (Suivi de Un mariage militaire par Georges Bisse et Ce que coute un emprunt graduit par Philibert Audebrand.) 4 vols. Leipzig 856. Gerhard. 16. (160; 160; 144; 147 S.) 1 Rthlr. 10 ngr.

— Nicette. 2 vols. Leipzig 857. A. Durr. 16. (191; 173 S.) 1 Rthlr.

—— Tenue de gendres en partie double. 16. (192 S.) Leipzig 859, A. Dürr. * — 10

Paul, Adrien, Thérèse ou comme s'en va le bonheur. 2 Vols. 16. (425 S.) Leipzig 857, A. Dürr. Thlr. 1 —

Paul, Albert

Paul, Alb., wie empfindet, denkt u. handelt der geniale Mensch? Eine Psychologie des Genies. 1—3. Aufl. (68 S.) gr. 8. Berlin 904. P. Nitschmann. n. 1. —

Paul, Alb., wie empfindet, denkt u. handelt der geniale Mensch? Eine Psychologie des Genies. 4. u. 5. Aufl. (67 S.) gr. 8. Berlin 907. 08. P. Nitschmann. 1. —

Paul, Alb., wie sollen wir geistig arbeiten? Eine Hygiene u. Aesthetik der geist. Arbeit. gr. 8. (68 S.) Berlin 903. P. Nitschmann. n. 1. —; kart. n. 1. 50

Wie sollen wir geistig arbeiten? Eine Hygiene u. Aesthetik d. geistigen Arbeit von Albert **Paul**. 6. Aufl. *Berlin: P. Nitschmann 1903.* (72 S.) 8° [04. 1520 11

— wie sollen wir geistig arbeiten? Eine Hygiene u. Aesthetik der geist. Arbeit. 7. Aufl. (69 S.) gr. 8. Ebd. 904. n. 1. —; kart. n. 1. 50

— Wie sollen wir geistig arbeiten? Eine Hygiene u. Aesthetik der geist. Arbeit. 10. u. 11. Aufl. (69 S.) gr. 8. Ebd. 908. 09. 1. —

Wo liegt das Glück? Ein Wegweiser f. alle, die nach ihm verlangen. Von Albert **Paul**. Berlin: Nitschmann 1908. 72 S. 8° [10. 2300

— Wo liegt das Glück? Ein Wegweiser f. alle, die nach ihm verlangen. 2. Aufl. (68 S.) gr. 8. Ebd. 09. 1.—; geb. 1.50

Paul, Alfons, s. Paul, C. Alfons.

Paul, Alfred, Assistenzarzt aus Ortrand: Über einige Augenspiegelbefunde bei Neugeborenen. *Halle a. S. 1900: C. A. Kaemmerer & Co.* (29 S.) 8°
Halle, Med. Diss. v. 19. Dez. 1900

Paul, Alfred [pr. Arzt aus Albendorf]: Ueber Fibromyome des Uterus m. bes. Berücks. e. Falles v. sekundärer Verjauchg derselben ... Greifswald, Druck v. J. Abel, 1891; 33 S. 8.
Greifswald, Med. Fak., Inaug.-Diss. v. 15. Aug. 1891

Paul, Alwin: George Sand und ihre Auffassung von der Liebe und Ehe. — Leipzig 1903: John, Halle a. S. 126 S. 8°
Leipzig, Phil. Diss. v. [23. Apr.] 1903.

George Sand und ihre Auffassung von Liebe und Ehe. Ein Beitrag z. Geschichte d. Frauenfrage von Dr. A. Th. Paul. Berlin & Leipzig: J. Hegner 1904. (II, 125 S.) 8° [Ant. u. J.] [illegible]

Paul, A. Th., George Sand u. ihre Auffassung v. Liebe u. Ehe. Ein Beitrag zur Geschichte der Frauenfrage. (129 S.) gr. 8. Berlin 904. [Magazin-Verlag.] Leipzig, F. Rothbarth. n. 2.—

Paul, Arminius Julius: De chiloplastice sive de restitutione labii inferioris organica. Vratislaviae (1855). (16 S.) 4
Breslau, Med. Fak., Hab.-Schr. v. 17. März 1855

Paul, August: Über vokalische Aspiration und reinen Vokaleinsatz. Ein Beitrag zur Physiologie und Geschichte derselben. 4 (60 S.).
Progr. Höh. Bürgersch. *Hamburg* 1888 (689).

Paul, A., über vokalische Aspiration und reinen Vokaleinsatz. Ein Beitrag zur Physiologie und Geschichte derselben. gr. 4. (60 S.) Leipzig 888, Fock. * 1 20

Paul, A[ugust]: Zur Aufklärung über das Wesen der Oberrealschule. S. 28—33. 4. Realschule in Eimsbüttel zu *Hamburg* 1905 (880).
Progr.

Paul, *August* [Dir. i. V. Prof. Dr.]: *Direktor Dr. Julius Bintz, gest. am 20. Sept. 1891.* Hamburg, gedr. bei Lütcke & Wulff, 1892; 1—11 S. 4.
Hamburg, Wilhelm-G, P 1892 (730)

Paul, August [Hrsg.]
s. **Bintz,** Julius: Der Einfluss der ars poetica des Horaz ...

Paul, August [Dir. Prof. Dr.]: Entwicklung und Aufgabe des lateinlosen höheren Schulwesens, vornehml. in Hamburg. Hamburg, gedr. bei Lütcke & Wulff, 1896; 1 Bl., III, 26 S. 4.
Hamburg, R in Eimsbüttel, P 1896 (753)

Paul, Augustus: De fontibus a Trithemio in prima parte Chronici Hirsaugiensis adhibitis. Halis (1867): Ploetz. 64 S. 8°
Halle-Wittenberg, Phil. Diss. v. 9. Nov. 1867
Geb. Havelberg 11. 10. [1844]. V.

Paul, *Carl* August *Friedrich* Die Gründung der Schule. 4 (S. 1—6 der Schuln.). **Progr.** Rsch. an der Weidenallee *Hamburg* 1893 (734).

Paul, A. Addison's influence on the social reform of his age. Hamburg, öffentl. H. B., 1876. 58 S. 4. **Progr.**

Paul, A., Addison's influence on the social reform of his age. gr. 4. (58 S.) Hamburg 876. (Seippel.) n. 1.50

Paul, *August* [Dir. Prof. Dr.]: Das neue Schulgebäude. Hamburg, gedr. bei Lütcke & Wulff, 1895; 3—4 S. 4.
Hamburg, R an d. Weidenallee, P 1895 (761)

Paul, *Friedrich* August [pr. Arzt in Weissenhöhe (Reg.-Bez. Bromb.)]: Wie ist der Nabelschnurrest der Neugeborenen zu behandeln? ... Marburg, Buchdr. F. Sömmering, 1894; 33 S., 1 Bl. 8.
Marburg, Med. Fak., Inaug.-Diss. v. 27. Juli 1894

Paul, B., Abendmärlein f. mein Mütterlein. Mit 8 Bildern in Farbendr. gr. 8. (237 S.) Stuttgart 875. Schmidt & Spring. 4. 50

— die versunkene Stadt, s. Spamer's, O., neue Volksbücher.

— **die versunkene Stadt. Ein Bild aus ferner Vergangenheit.** Mit 18 Text-Abbild., sowie 1 Titelbild nach Zeichnungen von B. Mörlins. gr. 8. (VII, 175 S.) Ebendas. 879. * 3 —
geb. * 4 50

Paul, B., vom Frühling zum Winter. Zwölf Märlein. Mit 27 Text-Illustr. u. einem bunten Titelbilde. gr. 8. (V, 128 S.) Leipzig 878. Spamer. n. 2. 50; cart. n. 3. 50

Paul, B., vom Frühling zum Winter. Zwölf Märlein. 2. wohlf. (Titel-)Ausg. gr. 8. (VIII, 128 S. mit 27 Text-Illustr. und 1 bunten Titelbilde.) Leipzig 881, Spamer. cart. *

— dasselbe. 2., wohlf. (Titel-)Ausg. Mit 27 Text-Illustr. u. einem bunten Titelbilde. gr. 8. (VIII, 128 S.) Ebend. 882. cart. n. 2. 50

Paul, Bruno, s.: Schiffsräume, moderne, des norddeutschen Lloyd.

Paul, C., Begum Sumro. Trauerspiel in 5 Acten. gr. 8. (111 S.) Wien 849, Lechner in Comm. n. 1 ₰

Paul, C.: Allgemeines Criminalrecht für die Königlich Preußischen Staaten. Quedlinburg u. Leipzig. 2 Bde
Bd 1. 2. Allgemeine Criminal-Ordnung für die Königl. Preuß. Staaten, mit den ... bis z. J. 1834 incl. erschien. ... erg., abänd. oder erl. Gesetzen. 1836.

Paul, C., allgem. Criminalrecht f. d. k. preuß. Staaten, s. Criminalrecht.

Paul, C.: Allgemeine Deposital-Ordnung für die Ober- und Unter-Gerichte der sämmtlichen Königlich Preußischen Staaten, mit den zur Zeit noch anwendbaren ... Gesetzen, Verordnungen u. Rescripten. Quedlinburg u. Leipzig 1835.

— allgem. Depositalordnung, s. Depositalordnung.

Paul, C., Ergänzungen zu den zoologischen Lehrbüchern. I. Säugethiere. 8. (56 S.) Brandenburg 872. Wiesike. n. — 50

Paul, C., Gebühren-Taxe für die Gerichte u. Justiz-Commissarien in Mandats-, dem summarischen u. dem Bagatell-Prozesse vom 9. Oct. 1833, mit zur Zeit noch anwendbaren, vor u. seit der Gesetzeskraft derselben bis zum Februar 1841 incl. erschienenen, hinter jeder concernirenden Position — nach der Zeitfolge geordnet, — wörtlich abgedruckten, dieselbe ergänzenden, abändernden od. erläuternden Gesetzen, Verordnungen u. Rescripten, nebst Tabellen zur genauen Berechnung u. Vertheilung der Pauschquanten u. einem chronolog. Register. gr. 4. Magdeburg 841, Baensch. $1^3/_8$ ℛ

Paul, C.: Allgemeine Hypothekenordnung für die gesammten Königl. Preußischen Staaten mit den z. Z. noch anwendbaren ... bis zum J. 1736 incl. erschien., hinter jedem concernirenden Paragraphen ... abgedr. Gesetzen ... u. e. Reg. Bd 1.2. Leipzig 1837. 38. 2 Bde

Paul, C., allgem. Hypothekenordnung ꝛc., s. a. Hypothekenordnung.

Paul, C—. Kaiser Max und sein Lieblingstraum. Ein Festspiel (anonym von Faustin Pachler) 8. (12 S.) Wien, Dr. v. J. B. Wallishausser, 1853.

Allgem. Registratur- u. Canzlei-Reglement für sämmtl. Landes-Justiz-Collegia in d. Kön. Preuss. Staaten, mit d. z. Zeit noch anwendb., vor u. seit d. Gesetzeskraft desselb. bis z. J. 1836 incl. erschienenen, hinter jedem concernir. Paragraphen — nach d. Zeitfolge geordn. — wörtl. abgedruckten, denselb. ergänz., abänd. od. erläut. Gesetzen, Verordnn. u. Rescripten. Nebst e. Anh. u. chronol. Register. Hrsg. v. C. PAUL. *Leipzig*, Künzel. 838. gr. 8. (2 Thl. 12 Gr.)

—— preuß. Registratur- u. Canzelei-Reglement, s. a. Registratur- u. Canzelei-Reglement.

Paul, C., vollständige Tabellen zur Vergleichung u. Reduction der Längen-, Flächen-, Körper- u. Hohlmaße u. der Gewichte in das neue Maß u. Gewicht verbunden mit den genauesten Cubiktabellen zur Berechnung des Inhalts von Röhren, Rundhölzern, Kreuzholz ꝛc. sowie mit Kreisumfangs- u. Kreisinhalts-Tabellen. Auf Grund der norddeutschen Maß- u. Gewichtsordnung vom 17. Aug. 1868 für den techn. Gebrauch, insbesond. für Architekten, Baubeamte, Ingenieure ꝛc. 1—4. Aufl. Berlin 869,70. Nicolai's Verl. 8. (XXIV, 88 S.) 12 ngr.

Paul, C. Alfons

Paul, C. A., unter'm Birnbaum, s.: Kühling's, A., Album f. Liebhaber-Bühnen.

Paul, C. A., Herr Blechhose aus Draesen, s.: Kühling's, A., Theater-Specialität.

Paul, C. A., Bleib' bei mir, s. Bloch's, E., Dilettanten-Bühne.

—— Turner's Brautfahrt, s. Bloch's, E., Theater-Gartenlaube.

Paul, C. A., Michel Bremond, siehe: Bühnen-Repertoir, Nr. 126.

—— der Bucklige, s. Bloch's, E., Volks-Theater.

—— Bullrich, der Kegelkönig, s. Kühling's, A., Album für Solo-Scenen.

Paul, C. A., ein Damenthee, s.: Kühling's, A., Album für Solo-Scenen.

—— ein Damenthee, s. Kühling's, A., Theater-Specialität.

—— Das bin ich, s. Kühling's, A., Album für Liebhaber-Bühnen.

Paul, C. A. (W. E. M.), das bin ich!, s. a. Thalia.

Das bin ich. Orig.-Lustspiel in 1 Akt von W. E. M. ⟨C. A. **Paul.**⟩ *Mühlhausen i. Th.: G. Danner [1901].* (48 S.) 8° [F.]
= **Thalia.** 83. [01. 6370 3

—— s. Declamationshalle.

—— Einer von der Feuerwehr, s. Bloch's, Ed., Theater-Gartenlaube.

Paul, C. Alfons: Er kommt, s. Kühling's A., Album für Liebhaber-Bühnen.

— er liebt mich von Herzen, s.: Kühling's, A., Album für Solo-Scenen.

— er mag wollen od. nicht, s.: Kühling's, A., Album f. Liebhaber-Bühnen.

— er muß heirathen, s.: Polterabend-Salon.

—— Er muß tanzen, s. Bloch's, E., Dilettanten-Bühne.

—— er schläft, s. Bloch's, E., Dilettanten-Bühne.

Paul, Alph.
—— des deutschen Kriegers Erdenwallen, } s. **Wallner, Edm.**, deutsche Festspiel-Halle.

Paul, C. Alfons: Die Feuerwehr, s. Wallner, Edm.: Deutsche Festspielhalle.

Paul, Alphons, die Feuerwehr, s. a. Bloch's, Ludw., Galerie lebender Bilder. 34. Lfg.

Die Feuerwehr. Eine Reihenfolge von 10 lebenden Bildern, frei nach Schillers Glocke von **Alphons Paul.** 2. Aufl. *Berlin: E. Bloch (1904).* (16 S.) 8° [F.]
= **Galerie**, Ludwig Blochs, lebender Bilder. Lfg 34.

—— freudvoll und leidvoll, s. Kühling's, A., Album für Liebhaber-Bühnen.

Paul, C. A., Frisch, fromm, froh, frei! od. Vivat Hoch d. Turnerei! E. dramat. Gedicht m. Gesang in 1 Akt, Musik v. verschiedenen Komponisten, Berlin, 14 S., 16°.

—— Frisch, fromm, froh, frei,
—— Cousin Fritze, } s. Kühling's, A., Album für Liebhaber-Bühnen.

—— Gastwirths-Leiden, s. Kühling's, A., Theater-Specialität.

— Gastwirts-Leiden od. Ein Viertelstündchen im Restaurant, s. a. Danner's, G., Herren-Bühne. Nr. 26.

Gastwirts-Leiden oder Ein Viertelstündchen im Restaurant. Schwank mit Gesang in 1 Akt von **C. A. Paul.** Musik von G. Steffens. *Mühlhausen i. Thür.: G. Danner [1900].* (19 S.) 8° [F.]
= **Herrenbühne**, G. Danners. No 26. [00. 8736

Paul, C. A., gebt mir meinen Anton wieder, s.: Album f. Liebhaber-Bühnen.

— ein modernes Genie, s.: Kühling's, A., Album f. Liebhaber-Bühnen.

—— glücklich durch unsern Heldenkaiser, s. Theater-Mappe.

—— Größenwahn, s. Kühling's, A., Album für Solo-Scenen.

—— nach homöopathischen Grundsätzen, s. Kühling's, A., Album für Liebhaber-Bühnen.

— Guste auf Posten, s.: Kühling's, A., Album für Liebhaber-Bühnen.

Guste auf Posten. Genrebild mit Gesang in 1 Akt von C. A. Paul. ⟨Musik von verschiedenen Componisten.⟩ *Mühlhausen i. Th.: G. Danner [1900].* (24 S.) 8° [F.]
= Vereinstheater. 85. [00. 8599

— eine halbe Stunde zu spät, s.: Kühling's, A., Theater-Specialität.

— aus dem Hausfrauen-Verein, s.: Bloch's, E., Dilettanten-Bühne.

— aus dem Hausfrauen-Verein, s. Bloch's, Ludw., Damen-Bühne. Nr. 34.

Aus dem Hausfrauen-Verein. Schwank in 1 Akt von C. A. Paul. 3. Aufl. *Berlin: E. Bloch [1902.]* (16 S.) 8° [F.]
— Damen-Bühne, Ludwig Blochs. No 34.

— Großvaters Herzblatt, s.: Kühling's, A., Album f. Solo-Scenen.

—— Hoch! Braut und Bräutigam! s. Polterabend-Salon.

— Hoheit auf Reisen, s.: Kühling's, A., Album f. Liebhaberbühnen.

—— die Jagd nach einem Musketier, s. Bloch's, E., Theater-Gartenlaube.

Paul, C. A., die Jagd nach e. Musketier, s. Bloch's, Militär-Festmappe, Nr. 59.

Paul, C. Alfons: Die Jagd nach einem Musketier. Lustspiel in einem Akt. 2. Aufl. Berlin: E. Bloch (1898). (22 S.) 8°
= Militär-Festmappe, Ludwig Bloch's, f. vaterländ. Gedenktage. H. 59.

— Ida's Idee, s.: Kühling's, A., Album für Liebhaber-Bühnen.

—— im Wein ist Wahrheit! s. Bloch's, Ed., Theater-Gartenlaube.

— Isaac u. die drei Grazien, s.: Kühling's, A., Theater-Specialität.

— ein Kaffeeklatsch, s.: Polterabend-Salon.

—— kein Leben ohne Liebe, s. Kühling's, A., Album für Liebhaber-Bühnen.

— der listige Krieg, s.: Theater-Mappe.

—— bei Onkel Krummacher, s. Kühling's, A., Album für Liebhaber-Bühnen.

—— das Lesekränzchen, s. Bloch's, Ed., Theater-Correspondenz.

Paul, C. A., Carlchen's erste Liebe, s. Bloch's, E., Dilettanten-Bühne.

—— Carlchen's erste Liebe, s. Bloch's, E., Theater-Correspondenz.

— Flötenknopf's Liebes-Lust u. Leid, s.: Album f. Liebhaber-Bühnen.

— der jüngste Lieutenant, s.: Kühling's, A., Album für Solo-Scenen.
— der Löwe des Tages, s.: Kühling's, A., Album für Solo-Scenen.

—— Briefträgers Lust und Leid, s. Bloch's, Ed., Dilettanten-Bühne.

—— ein dramatisches Mädchen für Alles, s. Kühling's, A., Album für Solo-Scenen.

— wir Mädchen unter uns!, s.: Kühling's, A., Theaterspecialität.

— 500,000 Mark, s.: Kühling's, A., Album f. Liebhaber-Bühnen.

— der erste Maskenball, s.: Wallner's allgemeine Schaubühne.

—— mein Mann liest, s. Bloch's, E., Theater-Gartenlaube.

Paul, C. Alfons: 100.000 Thaler Mitgift, s. Kühling's, A., Theaterspecialität.

Paul, C. A. Müller u. Schulze auf der Jagd, s. Bloch's, Ed., Theater-Gartenlaube.

— Müller u. Schulze auf der Jagd, s. Bloch's, Ludw., Herren-Bühne.

Müller und Schulze auf der Jagd. Posse in 1 Akt von C. A[lfons] Paul. 2. Aufl. Berlin: E. Bloch [1906] (13 S.) 8° [F.]
= **Herren-Bühne**, Ludwig Blochs. No 60. [06. 9790

—— der glückliche Neumann, s. Kühling's, A., Album für Solo-Scenen.

—— Nicht um eine Million, s. Bloch's, Ed., Theater-Gartenlaube.

Paul, C. A., nicht um e. Million!, s.: Bloch's, Ludw., Herren-Bühne.

—— eine Nothlüge, s. Theater-Mappe

—— Nunne vor Gericht, s. Kühling's A., Theater-Specialität.

—— nur zum Spaß, s. Kühling's, A., Album für Liebhaber-Bühnen.

—— o, diese Männer, s. Kühling's, A., Album für Solo-Scenen.

—— aus dem Papierkorb, } s. Kühling's, A., Album für Liebhaber-Bühnen.

— Grenadier Pfiffig, s.: Kühling's, A., Theater-Specialität.

—— Martha's Polterabend, s. Bloch's, E., Dilettanten-Bühne.

Paul, C. A., die Preußen vor Paris. Dramatisches Gedicht. Eine Festgabe zur allerhöchsten Krönungsfeier Sr. Maj. König Wilhelm I. Berlin 861. Sandrog & Co. (Grothe.) gr. 8. (24 S.) n. 5 ngr.

— Qui pro quo, s.: Kühling's, A., Album f. Liebhaberbühnen.

— ein deutscher Reichs-Fechtbruder, s.: Bloch's, E., Dilettanten-Bühne.

— Liesettchens erstes Rendezvous, s.: Kühling's, A., Theaterspecialität.

— drei Schätze — u. e. Schatz, s.: Kühling's, A., Theater-Specialität.

—— strikende Schmiede, s. Bloch's, Ed., Dilettanten-Bühne.

—— der lustige Schusterjunge, s. Kühling's, A., Album für Solo-Scenen.

—— Sie müssen die Zeche bezahlen!, s. Kühling's, A., Theater-Specialität.

—— im Silbermyrthenkranz, s. Polterabend-Salon.

—— eine schwere Sitzung, s. Bloch's, E., Theater-Gartenlaube.

— Soldatenlust im Kriege, s.: Kühling's, A., Album für Liebhaber-Bühnen.

—— Soldatenlust im Kriege, s. Kühling's, A., Album für Solo-Scenen.

—— Soldatentreue, s. Bloch's E., Theater-Korrespondenz.

— ein ander Städtchen, e. ander Mädchen, s.: Bloch's, E., Dilettanten-Bühne.

— e. ander Städtchen, e. ander Mädchen, s.: Bloch's, Ludw., Militär-Festmappe.

—— Suse, die Dorfhexe, s. Album für Liebhaber-Bühnen.

—— ihr Tänzer, s. Bloch's E., Dilettanten-Bühne.

—— Unabhängig, s. Theater-Mappe.

— Unfehlbar, s.: Kühling's, A., Album f. Liebhaber-Bühnen.

— unverhofft kommt oft, od. Glück im Unglück, } s.: Bloch's, Ludw., Herren-Bühne.

—— veni, vidi, vici, s. Album für Liebhaber-Bühnen.

—— ein Viertelstündchen vor dem Polterabend, s. Polterabend-Salon.

— ein kleiner Vorwand, s.: Kühling's, A., Theater-Specialität.

—— mit gleichen Waffen, s. Theater-Mappe.

—— Warum ich so schnell Hochzeit machte, s. Kühling's, A., Album für Solo-Scenen.

—— eine Whistpartie unter Damen, s. Bloch's, E., Theater-Correspondenz.

—— Wie man einen Bauern fängt, s. Kühling's, A., Theater-Specialität.

— Berliner Wochenmärkte, s. Stadtklatsch, Berliner.

— Zierbein als Freier, s. Bloch's, Ludw., Herren-Bühne.

—— zum Tode verurtheilt, s. Bloch's, E., Theater-Gartenlaube.

Paul, C. M., die Congerien- und Paludinenschichten Slavoniens und deren Faunen, s. Neumayr, M.

Paul, C. M. Ein geologisches Profil aus dem Randgebirge des Wiener Beckens. (Aus dem Jahrb. d. k. k. geol. Reichsanst.) Wien. 1859. 4.

Paul, C. M., geologische Uebersichtskarte des Herzogth. Bukovina. Nach seinen eigenen für die k. k. geolog. Reichsanstalt durchgeführten Aufnahmen und mit Benützung der Arbeiten der Herren Baron O. v. Petrino, B. Walter, D. Stur und J. Niedzwiedzki entworfen. 1:288,000. Chromolithogr. Imp.-Fol. Wien 876, Hölder. *

Paul, C. M.: Geologische Übersichtskarte der Bukowina. (1:288.000.) Wien: Pichler 1876.

Paul, Carl, s. Paul, Karl

Paul, Christian, appr. Arzt a. Ansbach (Bayern): Ueber einen Fall von Embolie der Arteria mesenterica superior. Erlangen 1906: E. Th. Jacob. (27 S.) 8°

Erlangen, Med. Fak., Ref. v. Kryger, Diss. v. 1. Nov. 1906

[Geb. 17. April 81 Ansbach: Wohnort: Ansbach; Staatsangeh.: Bayern; Vorbildung: Gymn. Ansbach Reife Juli 00; Studium: Erlangen 10 S.; Coll. 7. Juni 06; Approb. 27. Mai 05.]

Paul, D., Magda, s. Reiselectüre.

Paul, E., der Taucher, s.: Schiller, Fr. v.

St. Joseph hat geholfen! Dramat. Familienbild in 1 Aufzug. Für kath. Arbeitervereine verf. von Eduard Paul. *Paderborn: J. Esser 1901.* (24 S.) 8° [F.]

— Sammlung, J. Esser's, leicht aufführb. Theaterstücke. II. 71. [01. 3165

Paul, Ed., St. Joseph hat geholfen!, s. a. Esser's, J., Sammlg. leicht aufführbarer Theaterstücke.

Paul, Emil: Am Altar der Wahrheit. [Dichtung von Albert Linge], für Tenor und Bariton und Schlusschor ad. lib. mit Begl. von Klavier, Harmonium, Streichquartett, Flöte und Klarinette [Horn u. Oboe ad. lib.]. o. O. u. J.
[KfF. (1911) S. 139—140.]

Am Altar der Wahrheit. Dichtung von Alb. Linge, für Tenor und Bariton und gemeinsamen Gesang komponiert von Emil **Paul**. [Leipzig 1907.] 1 Bl. 8°. [Kopftit.]
Ohne Noten: „Am Altar der Wahrheit hebt himmelwärts" ... 21.

Stiftungsfest [der Loge Balduin zur Linde] 1907. [Lied von Albert Linge und E. Paul.] Zur Arbeit. [Leipzig 1907.] 1 Bl. 8° [Kopftit.]
Ohne Noten. Am Altar der Wahrheit: „Am Altar der Wahrheit hebt himmelwärts..." 8.

Paul, Ernest, eine Jugend. Gedichte. (44 S.) 8. Leipzig 910. Modernes Verlagsbureau. 1.50

Ernest **Paul**. Eine Jugend. Gedichte. Berlin-Leipzig: Wigand 1910. 44 S. 8°

Auf nach Peking! oder Li-Hung-Tschang, Du ahnst es nicht. Posse mit Gesang in 1 Akt von Ernst Paul. *Landsberg a. W.: Volger & Klein [1900].* (15 S.) 8° [𝔉.]
= Theater-Album, Militärisches. No 97.

Paul, Ernst, die Chloräthyl-Narkose in der zahnärztlichen Praxis. (18 S.) 8. Berlin (906). Berlinische Verlagsanstalt. n. 1.—

Paul, Ernst, es lebe die Marine!, s.: Theater-Album, militärisches.

Gegen die Hereros oder Freiwillige vor. Kolonialschwank mit Gesang in 1 Akt von Ernst **Paul**. Landsberg a. W.: Volger & Klein [1904]. (16 S.) 8° [𝔉.]
= **Theater-Album**, Militärisches. No 110.

Paul, Ernst, zum Kaisergeburtstagsball, s.: Theater-Album, militär.

Paul, Ernst, e. Küchentyrann, s.: Liebhaber-Bühne, neue.

Paul, Ernst, Lehrgang im Gesangunterrichte an Seminaren u. anderen höheren Lehranstalten. I. u. II. Tl.: Lex. 8. Dresden-Blasewitz, Bleyl & Kaemmerer. Geb. in Leinw. nn 7.10
I. Unterstufe. 2. verb. Aufl. (128 S. m. 71 Fig.) 910. Geb. nn 3.25
II. Oberstufe. (148 S.) 908. 3.20; geb. n 3.85

— s.: **Medizinal-Kalender f. Zahnärzte.**

Paul, Ernst, s.: Monatsschrift f. Schulgesang.

Der schöne Oscar. Schwank mit Gesang in 1 Akt von Ernst Paul. *Landsberg a. W.: Volger & Klein [1901].* (15 S.) 8° [𝔉.]
= Theater-Album, Militärisches. No 103.

Dienstmann Renneboom oder Alt-Berlin. Posse in 1 Akt, nach e. ält. Idee von Ernst Paul. *Landsberg a. W.: Volger & Klein [1900].* (24 S.) 8° [𝔉.]
= Liebhaber-Bühne, Neue. No 69.

Mit Sense u. Spaten, s.: Volger's Vereins-Bühne.

— Unschuldig verdächtigt, s.: Weihnachts-Bühne.

Paul, Ernst Ludwig, vgl. Pauli, Ernst Ludwig

Paul, Ernst Ludwig (zweyter Evangelisch-Reformirter Prediger in Magdeburg), Der Herr hat Grosses an uns gethan! — Dieses rühmete, am frohen Friedens-Feste, den 6. Merz 1763 in seiner Gemeine — — Magdeburg. Frankfurt und Leipzig, verlegts Daniel Christian Hechtel, Königl. Preuss. Commercien-Rath und privilegirter Buchhändler. 8. 28 S.

Paul, Ewald. Adressbuch der Wasserheilanstalten, Bäder, Kurorte, Institute f. Massage u. Heilgymnastik u. ähnl. Unternehmungen, sowie der im Sinne fortgeschrittener, natürl. Heilkunde thät. Aerzte etc. Deutschlands, Oesterreichs u. der Schweiz. 1. Jahrg. 1891. Mit e. Abhandlg. üb. die natürl. Heilmittel. 12. (58 S.) Wiesb., Sadowsky. * 1 —

Paul, Ewald, Adressbuch der Wasserheilanstalten, Bäder, Kurorte, Institute f Massage u. Heilgymnastik u. ähnlichen Unternehmungen, sowie der im Sinne fortgeschrittener, natürl Heilkunde thät. Aerzte, ferner der sog. Naturheilkundigen, Masseure, Magnetiseure etc. Deutschlands, Oesterreichs u. der Schweiz. Unter besond. Berücksicht. der empfehlenswertheren Anstalten u. Heilkünstler zusammengestellt. 2. Jahrg. 1892/93. 12. (37 S.) Wiesbaden, H. Sadowsky. n. —60

Paul, Ewald, sieh: Adressbuch der Wasserheilanstalten, Bäder etc. 1891 ff.

Paul, Ewald, Egypten in handelspolitischer Hinsicht, s. a. Zeit- u. Streit-Fragen, deutsche.

Paul E, Agypten in handelspolitischer Hinsicht. (Zeit- u Str. 192) Berlin 1884

Paul, Ewald (I.), das russische Asien und seine wirthschaftliche Bedeutung, s. a. Zeit- und Streit-Fragen; deutsche.

Paul, Ewald: Das russische Asien und seine wirthschaftliche Bedeutung. (Deutsche Zeit- und Streit-Fragen. N. F. Jahrg. 3. Heft 40.) Hamburg 1888. 38 S. 8°.

Paul, Ewald, Erschütterungskuren. Ein neues, sicheres Kurverfahren f. viele Herz-, Nieren-, Nerven- u. Rückenmarkkranke, Steinleidende etc. 2. wesentl. umgearb. u. erweit. Aufl. 8. (32 S.) Hannover (898, 899). L. Oertel. n. 1.—

— fort m. den Nervenplagen. Eine Anweisg. zur Heilg. u. Vermeidg. der Nervenschwäche u. Nervenerkrankgn. gr. 8. (15 S.) Graz 889. Ebd. n. 1.—

—— Fort m. den Nervenplagen. 2. Aufl. gr. 8. (49 S. m. Abbildgn.) Wiesb. 892, Sadowsky. * 1 —
Die 1. Aufl. (15 S.) erschien 1889 im Commissionsverlage v. Cieslar in Graz.

Die Frauenkrankheiten, ihre Ursachen u. ihre schnelle sichere Heilung auf naturgemässem Wege v. Ewald **Paul**, Naturforscher ... *Hannover: L. Oertel [1898].* (40 S.) 1 Bd 8.

Paul, Ewald, die Frauenkrankheiten, ihre Ursachen u. ihre schnelle, sichere Heilung auf naturgemässem Wege. 8. (32 S.) Hannover 899. L. Oertel. n. 1.—

— der Gelenkrheumatismus u. seine schnelle u. sichere Heilung. Mit e. Gratisbeilage: „Ein neues werthvolles Kurverfahren" 2c. 16. (37 u. X S.) Leipzig (895). (Verlag moderner Belletristik.) 1. —

Paul, Ewald, Gesundheits-Bibliothek. I. Bdchn. 16. Graz 892. E. Paul. — 40
Fort m. der Cholera. Wie schützt man sich vor ihr am Besten? Wie bekämpft man sie am sichersten? Wie heilt man sie am schnellsten? Trostreiche Auskünfte an alle Furchtsamen u. Bedrohten v. Ewald Paul. (24 S.)

— Gesundheits-Bibliothek. 2.—5. Bdchn. 16. Graz. (Leipzig, Verlag moderner Belletristik.) à — 40
2. Gegen Kneipp. Ernste Betrachtgn. üb. die Nachtheile u. Gefahren der Kneipp-Cur u. üb. Irrgn. Kneipps. Von e. Sachverständigen. (29 S.) 892.
3—5. Apostel idealer Gesundheits-Pflege u. Heilkunde. I. Thl. (128 S. m. 1 Bildnistaf.) 892.
1. Bdchn, jetzt Ebd. 892. n. —40.

Die Gicht, ihr Wesen, ihre Ursachen u. ihre schnelle u. sichere Heilung. Gemeinverständlich dargest. v. Ewald Paul, Naturforscher ... *Hannover: L. Oertel [1898]*. (48 S.) 1 Bd 8. [98. 9197 ...

— die Gicht, ihr Wesen, ihre Ursachen u. ihre schnelle u. sichere Heilg. Gemeinverständlich dargestellt. 8. (42 S.) Hannover 899. L. Oertel. n. 1. —

— Griechenland u. die Türkei. Zeitgemäße Erörtergn. zum Verständniß der Balkanfrage. 8. (47 S.) Leipzig 886. Greßner & Schramm. n. — 60

— die Hautpflege als Mittel zur Verhütung u. Heilung vieler Krankheiten, sowie zur Kräftigung u. Verschönerg. des Körpers. Mit e. Gratisbeilage: „Ein neues werthvolles Kurverfahren" 2c. 16. (39 u. X S.) Leipzig 895. (Verlag moderner Belletristik.) 1. —

— die Heilmittel der Blutarmut u. Bleichsucht. 8. (14 S.) Ebd. 895. — 50

— die Heilmittel der Zuckerharnruhr. Mit e. Gratisbeilage: „Ein neues wertvolles Kurverfahren" 2c. 16. (42 u. X S.) Ebd. 895. 1. —

— die schnellste Heilung d. Muskel-Rheumatismus. gr. 8. (16 S.) Graz 889. [Cieslar.] Wiesbaden, Sadowsky. n. 1. —

Aus der Hochburg des Irredentismus. Paduaner Sittenbilder von Ewald Paul. Magdeburg-N.: R. Zacharias [1905]. (38 S.) 8° [05. 13376 3

— die russischen Intriguen gegen den Fürsten Alexander u. die Zukunft Bulgariens. Ein Mahnwort an unsere Zeit. 2. Aufl. gr. 8. (34 S.) Leipzig 886. Renger. n. — 50

—— der Kampf um die Weltherrschaft. gr. 8. (32 S.) Berlin 887, Brachvogel und Ranft. * — 75

— gegen Kneipp. Ernste Betrachtgn. üb. die Nachtheile u. Gefahren der Kneipp-Cur u. üb. Irrgn. u. Uebertreibgn. Kneipp's. 3., wesentl. erweit. u. verb. Aufl. 16. (52 S.) Graz (894). (Leipzig, Verlag mod. Belletristik.) — 50

—— Die geschlechtlichen Krankheiten. Blicke auf ihre Wesenheit u. ihre einfachste, sicherste u. unschädlichste Heilweise. 2. vollst. umgearb. Aufl. gr. 8. (47 S.) Wiesb. 891, Sadowsky. * 1 —
1. Aufl. (14 S.) erschien 1890 im Commissionsverlage von Cieslar in Graz.

— die Kunst der Massage. Eine Anweisg. zur Handhabg. dieses nützl., bill. u. überaus wertvollen Heil- u. Kräftigungsverfahrens f. jedermann. gr. 8. (46 S. m. Abbildgn.) Ebd. 891. n. 1. —

Paul, Ewald, die Kunst sich zu verjüngen u. zu verschönen. Geheimnisse uns. Verjüngg. u. Verschönerg. Enthüllungen, Studien u. Winke. 12. (72 S.) Stra b. Venedig 897. (Mailand, O. Kielmeyer [durch A. Jügelt in Auma].) n. 3. —

— über Luft-, Licht- u. Sonnenbäder, s.: Miniatur-Bibliothek.

Die Magenkrankheiten, ihre schnelle u. sichere Heilung durch e. einfaches, Jedermann zugängliches Kurverfahren v. Ewald Paul, Naturforscher ... *Hannover: L. Oertel [1898]*. (40 S.) 1 Bd 8. [98. 9198 ...

— die Magenkrankheiten, ihre schnelle u. sichere Heilung durch e. einfaches, Jedermann zugängliches Kurverfahren. 8. (32 S.) Hannover 899. L. Oertel. n. 1. —

— die Mittel zur Verhütung allzugrossen Kindersegens. Eine Würdigg. ihres Nutzens u. Schadens, sowie e. Betrachtg. üb. die Gefahren der Uebervölkerg. 2., wesentlich verb. u. erweit. Aufl. gr. 8. (70 S.) Ebd. 894. n. 1. 60

— die Nieren-Krankheiten, deren Entstehg., Vermeid. u. wirkliche Heilg. 1.—3. Tausend. gr. 8. (32 S.) Wiesbaden 890. Ebd. n. 1. —

— die Nierenkrankheiten, deren Entstehg., Vermeidg. u. wirkl. Heilg. 2. Aufl. gr. 8. (32 S.) Ebd. 892. n. 1. —

— Onanie u. Impotenz. Selbstbefleckung u. Mannesschwäche, ihr Wesen, ihre Folgen u. ihre naturgemäß. Behandlg. Nebst Heilgeschichten aus dem Bereiche der Naturheilkunde. 8. (78 S.) Graz 892. E. Paul. n. 3. —

— Onanie u. Impotenz, Selbstbefleckg. u. Mannesschwäche, ihr Wesen, ihre Folgen u. ihre naturgemäße Behandlg. Nebst Heilgeschichten aus d. Bereiche d. Naturheilkunde. 2., wesentl. verb. u. erweit. Aufl. m. Illustr. 12. (IV, 111 S.) Leipzig 895. W. Malende. n. 3. 50

Paul, Ewald (in München, geb. 11. Juni 1863 in Halberstadt), Sittenbilder aus Steiermark. Stra bei Venedig (1897). 8°.
Sensationelle Enthüllungen. — Verboten v. L.-G. Graz, 31. III. 1897.

— — Dasselbe. Auma 1897. 8°. (Mk. 2—.) (60 Pfg. Mindestgebot R. Zinke's Dresdner Febr.-Auct. 1909.)

— — Dasselbe. Ohne Titelblatt (absichtlich weggelassen). 8°. (Wie vorhin.)

Paul, Ewald. Sonnenbäder. Ein Heilmittel f. viele Krankheiten u. e. Verjüngungs- u. Verschönerungsmittel f. Jedermann. gr. 8. (18 S.) Graz 891, Paul. * — 50

— Sonnen- u. Lichtluftbäder. Ein Kräftigungs- u. Verschönerungsmittel f. Jedermann u. e. Heilmittel f. viele Krankheiten. 2., wesentlich verb. u. verm. Aufl. gr. 8. (33 S.) Leipzig 894. M. Spohr. n. — 60

Paul, E.: Allerlei Sport. Prakt. Ratschläge zur Erhaltung und Förderung der Gesundheit, zur Ausbildung und Veredlung des Körpers. Graz 1889. 174 S.

—— Allerlei Sport. Praktische Rathschläge zur Erhaltg. u. Förderg. der Gesundheit, zur Ausbildg. u. Veredlg. d. Körpers, sowie zur Beseitigg. der modernen Krankheiten durch Sport. 2. Aufl. 12. (V, 174 S.) Wiesb. 890, Sadowsky. * 1 —
Die 1. Aufl. erschien 1889 im Commissionsverlage von Cieslar in Graz.

— die Ursachen, das Wesen u. die Heilmittel der Rückenmarkskrankheiten, insbesondere der sogen. Rückenmarksschwindsucht [Tabes dorsalis] u. der einfachen nervösen Störungen d. Rückenmarks [Neurasthenie d. letzteren, Spinal-Irritation]. Nebst vielen Heilgeschichten. gr. 8. (90 S. m. Abbildgn. Wiesbaden 891. H. Sadowsky. n. 1.60

— s.: Vita sexualis.

Paul, E., was die Ärzte verschreiben. Rezeptschlüssel, zur Aufklärg. f. jedermann bearb. 8. (VIII, 85 S.) Leipzig 890. M. Hesse's Verl. n. 1.50

—— Was können wir durch einen etwaigen Krieg mit Frankreich gewinnen? Zeitgemäße Worte an das deutsche Volk. gr. 8. (26 S.) Leipzig 887, Gloeckner. * — 50

Paul, Ewald (II.), der beste Weg zur Heilung von Herzleiden. Ehrliche und verständl. Worte an alle Herzkranken. gr. 8. (26 S.) Graz 888, (Cieslar.) *

— der beste Weg zur Heilung v. Herzleiden. Ehrliche u. verständl. Worte an alle Herzkranken. 2., wesentlich erweit. u. verb. Aufl. 8. (IV, 64 S. m. Abbildgn.) Ebd. 894. n. 1.20

— die Wesenheit. Entstehungsursachen u. besten Heilmittel des Muskel-Rheumatismus. 2., wesentlich umgearb. Aufl. der Schrift „Die schnellste Heilung des Muskel-Rheumatismus". gr. 8. (48 S.) Ebd. 894. n. 1.20

—— wie ich mein Lungenleiden schnell und gründlich kurirte. Helfende Worte an alle Lungenkranken. gr. 8. (12 S.) (Ebendas.) 888. *

— wie man die Lungenschwindsucht schnell u. gründlich kurirt. Helfende Worte an alle Lungenkranken u. Lungenschwachen. 2., wesentlich verb. u. verm. Aufl. gr. 8. (48 S. m. Abbildgn.) Wiesbaden 890. Sadowsky. n. 1. —

— Winke für Eheleute. Eine Sammlg. hochinteressanter Abhandlgn. 4. erweit. u. verb. Aufl. (4.—10. Tauf.) 12. (105 S.) Leipzig (902). Verlag mod. Belletristik. — 60

Paul, Ewald: Winke zur Schönheitspflege, s. Miniaturbibliothek.

— s.: Zeitschrift, illustr., f. Gesundheitspflege.

—— die Ziele des Russentums. 1. und 2. Aufl. gr. 8. (48 S.) Leipzig 886, Greßner und Schramm. — 75

— die Zukunft der Franzosen. 8. (48 S.) Leipzig 886. Greßner & Schramm. n. — 60

— die Zukunft unseres Handels, s. a. Zeit- u. Streitfragen, deutsche.

Paul E. die Zukunft unseres Handels. (Zeit- und Streitfragen N F 2) Berlin 1886

Paul, F., Handbuch zum dienstlichen Gebrauch f. Polizei-Verwalter. Enthaltend eine Uebersicht der auf Uebertretungen bezüglichen Verordnungen u. der darauf anzuwendenden Strafen, mit pract. Erläuterungen u. Formularen u. einem alphabet. Sachregister versehen. gr. 8. (VI u. 58 S.) Oppeln 852, Weilshäußer. 6 ngr

Paul, F., Pferderennen, Wetten u. Totalisator. (22 S.) 8. Leipzig (909). S. Schnurpfeil. — 25

— Das Radrennen u. seine Technik. Mit e. Verzeichnis der deutschen Radrennbahnen. (32 S.) kl. 8. Ebd. (909). — 25

— Das Rodeln. (31 S. m. Fig.) kl. 8. Ebd. (909). — 25

— Der Skilauf. Kurzgefaßte Anleitg. zur Erlerng. des Skilaufs m. Wenden, Springen, Abfahren ꝛc., nebst Beschreibg. der verschiedenen Bindgn. (32 S. m. 23 Abb.) 8. Ebd. (908). — 25

Paul, F . Der Skilauf. Kurzgefasste Anleitung zur Erlernung des Skilaufs mit Wenden, Springen, Abfahren &c., nebst Beschreibung der verschiedenen Bindungen. Mit 23 Abbildungen [und illustriertem Umschlag]. 32 S. 8. Rorschach, Paul J. Kober, [1909]. (fr. —. 40)

Sonnenbad u. Nacktkultur. (31 S.) 8. Ebd. (910). — 25

— Olympische Spiele. Kurzgefaßte Anleitg. des sportl. Laufens, Springens u. Schleuderns in allen Abarten, wie solche bei den offiziellen olymp. Spielen zur Ausführg. kommen, nebst Auszug aus den Wettkampfbestimmgn. der deutschen Sport-Behörde f. Atheletik. (36 S. m. 16 Abb.) 8. Ebd. (908). — 25

— Der Umgang m. dem Fahrrad. (32 S. m. Abbildgn.) kl. 8. Ebd. (910). — 25

Paul, Fr., die Töchter des Verurtheilten oder Pariser Geheimnisse. Frei nach dem Französ. 1—6. Liefg. Berlin 864. Moeser. gr. 8. (S. 1—288.) Jede Liefg. 3 ngr.

Paul, Fr., die Töchter des Verurtheilten oder Pariser Geheimnisse. Frei nach dem Französ. 18 Lfgn. gr. 8. (860 S.) Berlin 865, Moeser. à Lfg. 3 Ngr.

PAUL, FRANZ: Gefühle aller Guten am Neujahrstage 1836. für Se. bischöfliche Gnaden Herrn Franz Laicsák kön. Rath und Studien-Ober-Director in dem Großwardeiner Literar-Distrikt; verdolmetscht, und Hoch Demselben ehrfurchtsvoll dargebracht. Gedicht. Großwardein 1836. Gedr. bei Johann Tichy. 2 f. - 4°

Paul, Frederick Parnell: Beiträge zur petrographischen Kenntnis einiger foyaitisch-theralithischer Gesteine aus Tasmanien. Mit 1 Tafel und 2 Textfiguren. Wien: A. Hölder 1906. (II, 50 S.) 8° ¶(Aus: Tschermaks Min. u. petrogr. Mitteilungen Bd 25, H. 4.)
Heidelberg, Naturw.-math. Fak., Ref. Rosenbusch, Diss. v. 1. Aug. 1906
[Geb. 28. Okt. 73 Sydney, Australien; Wohnort: Sydney; Staatsangeh.: England; Vorbildung: School of mines, Ballarat, Victoria, Australien Diplom 95; Studium: Freiberg Bergak. 2, Leipzig 5, Heidelberg 4 S.; Rig. 1. Aug. 05.]

Paul, Friedrich [Pseud.], s. Reder, E.

Paul, Frdr., üb. Bedeutg. u. Anwendg. d. Photographie im Strafverfahren. gr. 8. (56 S. m. 2 Fig. u. 1 Taf.) Zittau 895. (Olmütz, E. Hölzel.) n. 1.20

Beiträge zur Einführung des anthropometrischen Signalements Alphonse Bertillons v. Friedrich **Paul**, K. K. Gerichtsadj. (Erweit. SA. aus d. Zeitschr. f. Criminal-Anthropologie, Gefängnisswiss. u. Prostitutionswesen.) ... *Berlin: M. Priber & Lammers 1897.* (48 S.) 8.
= **Sammlung** Criminalanthropologischer Vorträge. H. 1. [97. 6,62

Paul, Friedrich, Referendar: Die Ehrenannahme. Borna-Leipzig 1910: Noske. IX, 56 S. 8°
Leipzig, Jur. Diss. v. 9. Juni 1910
[Geb. 27. Dez. 86 Metz; Wohnort: Dresden-N.; Staatsangeh.: Sachsen; Vorbildung: Gymn. Wurzen Reife O. 06; Studium: Grenoble 1, Tübingen 3, Leipzig 2 S.; Rig. 2. Juli 09.] [U 10. 2826

Handbuch der kriminalistischen Photographie für Beamte der Gerichte, der Staatsanwaltschaften und der Sicherheitsbehörden von Friedrich **Paul**, k. k. Gerichtssekr. in Olmütz. (Vorr.: Hanns Gross.) *Berlin: J. Guttentag 1900.* (93 S.) 8° [00. 6749

Paul, Frdr., Lehrbuch der Heiz- u. Lüftungstechnik. Nach leichtfassl. Theorien u. m. besond. Rücksicht auf die Bedürfnisse der Praxis verf. Mit üb. 300 Abbildgn. 4 Abthlgn. gr. 8. (XX, 772 S.) Wien 884. 85. Hartleben. à n. 4. 50; cplt. geb. n. 20. —

—— Wiener Schuleinrichtungen. Ein Beitrag zur Vervollkommnung der Schulbank, der Schultafel und des Ventilationsfensters. gr. 8. (32 S. mit 15 lithogr. Fig. auf 11 Taf.) Ebendas. 879. * 2 —

Paul, Fr., de Sillis Graecorum. Adjecta sunt Sillorum fragmenta notis illustrata. Berol. 820. 8.

Paul, Frid., de Sillis graecorum. Adjecta sunt sillorum fragmenta notis illustrata. 8maj. Berolini, Nicolai. 821.

Paul, Friedr., Central- und Ofenheizung, in besonderer Rücksicht auf die Bedürfnisse von Schulen, Spitälern, Gefangenhäusern etc., mit Darstellung eines vervollkommneten Luftheizungssystems, populär verf. Nach dessen im österreich. Ingenieur- und Architekten-Vereine gehaltenen Vorträgen. Imp.-4. (33 S. mit 6 lithogr. Taf. und 7 in den Text eingedr. Fig.) Wien 878, (Gerold's Sohn.) * 4 —

Paul, Fritz

Der verkaufte Bart oder Der große Treffer der Hamburger Lotterie. 2 lustige Streiche in 2 Akten von Fritz **Paul**. Paderborn: B. Kleine [1905]. (30 S.) 8° [F.]
= **Theater**, Kleines. H. 337.

— Kasperl als Professor Falb. Lustsp. in 3 Aufzgn. 12. (62 S.) Ebd. 897. — 45

Kasperl als Professor Falb. Lustspiel in 3 Aufz. von Fritz **Paul**. 2. Aufl. Paderborn: Bonifacius-Dr. [1906]. (62 S.) 8° [F.] [07. 11693

Paul, Fritz, Kaspar Larifari als Bildhauer. Lustsp. in 2 Akten. 12. (64 S.) Paderborn 898. Bonifacius-Druckerei. — 45

Kasper Larifari als Bildhauer. Lustspiel in 2 Aufz. von Fritz **Paul**. 2. Aufl. Paderborn: Bonifacius-Dr. [1906]. (64 S.) 8° [F.] [07. 11694

Kasper Larifari als Wunderdoktor. Lustspiel in 2 Akten von Fritz **Paul**. (3. Aufl.) *Paderborn: B. Kleine [1901].* (35 S.) 8° [F.]
— **Theater**, Kleines. H. 287. [05. 5008

Paul, G., die deutschen Prozeßordnungen u. die in Preußen geltenden Gesetze f. Angelegenheiten der nicht streitigen Gerichtsbarkeit. Systematisch dargestellt zur Vorbereitg. u. zum prakt. Gebrauch f. Beamte. gr. 8. (III, 240 S.) Berlin 883. (W. Kühn.) n. 3. 60

PAUL, Georg: Bluterbrechen und Bluthusten bei Kindern.- München: Kastner & Lossen 1897. 56 S. 16.7.1897 - Chr 1897/98,16; Jv 1897/98,217
Diss. Ingolst.-Landsh.-Mchn.

Paul, Geo., Berliner Kriminalstudien. 8. (180 S.) Berlin 886. Janke. 1. 50

Paul, Georg: Aus d. Zool. Inst. d. Univ. Gießen. Petalostoma minutum Keferstein und verwandte Arten nebst einigen Bemerkungen zur Anatomie von Onchnesoma steenstrupii. Gießen 1909: (Lippert, Naumburg a. S.). 47 S. 8° (Aus: Zool. Jahrbücher. Bd 29. Abt. f. Anat.)
Gießen, Phil. Diss. v. 17. Dez. 1909, Ref. Spengel
[Geb. 15. Nov. 83 Butzbach; Wohnort: Grünberg, Oberhessen; Staatsangeb.: Hessen; Vorbildung: Realgymn. Gießen Reife O. 02; Studium: Gießen 1, Berlin 1, Gießen 5 S.; Rig. 22. Jan. 09.]

Paul, G., Studentenstreiche. 8. (123 S.) Berlin 887. Janke. n. 1. —

Paul, Geo., Studentenstreiche. Humoresken. 2. Aufl. 8. (123 S.) Berlin (899). O. Janke. n. 1. —

Paul, Gottlobus Ehrenfred(us): De dysenteria. [Praeses:] Ioan[nes] Fridericus **Meckel**. Halae (1819): Hendel. 20 S. 8°
Halle-Wittenberg, Med. Diss. v. 3. Apr. 1819
Geb. Taubenheim bei Bautzen [30. 4.] 1783. V.
Verf. hatte am 2. 5. 1810 in Wittenberg das Rigorosum bestanden, aber das zur Promotion nötige Geld nicht aufbringen können. Das Ministerium genehmigte 28. 12. 1818 P.'s Promotion ohne zweites Examen.

Paul, Gustav

Paul, Gust. Das Alter des Menschengeschlechts. 33 S. *Rendsburg* 1881
Progr.

Paul, Gust., die Entwickelung der Schutzpockenimpfg., s.: Verwaltung, sociale, in Oesterreich. II. 5.

Paul, Gust., zur Frage: Wie die christliche Gemeinde für eine größere Betheiligung am kirchlichen Leben wieder gewonnen werden könne. Mit einem Vorwort von Ludw. Paul. Kiel 867. Schröder & Co. 8. (44 S.) n. 7½ ngr.

Paul, Gust., der österreichische Gerichtsarzt. Vademekum f. die forens. Praxis f. Aerzte u. Juristen. (XIV, 344 S. m. 18 Abbildgn. u. 1 Taf.) 8. Wien 904. F. Deuticke. n. 7. —

Paul, Gust., üb. Impfung, ihren Nutzen u. ihre Durchführg. insbes. in Oesterreich, s.: Volksschriften d. österr. Gesellschaft f. Gesundheitspflege.

— Lehrbuch der Somatologie u. Hygiene f. Lehrer- u. Lehrerinnenbildungsanstalten u. verwandte Institute. Mit 81 in den Text gedr., darunter 2 farb. Abbildgn. (VII, 196 S.) gr. 8. Ebd. 903. Geb. in Leinw. n. 2. 50

Paul, Gust., Lehrbuch der Somatologie u. Hygiene f. Lehrer- u. Lehrerinnenbildungsanstalten und verwandte Institute. 2. umgearb. Aufl. (VII, 232 S. m. 87 [3 farb.] Abbildgn.) 8. Wien 908. F. Deuticke. Geb. 2. 50

— dasselbe f. Lyzeen u. verwandte Institute. (VI, 175 S. m. 75 [2 farb.] Abb.) 8. Ebd. 904. Geb. in Leinw. n. 2. 40

— dasselbe f. Realgymnasien u. verwandte Anstalten. (V, 159 S. m. 73 [3 farb.] Abbildgn.) 8. Ebd. 910. Geb. in Leinw. 2. 20

PAUL, Gustav
(F) Der Nutzen der Schutzpocken-Impfung. Vortrag gehalten am 30. März 1901, in der 87. Vollversammlung des Vereines für Kindergärten und Kinderbewahranstalten in Oesterreich von Dr. Gustav Paul. Separatabdruck aus der Zeitschrift für das Kindergartenwesen. Wien. 1901. Selbstverlag der k. k. Impfstoffgewinnungs-Anstalt in Wien. In Comm. Šafář. Gr.-8°. 18 S. K—.30

— der Nutzen der Schutzpocken-Impfung. Vortrag, geh. am 30. III. 1901 in der 87. Vollversammlg. des Vereines f. Kindergärten u. Kinderbewahranstalten in Österreich. 4.Aufl. gr.8. (18 S.) Wien 1903. (J. Šafář.) —30
Sonderabdruck aus: „Zeitschr. f. das Kindergartenwesen".

Paul: Ueber die Pflege des idealen Vermögens auf Gymnasien. 14 S. –Rendsburg, Progr. 1869.

Paul, H., Beiträge zur Geschichte der Stenographie in Nassau. (VI, 104 S.) 8. Wiesbaden 905. (Moritz & Münzel.) 1.20

— Festschrift zur Feier der 50jährigen stenograph. Lehrtätigkeit des Herrn Ch. Ph. Pulch, Lehrer a. D. zu Wiesbaden (Ehrenmitglied d. Stolze'schen Stenographen-Vereins, E. S.). (8 u. 2 S. m. Bildnissen.) Lex. 8. Ebd. (903). —35

Paul, H., s.: Flinzer, Fedor, unsere Hausfreunde aus der Tierwelt.

— 10 Jahre der Stenographie-Schule (staatlich genehmigt) zu Wiesbaden. (Einleitend die Geschichte des Stolze'schen Stenographenvereins zu Wiesbaden.) (40 S.) 8. —55
Wiesbaden 1903. (Moritz & Münzel)

Paul, H., Predigt, gehalten am ersten Sonntag post Trinitatis, den 11. Juni 1882, in der St. Jacobi-Kirche zu Sangerhausen über Matth. 5, 48. gr. 8. (15 S.) Sangerhausen 882, Schneider. * — 40

Paul, Frau H.: Die Überschätzung der Jungfernschaft. E. Beitr. z. modernen Frauenfrage. — Dresden: Diegmann [1905]. 32 S. 8°

Paul, H.: [Kopft.:] Die Wortkürzungen des Joh. Kolvoss. 3. Vortr. geh. in d. Stenographieschule zu Wiesbaden. Wiesbaden 1894. (16 lith. S.) 1 Bd. 8°

Paul, Hans, d. ABC uns. Glaubens. D. evang. Volke dargeboten. 8. (43 S.) Braunschweig 895. Berlin, C. A. Schwetschke & Sohn. n. — 60

— zwölf Betrachtungen an d. Grenze d. Jahrhunderts. 1899/1900. Nr. 1 u. 2. gr. 8. Leipzig 897. Hannov. Münden, R. Werther. Subskr.-Pr. f. 12 Hfte. n. 2. 50; Einzelpr. à n. — 25
1. Entspricht d. heut. Theater d. Werdeprozeß d. Humanismus wohlregierter Länder im Geiste e. Shakespeare, Goethe, Schiller, Lessing u. A.? (12 S.)
2. Bürgerlich u. bureaukratisch! Tragikom. Charaktersp., nebst dazugehör. Kommentar. (30 S.)

Paul, Hans, u. Jul. Lehmann. Hülfsbuch bei Herstellung u. Preis-Berechnung v. Druckwerken. Mit 16 Kunst-Beilagen, 12 Text-Illustr. u. den 12 Papier-Normal-Formaten. Lex.-8. (VIII, 83 S.) [Bresl. 890, Freund.] Lpz., Paul. geb. * 3 50

—— dass. — 2. erw. u. umgearb. Aufl. m. 24 Kunstbeilagen, 19 Text-Illustr. u. den 12 Papier-Normal-Formaten, hrsg. v. Hans Paul. gr. 8. (XII, 109 S.) Ebd. 890. geb. * 5 —

—— dass. — 3. erweit. Aufl. m. 26 Kunstbeilagen, 19 Text-Illustr. u. den 12 Papier-Normal-Formaten, hrsg. v. Hans Paul. gr. 8. (XII, 110 S.) [Bresl. 891, Freund.] Lpz., Paul. geb. in Leinw. * * 6 —

Paul, Johs., u. Jul. Lehmann, Hülfsbuch bei Herstellung u. Preisberechnung v. Druckwerken. 4. erweit. Aufl. m. zahlreichen Beilagen, Textillustr. u. 12 Papier-Normal-Formaten. Hrsg von Joh. Fel. Ferd. Paul. (VIII, 188 S.) gr. 8. Leipzig 904. J. Paul. Geb. in Leinw. n. 10. —

Paul, Hans, Gottes Sünderliebe u. Sündenhaß. Den Gebildeten, welche nach der Gottesoffenbarg. in Jesu Christo fragen, dargeboten. gr. 8. (40 S.) Dresden 894. J. Naumann. n. — 60

PAUL, Heinrich (Obersaulheim): Aorten-Aneurysma infolge fibröser (luetischer?) Endarteriitis.- München: Buchner 1897. 18 S.
20.7.1897 - Chr 1897/98,17; Jv 1899/1900,207 (Prom.-Datum: 1900)
Diss. Ingolst.-Landsh.-Mchn.

Paul, Heinrich, Justizreferendär in Heilbronn: Inwieweit finden die Vorschriften des bürgerlichen Gesetzbuchs über gegenseitige Verträge auf den Gesellschaftsvertrag Anwendung? Heilbronn 1906: V. Kraemer. (60 S.) 8° [F.]
Tübingen, Jur. Fak., Ref. v. Rümelin, Diss. v. 12. Febr. 1906
[Geb. 7. Mai 80 Nürnberg; Wohnort: Heilbronn; Staatsangeh.: Württemberg; Vorbildung: Gymn. Heilbronn Reife M. 98; Studium: Tübingen 5, Leipzi- 1, Tübingen 1 S.; Coll.: Justizdienstprüfung.]

Paul, Heinr., Verkehrs-Handbuch d. bayr. Rheinpfalz. Nach amtl. Quellen bearb. Stand vom 1. Aug. 1895. gr. 8. (IV, 180 S. m. 1 farb. Karte.) Kaiserslautern 895. E. Crusius. Kart. n. 3. —

Paul, Herm., der kleine Anton, s.: Pruß, Boleslaw.

Paul, Herm., d. Bedeutg. d. deutschen Philologie f. d. Leben d. Gegenwart. Festrede, geh. in d. öffentl. Sitzg. d. k. b. Akademie d. Wissenschaften zu München am 15. XI. 1897. gr. 4. (23 S.) München 897. (G. Franz' Verl.) n. 80

Paul, Hermann, aus Garz a. O.: Beiträge zur Biologie der Laubmoosrhizoiden. Mit 23 Abb. im Text. *Leipzig: W. Engelmann 1902.* (48 S.) 8° ¶ (Aus: Engler's Botan. Jahrbücher, Bd 32, H. 2.)
Berlin, Phil. Diss. v. 12. Nov. 1902

Paul, Herm., s.a. Beiträge zur Geschichte der deutschen Sprache und Literatur.

—— und Wilh. Braune, Beiträge zur Geschichte der deutschen Sprache und Literatur. 1. Bd. 1. Heft. gr. 8. (280 S.) Ebendas. 873. * 4 50

Paul, Herm. (I.), zur orthographischen Frage, s. a. Zeit- und Streit-Fragen, deutsche.

Paul H, zur orthographischen Frage. (Zeit- u Streitfragen, Deutsche 143) Berlin 1888

—— Gab es eine mittelhochdeutsche Schriftsprache? Vortrag. 1. und 2. unveränd. Abdr. gr. 8. (37 S.) Halle 873, Lippert'sche Buchh. * 1 —

Paul, Hermann, Dr.: Gedanken über das Universitätsstudium. München 1909: Wolf. 23 S. 4° [U 10. 3727
München, Rede b. Antritt d. Rektorats am 11. Dez. 1909

— Geschichte d. german. Philologie. 2. Aufl. [Aus: „Grundr. d. german. Philol."] gr. 8. (III, 158 u. 23 S.) Strassburg 897. K. J. Trübner, Verl. n. 4. —

Paul, Herm., mittelhochdeutsche Grammatik, s.a. Sammlung kurzer Grammatiken germanischer Dialekte.

Paul, Herm., Mittelhochdeutsche Grammatik. Halle 1881. 8.
Ist: Samml. kurzer Gramm. german. Dialecte. II. . . . . (D.)
—, — 2. Aufl. Halle 1884. 8. — 3. Aufl. Halle 1889. 8.

Mittelhochdeutsche Grammatik von Hermann Paul. 6. Aufl. Mit Wort- u. Sachreg. von Franz Saran. Halle a. S.: M. Niemeyer 1904. (XI, 222 S.) 8°
= Sammlung kurzer Grammatiken german. Dialekte. 2.

Mittelhochdeutsche Grammatik von Hermann Paul. 7. Aufl. Mit Wort- u. Sachreg. Halle a. S.: M. Niemeyer 1908. (XI, 222 S.) 8°
= Sammlung kurzer Grammatiken german. Dialekte. 2.

— Grundriss der germanischen Philologie, unter Mitwirkg. von K. v. Amira, W. Arndt, O. Behaghel etc. hrsg. I. Bd. 1.—4. Lfg.; II. Bd. 1. Abteilg. 1.—4. Lfg. u. 2. Abteilg. 1. u. 2. Lfg. gr. 8. Strassburg 889. 890. Trübner, Verl. n. 24. —
I. Bd. 1. Lfg. (S. 1—256.) n. 4. —; 2. Lfg. (S. 257—512.) n. 4. —; 3. Lfg. (S. 513—640.) n. 2. —; 4. Lfg. (S. 641—768 m. Karte.) n. 2. —.
II. Bd. 1. Abtlg. 1. Lfg. (S. 1—128.) n. 2. —; 2. Lfg. (S. 129—256.) n. 2. —; 3. u. 4. Lfg. (S. 257—496.) n. 4. —.
II. Bd. 2. Abtlg. 1. Lfg. (S. 1—128.) n. 2. —; 2. Lfg. (S. 129—256.) n. 2. —.

— Grundriss der germanischen Philologie. Unter Mitwirkg. von K. v. Amira, W. Arndt, O. Behaghel u. A. hrsg. I. Bd. 5. u. 6. (Schluss-)Lfg.; II. Bd. 1. Abtlg. 6.—7. (Schluss-)Lfg.; II. Bd. 2. Abtlg. 3. (Schluss-)Lfg. Lex.-8. Strassburg, K. J. Trübner, Verl. 18 — (kplt.: n. 42. —; geb. n. 50. —)
I. Bd. 5. Lfg. (S. 769—1024.) 891. n. 4. —. — 6. Lfg. (XVIII, u. S. 1025—1138 m. 1 Runentaf. u. 1 Karte.) 891. n. 2. — (I. Bd. kplt.: n. 18. —; geb. in Halbfrz. n. 21. —)
II. Bd. 1. Abtlg. 5. Lfg. (S. 497—608.) 893. [5. u. 7. Lfg. n. 6. —] — 6. Lfg. (S. 609—736.) 893. n. 2. —. — 7. Lfg. (X u. S. 737—1072.) 893. 5. u. 7. Lfg. n. 6. — (II. Bd. 1. Abtlg. kplt.: n. 16. —; geb. in Halbfrz. n. 18. 50)
II. Bd. 2. Abtlg. 3. Lfg. (VI u. S. 257—484.) 893. n. 4. — (II. Bd. 2. Abtlg. kplt.: n. 8. —; geb. in Halbfrz. n. 10. 50)

Paul, Hermann. Grundriss der germanischen Philologie. Unter Mitwirkung von... O(tto) Behaghel..., W[ilhelm] Bruckner..., R(udolf) Koegel..., J(ohn) Meier... hrg. von Hermann Paul.... 2. verbesserte und vermehrte Aufl. Band 1: Begriff und Geschichte der germanischen Philologie. — Methodenlehre. — Schriftkunde. — Sprachgeschichte. — Namen-, Sach- und Wortverzeichnis. Mit einer Runentafel und drei Karten. XX + 1621 S. 8. Strassburg, Karl J. Trübner, 1901. [geb. M. 28. —]
(6 Lieferungen, ausgegeben: Liefg. 1 am 12. Mai 1896,... Liefg. 6, XX S. + S. 1233—1621, im März 1901.)

— s.a. Grundriss der germanischen Philologie.

Paul, Herm. (II.), über Hautanpassung der Säugetiere. gr. 8. (72 S.) Jena 884, Pohle. * 1 20

Paul, Herm. (geb. Havelberg 29. 12. 1847): Ueber Körpertemperatur und allgemeine Antiphlogose. Berlin (1872). (32 S.) 8°
Berlin, Med. Diss. v. 6. Aug. 1872

— der Leierkastenmann. Aus dem Russ. ins Deutsche übers. Ein verfehltes Leben. (96 S.) 8. Neuweißensee (905). E. Bartels. 2. —

— Methodenlehre der german. Philologie. 2. Aufl. [Aus: „Grundr. d. german. Philol."] gr. 8. (III u. S. 159—247.) Strassburg 897. K. J. Trübner, Verl. n. 2. —

— deutsche Metrik. 2. verb. u. verm. Aufl. [Aus: „Paul's Grundriss d. german. Philol."] (III, 102 S.) Lex.-8. Strassburg 905 K. J. Trübner. n. 2. 50

— der einfältige Michel. Aus dem Russ. ins Deutsche übers. Und Anderes. (96 S.) 8. Ebd. (905). 2. —

Paul, Herm., zur Nibelungenfrage. gr. 8. (III, 118 S.) Halle 877, Niemeyer. * 3 —

— die þidrekssaga u. das Nibelungenlied. gr. 8. (S. 297—338.) München 900. (G. Franz' Verl.) n. — 80
Sonderabdruck aus: „Sitzungsber. d. bayer. Akad. d. Wiss."

— Principien der Sprachgeschichte. gr. 8. (VIII, 288 S.) Halle 880, Niemeyer. * 6 —

Paul, Herm., Principien der Sprachgeschichte. 2. Aufl. gr. 8. (XI, 368 S.) Halle 886, Niemeyer. *

— Prinzipien d. Sprachgeschichte. 3. Aufl. gr. 8. (XI, 396 S) Halle 898. M. Niemeyer. n. 9. —

— Prinzipien der Sprachgeschichte. 4. Aufl. (XV, 428 S.) gr. 8. Halle 909. M. Niemeyer. 10. —; geb. in Leinw. 11. —

Paul, Herm., s.: Textbibliothek, altdeutsche.

Die Umschreibung des Perfektums im Deutschen mit haben und sein. Von Hermann Paul. *(München: K. Akad. 1902.)* (S. 161—210.) 4°
= Abhandlungen d. philos.-philol. Classe d. Kgl. Bayer. Akad. d. Wiss. Bd 22, Abth. 1, [4.] [04. 566]

— Untersuchungen über den germanischen Vokalismus. gr. 8. (425 S.) Ebendas. 879. * 10 —
Aus: Beiträge zur Geschichte der deutschen Sprache und Literatur, besonders abgedruckt.

[F.] Deutsches Wörterbuch v. Hermann Paul, Prof. ... an d. Univ. München. (In 4 Lfgn.) *Halle a. S.: M. Niemeyer 18(96.)97.* (VI S., 1 Bl., 576 S.) 1 Bd 8. [96. 9344

Deutsches Wörterbuch von Hermann Paul, Prof., München. 2., verm. Aufl. (Hälfte 1. 2.) Halle a. S.: M. Niemeyer 1908. (V, 690 S.) 4(8°) [F.] [08. 13073

Paul, Hermann Julius

Paul, Herm. Jul., die conservative Chirurgie der Glieder oder Darstellung der Mittel und Methoden, welche zur Vermeidung, resp. Beschränkung der Amputationen und Knochen-Resectionen sich darbieten. Eine von der königl. Belgischen Academie der Medicin zu Brüssel mit einem prix d'encouragement gekrönte Preisschrift. Breslau 854. E. Trewendt. Lex.-8. (XVI, 420 S. m. Holzschn. im Text.) 2 ₰. 15 ngr.

Paul, Herm. Jul., die conservative Chirurgie der Glieder oder Darstellung der Mittel und Methoden, welche zur Vermeidung und Beschrankung der Amputationen, resp. der Resectionen sich darbieten. Eine von der königl. Belgischen Academie der Medicin zu Brüssel mit einem prix d'encouragement gekrönte Preisschrift. Breslau 859. Trewendt. gr. 8. (XVI, 448 S.) 2 ₰ 15 ngr.

— Lehrbuch der speciellen Chirurgie, s. Cyclus organisch verbundener Lehrbücher sämmtlicher medicinischen Wissenschaften.

Paul, Howard, opposite Neighbours, s. Rauch's English Readings.

Paul, Howard, Opposite Neighbours, s. Theatre, modern English comic.

Paul, Hugo, die Pleißenburg in Leipzig von ihrem Entstehen b. z. Gegenwart. M. 8 Ansichten aus 4 Jahrhunderten. gr. 8. (79 S.) Leipzig 897. Alwin Schmidt. n 1 25; erm. Preis n. 1.—; geb. n. 1.50

[F.] Die Pleissenburg in Leipzig von ihrem Entstehen bis zur Gegenwart. Von Hugo Paul. M. 8 Ansichten aus vier Jh. *Leipzig: Zangenberg & Himly 1897.* (78 S., 1 Bl., 7 Taf.) 1 Bd 8. [97. 3834

Paul, Hugo Caesar (geb. Görlitz 5. 2. 1836): De entozois. Berolini (1860). (32 S.) 8°

Berlin, Med. Diss. v. 16. März 1860

Paul, J., Bibel, Enthaltsamkeit, Blaues Kreuz. (I. Epistel-texte.) Vortrag, geh. auf der Konferenz des Vereins abstinenter Pastoren des Königr. Sachsen am 9. XI. 1909 in Freiberg. (24 S.) gr. 8. Dresden 910. Buchh. der Stadtmission. —20

Paul, J., üb. die drei Wege d. Denkens. 8. (64 S.) Leipzig 891. O. Wigand. n. 1.—

Paul, J. F. (Hrsg.), s. Staatspresse, Die.

Paul, J. G., ausführl. Anleitung f. Gemeinde-Beamte im Königr. Sachsen z. zweckmäß. Verwaltung d. Angelegenheiten d. Gemeinden, ihres Vermögens, sowie d. Kassenwesens. (4 Lfgn.) gr. 8. (25 B.) Leipzig 839, [Geuther.] Thlr. *

Paul, J. G., ausführl. Anleitung für Gemeinde-Beamte im Königreiche Sachsen, zur zweckmäß. Verwaltung der Angelegenheiten d. Gemeinden, ihres Vermögens, so wie des Kassenwesens. 1e—4e Lfrg. gr. 8. Leipzig 839, 40. Böhme. (à n. 1/4 ß) 1 ß

Paul, J. G., neues Gemeinderecht. I. — A. u. d. T.: Das Heimathsgesetz nebst den damit in Verbindung stehenden Gesetzen u. Verordnungen, aus den Landtagsverhandlungen erläutert u. mit Anmerkungen versehen. Mit vollständigem Sachregister. gr. 8. Leipzig 841, Böhme. 7/8 ß

Paul, J. G., neues Gemeinderecht. II. — A. u. d. T.: Die Armenordnung, nebst den damit in Verbindung stehenden Gesetzen u. Verordnungen, aus den Landtagsverhandl. erläutert u. mit Anmerkungen versehen. Mit vollständ. Sachregister. gr. 8. Leipzig 841, Böhme. 1 1/3 ß

— dass. III. — A. u. d. T.: Das Gewerbsrecht nebst dem Gesetz, welches den Gewerbsbetrieb auf dem Lande regelt, mit Erläuterungen aus den Landtagsacten. Mit vollständigem Sachregister. gr. 8. Ebend. 841. 1 1/3 ß

—— neues Gemeinderecht. I—III. gr. 8. Leipzig 841, [Geuther.]

A. u. d. Titln.:

I. Das Heimathsgesetz nebst d. damit in Verbind. stehenden Gesetzen u. Verordnn., aus d. Landtagsverhandln. erläut. u. mit Anmerkn. versehen. Mit vollständ. Sachregister. (13 1/2 B.) 21 Gr.

II. Die Armenordnung, nebst d. damit in Verbind. stehenden Gesetzen u. Verordnn., aus d. Landtagsverhandln. erläut. u. mit Anmerkn. vers. Mit vollständ. Sachregister. (22 1/2 B.) 1 Thlr. 8 Gr.

III. Das Gewerbsrecht nebst d. Gesetz, welches d. Gewerbsbetrieb auf d. Lande regelt, mit Erläutern. aus d. Landtagsacten. Mit vollständ. Sachregister. (20 1/2 B.) 1 Thlr. 8 Gr.

Paul, J. G., Gesetz-Kunde f. das sächsische Volk in allen Zweigen der Rechtspflege, Staats- u. Polizei-Verwaltung. In alphabet. Ordnung. Zur Selbstbelehrung f. Jedermann. 1—3. Hft. gr. 8. (17 B.) A.—Begräbniß. Leipzig 844, Thenau. à *

—— Gewerbe-Verein, s. Gewerbe-Verein.

(——) die Landgemeindeordnung d. Königr. Sachsen, s. Landgemeindeordnung.

Paul, Jean, s. a. Jean Paul. — Richter, J. P. Fr.

Paul, Jean, s. Nationalbibliothek.

Doktor Katzenbergers Badereise von Jean Paul [d.i. Johann Paul Friedrich Richter]. *Stuttgart & Berlin: J. G. Cotta Nachf. [1903].* (200 S.) 8° [F.]
= Handbibliothek, Cotta'sche. No 73. [04. 8566

Dr. Katzenbergers Badereise. Von Jean Paul [d. i. Johann Paul Friedrich Richter]. Ill. von Julie Haase-Werkenthin. (Vorr.: Karlernst Knatz.) Berlin-Leipzig: Buchverl. fürs Deutsche Haus 1908. (279 S.) 8° [F.]
= Bücher, Die, d. Deutschen Hauses. Reihe 1. Bd 19. [08. 5781

—— Blumen-, Frucht- und Dornenstücke, s. Universal-Bibl.

Paul, Jean [d. i. Joh. Paul Friedr. Richter]: Briefwechsel mit seiner Frau und Christian Otto. Hrsg. von Paul Nerrlich. Berlin: Weidmann 1902. (XVI, 350 S.) 8⁰

Jean Paul (J. P. F. Richter): d. Campanerthal, oder üb. d. Unsterblichk. d. Seele. *Frkf.* u. *Lpz.* (*Erf.*, Hennings.) 797. 8° 1 ß 12 gl

Paul, Jean

Der Komet, oder Nikolaus Marggraf. Eine komische Geschichte. Von Jean Paul [d.i. Johann Paul Friedrich Richter]. Bdchn 1.2.
Berlin: Reimer 1820. 8°

Jean Paul (Friedrich Richter). Leben des Quintus Fixlein. — Flegeljahre. 2 Bde. Halle a. S. 8°.

Paul, Jean [d. i. Johann Paul Friedrich Richter]: Levana oder Erziehlehre. 4., aus dem literarischen Nachlass des Verf. verm. Aufl. — Stuttgart: Cotta 1861. XXXII, 512 S. 8°

——1. Ausg. Bd 1. 2. 1807.

——2., verb. u. verm. Aufl. Bd 1-3. 1814.

Die unsichtbare Loge. Eine Biographie von Jean Paul [d. i. Paul Friedr. Richter]. Th. 1. 2. Berlin: Matzdorff 1793. 8°
1. Mit e. Titelkpfr. XXIV, 392 S.; 2. 460 S.
[Nebentit.:] Mumien.

[Dasselbe.] Eine Lebensbeschreibung. 2. verb. Aufl. Th. 1. 2. Berlin: G. Reimer 1822. 8°
1. XL, 392 S.; 2. 462 S.
(Neue Allg. deutsche Bibl. 11. S. 316 bis 319.)

[Dasselbe.] Th. 1—3. [Berlin: G. Reimer 1826.] 8°
1. XL, 192 S.; 2. 200 S.; 3. 184 S.
(Jean Paul's sämmtl. Werke. 1—3.)

[Dasselbe.] Th. 1. 2. [Berlin: G. Reimer 1840.] 8°
1. XXXIV, 253 S. 2. 296 S.
(Jean Paul's sämmtl. Werke. 1. 2.)

[Dasselbe.] Th. 1. 2. Berlin: Hempel o. J. 8°
1. 192 S.; 2. 193—392 S.
(Jean Paul's Werke. 1. 2.)
cf. Holtei, K. v.: Dreihundert Briefe Hannover 1872 Bd 2 S. 23.

Jean **Paul** [Johann Paul Friedrich Richter] als Denker. Gedanken aus s. sämtl. Werken. Eingeleitet u. geordnet von Dr. S[alomo] Friedlaender. Mit 2 Portr. u. 1 Faks. München & Leipzig: Piper [1907]. XXXV, 192 S. 8°
(Die Fruchtschale. Bd 15.)

Eb. Selina od. üb. d. Unsterblichkeit. *Stuttg.*, Cotta. B. 827. 2 Thle. 8° 2 *ß*, hbg. Pr. 1 *ß* 8 *gl*

Jean **Paul** [d. i. Joh. Paul Friedr. Richter]. Ein Stundenbuch fuer seine Verehrer. (Hrsg. von Stefan George u. Karl Wolfskehl.) *(Berlin: Blätter f. d. Kunst 1900).* (97 S.) 8°
— Dichtung. Deutsche. [1.]

Titan von Jean Paul [d. i. Paul Friedr. Richter]. Bd 1—4. [Nebst] Anh. Berlin: Matzdorff 1800—1803. 8°
1. 1800. 516 S.; 2. 1801. 200 S.; 3. 1802. 430 S.; 4. 1803. 571 S.
Anh. u. d. Tit.: Komischer Anh. zum Titan. Bdch. 1. 2.
1. 1800 VIII, 141 S.; 2. 1801 216 S.
[Tit. in Kpfr. gestochen.]

°[Dasselbe.] Berlin: Hempel o. J. VIII, 712 S. 8°
1. VIII, 212 S.; 2. S. 213—292; 3. S. 293—464; 4. S. 465—712.
Anh. u. d. Tit.: Komischer Anh. zum Titan nebst Clavis Fichtiana. [Bdch. 1. 2.] o. J. 196 S.
1. VII, 101 S.; 2. S. 103—196.
(Jean Paul's Werke. Berlin 15—19.)

[N. Ausg. u. d. Tit.:]
Titan und Komischer Anhang zum Titan. Von Jean Paul [d. i. Paul Friedr. Richter]. Th. 1. 2. Leipzig: Reclam jun. o. J. 8°
1. 551 S.; 2. 496 S.
(Univ.-Bibliothek. 1871—78.)
TB. 149. Erschien noch in mehreren Ausg.

Jean **Paul.** Vorschule der Aesthetik nebst einigen Vorlesungen in Leipzig über die Parteien der Zeit. 3 Bde. Zweite verbesserte und vermehrte Auflage. Stuttgart und Tübingen 1813. 8°.

Paul, Jean [d. i. Johann Paul Friedrich Richter]: Werke. Auswahl in 6 Tlen. Auf Grund d. Hempelschen Ausg. neu hrsg., mit Einl. u. Anm. versehen von Karl Freye. T. 1—6 [in 3 Bden]. Berlin, Leipzig, Wien, Stuttgart: Bong [1908]. 8°
1. Fälbels Reise. Schulmeisterlein Wuz. Mit e. Lebensbild versehen.
2. Siebenkäs. 3. Titan. 4. Flegeljahre.
5. Schmelzles Reise nach Flätz. Dr. Katzenbergers Badereise.
6. Leben Fibels.
(Goldene Klassiker-Bibliothek.)

Jean **Pauls** (d. i. Johann Paul Friedrich Richter) Werke. Hrsg. von Rudolf Wustmann. Krit. durchges. u. erl. Ausg. Bd 1—4. Leipzig & Wien: Bibliogr. Inst. (1908). 4 Bde 8° [𝔉.]
(Meyers Klassiker-Ausgaben.) [08. 1332

Jean **Pauls** [d. i. Johann Paul Friedrich Richter] Werke. Auswahl in 8 T. Auf Grund d. Hempelschen Ausg. neu hrsg., mit Einl. u. Anm. vers. von Karl Freye in Verbindung mit Eduard Berend. (T. 1—8.) Berlin, Leipzig, Wien, Stuttgart: Bong [1910]. 8°
1. Fälbels Reise. Schulmeisterlein Wuz. Mit e. Lebensbild vers. von Karl Freye. 2. Siebenkäs. 3. Titan. 4. Flegeljahre. 5. Schmelzles Reise nach Flätz. Dr. Katzenbergers Badereise. 6. Leben Fibels. 7. Vorschule d. Ästhetik. Kleine Nachschule z. ästhet. Vorschule. Hrsg. von Berend. 8. Levana. Selbstbiographie.
(Goldene Klassiker-Bibliothek.) [10. 1394

Paul, Johann

Paul, Joh.,(Mitarb.), s. Abraham a Santa Clara: Ausgewählte komische Erzählungen, Fabeln u. Einfälle.

Paul Joh.: Berthold von Regensburg und das bürgerliche Leben seiner Zeit. Wien III, R. (Rainer). 96.
Progr.

Paul Sohn, Joh., genaue und ausführliche Beschreibung bei in der Natur- und Rasenbleiche der Lein- und Hanfgarne und der hieraus verfertigten Leinwanden gemachten neuen Erfindung und Verbesserung, worauf dem Joh. Paul Sohn, ärarischen Leinwand-Lieferanten zu Hohenstadt in Mähren, am 24. Oktober 1852 ein ausschließliches k. k. Privilegium ertheilt worden; zunächst für theoretisch nicht gebildete Bleicher bestimmt. Mit 1 lith. Taf. (in Fol.) Olmütz 853. (Wien, Gerold.) 8. (58 S.) n. 20 ngr.

Heimat und Liebe. Gedichte von Johannes **Paul.** Berlin: Berg [1909]. VI, 224 S. 8° [11. 469

Paul, Joh.: Hülfsbuch bei Herstellung ... von Druckwerken, s. Paul, Hans

Paul, Johann —. Die Kunst des Bleichens der leinenen, so wie baumwollenen Gewebe und der Garne, theoretisch und praktisch, mit Benützung der eigenen und der gemachten Erfahrungen in den vorzüglichsten Etablissements der in diesem Fache am meisten vorgeschrittenen Länder, nebst einem Anhange, die Appreturen enthaltend, dargestellt von — —. Mit 8 Steindrucktafeln (in qu. 4.) Zweite gänzlich umgearbeitete und erweiterte Auflage. Olmütz. 1855 Druck von Fr. Slawik. Wien, in Kommission bei Tendler und Komp. (4 Blätt. 200 S. 8.) geh.

Paul, Johs., Lucie. Ein Dichtg. in Briefen u. Tagebuchblättern. 8. (V, 107 S.) Dresden 902. E. Pierson. n. 2.—; geb. n. 3.—

Paul, Johann Fel. Ferdinand

Paul, Johs. Fel. Ferd., ein wahrer Freund in der Not! Ratgeber bei Zahlungsstockgn., Moratorien, Akkorden, Konkursen, freiwill. u. Zwangs-Vergleichen, nebst den dazu erforderl. Formularen 2c. 2c. (V, 38 S.) gr. 8. Leipzig 903. S. Schnurpfeil. n. 1.—

Paul's, Johs. Fel. Ferd., Verkehrs-Handbücher. I—VII. 12. Leipzig, J. Paul. à n. — 20
I. Mentor f. den Leipziger Verkehr, nebst 2 Karten der Stadt m. Umgebg., Theaterplan, vollständ. Straßenbahnnetz, sämtl. Fahrplänen, sowie Vorzugs-Bons f. verschiedene Vergnügungs-Etablissements 2c. 2c. Sommer-Ausg. 1902. 5. erweit. Aufl. (80 S. m. 1 Abbildg.)
II. Mentor f. den Dresdner Verkehr, nebst 2 Karten der Stadt m. Umgebg. u. Straßenbahnnetz, der sächs. Schweiz, sämtl. Fahrplänen, sowie Vorzugs-Bons (D. R. G. M. Nr. 155 422) f. verschiedene Vergnügungs-Etablissements 2c. Sommer-Ausg. 1901. (72 S.)
III. Mentor f. den Hallenser Verkehr, nebst Plan der Stadt Halle a. S. m. Straßenbahnnetz, Karte der Umgebg., dem Abteilungsplan des Stadt-Theaters, sämtl. Eisenbahn- u. Straßenbahn-Fahrplänen, ferner Vorzugs-Bons f. Zoolog. Garten, Kunstsalon Aßmann, Philharmon. Orchester, Weltpanorama 2c., sowie Bons vieler Rabatt gewähr. Firmen u. offiziellem Führer m. neuem Plan des Zoolog. Gartens. Sommer-Ausg. 1902. (71 S.)
IV. Mentor f. den Düsseldorfer Verkehr nebst Stadtplan u. vollständ. Straßenbahnnetz, Rheinkarte v. Düsseldorf bis Mainz, sämtl. Eisenbahn-, Straßenbahn- u. Dampfschiff-Fahrplänen, Bestuhlungs-Plänen des Stadt- u. Apollo-Theaters u. s. w. Sommer-Ausg. 1902. (74 S.)
V. Mentor f. den Kölner Verkehr, nebst Stadtplan u. vollständ. Straßenbahnnetz, Rheinkarte v. Düsseldorf bis Mainz, sämtl. Eisenbahn-, Straßenbahn- u. Dampfschiff-Fahrplänen, Bestuhlungs-Plan des Stadttheaters, sowie Vorzugs-Bons f. verschiedene Vergnügungs-Etablissements u. s. w. Sommer-Ausg. 1902. (77 S.)
VI. Mentor f. den Wiesbadener Verkehr, nebst Stadtplan u. vollständ. Straßenbahnnetz, Rheinkarte von Düsseldorf bis Mainz, sämtl. Eisenbahn-, Straßenbahn- u. Dampfschiff-Fahrplänen, Bestuhlungs-Plänen des Hof- u. Residenz-Theaters, sowie Vorzugs-Bons f. verschiedene Vergnügungs-Etablissements u. s. w. Sommer-Ausg. 1902. (57 S.)
VII. Mentor f. die Sächsische Schweiz. 20 Touren links u. rechts der Elbe zum bequemen Besuch aller wicht. Punkte im Elbsandsteingebirge, nebst Fahrplänen f. Eisenbahn- u. Dampfschiff-Verbindgn., 2 Karten der Sächs. Schweiz u. Dresden m. Umgebg., Angabe empfehlenswerter Hôtels u. Gasthäuser 2c., sowie 32 Vorzugs-Bons f. verschiedene Etablissements 2c. 2c. Von Rich. Gottschalk. Sommer-Ausg. 1902. (45 S.)

— Verkehrs-Handbücher. I u. III. 12. Leipzig. O. Regel. à n. — 20
I. Mentor f. den Leipziger Verkehr. Von Otto Rosenlöcher. Nebst 2 Karten der Stadt m. Umgebg. u. vollständ. Straßenbahnnetz; 2 Kärtchen, darstellend die Stellg. der Heere am 16. u. 18. X. 1813 während der Völkerschlacht bei Leipzig, nebst erläut. Text, bearb. v. Ed. Bachmann; 5 Theaterplänen, sämtl. Eisenbahn- u. Straßenbahnfahrplänen. Sommer-Ausg. 1903. 7. Aufl. (70 S.)
III. Mentor f. den Hallenser Verkehr. Von Otto Rosenlöcher. Nebst Plan der Stadt Halle a. S. m. Straßenbahnnetz, Karte der Umgebg., dem Plan des Stadttheaters, sämtl. Eisenbahn- u. Straßenbahn-Fahrplänen, ferner Vorzugs-Bons f. zoolog. Garten, Apollo-Theater, philharmon. Orchester, Weltpanorama. Sommer-Ausg. 903. 4. Aufl. (63 S.)

Paul, Johann Friedrich

Paul, Joh. Friedr., d. Küchengarten. 2. Aufl. v. J. A. Pecht. Constanz, 1823.

Paul, Johann Georg

Paul, J. G., Erziehungskatechism. 2 Thle. 8. Bautzen, (Barth, Leipz.) 795. 95.

Paul, Johann Traugott, Guts- und Mühlenbesitzer zu Großschweidnitz bei Löbau im Königr. Sachsen und die Wirksamkeit seiner Heilmittel bei Erblindungen und Augenkrankheiten. Eine Denkschrift mit Aktenstücken und Belegen. 8. (35 S.) Leipzig 852, Hunger.

Paul, Jon.

Ein köstliches Begräbnis. (Verf.: J[on.] Paul, Pastor.) (Halle a. S.: Bibel- u. Schriften-Ver. [1906].) (1 Bl.) 8° [Kopft. F.]
= [Flugschriften d. Bibel- u. Schriften-Vereins zu Halle a. S. 23.] (06. 13399 S

— das Buch Gottes. Eine Prüfg. der Bibel, Alten u. Neuen Testaments, gegenüber d. Zweifeln d. Gegenwart, in allgemein verständl. Form. Zugleich e. Übersicht üb. die Entstehg. der Bibel. Für forsch. Bibelleser. 8. (III, 88 S.) Berlin 901. Deutsche ev. Buch- u. Tractat-Gesellschaft. n. — 60

Paul, J., die Einheit d. Kinder Gottes u. der Austritt aus Kirche oder Kirchengemeinschaft. 8. (IV, 80 S.) Berlin 898. Deutsche Evang. Buch- u. Tractat-Gesellschaft. n. — 60

Paul, J., erst prüfen u. dann urtheilen! E. Betrachtg. ernster Wahrheiten als Mitgabe f. d. Lebensreise. Ein Reisetractat. 12. (24 S.) Berlin 896. Deutsche evangel. Buch- u. Tractat-Gesellschaft. — 06
Dass.s.a.:Für Dich.

— Evangelium. 100 illustr. zweiseit. Traktate. 4. Aufl. kl. 8. Striegau (909). Th. Urban. — 50

Paul, J., Feuerfunken. 11 Evangelisations-Ansprachen. 12. (88 S.) Berlin 899. Deutsche ev. Buch- u. Tractat-Gesellschaft. n. — 50

Paul, J., die Gabe des Heiligen Geistes. Ein Herzenswort üb. die Neubelebg. unserer Kirche zumal an alle Geistlichen der evangelisch-luther. Kirche, sowie an die Kandidaten u. Studierenden der Theologie. 1. u. 2. Aufl. 8. (32 S.) Berlin 891. 893. Deutsche Evangel. Buch- u. Tractat-Gesellschaft. n. — 25

— d. Gabe d. Heiligen Geistes. E. Herzenswort üb. d. Neubelebg. uns. Kirche zumal an alle Geistlichen der evang.-luther. Kirche, sow. an d. Kandidaten u. Studier. d. Theologie. 3. Aufl. 8. (32 S.) Ebd. 896. n. — 25

— Glaube u. Heilsgewißheit. Referat, geh. auf d. Hamburger Oster-Konferenz (21.—23. IV. 1897). gr. 8. (12 S.) Hamburg 897. Schriften-Niederlage d. christl. Vereins junger Männer. n.n. — 15

Glaube und Heilsgewissheit. Von J[on.] Paul, Pastor in Steglitz. 3. Aufl. *Striegau: R. Urban 1902.* (15 S.) 8° [Umschlagt. F.] (02. 10063 2

— Glaube u. Heilsgewißheit. 4. Aufl. (15 S.) 8. Striegau 903. Th. Urban. n. — 15

Durch den Glauben. Betrachtungen über die Art d. Glaubens. Von J[on.] Paul, Pastor, Steglitz. *Elmshorn: Gebr. Bramstedt 1903.* (52 S.) 8° [F.]
Aus: Die Heiligung. No 8, 30, 19 u. 33. (03. 7230

In Jesu Händen. Beiträge zu 2. Mos. 15, 26. Von J[on] Paul, Pastor, (Steglitz). *Elmshorn: Gebr. Bramstedt 1903.* (98 S.) 8° [F.]
Aus: Die Heiligung. (03. 7229

— s.: Heiligung, die.

Paul, Heilsgewißheit, s.: Wie kommt's zum wahren Frieden der Seele?

— e. wichtiges Hilfsmittel, um zur Freiheit, z. Frieden u. zur Freudigkeit zu gelangen. Besond. empfehlenswert f. Prediger u. Arbeiter im Reiche Gottes, sow. auch f. such. u. gläub. Seelen. 8. (67 S.) Berlin 895. Deutsche evangel. Buch- u. Tractat-Gesellschaft. n. — 50

— ein wichtiges Hilfsmittel, um zur Freiheit, zum Frieden u. zur Freudigkeit zu gelangen. Besonders empfehlenswert f. Prediger u. Arbeiter im Reiche Gottes, sowie auch f. such. u. gläub. Seelen. 2. Aufl. 8. (68 S.) Berlin 901. Deutsche ev. Buch- u. Tractat-Gesellschaft. n. — 50

Ein wichtiges Hilfsmittel um zur Freiheit, zum Frieden und zur Freudigkeit zu gelangen ... Von J[on.] Paul, Pastor. 3. Aufl. Berlin: Deutsche Ev. Buch- u. Trakt.-Gesellsch. [1905]. (68 S.) 8° [F.] (07. 13474

— Ich habe d. Paradies gefunden. D. bibl. Lehre v. d. christl. Vollkommenheit. E. Vortrag, geh. auf d. Konferenz in Nakel am 22. V. 1897. 12. (27 S.) Berlin 897. Deutsche evangel. Buch- u. Tractat-Gesellschaft. n. — 10

Ich werde nicht sterben, sondern leben. Psalm 118, 17. Von Pastor [Jon.] Paul, Steglitz. (Halle a. S.: Bibel- u. Schriften-Ver. [1906].) (4 S.) 8° [Kopft. J.]
= [Flugschriften d. Bibel- u. Schriften-Vereins zu Halle a. S. 21.] [06. 15397 S

— ihr sollt heilig sein! Grundgedanken üb. die Heiligg. [Aus: „Die Heiligg."] (IV, 95 S.) gr. 8. Ebd. 903. n. — 80

— Ihr werdet die Kraft d. Heiligen Geistes empfangen. E. Zeugnis v. d. Taufe m. d. hl. Geist u. Feuer, belegt aus d. Bibel u. aus d. Erfahrg. alter u. neuer Zeit u. gerichtet an jedermann, zumal auch an solche, die an Jesum glauben. 8. (VI, 540 S.) Ebd. 896. n. 4. —

— komm heim! 100 zweiseit. Traktate m. Bildern. 1. bis 3. Aufl. 8. Ebd. (904. 906). n. — 50

— ein Leben in d. Nachfolge Jesu. (Vorträge.) gr. 8. (IV, 161 S.) Ebd. 898. — Hamburg, Schriften-Niederlage d. christl. Vereins junger Männer. n. 1. —; geb. in Leinw. n. 2. —

— ein Leben in d. Nachfolge Jesu. 8. (IV, 161 S.) Hamburg 898. Striegau, R. Urban. n. 1. —; geb. n. 2. —

Paul, J., in Jesu Nachfolge. 2. u. 3. verkürzte Aufl. v. Ein Leben in der Nachfolge Christi. In 10 Einzelheften. 8. Striegau, Th. Urban. à n. — 10
Die gänzliche Abhängigkeit vom HErrn. (8 S.) — Die Arbeit f. Jesus. (12 S.) — Auferstehungsherrlichkeit. (11 S.) — Die Fußstapfen Jesu. (12 S.) — Der Gebetsumgang m. Gott! (8 S.) — Geistesleitung. (8 S.) — Die Gemeinschaft Seiner Leiden. (11 S.) — Jesu Sinn u. Geist. (12 S.) — Der Wandel im Gehorsam. (8 S.) — Der schmale Weg. (8 S.)

— in Jesu Nachfolge. 2. u. 3. verkürzte Aufl. v. Ein Leben in der Nachfolge Jesu. (IV, 101 S.) 8. Striegau 903. 904. Th. Urban. n. 1. —; geb. in Leinw. n. 1. 50

Paul, J., nicht Blätter nur! Vorträge. 8. (VIII, 136 S.) Neumünster (900). (Vereinsbuchh. G. Ihloff & Co.) n. 1. —
Hieraus einzeln:
1. Ein herrlicher Stand. (14 S.) — 2. Wie geht es deiner Seele? (15 S.) — 3. Kein Traum, sondern Wirklichkeit! (16 S.) — 4. Freiheit f. jeden. (15 S.) — 5. Allezeit fröhlich! (15 S.) — 6. Die Wiedergeburt. (15 S.) — 7. Eins ist not! (13 S.) — 8. Der Weg zum Frieden. (16 S.) — 9. Eine günstige Gelegenheit. (13 S.) — 10. Kaufe die Zeit aus! (16 S.) — 11. Dein letzter Tag. (14 S.) à — 10.

— am Scheidewege, s. a. Für Dich.

— am Scheidewege. E. Geleitswort f. d. Jugend, zugl. e. Mitgabe f. Konfirmanden u. Konfirmirte. 12. (20 S. m. 1 Abb.) Berlin 897. Deutsche evangel. Buch- u. Tractat-Gesellschaft. n. — 15

Der Schlüssel der Erkenntniss. Ein Wort an Alle, denen es um d. Wahrheit zu thun ist. Von J. Paul, Pastor in Ravenstein. *Berlin: Deutsche Ev. Buch- u. Tractat-Ges. 1896.* (24 S.) 8° [J.]
= Für Dich! No 6. [oo. 12211

— schon hier selig. Ein Wegweiser zum wahren Glück, gewonnen aus der Bibel u. vielen sehr merkwürd. Lebenserfahrgn. gr. 8. (III, 256 S.) Ebd. 893. n. 2. —

[J.] Schon hier selig. E. Wegweiser z. wahren Glück, gewonnen aus d. Bibel u. vielen sehr merkwürdigen Lebenserfahrgn. Von J. Paul, Pastor in Ravenstein. 2. Aufl. *Berlin: Deutsche Ev. Buch- & Tractat-Ges. 1896.* (2 Bl., 261 S.) 1 Bd 8. [96. 3140

Zur Selbst- und Gotteserkenntnis. Zwei wichtige Betrachtungen f. Gläubige. Von J[on.] Paul, Pastor, ⟨Steglitz⟩. *Elmshorn: Gebr. Bramstedt 1903.* (32 S.) 8° [Umschlagt. J.]
Aus: Die Heiligung. No 13 u. 17. [03. 7231

— innewohnende Sünde u. Erlösung. [Aus: Die Heiligg."] (IV, 64 S.) gr. 8. Ebd. 903. — 50

— Taufe u. Geistestaufe. E. Beitrag zur Lösg. e. ungemein wicht. Frage bes. auch f. solche, welche in Gewissensbedenken sich befinden. 8. (87 S.) Ebd. 895. n. — 60

— s.: Verhandlungen d. Gnadauer Pfingstkonferenz.

— die Wahrheit d. christlichen Bekenntnisses, beleuchtet aus Erlebnissen u. Thatsachen der Erfahrung. Ein Fingerzeig f. Wahrheit Suchende. 8. (62 S.) Berlin 891. Deutsche Evangel. Buch- u. Tractat-Gesellschaft. n. — 50

[J.] Die Wahrheit des christlichen Bekenntnisses, beleuchtet aus Erlebnissen und Thatsachen der Erfahrung. E. Fingerzeig f. Wahrheit Suchende. Von J. Paul, Pastor in Ravenstein in Pommern. 2., neu durchges. Aufl. *Berlin: Deutsche Evangel. Buch- u. Tractat-Ges. 1897.* (1 Bl., 62 S.) 1 Bd 8. [98. 8735

— Wegweiser, s.: Bömel, A.

— Daniels Weissagungen u. ihre Erfüllung. Ein Zeugnis aus Babel f. die Bibel. (V, 79 S.) 8. Ebd. 903. n. — 80

Paul, J., wer bittet, empfängt. Gedanken üb. das Gebet. [Aus: „Die Heiligg."] (32 S.) gr. 8. Elmshorn 903. Gebr. Bramstedt. n. — 25

— wie kommst du zur Ruhe? E. Wegweiser von d. Rechtfertigg. zur Heiligg. gr. 8. (IV, 71 S.) Hamburg 897. Schriften-Niederlage d. christl. Vereins junger Männer. n. — 75

Wie kommst du zur Ruhe? Ein Wegweiser von d. Rechtfertigung z. Heiligung. Von J[on.] Paul, Pastor in Steglitz. 2. Aufl. *Striegau: R. Urban [1901].* (IV, 92 S.) 8° [J.]

Wie kommst du zur Ruhe? Ein Wegweiser von d. Rechtfertigung z. Heiligung. Von J[on.] Paul, Pastor in Steglitz. 3. Aufl. *Striegau: R. Urban 1903.* (96 S.) 8° [J.]

— zum Ziel hin! Gedanken über die Durchheiligg. der Kinder Gottes. [Aus: „Die Heiligg."] (IV, 106 S.) gr. 8. Ebd. 903. n. — 80

[J.] Der Zionssänger. E. Sammlg v. 108 neuen Jesus-Liedern f. Jedermann ... Hrsg. v. J. Paul, Pastor in Ravenstein, und Dr. mus. J. H. Wallfisch, Prediger in Görlitz i. Schl. ... Noten-Ausg. ... *Görlitz i. Schl.: Christl. Verl. [1896].* (VIII, 205 S.) 1 Bd 8. [96. 5679

— u. J. H. Wallfisch, d. Zionssänger. E. Sammlg. v. 108 neuen Jesus-Liedern f. Jedermann, bes. auch f. Vereine u. Gemeinschaften u. z. Gebrauch in Evangelisations-Versammlgn., Gebets- u. Erbauungsstunden etc. Text-Ausg. 2. Aufl. 8. (52 S.) Görlitz 896. Köln, Westdeutscher Buch- u. Musikverlag J. H. Wallfisch. n.n. — 30; Notenausg. (VIII, 205 S.) geb. in Leinw. n.n. 1. 50

[J.] Der Zionssänger. E. Sammlg v. 108 neuen Jesus-Liedern f. Jedermann ... Hrsg. v. J. Paul, Pastor in Ravenstein, und Dr. mus. J. H. Wallfisch, Prediger in Görlitz i. Schl. Text-Ausg. 3. Aufl. *Görlitz i. Schl.: Christl. Verl. [1896].* (52 S.) 1 Bd 8. [96. 5880

Paul, Josef [aus Mähr. Schönberg]: Zum Nachweis von Aldehyd in Alkohol ... Würzburg, Becker's Univ.-Buchdr., 1896; 30 S., 1 Bl. 8.
Würzburg, Phil. Fak., Inaug.-Diss. v. 1896

Paul, Julius (geb. Breslau 5. 6. 1824): Pathologia placentae. Berolini (1846). (47 S.) 8°
Berlin, Med. Diss. v. 30. Dez. 1846

Paul, K. G., Lebensbilder, Erzählungen f. die männl. Jugend. 8. (266 S.) Leipzig 887. [Peterson.] Cavael. geb. n. 3. –

Abriss der Geschichte des Eklektischen Freimaurer-Bundes. Von Karl **Paul.** I. 1766—1823. Frankfurt a. M. 1874: Werner & Winter. 50 S. 8°
Abgedr. in: T. 20 (1874) S. 74—78, 84—87, 91—94, 99—102.
Recens: Bh. 17 (1874) S. 169—170; FZ. 28 (1874) S. 157.
Tt. 448. Zum Vortrag am 50. Jahrestage des Bestehens der Gr. Mutterloge als unabhängige Grloge verf.

Annalen des Eklektischen Freimaurerbundes zu Frankfurt am Main 1766—1883. Festgabe zur Saecularfeier am 18. März 1883. Im Auftr. der Gr. Mutterloge des Eklektischen Freimaurerbundes verf. von Karl **Paul.** Frankfurt a. M. 1883: Weisbrod. VIII, 265 S. 8°
Recens: FZ. 37 (1883) S. 254 (K. Pilz).
cf. L. 6 (1883) S. 172—175, 181—183 (B. Cramer).

Paul, Karl. Aufgaben f. den Rechen-Unterricht in höheren Schulen, f. Becker, 3. C.

Paul, K., Aufgaben f. den Rechen-Unterricht in höheren Schulen. 5. Aufl. [v. desselben Verf.'s „Rechenbuch f. Real- u. Handelsschulen I."]. gr. 8. (XI, 120 S.) Frankfurt a/M. 888. Auffarth. geb. n.n. 1. 85

Anhang zum Protokoll No 57 der Grossen Mutterloge des Eklekt.·. Freimaurerbundes. Bericht über die Feier der Affiliation der Bundesloge „Carl zum Lindenberg" im Or.·. Frankfurt a. M. am 26. Mai 1878. [Unterz.:] Karl **Paul.** [Frankfurt a. M. 1878.] 19 S. 8° [Kopftit.]
Abgedr. in: MitthF. (NF.) 57 (1878) S. 101—119.
Tt. 471. Reden von K. Oppel u. J. G. Lincker. KB.

Es werde Licht! Vortrag, gehalten am Johannisfeste des Ekl.·. Bundes (26. Juni 1859) in der St.·. Johannisloge Carl z.·. aufg.·. Licht zu Frankfurt a. M. von Carl **Paul.** Den BBr.·. in Liebe gewidmet. [Frankfurt a. M. 1859.] 10 S. 8° [Umschlagtit.]
Abgedr. in: Bh. 2 (1859) S. 324—326; T. 5 (1859) S. 170—171; MitthF. 51 (1859) S. 4—6 der 2. Pag. Holländ. Übers. in: MW. 8 (1859) No 43.
Mahnung, nach Wahrheit, Recht u. Tugend zu streben.

Paul, C. Das Evangelium in Deutsch-Ostafrika. Eine zeitgeschichtl. Studie. 8. (43 S. m. 1 Karte.) Lpz. 892, Wallmann. * — 50

Paul, Carl, Gedachtes. (118 S.) kl. 8. Stuttgart (906). A. Juncker. n. 1. 50

[Gedicht.] Zum 50jährigen Maurer-Jubiläum des Br.·. Anton Kaspar Leykam am 18. Nov. 1883. [Unterz.:] Karl **Paul.** [Frankfurt a. M. 1883: Weisbrod.] 1 Bl. 8° [Kopftit.]
„Schier fünfzig Jahre bist Du alt ..." 140.

Das Johannisfest, ein Fest der Einigkeit, der Standhaftigkeit und des Lichtes. Seinen Brüdern in Liebe gewidmet von Karl **Paul.** [Frankfurt a. M.] 1862: Krebs-Schmitt. 14 S. 8° [Umschlagtit.]
Abgedr. in: Bb. 6 (1863) S. 57—60.
Tt. 2144. 23. 99.

Paul, Karl, die Kakao-, Schokoladen- u. Zuckerwaren-Fabrikation in allen Teilen der Branche, nach 20jähr. Praxis aus nur grössten Betrieben in Österreich, Deutschland, Schweiz, Dänemark, Frankreich, England u. Amerika. (264 S. m. Abbildgn., 8 Taf. u. Bildnis.) 8. Graz (908). Trier, N. Besselich. 5.—; erh. Pr. 10. –

Paul, Carl, Landes-Cultur- u. Prospectbriefe aus der guten Stube des deutschen Reiches über das vereinsseitige Heben der deutschen Industrie durch die Errichtung einer Kopfstation in der Prov. Hessen-Nassau u. die Begründung eines deutschen technisch-kaufmänn. Vereins für den allgemeinen Nutzen zu Cassel. Jahrg. 1877. 1. Hft. Aug.—Septbr. 8. (44 S.) Kassel 877. Hühn in Comm. pro 1—3. Hft. n. 3. —

Paul, C., Landesculturbriefe national-oeconomischen Inhalts, geschrieben für die Regenerationsbeihülfe im Militär- und Arbeiterstaat bei dessen vergifteter Staatsautorität und den herrschenden Erwerbsnothverhältnissen, sowie als Säcularschrift für die Rousseaufeier an der Universität zu Genf. 4 Hefte. 8. (44; 58; 41; 54 S.) Cassel 877,78, (Hühn.) * 4 —

Paul, Carl, das Leben. Skizzen. 12. (107 S.) Leipzig (902). H. Seemann Nachf. n. 2. —

Hayn, Joh. Georg: Das Lied vom Vater Hayn. [Unterz.:] K[arl] P[aul]. [Frankfurt a. M. 1859.] 1 Bl. 8⁰ [Kopftit.]
Ohne Noten: „Auf, ihr Brüder in die Runde, . . .“ 140.

Paul, Carl, d. Mission in uns. Kolonien. 1. Hft. Togo u. Kamerun. Neue Folge d. Dietelschen Missionsstunden. 8. (IV, 215 S.) Leipzig 898. Fr. Richter. n. 2. 50

Paul, Carl, die Mission in unsern Kolonien. Neue Folge der Dietelschen Missionsstunden. 2. Hft. Deutsch-Ostafrika. 8. (IV, 352 S. m. 1 Karte.) Leipzig 900. Dresden, Fr. Richter. n. 4. —
Hft. 1. Ebd. 898. n. 2. 50.

— die Mission in unsern Kolonien. 3. Heft: Deutsch-Südwestafrika. (IV, 167 S. m. Abbildgn. u. 1 Karte). 8. Dresden 905. C. L. Ungelenk. n. 1. 50 (1—3.: 8. —)

Paul, Carl, die Mission in unsern Kolonien. 4. Tl.: Die deutschen Südsee-Inseln. (IV, 260 S. m. Abbildgn. u. 1 Karte.) 8. Dresden 908. C. L. Ungelenk. 2. 50
1.—3. Tl. Ebd. 898—905. 8.—.

— Missionsstunden, s.: Dietel, R. W.

Aus der Grossen Mutterloge [des Eklekt. Freimaurerbundes]. [Unterz.:] Carl **Paul.** [Dat.:] Frankfurt a. M. 12. Dezember 1890. 7 S. 8⁰. [Kopftit.]
Mitteilung aus den Protokollen. 21.

Paul Karl: De proprietatibus elocutionis, quae in Ciceronis Arateis reliquisque fragmentis poeticis inveniuntur.
H. 1908 PN 2521 Diss. Wien, Univ.

Maurertägliche Randbemerkungen. [Unterz.:] K[arl] P[aul]. Frankfurt a. M. 1891: Mahlau. 19 S. 8⁰ [Umschlagtit.]
Abgedr in: Bh. 34 (1891) S. 120—133, 141—144.
Auszug in: FZ. 45 (1891) S. 146—147.
Recens: FZ. 45 (1891) S. 148.
cf. BrL. 8 (1890—1891) S. 68; FZ. 45 (1891) S. 137—138, 169—171 (G. Kreyenberg).
Betr. Umbildung des Grlogenbundes u. Schaffung eines allgem. Mrtages. 23. 25.

Paul, Karl, Rechenbuch für die Oberklassen der Real- und Handels-Schulen. 1. u. 2. Abth. Frankfurt a. M. 858. Auffarth. gr. 8. (X, 106; VI, 162 S.) Jede Abth. 16 ngr

— Resultate nebst Andeutungen zur Auflösung der schwierigeren Aufgaben zu dem Rechenbuch für die Oberklassen der Real- u. Handels-Schulen. 1. Abth. Frankfurt a. M. 858. Auffarth. gr. 8. (38 S.) n. 6 ngr

Paul, Karl, Resultate nebst Andeutungen zur Auflösung der schwierigeren Aufgaben zu dem Rechenbuch für die Oberklassen der Real- und Handelsschulen. 2. Abth. Frankfurt a. M. 859. Auffarth. gr. 8. (2 Bl., 59 S.) n. 10 ngr

Paul, Carl, Rechenbuch für Real- und Handels-Schulen. 1. Thl. 2., verb. und verm. Aufl. gr. 8. (X und 104 S.) Frankfurt a. M. 867, Auffarth. geb. *

— Rechenbuch f. Real- u. Handels-Schulen. 1. u. 2. Thl. gr. 8. Frankfurt a. M. 875. Auffarth. geb. à n.n. 1. 85
1. 3. verm. u. verb. Aufl. (X, 131 S.)
2. 2. verm. u. verb. Aufl. (VII, 144 S.)

—— Rechenbuch für Real- und Handels-Schulen. 1. Thl. 4. Aufl. gr. 8. (XI, 124 S.) Frankfurt a. M. 880, Auffarth. geb. ** 1 85
—— dass. — Resultate. 1. und 2. Thl. gr. 8. Ebendas. [1. Thl. 3. Aufl. (33 S.) 876; 2. Thl. 2. Aufl. (19 S.) 875.] à Thl. ** M 1. * 2 —

Die erste Saecularfeier des Eklektischen Freimaurerbundes im Or. Frankfurt am Main am 18. März 1883. (Nebst Anh.: Bestandliste der Gr. Mutterloge des Eklektischen Freimaurerbundes.) Nach den Acten zsgest. von Karl **Paul.** Frankfurt a. M.: 1883 Weisbrod. 79 S. 8⁰
Tt. 450. Bericht. Vortrag von K. Oppel: Gesch. des Eklekt. Bundes, Zeichnung von J. Auerbach: Auf welchen Grundlagen soll u. will der Bund weiterbauen am geistigen Bau der Menschheit.

Sind Alle, die hier athmen, Brüder? Vortrag, gehalten am Johannisfeste des Eklekt.·. Bundes (24. Juni 1860) in der Bundesloge zur Einigkeit in Frankfurt a. M. von Karl **Paul.** Den Bbrn.·. in Liebe gewidmet. Frankfurt a. M. 1860: Krebs-Schmitt. 12 S. 8⁰ [Umschlagtit.]
Abgedr. in: MitthF. 2 (1860) S. 5—7 der 2. Pag.
Mahnung zur Selbsterkenntnis u. brüderlichen Liebe. 193.

Paul, Carl, Spott. Aphorismen. (147 S.) kl. 8. Stuttgart (907). Charlottenburg, A. Juncker Verl. 1. 50

— s.: Studien, missionswissenschaftliche.

Paul, der Vergleich im Civilproceß, s. a. Archiv, sächsisches, f. bürgerl. Recht u. Proceß

[J.] Der Vergleich im Civilprozess. E. Beitrag z. Lehre v. d. Urtheilssurrogaten v. Dr. Karl **Paul**, Landgerichtsr. *Leipzig: Rossberg 1898.* (2 Bl., 96 S.) 1 Bd 4.(8.) 98. 6649

Paul, Carl, was tut das evangelische Deutschland f. seine Diaspora in überseeischen Ländern? Untersucht u. dargestellt. (58 S) gr. 8. Leipzig (903). A. Strauch. n. 1. 20

Wiege und Sarg. Vortrag in der Meisterloge. Von Karl **Paul.** 3. Abdr. Frankfurt a. M. 1868: Mahlau & Waldschmidt. 8 S. 8⁰ [Umschlagtit.]
Aus: FZ. 14 (1860) S. 299—301.
Abgedr. in: T. 14 (1868) S. 162—163.
In beide legen wir uns nicht selbst, an beiden wird gebetet, geweint u. gehofft. 23.

Paul, Karl Ludwig

Paul, C. Ludw. De Q. Horatii Flacci in Augustum adulatione quomodo judicandum sit. 24 S.
Thorn, Progr. 1847

Paul, C. L. Ad Platonis dialogum, qui Laches inscriptus est, commentationis specim. 18 S.
Thorn, Progr. 1834

Paul, Carl Ludw., Handbuch zur Einübung der latein. Syntax f. die unteren Classen der Gymnasien. Nebst ein. Wörterbuche. gr. 8. (16¾ B.) Berlin 844, Trautwein'sche Buchh. *
Das Handbuch allein * 15 Ngr. Das Wörterbuch allein * 5 Ngr.

Paul, C. L. Locos aliquot in Cic. de oratore dialogo interpretatus est. (L. I. et II.) 19 S.
Thorn, Progr. 1840

Paul, C. Ludw. In Ciceronis Oratore quae sit disputationis in partis descriptio. 15 S.
Thorn, Progr. 1844

Paul, C. Ludov. De usu formularum non (modo) et non modo non — sed (etiam) et ne — quidem. 23 S.
Thorn, Progr. 1850

Paul, L., Das Druidentum. S.-A. 1892. 16 S.

Paul, L., Kaiser Marcus Salvius Otho. S.-A. 1902. 61 S.

Paul, L., Verginius Rufus. S-A. 1899. 29 S.

Paul, Léon, en terre sainte. Nach des Verf. „Journal de voyage" f. den Schulgebrauch bearb. v. H. Michaelis. 2. [Titel-]Aufl. gr. 8. (XIII, 96 S. m. 1 eingedr. Karte.) Berlin [899.] (902). Gerdes & Hödel. n. 1.—; Wörterbuch (22 S.) n. —35

Paul, Ludw., die Abfassungszeit der synoptischen Evangelien. Ein Nachweis aus Justinus Martyr. gr. 8. (50 S.) Leipzig 887, Grunow. *

Paul, Ludwig: (Aus d. Kgl. hygien. Institut zu Breslau.) Über die Bedingungen des Eindringens der Bakterien der Inspirationsluft in die Lungen. *Leipzig: Veit & Co. 1902.* (41 S.) 8° ¶(Aus: Zeitschrift f. Hygiene u. Infectionskrankh., Bd 40.)
Breslau, Med. Diss. v. 2. Juli 1902

Paul, Ludw., zur Erklärung der Worte in Platon's Gorgias p. 447. C. — p. 461. B. und C. — p. 461 in fine. 4. (14 S.) Kiel 874, v. Wechmar. — 75

Paul, Ludw., Heviala. Trauerspiel in 5 Akten. 16. (96 S.) Dessau 856, Gebr. Katz. *

Paul, L., Die Interpretation der Schöpfungsgeschichte bei dem Apologeten Theophilus. S.-A. 1886. 28 S. —.90

Paul, L., Ist die Szene für d. platon. Dialog „Gorgias" im Hause des Kallikles? Gel. 1869. 26 S. —.80

Paul, Ludw., Kant's Lehre vom radicalen Bösen. Ein Vergleich mit der Lehre der Kirche. Halle 865. Pfeffer. gr. 8. (XII, 98 S.) n. 22½ ngr.

—— Kant's Lehre vom idealen Christus. Ein Vergleich mit der Christologie der Kirche. gr. 8. (182 S.) Kiel 869, Schroeder und Comp. * 3 —

Paul, Ludwig. Synthesen einiger Chromonderivate. Diss. Phil. Bern. 38 S. 8. Bern, Obrecht & Käser, 1902.

Paul, Ludw., Untersuchungen über die Methacrylsäure und eine neue aus der Citronensäure entstehende Säure. Inaugural-Dissertation. gr. 8. (41 S.) Tübingen 876, (Fues'sche Sortimentsh.) * — 60

Paul, Ludw., d. Vorstellgn. v. Messias u. v. Gottesreich bei d. Synoptikern. gr. 8. (VIII, 130 S.) Bonn 895. F. Cohen. n. 2. 40

†Paul, M. [Paul Möbius], räthselhafte Erinnerungen an Leipzig mit erläuternden Anmerkungen. 8. (262 S.) Leipzig 883, Reichardt Verlag. * 4 —
geb. * 5 —

†Paul, M. [P. Möbius], Erzählungen, s. Jugendleben.

—— Thüringer Räthsel und Charaden. 12. (156 S.) Weimar 881, Böhlau. * 2 —
geb. * 2 80

Paul, M., Religion u. Strafgesetz, s.: Staat und Religion.

—— Silvula logogriphorum. Hundert fremdsprachl. Räthsel, gedichtet. 16. (100 S.) Leipzig 881, Barth. cart. * 1 50

—— Sphinx. Einhundert Räthsel und Charaden. 16. (80 S.) Leipzig 875, Weber. * 1 —

—— Sphinx. Hundert Rätsel und Charaden. 2. neubearb. Aufl. 16. (86 S.) Leipzig 884, Weber. geb. * 1 —

—— die neue Sphinx. 500 Räthsel gedichtet für Alt und Jung nebst einer auf die hervorragendsten Erscheinungen der Räthselliteratur hinweisenden Erklärung des Titelbildes. gr. 16. (XV, 303 S. mit chromolithogr. Titelbild.) Leipzig 877, Berndt's Verlag. cart. 3 —

Paul, M., Winke f. Zuckerkranke, s.: Lühdorf, F. A. Baron v.

Paul, Mart., s.: Führer, technischer, durch Wien.

Paul, Mart., der Glaube, die Offenbarung Gottes u. die Religion aus dem Lichte des Bewußten als deren alleinigen lebendigen Grundquells u. Nährbodens in Kraft der Ideen. Für alle nach dem wirkl. Lebenswasser Gottes tracht. Christen aus der Natur des Bewußten u. seinen unzweifelhaften Thatsachen entwickelt u. eingehend dargelegt. gr. 8. (XI, 447 S.) Berlin 894. Voßische Buchh. n. 6.—

Paul, Mart., der Glaube, die Offenbarung Gottes u. die Religion aus dem Lichte des Bewußten. 2. Ausg., s.: Kreßner, Paul Mart., d. Religion im Lichte d. Bewußten.

Paul, Mart., Pariser Wasserversorgg. u. Beleuchtungswesen, s.: Reiseberichte über Paris.

Die sittlich-religiöse Weltanschauung in dem Buche: 'Der Glaube, d. Offenbarung Gottes u. d. Religion aus d. Lichte d. Bewussten etc.' von Martin Paul. Selbstanzeige u. einführende Hinweisung des Verf. *Dresden [1894?]: Albanus.* (25 S.) 8° [F.] [illegible]

PAUL, Max: Beiträge zur Frage der retrograden Amnesie.- Berlin: Schumacher 1899. 34 S. 10.3.1898 - Chr 1897/98,20; Jv 1898/99,218 (Prom.-Datum: 1899)
Diss. Ingolst.-Landsh.-Mchn.

Paul, Max, für Herz u. Gemüt der Kleinen. 56 bibl. Geschichten f. die ersten vier Schuljahre in erzählend darstell. Form auf Grund Wundtscher Psychologie 1. u. 2., durchgeseh. Aufl. 1.—4. Taus. (X, 207 S.) gr. 8. Leipzig 904. 906. E. Wunderlich. n. 2. 40; geb. n. 3. —

Paul, Max, für Herz u. Gemüt der Kleinen. 56 bibl. Geschichten f. die ersten 4 Schuljahre in erzählend darstell. Form auf Grund Wundtscher Psychologie. 3.—6. durchgeseh. Aufl. 5.—12. Taus. (X, 207 S.) gr. 8. Leipzig 907—11. E. Wunderlich. 2.40; geb. 3. —

Paul, Maximilian (August Ferdinand) *(geb. Breslau 15. 11. 1859)*: Ueber puerperale Inversion des Uterus. Breslau (1884). (38 S.) 8° *[Im Buchhandel 1884 bei Köhler in Breslau.]*
Breslau, Med. Diss. v. 24. März 1884

Paul, Max, Quaestionum grammaticarum particula I. De unus nominis numeralis apud priscos scriptores usu. Dissertatio inauguralis. gr. 8. (51 S.) Jena 884, (Neuenhahn.) * 1 60

Paul, Max Otto: Zur Geschichte des chemischen Lehrbuches. Döbeln 1906: A. Thallwitz. (57 S.) 8°
Leipzig, Phil. Fak., Ref. Volkelt-Beckmann, Diss. v. 20. Sept. 1906
[Geb. 24. Juli 78 Meißen; Wohnort: Schnepfenthal i. Thür.; Staatsangeh.: Sachsen; Vorbildung: Seminar Nossen Wahlfähigkeitszeugnis Dez. 01; Studium: Leipzig 6 S.; Rig. 6. März 06.]

Paul, Oskar

Paul, Osc., s. Boëtius.

— Musikalische Briefe [an Otto Jahn, an Professor Wolf in Cassel etc., an Spohr]. (Aus den Grenzboten II. 1870. Leipzig.)

—— Geschichte des Claviers vom Ursprunge bis zu den modernsten Formen dieses Instruments nebst einer Uebersicht über die musikal. Abtheilung der Pariser Weltausstellung im J. 1867. gr. 8. (V, 256 S. mit zahlreichen eingedr. Holzschn.) Leipzig 868, Payne. cart. * 7 50

— Handlexikon der Tonkunst. 1—4. Liefg. Leipzig 869,70. H. Schmidt. gr. 8. (1. Bd. 550 S. u. 2. Bd. S. 1—80.) Jede Liefg. 18 ngr.

Paul, Osc., Handlexicon der Tonkunst. 5—8. Lfg. (Schluss u. Nachtrag.) gr. 8. (2. Bd. III u. S. 81—656.) Leipzig 871. 72. Schmidt & Günther. 6. —; cplt. 9. —; geb. 10. 80

—— Handlexikon der Tonkunst. 2 Thle. in 8 Lfgn. 8. (550; III, 656 S.) Leipzig 869—73, Schmidt und Günther. 1.—6. Lfg. à M 1,80.; 7. und 8. Lfg. à M 1,20. 9 — geb. 10 80

Paul, O., D. absolute Harmonik d. Griechen. Hab. 1866. 72 S. u. 4 Taf. 4°.

Paul, Osc., die absolute Harmonik der Griechen. Eine Abhandlung. gr. 4. (IX und 74 S. mit 5 lithogr. Tab. in gr. 4.) Leipzig 867, Dörffel. *

Paul, Osc., Moritz Hauptmann. Eine Denkschrift zur Feier seines 70jährigen Geburtstages am 13. Octbr. 1862. Mit einem Vorworte von Adf. Felchner u. einem Verzeichnisse der im Druck erschienenen Werke Moritz Hauptmann's. Leipzig 862. Dörffel. gr. 8. (31 S.) 6 ngr.

—— musikalische Instrumente, s. Bericht, amtlicher, über die Wiener Weltausstellung im J. 1873.

Paul, Oscar. Musikalische Instrumente. Autorisirter Abdruck aus dem „Amtlichen Berichte über die Wiener Weltausstellung im Jahre 1873." Band II. Heft 5. Braunschweig 1874.

Paul, Osc., Lehrbuch der Harmonik. Für musikal. Institute, Seminarien und zum Selbstunterricht. gr. 8. (X, 217 S.) Leipzig 880, Breitkopf und Härtel. * 4 —

Paul, Osc., Lehrbuch der Harmonik. Für musikal. Institute, Seminarien u. zum Selbstunterricht verf. 2. Aufl. gr. 8. (XII, 217 S) Leipzig 894. Breitkopf & Härtel. n. 4. —; geb. n. 5. 20

Paul, Osc., manual of harmony, s. Baker, Thdr., a manual of counterpoint.

Paul, Otto, vergleichende Untersuchung über das Endosperm. Inaugural-Dissertation. gr. 8. (51 S.) Göttingen 882, (Vandenhoeck und Ruprecht's Verlag.) * 1 20

Glücksnarr. (Eine Episode aus d. Leben einer Verwegenen.) Von Otto Friedrich Paul. Berlin: Gose & Tetzlaff [1906]. (185 S.) 8°

Paul, P., Belehrungen über die Ehe u. deren Geheimnisse, nebst Anweisung, das Unvermögen der Männer u. die Unfruchtbarkeit der Frauen auf eine sichere Art zu heben rc. 8. (5½ B.) Jüterbog 845, Colditz.

Paul, P., Belehrungen üb. die Ehe u. deren Geheimnisse, nebst Anweisung das Unvermögen der Männer rc. zu heben rc., so wie einige Rathschläge, verschiedene Geschlechtskrankheiten zu heilen. Ein treuer u. nützlicher Rathgeber f. beide Geschlechter vor u. nach der Verheirathung. 2. (Titel-) Aufl. 8. (VIII u. 79 S.) Jüterbog (845) 851, Colditz. ⅓ ₰

Paul, R., Tannhäuser. Eine Sage in vier Gesängen. Brüssel 854. Schnée. 16. (113 S.) n. 25 ngr.

Paul, Richard

Paul, Rich., das Amt des Vormundes. Enthält: Ausführliche Belehrungen über alle dem Vormunde, Gegenvormunde, Waisenrate, Familienrate und Pfleger zustehenden Rechte und auferlegte Pflichten und prakt. Anleitungen zur Anfertigung von Beschwerden, Vermögensverzeichnissen, Erbauseinandersetzungen, Schlußrechnungen, Vermögensübersichten rc. und allen sonstigen in Vormundschaftssachen vorkommenden Schriftsätzen, nach den Vorschriften der preuß. Vormundschafts-Ordnung vom 5. Juli 1875. Nebst Bestimmungen aus dem Entwurf des bürgerl. Gesetzbuches für das Deutsche Reiches. Unentbehrl. Hilfsbuch für Vormünder, Gegenvormünder, Mitglieder der Waisen- und Familienräte, Pfleger rc. 8. (110 S.) Leipzig 888, G. Weigel. *M 1.20.; geb. *

—— Anleitung zur rentabelen Geld- oder Kapital-Anlage in Aktien und anderen Werthpapieren, nebst ausführl. Darstellung der gesammten neuen Aktiengesetzgebung. 1. und 2. unveränd. Aufl. 8. (IX, 130 S.) Ebendas. 888. *M 1.50.; geb. *

Paul, Rich., prakt. Anleitung zur rentablen Geld- od. Kapital-Anlage in Werthpapieren, nebst ausführl. Darstellg. der gesammten neuen Aktiengesetzgebg. (Aktiengesellschaft — Kommanditgesellschaft auf Aktien — stille Gesellschaft). Ein zuverläss. Rathgeber in allen Geld- u. Vermögens-Angelegenheiten f. Kapitalisten, Grundbesitzer, Industrielle, Kaufleute, Handwerker rc., sowie f. Aktionäre, Directoren u. Mitglieder der Aufsichtsräthe von Aktien-Gesellschaften, unter Berücksicht. d. neuen Handelsgesetzbuches rc. 3. gänzlich neu bearb. Aufl. gr. 8. (X, 135 S.) Leipzig (901). G. Weigel. n. 1. 50; geb. n. 1.80

—— das Ehe-, Familien- und Erbrecht im Gebiete des preuß. allgemeinen Landrechts. Zuverlässiger Ratgeber in Ehe-, Familien- und Erbschafts-Angelegenheiten. Ein prakt. Nachschlagebuch für Familienväter, Braut- und Eheleute, Vormünder, Majorennen und Minorennen, Erblasser und Erben, Testamentsvollstrecker rc. Nebst den Bestimmungen des Entwurfs für das bürgerl. Gesetzbuch des Deutschen Reiches. 8. (VI, 236 S.) Ebendas. 888. *M 1.80.; geb. *

Paul, Rich., s.: Fischer's, Jos. Ant., Kartons zu den Fenstern der Mariahilf-Kirche in der Au zu München.

Paul, Rich., Gedichte. gr. 16. (115 S.) Berlin 878, Liepmannssohn. * 2 40

Paul, Rich., der entfesselte Prometheus. Ein Drama. gr. 8. (68 S.) Stuttgart 874, Göschen'sche Verlagsh. * 1 60

—— die Rechte und Pflichten der Theilhaber [Kompagnons, Associés, Socii, Kommanditisten] von Fabriks-, Handels-, und Erwerbsgesellschaften aller Art. Zuverläss. Rathgeber für jeden Handelsgesellschafter und Jeden, der sich an irgend einer Fabrik oder irgend einem Geschäfte thätig oder still betheiligen will. 1. und 2. unveränd. Aufl. 8. (VIII, 124 S.) Ebendas. 888. * geb. *

Paul, Rich. Die Rechte u. Pflichten der Theilhaber v. Fabriks-, Handels- u. Erwerbsgesellschaften aller Art. 2. u. 3. unveränd. Aufl. 8. (VIII, 124 S.) Lpz. 889,92, G. Weigel. * 1 50; geb. * 1 80

Paul R, die Rechte und Pflichten der Teilhaber. 3. Auflage. Leipzig (1893)

Paul, Rich., d. Rechte u. Pflichten d. Theilhaber (Kompagnons, Associés, Socii, Kommanditisten, Gesellschafter m. beschränkter Haftg.) v. Fabriks-, Handels- u. Erwerbsgesellschaften aller Art. Zuverläss. Rathgeber f. jeden Handelsgesellschafter u. Jeden, d. sich an irgend e. Fabrik od. irgend e. Geschäfte thätig od. still betheiligen will, nebst vielen Formularen. 4. Aufl. 8. (VIII, 160 S.) Leipzig 896. G. Weigel. n. 1. 50; geb. 1. 80

— dasselbe. Nebst vielen wicht. Entscheidgn. hoher Gerichtshöfe. 5., verm. Aufl. (VIII, 168 S.) Ebd. 896. n. 1. 50; geb. 1. 80

Paul, R., Die Rechte u. Pflichten der Teilhaber (Kompagnons, Associés, Socii, Kommanditisten, stille Gesellschaften, Vereinigungen) v. Fabriks-, Handels- u. Erwerbsgesellschaften aller Art. Nach den Vorschriften des neuen Handelsgesetzbuchs u. bürgerl. Gesetzbuchs f. das Deutsche Reich bearb. Nebst vielen Anmeldungsformularen. 6. Aufl. 8. (VIII, 157 S.) Leipzig, G. Weigel. 1900 1. 50; geb. 1. 80.

Paul, Rich., d. Rechte u. Pflichten d. Teilhaber (Kompagnons, Associés, Socii, Kommanditisten, stille Gesellschaften, Vereinigungen) v. Fabriks-, Handels- u. Erwerbsgesellschaften aller Art. Nach den Vorschriften des neuen Handelsgesetzbuchs u. bürgerl. Gesetzbuchs f. das Deutsche Reich bearb. Zuverlässiger Rathgeber f. jeden Handelsgesellschafter u. Jeden, der sich an irgend einer Fabrik od. irgend e. Geschäfte thätig oder still betheiligen will. Nebst vielen Anmeldungsformularen. 7. Ster.-Aufl. 8. (VIII, 157 S.) Ebd. (900). n. 1. 50; geb. n. 1. 80

Paul, Rich., die Rechte u. Pflichten der Teilhaber (Kompagnons, Associés, Socii, Kommanditisten, stille Gesellschaften, Vereinigungen) v. Fabriks-, Handels- u. Erwerbsgesellschaften aller Art. Nach den Vorschriften des neuen Handelsgesetzbuchs u. bürgerl. Gesetzbuchs f. das Deutsche Reich bearb. Nebst vielen Anmeldungsformularen. 8.—10. Ster.-Aufl. (VIII, 157 S.) 8. Leipzig (907—10). G. Weigel. 1.50; geb. 1. 80

— wie hat der Vormund im deutschen Reiche sein Amt zu verwalten? Ausführliche Belehrungen über alle dem Vormunde, Gegenvormunde, Waisenrathe, Familienrathe u. Pfleger zusteh. Rechte u. auferlegte Pflichten u. prakt. Anleitgn. zur Anfertigung v. Beschwerden, Vermögensverzeichnissen, Jahres- u. Schlußrechngn., Vermögensübersichten rc. u. allen sonst. in Vormundschaftssachen vorkomm. Schriftsätzen nach den Vorschriften des bürgerl. Gesetzbuches f. das Deutsche Reich. Unentbehrliches Hilfsbuch f. Vormünder, Gegenvormünder, Mitglieder der Waisen- u. Familienräthe, Pfleger rc. 2. Aufl. 8. (VIII, 91 S.) Ebd. (899). n. 1. 20; geb. n. 1. 50

— wie macht man sein Testament nach d. bürgerl. Gesetzbuche? Unentbehrl. Anweisg. f. jeden sorgsamen Ehegatten, Familienvater u. Vermögensbesitz. zur rechtsgilt. Selbstanfertigg. e. Testaments nach d. Bestimmgn. des bürgerl. Gesetzbuches f. d. Deutsche Reich. Nebst 20 Formularen v. einseit. u. gemeinschaftl. Testamenten, einseit. u. gemeinschaftl. Erbverträgen sowie verschied. Schriftsätzen u. Anträgen in Testamentsangelegenheiten. M. ausführl. Inhaltsverzeichniß z. schnellen Aufsuchg. aller f. Vermächtnisse gelt. gesetzl. Bestimmgn. 8. (XII, 120 S.) Ebd. 898. n. 1. 50; geb. n. 1. 80

Paul, Rich., wie macht man sein Testament nach dem bürgerlichen Gesetzbuch? Unentbehrliche Anweisg. f. jeden sorgsamen Ehegatten, Familienvater u. Vermögenbesitzenden zur rechtsgült. Selbstanfertigg. e. Testaments nach den Bestimmgn des bürgerl. Gesetzbuches für das Deutsche Reich. Nebst 20 Formularen v. einseit. u. gemeinschaftl. Testamenten, einseit. u. gemeinschaftl. Erbverträgen sowie verschiedenen Schriftsätzen u. Anträgen in Testamentsangelegenheiten. 2. verm. Aufl. (XII, 125 S.) 8. Leipzig (904). G. Weigel. n. 1. 50; geb. n. 1. 80

Paul, Rudolf, Vol.-Assist. a. d. Kgl. Univ.-Frauenklinik, a. Reichenau i. Sa.: Ueber Indikation, Gebrauch und Verlauf des hohen Forceps an der Kgl. Universitäts-Frauenklinik zu Würzburg während der Jahre 1898—1904. Würzburg 1904: A. Boegler. (69 S.) 8°
Würzburg, Med. Fak., Ref. Hofmeier, Diss. v. 25. Aug. 1904
[Geb. 2. Mai 77 Reichenau; Wohnort: Reichenau; Staatsangeh.: Sachsen; Vorbildung: Gymn. Dresden Reife M. 99; Studium: Leipzig 1, Erlangen 3, Würzburg 5 S.; Coll. 13. Juli 04; Approb. 7. Dez. 03.]

Paul, Steph., Gedichte. 16. (332 S.) Stuttgart 878, J. F. Steinkopf. cart. * 3 —

Paul, Theodor

Paul, Thdr., die Aufgaben der heutigen wissenschaftl. Pharmacie. Vortrag, geh. auf der Hauptversammlg. der deutschen pharmaceut. Gesellschaft im Hofmann-Hause zu Berlin am 14. XII. 1901. gr. 8. (29 S.) Berlin 902. Gebr. Borntraeger. n. 1. —
Sonderabdr. a.: „Berichte d. deutsch. pharmaceut. Gesellsch."

— die Bedeutung der Jonentheorie f. die physiolog. Chemie. Vortrag, geh. in der Gesamtsitzg. der 73. Versammlg. deutscher Naturforscher u. Ärzte in Hamburg am 25. IX. 1901. gr. 8. (36 S.) Tübingen 901. F. Pietzcker. n. 1. 20

Paul, Theodor [aus Lorenzkirch]: Beiträge zum Verhalten von Ketonen und Aldehyden gegenüber metallischem Natrium bei Gegenwart indifferenter Lösungsmittel ... Leipzig, *Druck v. W. Keller in Gießen*, 1891; 33 S., 1 Bl. 8.
Leipzig, Phil. Fak., Inaug.-Diss. v. [15. Sept.] 1891

Paul, Thdr., Deutsch, wie es fehlerlos geschrieben u. gesprochen wird. Neue deutsche Sprachlehre, f. den Selbst-Unterricht eingerichtet. (400 S.) 8. Berlin 910. R. Wichert. Geb. 3. —

Paul, Theodor: Entwurf zur einheitlichen Werthbestimmung chemischer Desinfektionsmittel. Mit besond. Berücks. d. neueren physikalisch-chemischen Theorien d. Lösungen. Berlin 1901: G. Schade. (54 S.) 8°
Leipzig, Med. Diss. v. (6. Mai) 1901

— Entwurf zur einheitl. Werthbestimmg. chemischer Desinfektionsmittel. Mit besond. Berücksicht. d. neueren physikalisch-chem. Theorien der Lösgn. gr. 8. (VII, 54 S.) Berlin 901. J. Springer. n. 1. 40
Sonderabdruck aus: „Zeitschrift f. angewandte Chemie".

— das neubegründete Laboratorium f. angewandte Chemie an der Universität Leipzig, s.: Beckmann, Ernst.

— Namen- u. Sachregister, s.: Zeitschrift f. physikalische Chemie.

Paul, Theodorus (geb. Breslau 21. 4. 1819): De ophthalmoblennorrhoea gonorrhoica. Vratislaviae (1844). (27 S.) 8°
Breslau, Med. Diss. v. [12.] Nov. 1844

— Neueste Sammlung v. deutschen Muster-Aufsätzen, nebst method. Anleitg. zum Erlernen des Aufsatzschreibens ohne Lehrer. Hrsg. unter Mitwirkg. namhafter Fachleute. (416 S.) 8. Ebd. 910. Geb. 3. —

Paul, Thdr. systematische Sprech- u. Gesangstonbildung. 1. Tl.: Vorträge, zu einem Handbuch der allgemeinen Tonbildung vervollständigt u. eingerichtet sowohl f. den Einzel-Sprech- u. Gesangunterricht u. den gemeinsamen Unterricht an Schulen, Prediger- u. Lehrerseminaren, Konservatorien u. Schauspielschulen, f. student. Sängerschaften u. Chorgesangvereine, wie auch zum Selbstunterricht f. Redner (Geistliche, Offiziere, Juristen, Lehrer) u. als Material zur Unterweisg. in der Beseitigg. v. Sprach- u. Stimmstörgn. Dem Texte sind 140 Uebungstaf. eingefügt. (VIII, 102 S. m. Bildnis.) Lex.-8. Breslau (906). J. Hainauer. n. 4. —
Jetzt: Breslau: H.Handel.

— Kleine Ausg. der systematischen Sprach- u. Gesangtonbildung f. Volksschulen, höhere Schulen, Lehrer- u. Prediger-Seminare, Schauspielschulen u. Chorgesangvereine. Dem Texte sind 65 Uebungstaf. eingefügt. (48 S.) gr. 8. Breslau 909. H. Handel. — 80

Paul, Thdr., Schülerheft zur systematischen Sprech- u. Gesangtonbildung (kleine u. große Ausg.). (32 S.) gr. 8. Berlin 909. R. Wichert. — 20

— W. Ohlmüller, R. Heise u. Fr. Auerbach, Untersuchung üb. die Beschaffenheit des zur Versorgung der Haupt- u. Residenzstadt Dessau benutzten Wassers, insbesondere über dessen Bleilösungsfähigkeit. (58 S. m. Fig.) Lex.-8. Ebd. 906. n. 3. —
Sonderabdrucke a.: „Arbeiten a. d. kais. Gesundheitsamte".

Paul, Theodor [Dr.]: Untersuchungen über fraktionierte Fällung ... (Aus: Zeitschr. f. physik. Chem., Bd XIV Heft 1. 1894.) Leipzig, W. Engelmann, 1894; 23 S. 8.
Leipzig, Phil. Fak., Hab.-Schr. v. 27. Apr. 1894

Paul, Theodor, und Adolf Günther: Untersuchungen über den Säuregrad des Weines auf Grund der neueren Theorien der Lösungen. Abth. 1. 2. Berlin: Springer 1905-08. Aus: Arbeiten aus dem Kaiserlichen Gesundheitsamte. 23. 1905, H. 1: 29. 1908, H. 1. -- 107

— u. Adf. Günther, Untersuchungen üb. den Säuregrad des Weines auf Grund der neueren Theorien der Lösungen. (72 S.) Lex.-8. Berlin 905. J. Springer. n. 4. —

Paul, Thdr., u. Adf. Günther, Untersuchungen üb. den Säuregrad des Weines auf Grund der neueren Theorien der Lösungen. 2. Abhandlg.: Der Säuregrad verschiedener deutscher Weine u. seine Beeinflussg. durch Zusatz v. Wasser u. v. Salzen. (II, 53 S. m. 1 Taf.) Lex. 8. Berlin 908. J. Springer. 4. —

— die chemischen Untersuchungsmethoden des deutschen Arzneibuches. Bericht üb. die wissenschaftl. Thätigkeit des v. 5.—15. VIII. 1901 an der Universität Tübingen abgeh. Fortbildungskursus f. Apotheker. gr. 8. (73 S.) Tübingen 902. F. Pietzcker.
Sonderabdruck aus: „Süddeutsche Apothekerzeitung".

— u. Frdr. Prall, die Wertbestimmung v. Desinfektionsmitteln m. Staphylokokken, die bei der Temperatur der flüssigen Luft aufbewahrt wurden. (57 S.) Lex. 8. Ebd. 907. 3. —
Sonderabdr. aus: „Arbeiten a. d. kais. Gesundheitsamte".

Paul, Theodor Wilhelm, s. Paul, Wilhelm Theodor.

Paul, Victor, aus Berlin: Über einige Abkömmlinge des Phtalazons und eine Synthese des 1-Aethylphtalazins. (Weimar 1899: Putze & Hölzer.) (46 S.) 8°
Berlin, Phil. Diss. v. 17. Apr. 1899

Paul, W., zu Befehl od. die braune Liese. Schwank m. Gesang in 1 Akt. (Theater-Allerlei.) (15 S.) 8. Weißensee (906). E. Bartels. 1. —

Paul, W., Krit. Bemerkungen zu Cäsars Commentarii de bello Gallico. 2 Teile. S.-A. O. J. 85 u. 89 S. 1.—

Paul, W. Unsere Heimatlosen u. ihre Pflegestätten. Zur Erinnerg. an das 10jähr. Bestehen der Arbeiterkolonien in Deutschland. gr. 8. (39 S.) Hattingen 892, Hundt sel. Wwe. * — 50

— Junggesellen-Wirtschaft. Posse m. Gesang in 1 Akt. Musik v. Winkelhofer. (Theater-Allerlei.) (22 S.) Ebd. (905). 1 —

— in Kiautschau oder Schöne Seelen finden sich, s.: Theater-Allerlei. Nr. 6.

(Paul, W.,) französ. Lesebuch nach Grundsätzen d. Elementar-Unterrichts-Kunst. gr. 8. (5½ B.) Hirschberg 829, (Nesener.)

Paul, W., s. Lesebuch, neues französisches.

— Luther als Helfer in der sozialen Not der Gegenwart. Vortrag, geh. am 29. März 1894. 8. (20 S.) Osterwieck 894. A. W. Zickfeldt. n. — 25

— ein gebildeter Schlächtermeister, s.: Theater-Allerlei. Nr. 2.

Paul, Studia Ciceroniana. gr. 4. (24 S.) Berlin 875, (Calvary und Comp.) *

— wer trägt die Pfanne fort? Scherz m. Gesang nach e. Reuter'schen Idee. Musik v. Tieke. (Theater-Allerlei.) (14 S.) 8. Weißensee (905). E. Bartels. 1. —

Paul, W. F., Hülfsbuch zur alttestamentlichen Bibelkunde. 8. (60 S.) Berlin 876. W. Schultze. n. — 50

Paul, W. F., Reformationsgeschichte für höhere Lehranstalten. gr. 8. (VIII, 56 S.) Berlin 874, W. Schultze. * — 50

Paul, W. F., les réfugiés français dans les états prussiens. (D'après Erman et Reclam.) Zunächst zum Schulgebrauch hersg. Berlin 866. Gaertner. 16. (XVIII, 143 S.) n. 10 ngr.

Paul, Walter, Apotheker aus Berlin: Studien über das Euphorbium. Berlin 1905. 80 S. 8°. [29. VI. 05.]
Bern. Phil. Diss. 1905/1906.

Paul, Walter. Studien über das Euphorbium. Diss. Phil. Bern. [Mit Figuren.] 80 S. 8. Berlin, Gustav Schade, 1905.

Paul, Wenzel Johann

Paul, Wenz. Jh., († ...) Abhandl. v. d. Schafzucht; nebst e. Anh. v. Tabaksbau. gr. 12. Wien 770. Trattner.

Paul, Benj. J., Abhandlung v. d. Schaafzucht u. v. Tabaksbau. gr. 12. Wien, Tendler. 770.

Paul W. J.: Abhandlung v. der Schafzucht. Nebst e. Anh. v. Taback-bau. Wien 1770. 129 S.

Paul, Wilhelm

Paul, Wilh., der Vokal A. Ein Beitrag zur Methodik d. Artikulationsunterrichts der Taubstummen. 8. (40 S.) Strassburg 885. Schmidt. n. — 80

Paul, Wilh., der erste Anschauungs-Unterricht f. unsere Kleinen. Zugleich e. Aufgaben- u. Lesebuch f. Taubstummen-Anstalten u. andere Schulen. gr. 8. (IV, 95 S.) Metz 894. P. Even. Kart. n. — 75

(Paul, W[ilhelm]:) Geschichte der St. Nicolai-Kirche in Nachterstedt. Zum 100j. Jubiläum derselben s. lieben Gemeinde gewidmet von ihrem Pfarrer. Nachterstedt 1903: (Halier in Aschersleben). 47 S. 8°

Paul, W[ilhelm]: Drei Geschichtsbilder aus Nachterstedts Vergangenheit. Die Geschichte Nachterstedts. Eine Gemeinderatssitzung im Jahre 1658. Im Institut d. Pastors Herbing. Halle a. S. (1903): Karras. 40 S. 8° [Umschlagt.]

Paul, W., Andreas Peter Christoph Herbing. Eine Lichtgestalt des Erziehungs- u. Lehrerbildungswesens vor 150 Jahren. Denkschrift. (65 S.) gr. 8. Wittenberg 908. P. Wunschmann. — 70

Paul [Wilhelm]: Der Ontologismus des Malebranche, dargest. u. gewürdigt. Neuß 1907: R. Noack. (S. 3—15.) 4° [F.] Neuß, k. G OP 1907 (573)

Paul, Wilh., die geistliche Schulaufsicht. 1. Tl. Der Irrtum ihrer histor. Berechtigg. u. die Not der Lehrer. (279 S.) gr. 8. Schlachtensee 908. Volkserzieher-Verlag. 3.—; (Schwaner) geb. 4.—

Die Silbenmechanik als Grundlage des Artikulationsunterrichts der Taubstummen. Eine method.- prakt. Anleitung z. naturgemäßen u. erfolgr. Erteilung d. ersten Sprechunterr. taubstummer Kinder. Mit 2 Abb. Von Wilhelm **Paul**, Oberl. zu Metz. Metz: G. Scriba 1908. (75 S.) 8° [08.3209

Paul, Wilhelm Theodor

Paul, Guil. Theod. (geb. Müncheberg in d. Mark 8. 12. 1831). De Symposii aenigmatis. Particula 1. Berolini (1854). (44 S.) 8°
Berlin, Phil. Diss. v. 14. Jan. 1854

Paul, Wilhelm Theodor (Hrsg.), s. Caesar, C. J.: Commentarii de bello civili.

Paul, Th. W.: Quaestionum Claudianearum part. 17 S. – Glogau Ev., Progr. 1857.

Paul, Quaestiones Claudianeae. Berlin 866. (Calvary & Co.) gr. 4. (36 S.) n. 15 ngr.

Paul, William, s. Döll, W.: Der Rosengarten.

Paul, William, über die Cultur der Rosen in Töpfen. Aus dem Engl. übers. und mit Anhang versehen von Albert Courtin. gr. 8. (64 S. mit 7 eingedr. Holzschn. und lithogr. Plan zu einem Rosengarten, in qu. 4.) Stuttgart 854, Schweizerbart'sche Verlgsb.

Paul-Schiff, Max, der Prozess Hilsner. Aktenauszug. (VIII, 155 S.) Lex. 8. Wien 908. L. Rosner. 2.50

— Zur Reform des israelitischen Religionsunterrichts. (24 S.) gr. 8. Wien 907. G. Szelinski. — 60

Paula, Frz. de, Karnevals-Liederbuch. Orig.-Lieder nach heiteren Melodien. 12. (77 S.) Mülheim a/d. R. 892. J. Bagel. n. — 50

[F.] Narrhalla. Narrensprösslinge in d. Welt gesetzt, ges. u. hrsg. v. Franz de **Paula**, Regisseur d. Düsseldorfer Stadttheaters. Gewidm. d. Prinzen Karneval u. seinen getreuen Unterthanen. *Mülheim a. d. R.: J. Bagel [1892].* (111 S., 4 Bl.) 1 Bd 8. [96. 755

— der Papagei, s.: Liebhaber-Theater.

Paula, M., O. S. F., Mutter Angela, geborene Auguste v. Cordier. Leben u. Briefe. (234 S. m. 1 Bildnis.) gr. 8. Regensburg (907). F. Habbel. Geb. in Leinw. 3.—

Paula, Schwester aus dem Franziskanerorden, Aquilina. Dramatisches Spiel für die Jugend. gr. 16. (IV, 47 S.) Paderborn 870, Schöningh. * — 50

Aquilina. Drama in 3 Akten. Von Schwester **Paula** aus d. Franziskanerorden. 3. Aufl. Paderborn: F. Schöningh [1906]. (47 S.) 8° [F.]
— **Theater** f. d. weibliche Jugend. 11. [07. 14147

— s.: Betrachtungen f. die monatlichen Exerzitien d. Ordensfrauen.

—— Cyane. Dramatisches Spiel für die weibl. Jugend. gr. 16. (IV, 66 S.) Ebendas. 870. — 60

— Sankta Elisabeth, s.: Boll, F.

— Tante Lisbeth's Erzählungen u. Plaudereien. Nach ihren Manuscripten hrsg. 1. Bd. Aus der goldenen Kinderzeit. gr. 8. (109 S. m. Abbildgn.) Regensburg (901.) F. Habbel. Geb. in Leinw. n. 1.50

— der hl. Franziskus v. Assisi, s.: Erzählungen f. Schulkinder.

Paula, M., O. Fr., die kleine Geigensee, s.: Erzählungen f. Schulkinder. V. 9.

— Gelegenheitsgedichte (m. e. Anh. v. Liedern) f. religiöse Genossenschaften. Zum Gebrauche für Namenstag, Jubiläum, Einführg. od. Begrüßg. etc. (159 S.) 8. Regensburg (905). F. Habbel. n. — 90; geb. n. 1.20

Geschichte der Insel Nonnenwerth von Schwester M. **Paula**, Franziskanerin. *Regensburg: J. Habbel 1904.* (190 S.) 8°

— Heil, Kaiser, Dir! Dramatische Szenen u. Festspiele f. Kinder zu Kaisers Geburtstag. (69 S.) kl. 8. Hamm (909). Breer & Thiemann. — 60

— der göttliche Jesusknabe, s.: Erzählungen f. Schulkinder.

— für die lieben Kleinen! Gedichte, Plaudereien u. dramat. Scenen f. Kindergärten. 2 Tle. in 1 Bdchn. 8. (327 u. 215 S.) Regensburg 897. F. Habbel. 1.80

— für die lieben Kleinen! Gedichte, Plaudereien, dramat. Scenen, Geschichten u. Märchen f. Kindergärten. 1.—5. Bdchn. 8. Regensburg, F. Habbel. à — 90; geb. in Leinw. à n. 1.20

1. Gedichte u. Plaudereien. (296 S.) 899.
2. Kleine dramatische Scenen u. Spielchen. (215 S.) 899.
3. Dramatische Spiele. — Gelegenheitsgedichte für einzelne Kinder. — Dramatische Scenen f. Familienfeste. — Lieder. (192 S.) (899.)
4. Schneeglöckchen. Geschichten u. Märlein, um d. lieben Kleinen zu erzählen. (144 S.)
5. Christkindlein kommt! Christkindlein ist da! Gedichte, Gespräche u. dramat. Spiele f. die hl. Weihnachtszeit. (220 S.)

— für die lieben Kleinen! Gedichte, Plaudereien, dramat. Scenen, Geschichten u. Märchen f. Kindergärten. 6. u. 7 Bdchn. 8. Regensburg, J. Habbel. à — 90; geb. in Leinw. à n. 1.20
6. Wir gratulieren! Gelegenheitsgedichte f. kleine u. große Kinder. (III, 228 S.) (903.)
7. Gespräche, Szenen u. dramat. Spiele. (195 S.) (904.)

— Für die lieben Kleinen! Gedichte, Plaudereien u. dramat. Szenen, Geschichten u. Märchen f. Kindergärten. 8. Bdchn.: Für festl. Gelegenheiten. Gedichte, Gespräche u. dramat. Szenen. (190 S.) kl. 8. Regensburg (910). J. Habbel. — 90; geb. in Leinw. 1.20

— Für die lieben Kommunionkinder. Ein Gruß. (164 S.) kl. 8. Regensburg (908). J. Habbel. Geb. in Leinw. — 60

— Lasset die Kleinen zu mir kommen. Andachtsübgn. u. Belehrgn. f. gute Kinder. (176 S. m. Titelbild.) 11,2 7,5 cm. Saarlouis 908. F. Stein Nachf. Geb. in Leinw. — 40

— Leben d. hl. Antonius v. Padua, s.: Chérancé, Leop. de.

— Leo XIII, der große Jubelpapst, s.: Erzählungen f. Schulkinder.

— Maiglöckchen u. Flieder. Erzählungen f. junge Mädchen. (III, 312 S.) kl. 8. Regensburg (904). J. Habbel. Geb. in Leinw. n. 1.20

— Maiglöckchen u. Flieder. Erzählgn. f. junge Mädchen. 2. Aufl. (III, 312 S.) kl. 8. Ebd. (909). Geb. in Leinw. 1.60

— Mariela, s.: Aus Welt u. Leben.

— Märzveilchen. Geschichten, Märchen u. Plaudereien f. liebe Kinder. (196 S. m. 1 Farbdr.) kl. 8. Ebd. (904). Geb. in Leinw. n. 1.20

— Märzveilchen. Geschichten, Märchen u. Plaudereien f. liebe Kinder. 2. Aufl. (196 S. m. 2 farb. Vollbildern.) kl. 8. Regensburg (908). J. Habbel. Geb. in Leinw. 1.20

— die hl. Monika, s.: Erzählungen f. Schulkinder. VI. 7.

— Giovanni Battista Pergolese, der Sänger des Stabat Mater, s.: Erzählungen f. Schulkinder, VII 6.

— für traute Stunden! Märchenbilder. Den lieben Kleinen erzählt. Mit Zeichngn. von M. Benedetta. gr. 4. (132 S.) Ebd. (901). Geb. in Leinw. n. 3. —

— für traute Stunden! Märchenbilder. Den lieben Kleinen erzählt. Mit Zeichngn. v. M. Benedetta. 2. Aufl. (148 S.) Lex.-8. Regensburg (906). J. Habbel. Geb. in Leinw. n. 3. —

— Wald-Chronik. Märchen u. Bilder aus dem Waldleben. (141 S. m. Abbildgn.) Lex.-8. Ebd. (906). Geb. in Leinw. n. 3. —

— Weihnachtsgruß f. fromme Kinder, besonders f. die lieben Kommunionkinder. (164 S. m. 1 Farbdr.) gr. 16. Ebd. (902). Geb. in Leinw. n. — 40

— o du wunderselige Weihnachtszeit! Tante Lisbeths Weihnachtsbuch f. kleine u. große Kinder. gr. 4. (178 S. m. Abbildgn. u. 1 Farbdr.) Ebd. (901). Geb. in Leinw. n. 4. —

Zenobia, Königin v. Palmyra, s.: Spiele, dramatische, f. Töchterschulen usw. 3. Bdchn.

Duschek, Fr. de Paula (= Paula-Schrank, Fr von) „Anfangsgründe der Forstwissenschaft", Prag 1808 (Widtmann).

Pauland, Jo. Wilhelm (Nordhausen), De legitimis impedimentis sive Von Eehaften. Diss. jur. Präs. Ephraim Gerhard. Jena (Muller) 10. X. 1716. 54 Seiten. (5.—) 25938
Gew.: Nikolaus Walther Riedel, Jo. Pauland, Jo. Gunther Hoffmann, Georg Christoph Huxhagen.

Die Actien-Gesellschaft Paulanerbräu <zum Salvatorkeller> in München. Ein geschichtl. Rückblick anläßl. der Jahrhundertfeier. — o. O. u. J. [um 1905]. 47 S. quer-8°

[Umschlagt.:] **Paulcke,** Maximilianus *Fridericus* [Kiliensis]: ... De tabula Iliaca quaestiones Stesichoreae ... Inest tabulae iliacae imago. Regimonti Bor., ex offic. Leupoldiana, 1897; 109 S., 1 Bl., 1 Taf. 8.
Königsberg, Phil. Fak., Inaug.-Diss. v. 7. Aug. 1897

Paulcke, Max, de tabula iliaca quaestiones Stesichoreae. Diss. Inest tabulae iliacae imago. gr. 8. (109 S.) Regimonti Boruss 897. (Leipzig, Buchhdlg. G. Fock.) n. 2.50

Paulcke, W[ilhelm]. Geologische Beobachtungen im Antirhätikon. Eine vorläufige Mitteilung. Mit einer Kartenskizze. (Sonder-Abdruck aus Berichte der Naturforschenden Gesellschaft zu Freiburg i. Br. Band 14... Oktober 1904.) 42 S. ⟨S. 257—298.⟩ 8. (Freiburg i. B., C. A. Wagner.)

Paulcke, W., geologische Beobachtungen im Antirhätikon. Eine vorläuf. Mitteilg. (42 S. m. 1 Kartenskizze.) gr. 8. Freiburg i./B. (904). (Tübingen, J. C. B. Mohr.) n. 1. —
Sonderabdruck aus: „Berichte d. naturforsch. Gesellsch. zu Freiburg i. B."

Paulcke, Wilh., die Cephalopoden der oberen Kreide Südpatagoniens. Aus: Hauthal, Wilckens, Paulcke, die obere Kreide Südpatagoniens u. ihre Fauna. (82 S. m. 31 Abb. u. 10 Taf.) gr. 8. Freiburg i/B. 907. (Leipzig, M. Weg.) 7. —
Sonderabdr. a.: „Berichte d. naturforsch. Gesellsch. zu Freiburg i. B."

Paulcke, Wilhelm: Ueber die **Differenzirung** der Zellelemente im Ovarium der Bienenkönigin (Apis mellifica ♀). Mit 4 Taf. u. 1 Textfig. *Jena: G. Fischer 1900* (26 S.) 8° ¶ (Aus. Zool. Jahrbücher, Abt. f. Anat. u. Ontog. d. Thiere, Bd 14, H 2.)
Freiburg i. B., Phil. Diss. v 1900

Paulcke, W . Flugblatt, im Auftrage des Ski-Club Schwarzwald verfasst. 3. Tausend. .. Abdruck .. [für den] Ski-Club Bern. [Mit 20 Abbildungen.] 11 S. 4. (Freiburg i. B., Chr. Lehmann's Nachf., [1902].)

— Die Gefahren der Alpen, s.: Zsigmondy, Emil.

Paulcke, W[ilhelm], Dr., aus Leipzig: Ueber die **Kreideformation** in Südamerika und ihre Beziehungen zu anderen Gebieten. Th. 1. Mit 3 Taf. u. 5 Textfig. *Stuttgart: E. Schweizerbart 1903.* (S. 252—312.) 8° ¶ = Beiträge zur Geologie u. Palaeont. von Südamerika, hrsg. von R. Steinmann, Th. 10. — (Aus: N. Jahrbuch f. Mineral., Beil. Bd 17.)
Freiburg i. B., Phil. Hab.-Schr v. 1903

Paulcke, Wilh., der Skilauf. Seine Erlerng. u. Verwendg im Dienste d. Verkehrs, sow. zu tourist. (alpinen) u. militär. Zwecken. M. 19 Abb. im Text nach Zeichngn. v. L. Zorn u. e. Heliograv. nach photogr. Aufnahme d. Verf. 8. (XII, 112 S.) Freiburg i/B. 899. F. Wagner. n. 1.80

Paulcke, Wilh., der Skilauf. Seine Erlerng. u. Verwendg. im Dienste des Verkehrs, sowie zu tourist., alpinen u. militär. Zwecken. Mit 8 Vollbildern nach Aufnahmen des Verf., sowie 37 Abbildgn. im Text. 2, neubearb. Aufl. 8. (189 S.) Freiburg i/B. 903. F. Wagner. n. 2.—; geb. n. 3.—

Paulcke, Wilhelm. Der Skilauf. Seine Erlernung und Verwendung im Dienste des Verkehrs, sowie zu touristischen, alpinen und militärischen Zwecken. Mit 4 Vollbildern nach Aufnahmen des Verfassers, sowie 65 Abbildungen im Text. 3. neubearbeitete Aufl. VIII + 201 S. 8. Freiburg i. Br., Fr. Wagner, 1905. [M. 2.50, geb. 3.—]

— Der Skilauf. Seine Erlerng. u. Verwendg. im Dienste des Verkehrs, sowie zu tourist., alpinen u. militär. Zwecken. Mit 81 Abbildgn. im Text u. als Beilagen. 4., in Verbindg. m. dem Akadem. Skiclub München neubearb. u. erweit. Aufl. (VIII, 172 S.) gr. 8. Freiburg i/B. 908. F. Wagner. 3.—; geb. 3.80

Paulding, James Kirke

Des Holländers Heerd. Roman. Aus dem Englischen. Th. 1.2.
Frankfurt a.M.: Sauerländer 1838. 8°
(Bibliothek klassischer Schriftsteller Nordamerika's. Bd 3.4.)

Paulding, Jam. K., die Kentuckier. Amerikan. Roman. In d. Deutsche übertragen von Karl Andree. 2 Thle. 8. Leipzig 836. Schumann. 2 ₰

Paulding, James K., die Kentuckier. Amerikan. Roman. In d. Deutsche übertr. v. Karl Andree. 2 Thle. 8. (30¾ B.) Leipzig 836, [T. O. Weigel.]

—— Königsmarke oder Alte Zeiten in der neuen Welt. Roman. Aus dem Engl. Th. 1.2.
Frankfurt a.M.: Sauerländer 1840. 8°
(Bibliothek klassischer Schriftsteller Nordamerika's. Bd 5.6.)

— Amerikanische Romane, s. Bibliothek classischer Schriftsteller Nord-Amerikas.

Paulding, J. K., der alte Soldat, s. Bibliothek, amerikanische.

Paulding, J. K., die Tochter des Puritaners, s.: Ausland, das romantische, 7—12. Bd. — Bibliothek, Europäische, 307 u. 308. Bd.

—— Die Tochter des Puritaners. Bd 1-3.4-6.
Grimma, Leipzig: Verl.-Comptoir 1851. 8°

— Sybrandt Westbrook, oder des Holländers Heerd. Ein amerikanischer Roman. In's Deutsche übertragen von Karl Andree. 8. Leipzig 837. Schumann. 1¾ ₰

—— Sybrandt Westbrook, od. d. Holländers Heerd. Ein amerikan. Roman. In's Deutsche übertr. v. Karl Andree. 8. (28¼ B.) Leipzig 837, [T. O. Weigel.]

—— Wohlauf, nach Westen! Roman. Aus dem Englischen. Th. 1.2.
Frankfurt a.M.: Sauerländer 1837. 8°
(Bibliothek klassischer Schriftsteller Nordamerika's. Bd 1.2.)

Pauleidolonchoneicon oder Gedanken eines Südländers über europäische Religionsschriften, Aufklärungsweisheit . . . Christianstadt [Frankfurt a. M.] 1797. V: *Brauer, Johann Nicolaus Friedrich.* (Ky) (MGT) (Wr) (HS)

Pauleidolonchoneicon, od. Gedank. e. Südländ. über Europ. Religionsschr., Aufklärungsweish. und glänz. Ausf. d. Kirche. 8. Carlsruhe, Macklot. (Gebhardt u. K. in Frkf.) 797.

Paulemann, Gust., „Schuster Padde", der Mann aus'n Volke od. die Welt, durch die Schusterkugel besehen. gr. 8. (64 S.) Berlin 893. (Neufeld & Henius.) n. – 60

Pauler, Jul. v., wie u. wann kam Bosnien an Ungarn? [Aus: „Wissenschaftl. Mittheilgn. aus Bosnien u. d. Hercegovina" 2. Bd.] Lex.-8. (6 S.) Wien 894. (C. Gerold's Sohn.) n. — 40

Paulet, d. Familie, Briefe. 8. Frkft. Garbe. (Gebhardt u. K. auch Herrmann.) 783.

Paulet, Jean Jacq., L'antimagnétisme ou origine, progrès, décadence, renouvellement et refutation du magnétisme animal. Londr. et Par. 4°. Deutsch 1788. 8°.

1784

Paulet, [Jean Jacques]: Beyträge zu einer Geschichte der Viehseuchen, nebst deren Behandlung und Cur, nach d. Franz. Mit Anm. u. Zusätzen hrsg. von George Ludewig Rumpelt. Thl 1. 2. Dresden 1776.

Paulet, Jean-Jacques, Beitrag zur Geschichte der Viehseuchen. Aus dem Franz. v. L. Rumpelt. 2 Teile. Dresden 777. Walther. M. 5.—

Paulet-Peyrol, Jean Scipion: De privilegiis in genere. 29 S.– Basel, Jur.Diss.v. 19.Mai 1732.

Paulexel, Frz. Über einige Eigenschaften der elliptischen Integrale. 20 S. 8. **Progr.** G. *Brixen* 1876.

Paulexel, Franz: Ergebnisse der meteorologischen Beobachtungen in Freistadt von 1881 bis 1905. S. 3—15. 8. **Progr.** Kaiser Franz Josef-Staatsgymn. *Freistadt i. Oberösterr.* 1906.

Paulfranz, Ferdinand [aus Stettfeld, Bayern]: Hypertrophische Lebercirrhose . . . Würzburg, Druck d. Bonitas-Bauer'schen k. b. Hofbuchdr., 1893; 23 S. 8. Würzburg, Med. Fak., Inaug.-Diss. v. 1893

Paulhuber, Franz Xaver

Paulhuber, Fr. Xav., Beiträge zur Geschichte d. Heidenthums u. der Römerherrschaft, dann der Einführung u. Verbreitung des Christenthumes, sowie der Wirksamkeit der religiösen Orden in Deutschland u. Bayern. A. u. d. T.: Geschichte von Ebersberg u. dessen Umgegend in Oberbayern, von dem religiösen Standpunkte aus aufgefaßt ꝛc. Mit 4 lith. Bildern, (lith.) Charte der nächsten Umgegend, dann Stammtaf. u. Registern. gr. 8. (XII u. 704 S.) Burghausen 848, Lutzenberger. 2½ ₰

Paulhuber, Fr. Xav., Bilder des amerikanischen Missions-Lebens in 12 auserlesenen, in Nord-Amerika gehaltenen Predigten mit einigen Worten über die dortigen Erlebnisse. Freysing 864. Datterer. gr. 8. (VI, 255 S.) 24 ngr

Paulhuber, Bilder des Sterbens, gezeichnet in neun Musterpredigten. gr. 8. (IV und 108 S.) Augsburg 854, Kollmann'sche Buchh.

Paulhuber, Fr. X., Bilder d. Sterbens, gezeichnet in 9 Musterpredigten. 2. Aufl. gr. 8. (112 S.) Regensburg 886. Verlags-Anstalt. 1. 15

Paulhuber, F. X., s.: Fastenprediger, der.

—— der Prophet Jeremias und seine Klagelieder. Für unsere Zeit erklärt und angewendet in Fastenpredigten. Lex.-8. (XVI und 68 S.) Augsburg 850, Kollmann'sche Buchh.

—— Marien-Predigten, geordnet nach der lauretan. Litanei auf die vorzüglichsten Frauenfeste, in 3 Jahrgängen. Nebst einer Einleitung über die Grundregeln zur Ausübung des kathol. Predigtamtes. gr. 8. (XLVI und 263 S.) Regensburg 817, Manz.

Paulhuber, Franz Xav., Die Geheime Offenbarung des Apostels Johannes und zwar die ersten 3 Kapitel derselben in 10 Vorträgen erklärt. Schaffhausen, Hurter, jetzt Regensburg, Verl.-Anst., 1851, 8°, LIV u. 305 S., 2,70 Mk.

Paulhuber, Frz. Xav., die Pfarrkirche zu Mariä Hilf in der Vorstadt Au bei München in ihren histor., statist. u. artist. Merkwürdigkeiten dargestellt. Lex.-8. (3 B. u. 2 Stahlst.) München 844, Franz. *

— Reden über die christ-kathol. Religions-, Glaubens- u. Sittenlehre. 1. Bd. A. u. d. T.: Reden über die christ-kathol. Religionslehre im Allgemeinen. gr. 8. (XII u. 575 S.) Regensburg 849, Manz. — 2. Bd. A. u. d. T.: Reden über die christ-kathol. Glaubenslehre. gr. 8. (X u. 578 S.) Ebd. 850. (à 1 5/6 ℳ) 3 2/3 ℳ

Pauli, Julius. Zum Gedächtnis d. am Samstag den 20. Febr. 1892 heimgegangenen u. Dienstag den 23. Febr. zur Ruhe bestatteten Herrn Julius Pauli, Stadtpfarrers in Nördlingen. Ein Erinnerungsblatt f. die hiesige protestant. Gemeinde. gr. 8. (14 S.) Nördlingen 892. C. H. Beck. n. — 40

Pauli, Julius, s. Zum Gedächtnis.

Pauli, Ludwig. Ein Denkmal der Erinnerung an ihn. Dresden 1842. V: *Lyser, Johann Peter.* (Hirth: Lyser 1911, S. 569) (Zeitschr. f. Büch. N. F. 15, 1923, S. 118)

Pauli, Ludw., ein Denkmal zur Erinnerung an ihn. gr. 12. (1½ B.) Dresden 842, Gillig.

Pauli, Ludwig, als Künstler dargestellt. Leipzig 1841. V: *Burmeister-Lyser, Caroline Wilhelmine geb. Leonhardt.* (BRMM) (Friedrich Hirth: Johann Peter Lyser. München u. Leipzig 1911. S. 569)

Pauli, die Einrichtung der Familien-Wohnung. Vortrag, geh. am 13. V. 1902 im Casino. (Goethebund. Jahresbericht 1901/02.) gr. 8. (39 S.) Bremen (902). G. Winter. n. — 50

Pauli, Geschichte des Museum. Vortrag, gehalten beim 100jähr. Stiftungsfest der Museums-Gesellschaft am 15. Decbr. 1883. 8. (39 S.) Bremen 883, Schünemann. — 75

Pauli: Bischof Grosseteste u. Adam v. Marsh. Tübingen 1864. 44 S. 4°
Schul-/Univ.-Schrift

Pauli, die Heilung der körperlichen Schwäche beider Geschlechter u. in jedem Lebensalter. Ein Hülfsbuch für Alle, welche an Schwäche einzelner Organe u. Systeme oder an allgemeiner Entkräftung leiden. Nach Dr. Ardant's Vorschriften bearb. Leipzig 865. (G. Poenicke.) 16. (31 S.) 6 ngr.

Pauli's Kartenkunststücke. 12. (32 S.) Kempten 887. Wenger. n. — 25

v. Pauli, über Kochherde und Zimmeröfen. Mit 3 lith. Taf. (in Fol.) (Abdr. aus dem Kunst- u. Gewerbeblatt des polytechn. Vereins für das Königreich Bayern.) München 861. Fleischmann. Lex.-8. (23 S.) n. 6 ngr.

Pauli: Porto Novo. Die Abbildungen nach Original-Photographien. ([S.-A.] Globus. Illustrirte Zeitschrift für Länder- und Völkerkunde. Bd. 19 1886.) Braunschweig 1886. 8 S.

Pauli, Diss. de stranguria senum. Altd. 4°. 1714

Pauli, über den naturwissenschaftlichen Unterricht in der höheren Bürgerschule. Rathenow. 4.
Schul-/Univ.-Schrift

(**Pauli,** Major a. D.) Das preussische Volk in Waffen und die neue Militär-Organisation. 8. Berlin 1861.

Pauli's, A., deutscher Rechtsschatz. Eine f. jedermann verständl. Umarbeitg. der deutschen Gesetze. Ein zuverläss. Rechtsbeistand für jeden Staatsbürger. Mit zahlreichen Formularen u. Mustern f. Erledigg. des Schriftwechsels in Rechtssachen. Bearb. v. M. Hubert, R. Roberts, E. Lohmann u. vielen anderen Juristen. Red. v. A. Pauli. (In 85 Lfgn.) 1.—41. Lfg. (1. Bd. 379 S., 2. Bd. 706 S. u. 3. Bd. S. 1—235.) Lex.-8. Leipzig (906). National-Verlag. Subskr.-Pr. à — 60; Einzelpr. à — 80

Pauli's, A., deutscher Rechtsschatz. Eine f. jedermann verständl. Umarbeitg. der deutschen Gesetze. Ein zuverläss. Rechtsbeistand f. jeden Staatsbürger. Mit zahlr. Formularen u. Mustern f. Erledigg. des Schriftwechsels in Rechtssachen. Bearb. v. M. Hubert, R. Roberts, E. Lohmann u. vielen anderen Juristen. Red. v. A. Pauli. 42.—89. (Schluß-)Lfg. (1472 S.) Lex. 8. Leipzig 907. National-Verlag. Subskr.-Pr. à — 60; Einzelpr. à — 80

Pauli, A., der Salonkomiker. Auserlesene kom. Vorträge. gr. 16. (128 S.) Styrum 894. A. Spaarmann. Kart. — 75

Pauli A. A., Lebensgeschichte d. Landmessers B. Hueber, mit umständl. Nachr. von d. Arbeiten d. Geodeten v. Oberperfuß. 8. Innsbr. 805. Wagner. (Leipz., Barth). 7 ggr

Pauli, Adolf Wilhelm, s. Paulli, Wilhelm Adolf

Pauli, Alfred

Pauli, Alfr., das bremische Strafrecht. Ein Handbuch für Geschworene. 8. (XX und 204 S.) Bremen 863, Strack.

Pauli, Amalie, Declamationsstücke für das zartere Alter, ausgewählt. 2. Aufl. 8. (176 S.) Frankfurt a. M. 850, Keller. *

Pauli, Andreas Di, s. Di Pauli, Andreas

Pauli, Arminius Fridericus Historia apoplexiae ab antiquissimis temporibus usque ad finem seculi praeteriti Halis Saxonum (1860) Gebauer-Schwetschke 30 S. 8°
Halle-Wittenberg Med. Diss. v 7 Juli 1860
Geb. Schelo (Anhalt-Bernburg Kr Ballenstedt) 3. 6. 1833 V

PAULI, Dr. Arnold. Fürst und Edelmann oder feindliche Brüder. Berlin SO, F. Werthmann. (um 1900?)
Verb. d. Ldg. Duisburg 2812. P. J. IIa.

Pauli, Aug. (Hrsg), s. A u f der Spur des Lebens.

Pauli, August. Der Frühling-Anfang. Berlin, 20. März 1848. Druck von J. Petsch. 1 Bl. 8.
Flugblatt. Berlin, 1848/49

Pauli, Aug., unfehlbare Heilung der nervösen, rheumatischen u. gichtischen Uebel, der Schwerhörigkeit, Augenschwäche, Krämpfe etc. durch Magneto-Electricität u. Enthüllungen der wunderbaren Heilkraft derselben überhaupt, nebst einem Anh. interessanter Krankheitsgeschichten aus diesem Gebiete. gr. 8. (62 S.) Berlin 850, Th. Grieben. — 2. Aufl. gr. 8. (62 S.) Ebd. 850. 1/3 ℔

Pauli, Aug., sind wir Christen von heute, was wir sein sollen? Predigt üb 2. Cor. 2 14—17, geh. bei der Diözesansynode des Kapitels Würzburg am 29. VI. 1905 (12 S.) gr. 8. Würzburg 905. A. Herzer. n. — 25

Pauli, August Fr, s. P a u l y, August Fr

Pauli, Bertha, Mädchenerziehung u. Kampf ums Dasein. Ein Vortrag, geh. in der Versammlg. fortschrittl. Frauenvereine Wiens am 16. XI. 1910. Hrsg. vom österreich. Frauenstimmrechtskommitee. (27 S.) 8. Wien 911. M. Perles. — 60

Pauli, Bettina, meine Wege u. Gottes Wege. Lebenserinnerungen. (128 S.) kl. 8. Münster (909). Alphonsus-Buchh. — 90

Pauli, C. W. H., **Analecta hebraica: With critical notes and tables of paradigms of the conjugations of the regular and irregular verbs. gr. 8. (20 B. u. 7 Tab.) London 839 (Leipzig, T. O. Weigel.)**

Pauli, Carl, s. P a u l i, Karl

Der heutige Infanterie-Angriff. Beitrag z. neuen Infanterie-Exerziervorschrift von C[arlos] Páuli, Major a. D. Mit 15 Textskizzen. Berlin: Risel 1906. (VI, 24 S.) 8° [F.]

Páuli, C., die niederen Militärwissenschaften zum Selbststudium als Vorbereitung f. die Offiziers- u. Aufnahmeprüfung zur Kriegsakademie. 1. Bd. Mit 326 Aufgaben nebst Lösgn. u. 6 Bildern. (XXXI, 437 S.) gr. 8. Berlin 908. Zuckschwerdt & Co. 8. —

— Tropenvademecum. Ueber Ernährg., Gesundheitspflege, Bekleidg. u. Ausrüstg. v. Truppen u. Reisenden in den Tropen. Mit 3 Textskizzen. (IV, 51 S.) gr. 8. Berlin (907). Risels deutsche Centrale f. Militärwissenschaft. 1. -

Pauli, Christian Moritz

Pauli, Chr. Mor., Beitr. zur Sprachwissenschaft. 1r Bd. 3 Hfte. 8. (Leipz., Kummer). 812—17. 3 ℔ 2 ℊ

— — Gedanken. 1ste Sammlung. Neue verm. Ausg. 8. Berlin, Voß. 819.

Pauli, (Ch. M.,) Gedanken 2e u. 3e Sammlung. 8. Berlin 825, (Voß.) Rthlr.

Pauli, C. M., die Sprachreinheit von Seiten ihres förderlich. Einflusses auf Sprachbereicherung. gr. 8. Leipz. Kummer. 811.

— die Sprachreinigkeit von Seiten ihres förderl. Einflusses auf Spracbbereicherung. Eine Schulschrift. gr. 8. Leipz. 811. Kummer. 12 ℊ

Pauli, Christian Moritz, Turnsachen, In einem Schreiben an Steffens: Nebenbey eine Abfertigung der Runensteine im Freymüthigen für Deutschland, Berlin 1819, XVI u. 246 S., kl.-8°.

— Turnsachen. In einem Schreiben an Steffens. Nebenbei eine Abfertigung der Runensteine im Freimüthigen f. Deutschland. 8. Berl. 819. Voß. 20 ℊ

— **Karlsbader Zeitverkürzungen, oder Unterhaltungsstoff für Freunde einer geistigen Lebensbetrachtung. 8. Berlin, Spathen. (Leipzig, Köhler in C.) 818.**

— **Christian Traugott** (Marklissa/Lausitz), **Jus viduae doariae an sit merus usufructus. Präs. Ernst Martin Chladen. Wittenberg (Schlomach) 18. III. 1751. 24 S. (4.75) 25940**
Gew.: Heinrich Gottlob Modrach.

— **Christoph Gottlob** (Lauban/Lausitz), **De genuino privilegiorum conceptu. Diss. jur. Präs. Jo. Gottlieb Siegel. Leipzig (Langenheim) 19. IX. 1741. 23 S. (4.75) 25941**
Widm. v.: Jo. Gottlieb Siegel.

Pauli, Clement, Tugend gewährt Trost im Alter. Eine Rede. 8. München 787. (J. Lindauer.) 1/12 ℔

— **David Wilhelm** (Breslau/Schlesien), **De febribus secundariis. Diss. med. Präs. Georg Ernst Stahl. Halle/Magdeburg (Chr. Henckel) März 1707. 60 Seiten. (5.50) 25942**

Pauli, E., Kirche u. Schule im Kampfe um Gott. (Ein Beitrag f. die Umwandlg. des Religionsunterrichts.) (35 S.) 8. Leipzig-Gohlis 909. B. Volger. - 80

Pauli, E., 33 Jahre Prediger unter den Amangwekaffern. Nach dem Tagebuche des Missionars Neizel. (56 S. m. Abbildgn.) 8. Berlin (905). Buchh. der Berliner evang. Missionsgesellschaft. n. — 30

Vom Tode zum Leben. Erlebnisse unter d. Sulukaffern in Natal von E. **Pauli,** Missionar. Berlin. Berliner ev. Missionsgesellsch. 1906. (63 S.) 8° [F.]
[07. 3330

Pauli, E. A., Antrittspredigt üb. 2. Timoth. 4, 1 u. 2. gr. 8. (1¾ B.) Bremen 830, Heyse.

Bestimmungen für die Ausführung der Fleischbeschau und Trichinenschau im Regierungs-Bezirk Stettin. Für Laienbeschauer zsgest. von [Ernst] Pauli, Dep.Tierarzt. *Stettin H Susenbeth 1904.* (60 S.) 8°

Pauli, Ernestus Bernhardus: De acervuli origine ac natura. Halis Saxonum (1848): Schmidt. 17 S., 1 Taf. 8° (4°)
Halle-Wittenberg, Med. Diss. v. 30. März 1848
Geb. Berlin 30. 3. 1825. V

Pauli, Ernst Ludwig, vgl. P a u l , Ernst Ludwig

Pauli, Ernst Ludw., Danck-Predigt wegen des Sieges boy Dresden, am 15. December 1745. Magdeburg 1745. 8.

Pauli, Er. Ldw., († d. 21. April 1783.) der Heidelberg. Katechismus in kurze Sätze mit Beweisen gebracht. Nebst e. vorläufigen Grundwahrheiten d. christl. Religion. 8. Bernb. 774.

Pauli, Ernst Ludwig, s. T i l l o t s o n , J.: Leben ...

Pauli, F. A., Epitome itinerum filii Dei ordine harmonico ex IV evangeliis contexta. Würzburg, Stahel, 1780, gr. 8°

Vgl.: Pauly, F.A.

Pauli, Ferdinand

Pauli, Ferd., Wegweiser für Freunde der bildenden Künste. Leipzig 867. Matthes. gr. 16. (IV, 180 S.) 15 ngr

—— Wegweiser für Freunde der Poesie. Eine Erläuterung der Formen und Gattungen der Dichtkunst und einer Schilderung und kurzgefaßte Biographie ihrer wichtigsten Vertreter, in alphabet. Anordnung. gr. 16. (IV und 168 S.) Leipzig 866, Matthes.

Pauli, Friedrich

Pauli, Friedr., die neue bayer. Apotheker-Ordnung u die Martius'sche Beleuchtung ders. gewürdigt. gr. 12. (3½ B. Stuttgart 838, Hallberger'sche Vrlsh.

—— Beobachtungen u. Erfahrungen üb. d. Ruhr u. d Scharlachfieber. Nebst Bemerkn. üb. d. homöopath. Heil verfahren. gr. 8. (10¾ B.) Leipzig 835, Engelmann.

Fridericus Pauli: Comcentatio physiologico- chirurgica de vulneribus sanandis. Gottingae 1825: Dieterich. 120 S. 4°

Göttingen, Med. Preisschr. v. 4. Juni 1824

Pauli, Friedr., über Contagiosität und Erblichkeit der Syphilis, sowie über das Verhältniss des Schanker-Contagium zur Vaccine. Mit Bezug auf die dem Dr. Hübner zur Last gelegte Uebertragung der Syphilis durch Vaccination. gr. 8. (IV und 72 S.) Mannheim 854, Bensheimer.

Pauli, Friedr., der Croup. 1. und 2. Aufl. gr. 8. (XXIV und 184 S. mit 1 Stnt. in 4.) Würzburg 865, Stahel'sche Buchh. *

F. PAULI, Eröffnungsrede bei dem Feste des 25jährigen Bestehens der Pollichia zu Dürkheim, den 6. September 1865 gehalten. Landau 1865. Ed. Kaussler. 8°.

— Mémoire sur la nature de l'ophthalmie d'Egypte. Wurzbourg 858. Stahel. gr. 4. (15 S.) n. 10 ngr

—— über Pollutionen. Mit besond. Bezieh. auf Lallemand's Schrift üb. diese Krankheit. gr. 8. (11 B.) Speye 841, Lang'sche Buchh.

(Pauli, Friedrich): Die Rinderpest im Sommer 1863. Kurze Anleitung z. Auffindung u. Erkennung derselben nebst Bemerkungen über d. gesetzlichen Sperrmaassregeln. Johannisburg (1864). 50 S.

—— über d. grauen Staar u. d. Verkrümmungen, u. e. neu Heilart dieser Krankheiten. gr. 12. (18⅓ B. u. 1 Taf. Abbild. Stuttgart 838, Hallberger'sche Vrlsh.

Pauli, Fr., medicin. Statistik d. Stadt u. Bundesfestung Landau in Rheinbayern. gr. 8. (14½ B., 1 Grundriß u. Ztlvign.) Landau 831. (Mannheim, Löffler)

Pauli, Fr., Untersuchungen u. Erfahrungen im Gebiete der Chirurgie. Mit 4 lith. Abbild. gr. 8. Leipzig 844, Fr. Fleischer. 1½ ℛ

Die in der Pfalz und den angrenzenden Gegenden üblichen Volksheilmittel gewürdigt von FRIEDRICH PAULI. Eine von der Pfälzischen Gesellschaft für Pharmacie und Technik und deren Grundwissenschaften gekrönte Preisschrift. Landau 1842. J. Baur. 8°.

— die in der Pfalz u. den angrenzenden Gegenden üblichen Volksheilmittel, gewürdigt. Eine gekrönte Preisschrift. gr. 8. Landau 842. (Kaußler.) (Neustadt, Gottschick.) n. ⅔ ℛ

Pauli, Friedr., Schönlein's klinische Vorträge in dem Charité-Krankenhause zu Berlin, kritisch beleuchtet. gr. 8. (6¾ B.) Landau 844. Kaussler.

Pauli, Friedr. Aug., Gedächtnissrede auf denselben, s. Bauernfeind, C. M. v.

Pauli, Friedrich August von und P. L'Eveille. B e r i c h t über die projektirten Eisenbahnen zwischen Bern und Morsee. 1856.

Pauli, Fr A. v Die Eisenbahnbrücke über den Rhein bei Mainz. Notizen über die Eisenconstruction nach Pauli's System. Mainz 1863. Mit Atl.

— **Friedrich Salomo,** De praescriptione servitutum constitutiva. Diss. jur. Jena (Schreiber) 7. VI. 1816. 39 S. (4.25) 25943

Pauli, Friedrich Wilhelm

Pauli, Fr. Wlh., Homburg vor der Höhe u. seine Heilquellen. Mit 2 Stahlst. u. 1 lith. Karte. gr. 8. Frankfurt a/M. 842, Hermann'sche Buchh. F. E. Suchsland. n. 1 ℛ — 2. umgearb. u. verm. Aufl. gr. 8. Ebend. 844. ⅞ ℛ

Pauli, Frdr. Wilh., Homburg vor der Höhe u. seine Heilquellen. Mit 2 Stahlst., 1 lith. Karte u. 1 vergleichenden Tab. v. Mineralwassern (in qu. Fol.) 3. umgearb. Aufl. gr. 8. (XII u. 132 S.) Frankfurt a. M. 850, Hermann. 21 ngr

PAULI, Fritz (Meerholz): Ein Beitrag zur pathologischen Anatomie und Ätiologie der Lungengangrän.- München: Wolf 1901. 30 S.
20.12.1901 - Chr 1901/02,24; Jv 1901/02,276 (Prom.-Datum: 1902)
Diss. Ingolst.-Landsh.-Mchn.

Pauli, G., Rede bei d. am 4. Juni 1778 geschehenen feierl. Einweihung Hrn. D. G. Gerhards. 4. Berl. 778 J. F. Korn. 8 gl

Pauli, G. Fr. Th., Katechismusfragen über die fünf Hauptstücke des kleinen Katechismus Dr. Mart. Luthers, nach des weil. Oberhofpred. und Gen.-Superint. zu Hannover Dr. Just. Gesenius Katechismusfragen, als dem früher im Kalenbergischen, Hildesheimischen, Grubenhagenschen ꝛc. allgemein gebrauchten evangelisch-luther. Katechismus aufgestellt. Ein zweiter Versuch zum Lernen und Lehren, einstweilen ohne Bibelsprüche, Liederverse und Anh. 8. (68 S.) Braunschweig 864, Bruhn. *

P a u l i, G. J., de condemnationis atque supplicii Chr. tempore ad conciliandа loca Marci et Joannis. Hal. 1711. 4.

Pauli, G. L.

— Abschieds-Predigt über Apostelgeschichte 20, 32. gr. 8. Halle 790. (Laue in Berl.) 3 g℞

Pauli, G. L., († d. 20. April 1797.) Predigten zum Theil dogmat. Inhalts. gr. 8. Hamb. 794. Gundermann. (Aue in Altona). 14 gr

Pauli, Georg

Pauli's, Geo., Handbuch der Radfahrer Sachsens 1902. Unter Mitwirkg. der sächs. Radfahrervereine hrsg. 8. (62 S. m. 1 Karte.) Demitz-Thumitz i/S., Selbstverlag. n. 1.—

Pauli's, Geo., **Handbuch der Rad- u. Motorfahrer Sachsens 1906/07. 6. Jahrg. Unter Mitwirkung der sächs. Rad- u Motorfahrervereine hrsg. 2 Tle. (48 u. 32 S.) 8. Demitz, Selbstverlag.** à n. — 30

Pauli's, Geo., Handbuch der Rad- u. Motorfahrer 1910. 10. Jahrg. Ausg. A. (Ausg. f. Sachsen.) (58 u. 16 S.) kl. 8. Demitz i. S., Lehrer G. Pauli. — 60

— dasselbe. Ausg. B. Handbuch des Lausitzer Radfahrerbundes. (58 S.) kl. 8. Ebd. — 60

– Der Klosterberg u. seine Umgebung, s.: Zickmantel, Osw

– eine Morgenfahrt des Radfahrerklubs „Geölter Blitz", f.: Radfahrer-Pantomimen Nr. 7.

Pauli, Georg. med. pract. in Thun (von Malans, Kt Graubünden Aus der medicinischen Klinik in Zürich. Klinische Untersuchungen über Diabetes insipidus. Uster-Zür A Diggelmann Dr 1891 83 S. 8 Zürich, Med. Diss. [v 21 Dec 1891].

Pauli, Georg Daniel

— Comp. theologiae salmaticensis. IV Tmi. fol. Frcf. (Wolf, Augsb.) 726.

Pauli, Geo. Dan., d. Leid. und d. Herrlichk. d. Messias, in Predigten ub. d. 22. Ps. 8. Frankf. 711. Nrblr.

Pauli, Geo. Dan., (a Conceptione,) Weissag. d. Proph. Amos in Predigt. erkl. 4. Frankf. Andreä. 717.

Pauli, Georg Fr. August

Pauli, Geo. Fr. Aug., Abriß e. Geographie aus statist. Gesichtspunkte f. obere Klassen entworfen. 16 Hft. 8. Berl. 805. Rauck. 8 gr

— christl. Lehren, als Leitfaden f. Privatkatechumenen. 8. Berl. 804. 2e A. 807. (Mittler). 10 gr, 3e A. u. d. T.: Jesu Christi Lehren, Gebote u. Verheißungen 8. Ebd. 819. Rauck. 12 gr

— Lehren, als Leitfaden f. Privatkatechumen. 8. Berlin, Dieterici. 807.

Pauli, G., Jesu Christi Lehren, Gebote und Verheissungen in Vernunft und Schrift, nachgewiesen für Privat-Katechumenen. 3te Aufl. 8. Berlin, Rauck. 819.

— Reden, Thaten u. Schicksale f. d. Jugend d. gebild. Stände. 8. Berl. 808. (Mittler). 12 gr

Pauli, Georg Fr. August, s. Wilmsen, F. P.: Kinderbibliothek, 4. Thl.

Pauli, Georg Jakob

Pauli, Geo. Jak., († d. 23. Febr. 1795.) Abhandl. über einige wichtige Stellen d. N. Test. u. Beantwort. e. Fragen aus d. Lebensgeschichte Jesu. 8. Riga 773. (Hartknoch in Lpz.) 14 gr

— inneres und thät. Christenth. z. Privaterbauung. 8. Halle, Curt. (Gebauer.) 771.

— Entwurf e. katechet. u. populären Theologie, zu öffentlichen Vorlesungen. 8. Halle 778. N. A. 786. (Laue in Berl.) 4 gr

— Entwurf e. katechet. und popul. Theologie rc. 8. Ebd. 780.

– f. Gesangbuch f. d. Domkirche in Halle.

— Jubelfeyer d. deutsch.-reform. Domgem. in Halle. gr. 8. Ebend. 788.
Dass.s.a.: Jubelfeier...

— Heidelberg. Katechismus, mit kurzen Erläuterr. u. vielen Zeugnissen d. heil. Schrift. 8. Halle 796. (Laue in Berl.) 6 gr Auszug aus dems. 8. Halle 783. Ebd. 2 gr

Pauli, Georg Jacob. Heidelberger Catechismus mit kurzen Erläuterungen . . . 3. Aufl. Halle 1796. H: *Pichon, Johann Carl.* (Winer)

— Predigten über das Leiden u. Sterben Jesu Christi. 3 Thle. 8. Halle 768—80. (Laue in Berl.) 1 rß

— Predigten üb. d. Leiden und Sterben J. Christi. 3 Thle. 8. Ebend. 770—80. (I. II. 16 gr. III. 9 gr.)

— Predigten üb. auserles. Stellen d. heil. Schrift. gr. 8. Halle 786. (Laue in Berl.) 16 gr

— Predigten üb. auserl. Texte d. heil. Schr. gr. 8. Ebend. 786.

— das Wort d. Herrn an Reiche u. Arme geredet. 8. Halberst. 772. Groß. 4 gr

Pauli, Gerhard F., s. Archiv, Pommersches.

PAULI, G. F., Fragmente über Filosofie der Jurisprudenz, und filosofisch(-)juristische Aforismen über Minderung und Strafe fleischlicher Verbrechen (Sodomie, Onanie, Blutschande, Ehebruch, Bigamie, Nothzucht etc.). Halle, bei Joh. Chrn. Hendel, 1779. Gr 8⁰

Pauli, Gf. Albr., gründl. Befassung d. Heilshist. d. A. und N. Test. 8. Danzig, Knoch. 730.

— **Gottfried Wilhelm** (Brieg/Schlesien). De emendatione animae non ab intellectu, sed a voluntate, inchoanda. Solemnis diss. phil. Präs. Jo. Friedemann Schneider. Halle (Chr. A. Zeitler) 7. IX. 1711. 40 S. (4.75) 25941

Hans Sebald **Beham**. Ein krit. Verzeichniss s. Kupferstiche, Radirungen u. Holzschnitte von Gustav **Pauli**. Mit 36 Taf. *Strassburg: J. H. E. Heitz 1901* (VI, 520 S.) 8°
— **Studien** z. deutschen Kunstgeschichte. H. 33. [04. 10836

Hans Sebald Beham. Ein krit. Verzeichniss s. Kupferstiche, Radirungen u. Holzschnitte von Gustav **Pauli**. Mit Taf. [Nebst] Nachträge. Strassburg: Heitz 1901—11. 8°
(Studien z. Deutschen Kunstgeschichte. H. 33. 134.) [11. 5163

— Einiges über den Kunstgenuß. 8. (31 S.) Bremen 900. G. A. v. Halem. n. 1. —

Gainsborough. Von Gustav **Pauli**. Mit 1 Titelbilde u. 80 Abb. Bielefeld & Leipzig: Velhagen & Klasing 1904. (108 S.) 4°(8°) [F.]
= **Künstler-Monographien**. 71. [05. 3419

Gainsborough von Gustav **Pauli**. Mit 1 Titelbild, 80 Abb. u. 1 farb. Einschaltbild. 2. Aufl. Bielefeld & Leipzig: Velhagen & Klasing 1909. 108 S. 4°(8°)
(Künstlermonographien. 71.) [10. 7316 6

— **Gemälde alter Meister im bremischen Privatbesitz. Eine Erinnerg. an die Ausstellg. in der Kunsthalle zu Bremen in den Monaten Oktober u. November 1904. (64 S.) 8. Bremen 905. F. Leuwer.** n. 2. 40

— s.: **Gemälde u. Bildhauerwerke, 40, aus den Sammlungen der Kunsthalle zu Bremen.**

Pauli, Gustav: Inkunabeln der deutschen und niederländischen Radierung. 26 Taf. Berlin: Cassirer 1908. 10 S., 26 Taf. 2°
(Graphische Gesellschaft. Veröffentlichung. 8.)

— **Inkunabeln der deutschen u. niederländischen Radierung**, s.a. **Veröffentlichungen der graph. Gesellschaft.** VIII.

Pauli, Gust., s.: Katalog d. Bibliothek d. kgl. Akademie d. bild. Künste zu Dresden.

— **Katalog der Gemälde u. Bildhauerwerke in der Kunsthalle zu Bremen. (126 S. m. 6 Taf.) 8. Bremen 907. F. Leuwer.** 2. —

Pauli, Gust., s.: Künstlermonographien.

— **Kunsturtheil u. Kunstgefühl. gr. 8. (35 S.) Ebd. 900.** n. 1. —

Das Rathaus zu Bremen von Dr. Gustav **Pauli**. *Berlin & Stuttgart: W. Spemann [1898].* (18 S., 7 Taf.) 2°
— **Baukunst**, Die. [Ser. 1.] H. 6. [98. 3718

Aus meinem Reiseleben. Von Gustav **Pauli**. Für Familie u. Freundschaft gesamm. Reiseberichte. *Berlin 1900: A. Hopfer in Burg.* (737 S.) 4° (8°) [00. 9740

Pauli, *Theodor* Gustav: Die Renaissancebauten Bremens im Zusammenhange mit der Renaissance in Nordwestdeutschland ... Leipzig, Druck v. Ramm & Seemann, 1891; 3 Bl., 120 S., 1 Bl. 8°
Leipzig, Phil. Fak., Inaug.-Diss. v. [13. Okt.] 1890

Pauli, Gust., die Renaissancebauten Bremens im Zusammenhang m. d. Renaissance in Nordwestdeutschland, s.a. Beiträge zur Kunstgeschichte.

[F.] Venedig. Von Gustav **Pauli**. *Leipzig: E. A. Seemann 1898.* (2 Bl., 158 S.) 1 Bd 8.
— **Kunststätten**, Berühmte. No 2. [98. 10031 M1

Venedig. Von Gustav **Pauli**. 2., durchges. Aufl. *Leipzig & Berlin: E. A. Seemann 1898.* (105 S.) 8° [F.]
— **Kunststätten**, Berühmte. No 2. [02. 2454 11

— **Venice, s.: Art cities, famous. Nr. 2.**

Pauli, H., die Verfügungen des deutschen Handelsgesetzbuchs über die Einträge in das Handels-Register mit besond. Bezugnahme auf das Einführungsgesetz für das Großherzogth. Hessen. 8. (32 S.) Mainz 863, Faber.

Pauli, *Philipp* Heinrich [aus Alzey]: Beiträge zur Electrolyse der Alkalibromide und Fluoride ... Berlin, Druck v. E. Ebering, *1897;* 58 S., 3 Bl. 8.
Berlin, Phil. Fak., Inaug.-Diss. v. 20. März 1897

Pauli, H, s.: Organist, der.

Pauli, H., das praktische Orgelspiel u. die Behandlung der Orgel. Wegweiser f. den kathol. Organisten. 12. (35 S.) Trier 893. Paulinus-Druckerei. n. — 50

Kurze Vor- und Zwischenspiele über Choralmotive für die Orgel komp. von H[einrich] **Pauli**. Trier: Grach in Comm. (1904). (77 S.) quer-8° [05. 9507

— **Heinrich August** (Werder bei Potsdam/Mark), De natura somni. Diss. med. Berlin (J. Fr. Starck) 8. II. 1825. 32 S. mit Biogr. (M.: E. E. Petzold). (3.25) 25945
Oppon.: F. Ziegenmeyer, Aug. Bock, A. Mühlmann.— Gew.: Carl Fried. Pauli (Vater).

Pauli, Hermann, aus Frankfurt a. M.: Ueber **Orthochlorbenzylhydrazin.** *Heidelberg 1901: K. Rössler.* (37 S.) 8°
Heidelberg, Naturw.-math. Diss. v. 1901

P(AULI), H(ERMANN): Die Religion für deutsche Katholiken. Preßburg 1848. 24 S. - 180 mm

Pauli, Hermann Reinhold

Pauli, Herm. Reich., Bergpredigt des Herrn, u. einig. Miscellanpred. 4. Frankfurt. 740.

Pauli, Herm. Reinh., Danck- und Friedens-Predigt über den zwischen S. K. Maj. getroffenen Frieden, am 15. Juli 1742 gehalten. Halle 1742. 4. (36 Seit.)

— pfälzisch. furstl. **Glaubenspredigten.** 4. Ebendas. 726.

— d. durch viel Leiden vollend. **Herzog** d. Seligk. 4. Ebendaselbst. 722.

— bibl. Katechism. v. d. vorn. **Histor.** Alt. u. N. Test. 12. Mannheim. 726.

— Heidelbergischer **Katechismus.** 12. Halle, Gebauer. 740.

— Kraft d. Reichs Gott. in **Ueberwindung** all. geistl. Feinde. 4. Braunschweig, Schröder. 731.

Pauli, Hermann Reinhold, Kriegs-, Sieg- und Friedens-Predigten, aus Anlass der Königl. Preussischen Waffen, Siegen und erfolgten Friedens. Halle 1746. 4. (144 S.)

— **Krieg-, Sieg- und Friedens-Predigten.** 8. Halle, Waisenbuchhandl. 746.

Pauli, Herm. Reinh., der liebevolle Rath d. getreuen u. wahrhaftigen Zeugen, an das laue Laodicea unsrer Zeit, aus d. Offenbahr. Joh. III. v. 14—18. in 24 Predigten vorgetragen. 2te verb. Aufl. mit Anh. 4. Leipz. Weidmann. 739.

— Worte und Gesch. des Kuhhirt. Thekoah rc. 8. Braunschweig. 716.

Pauli, Hugo, die deutschen Münzen, s. Münzen.

Pauli, J. (Bearb.), s. A r n d , Johann: Erbauliche Psalter-Erklärung.

Pauli, J., das Vermächtniß, s. Volks-Bücher, neue.

Pauli, J. Herm., zwölf lectiones paraeneticae, an studiosos theologiae geh. rc. 2 Thle. 8. Frankf. 733.

— — dieselben. 8. Halle, Waisenhaus. 735.

— — Fortsetzung hiervon. 8. Ebend. 737.

Pauli, J. P., De spasmis. 28 pp. Hal. 4°. 1702

Pauli, J. W., die Umtriebe der Demokraten in Paris. Eine Rechtfertigung Ludwig Philipp's. gr. 8. (VIII u. 60 S.) Leipzig 849, Brandstetter. 1/6 ₰

Pauli, Jean, Seid willkommen, dtsche. Turner! Turners Festgruß, f. Männerchor komp., Gedicht v. Theobald, op. 217, Fechenheim a. M., 6 S., 8°.

PAULI, JOHANN.
Chymisch-medicinische Abhandlung von denen harnichten Salzen und Geistern. Kopenhagen, 1770, bey Johann Gottlob Rothen, Königl. dänischen Hof- und Universitäts-Buchhändler. pp. 72, 12mo.

—chym.-medizin. Abhandl. v. destillirten Wassern u. brennenden Geistern. 8. Kopenh. 769. Rothe. 3 ₰

PAULI Johannes: De Clemente Alexandrino vindice ethicae christianae. — (1901) 127 S. 4° (Handschr.) Diss. 833
Diss.Wien, Univ.

Pauli, Jh., d. medizin. Richter, in Betrachtung d. Todschläge. 8. Kopenh. 764. Rothe. 3 ₰

Pauli, Johannes, Schimpf und Ernst, s. Johannes Pauli.

Pauli, Johs., Schimpf und Ernst, s. Universal-Bibliothek Nr. 945 und 946.

— — Dasselbe, tit.: S c h i m p f u n d E r n s t, ausgewählt u. erneuert v. H. A. J u n g h a n s. Min.-Ausgabe. Leipzig, o. J. 16°. (80 Pfg., eleg. Lwdbd., neu, Heckenhauer, Tübingen, 1879.)

— — Dasselbe, tit.: P o l i t i s c h e r S c h i m p f f u n d E r n s t. O. C. u. J. (c. 1700). 8°. (In Breslau, Kgl. Bibl., Lit. Teut. II. 8° 172.)

— — Dasselbe. Freystadt 1702.
Weller, fing. Dr. I. p. 32.

— — Dasselbe, tit.: S c h i m p f u n d E r n s t. Vormals zu Freystadt. 1771. 8°.
Kuppitsch no. 5306; Bibl. Tieck. no. 1040; die Jahrz. „1771" auch bei Goedeke (1. Aufl.) p. 374.

— — Dasselbe, tit.: S i n n r e i c h e u n d u n t e r h a l t e n d e G e s c h i c h t e n aus Frater *Johannes Pauli's* S c h i m p f u n d E r n s t. Hrsg. .... von Gustav J ö r d e n s. Mit litterar. Notiz. Leipzig 1822. 8°. 168 S. (In Berlin: Yt 6631.) (1/3 Rthl. T. O. Weigel, 1872.)

— — Dasselbe, tit.: S c h e r z u n d E r n s t. Prag 1829. Gr. 8°.
Kuppitsch' Collection (an No. 15).

— — Dasselbe, tit.: D i e A n e k d o t e n s a m m l u n g d e s B a r f ü ß e r m ö n c h s *Johannes Pauli*, genannt S c h i m p f u n d E r n s t .... in einer 244 Stück begreifenden Auslese. Herausg. von G. Th. D i t h m a r. Marburg 1856. 8°. 21 u. 216 S. (In Berlin: Yt 6632.) (1 Mk. Scheible, v o r 1885; 4 Mk., unbeschn. im Orig.-Umschl., E. Frensdorff, 1907.)

— — Dasselbe, herausgegeben von Hermann O e s t e r l e y. Stuttgart, Bibl. d. lit. Vereins, Bd. 85, 1866. 8°. 559 S. (In Berlin: Yt 6633.) (2 Rthl. Heberle, Cöln, c. 1872; 15 Kr. Gilhofer u. Ranschburg, Wien, 1908.)
Der H e r a u s g e b e r sagt in der Einleitung, S. 6 ff.: „Durch die Zusammenstellung der Nummern nach ganz neuen Rubriken und die fortwährende Neigung, ältere Stücke auszuscheiden, neue einzuschieben und jedem einen moralisierenden Schluss anzuhängen, sowie Sprache und Orthographie dem Gebrauche der Zeit anzupassen, erhalten die nach der ersten Hälfte des XVI. Jahrh. erscheinenden Ausgaben ein immer fremdartigeres Ansehen, und müßen endlich als ganz neue Werke betrachtet werden, die, wie so viele andere Schwankbücher, Pauli's Sammlung benutzt oder ausgezogen haben."

Pauli, Johannes, Schimpf und Ernst. Hrsg. von Herm. Oesterley, s. Bibliothek des litterarischen Vereins in Stuttgart, Bd. 85.

— — Dasselbe, tit.: S c h i m p f u n d E r n s t, nach *Johannes Pauli*. Als Zugabe z. d. Volksbüchern erneut u. ausgewählt v. K. S i m r o c k. Heilbronn 1876. 8°. VIII, 319 S. (Mk. 5—.) (2 Mk. 50 Pfg. E. Frensdorff, 1908.)

Pauli, Johs., u. Jörg Wickram, aus „Schimpf u. Ernst" u. aus dem „Rollwagenbüchlein" neu bearb. v. Ant. Plattner, s.: Volksbücherei Nr. 84.

— **Johann August Gotthilf** (Braunschweig), Diss. med.-chir. sistens cogitata quaedam de scirrho ac cancro in specie mammarum. Jena (Fiedler) 12. X. 1798. 52 S. (4.25) 25946
Gew.: Justus Christian Loder, Christoph Wilhelm Hufeland, Johann Friedrich Pauli (Vater).

Pauli, Johann Heinrich

Pauli, Joh. Heinr., Predigt zum Gedächtniß Friedrichs II., Pfalzgrafen u. Churfürsten, gehalt. am 1. Weihnachtstage 1845. gr. 8. (1/4 B.) Mainz 846, v. Zabern. *

— **Johann Heinrich** (Kettenheim), Predigt über 1. Timotheum I. 12. geh. am Gedächtnißfest seiner 50jährigen Amtsführung. Mainz (Th. v. Zabern) 7. X. 1855. 8 S. (2.50) 25947

Pauli, Joh. Heinr., acht Predigten üb. d. Gebet des Herrn, nebst e. Einleitungspred. 8. (5 B.) Mainz 830, Kupferberg.

Pauli, Johann Ph. Gerhard

— s. 1) Kirchenagende f. d. reform. Gemeine. 2) Ordnung d. Gottesdienstes in d. Hamburg. Kirchen.

Pauli, J. P. Gh., Pastoralbriefe, erkl. und angewandt., als d. 4te und 5te Beytr. z. Les. d. heil. Schrift. 8. Leipzig, Jacobäer. 787.

Pauli, Jh. Ph. Grhrd., († d. 13. April 1816.) Predigten, gehalten vor d. reform. Gemeine zu Dresd. gr. 8. Dresd. 778. Hilscher. 12 ₰

Pauli, Johann Samuel

Pauli, Jh. Sam., († d. 26. Mai 1814.) Betracht. üb. die Schönheit d. Alterthums. 8. Mitau 774. Hinz. (W. Nauck in Leipz.) 6 gr.

Pauli, J. S., Betr. üb. d. Schönh. d. Alterth. 8. Mietau, Hinz. (a. Sommer, Leipzig.) 774.

— über gute Polizeianstalten. 8. Görlitz 805.

Pauli, Johann Ulrich

Schreiben an den hochlöblichen Orden der Herren Freymäurer, wie auch an die oeconomischen und gelehrten Gesellschaften, insonderheit an hochlöbliche ... zu ... [Von Joh. Ulrich Pauli.] [Hamburg 1772.] 16 S. 4°
[Kopftit.]
Kl. 379. Einladungszirkular zur Errichtung einer Bildsäule für die Kaiserin Katharina von Russland u. zu verschiedenen gemeinnützigen Unternehmen. 193.

Pauli, Johann Wilhelm

Pauli, J. W., Diss. de anxietate. Lps. 4°. 1709

Pauli, Johann Wilhelm [Praes.], s. Bauer, Johann Friedrich: De medicamentis e corpore humano desumtis merito negligendis.

Pauli, Jo. G., resp. L. H. **Mylius**, De fibrarum motricium differentia et usu. 3 l. Lps. 4°. 1717

Lectori benevolo facultat. med. Lipsiensis procancellarius **Joh. Wilhelm Pauli** s. p. d. (Leipzig (Titius) 18. post Trinit. 1717). (3.—) 25948

Johann Wilhelm Pauli

Lectori benevolo Facultatis medicae Lipsiensis... [Einladungsschrift zur Dr. med.- Promotion von Johann Friedrich Ortlob, 1719, Leipzig, 29. Apr. 1719.] (Lipsiae 1719: Titius.) 4 Bl. 8°

— **Joh. Wilhelm Arnold** (Wesel/Kleve), De liberis, positis in conditione, comprehensis etiam in dispositione. Diss. jur. Präs. Philipp Jakob Heisler. Halle/Saale (Hendel) 13. IV. 1754. 26 S. (4.25) 25949
Widm. v.: Philipp Jakob Heisler.

— — Dasselbe. 13. IV. 1754. Halle/Magdeburg (J. Chr. Hendel) 1766. 36 S. (4.25) 25950
Widm. v.: Philipp Jakob Heisler.

PAULI, Joseph de (Innsbruck): Ueber das Erbrecht der Ascendenten. Mit einem Anhange über das Erbrecht nach den Statuten von Tirol.- Landshut: Thomann 1811. 1 Bl., 68, 20 S.
1811 - Kal 1812
Diss. Ingolst.-Landsh.-Mchn.

Pauli, J., üb. das Erbrecht d. Ascendenten. gr. 8. Landshut, Thomann. 812.

Pauli, Julius

Pauli, J., das Leben der Erzväter. In 50 Bibelstunden ausgelegt. 8. (IV, 296 S.) Nördlingen 878, Beck'sche Buchh. * 2,60

Pauli, Jul., die evangelischen Missionen in Afrika. In Missionsstunden betrachtet. Bevorwortet von G. Thomasius. 2 Hälften. 8. (VII, S. 1—160; II, S. 161—354.) Erlangen 868,69, Deichert. à Hälfte *M 1,40. *

Pauli, Jul., Roberto del Nobili und Christ. Friedr. Schwartz, zwei Missionare in Ostindien. gr. 16. (100 S.) Nürnberg 870, Löhe. cart. *

Pauli, Jul., Roberto dei Nobili und Christ. Fr. Schwarz, zwei Missionare in Ostindien. 8. Nürnberg 870. Gütersloh, Bertelsmann. * — 80

Pauli, Carl (II.), Befreiung der Deutschen Bühne vom Drucke der Geldspeculation. Vorschläge zur Umwandlung des Theaterwesens mit Rücksicht auf ihre Fundirung. gr. 8. (24 S.) Berlin 887, O. Dreyer. *

Pauli, C., Beitrag zur Würdigung des Atheniensers Kleon. Pr. 1878. 20 S. 4°. 1.20

Pauli: Ueber die Benennung der Körpertheile bei den Indogermanen. 29 S.– Progr Stettin Fr.W., 1867

Pauli, Carl, über die Benennung der Körpertheile bei den Indogermanen. Berlin 867. Dümmler's Verlag. 4. (29 S.) n. 8 *ngr.*

Pauli, Carl, die Benennung d. Loewen bei den Indogermanen. Ein Beitrag zur Lösg. der Streitfrage üb. die Heimat d. indogerman. Urvolkes. gr. 8. (V, 21 S.) Münden 873. Augustin. n. — 75

Pauli, Carl, s.: Corpus inscriptionum etruscarum.

Pauli, Karl, die Doppelgänger. Kriminalroman. (134 S.) 8. Einsiedeln (903). Verlagsanstalt Benziger & Co. n. 1. 80; geb. in Leinw. n. 2. 60

Pauli, Karl, Ehrenämter, s.: Theater, kleines.

Pauli, Karl, († d. 10. Juni 1779.) élémens de la Danse. 8. Leipz. 756.

Pauli, Carl *Georg Alexander* [aus Adolphshof]: Über einen Fall von tuberkulöser [!] Erkrankung des Pericardium mit gleichzeitigem Carcinoma ventriculi ... Halle a. S., Hofbuchdr. v. C. A. Kaemmerer & C., 1894; 24 S., 2 Bl. 8.
Halle, Med. Fak., Inaug.-Diss. v. 10. März 1894

Pauli, Carl, über Familiennamen, insbesondere die von Münden. I. Münden 870. Augustin. 4. (28 S.) n. 8 *ngr.*

— über Familiennamen. II. 4. (30 S.) Ebend. 871. (à) n. -- 80

Pauli, Carl, altitalische Forschungen. 1. Bd. Die Inschriften nordetruskischen Alphabets. Mit 7 lith. Taf. gr. 8. (VIII, 131 S.) Leipzig 885. Barth. n. 9. —

— altitalische Forschungen. 2. Bd. Eine vorgriech. Inschrift v. Lemnos. 2. Abtlg. gr. 8. (IV, 262 S.) Leipzig 894. J. A. Barth. n. 14. — (1. u. 2. Bd.: n. 27. -)
Die 1. Abth. d. 2. Bds. bildet: Pauli, C., e. vorgriechische Inschrift auf Lemnos. 1886.

Pauli, Carl. Altitalische Forschungen. 3. Bd. Die Veneter u. ihre Schriftdenkmäler. gr. 8. (XIV, 456 S. m. 2 Lichtdr.- u. 7 zinkograph. Taf.) Lpz. 891, Barth. * 40 —
1. Bd. Ebd. 1885. * 9 —. — 2. Bd. 1. Abthl. s. XVIII. Bd. 2. Abthl. S. 292: Pauli, Carl. Eine vorgriechische Inschrift auf Lemnos.

Pauli, Carl, etruskische Forschungen und Studien, s. Deecke, W.

— neue Forschungen üb. den Ursprung d. Kutschkeliedes. gr. 8. (III, 35 S. m. e. eingedr. Holzschn.) Ebend. 872. n. 1. —

—— Gänseliesel, s. Bibliothek, neue, für das deutsche Theater.

Das Gebetbuch und andere Humoresken von Karl Pauli. *Berlin: C. M. A. Müller & Co. [1902].* (96 S.) 8°
= Eros, Bibliothek. Bd 5.

— das Gebetbuch u. andere Humoresken, s.a. Bibliothek Eros. 5.

Pauli, Karl, das Geheimnis der Sturzbachschenke, s.: Theater, kleines.

—— „Gemma". Schauspiel in 3 Acten. 8. (95 S.) Guben 885, Koenig.

— dreizehn u. e. Geschichte, s.: Universal-Bibliothek.

— Geschichte der lateinischen Verba auf uo. Stettin 865. Dannenberg & Dühr. gr. 8. (68 S.) n. 15 ngr

Pauli, Carl, allgemeiner und immerwährender Gesundheits-Kalender auf jedes Jahr und jede Zeit anwendbar. Für das deutsche Volk hrsg. etc. gr. 8. (88 S.) Braunschweig 849. (Osterode, Sorge.) *

— Das böse Gewissen, s.: Herrenbühne.

— „Gift", s.: Theater, kleines.

Pauli, Carolus (geb. am 3 Apr. 1823 in Heiligenstadt Rgbz. Erfurt): De historia syphilidis ... Bonnae, typ. C. Krüger 1856. 25 S., 2 Bl. 8.
Bonn, Med. Fak., Diss. v. 9 Apr. 1856

— In der Hitze, s.: Theater-Bibliothek f. Vereine u. Dilettantenbühne.

—— eine vorgriechische Inschrift von Lemnos. gr. 8. (IV, 81 S mit 1 lithogr. Taf.) Ebendas. 886. *

Die Inschriften nordetruskischen Alphabets. Von Dr. Carl Pauli. Mit 7 lith. Taf. *Leipzig: J. A. Barth 1885.* (VIII, 131 S.) 8°
= Pauli Altital. Forschungen. Bd 1 (01. 3985

— Josef u. seine Brüder. Ein Blatt aus d. Tagebuche e. Schmieren-Komödianten u. andere Theater-Humoresken. 8. (70 S.) Berlin (902). C. Messer & Co. — 50

Der Kolonist der Tropen als Häuser-, Wege- und Brückenbauer. Von Carl Pauli, Vermessungsbeamter, Deutsch-Neu-Guinea. Mit zahlr Abb. u. 4 Taf. Berlin: W Süsserott 1904. (38 S.) 8° [F.]
= Kolonialbibliothek, Süsserotts. 9. (05. 386

Pauli, C., der Kolonist d. Tropen als Häuser-, Wege- u. Brückenbauer, s.a. Süsserott's Kolonialbibliothek. 9. Bd.

Pauli, Carl, deutsches Lesebuch für die oberen Klassen höherer Lehranstalten. gr. 8. (V, 316 S.) Hannover 875, Hahn'sche Buchh. * 3 —

Masken. Theaterhumoresken von Karl Pauli. Mit Abb. von L. Berwald. Berlin, Leipzig: Hillger [1909]. 96 S. 8°
(Kürschners Bücherschatz. Nr 699.) (10. 7400

— Masken. s.a. Kürschner's Bücherschatz.

—— um höheres Recht, s. Bibliothek, neue, für das deutsche Theater.

— ein Rückgenie, s.: Theater, kleines.

Ein zweiter Salomo. Komische Gerichtsszene in 1 Akt von Karl Pauli. *Berlin: E. Bloch (1904).* (16 S.) 8° [F.]
= Herren-Bühne, Ludwig Blochs. No 58.

— ein zweiter Salomo, s.a. Bloch's, Ludw., Herren-Bühne. Nr. 58.

— der Scheidungsgrund, s.: Pansa, E.

Pauli, Karl. Der Scheidungsgrund.
s. Theater, kleines.

— Beim Schiedsmann, s.: Theater, kleines.

Pauli, Karl: Der Schleier der Naiven. Tragödie aus d. Theaterwelt u. a. Geschichten. Berlin, Leipzig: Hillger [1908]. 102 S. 8°
(Kürschners Bücherschatz. Nr 643.)

— Der Schleier der Naiven, s.a. Kürschner's Bücherschatz.

— die verhängnißvolle Skatpartie, s.: Theater, kleines.

— das Scelett im Hause (nach Frdr. Spielhagen), s.: Theater, kleines.

—— s. Studien, altitalische.

—— etruskische Studien. 1. Heft: Ueber die Bedeutung der etrusk. Wörter etera, lautn eteri und lautni. gr. 8. (111 S.) Göttingen 879, Vandenhoeck und Ruprecht's Verlag. * 2 40

—— etruskische Studien. 2. und 3. Heft. gr. 8. Göttingen 880, Vandenhoeck und Ruprecht's Verlag. * 7 60
Inhalt:
Heft 2. Ueber die etruskischen Formen arnθial und larθial. (76 S.) * M 1,80.
» 3. Die Besitz-, Widmungs- und Grabformeln des Etruskischen. (156 S.) * M 5,80.
1. Heft. Ebendas. 1879. * M 2,40.

— Theater-Humoresken, s.: Reclam's Novellen-Bibliothek.

— Theater-Humoresken, s.: Universal-Bibliothek.

Die Veneter und ihre Schriftendenkmäler. Von Dr. Carl Pauli. Mit Taf. *Leipzig: J. A. Barth 1891.* (XIV, 456 S.) 8°
= Pauli: Altital. Forschungen. Bd 3. (11. 3986

Versichert. Schwank in 1 Akt von Karl Pauli. *Berlin: E. Bloch (1898).* (20 S.) 8° [F.]
= Herren-Bühne, Ludwig Blochs. No 45. (01. 11613

Pauli, Carl, über die deutschen verba präterito präsentia. Inaug.-Dissert. Stettin 863. (Dannenberg & Dühr.) gr. 8. (IV, 35 S.) n. 10 ngr

— versichert, s.a. Bloch's, Ludw., Herren-Bühne, Nr. 45.

Pauli, Karl, vor Ankauf wird gewarnt u. andere Humoresken, s.: Bibliothek, illustr., des Humors. 1. Bd.

— der Vorschussfex u. andere Theater-Humoresken. 8. (68 S.) Berlin (902). C. Messer & Co. — 50

— die Waffen nieder (nach B. v. Suttner bearb.), s.: Bibliothek der Gesamtlitteratur d. In- u. Auslandes.

Pauli, Karl, s.: Weltgeschichte.

Pauli, Karl Friedrich

Pauli, Karl Fr., († d. 9. Febr. 1778.) Abhandl., wie die Staatshistorie e. jeden Reichs in einer akadem. Einleit. gehörig zu entwerfen. 4. Halle 750. Renger. 2 gr

— Denkmale berühmter Feldherren u. and. berühmter Männer. gr. 8. Halle 753. (Hahn in Hannov.). 14 gr

Pauli, K. F. Denkmale berühmter Feldherrn neuerer Zeiten. 8. Halle 1768.

— Einleit. in d. allgem. Gesch. v. Schlesien. 4. Leipz.. Heinsius. 755.

Pauli, Karl Friedrich, s. Einleitung in d. Geschichte Ober- u. Niederschlesiens.

Pauli, K. F., Einl. in d. Kenntn. d. deutsch. hoh. und nied. Adels. 8. Halle, Trampe. (Hahn in Hannover.) 753. Rthlr.

— Einleit. zu einer erwiesenen Staatsgeschichte der dem preuß. Scepter unterworfenen Staaten; aus Urkunden v. bewährten Schriftstellern entworfen. 4. Halle 750. Renger. 1 Thlr 4 gr

— Einleit. in die Preuß. Staatsgeschichte, im Auszuge. 8. Berl. 779. Birnstiel. ...

— Erweis u. Rechtfertigung e. Sätze fr. Einleit. in d. Kenntniß d. Adels. 8. Halle 753.

Pauli, K. Fr.: „Gedanken von dem Begriffe und den Grenzen der Staatskenntniss", Halle a. d. S. 1750.

— vom Begriff u. Grenzen d. Staatskenntniß. 4. Halle 750. Schwetschke u. S. 1 gr

— Geschichte d. Infanterieregiments v. Anhalt-Bernburg. 8. Berl. 767.

— Geschichte d. Füselierregiments v. Britzke. 8. Berl. 767.

— Geschichte d. königl. Preuß. Füselierregiments v. Lossow. 8. Halle 767.

C. F. Pauli, Dissert. de jure principis et in specie Regis Borussorum circa res nullius in Borussia. Halae, 1747. 4.

— Polnische Conföderation überhaupt, nach ihrer Rechtmäßigkeit, ihrem Nutzen u. Schaden. 4. Halle 768. Trampe.

Pauli, Carl Friedrich. Leben August Wilhelm, Prinzen von Preussen ... Frankfurt 1762. H: *Hörschelmann, Friedrich Ludwig Anton.* (MGT)

— Leben groß. Helden des gegenw. Krieges. 9 Thle. gr. 8. Halle, (Beer, Leipz.) 758—63. (à 14 gr.)

Pauli, Carl Friedr., Leben grosser Helden des gegenwärtigen Krieges. Nebst Zusätzen und Verbesserungen. (Registern, Kupfern und Tabellen.) Theil 1. Auflage 2. Theil 2. 3. 4. 5–6 Theil 7. 8. 9. Halle 1758–64. 8.

Pauli, Dr. Carl Friedrich, des Staatsrechts und der Geschichte Lehrer. Leben grosser Helden des gegenwärtigen Krieges. (Bd. I.) Des ersten Theils 4. und verbesserte Auflage. Halle 1761. Des zweyten Theils 3. und verbesserte Auflage. Mit allergnädigsten Privilegien. Halle 1762. Dritter Theil. Halle 1759. (Bd. II.) Vierter Theil, nebst Zusätzen und Verbesserungen aller vier Theile. Halle 1759. Fünfter Theil, nebst Zusätzen und Verbesserungen aller fünf Theile. Halle 1760. Sechster Theil, nebst Zusätzen und Verbesserungen aller vorigen Theile. Halle 1760. (Bd. III.) Siebenter Theil. Halle 1761. Achter Theil. Mit allergnädigsten Privilegien. Halle 1763. Neunter Theil. Halle 1764. (9 Theile in 3 Bänden, mit 9 Porträts und 3 Wappen.) 8. Halle 1759–1764.

Pauli, C. Fr. Leben und Regierung des Königs Friedrich Wilhelm von Preussen. 4. Halle 1769.

Pauli, C. Fr. Leben und Regierung Friedrich Wilhelms, des grossen Kurfürsten von Brandenburg. 4. Halle 1764.

– s. Rocoles: Geschichte.

– s. Solignac, v.: Geschichte v. Polen

— allgemeine Preuß. Staatsgeschichte, sammt dazu gehörigen Königreichs, Kurfürstenthums, Herzogthümer, Fürstenthümer rc. 8 Bde. gr. 4. Halle 760—69. (Beer in Lpz.) 2 Thlr 8 gr

Die Ursachen, der von der Deutschen verdrungenen alten Preussischen Sprache, eröfnete in einem Danksagungsschreiben an die Königliche Deutsche Gesellschaft in Königsberg CARL FRIEDRICH PAULI, ... 1751. 5. Julii. Königsberg, gedruckt in der Königlichen Hof- und Academischen Buchdruckerey. fol.

Pauli, Karl Wilhelm

Pauli, Karl Wlh., Abhandlungen aus dem Lübischen Rechte. Größtentheils nach ungedruckten Quellen. 1r Thl. A. u. d. T.: Darstellung des Rechts der Erbgüter nach älterm Lübischen Rechte. gr. 8. Lübeck 837. Aschenfeldt. 1 1/6 Thlr — 2r Thl. A. u. d. T.: Die ehelichen Erbrechte. gr. 8. Ebd. 840. n. 1 1/3 Thlr

Pauli, Karl Wlh., Abhandlungen aus dem Lübischen Rechte. Größtentheils nach ungedruckten Quellen. 3. Thl. (Mit 1 Steindr. u. einem Register über alle 3 Bde.) — A. u. d. T.: Das Erbrecht der Blutsfreunde u. die Testamente. gr. 8. Lübeck 841, Aschenfeldt. 2 1/2 Thlr (1—3: 5 Thlr)

Pauli, Carl Wilh., Abhandlungen aus dem Lübischen Rechte. Größtentheils aus ungedr. Quellen. 4. Thl. A. u. d. T.: Die s. g. Wieboldsrenten oder die Rentenkäufe des Lübischen Rechts. gr. 8. (VI und 319 S.) Lübeck 865, v. Rohden'sche Buchh. *

1.—3. Thl. Lübeck 1837—41, Aschenfeldt. * 5 Thlr. —

Darstellung des Rechts der Erbgüter nach älterm Lübischen Rechte. Größtentheils aus ungedr. Quellen. Von Carl Wilhelm **Pauli**. — Lübeck: Asschenfeldt 1837. VII, 200 S. 8°
(Pauli: Abhandlungen aus d. Lübischen Rechte. Th. 1.)

Das Erbrecht der Blutsfreunde und die Testamente nach Lübischem Rechte. Größtentheils aus ungedr. Quellen. Von Carl Wilhelm **Pauli**. — Lübeck: Asschenfeldt 1841. VIII, 476 S. 8°
(Pauli: Abhandlungen aus d. Lübischen Rechte. Th. 3.)

Die ehelichen Erbrechte nach Lübischem Rechte. Größtentheils aus ungedr. Quellen. Von Carl Wilhelm **Pauli**. — Lübeck: Asschenfeldt 1840. IX, 236 S. 8°
(Pauli: Abhandlungen aus d. Lübischen Rechte. Th. 2.)

Pauli, C. W., nothgedrungene Erklärung in Sachen des Lübeckischen Vereins zur Beförderung der ev. Mission unter den Heiden. Lübeck 857. v. Rohden. gr. 8. (24 S.) n. 4 ngr.

Pauli, Carl Wilh., Geschichte der lübeckischen Gesangbücher und Beurtheilung des gegenwärtigen. Lex.-8. (V, 117 S.) [Lübeck 875.] Hamburg, (Seelig.) * 3 —

—— Lübeck's Mangeld und Caperwesen. Aus ungedr. Urkunden der Nieder-Stadtbücher. gr. 8. (94 S.) Lübeck 875, Grautoff. * 2 —

Pauli, C. W., der lübeckische Verein zur Beförderung der evangelischen Mission unter den Heiden im J. 1856. gr. 8. (24 S.) Lübeck 856, v. Rohden'sche Buchh. *

— der Lübeckische Verein zur Beförderung der evangelischen Missionen unter den Heiden im J. 1856. Lübeck 857. v. Rohden. gr. 8. (24 S.) n. 4 ngr.

Pauli, Carl Wilhelm, Referendar zu Cöln a. Rh.: Verträge zu Gunsten Dritter von Todes wegen ⟨mit Ausschluß der Erbverträge⟩ unter besonderer Berücksichtigung von § 331 B.G.B. Cöln a. Rh. (1907): Cölner Verlags-Anstalt & Druckerei, A.-G. (36 S.) 8°

Erlangen, Jur. Fak., Ref. Siber, Diss. v. 30. März 1907

[Geb. 1. Jan. 81 Ober-Ingelheim; Wohnort: Cöln a. Rh.; Staatsangeh.: Preußen; Vorbildung: Gymn. Darmstadt Reife O. 01; Studium: Lausanne 2, Freiburg i. B. 2, Bonn 2 S.; Rig. 14. Dez. 06.]

Branntweintrinken. Was kann unter uns wider das zunehmende B. geschehen? Vorlesung, gehalten in der Gesellschaft zur Beförderung gemeinnütziger Thätigkeit am 14. Nov. 1837. (Von K. W. Pauli.) gr. 8°. Lübeck, Asschenfeldt, 1838.

— s. Was kann unter uns wider d. zunehmende Branntweintrinken geschehen!

Pauli, C. W., lübeckische Zustände, s. Zustände.

Pauli, Carl Wilh., Lübeckische Zustände im Mittelalter. II.: Lübeckische Zustände im Mittelalter. Vorlesungen, gehalten in den J. 1850 bis 1868. Nebst einem Vortrage über deutsche Rechtsverhältnisse im Mittelalter. gr. 8. (VIII, 171 S.) Lübeck 872, Bolhoevener. 3 —
I. (Ebendas.) 1847. ℳ 3,60.

—— lübeckische Zustände im Mittelalter. 3. Thl.: Recht und Kultur. Nebst einem Urkundenbuch. Mit einem Sachregister über Bd. 1—3. gr. 8. (VI, 256 S.) Leipzig 878, Duncker und Humblot. * 5 40
1. und 2. Bd. [Lübeck 1847.72, Bolhoevener.] Leipzig. Duncker und Humblot. *ℳ 6,60.

Pauli, L., Beiträge zur Thätigkeit des Gerichts-Commissärs im streit. Verfahren, im Executions-Verfahren u. im außerstreit. Verfahren. gr. 8. (33 S.) Wien 896. Manz. n. 1. —

Pauli, Martin Gottlieb [Praes.], s. Acoluth, Carl Benjamin: De jure protimiseos serenissimo domino directo tam jure Saxonico electorali, quam Lusatiae superioris in alienatione feudorum inter vivos competente.

— **Martin Gottlieb,** Jur. doct. atque Athenaei inspector nobil. atque ornat. Athenaei Cives ad praelectiones suas in prima, in secunda classe indicit. Danzig (Th. J. Schreiber) 29. X., 1. XI. (1753). Mit Namen. (3.50) 25951

Ordinis jur. in acad. Vitembergensi decanus **Martin Gottlieb Pauli** lectori benevolo s. p. d. (Wittenberg (Gerdes) 25. p. Trinit. 1765.) 14 S. mit Biogr. v. Adolph Adler (Helbigsdorff bei Wilsdruff/Meißen) (M.: J. M. Fehrmann). (3.75) 25953

Ordinis jur. in acad. Vitembergensi decanus **Martin Gottlieb Pauli** lectori benevolo s. p. d. (Wittenberg (C. Chr. Dürr) 3. Adv. 1765.) 27 S. mit Biogr. v. Joachim Wilhelm Weickhmann (Danzig) (M.: Ch. W. von Dorne). (3.75) 25954

Ordinis jur. in acad. Vitembergensi decanus **Martin Gottlieb Pauli** lectori benevolo s. p. d. (Wittenberg (Gerdes) 4. Adv. 1765.) 14 S. mit Namen u. Biogr. v. Christian Gottlieb Bergmann (Zittau) (M.: A. R. Altenberger). (3.75) 25955

Rector acad. Vitebergensis **Martin Gottlieb Pauli** cives ad orationem ab Johann Maximilian Klug (Dresen) in memoriam liberalit. Schutz-Gersdorf crastino habendam invitat. (Wittenberg (C. Chr. Dürr) 3. X. 1767.) (4.—) 25956

Rector acad. Vitebergensis **Martin Gottlieb Pauli** ad solemnia Pentecostalia religiose concelebranda invitat. (Wittenberg (C. Chr. Dürr) Fest. Pentecost. 1781.) 18 S. — Angebd.: Rector acad. Viteb. Martin Gottlieb Pauli civibus academicis s. p. d. 1781. (4.—) 25958

Ordinis jur. in acad. Vitembergensi decanus **Martin Gottlieb Pauli** lectori benevolo s. p. d. O. O. (Dom. Remin. 1783.) 20 S. mit Biogr. v. Carl Benjamin Acoluth (Dresden) (M.: E. C. Bucher). (3.75) 25961

Ordinis jur. in acad. Vitembergensi decanus **Martin Gottlieb Pauli** lectori benevolo s. p. d. (Wittenberg (C. Chr. Dürr) 8. p. Trinit. 1788.) 14 S. mit Biogr. v. Christian Ernst Franck (Wittenberg) (M.: E. E. Bauer). (3.75) 25962

Ordinis jur. in acad. Vitembergensi decanus **Martin Gottlieb Pauli** lectori benevolo salutem. O. O. (16. post Trinit. 1791.) 12 S. mit Biogr. v. Traugott Friedrich Gensiken (Frauenhain bei Großenhain) (M.: J. E. Hunger). (3.75) 25963

— Mart. Gottl.: Programma de arboribus et delictis circa eas commissis. - Wittenberg 1765

Pauli, Martin Gottlieb [Praes.], s. Bergmann, Christian Gottlieb: Qua Lusatiam hodiernam tam quoad originem quam quoad jura Saxonum esse coloniam asseritur.

Pauli, Martin Gottlieb [Praes.], s. Blochmann, Ehrenfried Lebrecht: De divisionis pactorum nuptialium in simplicia et mixta origine auctoritateque praesenti.

Pauli, Martin Gottlieb [Praes.], s. Blochmann, Johann Wilhelm: De curatore mulieris utrum in causa ejus cui datus est testimonium dicere possit?

— (Laub./Lausitz), De theoriae et praxis juridicae discordia. Diss. jur. Leipzig (I. G. I. Breitkopf) 31. VIII. 1747. 36 S. (4.25) 25964

— Dasselbe. Leipzig (I. G. I. Breitkopf) 31. VIII. 1747. 36 S. (4.25) 25965
Gew.: Christoph Pauli (Vater).

Ordinis jur. in acad. Vitembergensi decanus **Martin Gottlieb Pauli** lectori benevolo s. p. d. (Wittenberg (A. Chr. Charisius) Palmar. 1783.) 15 S. mit Biogr. v. Johann Samuel Straphin (Görlitz/Lausitz) (M.: Chr. G. Blaser). (3.75) 25960
Enthält: De foro clericorum competente jura Saxonico-electoralia novissima.

Pauli, Martin Gottlieb [Praes.], s. G i l l i, Johann Gottfried: De poena stupri ex principiis potiss. juris Saxonici electoralis.

Pauli, Martin Gottlieb [Praes.], s. G r o d d e c k, Konstantin Ernst: Quaestio utrum ii qui sub tutela vivunt hodie sui sint an alieni juris homines?

Pauli, Martin Gottlieb [Praes.], s. H a n i s c h, Ernst Gottfried: De regula Catoniana.

Ordinis jur. in acad. Vitembergensi decanus **Martin Gottlieb Pauli** lectori benevolo s. p. d. (Wittenberg (C. Chr. Dürr) 2. Adv. 1782.) 16 S. mit Biogr. v. Johann August Ludwig Mencken (Wittenberg) (M.: M. Chr. Ch. Heydelmann). (3.75) 25959
Enthält: Insidiae vitae structae an justa sint divortii causa?

Pauli, Martin Gottlieb [Praes.], s. K e s s e l, Heinrich Albert Christian: De constituta pecunia dissertatio.

Pauli, Martin Gottlieb [Praes.], s. K o r e u b e r, Gottfr. Benj.: Ex doctrina de compensationibus capita selectiora.

— — Commentatio de Burgensium originibus auspic. prof. instit. ordin. oratione solemni rite capiendis praemissa. Wittenberg (E. G. Eichsfeld) 27. IX. 1763. 42 S. (4.75) 25952

Pauli, Martin Gottlieb [Praes.], s. R e i n h a r d, Johann Christian Friedrich: De vera rapinae indole eiusque ex principiis juris Saxonici electoral. coercitione.

Pauli, Martin Gottlieb [Praes.], s. R i n g e l t a u b e n, Jakob: De utilitatibus quas attulit philosophia ad jura et jurisprudentiam Romanam.

Ordinis jur. in acad. Vitebergensi decanus **Martin Gottlieb Pauli** lectori benevolo s. p. d. (Wittenberg (C. Chr. Dürr) 20. p. Trinit. 1777.) 16 S. mit Biogr. v. Johann Christian Friedrich Reinhard (Wittenberg) (M.: Ulisch). (3.75) 25957
Enthält: Utrum maiores nostri, rapinam rem honestam et extra legum civilium poenas positam esse, existimaverint?

Pauli, Martin Gottlieb [Praes.], s. V o l c k e l t, Johann Gottlieb: Historia philosophiae corpuscularis veteris et recentioris.

Pauli, Moritz

Pauli, Mor Kurze Geschichte der höheren Bürgerschule zu Eberswalde während ihres 25jähr Bestehens. 2 S. *Neustadt-Eberswalde* 1878.
Progr.

Pauli, O., Festpredigt, s.: Rechenschaftsbericht üb. die Wirksamkeit d. hamburg. Hauptvereins der Gustav-Adolf-Stiftung.

Pauli, Oliger, s. P a u l l i, Oliger

Pauli, Otto Über die Interpunktion bei den Römern. S. 67—80.
Progr. Wi. G. **Hamburg* 1885.

Pauli, Otto Quaestiones criticae de scholiorum laurentianorum usu. 25 S. **Progr.** *Sorst* 1880.

Pauli, O., De scholiorum Laurentianorum ad Sophoclis verba restituenda usu. I. et II. Diss. 1865. 61 S.

Pauli, Otto Albrecht

Pauli, Otto Albr., Die rationelle Pferdezucht. Prakt. Leitfaden f. d. Zucht des Pferdes, insbes. des grossen, starken, sogen. engl. Halbblutpferdes. gr. 8. (VIII. u. 104 S.) Marienwerder 48. Levysohn. M. 1.60

Pauli, populaires Thierarzneibuch oder kurze Anleitung die Krankheiten der Pferde, des Rindes, Schafes u. Schweins zu erkennen u. zu heilen, nebst einem Anhang enthaltend die Krankheiten der jungen Thiere u. Anleitung zur Anlage einer vollständigen Hausapotheke. Nach den Erfahrungen bewährter Thierärzte u. eigener Praxis bearb. Johannisburg i. Pr. 859. (Rastenburg, Roehricht.) gr. 8. (XII, 212 S.) n. 20 *ngr.*

[F.] Neues Museum komischer und ernster Vorträge. E. Universal-Deklamatorium m. Angabe d. Vortragsweise u. d. Betong zsgest. u. bearb. v. Paul **Pauli**. Bd 1—3. *Berlin: O. Janke [1895].* 3 Bde 8.
1. (VI S., 1 Bl., 184 S.) 2. (VI S., 1 Bl., 184 S.) 3. (VI S., 1 Bl., 184 S.) [96. 330

Pauli, Paul, neues Museum kom. u. ernster Vorträge. Ein Universal-Deklamatorium m. Angabe d. Vortragsweise u. d. Betong. 1.-6. Bd. 8. (à VI, 184 S.) Berlin 895. 96. O. Janke. à n. 1.—

Pauli, Phil. August

Pauli, Ph. Aug., die röm. u. deutschen Alterthümer am Rhein. 1e Abtheil. Rheinhessen. 2e Abtheil. Rheinbaiern. 8. Mainz 820, 21. Neulings Buchdr. (Darmst., Heyer, a. Leske) (à 16 gr) 1 ℔ 8 gr

Pauli, (Ph. Aug.) kurzgefaßte statist.-topogr. Beschreib. d. Großherz. Hessen. 8. Darmstadt 823. Heyer.

Pauli, Ph. Aug., Beschreib. d. Großh. Museums zu Darmstadt. 8. Frkf. a. M. 818. (Sauerländer).

— Darmstadt; e. Skizze. 8. Darmst. 815. Will.

Pauli, Ph. Aug., Eugenia, ein Roman. 8. Frankf. a. M. 804. Behrens.

Pauli, Phil. August, s. G e m ä l d e (Skizziertes,) von Mainz.

— Gemälde v. Rheinbaiern. gr. 8. Frankenthal 817. (Manh., Schwan u. G.) 1 ℔ 6 gr.

— Gemälde v. Rheinhessen. gr. 8. Mainz 816. v. Zabern.

Gemälde, Skizzirtes, von Mainz (von *Phil. August Pauli*). Mainz 1820.
Anon.-Lex. II. p 174 (nach Engelmann).

— topograph.-statist. Gemälde v. Darmstadt. 8. Darmst. 821, Leske.

—— Geschichte d. Stadt Worms. 8. Worms ... (Pauli).

Pauli, Phil. Aug., Geschichte d. Stadt Worms. gr. 12. (18 B.) Worms 825, (Kunze.) Thlr.

Pauli, P. A. Geschichte der Stadt Worms. (18 B.) 12. Worms 1828. 4,00.

Pauli, Reinhold, König Aelfred und seine Stelle in der Geschichte Englands. gr. 8. (X und 331 S.) Berlin 851, Hertz. *

Pauli, Rhold., Aufsätze zur englischen Geschichte. Leipzig 869. Hirzel. gr. 8. (V, 505 S.) n. 2 ℛ 7½ ngr.

Pauli, Rhold., Aufsätze zur englischen Geschichte. Neue Folge. Hrsg. von Otto Hartwig. gr. 8. (XXIV, 440 S.) Leipzig 883, Hirzel. * 7 —
1. Folge. Ebendas. 1869. *ℳ 7.

Pauli, Reinhold, Bilder aus Alt-England. Gotha 860. F. A. Perthes. gr. 8. (VII, 395 S. u. 1 lith. Plan in 4.) n. 2 ℛ

Pauli, Rhold., Bilder aus Alt-England. Mit 1 (chromolithogr.) Plane von London im 15. Jahrh. (in qu. gr. 4.) 2. veränd. Ausg. gr. 8. (VII, 404 S.) Gotha 876, F. A. Perthes. * 6 —

— der Gang der internationalen Beziehungen zwischen Deutschland und England. Inauguralrede, gehalten zu Tübingen am 27 Octbr 1859 Ebend 859. 12. (43 S.) 7½ ngr.

Pauli, Reinhold, Geschichte von England, s. Geschichte der europäischen Staaten.

— Geschichte Englands seit den Friedensschlüssen v. 1814 u. 1815, s. a. Staatengeschichte der neuesten Zeit.

Pauli R, Geschichte Englands seit den Friedensschlüssen von 1814 u 1815. 3 Bde (Staatengeschichte der neuesten Zeit 8. 13. 22) Leipzig 1864-75

—— s. Libell, the, of englishe policye 1436.

— Simon v. Montfort, Graf v. Leicester, der Schöpfer des Hauses der Gemeinen. Tübingen 867. Laupp'sche Buchh. gr. 8. (XII, 227 S.) n. 1 ℛ 6 ngr.; Velinp. n. 1 ℛ 20 ngr.

Pauli, Georg Reinholdus (geb. Berlin 25. 5. 1823). De pace Antalcidea. Berolini 1846. (35 S.) 8°
Berlin. Phil. Diss. v. 26. Aug 1846

— der Hansische Stahlhof in London. Ein Vortrag, gehalten zu Bonn am 11. März 1856. (Aus dem Bremer Sonntagsblatt.) Bremen 856. Strack. gr. 8. (19 S.) 5 ngr.

Pauli, Richard

Pauli, Rich., Beiträge zur Lehre vom Gesichtsfelde. gr. 8. (80 S. m. 30 Steintaf.) München 875. J. A. Finsterlin. n. 2. —

Pauli, R[ichard], a. Landau, Pfalz: Ueber Dauererfolge der Alexander-Adams'schen Operation bei Retroflexio uteri und bei Prolaps. Aus d. K. Univ.-Frauenklinik zu Straßburg, Geh.-Rat Fehling. Landau 1907: K. u. A. Kaußler. (63 S.) 8°
Straßburg, Med. Fak., Ref. Fehling, Diss. v. 10. Okt. 1907
[Geb. 11. Nov. 83 Landau (Pfalz); Wohnort. Landau; Staatsangeh.: Bayern; Vorbildung: Gymn. Landau Reife Juli 01; Studium: München 5, Straßburg 1, Berlin 1, Kiel 1, Straßburg 2 S.; Coll. 1. Aug. 07; Approb. 10. Dez. 06.]

Pauli, Rich., die Säuglingssterblichkeit in Pommern, s. Peiper, Erich.

Pauli, Robert

Pauli, Rob., Anweisungen zur Lösung der Textaufgaben in Dr. Bardey's Aufgabensammlung. I. Mit 1 Unbekannten. 8. (IV, 228 S. mit 1 Tab.) Rastatt 886, Greiser. **

Pauli, Robert *Friedrich*: Bestimmung der Empfindlichkeitskonstanten eines Galvanometers mit astatischem Nadelpaar und aperiodischer Dämpfung Göttingen, Druck d. Dieterich'schen Univ.-Buchdr., 1893; 3 Bl., 58 S., 5 Bl. 4.
Göttingen, Phil. Fak., Inaug.-Diss. v. [5. Juli] 1893

Pauli, Rob., Bestimmung der Empfindlichkeitskonstanten e. Galvanometers m. astatischem Nadelpaar u. aperiodischer Dämpfung. Diss. gr. 4. (V, 58 S., m. 5 Fig. u. 9 S. Tab.) Göttingen 893. (Vandenhoeck & Ruprecht.) n. 3. —

Pauli, R., s.: Chemikalien-Zeitung.

Pauli, Rob., der 1. u. 2. Hauptsatz d. mechan. Wärme-Theorie u. d. Vorgang d. Lösg. E. energet. Theorie d. chem. Molecüls. gr. 8. (115 S. m. Fig.) Berlin 896. Fischer's technolog. Verl. n. 2. —

Der erste und zweite Hauptsatz der mechanischen Wärme-Theorie u. d. Vorgang der Lösung. E. energetische Theorie d. chem. Molecüls v. Dr. Robert **Pauli**, Chemiker. *Berlin: M. Krayn 1896.* (115 S.) 1 Bd 8. [97. 8447

Die Synthese der Azofarbstoffe. Auf Grund e. symbolischen Systems unter Berücks. d. deutschen Patentschriften No 1–140000 d. Klassen 8, 12 u. 22, desgleichen anderer Quellen. Von Dr. R[obert] **Pauli**, Berlin. *Leipzig: J. A. Barth 1904.* (XXVIII, 527 S.) 4°(8°) [04. 6998

Pauli, Simon, s. Paulli, Simon

Pauli, Theodor: Geschichte der Ruhrepidemie zu Mainz im Sommer 1793. Erfurt: Keyser 1795. 4°

Pauli, Theodor [Praes.], s. Lueback, Gerh.: De perfecta et irrevocabili emptione et venditione.

Pauli, Theod., de veris iuris et iurisprud. principiis. 4. Frcf. Andraee. 700.

PAULI, THEODOR. Zur Stöchiometrie. München, 1855.

Pauli, (Christian Karl Ludw.) Traugott (geb. Wolfenbüttel 2. 10. 1856) Ueber den Uebergang der Salicylsäure in die Milch der Wöchnerinnen. Berlin (1879). (28 S.) 8°
Berlin, Med. Diss. v. 9. Aug. 1879

Pauli, Dr W. Napoleons Absichten und Hoffnungen, Europas Pflicht. Andenken an 1870. Hanau 1870. 16 S.

Brahms von Dr. Walter **Pauli**. Berlin: Pan-Verl. 1907. (136 S.) 8° [F.]
— **Geister**, Moderne. No 2/3. [08. 6317

Pauli, Walther, aus Berlin: Johann Friedrich Reichardt, sein Leben und seine Stellung in der Geschichte des deutschen Liedes. *Berlin (1902): E. Ebering.* (27 S.) 8° ¶(Erscheint vollst. im gleichen Verlage.)
Berlin, Phil. Diss. v. 6. Aug. 1902

Johann Friedrich Reichardt, s. Leben u. s. Stellung in d. Geschichte d. deutschen Liedes. Von Walther **Pauli**, Dr. phil. *Berlin: E. Ebering 1903.* (228 S.) 8°
[Ein Teil erschien als Inaug.-Diss. Berlin 1902.]
= **Studien**, Musikwissenschaftliche. II. 2.

Pauli, Wilhelm Eduard, a. Coblenz: Ueber die Abhängigkeit der Wärmeleitung einiger Gase und Dämpfe von der Temperatur. Jena 1907: Frommann. (74 S.) 8°
Jena, Phil. Fak., Ref. Winkelmann, Diss. v. 23. Mai 1907
[Geb. 1. Juni 82 Ober-Ingelheim a. Rh.; Wohnort: Jena; Staatsangeh.: Preußen; Vorbildung: Realgymn. Coblenz Reife O. 03; Studium: Freiburg i. B. 1, Straßburg 1, Jena 4 S.; Rig. 4. Mai 07.]

Pauli, William

Pauli, Will., über Chlor und Dichlorsalicylsäure, Chlornitrosalicylsäure-Abkömmlinge und Metachlormetanitrorthamidobenzoesäure. Inaugural-Dissertation. gr. 8. (84 S.) (Göttingen 878, Vandenhoeck und Ruprecht's Verlag.) *

Pauli, Wolfg., Beziehungen der Kolloidchemie zur Physiologie. Vorgetragen in der naturwissenschaftl. Hauptsitzung der 78. Versammlung deutscher Naturforscher u. Aerzte in Stuttgart am 20. IX. 1906. (35 S.) 8. Leipzig 906. J. A. Barth. n. 1. —

PAULI, Wolfgang
Über Physikalisch-chemische Methoden und Probleme in der Medicin. Von Dr. Wolfgang Pauli. Vorgetragen in der k. k. Gesellschaft der Ärzte in Wien. Wien, 1900. Perles. Gr.-8°. 29 S. fl. —.45

Pauli, W., kolloidchemische Studien am Eiweiss. Vorgetragen in der gemeinsamen Sitzg. der chemisch-physikal. u. der morpholog.-physiolog. Gesellschaft in Wien am 2. VI. 1908. (28 S.) 8. Dresden 908. Th. Steinkopff. 1. —

— pharmakodynamische Studien. I. Beziehungen der physiolog. Ester- u. Salzwirkg. (26 S. m. 2 Taf.) gr. 8. Wien 904. (A. Hölder.) n. — 80
Sonderabdruck aus: „Sitzungsber. d. k. Akad. d. Wiss."

— u. Alfr. **Fröhlich**, pharmakodynamische Studien. II. Ueber kombinierte Ionenwirkg. (51 S. m. 1 Kurventaf.) gr. 8. Wien 906. (A. Hölder.) n. 1. 80
Sonderabdruck aus: „Sitzungsber. d. k. Akad. d. Wiss."

— Wandlungen in der Pathologie durch die Fortschritte der allgemeinen Chemie. Festvortrag, geh. in der Jahressitzg. der k. k. Gesellschaft der Aerzte in Wien am 24. III. 1905. (39 S.) gr. 8. Wien 905. M. Perles. n. 1. 20

— der kolloidale Zustand u. die Vorgänge in der lebendigen Substanz. Vorgetragen in d. morphologisch-physiolog. Gesellschaft am 13. V. 1902. 8. (32 S.) Braunschweig 902. Fr. Vieweg & Sohn. n. — 60
Sonderabdruck aus: „Naturwiss. Rundschau".

Paulick, Herm., Lehrbuch f. Fortbildungs-, Fach-, Gewerbe-, Handwerkerschulen u. Lehrwerkstätten, zugleich Handbuch f. die theoret. u. prakt. Weiterbildg. Gewerbetreibender u. Industrieller. 1. u. 2. Bd. gr. 8. (XIII, 634 S. m. üb. 200 Abbildgn.; VI, 624 S. m. üb. 300 Abbildgn.) Dresden 893. G. Kühtmann. à n. 3. —; geb. in Leinw. à n. n. 3. 60

(B) **Paulick,** H., Lehrbuch f. Fortbildungs- rc. Schulen. 893. (KBL 28.) Jetzt: Leipzig, H. A. L. Degener.

Paulicki (Paulicky), August, s. Paulizky, August

Paulickek, Joh, Karl der Große. Ein Geschichtsbild zur feierl. Enthüllg. des Denkmals an der St. Peterskirche. (35 S. m. Abbildgn. u. 1 Taf.) Lex.-8. Wien 906. R. Lechner's Sort. n. 1. —

Paulidos, J. J., *Σαπφὼ ἡ Μυτιληναία.* Diss. 1885. 50 S.

Die neue Zeichenmethode in der Praxis der Volksschule. Nach unterrichtl. Erfahrungen erl. von Adolf **Paulig**. Düsseldorf: L. Schwann 1904. (32 S.) 8° [F.]

Paulig, C. Th., Anleitung f. Standesbeamte in ländlichen Standesamts-Bezirken d. Königr. Sachsen. Nach dem Reichsgesetze üb. die Beurkundg. d. Personenstandes u. die Eheschließg. vom 6. Febr. 1875 u. sämmtl. dazu erlassenen Verordngn. bearb. 8. (58 S.) Zwickau 876. Gebr. Thost. n. 1. —

Paulig, C. Th., das königl. sächsische Gesetz, die Wahlen f. den Landtag betr., vom 3. Dezbr. 1868, nebst Ausführungsverordng. vom 4. Dezbr. 1868. Mit Anmerkgn. gr. 8. (VII, 32 S.) Dresden 887. C. Heinrich. n. — 50

—— alphabetisches Repertorium über die im Königr. Sachsen bestehenden reichs- und landesgesetzlichen Verwaltungs- und Polizei-Strafbestimmungen, einschließlich der im Reichs-Strafgesetzbuche behandelten Uebertretungen. 1. und 2. Aufl. gr. 8. (VI, 136 S.) Dresden 878. (Heinrich.) *

Paulig, F. E., Bilder aus dem Missionsleben. Nach Musterdarstellungen bearb. 1. Bd. Leipzig 863. Bredt. gr. 8. (VII, 330 S.) n. 1 ngr

Paulig, Friedrich R.

—— Familiengeschichte d. Hohenzollernschen Kaiserhauses. 3 Bde. gr. 8. Ebd. à Bd. * 3 —; 9 —
1. Friedrich I. König v. Preußen (1657—1713). 2. Aufl. (336 S.) 887.
2. Friedrich Wilhelm I. König v. Preußen. 2. Aufl. (VIII, 368 S.) 889.
3. Friedrich der Große, König v. Preußen. (VIII, 368 S.) 892.

Paulig, F. R., Friedrich Wilhelm I., König von Preußen. Ein Beitrag zur Geschichte seines Lebens, seines Hofes u. seiner Zeit. 2. Aufl. 8. (VIII, 368 S.) Frankfurt a/O. 889. Paulig. n. 3. —

Paulig, F. R., Familiengeschichte d. Hohenzollernschen Kaiserhauses. 3. Bd. gr. 8. Frankfurt a/O., F. Paulig. n. 3. —
Friedrich der Große, König von Preußen. Neue Beiträge zur Geschichte seines Privatlebens, seines Hofes u. seiner Zeit. 1.—3. Aufl. (VIII, 368 S.) 892. 893.
Bd. 1 u. 2 sind z. Z. vergriffen.

[F.] Friedrich Wilhelm II., König v. Preussen. '(1744 bis 1797.)' Sein Privatleben u. s. Regierg im Lichte neuerer Forschungen v. F[riedrich] R. **Paulig**. *Frankfurt a. O.: F. Paulig 1896.* (VIII, 366 S.) 1 Bd 8.
— **Paulig,** F. R.: Familiengeschichte d. Hohenzollernschen Kaiserhauses. Bd 4. [96. 2110

Paulig, F. R., Familiengeschichte d. Hohenzollernschen Kaiserhauses. 4. Bd. Friedrich Wilhelm II., König v. Preußen (1744—1797). Sein Privatleben u. s. Regierg. im Lichte neuerer Forschgn. 3. Aufl. 8. (VIII, 365 S.) Frankfurt a/O. 897. F. Paulig. 3. —

Paulig, F R., Friedrich Wilhelm II. König von Preußen (1744—1797). Sein Privatleben und seine Regierung im Lichte neuerer Forschungen. 4. Aufl. (Bildet Bd. IV der „Familiengeschichte des hohenzollernschen Kaiserhauses") Frankfurt a. Oder, Friedrich Paulig, 1900. 8° VIII u. 368 S. (Mk. 3—) (1 Mk. 25 Pfg., 3. Aufl., Schweitzer & Mohr, Berlin, 1910.)
Zuerst gedr ebd. 1895.

Paulig, F. R., Familiengeschichte des hohenzollernschen Kaiserhauses. 3. Bd. 8. Frankfurt a/O., F. Paulig 3.—
Friedrich der Große, König von Preußen. Neue Beiträge zur Geschichte seines Privatlebens, seines Hofes u. seiner Zeit. 4. Aufl. (VIII, 363 S.) 902.

Friedrich Wilhelm III., König von Preußen. (1770 bis 1840. Sein Privatleben u. s. Regierung im Lichte neuerer Forschungen von F[riedr.] R Paulig. *Frankfurt a. O. F Paulig 1904.* (VIII, 352 S.) 8° [5.]
= Paulig Familiengeschichte d. Hohenzollernschen Kaiserhauses. Bd 5.

Paulig, F. R., Familiengeschichte des Hohenzollernschen Kaiserhauses. 1. u. 5. Bd. 8. Frankfurt a/M., F. Paulig. Geb. in Leinw. n. 7. 50
1. Friedrich I., König von Preußen. (1657—1713.) Geschichte seines Lebens, seines Hofes u. seiner Zeit. 4. Aufl. (VIII, 365 S.) 907. Geb n. 3. 50
5. Friedrich Wilhelm III., König von Preußen. (1770—1840.) Sein Privatleben u. seine Regierung im Lichte neuerer Forschgn. 2. Aufl. (VIII, 349 S.) 905. Geb. n. 4. —

—— die Freiheitskriege in Characterbildern. Nach Musterdarstellungen der deutschen und ausländ. Literatur für Freunde vaterländ. Geschichte, insbesond. für die Jugend und ihre Lehrer bearb. 8. (VII und 223 S. mit 1 lithogr. Karte in 4.) Frankfurt a. d. O. 863, Paulig. *

—— dass — 2 Aufl. 8. (VIII und 344 S.) Ebendas. 864.

Paulig, F. R. Geschichte d. Befreiungskriege. Ein Beitrag z. deutschen Geschichte der J. 1805 bis 1816. 1.—6. Aufl. 8. (VIII, 368 S.) Frankf. a. O. 890,91, Paulig. 3 —

Paulig, F R Geschichte des 30jahr Krieges Frankfurt a O 1882 352 S

Paulig, F. R. Geschichte des siebenjährigen Krieges. 8. Aufl. Frankfurt a. O. 1875. 8°. (1. Aufl. 1868)

Paulig, F R Geschichte des siebenjähr Krieges 9. Aufl Frankfurt a O 1878 328 S

Paulik, Frz. Jh., († d. 30. Juni 1813.) Hydromyla, od. selbstbewegliche Maschine, welche rc. die Wassermühlen an stehenden Wässern mit d. näml. Trieben, als die Wasserteichmühlen enthalten, treiben wird rc. Mit 5 Kpft. gr. 8. Brünn 800. Gastl. 2 fl 8 kr. Schreibp. 3 fl Hbg. Pr. 16 kr.

Paulik, Franz Jos., Hydromyla, oder selbst entlehnte Maschine rc. gr. 8. Brünn, Gastl. 808.
Schrbp.

PAULIK, FRANZ SALES: Blumen zum Festkranze, oder wahre Andacht, besondere Gebete, Litaneien, Lieder, Lobgesänge, Betrachtungen u. d. gl. auf das Fest Mariä Heimsuchung. Ihr zu Ehren und Zipser katholischen Frauen und Jungfrauen zur eifrigen Andachtsübung. Leutschau 1848. Druck und Verlag von Johann Werthmüller und Sohn. 170 S. - 150 mm

PAULIK, FRANZ SALES: Conventuale aus der Ungarischen Provinz der heil. Elisabeth, der Zeit Apostolischer Pönitenziar bey St. Peter im Vatikan. Andaechtige Weise Die vier Römischen Haupt-Kirchen zu besuchen, oder Gebethe, fromme Empfindungen und heilsame Betrachtungen deren sich Zur Zeit des heil. Jubeljahres, eines andern Ablasses, oder auch alltäglich ein Katholischer Christ mit großem Nutzen bedienen kann zur Ehre Gottes und zum Nutzen des Nächsten. Rom 1825: Bey Franz Bourliè. 162 S. - 170 mm

Paulik, Jos., Handbuch der böhmischen u. deutschen Conversation, nebst e. Grundriß der böhm. Grammatik. Praktische Anleitg. zur leichten u. schnellen Erlerng. der böhm. Sprache. 8. (LX, 103 S.) Prag 893. A. Storch Sohn n. 1. 60

Paulin, ..., Kettly, ou: le retour en Suisse. — Une dame de l'empire — s. **Répertoire** du Théâtre franç. No. 105, 232.

Beiträge zur Kenntnis der Vegetationsverhältnisse Krains. Von Alphons **Paulin**, Prof. II. 1 *Laibach O. Fischer 1901.* 8°
[Nebent.] Schedae ad floram exsiccatam Carniolicam. Auctore A. Paulin.
[01. 9353

Paulin, Alphons, Beiträge zur Kenntnis d. Vegetationsverhältnisse Krains. 1. Hft. gr. 8. (VIII, 104 S.) Laibach 901. O. Fischer. n. 4. —

Paulin, Alphons, Beiträge zur Kenntnis der Vegetationsverhältnisse Krains. 2. Heft. (S. 105—214.) gr. 8. Laibach 902. O. Fischer. n. 4. —

Paulin, Alphons, Beiträge zur Kenntnis der Vegetationsverhältnisse Krains. 3. Heft. (S. 215—308.) gr. 8. Laibach 904. (I. v. Kleinmayr & F. Bamberg.) n. 4. 80

Paulin, A[lfons] Die Farne Krains. S. 3—44. 8
Progr. K. k. I. Staatsgymn. *Laibach* 1906.

— Übersicht der in Krain bisher nachgewiesenen Formen aus der Gattung Alchemilla L. S. 3—19. 8.
Progr. K k. I. Staatsgymn. *Laibach* 1907

Paulin, Eug., Giuochi ginnastici per le scuole femminili (asili, scuole elementari, cittadine, licei e istituti magistrali), con istruzioni in casi d'urgenza. (VI, 102 S. m. Fig.) kl. 8. Triest 907. M. Quidde. 2. --

Paulin, Eugenio, Turnübungen und -Spiele für Mittelschulen, Italien., m. Abb., Trieste 1904, 152 S., 8°.

Paulin, F., der ächte kleine Franzose, oder: Die Kunst, die franzöſ. Sprache in 8 Tagen ohne Lehrer richtig lesen, schreiben und sprechen zu lernen. 16. (126 S.) Hamburg 851, Berendsohn.

Paulin, F., der ächte kleine Franzose oder die Kunst die franzöſ. Sprache in acht Tagen ohne Lehrer richtig lesen, schreiben und sprechen zu lernen. 3. Aufl. 16. (141 S.) Hamburg 854(55,) B. S. Berendsohn. Thlr.

Paulin, F., der ächte kleine Franzose, oder die Kunst, die französische Sprache ohne Lehrer in höchstens acht Tagen richtig lesen, schreiben u. sprechen zu lernen. Mit beigefügter Aussprache. 4. Aufl. 858. — 5. verm. u. verb. Aufl. Hamburg 864. B. S. Berendsohn. 16. (2 Bl., 156 S.) 6 ngr.

Paulin, F., der ächte kleine Franzose, oder die Kunst die französische Sprache ohne Lehrer in höchstens 8 Tagen richtig lesen, schreiben und sprechen zu lernen. Mit beigefügter Aussprache. 7. verm. und verb. Aufl. 16. (160 S.) Hamburg 870, Berendsohn.

Paulin, F., der ächte kleine Franzose, oder die Kunst, die französische Sprache ohne Lehrer in höchstens acht Tagen richtig lesen, schreiben und sprechen zu lernen. Mit beigefügter Aussprache. 8.—12. verm. und verb. Aufl. 16. (160 S.) Hamburg 872—79, Berendsohn.

Paulin, F., der ächte kleine Franzose, oder die Kunst, die französische Sprache ohne Lehrer in höchstens acht Tagen richtig lesen, schreiben und sprechen zu lernen. Mit beigefügter Aussprache. 13. und 14. verm. und verb. Aufl. 16. (160 S.) Hamburg 882,84, Berendsohn. — 60

Paulin, G., Theorie des Feuerlöschens oder neues Handbuch des Pompiers. Aus d. Französ. (8³/₄ B.) Hamburg 844, Hoffmann u. Campe.

PAULIN, Josef (Augsburg): Über das numerische Verhalten der weissen Blutkörperchen bei Syphilis während der Quecksilbertherapie.- München: Wolf 1903. 34 S.
10.3.1903 - Chr 1902/03,25; Jv 1902/03,313
Diss.Ingolst.-Landsh.-Mchn.

Paulina, Prinzessin, oder Gattin, Mutter und Ursulinernonne zugleich. Aus den Memoiren des Grafen *** mit der aschgrauen Maske. Rudolstadt 1800. V: *Arnold, Ignaz Ferdinand (Theod. Ferd. Cajet.).* (BGE VI², 303)

Paulinae horae, f. Valey Beweis.

Pauline [Sachliches OW]

— Gräfin. 2 Thle. f. Journal der Romane I. II.

Pauline, Gräfin. Berlin 1800. V: *Unger, Friederike Helene geb. v. Rothenburg.* (MGT) (schl)

Pauline. Schauspiel in drei Aufz. [nach Florian]. Wien 1803. V: *Schildbach, Johann Gottlieb.* (GGr)

PAULINE, oder Glücklicher Wechsel. Mit Titelvignette. (schnäbelnde Tauben im Grünen, unsign.). Pirna, bei Pinther, 1804. 8⁰ (¹/₆ Rthl. Scheible, vor 1875.)
Titel. u. 136 S. In zahmen Briefen.

— od. glücklicher Wechsel. 8. Dresden, Pinther. (Arnold.) 804.

Pauline, e. Erzähl. v. d. Verfasserin d. Delphine. 8. Dresd. Pinther. (Arnold.) 805.

Pauline. Lustsp. in 3 Aufz. 8. Wien, Wallishauser. 805.

Pauline Fathmé, la jeune Galla. Bâle 1857 s. [Micheli, Jean-Louis].

Pauline von Ferrières, oder das geraubte Mädchen; aus dem Französischen von Fr. v. Oertel. Leipzig 1802. V: *Faverolle, M. de (= Elisabeth Guénard Baronne de Merée née de Faverolle.* (Ky)

Pauline v. Ferrières, od. das geraubte Mädchen; aus d. Französ. (des Faverolli) v. Fr. v. Oertel. 8. Leipz. 802. (Krappe). 1 ℛ

— der edle; Flüchtling. 8. Wien 804. Wallishausser. 16 gℛ

Pauline, Königin v. Württemberg, f. Palm, Abf.

Pauline u. Louise, oder Natur u. Eitelkeit. Ein Spiegel für Frauenzimmer. 8. Grätz 794. Kienreich. 5 gℛ

Pauline, die Stifterin einer Kleinkinderschule, f. a. Schmid, Chrph. v.

Pauline, die Stifterin einer Kleinkinderschule. Erzählung von dem Verfasser der Ostereier. Regensburg 1848. V: *Schmid, Christoph.* (RUSSELL IX, 676)

Pauline, die Stifterin einer Kleinkinderschule. Erzählung von dem Verf. der Ostereier. (Chr. v. Schmid.) Neue illustr. Originalauflage. Mit (1) Stahlst. u. feinen (eingedr.) Holzschnbildern. Regensburg 871. Manz. 8. (220 S.) 15 ngr.

(F) Pauline, die Stifterin einer Bewahranstalt. 7. Aufl. [Christoph von Schmids ausgewählte Erzählungen für die Jugend. 34. Bd.] 8° (124 S.) K — 70
Wien: Pichler's Witwe & S. 1907.

Pauline und Suzette, eine franz. Anekdote, von Arnaud. 8. Breslau, 780. Gutsch. 8 sgl.

— u. Zunilde, f. Zunilde.

Pauline [Verfasser]

Pauline, Christine Wilhelmine, Fürstin zu Lippe

Fürstin Pauline zur Lippe (-Detmold) und Herzog Friedrich Christian von [Schleswig-Holstein] Augustenburg. Briefe aus den Jahren 1790–1812 hrsg. von Paul Rachel. Mit 6 Abb. *Leipzig: Dieterich 1903.* (268 S.) 8° [F.]

Pauline, Christine Wilhelmine, Fürstin-Regentin von Lippe-Detmold, f. L. F. A. v. Cölln, Samml. v. Predigten.

Paulines, les trois, (histoire religieuse pour les jeunes demoiselles.) 12. Lille 835. (Aachen, Hensen et C.) n. ²/₃ ngℛ

Pauling, Arthur, I. Assistenz-Arzt am Karl Friedrich-Hospitale in Blankenhain: Zur Kenntnis der Zungentuberkulose. *Jena 1899: B. Engau.* (47 S.) 8°
Jena, Med. Diss. v. (17. Juni) 1899

Paulini a St. Josepho [Cheluzzi]: Orationes, s.a. Bibliotheca selecta probatiss. rec. aevi auctorum lat.

— orationes. Accessit A. Politi de humanarum disciplin. ad religionis Christianae usum opportunitate. 8. Bresl. 756. W. G. Korn. 16 gℛ

Paulini a St. Josepho, de forensi latinitate expurganda atque de usu et necessitate eloquentiae in foro et hodiernis judiciis orationes. — Denuo edidit atque prolusionem de pretio linguae latinae in concinnandis scriptis juridicis quam maxime conspicuo praemisit E. F. Vogel. 8 maj. (4 B.) Lipsiae 828, (Hartmann. ?)

Paulini a St. Josepho: Orationes novae XII. Cura Kappii. Leipzig 1728. 8⁰

— orationes novae XII. c. ind. c. J. E. Kappii. 8. Leipz. 753. Gleditsch. 8 gℛ

— orationes novae XII. c. ind. c. I. E. Kappii. 8. Lips. Gleditsch. 756.

— XXIII. Cum praef. J. P. Milleri. Ulm. 785. 8. 12 gr. Ib. 809. 8. 12 gr.

— orationes XXIII. hab. in archigymnasio romanae sapientiae; praef. add. J. P. Miller. 8. Ulm 797. ... 5e A. 809. Stettin. 12 gℛ

Paulini a S. Josepho, Oratt. XXIII. habitae in archigymn. Romanae sapientiae, cum notitiis liter. in commodum rhetorices studiorum editae ab E. Th. Hohler. 2 Tomi. gr 8. Wien 822, Bauer.

—— Orationes XXIII. habitae in archigymnasio Romanae sapientiae. Recens. atque adnotationibus instr. C. F. Chr. Wagner. II Vol. 8 maj. (14¼ u. 13 B.) Cassellae 830, 31, Krieger. à 16 Gr.

— orationes XXIII. habitae in archigymnasio Romanae sapientiae. Recens. atque adnotationibus instruxit C. Fr. Chr. Wagner Vol. I. II. 8maj. Marb. 830, 32. Krieger.

Paulini, die Erforschung strafbarer Handlungen, s.: Brincken, v. den.

Paulini, Antonio (Pseud.), s.a.S c h m a u s s, Johann Jakob (wirkl. Name)

Paulini, Ant., kuriens. Kabinet ausländ. Merkwürdigkeiten. 6 Thle. 8. Halle, Renger. 717—27.

Paulini, Christian Franz

s.: Paullini, Christian Franz

Paulinus a Sancto Bartholomaeo [vorher: Johann Philipp Wesdin]

—— Darstellung der brahmanisch-indischen Götterlehre nach dem latein. Werke des Paulinus a s. Bartholomaeo. (Übersetzt von Rink.) Gotha, Ettinger, 1797. kl. 4°, mit 30 Kupfern.

— Musei Caesar. Vindobon. nunci Zodiacales. 4. Wien 799. Binz. 16 gl.

— Reise nach Ostindien ꝛc. s. Paolino.

Paulinus, F. a St. Barth., syst. Brahman. liturg. mythol. civile. c. fig. 4. Rom. 791.

Paulinus Nolanus, Sanctus Pontius Meropius, opera, s a. Corpus scriptorum ecclesiasticorum.

Paulini, S. P. M., opera, auct. L. A. Muratorii. fol. Verona. (Weidmann, Lips.) 736.

Paulinus Nolanus, Pontius Meropius. Opera. Vindobonae 1894. H: *Hartel, Wilh. Ritter v.* (Berl)

Paulinus Pellaeus

Paulini (Pellaei) Carmen eucharisticum prolegomenis et adnotation. illustr. L. Leipziger. Diss. 1858. 56 S.

— Carmen eucharisticum ... illustratum. Vratislaviae [1858]. H: *Leipziger, Ludw.* (Tübz 6, 36)

Paulinus, s. Erbt.

Paulinus, die Martyrer der Katakomben u. die römische Praxis. gr. 8. (VII, 144 S.) Leipzig 871. T. O. Weigel. n. 2. 40

Paulinus, *Johannes* Martin [cand. theol.]: Die Sittenlehre Geulincx', dargestellt in ihrem Zusammenhange mit der Metaphysik und beurteilt in ihrem Verhältnisse zu der Sittenlehre Spinozas. Pirna, Druck v. F. J. Eberlein, 1892; 113 S., 1 Bl. 8.
Leipzig, Phil. Fak., Inaug.-Diss. v. [4. Jan.] 1893

Paulinus, Mart., die Sittenlehre Geulincx', dargestellt in ihrem Zusammenhange m. der Metaphysik u. beurteilt in ihrem Verhältnisse zu der Sittenlehre Spinozas. gr. 8. (114 S.) Pirna 892. (Leipzig, G. Fock.) n. 1. 50

Pauliny, Jakob Josef

Pauliny, J., Topograf. Plastischer Atlas der Schweiz. (1 Bl. Quer-Folio. Uebersicht der Sektionen, 1 Bl. Quer-8. Sektion Nr. 56) Wien, gedruckt bei Franz Kargl, gest. v. A. Knorr. 1853.

Paulini, Giacomo, ufficiale, tecnico dell J. R. istituto geografico militare. Carta di Montenegro. (Crna gora.) Coi confini descritti dalla commissione austriaca, inglese e francese negli anni 1859 e 1860. Riduzione e disegno sulla pietra da . . Presso Artaria e comp. in Vienna. Scalo alla proporzione di 300.000 del naturale. (1 Karte in Schuber.) 8. Vienna.

Pauliny. J. J., Eisenbahnkarte von Mittel-Europa in 9 Bl. 15"—20" gross. Wien, J. Mülleitner's Landkarten-Verlag. 1864.
Color. 4 fl. 80 kr., schwarz 3 fl. 60 kr.

Schleswig-Holstein und Lauenburg General-Karte der Herzogthümer, der Fürstenthümer Lübek und Ratzeburg und der Gebiete der freien und Hansestädte Hamburg und Lübek, von Alfred Stolzenberg, revidirt und herausg. von J. J. Pauliny gr. Fol. Wien, Rudolf Lechner's k. k. Univ.-Buchh. 1864 60 kr.

Pauliny, J. J. Das Herzogthum Kärnten. Neueste Karte dieses Kronlandes. 2. Aufl. Klgft., Leon (typ. Reiffenstein & Rösch in Wien), (ca. 1860).

Pauliny, J. J., Karte der russisch-türkischen Grenzgebiete in Kleinasien, nach den vorhandenen besten Quellen entworfen. 1 : 750,000. Photolithogr., chromolithogr. und color. Imp.-Fol. Wien 877, (Lechner's Verlag.) * 2 30

—— dass. — Ergänzungs-Blatt: Ersingan, Karahissar, Trapezunt. 1 : 750,000. Lithogr. gr. Fol. (Ebendas.) 878. *
Mit chromolithogr. Terrain *

[Umschlagt.:] Karte von Schneeberg, Raxalpe und Semmering. Nach s. Kartendarstellgs-Methode entw. u. gez. v. J. J. Pauliny, techn. Vorstand d. R. d. k. k. milit.-geogr. Inst. Masst. 1:37,500. 4 Bl. in Umschlag. 4farb. Ausg. *Wien & Leipzig: W. Braumüller [1888].* (4 Ktnbl. $\frac{33}{37}$) 1 Bd 8. 98. 11065

Pauliny, J. J., Mémoire üb. e. neue Situationspläne- u. Landkarten-Darstellungsmethode. [Aus: „Streffleur's österr. militär. Zeitschr."] gr. 8. (24 S.) Wien 895. (W. Braumüller.) n. — 50

Pauliny JJ, Relief der Ortlerspitze. 1 : 72000. 18 23 cm Wien

Pauliny, das Salzkammergut Eine Special-Karte nach d. Militär-Aufnahms-Sectionen reducirt u. auf Stein gezeichnet. Reduction: 1 Wr. Zoll gleich 2000 Wr. Klftr. In 4 Farben gedr. Fol. 22½" h. 16½" br. Wien. R. Lechner's Universitäts-Buchhandlung. 1860. 1 fl. 50 kr.

Pauliny, J. J. Specialkarte des Salzkammergutes. Nach den Militair-Aufnahms-Sectionen reducirt und auf Stein gezeichnet. 1 : 144 000. Wien 1860. 1 Bl. c. L. Sch.

Pauliny, Jak. Jsf, Specialkarte der Eisenbahnen von Mittel-Europa. Red. 1 : 1296000. Wien, Beck's Verl., 1865. Imp.-Fol. 9 Bll. Lith.
—, —— Neue Ausg. Ebenda 1866. . . . . (Br. Mus.)
—, —— Neue Ausg. Ebenda 1867.

– Special - Wandkarte der Eisenbahnen von Mitteleuropa. Revid. Ausg. 1868. Wien: Weiskirchner 1868.

Paulinzella, s.: Thüringen.

Paulinzelle, die Klosterruine. Geschichtlicher Abriss nach authent. Quellen, nebst einem Grundrisse der Ruine mit sonst. architekton. Erläuterungen. 16. (25 S. mit 1 Photocopie und 1 Photogr.) Rudolstadt 882, Müller'sche Buchh. cart. * 1 —

Paulinzelle, die Klosterruine. Geschichtlicher Abriss nach authent. Quellen, nebst e. Grundrisse d. Ruine u. architekton. Erläutergn. 2. umgearb. u. verm. Aufl. 16. (39 S.) Rudolst. 890, Müller. cart. * 1 —

Paulisch, F., Hand-Fibel. Uebungsbuch zum grundlegenden Lese-, Schreib-, Recht- u. Schönschreibe-Unterricht in der Unterklasse der Volksschulen. Als Einführung in die poetischen u. prosaischen Lesestücke der Hand-Fibel von Otto Schulz. Berlin 864. Oehmigke's Verlag in Comm. 8. (64 S.) n. 2 ngr;
Begleitworte dazu für Lehrer (16 S.) n. 1 ngr.

Paulisch, F., Hand-Fibel. 2 Thle. Berlin, Oehmigke's Verlag. 8. n. 5½ ngr.
1. Thl. Uebungsbuch zum grundleg. Lese-, Schreib-, Recht- u. Schönschreibe-Unterricht in der Unterklasse der Volksschulen. 2., verb. Aufl. 865. (56 S. mit eingedr. Holzschn.) n. 3 ngr.

2. Thl. Poetische u. prosaische Lesestücke, Gebete, Sprüche der heil. Schrift, die fünf Hauptstücke des christl. Glaubens. Für die Unterklasse der Volksschulen. 866. (64 S.) n. 2½ ngr.

Paulisch, F., Hand-Fibel. 1. Thl.: Uebungsbuch zum grundlegenden Lese-, Schreib-, Recht- und Schönschreibe-Unterricht in der Unterklasse der Volksschulen. Zugleich als Einführung in die poet. und prosaischen Lesestücke der Hand-Fibel von Otto Schulz. 3. verb. Aufl. 8. (48 S. mit eingedr. Holzschn.) Berlin 869, Oehmigke's Verlag. *

Paulisch, F., Hand-Fibel. 1. Thl.: Uebungsbuch zum grundlegenden Lese-, Schreib-, Recht- und Schönschreibe-Unterricht in der Unterklasse der Volksschulen. Zugleich als Einführung in die poetischen und prosaischen Lesestücke der Hand-Fibel von Otto Schulz. 1.—20. Aufl. 8. (48 S. mit eingedr. Holzschn.) Berlin 870—79, Oehmigke's Verlag. * geb. **
2. Thl. Ebendas. 1866. * 25 Pf.; geb. ** 35 Pf.

Paulisch, F., Hand-Fibel. 1. Tl.: Übungsbuch zum grundlegenden Lese-, Schreib-, Recht- und Schönschreibe-Unterricht in der Unterklasse der Volksschulen. Zugleich als Einführung in die poet. und pros. Lesestücke der Hand-Fibel von Otto Schulz. 21.—29. verb. und nach der neuen Rechtschreibung umgearb. Aufl. 8. (48 S. mit Holzschn.) Berlin 880—84, Oehmigke's Verlag. ** — 25
2. Thl. Ebendas. 1866. ** 25 Pf.

Paulisch, F., Hand-Fibel. 1. Tl. Übungsbuch zum grundlegenden Lese-, Schreib-, Recht- u. Schönschreibe-Unterricht in der Unterklasse der Volksschulen. Zugleich als Einführung in die poet. u. pros. Lesestücke der Hand-Fibel von Otto Schulz. 24., verb. u. nach der neuen Rechtschreibung umgearb. Aufl. 8. (48 S. m. eingedr. Holzschn.) Berlin 881. Oehmigke's Verl. n. — 25; geb. n.n. — 35

Paulisch, F., Hand-Fibel. 1. Tl.: Übungsbuch zum grundlegenden Lese-, Schreib-, Recht- und Schönschreibe-Unterricht in der Unterklasse der Volksschulen. Zugleich als Einführung in die poet. und pros. Lesestücke der Hand-Fibel von Otto Schulz. 30.—34. verb. und nach der neuen Rechtschreibung umgearb. Aufl. 8. (48 S. mit Holzschn.) Berlin 885, Oehmigke's Verlag. ** — 25; geb. **
2. Tbl. Ebendas. 1866. ** 25 Pf.

Paulisch, F., Hand-Fibel. 1. Tl.: Übungsbuch zum grundleg. Lese-, Schreib-, Recht- u. Schönschreib-Unterricht in der Unterklasse der Volksschulen. Zugleich als Einführg. in die poet. u. pros. Lesestücke der Hand-Fibel v. Otto Schulz. 31. Aufl. 8. (48 S. m. Holzschn.) Berlin 885. Oehmigke's Verl. n.n. — 25; Einbd. n.n. — 10

Paulisch, F., Hand-Fibel. 1. Tl. Übungsbuch zum grundleg. Lese-, Schreib-, Recht- u. Schönschreib-Unterricht in der Unterklasse der Volksschulen. Zugleich als Einführg. in die poet. u. pros. Lesestücke der Hand-Fibel v. Otto Schulz. 34., verb. u. nach der neuen Rechtschreibg. umgearbeit. Aufl. 8. (48 S. m. Holzschn.) Berlin 888. Oehmigke's Verl. n. — 25; geb. n.n. — 35

Paulisch, F., Hand-Fibel. 1. Tl. Übungsbuch zum grundleg. Lese-, Schreib-, Recht- u. Schönschreibe-Unterricht in der Unterklasse der Volksschulen. Zugleich als Einführg. in die poet. u. pros. Lesestücke der Hand-Fibel v. Otto Schulz. 38. Aufl. 8. (48 S. m. Holzschn.) Berlin 891. L. Oehmigke's Verl. n. — 25; geb. n.n. — 35

Paulisch, F., Hand-Fibel. 1. Tl. Übungsbuch zum grundleg. Lese-, Schreib-, Recht- u. Schönschreibe-Unterricht in der Unterklasse der Volksschulen. Zugleich als Einführung in die poet. u. prosaischen Lesestücke der Hand-Fibel v. Otto Schulz. 39. Aufl. 8. (48 S. m. Abbildgn.) Berlin 902. L. Oehmigke's Verl. n.— 25; geb. n.n. — 35

Paulisch, Otto [aus Reichthal]: Aus dem anatom. Institut zu Breslau. Das vordere Ende der Chorda dorsalis und der Franck'sche Nasenkamm .... Breslau, Druck v. Anton Schreiber (1887); 26 S. + 1 Bl. 8°.
Breslau, Med. Fak., Inaug.-Diss. v. 30. Jul. 1887.

Paulisch, Otto, das vordere Ende der Chorda dorsalis und der Franck'sche Nasenkamm. Inaugural-Dissertation. gr. 8. (26 S.) Breslau 887, (Köhler.) *

Pauliska, od. Denkwürdigkeiten ein. pohlnischen Emigrantin, a. d. Frz. 2 Thle. 8. Erfurt, Beyer u. M. 800.

Pauliska; od. Denkwürdigkeiten e. poln. Emigrantin. 2 Thle. 8. Erfurt 800. (Otto). 1 ₰ 10 gr

PAULISKA, oder das Kosakenmädchen. Nach einer wahren Geschichte. (Stellenw. etw. freier Roman.) Mit TKpf. Neue Aufl. Chemnitz u. Leipzig, Starke, 1816. 12°. 200 S. Ed. I. ibid. 1800. 8°.

— od. d. Kosakenmädchen, m. K. 8. Chemnitz, Maucke. 806.

Paulitsch, Jakob Peregrin. Gebethbuch für Kranke u. Sterbende. Nach dessen Tode hg. v. Dr. Lorenz Welwich. Klgft., Leon, 1827. — 2. revid. u. verm. Aufl. 1867. Duodez. 245 S.

Paulitsch, Jak. Peregrin, Gebethbuch für Kranke u. Sterbende. Nach des Verf. Tode herg. (im J. 1827) von Lor. Welwich. 2., revid. u. verm. Aufl. Klagenfurt 867. Leon's Buchh. 12. (241 S. mit 1 Stahlst.) 15 ngr; geb. 21 ngr; in engl. Einb. 25 ngr.

Paulitsch, Jakob Peregrin. Gospod, teci mi pomagat! Molitvene bukve. Za Slovence priredil duhovnik krške škofije. V Celovci. St. Hermagoras-Druck., 1891. 336 S.

Paulitschke, Philipp: Afrika, kommerziell, politisch und statistisch. ([S.-A.] Geographisches Handbuch zu Andrees Handatlas.) Leipzig 1882. 134 S. 8°

Paulitschke, Phpp., die Afrika-Literatur in der Zeit von 1500 bis 1750 n. Chr. Ein Beitrag zur geograph. Quellenkunde. Gelegentlich des II. Deutschen Geographentages zu Halle a. S. veröffentlicht. gr. 8. (V, 123 S.) Wien 882, Brockhausen und Bräuer. * 4 —

Paulitschke, Phpp., Beiträge zur Ethnographie u. Anthropologie der Somâl, Galla u. Harari. Mit 40 Lichtdr.-Bildern, 4 Textillustr. u. 1 Karte. [D. Kammel v. Hardeggers Expedition in Ost-Afrika.] Imp.-4. (VIII, 105 S.) Leipzig 886. Frohberg. cart. n. 40. —

Paulitschke, Ph., Beiträge zur Ethnographie u. Anthropologie der Somâl, Galla u. Harari. [D. Kammel v. Hardeggers Expedition in Ost-Afrika.] Mit 40 Lichtdr.-Bildern, 4 Lith. u. 1 Karte. 2. Ausg. Imp.-4. (VIII, 105 S.) Leipzig 888. Baldamus. cart. n. 24. —

—— die geographische Erforschung der Adâl-Länder und Harâr's in Ost-Afrika. Mit Rücksicht auf die Expedition des Dr. med. Dominik Kammel, Edlen v. Hardegger veröffentlicht. Lex.-8. (VII, 109 S.) Leipzig 884, Frohberg. * 4 —

—— die geographische Erforschung der Adâl-Länder und Harâr's in Ost-Afrika. Mit Rücksicht auf die Expedition des Dr. Dominik Kammel, Edlen v. Hardegger, veröffentlicht. 2. Ausg. Lex.-8. (VIII, 109 S.) Ebendas. 888. *

Paulitschke, Phil. Die geographische Erforschung Afrikas bis zur Gründung der „African Institution" zu London. 41 S. 8. Progr. G. *Znaim* 1878.

— geographische Erforschung d. afrikanischen Continents von den ältesten Zeiten bis auf unsere Tage. Ein Beitrag zur Geschichte der Erdkunde. gr. 8. (175 S.) Ebend. 879. n. 3. —

—— die geographische Erforschung des afrikanischen Continents von den ältesten Zeiten bis auf unsere Tage. Ein Beitrag zur Geschichte der Erdkunde. 2. verm. und verb. Aufl. gr. 8. (IX, 331 S.) Wien 880, Brockhausen und Bräuer. * 6 —

Paulitschke, Phpp., Ethnographie Nordost-Afrikas. Die materielle Cultur der Danâkil, Galla u. Somâl. Lex.-8. (XVI, 338 S. m. üb. 100 Abbildgn. auf 25 Taf. u 1 Karte.) Berlin 893. D. Reimer. n. 20. —; geb. n. 23. —

Paulitschke, Phpp., Ethnographie Nordost-Afrikas. (2. Bd.) D. geist. Cultur d. Danâkil, Galla u. Somâl, nebst Nachträgen zur mater. Cultur dieser Völker. Lex.-8. (XVII, 312 S.) Berlin 896. D. Reimer. n. 15. —; geb. n. 18. — (1 u. 2 zusammen bezogen: n. 30. —; geb. n. 36. —)

Paulitschke, Philipp. Ueber die Etymologie und Schreibweise einiger geographischer Namen Ost-Afrika's. (S.-A.) 10. Jahresbericht des k. k. Staatsgymnasiums in Hernals 1883—84. Wien 1884. 10 S. 8°

— Prähistorische Funde aus d. Somâllande. [Aus: „Mitth. d. anthropol. Gesellschaft in Wien".] gr. 4. (7 S. m. 3 Taf.) Wien 898. (A. Hölder.) n. 2. —

—— Harar-Forschungsreise nach den Somâl- und Galla-Ländern Ost-Afrikas, ausgeführt von Dr. Kammel v. Hardegger und Prof. Dr. Paulitschke, beschrieben von Ph. P. Nebst Beiträgen von Günther Ritter v. Beck, L. Ganglbauer und Heinr. Wichmann. gr. 8. (IX, 557 S. mit 50 Abbild., 1 Taf. und 2 Karten.) Leipzig 888, Brockhaus. * geb. *

—— Leitfaden der geographischen Verkehrslehre für Schulen und zum Selbstunterricht. Suppl. zu E. v. Seydlitz's Geographie. Illustriert durch 10 Kartenskizzen. gr. 8. (108 S.) Breslau 881, F. Hirt. * 1 60

—— die afrikanischen Neger, s. Hölder's geographische Jugend- und Volks-Bibliothek.

Paulitschke, Dr. P. Reiserouten des Capt. J. Stuart King im Gebiete der Êjssa- und Galaburssi-Somâl. Nach den Aufnahmen des Reisenden. 1 : 750 000. Gotha 1887. 1 Bl. c. A. Sch.

—— die Sudânländer nach dem gegenwärtigen Stande der Kenntnis, s. Bibliothek, illustrirte, der Länder- und Völkerkunde.

— die Sudânländer nach dem gegenwärtigen Stande der Kenntnis. Mit 59 Holzschn., 12 Tonbildern, 2 Lichtdr. u. 1 Karte. gr. 8. (XII, 311 S.) Freiburg i/Br. 885. Herder. n. 7. —; geb. n. 9. —

Paulitschke, Dr. P. Uebersichtskarte von dem Gebiet der Ejssa-Somâl, von Hárrär und den nördlichen Galländern. 1 : 1 000 000. Gotha 1885. Je 1 Bl. c. A. Sch.

— geographische Verkehrslehre f. Schulen u. zum Selbstunterricht. Ein Leitfaden zur Ergänzg. der Lehrbücher der Geographie [insonderheit derer von E. v. Seydlitz]. Ausgestattet m. 15 in den Text gedr. Kartenskizzen. 2., verm. Aufl. gr. 8. (148 S.) Breslau 892. F. Hirt. Geb. in Leinw. n. 2. 25

—— Die Wanderungen der Oromó oder Galla Ost-Afrikas. gr. 4. (16 S. m. 1 Taf.) Wien 889, (Hölder). * 2 — Aus: Mittheilgn. d. anthropolog. Gesellsch. in Wien, besonders abgedruckt.

Paulitz, Georg Heinrich (Görlitz/Lausitz), De eo, quod potiss. secundum Ll. imp. et Sax. elect. circa conciones justum est. Diss. inaug. Präs. Ernst Tenzell. Erfurt (Grosch) 10. V. 1726. 28 S. (5.—) 25967
Gew.: Christoph Ignatius von Guden.

Paulitz, Joh. Theoph. von: Dissertatio inauguralis medica de usu venaesectionis in parturientibus.
Basel, Med. Diss. 1750

Paulizky (Paulicki), August

Paulicki, Aug., Beiträge zur vergleichenden pathologischen Anatomie. [Aus: „Magazin f. die ges. Thierheilkunde."] Mit 2 (lith.) Taf. Abbildgn., (wovon 1 in Buntdr. in qu. gr. 4.) gr. 8. (III, 176 S.) Berlin 872. Hirschwald. n. 4. 50

Paulizky, (Rich. Henr.) Augustus (geb. Wetzlar 25. 12. 1833). De prostatae degeneratione amyloidea et concretionibus. Berolini (1857). (28 S.) 8°
Berlin, Med. Diss. v. 24. Aug. 1857

Paulizky, Augustus: Disquisitiones de stratis glandulae thymi corpusculis. Halis 1863: Schmidt. 36 S., 1 Taf. 8°
Halle-Wittenberg, Med. Hab.-Schr. v. 13. März 1863
Der Verf. ist identisch mit dem in den Ranglisten der preußischen Armee seit 1868 aufgeführten Militärarzt der Landwehr Dr. Paulizky, dessen Name in den Ranglisten 1873—87 Paulicky geschrieben wird. Am 13. 11. 1874 wurde er aktiver Stabsarzt im Inf.-Rgt Nr. 29, 1882 Regts- & Oberstabsarzt 2. Kl. im Inf.-Regt Nr. 47 in Strassburg und 1886 verabschiedet (s. Wellmann, Das Offizier-Korps des Inf.-Regts v. Horn 1815 bis 90. S. 334. Nr. 475). Er ist gewiß auch identisch mit Aug. Paulicki, von welchem ersch.:
Allgemeine Pathologie. Abth. 1. Die Störungen der Formation. Lfg. 1. 2. Lissa [Breslau]: Günther 1862/63. 409 S. Lex.-8° — Lfg 3. Ueber Petrification. Breslau [Leipzig]: Günther 1869. 66 S. Lex.-8°
Beiträge z. vergleichenden pathologischen Anatomie. Berlin: Hirschwald 1872. III, 176 S., 2 Taf. 8° Aus: Magazin f. d. gesamte Thierheilkunde.

Paulicky, Aug., über congenitale Missbildungen. Beobachtungen beim Musterungsgeschäft und Beurtheilung derselben in Beziehung auf die Militär-Dienstfähigkeit, mit Genehmigung des königl. preuss. Kriegs-Ministeriums hrsg. gr. 8. (V, 58 S. mit 30 Abbild. im Text.) Berlin 882, Mittler und Sohn. * 1 40

Paulicki, Aug., allgemeine Pathologie. 1. Abthl. Die Störungen der Formation. 2 Lfgn. Lex.-8. (II und 409 S. mit eingedr. Holzschn.) Lissa [Breslau] 862,63, Günther's Verlag. à Lfg. * 1 Thlr. 15 Ngr. *

—— allgemeine Pathologie. 3. Lfg.: Ueber Petrification. Lex.-8. (66 S.) Breslau [Leipzig] 869, E. Günther's Verlag. (*ℳ 1,20.) *
1. und 2. Lfg. Ebendas. 1862. à Lfg. *ℳ 4,50.

—— über Petrification. [Aus d. Verf. allgemeiner Pathologie.] Breslau 869. Leipzig, E. Günther's Verl. Lex.-8. (66 S.) n. 12 ngr.

Paulizky, (J.) Friedrich Karl

Paulizky, Friedr. Carl, gemeinfaßl. Anleitung zur Verhüt. u. Heilung d. asiat. Cholera. gr. 8. (2 B.) Gießen 832, Heyer, Vater.
Aus nachstehender Schrift besond. abgedruckt.

Paulizky, Fr. Karl, s. Paulizky, H. F., Anleitung für Landleute zu einer vernünftigen Gesundheitspflege.

Paulizky, Heinrich Felix: Anleitung für Landleute zu einer vernünftigen Gesundheitspflege... Ein Hausbuch für Landgeistliche, Wundärzte und verständige Hauswirthe, zumal in Gegenden wo keine Aerzte sind. 690 S., gbd.

Frankfurt am Main: Andreä 1791

— Anleit. f. Landleute zu e. vernünftigen Gesundheitspflege. 8. Frankf. a. M. 791. Andreä. 1 ♂ 2e A. 793. 3e A. 799. 4e u. 5e A. 807, 16. verb. v. J. C. G. Ackermann. 6e A. Hrsgg. v. K. C. Nonne. 8. Ebd. 822. 20 gl.

PAULITZKY Heinrich Felix. Anleitung f. Landleute zu einer Gesundheitslehre. 2. Aufl., Wien 1793.

Paulizky, H. F., Anleitung für Landleute z. einer vernünftigen Gesundheitspflege rc. 5te Aufl. 8. Frankfurt a. M., Andreäische Buchhdl. 816.

— — dasselbe 6te von F. C. Paulizky Sohn verb. Aufl. 8. Giessen, Heyer. 818.

Paulizky, (H. F.,) Anleitung f. Bürger u. Landleute, wie man die gewöhnlichsten Krankheiten erkennen u. durch wenige u. sichre Mittel verhüten u. heilen soll u. kann. Verb. v. J. Chr. G. Ackermann. 6e Aufl., umgearb. v. K. C. Nonne. 8. Frankf. 822, Andreä.

— Anleitung für Landleute zu einer vernünftigen Gesundheitspflege. Neu bearb. u. verm. von Fr. C. Paulizky. 2e Orig.-Ausg. 8. Gießen 824, Heyer.

Paulizky, Heinr. Felix, Anleitung f. Landleute zu e. vernünft. Gesundheitspflege rc. Neu bearb. u. verm. v. F. C. Paulizky. 7., neu bearb. u. wohlf. Orig.-Ausg., verm. mit e. Anweis. z. Erkenntniß d. asiat. Brechruhr (Cholera morbus) u. den erprobtesten Schutz- u. Heilmitteln dagegen. (47 B.) 832. 1 Thlr., (8.), neubearb. Orig.-A. (43¼ B.) 8. Gießen 835, Heyer, Vater.

Paulizky, Hnr. Felix, Anleitung für Landleute zu einer vernünftigen Gesundheitspflege rc. Neu bearbeitet u. verm. von Fr. Karl Paulizky. 4. neu bearb. Original-Ausg. (9. Aufl.) gr. 12. Gießen 842, Heyer's Verlag. n. 1 ♂

Paulizky, Heinr. Fel., Anleitung für Landleute zu einer vernünftigen Gesundheitspflege, worin gelehrt wird wie man die gewöhnlichen Krankheiten durch wenige u. sichere Mittel hauptsächlich aber durch ein gutes Verhalten verhüten u. heilen kann. Ein Hausbuch für Landgeistliche, — Wundärzte u. verständige Hauswirthe, zumal in Gegenden wo keine Aerzte sind, sowie f. deutsche Auswanderer. Neu bearb. u. verm. v. Frdr. Karl Paulizky. 5. neubearb. Orig.-Ausg. [10. Aufl.] gr. 12. (XXIV u. 578 S.) Frankfurt a. M. 849, Heyer. (Wien, Gerold.) n. 1 ♂

Medicinisch practische Beobachtungen. Von Heinrich Felix Paulizky. Samml. 1.2. Frankfurt a.M.: Andreae 1784-86. 1 Bd 8°

Paulizky, Hnr. Fel., († ... 1792.) medizin.-prakt. Beobachtungen. 2 Samml. 8. Frankf. a. M. 785—86. Andreä. 13 gl.

Paulizky, Heinrich Felix (Kyrna/Rheingraviat.), De sulphuris antimonii aurati extractione respectu terrae foliatae tartari inde oriundae optima. Spec. med. chem. Halle (Beyer) 11. VII. 1774. 24 S. (4.—) 25968

— drei kleine chronolog. Untersuchungen. 4. Frankf. a. M. 782. Andreä. 2 gl.

Paulizky, J. Nic., Passionshistorien in Betracht. 4. Frankf. Brönner. 754.

Paulizky, O., und A. v. Woedtke, Geschichte des 4. Rheinischen Infanterie-Regiments Nr. 30. 1815—1884. Im Auftrage des Regiments bearb. Mit 4 Skizzen im Text und 2 Karten-Beilagen. gr. 8. (X, 600 S.) Berlin 884, Mittler und Sohn. * 12 —

Paull, Hermann [app. Arzt aus Mello i. H.]: Über die Digitalis purpurea und das Digitalinum verum ... Freiburg i. B., Univ.-Buchdr. v. Ch. Lehmann, 1893; 46 S., 1 Bl. 8.
Freiburg i. B., Med. Fak., Inaug.-Diss. v. 1893

Paull, Herm., die Frau. Ein gemeinverständl. Gesundheitsbuch. 2. unveränd. Aufl. 8. (VII, 143 S. m. 22 Abbildgn.) Wien 899. W. Braumüller. n. 2. —

Paull, Herm., die Frau. Ein gemeinverständl. Gesundheitsbuch f. die moderne Frau. 3. verm. Aufl. (219 S. m. 43 Abbildgn.) gr. 8. Wien 908. W. Braumüller. 3.—; geb. in Leinw. 4.20

Paull, H., die Heilkräfte des Meeres. Hygienischer Führer f. Meerreisende. (III, 100 S. m. Abbildgn.) gr. 8. Karlsruhe (Leopoldstr. 38) 906. Dr. med. Paull. n n. 3.50

Paull, Wilhelm [pract. Arzt in Freiburg]: Ueber Haemoglobingehalt und Zählung der rothen Blutkörperchen bei anaemischen Zuständen .... Freiburg i. Baden, Univ.-Buchdr. v. H. M. Poppen & Sohn, 1887; 29 + 1 S. 8°
Freiburg i. B., Med. Fak., Inaug. Diss. v. 1887

Paulla, Petrus Maria da, gegen die Irrlehre der Deutschkatholiken. An das gegenwärtig versammelte Concil auf dem Berge Carmel unter dem Vorsitze des Alten v. Berge. 8. (1½ B.) Winterthur 846, Liter. Comptoir von Hegner, älter.

Paulli, Novus in Belgio Judaeorum Rex Oliger, multis editis monumentis literariis clarus. Helmst. 1701. V: *Hardt, Hermann von der.* (Bruun, Bibl. Danica III, 1340.)

Novus in Belgio Judæorum rex Oliger Paulli, multis editis monumentis literariis clarus. Das ist *der neue Juden-könig, Oliger Paulli,* in Niederland, durch viele heraus gegebene Schrifften bekannt. (Allegor. Hlzsch. m. Inschrift.) Gedr. im Jahr Christi MDCCII. (1702.) Fol. Cart.
38 S. (incl. Tit.), zweispaltig (holländ. u. deutsch). Selten! — Cfr. Adelung, Geschichte d. menschl. Narrheit. Bd. 4.

Paulli, F., biblische Skizzen. Uebers. von C. Karstens. 8. (VII, 135 S.) Gotha 882, F. A. Perthes. * 1 80

Paulli, Jac. Religiöse Betrachtungen. Übers. m. Erlaubnis d. Verf. v. S. Bargum. 8. (85 S.) Apenrade 892, Wohlenberg. * 1 20

Paulli, Jak., aus dem Reich der Gnade. Religiöse Betrachtungen. Aus dem Dän. von O. Gleiss. Autoris. deutsche Ausg. 8. (208 S.) Leipzig 884, J. Naumann. * 2 50
geb. * 3 50

Paulli, Jak., das Vater Unser. Betrachtungen. Autor. Uebersetzung v. S. Bargum. 2., verb. Aufl. v. Pauline Klaiber. 8. (VIII, 190 S.) Stuttgart 898. Buchh. d. Evang. Gesellschaft. Geb. in Leinw. n. 2.—; in Ldr. n. 3.—; geh. n. 1.50

Zuverlässiger Abriß Des Anno 1734. Bey Tundern gefundenen Güldenen Horns (v. Joachim Richard **Paulli**). (Mit 1 Titelvignette und 6 Figuren in Holzschnitt.) Copenhagen. 1734. Fol.

Paulli, Oliger

Paulli, Oliger, Manna, daß Jesus nicht gerufen: Mein G., wie hast du mich verlassen, sondern verherrlicht. 8. Alt. 704.

Paulli, Simon

Paulli S.: Formolinjektion z. Demonstration d. Situs viscerum bei den Haussäugetieren. Jena 1909. (7) S. (Særtr.). P.

Paulli, Simon, the elephant's head, s.: Boas, J. E. V.

[Teils.] Simonis Paulli Quadripartitum botanicum de simplicium medicamentorum facultatibus ex veterum et recentiorum decretis et observationibus, cum medicis, tum anatomicis, itemque multis chymica principia ac humaniora studia spectantibus ... Add. 1. Purgantium dosibus. 2. Guilielmi Laurenbergii [Wilhelm Lauremberg, 1626] Botanotheca: jam verò recens auctum 3. Jos[ephi] Pitton Turnefort [Pitton de Tournefort] Charactere plantaram. 4. (Paulli) Commentario de usu et abusu tabaci et herbae theae: atque multiplicis usus gratia instructum. 5. Quintuplici ind., Lat., Germ. Dan., syllabo authorum et rerum locupletissimo. Curante J(ohanne) Jac(obo) Fickio [Fick]. Francofurti a.M.: Oehrlingius 1708. 811 S. 8°

PAULLI, Wilh. Adolph („Großfürstl. Holstein. Sekretär, geb. 1719 zu Bramstedt, † 21. August 1772 zu Hamburg"), Gedanken und Wünsche beim Trunke. Hamburg 1750.

— — Dasselbe. 1754.
Goedeke IV, 21, 27, 3, ohne Formatsangabe. — Beides rar!

— — Poesie und Prose, zum Nutzen und Vergnügen. 2 Thle. Hamburg 1755. 8°.

In der am 6. Martii 5758 in der sehr-ehrw. schottischen Loge Judica [in Hamburg] wegen des am 3ten Jenner in Leipzig erfolgten frühzeitigen Absterbens ihres Brs und Mitgliedes Peter Carpser des Jüngeren, gehaltenen Trauerversammlung verlass [!] folgende Rede in Versen der Br. W. A. **Paulli.** Hamburg [1758]: Beneke. 6 Bl. 4° [Umschlagtit.]

Abgedr. in: Denkmaal d. Freundschaft; P. Carpser gewidm. 1758 S. 57—66.
Kl. 1304. „O Brüder! diese Pflicht, die uns zusammen ruft, . . ." Nebst Gedicht von M. A. Wodarch: „So gehn, wir, Brüder, . . ."

Rede von den Vorzügen der Freymaurer bey Gelegenheit der Meister-Wahl in der sehr ehrw. Loge Absolon [!] in Hamburg gehalten von [W. A.] P[aulli] im Jahr der Freymaurerey 5752. [Hamburg 1752]: Piscator. 8 Bl. 4° [Umschlagtit.]
Kl. 821. Selten. In Versen. 193.

PAULLI, Wilh. Adolph (1719—72), Versuche in verschiedenen Arten der Dichtkunst. Hamburg 1750. 8°. (In München: P. o. germ. 1049.)
Goedeke IV, 21, 27.

Paullini, A. Leben und Thaten des Kaysers Joseph I. 8. Cölln 1711—12.

Paullini, A. Leben und Thaten des kaiserl. Generals Graf v. Thüngen. 8. Cöln 1712

Paullini, Ant. [Pseud.], s. Schmauss, J. J.

C[hristian] F[ranz] Paullini. Kleine, doch curieuse Bauren-Physic [Bauernphysik]. Franckfurth & Leipzig; Erffurth: Stößel 1705. 85 S. 8°

C.F. Paullini Kleine, Doch Curieuse und vermehrte, Bauren-Physic. Franckfurt und Leipzig, Bey Johann Christoph Stöszeln, Buchhändlern in Erffurth. Im Jahr 1706.

Paulini, C. F., kleine Bauernphysik. 8. Frankfurt. 719.

Paullini, C. F. „Bauernphysik", 3. verm. Auflage, Frankfurt a. M. und Leipzig 1719 (Stössel).

— de candore. 8. Frcf. 703.

Christiani Francisci Paullini Disquisitio curiosa an mors naturalis plerumque sit substantia verminosa? Rev.,aucta & em. ... Francofurti & Lipsiae: Stößel 1703. 104 [vielm.194] S. 8°

Neu-Vermehrte, Heylsame Dreck-Apotheke, Wie nemlich mit Koth und Urin Fast alle, ja auch die schwerste, gifftigste Kranckheiten, und bezauberte Schäden vom Haupt bisz zun Füssen, inn- und äusserlich glücklich curiret worden ... nun zum viertenmahl um ein merckliches verbessert: Und mit dem Andern Theil vermehrt von Kristian Frantz Paulini. Franckfurt am Mayn, in Verlegung Friedrich Knochen und Sohns Gedruckt bey Johann Köllner 1714.

Paullini, Christian Franz: Neu-vermehrte heylsame Dreck-Apotheke, wie nemlich mit Koth und Urin fast alle, ja auch die schwerste, gifftigste Kranckheiten...glücklich curiret worden... Nun zum vierten mahl um ein merckliches verbessert und mit dem andern Theil vermehrt. Th.1-2, gbd.

Franckfurt u.Leipzig: Knoch 1748

— heilsame Dreckapotheke. 2 Thle. 8. Frankf. Hermann, (a. Eßlinger.) 748.

— Heilsame Dreckapotheke, wie nemlich mit Koth, Urin u. vielen verachteten, aber dennoch köstlichen, umsonst zu habenden Dingen die meisten Krankheiten u. Schäden glücklich geheilt worden. Ferner: Von dem Nutzen des Geisselns in medizinischer u. physischer Beziehung; Flagellum salutis, oder Heilung durch Schläge, sammt der Lebensverlängerung bis auf 115 Jahre durch den Hauch junger Mädchen. 2 Bde. Stuttgart, Scheible, 1847. 8⁰.

Auch tit.: Der Schatzgräber in den literar. u. bildl. Seltenheiten, Sonderbarkeiten etc. Bd. 3—4. (1 Rthlr. 18 Sgr. Fischhaber; 4 Mk. 80 Pf. Scheible.)

Paullini, C. F., — Dreck-Apotheke, s.a Scheible der Schatzgraber.

[Paullini, Christian Franz:] Die heylsame Dreck-Apotheke, wie nemlich mit vielen verachteten Dingen fast alle ... Kranckheiten u. bezauberte Schäden ... curiret worden. Mit allerhand raren ... Historien u. Anm. ... nochmals bewährt, nun z. viertenmahl um e. merckliches verb. [Ausz.] Franckfurth a. M.: Knochen u. Sohn 1714. Neuaufgelegt. [1.] Berlin: Georgi [1908]. 8⁰ (Sammlung alter Wunder- u. Geheimnisbücher. Bd 1.)

Paullini, Christian Franz, Nordisches Ehrenlied auf Herrn Spahtens Sekretariatkunst, Hinter der Vorrede des 2. Bandes, siehe Caspar Stieler.

Paullin, Christian Franz, Kristian Frantz Paulline /// von Eisenach aus Thüringen // Poetische // Erstlinge /// Oder: // Allerhand Geist- und // Weltliche // Teutsche Gedichte. // Leipzig /// bey Johann Ludwig Gleditsch /// Anno 1703. - 8 Blatt (nicht paginiert) Titelblatt, Vorrede und Ehrengedichte. - 248 S.

— Philosophischer Feyerabend In sich haltende, Allerhand anmuthige, seltene, curieuse, so nütz als ergetzliche, auch zu allerlei nachtrücklichen Discursen anlaßgebende Realien u. merckwürdige Begebenheiten in Leyd und Freud, zum lustigen und erbaulichen Zeitvertreib, wohlmeinend mitgetheilet. Mit Titelkpfr. Franckfurt a. M., Friedr. Knoch, Im Jahr MDCC. (1700.) 8⁰. (In Berlin: Ag 7346; auch in Stuttgart.) (7 Mk. 50 Pfg., Baer & Co., 1888; 12 Mk., Prgtbd., Adolf Weigel, 1908.)

10 Bll., 892 S., 10 Bll. Enth. 100 Historien.

PAULLINI, CHRISTIAN FRANZ. Das Hoch- und Wohl-gelahrte Teutsche Frauen-Zimmer Nochmahls mit mercklichem Zusatz vorgestellet. Frankfurt & Leipzig, J. C. Stößel, Buchhändler in Erfurt, 1705. Kl. 8⁰. 150 S., Titel in rot und schwarz. Alter blauer Papierumschlag.

Paullini, C. F., Heilung durch Schläge. — siehe: Scheible, J., der Schatzgräber.

— de Jalapa. 8. Frankf. 702.

— Anmuthige Lange Weile Oder Allerhand feine, außerlesene, seltene und curieuse Discursen, Fragen und Begebenheiten, Sampt Derer Erörterung, Männiglich zum ergetzlichen Nutzen und erbaulichen Zeit-Vertreib, Wohlmeinend abgefasst Von *Christian Frantz Paullini.* Franckfurt am Mayn, In Verlegung Friedrich Knochens. Im Jahr 1703. 8⁰. (In Berlin: Ag 7351; auch in Stuttgart u. Zürich.) (10 Mk. Max Perl, Heinr. Schöningh [Osnabr.], Adolf Weigel.)

8 Bll. u. 544 S. 131 Kuriositäten aus d. Gebiete d. Physiologie, Medizin, Geschichte, Theologie usw., u. a.: Kann e. abgehauene Nase auch wohl wieder wachsen? — Ob's Böses bedeute, wann ein Kind im Mutterleib schreye. — Von Evangelien S. Peters, Jacobis, St. Thomae, Judae, Ischariots etc. — Ob die Tiere weinen können. — Wie nach Poetischer Rede Korn Jünglinge u. Most Jungfrauen erzeuge. — Eine Geburt mit grosser Flamme u. schrecklichem Krachen zur Welt kommen. — Ein Jüngling pisset zum Augen heraus. — Von Wexelbälgen und Wassernixen. — Von dem evangel. Jungfernkloster zu Saltz-Thalum b. Wolfenbüttel etc. etc.

Christiani Francisci Paullini De Lumbrico terrestri schediasma, varijs memorabilibus, curiositatibus & observationibus illustratum. Francofurti & Lipsiae: Stössel 1703. 208 S. 8⁰

PAULLINI, Christian Franz (geb. 25. Febr. 1643 zu Eisenach, † das. 10. Jan. 1712), Zeit-kürtzende erbauliche Lust, oder allerhand ausserlesene, so rar- und curiose, so nütz- als ergetzliche geistliche und weltliche Merckwürdigkeiten, Zum vorteilhafft. Abbruch verdriesslicher Lang-Weile .... mitgetheilet. 3 Thle. Mit Titelkpf. Franckfurt a. M., Fr. Knoch, 1693. 94. 97. 8⁰. (Th. 1 apart, schönes Expl., 18 Mk. Max Harrwitz, Berlin, 1906; cplt. 15 Mk. Ferd. Schöningh, Osnabr., 1911.)

Curiosa aller Art. Vieles in Reimen. Betrifft auch Erotica. — Bibl. Feuerlini V. II. Nrb. 1803. p. 231. Zuerst erwähnt im O. M. V. 1692. D 4a.

— — Dasselbe. 3 Thle. Ebd. 1725. 8⁰.
Auction Ritter v. Schwarz. Wien 1869. no. 2230.

— — Philosophische Lust-Stunden oder allerhand schöne, anmuthige, rare, so nützlich- als erbauliche polit., physical., histor., geistl. u. weltl. Curiositäten. 2 Thle. Mit Titelkpf. Franckfurt und Leipzig (Stössel in Chemnitz) 1706—7. 8⁰. (Th. 1 apart, 815 S., 10 Mk. Paul Neubner, Köln, c. 1890; 12 Mk. Geo. Lau, München, 1892.)

Kuppitsch' collection no. 5311. — Eine Sammlung der unsinnigsten Geschichten, u. a.: Ob Adams u. Even erste Röcke aus Fellen gewesen; obs recht sey erbare Parruqven zu tragen; womit Zipora ihren Sohn beschnitten habe; ob e. Mann in Weibs-Kleidern u. e. Frau im Mannes-Habit auffziehen dörffe; vom Bilderschweiss; ob das in der Beschneidung Christi abgenommene Vorhäutlein noch in der Welt sey oder wo es hinkommen; ob die Beine der Sirenen das Blut stillen u. zur Keuschheit dienen; von d. natürl. Magie; ob das Frauenzimmer d. Acad. Ehren-Graden fähig; von der Beschneidung; ob man durch Abschneiden der Haare bey Hexen u. Unholden die Wahrheit ehe herauslocken könne u. s. w.

— Philosophische Lust-Stunden, Oder, Allerhand schöne, anmutige, rare, so nützlich als erbauliche, Politische, Physicalische, Historische, u. d. Geist- und Weltliche Curiositäten, Männiglich zur beliebigen Ergetzung wohlmeinend mitgetheilet. Frankfurt & Leipzig, J. Chr. Stössel, Buchhändler in Erfurt, 1709. 8⁰. *Titelkupfer.* 8 Bl. (inkl. Titel in rot und schwarz), 815 S. 14 Bl. (letztes leer). Gutes Pgt. d. Z.

Paullini, Chr. Franc., Μοσχοκαρυολογια s. nucis moschatae descriptio. Frcf. 8⁰.

1704

Paullini, Chr. Fr., Obs. med. phys. rarae, selectae et curiosae, quatuor centuriis comprensae, cum Lancae sutura, quinque alias decadas observationum excellentium virorum complectente. 590 pp. Lps. 8⁰.

1706

Christiani Francisci Paullini Observationes medico-physicae, rarae, selectae & curiosae, 4 centuriis comprehensae. Lipsiae: Heinichius 1706. 590 S. 8°

[Sondert.:] Lanx satura, 5 decades observationum selectiorum...complectens.

Paullini, Chr. Franc., De theriaca coelesti reformata liber singularis, secundum leges et methodum Imperialis Acad. Leop. Nat. cur. scriptus, multisque observationibus rarioribus phys.-medicis illustratus et confirmatus. 347 pp. Frcf. ad M. 12°. (p. 164 Pica.)
1702

— de theriaca coelesti reformata. 8. 708.

Paullóva, A., Reinhold Lenz, } f. Dilettanten-Mappe.
—— der Sangesbroder }

Paullus, Julius, s. Paulus, Julius

Das Gespensterbuch von H. Paulmann, D. Schiff u. C. Bernhardi. Zerbst 833. 1. Th. 2. Aufl. ebd. 839. 8.

† Paulmann, H., (Pfau,) Schiff u. W. Bernhardi, das Gespensterbuch. 2 Thle. 8. Zerbst. [Berlin, Danz.] [1. 1. u. 2. Aufl. (à 14 B. 838, 39., 2. (13¾ B.) 839. à ¾ Thlr.] 1½ Thlr., hrbgs. Pr

Paulmann, Johann Er. Ludwig

Paulmann, Jh. Er. Ldw., helikonischer Almanach, od. Pindus Kritik d. Mißwachses am Parnuß. (Mit d. Verf. Bildn.) 8. Berl. 803. Schöne. 16 gl

Paulmann, Jh. Er. Ldw., Blanka u. Clarenza, oder d. Liebe im Abgrunde. Trspl. 8. Berl., Schöne. 8 gl

— epische Dichtungsarten, Huitains (Triolets); avec des Notes necessaires, andere kl. Dichtungsgattungen. gr. 8. Berl. 798, 802. Schöne. 6 gl

PAULMANN, J. E. L. („Herzogl. Brschw. Commissions-Rath u. Vicar u. Halberst. Thum-Vic.", ein Erzsonderling), Epische Dichtungs-Arten, Huitains [Triolets]; avec des notes nécessaires, andere kleinere u. tändelnde Dichtungs-Gattungen, von —. Zweite unveränd. Aufl. (Motti aus Horaz u. Young, darunter emblemat. Kpf.-Vign.) Berlin, 1800. Gedr. bei Gottfr. Hayn, u. in Commiss. bei Chrn. Gottfr. Schöne. Gr. 8°.

Tit. m. Vign. (erklärt auf S. 1 des Vorber.), 1 Bl. Widm. (an Augusta, Herzogin v. Brnschw.), 2 Bll. Einleitg., X—60 S., 1 Bl. Inh., 1 Bl. Druckf. Sehr selten! — K. H. S. Rödenbeck in Berlin schrieb auf das Vorsatzblatt s. Expls. (welch letzteres Baer in Frf. a. M. im Cat. 317. [1893] no. 1690. zu 12 Mk. offerierte): „Diese Schrift kann als eine große Merkwürdigkeit angesehen werden, denn niemals ist wohl etwas Verrückteres aus dem Gehirn eines Menschen hervorgegangen."

— poet. Taschenbuch, nach Horaz, f. Damen ꝛc. Mit 1 Kpf. 12. Berl. 802. Schöne. 1 ß 2e Auslese (Ausg.) unter d. T.: Venusisches Taschenbuch für Damen ꝛc. 12. Halberstadt 802.

— Venusisches Taschenbuch f. Damen. — Die Oden u. Lieder, u. der Sekularische Gesang der Horatz; angebunden: ein ächt-treu-deutscher Versuch im Saec. XIX. IIte Auslese. Mit Abbildung (!) des Verfassers (ovales Brustbild), del. et sc.: v. Closter, Officier Halberstadt: Gedr. bey Heinr. Matthias u. Delius Erb.; in Commiss. bey Wilh. Rein; Leipzig 1802. 16°. (In Berlin: Wh 474.)

Lat. Lett. 4 Bll. Vorst., 178 S., 1 Bl. mit Schluß-Vignette (Weinbergs-Schnecke). — Seltenes Curiosum!

PAULMANNS Venusisches Taschenbuch für Damen. Die Oden, Lieder und der Säkularische Gesang des Horatz ungebunden übertragen. 2. Auslese. Mit Porträt und einem Kupfer. Halberstadt 1812. 16°.

Paulmann, Jh. Er. Ldw., Taschenb. vermischten Stoffes üb. verschiedene interess. Gegenstände ꝛc. 8. Berl. 802. Schöne 20 gl

Paulmann, Johann Ludwig

— kleine Lieder nach d. Inhalte ein. Kanzelvorträge. 8. Braunschw. u. Hildesh. 776.

— de universali infantum ante usum rationis morientium salute. 4. Helmst. 752.

— neue Samml. geistlicher Lieder ꝛc. 8. Braunschw. Schröder. 790.

Paulmann, J. L., heil. Unterhandl. bey der Confirmation e. taub- u. stummgebohrn. Frauensperf. 8. Braunschw. Waisenh. 778. Ditblr.

Paulmann, Julius [pract. Arzt aus Sachsen]: Ein Beitrag zur Casuistik des Carcinoma penis .... Greifswald, Druck v. Julius Abel, 1886; 36 S. 8°.
Greifswald, Med. Fak., Inaug.-Diss. v. 22. Dez. 1886.

Paulmann, Julius, ein Beitrag zur Casuistik des Carcinoma penis. Diss. Greifswald 1886, Jul. Bindewald. 8°. 36 S.

Paulmann, *Heinrich Ludwig* Wilhelm [Apotheker aus Celle a. d. Aller]: Beiträge zur Kenntnis des Sarkosins ... Marburg, 1894; 2 Bl., 39 S., 1 Bl. 8.
Marburg, Phil. Fak., Inaug.-Diss. v. [6. Febr.] 1895

François Paulmier

Des [François] Paulmier [Traité méthodique de la goutte. Deutsch:] Gründlicher Unterricht vom Podagra und dessen Heilung. Aus d. Franz. übers. ([Übers.:] J[ohann] H[ermann] Pfingsten.) Dresden: Walther 1780. 405 S. 8°

le Paulmier, Nik., Geistes-Uebungen in der Sprache der heil. Schrift für Geistliche und Laien. Aus dem Latein. von M. A. Nickel. Mainz 853. Wirth. 8. (XXXVI, 398 S. u. 1 Stahlst.) 1 ß.

Paulnsteiner, Georg. Der Fuchs, dessen Lebensweise, Jagd, Fang u. Vergiften. Klgft., Leon, 1895. 47 S. 8°

Paulovich's Erdkunde in Bildern und Mährchen nach seiner neuen k. k. ausschl. priv. Aufsetz-Methode, um schnell und praktisch die Gestalt der Erdtheile, Gebirge u. s. w. aus dem Kopfe zu zeichnen und ihre Namen fest im Gedächtnisse zu behalten. Mit 10 Karten, Holzschnitten und Patronen. 8. (64 S.) Wien, Mechitharisten-Buchdruckerei 1854

Paulovich's Erdkunde in Bildern und Mährchen nach seiner neuen k. k. ausschl. priv. Auffetz-Methode, um schnell und praktisch die Gestalt der Erdtheile, Gebirge ꝛc. aus dem Kopfe zu zeichnen und ihre Namen fest im Gedächtnisse zu behalten. gr. 8. (IV und 64 S. mit 10 lithochrom. Karten, Holzschn. und Patronen.) Wien 854, (Wenedikt.) **

Paulowitsch, P. A. F., haben d. Bordelle Nutzen, ob. nicht? Eine Schrift den Hohen u. Niederen z. Prüfung vorgelegt. 8. (2 B.) Penig 831. (Leipzig, Berger's Brlsb.)

Paulowna, oder das unglückliche Mädchen im Todtengewölbe unter dem brennenden Moskau. Von H. Müller. 3 Thle. 8. Quedlinburg, Basse, 817.

Pauls I., Kaiser, Ende. 1801. Von R. R. gr. 8. (III, 188 S.) Stuttgart 897. J. G. Cotta Nachf. n. 4.—

Paul's Wanderung zum Tempel der Glückseligkeit. 8. (29 S. mit eingedr. ill. Stnt. und lithogr. und ill. Titel.) Chur 854, Grubenmann'sche Buchh.

Festschrift zum 125. Stiftungsfeste der Johannisloge „Zur Beständigkeit und Eintracht" im O.·. Aachen. Von Aug. Pauls. Als Ms. gedr. Aachen: Verl. u. Druckerei-Gesellsch. 1903. 116 S. 6 Taf. 8°
cf. Bbl. 18 (1904) S. 262—263 (G. Diercks). Nebst Mitglverzeichn. Die Taf. stellen Bildn. u. Logensiegel dar. 23.

Pauls, August [Gerichtsref. aus Düsseldorf]: Die theilweise Genehmigung bei negotiorum gestio ... Düsseldorf, Druck v. E. Lintz, 1895; 47 S. 8.
Erlangen, Jur Fak., Inaug.-Diss. v Juli 1895

Pauls, Aug., Träume der Jugend. Gedichte. 8. (VIII, 52 S.) Dresden 894. E. Pierson. n. 1.—; geb. m. Goldschn. n. 2.—

Pauls, Aug., Vergeltung? Novelle. 12. (29 S.) Heidelberg 898. J. Hörning. n. —50

Pauls, Eilhard Erich. Belle-Alliance, s. Als Deutschland erwachte.

Pauls, Eilhard Erich: Blücher. Mit 12 Abb. Hamburg: Schloeßmann 1909. 89 S. 8°
(Als Deutschland erwachte. H. 2.)

Pauls, Eilhard Erich: Blücher, s. Als Deutschland erwachte.

— Der Freiheit Hauch. Roman aus der Franzosenzeit. (247 S.) 8. Hamburg 910. G. Schloeßmann. 3.—; geb. in Leinw. 4.—

Pauls, Eilh. Erich, vom Leid. Novellen. Buchschmuck v. Rud. Curdt. (242 S.) 8. Hamburg (909). G. Schloeßmann. 3.—; geb. in Leinw. 4.—

Pauls, Eilhard Erich: Napoleon I, s. Als Deutschland erwachte.

Pauls, Emil, Geleitsrechte des Herzogs von Jülich im Jülichschen u. in Aachen. Festschrift, dem Aachener Geschichtsverein aus Anlass seines 25jähr. Bestehens gewidmet vom Verein f. Kunde der Aachener Vorzeit. (III, 80 S. m. 1 Taf.) gr. 8. Aachen 904. Cremer. n. 2.—

Pauls, E., d. Lousberg bei Aachen. [Aus: „Zeitschr. d. Aach. Geschichtsver."] gr. 8. (III, 46 S.) Aachen 897. (Cremer.) n. —80

Pauls, Fritz, aus Stralsund: Studien zur altsächsischen Genesis. 1. *Halle a. S. 1902: E. Karras.* (55 S.) 8°
Leipzig, Phil. Diss. v. [23. Juli] 1902

Pauls, J J

Pauls, Dr., Blüthen aus Italien, mit den Portraits von Ariosto und Tasso. 8. Cöln, Rommerskirchen. 817.

Pauls, J. J., s. Mitteilungen aus d. Gesch. u. Dichtung d. Neugriechen.

Pauls, J. P., s. Samml. von Arbeiten ausländ. Naturforscher.

Pauls, Otto [aus Montjoie]: Ueber die Beziehung des Riemann'schen Integrals zweiter Gattung zu den Periodicitätsmoduln der Function R (o|t). Strassburg, Buchdruckerei R. Schultz und Comp., 1882. 4. 30 S.

Pauls, Otto, der Imker der Neuzeit, s.: Weber's illustrierte Gartenbibliothek. II.

Pauls, Paul

Pauls, P., fünf und dreißig Fastenpredigten über: 1. Die sieben Worte Jesu am Kreuze. 2. Die sieben Hauptsünden. 3. Die sieben Bitten, das Vater unser. 4. Die sieben Haupttugenden. 5. Die Kämpfe des Christen. gr. 12. (430 S.) Aachen 850, Hensen und Comp.

Pauls, P., kurze Frühpredigten f. alle Sonntage d. kathol Kirchenjahres. 1. Aufl. (13¼ B.) 839. ¾ Thlr., 2., verm. u verb. Aufl. gr. 12. (15 B.) Aachen 841, Hensen u. Comp.

Pauls, P., kurze Frühpredigten f. alle Sonnt. des kath. Kirchenjahres. 3. Aufl. 12. (14½ B.) Aachen 845, Hensen u. Comp.—

Pauls, P., kurze Frühpredigten für alle Sonntage des katholischen Kirchenjahres. 4. Aufl. gr. 12. (IV und 341 S.) Aachen 852, Hensen und Comp.

Pauls, P., kurze Frühpredigten für alle Sonntage des katholischen Kirchenjahres. 5. Aufl. Aachen 862. Hensen. 12. (IV, 292 S.) 15 ngr.

Pauls, P., kurze Frühpredigten für alle Sonntage des katholischen Kirchenjahres. 5. Aufl. 12. (IV und 292 S.) Aachen 862, [Jacobi und Comp.]

Pauls, P., die sieben Hauptsünden, in sieben Kanzelvorträgen f. d. heil. Fastenzeit bearb. 1. u. 2. Aufl. gr. 12. (à 3⅔ B.) Aachen 840, Hensen u. Comp. à Thlr.

Pauls, P., die 7 Hauptsünden, in 7 Kanzelvorträgen f. die heil. Fastenzeit bearb. 3. Aufl. (3⅓ B.) 843. u. 4. Aufl. 12. (3 7/12 B.) Aachen 846, Hensen u. Comp. Thlr. à

—— die sieben Haupttugenden in 7 Kanzelvorträgen f. die heil. Fastenzeit, als Seitenstück zu den „sieben Hauptsünden." 12. (4¼ B.) Aachen 843, Hensen u. Comp.

—— die sieben Haupttugenden, in sieben Kanzelvorträgen für die heil. Fastenzeit als Seitenstück zu den „sieben Hauptsünden" bearb. 2. Aufl. gr. 12. (80 S.) Aachen 848, Hensen und Comp.

—— die sieben Haupttugenden, in sieben Kanzelvorträgen für die heil. Fastenzeit als Seitenstück zu den „sieben Hauptsünden" bearb. 2. Aufl. gr. 12. (101 S.) Aachen 855, Hensen und Comp.

—— der Kampf des Christen. Oder sieben Kanzelvorträge für die heil. Fastenzeit. 12. (4 B.) Aachen 845, Hensen u. Comp.

—— der Kampf des Christen. Oder 7 Kanzelvorträge für die heil. Fastenzeit. 2. Aufl. 12. (96 S.) Aachen 863, [Jacobi und Comp.]

—— zwölf kurze Kanzel-Vorträge üb. d. Leiden u. Sterben d. Heilandes, in d. Fasten-Zeit gehalten. 8. (6 B.) Aachen 837, Cremersche Buchh.

— s. v. Liguori, A., Festpredigten. —

—— das Pflegkind Mariä, s.a.Wunder-Medaille.

—— das Pflegekind Mariä. Od. fünf Andachtsübungen z. Mutter Gottes auf d. verschied. Zeiten d. Jahres, nebst beigefügten Meßgebeten. 12. (3¾ B. u. Holzschnn.) Aachen 841, Hensen u. Comp.

—— das Pflegkind Mariä. Oder: Fünf Andachtsübungen zur Mutter Gottes auf die verschied. Zeiten des Jahres, nebst beigefügten Meßgebeten. 3. Aufl. 12. (72 S. und 1 Holzschn.) Aachen 851, Hensen und Comp.

—— das Pflegkind Mariä. Oder 5 Andachtsübungen zur Mutter Gottes auf die verschied. Zeiten des Jahres, nebst beigefügten Meßgebeten. 4. Aufl. 24. (72 S.) Aachen 863, [Jacobi und Comp.]

Pauls, Paul, s. Sambu cy, v: Neuer Monat Mariae.

—— das Vater unser, od. 7 Kanzelvorträge über die 7 Bitten des Vater unser f. die heil. Fastenzeit bearb. 8. (6 B.) Aachen 844, Hensen u. Comp.

Pauls, Paul, das Vater unser, oder sieben Kanzelvorträge über die sieben Bitten des Vater unser für die heil. Fastenzeit bearbeitet. 2. Aufl. Aachen 854. Hensen u. Co. 12. (93 S.) 7½ ngr.

—— das Vater unser oder sieben Kanzelvorträge über die sieben Bitten des Vater unser für die heil. Fastenzeit bearb. 2. Aufl. gr. 12. (93 S.) Aachen 855, Hensen und Comp.

— das Vater unser, oder sieben Kanzelvorträge über die sieben Bitten des Vater unser für die heilige Fastenzeit. 3. Aufl. Ebend. 862. 12. (93 S.) 7½ ngr.

—— das Vater unser, oder 7 Kanzelvorträge über die 7 Bitten des Vater unser für die heil. Fastenzeit. 3. Aufl. 12. (93 S.) Aachen 862, [Jacobi und Comp.]

—— die 7 Worte Jesu am Kreuze. Oder: sieben Kanzelvorträge f. die heil. Fastenzeit. 12. (4 B.) Aachen 846, Hensen u. Comp.

—— die sieben Worte Jesu am Kreuze. Oder: sieben Kanzelvorträge für die heil. Fastenzeit. 2. Aufl. gr. 12. (91 S.) Aachen 855, Hensen und Comp.

Pauls, Paul Lambert (Hoefen/Rheinprov.), De morbis glandularum salivalium. Diss. path. Berlin (Nietack) 5. X. 1837. 34 S. u. Biogr. (M.: C. Brandenburg). (2.50) 25969
Oppon.: H. J. Claessen, Fr. Dahn, Ph. Sauer. — Gew.: J. Barth. Brandenburg (Oheim).

Pauls, Theodor, a. Großefehn in Ostfriesland: Beiträge zur Geschichte der ostfriesischen Häuptlinge. Kapitel 1. Die beginnende Auflehnung gegen die Machtstellung Ocko ten Broks 1424 November 10. bis 1426 Juli 18. (Emden 1908: A. Gerhard.) (32 S.) 8° ¶ (Soll vollst. erscheinen in: Jahrbuch d. Gesellschaft f. bildende Kunst u. vaterländ. Altertümer zu Emden Bd 17 u. 18.)
Berlin, Phil. Fak., Ref. Schäfer, Diss. v. 16. Mai 1908
[Geb. 10. Jan. 85 Großefehn, Ostfriesland; Wohnort: Großefehn; Staatsangeh.: Preußen; Vorbildung: Gymn. Aurich Reife O. 03; Studium: Halle 2, Heidelberg 1, Göttingen 2, Berlin 4 S.; Rig. 19. Dez. 07.]

Pauls, Theodor: Ältere Geschichte Ostfrieslands. Aurich: Friemann 1909. 82 S. 8°
(Abhandlungen u. Vorträge z. Geschichte Ostfrieslands. H. 11.)

Pauls, Thdr., ältere Geschichte Ostfrieslands, s.a.Abhandlungen u. Vorträge zur Geschichte Ostfrieslands. 11. Heft.

Aus dem Pfarrarchive einer ostfriesischen Landgemeinde. Von Dr. Theodor Pauls. Aurich: Friemann 1910. 56 S. 8°
(Abhandlungen u. Vorträge z. Geschichte Ostfrieslands. H. 12.) [10. 10030

— Aus dem Pfarrarchive e. ostfriesischen Landgemeinde, s.a.Abhandlungen u. Vorträge zur Geschichte Ostfrieslands. 12. Heft.

Pauls, Volquart, a. Kating: Die holsteinischen Aemter und der Amtmann im 15. Jahrhundert. Kiel 1908: A. F. Jensen. (91 S.) 8° [F.] ¶ (Erscheint in: „Zeitschrift d. Ges. f. Schleswig-Holstein. Gesch." Bd 38 u. d. T.: „Die holstein. Lokalverwaltung".)
Kiel, Phil. Fak., Ref. Rodenberg, Diss. v. 4. Febr. 1908
[Geb. 23. Jan. 84 Kating, Kr. Eiderstedt; Wohnort: Tönning; Staatsangeh.: Preußen; Vorbildung: Gymn. Husum Reife O. 04; Studium: Tübingen 1, München 2, Berlin 1, Kiel 2 S.; Rig. 3. Aug. 07.]

Paulsdorf, s.: Geologische Karten. Preussen 93.

Paulsdorff, Friedrich

Paulsdorff, F., Ernst Moritz Arndt u. s. Denkmal auf d. Rugard bei Bergen nach eig. Notizen, gesammelten biograph. Nachrichten u. eingesandten patriot. Dichtgn. dargest. v. Komitee-Mitgliede P. gr. 8. (51 S. m. Bildn. u. 2 Abb.) Bergen a/R. (895). F. Becker. Kart. — 50

Paulsdorff, Friedr., deutsche Handwerker-Fibel für Jung u. Alt. Ansichten u. Vorschläge zur Hebung des Handwerkerstandes. Berlin 865. (Fernbach jun.) 16. (64 S.) 3¾ ngr.

Paulsen: Die äussere Politik des Cardinals Fleury. 35 S. – Memel, Progr. 1869.

Paulsen, Alex., über die Zusammensetzung einiger Glasperlen alter Gräber Livlands. gr. 8. (24 S.) Dorpat 882. (Leipzig, K. F. Köhler.) ** — 50
Aus: Archiv für die Naturkunde Liv-, Ehst- und Kurlands, besonders abgedruckt.

Paulsen, (C.), Rede bei der kirchl. Feier der Jahresversammlung des schleswig-holstein-lauenburgischen Landes-Vereines der Gustav-Adolf-Stiftung, gehalten in Altona den 18. Juni 1847. gr. 8. (15 S.) Altona 847, Blatt. *

Paulsen, Christian

Paulsen, C., über die Aufhebung des Socialnexus der holstein. und schleswigschen Ritterschaft, s. Fragmente, antischleswigholsteinische.

Paulsen, (Paul Detlef) Christian: Beitrag zu der Geschichte der Südjütischen Stadtrechte, und Versuch einer Darstellung des Geistes derselben. (Separatabdruck aus: Staatsbürgerliches Magazin, Bd. 5. Schleswig. 1826.) 8°

Paulsen, Chrstn., für Dänemark u. f. Holstein. gr. 8. (2⅓ B.) Altona 830, [Dessau,] Aue.

Paulsen,(Paul Dethlef)Christian: Commentatio exhibens Rhodi descriptionem Macedonica ætate. — Göttingen 1818: Baier. V, 31 S. 8° (4°)

Forsøg til en Rets-Formular-Bog samt en Tydsk-Dansk Lovkyndigheds-Ordbog [af Christian Paulsen]. Til Brug for Nord-Slesvig. Flensburg. 1841. 8°.

— de genio et indole juris antiqui hereditarii Romanor., ejusque cum aliis juris partibus imprimis cum jure familiae etc. gr. 8. Kopenh. 824. (Gyldendal). 12 gl

Paulsen,(P. D.)Christ., Lehrbuch des Privat-Rechts in den Herzogthüm. Schleswig u. Holstein. gr. 8. Altona 834. Aue. 2 ₰

Paulsen,(P. D.)Chrstn., Lehrbuch des Privat-Rechts der Herzogthümer Schleswig u. Holstein, wie auch des Herzogthums Lauenburg. 2. Aufl., verbessert u. m. dem lauenburgischen Rechte vermehrt. gr. 8. (27¼ B.) Kiel 842, Schwers'sche Buchh. *

Paulsen, Christian, Medizinalprakt.: Die Säuglingssterblichkeit in den mecklenburgischen Aushebungsbezirken in den Jahren 1876—1905. Rostock 1909: Adler. 41 S. 8° Rostock, Med. Diss. v. 9. Juni 1910, Ref. Brüning, Martius

[Geb. 5. Juni 80 Döstrup; Wohnort: Rostock; Staatsangeh.: Preußen; Vorbildung: Gymn. Neubrandenburg Reife O. 04; Studium: Rostock 2, München 3, Berlin 2, Rostock 3 S.; Coll. 10. Mai 09; Approb. 1. Juni 10.]

Paulsens, Chrn., gesammelte kleinere Schriften. A. u. d. T.: Samlede mindre Skrifter. 1. u. 2. Bd. Mit dem (lith.) Portr. des Verf., nebst einer biograph. Einleitung von H. N. Clausen. Kopenhagen 857. Gyldendal. gr. 8. (4 Bl., 772; 4 Bl., 824 S.) 3 ₰. 26¼ ngr

Paulsens, Chrn., gesammelte kleinere Schriften. — Samlede mindre Skrifter. 3 Bde. Mit dem (lithogr.) Portr. des Verf., nebst einer biograph. Einleitung von H. N. Clausen. gr. 8. Kopenhagen 857—69, Gyldendal'sche Buchh. [1. und 2. Bd. (XIV und 1596 S.) 4 Thlr., 3. Bd. (...S.) 2 Thlr.)] 6 —

Paulsen,(P. D.)Chr., über d. Studium d. nordischen Rechts im Allgemeinen, u. des Dänischen Rechts insbesondere. 8. Kiel 826. Universitäts-Buchh. 7 gl

— die Verbindung Schleswigs m. Dänemark, s.: Portfolio, Skandinavisches. Nr. 4.

— Schleswigs innere Verbindung mit Dänemark, s.: Fragmente, antischleswig-holsteinische, 4. Hft.

PAULSEN, [PAUL DETL.] CHR., Ueber öffentliche Vergleichseinrichtungen im allgemeinen, nebst einer kurzen Darstellung der Dänischen, Norwegischen und Schleswig-Holsteinischen. Aus »Thomis« besonders abgedruckt. Göttingen. 1828.

—— über Volksthümlichkeit u. Staatsrecht d. Herzogth. Schleswig; nebst Blicken auf d. ganzen Dän. Staat. gr. 8. (5 B.) Kiel 832, Universitäts-Buchhandlung.

Paulsen, E., s.: Studien üb. Regeneration der Gewebe.

Paulsen, Edgar: Beitrag zur Kenntnis der Harze. Diss. Kiel 1910

Paulsen, Eduard

Paulsen, Ed., die Singstimme im jugendlichen Alter u. der Schulgesang. gr. 8. (43 S. m. 1 Tab.) Kiel 900. (Gnevkow & v. Gollhorn.) n. 1.20

Paulsen, Ed., experimentelle Untersuchungen über die Strömungen der Luft in der Nasenhöhle. Lex.-8. (22 S. mit 1 lithogr. Taf.) Wien 882, (Gerold's Sohn.) ** — 50

Aus: Sitzungsberichte der k. Akademie der Wissenschaften, besonders abgedruckt.

Paulsen, Ed., über die Verschiedenheiten des räumlichen Inhalts des Thorax im Stehen und Liegen. 4. Kiel 874. Leipzig, Licht und Meyer. — 90

Paulsen, Ed., üb. die Verschiedenheiten d. räumlichen Inhalts d. Thorax im Stehen u. Liegen. 4. (16 S.) Kiel 874. (v. Wechmar.) (?) — 90

Paulsen, Elisab., Jungfrauenbeichte. Gedichtbuch. (Titel- u. Deckelzeichng. v. Jvo Puhonný.) (154 S.) kl. 8. Mannheim 908. J. Bensheimer's Verl. Kart. 4.—

Das deutsche Bildungswesen in seiner geschichtlichen Entwickelung. Von Friedrich **Paulsen**, Prof. 1.–10. Taus. Leipzig: B. G. Teubner 1906. (192 S.) 8° [F.]

— Natur, Aus, u. Geisteswelt. Bdch. 100. [07. 3390 9]

Paulsen, Frdr., das deutsche Bildungswesen in seiner geschichtlichen Entwicklung, s. Aus Natur u. Geisteswelt.

Vom deutschen Buchhandel. 4 Aufsätze von Dr. Friedrich Paulsen, Univ.Prof. in Berlin, u. Dr. Wilhelm Ruprecht, Verlagsbuchh. in Göttingen. (Leipzig) 1903: (Rumm & Seemann). (39 S.) 8° [Umschlagt. F.]

Aus: Nationalzeitung. 1903.

Paulsen, Frdr., Einleitg. in die Philosophie. 1.—3. Aufl. gr. 8. (XVI, 444 S.) Berlin 892—895. Besser. n. 4. 50; geb. in Leinw. n. 5. 50; in Halbfrz. n. 6. —

[F.] Einleitung in die Philosophie v. Friedrich **Paulsen**, Prof. an d. Univ. Berlin. 4. Aufl. Berlin: W. Hertz 1896. (XVI, 444 S.) 1 Bd 8. [96. 6161]

Paulsen, Frdr., Einleitung in d. Philosophie. 5. Aufl. gr. 8. (XVI, 444 S.) Berlin 898. Besser. n. 4. 50; geb. in Leinw. n. 5. 50; in Halbfrz. n. 6. —

Paulsen, Friedrich: E i n l e i t u n g in die Philosophie. 6. Aufl. Berlin: W. Hertz 1899. (XVI, 444 S.) 8°

Paulsen, Frdr., Einleitung in die Philosophie. 9. Aufl. gr. 8. (XVIII, 466 S.) Stuttgart 903. J. G. Cotta Nachf. n. 4. 50; geb. in Leinw. n. 5. 50; in Halbfrz. n. 6. — 7. u. 8. Aufl. (à XVIII, 464 S.) Ebd. 901.

Einleitung in die Philosophie von Friedrich **Paulsen**, Prof., Berlin. 10. Aufl. *Stuttgart & Berlin: J. G. Cotta Nachf. 1903.* (XVIII, 466 S.) 8° [F.]

Einleitung in die Philosophie von Friedrich **Paulsen**, Prof., Berlin. 12. Aufl. *Stuttgart & Berlin: J. G. Cotta Nachf. 1904.* (XVIII, 466 S.) 8° [F.]

Einleitung in die Philosophie von Friedrich **Paulsen**, Prof., Berlin. 13. Aufl. Stuttgart & Berlin: J. G. Cotta Nachf. 1904. (XVIII, 466 S.) 8° [F.] [05. 5671]

Einleitung in die Philosophie von Friedrich **Paulsen**, Prof. 14. Aufl. Stuttgart & Berlin: J. G. Cotta Nachf. 1906. (XVIII, 466 S.) 8° [F.] [06. 6971 8]

Einleitung in die Philosophie von Friedrich **Paulsen**, Prof., Berlin. 15. Aufl. Stuttgart & Berlin: J. G. Cotta Nachf. 1906. (XVIII, 466 S.) 8° [F.]

Einleitung in die Philosophie von Friedrich **Paulsen**, Prof. 16. Aufl. Stuttgart & Berlin: J. G. Cotta Nachf. 1906. (XVIII, 466 S.) 8° [F.] [07. 4601 6

Einleitung in die Philosophie von Friedrich **Paulsen**, Prof. 17.–19. Aufl. Stuttgart & Berlin: J. G. Cotta Nachf. 1907. (XVIII, 466 S.) 8° [F.] [08. 1911 II

Einleitung in die Philosophie. Von Friedrich **Paulsen**. 20. u. 21. Aufl. Stuttgart & Berlin: Cotta 1909. XVIII, 466 S. 8°

Einleitung in die Philosophie von Friedrich **Paulsen**. 22. u. 23. Aufl. Stuttgart & Berlin: Cotta 1910. XVIII, 466 S. 8°

Moderne Erziehung und geschlechtliche Sittlichkeit. Einige pädagog. u. moral. Betrachtungen f. d. Jahrhundert d. Kindes von Friedrich **Paulsen**. Berlin: Reuther & Reichard 1908. (95 S.) 8° [F.] [08. 0518 3

Zur Ethik und Politik. Gesammelte Vorträge u. Aufsätze. Von Friedrich **Paulsen**. Bd 1. 2. Berlin: H. Neelmeyer [1905]. 2 Bde 8° [F.]
= **Bücherei**, Deutsche. Bd 31. 32. [05. 13356

Paulsen, Friedrich: Zur Ethik und Politik. Gesammelte Vorträge u. Aufsätze. Bd 1. 2. Berlin. o. J. 8°
1. 4. Aufl. 2. 3. verm. Aufl.
(Deutsche Bücherei: Bd. 31/32.

Paulsen, das neue Gesangbuch. Vortrag, gehalten auf der Elmshorner Predigerconferenz am 23. Octbr. 1882. gr. 8. (32 S.) Altona 882, Harder. * — 50

Paulsen, Frdr., Geschichte d. gelehrten Unterrichts auf den deutschen Schulen u. Universitäten vom Ausgang d. Mittelalters bis zur Gegenwart. Mit besond. Rücksicht auf den klass. Unterricht. gr. 8. (XVI, 811 S.) Leipzig 885. Veit & Co. n. 16. —

Geschichte des gelehrten Unterrichts auf den deutschen Schulen und Universitäten v. Ausgang d. Mittelalters bis z. Gegenw. M. bes. Rücks. auf d. klass. Unterr. Von Dr. Friedrich **Paulsen**, Prof. . . . zu Berlin. 2., umgearb. u. sehr erw. Aufl. Bd 1. 2. (In 4 Halbbdn.) *Leipzig: Veit & C. 1896. 97.* 2 Bde 8.
1. 1896. (XXIV, 608 S.) 2. 18(96.) 97. (VI, 720 S.) [96. 7583

— s.: **Grundlagen, die allgemeinen, der Kultur der Gegenwart.**

— s.: **Handbuch des Deutschtums im Auslande.**

Immanuel Kant. Sein Leben u. s. Lehre. Von Friedrich **Paulsen**. M. Bildnis u. e. Briefe Kants a. d. J. 1792. *Stuttgart: F. Frommann 1898.* (XII, 396 S., 1 Portr., 1 Facs.) 1 Bd 8.
= **Klassiker**, Frommanns, d. Philosophie. [Bd] VII. [98. 3515

Immanuel Kant. s. Leben u. s. Lehre. Von Friedrich **Paulsen**. Mit Bildnis u. e. Briefe Kants aus d. J. 1792. 4. verb. Aufl. *Stuttgart: F. Frommann 1904.* (XXIV, 428 S.) 8°
= **Klassiker**, Frommanns, d. Philosophie. 7. [04. 6695

Immanuel Kant. Sein Leben u. seine Lehre. Von Friedrich **Paulsen**. Mit Bildn. u. e. Briefe Kants aus d. J. 1792. 5. Aufl. Stuttgart: Frommann [1910]. XXIV, 427 S. 8°
(Frommanns Klassiker d. Philosophie. 7.) [10. 16380 10

Paulsen, Frdr., Immanuel Kant. s. a. Frommann's Klassiker der Philosophie. Bd. 7.

— **Kant, der Philosoph d. Protestantismus.** gr. 8. (40 S.) Berlin 899. Reuther & Reichard. n. — 60

— **über die gegenwärtige Lage des höheren Schulwesens in Preußen.** gr. 8. (52 S.) Berlin 893. R. Gaertner. n. — 60

— **Aus meinem Leben.** Jugenderinnergn. 1. bis 5. Tauf. (IV, 210 S. m. 6 Taf.) 8. Jena 909. E. Diederichs. 3.—; geb. 4. —

— **der höhere Lehrerstand u. seine Stellung in der gelehrten Welt.** gr. 8. (16 S.) Braunschweig 902. F. Vieweg & Sohn. n. — 40
Sonderabdruck aus: „Preuß. Jahrbücher".

Paulsen, Frdr., Observationes microchemicae circa nonnullas animalium telas. Dissertatio inauguralis. 4maj. (IV und 42 S.) Mitaviae 849, Reyher.

Parteipolitik und Moral. Vortrag geh. in d. Gehe-Stiftung 1900 von Dr. Friedrich **Paulsen**, Prof., Berlin. *Dresden: v. Zahn & Jaensch 1900.* (47 S.) 8° [F.]
= **Jahrbuch** d. Gehe-Stiftung zu Dresden. Bd 6, (4.) [01. 3898

Parteipolitik und Moral. Vortr. geh. in d. Gehe-Stiftung zu Dresden am 13. Okt. 1900 von Dr. Friedrich **Paulsen**. Prof., Berlin. *Dresden: v. Zahn & Jaensch 1900.* (47 S.) 8° [F.]
= **Vorträge**, Staatswiss., d. Gehe-Stiftung zu Dresden. [23.] [00. 13318

Philosophia militans. Gegen Klerikalismus und Naturalismus. 5 Abhandl. von Friedrich **Paulsen**. *Berlin: Reuther & Reichard 1901.* (VIII, 192 S.) 8° [F.] [01. 2860 5

Philosophia militans. Gegen Klerikalismus u. Naturalismus. 5 Abhandl. von Friedrich **Paulsen**. 2. durchges. Aufl. *Berlin: Reuther & Reichard 1901.* (VIII, 192 S.) 8° [F.] [01. 10635

Philosophia militans. Gegen Klerikalismus u. Naturalismus von Friedrich **Paulsen**. 3. u. 4. durchges. u. verm. Aufl. Berlin: Reuther & Reichard 1908. (IX, 233 S.) 8° [F.] [08. 6329 3

— s.: **Philosophie, systematische.**

— **Das Realgymnasium u. die humanistische Bildung.** 8. (71 S.) Berl. 889, Hertz. * — 80
Vgl: Biehler, F. Humanismus u. Schulzweck.

Paulsen, Friedr., Das Realschulwesen in Deutschland, s. Bestimm. u. s. zukünftige Gestalt. 8°.
Aus: Pädagog. Archiv. Jg 50. 1908.

— **Richtlinien der jüngsten Bewegung im höh. Schulwesen Deutschlands.** Gesammelte Aufsätze. (VI, 148 S.) gr. 8. Berlin 909. Reuther & Reichard. 1.50

Schopenhauer. Hamlet. Mephistopheles. 3 Aufsätze z. Naturgesch. d. Pessimismus. Von Friedrich **Paulsen**. *Berlin: W. Hertz 1900.* (IX, 259 S.) 8° [F.] [00. 5140

— **Schopenhauer. Hamlet. Mephistopheles.** Drei Aufsätze zur Naturgeschichte des Pessimismus. 2. Aufl. gr. 8. (XI, 261 S.) Stuttgart 901. Berlin, J. G. Cotta Nachf., Zweigniederlassg. n. 2.40; geb. n. 3. —
1. Aufl. (XI, 259 S.) Ebd. 900.

— **Schopenhauer. Hamlet. Mephistopheles.** Drei Aufsätze zur Naturgeschichte des Pessimismus. 3. Aufl. (284 S.) 8. Stuttgart 911. J. G. Cotta Nachf. 2.60; geb. in Leinw. 3. 40

— **die höheren Schulen Deutschlands u. ihr Lehrerstand in ihrem Verhältnis zum Staat u. zur geistigen Kultur.** (31 S.) gr. 8. Braunschweig 904. F. Vieweg & Sohn. Sonderabdruck aus: „Pädagog. Archiv". n. — 50

— **die höheren Schulen u. das Universitätsstudium im 20. Jahrh.** gr. 8. (V, 34 S.) Braunschweig 901. F. Vieweg & Sohn. n. — 80

Die höheren Schulen und das Universitätsstudium im 20. Jahrhundert. Von Friedrich **Paulsen**, Prof., Berlin. *Braunschweig: F. Vieweg & Sohn 1901.* (34 S.) 8° [F.]

Paulsen, Frid. (geb. Langenhorn in Schlesw. 16. 7. 1846) Symbolae ad systemata philosophiae moralis historicae et criticae Berolini (1871). (vi, 76 S.) 8°
Berlin, Phil. Diss. v. 27. Mai 1871

— System der Ethik mit e. Umriß der Staats- u. Gesellschaftslehre. 2 Hälften. gr. 8. (XII, 868 S.) Ebd. 889. n. 11. —; in 1 Bd. geb. n.n. 12. 50

— System der Ethik m. e. Umriß der Staats- u. Gesellschaftslehre. 2., verb. Aufl. gr. 8. (XVI, 907 S.) Berlin 891. Besser. n. 11. —; geb. n.n. 12. 50

— dasselbe. 2 Bde. 3., verb. u. verm. Aufl. gr 8. (XVI, 429 u. V, 576 S.) Ebd. 894. n. 11. —; geb. n. 13. —

[F.] System der Ethik m. e. Umriss d. Staats- u. Gesellschaftslehre. Von Friedrich **Paulsen**, Prof. a. d. Univ. Berlin. Bd 1. 2. 4. verb. u. verm. Aufl. *Berlin: W. Hertz 1896. 97.* 2 Bde 8.
1. 1896. (XIII, 435 S.) 2. 1897 (a. d. Umschl.: 1896). (VI S., 1 Bl., 616 S.) [97. 2148

System der Ethik mit einem Umriss der Staats- und Gesellschaftslehre. Von Friedrich **Paulsen**, Prof., Berlin. 5. verb. Aufl. Bd 1. 2. *Berlin: W. Hertz 1900.* 2 Bde 8° [F.] [00. 6751

— System der Ethik m. e. Umriß der Staats- u. Gesellschaftslehre. 2 Bde. 5. verb. Aufl. gr. 8. (XIII, 442 u. VI, 614 S.) Berlin 901. [Besser.] J. G. Cotta Nachf., Zweigniederlassg. n. 11. —; geb. in Leinw. n. 13. —; in Halbfrz. n. 14. —

— System der Ethik m. e. Umriß der Staats- u. Gesellschaftslehre. 2 Bde. 7. u. 8. verb. Aufl. (XIV, 477 u. VIII, 654 S.) gr. 8. Stuttgart 906. J. G. Cotta Nachf. n. 14. —; geb. in Leinw. n. 16. —; in Halbfrz. n. 17. —
6. Aufl. (XVI, 465 u. VIII, 658 S.) 903.

— die deutschen Universitäten u. das Universitätsstudium. gr. 8. (XII, 575 S.) Berlin 902. A. Asher & Co. n. 6. —; geb. in Leinw. n. 7. 20

— Kants Verhältnis zur Metaphysik. gr. 8. (37 S.) Ebd. 900. n. — 60
Sonderabdruck aus: „Kant-Studien".

Paulsen, Frdr., Versuch e. Entwickelungsgeschichte der Kantischen Erkenntnisstheorie. gr. 8. (X, 214 S.) Leipzig 875. Fues. n. 4. —

Paulsen, H., biblische Geschichten, s.: Hamann, Chr.

Ein Prüfstein alles göttlichen und christlichen Geistes: das christliche Bekenntniss. Eine Visitations- und evangelische Bekenntnisspredigt über 1. Joh. 4, V. 1—6 v. **Hans Paulsen.** Glückstadt. 1862. 8°

Paulsen, Hermann Christian, s. Anmerkungen über Basedows Philalethie.

— Betrachtt. üb. die Grundwahrheiten d. christl. Religion. gr. 8. Hamb. 769. 2e Aufl. 779. (Ernst in Quedlinb.) 1 ℳ

— Betracht. üb. die Wahrh. der christl. Religion. 4 Büch. gr. 8. Ebend. 771—78.

Paulsen, Herm. Christ., zuverl. Nachr. von dem Ackerbau der Morgenländer. mit Kupf. 4. Helmst. (Weygand in Lpz.) 748.

— die Regierung d. Morgenländer, nach morgenländ. Reisebeschreibb. 1r Thl. Mit Kpf. 4. Altona u. Flensb. 755. Korte. 1 ℳ 4 ℊ

— s. Unschuld d. luther Gottesgelehrten.

— Wahrheit u. Unschuld der Anmerkk. über Basedow. gr. 4. Hamb. 765. Brand. 6 ℊ

Paulsen, Herm. Chr., († d. 20. Dec. 1780.) Warnung an d. rechtgläubigen Christen vor d. gefährlichen Irrthümern Basedows. 4. Hamb. 765. Brand. 20 ℊ

Paulsen, J., Falkenstein und Söhne, s. Universal-Bibliothek Nr. 2066.

Paulsen, J., Widerlegung der Schuttschen Beurtheilung der Deckerschen Methodik für Lehrer. 8. Kiel 822. Bünsow. 1/6 ℳ

(Paulsen, J. H.,) Handbuch der Ornithologie, s. Handbuch.

Paulsen, J. H., s. Holböll, Karl, ornitholog. Beitrag zur Fauna Grönlands. —

Paulsen, Jens, approb. Arzt aus Wedel: Aus d. Anschar-Krankenhause in Kiel. Ueber Nervenverletzungen bei Fracturen. *Kiel 1899: P. Peters.* (13 S.) 8°
Kiel, Med. Diss. v. [27 Mai] 1899

PAULSEN, INGW. CARST., Predigt am ersten Feyertage des Jubelfestes der Reformation. Itzehoe. 1817. P.

— Drey geistliche Reden bey verschiedenen besondern Veranlassungen. Itzehoe. 1819.

Paulsen, Johs., Abriß der Heilslehre der evangelisch-lutherischen Kirche. 12. (IV, 126 und Luther's kl. Katechismus 35 S.) Rendsburg 879. (Kropp, Buchh. des „Kropper kirchlichen Anzeigers".) geb. *

Paulsen, Johs., Abriß der Heilslehre der evangelisch-lutherischen Kirche. 2. Aufl. 12. (V, 235 S.) Kropp 888, Buchh. „Eben-Ezer". cart. * 1 —

Paulsen, Johs., Abriß der Heilslehre der evangelisch-lutherischen Kirche. 3. Aufl. 12. (VII, 255 S.) Kropp 891. Buchh. „Eben-Ezer". Kart. n. 1. —

Paulsen, J (Hrsg.), s. Anzeiger, Kropper Kirchlicher.

Paulsen, Johannes, a. Düsseldorf: Die Appendicitis in ihren Beziehungen zur Oophoritis und Salpingitis. Straßburg i. E. 1905: C. Müh. (40 S.) 8°
Straßburg, Med. Fak., Ref. Fehling, Diss. v. 21. Dez. 1905
[Geb. 11. Mai 78 Kropp b. Schleswig; Wohnort: Düsseldorf; Staatsangeh.: Preußen; Vorbildung: Gymn. Hoxter Reife O. 00; Studium: Tübingen 1, Würzburg 1, Kiel 2, München 1, Berlin 1, Straßburg 3 S.; Coll. 9. Nov. 05; Approb. 22. März 05.]

Paulsen, Johannes, a. Altona: Der Begriff der Empfindung bei Fechner. Marburg 1907: (Hof-Buchdruckerei, Weimar). (35 S.) 8° ¶ (Erscheint vollst. u. d. T.: „Der Begriff der Empfindung bei Fechner und Wundt" im Verlage v. A. Töpelmann, Gießen als: Philosophische Arbeiten H. 4.)
Marburg, Phil. Fak., Ref. Cohen-Natorp, Diss. v. 18. Juni 1907
[Geb. 19. März 84 Flensburg; Wohnort: Altona; Staatsangeh.: Preußen; Vorbildung: Gymn. Altona Reife O. 02; Studium: Berlin 2, Marburg 6 S.; Rig. 11. Juli 06.]

Paulsen, Johannes, approb. Arzt aus Hannover: Aus d. Kgl. medizin. Klinik in Kiel. Beiträge zur Kenntniss der Influenza. *Kiel 1899: H. Fiencke.* (27 S.) 8°
Kiel, Med. Diss. v. [29. Juni] 1899

Paulsen, Johs., Bibelstunden üb. die Apostelgeschichte St. Lucä. (III, 168 S.) gr. 8. Kropp 884. Buchh. „Eben-Ezer". Geb. in Leinw. n. 1. 50

Paulsen, Johs., Bibelstunden über das Evangelium St. Matthäi. gr. 8. (IV, 365 S.) Kropp 882, Buchh. „Eben-Ezer". *ℳ 2,40.; geb. * 3 —

— dasselbe üb. die Pastoralbriefe. (87 S.) gr. 8. Ebd. 885. Geb. in Leinw. n. 1. 25

Paulsen, Johs., s.: Bote, der Kropper.

Paulsen, Johs., Brod-Korb für Sonn- und Festtag-Nachmittage. Gotteskindern dargeboten in Betrachtungen über Gottes Wort. 2 Bde. 8. (215; 167 S.) Kropp 880, Buchh. des „Kropper Kirchl. Anzeigers". *ℳ 1,60.; geb. * geb. mit Goldschn. *

[F.] Brotkorb für Sonn- und Festtagnachmittage. Gotteskindern dargeboten in Betrachtgn üb. Gottes Wort. Von Johannes **Paulsen**, Pastor in Kropp. 2. Aufl. *Kropp: Buchh. 'Eben-Ezer' 1894.* (4 Bl., 380 S.) 1 Bd 8. (98. 8055

—— **Festpredigt, gehalten bei der Jahresfeier des Hamburgischen Hauptvereins der Gustav-Adolf-Stiftung in der St. Jacobi-Kirche am 23. Novbr. 1876. Nebst Rechenschaftsbericht des Hauptvereins.** gr. 8. (86 S.) Hamburg 876, Nolte. *

— Festpredigt, geh. bei der Jahresfeier d. Hamburgischen Hauptvereins der Gustav-Adolf-Stiftung in der St. Jacobi-Kirche am 23. Novbr. 1876. Nebst Rechenschaftsbericht d. Hauptvereins. gr. 8. (86 S.) Hamburg 877. Nolte. n. — 30

Paulsen, Johs., über Frühsyphilis, Spätsyphilis m. Einschluss der malignen u. experimentellen oder Tiersyphilis. (8 S.) 8. Berlin 904. J. Goldschmidt. n. 1. —
Sonderabdruck aus: „Deut. medizin. Presse".

—— Gebet-Buch in Freud und Leid. gr. 8. (XII, 349 S.) Kropp 882, Buchh. „Eben-Ezer". * geb. *

Paulsen, Johs. Gebet-Buch in Freud und Leid. 2. Aufl. gr. 8. (XXV, 487 S.) Kropp 890, Buchh. „Eben-Ezer". * 1 60

—— Geschichten aus dem Reiche Gottes. I—III. gr. 8. Ebendas. 882. *ℳ 4,80.; geb. *
Inhalt:
I. Priestergeschichten. (160 S.) *ℳ 1,60.; geb. *ℳ 2.
II. Levitengeschichten. (118 S.) *ℳ 1,40.; geb. *ℳ 1,80.
III. Samaritergeschichten. (216 S.) *ℳ 1,80; geb. *ℳ 2,20.

— Geschieden. Erzählung. [Aus: „Heideblumen".] 12. (25 S.) Ebd. 891. n. — 30

— Hausbuch [Morgensegen] in Betrachtungen aus GOttes Wort auf alle Tage des Kirchenjahres. 1. Hälfte. gr. 8. (400 S.) Ebend. 882. n. 3. —

— Hausbuch [Morgensegen] in Betrachtungen aus GOttes Wort auf alle Tage d. Kirchenjahres. 2. Hälfte. gr. 8. (XIV, u. S. 401—1056.) Ebend. 883. n. 3. — (cplt.: n. 6. —; Einbd. n. n. 1. 50)

—— Hausbuch [Abendsegen] in Betrachtungen aus GOttes Wort auf alle Tage des Kirchenjahres. gr. 8. (629 S.) Ebendas. 886. *ℳ 3.—.; geb. ** 4 50

— **Heideblumen, gepflückt.** 1. u. 2. Bd. 12. (III u. S. 1—200; III u. S. 201—337.) Ebd. 891. à n. — 90; kart. à n. 1. 20

— Heideblumen. 2. [Titel-] Aufl. 8. (III, 337 S.) Kropp (891) 898. Buchh. „Eben-Ezer". Geb. in Leinw. 2. —

Paulsen, Johs., den Prophet Elias sin Lebensgeschicht, vertellt. 12. (67 S.) Kropp 886. Buchh. „Eben-Ezer". n. — 40

—— den Prophet Elisa sin Lebengeschicht. 12. (78 S.) Ebendas. 887. * — 40

—— Nachtisch für Gotteskinder, in Erzählungen dem Christenvolke dargeboten. 4 Bde. 8. (992 S.) Kropp 881, Buchh. des „Kropper Kirchl. Anzeigers". *ℳ 3,20.; geb. * geb. mit Goldschn. *

—— Nachtisch für Gotteskinder, in Erzählungen dem Christenvolke dargeboten. 2. Aufl. 8. (1120 S.) Ebendas. 887. * 3 — geb. * 4 50

— Nachtisch f. Gotteskinder, in Erzählgn. d. Christenvolke dargeboten. 3. Aufl. 8. (1120 S.) Ebd. 897. n. 3. —; geb. in Leinw. n. 4. —

—— Predigten über die Sonn- und Festtags-Episteln des Kirchenjahres. 2 Thle. in 1 Bd. gr. 8. (IV, 540; 400 S.) Ebendas. 881. *ℳ 5.; geb. *

—— Predigten üb. die Sonn- u. Festtags-Episteln d. Kirchenjahres. 2. durchgeseh. u. verb. Aufl. (VIII, 990 S.) 889. * 5 —; geb. ** 6 80:

— **Predigten über die Sonn- u. Festtags-Episteln des Kirchenjahres.** 3., durchgeseh. u. verb. Aufl. (VIII, 630 S.) Lex.-8. Ebd. 904. Geb. in Leinw. n. 8. —

—— **Predigten über die Sonn- und Festtagsevangelien.** gr. 8. (VIII, 976 S.) Kropp 880, Buchh. des „Kropper kirchlichen Anzeigers". *ℳ 6,50.; geb. *

—— Predigten über die Sonn- und Festtags-Evangelien des Kirchenjahres. 2 Thle. in 1 Bd. 2. Aufl. Lex.-8. (VI, 814; 494 S.) Kropp 882, Buchh. „Eben-Ezer". * geb. *

— Predigten üb. die Sonn- u. Festtags-Evangelien d. Kirchenjahres. 3. Aufl. gr. 8. (III, 1040 S.) Ebd. 890. n. 6. —; geb. n. 7. 50

—— **(15) Predigten (über freie Texte.)** gr. 8. (IV, 133 S.) Ebendas. 878. *

— **Predigten üb. freigewählte Texte auf alle Sonn- u. Festtage des Kirchenjahres.** (VIII, 648 S.) gr. 8. Ebd. 884. Geb. in Leinw. n. 5. 50

Das Problem der Empfindung. Von Johannes **Paulsen**. 1. Giessen: A. Töpelmann 1907. 8°
— **Arbeiten**, Philosophische. Bd 1, H. 4. (07. 15379

—— Traktat über die Konfirmation und die Abendmahlslehre. 8. (42 S.) Ebendas. 887. * — 20

—— Traktat über die Taufe. 8. (31 S.) Ebendas. 887. * — 20

Paulsen, Johannes [pr. Arzt in Kaysersberg]: **Ueber Tuberkulome der Nasenhöhle.** . . . Kiel, Druck v. C. Böckel, 1890; 16 S., 2 Bl. 8°
Kiel, Med. Fak., Inaug.-Diss. v. [6. Dez.] 1890

—— s. Urteil des königl. Konsistoriums in Kiel.

—— Wegweiser auf der Pilgerstraße in Morgen- und Abend-Lectionen des Kirchen-Jahres 1880. 16. (282 S.) Rendsburg. (Ebendas.) 880. geb. *

—— Wegzeiger auf der Pilgerstraße in Lectionen auf alle Tage des J. 1881—1885. 12. (184; 159; XXXI, 162 S. mit 8 Holzschntaf.; XXXIV, 250 S. mit 1 Chromolithogr.; 84, 162 S.) Ebendas. à Jahrg. * 40 Pf.; cart. * geb. in Leinw. à Jahrg. *

—— Wegzeiger auf der Pilgerstraße in Lektionen auf alle Tage der J. 1886—1889. 12. (à Jahrg. ca. 330 S. mit Illustr.) Ebendas. à Jahrg. — 45

—— dass. — Kleine Ausg. 1887—1889. 12. (à Jahrg. ca. 170 S.) Ebendas. à Jahrg. — 20

— Wegzeiger auf der Pilgerstraße in Lektionen auf alle Tage d. J. 1887. 12. (XXXII, 129 u. 179 S. m. Illustr.) Ebend. 886. n. — 40; kleine Ausg. (XXXII, 129 S.) n. — 20

— Wegzeiger auf der Pilgerstraße in Lektionen auf alle Tage d. J. 1889. Kleine Ausg. 12. (XLIV, 136 S.) Ebd. 888. n. — 20; große Ausg. m. 1 Farbendr. (36, 136 u. 156 S.) n. — 45

—— Wegzeiger auf der Pilgerstraße in Lektionen auf alle Tage des Jahres 1889. 12. (180 S.) Ebd. geb. — 30
Große Ausg. m. Erzählgn. (Botentasche 148 S.) geb. * — 50

— Wegzeiger auf der Pilgerstraße in Lektionen auf alle Tage d. J. 1892. 12. (258 S.) Ebd. 891. Kart. n. — 40

— dasselbe auf d. J. 1893. 12. (284 S. m. Bildern.) Ebd. 892. n. — 40

— dasselbe auf d. J. 1894. 12. (208 S.) Ebd. 893. n. — 20

— dasselbe auf d. J. 1895. 12. (221 S.) Ebd. 894. n. — 40

— s.a. Wegzeiger auf d. Pilgerstraße.

—— Weihnachten. Gesammelte Erzählungen. 12. (III, 134 S. mit 1 Chromolithogr.) Ebendas. 888. geb. * 1 —

Paulsen: Über die Wirkung v. Paulsens Syphilisheilserum, s. Appel.

—— Zukost. Erzählungen zum Vorlesen auf jeden Tag des Kirchenjahres, gesammelt. gr. 8. (VIII, 722 S.) Ebendas. 883. *

Paulsen, Johann Christian, s. Anweisung zum Forstwesen ...

PAULSEN, Johann Christian: Über die richtigste Art der Berechnung des Zuwachses an ganzen Holzbeständen in den Waldungen. - o.O. 1800. Als Mskr. veröff.

Paulsen, J. C., Kreisflächen-, Secanten-, Tangenten- u. Reductions-Tabellen, s. Hartig, Th., Untersuchungen über den Ertrag der Rothbuche.

Paulsen, Johann Karl Wilhelm

— de Caloris Theoria qua vibrationis — vel Motus — Systema contra Systema materiale defenditur. 8. Götting. 821, Brose.

Paulsen, (Joh. Carl Wilh.,) psycholog. Untersuchung über die Natur der menschlichen Erkenntnisse. gr. 8. Lemgo 823, Meyer.

Paulsen, John, ein römisches Abenteuer, s.a. Weichert's Wochen-Bibliothek.

Ein römisches Abenteuer. Novelle von John Paulsen. Mit 3 Vollbild. *Berlin: A. Weichert [1898].* (95 S.) 8° [F.]
= Wochen-Bibliothek. Weichert's. Bd 75.

Paulsen, John: Frau Cäcilie. Roman. Autor. Uebers. von E[rnst] Brausewetter. Mit Ill. v. E. Ranzenhofer. Berlin, Eisenach, Leipzig: H. Hillger [1900]. (128 S.) 8°
= Bücherschatz, Kürschner's. No 174.

— Frau Cäcilie, s.a. Kürschner's, Jos., Bücherschatz.

Paulsen, John, Erinnerungen an Henrik Ibsen. (Berechtigte Uebersetzg. aus dem Norweg. v. Herm. Kiy.) (III, 202 S.) schmal kl. 8. Berlin 907. S. Fischer, Verl. n. 2.50

[F.] Die Frau eines Dichters. Novelle v. John Paulsen. Autoris. Uebs. a. d. Norweg. v. Helmine Fick. M. Ill. v. W. Roegge. *Berlin. Eisenach, Leipzig: H. Hillger [1898].* (128 S.) 1 Bd 8.
= Bücherschatz, Kürschners. No 110.

Paulsen, John, die Frau e. Dichters, s.a. Kürschner's Bücherschatz.

— die Jüdin, s.: Universal-Bibliothek, jüdische.

Pasquarella. Novelle von John Paulsen. *Berlin: A. Weichert [1900].* (48 S.) 8° [F.]
= Welt, Alle. Bd 12.

— ein Zukunftsweib? s.: Collection Tiefenbach.

— Zukunftsweib? Roman. Einzig autor. Übersetzg. v. E. Brausewetter. 8. (283 S.) Leipzig 896. C. F. Tiefenbach. n. 2. —; geb. in Leinw. n. 3. —

Paulsen, K., im Tal Luserna. Historischer Roman. (Nach dem engl. Roman „The six sisters of the Valleys" v. W. Bramley-Moore frei bearb.) 1. u. 2. Taus. (360 S.) 8. Berlin 909. M. Warneck. 4.—; geb. in Leinw. 5.—

Paulsen, Lorenz

Paulsen, L., Gedichte. 1r Bd. 8. Kiel, akadem. Buchhdl. 820.

Paulsen, Matthias (Hamburg), De relocationis tacitae effectu in praediis urbanis ad L. XIII. §. fin. d. loc. cond. Diss. inaug. Göttingen (J. Chr. Dieterich) 14. III. 1775. 1 9S. (4.50) 25970
Gew.: Wolder Schele.

Paulsen, Nikolaus: Actenmäßige Ehrenrettung wider d. Staat v. Österreich. München 1809. 8°

Paulson, das befreite Europa, s. Europa, das befreite.

— Europens Frage, s. Europens Frage.

— Europens Zeitgeist 2c., s. Europens Zeitgeist.

Paulsen, Nikol., († d. 10. Dec. 1818.) Gespräche mit d. Staat von Oesterreich u. sein Gutachten an dessen Majestät seit 1784. gr. 8. Münch. 808 Lindauer.

Paulsen, Nikolaus, s. Göttliche, Über das, der Regenten.

— üb. das Göttliche d. Regenten in dem zulassenden Uebel d. Völker, zum Staatswohl Europens. 8. Regensb. Montag u. W. (in Comm.) 814.

— Gutachten über d. k. Russ. Erklärung wider England, u. d. Engl. Gegenerklärung ꝛc. 4. Münch. 809. Lindauer. 20 gr

– s. Höfe, Die.

HÖFE, Die, die Höfe! haben Staaten zum Besten: Mich auf die Seele! (von *Nic. Paulsen*). Mit Portrait. Deutschland (Kunz in Bamberg). 1817. 8⁰. 152 S. (4 Mk. Südd. Antiqu., München, 1907.)
Anon.-Lex. II. p. 295 (nach Weller u. Kayser).

Paulsen, die Kunst der Wahrheit zu Europens besseren Welt. 8. Bamberg, Kunz. 816.

PAULSEN Nikolaus. Moralpolitik. Schmidtbauer, Deutschland [Wien] 1789.

PAULSEN (Nikolaus). Ratschlag uber den Wucher und uber die Meinungen der Herrn Hofrathe von Keeß und von Sonnenfels von –. Schmidbauer. Wien 1791. 1 vol. 7 Bl. + 296 S.

— zum Wiener Congreß verkündeten Rechtsmächte k. k. Majestäten. 8. Nürnb. Riegel u. W. (in Comm.) 815.

— zum Wiener Congreß verkündeten Rechtsmächte k. k. Majestäten. 8. Nürnb. 815. (Kunz in Bamb.) 4 gr

— pragmat. Staatenchronik. 4 Thle. 8. Wien 792, 93. (Hinrichs in Leipz.) 2 thlr 4 gr

– s. Theodicee.

– Wider die Wucherey von –. o. V. Deutschland [Wien] 1789. 1 vol. 4 Bl. + 55 S.

Paulsen, O., die Entstehung u. Behandlung der Kurzsichtigkeit. gr. 8. (41 S.) Berlin 883. Hirschwald. n. 1. —

— zur Entstehung u. Behandlung der Scrophulose u. der scrophulösen Erkrankungen der Sinnesorgane. gr. 8. Ebend. 883. n. 1. —

Paulsen, O. Über die Ursachen d. diesjährigen Cholera-Epidemie in Hamburg. gr. 8. (15 S.) Hamb. 892, Gebr. Lüdeking. * — 50

Paulsen, O., die Jägersche Wollkleidung und ihre Bedeutung für die Gesundheit. Eine gemeinverständl. Betrachtung nach eigenen und fremden Untersuchungen. gr. 8. (48 S.) Hamburg 885, O. Meißner's Verlag. * 1 —

PAULSEN, [P.], Beschreibung einer Sternuhr, als eines neuen Hülfsmittels zum Selbstunterrichte in der Sternkunde nebst Anweisung zum Gebrauche. Aus einem noch ungedruckten Hand- und Lehrbuche der populären Himmelskunde für beide Geschlechter und jedes Alter. Altona. 1821.

Paulsen, Introductions-Rede, s. Schaar.

—— zwei Introductions-Reden, s. Möller, G. W. C. E. — Rievert, H. F.

Der gut bestellte Küchengarten nach einer mitfolgenden Tabelle. Den braven jungen Hausvätern in den Herzogthümern Schleswig und Holstein zunächst wohlmeinend gewidmet. (Verf.: (P. Paulsen).) Altona. 1816. 8⁰

Paulsen, P., der gutbestellte Küchengarten ꝛc., s. Küchengarten.

Paulsen, P., Ueber die Missbräuche bei Handwerkszünften u. deren Abstellung. 179...

Paulsen, P., (Friseur), über d. Möglichkeit d. stehenden Bühnen in kleinen Städten, in Rücksicht auf d. Stadt Oldenburg. 8. Oldenb. 788.

Paulsen, P. P., wicht. Erinnerung. uber den Ehestand. 8. Wien, Hartmann. 784.

Paulsen, Paul, († d. 2. Jan. 1792.) überzeugender Beweis v. d. Nothwendigkeit d. Wiedererstattung. gr. 8. Flensb. 781. (Hammerich in Alt.) 6 gr

Paulsen, Paul Detlef Christian, s. Paulsen, Christian.

Paulsen, Peter

PAULSEN, P[T.] 1 (f. 1778), Antrittspredigt über Röm. I. v. 16, gehalten in der evang.-luth. Kirche zu Altona am 11. Sonnt. n. Trin. 1837. Altona. 1837.

Paulsen, P., Antrittspredigt üb. Röm. 1, V. 16, geh. in d. evangel.-luther. Kirche zu Altona am 11. Sonnt. n. Trinit. 1837. gr. 8. (1 1/8 B.) Altona 838, [Dessau,] Aue. *

Paulsen, Peter. Johannes Calvin. Ein Lebens- und Zeitbild aus dem Reformationsjahrhundert. Zum 400jährigen Geburtstag des Reformators am 10. Juli 1909. Mit dem Bild Calvins [Tafel]. 177 S. 8. Stuttgart, Chr. Belser, 1909. [M. 2. 80]

Paulsen, Peter: David Chyträus als Historiker. Ein Beitrag zur Kenntnis der deutschen Historiographie im Reformationsjahrhundert. *Rostock 1897: C. Hinstorff.* (96 S.) 8°
Rostock, Phil. Diss. v. [5. März] 1897

Die Gewissheit der christlichen Weltanschauung im modernen Geistesleben. Von Dr. P. **Paulsen**. *Stuttgart: Ch. Belser 1900.* (45 S.) 8° [F.]
= **Zeitfragen** d. christlichen Volkslebens. Bd 25, H. 3. [oo. 6733

Paulsen, Pet., Claviermusik. Fol. Ebd. 766. 20 gr

Paulsen, Pet., d. sing- u. spielende Klavierschüler. Fol. Flensb. 762. Korte. 16 gr

Paulsen, Pet., spiel. u. singend. Clavierschüler. Fol. Flensb. Korte. (Christiani in Schleswig.) 762.

Das Leben nach dem Tode. Ein zeitgemässer Beitr. z. Lehre von d. letzten Dingen. Von Dr. P. **Paulsen**. *Stuttgart: Ch. Belser 1901.* (63 S.) 8° [F.]
= **Zeitfragen** d. christlichen Volkslebens. Bd 26, H. 5. [o2. 435

— das Leben nach dem Tode, s. a. Zeitfragen des christl. Volkslebens. 200.

Paulsen, P., das Leben nach dem Tode. Ein zeitgemäßer Beitrag zur Lehre v. den letzten Dingen. 2., durchgeseh. u. erweit. Aufl. (81 S.) 8. Stuttgart (905). Ch. Belser. n. 1. 50

— Leitfaden beim Unterricht in der Geographie für die Zöglinge des Taubstummen-Instituts zu Schleswig entworfen. Schleswig. 1840. P. — Wiederholende Fragen. U. St. o. A. P. (Uden Titelblad).

Wilhelm Löhe. Ein Lebensbild z. Gedächtnis s. 100. Geburtstages. Von Dr. P[eter] **Paulsen**. Mit Löhe's Bild. Stuttgart: Ch. Belser 1908. (108 S.) 8° [F.] [07. 18178

— neue Orgelmelodien zum Singen u. Spielen beim Clavier. Fol. Evd. 763. 20 gr.

Der moderne Pantheismus und die christliche Weltanschauung von Dr. P. **Paulsen**. Mit e. Vorw. von Prof. D. M[artin] Kähler in Halle a. S. Halle a. S.: R. Mühlmann 1906. (66 S.) 8° [F.]
Erschienen zuerst in: Der Reichsbote, Sonntagsbl. [06. 1546

— s.: Platon, Du Seele, woher u. wohin?

— s. Säcularfeier des kgl. Christianeums. 1839.

Paulsen, die Stipendien in den Herzogth. Schleswig, Holstein und Lauenburg; auch Bausteine zur Landesuniversität Kiel. gr. 8. (X und 248 S. mit 1 Tab. in Fol.) Schleswig 863, Heiberg's Buchh. *

Paulsen, [Peter]: Die Taubstummen-Anstalt in Schleswig ... im Jahre 1838. Abgedruckt aus dem Neuen Staatsbürgerlichen Magazin Bd. 8, Heft 2. Schleswig. 1839. von 1838–1842. Abgedruckt aus dem Staatsb. Archiv Bd. 3 als Fortsetzung der Nachricht im N. Staatsb. Mag. 8 ebd. 1843. 8°
Fortsetz. siehe in den Jahrbüchern für die Landeskunde. Bd. 4.

Paulsen, [Peter]: Das Taubstummen-Institut zu Schleswig, von 1843–1860. Zur Erinnerung an das fünfzigjährige Bestehen der Anstalt in der Stadt Schleswig. Fortsetzung der Nachrichten über die Anstalt im N. Staatsbürgerl. Magazin Bd. 8 und Staatsbürgerl. Archiv Bd. 3 (Schleswig. 1860.) 8°

Paulsen, Pet., Thomas a Kempis, sein Leben u. seine Schriften, vornehml. d. „Nachfolge Christi". 8. (58 S.) Leipzig 898. E. Ungleich. n. — 80

Paulsen, P., Versuch einer Schulstatistik des Herzogthums Schleswig. gr. 8. Oldenburg 845. (Leipzig, Böhme.) 2 gr

Paulsen, P., Versuch einer Schulstatistik des Herzogth. Schleswig. gr. 8. (21½ B.) Oldenburg 845. (Altona, Lehmkuhl.)

Paulsen, Rud., der 7. allgemeine Tag f. deutsche Erziehung (Pfingsten 1910 in Weimar). Bericht. (17 S.) 8. Leipzig (910). Gr. Lichterfelde, K. G. Th. Scheffer.
Sonderabdruck aus: „Der hl. Garten". —40

— Töne der stillen Erinnerung u. der Leidenschaft zum Kommenden. Gedichte. (84 S.) 8. Ebd. 910. 2. —

Paulsen, Th.: Über die erste Entstehung und Besiedelung der Süderdithmarscher Marsch. (Vortrag). (Beilage zur "Marner Zeitung".) Marne. 1879. 8°

Paulsen, W., Friedrich II., gen. „der Große", s.: Häupter, gekrönte.

Paulsen's, Wilh., kurze Winke f. Eisenbahn-Betriebsbeamte u. solche, d. es werden wollen. Eine Dienstanweisg. in Knittelversen. gr. 16. (39 S.) Altona 901. F. L. Mattig. n. — 60

Paulsiek, Karl Die Eröffnung eines mit der Guerickeschule verbundenen Realgymnasiums zu Ostern 1887. 1 (S. 26—30 der Schuln.). **Progr.** Guericke Sch. *Magdeburg* 1887 (218)

Paulsiek, Karl Otto von Guericke. Biographische Ergänzungen. I. Otto von Guericke's Sammlung lateinischer, französischer, italienischer, holländischer und deutscher Sinnsprüche. Nach einer im Stadtarchiv zu Magdeburg aufgefundenen Originalaufzeichnung. Geordnet und mit einer Übersetzung herausgegeben. 51 S. **Progr.** Guer. *Magdeburg* 1885.

Paulsiek, K., deutsches Lesebuch für Gymnasien, Real- und höhere Bürgerschulen, s. Hopf, J.

Paulsiek, K., deutsch. Lesebuch f. höh. Lehranstalten, s. a. Hopf, J.

— s. a. Lesebuch, deutsches, f. höhere Lehranstalten.

—— deutsches Lesebuch für Vorschulen höherer Lehranstalten. 2 Abthlgn. gr. 8. Berlin 867—78, Grote'sche Verlagsh. *
Inhalt:
Abthl. 1. Für Octava. 1.—12. Aufl. (XII, 172 S.) *M 1.
" 2. Für Septima. 1.—13. Aufl. (VIII, 188 S.) *M 1,20.

—— deutsches Lesebuch für Vorschulen höherer Lehranstalten. 2 Abtlgn. gr. 8. Berlin 880—84, Grote'sche Verlagsh. geb. à Abtl. *M 1,50. *
Inhalt:
Abtl. 1. Für Octava. 13.—21. Aufl., 7. der orthograph. Umgestaltung. (XVI, 176 S.)
" 2. Für Septima. 14.—22 Aufl., 7. der orthograph. Umgestaltung. (XII, 192 S.)

— deutsches Lesebuch für Vorschulen höherer Lehranstalten. 2 Abtlgn. Nach den Regeln der neuen Rechtschreibung bearb. gr. 8. Berlin 881. Grote. à n. 1. 20
1. Für Octava. 16. Aufl. (XV, 176 S.)
2. Für Septima. 17. Aufl. (VIII, 192 S.)

Paulsiek, K., deutsches Lesebuch für Vorschulen höherer Lehranstalten. 2 Abtlgn. gr. 8. Berlin 885—89, Grote'sche Verlagsh. geb. à Abtl. *M 1.50. * 3 —
Inhalt:
Abtl. 1. Für Oktava. 22.—27. Aufl. (8.—13. der orthograph. Umgestaltung.) (XVI, 176 S.)
" 2. Für Septima. 23.—28. Aufl. (8.—13. der orthograph. Umgestaltung.) (XII, 192 S.)
Beide Abtlgn. sind auch in einer besonderen Ausgabe für Elsaß-Lothringen, à Abtl. *M 1,60., erschienen.

Paulsiek, K. Deutsches Lesebuch f. Vorschulen höherer Lehranstalten. 1. u. 2. Abtlg. gr. 8. Berl. 891, Grote. geb. à Abtlg. * 1 50
1. [Für Octava.] 29. Aufl., 15. der orthograph. Umgestaltg. (XVI, 176 S.)
2. [Für Septima.] 30. Aufl., 15. der orthograph. Umgestaltg. (XII, 192 S.)

Paulsiek, K., deutsches Lesebuch f. Vorschulen höherer Lehranstalten. 2 Abtlgn. gr. 8. Berlin 893. G. Grote. Geb. à n. 1. 50
1. (Für Octava.) 31. Aufl. (XVI, 192 S.) — 2. (Für Septima.) 32. Aufl. (XII, 200 S.)

— deutsches Lesebuch f. Vorschulen höh. Lehranst. Neu bearb. v. Chr. Muff. 2 Abtlgn. gr. 8. Berlin 898. G. Grote. Geb. in Halbldr. n. 3. 80
1. (Für Oktava.) 36. Aufl., 4. d. neuen Bearbeitung. (VIII, 208 S.) n. 1. 50
2. (Für Septima.) 37. Aufl., 4. der neuen Bearbeitung. (VI, 250 S.) n. 1. 80

— deutsches Lesebuch f. Vorschulen höherer Lehranstalten. Neubearb. v. Chr. Muff. 2 Abtlgn. gr. 8. Berlin 902. G. Grote. Geb. in Halbfdr. n. 3. 30
1. (Für Oktava.) 40. Aufl. 8. der neuen Bearbeitg. (X, 208 S.) n. 1. 50
2. (Für Septima.) 41. Aufl.? 8. der neuen Bearbeitg. (VIII, 253 S.) n. 1. 80

— deutsches Lesebuch f. Vorschulen höh. Lehranstalten. Neu bearb. v. Chr. Muff. 2 Abtlgn. 12. Aufl. der neuen Bearbeitg. gr. 8. Berlin, G. Grote. Geb. n. 3. 30
1. (Für Oktava.) (X, 208 S.) 906. Geb. 1. 50
2. (Für Septima.) (X, 253 S.) 906. Geb. 1. 80

— Deutsches Lesebuch f. Vorschulen höherer Lehranstalten. Neu bearb. v. Chr. Muff. 2 Abtlgn. 15. Aufl. der neuen Bearbeitg. 8. Berlin 909. G. Grote. Geb. 3. 30
1. (Für Oktava.) (X, 209 S.) Geb. 1. 50
2. (Für Septima.) (X, 257 S.) Geb. 1. 80

Paulsiek, Karl Verzeichnis sämtlicher Schüler, welche an der ehemaligen höheren Gewerb- u. Handelsschule in Magdeburg in einem Zeitraum von etwa 30 Jahren (1828, 1829, 1832—1842, 1844—1858) sowie an der ehemaligen Realschule I. Ordnung (1861—1881) und dem gegenwärtigen Realgymnasium (1882—1890) in einem Zeitraum von abermals 30 Jahren die Reifeprüfung bestanden haben. Nebst Mitteilungen über das Nationale und die späteren Lebensstellungen derselben, soweit sie sich haben ermitteln lassen. 4 (14 S.).
Progr. Rg. *Magdeburg* 1891 (258).

Paulsohn, Dorothea, 14 Beschäftigungstafeln zum Handbuch. Lex. 8. Berlin 907. L. Oehmigke's Verl. 1. 20

Paulsohn, Dorothea, Handbuch zur Anfertigung von Anschauungsmaterial, Spielzeug u. Handarbeiten f. Eltern, Kindergärtnerinnen u. geschickte kleine Hände. (68 S.) 8. Berlin 906. L. Oehmigke's Verl. n. 1. -

Paulson, A., Lehrbuch der reinen Arithmetik. 1. Thl. Die besondere Arithmetik. Dorpat 857. (Glaeser.) gr. 8. (91 S.) n. 15 ngr.

Paulson, A., Lehrbuch der Planimetrie. 2. umgearb. u. verm. Aufl. gr. 8. (VIII, 129 S. m. eingedr. Holzschn. u. 1 Steintaf. in qu. Fol.) Dorpat 876. Schnakenburg. geb. n. 3. —

Paulson, A., Propädeutik der Geometrie zugleich als Leitfaden für den Elementarunterricht in der Planimetrie. gr. 8. (VI, 70 S.) Dorpat 872, Gläser. [Schnakenburg.] *

Paulson, Frdr., e. Beitrag zur Kenntniss der Lepra in den Ostseeprovinzen Russlands. gr. 8. (83 u. 49 S. m. 1 Karte.) Dorpat 886. Krüger. n. 2. —

Paulson, Johannes

Paulson, J., Anmerkungen z. Oidipus-Sage. 2 Tle. 8.-A. 1896. 17 u. 19 S. 1.20

Paulson, J., De fragmento Lundensi Boetii de institutione arithmetica librorum. Gel. 1886. 80 S. 4°.

Paulson, Johs., Fragmentum vitae sanctae Catharinae Alexandrinensis metricum, e libro ms. ed. J. P. gr. 8. (XXXI, 72 S.) Lund 891. Hjalmar Möller's Univ.-Buchh. n. 4. —

Paulson, Johs., index Hesiodeus. gr. 8. (IV, 94 S.) Lund 890. Möller. n. 3. 50

Paulson, Johannes: Lukrezstudien. 1. Die äussere Form des Lukretianischen Hexameters. *Göteborg 1897.*
in: Festskrift vid H. M. Konung Oscar II:s regeringsjubileum d. 18. sept. 1897
— **Arsskrift,** Göteborgs högskolas. Bd III.

Paulson, Johs., Lukrezstudien. I. Die äuss. Form d. lukretian. Hexameters. [Aus: „Göteborgs högskolas årsskrift".] gr. 8. (37 S.) Gothenburg 897. Wettergren & Kerber. n.n. — 85

— notice sur un manuscrit de St. Jean Chrysostome, utilisé par Erasme et conservé à la bibliothèque royale de Stockholm. gr. 8. (65 S.) Ebd. 890. n. 1. 50

— s.: Scriptores latini medii aevi Suecani.

Paulson, Johs., Studia Hesiodea. I. De re metrica. Commentatio academica. 4. (III, 168 S.) Lund 887, (Hj. Möller's Universitäts-Buchh.) * 4 —
Aus: Acta universitatis Lundensis, besonders abgedruckt.

— symbolae ad Chrysostomum patrem I. [Aus: „Acta universitatis Lund."] hoch 4. Ebd. 889. n.n. 4. —
De codice Lincopensi. Accedit tabula palaeographica. (IV, 88 S.)

— dasselbe. II. hoch 4. Ebd. 890. n.n. 4. —
De libro Holmensi. (96 u. V S.)

Paulson, O., zur Anatomie von Diplozoon paradoxum, s. Mémoires de l'académie impériale des sciences de St.-Pétersbourg. 7. Série, Tome IV. Nr. 5.

Paulsen, A., kleine Buchführung, — Normal-Buchführung, } s.: **Franz, H.**

Paulssen, Anton Jakob

Paulssen, **Ant.Jak., Collectanea sive operae subcisivae in Cajum Valerium Catullum. 8. Jena 814.**

Paulssen, A. J. (Ueber die sittliche Förderung der Schüler.) 10 S. . . .
Progr. Essen 1827

Paulsen, A. J. Miscellanea biographiae paedagogica. 9 S. . . .
progr. Essen 1825

Paulssen, A. J. Rede, gehalten am 3. August. (Enth.: Allgemeine Ermahnungen an die Schüler.) 10 S . . . .
Essen, Progr. 1827

Paulssen, A. (Essen), Zu der öffentl. zu haltenden Prüfung und Redeübung der Schüler der vereinigten Gymn. zu Essen ladet ein. Essen (G. D. Bädeker) 23. u. 24. IX. 1824. 40 S. mit Namen. (3.50) 25972

— **Christian Heinrich** (Jena), De diversitate bonorum in successione ab intestato adscendentium et jure Romano et Germanico non attendenda. Diss. jur. Präs. Paul Wilhelm Schmid. Jena (Fickelscherr) 14. VI. 1755. 24 S. (4.75) 25973
Gew.: Heinrich von Bünau. — Widm. v.: Paul Wilhelm Schmid, Friedrich Andreas Gottlieb Gnüge, Johann Adolph Hellbach, Johann Samuel Gesner, Johann Friedrich Falcke (dtsch.), Johann Georg Kessler.

Paulssen, Friedrich [aus Eisenach]: Ueber die Ursachen der fieberhaften Temperatur-Steigerung ... Jena, Univ.-Buchdr. G. Neuenhahn, 1895; 06 S. 8.
Jena, Med. Fak., Inaug.-Diss. v. [31. Juli] 1895

PAULSSEN, Hermann: Zwei seltene Fälle von infantiler Hypertrophie und Dilatation des Herzens.- München: Kastner & Lossen 1901. 54 S.
17.7.1901 - Chr 1901/02,251 Jv 1901/02,276
Diss. Ingolst.-Landsh.-Mchn.

Paulßen, W., die natürlichen und künstlichen feuerfesten Thone, s. Schauplatz, neuer, der Künste und Handwerke. 67. Bd.

Paultre, Karl: Kurze geographische Nachrichten von Syrien. Als Kommentar zu dessen neuer Charte von Syrien. Nebst einer Einleitung über die Veranlassung zur Entwerfung dieser Charte. Aus dem Französischen von T. F. Ehrmann. Mit einer Charte von Syrien.
in: Bibliothek der neuesten und wichtigsten Reisebeschreibungen. Bd. 11. Weimar 1804. XII. 48 S. 8⁰.

Paultre's, K., geograph. Nachr. von Syrien, a. d. Franz. gr. 8. Weim. Ind. Comt. 804. (a. d. Biblioth. d. Reisebeschr. 11r Bd.)

Paulucci, Hamilcar v., der Chaussee-Bau in England, mit besond. Rücksicht auf d. dort. Schlegelstein- u. macadamisirten Straßen, theils nach persönl. an Ort u. Stelle gepflog. Erhebungen, theils nach d. mündl. Mittheiln. d. vorzügl. engl. Straßen-Bauverständigen zusammengestellt. gr. 8. (6½ B. u. 1 Plan.) Wien 838, [Heubner's Verl.]

Paulucci H.: Der Chaussée-Bau in England m. besond. Rücks. auf die dortigen Schlegelstein- u. macadamisirten Strassen ... Wien 1838. 96 S. 1 Tvl.

—— das techn. Verfahren bei Bohrung artes. Brunnen, mit besond. Rücksicht auf d. dermal. Stand d. Brunn-Bohrkunst in Frankreich. Nach eigenen Erfahrn. bearb. gr. 8. (7 B. u. 4 Stnt.) Wien 838, (Heubner's Verl.) *

Paulukat, Joh., Buchführung f. Bergwerksbetriebe. Mit vielen in der Praxis erprobten Formularen. (VII, 92 S.) Lex. 8. Stassfurt 908. W. Seegelken. 3.50

Paulun, Erich [aus Pasewalk]: Ueber Wirbelfracturen .... Berlin, Buchdr. v. Goedecke & Gallinek (1887); 31 + 1 S. 8⁰.
Berlin, Med. Fak., Inaug.-Diss. v. 27. Jul. 1887.

Paulun, Erich, über Wirbelfracturen. Diss. Berlin 1887, Mayer & Müller. 8⁰. 31 S.

Paulus [Sachl. OW]

Paulus. Eine Predigt, gehalten in d. Kirche zu Glesien. 8° Leipz. 830. Scrig. 2 gr

Paulus oder das Schwert des Glaubens. Monatsschrift zur Wahrung der kath. Interessen in den Wirren der Zeit. Herausgegeben von Philipp Sternaur. Leipzig, Jackowitz, 1845. gr. 8°, 1. Jahrgang, 12 Hefte, 8 Mk.; 2. Jahrgang, herausgegeben von Ignatz Wawreczka. Berlin, Wolff, 1846, 12 Hefte, 2,50 Mk.

—— dass. Hrsg. v. J. Wawreczko 2. Jahrg. 1846. 12 Hfte. gr. 8. Berlin [C. H. Schultze.] *

Paulus. Evangelisches Monatsblatt aus Rom. Organ der Konferenz der deutschen evangel. Pastoren in Italien. Hrsg.: Rönnecke. Jahrg. 1889. 1890. à 12 Nrn. (½ B.) gr. 8. Leipzig, Fr. Richter. à Jahrg. n. 2.—

Paulus. Evangelisches Monatsblatt aus Rom. Organ der Konferenz der deutschen evangel. Pastoren in Italien. Hrsg.: L. Rönnecke. 3. u. 4. Jahrg. 1891. 1892. à 12 Nrn. (½ Bog.) gr. 8. Leipzig, Fr. Richter. à Jahrg. n. 2.—
Erschien nicht weiter.

Paulus, der Apostel, s. Krähe, Ed.

Paulus, des Apostels, Kampf um e. vom Mosaismus losgelöstes Weltchristentum. Eine freie u. leichtfaßl. Wiedergabe des Galaterbriefes m. e. Nachwort. (Von Ph. Haas.) (22 S.) 8. Barr i/E. 908. (Straßburg, Buchh. der ev. Gesellschaft.) — 30

Der blinde Paulus. *Barmen: Missionshaus 1899.* (15 S.) 8° [J.]
= Missions-Traktate, Kleine. No 29. [01. 3304 6

Paulus in Bremen. Von e. Candidaten d. Theologie aus Stade. 8. (1¾ B.) Hanau 811, König.

Paulus ad Colossenses. Argvmentum IV homiliarium. Monachii 1783. V: *Seccard, Louis.* (Jes)

Paulus, der gefangene, vor dem König Agrippas. 2. Aufl. 8. (14 S.) Elberfeld 878. (Langewiesche.) n. — 20

Paulus, der gefangene, vor dem König Agrippa. 5. Aufl. 8. (14 S.) Elberfeld 886. (Faßbender.) — 6

Der gefangene Paulus vor dem König Agrippa. 7. Aufl. *Elberfeld: R. Brockhaus 1903.* (14 S.) 8° [J.]
= [Schriften z. Erbauung d. Gläubigen.] No 182.

Paulus, Der erste Heidenmissionar, ein Zeuge für das gute Recht der evangelischen Missionen. Köln 1839. V: *Göbel, Max.* (Ky)

Paulus und Luther. Ein Gruss an seine evangelischen Brüder zum Gedenkfeste an das Reformationswerk ... Darmst. 1824. V: *Crössmann, Phil. Peter.* (MGT) (Ky) (HS)

Paulus u. Luther. Ein Gruß an seine evangel. Brüder z. Gedenk-Feste an das Reformationswerk durch Luthern, von einem Freien. 8. Darmst. 824. Heyer.

Paulus, S., exemplum verae conversionis ... [Monachii] 1772. V: *Scherer, Franz Xaver.* (Jes) (SO)

Paulus [Verfasser: Persönlicher Name]

Paulus Apostolus

— Brief an die Epheser. s. F. A. Holzhausen.

— Brief an d. Epheser, nach d. Grundtext übers. v. J. P. D. Molbenhauer. gr. 8. Hamb. 773. Herold. 10 gr

— Brief an d. Epheser, nebst e. Auslegung desselben, v. J. A. Cramer II. 4. Hamb. u. Kiel 782. (Leipz., Lauffer) 1 ℛ 4 gr

— Brief an d. Epheser, übers. v. H. P. C. Esmarch. 8. Altona 785.

— der Brief an d. Epheser, übers. u. mit Anmerkk. begl. v. F. A. W. Krause. gr. 8. Frankf. a. M. 789. Guilhaumann. 9 gr

— Brief an d. Epheser, übers. v. Jh. Jak. Brinkmann. gr. 8. o. O. (Hamb.) 793. Gundermann. 3 gr

— Brief an die Epheser, erklärt u. erläut. v. Bonifaz vom heil. Wunibald. 4. Heidelb. 793.

— Uebersetzung u. Erklär. der drei ersten Kapitel d. Briefs an die Epheser, nebst e. kurzen Einleitung v. G. C. Popp. 4. Rostock 799.

Der Brief Pauli an die Epheser [Epistola ad Ephesios]. Der griech. Text übers. u. erkl. z. Handreichung zunächst f. Geistl., Religionslehrer u. Studierende von Emil Krukenberg, Superint. in Pr. Holland. *Gütersloh: C. Bertelsmann 1903.* (117 S.) 8° [F.]

Der Epheserbrief [Epistola ad Ephesios] des Apostels **Paulus**, übers. u. erkl. von Dr. Johannes Evang. Belser, Prof. Freiburg im Br.: Herder 1908. (VI, 209 S.) 8° (08.7430

Des Apostels Paulus Brief an die Epheser [Epistola ad Ephesios]. Übers. u. erkl. v. Karl Joseph Müller. Graz & Wien: Styria 1909. 123 S. 8°

— **Brief an die Galater, übersetzt v. J. H. D. Moldenhauer. gr. 8. Hamb. 773. Herold. 10 gl**

— **der Brief an die Galater; übers. mit Anmerkk. v. Mch. Weber. 8. Leipz. 778. Büschel. 2 gl**

— **an die Galater; übers. v. H. P. C. Esmarch. 8. Flensb. 784.**

— **der Brief an die Galater; übers. u. mit Anmerkk. begleit. von F. A. W. Krause. gr. 8. Frankf. a. M. 788. Gulhaumann. 5 gl**

— **Briefs an die Galater, Versuch e. Uebersetz. des, mit erklär. Anmerkk. nach Koppen v. Jh. Geo. Schilling. 8. Leipz. 792. (Enobloch). 10 gl**

— **Brief an die Galater; übers. v. Jh. Bened. Carpzov. gr. 8. Helmst. 794. Fleckeisen. 2 gl**

Pauli Brief an die Galater. Griechisch nach den ältesten Urkunden mit deutscher Uebersetzung und mit krit. Anmerkungen hrsg. von Joh. Theod. Vömel. gr. 8. (32 S.) Frankfurt a. M. 865, (Vömel.) *

— Brief an die Galater, und der 1ste Brief Petri, übersetzt von C. G. Hensler. gr. 8. Lpz. Crusius. (F. C. W. Vogel.) 805.

Paulus, d. Apostels, Brief an die Galater u. die zwei Briefe an die Thessalonicher; übers. u. mit Anmerkk. versehen v. Gr. Mayer. 8. Wien 789. Beck. 12 gl

— **Brief an die Hebräer; übers. v. S. F. N. Morus. gr. 8. Leipz. 776. 2e A. 781. 3e A. 786. Schwickert 4 gl**

— Brief an die Hebräer. 8. Hannover, Schmidt. (Hahn.) 784.

— **Brief an die Hebräer; übers. v. Jh. Bened. Carpzov. gr. 8. Helmst. 795. Fleckeisen. 5 gl**

— **Derselbe, übers. v. C. F. Preiß. gr. 8. Stettin 804.**

— **Brief an die Hebräer; Einleit., Uebersetz. u. Anmerkk. von Dav. Schulz. gr. 8. Bresl. 818. Holäufer. 1 ß 12 gl**

(Barnabas) Brief an die Hebräer [**Paulus** apostolus: Epistola ad Hebraeos]. Text mit Angabe d. Rhythmen hrsg. von Friedrich Blass, Prof., Halle. *Halle a. S.: M. Niemeyer 1903.* (53 S.) 8° (03.13000 3

— **Versuch e. freien Uebersetzung d. sieben ersten Capitel an die Corinther, v. F. M. Sieversen. 8. Jena 780.**

Der zweite Brief des Apostels **Paulus** an die Korinther. Übers. u. erkl. von Dr. Johannes Evang. Belser, Prof. Freiburg i. B.: Herder 1910. VIII, 382 S. 8°

— **Brief an d. Philemon; übers. v. J. H. D. Moldenhauer. gr. 8. Hamb. 776. Herold. 10 gl**

— **Brief an die Philipper, s. Schrift, die heilige, d. Neuen Testaments. 1e Lfrg.**

Des Apostels **Paulus** Brief an die Philipper. Uebers. u. erkl. von Dr. theol. Karl Joseph Müller, Prof. in Breslau. *Freiburg i. Br.: Herder 1899.* (VII, 348 S.) 8°

Der Brief des Apostels **Paulus** an die Philipper [Epistola ad Philippenses, deutsch] von H[ermann] v. Soden. 2., durchges. Aufl. Tübingen: J. C. B. Mohr 1906. (VI, 100 S.) 8° [F.]
Aus: Christliche Welt.

— **Brief an die Römer, s. Kirchsteiger, M., Darstellung.**

— **Ders., erläut., s. W. Benecke.**

— **Ders., s. auch Eph. W. Mößler.**

— **Auslegung d. Briefs an die Römer, s. F. A. G. Tholuck.**

— **Brief an die Römer; 12s Kap., nebst d. 13n Kap. seines Briefs an die Corinther. Zur Erbauung bearb. von G. H. Lang. 8. Leipz., Joachim. 10 gl**

— **Versuch e. neuen Uebersetzung d. Briefes Pauli an die Römer. 8. Frankf. a. M. 773. Eichenberg. 3 gl**

— — — m. Anmerk. übers. v. C. F. Franke. 8. Gotha, Ettinger. 775.

— **Brief an die Römer; nach d. Grundtext übers., nebst Erläuterr. u. Anmerkk. von J. H. D. Moldenhauer. gr. 8. Hamb. 775. Herold. 10 gl**

Paulus, Brief an die Römer; aufs neue übersetzt. Leipzig 1775. Ü: *Morus, Samuel Friedrich Nathanael.* (Ky)

— Br. an die Römer, a. neu übers., e. Fragm. 8. Lpz. Crusius. (F. C. W. Vogel.) 775.

— **Brief an die Römer; in e. neuen Uebersetzung, Umschreib. u. Erklärung v. Jh. N. Richter. 1r Bd. 1s u. 2s Stck. gr. 8. Frankf. a. M. 775, 80. Andreä; a. Brönner. 1 ß**

— **Brief an die Römer; übers. v. Cr. L. Friederici. 8. Hamb. 783. Stiller in Rost. 3 gl**

— **Brief an die Römer; übers. ꝛc. v. G. J. Wichmann. gr. 8. Dessau 784. (Barth in Leipz.) 10 gl**

— **Brief an die Römer; aufs neue übers. v. J. A. Cramer II. 8. Leipz. 784.**

Paulus, Brief an die Christen zu Rom . . . Frankfurt a. M. 1785. Ü: *Schoder, Frdr. Jacob.* (Ky)

— **Brief an die Christen zu Rom; aus einer neuen Uebersetzung mit Anmerkk. 4. Frankf. a. M. 785. Eichenberg. 10 gl**

— **Brief an die Römer; übers. u. erläut. v. Ad. Fr. Fuchs. 8. Stendal 789. Franzen u. G. 8 gl**

— **Brief an die Römer; übers. mit erläut. Anmerkk. v. D. G. Herzog. 8. Halle 791. Hendel. 5 gl**

— — — s. a. Herzog.

— Uebersicht, Gedankenfolge u. erklär. Uebersetzung d. Briefes an die Römer, mit exeget.-krit. Anmerkk. versehen v. G. J. L. Reuß. gr. 8. Gießen 792.

— Brief an die Römer; mit Anmerkk. übers. v. Chr. Fr. Franke. 8. Gotha 793. Ettinger. 8 gr.

— Brief an die Römer; übers. ꝛc. v. J. G. Weise. 8. Lpz. 795. Sommer. (Rauck). 16 gr.

Paulus, d. Apostels, Versuch e. Uebersetzung d. Briefs an d. Römer; nebst Bemerkk. darüber von Rsp. F. W. Möbius. 8. Jena 804. Gabler. (Cnobloch in Leipz.) 1 rthlr.

— Brief an die Römer; verdeutscht von Dr. M. Luther. Zum Schulgebrauch. 8. Braunschw. 816. Schulbuchh. 1 gr.

— d. Apostels, Brief an die Christen zu Rom; übers. u. erläut. f. denkende Freunde d. Christenthums, v. Jh. Fr. Geißler. 1e u. 2e Hälfte. gr. Nürnb. 831, 33. (832.) Stein. 1 rthlr. 12 gr.

—— Brief an d. Christen in Rom übers. u. erläut. f. denkende Freunde d. Christenthums v. Joh. Fr. Geißler. 1. u. 2. Hälfte. gr. 8. (22½ B.) Nürnberg 833, Stein.

[F.] Text und kurze Erklärung des Römerbriefes. (Vf.: Paulus Apostolus). Von P. Schneider. *Gütersloh: C. Bertelsmann 1895.* (120 S.) 1 Bd 8. [96. 1480

— der Brief an die Römer — an die Korinther, s. H. Olshausen.

Paulus, Apostolus. Brief an den Timotheus übersetzt und erläutert. Göttingen 1796. H: *Hesse, Heinrich.* (Ky) (MGT)

— erster Brief an d. Timotheus; übers. u. erläut. 8. Götting. 796. Dieterich. 5 gr.

Paulus [Apostolus]: Der erste Brief an Timotheum übers. u. erkl. v. D. F.W. Stellhorn.
Gütersloh: C. Bertelsmann 1899. (VI S., 1 Bl., 147 S.) 8.
= Paulus Apostolus: Die Pastoralbriefe. [H.] 1.

— Brief an d. Titus; übers. v. J. H. D. Moldenhauer. gr. 8. Hamb. 776. Herold. 10 gr.

— Versuch e. erklärenden Uebersetzung d. Paulinischen Briefe, v. Jak. Struve. 1e Abthl. 8. Altona 791. Hammerich. 8 gr.

— Briefe, von morgenländ. Redensarten möglichst gereinigt, in völlig verständl. deutsche Sprache übersetzt. gr. 8. Bresl. 791. J. F. Korn. 1 rthlr.

Paulus, des Apostels, Briefe, den an die Hebr. ausgen. gr. 8. Breslau, Korn d. ä. 791.

Briefe, die 14, des heil. Apostels Paulus übers. u. erklärt von Prof. J. M. A. Scholz. gr. 8. Frankfurt 1829, Varrentrapp. 2⅓ Thlr. — 4 fl. 12 kr.

Paulus, des Apostels, Briefe, harmonisch geordnet unter die Grundlehren des Christenthums, nebst einer Einleitung über das Leben u. die Briefe dieses heil. Apostels von Marcus Adm. Nickel. 8. Frankfurt a/M. 844, Andreäische Buchh. 1⅔ rthlr.

Die Paulinischen Briefe [Vf. Paulus apostolus] im bericht. Text m. kurzer Erläut. z. Handgebr. bei d. Schriftlektüre v. D. Bernhard Weiss. *Leipzig: J. C. Hinrichs 1896.* (3 Bl., 682 S.) 1 Bd 8. [96. 7806

(F) Die Briefe des heil. Apostels Paulus Erklärt von F. S. Gutjahr. I. Bd. Die zwei Briefe an die Thessalonicher und der Brief an die Galater. Graz. 1900. Styria. Gr.-8°. VI, 95 S. K 1.60

[Paulus Apostolus:] Die Paulinischen Briefe und der Hebräerbrief. Im bericht. Text. Mit kurzer Erl. z. Handgebr. bei d. Schriftlektüre von D. Bernhard Weiss. 2. Aufl.
Leipzig: J. C. Hinrichs 1902. (693 S.) 8°
= Testamentum Novum. Bd. 2.

Die Briefe des Apostels **Paulus**. 1. Tübingen: J. C. B. Mohr 1907. 8°
— **Handbuch** z. Neuen Testament. Bd 3, 1. [07. 17321

Die Briefe des Paulus an die Kolosser und an Philemon. Aufs Neue verdeutscht durch P. Martin v. Gerlach. *Ziegenrück: Ziegenr. Kolport.-Ver. 1894.* (15 S.) 8° [F.]
= Haus- u. Herzbücher. 4.

— Erklärung d. 1n u. 2n Briefs an die Corinther, s. Jh. Cph. Fr. Schulz.

— erster u. zweiter Brief an d. Corinther nach dem Grundtext übers., mit Erklärr. u. Nutzanwendungen v. J. H. D. Moldenhauer. gr. 8. Hamb. 771, 72. Herold. 20 gr.

— Versuch e. Uebersetzung d. 11n Kapit. d. Briefe an d. Corinther. Mit Anmerkk. v. J. G. Chr. Höpfner. 8. Leipz. 778.

— beide Briefe an die Gemeinde zu Corinth; frei übers. mit Anmerkk. v. Gli. Göpfert. gr. 8. Leipz. 788. Schwickert. 6 gr.

— 3 Briefe an die Corinther u. Römer übers. v. Gf. Leß. 8. Götting. 778. Vandenhöck u. R. 5 gr.

— Brief an die Philipper u. Colosser; übers. v. J. H. D. Moldenhauer. gr. 8. Hamb. 774. Herold. 10 gr.

— Briefe an die Philipper, Kolosser, Thessalonicher, an d. Timotheus u. an die Hebräer; aufs neue verdeutscht v. J. G. Rosenmüller. 8. Nürnb. 781. Felßecker. 6 gr.

— die Briefe an die Philipper u. Thessalonicher; übers. u. mit Anmerkk. begl. v. F. A. W. Krause.. gr. 8. Frankf. a. M. 791. Guilhaumann. 14 gr.

— Br. an die Thessalonicher und Philipper, fr. übers. v. Schaber. 8. Stuttg. Erhard. 787.

— Brief an die Thessalonicher u. Philipper; frei übers. u. erläut. v. J. Schaber. 8. Stuttg. 787. (Löflund u. S.) 4 gr. (Hoffmann das.) N. A. 788. 3 gr.

— erster u. 2r Brief an den Timotheus; übers. von J. H. D. Moldenhauer. gr. 8. Hamb. 776, 77. Herold. (à 10 gr.) 20 gr.

Die Briefe Pauli an Timotheus und Titus. Der griech. Text übers. u. erklärt z. Handreichung zunächst f. Geistl., Religionslehrer u. Studierende von Emil Krukenberg, Superint. in Pr. Holland. *Gütersloh: C. Bertelsmann 1901.* (IV, 164 S.) 8° [F.] [01. 11130

Die Briefe des Apostels **Paulus** an Timotheus und Titus übers. u. erkl. von Dr. Johannes Evang. Belser, Prof. zu Tübingen. Freiburg im Br.: Herder 1907. (VIII, 302 S.) 8° [07. 9102

Pauli *Epistola ad Corinthios secunda.* Graece c. perpét. annot. ed. J. G. F. Leun. Lemgov. 804. 8. 1 rthlr.

— ad Corinthios epistola sec., graece ed. J. H. F. Leun. 8maj. Lemgo 805. Meyer. 1 rthlr.

— epistola ad Corinthios posterior graece perpet. comment. illustr. Ch. A. Gf. Emmerling. 8maj. Leipz. 823. Barth. 18 gr.

Paulus Apostolus. E p i s t o l a ad Galatas. Latine vertit et perpetuis annotatt. illustr G. B. Winer, Novi in epistolas Paulinas commentarii specimen. Lips. 821 8.

P a u l i (Apost.) ad **Galatas epistola** latine vertit et perpetua annotatione illustr. G. B. Winer. Edit. II. aucta et emend. (9 B.) 828. 18 Gr., E. III. aucta et emend. (12 B.) 8maj. Lipsiae 829, Reclam.

(Paulus.) — Pauli ad Galatas epistola. Latine vertit et perpetua annotatione illustravit G e o. Bened. W i n e r. Edit. IV. aucta et emendata. Leipzig 859. C. H. Reclam sen. gr. 8. (X, 178 S.) 1 Thlr.

— epist. ad Hebraeos a Heinrichs, f. Nov. *Testamentum*, a Koppe, Vol. VIII.

— epistola ad Hebraeos, latine vertit atque commentario instruxit perpetuo Chr. Fr. Böhme. 8maj. Leipz. 825. Barth. 4 Thlr. Schrbp. 4 Thlr. 12 gr. Berl. Pap. 5 Thlr. Velinp. 5 Thlr. 12 gr.

— epistola ad Hebraeos, cum rabbinico commentario. (In hebräischer Sprache.) Berlin 858. (Beck.) gr. 8. (XII, 110 S.) n. 10 ngr.

— epist. ad Philemon. gr. et lat. illustr. etc. L. Chr. G. Schmid. 8maj. Leipz. 786. (W. Nauck). 4 gr.

— epistolam ad Philemonem interpret. est C. R. Hagenbach. 4maj. Basel. 829. Schweighäuser. 7 gr.

—— Epistola ad P h i l e m o n e m, s. H a g e n b a c h, K. R.

P a u l u s epistola ad Philemonem speciminis loco ad fidem versionum orientalium veterum una cum earum textu originali graece edita a Jul. Henr. Petermann. 4maj. (8 lith. Bogen Schreibschrift.) Berolini 844, Lüderitz'sche Vrlgsh.

— epist. ad Philippenses gr., n. versione illustr. a J. G. am Ende. 8maj. Wittenb. 798. Ed. n. 8maj. Neust. a. O. 812. Wagner. 12 gr.

— ep. ad P h i l i p p e n s e s gr. n. versione illustr. a I. G. am Ende. 8. maj. Viteb. (Graff's, Lps.) 798.

— eaed. ep. ed. I. G. am Ende. 8. maj. Neustadt. Wagner. (F. Bruder, Lps.) 808.

— epist. ad Romanos, f. Chr. Fr. *Schmidt.*

Paulus Apostolus: E p i s t o l a ad Romanos Arabice. Seorsum recudi curavit Jo. Henr. Callenbergius. Halae 1741.

— epistola ad Romanos exposita et adnotatt. illustr. a Bonifacio a S. Wunibald. 8. Heidelb. 792.

— epist. ad Romanos gr. ex. rec. Griesbachii, c. commentar. ed. C. F. Böhme. 8maj. Leipz. 806. (W. Vogel). 1 Thlr.

— epistola ad Romanos, ed. E. G. A. Böckel. 8. Greifsw. 821. Mauritius. 5 gr.

Paulus apost., ad Romanos e p i s t o l a. Recens. et cum comment. perpet. ed. Car. Frid. Aug. Fritzsche. Tom. I et II. 8maj. Halis Saxon. 836, 39. libr. Gebauer. $4^1/_2$ Thlr.

—— ad Romanos epistola. Recens. et cum commentariis perpetuis edid. Car. Frid. Aug. Fritzsche. Tom. III. (Schluss.) Adjecti sunt locuplet. indices. 8maj. ($20^1/_8$ B.) Halis Saxonum 843. [Berlin, Gebauer'sche Buchh.] *
Tom. I. et II. [Ibid.] 836, 39. 4 Thlr. 15 Ngr.

— epistola ad Romanos, cum rabbinico commentario. (In hebräischer Sprache.) Ebend. 855. gr. 8. (136 S.) n. 10 ngr.

P a u l i e p i s t o l a a d R o m a n o s, cum rabbinico commentario. (In hebräischer Sprache.) gr. 8. (136 S.) Berlin (855)58, (Beck.) geb. Thlr. *

Pauli epistola altera ad Timotheum graece. Cum commentario perpetuo ed. Glob. Ed. Leo. 8maj. (XXXIX und 96 S.) Lipsiae 850. [Luckau, Kutzscher.]
Pars I. [Ibid.] 1846. $22^1/_2$ Ngr.

Pauli epistola altera ad Timotheum Graece. Cum commentario perpetuo ed. G l o b. E d. L e o. gr. 8. (XL u. 96 S.) Lipsiae 850, Kössling. 24 ngr (Epistola prima jetzt ebendas. — I. II: 1 Thlr. $16^1/_2$ ngr)

— epist. ad Titum, cum ejusd. ad Timotheum epistolis, f. H. G. v. d. *Es.*

Paulus, Epistola ad Titum. Rostochii 1700. H: *Wildhagen, J. H.* (Collin. Anonymer. Kiobenh. 1869.)

Pauli, apost., ad Corinthios epistolae gr. perpet. annotat. illustr. F. A. W. Krause. Vol. I. 8maj. Frankf. a. M. 791. Guilhaumann. 1 Thlr. 12 gr.

— *Epistolae ad Corinthios.* Perpetua annot. illustr. Krause. Francof. 792. Vol. I. 8. 1 rthlr. 12 gr.

— ad C o r i n t h i o s, epist. gr. illust. a Krause, vide K r a u s e.

Epistolae beati **Pauli** [apostoli] glosatae glosa interlineali. Irisch-latein. Codex d. Würzburger Universitätsbibliothek. In Lichtdr. hrsg. u. m. Einl. u. Inhaltsübersicht vers. von Ludw. Chr. Stern. Halle a. S.: Niemeyer 1910. XXXVI S., 36 Bl. 2° [illegible]

P a u l u s. — **Pauli epistulae omnes graece et latine ed.** C. Tischendorf, s. **Codex Claromontanus.**
- - s.a. C o d e x graecus.

— Epistolas ad Thessalonicenses perpetuo illustr. commentar. et copiosiore expositionum e patribus eccles. collectar. instruxit delectu Ldw. Pelt. 8. Greifsw. 830. Mauritius. 1 Thlr. 12 gr.

—— Epistolas ad T h e s s a l o n i c e n s e s instr. L. Pelt, s. E p i s t o l a s.

— e p i s t o l a e ad Thessalonicenses et Galatas, v. Schott, H. A., Commentarii in epistolas Nov. Testamenti.

—— Epistolae ad T i m o t h e u m, T i t u m et P h i l e m o n e m etc. illustr. a J. H. Heinrichs, s. T e s t a m e n t u m n o v u m etc. Edit. Koppianae Vol. VII.

—— Ermahnungs-Schreiben an die H e b r ä e r - C h r i s t e n. Wortgetreu übers., mit erläut. Zwischensätzen, e. fortlauf. Sinnerklärung, krit. Einleit. u. Bemerkn. üb. schwere Stellen. Von H. E. G. Paulus. Lex.-8. ($17^1/_2$ B.) Heidelberg 833, Winter.

—— Lehr-Briefe an d. Galater- u. Römer-Christen. Wortgetreu übers., mit erläut. Zwischensätzen, e. Ueberblick d. Lehrinhalts u. Bemerkn. üb. schwere Stellen. Von H. E. G. Paulus. Lex.-8. (26¾ B.) Heidelberg 831, Winter.

— Pastoralbriefe erklärt (v. J. Chr. Seyfert), s. Beitrr. z. Lesung d. heil. Schrift.

—— Pastoralbriefe erläut. v. A. L. Chr. Heydenreich, s. Heydenreich.

Paulus [Apostolus]: Die Pastoralbriefe übers. u. erklärt v. D. F. W. Stellhorn. 1. 2. Gütersloh: C. Bertelsmann 1899. 8°
1. Der erste Brief Pauli an Timotheum.
2. Der zweite Brief an Timotheum u. d. Brief an Titum. Anh.: Der Brief an Philemon.

Paulus, des Apostels, Sendschreiben, s.d. Sendschreiben, die, des Apostels Paulus.

— Sendschreiben an die Galater u. Johannes erster Brief, übersetzt. gr. 8. Neust. a. O. 827. Wagner. 12 gr.

— des Apostels, Sendschreiben an die Galater, Efesier, Filipper, Kolosser und Thessalonicher. Neu übers. von Ferd. F. Zyro. Aarau 860. Sauerländer's Verlag. gr. 16. (VIII, 64 S.) 9 ngr.

Pauli Crosnensis Rutheni carmina, s. Corpus antiquissimorum poetarum Poloniae latinorum.

Paulus Damascenus, s.: Philosoph, der, als Einjähriger.

Paulus Diakonus und die übrigen Geschichtschreiber der Langobarden, s. Geschichtschreiber der deutschen Vorzeit.

Die Gedichte des Paulus Diaconus. Krit. u. erklär. Ausg. Von Dr. Karl Neff, Prof., München. Mit 1 Taf. München: C.H.Beck 1908. (XX, 231 S.) 8°
— Quellen u. Untersuchungen z. lat. Philol. d. Mittelalters. Bd 3, H. 4.

Paulus Diaconus, Historia Langobardorum, } s. Scriptores rerum germanicarum.
—— Historia romana, }

Paulus Helladicus, Epistola, s.: Anecdota byzantina.

Paulus Orosius, historiarum adversum paganos libri VII, s.: Corpus scriptorum ecclesiasticorum latinorum.

Paulus Peregrinus, sieben Worte d. Berg-Predigt uns. Herrn u. Heilandes Jesu Christi. gr. 8. (1 B.) Marburg 841, Elwert'sche Univ.-Buchh.

Paulus a Sancta Magdalena, soliloquia seu documenta christianae perfectionis. Ed. II. 16. (VII, 292 S.) Ad. Claras Aquas (Quaracchi) 885. (Freiburg i/B., Herder.) n.n. 1. —

Paulus, des Silentiarius, Beschreibung der H. Sophia und des Ambon. Metrische Uebersetzung mit Anmerkungen von C. W. Kortüm. Imp.-4. (VII und 52 S.) Berlin 854, Ernst und Korn. *

Paulus d. Silentiariers Beschreibung der Hagia Sophia od. d. Tempels der göttl. Weisheit. Uebers. u. m. Anmerkgn. begleitet v. Joh. Jak. Kreutzer. Mit e. (lith.) Grundrisse der Kirche. gr. 8. (IX, 77 S.) Leipzig 875. T. O. Weigel. n. 1. 50

Paulus Silentiarius: Carmina ambo. Ex codd. Palat. Antholog. descr. Imm. Bekker: Berlin: Reimer 1815. 4°.

Pauli Silent., descriptio magnae ecclesiae et Ambonis et Joan. Gazaei descriptio tabulae mundi; ex apographo anthol. graeca Goth. recens. Fr. Graefe. 8 maj. Lips. 822, Wilh. Vogel, 16 gr. Schreib-P.

Paulus [Verfasser: Familienname]

Paulus, heil unserm Jubelpapst, s.: Theater, kleines.

Paulus, Archäologische Karte von Württemberg. 4. Aufl. 4 Bl. Stuttgart 1882

Paulus. Archäologische Karte v. Württemberg. 4 Blatt. 1 : 200,000. Mit Darstellung der röm., altgerman. [kelt.] u. fränk. [alemann.] Ueberreste. Fortgesetzt v. E. Paulus. Ausg. d. k. statistisch topogr. Bureau. 4. stark verm. Aufl. Lithogr. 62×47,5 cm. Stuttg. 892, (Metzler's Sort.). à Bl. ** 2 25; ** 9 —

Paulus, die wüste Kirche. 8. (78 S.) Hamburg 886. Evangel. Buchh. n. — 25

Paulus, Prof. Dr., primae lineae systematis naturae etc., s. A. Horaninow.

Paulus, Dr. Magikon; wunderbare Prophezeihungen ü d Papstum, nebst Weissagungen u Amerika. NY, 1869.

Paulus, Gebrüder, d. Principien d. Unterr., s. Paulus, Er Ph.

Paulus, Schutzmittel gegen Cholera und alle aus naturwidriger Nahrungsart entspringenden Uebel; zugleich zeitgemäße Beantwortung der Frage: Wie verhalten sich die ärztlichen Methoden zur nackten Wahrheit? 8. (XI und 27 S.) Schaffhausen 855, Brodtmann'sche Buchh.

Paulus, Schutzmittel gegen Cholera, s. Schutzmittel.

Paulus, über die Vereinigung der Protestanten und Katholiken. Eine Bibelschrift für die ganze Christenheit. gr. 8. Stuttgart 838. Frig. 1/12 ℔

Paulus, über d. Vereinigung d. Protestanten u. Katholiken. Eine Bibelschr. f. d. ganze Christenheit. gr. 8. (1 B.) Stuttgart 838, [Gärtner.]

Paulus u Kull, über die landwirtschaft. Verhältnisse Württembergs. Stuttgart 1873

—— warum d. Zuruf: Jedermann sey unterthan d. Obrigkeit, die Gewalt üb. ihn hat! die willigste Befolgung verdiene? Eine zeitgemäße Frage, nebst e. vierfachen Antwort d. Apost. Paulus; e. Predigt. 8. (1 B.) Leipzig 830, Serig.

Paulus I. (I.), was heisst per fidem? [Liv. 1, 9, 13.] gr. 8. (11 S.) Tübingen 887, Frz. Fues. * — 20
Aus: Korrespondenzblatt für die Gelehrten- und Realschulen Württembergs, besonders abgedruckt.

Paulus, das Königreich Würtemberg u. die Hohenzollerschen Fürstenthümer mit einer Höhenkarte u. mit Durchschnitten des Bodensees nach den Ergebnissen der Landesvermessung, hrsg. u. dem K. Würt. Stat. Top. Bureau. Rectificirt 1850. Imp. Fol. Lith. Stuttgart. (H. Köhler.) n. n. ⅚ ℔

Paulus, Adf., vergib uns unsere Schuld!, s.: Dilettantenbühne, katholische. 220. Heft.

Paulus, Ämilius. (Pseud.) Schwägerin Hertha. Lustspiel. St. Veit a. d. Glan, Schlick, (1893). 59 S.

Die Reisen deutscher Segelschiffe in den Jahren 1893–1904 und ihre mittlere Dauer. Im amtl. Auftr. nach d. meteorol. Tagebüchern bearb. von A[nton] Paulus. (Hierzu 2 Übersichtskarten.) Hamburg 1907: (Pierer in Altenburg). (88 S.) 4°
— Archiv, Aus d., d. Deutschen Seewarte. Jg. 30, No 1.

Paulus, A., die Reisen deutscher Segelschiffe in den J. 1893--1904 u. ihre mittlere Dauer. Im amtl. Auftrage nach den meteorolog. Tagebüchern bearb. (Hierzu 2 Übersichtskarten.) (88 S.) Lex. 8. Hamburg 907. (L. Friederichsen & Co.) nn 8. —
Sonderabdruck aus: „Aus d. Archiv d. deut. Seewarte".

Paulus, C., s.: Festgabe enth. vornehml. vorreformator. Forschungen, Heinr. Finke gewidmet.

Paulus, Camill, s. Paulus, Kamill.

Paulus, Carl, s. Paulus, Karl.

Paulus, Caroline, s. Paulus, Karoline

Paulus, Christoph

Paulus, Ch., die Berechnung der Mondphasen, nebst Hinweisg. auf Sonnen- u. Mondfinsternisse, welche damit verbunden sein können. Ein Beitrag zur mathemat. Geographie. gr. 4. (25 S.) Tübingen 883. (Fues.) n. 2. —

Paulus, Chrph., Blicke in die Weissagung der Offenbarung Johannis. gr. 8. (X und 276 S.) Stuttgart 850(57,) Paulus.

Paulus, Chrph., zeichnende Geometrie zum Schulunterricht u. zum Privatstudium. Stuttgart 866. Metzler's Verlag. gr. 8. (XX, 151 S. mit 12 lith. Fig.-Taff. u. 1 lith. Musterblatt in Farbenton in qu. 4.) n. 1 ℳ 20 ngr.

—— Grundlinien der neueren ebenen Geometrie mit einer Sammlung von mehr als 1000 erläuterten Aufgaben, einem Anhang über die Anwendung der neueren Geometrie auf Optik. gr. 8. (XII und 364 S. mit 10 Stat. in qu. gr. 4.) Stuttgart 853. [Kornthal,] Paulus.

—— Schulbuch der Analysis und Algebra für Realschulen, Gymnasien und höhere Bürgerschulen. 1. Kurs. gr. 8. (VI und 91 S.) Stuttgart 847. [Kornthal,] Paulus.

— Tafeln zur Berechnung der Mondphasen. Zum Gebrauch beim Unterricht in der mathemat. Geographie entworfen u. m. erklär. Texte hrsg. gr. 8. (VI, 72 S.) Ebend. 885. n. 1. 80

Solon, Der Würtenbergische (so!) (.) „Wahlspruch deßelben Respice finem." (Vf. *Christoph Gottlob Paulus*.) (Nur curioser Kupfertitel mit Bordüre, unsign.) O. O. 1765. 8°.
Titel, 3 Bll. „An den Leser", 120 S. — Anon.-Lex. IV. p. 95 (nach Heyd).

Paulus, Clement, Grundriß od. gründl. Anweis. z. geometr. Zeichnungslehre. 2 Thle. gr. 8. Prag 816 u. 818. Widtmann. 6 ℳ 16 ℛ

Paulus, C. M., die Handschrift. Ein Bild des Charakters. Mit 151 Handschriften-Fcsm. 8. (74 S.) Stuttgart 894. F. Frommann. Geb. in Leinw. n. 2. —

Paulus, C. M., die Handschrift e. Bild d. Charakters. M. 151 Handschriften-Fcsm. 2. Aufl. 8. (74 S.) Stuttgart 896. F. Frommann. Geb. in Damast n. 2. —

Paulus, Eberhard, a. Maulbronn (Württemberg): Zur Geschichte der Schriftsprache in Schwaben im achtzehnten Jahrhundert. Ein Beitrag zur neuhochdeutschen Laut- und Flexionslehre. Borna-Leipzig 1906: R. Noske. (XII, 59 S.) 8°
Leipzig, Phil. Fak., Ref. Sievers-Köster, Diss. v. 26. Aug. 1906
[Geb. 28. Mai 83 Maulbronn in Württemberg; Wohnort: Tübingen; Staatsangeh.: Württemberg; Vorbildung: Gymn. Tübingen Reife Juli 01; Studium: Tübingen 3, Bonn 1, Marburg 1, Leipzig 4 S.; Rig. 14. Mai 06.]

Paulus, Eduard

Paulus, Ed., die Alb. 8. (21 S.) Stuttgart 893. F. Frommann. n. — 40

Paulus, Ed., der Alte vom Hohen-Neuffen. Bergliedеr. 8. (94 S.) Stuttgart 900. J. G. Cotta Nachf. Geb. in Halbleinw. n. 2. —

Paulus, E., Ueber neu entdeckte Altertümer in Württemberg. S.-A. 1864. 26 S.

Paulus, E. v., die Alterthümer in Württemberg. Lex.-8. (134 S. mit 1 Titelbild in Farbendr.) Stuttgart 877, Lindemann's Buchh. *
Aus: Württembergische Jahrbücher für Statistik und Landeskunde, besonders abgedruckt.

Paulus, Ed., Arabesken. 16. (V, 186 S.) Stuttgart 897. Greiner & Pfeiffer. Geb. in Leinw. m. Goldschn. n. 3. —

—— s. Aus dem Schwabenland.

— ein Ausflug nach Rom. Vortrag. Ebend. 870. 8. (47 S.) n. 8 ngr.

Paulus, Eduard (Bearb.), s.a. Bebenhausen, Die Cisterzienserabtei.

Paulus, Ed., die Cisterzienser-Abtei Bebenhausen. Bearb. unter Mitwirkung von Heinr. Leibnitz und F. A. Tscherning. Hrsg. vom württemberg. Alterthums-Verein. Mit 20 Taf. in Stein-, Licht- und Farbendr. und 225 Holzschn. nach Aufnahmen und Zeichnungen von Eug. Macholdt. Unter Mitwirkung von Max Bach, A. Beyer, Ernst v. Hayn, Heinr. Leibnitz, Geo. Loosen, Rob. Stieler, A. Wolff u. A. Holzschn. von A. Closs. 11 Lfgn. gr. 4. (XII, 188 S.) Stuttgart 886,87, Neff. à Lfg. *ℳ 1.20. * 13 20
Compl. cart. *ℳ 15.—.; geb. * 18 —

Paulus, Ed., Bilder aus Deutschland. 8. (VI, 248 S.) Stuttgart 873. Neff. 2. 70

—— Bilder aus Italien. br. 8. (VI und 157 S.) Stuttgart 866. Kröner.

—— Bilder aus Italien. 2. stark verm. Aufl. 8. (VI, 218 S.) Stuttgart 869, Kröner. (ℳ 2.)

— — 2., stark verm. Aufl. Ebend. 870. 8. (VI, 218 S.) 20 ngr.

Paulus, Ed., Bilder aus Italien. 3. Aufl. 8. (VIII, 215 S.) Stuttgart 879, Bonz und Comp. geb. mit Goldschn. *

Paulus, Ed., Bilder aus Kunst und Alterthum in Deutschland. 8. (VIII, 223 S.) Stuttgart 883, Bonz und Comp. * geb. *

Paulus, Ed., u. Carl Weitbrecht, schwäbisches Dichterbuch. 8. (VIII, 264 S. m. 4 Lichtdr.-Porträts.) Stuttgart 883. Bonz & Co. geb. m. Goldschn. n. 4. 80

Paulus, Ed. Gesammelte Dichtungen. 8. (VIII, 454 S.) Stuttg. 892, Frommann. * 4 —; geb. * 5 —

[F.] Gesammelte Dichtungen v. Eduard Paulus. 2. Aufl. *Stuttgart: F. Frommann [1892].* (VIII, 454 S.) 1 Bd 8. 198. 3516

— gesammelte Dichtungen. 2. [Titel-] Aufl. 12. (VIII, 454 S.) Stuttgart (892) 896. F. Frommann. Geb. in Leinw. n. 2. —

Paulus, Eduard, gesammelte Dichtungen. 8. [Titel-]Aufl. Mit dem Jugendbildnis des Verf. (VIII, 454 S.) 8. Stuttgart [892] 903. F. Frommann. Geb. in Leinw. n. 2. —

— Erklärung der Peutinger Taf. mit besond. Anwendung derselben auf die Römerstraßen von Windisch (Vindonissa) nach Regensburg (Reginum) u. von Pfin (Ad fines) nach Augsburg (Augusta Vindelicorum). Stuttgart 866. Neff. gr. 8. (40 S. mit 1 Steintaf. in qu. Fol.) n. 16 ngr.

Paulus, Ed., s. Foerster, Heinr. Ritter v., die Bauwerke der Renaissance in Toscana.

Paulus, Ed., der römische Grenzwall [Limes transrhenanus] vom Hohenstaufen bis an den Main. Mit 1 (lith.) Karte (in Fol.). Stuttgart 863. Schweizerbart. Lex.-8. (52 S. m. Holzschn.) 18 ngr.

Heimatkunst. Neue Lieder u. Elegieen von Eduard Paulus. *Stuttgart & Berlin: J. G. Cotta Nachf. 1902.* (94 S.) 8° [F.]

— Helgi. Ein Sang aus der Edda. 8. (V, 48 S. m. 1 Abb. u. Titelbild.) Stuttgart 896. P. Neff Verl. Geb. in Leinw. m. Goldschn. n. 1. 50

— s.: Hohentwiel.

— s.: Italien.

— Krach u. Liebe. Aus dem Leben eines modernen Buddhisten. Humoreske in 20 Gesängen. gr. 16. (80 S.) Stuttgart 879. Bonz & Co. n. 1. —

— Die Kunst- u. Altertums-Denkmale im Königr. Württemberg. Im Auftrag des k. Ministeriums des Kirchen- u. Schulwesens bearb. Atlas. 34 Lfgn. qu. Fol. (201 Taf. in Lichtdr., Lithogr., Zinkogr. u. Holzschn.) Stuttg. 889—93, Neff. * 54 40

— dasselbe. Ergänzungs-Atlas. 1. u. 2. Lfg. 35. u. 36. Lfg. des Gesamtwerkes. qu. gr. Fol. (10 [1 farb.] Taf.) Ebd. (900). à n. 1. 60

Paulus E, Kunst- und Altertumsdenkmale in Württemberg. Ergänzungsatlas III. (Jagstkreis) fol Stuttgart 1906

— dass. — Text. [Inventar.] (In 10—12 Lfgn.) 1.—10. Lfg. Lex.-8. (IV, S. 1—624 m. Textillustr. u. 7 Taf.) Ebd. 889—92. à Lfg. * 1 60; * 16 —

— die Kunst- u. Altertums-Denkmale im Königr. Württemberg. Im Auftr. d. k. Ministeriums d. Kirchen- u. Schulwesens bearb. Text. (Inventar.) 11.—22. Lfg. Lex.-8. Ebd. à Lfg. n. 1. 60
11.—20. Schwarzwaldkreis. (VI, 552 S. m. Abb. u. 6 Lichtdr.-Taf.) 896, 97.
21. 22. Donaukreis. (Anfang.) (S. 1—64 m. 7 Lichtdr.-Taf.) 897.

— die Kunst- u. Altertums-Denkmale im Königr. Württemberg. Im Auftrag des k. Ministeriums des Kirchen- u. Schulwesens bearb. Text. (Inventar.) 23.—26. Lfg. Jagstkreis. (Anfang.) Unter Mitwirkg. v. Ed. Paulus bearb. v. E. Gradmann. Lex.-8. (224 S. m. Abbildgn. u. 2 Taf.) Stuttgart 900. P. Neff Verl. à n. 1. 60

— die Kunst- u. Altertums-Denkmale im Königr. Württemberg, Fortsetzg., s.: Kunst- u. Altertums-Denkmale, die, im Königr. Württemberg.

— drei Künstlerleben. Tilmann Riemenschneider. Erwin v. Steinbach. Michelangelo. Dichtungen. 8. (121 S.) Stuttgart 900. J. G. Cotta Nachf. Geb. in Leinw. n. 2. —

Paulus, Ed., aus meinem Leben. Gedichte. Stuttgart 867. Neff. 8. (VIII, 175 S.) n. 28 ngr.; cart. mit Goldschn. n. 1 Thlr

— Lieder. 16. (132 S.) Stuttgart 877, Greiner'sche Verlagsh. cart.

— Lieder u. Humoresken. 12. (VIII, 294 S.) Stuttgart 880. Bonz & Co. n. 3. —; geb. m. Goldschn. n. 4. —

— die Cisterzienser-Abtei Maulbronn. Hrsg. vom Württemberg. Alterthums-Verein unter dem Protektorat Sr. Maj. d. Königs Karl v. Württemberg. 1. Lfg. gr. Fol. (12 S. m. eingedr. Holzschn., 1 lith. u. 1 chromolith. Taf.) Stuttgart 873. Aue in Comm. n. 9. —

— die Cisterzienser-Abtei Maulbronn. Hrsg. vom Württembergischen Alterthumsverein. Mit 200 in den Text gedr. Holzschn. von A. Cloß, meist nach Zeichnungen von C. Rieß, 4 großen lith. Taf. u. einer in Holzschn. ausgeführten. 2. u. 3. (Schluß-)Lfg. gr. Fol. (S. 13—38.) Stuttgart 877 u. 79. Krabbe in Comm. In Mappe. à n. 9. — (cplt. in Mappe: n. 30. —)

— die Cisterzienser-Abtei Maulbronn. Mit 6 Taf. in Steindr. nach Aufnahmen und Zeichnungen von Dank und Schneider und 230 Holzschn. von A. Cloß, meist nach Aufnahmen und Zeichnungen von C. Rieß. Hrsg. vom württemberg. Alterthums-Verein. 2. Aufl. hoch 4. (VII, 104 S.) Stuttgart 882, [Bonz und Comp.] Neff. cart. *

EDUARD PAULUS, Die Cisterzienser-Abtei Maulbronn. Mit 6 Tafeln in Steindruck nach Aufnahmen und Zeichnungen der Baumeister Dank und Schneider und 230 Holzschnitten von A. Closs, meist nach Aufnahmen und Zeichnungen von Professor C. Riess. Herausgegeben vom Württembergischen Alterthums-Verein.
2. Auflage. Stuttgart. 1882. Adolf Bonz & Comp. 4°.
Dasselbe, 2. Auflage. Billige Ausgabe. Stuttgart. 1884. Paul Neff. 4°.

Paulus, Ed. Die Cisterzienser-Abtei Maulbronn. Mit 6 Taf. in Steindr. nach Aufnahmen u. Zeichngn. v. Dank u. Schneider, u. 235 Holzschn. von A. Cloß, nach Aufnahmen u. Zeichngn. von Carl Rieß, Adf. Gnauth u. J. Cades. Hrsg. vom Württemberg. Alterthums-Verein. 3. verm. Aufl. Imp.-4. (III, 114 S.) Stuttg. 889, Neff. cart. * 8 —

— der neue Merlin. Ein Gedicht aus dem nächsten Jahrhundert. gr. 16. (VII, 76 S.) Stuttgart 888, Krabbe. * 1 50; geb. * 2 —

— aus Orient u. Occident. Kulturhistorische Märchen f. jung u. alt. Dichtungen. 8. (VIII, 168 S.) Glogau 901, C. Flemming. Geb. in Leinw. m. Goldschn. n. 3. —

Paulus, Eduard [Bearb.], s. Paulus: Archäolog. Karte von Württemberg. 4. Aufl.

— die Photographie. Humoreske in 10 Gesängen. Stuttgart 868. Koetzle. 16. (48 S.) 10 ngr.

— Tilmann Riemenschneider um 1460—1531. Ein Künstlerleben in 12 Gesängen. 12. (80 S.) Stuttgart 899. A. Bonz & Co. n. 1. —

Paulus, Ed., die Römerstraßen mit besond. Rücksicht auf das römische Zehentland, nebst einer Anleitung zur Erforschung der alten Römerwege. Lex.-8. (32 S. mit eingedr. Holzschn.) Stuttgart 856(57,) Ebner und Seubert. *

Paulus, E. Die Römerstraßen mit besonderer Rücksicht auf das römische Zehentland. Stuttgart 1857. 8°. (Schriften d. Württemb. Alterthums-Vereins. 4.)

—— Schönthal, s. Bossert, Gust.

Paulus, Ed., und Rob. Stieler, aus Schwaben. Schilderungen in Wort und Bild. Die Illustr. in Holzschn. ausgeführt von Ad. Cloß. 8. (296 S.) Stuttgart 887, Bonz und Comp. *M 8.60.; geb. * 10 —

—— Stimmen aus der Wüste. Sonette. 8. (VI, 88 S.) Stuttgart 886, Kröner. *M 2.—.; geb. * 3 —

EDUARD PAULUS, Kurzer Ueberblick über Kunst und Altertum in Württemberg. Festschrift zum 50jährigen Jubiläum des Württembergischen Altertumsvereins. (Mit Tafeln.) Stuttgart 1893. Buchdruckerei Greiner & Pfeiffer. 8°.

— Kurzer Überblick über Kunst und Altertum in Württ. (42 S 7 T) Stuttgart 1893

—— Ludwig Uhland und seine Heimat Tübingen. Eine Studie. Mit Illustr. in eingedr. Holzschn. nach Zeichnungen von Gust. Cloß, in Holz geschn. von Cloß und Ruff. hoch 4. (52 S.) Berlin 869, Grote'sche Verlagsb. cart. * geb. mit Goldschn. *

Paulus, Ed., Ludwig Uhland und seine Heimat Tübingen. hoch 4. Berlin 869. Gera, Griesbach's Verlag. cart.

—— Ludwig Uhland und seine Heimat Tübingen. Jubiläumsausg. gr. 8. (VIII, 48 S. mit 24 Illustr. von Gust. Cloß.) Stuttgart 887, Krabbe. *M 1.50. geb. * 3 —

Paulus, Ed., Wald- und Jagdbilder. Gedichte. 2., stark verm. Aufl. 16. (VIII und 92 S.) Stuttgart 861, Schweizerbart'sche Verlagsbuchh. cart. mit Goldschn. *

1.Aufl.Ebda.1860.

— Wolkenschatten. Neue Lieder u. Sonette. (VIII, 158 S.) kl. 8. Stuttgart 904. A. Bonz & Co. Geb. in Leinw. n. 3. —

Paulus, Ernst Philipp

Paulus, Ernst Phil., christl. Bilderakademie f. die reifere Jugend. Altes Testament mit 14 Kpfrtafeln. I. Lfg. Nebst Taf. I—VII. u. Titelbild. gr. 8. (9¾ B.) Stuttgart 846, Ebner u. Seubert.

Paulus, E. Ph., die wissenschaftl. Bildungsanstalt d. Gebr. Paulus auf d. Salon bei Ludwigsburg. Eine Schilderung der in ihr besteh. Einrichtn. u. d. Lebens d. Zöglinge in ihr. gr. 8. (2½ B. u. 3 Taf.) Stuttgart 841, Ebner u. Seubert. *

Paulus, Ernst Phil., Philipp Matthäus Hahn. Ein Pfarrer aus dem vorigen Jahrhundert nach seinem Leben und Wirken aus seinen Schriften und hinterlassenen Papieren geschildert. 8. (399 S. mit lithogr. Portr.) Stuttgart 858, J. F. Steinkopf.

—, Gebrüder, die Principien d. Unterrichts u. d. Erziehung. Wissenschaftl. untersucht u. beleuchtet. Nebst e. Anh. üb. d. besteh. Einrichtn. d. Anstalt. 2 Hfte. gr. 8. (32⅛ B.) Stuttgart 839, Ebner u. Seubert.

—— die sechs Schöpfungstage. Ein Beitrag zur Förderung wahrer Bildung. gr. 8. (13 B.) Stuttgart 843, Ebner u. Seubert.

Paulus, Ernst Phil.: Sendschreiben an Dr. Schwegler in Tübingen über sein „Wort in der Vischer'schen Angelegenheit". Stuttgart: Beck & Fränkel 1845.

—— Sendschreiben an Hrn. Dr. Schwegler in Tübingen über sein Wort in der Vischer'schen Angelegenheit oder handgreifl. Beweis aus seinem Schriftchen, daß er nicht der Mann ist, in dieser Angelegenheit ein Wort mitzusprechen. gr. 8. (1½ B.) Stuttgart 846, Beck u. Fränkel.

—— Stimme eines Geistlichen geg. die unverholene Proclamation des Unglaubens v. Seiten eines angeblichen Pfarrers im Beobachter v. 28. Jan. 1845. gr. 8. (1 B.) Stuttgart 845, Beck u. Fränkel.

— Stimme eines Geistlichen gegen die unverholene Proclamation des Unglaubens von Seiten eines angeblichen Pfarrers im Beobachter v. 28. Jan. 1845. gr. 8. Ebd. 846. 1¾ ngl

—— die Vorsehung, od. üb. d. Eingreifen Gottes in d. menschl. Leben. gr. 8. (15 B.) Stuttgart 840, Ebner u. Seubert.

Paulus Fr., Dr.: Über eine unmittelbare Bestimmung jeder einzelnen Reaktionskraft eines bedingten Punktsystems für sich aus den Lagrangeschen Gleichungen zweiter Art (mit 4 Textfiguren). S. 119. IIa. 1909 . . . . 1.55
Separatabdruck

Folgen unsittlicher und sittlicher Lebensführung in ihrer Bedeutung für die Volkswohlfahrt. Ein Vortrag von Dr. med. Fr[anz] Paulus, Cannstatt. *Berlin: Verein 'Jugendschutz' 1898.* (31 S.) 8° [Umschlagt. F.]

Paulus, Frz. Klem., Orographie oder mineralog.-geograph. Beschreib. d. Joachimsthaler k. k. Bergamts-Distrikts nebst Suite u. Darstell. d. örtl. Vorkommens aller zu Joachimsthal u. in d. umliegend. Gegend einbrechenden Mineralien. gr. 8. Jena 820. Bran. 1 ℔ 12 gl

Paulus, Friedrich, aus Aachen: Aus d. Kgl. Universitäts-Klinik f. Syphilis u. Hautkrankheiten d. Hrn Geheimr. Prof. Dr. Doutrelepont. Elephantiasis arabum. *Bonn 1903: J. Trapp.* (48 S.) 8°
Bonn, Med. Diss. v. 29. Juli 1903

Paulus, G., die Cernirung v. Metz. Auf Befehl der k. General-Inspection d. Ingenieur-Corps u. der Festgn. unter Benutzg. amtl. Quellen bearb. Mit 2 (chromolith.) Plänen, 1 (lith.) Blatt Profile (Fol. u. gr. Fol.) u. 7 Beilagen. gr. 8. (IV, 304 S.) Berlin 875. Schneider & Co. n. 8. —

Paulus, G., bayerische Kriegsvorbereitungen, Mobilmachung u. Einleitung zum Feldzuge 1809, s.: Darstellungen aus der bayerischen Kriegs- u. Heeresgeschichte.

Paulus, Gerhard. Vielfache Predigten auf alle Sontäg des Jahrs . . . Augsp. u. Grätz 1728. H: *Stöcklein, Joseph.* (so)

— **Gottlieb Christoph** (Marggröningen), De apostolo Paulo. Diss. theol. Präs. Christoph Matthaeus Pfaff. Tübingen (Chr. G. Cotta) 23. XII. 1750. 18 S. (4.—) 25975

Paulus, Gottlieb Friedrich

— **Theophil Friedrich** (Markgröningen), De suffragiis quae electores in collegio principum tum habent tum postulant. Präs. Gottfried Daniel Hoffmann. Tübingen (Bauhof u. Franck) Okt. 1755. 75 S. (6.—) 25976
Widm. v.: Gottfried Daniel Hoffmann.

(Paulus. Heinr. Eberh. Otto.,) † (Magis Amica Veritas,) s. † Veritas.

Paulus, Heinrich Eberhard Gottlob, s. Abdollatiphj.

Paulus, Heinrich Eberhard Gottlob (Hrsg.), s. Abel, Jakob Friedrich: Allgemeine Grundsaetze über das Vertreten der Kirche bey Ständeversammlungen...

Paulus, H. Eb. Glob, exeg. krit. Abhandlungen. 8. Tüb. Heerbrand. 784.

Paulus, Hnr. Eberh. Glo., exeget.-krit. Abhandll. 8. Tübing. 784. (Osiander). 8 gr

Paulus, H. E. G., Actenstücke über den Gebetstreit zu Magdeburg u. über die kirchl. Lehrnorm. Nebst Schrifterklärungen u. Miscellen. gr. 8. (9¼ B.) Darmstadt 842, Leske.
Aus: Neuer Sophronizon etc., besond. abgedruckt.

Paulus, Heinr. Eberh. Gottlob (Hrsg.), s. Anton, Conr. Gottlob: Versuch, die Melodie und Harmonie der alten hebräischen Gesänge und Tonstücke zu entziffern.

— beurtheil. Anzeigen einiger Schriften, welche d. Betragen d. röm.-päpstl. Kirchen-Regiments gegen d. General-Vicariat v. Constanz, gegen d. Großherz. Badische Regierung rc. beleuchten. gr. 8. Heidelb. 818. Winter. 10 gr (Aus d. Heidelberger Jahrb. besond. abgedruckt).

Paulus (Heinrich Eberhard Gottlob). Vorläufige Appellation an das wahrheitwollende Publikum contra des Philosophen Fr. W. Joseph von Schelling Versuch, mittels der Polizei sich unwiderlegbar zu machen. Darmstadt, Leske 1843. 16 S. 8.

Paulus, Heinr. Eberh. Gtlo., aufklär. Beiträge z. Dogmen-, Kirchen- u. Religions-Geschichte. gr. 8. (25½ B.) Bremen 830, Geisler.

Paulus, Heinr. Eberh. Gtlo., † (Magis Amica Veritas,) aufklär. Beiträge z. Dogmen-, Kirchen- u. Religions-Geschichte. Neue, durch 2 Abhandln.: 1. Ueber Ursprung u. Gültigkeit d. Pentateuch. 2. Ueb. d. Chaos, als Fiction, verm. Ausg. gr. 8. (30 B.) Bremen 837, Geisler.

— Beytr. v. jüdischen und christl. Gelehrten zur Verbess. der Bekenner d. jüdisch. Glaubens. gr. 8. Coblenz, Hölscher. 817.
Dass. s. a.: Beiträge ...

— zur Beleuchtung kirchl. wicht. Streitfragen uns. Zeit, s. Magazin, bremisches, 3. Hft.

— zweite strengere Beleuchtung des immer lauter werdenden Principienkampfs zwischen röm. Hierokratie u. teutscher Staatsrechtlichkeit. gr. 8. (18¼ B.) Heidelberg 839, Groos.
Vgl. unt.: Dess., der wieder laut gewordene Principienkampf rc.

— Bemerkungen, den evangelischen Hrn. Bischof zu Magdeburg u. den anglikanischen zu Jerusalem betreffend. Nebst mehreren Lehrberichtigungen. gr. 8. (7¾ B.) Darmstadt 842, Leske.
Aus: Neuer Sophronizon etc., besond. abgedruckt.

— zur Berichtigung der Ehescheidungsgeseze nach biblischen, altröm. u. staatsrechtl. Grundideen. Nebst ein. Zuschrift an den k. preuss. Minister v. Savigny. gr. 8. (10 B.) Darmstadt 843, Leske.

Paulus, H. E. G., Beschreibung des alten Aegyptens. Neue verm. Ausgabe. Nürnb. 793. 8. 12 gr. Ist ein Theil von Danvilles *Handbuch*.

— Beschreibung des alt. Aegyptens, z. d'Anville Handb. der alten Erdbeschreibung. gr. 8. Nürnberg, Schneider. 793.

— Beurtheilung d. sogen. sächs. Actenstücke rc. (Aus d. Heidelberg. Jahrb. abgedr.) gr. 8. Dresd., Arnold. 1 gr

Paulus, H. E. G., philosoph. Beurtheilung der von Wangenheimischen Idee der Staatsverfassung und einiger verwandten Schriften. 8. (Heidelberg, Mohr und W. in Comm.) 817. Rthlr.

— Bibliothek s. Bibliothek v. Anzeigen.

— die anglican. Bischöfflichkeit geschichtl. u. nach ihrem neuesten Anspruch, die teutsch-protestant. evangel.

Kirche zu vervollkommnen beleuchtet. gr. 8. (9½ B.) Darmstadt 842, Leske. Thlr.
Aus: Neuer Sophronizon etc., 3. Bd., besond. abgedruckt.

— Introductionis in N. Test. capita selectiora. 8. maj. Ienae, Göpferdt. 799.

— accuratior Mstorum, quibus versio N. T. Philoxeniana continetur, catalogus, cum quibusdam ad viros eruditos quaestionibus. 8. Helmst. 788.

— philolog. Clavis üb. d. alte Testament f. Schulen u. Akademien. 1r Thl. die Psalmen. gr. 8. Jena 791. Schmid. 1 rthl 8 gr 2r Thl. Jesaias. gr. 8. Ebd. 793. 1 rthl 8 gr

— philolog. Clavis über das Alt. Test. f. Schulen u. Akademien. 1r Th. der Psalmen. gr. 8. Jena, Cuno. (Stahl.) 791.

— — dess. 2r Th. Jesaias. gr. 8. Ebend. 793.

Paulus, H. E. G., philol. Clavis üb. die Psalmen. 2te Aufl. gr. 8. Heidelb. Mohr u. W. 815.

— Wortregister z. philologischen Clavis üb. die Psalmen. gr. 8. Heidelb. 827, Winter.

— comment. crit., exhibens e biblioth. Oxon. Bodleiana specim. versionum pentateuchi sept. arabic. nond. editar. 8maj. Jena 789. (Hennings in Neisse). 8 gr

— comment. theol. potiss. hist. Cerinthi judaeo-christ. ac judaeo-gnostici etc. 8maj. Jena 795. Göpfert. 21 gr 1799 mit folg. n. Tit.: introductionis in N. Test. capita selectiora. 8maj. ibid. 799. (Schmid; Lpz., Taubert). 1 rthl

— compend. grammaticae arab. ad indolem linguae orientalis. 8maj. Jena 790. (Schmid). 12 gr

— compend. grammaticae arab. ad indolem linguae orientalis. 8. maj. Ien. Stahl. (Cröcker.) 790.

— s. Conversations-Saal und Geister-Revue.

Paulus, H. E. G., de custodia ad sepulcrum Jesu disposita. Jen. 1796. 4.

— der Denkglaubige. Eine allgemein-theologische Jahresschrift. 1r Bd. 1e Abthlg. gr. 8. Heidelb. 825, Oswald.

— der Denkglaubige. Eine allgem.-theolog. Jahresschrift. 1. Bd. 2. Abthl. gr. 8. (13¼ B.) Heidelberg 829, [Vereins-Verlag.]
1. Bd. 1. Abthl. Ebendas. 1825. 1 Thlr. 14 Gr.

—— wider die Duellvereine auf Universitäten u. f. Wiederherstellung d. Akadem. Freiheit. Nebst Privat-Notizen u. Betrachtn. üb. d. neuesten Anmaßungen d. Duellvereine auf d. Universität Heidelberg. gr. 8. (5¼ B.) Heidelberg 828, [Vereins-Verlag.]
Aus dem „Sophronizon" besond. abgedruckt.

— Einheit, Geistigkeit Gottes u. Glaube, als allgemein. Grundbegr. d. Christuslehre betrachtet. gr. 8. Lemgo 788. Meyer. 8 gl.

(H. Ebh. Glo. **Paulus**:) Entdeckungen über d. Entdeckungen uns. neuesten Philosophen; e. Panorama in fünftehalb Akten m. e. Nachsp.; v. *Magis Amica Veritas. Brem.*, Geisler. 835. gr 8° 8 gl

—— des Apostels Paulus Ermahnungs-Schreiben an d. Hebräer-Christen, s. Paulus (Apostel).

Paulus, Heinrich Eberhard Gottlob, s. K. L. v. Haller, Sendschreiben.

Paulus, Heinrich Eberhard Gottlob, s. Handbuch d. Erdbeschreib.

— exeget. Handbuch üb. die drei ersten Evangelien. 1r Thl. 1e u. 2e Hälfte. 2r u. 3r Thl. 1e Hälfte Lex.-8. Heidelb. 830, 31. Winter. 10 rf 4 gl

—— exeget. Handbuch üb. d. 3 ersten Evangelien. 3 Thle. (od. 5 Abthln.) Lex.-8. Heidelberg, Winter. [1. 1. 2. (53 B.) 830, 31. 4 Thlr., 2. (41½ B.) 831. 3 Thlr. 20 Gr., 3. 1. 2. (59½ B.) 832, 33. 4 Thlr. 20 Gr.]

—— exeget. Handbuch üb. d. drei ersten Evangelien. Wohlf. Ausg. 3 Bde. (à 4 Lfgn.) Lex.-8. Heidelberg, C. F. Winter. [1. (54¼ B.) 841., 2. (40½ B.), 3. (59⅝ B.) 842. à Lfg. * ½ Thlr.]

— Haupt-Urkunden d. Würtemb. Landes-Verfassung. s. Haupt-Urkunden.

— Haupt-Urkunden d. würtemberg. Landes-Grundverfassung. Mit e. erläut. Sachregister. 4 Abtheill. gr. 8. Heidelb. 816. Oßwald. 3 rf 16 gl

Paulus, H. E. G. (Hrsg.), s. Journal, Neues theologisches.

Paulus, H. E. G., Irenikon od. warum u. wie sind Eltern, Staaten u. Kirchen den Kindern zuvörderst einen selbstverpflichtenden, von Dogmen nicht abhängigen biblisch-urchristl. Religionsunterricht schuldig? Eine Abhandlung zum wahren Frieden zwischen Staaten u. Kirche. gr. 8. (6 B.) Darmstadt 843, Leske. Thlr.

Paulus, H. E. G., de Judaeis Palaestinensibus, Jesu etiam atque apostolis non aramaea dialecto sola, sed graeca quoque aramaizante locutis. I–II. Jen. 1802–3. 4.

—— die protestant.-evangel. unirte Kirche in d. bairischen Pfalz. Eine Samml. v. Actenstücken, mit staatsrechtl., dogmat. u. kirchenrechtl. Beleuchtn. d. Hrsgeb. z. neuesten Gesch. d. Betragens myst. Symbolisten geg. d. protestant. Evangelismus. gr. 8. (27¼ B.) Heidelberg 840, C. F. Winter.

— Kirchenbeleuchtungen. Oder Andeutungen, den gegenwärtigen Standpunkt d. röm. päpstlichen, kathol. u. evangel.-protestant. Kirchen richtiger kennen zu lernen u. zu beurtheilen. 1s u. 2s Heft. gr. 8. Heidelb. 827, Groos. à 1 Rthl.

— Kirchenbeleuchtungen. Oder Andeutungen, den gegenwärtigen Standpunkt d. röm.-päpstl., kathol. u. evangel.-protestant. Kirchen richtiger kennen zu lernen u. zu beurtheilen. 1s u. 2s Heft. gr. 8. Heidelb. 827, 28. Groos. 2 rf

— philolog.-krit. Commentar üb. das neue Testament. 4 Thle. (1r–3r Thl. Auch u. d. T.: Commentar über die 3 ersten Evangelien. 3 Thle. 4r Thl. A. u. d. T.: üb. d. Evangelium d. Johannes. 1e Hälfte). gr. 8. Lübeck 800–805. 2 rf 16 gl 2e Aufl. gr. 8. Leipz. 812 Barth. 9 rf Zusätze u. verbess. Anmerkk. zu den 3 ersten Theilen d. Comment. gr. 8. Lübeck 808. Leipz. 812 Barth. 2 rf

— philolog. krit. Commentar über d. N. Testam. 4 Thle. (I. II. III. auch unt. dem Tit. Commentar über die 3 ersten Evangelien, 3 Thle. IV. 1. unt. d. Tit. über das Evangelium d. Johannes 1e Hälfte.) gr. 8. Lubeck, Bohn. (Niemann u. K.) 804–5. (I. 3 Rthlr. 8 gr. II. 3 Rthlr. III. 3 Rthlr. 8 gr. IV. 1. u. 2. à 2 Rthlr.)

Paulus, H. E. G., Philologisch-kritisch-historischer Commentar über das N. T. Lübeck 800-5. 4 Th. 8. Neue Ausgabe Th. I. 804. 3 rthlr. 8 gr. II. 805. 3 rthlr. III. 3 rthl. 8 gr. IV. Abth. 1. 8. 2 rthlr.

Paulus, H. E. G., Zusätze u. verbess. Anmerkungen zur ersten Aufl. des Commentars. gr. 8. Leipz. Barth. 808. Rthlr.

— Zusätze und verbessernde Aenderungen aus der zweiten Ausgabe der drei ersten Theile des Commentars über das N. T. Lübeck 808. 8. 2 rthlr. 12 gr.

Paulus, (H. E. G.,) theologisch-exeget. Conservatorium od. Auswahl aufbewahrungswerther Aufsätze rc. 1e Liefer. A. u. d. T.: Entstehungsart d. drei ersten kanon. u. mehrer apokryphischen Evangelien 822. 1 Rthl. 4 gr. 2te Lieferung. — Auch u. d. Tit.: üb. den Ursprung d. althebräischen Literatur durch Samuels Geist u. s. Prophetenschulen, nebst Bemerkk. über den Propheten-Begriff, üb. die Bücher von Josua u. den Suffeten. gr. 8. Heidelb. 822, Oßwald.

—— das Leben Jesu, als Grundlage e. reinen Geschichte d. Urchristenthums. Dargestellt durch e. allgemeinverständl. Geschichterzählung üb. alle Abschnitte d. 4 Evangelien u. e. wortgetreue, durch Zwischensätze erklärte Uebersetz. des nach d. Zeitfolge u. synopt.-geordn. Textes ders. 2 Thle. (od. 4 Abthln.) gr. 8. Heidelberg 828, Winter. 8 Thlr. 18 Gr., Ldnp.
Thl. I. Abthl. 1. Geschichtserzählung d. 150 ersten Abschn. (28½ B.) 2 Thlr. 18 Gr.
" 2. Geschichtserzähl. d. 85 letzten Abschn. (22 B.) 2 Thlr. 12 Gr.
" 2. " 1., 2. Der Text-Uebersetzung, 2 Abthln. [1. (15¼ B.), 2. (16 B.) à 1 Thlr. 18 Gr.] 3 Thlr. 12 Gr.

— Lebens- u. Todesstunden üb. Jh. Hnr. Voß. Am Begräbnißtage gesammelt f. Freunde. gr. 8. Heidelb. 826. Winter. 16 gl Postp. 1 rf

—— die drey Lehrbriefe d. Johannes. Wortgetreu mit erläut. Zwischensätzen übers., u. nach philolog.-notiolog. Methode erklärt. Mit exeget.-kirchenhistor. Nachweisungen üb. e. sittenverderbl., magisch-parthische Gnosis, gegen welche diese Briefe warnen. Lex.-8. (19 B.) Heidelberg 829, Winter.
Dass. s. a.: Johannes.

—— des Apost. Paulus Lehr-Briefe an d. Galater- u. Römer-Christen, s. Paulus (Apostel).

—— über theolog. Lehrfreiheit u. Lehrerwahl f. Hochschulen. An alle die, welche im freien Kanton Zürich auch e. freisinn. Auswärtigen gewissenhaft geprüfte Ueberzeugungen gerne prüfen wollen. gr. 8. (2½ B.) Zürich 839, Orell, Füßli u. Comp.

— meletem. ad hist. dogm. de resurrectione mortuorum. gr. 8. Ienae, Acad. Buchh.) 796.

— Meletemata ad historiam dogmatis de resurrectione mortuorum. 8maj. Jena 796. (Hennings in Neisse). 8 gl

— Memorabilien, eine philos.-theol. Zeitschr., d. Gesch. und Philosophie der Relig. 8 Stck. gr. 8. Leipz. Crusius. (F. C. W. Vogel.) 791—96. (à 12 gr.)

— über einige Merkwürdigkeiten der herzogl. Bibliothek zu Gotha. gr. 8. Jena, Akadem. Buchhandlung. 787.

— üb. einige Merkwürdigkt. d. Herzogl. Bibliothek zu Gotha. gr. 8. Jena. 787. (Hennings in Neisse). 3 gl

Paulus, Heinrich Eberhard Gottlob, s. J. D. Michaelis: zerstr. Schriften.

Paulus, Dr. H. E. G. (der bekannte Theologe, 1761—1851), die *jüdische Nationalabsonderung* nach Ursprung, Folgen u. Besserungsmitteln. Oder über Pflichten, Rechte u. Verordnungen zur Verbesserung der jüdischen Schutzbürgerschaft in Teutschland. Allen teutschen Staatsregierungen u. landständischen Versammlungen zur Erwägung gewidmet. (Sep.-Abdr. aus dem „Sophronizon".) Heidelberg, C. F. Winter, 1831. 8°. Einige Bll. braunfl.
1 Bl. u. 149 S. — Gegen die Gleichstellung der Juden.

— observationes ad vaticinia Jesaiae. 4. Tübing. 781.

— Oratio academ., Mosen primum libertatis de publicis rebus publice secundum animi pie commoti sensa loq. assert. rel. sistens. 4maj. Heidelb. 815. Winter. 5 gl

— Orationes academ., quarum altera notio genuina orthodoxiae etc. expon. 8. maj. Ienae, Goepferdt. 799.

— orationes academ., quarum altera notio genuina orthodoxiae etc. expon. 8maj. Jena 799. (Schmid). 6 gl (Central-Comt. in Leipz.) 8 gl (a. Taubert das.) 6 gl

Die endlich offenbar gewordene positive Philos. d. Offenbar., od. Entstehungsgesch., wörtl. Text, Beurtheil. u. Berichtig. der v. Schelling'schen Entdeckungen üb. Philos. überhaupt, Mythol. u. Offenbar. d. dogmat. Christenthums im Berliner Wintercursus von 1841–42; d. allgem. Prüf. vorgelegt v. H. Ebh. Glo. Paulus. *Darmst.*, Leske. 843. gr8° 1 ß 12 gl

—— über d. Principien der Preßfreiheits-Gesetzgebung, als Rechtsschutz f. d. Wahrheitsfreiheit. Zeiterwägende Bemerkn. u. Vorschläge prakt. u. rechtl. Inhalts. gr. 8. (6¼ B.) Heidelberg 831, Winter.

—— der wieder laut geword. Principienkampf zwischen röm. Hierarchie u. teutscher Staatsrechtlichkeit. Nebst unpartheil. Gedanken wie d. Streit aus d. Wurzel geheilt werden könnte. gr. 8. (16½ B.) Heidelberg 838, Groos.
Vgl. oben: Dess., zweite strengere Beleuchtung.

— Privatgutachten üb. d. aufgegebene Frage: Kann ein deutscher Regent, wenn er röm.-katholisch wird, eine Pflicht od. ein Recht haben, auf eine evangel.-protestant. Kirche unmittelbar u. persönlich, als Souverain oder als obrister Bischoff zu wirken? gr. 8. Dessau 827, Ackermann.

— geschichtl. u. rechtl. Prüfung d. Jubeljahr-Ablasses, enthaltend zwei Jubeljahrs- u. Ablaß-Bullen von d. Papst Benedikt XIV. u. Leo XII. etc. gr. 8. Heidelb. 825. Groos. 18 gl

—— zur Rechtfertigung der Deutschkatholischen gegen Klagen Römischgläubiger. Eine histor. u. staatsrechtliche Beleuchtung. gr. 8. (22 B.) Karlsruhe 846, Macldt.

—— einfache Rechts- u. Verstandes-Ansichten üb. den Rechtsstreit wegen d. Erbfähigkeit der v. J. Fr. Städel zu Frankfurt a. M. d. 15. März 1815 gestift. Kunstanstalt. gr. 8. (7 B.) Heidelberg 827, [Vereins-Verlag.]
Aus dem „Sophronizon" besond. abgedruckt.

— einfache Rechts- u. Verstandes-Ansichten üb. den Recht-streit wegen d. Erbfähigkeit der v. J. Fr. Städel zu Frankf. a. M. den 15. März 1815 gestifteten Kunstanstalt. (Aus Sophronizon abgedruckt). gr. 8. Heidelb. 828. Oßwald. 10 gl

Paulus, Heinr. Ebhrd. Glo.: Rechtserforschungen f. Juristen u. Nicht-Juristen 1s—3s Hft. *Heidelb.*, Groos. 824. 25. 8. (à 18 Gr.) — 3s Hft. a. u. d. T.: Geschichtl. u. rechtl. Prüfung des Jubeljahr-Ablasses. Nebst Auszug aus des selig. E. Bertlings Unterricht vom Päbstl. Jubeljahre u. Ablass u. s. w. 825. (18 Gr.)

— neues Repertorium f. bibl. und morgenländ. Literatur. 3 Thle. gr. 8. Jena, Cuno. (Stahl.) 790. 91.

— neues Repertorium f. bibl. u. morgenländ. Literatur. 3 Thle. gr. 8. Jena 790. 91. (Schmid). 3 ß 12 gl

—— berichtigende Resultate aus d. neuesten Versuche des Supernaturalismus geg. den biblisch christl. Rationalismus. Oder zeitgemäße Beleucht. d. Streits zwischen d. Eingebungsglauben u. d. urchristl. Denkglaubigkeit. gr. 8. (26½ B.) Wiesbaden 830, Schellenberg.

— die Heidelberger akad. Säkularfeier d. Reformation, 1) Gedächtnißrede: Luther als Wiederhersteller d. religiösen u. wissenschaftl. Geistes u. Lebens. II) Samml. aller auf Luthers Anwesenheit zu Heidelberg sich beziehenden alten Urkunden u. Nachrichten etc. (A. u. d. T.: Auch zu Heidelberg war Dr. M. Luther. 16 gl) gr. 8. Heidelb. 817. Oßwald. 1 ß 8 gl

— — die letztere Schrift: Auch zu Heidelberg war Dr. M. Luther, einzeln

— Sammlung von Reisen in dem Orient, s. Sammlung.

Paulus, (H. E. G.,) histor.-polit. Schilderungen u. Denkzeichen f. Forscher u. Liebhaber. 18 Bdchen. A. u. d. Tit.: Histor.-polit. Blicke auf mancherlei Wirkungen d. absol.-monarch. Princips in vormal. Frankreich. Mit d. Bildniß d. Verf. gr. 8. Heidelb. 823, Groos. Rthlr.

Paulus, Heinrich Eberhard Gottlob, s. Chr. Fr. Schnurrer orationum.

Paulus, Heinrich Eberhard Gottlob, s. G. F. Seiler: Lesebuch.

Sendschreiben an Karl Gutzkow. Von einem Freunde der Wahrheit (d. i. *Heinr. Eberh. Gottlob Paulus*). Mannheim, bei Heinrich Hoff. 1836. 8°. 22 S.
Anon.-Lex. IV. p. 71 (nach Proelss, Das junge Deutschland. Stuttg. 1892.).

Paulus, H. E. G., Pharisaeorum de resurrectione sententia ex tribus Josephi locis explicata. Jen. 1796. 4.

Paulus, Hnr. Eberh. Glo., zur Sicherung meiner Ehre. Aktenstücke als Manuscript für Freunde u. unpartheiische Beurtheiler. 8. Heidelberg. 819. Groos. 10 gl

Paulus, Hnr. Eberh. Glo., Skizzen aus meiner Bildungs- u. Lebensgeschichte, z. Andenken an mein 50jähr. Jubiläum. Mit viel. d. Zeitgeist charakterisir. Zuschriften v. d. Univers. Tübingen, von 16 Facultäten, von der Stadt Heidelberg u. von 12 Diöcesen aus der Baierischen Pfalz. Mit 1 Musikbeil. gr. 8. Heidelberg 839. Groos. 1 ß

—— Sophronizon, s. Sophronizon.

— Sophronizon, oder unpartheyisch freymüth. Beyträge zur neuern Geschichte, Gesetzgebung und Statistik der Staaten und Kirchen. 1r u. 2r Bd. à 4 Hefte und 3r Bd. 1s Heft. gr. 8. Frankfurt a. M., Wilmanns. 819 u. 821. (1s 2s à 18 Gr. 3s 1 Rthlr. 4s — 9s à 18 Gr.)

— Sophronizon oder unpartheiisch-freimüthige Beiträge zur neuern Geschichte, Statistik u. Gesetzgebung der Staaten u. Kirchen. 3r Bd. 2s — 4s Heft. gr. 8. Frankfurt 822, Fr. Wilmans. à 18 gr.

— dess. 4r Jahrg. od. 4r Bd. 1s—4s Heft. gr. 8. Heidelb. 822, Oßwald. à 20 gr.

— Ergänzungsheft z. J. 1822. Eb.

— dess. 5r Jahrg. 6 Stücke. 5 Rthl. 8 gr. 6r Jahrg. 6 Stücke. 5 Rthl. 2 gr. 7r Jahrg. 1825. 8 Stücke. 5 Rthl. 8r u. 9r Jahrg. 1826 u. 27. à 6 Stücke. à 5 Rthl. gr. 8. Heidelb. Oßwald.

— neuer Sophronizon, oder Reflexionen u. Miscellen über wissenschaftliche, kirchliche u. allgemeinere Zeiterscheinungen u. Denkaufgaben. 1. Bd. 3 Mittheilungen. (Mit Intelligenzblatt.) u. 2. 3. Bd. à 3 Abthl. gr. 8. Darmstadt 841, 42, Leske. à Bd. n. $2^1/_2$ ß

Paulus, Heinrich Eberhard Gottlob, s. Spinoza: Opera.

Paulus, Heinrich Eberhard Gottlob, s. L. T. v. Spittler: Geschichte d. Papstthums.

Paulus, Dr. H. E. G. (geh. Kirchenrath), beurtheilende Uebersicht der über die Ansprüche der Frankfurter Judenschaft auf das dortige Bürgerrecht kurzlich erschienenen Hauptschriften. Heidelberg, bey Mohr u. Winter, 1817. 8°. Cart.
Resensions-Abdr. aus d. Heidelb. Jahrbüchern d. Lit. no. 33/35 (= S. 513—560).

— Ursprung der althebräischen Literatur durch Samuels Geist u. seine Prophetenschulen. Nebst Bemerkk. üb. das älteste Sprachfreiheitswesen ꝛc. gr. 8. Heidelb. 823, Oßwald.

PAULUS, Heinr. Ebhrd. Glo.: Des Grossherzogl. Badisch. Hofgerichts zu Mannheim vollständig motivirtes Urtheil üb. die in dem Roman: Wally, die Zweiflerin, angeklagten Pressvergehen, nebst zwei rechtfertigenden Beilagen u. dem Epilog des Herausgeb. Actenstücke u. Bemerkgn. *Heidelb.*, Groos. 836. gr. 8. (16 Gr.)

— Versio Iesaiae arabica. II Tini. 8. maj. Ienae, Stahl. 790.

Paulus, Heinrich Eberhard Gottlob, s. Volney: Reise nach Syrien.

— motivirtes Votum über die wegen eines Altenburg. Consistorial-Rescripts zwischen bibl. Rationalismus, Pietismus u. Separatismus entstandene Streitigkeiten. Nebst e. Friedensantrag: wie — durch Erhebung der christl. Pflichtenlehre über das Dogmatische — aller Dogmenstreit gehoben werden könnte und sollte! gr. 8. Mannheim 839. Hoff. $\frac{5}{6}$ ß

— Warnung v. mögl. Justizmorden, durch rechtl. u. allgem. verständl. Beleuchtung d. Fonk-Hamacherschen Cause celebre. 1s—3s Heft. (Ist: Sophronizon 5r Bd.) gr. 8. Heidelb. 822—23, Oßwald.

Paulus, H. E. G.: Warnung vor möglichen Justizmorden durch rechtliche u. allgemein verständliche Beleuchtung der Fonkisch-Hamacherischen cause célèbre. Um eine staatsoberaufsichtl. Superrevision in den Vorbereitungen der beiden Urtheile, auch zugleich wesentl. Verbesserungen im Untersuchungsprozeß u. dem Geschwornengericht selbst . . . drängend zu motiviren. H. [1]—3. Heidelberg 1823.

Paulus, Hermann, aus München: Hadschi Vesvese, ein Vortrag des türkischen Meddah's Nayif Efendi, nach dem Original in armenischen Lettern lateinisch umschrieben, zum erstenmal ins Deutsche übertragen und mit Anmerkungen herausgegeben. Erlangen 1905: E. Th. Jacob. (XXIII, 67 S.) 8°
Erlangen, Phil. Fak., Ref. Jacob, Diss. v. 28. Febr. 1905
[Geb. 16. Aug. 75 München; Staatsangeh.: Bayern; Vorbildung: Max-Gymn. München Reife 96; Studium: München 9, Grenoble 1, Berlin 4, Erlangen 3 S.; Rig. 28. Febr. 05.]

Paulus, Herm., Hadschi Vesvese, e. Vortrag des türkischen Meddah's Nayif Efendi, nach dem Original in armen. Lettern lateinisch umschrieben, zum erstenmal in's Deutsche übertragen u. m. Anmerkgn. hrsg. (Diss.) (XXIII, 67 S.) gr. 8. Erlangen 905. M. Mencke. n. 1.20

Paulus, Hugo, a. Speyer a. Rh.: Die Gottesbeweise Eduard von Hartmanns, deren Darlegung und Kritik. Würzburg 1907: P. Scheiner. (163 S.) 8°
Würzburg, Phil. Fak., Ref. Stölzle, Diss. v. 30. Sept. 1907
[Geb. 19. April 78 Speyer; Wohnort: Kissingen; Staatsangeh.: Bayern; Vorbildung: Gymn. Würzburg Reife Juli 97; Studium: Würzburg 10 S.; Rig. 8. März 06.]

Paulus, J., Barabbas,
— Herodias,
— die Hochzeit zu Kana,
— der Jüngling zu Nain,
} s.: Jugend- u. Volksbibliothek, deutsche.

Paulus, J., der Brand von Rom,
— aus Nacht zum Licht,
} s.: Jugend- u. Volksbibliothek, deutsche.

Paulus, J., Judas der Galiläer, } s.: Jugend- u. Volksbibliothek, deutsche.

Paulus, J., das heilige Land nach eigener Anschauung, s. Jugend- und Volks-Bibliothek, neue illustrirte.

Paulus J, das heilige Land. Nach eigener Anschauung. (Neue illustrierte Volksbibliothek II, 4) Stuttgart 1876

—— dass. — s. Volks-Bibliothek, neue illustrirte.

Paulus, J.: Maria, s. Jugend- u. Volksbibliothek, Deutsche.

Paulus, J. Perpetua, s. Jugend- u. Volksbibliothek, deutsche.

Paulus, J.,
— Viktoria,
} s.: Jugend- u. Volksbibliothek, deutsche.

—— Zoraide, s. Jugend- und Volks-Bibliothek, deutsche.

Paulus, J. C. G., u. K. Mannert, allgem. Lesebuch zum Gebrauch in protestant. Stadt- und Landschulen. 8. Bamberg, Göbhard. 810. Rthlr.

Paulus, Immanuel

Paulus, Imman., Antwort auf Prof. Vischer's Vertheidigung seiner Inaugural-Rede. Zur Aufklärung für das christl. Volk. gr. 8. (2 B.) Stuttgart 845, Beck u. Fränkel.

—— die moderne Philosophie u. die Persönlichkeit Gottes. Eine Kritik der Gottes-Lehre der modernen Philosophie u. ihrer Angriffe auf das christl. Dogma. gr. 8. (17¼ B.) Stuttgart 842, Ebner u. Seubert. *

Paulus, Imman., griechische Syntax. (Als Mscr. gedr.) gr. 8. (48 S.) Ludwigsburg 857, (Balmer und Riehm.) *

Paulus, Johannes [Pseud.], s. Ortlepp, Ernst

— an Gottes Hand. Gelegenheits-Gedichte. (117 S.) kl. 8. Frankfurt a/M. (905). (Neumünster, Vereinsbuchh. G. Ihloff & Co.) n. —50; geb. in Leinw. n. 1.—

Paulus, Joh., Leben des Musikus Robert Kületes; Text zu einer noch unkomponirten Oper; in den Pausen des Concerts zu lesen, u. für zarte Seelen geschrieben. 8. Leipz. 823, Kollmann. 18 gr.

Paulus, Johs., wie finde ich Frieden? (16 S.) 8. Frankfurt a/M. (906). (Darmstadt, C. F. Winter'sche Buchdr.) n.n. —10

Paulus, Johs., sein Wort, mein Hort! Gedichte. 12. (160 S.) Frankfurt a/M. (902). (Bonn, J. Schergens.) Geb. in Leinw. n. 1. 20

Paulus, Johann Konrad

—Geschichte d. Möllenbecker Klosters v. s. Stiftung bis auf gegenwärt. Zeiten. 8. Rinteln 784. ... 14 gr.

Paulus, J. Conr., Gesch. des Möllenbecker Klosters. 8. Cassel, Cramer. 784.

—Nachr. von allen Hessen-Schaumburg. Superintendenten, Kirchen u. d. Predigern. 8. Rinteln 786. ... 16 gr.

Paulus, Jh. Konr., († d. 23. Febr. 1860.) v. Surrogat d. Hand- u. Spanndienste; e. gekr. Preisschr., hrsgg. v. J. F. Runde. 8. Cassel 775. (Hahn in Hannov.) 10 gr.

(Paulus, Johann Conrad und Wagner, Johann Peter): „Vom Surrogat der Hand- und Spanndienste. Zwo Abhandlungen, herausgegeben von Justus Friedrich Runde, nebst einer Vorrede desselben", (Preisschriften), Cassel 1775 (Schmidt). — Vorh.: Bibl. des Oberlandesgerichts Celle — Md. 627.

(Paulus J. C. u. Wagner J. P.): Vom Surrogat d. Hand- u. Spanndienste. 2 Abhandlungen. Nebst e. Vorr. herausg. v. J. F. Runde. Cassel 1775. (52) 152 S.

—Widerlegung d. Anmerkk., welche ein gewisser G. C. B. üb. dieselbe hat drucken lassen.. 8. Rinteln 776.

Paulus, Julius. Kondensationen von o-Methoxymandelsäurenitril mit Phenolen. Beitrag zur Kenntnis des 3, 4, 3', 4'-Tetraminodiphenyls. Diss. Math.-Naturw. Freiburg, Schweiz. 92 S. 8. Freiburg ⟨Schweiz⟩, St.-Paulus-Druckerei, 1909.

Paulus [Julius], Libri quinque sententiarum, s. Collectio librorum juris anteiustiniani.

Julii Pauli sententiar. receptar. ad filium libri V. ex breviario Alariciano; in us. prael. ed., cum. edit. princ. contulit, ind. editt. omnium corporis jur. civ. fontium adj. Gst. Hugo. *Berl.*, Mylius. 795. 8. (12 Gr.)

Paulli, Iul., Receptarum sententiarum ad filium libri quinque cum interpretatione Visigotthorum. Recogn., annotatione indicibusque instr. Lud. Arndts. Adjecit scripturae variet. ex codd. Mss. Gust. Haenelius. 12maj. (12⅙ B.) Bonnae 833, Marcus.

Paulus, C(amill): Welt- und Ordensklerus beim Ausgange des XIII. Jahrhunderts im Kampfe um die Pfarr-Rechte. *Essen-Ruhr: Fredebeul & Koenen in Comm. 1900.* (85 S.) 8° Göttingen, Phil. Diss. v. [13. Dez.] 1900

Paulus, Karl

Paulus, K., Darstellung einig. Hauptmomente aus d. Heilkunde z. Bildung prakt. Aerzte. gr. 8. Stuttg. Steinkopf. 811.

— s. J. Moultrie, üb. das gelbe Fieber.

Paulus, Carl, allgemein verständl. guter Rath, wie man sich zu Vermeidung der Cholera Morbus zu verhalten habe. Nebst Winken f. d. Selbst-Hülfe bei krankhaft. Zufällen, bis e. Arzt herbeikommt od. fremde Hülfe geleistet werden kann. 8. (3 B.) Stuttgart 831, Metzler.

Paulus, Carl: Die einzige Ursache der Hundswuth und die Mittel dies Übel ganz auszurotten. Rinteln 1798. 77 S.

Paulus, Karl i., die einzige Ursache der Hundswuth, u. die Mittel, das Uebel ganz auszurotten. 8. Rinteln 799. (Lemgo, Meyer). 5 gr.

Paulus, Karl H., Versuch e. Gesundheits-Erhaltungs-Lehre. 8. Bamb. 804. (Wesché in Frankf.) 16 gr.

Paulus, Carl Christian Ludwig (Schorndorf/Württemberg), Observationem febris nervosae inflammatoriae. Diss. med. Jena (Goepferdt) 11. II. 1797. 34 S. (4.—) 25971

Paulus, Karl Heinrich Erh.

Paulus, Carl Heinr. Er., zeitgemäße Darstellung üb. d. Nothwendigkeit e. Verbesserung d. Luther. Glaubenslehre f. den Zweck d. Besser-Werden-Könnens in Staat u. Kirche. gr. 8. (8¼ B.) Göppingen 831, Gauß. (Leipzig, Herbig.) Thlr.

Paulus, C. H. E., Gebete und geistige Unterhaltungen, s. d. Gebete.

Paulus, Carl Heinr. Er., Gebete u. geistl. Unterhaltungen; nebst e. Anh. üb. Onken'sche Wiedertaufe im Nekar-Flusse bei Cannstadt. 8. (9 B.) Ulm 839, 40. (Leipzig, Klinkhardt.)

— Grundzüge wahrer Staats- und Religionslehre, in besondern Materien beleuchtet. gr. 12. Blaubeuren 837. Mangold. 5 ngr

—— über d. Neue Theologie, Homöopathie, Sonnenbau u. Landes-Verschönerung. 8. (4½ B.) Blaubeuren 837, Mangold'sche Buchh. *

— über die Neue Theologie, Homöopathie, Sonnenbau und Landes-Verschönerung. 8. Blaubeur. 837. (Stuttg., Neff.) n. 3 ngr

K. H. Erh. Paulus üb. d. Unsterblichkeit des Menschen u. den Zustand d. Lebens nach d. Tode, auf d. Grund d. Vernunft u. göttl. Offenbar. *Stuttg.*, Löflund u. S. (j. Beck u. Fränkel.) (...) 2e vm. u. vb. A. 831. gr 8° 14 gl

Paulus, K. H. E., Vers. über die Beschaffenheit e. wohleingeр. Staats. 8. Tübing, Heerbrand. 791.

Paulus, Karl Hnr. Er., Versuch üb. die Beschaffenheit eines wohleingerichteten Staats. 8. Tübing. 791. (Osiander). 8 gl

Paulus, Karl J.

Paulus, Karl: Das landwirtsch. [!] Unterrichtswesen in Württemberg. Eßlingen: S. Mayer [1907]. (VIII, 311 S., 1 Tab.) 8°
Tübingen, Staatsw. Fak., Ref. v. Leemann, Diss. v. 7. Nov. 1907
(Nur in beschränkter Anzahl für den Austausch)
[Geb. 1. Febr. 81 Cleversulzbach, O.-A. Neckarsulm; Wohnort: Kilchberg; Staatsangeh.: Württemberg; Vorbildung: Karls-Gymn. Stuttgart; Studium: Landw. Hochsch. Hohenheim 5. Univ. Tübingen 3 S.; Rig. 5. Juli 06.]

Das landwirtsch. Unterrichtswesen in Württemberg; zugleich e. Beitrag z. Geschichte d. landw. Unterr. Wesens überhaupt von Dr. K. J. **Paulus**, Landw. Lehrer. Eßlingen: S. Mayer (1907). (VIII, 311 S.) 8° [J.] 1.8. 1908

Paulus, K. J., das landwirtsch. Unterrichtswesen in Württemberg, zugleich e. Beitrag zur Geschichte des landwirtsch. Unterrichtswesens überhaupt. (VIII, 311 S. m. 1 Tab.) gr. 8. Eßlingen 908. S. Mayer. 5.50

Paulus, Karoline, s.a. H o l b e r g , Eleutherie.

Paulus, Karoline, Adolph u. Virginie, od. Liebe u. Kunst. 8. Nürnb. 811. Schrag.

Paulus, (Carol.) Erzähll. 8. Heidelb. 823, Oßwald.

— dass. Neue Aufl. unter d. T.: Aus Scherz kann Ernst werden. — Der Ring. — Die Zauberin. Drei Erzähll. 8. Heidelb. 825, Oßwald.

— Natalie Percy; e. Novelle nach d. Französ. bearb. u. Voltaire's Semiramis; in Jamben übers. v. A. Reindl. 8. Nürnb. 811. Schrag. 1 ꝑ 6 gl Velinp. 1 ꝑ 16 gl

Paulus, Karol., s. Voltaire, Semiramis.

Paulus, Kurt, Kammergerichts-Ref.: Die **Begründung** eines Reservatrechtes Bayerns auf einen eigenen, obersten Militärgerichtshof. *Berlin: E. Hofmann & Co. in Komm. 1899.* (68 S.) 8°
Rostock, Jur. Diss. v. [20. Dez.] 1899

Paulus, Kurt Rudolf, Referendar: Wie ist das Mehrakzept wechselrechtlich zu beurteilen? Leipzig: Wigand 1909. 77 S. 8°
Leipzig, Jur. Diss. v. 14. Dez. 1909
[Geb. 19. Nov. 83 Plauen i. V.; Wohnort: Dresden; Staatsangeh.: Sachsen; Vorbildung: Gymn. Plauen Reife O. 03; Studium: Grenoble 1, Brüssel 1, Heidelberg 1, Berlin 2, Leipzig 4 S.; Rig. 22. Juni 07.]

Paulus, Matthias [Rhenanus]: De Decimo Iunio Bruto Albino.... Monasterii Guestfalorum, ex typogr. Coppenrathiana, 1889; 2 Bl. + 58 S. + 2 Bl. 8°
Münster, Phil. Fak., Inaug.-Diss. v. [7. März] 1889

Paulus, [Matthias]: Nachtrag XIII [zu dem 1882 erschienenen Kataloge der Bibliothek der Anstalt]. *Köln 1898: J. P. Bachem.* (23—25 S.) 4° ¶ [Nachtrag I—XII: P-Beilagen 1886—1897.]
Köln, st. G u. RG in d. Kreuzgasse, P 1898 (455)

Paulus, (Matth[ias]): Das Weihefest der Anstalt. Siegburg (1910): Daemisch. S. 9—22. 4°
Siegburg, k. G m. R i. E. P 1910 (637)

Paulus, N., Handbüchlein für Impfärzte, zur Beobachtung und Behandlung aller Gegenstände ihres Berufsgeschäftes. Mit vorzügl. Rücksicht auf die neueren Erfahrungen über die Menschenblattern u. Kuhpocken, die Vaccination u. Revaccination. gr. 8. Stuttgart 840. Metzler. 5/12 ꝑ

Paulus N.: Handbüchlein f. Impfärzte, z. Beobachtung u. Behandlung aller Gegenstände ihres Berufsgeschäftes ... Stuttg. 1840. 82 S.

Paulus, N., Hausbuch für Gesundheits- u. Krankheitspflege, oder allgem. verständl. Anleit. zur Erreichung eines gesunden u. langen Lebens durch eine vernünftige Bewahrung der Gesundheit u. vereinfachte Behandlung der Krankheiten; nebst e. Abhandl. über Hausmittel u. Benutzung des Wassers zu Trink-, Wasch- u. Bade-Kuren. gr. 8. (14 B.) Stuttgart 843, Metzler'sche Buchh. —

—— Taschen-Wörterbuch der materia medica. Unter geeigneter Berücksichtig. auch der in neuerer Zeit empfohl. Arzneimittel, vorzügl. z. Gebrauch f. prakt. Aerzte bearbeitet. 2 Abtheil. 16. (... B.) Stuttgart 842, Metzler'sche Buchh.

Paulus, Nicolas: A n l e i t u n g , wie die Landleute ihre Wirthschaften zu betreiben haben, um nicht zu verschulden. Luxemburg: Pet. Brück 1886. 162, 2 S. 8°

Paulus, Nicolas, Anleitung, wie die Landleute ihre Wirthschaften zu betreiben haben, um nicht zu verschulden. 8. (163 S.) Luxemburg 887, Brück. * 2 —

Paulus, Nicolas. Die Befruchtung des Bodens, nach den neuesten Forschungen gesammelt u. bearb. 8. (50 S.) Luxemb. 890, Brück. * — 50

Paulus, Nicolas: Die H a u s f r a u und ihr Wirkungskreis. Luxemburg: Breithof und Nimax 1893. 107, 2 S. 8°

Paulus, Nicolas: Der praktische L a n d w i r t h . Luxemburg: Pet. Brück 1886. 268, 2 S. 8°

—— der praktische Landwirth. 8. (III, 268 S.) Ebendas. 887. * 2 —

Paulus, Nicolas: N u t z e n der landwirtschaftlichen Conferenzen. Luxemburg: J. P. Nimax 1895. 110 S. 8°

Paulus, Nicolas: Naturgeschichtliche U n t e r h a l t u n g e n mit besonderer Berücksichtigung der Landwirtschaft zum Nutzen der Jugend. Luxemburg: Breithof und Nimax 1894. 323, 4 S. 8°

Paulus, Nikolaus

Paulus, Nic., der Augustiner Bartholomäus Arnoldi v. Usingen, Luthers Lehrer u. Gegner, s.: Studien, Strassburger theologische.

Die deutschen Dominikaner im Kampfe gegen Luther (1518—1563). Von Dr. N i k o l a u s **Paulus**. *Freiburg i. Br.: Herder 1903.* (XIV, 335 S.) 8° [J.]
= **Erläuterungen** u. Ergänzungen zu Janssens Geschichte d. deutschen Volkes. Bd 4, H. 1. 2.

Paulus, Nicolaus. Hexenwahn und Hexenprozess, vornehmlich im 16. Jahrhundert. Von Nikolaus P. VIII + 283 S. 8. Freiburg im Breisgau, Herder, 1910. [M. 3. 40, geb. 4. —]

Paulus, Nik. Der Augustinermönch Johannes Hoffmeister. Ein Lebensbild aus der Reformationszeit. 8. (XX, 444 S.) Freib. i. Br. 891, Herder. * 4 —

[F.] Ein Justizmord an vier Dominikanern begangen. Aktenmäss. Revision des Berner Jetzerprozesses v. J. 1509. Von Dr N[icolaus] Paulus. *Frankfurt a. M: P. Kreuer 1897* (42 S.) 8.
= Broschüren, Frankfurter zeitgemässe. N. F. Bd 18. H. 3.

[F.] Luthers Lebensende. E krit. Untersuchg v. Dr Nikolaus Paulus. *Freiburg i. B. Herder 1898.* (1 Bl., VIII, 100 S.) 8.
= Erläuterungen u. Ergänzgn zu Janssens Geschichte d. deutschen Volkes. Bd 1. H. 1

Paulus, Nik., Luthers Lebensende u. der Eislebener Apotheker Johann Landau. gr. 8. (IV, 25 S.) Mainz 896. F. Kirchheim. n. — 60

— Luther u. die Gewissensfreiheit, s.: Glauben u. Wissen. 4. Hft.

— Kaspar Schatzgeyer, e. Vorkämpfer d. katholischen Kirche gegen Luther in Süddeutschland,
— d. Strassburger Reformatoren u. d. Gewissensfreiheit,
s.: Studien, Strassburger theologische.

PAULUS, Nikolaus: Kaspar Schatzgeyer, ein Verkämpfer der katholischen Kirche gegen Luther in Süddeutschland.- Freiburg i.Br.: Herder 1898. X,152 S. = Strassburger Theologische Studien. Bd.3,H.1.
8.2.1896 - Chr 1895/96,6; Jv 1897/98,206 (Prom.-Datum: 1898)
Diss. Ingolst.-Landsh.-Mchn.

Paulus, Nik., Johann Tetzel der Ablaßprediger gr. 8. (VIII, 187 S.) Mainz 899. F. Kirchheim.

— Johann Wild. Ein Mainzer Domprediger d. 16. Jahrh. (III. Vereinsschrift der Görres-Gesellschaft f. 1893.) gr. 8. (IV, 79 S.) Köln 893. (J. P. Bachem.) n. 1. 50

Paulus, O., Forum romanum, s.: Hülsen, Chr.

Paulus, Otto, Prof.: Goethe als Erzieher. Cassel 1907: Weber & Weidemeyer. (26 S.) 4° [F.]
Cassel, k. Friedrichs-G P 1907 (478)

Paulus, Otto, Prof.: Schillerfeier am 9. u. 10. Mai 1905. Festrede. Cassel 1906: Weber & Weidemeyer. (S. 4—17.) 4° [F.]
Cassel, k. Friedrichs-G P 1906 (475)

Paulus, Otto: Die Vorhalle unserer Bildergalerie und die Echtermeierschen Länderstatuen. (Umschlagt.: Zur Einführung unserer Schüler in die Kasseler Bildergalerie, 3 ...) *Kassel 1900: L. Döll.* (S. 3 -20.) 4° [F.] ¶(Forts. d. P-Beil. 1898 u. 99 v Friedr. Heussner.]
Cassel, k. Friedrichs-G, P 1900 (411)

Paulus, Otto, die Vorhalle unserer Bildergallerie u. die Echtermeierschen Länderstatuen. gr. 8. (50 S.) Kassel 900. (M. Siering.) n. — 40

Paulus, Pt., Abhandl. üb. die Frage: in welchem Sinne kann man sagen, daß die Menschen gleich sind? u. von d. daven herfließenden Pflichten; aus d. Holländ. gr. 8. Leipz. 795. (Brockhaus). 12 ℛ

Paulus, P., in welchem Sinne kann man sagen, daß die Menschen gleich sind? und von d. davon herfließ. Pflichten, a. d. Holland. gr. 8. Leipzig, Heinsius. (Gleditsch.) 795. -

Paulus, Peter. Ueber Acute Oxalsäurevergiftung. *Gottingen 1897: E. Hofer.* (31 S.) 8°
Gottingen, Med. Diss. v [31 Juli] 1897

Paulus, Ph. M. J., Bilder aus dem Leben der Säugethiere, s.: Jugend- u. Volks-Bibliothek, neue illustrirte.

Paulus PhMJ, Bilder aus dem Leben der Säugetiere. I. II. (Neue illustrierte Jugend- und Volksbibliothek I, 2. 7) Stuttgart 1875

Paulus, Philipp

Paulus, Ph., Altes u. Neues od. Gleichnisse u. Erzählgn. f. die Jugend. Ein Beitrag zur Förderg. der Erziehg. in Haus u. Schule. 2 Bdchn. gr. 16. (40 u. 43 S.) Stuttgart 875. Levy & Müller. à — 40

Paulus, Ph., die Armuth und die barmherzige Liebe. Eine Erzählung aus meinem Leben. Zur Erinnerung an den Ernte- und Herbst-Verein. Stuttgart 862. Belser. gr. 8. (254 S.) 21 ngr.

— M. Johann Friedrich Flattich, s.: Jugend- u. Volksbibliothek, neue illustrirte.

— das Gewissen, die Verfassung und die Kirche, oder die Forderung unserer Zeit in Betreff der Religion. 1—5. Aufl. Ludwigsburg 861. Balmer & Riehm in Comm. gr. 8. (23 S.) 2 ngr.

—— die Kirche und ihre Zukunft oder die religiösen Tagesfragen. Zur Orientirung auf dem kirchlichen Gebiet fur Gelehrte und Ungelehrte beleuchtet. 8. (IV und 348 S.) Ludwigsburg 861, (Balmer und Riehm.) *

Paulus, Ph., meine Mutter im alltäglichen Leben. Mit 4 Bildern (in Holzschn.). 2. Aufl. Ludwigsburg 869. (Neubert.) gr. 16. (48 S.) n. 4 ngr.

—— meine Mutter im alltäglichen Leben. 3. Aufl. gr. 16. (48 S. mit 4 Holzschn.-Bildern.) Gernsbach 876. (Berlin, Beck's Verlag.) *

— Beate Paulus, geb. Hahn od. was e. Mutter kann. Eine selbst miterlebte Familiengeschichte. Aus den hinterlassenen Tagebüchern u. aus der Erinnerg. zusammengestellt u. unter Mitwirkung. seines Bruders Immanuel Paulus hrsg. 2. Aufl. gr. 8. (252 S.) Stuttgart 875. Belser. 2. 40; geb. n. 2. 90

Paulus, Phpp., Beate Paulus, geb. Hahn, od. was e. Mutter kann. Eine selbst miterlebte Familiengeschichte. 3. Aufl. 8. (316 S.) Stuttgart 897. Ch. Belser. n. 2. 40; geb. in Leinw. n. 3. —

Paulus, Philipp, Beate Paulus, geb. Hahn, od. was e. Mutter kann. Eine selbst miterlebte Familiengeschichte. 4. Aufl. (316 S. m. 1 Bildnis.) 8. Stuttgart 904. Ch. Belser. Geb. in Leinw. n. 3. —

—— das jüngste Synodal-Ausschreiben, s. Synodal-Ausschreiben.

Paulus, Phil., das Walten der Vorsehung in Zügen aus dem Leben meiner Mutter. 1.—6. Aufl. gr. 16. (47 S. mit 8 Bildern in Holzschn.) Ludwigsburg 869—71, (Neubert'sche Buchh.) *

— das Walten der Vorsehung in Zügen aus dem Leben meiner Mutter. Mit 8 Bildern (Holzschntaf.). 6. Aufl. (47 S.) Ludwigsburg 871. (Barmen, Klein.) n. — 40

—— das Walten der Vorsehung in Zügen aus dem Leben meiner Mutter. Billigere 7. Aufl. gr. 16. (48 S. mit 8 Bildern, Holzschntaf.) Gernsbach 875. (Berlin, Beck's Verlag.) *

— Woher und wohin? oder das Concordat. Ein Wecker und Wegweiser in dieser Tagesfrage. 1—7. verm. Aufl. Ludwigsburg 860. Balmer & Riehm in Comm. gr. 8. (32 S.) 3 ngr.

Grosse Kunstausstellung Dresden 1904. Offizieller Führer durch die Empire-Ausstellung mit 7 Abb. Nach Prof. Paul Schumann verf. von R. Paulus. (Blasewitz: Arnold & Gröschel 1904.) 40 S. 8° [II. 13920 7

Paulus, R. F., die Verordnung üb. d. Rechtsmittel d. Revision u. d. Nichtigkeitsbeschwerde, v. 14. Dez. 1833, nebst Deklaration v. 6. u. Instruktion v. 7. Apr. 1839 u. den in denf. vorkomm. Allegaten. gr. 8. (3¼ B.) Glogau 840, Flemming.

Paulus, Rudolf [app. Arzt aus Stuttgart]: Über septische Allgemeinerkrankung nach chronischer Endocarditis. . . . Leipzig, Verl. v. G. Thieme, 1891; 21 S. 8°
Tübingen, Med. Fak., Inaug.-Diss. v. 1891

Paulus, Rud., Bau und Ausrüstung der Eisenbahnen, s. Handbuch des Eisenbahnwesens.

Paulus, Rud., Bau und Ausrüstung der Eisenbahnen gemeinfaßlich bearb. 1. Aufl. 1872, und 2. Aufl. gr. 8. (X, 374 S. mit 93 eingedr. Holzschn.) Stuttgart 878, Maier. *

Paulus, Rud., Bau und Ausrüstung der Eisenbahnen unter Berücksicht. der Sekundär-Bahnen. Für Interessenten des Bahnbaues, insbesondere für Eisenbahnbetriebs-, Verwaltungs- und Gemeindebeamte etc. gemeinfasslich dargestellt. 2. neu bearb. Aufl. gr. 8. (XXIII, 400 S. mit 81 Holzschn. im Text.) Stuttgart 882, Maier. *

—— der Eisenbahn-Oberbau in seiner Durchführung auf den Linien der k. k. priv. Südbahn-Gesellschaft. 2. verb. Aufl. Lex.-8. (VIII, 152 S. mit 22 eingedr. Holzschn. und 14 lithogr. Taf. in 4.) Wien 872, Lehmann und Wentzel. *

Paulus, R., Der Eisenbahnoberbau in seiner Durchführung auf den Linien der k. k. priv. Südbahngesellschaft. Und zwar: 1. Pragerhof—Ofen, Uj—Szöny—Stuhlweissenburg. 2. Steinbrück—Sissek, Agram—Carlstadt. 3. Marburg—Villach. 4. Wien—Triest. (Reconstruction der Bahnhöfe). 5. Oedenburg—Kanizsa. 6. Innsbruck—Bozen (Brennerbahn). 7. Kanizsa—Baros. 8. Bruck—Leoben. 2. verb. Aufl. Mit 22 Holzschn. und 14 Tfln. in 4°. Wien 1872. lex. 8°.

Paulus, R., Handbuch d. Eisenbahnwesens, s.: Haushofer, M.

Paulus, S. W., der israelit. u. christl. Philosoph. 1r Bd. 3 Hefte. 8. Straßb. 799. Levrault. 1 ℛ 7 g

Paulus, Saulus, s.: Kulturkampf, der, der Kirche.

Paulus, Siegm., über Bedeutung, Wesen und Umfang des Cartesianischen Zweifels. Inaugural-Dissertation. gr. 8. (28 S.) Jena 875, (Deistung's Buchh.) *

Paulus, Sigm. Ph., neueste Blicke in das abentheuerl. Reich d. Gespenster u. bösen Geister. 8. (6¾ B. incl. 1 Bl. mit Holzschn.) Göttingen 833, (Dieterich.)

—— die fünf Bücher Mosis, vervollständig., s. Mosis.

Paulus a. P. Simon, geistliche Schriften. 4. Frkf. Andreä. 793.

Paulus, Theophil Friedrich, s. Paulus, Gottlieb Friedrich.

Paulus, Ulrich, s. Dissertatio de quomodone.

Paulus, Ulr., Commersbuch f. deutsche Hochschulen. gr. 8. (28 B.) Stuttgart 840, (Griesinger'sche Buchh.)

Paulus, W., Arminius der Cherusker, s. Volks-Bibliothek, neue illustrirte.

Paulus, W., die wissenschaftliche Bildungsanstalt auf dem Salon bei Ludwigsburg. Eine Schilderung ihrer Einrichtungen und inneren Verhältnisse. 8. (28 S.) Ludwigsburg 861, (Balmer und Riehm.)

Paulus, W. Rede am Sedantage 1880. S. 62—64. *Heilbronn* 1880 Progr.

Paulus, Walth., vom Lachen, Küssen u. Weinen. Ein Gedichtbuch. 8. (IV, 100 S.) Berlin 901. Herm. Walther. n. 1. 50

[F. u. Ant.] Paulus, Walther [Kammergerichtsref.]: Natur der sogenannten Negotia claudicantia nach Römischem Recht ... Berlin, 1896; 1 Bl., VIII, 43 S. 8.
Erlangen, Jur. Fak., Inaug.-Diss. v. 1896

Paulus, Wilhelm, a. Arolsen: Beiträge zur Entstehung der Stadtverfassung von Augsburg bis zum Jahr 1276. Tübingen 1904: (R. Friedrichs, Marburg.) (60 S.) 8°
Tübingen, Phil. Fak., Ref. v. Below, Diss. v. 31. Dez. 1904
[Geb. 30. Mai 73 Cassel; Wohnort: Arolsen; Staatsangeh.: Preußen; Vorbildung: Gymn. Weilburg Reife O. 93; Studium: Marburg 8, München 1, Berlin 1 S.; Rig. 6. Aug. 03.]

Paulus II, Wilh. Über die Wahl der attischen Strategen in der Zeit des peloponnesischen Krieges. 37 S. Progr. *Maulbronn* 1883.

Paulus, Wilh., Paul Warnefrit, s.: Jugend- u. Volksbibliothek, deutsche.

Paulus, Wladyslaw, kleine deutsche Sprachlehre f. Polen. (Methode Gaspey-Otto-Sauer.) gr. 8. (VII, 151 S. m. 1 Karte u. 1 Plan.) Heidelberg 902. J. Groos. Geb. in Leinw. n. 2. —

Pauluskirche. Die Pauluskirche in Basel. Festschrift zur Erinnerung an den Bau und die Einweihung (17. November 1901). Hrg. vom Kirchenvorstand St. Leonhard. [Illustriert.] 93 S. 8. (Basel, Kreis. 1902.)

Pauly, A. Die Nonne [Liparis monacha] in den bayer. Waldungen 1890. In Briefen dargestellt. Mit e. Anh. von R. Hartig: Ueber das Verhalten der Fichte gegen Kahlfraß durch die Nonnenraupe. Nebst e. Fraßkarte d. Ebersberger Parkes. gr. 8. (IV, 108 S.) Frankf. a. M. 891, Sauerländer. * 1 50

Pauly, A. H. Adph., Antrittspredigt, geh. bei seiner Ordination u. Einführg. in das Amt e. Pastors zu St. Michaelis am 17. Febr. 1874. gr. 8. (IV, 13 S.) Hamburg 874. Walther. — 30

Pauly, Ad. (Hrsg.), s. Abstecken, über das, von Eisenbahncurven.

Pauly, A., über das Abstecken von Eisenbahncurven, s. v. Ueber.

Pauly, .: Über das Abstecken von Eisenbahncurven. s. a. Dardier

Pauly, Alfred, aus Posenberg: Geld- und Währungswesen in Österreich-Ungarn seit 1848. *Berlin 1903: G. Schade.* (92 S.) 8°
Würzburg, Jur. Diss. v. 1903

Pauly, August

Pauly, Aug. (Paul A. Kirstein), s. a.: **Kirstein, P. A.**

— Aphorismen. (79 S.) kl. 8. München 905. G. Müller.
n. 2. —; geb. n. 3. —

Pauly, Aug., s.: Bayersdorfer's, Adolph, Leben und Schriften.

Pauly, Aug., Beschreibung d. Oberamts Leutkirch, s. Memminger, J. D. G., Beschreib. v. Württemberg, 18. Hft.

—— Beschreibung d. Oberamts Wangen, s. Memminger, J. D. G., Beschreib. v. Württemberg, 15. Hft.

—— griech. Chrestomathie, s. Bäumlein, W.

Darwinismus und Lamarckismus. Entwurf e. psychophys. Teleologie von Dr. August **Pauly**, Prof., München. Mit 13 Textfig. München: E. Reinhardt 1905. (335 S.) 8° [F.] (05. 13957

Pauly, Denkmäler aus der vordeutschen Periode der Neckar-Gegenden. S.-A. 1842. 9 S. —.60

Pauly, (Aug.,) über Gymnastik. Ein Gespräch Lucians. 8. Tübingen 823, Osiander.

Pauly, August, über Gymnastik, E. Gespräch Lucians, Tübingen 1823, 63 S., 8°.

v. Pauli, A., s. **Lucian's Werke.**

Pauly, Aug., Materialien f. latein. Stilübungen in d. höheren Classen d. Gymnasien u. Lyceen. 1. Lfg. gr. 8. (11 B.) Stuttgart 830, Metzler. Thlr.

—— Real-Encyklopädie d. class. Alterthumskunde, s. Real-Encyklopädie.

Pauly's Real-Encyclopädie der classischen Alterthumswissenschaft in alphabetischer Ordnung. 1. Bd. Unter Mitwirkung von H. Brunn, K. Bursian, J. Cäsar etc. in 2., völlig umgearb. Aufl. hrsg. von Wilh. Sigm. Teuffel. 17 Lfgn. gr. 8. (XIII und 2626 S.) Stuttgart 862—66, Metzler's Verlag. [1.—16. Lfg. à * 16 Ngr., 17. Lfg. * 8 Ngr.] *

Pauly: Realenzyklopädie der klassischen Altertumswissenschaft. Neue Bearbeitung. Hrsg. von Georg Wissowa; von Bd 7 ab von Wilhelm Kroll. Reihe 1 hrsg. von Wilhelm Kroll u. Kurt Witte. Stuttgart
Bd 1. Aal—Apollokrates. 1894
Bd 2. Apollon—Barbaroi. 1896
Bd 3. Barbarus—Claudius. 1899
Bd 4. Claudius mons—Demodoros. 1901
Suppl. H. 1. (Zu Bd 1—4.) 1903
Bd 5. Demogenes—Ephoroi. 1905
Bd 6. Ephoros—Fornaces. 1909
Bd 7 Fornax-Helikeia. [1910—] 1912
Bd 8. Helikon —Hyagnis. 1913
Suppl. 2. H. [Zu Bd 8.] 1913
Bd 9. Hyaia—Jugum. 1916
Bd 10. Jugurtha-Katochos. 1919
Bd 11. Katoikoi-Kynegoi. 1922.
Bd 12. Kynesioi-Libanon. 1925
Bd 13. Libanos—Lysimachides. 1927
Suppl.-Bd 3. Aachen (Ad) Juglandem. 1918
Suppl. Bd 4. Abacus-Ledon mit Nachtrag: Delphoi. 1924
Reihe 2 (R—Z).
Bd 1. Ra Sarmathon. 1920
Bd 2. Sarmatia-Sila. 1923

Pauly's Real-Encyclopädie der classischen Altertumswissenschaft. Neue Bearbeitg. Unter Mitwirkg. zahlreicher Fachgenossen hrsg. v. Geo. Wissowa. (In 10 Bdn.) 1. Halbbd. gr. 8. (1. Bd. Sp. 1—1440.) Stuttgart 893. J. B. Metzler's Verl. n. 15. —; in Lfgn. à n. 2. —; Probebogen — 20

— dasselbe. 2. Halbbd. gr. 8. (1. Bd. XV S. u. Sp. 1441—2902.) Ebd. 894. n. 15. —; 1. u. 2. Halbbd. in 15 Lfgn. à n. 2. —

— dasselbe. 16. Lfg. gr. 8. (2. Bd. Sp. 1—192.) Ebd. 894. n. 2. —

Pauly's Real-Encyclopädie der class. Altertumswissenschaft. Neue Bearbeitg. Unt. Mitwirkg. zahlr. Fachgenossen hrsg. v. Geo. Wissowa. 17.—41. Lfg. gr. 8. (2. Bd. V u. Sp. 193—2862 u. 3. Bd. Sp. 1—2112.) Stuttgart 895—898. J. B. Metzler's Verlag. à Lfg. n. 2. —; auch in Halbbdn. à n. 15. —

Pauly's Real-Encyclopädie der classischen Altertumswissenschaft. Neue Bearbeitg. Unter Mitwirkg. zahlreicher Fachgenossen hrsg. v. Geo. Wissowa. 42.—62. Lfg. (3. Bd. Sp. 2113—2908. 4. Bd. 2872 Sp. u. 5. Bd. Sp. 1—384.) gr. 8. Stuttgart 899—902. J. B. Metzler. à n. 2. —; (6. u. 7 Halbbd. [Sp. 1441—2908 u. 1632 Sp.] à n. 15. —)

Pauly's Real-Encyclopädie der klassischen Altertumswissenschaft. Neue Bearbeitg. Unter Mitwirkg. zahlreicher Fachgenossen hrsg. v. Geo. Wissowa. 63. bis 77. Lfg. (5. Bd. Sp. 385—2864 u. 6. Bd. Sp. 1—384.) gr. 8. Stuttgart 903—906. J. B. Metzler. à n. 2. —; auch in Halbbdn. à n. 15. —

Pauly's Real-Encyclopädie der classischen Altertumswissenschaft. Neue Bearbeitg. Unter Mitwirkg. zahlreicher Fachgenossen hrsg. v. Geo. Wissowa. 78.-83. Lfg. (6. Bd. Sp. 385—1536.) gr. 8. Stuttgart (906. 07). J. B. Metzler. à Lfg. 2. –

— dasselbe. Unter Mitwirkg. zahlreicher Fachgenossen hrsg. v. Geo. Wissowa u. Wilh. Kroll. 12. u. 13. Halbbd. (6. Bd. Sp. 1537—2978 u. 7. Bd. Sp. 1—1472.) Lex. 8. Ebd. 909. 10. à 15. —; auch in Lfgn. à 2. –

— dasselbe. Suppl. 1. Heft. (VII S. u. Sp. 1—374.) gr. 8. Ebd. 903. n. 5. —

v. Pauly, Aug., s. Seneca's Werke. —

Pauly, August, Einladungs-Schrift zu der Feier des Geburts-Festes des Königs Wilhelm von Württemberg im Kgl. Gymnas. zu Stuttgart. Ueber den Straßenzug der Peutingerschen Tafel von Vindonissa nach Samulocenis, und von da nach Regino. Stuttgart (Mäntler) 27. IX. 1836. 36 S. 1 Tafel mit Namen. (—.—) 25977

—— über d. Strassen-Zug d. Peutinger'schen Tafel von Vindonissa nach Samulocenis u. von da nach Regino. gr. 4. (4 1/4 B. u. 1 Karte.) Stuttgart 836, (Metzler'sche Buchh.)

— Wahres u. Falsches an Darwins Lehre. Oeffentlicher Vortrag, geh. am 15. III. 1902 im Liebig'schen Hörsale zu München. gr. 8. (18 S.) München 902. E. Reinhardt. n. — 80

Wahres und Falsches an Darwins Lehre. Oeffentl. Vortrag geh. 1902 zu München von August **Pauly**, Prof. 2. Aufl. München: E. Reinhardt 1902. (18 S.) 8° [F.] (08. 4707 5

— Wahres u. Falsches an Darwins Lehre. Öffentlicher Vortrag, geh. am 15. III. 1902 im Liebigschen Hörsaale zu München. 3. Aufl. (18 S.) gr. 8. München 909. E. Reinhardt. — 80

Pauly, Aug., über die Wasserathmung der Limnaeiden. Gekrönte Preisschrift. gr. 8. (47 S.) München 877, Stahl. *

Pauly (Pauli), August Fr., s. Anthologia poetarum latinorum

Pauli, (auch Pauly,) Aug. Fr., († d. 29. Dec. 1818.) latein.: deutsche Fibel, e. Samml. auserles. Stellen aus latein. Schriftstellern rc., ohne Vorbericht. 8. Tübing. 787. (Osiander). 4 gl mit Vorbericht. 8. Tübing. 786. Ebd. 6 gl

Pauli, A. F., lat. deutsche Fibel, ohne Vorbereit. 8. Tüb. Heerbrand.

Pauly, A. F., Versuch einer vollständigen Methodologie für den gesammten Cursus der öffentlichen Unterweisung in der latein. Sprache u. Litteratur. Tüb. 785–99. 3 Thle. 8. 3 rthl. 4 gr.

— Versuch e. Methodologie f. d. Kursus d. öffentl. Unterweis. in d. latein. Sprache. 3 Thle. gr. 8. Tübing. 785—99. (Osiander) 3 ℛ 4 gl

Pauly, C.: die Aufhebung der Zinsbeschränkungen. Jena 1867. 30 p. Schul-/Univ. Schrift

Pauly, C., Einführung in die quantitative chemische Analyse. Zum prakt. Gebrauch in chem., pharmaceut. und techn. Laboratorien. 8. (VIII, 227 S. mit 23 in den Text eingedr. Holzschn.) Braunschweig 880, Hafferburg's Buchh. *

Pauly, C. F., Reise-Führer nach Bielitz-Biala u. in die Beskiden über Pleß u. Bad Goczalkowitz. gr. 16. (25 S. m. 1 Karte.) Zabrze 895. Filiale von Neumann's Stadtbuchdr. — 80

Pauly, Christian

Pauly, Chrn., die wichtigsten biblischen Geschichten für die Elementarschule katechetisch geordnet. Mit einem Vorworte von Cl. Harms. 1. Thl.: Die bibl. Erzählungen a. T. gr. 8. (VIII und 211 S.) Heide 852, Pauly.

Pauly, Chrn., die wichtigsten biblischen Geschichten für die Elementarschule katechetisch geordnet. 2. Thl.: Die biblischen Erzählungen N. T. gr. 8. (III und 188 S.) Heide 858, Pauly.
1. Thl. Erschien. 1852. 22½ Ngr.

Pauly, E., s.: Geschichte d. 2. Ostpreußischen Grenadier-Regiments Nr. 3.

Pauly, F., der Kinder Weihnachtstraum. Ein kleines Weihnachtsspiel f. Kinder. (16 S.) kl. 8. Karlsruhe (909). F. J. Reiff. — 20

Pauly, F [Hrsg.], s. Zeitung, Dithmarsische.

Pauly, F. A., epitome itinerarii filii dei ordine harmonico ex quatuor evangelistis contexta. 8maj. Würzb. 786. Stahel. 14 gl
Vgl.: Pauli, F. A.

Pauly, Franz

Pauly, Frz., Beiträge zur Kritik d. Horazscholiasten Porphyrion. gr. 8. (68 S.) Prag 875. Dominicus. n. 1. 76

Pauly, F., Beiträge z. Kritik d. Horazscholiasten Porphyrion. 1876. 68 S. 1.20

Pauly, Fr. Neue Beiträge zur Kritik des Horazscholiasten Porphyrion (zu den Sermonen, Episteln und der ars poetica). Nebst Nachträgen zu den Scholien desselben zu den Oden, Epoden und dem carm. saec. 42 S. 8. Progr. *Eger* 1877.

Pauly, Frz., neue Beiträge zur Kritik des Horazscholiasten Porphyrion [Sermonen, Episteln, ars poetica]. Nebst Nachträgen zu den Scholien der Oden, Epoden u. des carmen saeculare. gr. 8. (42 S.) Prag 878. Dominicus. n. 1. 20

Pauly: De L. Annaei Senecae tragoediarum codice Lobkoviciano sive Raudnicensi part I 8 S. –Prag Kl., Progr 1868

— de L. Annaei Senecae tragoediarum codice Lobkoviciano S. Raudnicensi. Part. I—III. Prag 869. Bellmann. gr. 8. (III, 39 S.) n. 12 ngr.

Pauly, Dr. Franz, Homeri Odysseae epitome. Editio VII. quam curavit Carolus Wolke. P. I. Wien und Prag. F. Tempsky. —.40, geb. —.50. (Min.-Erl. 15. Juli 1889. Z. 14164.) 1889.

Sancti Eucherii lugdunensis episcopi libellus de „formulis spiritualis intelligentiae" Ad optimorum codicum fidem portentosa interpolatione liberavit et recensuit Franc. Pauly. 56 S. 8. I. Staatsg. *Graz* 1884 Progr.

Pauly, Franciscus, Sancti Eucherii lugdunensis episcopi libellus de formulis spiritalis intellegentiae. gr. 8. (56 S.) Graz, Leuschner & Lubensky. 80 kr. 1884

Pauly Dr. Fr.: Die Habsburgfeier (enthält auch die Festrede v. Prof. Dr. A. Steinwenter). 11. Graz I. 83. Progr.

Pauly, Frz., lateinisch-deutsches Handwörterbuch für Mittelschulen. Prag 865. Fuchs. Lex.-8. (VII, 705 S.) n. 1 ℛ 17 ngr.

Pauly, Franz, Quaestiones criticae de Acronis et Porphyrionis commentariis Horatianis. Scripsit et novae illorum scholiastarum editionis specimen adjecit. gr. 8. (III und 52 S.) Prag 858, Bellmann's Verlag. *

Pauly, Franciscus (geb. am 5 März 1827 in Düren): Quaestiones Horatianae criticae . . Bonnae, form. F. P. Lechneri 1851. 2 Bl., 34 S., 1 Bl. 8.
Bonn, Phil. Fak., Diss. v. 19 März 1851

Pauly, Frz. Randbemerkungen zu „Servii grammatici qui feruntur in Vergilii carmina commentarii rec. G. Thilo et H. Hagen. Vol. I fasc. 1 Lips. 1878." XXIV S. 8. Progr. I. Staatsg. *Graz* 1879

Pauly, Dr. Franz — Zehn Reden des Demosthenes. Für den Schulgebrauch nebst den nöthigen Einleitungen herausgegeben von — — (Philosophische Reden und die Rede vom Kranze.) Wien, 1857. Dr. und Verlag von Karl Gerolds Sohn. (XLVI. 225 S. 1 Bl. 8.)

Pauly, Frz., die handschriftliche Ueberlieferung des Salvianus. Lex.-8. (41 S.) Wien 881, (Gerold's Sohn.) *
Aus: Sitzungsberichte der k. Akademie der Wissenschaften, besonders abgedruckt.

Pauly, Friedrich

Pauly, Fr., Topographie v. Dänemark, einschließlich Islands u. der Färöer. 8. Heide 828. Pauly. (Alt., Aue; Leipz., Kayßers B.) 3 ℳ

Pauly, Friedrich: Bimolekulare Verbindungen aus Cyklohexanon. Göttingen 1910: Dieterich. 48 S. 8°
Göttingen, Phil. Diss. v. 5. Juli 1910, Ref. Wallach
[Geb. 11. Febr. 85 Oberursel; Wohnort: Oberursel; Staatsangeh.: Preußen; Vorbildung: Klinger-Oberrealsch. Frankfurt a. M. Reife O. 04; Studium: Göttingen 4, Jena 2, Göttingen 6 S.; Rig. 4. Mai 10.] [U 10. 1452

Pauly, Friedrich, Referendar: Zession und Einkassierungsbevollmächtigung in rem suam. Eine vergleichende historisch-dogmatische Studie. Rostock 1904: Adlers Erben. (69 S.) 8°
Rostock, Jur. Fak., Ref. Bernhöft, Diss. v. 23. Dez. 1904
[Geb. 10. Juni 75 Heide i./Norder-Dithmarschen; Wohnort: Kiel; Staatsangeh.: Preußen; Vorbildung: Realgymn. Marne u. Rendsburg, Erg.-Prüf. Gymn. Ratzeburg Reife M. 97; Studium: Kiel 5, München 1 S.; Rig. 6. Dez. 04.]

Pauly, Friedrich Heinrich August ⟨geb. am 3 Aug. 1845 in Hagen Westf⟩: Das Delirium acutum maniacale ... Bonn, Buchdr. v. J. Trapp 1869. 2 Bl., 68 S., 1 Bl. 8.
Bonn, Med. Fak., Diss. v. [22 Apr.] 1869

Pauly, Georg, Stadtbaurat: Das Heim der städtischen höheren Mädchenschule II in Kiel an der Paul Flemmingstraße. Ein Gedenkblatt z. Einweihung d. neuen Schulhauses. Kiel (1908): Handorff. 8 S., 8 Taf. 4°
Kiel, st. HM II P 1908 [S 08. 342

Pauly, Georg, Stadtbaurat: Das Heim der städtischen Oberrealschule II in Kiel am Königs-Weg. Ein Gedenkblatt z. Einweihung d. neuen Schulhauses. Kiel (1908): Handorff. 9 S., 7 Taf. 4°
Kiel, OR II i. E. P 1908 (382) [S 08. 343

Pauly, Georg (Stadtbaurat): Der Neubau der städtischen Realschule (Oberrealschule) an der Waitzstraße. Mit 8 Tafeln. 16 S. 4. 1903
Progr.

Pauly, Georg.: De pace Antalcidea. Berolini 1846 (38 S.).

Die Königliche höhere Schiff- und Maschinenbauschule in Kiel. Ihre Einrichtungen, ihr Wesen u. Wirken. Ein Gedenkblatt z. 3. Sept. 1906, dargest. von H[ugo] **Sellentin**, Maschinenbauschul.-Dir., u. G[eorg] Pauly, Stadtbaurat. Kiel (1906): L. Handorff. (41 S.) 4° [F.] [07. 3008

Pauly, Georg, Referendar: Vergleichende Übersicht über die Gesellschaften mit Nachschusspflicht. ⟨Gewerkschaft, Gesellschaft mit beschränkter Haftung, Reederei, Genossenschaft.⟩ Tempelburg 1908: E. Manig. (61 S.) 8° [F.]
Heidelberg, Jur. Fak., Ref. Schroeder, Diss. v. 1908
[Geb. 13. März 82 Stettin; Wohnort: Tempelburg; Staatsangeh.: Preußen; Vorbildung: Gymn. Stargard (Pommern) Reife M. 01; Studium: Heidelberg 1, Göttingen 3, Berlin 1, Greifswald 1, Göttingen 2 S.; Rig. 29. Juni 08.]

Pauly, Hermann [aus M.-Gladbach]: Beiträge zur Kenntnis des Dioxobernsteinsäureesters ... Bonn, Univ.-Buchdr. v. C. Georgi, 1894; 43 S. 8.
Bonn, Phil. Fak., Inaug.-Diss. v. [10. Aug.] 1894

Pauly, Herm. Die Decade u. die Ziffernschrift. gr. 8. (8 S.) Danzig 892, (Kafemann). * — 50

[F.] Die Schnellrechenkunst. Heft 1. D. Addition u. d. Subtraction v. Hermann Pauly ... [Mehr nicht erschienen.] *Danzig: Selbstv.; Dr. v. A. W. Kafemann 1892.* (16 S.) 1 Bd 8. [97. 1262

PAULY, J. H.: Hülfsbuch für Gutsbesitzer, Revierjäger und Freunde der Holzkultur. - Leipzig 1805. - 2. Aufl. u. d. T.: Anweisung zur Benutzung der Flächen und Waldungen zum Anbaue von Holzarten ebd. 1807

Pauly, M. J. H., Hülfsbuch für Gutsbesitzer, Revierjäger u. Freunde d. Holzcultur. gr. 8. Leipz. 805. Sommer. 16 gr — Dann unt. folg. Tit.: Anweis. z. Benutzung d. Flächen u. Waldungen z. Anbaue v. Holzarten. Mit Kpf. gr. 8. Ebd. 817. (W. Rauck). 16 gr

Pauly, J. H., Anweisung z. Benutzung d. Flächen und Waldungen zum Anbaue von Holzarten, mit K. gr. 8. Leipz. Sommer. 815.

Pauly, Joseph ⟨geb. Fost in Schles. 16. 8. 1843⟩: De compensatione vitiorum cordis. Berolini (1865). (32 S.) 8°
Berlin, Med. Diss. v. 13. März 1865

Pauly, Jos., hymni breviarii romani. Zum Gebrauche für Kleriker übersetzt u. erklärt. 2. Thl. Hymni de tempore. Aachen 869. Jacobi & Co. gr. 8. (IV, 87 S.) n. 12 ngr.

Pauly, Joseph: Der erste Jahreskursus des planimetrischen Unterrichts. Andernach, K. Isbert'sche Buchdr., 1889; S. 3—17; 4°
Andernach, PG, OP 1889 (397)

Pauly, Isidore: Erfahrungen eines landwirschaftlichen Beamten in Bezug auf landwirtschaftliche Hygiene, landw. Betriebslehre, Betriebsplan, Betrieb und Buchhaltung, für ein Mustergut bäuerlichen Schema's von 30 Morgen Areal Ländereien gesammelt und zusammengestellt.
Diekirch: Justin Schroell 1888. 166 S. 8°

Pauly, Jul., üb. Dermoid-Cysten d. Ovariums. 1. Thl. gr. 8. (41 S.) Breslau 875. Clar. n. 1. 20

Pauly, Jul., über Dermoid-Cysten des Ovariums. 1. Thl. gr. 8. (41 S.) Breslau 875, Leuckart'sche Sortimentsh. * 1 20

— **Julius** (Glogau/Schlesien), De tussi convulsiva. Diss. med. O. O. (Kraus) 16. IX. 1823. 32 S. mit Biogr. (M.: P. Sachs). (3.50) 25978
Oppon.: F. Pariser, E. Loewe, J. Hayn. — Gew.: Levin Jakob Friedländer (Oheim), Wolff Sachs (Oheim).

Pauly, Ludwig: Aus der gynaekologischen Klinik in Bonn. Ein Fall von centralem Dammriss. *Bonn 1898: J. Bach Wwe.* (32 S.) 8°
Bonn, Med. Diss. v. [23. Juli] 1898

Pauly, M., die Feuerbestattung, s. Weber's illustr. Katechismen.

Pauly M, die Feuerbestattung. (182 S) (Webers Katechismen 251) Leipzig 1904

Derselbe.* Die Feuerbestattung. III. Aufl. 1902. IV. Aufl. 1905. Berlin. Verlag des Vereins für Feuerbestattung.

Pauly, Martin, a. Jena: Die Sonderrechte der Aktionäre. Jena 1907: G. Neuenhahn. (58 S.) 8° [F.]
Jena, Jur. Fak., Ref. Rosenthal, Diss. v. 6. Mai 1907
[Geb. 7. Aug. 83 Brottewitz b. Mühlberg a. E. (Prov. Sachsen); Wohnort: Jena; Staatsangeh.: Preußen; Vorbildung: Gymn. Jena Reife O. 02; Studium: Genf 1, Leipzig 1, Freiburg i. B. 1, Leipzig 1, Freiburg i. B. 1, Halle 2, Jena 3 S.; Rig. 5. März 07.]

Pauly, Max, über Amido-Derivate des Benzophenons u. Acetons. Inaugural-Dissertation. gr. 8. (48 S.) Halle 876. (Göttingen 877. Vandenhoeck & Ruprecht.) n. 1. —

Pauly, Max. Illustriertes Handbuch der Geflügelzucht. Von – Mit 316 Holzschnitten. Selbstverlag von Max Pauly in Köflach 1899. 8°

Pauly, Max, illustr. Handbuch der Geflügelzucht. Anleitg. zur rationellen Zucht, Ernährg., Haltg. u. Pflege, sowie Beschreibg. sämtl. Arten u. Rassen des Hausgeflügels m. besond. Berücksicht. der Feinde u. Krankheiten derselben. 2., neubearb. Aufl. (Mit 15 Rassetaf. in Farbendr. u. 530 Illustr.) (In 15 Lfgn.) 1. Lfg. (S. 1—64 m. 1 farb. Taf.) Lex. 8. Köflach 909. (Graz, Styria.) — 85

Pauly, Max. Der Honig u. seine praktische Verwertung. Unter Mitwirkg. v. Tony Kellen bearb. u. hrsg. 2. gänzlich neubearb. u. bedeut. verm. Aufl. des „Honigkonsument". gr. 8. (XIX, 287 S. mit 55 Holzschn.) Graz 890, (Moser). * 3 —
Vgl.: Bibliothek, apistische, Nr. 3.

Pauly, Max, der Honig-Konsument. Prakt. Anleitung zur Anfertigung von Honig-Liqueuren, Met, Wein, Bier, Essig, Fruchtsäften, Backwerk; Einmachen von Früchten in Honig; Anfertigung von Honig- und Wachsseifen, Pomaden, Volks-Arzneimittel rc. gr. 8. (IV, 47 S.) Zürich 887, Schröter und Meyer. * — 60
Aus: Illustrirte Bienenzeitung, besonders abgedruckt.

Pauly, M., Perlen aus dem Sagenschatze des Rheinlandes. Nach den ältesten Quellen erzählt. gr. 8. (143 S. m. 6 Bildern.) Köln 893. J. P. Bachem. Kart. 3. —

Perlen aus dem Sagenschatz des Rheinlandes. Sagen, Legenden u. Gebräuche. Nach d. ältesten Quellen erzählt von M[ax] **Pauly**. Mit vielen Bild. 2. verm. Aufl. Cöln: J. P. Bachem [1906]. (205 S.) 8° [F.] [illegible]

Pauly, Nikola

Pauly, N., Kölner Bürgerbuch. Sammlung v. Ortsstatuten, Verordngn. u. Regulativen f. die Stadt Köln. gr. 8. (III, 326 S.) Köln 893. Kölner Verlags-Anstalt u. Druckerei. 3. —

Pauly, N., Kölner Bürgerbuch. 1. Nachtrag. Sammlg. v. Ortsstatuten, Verordngn. u. Regulativen f. d. Stadt Köln. gr. 8. (189 S.) Köln 896. Kölner Verlagsanstalt u. Druckerei. n. 1. 20 (Hauptwerk u. Nachtrag: n. 4. 20)

Kölner Bürgerbuch. Sammlung von Ortsstatuten, Verordnungen u. Regulativen f. d. Stadt Köln. Zsgest. von N[ikola] **Pauly**, Bur.-Dir. 2. Aufl. *Köln: Kölner Verl.-Inst. u. Dr. 1902.* (X, 550 S.) 8° [F.] [illegible]

Pauly, Nic., Stadt u. Burg Cochem. Nach ungedr. Quellen. Mit 1 (lith.) Abbildg. 8. (135 S.) Cochem 883. Wieprecht. n. 1. 50; geb. n. 1. 80

Pauly, O. Entwurf allgemeiner deutscher Seeversicherungsbedingungen. Herausgegeben von einer von den deutschen Seeversicherern eingesetzten Kommission. Eine Kritik. Hamburg 1910.

Pauly, Richard, aus Fischhausen: (Aus d. Zool. Institut d. Universität Rostock.) Untersuchungen über den Bau und die Lebensweise der Cordylophora lacustris Allman. Mit 4 Taf. *Jena: G. Fischer 1901.* (48 S.) 8°
Rostock, Phil. Diss. v. [25. Jan.] 1901

Pauly, Sebast. Demokratischer Finanzplan für den preussischen Staat. Lex.-8°. Breslau, Schulz u. Co., 1848. 40 S.

Pauly, T. de, Description ethnographique des peuples de la Russie. Publiée à l'occasion du jubilé millénaire de l'empire de Russie. gr. Fol. (XIV und 290 S. mit 62 Chromolithogr., 1 Stnt., 1 chromolithogr. Karte und 1 Tab. in gr. Fol. und Imp.-Fol.) St.-Pétersbourg 862. (Leipzig, Hinrichs'sche Sortimentsh.) * *
In Leder geb. mit Goldschn. * *

Pauly, Theod. v., gegenwärtiger Standpunkt der Daguerréotypie in Frankreich, od. gründl. Anweisung in 10. Theile einer Secunde Personen u. belebte Landschaften abzubilden. Mit besond. Berücksichtig. der Chemie, so wie m. Angabe eines Verfahrens: die Versuche zu coloriren, in Kupfer abzubilden u. galvanisch zu vergolden. Nebst. e. Beschreib. des Herschelschen Chrysotyps. gr. 8. (6 B.) Dresden 843, Arnoldische Buchh. *

Pauly, Tony, Carstens. Ein Lebensbild. gr. 8. (16 S.) Berlin 876, Oehmigke's Verlag. * — 50

Pauly, Tony, die Dienstherrschaft. Ein Buch für deutsche Hausfrauen. 8. (VIII, 200 S.) Berlin 880, [Pauly.] Oehmigke's Verlag. geb. mit Goldschn. *

Pauly, Tony, die Dienstherrschaft. Ein Buch für deutsche Hausfrauen. 3. Aufl. 8. (VIII, 200 S.) Berlin 885, Oehmigke's Verlag. * 2 —

Pauly, Tony, der blaue Domino. Schlittenrecht, s.: Enßlin's Roman- u. Novellenschatz 55 Bd.

—— Haushalt-Katechismus. Ein Rathgeber und Hülfsbuch für Dienstmädchen und Töchter, die sich dazu ausbilden wollen. gr. 16. (VII, 144 S.) Berlin 879, v. Decker's Verlag. cart. * 1 —

Pauly, T., Haushalt-Katechismus. Ein Rathgeber u. Hülfsbuch f. Dienstmädchen u. Töchter, die sich dazu ausbilden wollen. 4. Tausend. 8. (VII, 132 S.) Berlin 887. v. Decker. cart. n 1. —

Pauly, Tony, Immergrün, s.: Volks- u. Jugendbibliothek.

—— unsere Kinder. Ein Buch für deutsche Mütter. 8. (VI, 249 S.) Berlin 878. (Leipzig, Heitmann.) ℳ 2,25.; geb. ** 3 25

—— unsere Kinder. Ein Buch für deutsche Mütter. Neue Ausg. 8. (VI, 249 S.) Leipzig 880, [E. J. Günther Nachf.] Abel. *ℳ 2,50.; geb. **

Pauly, Tony. Unsere Kinder. Ein Buch f. deutsche Mütter. 5. Taus. 8. (VI, 249 S.) Berl. 892. Neudamm, Neumann. geb. * 3 50

—— Mosaik, s. a. Volks- und Jugend-Bibliothek, österreichische.

— Mosaik, s. a. Pichler's Jugendbücherei.

(F) **Pauly**, T., Mosaik. Sagen und Erzählungen. [Pichlers Jugendbücherei, Bd. 6.] 8° (86 S.) geb. K 1.—
Wien: Pichler 1904.

— Vierklee, s. a. Volks- u. Jugendbibliothek.

— Vierklee, s. a. Pichler's Jugendbücherei.

(F) **Pauly**, T., Vierklee. Erzählungen. [Pichler's Jugendbücherei. Bd. 11] 8°. (80 S.) geb. K 1.—
Wien: Pichler 1904.

[Lied.] Der St. Johannis-Loge Friedrich Wilhelm zu den drei Hammern im Or. von Neustadt-Eberswalde zum Stiftungstage am 22. Mai 1859 in Ehrfurcht und Dankbarkeit gewidmet von W. P[auly]. Schwerdt [1859]: Jungheim. 2 Bl. 8⁰ [Umschlagtit.]
Ohne Noten: „Im gleichen Tanz der Horen kehrt . . .“ 65.

Pauly, Walth., Rechtshandbuch des Kaufmanns. Eine Darstellg. der Pflichten u. Rechte des Kaufmanns nach dem neuen deutschen Handelsrecht u. den damit zusammenhäng. Bestimmgn. des bürgerl. Gesetzbuches unter gleichzeit. Berücksicht. der handelsrechtl. Nebengesetze. gr. 8. (VIII, 146 S.) Leipzig 903. H. Buschmann. 3. —; geb. in Leinw. 3. 75

Pauly, Walth., Rechtshandbuch des Kaufmanns. Eine Darstellung der Pflichten u. Rechte des Kaufmanns nach dem neuen deutschen Handelsrecht u. den damit zusammenhäng. Bestimmgn. des bürgerl. Gesetzbuches unter gleichzeit. Berücksicht. der handelsrechtl. Nebengesetze. 2. [Titel-]Aufl. (VIII, 146 S.) gr. 8. Berlin [903] 906. Wilmersdorf, Dr. W. Rothschild. n. 3. —; geb. in Leinw. n. 3. 75

Pauly, Wilhelm v. — Allgem. Oesterr. bürgerl. Gesetzbuch, eingeführt mit dem a. h. Patente vom 29. November 1852 in Ungarn, Kroatien &c. nebst den nachträglichen Verordnungen. 1. Bd. Personenrecht. 8. (196 S.) Pesth, Jul. Müller, 1853.

Pauly, Wilh. v., Skizzen aus der österreich. Bureaukratie. 16. (109 S.) Wien 848, Dorfmeister. (Leipzig, Hunger.) Thlr. *

Pauly, Willy, seines Glückes Schmied. Novelle. (77 S.) 8. Straßburg 909. J. Singer. 2. —

— Auf gewundenen Wegen. Novelle. (108 S.) kl. 8. Leipzig 908. Verlag f. Literatur, Kunst u. Musik. 2.—; geb. n 3. —

— **Wolff** (Unruhstadt/Posen), De graviditate extrauterina adjecta casus historia. Diss. med. Berlin (Friedlaender) 28. V. 1838. 32 S. mit Biogr. (M.: T. Simon). (2.—) 25980
Oppon.: P. Gumbinner, J. Mannheim. W. Wolff. — Gew.: M. Kalisch u. seinen Eltern (V.: I. Pauly).

— **Zacheus** (Glogau), De morbo saturnino. Diss. med. Berlin (Friedlaender) 16. III. 1836. 45 S. mit Biogr. (M.: P. Lachs.) (2.25) 25981
Oppon.: A. Oettinger, E. Munk, V. Schlochauer. — Gew.: F. Krause, Z. L. Friedländer, J. N. Friedländer, Sam. L. Rabe.

Paumann, Magdalena, oder die eingekerkerte Nonne im Angerkloster zu München. Nach amtlichen Aufzeichnungen. München 870. Lentner. gr. 16. (IV, 42 S.) 5 *ngr.*

Paumann, Magdalena, oder die eingekerkerte Nonne im Angerkloster zu München. Nach amtl. Aufzeichnungen. gr. 16. (IV, 42 S.) München 870, Stahl.

Paumann's, L., lehrreiche Spaziergänge mit seinen Schülern 8. Landsh. 804. Thomann. 6 gr.

Paumgarten, Berechnungstabellen d. 7 u. 17 Kreuzerst. 8. Grätz, Ferstl. 797.

Briefwechsel Balthasar **Paumgartners** des Jüngeren mit seiner Gattin Magdalena, geb. Behaim. '(1582—1598.)' Hrsg. v. Dr. Georg Steinhausen. *Tübingen: Litt. Ver. in Stuttgart 1895.* (IX, 304 S.) 1 Bd 8. = **Bibliothek** d. litt. Vereins in Stuttgart. [Bd] 204. 96. 1709

Paumgartner d. Jüngere, Balthasar, s. a. Briefwechsel.

Paumgartner, Johann Paul (von Holenstein u. Lonerstatt), Collegii feud. ad B. Stryckii exam. jur. feud. cap. XX. disput. XI. De speciali juris feudalis altero feudi alienati revocationem nunc tangente. Präs. Heinrich Hildebrand. Altdorf (J. W. Kohle) 10. XI. 1715. 8 S. (3.25) 25982

Paumgartten, C. R. v., Franz Rakoczy. Dramatisches Gedicht in 4 Akten. (Den Bühnen gegenüber als Mscr. gedr.) gr. 8. (70 S.) Wien 859, (Mechitharisten-Congregations-Buchh.)

—— Rudolph v. Habsburg. Dramatisches Gedicht in 5 Akten. (Den Bühnen gegenüber als Mscr. gedr.) gr. 8. (89 S.) Wien 859, Mechitharisten-Congregations-Buchh.

Paumgartten, (Max.) Siegmund von

Paumgartten, Siegmund v., k. k. Obristwachtmeister. Abhandlung über den Dienst der Feldjäger zu Fuss. 8. Wien 1802.

v. Paumgarten, Max. B., Abhandl. üb. d. Dienst d. Feldjäger. gr. 8. Wien 802. Schalbacher. 1 ℔ 8 gr. Mit d. Vertr. des Erzherzogs Karl. 2 ℔

Paungarten, Reichsfrhr. Ferd. v., Sterne u. Irrlichter. Ausgewählte Gedichte. Titelbild (Bildnis) von Ernst Kutzer. (47 S.) gr. 8. Wien (IV, Joh. Straussgasse 36) 904. Verlagsanstalt Neuer Literatur u. Kunst. n. 2. —

Paungarten, Ferd. Frhr. v., auf den Zinnen der Zeit. Ein Versbuch. (76 S.) kl. 8. Leipzig (908). G. Müller-Mann. 1. 50

Pauntscheff, Georg

Pauntscheff, G., Untersuchungen über den Magen der Wiederkäuer. Mit Tafeln. Jena 84. Pege & Hänel. (Dürselen, Wiesbaden.) M. 1.50

Pauntscheff G.: Untersuchungen üb. den Magen d. Wiederkäuer. Leipz. 1884. 43 S. 1 Tvl.
(Vorträge f. Thierärzte. Ser. 7 H. 4). 327.

Pauntscheff, G., Untersuchungen üb. den Magen der Wiederkäuer, s. a. Vorträge f. Thierärzte.

PAUPAILLE, J. J.
Chemie. Erster Theil: Die unorganische Chemie. Eine Darstellung der allgemeinen Grundsätze der Chemie und Beschreibung der einfachen und zusammengesetzten unorganischen Körper nebst einer historischen Einleitung. Zweiter Theil: Organische Chemie. Eine Darstellung der chemischen Untersuchungen der Pflanzen und Thiere, und der vorzüglichsten Gifte, Biographien ausgezeichneter Chemiker, chemische Bibliographie und Wörterbuch. Nach den französischen des J. J. Paupaille von C. G. Ch. Hartlaub. Leipzig, 1828. 2 vols., 16mo. Ill.

Paupaille, die unorgan. Chemie, s. Taschen-Encyklopädie.

Pauper Evangelicus. Hauskollekten. Kirche. Innere Mission, s. Streitschriften, freundschaftliche.

Henricus Pauper: Rechnungen der Stadt Breslau von 1299–1358, nebst zwei Rationarien von 1386 und 1387, dem Liber imperatoris vom Jahre 1377 und den ältesten Breslauer Statuten. Namens des Vereins für Geschichte und Alterthum Schlesiens hrgg. v. Colmar Grünhagen. Breslau. 1860. = Codex diplomaticus Silesiae. Bd. 3. 4⁰.

Pauperismus (Der) und die Volksschule. Ein ernstes Wort über eine der wichtigsten Fragen unserer Zeit. gr. 8⁰. Leipzig, Barth u. Schulze, 1847. (Zerbst, Kummer.) (63 S.)

Pauplé, E., im Herbst, s.: Eichhorn, A.

Lastenübernahme und Schätzungswert. Die Lehre vom Beitritt. 2 Abhandlungen von Dr. Eduard **Paupie**. *Wien: C. Konegen 1901.* (VI, 138 S.) 8° [F.] (ot. 796)

Paupié, Frz. Andr., die Kunst des Bierbrauens physisch-chemisch-ökonomisch beschrieben. 2 Thle. 8. Prag 794. 2e Aufl. 821. u. 3r Thl. 821. Mit 4 Kpf. u. 2 Tabb., Eggenberger. 2 ₰ Der 3e Thl. einzeln 15 gr

— — dies. 8. Prag, Neureuter. 794.

Paupie, F. And., die Kunst des Bierbrauens. 2 Thle. m. K. 8. Prag, Barth (Widtmann.) 794—97.

Pauple, Fr. A., die Kunst des Bierbrauens physisch-chemisch-ökonomisch beschrieben. 2 Theile. 2te Aufl. 8. Prag, D. Hartmann. 820.

— — dessen 3r Theil, mit 4 Kupfern und 2 Tabellen. 8. Ebend. 821.

— Versuch e. Grundlehre d. Bierbrauerei, in katechet. Form für Lehrlinge, Gesellen ꝛc. 8. Prag 787. Neureutter. 22 gr

— Grundlehre der Bierbrauerey. 8. Ebend. 797.

Paupie, Ludw., Anfangsgründe der Theorie in der Musik, kurz und faßlich dargestellt. 8. (32 S.) Wels 852. (Leipzig, Hübner.) *

Paupitius, Samuel Jonathan (Dahme/Querfurt), De dialectica veterum. Diss. praevia. Präs. Christoph Friedrich Ayrmann. Wittenberg (Schroeder) 13. VI. 1716. 24 S. (5.—) 25983
Gew.: Johann Dornfeld, Johann Christian Buck v. Christoph Fried. Ayrmann.

Paur, der Oberlehrer Dr., zu Neiße u. sein Kampf gegen die Unvernunft. gr. 8. (¾ B.) Breslau 840, Friedr. Aderholz.
Aus: Der Apologet besond. abgedruckt.

Paur, Franz, Auf zur Wahl! Einige Worte zu den Gemeindewahlen. München 1878. Kl. 8⁰. 15 S. Cart.

PAUR, Franz Seraph (Lm): De febri puerperali.- Monachii: Rösl 1843. 14 S.
20.1.1840 - Urk; P 65
Diss.Ingolst.-Landsh.-Mchn.

Paur, Herm., nach Athen u. Konstantinopel. (III, 195 S. m. Abbildgn.) 8. Burghausen 907. W. Trinkl. 3.50; geb. in Leinw. 4.50

Paur, Herm., „Heimatschutz". Vortrag, geh. im Stadtmuseums- u. Altertumsverein Burghausen am 20. V. 1905. (18 S.) 8. Burghausen 905. L. Russy. n. —25
Sonderabdruck aus: „Burghauser Anzeiger".

— Museen u. ihre Einrichtung. (26 S.) gr. 8. Burghausen (906). W. Trinkl. n. —50

Paur, Hermann: Observationes et adnotationes ad Flavii Josephi elocutionem. *Nürnberg, 1892;* 32 S. 8.
Nürnberg, RG, P 1892**

Paur, Hermann: Von Belgrad zum Archipelagus. 39 S. 8.
Progr. Kgl. hum. Gymn. *Burghausen* 1907.
Ein Teil des Werkes: Nach Athen und Konstantinopel von H. P. *Burghausen a. S., Oberbayern: W. Trinkl Verl.* 1907. 2 Bl., 195 S. 8. M. 3.50.

Paur, I., neue Post- u. Reise-Charte von Deutschland. Nach den zuverlässigsten Hülfsmitteln gez. Imp. Fol. Kpfrst. u. color. Nürnberg 852, Beyerlein. 9 ngr

Paur, I., Neue Post- und Reise-Charte von Deutschland. Nach den zuverlässigsten Hülfsmitteln gezeichnet u. herausg. Nürnberg. Beyerlein, 1854. Imp.-Fol. Kupferst. u. kolor.
—, — Neue Ausg. Ebenda 1855.

Paur, Joh., zwei römische Ziegeldenkmäler aus Steinamanger in Ungern. Lex.-8. (11 S. mit 3 Stnt. in Fol.) Wien 855, (Gerold's Sohn.) *
Aus: Sitzungsberichte der k. Akademie der Wissenschaften J. 1854, besonders abgedruckt.

PAUR, Joseph (Lm): Generalia circa sanguinis ex utero profluvia.- Monachii: Roesl 1833. 10 S.
18.5.1833 - Urk; P 61
Diss. Ingolst.-Landsh.-Mchn.

Paur, Josef (Johann?) Valentin

Paur, auch Pauer, Jos. Val., Andachtsbuch z. kirchl. u. häusl. Erbauung, f. kathol. Christen. 12. Linz 810. Haslinger. 16 gr

Paur, J. V., Andachtsbuch z. kirchl. u. häusl. Erbauung. 12. Linz, Haslinger. 813.

Paur, J. V., Andachtsbuch zur kirchlichen und häuslichen Erbauung für katholische Christen. N. A. 12. Linz, Haslinger. 820.

— Andachtsbuch zur Selbsterbauung f. Kranke, dessen sich aber auch jeder Krankenfreund gar wohl bedienen mag. 8. Linz 820. Haslinger. 6 gr

Paur, J. Valentin, s. Beitrag, auch ein, z. Beförderung rein. Sittlichkeit.

Paur, (J. V.) Bilder aus dem Leben der Mutter Jesu, zunächst zur Nachbild. f. die reifere Jugend. 8. Linz 822, Eurich.

— liturgische Blätter, oder kurze Anreden, Erläuterr., Gebete, die Administrirung d. heil. Sakramente ꝛc. betr. 8. Linz 816. Haslinger. 8 gr

Paur, Jos. Val., das stille Dörflein. Ein Sittengemälde zum Nutzen und Vergnügen zunächst der Jugend wie auch der Aeltern ꝛc. Neue Ausg. Mit Titelbild. 16. Linz 834. (Haslinger.) 5 gr

— kleine Erzählungen u. Gleichnisse, sowohl f. d. Jugend als auch f. Aeltern u. Erzieher. 12. (5¼ B.) Linz 834, (Haslinger.)

— einige Fest- u. Gelegenheits-Predigten rc. gr. 8. Leipz. u. Salzb. 802. (Duyle). 16 gr bei Kranzfelder 18 gr

— neue Fest- u. Gelegenheits-Predigten, nebst 6 Fastenpredigten. gr. 8. Linz 805. Academ. B. 1 fl bei Duyle in Salzb. 16 gr

— neue Fest- und Gelegenh.-Predigten, nebst 6 Fastenpredigten. gr. 8. Ebend. (u. Liebeskind in Lpz.) 805.

— der guten Kinder Freud u. Leid. Drei Erzähll., zunächst der zarten Jugend, u. vorzügl. fleißigen Kindern zu Prüfungs- u. Festgeschenken gewidmet. gr. 12. Wien 827. Grund. (Leipz., Fr. Fleischer). 5 gr

— Geschichte des ägyptischen Josephs. als eine Mitgabe für die reifere Jugend. 12. Linz 822, Eurich.

— Geschichte d. ägypt. Josephs; als eine Mitgabe f. die reifere Jugend. 12. Linz 822. Haslinger. 4 gr

— neue Glaubens- u. Sittenreden auf die Sonn- u. Festtage des katholischen Kirchenjahres. 2 Thle. gr. 8. Wien 826, Al. Doll.

— christkathol. Haus-Postille, zum Unterricht u. z. Erbauung auf alle Sonn- u. Feiertage des Jahres rc. Mit nöth. Erklärt. über den Ursprung d. Feste u. die Bedeutung verschiedener Kirchen-Ceremonien. 4. Linz 825, akad. Buchh.

Paur, J. Valentin, s. Hauspostille, neue christliche.

— Lesebuch f. Kinder, welche sich dem Austritte aus d. Schule nähern rc. 8. Linz 808. Akadem. B. 6 gr

Paur, Jos. Val., Martin u. Maria. Eine lehrr. Gesch. f. Aeltern, Lehrer, Erzieher, u. auch f. d. reif. Jugend. Als e. Seitenstück z. allgem. verbreit. Volksschrift: „Isidor, Bauer zu Nied." 2 Bdchn. 8. (19 B.) Linz 835, (Haslinger.)

Paur, J. Valentin, s. Predigten auf alle Sonn- u. Festtage.

— das Büchlein Ruth. Zu e. weitern häusl. Erbauung bearb. 8. Linz 815. Haslinger. 4 gr

Pauer, Joh. Valent., Das Büchlein Ruth, zur häuslichen Erbauung. Linz, Haslinger, 1817 (1815). 8°.

—— Skizze einer Selbstbiographie. Mit e. Beil. in Briefen u. e. Anh. v. verschied. Reise-Reminiscenzen. 8. (12¼ B.) Linz 834, (Haslinger.)

— das Buch Tobias. Zu e. weitern häusl. Erbauung bearb. 8. Linz 817. Haslinger. 8 gr

Paur, J. Valentin, s. Volkspredigten, kurze, z. Beförder. einer reinen Glaubens- u. Sittenlehre.

— Volkspredigten ein. reinen Glaubens- u. Sittenlehre. 2 Bde. 8. Ebend. 814.

— neue Worte des Ernstes, od. Glaubensstärkungen für unsere Zeit, ausgesprochen in 6 Fasten- u. einigen Fasttagspredigten. 8. Linz 822, Eurich.

— neue Worte d. Ernstes, od. Glaubensstärkungen für unsere Zeit, ausgesprochen in 6 Fasten- u. einigen Festtagspredigten. 8. Linz 822. Haslinger. 6 gr

— die Zeiten und Feste der kathol. Kirche, geschichtl. und im Zusammenhange dargestellt zum kirchl. Vortrag und zur häusl. Erbauung. Mit 1 Kupf. 8. Prag, Calve. 820.

Auf weiß Druckpap.

PAUR, CARL: Ehrenrede auf den H. Stifter des Preiswürdigsten Ordens der frommen Schulen Joseph von Calsanz, als die achttägige Feyer seiner Heiligsprechung den 27. des Augustmonats 1769 . . . zu Neutra beschlossen wurde. Tyrnau 1769. Gedr. in der Academ. Buchdruck. 12 S. - 4°

Paur, M., s. Baur, M.

Paur, M., Handweiser in das neue Verfahren. I. und II. gr. 8. Nördlingen 879, Beck'sche Buchh. In Mappe in Lex.-8. * 1 80

Inhalt:

I. Das Verfahren vor den Schöffengerichten, für Amtsrichter, Amtsanwälte, Vertheidiger und Schöffen, unter Hinweis auf die einschläg. Gesetzesbestimmungen übersichtlich dargestellt. (4 S.) * 60 Pf.

II. Das Verfahren vor den Strafkammern und den Schwurgerichten, für Richter, Staatsanwälte, Vertheidiger und Geschworne, unter Hinweis auf die einschläg. Gesetzesbestimmungen übersichtlich dargestellt. (7 S.) * M 1,20.

Paur, Theodor, über Dante, Milton und Klopstock. Progr. der Realschule Neisse 1847.

Paur, Th., über Goethe's Faust. Ein Vortrag. (Abdruck aus der Schlesischen Schullehrer-Zeitung.) Breslau 853. Leuckart. Lex.-8. (16 S.) 5 ngr

— zu Uhland's Gedächtniß. (Abdr. aus dem Neuen Lausitzer Magazin.) Ebend. 863. gr. 8. (10 S.) n. 2 ngr

—— zu Uhland's Gedächtniß. gr. 8. (10 S.) Görlitz 864, Remer. *

aus: Neues Lausitz. Magazin, besonders abgedruckt.

Paur, Theod., Johann Sleidan's Commentare über die Regierungszeit Karl's V. historisch-kritisch betrachtet. gr. 8. (10 B.) Leipzig 843, Wilh. Engelmann. *

Paur, Thdr., zur Litteratur- und Kulturgeschichte. Aufsätze und Vorträge. 8. (VI, 531 S.) Leipzig 876, Leuckart. * 8 —

Paur, Thdr., über die Quellen zur Lebensgeschichte Dante's. (Abdr. aus dem Neuen Lausitzer Magazin.) Görlitz 862. Remer. Lex.-8. (2 Bl., 57 S.) 15 ngr

— s. v. Sallet, Fr., sämmtl. Schriften.

Paur, Theodorus *(geb. Neiße 2.5.1815)*: De Joanne Sleidano, commentariorum de statu religionis et reipublicae etc. scriptore. Vratislaviae (1842). (62 S.) 8° *(Vollst. 1843 bei Engelmann in Leipzig unt. d. T.: „Johann Sleidan's Commentare über die Regierungszeit Karl's V. hist.-kritisch betrachtet." — Verf. erlebte die Diplomerneuerung 1892 als ehem. Prorektor der Realschule zu Neiße.)*

Breslau, Phil. Diss. v. 22. Juli 1842

Paur, Thdr., die Stimmen des Landes in der Schulfrage, nach den an das preuß. Abgeordnetenhaus gerichteten Petitionen. 8. (67 S.) Berlin 869, F. Duncker. [Stuttgart, Krabbe.]

— der Herr v. Tschirnhaus auf Kieslingswalde u. sein Pfarrer Kellner v. Zinnendorff. [Aus: Neues Lausitz. Magazin.] Görlitz 864. Remer. gr. 8. (32 S.) 6 ngr

Paur, Thdr., das früheste Verständniß von Dante's Commedia. Nach den Glossen der alten Commentare zu den zwei ersten Gesängen des Inferno. gr. 8. (59 S.) Görlitz 888, (Remer.) * 1 20

Aus: Neues lausitzer Magazin, besonders abgedruckt.

Paur, T., was die Wortführer des deutschen Volkes nicht vergessen sollten, s. Wae.

—— einige Worte über die Vernunft u. ihre Feinde. 4 Aufsätze. 8. (5 B.) Breslau 846, A. Schulz. *

Paura, A. v. der, s. a.: Groner, Frau Auguste.

— Irmengarde, s.: Collection Hartleben. VIII. 23. 24.

Paurnfeindt, Christian Johann

Paurnfeindt, Chrstn. Joh., Handbuch d. Handelsgesetze u. des bei Anwend. ders. bei d. Mercantil-Gerichten eintret. Verfahrens, mit besond. Rücksicht auf d. Erzhrzgth. Oesterreich unt. d. Enns. gr. 8. (24½ B.) Wien 836, [Tendler u. Schaefer.] Thlr.

— österreich. Wechsel-Ordnung, mit den bisher hierüber erlass., sowie den auf selben anwendbaren Gesetzen u. Verordnungen, dann als Anhang die westgalizische Wechsel-Ordnung, nebst dem von den Wechselbriefen handelnden 8. Titel des Handels-Gesetzbuchs für d. Königr. Italien. Mit e. alphabet. Register. gr. 8. Wien 839, Braumüller u. Seidel. 1⅓ ₰

Paus, Hermann [app. Arzt aus Dellwig '(Rheinprov.)']: Aus d. patholog. Institut zu Kiel. Über normales und pathologisches Epithel der harnableitenden Wege ... Kiel, Druck d. Holsatia-Druckerei, 1892; 22 S., 1 Bl. 8.
Kiel, Med. Fak., Inaug.-Diss. v. [9. Mai] 1892

Pausa [Sachl. OW]

Pausa, die Stadt, und ihre nächste Umgebung. Hrsg. vom Verein für Ortskunde. (In 4 Lfgn.) 1. und 2. Lfg. gr. 8. (S. 1—90 mit 2 Ansichten in Lichtdr. und 1 lithogr. Plan von Pausa.) Pausa 883. (Plauen, Kell's Buchh.) à Lfg. * 50 Pf. *

Pausa, die Stadt und ihre nächste Umgebung. Hrsg. vom Verein für Ortskunde. 3.—6. Lfg. gr. 8. (S. 91—320.) Pausa 884—88. (Plauen, Kell.) à Lfg. * 50 Pf. * 2 —
1 und 2 Lfg. Ebendas. 1883. à * 50 Pf.

DIE STADT PAUSA UND IHRE NÄCHSTE UMGEBUNG. Im Auftrage des Vereins für Ortskunde herausgegeben von ROBERT HILLER. Mit einem Plane der Stadt, einer Karte der Umgebung und drei Ansichten in Lichtdruck.
(Lief. 1—7 u. 8.) Pausa, 1890. Druck von G. Förster's Buchdruckerei. In Kommission bei A. Kell in Plauen i. V. 8°

Pausa, die Stadt, u. ihre nächste Umgebung, s. Hiller, Rob.

Pausa [Schlagwort]

Pausa, s.: Geologische Karten. Spezialkarte (Sachsen.)

Pausa, s.: Sachsen. Karte. Messtischblätter.

Pausanias

—— Lebens- und Glaubensanschauungen, s. Pfundtner, O.

Pausanias' Beschreibung von Griechenland, s. Bibliothek, Langenscheidtsche.

Pausanias s. Bibliothek d. Übersetzungen

—— Beschreibung von Griechenland, übers. von H. Reichardt, s. Prosaiker, griechische.

—— dass., übers. v. C. G. Siebelis, s. Prosaiker, griech.

Pausanias, Beschreibung von Griechenland, s. Sammlung Griech. und Röm. Classiker.

— Beschreibung v. Hellas, aus d. Griech. übers. u. mit Anmerkk. erläut. v. E. Wiedasch. 1r u. 2r Thl. Mit 2 Plan. gr. 12. Münch. 826 u. 27, Fleischmann. 1r Thl. 1 Rthl. 6 gr. 2r Thl. 1 Rthl. 8 gr.

—— Beschreibung v. Hellas, aus d. Griech. übers. u. mit Anmerkn. erläut. v. E. Wiedasch. 3—5. (letzt.) Thl. gr. 12. München, Fleischmann. [3. (30⅓ B. u. 1 Karte d. Peloponneses.) 828. 1 Thlr. 22 Gr., 4. (25½ B. u. 21 geneal. Tab. d. ältest. Hellen. Fürstenhäuser.) 830. 2 Thlr. 4 Gr., 5. Register. (18 B.) 833. 16 Gr.]
1. u. 2. Bd. Ebendas. 1826, 27. 2 Thlr. 14 Gr.

— Beschreibung von Hellas, aus d. Griech. übersetzt u. mit Anmerkk. erläutert von Ernst Wiedasch. 5r Thl. Enthaltend das Register über alle 4 Thle. A. u. d. T.: Sammlung der griech. Klassiker. gr. 12. München 833. Fleischmann. ⅔ ₰ — Alle 5 Thle. 7⅓ ₰

Pausanias. Beschreibung von Griechenland, übersetzt von Carl Gottfried Siebelis und H. Reichardt. 2 Bde. Stuttgart 1827—1855. 8°.

— Beschreib. v. Griechenland; übersetzt v. C. G. Siebelis 16—36 Bdchn. 16. Stuttg. 827—29. Metzler. 12 ₰

Pausanias Beschreibung von Griechenland, übersetzt von C. G. Siebelis. 4s Bdchen. 16. Stuttgart 832. Metzler. ⅙ ₰ — Alle 4 Bde. ⅔ ₰

Pausanias, Beschreibung von Griechenland. Uebers. von Joh. Heinr. Chr. Schubert. 1.—14. und 16. Lfg. 2. Aufl. 8. (S. 1—661; S. 711—758.) Berlin 885—88, Langenscheidt'sche Verlagsb. à Lfg. * 35 Pf. * 5 25
—— dass. — s. Bibliothek, Langenscheidt'sche, sämmtlicher griechischer und römischer Klassiker.

Pausanias' Beschreibung v. Griechenland. Übers. v. Joh. Heinr. Chr. Schubart. 15., 17., 19. u. 20. Lfg. 2. Aufl. 8. Berlin 891. Langenscheidt. à n. — 35
15. (5. Bd. S. 663—710.) — 17. 10. Buch (Phokika). (5. Bd. S. 759—790.) — 19. 20. Einleitung u. Register. (6. Bd. S. 1—96.)

— Beschreibg. v. Griechenland. Aus d. Griech. übers. v. Joh. Heinr. Chr. Schubart. (In 21 Lfgn.) 1., 3., u. 5.—9. Lfg. 3. Aufl. 8. Berlin, Langenscheidt. à Lfg. n. — 35
1. (1. Bd. S. 1—48.) 895. — 3. (1. Bd. S. 97—144.) 895. 5—9. (2. Bd. S. 191—344 u. 3. Bd. S. 345—440.) 896. 897.

Pausanias' Beschreibung v. Griechenland. Übers. v. Joh. Heinr. Chr. Schubart. 10.—12. Lfg. 3. Aufl. 8. (3. Bd. S. 441—580.) Berlin (901). Langenscheidt's Verl. à n. — 35

Pausanias' Beschreibung v. Griechenland. Uebers. v. Joh. Heinr. Chr. Schubart. 6. Lfg. 4. Aufl. (2. Bd. S. 239 bis 286.) kl. 8. Berlin-Schöneberg (906). Langenscheidt's Verl. n. — 35

Pausanias' Beschreibung v. Griechenland. Übers. v. Joh. Heinr. Chr. Schubart. 1.—5. 7.—12. u. 14.—21. Lfg. kl. 8. Berlin-Schöneberg, Langenscheidt's Verl. à — 35
1—5. IV. Aufl. (1. Bd. S. 1—190 u. 2. Bd. S. 191—238.) (907 08.)
7—12. IV. Aufl. (2. Bd. S. 287—440 u. 3. Bd. S. 441—580.) (907—10.)
14—21. III. Aufl. (4. Bd. S. 629—813 u. 6. Bd. S. 1—127.) (907—10.)

Pausaniae descriptio arcis Athenarum in usum scholarum edid. Otto Jahn. Accedit forma arcis ab Adolfo Michaelis descripta. gr. 8. (54 S. mit 2 Stnt. in qu. Fol.) Bonn 860, Marcus. *

Pausaniae descriptio arcis Athenarum, in usum scholarum ed. Otto Jahn. Ed. II. recognita ab Adf. Michaelis, aucta cum aliis tabulis tum forma arcis ab J. A. Kaupert descripta. 4. (VI, 70 S. m. eingedr. Holzschn., 2 Kpfr.- u. 6 Lichtdr.-Taf.) Bonn 880. A. Marcus. cart. n. 6. —

Pausanias: [D e s c r i p t i o arcis Athenarum]
Arx Athenarum. In usum schol. ed. Otto Jahn et Adolfus Michaelis. Ed. 3. actis arcis et fasciculo tab. aucta. Bonnae. A. Marens & E. Weber 1901. 2 Bde 4⁰
Fasc. tab.= Michaelis: Tabulae arcem Athenarum illustrantes.

Pausaniae, Graeciae descriptio, gr. e. lat. recens., emend., explanavit J. F. Facius. IV Tom. 8maj. Lpz. 794—96. Kühn. 7 ℛ Schrbp. 10 ℛ

Pausanias, Graeciae descript. gr. et lat. a I. F. Facio. IV Tmi. 8. maj. Lips. Schaefer. (Kuhn.) 794–97. (1r 2r à 3 Rthlr. 18 gr. 3r 4r 3 Rthlr. 12 gr.)
Schrbp. 1

Pausaniae Graeciae descriptio ad opt. libr. fid. 3 Tomi. 12. Lipsiae, Tauchnitz. 818.
Fein Pap.

— Graece. Nova edit. e nova Siebelisii recens. Lips. et Lugd. B. 819. 3 Tom. 8. 1 rthlr. 12 gr.

Pausaniae Graeciae descriptio, ed. graeca emendavit, lat. Amasaei interpret. castigatam adjunxit et annot. atque indices adj. C. G. Siebelis. IV Tomi. 8maj. Lips. 822—27. Weidmann. 13 Rthl. 8 gr. Schreibp. 15 Rthl. 12 gr. Velinpap.
(T. I. 2 Rthl. 20 gr. Schreibp. 3 Rthl. 8 gr. Velinpap. 3 Rthl. 16 gr. T. II. 3 Rthl. 8 gr. Schreibp. 3 Rthl. 20 gr. Velinp. 4 Rthl. 16 gr. T. III. 3 Rthl. 20 gr. Schreibp. 4 Rthl. 8 gr. Velinp. 4 Rthl. 16 gr. T. IV. 3 Rthl. 8 gr. Schreibp. 4 Rthl. Velinp. 4 Rthl. 12 gr.)

Pausaniae Graeciae descriptio. Edid., graeca emendavit. latinam Amasaei interpret. castig. adjunxit et adnotat. atque indices adjec. C. G. Siebelis. Tom. V. (et ult.) Auctar. adnotat., indices rerum et verbor. atque reliquas Bekkeri edit. lect. memorabilis cont. 8 maj. (20 B.) Lipsiae 828, Weidmann. 1 Thlr. 16 Gr., Schrbp. 2 Thlr., Vlnp.
Tom. I—IV. Ebendas. 1822—27. 13 Thlr. 8 Gr., Schrbp. 15 Thlr. 12 Gr., Vlnp. 18 Thlr. 12 Gr.

— Graeciae descriptio; ed., graeca emendavit, lat. Amasaei interpret. castigatam adjunxit et annot. atque indices adj. C. G. Siebelis. V Tom. 8maj. Leipz. 822—29. 15 ℛ Schrbp. 17 ℛ 12 g℘ Velinp. 20 ℛ

Pausaniae descriptio Graeciae. Ad Codd. Mss. Paris., Vindobon., Florentin., Roman., Lugdunens., Mosquensis, Monacensis, Veneti, Neapolitani et edit. fid. recens., apparatu crit., interpretat. lat. et indicibus instr. Io. Henr. Chr. Schubart et Chr. Walz. Vol. I—III. 8maj. Lipsiae, libr. Hahn. [I. (40 B.) 3 Thlr., II. (43 B.) 838. 3⅓ Thlr., III. (51 B.) 839. 4⅙ Thlr.]

Pausaniae descriptio Graeciae. Recognovit Joan. Henr. Chrn. Schubart. Vol. I. et II. 8. Lipsiae, Teubner. [1. (XXVI und 486 S.) 853., 2. (XXVI und 454 S.) 854. à Vol. 15 Ngr.]
Vlnp. à Vol. 24 Ngr.

Pausaniae descriptio Graeciae. Recognovit Iohs. Henr. Schubart. 2 vol. Leipzig 875, Teubner. à Vol. ℳ 1,80.
Inhalt:
Vol. 1. Lib. I—VI, sive Attica, Corinthiaca, Laconica, Messeniaca, Eliacorum libri duo. (XXVI, 486 S.)
» 2. Lib. VII—X, sive Achaica, Arcadica, Boeotica, Phocica, Index. (XXVI, 454 S.)

Pausanias: Descriptio Graeciae. Recogn. J. H. Chr. Schubart. Lipsiae 1875—81. 2 Bde

Pausanias. Des P' Beschreibung von Griechenland. Mit kritischem Apparat hrg. von Hermann H i t z i g, mit erklärenden Anmerkungen versehen von H' H' und Hugo B l ü m n e r. 6 Halbbände. — *A u. d. T.:* Pausaniae Graeciae descriptio. Edidit, graeca emendavit, apparatum criticum adiecit Hermannus H', Commentarium germanice scriptum cum tabulis topographicis et numismaticis addiderunt H' H' et Hugo Bluemner. 3 Volumina. gr.-8. Leipzig = Lipsiae, O. R. Reisland (**Halbbd. 1* Berlin = Berolini, S. Calvary & Co.). 1896—1910.
Halbband 1: Mit zehn topographischen und einer Münztafel. Buch I: Attika = Voluminis 1 pars prior. Liber I: Attica. IV + XXIV + 380 S. 1896. (M. 18. —, geb. 20. —)
Halbband 2: Mit vier top' und zwei Münztafeln. Buch II: Corinthiaca; Buch III: Laconica = Vol' 1 pars posterior. Liber II: C'; Liber III: Lac' XVI S. + S. 381 — 876. 1899. (M. 22. —, geb. 24. —)
Halbband 3: Mit fünf Tafeln. Buch IV: Messeniaca; Buch V: Eliaca 1 = Vol' 2 pars prior. Liber IV: M'; Liber V: E' 1. XIV + 450 S. 1901. (M. 20. —, geb. 22. —)
Halbband 4: Mit [1 Abbildung und] einer Tafel. Buch VI: Eliaca 2; Buch VII: Achaica = Vol' 2 pars posterior Liber VI: E' 2; Liber VII: A'. VIII S. + S. 451 — 846. 1904. (M. 18.—, geb. 20. —)
Halbband 5: Mit [3 Abbildungen und] drei Tafeln [*d. i.* Tafeln]. Buch VIII Arcadica; Buch IX: Boeotica = Vol' 3 pars prior. Liber VIII: A'; Liber IX: B'. VIII + 524 S. 1907. (M. 20. —, geb. 22. —)
Halbband 6: Mit zwei Tafeln. Buch X: Phocica; Indices = Vol' 3 pars posterior. Liber X: Ph'; Indices. VI S. + S. 525 — 1036. 1910. (M. 22. —, geb. 24. —)

Pausaniae fragmenta, s. S c h w a b e, Ernestus.

— Führer durch Attika, s.: Universal-Bibliothek.

— Geschichte der messenischen Kriege, s.: Universal-Bibliothek.

Pausanias, s. K a s t e n d. Cypselus

Παυσανίου Ἑλλάδος περιήγησις. Pausaniae descriptio Graeciae. Recognovit et praefatus est Ludov. Dindorfius. Graece et Latine cum indice locupletissimo. Lex.-8. (40 B.) Parisiis 845, Didot fratres. *

Παυσανίου Ἑλλάδος περιήγησις. Pausaniae Graeciae descriptio. Recogn. Fridericus Spiro. Vol. 1–3. *Lipsiae: B. G. Teubner 1903.* 3 Bde 8°
1. Libros 1–4 continens. 2. Libros 5–8 continens.
3. Libros 9 et 10 et ind. continens.
(Bibliotheca script. graec. et rom. Teubneriana.) [illegible]

— Graeciae d e s c r i p t i o. Recognovit Frider. Spiro. 3 Voll. 8. Leipzig 903. B. G. Teubner. n. 7. 60; geb. n. 9. 20
I. Libros I—IV continens. (XXI, 420 S.) n. 2. 80; geb. n. 3. 40
II. Libros V—VIII continens. (389 S) n. 2. 40; geb. n. 2. 80
III. Libros IX et X et indicem continens. (357 S.) n. 2. 40; geb. n. 3. —

Pausanias: Ausführliche R e i s e - B e s c h r e i b u n g von Griechenland. Aus dem Griechischen von Johann Eustachius Goldhagen. Berlin u. Leipzig 1766. 2 Bde. 8.

— ausführl. Reisebeschreibung v. Griechenland; aus d. Griech. übers. v. J. Eust. Goldhagen. 2 Bde. gr. 8. Berl. 765, 66. 2e Ausg. 2 Bde in 4 Thln. 798, 99. (Reimer). 4 ℛ

— R e i s e b e s c h r. v. Griechenland, a. d. Griech. v. Goldhagen. 4 Thle. gr. 8. Berlin, Schöne. 798.

— de situ Graeciae libri X. Recogn. Imm. Bekkerus. II Tm. 8maj. Berl. 826. Reimer. 3 ℛ 18 g℘ Schreibp. 4 ℛ 8 g℘ Velinp. 5 ℛ 8 g℘

P a u s a n i a s Tod, Trauerspiel von Hagemeister. 8. Berlin, Schöne. 795. Ist jetzt Verlag von Nauk.

Pausch, Adolf, s. P a n s c h , Adolf.

Pausch, C., und J. J. Brugger, ein Liederstrauß. Dichtungen. 16. (VII und 184 S.) St. Gallen 858, Scheitlin und Zollikofer.

Pausch, Ed. Zur Kritik des Kaisers Tiberius mit besond. Berücksichtigung der Lebensbeschreibung desselben von Ad. Stahr. (128) 8. Altenburg 1866. 2,40.

Pausch, Joannes: Quibusnam signis atque symptomatibus herniae s. d spuriae inter se et a veris discerni possunt? Quaestio. Halae (1821): Baentsch. 24 S. 8°

Halle-Wittenberg, Med. Diss., nachgeliefert von dem am 15. Febr. 1821 unter Dispensation von der Verteidigung der Diss. und Thesen promovierten Verf.

Geb. Podersam (Böhmen) 27. 12. 1776. V.

Pauschalabzüge bei der Einkommensteuereinschätzung in Preußen. (Aus d. Verhandlungen d. 11. ordentl. Landesverbandstages 1908 in Berlin.) Spandau: R. Graßmann in Stettin 1908. (19 S.) 8° [F.]
= **Mitteilungen** d. Preuß. Landesverbandes d. Haus- u. Grundbesitzer-Vereine. H. 42. [08. 1064]

Pauschardt, Hermann: Beitrag zur Casuistik der Gelenkneuralgie. Halle a. S. 1881: Plötz. 28 S. 8°

Halle-Wittenberg, Med. Diss. v. 25. Juli 1881

Geb. Stendal (Altmark) 14. 6. 1856. V.

Pauscher, Josef: Die sogenannten C o u t u m e s in den altfranzösischen Artusepe.
Phil. Diss., Prag 1909/1910.

Pauscher, Josef — Gratzer Theater-Almanach zum neuen Jahre 1856. Allen Freunden der Kunst hochachtungsvoll gewidmet von — —. Druck und Papier von A. Leykam's Erben. (16 S. 8.)

Pauscher, Josef — Souffleur des st. st. Theaters Gratzer Theater-Almanach zum neuen Jahre 1857. — — Druck und Papier von A. Leykams Erben in Gratz. (15 S. 8.)

Pauschitz, Philipp, Lehrbuch der Arithmetik für die 1. u. 2. Klasse der Mittelschulen als Behelf einer rationellen mathematischen Vorbildung. gr. 8. (VI u. 250 S.) Wien, Beck'sche U.-B. (A. Hölder.) 1870

Pauschitz, Phil., Lehrbuch der Arithmetik für die unteren Klassen der Mittelschulen als Behelf einer rationellen mathemat. Vorbildung verf. 1. Thl. Wien 868. Beck'sche Univers.-Buchh. gr. 8. (VIII, 96 S.) n. 10 ngr.

Pauschmann, Hans: Über das Poiseuillesche Gesetz und seine Gültigkeit. Erlangen 1909: Junge. 53 S. 8°

Erlangen, Phil. Diss. v. 3. Juli 1909, Ref. Wiedemann

[Geb. 30. Mai 83 Landshut; Wohnort: Nürnberg; Staatsangeh.: Bayern; Vorbildung: Gymn. Erlangen Reife 03; Studium: Erlangen 10, München 1 S.; Rig. 26. Mai 09.] [U 09. 849

Pauschmann, J[oh.] A[lois] Gottfried, a. Landshut: Das Feuer und die Menschheit. 1. Abschnitt. Die Feuerfindung und die Feuerzündung. Erlangen 1908: E. Th. Jacob. (VIII, 62 S., 1 Karte.) 8°

Erlangen, Phil. Fak., Ref. Pechuel-Loesche, Diss. v. 26. Febr. 1908

[Geb. 15. Mai 81 Landshut; Wohnort: Erlangen; Staatsangeh.: Bayern; Vorbildung: Gymn. Erlangen Reife Juli 01; Studium: Techn. Hochsch. München 1, Lyzeum Freising 4, Lyzeum Bamberg 1, Univ. Erlangen 4 S.; Rig. 7. März 07.]

Pause, Ernst Theophob (Waldheim), De methodis hernias inguinales radicitus sanandi, a signoroni commendatis. Diss. chir. Leipzig (J. Fr. Glueck) 13. IX. 1847. 30 S. (2.75) 25985
Gew.: Gustav Wilhelm Braeunlich (Oheim).

Pause, G[eorg]. Ueber Dauererfolge der operativen Behandlung der hochgradigen Kurzsichtigkeit. Eine Fortsetzung zu [Ernst] Pflügers Monographie «Suppression du Cristallin transparent», Paris 1899. Aus der Berner Universitäts-Augenklinik... Sonder-Abdruck aus Zeitschrift für Augenheilkunde. Bd. 15. H[eft] 2 (u. 3).... S. 115—125 u. 212—227. 8. Berlin, S. Karger, [1906].

PAUSE, Georg (Meerane i.S.): Ueber die Nabelschnurumschlingungen im Jahre 1897, Aetiologie, Folgen, Therapie.- München: Kastner & Lossen 1899. 21 S.
9.6.1899 - Chr 1898/99,15; Jv 1899/1900,207
Diss.Ingolst.-Landsh.-Mchn.

— **Heinrich Hermann** (Waldheim), De commotione et compressione cerebri. Diss. med. Leipzig (E. Polz) 3. VI. 1848. 26 S. mit Biogr. (M.: E. Müller). (2.75) 25986
Gew.: Gustav Wilhelm Braeunlich (Oheim).

Pause, Herm. Der Diphtheritis-Schutz. Ein aufklär. u. beruhig. Wort an Eltern u. Erzieher. Mit 2 Wasserstands-Kurventaf. 8. (38 S.) Dresd. 891, Hönsch u. Tiesler. * — 60

Pause, Herm., die Lungenentzündung, ihr Wesen und ihre rationelle Behandlung, auf Grund pathologisch-anatomischer und mikroskopischer Untersuchungen. gr. 8. (VI und 170 S. mit 1 Kpfrt. Abbildungen.) Leipzig 861, Engelmann.

—— **Die Naturgeschichte d. Diphtheritis-Pilzes u. d. ihm verwandten Scharlach-Pilzes. Ein Wegweiser zu e. rationellen Prophylaxe u. Behandlg. der Diphtheritis. Nebst e. Elbthalkarte, 1 Curventaf. u. 4 Taf. Zeichngn. gr. 8. (V, 63 S. m. 3 Tab.) Dresd. 889, Pierson.** * 2 80

Pause, Clara, Manuela. Roman. 8. (392 S.) Leipzig 882. Greßner & Schramm. n. 4. —

Pauselius, Kurt, aus Lelm (Braunschw.): Das Aneurysma popliteum. *Nürnberg [1902]: W. Tümmel.* (33 S.) 8°
Erlangen, Med. Diss. v. 23. März 1901

Pausenmalereien, moderne. Praktische Entwürfe f. Decken u. Wände. I. Serie. (24 farb. Taf.) 38,5×25,5 cm. Wien (908). F. Wolfrum & Co. In Mappe 12. 50

Pauser, August: Die Elektrizität als Bewegung. S. III—XLII. 8. S. III—XXVIII. 8. (Schluß.) S. III—XXI. 8.
Progr. K. k. Staats-Gymn. *Villach* 1903. 1904. 1905.

Pausilippe. Petersb. 1801. V: *Adelung, Friedrich.* (Vater,

PAUSINGER Andreas. Abhandlungen über die Grundsätze bey Wohlfeilheitsanstalten ... von –. Taubstummeninstitut, Wien 1788. 1 vol. 56 S.

Pausinger, Franz von

Pausinger, Frz. v., auf der Birsch. Jagdgeschichten v. Karl Stieler m. Bildern von d. V. u. Text-Illustr. deutscher Künstler. (Neue Ausg. der Weidmanns-Erinnergn.) gr. 4. (76 S. m. 12 Heliograv.) München 894. Verlagsanstalt f. Kunst u. Wissenschaft. Geb. in Leinw. m. Goldschn. n. 20. —

Pausinger, Frz. v., Waidmann's Erinnerungen. (12) Photographien nach den Orig.-Cartons. Begleitender Text von Karl Stieler. Fol. (76 S. mit 24 eingedr. Holzschn.-Illustr.) [München 875, Bruckmann's Verlag.] Gera, Griesbach's Verlag. geb. mit Goldschn. 36 —

Pausinger, F., Der verwundete Hirsch. — Die Wildschweine (Seitenstücke.) Nach d. Orig.-Kohlenzeichnungen heliograph. Gr.-Hoch-Fol. Wien, k. k. Hof- u. Staatsdr. 1888.

Pausitz, A. v., Bergkloster Chemnitz, Schloß Chemnitz u. Schloß Miramar. Mittheilungen aus 7 Jahrhunderten. Mit 1 Ansicht in Lichtdr. 8. (29 S.) Chemnitz 886. (Focke.) n. — 30

PAUSZ, AMANDUS: Christkatholisches Andachtsbuch, insbesondere für fromme Pilger zum Gnadenbild Mariä nach Kleinzell. Übers. u. herausgegeben v. Gottfried Anton Vekerle. Pressburg 1835: Anton Edler von Schmidt. 173, 3 S. - 170 mm
- Dass. Pressburg 1859: Anton Edler von Schmidt. 173, 3 S. - 170 mm

[F.] Dreizehnlinden-Festspiel. Nach J. W. Webers 'Dreizehnlinden' u. M. v. Arndts Liedern f. Soli u. gemischten Chor m. Klavier- oder Orchesterbegl. z. Aufführg m. 9 leb. Bild. bearb. v. Carl **Pauss.** Klavier-Ausz. [u.] 4 Stimmen. *Paderborn: J. Esser (1897).* (83, 10, 10, 10, 10 S.) 1 Bd 8. [98. 696

[F.] Dreizehnlinden-Festspiel. Nach J. W. Webers 'Dreizehnlinden' u. M. v. Arndts Liedern f. Soli u. gemischten Chor m. Klavier- oder Orchesterbegl. z. Aufführg m. 9 leb. Bild. bearb. v. Carl **Pauss.** Textbuch. *Paderborn: J. Esser (1897).* (40 S.) 1 Bd 8. [98. 627

Pauß, Karl: Dreizehnlinden-Festspiel. Nach F. W. Weber's 'Dreizehnlinden' u. M. v. Arndts Liedern f. Soli u. gemischten Chor m. Klavier- oder Orchesterbegleitg. Zur Aufführg. m. 9 lebenden Bild. bearb. Textb. 3. Aufl. Paderborn: J. Esser [1899]. (48 S.) 8°

Pauß, Carl, Dreizehnlinden-Festspiel. Nach F. W. Weber's „Dreizehnlinden" u. M. v. Arndt's Liedern f. Soli u. gemischten Chor m. Klavier- od. Orchesterbegleitg. Zur Aufführg. m. 9 leb. Bildern bearb. Textbuch. 4. Aufl. 12. (48 S.) Paderborn (902). J. Esser. n. — 50

Paust, J. G., aus d. Buche d. Natur. Fragen nach d. Warum zur Ergänzg. u. Belebg. d. naturkundl. Unterrichtes. gr. 8. (176 S. m. 29 Abb.) Breslau 895. F. Hirt. n. 1. 50

Paust, J. G., Erläuterungen zu den Mittel- u. Oberstufen der Ausg. D v. Ferd. Hirts deutschem Lesebuche, s.: Schocke, Otto.

— s.: Hirt's, Ferd., Realienbuch.

Naturgeschichte für Mädchenschulen. Mit Berücks. d. Haushaltungsunterr. bearb. von J. G. **Paust**. Mit 103 Abb. 3., erw. u. verm. Aufl. in d. neuen deutschen Rechtschreibung. *Breslau: F. Hirt 1903.* (248 S.) 8° [F.]
— Realienbuch, F. Hirts. No 35. [04. 3757

Paust, J. G., Naturgeschichte f. Mädchenschulen, s.a. Hirt's, Ferd., Realienbuch.

Naturlehre für Mädchenschulen. Mit Berücks. d. Haushaltungsunterr. bearb. von J. G. **Paust**, Kreisschulinsp. Mit 82 Abb. 3., erw. u. verm. Aufl. in d. neuen deutschen Rechtschreibung. *Breslau: F. Hirt 1903.* (160 S.) 8° [F.]
— Realienbuch, F. Hirts. No 34. [04. 3756

— Naturlehre f. Mädchenschulen, s.a. Hirt's, Ferd., Realienbuch.

— s.: Nowack, H., der Unterricht in den Realien.

— u. F. Steinweller, Pflanzen- u. Tierkunde, s.a. Hirt's, F., Realienbuch.

Pflanzen- und Tierkunde, bearb. von J. G. **Paust** u. F. Steinweller. Grössere Ausg. ⟨B⟩. Mit 70 Abb. 7., durchges. Aufl. *Breslau: F. Hirt 1899.* (128 S.) 8° [F.]
— Realienbuch, F. Hirts. No 7. [01. 10057

Pflanzen- und Tierkunde, bearb. von J. G. **Paust** u. F. Steinweller. Größere Ausg. ⟨B⟩. Mit 70 Abb. 8., durchges. (Ster.)Aufl. Breslau: F. Hirt 1901. (128 S.) 8° [F.]
— Realienbuch, F. Hirts. H. 7. [06. 4085

Pflanzen- und Tierkunde bearb. von J. G. **Paust** u. F. Steinweller. Mit 65 Abb. Größere Ausg. ⟨B.⟩ 9., durchges. u. nach d. neuen Rechtschreibung abgeänd. Aufl. Breslau: F. Hirt 1904. (132 S.) 8°
— Realienbuch, F. Hirts. No 7. [06. 914

Pflanzen- und Tierkunde von J. G. **Paust** u. F. Steinweller. 4., verb. u. verm. Aufl. Breslau: F. Hirt 1903. (119 S.) 8° [F.]
— Nowack, Hugo: Der Unterricht in d. Realien. T. 3. [06. 4061

Kleine Pflanzen- und Tierkunde, nach natürlichen Gruppen bearb. von J. G. **Paust** u. F. Steinweller. Mit 26 Abb. SA. aus d. Kleinen Ausg. ⟨C⟩ in 1 Bde. Breslau: F. Hirt 1895. (56 S.) 8° [Umschlagt. F.]
— Realienbuch, F. Hirts. No 32. [06. 4094 2

Paust, J. G., Physik, Chemie und Mineralogie, } s.a. Hirt's, F., Realienbuch.

Physik, Chemie und Mineralogie, bearb. von J. G. **Paust**. Größere Ausg. ⟨B⟩. Mit 62 Abb. 8., durchges. (Ster.)Aufl. Breslau: F. Hirt 1901. (96 S.) 8° [F.]
— Realienbuch, F. Hirts. H. 8. [06. 4086

Physik, Chemie und Mineralogie bearb. von J. G. **Paust**. Größere Ausg. ⟨B.⟩ Mit 78 Abb. 9., neubearb. Aufl. Breslau: F. Hirt 1904. (96 S.) 8° [F.]
— Realienbuch, F. Hirts. No 8. [06. 915

Physik, Chemie und Mineralogie, bearb. von J. G. **Paust**, Kreisschulinsp. Mit 78 Abb. 10. Aufl. Breslau: F. Hirt 1908. (96 S.) 8° [F.]
— Realienbuch, F. Hirt's. No 8. Größ. Ausg. ⟨B.⟩ [09. 2585

Physik, Chemie und Mineralogie von J. G. **Paust**. 4., verb. Aufl. Breslau: F. Hirt 1904. (90 S.) 8°
— Nowack, Hugo: Der Unterricht in d. Realien. T. 4. [06. 4060

Kleine Physik, Chemie und Mineralogie, bearb. von J. G. **Paust**. Mit 29 Abb. SA. aus d. Kleinen Ausg. ⟨C⟩ in 1 Bde. Breslau: F. Hirt 1895. (32 S.) 8° [Umschlagt. F.]
— Realienbuch, F. Hirts. No 33. [06. 4095 2

Naturkundliche Stoffe. Bearb. von J. G. **Paust**, Kgl. Kreisschulinsp. *Breslau: F. Hirt 1899.* (104 S.) 8° [F.]
— Erläuterungen zu F. Hirts Deutschem Lesebuche. Ausg. B. Bdch. 4. [00. 1331 2

Paust, J. G., Stoffe f. den Unterricht in den Realien, s.: Hirt's, Ferd., Realienbuch.

Paust, J. G., Tierkunde. Eine synthet. Darstellung des Tierreiches. Illustriert durch 456 (eingedr.) Abbild. auf 371 Holzschn., mit vergleichenden Notizen über das Verhältnis derselben zur natürl. Größe. gr. 8. (VIII, 272 S.) Breslau 881, F. Hirt. *

—— Tierkunde. Eine synthet. Darstellung des Tierreiches. Illustriert durch 318 Abbild., mit vergleichenden Notizen über das Verhältnis derselben zur natürl. Größe. 2. verb. Aufl. gr. 8. (328 S.) Breslau 887, F. Hirt. * 2 80

Paust, J. G. Tierkunde. Eine synthet. Darstellg. d. Tierreiches. Mit 202 in den Text gedr. Abbildgn. 3. verb. Aufl. gr. 8. (368 S.) Bresl. 891, F. Hirt. geb. * 3 30

— Tierkunde. Eine synthet. Darstellg. des Tierreiches. 4., verb. u. verm. Aufl. gr. 8. (366 S. m. 216 Abbildgn.) Breslau 894. F. Hirt. Geb. in Leinw. n. 3. 60

— Tierkunde. E. synthet. Darstellg. d. Tierreiches. M. 258 Abb. u. 1 neuen Karte in Farbendr.: „D. Tiergebiete d. Erde, nach Möbius". 5., verb. Aufl. gr. 8. (368 S.) Breslau 897. F. Hirt. Geb. in Leinw. n. 4.—

— Tierkunde. Eine synthet. Darstellg. des Tierreiches. Mit 303 Abbildgn. u. 1 neuen Karte in Farbendruck: „Die Tiergebiete der Erde, nach Möbius". 6. verb. Aufl. gr. 8. (383 S.) Breslau 900. F. Hirt. Geb. in Leinw. n. 4.—

Tierkunde. Eine synthet. Darstellung d. Tierreiches f. Lehrerbildungsanstalten von J. G. **Paust**, Kreisschulinsp. 7. Aufl., neu bearb. nach d. Lehrplane v. 1. Juli 1901 im Verein mit F. Panten, Seminarl. Mit 347 Abb. sowie 4 Taf. u. 1 Karte. Breslau: F. Hirt 1905. (VIII, 504 S.) 8° [F.] [06. 9881

— dasselbe, s.: Nowack, Paust 2c., d. Unterricht in den Realien.

— — kleine Tierkunde, s.: Nowack, H., der Unterricht in den Realien.

— d. Unterricht in d. Realien, s.: Nowack, H.

— s.: Vorbereitungen u. Entwürfe aus dem gesamten Unterrichtsgebiete der deutschen Volksschule.

Zur Geschichte des Christentums. Proben kirchengeschichtl. Darstellungen f. Schule u. Haus. Hrsg. von Johannes **Paust**, Oberl. Leipzig & Berlin: Teubner 1910. 155 S. 8°
(Aus deutscher Wissenschaft u. Kunst.) [10. 13624

— Hilfsbuch f. den evangel. Religionsunterricht an höh. Mädchenschulen. Nach den Ausführungsbestimmgn. zu dem Erlasse v. 18. VIII. 1908 üb. die Neuordng. d. höh. Mädchenschulwes. in Preußen bearb. Ausg. A f. Klasse III—I der höh. Mädchenschule u. VI—IV der Studienanstalt. (VI, 143 S.) 8. Leipzig 909. B. G. Teubner. Geb. 1.80

— dasselbe. Ausg. B 2 Hefte f. Klasse III u. II bezw. II u. I der höh. Mädchenschule u. VI u. V bezw. V u. IV der Studienanstalt. (VI, 104 u. V, 89 S.) 8. Ebd. 909. Geb. à 1.20

— Kirchengeschichte f. Lyzeen u. die Oberstufe der Studienanstalten. Nach den Ausführungsbestimmgn. zu dem Erlasse vom 18. VIII. 1908 üb. die Neuordng. des höh. Mädchenschulwesens in Preußen bearb. (IV, 193 S.) 8. Ebd. 910. Geb. in Leinw. 2.40

Paust, Johannes: Zur Religion. Ausgewählte Stücke aus d. religiösen Literatur von Luther an bis z. Gegenwart... Leipzig & Berlin: Teubner 1910. VI, 144 S. 8°
(Aus deutscher Wissenschaft u. Kunst.)

— Zur Religion, s.a. Aus deutscher Wissenschaft u. Kunst.

Paustka, Frdr., Erinnerungen an Garnison u. Schlachtfeld. Gedichte u. Gesänge für Militair u. Militairvereine verfaßt u. herSg. Dresden 868. (Schöpff.) 16. (68 S.) n. 6 *ngr.*

Paustka, Friedr. König Oedipus, oder das verwickelte Familienverhältnis, s. Fastnachts-Bühne.

Im Traum vergangener Zeiten. Eine Reihenfolge lebender Bilder mit verbind. Worten von Friedrich **Paustka**. 2. Aufl. *Berlin: E. Bloch [1894].* (13 S.) 8° [F.]
— Gallerie, Ludwig Blochs, lebender Bilder. Lief. 5.

— im Traum vergangener Zeiten, | s.a. Bloch's, Ludw.,
— von der Wanderschaft bis zum eignen Herd, | Gallerie lebender Bilder.

Von der Wanderschaft bis zum eigenen Herd. Eine Reihenfolge lebender Bilder mit verbind. Worten von Friedr. **Paustka**. 2. Aufl. *Berlin: E. Bloch [1894].* (13 S.) 8° [F.]
— Gallerie. Ludwig Blochs, lebender Bilder. Lief. 8.

Paustka, F., wir von der Kavallerie, s.: Bloch's, L., Militär-Festmappe.

Pauthier, M. G., China, s. Weltgemälde-Gallerie, Asien, 1. Bd.

Pauthier, M. G., Geschichte u. Beschreibung von China. Aus d. Franz. Mit 72 Kpfrn. u. 1 Karte. Aus der Welt-Gemälde-Gallerie abgedr. gr. 8. Stuttgart 839. Schweizerbart. 2 1/8 ℔

Pauthier, M. G., Confucius u. Mencius, s. Reich, das himmlische, 2. Bd.

Pautnik, Casopis obrázkowy pro kazdeho. Red.: Karel Wlad. Zap. Druhy rocnik. 12 Hefte. Mit Stahlst. gr. 4. Prag 847, Haase Söhne, Verlags-Expedition.

Das Wichtigste aus der Heimatkunde des Kreises Landeshut. Beilage z. Flemmingschen Schulkarte d. Kreises Landeshut. Von J[os.] **Pautsch**, Lehrer. Glogau: C. Flemming [1905]. (10 S.) 8° [F.]

Pautsch, Oswald, aus Kieslingswalde: **Grammatik** der Mundart von Kieslingswalde. Ein Beitrag zur Kenntnis d. glätzischen Dialektes. T. 1: Lautlehre. *(Trebnitz i. Schl. 1901: Maretzke & Märtin.)* (31 S.) 8° (4°) * (Erscheint vollst. als 1. Beiheft zu: Mitteilungen d. schles. Ges. f. Volkskunde.)
Breslau, Phil. Diss. v. 28. März 1901

Pautsch, Osw., Grammatik der Mundart v. Kieslingswalde, Kreis Habelschwerdt, s., Mitteilungen der schlesischen Gesellschaft f. Volkskunde. 1. Beiheft.

Pautsch, Otto, der Berliner Lehrerverein. Festschrift zum 25jähr. Jubiläum 1905. Im Auftrage des Vorstandes bearb. (304 S.) 8. Berlin (906). (Schnetter & Dr. Lindemeyer.) n. 1.50

Pautz, [Adolf Wilhelm:] Ein Blick auf die Entwicklung des höheren Schulwesens, insbesondere des Preussischen Realschulwesens. In: (6.) Progr. der höheren Bürgerschule zu Itzehoe. Itzehoe. 1874. 4°.

Pautz, Otto: Muhammeds Lehre von der Offenbarung quellenmässig untersucht. *Leipzig 1898: W. Drugulin.* (IV, 136 S.) 8° * [Erschien vollständig 1898 bei J. C. Hinrichs in Leipzig.]
Leipzig, Phil. Diss. v. [24. Febr.] 1898

Pautz, Otto, Muhammeds Lehre v. d. Offenbarung, quellenmässig untersucht. gr. 8. (VII, 304 S.) Leipzig 898. J. C. Hinrichs' Verl. n. 8.—

Pautz, *Georg Arthur* Walther [app. Arzt, früherer Assist. am physiolog. Inst. zu Marburg]: Beiträge zum Chemismus des Glaskörpers und des humor aqueus ... Marburg, Druck v. R. Oldenbourg, München, 1894; 36 S., 1 Bl. 8.
Marburg, Med. Fak., Inaug.-Diss. v. 16. Juni 1894

[PAUW, Corneille de]
Défense des Recherches philosophiques sur les Américains. Par Mr. de P*
Berlin: Decker. 1770. 256 S. 8°.
Universitätsbibliothek Leipzig

[PAUW, Corneille de] 1739 - 1799
Défense des Recherches philosophiques sur les Américains
Par Mr. de P***.
Nouvelle Edition, corrigée et augmentée.
Berlin. 1772. 256 S. 8°.
Universitätsbibliothek Bonn
1. Aufl. 1770.
Sabin 59239.

Pauw, de, Défense des recherches philos. sur les Américains. 8. Berl. Rottmann. 780.

— Recherches sur la faculté de sentir et celle de connoître. 3. ibid. 776.

[PAUW, Corneille de]
Recherches philosophiques sur les Américains, ou Mémoires intéressants pour servir à l'Histoire de l'Espece Humaine.
Par Mr. de P***.
Avec une Dissertation sur l'Amérique & les Américains, par Don Pernety.
Et la Défense de l'Auteur des Recherches contre cette Dissertation.
Tome I [- III].
Berlin. 1770. 8°.
John Carter Brown Library Providence, R. I.
Sabin 59242.
Darin enthalten:
PERNETY, Antoine Joseph: Dissertation sur l'Amérique et les Américains [in T. III, Berlin 1770, Tl. 1. 136 S.]
[PAUW, Corneille de:] Défense des Recherches philosophiques sur les Américains [in T. III, Berlin 1770, Tl. 2. 256 S.]

[PAUW, Corneille de]
Recherches Philosophiques sur les Américains, ou Mémoires intéressants pour servir à l'Histoire de l'Espèce humaine.
Par Mr. de P***.
Tome premier [- second].
Berlin: Decker. 1770. 8°.

1. Ausg. 1768-69; weitere Ausg. 1770, 1771, 1772, 1774 und 1777.

[PAUW, Corneille de]
Recherches philosophiques sur les Américains, ou Mémoires intéressants pour servir à l'Histoire de l'Espece Humaine.
Par Mr. de P***.
Avec une Dissertation sur l'Amérique & les Américains, par Don Pernety.
Tome I [- II].
London. 1770. 8°.
New York Public Library

Darin enthalten:
PERNETY, Antoine Joseph: Dissertation sur l'Amérique et les Américains, contre les Recherches philosophiques de Mr. de P. Par Don Pernety ...
Berlin. 1770. 136 S. 8°. [als Bd. 2 der Londoner Ausg.]

[PAUW, Corneille de]
Recherches philosophiques sur les Américains, ou Mémoires intéressants pour servir à l'Histoire de l'Espèce humaine.
Par Mr. de P***.
Nouvelle Edition, augmentée d'une Dissertation critique par Dom Pernety; & de la Défense de l'Auteur des Recherches contre cette Dissertation.
Tome premier [- troisieme].
Berlin. 1771. 8°.
John Carter Brown Library Providence, R. I.
Weitere Ausg. 1770, 1771, 1772, 1774 und 1777.
Sabin 59244.
Darin enthalten:
PERNETY, Antoine Joseph: Dissertation sur l'Amérique et les Américains [in T. III, Berlin 1771, Tl. 1. 133 S.]
[PAUW, Corneille de:] Défense des Recherches philosophiques sur les Américains [in T. III, Berlin 1771, Tl. 2. 247 S.]
Antoine Joseph Pernety, 1716-1801

[PAUW, Corneille de]
Recherches philosophiques sur les Américains, ou Mémoires intéressants pour servir à l'Histoire de l'Espece Humaine.
Par Mr. de P***.
Avec une Dissertation sur l'Amérique & les Américains, par Dom Pernety.
Tome premier [- troisieme].
London. 1771. 8°.
New York Public Library
Weitere Ausg. 1770, 1771, 1772, 1774 und 1777
Sabin 59243.
Darin enthalten:
PERNETY, Antoine Joseph: Dissertation sur l'Amérique et les Américains, contre les Recherches philosophiques de Mr. de P***. Par Dom Pernety ..
Berlin. 1770. 118 S. 8°. [als Bd. 2 der Londoner Ausgabe]
[PAUW, Corneille de:] Défense des Recherches philosophiques sur les Américains, par M. de P***.
Berlin. 1771. IV, 232 S. 8°. [als Bd. 3 der Londoner Ausgabe]
Antoine Joseph Pernety, 1716-1801

[PAUW, Corneille de]
Recherches philosophiques sur les Américains, ou Mémoires intéressants pour servir à l'Histoire de l'Espece humaine. Par Mr. de P***.
Tome I [- II].
Nouvelle Edition, corrigée & considérablement augmentée.
Berlin: Decker. 1772. 8°.
Herzog-August-Bibliothek Wolfenbüttel
Weitere Ausg. 1770, 1771, 1772, 1774 und 1777.
Sabin 59245: als dreibändig.

[PAUW, Corneille de]
Recherches philosophiques sur les Américains, ou Mémoires intéressants pour servir à l'Histoire de l'Espèce humaine. Par Mr. de P***.
Tome I [- II].
Nouvelle Edition, corrigée & considérablement augmentée.
Kleve: Baerstecher. 1772. 8°.
Universitäts- und Stadtbibliothek Köln [Bd. 1]; Universitätsbibliothek Bonn [Bd. 2]
Weitere Ausg. 1770, 1771, 1772, 1774 und 1777
Sabin 59245: als dreibändig.

[PAUW, Corneille de]
Recherches philosophiques sur les Américains, ou Mémoires intéressants pour servir à l'Histoire de l'Espece Humaine.
Par M. de P***.
Nouvelle édition, augmentée d'une Dissertation critique par Dom Pernety, & de la Défense de l'Auteur des Recherches contre cette Dissertation.
Tome premier [- troisieme].
Berlin. 1774. 8°.
Universitätsbibliothek Leipzig
Weitere Ausg. 1770, 1771, 1772 und 1777
Sabin 59246.
Darin enthalten:
PERNETY, Antoine Joseph: Dissertation sur l'Amérique et les Américains. Contre les Recherches philosophiques de Mr. de P.
Berlin. 1774. 136 S. 8°. [als Bd. 2 der Berliner Ausgabe]
[PAUW, Corneille de:] Défense des Recherches philosophiques sur les Américains. [als Bd. 3 der Berliner Ausgabe]
Antoine Joseph Pernety, 1716-1801

[PAUW, Corneille de]
Recherches philosophiques sur les Américains, ou Memoires intéressants pour servir à l'Histoire de l'Espece Humaine.
Par M. de P***.
Nouvelle édition, augmentée d'une Dissertation critique par Dom Pernety, & de la Défense de l'Auteur des Recherches contre cette Dissertation.
Tome premier [- troisieme].
Berlin. 1777. 8°.
Boston Public Library
Weitere Ausg. 1770, 1771, 1772 und 1774.
Sabin 59246

— Récherches philosophiques sur los Chinois et Egyptiens. Berlin 773. Rottmann. 2 Vol. 8°.
Vgl. R e c h e r c h e s ...

— Récherches philosophiques sur les Grècs. Berlin 787. 88. 2 Tom. 8. 8 rthl. 12 gr.

v. *Pauw*, Kornel., († d. 7. Jul. 1799.) recherches philosophiques sur les Grecs. II Voll. gr. 8. Berl. 788. Rottmann. 3 ∲ 12 gr.

— — le même en abrégé. II Vol. gr. 8. Berne, Soc. Typ.

— Untersuchungen über die Egyptier und Chineser. Aus dem Französ. 2 Bde. 8.
Berlin: Rottmann 1774.
Vgl. U n t e r s u c h u n g e n...

— philos. Unters. über die Amerikaner, a. d. Frz. 2 Bde. gr. 8. Ebend. 769.
Vgl. U n t e r s u c h u n g e n...

— Philosophische Untersuchungen über die Griechen. Aus dem Französ. von P. Villaume. 2 Theile. 8. 2 rthl. 16 gr. Berlin: Rottmann 1789.

— philosoph. Untersuch. üb. die Griechen; aus d. Französ. v. Pt. Villaume. 2 Bde. gr. 8. Bern 789. Typ. Societ. 2 ∲ 16 gr.

Pauw, Guil.: Varia jur. civ. capita. Ed. IIa. *Hal.* 737. 8.
Vgl. P a w .

Pauwells, Nic., Theologia. V Part. 8. Colon. (I. Wolf, Augsb.) 727.

Pauwels, Ferdinand

Pauwels, F. und Th. Grosse, Wandgemälde in der Aula der Fürsten- und Landesschule St. Afra zu Meissen. Mit erläut. Texte von Paul Schumann. Fol. (12 Lichtdr.-Taf. mit 4 S. Text.) Dresden 885, Gutbier. In Mappe 15 —

Pauwels, Robert, a. Aachen: Das gesetzliche Rücktrittsrecht beim Kauf. Nach gemeinem Recht und dem Recht des bürgerlichen Gesetzbuches. Heidelberg 1904: K. Rössler. (47 S.) 8°
Heidelberg, Jur. Fak., Ref. Bekker, Diss. v. 20. Dez. 1904
[Geb. 22. Mai 79 Aachen; Wohnort: Aachen; Staatsangeh.: Preußen; Vorbildung: Gymn. M.-Gladbach Reife Febr. 98; Studium: Freiburg i. B., Heidelberg, München, Bonn; Rig. 29. Juli 04.]

Pauwels, Vict., Grundbuchordnung f. d. Deutsche Reich, s.: Handbibliothek, juristische.

Pavan, Marco Nic., Atlanto storico. Evo antico. Con le rispettive carte geografiche. Fascicolo 1—9. Triest 868—70. Dase. qu. 4. (144 S. mit eingedr. lith. Karten.) n. 2 *ℛ* 8 *ngr.*

Pávay, Alexander Vajna de

Pávay, A. v., die fossilen Seeigel des Ofner Mergels, — die geologischen Verhältnisse der Umgebung von Klausenburg, } s. Mittheilungen aus dem Jahrbuche der k. ungar. geologischen Anstalt.

Pavay, Alexander Vajna de (Siebenbürgen)
Die geologischen Verhältnisse der Umgebung von Klausenburg.
[In: Mitteilungen a.d. Jahrbuch d. ungar. geolog. Anstalt, I, 3.]
Dr. phil. Giessen 27.11.1847.

Pávay-Vajna, Gabriel

Pávai, Vajna Dr. G., Ueber das Antifebrin. (Separatabdruck aus den Verhandlungen des Vereines für Natur- und Heilkunde in Pressburg v. J. 1887.. 8°. (48 S.) Pressburg, Heckenast. 1887.

Pávay-Vajna, Gabr., die Cholera mit besond. Rücksicht auf die Vorsichtsmaßregeln, die Desinfection und Preßburg's allgemeine Gesundheitsverhältnisse. 8. (65 S.) Preßburg 884, (Stampfel.) *

Pavay-Vajna, Gabriel, über die Hundefrage. gr. 8. (16 S.) Preßburg 886, (Heckenast's Nachf.) * — 40

— wie soll man desinficiren, s.: Dobrovits, M.

Paveš, Joh., der junge Lateiner. Lateinische Grammatik in kurzer Übersichtl. Fassg. 16. (IV, 129 S.) Wien 893. A. Pichler's Wwe. & Sohn. n. 1. —

Pavel, Geo., Katechismus der deutschen Kriegsmarine, s. Weber's, J. J., illustrirte Katechismen. 101.

Pavel, Geo., die deutsche Kriegsmarine. Mit 8 Schiffstypen der deutschen Kriegsmarine (1 Holzschntaf.). 8. (XII, 182 S.) Leipzig 881. Weber. geb. n. 1. 50

Pavel, Wilhelm *(geb. Rogau bei Liegnitz 6. 6. 1859)*: Die Tuberkulose des Harn- und männlichen Genital-Apparates. Breslau (1884). (46 S., 1 Taf.) 8° [F. u. Ant.] *[Im Buchhandel 1884 bei Köhler in Breslau]*
Breslau, Med. Diss. v. 21. Okt. 1884

Für d. Winterabende. Hundert neue Rätsel in Gedichtform von Anna v. Pavelwitz [Frau Hans v. Nordheim]. Herford: W. Menckhoff [1905]. (107 S.) 8° [F.] [05. 13688]

Pavenstedt, J. Erinnerungen aus d. Jahren 1810—15. 8. Bremen.

Pavía, Luigi, Gramática de la lengua inglesa, con ejercicios de versión, lecturas y diálogos. (Método Gaspey-Otto-Sauer.) gr. 8. (XI, 440 S. m. 2 Karten.) Heidelberg 901. J. Groos. Geb. in Leinw. n. 4. —; clave. (40 S.) Kart. n. 1. 60

Pavía, Luigi, gramática de la lengua inglesa con ejercicios de versión, lecturas y diálogos. (Método Gaspey-Otto-Sauer.) 2. ed., revisada y acrecida por el autor. (XV, 456 S. m. 2 Karten.) 8. Heidelberg 908. J. Groos. Geb. in Leinw. 4.—; clave. (48 S.) Kart. 1. 60

Pavía, Luigi, Gramática sucinta de la lengua inglesa. Acompañada de numerosos ejercicios de traducción y lectura. 4. ed. enteramente renovada. (Método Gaspey-Otto-Sauer.) (VIII, 187 S. m. 2 Karten.) 8. Heidelberg 904. J. Groos. Geb. in Leinw. n. 2. —

— Gramática sucinta de la lengua inglesa, acompañada de numerosos ejercicios de traducción y lectura. (Méthodo Gaspey-Otto-Sauer.) 5. ed. (VIII, 196 S. m. 2 Karten.) 8. Ebd. 909. Geb. in Leinw. 2. —

Pavía, Luigi, gramática sucinta de la lengua italiana con ejercicios de version y trozos de lectura. gr. 8. (VII, 183 S.) Heidelberg 894. J. Groos. Geb. in Leinw. n. 2. —

— **Gramática sucinta de la lengua italiana, con ejercicios de versión y trozos de lectura. (Método Gaspey-Otto-Sauer.) 2. ed. gr. 8. (VI, 183 S. m. 1 Karte u. 1 Plan.) Ebd. 901.** Geb. in Leinw. n. 2. —

— **Gramática sucinta de la lengua italiana, con ejercicios de versión y trozos de lectura. 3. ed. (Método Gaspey-Otto-Sauer.) (VIII, 191 S. m. 1 Karte u. 1 Plan.) 8. Ebd. 904.** Geb. in Leinw. n. 2. —

— Gramática sucinta de la lengua italiana, con ejercicios de versión y trozos de lectura. (Método Gaspey-Otto-Sauer.) 4. ed., revisada y aumentada por el autor. (VIII, 197 S. m. 1 Karte u. 1 Plan.) 8. Ebd. 909. Geb. in Leinw. 2. —

Pavía, Luigi, Elementary Spanish grammar with exercises and a vocabulary. gr. 8. (VIII, 213 S.) Heidelberg 897. J. Groos. Geb. in Leinw. n. 2. —

— Elementary Spanish grammar with exercises and a vocabulary. (Method Gaspey-Otto-Sauer.) 2. ed. Rev. by the author. (VIII, 212 S. m. 2 Karten.) 8. Ebd. 907. Geb. in Leinw. 2. —

Pavia, L., nuova grammatica elementare della lingua inglese con temi, letture e dialoghi e colla pronuncia figurata delle parole inglesi. 8. (VI, 193 S.) Heidelberg 888. J. Groos. geb. n. 2. —

— **Grammatica elementare della lingua inglese con temi, letture e dialoghi. (Metodo Gaspey-Otto-Sauer.) 2. ed. gr. 8. (VIII, 198 S. m. 2 Karten.) Ebd. 902.** Geb. in Leinw. n. 2. —

— Grammatica elementare della lingua inglese con temi, letture e dialoghi. (Metodo Gaspey-Otto-Sauer.) 3. ed. migliorata e accresciuta dall' autore. (VIII, 253 S. m. 1 Plan u. 1 Karte.) Ebd. 909. Geb. in Leinw. 2. —

— grammatica elementare della lingua spagnuola con temi esercizî e letture. 8. (VII, 205 S.) Ebd. 894. Geb. in Leinw. n. 2. —

— Grammatica elementare della lingua spagnuola, con temi, esercizi e letture. (Metodo Gaspey-Otto-Sauer.) 2. ed. gr. 8. (VII, 205 S. m. 2 Karten.) Ebd. 901. Geb. in Leinw. n. 2. —

— Grammatica elementare della lingua spagnuola con temi, esercizi e letture. (Metodo Gaspey-Otto-Sauer.) 3. ed., rilavorata e aumentata dall' autore. (VII, 210 S. m. 2 Karten.) 8. Ebd. 907. Geb. in Leinw. 2. —

— Grammatica della lingua inglese, con temi, letture e dialoghi. (Metodo Gaspey-Otto-Sauer.) 4. ed. Interamente rilavorata. 8. (VIII, 399 S.) Ebd. 900. Geb. in Leinw. n. 3. 60

— dasselbe. Chiave. 2. ed. (119 S.) 8. Ebd. 903. Kart. n. 1. 60

— Grammatica della lingua inglese con temi, letture e dialoghi. 5. ed. interamente riveduta e migliorata dall' autore. (Metodo Gaspey-Otto-Sauer.) (VIII, 401 S. m. 2 Karten) 8. Ebd. 905. Geb. in Leinw n. 3. 60

— Grammatica della lingua inglese con temi letture e dialoghi. (Metodo Gaspey-Otto-Sauer.) 6. ed. interamente rinnovata dall' autore. (XII, 479 S. m. 1 farb. Karte u. 1 farb. Plan.) 8. Ebd. 910. Geb. in Lw. 3.60; Chiave. 3. ed. (117 S.) Geb. 1. 60

— grammatica della lingua spagnuola con temi, lettere e dialoghi. gr. 8. (VIII, 422 S.) Ebd. 895. Geb. in Leinw. n. 4. 60; chiave (III, 53 S.) kart. n. 1. 60

— Grammatica della lingua spagnuola, con temi letture e dialoghi. (Metodo Gaspey-Otto-Sauer.) 2. ed. gr. 8. (VIII, 422 S. m. 2 Karten.) Ebd. 901. Geb. in Leinw. n. 4. 60

— Grammatica della lingua spagnuola con temi, letture e dialoghi. (Metodo Gaspey-Otto-Sauer.) 3. ed. riveduta e aumentata dall' autore. (VIII, 428 S. m. 1 Karte.) 8. Ebd. 907. Geb. in Leinw. 4.60; chiave. 2. ed. (III, 73 S.) Kart. 1. 60

Pavian, Pater, Voltaire und Ich in der Unterwelt. Berlin u. Leipzig 1784. V: *Trenck, Frdr. Freih. von der.* (WR)

Pavian, Pater, Voltaire und Ich . . . 2. Aufl. Berlin u. Leipz. 1786. (Gustav Gugitz u. Max von Portheim, Friedrich Freih. von der Trenck. Wien 1912. Nr. 100 u. 101)

Pavie, Thdr., Atlantische Erinnerungen. Reisebilder aus Canada und den vereinigten Staaten von Nord-Amerika. Aus d. Franz. 2 Thle. gr. 12. Braunschweig 834. Horneyer. 2 ꝑ

Pavie, Th., Ismaël Er-Raschydi. Récit des bords du Nil. [Nouveautés Françaises. Nr. 5.] 8. (56 S.) Leipzig 850, Brockhaus. 6 ngr (— siehe auch: Bibliothèque, petite, Française. Vol. 10.)

Pavie, Th., la panthère noire, s. Perret, Paul.

Pavillon, Teutscher, der Musen, oder Versammlung der Gelehrten, welche in Recensirung . . . der allerneuesten Schriften einen Beytrag thun. Leipz. 1725—26. V: *Ranft, Michael.* (ML)

PAVILLON, Teutscher, der Musen, oder Versammlung der Gelehrten, welche in Recensirung . . der allerneuesten Schriften einen Beytrag thun. (Hrsg. von Michael Ranfft). 8 Sammlgn. Leipzig 1725—26.
Anon.-Lex. III p. 261 (nach Meusel), VI p. 268 (nach Dr Adam, Geh. Ober-Reg.-Rath, Stuttgart).

Pavillon der Musen in Recensir. der neuesten Schriften. 8 Samml. 8. Lpz. Heinsius. 725. 26.

Pariser Weltausstellung 1900. Allgemeine Elektricitäts-Gesellschaft, Berlin. **Pavillon** mit Nernstlampen Weltausstellung Paris 1900. *(Berlin 1900: Ullstein & Co.)* (14 S.) quer-4° [ou. 10093 3

Pavissich, Alois Cäsar

Pavissich, Dr. A. C., Conversationstaschenbuch der italienischen und deutschen Sprache, s. a. Bozzi.

Pavissich, Alois Cäsar, Konversazions-Taschenbuch der italienischen und deutschen Sprache. (Nach Bozzi.) 10. Aufl. 1861. und 11., durchgeseh. und verb. Aufl. 12. (X und 364 S. mit 1 Tab. in qu. Fol.) Wien 862, Lechner's Universitäts-Buchh. — Vgl.: Konversazions-Taschenbuch.

Pavissich, Alois Cäsar, Konversazions-Taschenbuch der italienischen und deutschen Sprache. [Nach Bozzi.] 10—13. durchgeseh. u. verb. Aufl. Wien 861—65. Lechner. 12. (X, 364 S. u. 1 Tab. in Fol.) 22½ ngr.

Pavissich, Alois Cäsar, Konversazions-Taschenbuch der italienischen und deutschen Sprache. (Nach Bozzi.) 12.—17., durchgeseh. und verb. Aufl. 12. (X und 364 S. mit 1 Tab. in qu. Fol.) Wien 863—67, Lechner's Universitäts-Buchh. cart. —

Pavissich, Alois Cäsar, Konversazions-Taschenbuch der italienischen u. deutschen Sprache. (Nach Bozzi.) 14—17., durchgeseh. u. verb. Aufl. Wien 865—67. Lechner's Universitäts-Buchh. 12. (X, 364 S. mit 1 Tab. in qu. Fol.) cart. 22½ ngr.

Pavissich, Alois Cäsar, Conversations-Taschenbuch der italienischen und deutschen Sprache. [Nach Bozzi.] 17.—19. durchgeseh. und verb. Aufl. gr. 16. (X, 364 S.) Wien 872—74, Lechner's Verlag. cart. *

Pavissich, Alois Cäsar, Conversations-Taschenbuch der italienischen und deutschen Sprache. [Nach Bozzi.] 20. und 21. Aufl. 16. (X, 364 S.) Wien 875,77, Lechner's Verlag. cart. 2 25

Pavissich, Alois Cäsar Ritter v., Conversations-Taschenbuch der italienischen und deutschen Sprache. [Nach Bozzi.] 22. und 23. genau durchges. Aufl. 16. (X, 364 S.) Wien 880,81, Lechner's Verlag. geb. *

Pavissich, Alois Cäs. Ritter v., Conversations-Taschenbuch der italienischen und deutschen Sprache. [Nach Bozzi.] 24. genau durchges. Aufl. 16. (X, 364 S.) Wien 886, Lechner's Verlag. geb.

Pavissich, Alois Cäsar Ritter v., Conversations-Taschenbuch der italienischen u. deutschen Sprache. (Nach Bozzi.) 25. Aufl. gr. 16. (X, 364 S.) Wien 893. R. Lechner & Sohn. Geb. in Leinw. 2. 25

Pavissich, Alois Cäsar Ritt. v., Conversations-Taschenbuch der italien. u. deutschen Sprache. (Nach Bozzi.) 29, genau durchgeseh. Aufl. 12. (X, 364 S.) Wien 897. R. Lechner & Sohn. Geb. in Leinw. n. 2. 60

— il diciasetto maggio 1867 nei fasti della chiesa tergestina per la sapiente generosa pietà di Pasquale barone Revoltella imperituro. Triest 867. (Coen.) gr. 8. (VIII, 186 S. mit 4 Photogr. u. 1 Steintaf.) n. 2 ab

Ragusa naut. Sch.: Meteor. Beob. in den J. 1882—87 je 2 S. v. A. Pavlica 83—88. Progr.

PAVLICA, Andreas: De fine argumento et dispositione epistolae beati Pauli apostoli ad Romanos. — (1897) 113 S. 4° (Handschr.) Diss. 463
Diss. Wien, Univ.

Pavlíček, Ant., der Check. E. vergleich. Studie m. bes. Berücksicht. d. österr. Entwurfes. gr. 8. (VII, 138 S.) Wien 898. Manz. n. 2. 40

Über die Haftung für den unverschuldeten Schaden. Eine zivilrechtl. Studie mit Reformvorschlägen. Von Dr. Anton **Pavliček**, Advokat. Wien: Manz 1907. (VI, 79 S.) 8° [J.] [07. 10345 6

Pavliček, Ant., zur Lehre von den Klagen aus ungerechtfertigter Bereicherung. Nach oesterreich. Civilrechte mit Berücksicht. des Gemeinen Rechtes, sowie der modernen Gesetzgebungen. gr. 8. (XII, 162 S.) Wien 878, Manz'sche Hofbuchh. * 3 60

— d. Pfandbriefrecht. gr. 8. (VI, 112 S.) Ebd. 895. n. 3. —

Pavliček, **Dr. Anton**, Das Pfandleihrecht. Gr.-8. (VI, 112 S.) 1.50
Wien: Manz 1895.

Pavlíček, Ant. Die europäische Wechselgesetzgebung. Eine vergleich. Studie. gr. 8. (47 S.) Wien 891, Manz. * — 80
Aus: Allgem. österr. Gerichts-Zeitung, besonders abgedruckt.

Pavlik, M. [Red.], s. Hromada.

[Russ. u. Ant.] **Pamjatniki** Drevne-Russkago Kanoničeskago Prava L. K. Gětca. Kirchenrechtl. u. kulturgeschichtl. Denkmäler Altrußlands nebst Geschichte d. russ. Kirchenrechts ‹Pavlov, A[leksěj] S[tepanovič]: Kurs Cerkovnago Prava, § 40–53›. Eingeleitet, übers. u. erkl. von Dr. Leopold Karl Goetz, Univ.Prof. Stuttgart: F. Enke 1905. (X, 403 S.) 8°
= **Abhandlungen**, Kirchenrechtliche. H. 18. 19. [05. 5969

Pavlovsky, J., aus der Welthauptstadt Paris. Autoris. Übersetzg. aus dem Russ. 8. (VI, 548 S.) Paris u. Leipzig 895. A. Langen. n. 4. —

Pavlovsky, J., aus der Welthauptstadt Paris. Autor. Uebersetzg. aus dem Russ. Wohlfeile [Titel-] Ausg. 8. (VI, 548 S.) München (895). 897. A. Langen. 2. —

Pavlow, Marie, les mastodontes de la Russie et leurs rapports avec les mastodontes des autres pays. (Mémoires de l'académie impériale des sciences de St.-Petersbourg. VIII. série. Vol. I. Nr. 3.) gr. 4. (44 S. m. 3 Taf.) St.-Petersbourg 894. (Leipzig, Voss' Sort.) n. 3. 50

Pavlowsky, A., s.: Museum, das, d. kaiserl. Odessaer Gesellschaft f. Geschichte u. Altertumskunde.

Pavlowsky, A., Terracotten, s.: Derewitzky.

Pavlowsky, R. A., üb. d. Notwendigkeit d. Sanatorien f. unbemittelte Lungenschwindsüchtige. [Aus: „Allg. med. Central-Zeitg."] gr. 8. (15 S.) Berlin 896. O. Coblentz. n. 1. —

Pavlu Josef: De Alcibiade primo, qui iure vulgo Platoni tribuitur. Diss. Wien Univ.
D: Diss. phil. Vindobonensis, VIII. Bd., 1905.
1901 PN 1436

Paulu, Ios., Alcibiades prior quo iure vulgo tribuatur Platoni, s. a., Dissertationes philologae Vindobonenses. VIII.

Pavlu, Josef: Der pseudoplatonische Kleitophon. S. 3—20. 8. Progr. K. k. Gymn. *Znaim* 1909.

—: Die pseudoplatonischen Zwillingsdialoge Minos und Hipparch. 39 S. 8. Progr. K. k. Staatsgymn. im III. Bezirk *Wien* 1910.
I. Disposition. 1. Minos. 2. Hipparch. II. Die Tendenz der beiden Dialoge. III. Die Identität des Verfassers. IV. Die Entlehnungen aus anderen Werken. V. Die Abfassungszeit und der Verfasser.

Pavly, J. de, Chošen-Mišpat od. Civil- u. Strafrecht des Judenthums. Zum ersten Mal aus dem Original frei in's Deutsche übers. u. m. Quellenangabe, Erläutergn. u. den wichtigsten Bemerkgn. der Commentare versehen. (2. Aufl.) gr. 8. (XXIII, 171 S.) St. Ludwig i. E. 893. A. Besserer. n. n. 4. —

Pavly, J. A. E. L. V. v., s.: Sulchan-Arukh.

Pavonet, G. J., das Ideal d. vollkommenst. Erzieh. u. Ausbildung des Menschen. In e. Abhandl. dargelegt. 8. (4 B.) Aachen 830, Mayer.

Pavonet, Joseph (Hagen b. Aachen)
De partium philosophiae origine et nexu.
Diss. phil. Giessen 11.9.1827.
(Hat lt. Promot.-Akten vorgelegen, liegt jedoch nicht mehr bei.)

Pavoni, Leo, in der Welt des Sichtbaren. Beitrag zum Studium der spiritist. Phänomene. Einleitung v. Pietro Blaserna. In's Deutsche übers. von Johanna Delida. (VIII, 224 S.) 8. Zürich 903. [C. Schmidt.] Schweizer Druck- u. Verlagshaus. n. 3. —

Über den Kohlehydratstoffwechsel [Carbohydrate metabolism and diabetes]. Physiol. Vorträge geh. an d. Univ. London. Mit e. Anh.: Die Entstehung von Fett u. Eiweiss aus Kohlehydraten bei d. Assimilation u. das Wesen u. die Behandlung d. Diabetes von F[rederick] W[illiam] **Pavy**. Autor. deutsche Ausg. v. Dr. Kurt Moeckel. Mit 8 Taf. Leipzig: W. Engelmann 1907. (XI, 141 S.) 8° [08. 4038 11

Pavy, F. W., d. Physiologie d. Kohlenhydrate. Ihre Verwendg. als Nahrungsmittel u. ihr Verhältnis zum Diabetes. Autor. deutsche Ausg. v. Karl Grube. gr. 8. (IX, 257 S. m. 32 Abb.) Wien 895. F. Deuticke. n. 7. 50

Pavy, F. W., Untersuchungen über Diabetes mellitus, dessen Wesen und Behandlung. Ins Deutsche übertr. von W. Langenbeck. gr. 8. (VI und 202 S. mit 2 Stnt. in gr. 8. und qu. Fol.) Göttingen 864, Vandenhoeck und Ruprecht's Verlag. *

Paw, W., varia iuris civilis capita. 8. Halae, Grunert. 737. — Vgl. Pauw.

Paweck, Heinrich [aus Wien]: [I.] Ueber Condensationen von Malonsäureester mit Aldehyden. [II.] Versuche über Condensationen von Benzalmalonsäureester mit Malonsäure-, Acetessigester und Desoxybenzoïn ... Heidelberg, Universitätsbuchdr. v. J. Hörning, 1895; 33 S. 8.
Heidelberg, Naturw.-math. Fak., Inaug.-Diss. v [27. März] 1895

— die elektrolytische Einrichtung an der k. k. Bergakademie in Leoben. [Aus: „Oesterr. Zeitschr. f. Berg- u. Hüttenwesen".] gr. 8. (20 S. m. 1 Taf.) Leoben 898. L. Nüssler. n. 1. —

Pawel, J., das Wesen d. Arbeiter-Strike u. das Verhältniß der Administrativ-Behörden zu demselben. gr. 8. (43 S.) Prag 871. Kosmack & Neugebauer. n. — 60

Pawel, Emil, aus Oppeln: Beitrag zur Lehre von den Chorioidealsarkomen. *Leipzig: W. Engelmann 1899.* (54 S.) 8°
¶(Aus: v. Graefe's Archiv f. Ophthalmologie, Bd. 49, Abth. 1.)
Halle, Med. Diss. v. 19. Aug. 1899

Pawel, J., die physikalischen u. technischen Doctrinen d. Telegraphen-Dienstes. Ein Hilfsbuch zur Vorbereitg. f. die Verkehrs- u. Amtsleiter-Prüfg. Physikalischer Thl. 1 Hft. gr. 8. (VIII, 116 S. m. 32 Fig.) Brünn 893. (C. Winkler.) n. 2 80

Pawel, Jaro, kurzer Abriß der Entwickelungsgeschichte d. deutschen Schulturnens. gr. 8. (III, 93 S.) Hof 885. Lion. n. 1. 50

— Anleitung zur Ertheilung d. Turnunterrichts an den österreichischen Realschulen u. an den m. ihnen verwandten Lehranstalten. Auf Grund d. Lehrplans bearb. 1. Thl. 1. Classe. gr. 8. (VI, 262 S. m. eingedr. Fig. u. 1 Tab.) Wien 886. Hölder. n. 2. 80

Pawel, Jaro, Zur Autorschaft und zum Sprachgebrauch von Jahns Volkstum, Leipzig, 6 S., 8°

Pawel, J.: Über Befreiungen vom Turnunterricht. Hamburg & Leipzig 1898. S. 197—223. Sonderdr. aus: Zeitschr. f. Schulgesundheitspflege Jg. 11. 1898.

Pawel, Jaro: Neue Beiträge zu Klopstocks Messias. (Apostroph, Hiatus, Alliteration) (29.)
Wien R. Meixn. 1881.
Progr.

Pawel, Jaro, Beiträge z. Turnlitteratur des 17. u. 18. Jh., Wien, 10 S., 8°.

— Beiträge zu Klopstocks Zeitmessung. 40. St. Pölten Lehr. Sem. 03.
Progr.

— I. St. R.: Bibliothekskatalog. 97–00. – ? — 02. v. J. Pawel. 16. 20. 21. 36. 6. Wien
Progr.

Pawel, Jaro, über die Einführung und Einrichtung der Jugendspiele an d. k. k. Theresianischen Akademie zu Wien, 7 S., 8°.

Pawel, Jaro, Die leiblichen Ergötzlichkeiten der Bauern und Bürger im Mittelalter, Leipzig, 19 S., 8°.

Pawel, Jaro, Erik. Trauerspiel in 3 Aufzügen. gr. 8. (82 S.) Wien 876, (Rosner.) * 3 —

Pawel, Jaro, Die Gesundheitspflege an der k. k. Theresianischen Akademie in Wien, 7 S., 8°.

Pawel Jaro: Joh. Wilhelm Ludwig Gleim, der Freund und der Dichter der Jugend. 40. 32. Wien I. R. 91. 95.
Progr.

— Zu Goethes Götz von Berlichingen. 34. ibd. 02.
Progr.

Pawel, Jaro, Grundriss einer Theorie des Turnens. 1. Bd.: Vorbereitender Theil. A. u. d. T.: Die Freiübungen. Der Einheit der Turnsprache wegen durchgesehen von Karl Wassmannsdorff. 1. Thl.: Vorbereitender Theil. Die Freiübungen. [Bei Stemmverhalten nur einzelner Leibestheile und am Ort.] gr. 8. (VIII, 250 S. mit 2 Taf.) Wien 884, Pichler's Wwe. und Sohn. *

—— Grundriss einer Theorie des Turnens. 2. Bd.: Die Freiübungen. 2. Thl.: Die Ordnungsübungen. gr. 8. (VI, 295 S.) Wien 885, Pichler's Wwe. und Sohn. *
1. Bd. Ebendas. 1884. *ℳ 4.—.

— Grundriss e. Theorie d. Turnens. 1. Bd. Vorbereitender Thl. A. u. d. T.: Die Freiübungen. Der Einheit der Turnsprache wegen durchgesehen v. Karl Wassmannsdorff. 1. u. 2. Thl. gr. 8. Wien 884. 85. Pichler's Wwe. & Sohn. à n. 4. —
1. Vorbereitender Theil. Die Freiübungen. [Bei Stemmverhalten nur einzelner Leibestheile u. am Ort.] Mit 2 Taf. (VIII, 250 S.)
2. Die Ordnungsübungen. (VI, 295 S.)

Pawel, Jaro, Gymnastik f. d. Jugend v. Guts Muths (S. Abdr. aus „Jahrbücher d. dtsch. Turnkunst"), Wien 1893, 16 S., 8°.

Pawel, J.: Die Hof-Feste im Nibelungenlied mit ihren Kampf- und Ritterspielen. Wien 1886. 28 S. Sonderdr. aus: Zeitschr. f. d. österr. Turnwesen.

Pawel, Jaro [Hrsg.], s. Klopstock, Friedr. Gottl.: Wingolf.

Pawel, Jaro, Die Leibesübungen und Leibeskünste der Meister und fahrenden Gaukler im Mittelalter, 15 S., 8°.

Pawel, Jaro, Einige Mitteilungen der beliebtesten Jugendspiele Englands, Als Beitr. z. Allgemeinen Spiellitteratur, 4 S., 8°.

Pawel, Jaro, Klopstocks Oden. [Leipziger Periode.] Ein textkrit. Beitrag zur Literaturgeschichte seiner Zeit. gr. 8. (VIII, 67 S.) Wien 880, Gerold's Sohn. * 2 —

Pawel, Jaro, Die Pflege der Leibesübungen bei den Germanen, Teschen, 8 S., 8°.

Pawel, Jaro, Die Pflege der Leibesübungen bei den asiatischen Kulturvölkern, Berlin 1885, 16 S., 8°.

Pawel, Jaro, über die Pflege der Leibesübungen bei den Kulturvölkern Asiens und Afrikas, Teschen, 6 S., 8°.

Pawel, Jaro, Die Pflege der Leibesübungen an den deutschen Universitäten bis zum Ausgang des 18. Jahrhunderts, Leipzig, 4 S., Gr.-8°.

Pawel, Jaro, Programm d. turnerischen Vorlesungen an d. k. k. Universität zu Wien f. d. Semester 1884—1886, Wien, 8 S., 8°.

—— die literarischen Reformen des XVIII. Jahrhunderts in Wien. Ein Beitrag zur Geschichte der deutschen Literatur. gr. 8. (44 S.) Wien 881, Konegen. * 1 20

Pawel, Jaro, Goethes körperliche Rüstigkeit und seine Vorliebe für Leibesübungen, m. Abb., 30 S., 8°.

— Deutschlands Turner. Eine Auswahl biographisch-literar. Gedenkblätter zur 25jähr. Jubelfeier der deutschen Turnerschaft. 8. (94 S.) Dresden 885. Lehmann'sche Buchdr. n. 1. —

Pawel, J.: Turnsprachliches zu unserm Barrlaufspiel. Wien 1893. 8 S.

Pawel, Jaro, Der Turnunterricht an der k. k. Theresianischen Akademie zu Wien, E. Beitr. z. Geschichte d. Schulturnwes. in Österreich, Leipzig, 25 S., 8°.

Pawel, Jaro, Unsere Turnvereine und die militärische Bereitstellung unserer Jugend, 4 S., 4°.

Pawel, Jaro, Das Urteil eines österreichischen Arztes aus dem Jahre 1794 über Guts Muths' Gymnastik für die Jugend, Als Beitr. z. Geschichte d. österr. Schulturnens, Leipzig, 3 S., 8°

Pawel, Jaro, 5. deutsch-österreichisches Vorturnerturnen in Prag, Leipzig, 8 S., 8°.

Pawel, Jaro, Worin besteht das Wesen des Spießschen Klassenturnens? Leipzig, 14 S., 8°

Pawel, Jaro, Ein offenes Wort an unsere Turnlehrer und Turnwarte, Wien, 13 S., 8°

—— Wortbestimmungs-Tabelle. [Nach Willomitzers deutscher Grammatik.] gr. 8. (5 S. mit 1 Tab. in qu. gr. Fol.) Wien 881, Klinkhardt. * — 30

—— das Gretchen Wunderhold. Romantisches Gedicht. 16. (80 S.) Wien 879, [Steckler und Erben.] Steckler's Buchh. * 1 —

Pawel, Jaro [Hrsg.], s. Zeitschrift f d. österreichische Turnwesen,

Pawel, Ignatz: Aus d. Inn. Abt. d. Gemeindekrankenh. zu Pankow Dir. Boenniger. Ein Fall von Verschluß der Vena cava superior. Leipzig 1910: Lehmann. 25 S. 8°
Leipzig, Med. Diss. v. 23. Juli 1910, Ref. Hoffmann
[Geb. 29. Jan. 84 Lissa i. P., Wohnort. Berlin; Staatsangeh: Preußen; Vorbildung: Auguste-Viktoria-Gymn. Posen Reife O. 04; Studium: Freiburg i. B. 3, Berlin 4, München 3 S.; Coll. 2. Aug. 10; Approb. Mai 10.] [U 10. 3039

Pawel-Rammingen, Freiin, weibliche Dienstpflicht, s.: Korbfleisch, Ida v.

Pawel-Rammingen, Alex. Baron, Dichtung und Wahrheit. Poetische Versuche. 8. (111 S.) Leipzig 882, Schloemp. * 3 —
geb. * 4 —

Gedanken eines deutschen Edelmannes über die Judenfrage. Von Alexander Frh Pawel-Rammingen. [Berlin] H. Walther 1904. (47 S.) 8° [F.]
[05. 1193

Pawel-Rammingen, Alex. Frhr., Gedanken eines Cavaliers über Antisemitismus. gr. 8. (29 S.) Berlin 887, Walther und Apolant. *

Idealismus und Naturalismus, eine Parallele zwischen Schiller und Sudermann. Studie von Alexander Frh v. **Pawel-Rammingen**. 1. u. 2. Taus. Berlin Gose & Tetzlaff [1906]. (22 S.) 8° [F.] [08. 16386 II

Pawel von Rammingen, Friedrich Conrad (Braunschweig), De insolubili fidelitatis et subiectionis nexu. Diss. acad. Präs. Caspar Achatius Beck. Jena (Fickelscherr) 23. X. 1728. 32 S. (5.—)
25992
Gew.: Conrad Dettlef von Dehn. — Widm. v.: C. Achatius Beck, Jo. Jakob Syrbe, Jo. Bernh. Wideburg.

Pawel-Rammingen, Baron W. v., zwei Briefe an den österreichischen Justizminister. gr. 8. (160 S.) Chur 885. (Rich.) n. 2. —

Pawelek Adolf: Studien über das Jahr 1702 in der österreichischen Verwaltung.
H. 1908 PN 2457 Diss. Wien, Univ.

Pawelek, Alfr., deutsch-französisches Korrespondenz-Buch f. Buch-, Musikalienhändler u. Antiquare zunächst im Verkehr m. Privatkunden. (56 S.) 8. Leipzig-R. (909). H. Beyer. nnn 1.50; geb. nnn 2. —

Pawelitzki, A[dolf]: König Friedrich Wilhelm III. und seine Bedrohung durch die Franzosen am 17. Januar 1813. Greifswald 1906: J. Abel. (59 S.) 8°
Greifswald, Phil. Fak., Ref. Ulmann, Diss. v. 29. Mai 1906
[Geb. 31. Dez. 79 Ostrowo, Posen; Wohnort Greifswald, Staatsangeh.: Preußen; Vorbildung. Gymn. Ostrowo Reife O. 98; Studium Greifswald 4, Berlin 2, Breslau 3, Greifswald 6 S.; Rig. 1 Mai 06.]

Pawelitzki, J., welches sind die Gebrechen unserer Volksschule? Ein Wort an die erste hohe Legislatur Preußens. 8. (31 S.) Posen 849, (Gebr. Scherk.) *

Pawelka, Marie, 50 Häkelmuster für d. Handarbeits-Unterricht an Volksschulen. Dargest. in den einfachsten Zeichen. gr. 8. (25 Mustertaf. m. 5 S. Text.) Bielitz 896. O Beigel. n. 2. —

Pawelka, Marie, Vorlagen für den Handarbeits-Unterricht. I. Theil: 12 Vorlagen für das Musterhäckeln (für die Hand der Kinder). 12 Blatt Quer-8. mit Text in Enveloppe —.35
Bielitz: Fröhlich 1897.

Pawelsz, Rich. v., s. a. Gruben, R. v. der.

Der Rechtsanwalt. Schauspiel in 3 Akten von R. v. der Gruben [d. i. Richard v. Pawelß]. *Berlin: Deutsche Bühne [1903].* (67 S.) 8° [F.] [03. ...

Pawelz, Gustav H

Pawelz' zahntechnische Reform. Internationale Revue f. Zahnheilkunde u. Zahntechnik. Red.: G. H. Pawelz. 21. Jahrg. 1902. 24 Nrn. gr. 4. (à ca. 12 S. m. Abbildgn.) Berlin, Berliner Union. n. 7. —
Vergl.: Reform, zahntechnische.

Pawelz', G H., zahntechnische Reform. Internationale Revue f. operative u. techn. Praxis. Red.: G. H. Pawelz. 22.—24. Jahrg. 1903—1905. à 24 Hefte. (à ca. 16 S. m. Abbildgn.) hoch 4. Berlin (Hohenstaufenstrasse 22), G. Ehrke. à Jhrg. n. 7. —

Pawelz' zahntechn. Reform. Internat. Revue f. operative u. techn. Praxis. Red.: Max Alte. 27. u. 28. Jahrg. 1908 u. 1909. à 24 Hefte. (à ca. 16 S. m. Abb.) Lex. 8. Berlin [G. Ehrke]. Zeitschriften-Verlag Walt. Tieck. à Jahrg. 7. —
Fortsetzg., s.: Reform, zahntechnische.

Pawelz, Gustav H. (Red.), s. Rundschau, Die zahntechnische.

— **terminologia dentaria.** Verdeutschg. d. in d. zahnärztl. u. zahntechn. Fachlitteratur vorkomm. techn. Fremdausdrücke. gr. 8. (75 S.) Berlin 893. R. F. Funke. Geb. in Leinw. n. 2. 50

Terminologia Dentaria. Verdeutschung der in d. zahnärztl. u. zahntechn. Fachliteratur vorkommenden techn. Fremdausdrücke. Bearb. von Gustav H Pawelz. 2 stark verm. u. durchges Aufl. *Berlin Berl. Verlagsanst. [1901.]* (108 S.) 8°

— **Terminologia dentaria. Verdeutschung der in der zahnärztl. u. zahntechn. Fachliteratur vorkomm. techn. Fremdausdrücke. 3., stark verm. u. durchges. Aufl (IV, 108 S.) 8. Berlin (905). Berlin. Verlagsanst. 5. —**

Pawelz, Gust. H., Terminologia dentaria. Verdeutschg. der in d. zahnärztl. u. zahntechn. Fachliteratur vorkomm. techn. Fremdausdrücke. 4., stark verm. u. durchgeseh. Aufl. (IV, 108 S.) 8. Berlin (908). Berlinische Verlagsanstalt. 5. —

Pawlikovski, Gust., um eine Krone. Tragödie in 5 Acten. 16. (118 S.) Wien 878, (Wallishausser'sche Buchh.) * 1 20

Pawikowski, Gust., die Razhexe. Eine Erzählg. aus den österreich. Alpen. (75 S.) 8. Wien 910. Lechner's Sort. 1. —
Erweit. Sonderabdr. aus: „Kalender d. deut. Schulver. f. 1910"

Pawikovsky, Gust. und Adam Müller-Guttenbrunn, Trost- und Trutz-Büchlein der Deutschen in Oesterreich. Zeitgedichte, gesammelt und hrsg. 1.—3. Tausend. 8. (XX, 217 S.) Leipzig 888, Liebeskind. *

Pawiński, Adf., zur Entstehungsgeschichte des Consulats in den Comunen Nord- u. Mittel-Italiens. XI—XII. Jahrh. Berlin 867. Mittler & Sohn. gr. 8. (V, 59 S.) n. 12 ngr.

Pawiński, Adph., de rebus ac statu ducatus Prussiae tempori Alberti senioris, Marchionis Brandenburgensis, illo vero mortuo Alberti junioris, ducis Prussiae an. 1566—1568. Commentarii commissariorum Sigismundi Augusti regis. gr. 8. (III, CLX, 339, VII S.) Warschau 879, Gebethner und Wolff. * 10 —

Pawlecki, Johannes

Pawlecki, J. Dichterstimmen aus der deutschen Lehrerwelt. gr. 8. (VII, 384, VIII S.) Hamb. 892, Verlagsanstalt u. Druckerei. geb. * 4 50

— dasselbe. 2. Aufl. 8 (XVIII, 576 S.) Langensalza 893. Schulbuchh. Geb. in Leinw. n. 6. —

Pawlecki, J., Dichterstimmen aus d. deutschen Lehrerwelt. 3. Aufl. 8. (XVI, 411 S.) Gera 898. Th. Hofmann. Geb. in Leinw. n. 4. —

Pawlecki, Johs., Dichterstimmen aus der deutschen Lehrerwelt. 4. Aufl. 8. (XV, 423 S.) Leipzig 902. Th. Hofmann. Geb. in Leinw. n. 4. —

—— Ausführlicher Informator über das Volksschulwesen von Altona-Ottensen, Berlin, Bremen, Breslau, Chemnitz, Danzig, Dresden, Düsseldorf, Elberfeld, Frankfurt a. M., Hamburg, Hannover, Köln, Königsberg i. Pr., Leipzig, Magdeburg, München, Nürnberg, Stettin, Stuttgart. Nebst e. Anh. über die Gehaltsverhältnisse der Volksschullehrer in 600 größeren Städten Alldeutschlands. 2. verm. Aufl. gr. 8. (IV, 292 S.) Langensalza 890, Schulbuchhandlg. 2 70

Pawlecki, Johs., Wilhelm I., König von Preußen, von seiner Jugend bis zur Krönung. Ein Gedenkbüchlein für die preußische Jugend und das Volk. Berlin 862. Geelhaar in Comm. 8. (76 S.) n. 3½ ngr.

Pawlicki, Bernhard: Papst Honorius IV ... Münster i. W., in Komm. bei H. Schöningh, 1896; VI, 118 S., 2 Bl. 8.
Münster, Kath.-theol. Fak., Inaug.-Diss. v. [13. Mai] 1896

Pawlicki, Bernh., Papst Honorius IV. Eine Monographie. gr. 8. (VIII, 127 S.) Münster 896. H. Schöningh. n. 3. —

Pawlicki, Franz, Arzt a. Ostrowo: Aus dem Institut für allgemeine Pathologie und Pathologische Anatomie in Rostock. Die Veränderungen der Niere des Kaninchens nach zweistündiger Unterbindung der Vena renalis. Berlin 1906: G. Reimer. (51 S.) 8°
Rostock, Med. Fak., Ref. Ricker, Thierfelder, Diss. v. 20. Aug. 1906
[Geb. 2. Dez. 78 Raschkow; Staatsangeh.: Preußen; Vorbildung: Gymn. Ostrowo Reife O. 99; Studium: Aachen T.H. 1, Berlin 1, Heidelberg 1, Rostock 6 S.; Coll. 12. April 06; Approb. 21. Mai 06.]

Pawlicki, Stephanus (Zacharias) (geb. Danzig 2.9.1839): De Schopenhaueri doctrina et philosophandi ratione. Vratislaviae (1865). (76 S.) 8°
Breslau, Phil. Diss. v. 19. Aug. 1865

Pawlicki, Steph., Leben u. Schriften Ernest Renan's. [Aus: „Jahrb. d. Leo-Gesellsch."] gr. 8. (53 S.) Wien 894. (St. Norbertus.) — 90

Pawlicki, Steph., der Ursprung d. Christenthums. gr. 8. (IV, 256 S.) Mainz 885. Kirchheim. n. 4. —

Pawliczek im Olymp. Allegorisches Festspiel in einem Aufzug mit Tableaux. [Wien 1900.] V: *Stubenvoll, Georg.* (EB)

Pawlik, F., Katechismus des Meisterschützen. 8°. (40 S.) †
Innsbruck: Vereinsbuchhandl.u. -Buchdruckerei 1910.

Pawlik, Karl

Pawlik, K., üb. pseudo-interligamentöse Eierstocksgeschwülste. Ein Beitrag zur Lehre v. den Entzündgn. d. Beckenbauchfelles. gr. 8. (31 S. m. 6 lith. Taf.) Wien 891. J. Šafář. n. 2. 20

Pawlik, K., Exstirpation d. Uterus u. d. Beckenzellgewebes. [Aus: „Internationale klin. Rundschau".] gr. 8. (15 S.) Wien 890. Braumüller. n. — 50

Pawlik, K., zur Frage der Behandlung der Uteruscarcinome, s.: Klinik, Wiener.

Pawlik Martin: Thomas Noon Talfourd.
H. 1908 PN 2443 Diss. Wien Univ.

Pawlik, Stefan: Die Molkerei-Genossenschaften im Deutschen Reiche. . . . Krakau, Selbstverl., Vereinsbuchdr. unter Leitung d. A. Szyjewski, 1891; 52 S., 1 Bl. 8°
Leipzig, Phil. Fak., Inaug.-Diss. v. [20. Apr.] 1891

Pawlikowski, K.

Pawlikowskiego, K. Krótka nauka o chowie owec poprawnych. Z rycinami. 12m. Lwow 840. J. Millikowsky. 5/6 ℛ︎

Pawlikowski, Konstantin Ritter von, Hundert Bogen aus mehr als 500 alten u. neuen Büchern über die Juden neben den Christen. Litterarisch-historischer Beitrag zur Geschichte der Juden seit Christus. Zusammengestellt und mit den nötigen Registern versehen. Erste Abteilung. Freiburg, Herder, 1859, 8°, LVIII und 912 S., 10,50 Mk.

— hundert Bogen aus mehr als fünfhundert alten und neuen Büchern über die Juden neben den Christen. Ein literar-historischer Beitrag zur Geschichte der Juden seit Christus. Zusammengestellt u. mit den nöthigen Registern versehen. 1. Abth. Freiburg im Br. 859. Herder. gr. 8. (LIX, 926 S.) n. 3 ℛ︎ 15 ngr.

Pawlikowski, Constant. Ritter Chelewa v., eine Christenantwort auf die Judenfrage. 3 Hefte. gr. 8. Wien 859. 60, (Mayer und Comp.) [1. Heft. (79 S.) 7½ Ngr., 2. (III und 59 S.) 6 Ngr., 3. (32 S.) 4½ Ngr.]

—— die unschuldig verfolgten, wehrlosen Juden und Rabbiner Mayer Minz, der Kämpfer für Recht und Wahrheit. 8. (24 S.) Wien 860, (Mayer und Comp.)

Pawlikowski, Konstant. Ritter de Cholewa, der Talmud in der Theorie u. in der Praxis. Eine literar.-histor. Zusammenstellung. Regensburg 866. Manz. gr. 8. (VIII, 340 S.) 1 *ℛ* 3 *ngr.*

—— Der Talmud in der Theorie und in der Praxis. Eine litterar-historische Zusammenstellung. Regensburg, Manz, jetzt Verl. Anst., 1881, gr. 8°, VIII u. 340 S., 2. Aufl., 3,30 Mk.
1. Aufl. 1866. Recens. (Bonner) Theol. Litt.-Bl. 1866, S. 218—219.

Pawlikowski, Maximilianus Dionysius (de) *(geb. Kalisch in Pol 10.10 1835)*: De corporibus alienis in oesophago. Vratislaviae (1860). (32 S.) 8°
Breslau, Med. Diss. v. 28. Juli 1860

Pawlikowski, Osk. v., s.: Korea, das Land der Morgenröte.

— Napoleon I., s.: Projections-Vorträge 67. Heft.

Pawlinow, Konstantin

Pawlinow, C., kongenitale Mitralstenose (Duroziersche Krankheit), Chlorose, Lungentuberkulose in ihren Beziehungen zur schwachen Konstitution des Organismus. (III, 75 S.) gr. 8. Berlin 909. A. Hirschwald. 2.—

Pawlinoff, C., der Sauerstoffmangel als Bedingung der Erkrankung u. des Ablebens des Organismus. gr. 8. (84 S.) Berlin 902. A. Hirschwald. n. 2.—

Pawlitschek, Alfr., Beobachtungen an der Makrolepidopterenfauna v. Radautz, nebst e. Verzeichnisse der daselbst bisher gefundenen Arten. Progr. gr. 8. (49 S.) Czernowitz 893. H. Pardini. n. —80

PAWLITSCHEK, Alfred: Die Echtheit des als platonisch überlieferten Dialoges „Charmides" mit besonderer Berücksichtigung der abweichenden Bedeutung der σωφροσύνη und der Sophismen des Sokrates in diesem Dialoge. — 1882. 119 S. Diss. Graz, Univ.

Pawlitschek, Alfred: Einige Eigenthümlichkeiten der bukowiner Insectenfauna, mit besonderer Rücksichtnahme auf Schmetterlinge und Käfer. S. 3—21. 8. K. k. I. Staatsgymn. *Czernowitz* 1902.
Progr.

Pawlitschek, Alfr. Über die σωφροσύνη in Platons Charmides. S. 6—29. 8. **Progr.** G. *Czernowitz* 1883.

Pawlitschek, Anna, „ob ich Dich liebe —". Roman aus d. Kleinstadtleben d. Bukowina. gr. 8. (344 S.) Wien 897. C. Konegen n. 4.—

Pawloff, deutsch-russisch-französischer Dolmetscher, s. a. Dolmetscher.

Pawloff, deutsch-russisch-französischer Dolmetscher. 3., verm. und verb. Aufl. gr. 16. (IV und 91 S.) Leipzig 856, C. Fleischer.

Pawloff, deutsch-russisch-französischer Dolmetscher. 4., sehr verm. u. verb. Aufl. Leipzig 866. C. Fleischer. gr. 16. (IV, 91 S.) n. 10 *ngr.*

Pawlovsky, Daniel, s. Pawlowski, Daniel.

Pawlow, Iwan Petrowitsch

Pawlow, J. P., die Arbeit der Verdauungsdrüsen. Vorlesgn. Autor. Übersetzg. aus dem Russ. von A. Walther. M. e. Vorwort u. Zusätzen d. Verf., sow. m. 17 Textabb. gr. 8. (XII, 199 S.) Wiesbaden 898. J. F. Bergmann. n. 4. 60

Pawlow, J. P., das Experiment als zeitgemässe u. einheitliche Methode medizinischer Forschung. Dargestellt am Beispiel der Verdauungslehre. Ein Vortrag. (Geh. in e. dem Andenken v. S. P. Botkin gewidmeten Festsitzg. der Gesellschaft russ. Ärzte zu St. Petersburg.) Übers. v. A. Walther. gr. 8. (48 S.) Wiesbaden 900. J. F. Bergmann. n.n. 1. 30

Pawlow, J. P., Naturwissenschaft u. Gehirn. Vortrag, geh. in der allg. Versammlg. d. XII. Kongresses russ. Naturforscher u. Ärzte in Moskau am 28. XII. 1909. (10. I. 1910 n. St.) Autoris. Übersetzg. v. G. W. Volborth. (19 S.) Lex. 8. Wiesbaden 910. J. F. Bergmann. —80

(Pawlow, N.) Павловъ, Н., статскiи арменцу. Berlin 860. F. Schneider. 8. (34 S.)

Pawlow, Nikol., Novellen, s. Rußlands Novellendichter.

Pawlowski, Alex. Alfonso von Bourbon im Theresianum. 10 S. 8. **Progr.** Ther. *Wien* 1880.

Pawlowski, Ant. Th., Anleitung zum Zeichnen geometrischer u. räumlicher Gebilde nach perspectivischen Grundsätzen. Ein Lehrbuch f. den 2. Jahrgang der Unterrealschulen. gr. 8. (IV, 27 S. m. 27 Abbildgn.) Prag 891. Tempsky. — Leipzig, Freytag. cart. n. —50

**Pawlowski Ant.: Die Buchhaltung im Baugewerbe. 23. 53. Czernowitz St. G. Sch. 96. 99.
Progr.**

Pawlowski, Ant. Th., die Buchhaltung im Baugewerbe nach einfacher Methode. Mit e. Anh.: Das Wichtigste aus der Wechsellehre. Ein Leitfaden zur Erlerng. der gewerbl. Buchführg. f. Bau- u. Maurermeister sowie zum Unterrichtsgebrauche an Baugewerbe- u. Werkmeisterschulen. (Sammlung kaufmänn. Lehrbücher.) gr. 8. (IV, 112 S.) Leipzig (900). Dr. L. Huberti. Geb. in Leinw. n. 2. 75

***Pawlowski A.*: Zur 17 Theilung des Kreisumfanges. 12. Czernowitz R. 86. — Einiges aus der Kreistheilung. 5. ibd. 89.
Progr.**

Pawlowski, Daniel. Göttliche Ansprach zu der einsamen Seelen : .. verteutschet ... Coloniae 1720. Ü: *Kappenstein, Franz.* (Jes) »1724« (so)

Pawlovsky, D., locutio Dei ad cor religiosi. 12. Augsb. Wolf. 745.

Pawlowski, Edward (Hrsg.), s. Kurschat, Alex.: Tilsit in seiner geschichtl. Entwicklung.

Pawlowski, Joan. Henr. Adolph. (geb. Nauen 5. 10. 1821): De rigore hominis cadaveroso. Berolini (1845). (20 S.) 8°
Berlin, Med. Diss. v. 26. Juli 1845

Pawłowski, Josef [aus Petrików]: Beitrag zur geschichtlichen Entwicklung des Umfanges und der Art der Anwendung von Handelsdünger .. Jena, Druck v. A. Kämpfe, 1896; 92 S. 8.
Jena, Phil. Fak., Inaug.-Diss. v. [5. März] 1896

Pawlowski, Josef Nikodemus

Pawlowski, J. N., St. Adalbert, Apostel der Preußen u. die Vorstadt St. Albrecht bei Danzig mit Bezug auf die Geschichte Danzigs. Nach alten Chroniken, Manuscripten u. andern Hilfsquellen bearb. Danzig 864. (Bertling.) 8. (64 S.) n. 10 *ngr.*

Pawlowski, J. N., St. Adalbert, Apostel der Preußen, und die Vorstadt St. Albrecht bei Danzig mit Bezug auf die Geschichte Danzigs. Nach alten Chroniken, Manuscripten und anderen Hilfsquellen bearb. 8. (64 S.) Danzig 868, (Bertling.) *

Pawlowski, J. N., Bilder aus d. Geschichte f. Volksschulen, s.: **Krüger, Carl A.**

Pawlowski, J. N., kleine Bilder aus der vaterländischen Geschichte f. Volksschulen, s.: Krüger, Carl A.

— Erklärg. d. Katechismus der kathol. Religion. Prakt. Hilfsbuch f. Präparanden, Seminaristen u. Lehrer, auch als Mitgabe für's Leben. 8. (XI, 310 S.) Dülmen 895. A. Laumann. n. 1. 30; geb. in Halblbr. n. 1. 65

— dasselbe. Im Anschluß an d. Katechismus f. d. Bisth. Culm. 8. (XI, 310 S.) Ebd. 895. n. 1. 30; geb. in Halblbr. n. 1. 65

Pawlowski, J. N., Fremdenführer durch die Provinzial-Hauptstadt Danzig u. Umgegend. Mit Beschreibg. der Sehenswürdigkeiten u. e. Uebersicht der Geschichte Danzigs. Mit 1 Plan der Stadt. 12. (46 S.) Danzig 889. Axt. n. — 50

— Fremdenführer durch die Provinzial-Hauptstadt Danzig u. Umgegend. Mit Beschreibg. der Sehenswürdigkeiten u. e. Uebersicht der Geschichte Danzigs. 2., verb. Aufl. gr. 16. (48 S. m. 1 farb. Plan.) Danzig 892. F. Axt. n. — 50

Pawlowski, J. N., Fremdenführer durch die Provinzialhauptstadt Danzig u. Umgegend m. Beschreibung der Sehenswürdigkeiten u. e. Uebersicht der Geschichte Danzigs. Mit Abbildgn. u. 1 Plan der Stadt. 3. verb. Aufl. 8. (72 S.) Danzig 901. F. Axt. n.n. — 60

— Gedenkschrift zur Erinnerung an die Säcularfeier Danzigs am 7. Mai 1893. gr. 8. (16 S. m. 1 Abbildg.) Danzig 893. A. W. Kafemann. n. — 20

Geschichte und Beschreibung der St. Nikolai-Pfarrkirche, der ältesten Kirche in Danzig. Gedenkschrift z. Erinnerung an d. 900j. Jubiläum d. Einführung d. Christentums u. die vor 670 Jahren erfolgte Niederlassung d. Dominikaner-Mönche u. Erbauung d. Dominikaner-Klosters nebst d. Dominikaner-Klosterkirche in Danzig. Mit e. Grundriß d. Klosters u. d. Kirche v. J. 1695. Von J[osef] N[ikodemus] **Pawlowski.** *Danzig: A. W. Kafemann 1898.* (31 S.) 8° [F.] [04. 4587 10

— Geschichte der Provinzial-Hauptstadt Danzig von den ältesten Zeiten bis zur Säcularfeier ihrer Wiedervereinigung m. Preußen 1893. Volksschrift in Skizzen. gr. 8. (VIII, 380 S. m. 3 Illustr.) Ebd. 893. n. 4. —; geb. n. 4. 75

[F.] Deutsche Geschichte . bearbeitet v. H. Weigand und A. Tecklenburg. Ergänzungsheft für Ost- und Westpreussen bearb. v. I. N. Pawlowski. *Hannover: C. Meyer 1897.* (37 S.) 1 Bd 8.
— **Weigand, Heinrich** u. Tecklenburg, A.: Deutsche Geschichte. Ergänzungsheft (No 1).

Pawlowski, J. N., kleine populäre Geschichte Westpreußens. 8. (48 S.) Danzig 875, [Kafemann.] Gruihn. — 30

— populäre Geschichte u. Beschreibung d. Danziger Landkreises; mit e. Anh.: Culturhistor., meteorolog. u. andere Notizen in chronolog. Folge. gr. 8. (104 S. m. 1 Karte d. Kreises.) Ebd. 886. n.n. 1 —

— populäre Geschichte Danzigs, mit e. Anh.: Topographische Uebersicht der Stadt u. meteorolog., culturhistor. u. a. Notizen in chronolog. Folge. gr. 8. (40 S.) Danzig 880. Wedel'sche Hofbuchdr. n.n. — 50

—— dass. — 2. Thl. 1. und 2. Abschnitt und 3. Thl. gr. 8. Ebendas. **

Inhalt:
Thl. 2. Beschreibung der hervorragendsten öffentlichen Gebäude Danzig's. 1. Abschnitt: Die Kirchen. (56 S.) 881. ** 50 Pf.; 2. Abschnitt: Die Königlichen und Communal-Gebäude. (36 S.) 883. ** 50 Pf.
3. Die hervorragendsten Danziger Personen und Familien mit Bezug auf die Geschichte Danzigs in chronologischer Folge bis auf unsere Zeit. (178 S.) 888. ** M 2.—.

— Geschichtsbüchlein. Deutschland in seiner geschichtl. u. kulturgeschichtl. Entwickelg. unter den Hohenzollern. Ein Leitfaden u. Wiederholungsbüchlein zur vaterländ. Geschichte. Nach dem kaiserl. Erlaß u. den Regierungsbestimmgn. f. Volksschulen bearb. gr. 8. (II, III, 82 S.) Bromberg 900. E. Hecht. n.n. — 25

— preußischer Geschichts-Kalender bis auf unsere Zeit für Schule u. Haus. Danzig 868. Anhuth. qu. gr. Fol. n. 5 *ngr.*

— preußischer Geschichtskalender bis auf unsere Zeit, als Gedächtnistafel zur Erinnerg. an die patriot. Gedenktage der vaterländ. Geschichte f. Schule u. Haus. 4. Aufl. 1 Blatt. 47,5×66,5 cm. Graudenz 891. Gaebel. n. — 45; auf Pappe n. 1. —

Pawlowski, J. N., Heimatkunde oder Leitfaden der Geographie und Geschichte der Prov. Westpreußen, im Anschluß an des Verf. „Schulwandkarte von Westpreußen". 2. Aufl. 8. (23 S.) Danzig 884, Homann's Buchh. * — 35

Pawlowski, J. N. Karte d. Kreises Graudenz, im Anschluss an d. Verf. Schul-Wandkarte der Prov. Westpreussen m. der neuen Kreiseinteilg. entworfen. 1 : 120,000. Farbendr. qu. Fol. Graudenz 890, Gaebel. * — 40

Pawlowski, J. N., historisch-geographische Karte vom alten Preussen während der Herrschaft des deutschen Ritterordens. Mit einer Uebersicht der allmäligen Entwicklung, Vergrösserung und der Hauptbegebenheiten des preussischen Staates bis auf unsere Zeit. Nach zuverlässigen Hilfsquellen entworfen und gezeichnet. 2., verb. Aufl. Lithogr. und ill. qu. gr. Fol. Danzig 857, (Doubberck.) * .

— historisch-geographische Karte vom alten Preussen u. Pommerellen während der Herrschaft des deutschen Ritterordens. Mit einer Uebersicht der allmäl. Vergrösserung u. der Hauptbegebenheiten des preuss. Staates bis auf unsere Zeit. 3., verb. Aufl. Lith. u. color. Danzig 870. (Anhuth.) qu. gr. Fol. (mit 1 Bl. Text in Fol.) n. 20 *ngr.*

Pawlowski, J. N. Historisch-geographische Karte vom alten Preussen u. Pommerellen während der Herrschaft des deutschen Ritterordens. Mit e. Uebersicht der allmähl. Vergrösserg. u. der Hauptbegebenheiten des preussischen Staates bis auf unsere Zeit. 1 : 865,000. 4. verb. Aufl. Farbendr. Mit 1 Blatt Text. qu. Fol. Graudenz 890, Gaebel. * 1 60

Pawlowski, J. N. Karte d. Kreises Kulm. 1 : 165,000. Im Anschluss an d. Verf. Schul-Wandkarte der Prov. Westpreussen m. der neuen Kreiseinteilg. entw. u. gez. Farbendr. gr. 4. Graudenz 890, Gaebel. * — 50

Pawlowski, J. N. Karte des Kreises Schwetz. 1 : 200,000. Farbendr. qu. Fol. Graudenz 890, Gaebel. * — 50

— populäre Landeskunde oder Handbuch der Geographie und Geschichte der Prov. Westpreußen. Im Anschluß an des Verf. „Schulwandkarte von Westpreußen". gr. 8. (118 S.) Berlin 881, Keller. * 1 75

— dass. — 2. Aufl. gr. 8. (118 S.) Danzig 881, Homann's Buchh. 1 75

— Leitfaden der Geographie und Geschichte der Prov. Westpreußen. Im Anschluß an des Verf. „Schulwandkarte von Westpreußen". 8. (23 S.) [Berlin 881, Keller.] Danzig, Homann's Buchh. * — 35

— die Mutter als erste Lehrerin ihrer Kinder oder praktischer Führer durch d. Kindes Heimat u. Welt. Ein unentbehrl. Hilfsbuch f. Mütter u. Erzieher zur Ausbildung d. Geistes u. Herzens ihrer Kinder u. e. unterhaltendes u. belehr. Buch f. die Jugend. Nach pädagog. Grundsätzen verf. 1.—3. Abtlg. gr. 8. Graudenz, Gaebel. n. 3. 40

1 (VI, 102 S.) 889. n. — 90. — 2. 3. (VI, 274 S.) 891. n 2. 50.

Pawlowski, J. N., Realienbuch, s.: Krüger, Carl A.

Pawlowski, I. N. Schul-Wandkarte von Westpreussen. Nach der Generalstabs-Karte entworfen u. gezeichnet. 2. verb. Aufl. m. der neuen Kreiseinteilg. 1 : 200,000. 6 Bl. Farbendr. 63,5×48 cm. Danzig 891, Kafemann. * 7 50; auf Leinw. * 12 50

Schul-Wandkarte von Westpreussen. Nach d. Generalstabs-Karte entw. u. gezeichnet v. J. N. Pawlowski, Hauptlehrer. 3. verb. Aufl. mit d. neuen Kreiseinteilung *Danzig: A. W. Kafemann [1900].* (6 Bl. zu 72 × 54 cm.) gr 2° [Kopft.] [o. 9510

Pawlowski, J. N., mnemotechnische Sigel-Sätze, mit Berücksichtigung der Sigelgruppen alphabetisch geordnet. Ein Hilfsmittel zur leichten, schnellen u. sichern Einprägung sämmtlicher Sigel-Wörter u. Sigel-Zeichen der Stolze'schen Stenographie. Danzig 864. Bertling. 8. (14 S.) 3 ngr

— die Provinz Westpreußen in ihrer geschichtlichen, culturhistorischen und sprachlichen Entwicklung von den ältesten historischen Zeiten bis jetzt. 6 Lfgn. 8. (XIII, 295 S. mit 2 histor., lithogr. und color. Karten und Holzschntaf.) Danzig 879, Bertling. à Lfg. * 50 Pf. * 3 —

Pawlowsky, Georg, Peter v., Handbuch f. d. finanziellen Verwaltungsdienst in den im Reichsrathe vertretenen Konigreichen und Ländern. Liefg. 1—2. gr. 8. (S. 1—160). Wien, Moritz Perles. à 45 kr. 1883.

Pawlowsky, Iwan, kurzgefaßte slavonische Grammatik für Deutsche. Lex.-8. (X und 71 S.) St. Petersburg 857. (Leipzig; C. F. Fleischer) *

— theoretisch-pract. Cursus der russischen Sprache f. Deutsche. 2. Aufl. gr. 8. (19¼ B.) Mitau 843, Reyher.

Pawlowsky, Iwan, russische Sprachlehre für Deutsche. Eingeführt in den Schulen der Ostseeprovinzen. gr. 8. Dorpat 838. Kluge. 3 ℛ

Pawlowsky, Iwan, russische Sprachlehre f. Deutsche. 2. Aufl. (Mit e. russ.-deutsch. Wörterb.) gr. 8. (26½ B.) Mitau 843, Reyher.

Pawlowsky, Iwan, russische Sprachlehre für Deutsche. 3. Aufl. gr. 8. (VIII, 256 und russisch-deutsches Wörterbuch 130 S. mit 1 Stnt.) Mitau 853, Reyher'sche Vrlgsb.

Pawlowsky, Iwan: Russische Sprachlehre für Deutsche. 4. Aufl. Mitau 1860.

— vollständiges Deutsch-Russisches Wörterbuch. 2 Thle. A. u. d. T.: Полный Нѣмецко-Русскій Словарь. Riga 856. Kymmel. (Leipzig, C. Fr. Fleischer.) Lex.-8. (XX, 704; 2 Bl., 564 S.) n. 5 ℛ.

Pawlowsky, Iwan, vollständiges deutsch-russisches Wörterbuch. 2., verm. u. verb. Aufl. Riga 867. (Leipzig, Fr. Fleischer.) Lex.-8. (XIV, 1050 S.) n. 4 ℛ

Pawlowsky's, J., deutsch-russisches Wörterbuch. 3. umgearb u. wesentlich verm. Aufl. Lex.-8. (VI, 1530 S.) Riga 886. Kymmel's Verl. n. 16. 80

Pawlowsky, Iwan: Deutsch-Russisches Wörterbuch
3 umgearb. u. wes. verm. Aufl. 2. Abdr. nemecko-russkij slovar.
Riga: N. Kynanel, Leipzig: C. F Fleischer 1900.
(VI, 1527 S.) 4° (8°)

[A. u. Russ.] J. Pawlowsky's Deutsch-Russisches Wörterbuch. 3. umgearb. u. wesentl. verm. Aufl. 3. Abdr. I[vana] Ja[kovleviča] **Pavlovskago** německo-russkij slovar'. Izd. 3., ispravl. i značitel'no dopoln. 3. ottisk. Riga: N. Kymmel; Leipzig: C. F. Fleischer 1902. (VI, 1527 S.) 4°(8°) [o6. 4400

— vollständiges russisch-deutsches Wörterbuch. 2 Thle. Lex.-8. (XII und 846 S.) Riga 859, Kymmel. (Leipzig, C. F. Fleischer.) *

Pawlowsky's, J., russisch-deutsches Wörterbuch. 2. Aufl. Vollständig umgearb. u. wesentlich verm v. J. Nikolitsch u. N. Asmus. 1—3. Lfg. Lex.-8. (S. 1—576.) Riga 873—76. (Leipzig, Fr. Fleischer.) à n. 2. 40

Pawlowsky's, J., russisch-deutsches Wörterbuch. 2. Aufl. Vollständig umgearb. und wesentl. verm. von J. Nikolitsch und N. Asmuß. 1. und 2. Lfg. Lex.-8. (S. 1—384.) Riga 873,75. Kymmel. à Lfg. * ℳ 2,40. *

Pawlowsky's, J., russisch-deutsches Wörterbuch. 2. Aufl. Vollständig umgearb. und wesentlich verm. von J. Nikolitsch und N. Asmuß. 3.—7. (Schluß-)Lfg. Lex.-8. (XII, S. 385—1840.) Riga 879, Kymmel. à Lfg. * ℳ 2,40. * 12 —

1. und 2. Lfg. Ebendas. 1873,75. à * ℳ 2,40.

Pawlowsky's, J., russisch-deutsches Wörterbuch. 3., vollst. neu bearb., bericht. u. verm. Aufl. 1.—7. Lfg. Lex.-8. (S. 1—1344.) Riga 895—898. N. Kymmel's Verl. à Lfg. n. 2. 20

Pawlowsky's, J., russisch-deutsches Wörterbuch. 3., vollständig neu bearb. bericht. u. verm. Aufl. 8. Lfg. Lex.-8. (XI u. S. 1345—1774.) Riga 900. N. Kymmel's Verl. n. 2. 20; (kplt. n. 16. 80)

Pawlowsky, Kurt: Aus d. Garnisonlaz. Altona a./E. Über einen atypischen Fall von Leber'scher Sehnervenerkrankung. Kiel 1910: Schmidt & Klaunig. 29 S. 8°
Kiel, Med. Diss. v. 26. März 1910, Ref. Heine
[Geb. 12. Mai 81 Pr.-Friedland; Wohnort: Altona-Bahrenfeld; Staatsangeh.: Preußen; Vorbildung: Realgymn. Königsberg i. P. Reife O. 01; Studium: Königsberg 2, Berlin K. W. A. 8 S.; Coll. 8. März 10; Approb. 22. Jan. 08.] [U 10. 2460

PAWOLLECK, BENNO. Substitutionsproducte der Citronensäure und ein Versuche zur Synthese der Letzteren. (Jena) Marburg, 1875.

Pawolleck, Carl, s.: **Jahrbuch der Medizinal-Verwaltg. in Elsass-Lothringen.**

Paw-Ordnung, der Stadt Amberg, de Anno 1552. 16. (24 S.) Amberg 878, Habbel. * — 40

Pax [Sachl. OW]

Pax Badensis in Ergovia, Die VII. Septembris MDCCXIV 4 Badae Helvetiorum.

Pax urbi et orbi reddita . . . seu Caesar Augustus . . . Jani templum obserans . . . Lincii 1746. V: *Weylgoune, Johann Nepomuk.* (WBL)

Pax, Religions-Friede, in beeden der Religion prophan und weltlichen Sachen, et non erat pax, aber kein Gewissensfriede denen, die ein Jubel und Dank-Feste darum anstellen. [Regensb.] 1755. V: *Krauss, Joh. Baptist.* (Kat. der ständ. Bibl. Stuttg. 1907. S. 95.)

Pax vobiscum! Die kirchliche Wiedervereinigung der Katholiken und Protestanten . . . Bamberg 1863. V: *Dittmar, Wilhelm.* (zu)

Pax vobiscum! Die kirchliche Wiedervereinigung der Katholiken und Protestanten historisch-pragmatisch beleuchtet von einem Protestanten. Bamberg 863. Buchner. gr. 8. (IV, 345 S.) n. 1 ₰ 18 ngr.

Pax [Verfasser]

Aceraceae mit 49 Einzelbild. in 14 Fig. u. 2 Verbreitungskarten von F[erdinand] Pax. *Leipzig: W. Engelmann 1902.* (89 S.) 8°
— Pflanzenreich. H. 8. (IV, 163.)

Pax, Ferd., Aizoaceae, Portulaccaceae, Caryophyllaceae, s.: Engler, A., u. K. Prantl, die natürlichen Pflanzenfamilien.

Pax, Ferd., die Aktinien der ostafrikanischen Inseln. (S. 399—418 m. 3 Taf. u. 3 Bl. Erklärgn.) 31×24 cm. Stuttgart 909. E. Schweizerbart. 5.60
Sonderabdr. aus: „Voeltzkow, Reise in Ostafrika".

— dasselbe, s.: Reise in Ostafrika. II, 4.

Pax, Ferd. Die neuen pflanzengeographischen Anlagen des kgl. botanischen Gartens in Berlin. gr. 8. (16 S.) Berl. 890, Parey. * — 50
Aus: Gartenflora, besonders abgedruckt.

Pax, Ferdinand *(geb. Königinhof in Böhm. 26 7 1858)* Beitrag zur Kenntniss des Ovulums von Primula elatior Jacq. und officinalis Jacq. Breslau 1882. (41 S.) 8° *[Im Buchhandel 1882 bei Köhler in Breslau.]*
Breslau, Phil. Diss. v. 17 März 1882

Pax, Ferdinand [Dr. phil.]: Beiträge zur Morphologie und Systematik der Cyperaceen . . . . Leipzig, Wilh. Engelmann, 1886; 2 + 32 S. 8°.
Breslau, Phil. Fak., Hab.-Schr v. 11. März 1886.

— Cucurbitaceae, s.: Müller, E. G. O.

Pax, Ferdinand: Cyperaceae, s. Engler, A. u. K. Prantl: Die natürl. Pflanzenfamilien.

Euphorbiaceae-Adrianeae mit 151 Einzelbild. in 35 Fig. von F[erdinand] **Pax.** Leipzig W. Engelmann 1910. 111 S. 8°
(Das Pflanzenreich. H. 44. ⟨IV 147 II.⟩) 10. 14766

Pax, Ferd., Euphorbiaceae, Callitrichaceae, Empetraceae; Buxaceae; Stackhousiaceae; Staphyleaceae, Aceraceae Hippocastanaceae, s.: Engler, A., u. K. Prantl, d. natürlichen Pflanzenfamilien, III, 5.

Euphorbiaceae Jatropheae. Mit 155 Einzelbild. in 45 Fig. Von F[erdinand] **Pax.** Leipzig W Engelmann 1910. 148 S. 8°
(Das Pflanzenreich. H. 42. ⟨IV, 147 ⟩) 10. 7134

Pax, Ferd., Führer durch d. kgl. botan. Garten d. Universität Breslau. 8. (63 S. m. 1 Plan.) Breslau 895. F. Hirt. n. — 50

— **Führer durch den königl. botan. Garten der Universität Breslau. Mit 1 Plane des Gartens.** 2. Aufl. (63 S.) Breslau 903. F. Hirt. n. — 50

Pax, F[erdinand] Grundzüge der Pflanzenverbreitung in den Karpathen. Bd. 1 2. Mit Textfig. u. Kt. Leipzig: W. Engelmann 1898–1908. 4° (8°)
1 Mit 3 Heliograv. 1898. (VIII, 270 S.) 2. 1908.
(Die Vegetation d. Erde. 2. 10.)

— Grundzüge d. Pflanzenverbreitg. in d. Karpathen, s. a. Vegetation, die, d. Erde.

— Haemodoraceae, Amaryllidaceae, Velloziaceae, Taccaceae, Dioscoreaceae, Iridaceae, s.: Engler, A., u. K. Prantl, die natürlichen Pflanzenfamilien.

— Lehrbuch d. Botanik, s.: Prantl, K.

— Monimiaceae, Lauraceae, Hernandiaceae, Tovariaceae, Capparidaceae, Moringaceae, s.: Engler, A., u. K. Prantl, die natürlichen Pflanzenfamilien.

— **Allgemeine Morphologie der Pflanzen, m. besond. Berücksicht. der Blüthenmorphologie.** gr. 8. (X, 404 S. m. 126 in den Text gedr. Abbildgn.) Stuttg. 890, Enke. * 9 —

Pax, Ferdinand: Myrsinaceae, ... s. Engler, A. u. K. Prantl: Die natürl. Pflanzenfamilien.

Pax, Ferd., Pittosporaceae, s.: Engler, A., u. K. Prantl, die natürlichen Pflanzenfamilien.

Primulaceae mit 311 Einzelbild. in 70 Fig. u. 2 Verbreitungskarten von F[erdinand] **Pax** u. R. Knuth. Leipzig W Engelmann 1905. (386 S.) 4°(8°)
— Pflanzenreich. H. 22

Pax, Ferdinand: Salicaceae, s. Engler, A. u. K. Prantl: Die natürl. Pflanzenfamilien.

— Die Steinkorallen der deutschen Südpolar-Expedition 1901—1903, s.: Südpolar-Expedition, deutsche, 1901—1903. XII, 1.

Pax, Ferd., monographische Übersicht über die Arten der Gattung Primula. gr. 8. (169 S.) Leipzig 888, Engelmann. *
Aus: Engler's botanische Jahrbücher, besonders abgedruckt.

Pax, Ferdinand: Vorarbeiten zu einer Revision der Familie Actiniidae. Breslau 1907: W. G. Korn. (87 S.) 8°
Breslau, Phil. Fak., Ref. Kükenthal, Diss. v. 23. Dez. 1907
[Geb. 30. Dez. 85 Breslau; Wohnort: Breslau; Staatsangeh.: Preußen; Vorbildung: Johannes-Gymn. Breslau Reife O. 04; Studium: Breslau 7 S.; Rig. 7. Dez. 07.]

Pax, Karl Eduard

Pax, Carl Ed., Chorlile f. Männerstimmen, s.: Erk, Ludw.

Pax, Carl Eduard, und Ludw. Erk, Chorgesänge, s. Erk, Ludw.

—— und H. Kletke, deutscher Liederfreund, s. Kletke, H.

Pax, C. E., Melodienbuch für evangel. Gemeinden, s. Melodienbuch.

Pax, W. F. Psycholog. Andeutungen zur Würdigung der Zeichenstudien auf Gymn. 41 S. . . . .
Progr. Magdeburg D. 1839

Pax, W. F., Luther u. das protest. Bewußtsein. Gedächtnißrede geh. am 16. Febr. 1846 zur Vorfeier des 300jähr. Todestages Luthers. gr. 8. (2 B.) Magdeburg 846, (Creutz'sche Buchh.)
Vgl. Pax, W. H.

Pax, F. W. Rede, gehalten auf dem Domgymnasium, zur Vorfeier der tausendjährigen Selbständigkeit Deutschlands am 5. August 1843. 12 S.
Magdeburg, D., Progr. 1845

Pax, W. H., Friedensgesang d. Deutschen. 4. Glogau 814. N. Güntherische B. 2 g.

Pax, W. H., Gebete für die Jugend jedes Alters. Aus guten Dichtern zum Schul- u. häuslichen Gebrauche ausgewählt u. zweckmäßig geordnet. 8. Glogau 844, Flemming. 1/4 ℔

Pax, W. H., u. Schultz, Lehren der Weisheit u. Tugend. Ein Cyklus moral. Erzählungen deutscher Dichter, z. Bildung des jugendl. Herzens, in zweckmäßiger Stufenfolge. Allen Jugendlehrern gewidmet. 8. (19 B.) Glogau 843, Flemming. Thlr.

— **Luther u. das protest. Bewußtsein. Gedächtnißrede geh. am 16. Febr. 1846 zur Vorfeier des 300jähr. Todestages Luthers.** gr. 8. Magdeburg 846. (Creutz'sche Buchh.) 6 ngl
Vgl. Pax, W. F.

—— **Jugend- u. Sittensprüche deutscher Dichter.** Ein zum Gebrauch für alle Klassen der Volksschulen geordnetes Spruchbuch. 8. (15 B.) Glogau 814, Flemming.

Die Kali-Industrie. Betrachtungen zu ihrer neueren Entwicklung. Von E[mil] H[einrich] **Paxmann**. *Berlin: J. Guttentag 1903.* (64 S.) 8°

Die Kali-Industrie. Betrachtungen zu ihrer neueren Entwicklung. Von E[mil] H[einrich] **Paxmann**. 2. erg. Aufl. Berlin: J. Guttentag 1904. (80 S.) 8°

Die Kaliindustrie in ihrer Bedeutung und Entwicklung von privat- u. nationalwirthschaftl. Gesichtspunkten v. H. **Paxmann**, Hzgl. Braunschw. Bergmeister. *Stassfurt: R. Weicke 1899.* (2 Bl., 128 S.) 1 Bd 8. 98. 12860

Paxmann, H., die Kaliindustrie in ihrer Bedeutung u. Entwicklung v. privat- u. nationalwirthschaftl. Gesichtspunkten. 2. Aufl. Lex.-8. (III, 128 S.) Stassfurt 899. R. Weicke. n. 3. 60

Übersichtskarte der deutschen Kali-Unternehmungen nach E. H. Paxmann. Hrsg. von Gebr. Dammann, Bankgeschäft in Hannover. 1:500000. Hannover, [1907].

Paxmann, E. H., Übersichtskarte der deutschen Kaliunternehmungen bis Mitte des Jahres 1907. 1:500000. Halle a. S., 1908. Mit 32 S. Text.

Übersichtskarte der Kaliunternehmungen nach dem Stande vom Sommer 1907 von [Emil] H[einrich] **Paxmann**. Halle a. S.: W. Knapp 1908. (32 S.) 4° 08. 15108

Paxmann, H., wirtschaftliche, rechtliche u. statistische Verhältnisse der Kaliindustrie, s. a. Abhandlungen der kgl. preuss. geolog. Landesanstalt. 52, IV.

Paxmann, E. H., Wirtschaftliche, rechtliche und statistische Verhältnisse der Kaliindustrie. Hrsg. von der Kgl. Geologischen Landesanstalt in Berlin. Berlin, 1907. 230 S. mit 1 Übersichtskarte der deutschen Kaliunternehmungen 1:500000.

Paxmann, H., Wirtschaftliche, rechtliche und statistische Verhältnisse der Kaliindustrie. M. folg. Anl. Berlin 1907. 4°.
1: Gesetze.
2: Verzeichn. d. Unternehm.
3: Statist. Tab.
4: Kalisyndikatsvertrag vom 1. Juli 1904 in s. wesentl. Bestimm.
5: Übersichtskarte d. Kaliunternehm.
(Deutschlands Kalibergbau. 4.)

Paxton, Jos., die Cultur d. Georginen (Dahlien). N. d. Engl. mit Zuziehung d. Hofgärtner Fischer in Weimar u. mehr. and. Georginenfreunde bearb. v. Heinr. Gauß. Mit 2 d. franz. Uebersetz. beigefügten Briefen d. Hrn. A. v. Humboldt u. A. de Jussieu. 8. (7½ B.) Weimar 839, Voigt.

Paxton, Ph., Jagd-Abenteuer in Texas, s. Familien-Bibliothek, illustrirte.

Pay, le, galante Briefe und Benj. Neukirchs galante Briefe. 8. Hamb. 730.

Pay, Erwin de: Über Nitroresorcin.
1904. 58 S. 8° ¶ Vgl. Berichte d. Deutschen Chem. Gesellschaft. Jg. 37.
Stuttgart, Dr.-Ing.-Diss. v. 22. 12. 1903

Pay, J. de, die Renaissance der Kirchenbaukunst. Entwürfe zu Kirchen. gr. Fol. (4 S. m. 30 Steintaf.) Berlin 884. Wasmuth. In Mappe. n. 25. —

Don Michael Payá u. Rico, Rede zu Gunsten der Unfehlbarkeit des römischen Papstes, geh. in der 80. Generalkongregation des vatikanischen Konzils am 1. Juli 1870. Autorisierte Übersetzung von Fr. Petrus de Alcantara a S. Maria. Regensburg, Pustet, 1870. 8°, 48 S., 40 Pf.

Payá und Rico, Rede zu Gunsten der Unfehlbarkeit des römischen Papstes, gehalten in der 80. General-Congregation des vatikan. Concils am 1. Juli 1870. Autoris. Uebersetzung von Petrus de Alcantara a S. Maria. gr. 8. (48 S.) Regensburg 880, Pustet. — 40

Payemens au Boston de Fontainebleau. Avec: Règles du jeu de Boston. gr. in-8. Duren 838. Fallenstein. Auf Pappe 1/6 ℔

Payen, Anselme

Payen, (M.,) die Chemie. Allgem. faßlich dargestellt in 26 Vorlesungen. Nach d. Französ. d. 9e Aufl. bearbeitet. Mit 12 Steintaf. gr. 12. Stuttg. 827, Hoffmann.

Payen, die Chemie. In 26 Vorlesn., enth.: die Entwickelung d. Theorie, so wie Versuche u. prakt. Anwendung auf Künste u. Handwerke. M. 12 Stnt. (Wohlf. Ausg.) gr. 12. (21 B.) Stuttgart 829, [Weise.]

— vom Dünger u. dessen Anwendung auf die Gewächse ꝛc. Aus d. Franz. 8. Cöln 840. Kohnen. ⅓ ₰

Payen, vom Dünger u. dess. Anwendung auf d. Gewächse, so wie d. Art d. bestmöglichsten Nutzen daraus zu ziehen. A. d. Franz. gr. 8. (3½ B.) Köln 841, Kohnen.

Payen, v. Dünger u. dessen Anwendung auf d. Gewächse, so wie d. Art d. bestmöglichsten Nutzen daraus z. ziehen. Aus d. Französ. gr 8. Köln, 1841. (A. J. Tonger). (— 10) — 2⅓

—— und Cartier, die Fabrikation d. Schwefelsäure nach d. neuesten franz. u. engl. Methoden u. Verbesserungen; nebst Beschreib. u. Abbildung der dazu erforderl. Apparate. Nach d. Franz. bearb. u. mit Zusätzen vermehrt. M. 1 Taf. Abbild. (4.) 8. (3 B.) Quedlinburg 832, Basse.

Payen's, A., Gewerbs-Chemie. Ein Handbuch f. Gewerbschulen, wie zum Selbstunterricht für Gewerbtreibende, Kameralisten ꝛc. Nach dem französ. Original bearb. v. H. Fehling. 5 Lfgn. gr. 8. (VIII u. 663 S. m. eingedr. Holzschn. u. 28 lith. Taf. in qu. 4.) Stuttgart 849, Hoffmann. (à ½ ₰) 2½ ₰ — 2. vielfach verm. Aufl. Mit 194 (eingedr.) Holzschn. u. 32 (lith.) Taf. Abbildgn. (in qu. 4.) gr. 8. (VIII u. 744 S.) Ebd. 852. 2⅚ ₰

Payen A, Gewerbschemie. Nach dem Französ. von H Fehling. Stuttgart 1850.

Payen's, A., Gewerbs-Chemie. Ein Handbuch für Gewerbsschulen, wie zum Selbstunterricht für Gewerbtreibende, Kameralisten, Landwirthe ꝛc. Nach dem französ. Orig. bearb. von H. Fehling. 1. Aufl. (VIII und 363 S.) 1849. 2 Thlr. 15 Ngr. und 2., vielfach verm. Aufl. gr. 8. (VIII und 744 S. mit 194 eingedr. Holzschn. und 32 Stnt. Abbildungen in qu. 4.) Stuttgart 852, Hoffmann'sche Vrlgsh.

Payen's, A., Handbuch der technischen Chemie. Nach der 5. Aufl. der Chimie industrielle frei bearb. von F. Stohmann und Carl Engler. 2 Bde. in 7 Lfgn. gr. 8. Stuttgart 870—74, Schweizerbart'sche Verlagsh. à Lfg. * ℳ 4. * 28 —

Inhalt:
Bd. 1. Anorganische Chemie von Carl Engler. 3 Lfgn. (VII, 745 S. mit 187 eingedr. Holzschn. und 6 lithogr. Kpfrt. in qu. 4.) 872.
„ 2. Organische Chemie. 4 Lfgn. (VIII, 876 S. mit 210 eingedr. Holzschn. und 33 Kpfrt. in qu. 4.) 874

Payen's, A., Handbuch der technischen Chemie. Bearb. von F. Stohmann und Carl Engler. 2 Bde. gr. 8. Stuttgart 870—74. Gera, Koehler. *

Payen, populäres Handbuch der industriellen Chemie. Für Künstler, Fabrikanten u. Gewerbtreibende aller Art. Verdeutscht von J. Hartmann. 1r u. 2r Bd. Mit 4 Taf. Abbildd. 8. Quedlinburg 838. Basse. — 3r—6r Bd. Bearb. von J. Hartmann u. C. G. Meerfels. 8. Ebd. 839, 40. (à ⅓ ₰) ₰ —7r—9r Bd. Enthalt.: Fabrikation d. chemischen Produkte. Von Thillaye. 3 Bde. Mit Steintaf. 8. Ebd. 839, 40. 3 ₰ (1—9. 8 ₰)

Payen, A., vollständiges Handbuch der Branntweinbrennerei aus den Hauptsubstanzen, welche Weingeist liefern können, und zwar Weine, Getreidearten, Runkelrüben ꝛc. Nebst Anweisung zur Rectification des Branntweines. In's Deutsche übertragen von E. O. Fromberg. Mit den Abbildungen der sammtl. Brennapparate und Geräthschaften. gr. 8. (VII und 273 S. mit 13 Stnt. in gr. 8. und qu. Fol.) Quedlinburg 858, Basse.

Payen A, Handbuch d. Branntweinbrennerei. Dtsch v. E O Fromberg. Quedlinburg 1859

Payen, A., vollständiges Handbuch der Branntwein-Brennerei und Spiritus-Fabrikation aus den hauptsächlichsten Stoffen, welche den Alkohol liefern können, nämlich: Wein, Getreide, Zuckerrüben, Bodensatz ꝛc. 2. verb. u. verm. Ausg. mit 34 in den Text gedr. Abbildgn. (Holzschn.) u. 13 lith. Taf. (in 4.) In's Deutsche übertragen von G. Türk. Gotha 863. Opetz. 8. (XV, 516 S.) 1 ₰ 15 ngr

Payen, A., vollständiges Handbuch der Branntwein-Brennerei und Spiritus-Fabrikation aus den hauptsächlichsten Stoffen, welche den Alkohol liefern können, nämlich: Wein, Getreide, Zuckerrüben, Bodensatz ꝛc. 2., verb. und verm. Ausg. In's Deutsche übertragen von G. Türk. 8. (XV und 516 S. mit 34 in den Text gedr. Abbild. in Holzschn. und 13 Stnt. in 4.) Gotha 863, [Windaus' Verlag.] 1 Thlr. 15 Ngr.; geb. *

Payen, A., vollständiges Handbuch der Branntweinbrennerei u. Spiritus-Fabrikation aus den hauptsächlichsten Stoffen, welche den Alkohol liefern können, nämlich Wein, Getreide, Zuckerrüben ꝛc. In's Deutsche übertr. von G. Türck. Nebst einem Anh., enthltd. die neuesten Verbesserungen in der Branntweinbrennerei u. Spiritusfabrikation, sowie der Destillation, Rum- u. Liqueurbereitung. Mit 34 in den Text gedr. Abbildungen (in Holzschn.) u. 13 lith. Taff. (in qu. 4.) 3., verb. u. mit einem Anh. verm. (Titel-)Aufl. Berlin (863)69. Mode. 8. (XV, 560 S.) 1 ₰ 15 ngr

Payen, A., vollständiges Handbuch der Stärke-Fabrikation aus Kartoffeln und Weizen, nebst Bereitung des Kartoffelnmehls und der Polenta, des Kartoffeln- und Palmensago's, des Arrowroot ꝛc. Nach dem Französ. bearb. und mit Zusätzen verm. Mit Abbild. 8. (43 S. mit 4 Stnt.) Quedlinburg 852, Basse.

Payen, Anselme u. Chevalier

— dies. über die Cultur u. mannigfaltige Anwendung d. Kartoffeln Nach d. Französ. mit Zusätzen verm. v. Carl W. E. Putsche. Mit 3 lithogr. Tafeln. 8. Ilmenau 827. Voigt.

— Ueber die Kultur u. mannigfaltige Anwendung d. Kartoffeln. Nach d. Franz. bearb. u. m. Zusätzen verm. v. C. W. E. Putsche. Ilmenau 1827. 200 S. 1 Tvl.

—— die Rübenzuckerfabrikation in Frankreich, u. ihre neuesten Verbessrn. Deutsch m. Anmerkn. u. Ergänzn. v. Ludw. Gall. 1. Aufl. (9¾ B. u. 4 Stnt.) 836., 2. A. gr. 8. (8¾ B. u. 3 Stnt.) Trier 837, Gall. à

—— die Runkelrüben-Branntweinbrennerei, s. Schauplatz, neuer, der Künste ꝛc. 221. Bd.

— u. Chevallier, Unterricht über die Reagentien, ihre Bereitung, ihren besondern Gebrauch u. ihre Anwendung auf d. chem. Analyse. Aus d. Franz. v. L. Cerutti. Mit 3 Kupf. gr. 8. Leipz. 823, Magaz. f. Ind.

Payenne. Comédie en 1 acte par un Russe. 8. (63 S.) Wien 893. W. Frick. n. 1. 60

Zur Lehre von der Selbstentwicklung von Adolf Payer, (Graz). Leipzig: Breitkopf & Härtel 1901. (22 S.) 4°(8°).
— Sammlung Klinischer Vorträge. 314. [m. 9373]

Payer, Alois, Album von Jerusalem in 25 Ansichten aus den heiligen Ländern. Nach photogr. Orig.-Aufnahmen. 1. Heft. Wien 866. Literarisch-artistische Anstalt. qu. Fol. (6 Steintaff. in Tondr.) n. 25 ngr

Payer, Alois, Album von Jerusalem in 25 Ansichten aus den heiligen Ländern. Nach photograph. Orig.-Aufnahmen. qu. Fol. (25 Stnt. in Tondr.) Wien 866—68, Literarisch-artist. Anstalt. * 18 —

Payer, Friedrich

Payer, Frdr., neues Recht in Württemberg, in Verbindg. m. besonders prakt. Theilen d. älteren Rechts zur Orientirg. f. Nichtrechtsgelehrte im Auszug dargestellt. 8. (IV, 271 S.) Stuttgart 874. Schickhardt & Ebner. 3. —

Payer, Friedr., neues Recht in Württemberg, mit besond. Berücksicht. der neuen Reichs-Justiz-Gesetze zur Orientirung für Nichtrechtsgelehrte im Auszug dargestellt. 2. vollständig umgearb. Aufl. 8. (VII, 359 S.) Stuttgart 879, Schickhardt und Ebner. * 3 —

Payer, Frdr., neues Recht in Württemberg, zur Orientierung f. Nichtrechtsgelehrte im Auszug dargestellt. 3. Aufl gr. 8. (XII, 364 S.) Stuttgart 884. Schickhardt & Ebner. n. 3. —; geb. n. 3. 50

Payer, Friedr., neues Recht in Württemberg. Mit besond. Berücksicht. der neuen Reichs-Justizgesetze, zur Orientierung für Nichtrechtsgelehrte im Auszug dargestellt. Neu ergänzte Ausg. der 3. umgearb. Aufl. 8 Lfgn. 8. (XV, 384 S.) Stuttgart 888, Schickhardt und Ebner. à Lfg. 40 Pf. * geb. *

Payer, G., die Gebühren der Rechts-Anwälte in Württemberg in gerichtlichen Angelegenheiten. Nach den Bestimmungen der k. Verordnungen vom 29. Januar 1869. Tabellarisch zusammengestellt. Stuttgart 869. Metzler's Verlag. Imp.-Fol. n. 12 ngr.

Payer, Hugo Bibliotheca carpatica A "Magyarországi Kárpátegylet Megbízásából" összeállította. Im Auftrage des „Ungarischen Karpathenvereines" zusammengestellt. Késmárk: Selbstverl d. Ungar Karpatenvereines 1880.

Bibliotheca Carpatica. Im Auftrage des Ungarischen Karpathenvereines zusammengestellt von Hugo Payer Iglo 1880. 378 S 8°

Payer, J Nutzen der Realschule 22 S. 8° – Klagenfurt OR., Progr 1853

Payer, Johann Leopold: Der Artzney- oder Heyl-Kunst Anfang und Fortgang; auch worinnen selbiger wahre Grund in innerlichen Kranckheiten bestehet: Allen Gesundheits-Liebhabern zu nutzbahrer Zeit-Vertreibung vorgestellet. 97 S., gbd.

Wienn: Schönwetter 1705

Payer, Josef

Payer, Jos., Anleitung z. Schönschreibekunst, zum Behufe d. Selbsterlernung, so wie z. Unterrichte. 3 Hfte. 9" breit, 3" hoch. Wien 832, (Gerold.)
Hft. 1. Deutsche Current-Schrift. (8 Bl.) 6 Gr.
- 2. Engl. Schrift. (8 Bl.) 6 Gr.
- 3. Kanzlei-Schrift. (8 Bl.) 6 Gr.

Payer, Jos., systemat. Anleitung z. Kalligraphie nach ihrem ganzen Umfange, nebst Angabe d. bisher unbekannten od. geheim gehalt. Vortheile bei d. Verzierung mit Gold u. Silber, u. e. Anh. von d. amerikan. Schnellschreib-Lehrsysteme. Lex.-8. (12 B. u. 10 Kpfrt.) Wien 840, (Tendler u. Schaefer.) *

—— neueste Muster-Blätter d. Kalligraphie, in Alphabeten u. Texten aller Schriftarten. qu. gr. Fol. (12 Bl.) Wien 832, (Gerold.)

—— Vorlegeblätter d. Kalligraphie. 3 Hfte. 9" breit, 3" hoch. Wien 832, (Gerold.)
Hft. 1. Deutsche Current-Vorschriften. (12 Bl.) 2. Ausg. 6 Gr.
- 2. Engl. Current-Vorschriften. (12 B.) 2. Ausg. 6 Gr.
- 3. Alphabete französ. Kanzlei, Fractur, goth., röm. u. a. Schriften. (8 Bl.) 6 Gr.

— Vorschriften in gr. qu. Fol. in 12 Blätt. Wien 817. (Tendler).

—— Vorschriften f. Schönschreibekunst. 3 Hfte. 9" breit, 3" hoch. Wien 832, (Gerold.)
Hft. 1. Deutsche Current-Vorschriften. (9 Bl.) 6 Gr.
- 2. Engl. Current-Vorschriften. (9 Bl.) 6 Gr.
- 3. Vorschriften f. verschied. Schriftgattungen. Kanzlei u. Fractur etc. mit kalligraph. Verzierungen. (14 Bl.) 14 Gr.

— Vorschriften f. verschiedene Schriftgattungen. 3 Hefte. Wien 831. (Gerold).

(Payer, Julius) Die Adamello-Presanella-Alpen. Nach den Forschungen und Aufnahmen von Julius Payer. Mit einer Original-Karte, einer Ansicht in Farbendruck und 6 chemitypirten Profilen u. s. w. Gotha 1865. (II, 36 S., 1 Tf.
= Ergänzungsheft zu Petermann's Geographischen Mittheilungen. No. 17. 8°

Payer, J., die Adamello-Presanella-Alpen, } s. Mittheilungen aus Justus Perthes' geogr. Anstalt.

Payer, J. Endgültige Karte von Franz Josef Land, entdeckt von der 2. Oesterreichisch-Ungarischen Nordpol-Expedition 1873 und 1874. 1 : 1 000 000. Gotha 1876. 1 Bl. c. A. NC.

Payer, Jul., die österreichisch-ungarische Nordpol-Expedition in den J. 1872—74, nebst e. Skizze der 2. deutschen Nordpol-Expedition 1869—70 u. der Polar-Expedition v. 1871. Mit mehr als 100 Illustr. u. Kunstbeilagen. gr. 8. (CV, 696 S. m. eingedr. Holzschn., Holzschntaf. u. 3 lith. u. chromolith. Karten.) Wien 875. 76. Hölder. 12. 50

Payer, J. v., die Ortler-Alpen, s. Mittheilungen aus Just. Perthes' geograph. Anstalt.

(Payer Julius) Die Ortler-Alpen. (Sulden-Gebiet und Monte Cevedale.) Nach den Forschungen und Aufnahmen von Julius Payer. Mit Originalkarte in Kupferstich und Ansicht in Farbendruck. Gotha 1867. 15 S. 1 Tf.
= Ergänzungsheft zu Petermann's Geographischen Mittheilungen. No. 18. 8°

(Payer Julius) Die südlichen Ortler-Alpen. Nach den Forschungen und Aufnahmen von Julius Payer. Mit einer Original-Karte, einer Ansicht in Farbendruck und drei Profilen. Gotha 1869. (II). 30 S., 1 Tf.
= Ergänzungsheft zu Petermann's Geographischen Mittheilungen. No. 27. 8°

(Payer, Julius) Die westlichen Ortler-Alpen. (Trafoier Gebiet.) Nach den Forschungen und Aufnahmen von Julius Payer. Mit einer Originalkarte und einer Ansicht in Farbendruck. Gotha 1868. 30 S., 1 Tf.
= Ergänzungsheft zu Petermann's Geographischen Mittheilungen. No. 23. 8°

Payer Julius Die centralen Ortler-Alpen (Gebiete Martell, Laas und Saent.) Nebst einem Anhange zu den Adamello-Presanella-Alpen des Ergänzungsheftes No. 17. Mit einer Originalkarte und einer Ansicht. Gotha 1872. II, 36 S., 1 Tf.
= Ergänzungsheft zu Petermann's Geographischen Mittheilungen. No. 31 8°

Payer, Karl

Payer, (C.) Eusebs u. Sophiens Schmuckkästchen, oder Pflichtenlehre für Kinder. Mit 6 illum. Kpfrn. 16. Wien 824, Müller.

Payer, (Karl.) Theater f. Kinder. 3r Thl. 8. Prag 822, Haase (Krauß). 1 Rthl. 1r — 3r Thl. 819 — 22. . . Rthlr.

Payer, K., Theater f. Kinder. 3 Thle. 2. Ausg. M. 3 Kpfr. u. 3 Titvign. gr. 12. (29½ B.) Prag 831, Haase Söhne. Thlr.

Payer, O W, Mehrarbeit u. Mehrwert. (20 S.) 12. Wiener Volksbuchh. —. 10. (Lichtstrahlen. N. 6.) 1902,

Payer, O. W., Mehrarbeit u. Mehrwert, s. a. Lichtstrahlen.

Payer, Otto, s.: Heimdal.

Payer, R., Johannes Hus. Dramatisches Gedicht in 5 Akten. gr. 8. (V, 143 S.) Tübingen 877, (Fues'sche Sortimentsb.) * 2 —

Payer v. Thurn, Rud., s.: Haupt- u. Staatsaktionen, Wiener.

Payer von Thurn, Rudolf. Die kaisl.-königl. Hofstellen, ihre Chefs und deren Stellvertreter (1749 Mai 1—1848 März 15.) (1 Tabelle.) Fol. Wien 1902.

Payer, von Thurn, Rudolf Ritter: Paul Weidmann, der Wiener Dichter des 18. Jahrhunderts.
Phil. Diss., Prag 1904/1905.

Payeur, Joseph [app. Arzt aus Strassburg '(i. Els.)']: Ueber die plastische Verwendung des Uterus bei schweren Totalprolapsen alter Frauen ... Strassburg i. E., Buchdr. C. & J. Gœller, 1896; 60 S. 8.
Strassburg, Med. Fak., Inaug.-Diss. v. 1895

Paygert, Dr. Cornel. v.,
— Die soziale und wirthschaftliche Lage der galizischen Schuhmacher. Eine Studie über Hausindustrie und Handwerk, auf Grund eigener Erhebungen. (Staats- und sozialwiss. Forschungen, Bd. 11, Heft 1.) gr. 8⁰. Leipzig, Duncker u. H., 1891.

Paygert, Cornelius v., die sociale u. wirtschaftliche Lage der galizischen Schuhmacher, s. a. Forschungen, staats- u. socialwissenschaftliche.

PAYGERT, Cornelius von: Das galizische Schuhmachergewerbe als Hausindustrie.- Leipzig 1891. 85 S.
3.12.1890 - Chr 1890/91,17; Jv 1890/91,224
Diss.Ingolst.-Landsh.-Mchn.

von Paygert, Cornelius: Das galizische Schuhmachergewerbe als Hausindustrie. . . . Leipzig, Duncker & Humblot, 1891; 85 S. 8⁰
München, Staatswiss. [sic!] Fak., Inaug.-Diss. v. 1891

Paykull, Gust.

— Fauna Suecicae. II Tmi. 8. maj. Lps. Kummer.

— — id. l. II Tmi. 8. maj. Upsal. (Proclamat. Weigel, Lps.)

Paykull, Gust., Fauna Suecica Insecta. Tom. 1. 2. 3. 8. maj. Coph. Proft. 801. Rthlr.

Paykull, G., fauna Suecica insectorum. 3 Tomi. 8maj. Hafn. 801. Jetzt Brummer.

Paykull, Gust., monographia baraborum Sueciae. 8. Leipz., (Weigel). 20 gr 8maj. Gotha, Ettinger. 12 gr

Paykull, Gust., monographia caraborum Sueciae. 8. Lps. Kummer (Proclam. Weigel.)

— monographia histeroidum. c. tab. 8maj. Kopenh. 811. (Perthes u. B. in Hamb.) 4 ß

Paykull, G., monographia histeroidum, c. tab. 8maj. Hafniae, Bonnier. 811.

— de monographia staphylinorum Sueciae. 8. maj. Upsal. (Ettinger, Gotha.) 791.

Paykull, Otto Arnold.
Problema chymicum oder chymischer Process, wodurch nach Proportion eines Quentleins præparirten Sulphuris Antimonii, anderthalb Loth Bley in das schöneste und feineste Gold verwandelt worden. Allen der wahren Chymie Liebhabern und rechtschaffenen Philosophis mitgetheilet, und zu dero genauen Untersuchung aufgegeben, nebst beygefügter Vorrede, in welcher sowohl die Ursache der Publication, als auch dasjenige, was in selbigem Process ermangele und annoch zu erforschen sey, kürtzlich eröffnet und angezeiget wird. Berlin, bey Johann Christoph Papen, 1719. pp. [viii]–20, 4to.

M.. **Payley's** Grundsätze d. Moral u. Politik; a. d Engl. m. ein. Anmerk. u. Zus. v. Ch. **Garve.** *Lpz.*, Weidmann. B. 787. 2 Bde. 8⁰ 2 ß 16 gr

Payley, W., Grundsätze d. Moral u. Politik; aus d. Engl mit Anmerkk. v. Chr. Garve. 2 Thle. gr. 8. Lpz. 787. Weidmann. 2 ß 16 gr

— Horae paulinae. Beweis d. Glaubwürdigkeit d. Geschichte u. Aechtheit der Schriften des Apostels Paulus, aus dem Engl. von J. P. K. Henke. gr. 8. Helmst. 797. Fleckeisen. 1 ß 8 gr

— Theologie d. Natur, ins Französ. übertragen v. K. Pictet; aus diesem ins Deutsche übers. (v. ... v. Keller). gr. 8. Manh. 823. Schwan u. G. 2 ß

— Uebersicht d. Prüfung d. Beweise u. Zeugnisse f. d. Christenthum; aus d. Engl. Mit e. Vorrede v. J. A. Nösselt. 2 Bde. gr. 8. Leipz. 797. Weygand. 1 ß 20 gr

Payn, Geo., Dictionary of the English and French languages, s.: James, W.

— Pocket dictionary of the English and Italian languages, s.: Wessely, J. E.

Payn, George, pocket dictionary of the English and Spanish languages, s.: Wessely, I. E.

— neues englisch-deutsches u. deutsch-englisches Taschenwörterbuch, s.: Wessely, J. E.

Payn, James, a confidential Agent, } s. Collection of British Authors.

The Backwater of life, or Essays of a literary veteran. By James **Payn.** With an introd. by Leslie Stephen. Copyright ed. Leipzig: Tauchnitz 1900. 294 S. 8⁰
(Collection of British-authors. Tauchnitz Ed. Vol. 3405.)

— the best of Husbands, s. Collection of British Authors.

Another's Burden, and two essays. By James **Payn.** Copyright ed. Leipzig: Tauchnitz 1898. 285 S. 8⁰
(Collection of British authors. Tauchnitz Ed. Vol. 3259.) [11. 8204

— For Cash only, s. Collection of British Authors.

— die Diamanten der gnädigen Frau, s. Romanbibliothek, englische.

Payn, James, Tollkopf Dickie. Novelle. Aus dem Engl. übers. von Ed. Eggert. 2 Bde. 8. (378 S.) Hamburg 864, Rittler.

A Disappearance of George Driffel, and other tales. By James **Payn.** Copyright ed. Leipzig: Tauchnitz 1896. 288 S. 8⁰
(Collection of British authors. Tauchnitz Ed. Vol. 3150.) [11. 8123

Payn, James, Gwendoline's Ernte. Roman. Aus dem Englischen übers. v. Elise Mirus. Einzige, vom Verf. autoris. deutsche Ausg. 2 Bde. 8. (VIII, 272 u. VIII, 248 S.) Leipzig 871. Schlicke. 7. 50

Payn, James, Erzähl gn., s.: Lux' Kriminal- u. Detektiv-Romane.

— From Exile, s. Collection of British authors.

– Fallen Fortunes, s. Collection of British authors.

— gewonnen — nicht umworben. Frei nach dem Engl. v. Elise Mirus. Autoris. Ausg. 3 Bde. 8. (229, 215 u. 245 S.) Ebend. 873. n. 8. —

Gleams of memory, with some reflections, and The eavesdropper, an unparalleled experience by James **Payn**. Copyright ed. Leipzig: Tauchnitz 1894. 277 S. 8°
(Collection of British authors. Tauchnitz Ed. Vol. 3028.) [II. 8039

– a grape from a thorn, s. Collection of British authors.

— Halves, s.: Collection of brit. authors.

– The heir of the ages, s. Collection of British Authors.

— Kit: a memory, s.: Collection of British authors.

Payn, James, Klein-Blondel. Roman. Aus dem Engl. von Elise Mirus. Einzige autorisirte deutsche Ausg. 2 Bde. Leipzig 869. Schlicke. 8. (V, 259 u. III, 238 S.) 2 Thlr 10 ngr

—— ein Landedelmann. [A country family.] Roman. Aus dem Engl. von Elise Mirus. Einzige vom Verf. autoris. deutsche Ausg. 2 Bde. 8. (V, 263; III, 280 S.) Ebendas. 871. 7 50

—— Less black than we 're painted, s. Collection of British Authors.

– The luck of the Darrells, s. Collection of British authors.

In Market Overt. By James **Payn**. Copyright ed. Leipzig: Tauchnitz 1895. 302 S. 8°
(Collection of British authors. Tauchnitz Ed. Vol. 3080.)

—— Married beneath him, s. Asher's Collection of English Authors.

—— der verschwundene Sir Massingberd. Ein Roman aus dem wirkl. Leben. Aus dem Engl. nach der 3. Aufl. des Orig. übersetzt von Elise Mirus. Einzige vom Verf. autoris. deutsche Ausg. 2 Bde. 8. (IX, 228; III, 194 S.) Ebendas. 870. 6 —

Payn, James: The burnt million, s. Collection of British authors.

– The mystery of Mirbridge, s. Collection of British authors.

— eine Nacht unter den Fenstern, s.: Familien-Bibliothek.

A trying Patient etc. By James **Payn**. Copyright ed. Leipzig: Tauchnitz 1893. 271 S. 8°
(Collection of British authors. Tauchnitz Ed. Vol. 2938.) [II. 7974

– A prince of the blood, s. Collection of British authors.

– By Proxy, s. Collection of British autors.

– Some literary recollections, s. Collection of British authors.

– Under one roof, s. Collection of British authors.

– The scholar of Silverscar, hrsg. v. J. Klapperich, s.: Schriftsteller, engl. u. französ., der neueren Zeit.

– high spirits being certain stories written in them, s. Collection of British authors.

— Hauptmann Stahl in der Klemme, s.: Familien-Bibliothek.

Payn, James, Cecil's Stelldichein. Roman. Aus dem Engl. von Elise Mirus. Autoris. Ausg. 2 Bde. 8. (297; 316 S.) Leipzig 874, E. J. Günther. * 6 —

Payn, James: Sunny stories and some shady ones, s. Collection of British authors.

A Stumble on the threshold. By James **Payn**. Copyright ed. In 2 vol. Vol. 1. 2. Leipzig: Tauchnitz 1893. 8°
(Collection of British authors. Tauchnitz Ed. Vol. 2883/4.) [II. 7934

– Glow-worm tales, s. Collection of British authors.

– The talk of the town, s. Collection of British authors.

– Holyday tasks, s. Collection of British authors.

— thicker than water, s.: Asher's collection of English authers.

— „Todt gefunden." Roman. Aus dem Engl. von Elise Mirus. Einzige autorisirte deutsche Ausg. 2 Bde. Ebend. 870. 8. (III, 247 u. III, 250 S.) 2 Thlr 10 ngr

— eine Traube v. den Dornen, s.: Romanbibliothek, englische.

— a perfect treasure, s.: Asher's collection of English authors.

—— some private Views, s. Collection of British Authors.

– The Canon's Ward, s. Collection of British authors.

—— What he cost her, s. Collection of British Authors.

A modern Dick Whittington. By James **Payn**. Copyright ed. In 2 vol. Vol. 1. 2. Leipzig: Tauchnitz 1892. 8°
(Collection of British authors. Tauchnitz Ed. Vol. 2827/8.) [II. 7890

— wie der Vater, so der Sohn. Roman. Aus dem Engl. v. Emil Lehmann. Autoris. Ausg. 4 Bde. 8. (219, 202, 221 u. 211 S.) Leipzig 873. E. J. Günther. n. 10.50

— Walter's word, s.: Collection of brit. authors.

Payn, James: The word and the will, s. Collection of British authors.

—— Walter's Wort. Roman. Aus dem Engl. Autoris. Ausg. 3 Bde. 8. (240; 251; 235 S.) Berlin 880, Janke. * 10 —

Payne, A. H., Berlin u. seine Umgebungen, s. Berlin.

Payne, A. H., offener Brief an die Actionäre der allgemeinen Deutschen Creditanstalt zu Leipzig. Veranlaßt durch die Flugschrift des Herrn W. Seyfferth. Leipzig 859. Payne. gr. 8. (16 S.) 1½ ngr

Payne's Brieftaschen-Kalender. 1903. 16. (100 S.) Leipzig, A. H. Payne. — 30

Payne's Brieftaschen-Kalender. 1904. (100 S.) 16. Leipzig, A. H. Payne. — 30

Payne's illustrirtes Deutschland. Universal-Lexikon der Geographie, Statistik und Topographie sämmtlicher deutschen Bundesstaaten im weitesten Umfange. Mit einem Atlas von 20 General- und Special-Karten in farb. Stahlst. (In 20 Heften.) 1—13. Heft. hoch 4. (S. 1—726.) Leipzig 860—62, Payne. à Heft 7½ Ngr.
Heft 1—10 enthält „Preußen" und ist auch einzeln zu beziehen.

Payne's illustrirtes Deutschland. Universal-Lexikon der Geographie, Statistik und Topographie sämmtl. deutschen Bundesstaaten im weitesten Umfange. Von Wilh. Hoffmann und Friedr. Thdr. Hoffmann. 14.—23. Heft. hoch 4. (IV und S. 1055—3070.) Leipzig 862—65, Payne. à Heft 7½ Ngr.
Hieraus einzeln: Bayern. * 1 Thlr. 7½ Ngr. — Hannover. * 28 Ngr. — Sachsen. * 18 Ngr.
1.—13. Heft. Ebendas. 1860—62. 3 Thlr. 7½ Ngr.

—— Dresden, s. Dresden.

(Payne, A. H.,) Eisenbahn-Atlas von Mittel-Europa mit Angabe d. Fahrzeit, Stationen, Haupt-Kunststrassen, schiffbaren Flüsse u. Kanäle. 16 Karten. Leipzig 1861. 16. Stahlst. . . . . (Br. Mu.)

Payne's illustrirter Familienkalender. *Schweizerische* Ausgabe. In-4°. Zürich, Trüb. 1879.

Payne's illustrirter Familien-Kalender. 31.—33. Jahrg. 1887—1889. 4. (à Jahrg. ca. XVIII, 55 S. mit je 1 Oeldr.-Bild, Portemonnaie-Kalender, Wand-Kalender, Damen-Almanach und Karte.) Reudnitz bei Leipzig, Payne. à Jahrg. **
Die frühern Jahrgänge, s. Familien-Kalender, illustrirter.

Payne's illustrirter Familien-Kalender. 34.—37. Jahrg. 1890—1893. Mit je 1 Wand-Kalender, Portem.-Kalender, 4 bunten Bildern, 1 Eisenbahnkarte. Allgem. Ausg. gr. 4. (à Jahrg. XVIII, 56 S.) Lpz., Payne. à Jahrg. * — 50
Auch in Ausg. f. das östliche u. westliche Preußen, f. Hamburg-Altona, Südwest-Deutschland, Rußland u. Oesterreich zu gleichem Preise.

Payne's illustrirter Familienkalender 1894. 38. Jahrg. 4. (XVIII, IV, 56 S. m. 1 Farbendr., Portemonnaie- u. Wandkalender, Damenbret- u. Mühlenspiel u. 2 Karten.) Leipzig, A. H. Payne. n.n. — 50

Payne's, illustr. Familien-Kalender. 43. Jahrg. 1899. M. e. Oeldr.-Bilde: „Mutterglück". Wand-Kal., 2 Portemonnaie-Kal., 4 Separatbild., Städtewappen, Karte v. Kiaotschou, 6 humorist. Postkarten, Anh.: „Frage mich!" 20 Seiten kurze u. interessante Belehrgn. üb. Vielerlei. 4. (XVIII, 56 S.) Leipzig, A. H. Payne. n.n. — 50

— **illustrirter Familien-Kalender.** 47. Jahrg. 1903. 4. (120 S. m. 6 Taf., 1 Portemonnaie- u. 1 Wandkalender.) Ebd. n. — 50

— **illustrierter Familien-Kalender.** 51. Jahrg. 1907. (108 S. m. Taf., Portemonnaie- u. Wandkalender.) gr. 8. Leipzig, A. H. Payne. — 50
In Ausgaben f. Amerika, Bayern, Hamburg-Altona, Oestl. u. Westl. Preußen, Rußland, Südwestdeutschland.

Payne's illustr. Familien-Kalender. 55. Jahrg. 1911. (120 u. IV S. m. 5 Taf., Portemonnaie- u. Wandkalender.) gr. 8. Leipzig, A. H. Payne. — 50
In Ausgaben f. Amerika, Bayern, Hamburg-Altona, Österreich-Ungarn, Östl. u. Westl. Preußen, Rußland, Südwestdeutschld.

—— Hamburg u. seine Umgebungen, s. Hamburg.

— **Conversations-Lexikon.** E. Hausschatz des Wissens für Jedermann. 12. (808 S. m. 4 Karten, 6 Plänen u. 3 [2 farb.] Wappentaf.) Ebd. 896. Geb. in Leinw. n. 2. 50

Payne, A. H., Leipzig, s. Leipzig.

— **biograph. Lexikon,** s.: **Panorama des Wissens.**

Payne's, (A. H.), illustrated London, a series of views of the British Metropolis and its environs. Part. 1. 8. (7 Stahlstichtaf. u. 16 S. Text.) London 847. (Leipzig, Engl. Kunstanstalt von Payne.) n. ⅜ Thlr.

—— Miniaturalmanach für 1845—47. 1—3. Jahrg. à J. 6 Stahlst. u. Holzschn. 16. [Leipzig, Englische Kunstanstalt.] [1. (6¼ B.) 2. (7 B.) 3. (5½ B.) à J. * 5 Ngr.] *

— **Miniatur-Almanach für 1845—1847.** 1.—3. Jahrg. Jeder mit 6 Stahlst. kl. 8. London u. Leipzig, Brain K. Payne. à n. ⅙ Thlr.

— **Miniatur-Almanach für 1848—1853.** 4—9. Jahrg. 16. (48: 108 S. m. 6 Stahlst. 49: 83 S. m. 6 Stahlst. 50: XVIII u. 163 S. m. 8 Stahlst. u. 12 Holzschn. 51: IV u. 152 S. m. 12 Stahlst. 52: IV u. 190 S. m. 12 Stahlst. 53: XXXIV u. 162 S. m. 12 Stahlst.) Leipzig, Engl. Kunstanstalt v. Payne. 1848 u. 1849: à ⅛ Thlr. 1850—1853: à ¼ Thlr.

Payne's Miniatur-Almanach für 1853—57. 9—13. Jahrg. à Jahrg. mit 12 Stahlst. 16. Leipzig 852—56, Payne. à Jahrg.

—— Miniatur-Almanach für 1858—62. 14—18. Jahrg. 16. (à Jahrg. XIX und 160 S. mit 12 Stahlst.) Leipzig 857—61. Payne. à Jahrg. *

—— Miniatur-Almanach für 1863—68. 19.—24. Jahrg. 16. (à Jahrg. ca. XVI und 120—160 S. mit 12 Stahlst.) Leipzig 862—67, Payne. à Jahrg. *

Payne's Miniatur-Almanach für 1869 und 1870. 25. und 26. Jahrg. Mit je 12 Illustr. (in Stahlst.). 16. (à XVIII, 160 S.) Leipzig, Payne. à Jahrg. * — 75

Payne's Panorama des Wissens und der Gewerbe. Mit vielen Stahlst. u. zahlreichen Holzschn.-Illustr. (im Text.) 1. u. 2. Bd. à 20 Hefte (à 4 Bgn.). Leipzig 859—62. Payne. gr. 4. Jedes Heft 7½ ngr.

—— dass. — 3. Bd. 18 Hefte. (à 2—3 Bog. mit eingedr. Holzschn. und 1 Kunstbeilage.) gr. 4. Ebendas. 862. à Heft 5 Ngr.

Payne's Panorama des Wissens und der Gewerbe. Mit vielen Stahlst. und zahlreichen Holzschn.-Illustr. 4.—6. Bd. à Bd. 18 Hefte. (à 2—3 Bog. mit eingedr. Holzschn. und 1 Kunstbeilage.) gr. 4. Leipzig 863—66, Payne. à Heft * 5 Ngr.; à Bd. *

—— illustrirte Pracht-Bibel nach der deutschen Uebersetzung Dr. Mart. Luthers mit erklärenden Anmerkungen von Otto Delitsch. (In ca. 50 Heften.) 1—17. Heft. gr. 4. (S. 1—544 mit eingedr. Holzschn. und 34 Holzschnt.) Leipzig 861. 62, Payne. à Heft * 5 Ngr. *

—— illustrirte Pracht-Bibel, oder die ganze Heilige Schrift des alten und neuen Testaments nach der deutschen Uebersetzung Dr. Mart. Luthers. Mit zahlreichen Illustr. und mit erklär. Anmerkungen von Otto Delitsch. 18.—50. Heft. gr. 4. (S. 545—1588 mit eingedr. Holzschn. und Holzschntaf.) Leipzig 862—64, Payne. à Heft * 5 Ngr. *
Compl. geb. *
1.—17. Heft. Ebendas. 1861, 62. * 2 Thlr. 25 Ngr. — Altes Testament. 1. und 2. Bd. (Lfg. 1—39.) S. 1—1240. Neues Testament. 3. Bd. (Lfg. 40—50.) S. 1241—1588.

— illustrirte Pracht-Bibel nach der deutschen Uebersetzung Dr. Mart. Luthers. Mit erklärenden Anmerkungen von Otto Delitsch. Ebend. 861, 62. gr. 4. (1588 S. m. Holzschn. u. 98 Holzschntaf.) n. 8 ₰ 10 ngr
2. Aufl. s. Prachtbibel, illustrirte.

Paynes Tascheneisenbahnatlas von Mitteleuropa mit 16 Karten und Verzeichnis von 4500 Ortschaften. 6. Auflage. Leipzig

Payne's Universum. Neues Bilderwerk mit vorzüglichen Stahlstichen. 1.—5. Bd. à 12 Hfte. u. 6. Bd. 1. Hft. Mit (vielen) Stahlst. qu. gr. 4. Leipzig 842—46, Engl. Kunst-Anstalt. à Heft n. 7 ngl —

—— Universum. Darstellung u. Beschreibung der schönsten Gegenden, Städte u. merkwürd. Baudenkmale, von Portraits, volksthüml. Scenen u. Genrebildern in vorzügl. Stahlst. 1—6. Bd. à 12 Hfte. qu. gr. 4. à Hft. 4 Stahlst. u. 1—1¼ B. Text. Leipzig 842—47, Engl. Kunstanstalt. à Hft. * 7 Ngr. à Bd. *

—— dass. 1. Bd. 2., verschön. Aufl. 1—9. Hft. qu. gr. 4. (9¼ B. u. 36 Stahlst.) Ebds. 845, 46. à Hft. *

—— dass. 2. Bd. 2., verschön. Aufl. 1—9. Hft. qu. gr. 4. (9 B. u. 36 Stahlst.) Ebds. 845, 46. à Hft. *

—— Universum. Darstellung und Beschreibung der schönsten Gegenden, Städte und merkwürd. Baudenkmale ꝛc. 7. und 8. Bd. (à Bd. 12 Hefte.) (à Heft 8 S. und 4 Stahlst.) qu. 4. Leipzig 848—50, Payne. (à Heft * 7 Ngr.) à Bd. *
1—6. Bd. Ebendas. 1842—47. à Bd. * 2 Thlr. 24 Ngr.

— Universum u. Buch der Kunst. Neue Folge. 1. Bd. 1—35. Hft. 4. (à 12 S. m. eingedr. Holzschn. u. 3 Stahlst.) Ebd. 850—52. à n. ¼ ₰

—— dass. — (Universum und Buch der Kunst.) Neue Folge. 1. Bd. 1—35. Heft. (à Heft 3 Stahlst. und 12 S. Text mit eingedr. Holzschn.) 4. Ebds. 851—52. à Heft * 7½ Ngr. * ‡

—— Universum und Buch der Kunst. Neue Folge. 1. Bd. 36. Heft. (à 3. Stahlst. und 12 S. Text mit eingedr. Holzschn.) gr. 4. Leipzig 852, Payne.

— Universum und Buch der Kunst. Neue Folge. 1. Bd. 36. (letztes) Heft. Leipzig (853.) Payne. gr. 4. (S. 313—432 mit Holzschn. im Text u. 3 Stahlst.) n. 7½ ngr

—— dass. — Mit den Beigaben: Kunst-Journal. Redig. von O. Alex. Banck; und: Kunstindustrielle und techn. Notizen. Neue Folge. 2. Bd. (36 Hefte.) gr. 4. (XII und 412 S. mit eingedr. Holzschn., 109 Stahlst. und Kunst-Journal 144 S.) Ebds. 853—55. (à Heft * 7½ Ngr.) *

—— dass. — Neue Folge. 3. Bd. 1—29. Heft. gr. 4. (IV und S. 1—600 mit eingedr. Holzschn. und 116 Stahlst., wovon 13 in Buntdr., und gest. Titel.) Ebds. 855. à Heft * 10 Ngr. *

—— Universum und Buch der Kunst. Neue Folge. 3. Bd. 30—36. Heft. gr. 4. (S. 601—728 und S. V—VIII mit eingedr. Holzschn. und 28 Stahlst., wovon 5 in Buntdr.) Leipzig 857, Payne. à Heft * 10 Ngr. *

— — Neue Folge. 3. u. 4. Bd. à 36 Hefte mit Holzschn. im Text und Beilagen. Ebend. 856—58. gr. 4. (VIII, 728 S.; IV, 720 S.) Jedes Heft mit 4 Stahlst. n. 10 ngr

—— dass. — Neue Folge. 4. Bd. 36 Hefte. gr. 4. (720 S. mit eingedr. Holzschn. und 145 Stahlst., wovon 15 in Buntdr.) Ebendas. 857—59. à Heft * 10 Ngr. *

Payne's Universum und Buch der Kunst. Neue Folge. 5. Bd. 36 Hefte. gr. 4. (IV und 576 S. mit eingedr. Holzschn., 72 Holzschnt., 144 Stahlst., wovon 29 in Buntdr., und Titel in Stahlst.) Leipzig 859—62, Payne. à Heft * 10 Ngr. Thlr. *

— — Neue Folge. 6. Bd. 20 Hefte. — 7. Bd. 1—15. Heft (à 2 Bgn. m. Holzschn. im Text u. 3 Stahlst.). Ebend. 862—64. gr. 4. Jedes Heft 7½ ngr

Payne's Universum u. Buch der Kunst. Neue Folge. 7. Bd. 18—20. Heft u. 8—14. Bd. à 20 Hefte. Ebend. 865—70. gr. 4. (à Bd. 320 S. mit eingedr. Holzschn., Stahlst., theilweise in Buntdr., u. Titel in Stahlst.) Jedes Heft 7½ ngr
Jeder Bd. 5 ₰

—— Universum und Buch der Kunst. Neue Folge. 6.—10. Bd. à 20 Hefte. gr. 4. (à Bd. 320 S. mit eingedr. Holzschn., Stahlst., theilweise in Buntdr., und Titel in Stahlst.) Leipzig 862—68, Payne. à Heft 7½ Ngr.; à Bd.

—— Universum und Buch der Kunst. 11. Bd. In 20 Heften. gr. 4. Mit Stahlst. Ebendas. 870. à Heft 75 Pf. 15 —

Payne, Arthur, die Grazien, od. Glaube, Hoffnung, Liebe. 12. Danzig 806. Goldstamm. 1 ₰ 3 g[illegible]

Payne, E. George: Die Einführung der Chinesenarbeit in Südafrika. Bonn 1909: Foppen. 30 S. 8° (Ersch. vollst. u. d. T.: A Chinese Labor Experiment, Chicago 1910.)
Bonn, Phil. Diss. v. 14. Aug. 1909, Ref. Schumacher
[Geb. 25. Dez. 77 Glasgow, Ver. St.; Wohnort: Paducah; Staatsangeh.: Vereinigte Staaten; Vorbildung: Normal Univ. Lebanon (Ohio) Baccal. 01; Studium: Chicago 3, Bonn 2, Berlin 1, Bonn 1 S.; Rig. 28. Juli 09.] [U 09. 419

Payne, H., Pferdeköpfe. 6 Studien. Chromolith. gr. 4. Leipzig 887. Baldamus' Sept.-Cto. n. 6. —;
einzelne Blätter à 1. 50

Payne, Thom., s. Paine.

Payne, Thomas: Kurzer A b r i s s der Entstehung der französischen Revolution. Mit Anmerkungen des Übersetzers. Leipzig. 1791. 8⁰.

Payne's, Thom., „Rechte des Menschen" im Auszuge nebst einer kurzgefaßten Biographie Payne's und einer krit. Bevorwortung über den Geist seiner Hauptschriften mit besonderem Hinblick auf das vorliegende Werk. Von G. Jrok. 16. (44 S.) Leipzig 851, Bibliopolische Anstalt.
Vgl.: Paine, Thom.

PAYNE, TH., Untersuchungen über wahre und fabelhafte Theologie. Aus dem Englischen mit Anmerkungen und Zusätzen des Uebersetzers [d: HEINR. CPH. ALBRECHT]. Deutschland. 1794.

Payot, Ed. [médecin-interne de l'hôpital cantonal à Olten]: Du laboratoire du Dr. Heuss, privat-docent de dermatologie à l'Université de Zurich. Contribution à l'étude de la sclérodermie. Lausanne 1904. 56 p. 8°. [12. VII. 04.]
Zürich. Med. Diss. 1903/1904.

Payot, Jules, die Erziehung des Willens. Berechtigte Uebersetzg. nach der 11. Aufl. der französ. Ausg. v. Titus Voelkel. Den Buchschmuck zeichnete Rich. Grimm. 8. (315 S.) Leipzig 901. R. Voigtländer. n. 3.—; geb. n. 4.—

Payot, Jules, die Erziehung des Willens. Berechtigte Uebersetzg. nach der 11. Aufl. der französ. Ausg. v. Titus Voelkel. Den Buchschmuck zeichnete Rich. Grimm. 2. Aufl. (316 S.) 8. Leipzig 903. R. Voigtländer. n. 3.—; geb. n. 4.—

Payot, Jules, die Erziehung des Willens. Berecht. Übersetzg. v. Titus Voelkel. 3. u. 4. Aufl. (310 S.) 8. Leipzig 910. R. Voigtländer. 3.—; geb. in Leinw. 4.

Payot, Venance, geologie et minéralogie des environs du Mont-Blanc ou statistique des terrains, des roches et des mineraux, qui constituent les massifs de montagnes entre les bassins du Giffre, au nord-ouest, de la Dranse, au nord-est, de la Doire, au sud-est, du Bonnant, au sud-ouest. gr. 8. (84 S.) Basel 873. Georg. n. 1. 80

Die g. und v. Freimaurerloge „Die Alten Getreuen" im Or. Budapest in den ersten 25 Jahren ihres Bestandes. 17. Nov. 0870—17. Nov. 0895 von Edu. Pay'r. [Budapest 1895: Markus.] 14 S. 8°
Nebst Beamtenliste der Loge.

Payr, Erwin, s.: Ergebnisse der Chirurgie u. Orthopädie.

Payr, Dr. Erwin, Pathologie und Therapie des Hallux valgus. Aus dem pathologisch-anatomischen Institute in Wien. (Beiträge zur klinischen Medicin und Chirurgie, 8. Heft.) Mit 3 lithogr. Tafeln und 11 Abbildungen im Texte. Gr.-8. (77 S.) 1.40
Wien: Braumüller 1894.

Payr, Erwin, Pathologie u. Therapie des Hallux valgus, s.a. Beiträge zur klinischen Medicin u. Chirurgie.

Payr Heinrich von Über die Einwirkung von Zinnchlorid auf Stärke bei gewöhnlicher Temperatur S. 21 — . — 20
Separatabdruck

PAYR, Joseph (Augsburg): Ueber Pathologie und Diagnose des Mittelfell- und Lungenkrebses.- Augsburg: Kohler 1854. 22 S.
26.7.1849 - Urk.(Titel: De pathologia et diagnosi carcinomatis pulmonum et mediastini.); F 67
Diss. Ingolst.-Landsh.-Mchn.

Payr, Josefa, geb. Blaas, neuestes Tiroler Kochbuch m. 628 selbst erprobten Recepten u. 12 Speisezetteln. 8. (XXVIII, 180 S.) Innsbruck 898. (Wagner.) n. 1. 60

Payr, Josefa, geb. Blaas, neuestes Tiroler Kochbuch m. 677 selbst erprobten Rezepten u. 14 Speisezetteln. (2. verm. Aufl.) (XXXI, 198 S.) kl. 8. Innsbruck 907. (Wagner.) Kart. 2. 40

Payr, Karl

Payr, C., Für die Gewerbefreiheit und gegen den Befähigungsnachweis. 8°. Innsbruck 1882.

Payr, Carl, Lehrbuch der Verrechnung u. Controle in der Privat-, Gemeinde-, Landes- u. Staats-Wirthschaft. Lex.-8. (IV, 190 S.) Innsbruck 894. Wagner. n. 4.—

— Resultate der von der Handels- u. Gewerbekammer in Innsbruck berufenen Enquête zur Erhebung der Lage und Bedürfnisse des Kleingewerbes. 8°. Innsbruck 1872.

Payr, C., Die Ursachen der wirtschaftlichen Bedrängnisse des Bauernstandes in den österr. Alpenländern und insbes. in Tirol und Vorarlberg. 8°. Innsbruck 1889.

PAYR, Ludwig (Obergünzburg): De haemorrhagia narium.- Monachii: Poessenbacher 1833. 16 S.
14.12.1831 - Urk; F 60
Diss. Ingolst.-Landsh.-Mchn.

Pays, Oeuvres nouvelles. 2 Tom. 8. Lps, Crusius. (F. C. W. Vogel.) 738.

Pays: Le Pays (Be)
① 1er sous-titre: Organe des catholiques du Jura; aujourd'hui: Quotidien catholique, démocratique et social ③ La Gazette jurassienne ⑤ 3. 8. 1873 (cont.) ⑥ in-2° ⑦ 2× par semaine (jusqu'au 8. 12. 1894); 3× par semaine (13. 12. 1894—30. 6. 1908); 5× par semaine (1. 7. 1908—13. 12. 1923); quotidien (depuis le 15. 12. 1923) ⑧ Porrentruy: J. Gurtler (jusqu'au 9. 3. 1883), Xavier Turberg & Cie. (11. 3. 1883—2. 2. 1887), La Société typographique (imprimeur-éditeur et plus tard gérant: Gustave Moritz. 6. 2. 1887—13. 12. 1923), La Bonne Presse du Jura (depuis le 15. 12. 1923) ⑨ Le Pays illustré (1903); Le Pays du Dimanche (1897—1902, 1906—1908) ⑩ les imprimeurs ⑪ Ernest Daucourt (3. 8. 1873—août 1891 et novembre 1893—août 1894); Ch. Pape (1887—1890), Xavier Jobin, Alfred Ribeau père, avocat; Pie Philipona, Berne; Joseph Beuret, Saignelégier; Alfred Ribeau fils; Abbé Henri Schaller, J. Gressot ⑫ catholique-conservateur ⑬ BGSZ: 1 (no. 6409), 358, 962, 973; Le Pays 1953, no. 259 ⑭ Be: L, S, St.

Le Pays badois.
Karlsruhe: Bad. Landesverb. z. Hebung d. Fremdenverkehrs. [um 1909] 63 S. 8°

Pays. En P' Bernois... Berne s. [Hartmann, Hermann].

Pays-d'En-Haut [Schlagwort]

Pays-d'En-Haut, s.: Schweiz. Müllhaupt, F.

Pays. Le p' haut de Transsylvanie (Umschlag: La Tr.). D'après des esquisses de F[erdinand] Kraus, C. J. Römer, E[mil] Sigerus et C. Weingartner. Avec 32 illustrations de Jo[hann] Weber [dont 4 planches] et und carte. (L'Europe illustrée N° 136. 137.) 8. Zurich ([18]90).
A travers la Hongrie. 8ᵉ fascicule.

Paysage. Le p' de Davos. Station climatérique pour maladies de poitrine. Au point de vue spécial de la méthode thérapeutique suivie dans l'établissement de cure W. J. Holsboer. Guide pour médecins et malades. [Avec 21 planches.] 8. Zürich 1878.

Le paysage de Davos, station climatérique pour maladies de poitrine, au point de vue spécial de la méthode thérapeutique suivie dans l'établissement de cure W. J. Holsbœr (société par actions du Curhaus Davos). Guide pour médecins et malades. In-12°, 64 p. illustrées. Zurich. 1880

Paysagiste, le petit, ou Collection de Paysages tant color. que noirs. 4 Cahiers. Lps. Sommer. 804.

Paysagiste, le petit, ou Collection de Paysages tant coloriés, que noirs. 4 Cahiers, av. fig. Nouv. édit. 4. Leips., Sommer. 820. broché.

Paysan, le, illustre, et aventures de Daniel Mogynie. 8. Frcft. 755.

Paysan, le parvenu, ou les Mémoires de Mad. la Marquise de L. V. VII Part. 8. Lpz. Weidmann. 738.

— le, parvenu, ou les Mémoires de M** par Mr. de Marivaux. VIII Part. 8. ibid. 748.

— — le même livre. V Part. 8. ibid. (Weidmann, Lpz.) 737.

— — le même. II Tom. 8. Frcft. Varrentrapp et W. 758.

Paysan, Le, parvenu . . . Breslau 1800. V: *Hermes, Joh. Timotheus.* (Ky)

– **la même (par J. T. Hermes), trad. par lui même. II Toms. 8. Bresl. 800. W. G. Korn.**

— — le même. II Tom. 8. Breslaú, W. G. Korn. 808.

Paysan: Le Paysan Suisse
① Organe officiel de l'Union suisse des paysans ⑤ juillet 1901 (cont.) ⑥ in-4° ⑦ mensuel ⑧ Brugg· E. Epprecht (juillet 1901—octobre 1908), Epprecht, Keller & Co. (novembre 1908—décembre 1910); Porrentruy «Le Jura» S.A (janvier 1911—avril 1934—?); Brugg Effingerhof S.A. (?—juillet 1942 cont.) ⑩ Union suisse des paysans ⑪ H. Abt, Bünzen (Ag) (juillet 1901—mars 1903). Hans Moos, Zurich (avril 1903—décembre 1926), Dr Richard König, Brugg (février 1927—septembre 1929), Dr O. Howald, Brugg (octobre 1929—juin 1929), Ing. agr Ernest Aebi, Brugg (juillet 1939 cont.) ⑫ organe de corporation ⑬ Der Schweizerische Bauernverband 1897—1922 (Mitteilungen des schweizerischen Bauernsekretariates no. 69) Brugg 1932, p. 46—49; Die Entwicklung des Schweizerischen Bauernverbandes und des schweizerischen Bauernsekretariates 1922—1930 (Mitteilungen des schweizerischen Bauernsekretariates no. 100) Brugg 1931 p. 20 ⑭ Bs: WA. Be: L ⑮ Ne parait que comme supplément des feuilles agricoles. Edition allemande: Schweizerische Bauernzeitung, édition italienne Il Contadino svizzero.

PAYSAN, W Ueber das Amid und die Thioverbindung der Amidotoluolsulfonsaure Greifswald, 1883.

Paysen, Andreas Peter Benedikt

— Auszug aus den K. Dän. Kriegsartikeln, Gesetzen u. Verordnn. 8. Itzehoe (Kiel) 819. Hesse. . . .

ERHEITERUNGSSTUNDEN für Rechtsgelehrte (von *Andr. Peter Benedikt Paysen*). Itzehoe 1819.
Anon.-Lex. II. p. 43 (nach Kayser u. dem Nekrolog).

Vgl. Erheiterungsstunden . . .

Paysen, A. P. B., üb. die Verjährung in peinl. Sachen, aus d. Gesichtspunkte d. Rechtsphilosophie u. älterer u. neuerer Gesetzgebungen. 8. Alt. 811. Hammerich. 12 gr.

Paysen, Harro, Med.-Prakt.: Aus d. Psychiatr.- u. Nerven-Klinik zu Kiel. Ein Fall von Dystrophia muscularis progressiva ⟨familiaris⟩ — iuvenile Form. Kiel 1908: Fiencke. 20 S. 8°
Kiel, Med. Diss. v. 27. Aug. 1909, Ref. Siemerling
[Geb. 26. Dez. 80 Desmercieres-Koog; Wohnort: Desmercieres-Koog; Staatsangeh.: Preußen; Vorbildung: Realgymn. Gera Reife O. 03; Studium: Kiel 1, Heidelberg 2, Kiel 3, Berlin 1, Kiel 3 S.; Coll. 4. Juni 08; Approb. 10. Aug. 09.] [U 10. 2461

Paysen, Frau Hilda Ottilie, s.: Palmé-Paysen, H.

Paysen, Karl, approb. Arzt aus Brunsbüttel: **Aus d. pathologisch-anatom. Institute zu Kiel. Ein Fall von Bildungsanomalie der Harnorgane.** *Kiel 1899: P. Peters.* (17 S.) 8°
Kiel, Med. Diss. v [25. Juli] 1899

NORDFRIESE, Der, oder Sammlungen von ernsthaften und launigten Gedichten, . . . von einem nordfriesischen Jüngling (*Matthias Friedr. Paysen*). 2 Thle. Flensburg 1780. Kl. 8° 343 S. (excl. Vorst.). (3 Mk. Köhler, Lpz., vor 1900.) Selten!
Anon.-Lex. III p. 216 (nach Goedeke u. Lübker-Schröder)
Vgl. Collin, Anonymer Kiobenh. 1869.

Paysen-Petersen, Georg: Wahrhaftige Geschichte der Schildbürger und wie Till Eulenspiegel sie besuchte. Mit 32 Textbildern. Stuttgart. (1907) 8°

Kiekinnewelt. Plattdeutsches Familienbuch. Eine Sammlung von Wiegenliedern u. Kinderreimen, Rätseln .. u. Gedichten in allen niederdeutschen Mundarten. Hrsg. von **Georg Paysen Petersen.** Mit 100 Bild. von W Schaekel. *Dresden: G. Kühlmann 1905.* (216 S.) 4° [F.]

Paz Julian *Catálogo II Secretaría de Estado (Capitulaciones con la Casa de Austria y Papeles de las Negociaciones de Alemania, Sajonia, Polonia, Prusia y Hamburgo) 1493–1796.* (Repertorium der auf Österreich, das deutsche Reich, [illegible] Polen, Preußen und Hamburg bez[illegible]chen Dokumente aus der Abteilung „Staatssekretariat" [illegible] Generalarchivs zu Simancas) 1493–1796. Ar 103 [illegible]
Separatabdruck . 9.—

Paz, Infanta Doña María de la, mi peregrinación á Roma. (65 S. m. 8 Abbildgn. u. Titelbild.) 8. Freiburg i/B. 903. Herder. Geb. n. 2. 40

Paz de Borbón, Buscando las huellas de Don Quijote. (IV, 96 S.) kl. 8. Ebd 905. n. 1. 60; geb. in Leinw. m. Goldschn. n. 2. 40

Paz y Mélia, Antonio, s.: Methode Toussaint-Langenscheidt (Spanisch).

— Taschenwörterbuch der spanischen u. deutschen Sprache. Mit Angabe der Aussprache nach dem phonet. System der Methode Toussaint-Langenscheidt. (Langenscheidt's Taschenwörterbücher f. Reise, Lektüre, Konversation u. den Schulgebrauch.) 2 Tle. 12. Berlin-Schöneberg (903). Langenscheidt's Verl. Geb. in Leinw à n. 2.—; in 1 Bd. n. 3. 50
1. Spanisch-Deutsch. (XVI, 526 S.)
2. Deutsch-Spanisch. (XII, 488 S.)

Paez, Petri, S. I., Historiae Aethiopiae, s.: Rerum aethiopicarum scriptores occidentales inediti. II. III.

Pazaurek, Gustav E.

Pazaurek G E Anregungen im Anschluss an die Ausstellung „Symmetrie und Gleichgewicht" Sonderdruck. (4 S) Berlin 1907

— die Reichenberger keramische Ausstellung 1902-03. (28 S) Reichenberg 1903

Pazaurek G E, Beiträge zu einer Musikgeschichte Böhmens. (30 S) Prag 1893

Pazaurek G E, Alte und neue Beleuchtungskörper. (31 S) Reichenberg 1904

Pazaurek G E, künstlerische Besuchskarten. (24 S) 4° Stuttgart 1908

Pazaurek, Gust. E., Biedermeier-Wünsche. 50 Kleinfolio-Taf. in Licht- u. Farbendr. nebst illustr. Text. (25 S.) 26,5×34,5 cm. Stuttgart (908). J. Hoffmann. In Leinw.-Mappe 40. —

Pazaurek G E, Ignaz Bottengruber einer der ältesten deutschen Porzellanmaler. (31 S 1 T) 4° Breslau 1902

Pazaurek G E, Corriger la fortune. (21 S) 4° Stuttgart 1907

— Einiges über Museumsschränke. (65) (Aus Museumskunde II, 2) Berlin 1906

Pazaurek G E, die Errichtung von Kunstarchiven. (18 S) München

— Schrezheimer Fayencen. (32 S) 4° Stuttgart 1909

Pazaurek G E, Schloss Friedland. (20 S) Reichenberg 1905

(**Pazaurek**, Gustav E.:) Kleiner Führer durch das Nordböhmische Gewerbemuseum in Reichenberg. Reichenberg: Selbstv. d. Mus. 1899. (8 Bl.) quer-8°

Pazaurek G E, Geschmacksverirrungen im Kunstgewerbe. Führer durch die Abteilung im königlichen Landesgewerbemuseum. (22 S) Stuttgart 1909

Pazaurek G E, das nordböhm. Gewerbemuseum. 1873-98. Denkschrift. (91 S) 4° Reichenberg 1898

Pazaurek G E, Nordböhmisches Gewerbemuseum. Ausgewählte Sammlungsgegenstände. I. II. fol Reichenberg 1898. 05

Pazaurek G E, das Glas im Hamburgischen Museum. (14 S) Hamburg 1902

Pazaurek G E, die Glasdekoration in Österreich und deren Geschichte. (12 S 1 T) fol (Wien 1898)

Pazaurek G E, kranke Gläser. (16 S) Reichenberg 1903

Moderne Gläser von Dr. **Gustav E. Pazaurek**. Mit 4 Beil. u. 149 Abb. *Leipzig: H. Seemann Nachf. [1902].* (VI, 133 S.) 4°(8°) = **Monographien** d. Kunstgewerbes. [2.] [03 3766 8

— die Gläsersammlung des nordböhm. Gewerbe-Museums in Reichenberg, s.a.Sammelmappe, ornamentale u. kunstgewerbl. VII.

— die Gläsersammlung des nordböhmischen Gewerbemuseums in Reichenberg. (27 S 40 S) (Sammelmappe, ornamentale etc. 7) fol Leipzig 1902

Pazaurek G E, das Hospital von Kukus. (7 S 1 T) 4° (Wien 1906)

— Keramik. Nordböhmisches Gewerbemuseum. (52 S 30 T) fol Reichenberg 1905

Pazaurek, Gust. E., **Kunstschmiede- u. Schlosserarbeiten des 13.–18. Jahrh. aus den Sammlungen des böhmischen Gewerbe-Museums in Reichenberg, s.: Sammelmappe, ornamentale u. kunstgewerbliche.**

Pazaurek G E, die Lieblingspflanzen i. d. dekor. Künsten. (23 S) Braunschweig 1900

Pazaurek G, Miniatur-Porträte. (20 S) Reichenberg 1903

Pazaurek G E, Schloss Nachod. (16 S) Reichenberg 1905

— einheitliche Nomenklaturen. (6 S) 4° Brünn 1902

Pazaurek G E, d. Photographieren v. alten Gläsern. (8 S) Sonderdruck. Berlin (1909)

Pazaurek G E, dreierlei Rokoko. Ausstellung im K. Landesgewerbemuseum Stuttgart 1909. (46 S 21 T) Stuttgart 1909

Pazaurek G E, Schwarzkunst in Schwaben. Eine Silhouettenstudie. (24 S) Braunschweig 1909

Pazaurek, G. E., **Carl Screta [1610–1674]. Ein Beitrag zur Kunstgeschichte d. 17. Jahrh. Lex.-8. (IV, 112 S. m. Abbildgn.) Prag 889. Ehrlich. n. 3. —**

— Franz Anton Reichsgraf v. Sporck, e. Mäcen der Barockzeit, u. seine Lieblingsschöpfg. Kukus. gr. Fol. (32 S. m. 30 Lichtdr.-Taf.) Leipzig 901. K. W. Hiersemann. In Halbleinw.-Mappe n. 60. —

— Symmetrie u. Gleichgewicht. Ausstellg. im kgl. württ. Landesgewerbemuseum; Stuttgart 1906. Katalog im Auftrag der königl. Zentralstelle f. Gewerbe u. Handel. (160 S. u. 16 Abb.) kl. 8. Stuttgart (907). K. Wittwer. 1.50

— Vereinskunst, ſ.: Flugſchrift, 54., des Dürer-Bundes z. äſthet. Kultur.

Pazdera, Leopold F. Magnificat anima mea dominum. Ein katholisches Gebet- u. Gesangbuch für Mittelschulen. Klgft., St. Josefs-Druck., 1894. 179 S.

Pazdera, L. F., magnificat anima mea dominum. (Hoch preiſet meine Seele den Herrn.) Ein kathol. Gebet- u. Geſangbuch f. Mittelſchulen gr. 16. (III, 175 S.) Klagenfurt 894. (F. v. Kleinmayr.) Geb. n. 1.35

Pazdera, L. F., Magnificat anima mea dominum. (Hoch preiſet meine Seele d. Herrn.) E. kathol. Gebet- u. Geſangbuch f. Mittelſchulen. 12. (III, 175 S.) Klagenfurt 894. (A. Raunecker.) Geb. in Leinw. n.n. 1. —

Leo Carinthus. (Pseud.) Armins Weib. Ein dramatisches Gedicht. Klgft., St. Josefs-Druck., 1896. 159 S. (Verf.: Leopold F. Pazdera.)

Pazdirek, Frz., s.: Tonkünstler- u. Verleger-Almanach der Musikliterarischen Blätter.

— s.a.Universal-Handbuch der Musikliteratur.

Universal-Handbuch der Musikliteratur aller Zeiten und Völker. Als Nachschlagewerk u. Studienquelle d. Welt-Musikliteratur eingerichtet u. hrsg. von **Franz Pazdirek**. T. 1. *Wien: Pazdirek & Co. [1904].* 8°

Pazdirek, Frz., Universal-Handbuch d. Musikliteratur aller Zeiten u. Völker. — Manuel universel de la littérature musicale. — The universal handbook of musical literature. Als Nachschlagewerk u. Studienquelle der Welt-Musikliteratur eingerichtet u hrsg. I. Tl.: Die gesamte, durch Musikalienhandlgn. noch beziehbare Musikliterat. all. Völker. Bd. VII—XXVII. (S. 169—531; XVI, 384 S., S. 385—616; XVII, S. 1—104, 105—472, 473—700; XVIII u. S. 1—779; XVI, 208; 532 u. XVI, 608 S.; S. 273—728, XV, XV, 1012 S. u. S. 1—176; XV u. S. 177—256, 137 u. 118 S.; S. 119—470, 119—134, 471—588, 1—18, XV S. u. S. 1—192, 193—714, XV u. S. 1—512.) Lex. 8. Wien (Nordbahnhof, Zugang 3, Kohlentor) (908—10). J. Hermuth. à Bd. 12. —

Pazelt, J., ſ. Geyer's, Joh., Lehrbuch der Buchhaltung.

PAZIAZI, JOHANN GEORG: Das irdische Glück ein Unglück, und das irdische Unglück im Glück; zuletzt Betrachtungen über den christlichen Glauben. Alles mit Beweisen, theils durch Stellen aus den zwey heiligen Schriften, theils durch gesunden Menschen-Verstand. Pesth o. J.: Ludwig Landerer. XIII, 68 S. - 8°

Paziazi, Mich., ſ. Széchenyi, über die Donauſchifffahrt.

Pacificirung, die, Ungarns. Ein freies Wort an König und Vaterland. 8. (30 S.) Peſt. Emich 1861. 20 kr.

Pazig, Ernst Theodor

— afrikan. Linden-Blüthen, ſ. K. R. A. Flößel.

Pazig, Ernst Theodor (Jena), De poetica vi quam spirant sermones Christi et apostolorum. Part. I. Diss. hermeneut.-crit. Jena (Schreiber) 13. III. 1815.• 24 S. (3.—) 25993

Pazig, Er. Thdr., de poetica vi, quam spirant sermones Christi et Apostolorum. 4. Jena 815. Ed. auct. 816. Cröker. 12 gr.

Die Lage der arbeitenden Klasse in Rußland [Položenie rabočago klassa v Rossii]. Eine hist. Darstellung an d. Hand amtl. u. privater Untersuchungen u. d. Berichte d. Fabrikinsp. von 1861 bis in d. heutige Zeit. Von K. A. Pashitnow [Pažitnov]. Autor. Übers. von M. Nachimson. Mit e. Anh. von M. Nachimson. Stuttgart J. H. W. Dietz Nachf. 1907 (IV, 303 S.) 8° [F.] [07. 6710

Pažman [Schlagwort]

Pažman, Canal v., s.: Adriatisches Meer.

Pazmand, Gabriel

G. Pazmand idea natri Hungariae veterum nitro analogi. Vienn. 1770. 8.

Pazmand, Gabr., Idea natri Hungariae veter. nitro analogi. 8. Vien. Graeffer. 771.

Pazmand, S., Schediasmata praeludialia cogitationum conjectur. circa orig. etc. 8. Pest, Weingand. 791.

Pázmány's, Cardinal-Erzbischof Peter, Lebensbild, s. Schwicker, J. H.

Pázmány, Petrus, opera omnia, partim e codicibus manuscriptis, partim ex editionibus antiquioribus et castigatioribus edita per senatum academicum regiae scientiarum universitatis Budapestinensis, recensionem accurante collegio professorum theologiae in eadem universitate. Series latina. Tom. I. 4. Budapest 894. (F. Kilián.) n. 12. —
Dialectica, quam e codice manuscripto bibliothecae universitatis Budapestinensis recensuit Steph. Bognár. (XXII, 688 S. m. Bildnis.)

Pázmány, Petrus, opera omnia, partim e codicibus manuscriptis, partim ex editionibus antiquioribus et castigatioribus edita per senatum academicum regiae scientiarum universitatis Budapestinensis, recensionem accurante collegio professorum theologiae in eadem universitate. Series latina. Tom II et III. 4. Budapest. (F. Kilián Nachf.) à n. 12. —
II. Physica, quam e codice propria auctoris manu scripto et in bibliotheca universitatis Budapestinensis asservato recensuit Steph. Bognár. (XI, 614 S. m. 1 Faksm.) 895.
III. Tractatus in libros Aristotelis de coelo, de generatione et corruptione atque in libros meteororum, quos e codice propria auctoris manu scripto et in bibliotheca universitatis Budapestinensis asservato recensuit Steph. Bognár. (VIII, 566 S.) 897.

PÁZMÁNY, PETER: Predigten über die von der heiligen, römisch-katholischen Kirche für Sonn- und Feiertage angeordneten Evangelien. Frei übersetzt von Franz X. von Muchmayer. Ofen-Wien 1872-1873: Martin Bagó u. Viktor Sauerwein. 2 Bde. 96 S. · 120 mm

Pázmány, Péter, Predigten üb. die, v. der heiligen, römisch-katholischen Kirche f. Sonn- u. Feiertage angeordneten Evangelien. Aus dem Ungar. frei übers. von F. X. v. Muchmayer. 1. Jahrg. 1. Hft. gr. 8. (96 S.) Wien 873. Regensburg, Manz. 1. 20

Pázmány, Cardinal Erzbischof Péter, Predigten über die, von der heiligen, römisch-katholischen Kirche für Sonn- und Feiertage angeordneten Evangelien. Aus dem Ungar. frei übers. von F. X. v. Muchmayer. 1. Jahrg. 1. Heft. gr. 8. (96 S.) Wien 873, Sartori. 1 20

PÁZMÁNY PETER: Predigten auf die Sonn- und Festtage. Aus dem Ungarischen frei übersetzt von Dr Ignaz Kiss, Priester der Diöcese Raab. Wien-Regensburg 1874: Manz. - 8°
1. Bd. 1874. XLIV 528 S.
2. Bd. 1874. 572 S.

PÁZMÁNY, PETER: Predigten auf die Sonn- und Festtage. Übersetzt von Johann Kiss, Theologieprofessor in Temesvár (Temeswar). Temesvár (Temeswar) 1884. 2 Bde.

Päzolt, Thdr., die seelischen Hemmungserscheinungen des Stotterns. Eine pädagogisch-psycholog. Studie. (27 S.) gr. 8. Leipzig 903. (Kössling.) n. 1. —

Pazout, Jul., König Georg von Böhmen u. die Concilfrage im Jahre 1467. Ein Beitrag zur Geschichte von Böhmen. (Mit 6 Beilagen.) [Aus dem Archiv für Kunde österreich. Geschichtsquellen.] Wien 869. (Gerold's Sohn.) Lex.-8. (49 S.) n. 6 ngr

Pažouta, J., fysika,
— nauka o člověku,
— povaha živočichův,
} s. Dívčí škola.

PAZSCHKE, FRANZ OTTO. Beiträge zur Kenntniss des Epichlorhydrins. Leipzig, 1870.

Pazschke, Gustavus: Quaestionum de nominibus abstractis apud Homerum particula. Halae (1840): Ploetz. 47 S. 8°
Halle-Wittenberg, Phil. Diss. v 16. Mai 1840
Geb. [Naumburg 13. 11 1817]
In M. Hoffmann's Pförtner Stammbuch 1893 Nr. 9349 wird er Patzschke geschrieben.

Pazschke, O., fungi europaei et extraeuropaei exsiccati, s.: Rabenhorst, L.

Pazschke, O., Register, s.: Rabenhorst's, L., Kryptogamen-Flora.

Pazzaglia, Giovanni Antonio. Bericht, Oder Send-Schreiben Die Löbliche Republic, und Stadt St. Gallen Betreffend. Erstlich Durch Johan Anthoni Patzaglia . in Toscanischer Sprach beschrieben und verfasset. Nunmehr aber in die Hochteutsche Sprach übersetzet. Durch A O D . (2 Theile. [Mit 1 Tafel.]) 8. St Gallen 1718.

Pazzaglia, Gio[vanni] Anton(io). Sopra la lodabile republica, e Città di Sangallo. Lettere di raguaglio. Composte da Gio. Anton. P'.... ([Con 2 tavole.] 2 Parti.) 8. Augusta 1710.

Pazzi, Franz

Pazzi, F., Gedichte. 8. Mannh. Löffler. 806. Schrbp.

— über den Geist unsers Zeitalters. 8. Ebendaselbst 801. Schrbp.

Pazzi, Frz., über den Geist uns. Zeitalters, in Fasten-Predigten. Neue Ausg. 8. (8 B.) Mannheim 831, Löffler.

[PAZZI DE BONNEVILLE, Zacharie de]
De l'Amérique et des Américains, ou observations curieuses du philosophe La Douceur, qui a parcouru cet Hémisphere pendant la derniere guerre, en faisant le noble métier de tuer des hommes sans les manger.
Berlin: Pitra. 1771. 80 S. 8°.
Zentralbibliothek der deutschen Klassik Weimar

Ausg. Berlin 1774 [Kayser, I, 52] konnte nicht gefunden werden.
Sabin 6327.

[PAZZI DE BONNEVILLE, Zacharie de]
De l'Amérique et des Américains, ou observations curieuses du Philosophe La Douceur, Qui a parcouru cet Hémisphere pendant la derniere Guerre, en faisant le noble métier de tuer des Hommes sans les manger.
Berlin: Pitra. 1772. 116 S. 8°.
John Carter Brown Library Providence, R. I.

Peabody's Bericht üb. Treiben u. Ausdehnung d. Vivisektion in verschied. Ländern, gegründ. auf Selbsterlebtes. Nebst Abb. d. in Alford benützten Pferde-Befestigungs-Maschine. Deutsch bearb. u. m. Erläutergn. vers. v. Frida Hummel (Pseud. Frida v. Kronoff). 2. Aufl. 8. (40 S.) Reutlingen 897. (C. F. Palm.) n. — 40

Peabody, Francis Greewood, Abendstunden. Religiöse Betrachtgn. Autoris. Übersetzg. v. E. Müllenhoff, m. e. Vorworte v. Otto Baumgarten. gr. 8. (VII, 160 S.) Gießen 902. J. Ricker. Geb. n. 2. 50

Der Charakter Jesu Christi von Francis G[reenwood] **Peabody**, Prof., Cambridge. Autor Übers. von E[mma] Müllenhoff. Gießen J. Ricker 1905. (31 S.) 8° [05. 8418

Peabody, Francis Greenwood, der Charakter Jesu Christi. Autoris. Uebersetzg. v. E. Müllenhoff. (31 S.) 8. Giessen 905. A. Töpelmann. n. -- 60

Akademische Gegenseitigkeit. Antrittsvorlesung 1905 in d. Friedrich Wilhelms-Univ zu Berlin in engl. Sprache geh. von Francis Greenwood **Peabody**, Prof., Cambridge, Mass. (Autor deutsche Übers.) Gießen: A. Töpelmann 1905. (39 S.) 8° [05. 15135

Jesus Christus und der christliche Charakter [Jesus Christ and the christian character]. Vorlesungen aus Anlaß d. deutsch-amerikan. Gelehrtenaustausches in engl. Sprache geh. an d. Univ. Berlin während d. Wintersemesters 1905/6 von Francis G[reenwood] **Peabody**, Prof. zu Cambridge. Autor. Übers. von E[mma] Müllenhoff. Mit d. Bildnis d. Verf. Gießen: A. Töpelmann 1906. (271 S.) 8° [F.] [06. 7034

Jesus Christus und die soziale Frage [Jesus Christ and the social question von Francis G[reenwood] **Peabody**, Prof. zu Cambridge. Autor. Übers. von E. Müllenhoff. *Gießen: J. Ricker 1903.* (328 S.) 8° [04. 7735 II

Peabody, Francis Greenwood. Morgenandachten für Studenten. Autorisirte Übersetzung ... Leipzig 1900. Ü: *Müllenhoff, Emma.* (Berl 1905, S. 1096)

— **Morgenandachten** f. Studenten. Autoris. Übersetzg. v. E. M. m. e. Vorwort v. Otto Baumgarten. 8. (VIII, 139 S.) Leipzig 900. J. C. Hinrichs' Verl. n. 1. 60; geb. n. 2. 50

Peabody, Francis G., Morgenstunden. Neue Folge der Morgenandachten. Religiöse Betrachtgn. Autoris. Übersetzg. v. E. Müllenhoff. (VIII, 160 S.) 8. Gießen 909. A. Töpelmann. 2.40; geb, 3.25

Die Religion eines Gebildeten [Religion of an educated man] von Francis G[reenwood] **Peabody**, Prof. Autor. Übers. von E[mma] Müllenhoff. Gießen: Ricker 1905. 80 S. 8° [10. 17903

Peabody, Frederik W.

Mrs. **Eddy** (die Begründerin der christl. Wissenschaft eine falsche Prophetin) von Mr. [Frederik W.] **Peabody**, Rechtsanw. in Boston mit s. Autor. übersetzt. Vorw. von Dr. Adolf Stöcker. *Siegen i. W.: Westdeutsche Verl.-Anst. 1903.* (32 S.) 8° [F.] [03. 15778

World's fairs. Universal expositions the milestones along the highway of human progress. ⟨Address of Dr Selim H. **Peabody** before the Trans-Mississippi Congress, St. Paul, Minn., 1902.⟩ o. O. (1902). (15 S.) 8° [05. 13578

Peace and the **churches**, s. a. Friede, der, u. d. Kirchen.

Peace and the Churches. Souvenir volume of the visit to England of representatives of the German christian churches. May 26th to June 3rd, 1908. Including the visit to Scotland, June 3rd to 7th, 1908.
London. Cassell, Berlin. Warneck [1909] VIII, 248 S. quer-8°
[Nebent.] Der Friede u. d. Kirchen. Zur Erinnerung an d. Besuch in England, abgestattet von Vertretern d. deutschen christl. Kirchen ...

Peacocke: Translations from the German. Lübeck. Schul-/Univ.-Schrift 1863

Peah von dem Ackerwinkel, der talmudische Traktat; aus d. hierosolymitan. Gemara übersetzt, mit Anmerkk. v. J. J. Rabe. 4. Ansb. 781. (Gassert) 16 gr.

Peake, Richard Brinsley

Peake, R. B., in the wrong box. A Farce, s. Theatre the British. No. 5.

Peake, Rich. Brinsley, Court and City, s. Sammlung engl. Schauspiele, 3. Bdchn.

— Uncle Rist, s. Theatre, the modern english, Serie III. No. 4.

Péan, J. B., le petit mathématicien, hrsg. von Walth. Wüllenweber, s.: Prosateurs francais.

Péan de St. Gilles, Untersuchungen üb. die Affinitäten, s.: Ostwald's, Wilh., Klassiker der exakten Wissenschaften. (Berthelot.)

Peano, Gius., Differentialrechnung, s.: Genocchi, Angelo.

Entwicklung der Grundbegriffe des geometrischen Calculs von G. Peano. Autorisierte deutsche Übersetzung von Alois Lanner 8 (S. 3—24). **Progr.** K. k. Staats-G. *Salzburg* 1898.

Entwicklung der Grundbegriffe des geometrischen Calculs. Autor. deutsche Übersetzg. v. Alois Lanner. gr. 8. (24 S.) Salzburg 898. (Leipzig, Buchh. G. Fock.) n. 1. —

Peano, G., die Grundzüge d. geometrischen Calculs. Autoris. deutsche Ausg v. Adf. Schepp. gr. 8. (IV, 38 S.) Leipzig 891. B. G. Teubner. n. 1. 20

Pearce, Francis, traité de technique minéralogique et pétrographique, s.: Duparc, Louis.

Pearce, J. H., inconsequent lives, s: Library, the English.

Pearce, R. R., Memoiren d. Marquis Richard Wellesley, siehe: Weltpanorama.

Pearcii, J., Paraphrasis et notae philologicae in epist. ad Hebraeos. Latine vertit et suas observation. addid. J. D. Michaelis. Hal. 747. 4. 1 rthlr.

Peard, Frances Mary, Cartouche, s. a. Collection of british authors.

Peard, Frances Mary, Cartouche. Autoris. Uebersetzung von Elis. Remy. 8. (331 S.) Berlin 881, C. Duncker. *

Peard, F. M., contradictions, s. Collection of British authors.

Peard, F. M., Madame's grand-daughter, s.: Collection of British authors.

Peard, Frances Mary, Mademoiselle, s.: Engelhorn's Romanbibliothek.

— **a madrigal** and other stories, s.: Collection of british authors.

— **Mother Molly,** s. Collection of British authors.

— the white **Month,** s. **Asher's Collection of English Authors.**

Peard, Frances Mary, the flying months, s.a. Collection of British authors.

The flying Months. By Frances Mary **Peard.** Copyright ed. Leipzig: Tauchnitz 1909. 319 S. 8°
(Collection of British authors. Tauchnitz Ed. Vol. 4139.) [II. 8858

— near **neighbours,** s. Collection of British authors.

— **Number one and number two,** s.a. Collection of British authors.

Number one and number two. By Francis Mary **Peard.** Copyright ed. Leipzig: Tauchnitz 1901. 287 S. 8°
(Collection of British authors. Tauchnitz Ed. Vol. 3490.) [II. 8370

Peard, Frances Mary, the ring from Jaipur, s.a. Collection of British authors.

The Ring from Jaipur. By Frances Mary **Peard.** Copyright ed. Leipzig: Tauchnitz 1905. 327 S. 8°
(Collection of British authors. Tauchnitz Ed. Vol. 3793.) [II. 8593

Peard, F. M., the **rose-garden,** s. Collection of British authors.

— Schloss and Town, s. **Collection of British Authors.**

— Alicia **Tennant,** s. Collection of British authors.

Peard, Frances Mary, Donna Teresa, s.a. Collection of British authors.

Donna Teresa. By Frances Mary **Peard.** Copyright ed. Leipzig: Tauchnitz 1900. 272 S. 8°
(Collection of British authors. Tauchnitz Ed. Vol. 3418.) [II. 8321

- Thorpe **Regis,** s.: Collection of brit. authors.

— **unawares,** s.: Collection of British authors.

— a **winter story,** s. Collection of British authors.

Peard, F. M., one year, s. Collection of British Authors.

Pearl, Cora (hiess eigentl. Emma Crouch, geb. zu Plymouth in England 13. Febr. 1842. Diese berüchtigte Courtisane des 2. Kaiserreichs † Anfangs Juli 1886 zu Paris in größter Armuth an Magenkrebs, nachdem kurz vorher ihre „Mémoires de Cora Pearl. Paris Lévy, 1886" erschienen waren). — Cora Pearl oder der neue Cupido. Moderne Liebes- und Skandalgeschichten aus den Salons der Demi-Monde und des Jockey-Clubs. Altona, o. J (c. 1868). Kl. 8°.
Längst vergriffen u. selten!

PEARL, Cora (Maitresse Plon Plons), oder der neue Cupido Moderne (pariser) Liebes- und Skandalgeschichten aus den Salons der demi monde und des Jockey-Clubs. Mit 2 Illustr u. illustr Umschlag Altona, o. J (c. 1868). 8° (2 Mk Paul Neubner, 1892. jetzt theurer!)

PEARL, Cora (Maitresse Plon-Plon's), oder der neue Cupido. Moderne Liebes u. Skandalgeschichten aus den Salons der Demi Monde. Mit 2 Illustr Altona (187*). (2 Mk. P Neubner 1892.)

Pearl, the, of days: or, the advantages of the sabbath to the working classes. By a labourer's daughter. With a sketch of the author's life. 16. (XIV u. 68 S.) Stuttgart 850, K. Müller. 4½ ngl

Pearl, Cora, s.a. **Memoiren, die, der C. P.**

— — Memoiren der Cora Pearl. Von ihr selbst. Budapest 1886. 8°. (Mk. 2—) (1 Kr. 20 H., Halm & Goldmann, Wien, 1907)

Pearls of english literature. Selected by a female hand. With a preface by Rothwell. Munich 856. Palm. 16. (244 S.) 18 ngr.

Pearls of english literature. Selected by a female hand. With a preface by Rothwell. 16. (244 S.) München 857, [Grubert.] 18 Ngr.; geb. *

Pearls of Poesy, s.a. **Williams, Mary C.**

Pearls of poesy or anthology of british poets edited by Mary C. Williams. 16. (XVI und 242 S.) Hamburg 856, Nolte und Köhler. *

Pearls of english and american poets, s. Sammlung gediegener Werke der engl. Literatur.

Pears, Edwin, tales of the sea, s.: Kingston, W. H. G.

Pearsall, R.

Pearsall, R., Betracht. über Gegenstände d. Natur u. d. Zukunft; aus d. Engl. 8. Flensb. 772. (Hammerich in Alt.) 20 gl

Pearsall, R., Betrachtungen über Gegenstände der Natur und der Zukunft, a. d. Engl. 8. Flensb. Korte. (Christian in Schleswig) 772.

— Gespräche zwischen e. Vater u. seinen Kindern, aus d. Naturlehre, n. Abhandl. von Watt; aus d. Engl. 8. Flensb. 772. (Hammerich in Altona). 10 gl

Pearsall Smith, R., Wandelst du in der Heiligung? Ein Wort. 16 Stn. 8. Basel, C. F. Spittler. —. 10
1874

Pearsall of Willsbridge, R. L., Naturfreuden. Sechs Lieder f. gemischten Chor komponirt. 4 Stimmen. qu. gr. 8. (à 8 S.) St. Gallen 850, Scheitlin & Zollikofer. (à 3 ngl) 12 ngl

— dass. Partitur. Fol. (41 S.) Ebd. 850. 1/4 ℛ

PEARSE, EDUARD: Christliche Todes-Bereitung. Nebst darzu gehörigen Hülffs-Mitteln und Regeln, Aus der funffzehenden Englischen Edition wegen Fürtrefl. und Nutzbarkeit zur Erbauung in die Teutsche Sprache übersetzt Von Johanne Nicolai, A.P. - Tübingen: Cotta 1709. 344 S. *(Vorwort: Tübingen, 8. März 1709, 12 ungez. Bl.)* Vorr.: Andreas Adam Hochstetter.

Pearse, Margaret, üb. Castration bei Menorrhagien, die nicht durch Neubildungen im Genitaltractus veranlasst sind. Diss. gr. 4. (37 S.) Bern 893. (H. Körber.) n. 1. 50

Pearse, Mark Guy, Gedanken üb. Heiligung. Aus d. Engl. übers. v. G. S. P. Schweikher. 12. (168 S.) Bremen 888. Verlag d. Tractathauses. geb. n. 1. 50

Pearse, Mark Guy, Gedanken üb. Heiligung. Aus dem Engl. übertr. v. G. S. P. Schweikher. 2. Aufl. 12. (VI, 170 S.) Bremen 889. Verlag des Traktathauses. Geb. in Leinw. n. 1. 50

— Gold u. Weihrauch. Autor. Übers. aus d. Engl. v. A. S. Eine wahre Geschichte. gr. 8. (49 S.) Bonn 897. A. Falkenroth. Kart. n. 1. —

Pearse, Mark. Guy, „ich habe dich erlöst". 16. (12 S.) Hamburg 895. (Cassel, Verlagshaus d. deutsch. Baptisten, J. G. Oncken Nachf.) — 05

Pearse, Mark Guy, Predigten f. Kinder. Autoris. Uebersetzg. aus dem Engl. v. Ph. Steuerwald. (159 S.) 8. Bremen (908). Buchh. u. Verlag des Traktathauses. 1. —

— Daniel Quorm, s. e. Köhler, Ernst Chr. A.

—— Daniel Quorm und seine Gedanken über göttliche Dinge. Neue Folge. Aus dem Engl. 8. (IV, 138 S.) Basel 888, Spittler. *ℳ 1.—.; geb. *

Pearsell, R., s. Persall

Pearson, Edward Stanhope. Translations from the German poets. 8. (XVI, 277 S.) Dresden 879, Pierson. *

Pearson, George (Hexham)
De Hamorrhagia. Inaug. Diss.
[lt. Dekanatsbuch nur handschriftlich eingereicht.]
Dr. med. Giessen 18.11.1842.

Pearson, Geo., Untersuchung üb. d. Geschichte d. Kuhpocken; aus d. Englischen v. J. F. Küttlinger. 8. Nürnb. 800. Bauer u. M. 10 gl

Pearson, Henry C., Gummireifen u. alles darauf Bezügliche. Pneumatikreifen, Vollgummireifen, Luftreifen, Kombinationen verschiedener Systeme f. Automobile, Omnibusse, Fahrräder u. Fuhrwerke aller Art. Bearb. v. Rud. Ditmar. Übers. v. R. Challamel. (XVI, 224 S. m. 316 Abb.) gr. 8. Wien 910. A. Hartleben. 8.—; geb. 10. —

Pearson, Hugh, Leben d. vollendeten deutschen Missionars Chr. Friedr. Schwartz im südl. Indien. A. d. Engl. übers. 1. Bdchn. gr. 8. (20 B.) Basel 835, Schneider.

Pearson, Hugh, Christ. Fried. Schwartz d. deutsche Missionair in Südindien. Nach dem Engl. v. C. G. Blumhardt, vollendet u. hrsg. v. W. Hoffmann. gr. 8. (26 1/4 B. nebst Schwartz's Bildn.) Basel 846, Schneider.

Pearson, J., Juvenile theatre. Mit deutschen Worterklärungen f. d. öffentl. u. Privat-Unterricht. 16. (10 3/8 B.) Stuttgart 843, Erhard.

Pearson, J. Norman, Züge aus d. Leben d. Schottischen Erzbischofes Robert Leighton. Nach d. engl. Lebensbeschreibung. Mit Leighton's Bildn. 8. (6 3/4 B.) Basel 834, Spittler.

Pearson, Joh. Annales Paulinae, quibus et Acta Apost. et Pauli epistolae ... illustrantur. Halae 1718. H: *Michaelis, Joh. Heinrich.* (winer)

Pearson, Io., expos. symboli apostolici. 4. Frft. 741.

Pearson, Joan., Vindiciae epistolarum S. Ignatii. Editio nova annotationibus et praefatione ad hodiernum controversiae statum accommodata. II Voll. 8maj. (XXXVI und 660 S.) Oxonii 852, Parker. **

Pearson, K., die Fronica. Ein Beitrag zur Geschichte d. Christusbildes im Mittelalter. Mit 19 Taf. gr. 8. (XV, 141 S.) Strassburg 887. Trübner, Verl. cart. n. 9. —

Pearson, Karl, über Zweck u. Bedeutung e. nationalen Rassenhygiene (National-Eugenik) f. den Staat. 14. Robert-Boyle-Vorlesg., geh. vor d. „Oxford-University junior scientific club" am 17. V. 1907. (Autoris. Übersetzg. v. Hans Fehlinger.) (36 S. m. 1 Taf.) Lex. 8. München 908. Leipzig, B. G. Teubner. 1. —
Sonderabdr. a.: „Archiv f. Rassen- u. Gesellschafts-Biol."

Pearson, Th., der Unglaube oder: Die verschiedenen Gestaltungen, Ursachen und Beförderungsmittel des Unglaubens. Erste von der evangel. Alliance gekrönte Preisschrift in deutscher Bearbeitung von H. Rogge. Elberfeld 857. Hassel. 12. (XII, 299 S.) n. 20 ngr.

Pearson, W. H., Lejeuneae Madagascarienses. [Aus: „Christiania Videnskabs-Selskabs Forhandlingar".] gr. 8. (9 S. m. 2 Taf.) Christiania 892. J. Dybwad. n. 1. —

Pearson, William Lazarus (Coonsboro, Johnston County, North Carolina, U. S. A.), The prophecy of Joel: Its contents, unity and aim; and the time of its composition with reference to the exile. Diss. Leipzig (Metzger u. Wittig) 1885. 46 S. mit Biogr. (3.—) 25994

Pearson, Will. L., the prophecy of Joel: its unity, its aim and the age of its composition. gr. 8. (X, 154 S.) Leipzig 885. Stauffer. n. 4. —

Peart, E., v. d. Grundstoffen d. Natur u. d. einfach. Gesetz., w. s. unterworfen s. a. d. Engl. m. Anmerk. v. Kühn. gr. 8. Lpz. Weygand. 781.

Peart, E., Versuch üb. die Urstoffe d. Natur u. ihre Gesetze; aus d. Engl. mit e. Vorr. u. Anh. v. K. G. Kühn. gr. 8. Leipz. 791. Weygand. 16 gl

Peary, Josephine Dibitsch, das Schneekind. Eine erlebte Geschichte m. Bildern nach d. Leben, aus d. Engl. übers. v. Franziska Boas. (81 S.) Lex. 8. Köln (910). H. & F. Schaffstein. Geb. in Leinw. 2. 80

Peary, Robert Edwin

Peary, Rob. E., die Entdeckung d. Nordpols. Mit e. Geleitwort v. Thdr. Roosevelt. Autoris. Übersetzg. v. Gust. Uhl. Mit üb. 100 Bildern nach photograph. Aufnahmen. (XXVIII, 372 S. m. 1 farb. Karte.) Lex. 8. Berlin 910. W. Süsserott. 14.—; geb. in Leinw. 15. —

Peary, Rob. E., die Entdeckung d. Nordpols. Jetzt: Berlin, J. Knobloch & Co. Ladenpr. aufgehoben.

Dem Nordpol am nächsten. Von R(obert) E(dwin) **Peary**. Mit 96 Abb. u. 1 farb. Karte d. Polargebietes zu Pearys Reisen 1892—1906. Leipzig: R. Voigtländer 1907. (XI, 309 S.) 4°(8°) [F.] 07. 16633

Pebal, Leopold

— Über die Anwendung von Elektromagneten zur mechanischen Scheidung von Mineralien. S. 85. I. 117 . . . . vgr.
Separatabdruck

Pebal, Leop. v., das chemische Institut der k. k. Universität Graz. Hrsg. von dem naturwissenschaftlichen Vereine für Steiermark. Mit 8 (lith.) Taf. gr. 4. (82 S.) Wien 880. Faesy. n. 4. 80

Pebal, Leopold von.
Das chemische Laboratorium der Universität Graz. Wien, 1880. pp. 28, 4to. 8 plates.

— Notiz über das kobaltsaure Kali. S. 21. 169 . . . . --.20
Separatabdruck

— Notiz über mechanische Scheidung von Mineralien. S. 86. I. 192 . . . . vgr
Separatabdruck

Pebal Leopold von: Über die Zusammensetzung der Stearinsäure. S. 13. 286 . . . . . —.50
Separatabdruck

Pebal, L., über die Zusammensetzung der Stearinsäure. (Aus d. Sitzungsberichten d. k. Akad. d. W.) Wien 854. (Gerold.) gr. 8. (16 S.) n. 5 ngr.

Pécanac, M. J. Die natürliche Verfassung der evangelischen Kirche. In-8°. 90 S. Bern. These. 1896

Pečar, M., De Horatii carmine epodico. Pr. 1875. 17 S.

Pécaut, F., die reine Gottesidee des Christenthums; das Wesen der Religion der Zukunft. Autoris. deutsche Ausg. Wiesbaden 866. Kreidel's Verlag. 8. (VIII, 188 S.) n. 24 ngr.

Pécaut, F., die reine Gottesidee d. Christenthums, das Wesen der Religion der Zukunft. Neue Ausg. gr. 8. (VIII. 188 S.) Wiesbaden 871. Kreidel. n. 1. —

Peccatum argumentum trium meditationum . . . [Monachii] 1774. V: *Scherer, Franz Xaver.* (JES) (SO)

Peccatum summum malum argumentum quinque meditationum . . . Monachii 1741. V: *Neumayr, Franz.* (SO)

Pecchio, G. von

Pechio, (Graf,) Anekdoten zur Gesch. d. span. u. portugisischen Revolution, nach d. engl. Ausg. übers. 8. Dresden 823, Hilscher. Rthlr:

Pechio, Graf, Anekdoten zur Geschichte der span. u. portugies. Revolution; nach dem Engl. übers. 8. Dresd. 824. Hilscher. (Grimmer). 1 Rthlr 4 gr. Hbg. Pr. 18 gr.

Pechio, (Graf,) Gemälde v. Griechenland, s. Belloc.

Pecchio, Graf G., Geschichte d. polit. Oekonomie, s. Blanqui d. Aelt., Ad.

— Schilderung von Spanien. 8. Leipz. 822. Magaz. f. Ind. 12 gr.

Pecchio, Graf v. Tagebuch der politischen und militärischen Ereignisse in Spanien 1822—23. Stuttgart 1824. 8°.

— Tagebuch d. polit. u. militair. Ereignisse in Spanien v. Juli 1822 bis dahin 1823. Nach d. engl. Ausg. gr. 12. Stuttg. 824. Brodhag. 18 gr.

— Tagebuch d. polit. u. militär. Ereignisse in Spanien vom Juli 822 bis dahin 823. Nach d. engl. Ausg. 12. Stuttg. 824, Frankh.

Pecci, Joach. Cardinal, s. a.: Leo XIII., Papst.

Pecci, Joach. (Papst Leo XIII.), Die Kirche u. das 19. Jahrhundert. Hirtenwort. Autorisierte Übersetzung von Fr. Elz. Mainz, Kirchheim, 1878, gr. 8°, 50 Pf.
Recens. Katholik 1878, Bd. I, S. 440—3.

Pecci, Joachim (Leo XIII., Papst), Kultur und Kirche. Hirtenworte. Autorisierte Übersetzung von Bernhard Liesen und Fr. Elz. Mainz, Kirchheim, 1878, gr. 8°, 79 S., 2., mit einem weitern Hirtenworte vermehrte Aufl., 1,50 Mk.
Vgl. Münchener Pastoralblatt 1878, S. 67. Der latein. Text der beiden Encykliken: Inscrutabili Dei consilio. Vom 21. April 1878. Quod apostolici muneris (über die Gefahren des Socialismus). Vom 28. Dez. 1878. Beide enthalten in der ersten Sammlung (1878—80) der „Rundschreiben Leos XIII." Freiburg, Herder, 1881, gr. 8°, XVI, 200 S., 2 Mk.

Pecci, Jos. **Die Lehre des heil. Thomas über den Einfluss Gottes auf die Handlungen der vernünftigen Geschöpfe, s. Feldner, Fr. Gundislav.**

Pecci, J., Lehre d. hl. Thomas üb. den Einfluss Gottes auf die Handlungen der vernünftigen Geschöpfe u. üb. die Scientia media. Mit Gutheissg. d. Verf. aus dem Ital. übers. v. Geo. Triller. Festgabe zum 50jähr. Priesterjubiläum Sr. Heiligkeit Papst Leo XIII. gr. 8. (56 S.) Paderborn 888. F. Schöningh. n. — 80

Pecci, Joach., Card., jetzt Papst Leo XIII, die Uebung der Demuth, s.a. Reuter's Bibliothek f. Gabelsberger-Stenographen.

Pecci, J., jetzt Papst Leo XIII., die Uebung der Demuth. Autoris. Uebersetzg. aus dem Ital. nach der neuen Ausg. d. hochw. Hrn. Bischofs v. Casale von J. A. Zoller. 1. u. 2. Aufl. 16. (V, 99 S.) Freiburg i/Br. 888. Herder. n. — 50; geb. n. — 65

Pecci, Joach. Cardinal, jetzt Papst Leo XIII., die Uebung der Demuth. Autoris. Uebersetzg. aus dem Ital. v. Jos. Alph. Zoller. 3. Aufl. 16. (V, 99 S.) Freiburg i/B. 892. Herder. Geb. in Kalbldr.-Imitation. n. — 65

Pecci, Joach., Card., jetzt Papst Leo XIII.: D. Uebung d. Demuth. Autor. Uebersetzg. aus d. Ital. v. Jos. Alph. Zoller. 4. Aufl. 16. (V, 99 S. m. Bildn.) Freiburg i/B. 897. Herder.
Geb. in Kalbldr.-Imitation n. — 65

— die Uebung der Demuth. Autoris. Uebersetzg. aus dem Ital. v. Jos. Alph. Zoller. 5. Aufl. (VII, 99 S. m. Bildnis.) 16. Freiburg i/B. (908). Herder.
Geb. in Skytogen n. — 80; in Leinw. m. Goldschn. n. 1.20

Pecci, Jos., s. Pecci, Joachim

Pecci, Graf Ludw., Leo XIII., s.: Schneider, Norb.

Pech, Der Wettstreit der Horen. Dem Vermählungsfeste Sr. Wohlgeb. Herrn Dr. Burkhard Wilhelm Seiler mit Dem. Henriette Wilhelmine Starke gew. v. Pech u. den Oberwundärzten Gräfe, Hartmann, Huhle, Klemm, Krebs, Meding, Reck. Dresden (Chr. L. F. Ramming) Nov. 1816. (3.—) 25995

Pech, Ernst Aug., Auswahl einiger seltner und lehrreicher Fälle beobachtet in der chirurg. Klinik der chirurg.-med. Akad. zu Dresden. Mit 8 Steindrucktaf. (in 4. u. Fol.). Dresden 858. Türk. gr. 4. (VII, 32 S.) n. 1 ₰. 15 ngr.

— **Ernst August** (Hochkirch/Lausitz), Osteosarcoma, ejusque speciri insignis descriptio: Adjuncta est de cura herniarum per ligaturam radicali tractatiuncula. Comment. inaug. med.-chir. Würzburg (Fr. E. Nitribitt) 1819. 30 S. u. 3 Taf. (4.—) 25996
Gew.: Burkhard Wilhelm Seiler.

Pech, E. A., Osteosarcoma, ejusque speciei insignis descriptio; adjuncta est de cura herniarum per ligaturam radicali tractatiuncula, cum III tabb. aen. 4maj. Würzb. 819. (Leipz., Reclam). 20 gr.

Pech, J. T., zwölf geistliche Festlieder f. Sopran, Alt, Tenor u. Baß. Zum Gebrauche f. Kirchen-, Schul-Chöre u. Gesangvereine in Musik gesetzt. qu. 4. (15 S.) Leipzig 871. Klinkhardt in Comm. -- 75

Pech, Johann Josef

Pech, Jh. Jos., Anweis. zum Briefschreiben u. zu anderweitigen schriftl. Aufsätzen des bürgerl. Lebens etc. 8. Brieg 817. (Bresl., Holäufer). 12 gr.

— Anweis. zum Rechnen. Mit besond. Rücksicht auf d. Bedürfnisse schlesisch. Elementarschulen. 8. Bresl. 814. Kreutzer u. Sch. 2e Aufl. mit d. T.: Anweis. z. Rechnen. Ein Handbuch besond. f. Elementarschulen etc. 8. Ebd. 816.

— theoretisch-prakt. Hülfsbuch d. deutschen Rechtschreibung. 8. Bresl. 816. (Holäufer). 12 gr.

Pech, J. J., Pericopen auf d. Sonn- u. Festtage, s. Pericopen.

— s. K. G. Reichel, eigen abgefaßt. Lebenslauf.

Pech, Robert: Zum Betriebe der französischen Sprechübungen auf dem Gymnasium. Königshütte O.-S., Druck v. R. Giebler, 1895; 16 S. 8.
Königshütte O.-S., k. G, P 1895 (193)

Pech, Robert: Les Fâcheux de Molière comparés à son Misanthrope. Königshütte O.-S., Druck v. R. Giebler, 1895, 20 S. 8.
Königshütte O.-S., k. G, P 1895 (192 [vielm. 193])

Pech, R(obert): Über Modulargleichungen elliptischer Funktionen. ⟨Zur Transformation der 23. und 47. Ordnung.⟩ (Neustadt O. S. 1907: R. Reichelt.) (9 S.) 4° ¶(Forts. d. P-Beil. d. k. G zu Gr. Strehlitz 1903 u. 1904.)
Neustadt O.-S., k. G P 1907 (248)

Pech, Rob., über Modulargleichungen elliptischer Funktionen. Progr. (10 S.) 4. Gross-Strehlitz 903. (A. Wilpert.) n. 1. —

— dasselbe. (Fortsetzung.) Progr. (10 S.) 4. Ebd. 904. n. 1. —

S. Pech, Das Jagdpolizei-Gesetz v. 7. März 1850. Mit Bemerkungen und spez. Berücksicht. der wiederhergestellten Schonzeiten f. die Mark Berlin, 1850. 16. (41 S.)

Pech, T., die Zensur in Rußland. Nach dem Russ. (32 S.) gr. 8. Leipzig 903. (Schmaler & Pech.) n. 1. —
Sonderabdruck aus: „Börsenbl. f. d. deut. Buchhandel".

Pecha, Alb. H., d. Musterkindergarten. Ein Wegweiser zur Errichtg. v. Kindergärten. Pläne nach den Grundsätzen des Vereines f. Kindergärten u. Kinderbewahranstalten in Österreich, nebst e. Begleitworte v. Jos. Kugler. gr. 8. (25 S. m. 3 Taf.) Wien 898. (A. Pichler's Wwe. & Sohn.) n. — 60

Pechaczek Hans in Euratsfeld (Niederösterreich), Die Bienenkönigin und ihre Zucht. Selbstverlag. 1908. K 1.—

Pecham, Johannes
s. **Peckham**. (10. 3799

Pechan, Jos, Anleitung zur Ablegung der Heizerprüfung (Prüfung der Dampfkesselwärter) f. Dampfkesselheizer od. Dampfkesselwärter, Dampfmaschinenwärter, Kleingewerbetreibende u. solche Personen, welchen die Ueberwachg. d. Dampfkessel-Betriebes obliegt gr. 8. (III, 39 S.) Reichenberg 892. J. Fritsche. n. 1. 20

Pechan, Jos., Anleitg. zur Ablegg. der Heizerprüfung (Prüfg. der Dampfkesselwärter) f. Dampfkesselheizer od. Dampfkesselwärter, Dampfmaschinenwärter, Kleingewerbetreib. u. solche Personen, welchen die Ueberwachg. des Dampfkesselbetriebes obliegt. 2., verm. u. verb. Aufl. gr. 8. (VIII, 72 S.) Wien 897. F. Deuticke.
Kart. n. 1. 50

Pechan, Jos., Anleitung zur Ablegung der Heizerprüfg. (Prüfung der Dampfkesselwärter) f. Dampfkesselheizer od. Dampfkesselwärter, Dampfmaschinenwärter, Kleingewerbetreibende u. solche Personen, welchen die Überwachung des Dampfkesselbetriebes obliegt. 3., verm. u. verb. Aufl. gr. 8. (VIII, 87 S.) Wien 902. F. Deuticke. Kart. n. 1.50

Pechan, Jos., Anleitung zur Ablegung der Maschinenwärterprüfung (Prüfung der Wärter v. Dampfmaschinen) f. Maschinenwärter im allgemeinen u. insbesondere f. Wärter v. stationären u. locomobilen Dampfmaschinen u. f. Kleingewerbetreibende. gr. 8. (IV, 51 S.) Reichenberg 894. J. Fritsche. n. 1. 20

Pechan, Anleitung zur Ablegung der Maschinenwärterprüfung brosch. K 1.20
Wien: Deuticke 1904.

— Berechng. d. Leistg. u. d. Dampfverbrauches d. Eincylinder-Dampfmaschinen. Ein Taschenbuch zum Gebrauche in d. Praxis. gr. 8. (IX, 170 S. m. 6 Fig. u. 38 Tab.) Berlin 896. J. Springer. Geb. in Leinw. n. 5. —

— Berechng. d. Leistung u. d. Dampfverbrauches d. Zweicylinder-Dampfmaschinen mit zweistuf. Expansion (Zweifach - Expansions - Dampfmaschinen, Verbundmaschinen, Compoundmaschinen, Tandemmaschinen, Woolf-Receivermaschinen, Woolf-Compoundmaschinen). E. Taschenbuch z. Gebrauche in d. Praxis. gr. 8. (XV, 289 S. m. 14 Fig. u. 48 Tab.) Wien 898. F. Deuticke. n. 8. —; geb. in Leinw. n. 9. —

Pechan, Berechnung der Leistung und des Dampfverbrauches der Zweizylinder-Dampfmaschinen K 9.60, geb. K 10.80
Wien: Deuticke 1904.

Pechan, Jos., über Geschwindigkeits-Diagramme und deren Anwendung zur Beurtheilung der Geschwindigkeitsverhältnisse der Werkzeugmaschinen. Vermehrt durch ein Vorwort des Verf. gr. 8. (VI, 24 S. mit 3 lithogr. Taf.) Wien 877, (Lehmann und Wentzel.) *
Aus: Zeitschrift des österreichischen Ingenieur- und Architekten-Vereins, besonders abgedruckt.

Pechan, Jos., über Geschwindigkeits-Diagramme u. deren Anwendung zur Beurtheilung der Geschwindigkeitsverhältnisse der Werkzeug-Maschinen. [Aus: „Zeitschr. des österr. Ingen.- u. Archit.-Ver."] Vermehrt durch ein Vorwort d. Verf. Mit 3 lith. Tafeln. gr. 8. (VI, 24 S.) Wien 877. Spielhagen & Schurich in Comm. n. 2. —

Pechan, Jos, Leitfaden d. Dampfbetriebes f. Dampfkesselheizer u. Wärter stationärer Dampfmaschinen, sowie f. Fabriksbeamte u. Industrielle. 2. Aufl. Mit 67 Holzschn. gr. 8. (X, 145 S.) Reichenberg 884. Schöpfer. n. 2. —

Pechan, J., Leitfaden d. Dampfbetriebes f. Dampfkesselheizer u. Wärter stationärer Dampfmaschinen, sowie f. Fabriksbeamte u. Industrielle. 3., verb. Aufl. Mit 108 in den Text gedr. Holzschn. 8. (X, 214 S.) Reichenberg 888. Fritsche. n. 2. —

Pechan, Jos. Leitfaden d. Dampfbetriebes für Dampfkesselheizer u. Wärter stationärer Dampfmaschinen, sowie f. Fabriksbeamte u. Industrielle. 4. verb. u. verm. Aufl. 8. (VI, 212 S. m. 150 Holzschn.) Reichenberg 892, Fritsche. * 2 80

PECHAN, Josef
Leitfaden des Dampfbetriebes für Dampfkesselheizer und Wärter stationärer Dampfmaschinen, sowie für Fabriksbeamte und Industrielle. Von Josef Pechan. 5., verbesserte und vermehrte Auflage. Mit 267 in den Text gedruckten Figuren und 8 Figurentafeln. Leipzig und Wien. 1901. Deuticke. 8°. IV, 481 S. K 7.20

Pechan, Jos., Leitfaden für Dampfkesselheizer u. Wärter stationärer Dampfmaschinen, sowie für Fabriksbeamte u. Industrielle hinsichtlich des Dampfbetriebes. Mit 56 in den Text gedr. Fig. gr. 8. (X, 128 S.) Reichenberg 882. Schöpfer. n. 2. —

Pechan, J: Leitfaden für Dampfkesselheizer und Wärter stationärer Dampfmaschinen. 2. Aufl. Reichenberg 1884

Pechan, Josef, Leitfaden der Elektro-Maschinen-Technik, mit besonderer Berücksichtigung der elektrischen Beleuchtung, für Vorträge sowie zum Selbstunterrichte für angehende Elektrotechniker, Maschinenwärter, Mechaniker, Monteure elektrischer Beleuchtungsanlagen, Werkmeister und technische Beamte industrieller Etablissements. Mit 144 in den Text gedruckten Figuren. 8. (IV, 202 S.) Reichenberg: J. Fritsche 1891. 2.—

PECHAN, Josef
Leitfaden der Elektromaschinentechnik mit besonderer Berücksichtigung der elektrischen Beleuchtung für Vorträge sowie zum Selbstunterricht für angehende Elektrotechniker, Maschinenwärter, Mechaniker, Monteure elektrischer Beleuchtungsanlagen, Werkmeister und technische Beamte industrieller Etablissements. Von Josef Pechan. 2. vermehrte und verbesserte Auflage. Mit 276 in den Text gedruckten Figuren. Leipzig und Wien. 1900. Deuticke. Gr.-8°. IV, 242 S. fl. 3.—

4.07

Pechan, Leitfaden der Elektromaschinentechnik. 2. Aufl. K 6.—, geb. K 7.50
Wien: Deuticke 1904.

— Leitfaden d. Maschinenbaues f. Vorträge, sowie zum Selbststudium f. angehende Techniker, Maschinenzeichner, Constructeure u. technische Beamte industrieller Etablissements. 1. u. 2. Abth. gr. 8. Reichenberg, A. Schöpfer. n. 20. —
1. Maschinen zur Ortsveränderung. Mit 78 Holzschn. u. 24 lith. Taf. (VIII, 254 S.) 883. n. 8. —
2. Motoren. Mit 258 Holzschn. u. 42 Fig.-Taf. (VII, 484 S.) 885. n. 12. —

—— Leitfaden des Maschinenbaues für Vorträge sowie zum Selbststudium für angehende Techniker, Maschinenzeichner, Constructeure und technische Beamte industrieller Etablissements. 1. Abthl.: Maschinen zur Ortsveränderung, Pressen und Accumulatoren. 2. verb. und verm. Aufl. gr. 8. (XI, 304 S. mit 122 in den Text gedr. Holzschn. und 36 lithogr. Taf.) [Wien 888, Schöpfer's Verlag.] Reichenberg, Fritsche. *

—— Leitfaden d. Maschinenbaues für Vorträge, sowie zum Selbststudium für angehende Techniker, Maschinenzeichner, Constructeure u. technische Beamte industrieller Etablissements. 3 Abthlgn. gr. 8. Reichenberg, Fritsche. * 28 —
1. Maschinen z. Ortsveränderg., Pressen u. Accumulatoren. 3. verb. u. verm. Aufl. (XI, 306 S. m. 122 Text-Holzschn. u. 33 lithogr. Taf.) 899. * 8 —.
2. Motoren. 3. verb. u. verm. Aufl. (VII, 445 S. m. 190 Holzschn. u. 70 Fig.-Taf.) 890. * 12 —.
3. Werkzeugmaschinen und Transmissionen. (VIII, 194 S. mit 43 Fig.-Taf.) 889. * 8 —.

— Leitfaden d. Maschinenbaues, f. Vorträge sowie z. Selbstunterricht f. angeh. Techniker, Maschinenzeichner, Constructeure, techn. Beamte industr. Etablissements u. Gewerbetreibende. 2. Abth.: Motoren. 3., verb. u. verm. Aufl. gr. 8. (VIII, 522 S. m. 305 Holzschn. u. 74 Fig.-Taf.) Reichenberg 895. Ebd. n. 14. —

— dasselbe. gr. 8. 1. u. 3. Abth. Wien 898. F. Deuticke. à n. 9. —; geb. à n. 11. —
1. Maschinen zur Ortsveränderg., Pressen u. Accumulatoren. 4., verb. u. verm. Aufl. Mit 125 in d. Text gedr. Holzschn. u. 33 Fig.-Taf. 2 Thle. (VIII, 318 S.)
3. Werkzeugmaschinen u. Transmissionen. 2., verb. u. verm. Aufl. Mit 21 in d. Text gedr. Holzschn. u. 41 Fig.-Taf. (VIII, 271 S.)

— Maschinen zur Bearbeitung der Metalle, s. a. Bericht über die Weltausstellung in Paris 1878.

— — Maschinen zur Bearbeitung der Metalle. Mit 100 Illustrationen. (Bericht über die Pariser Weltausstellung 1878 mit Unterstützung der k. k. österr. Commission herausgeg. 6. Heft.) Wien 1879. 8°.

— Werkzeuge u. Werkzeugmaschinen auf d. Weltausstellg. in Chicago, s.a. Bericht, offic., d. k. k. österr. Central-Commission f. die Weltausstellg. in Chicago 1893.

Pechan, J: Werkzeuge und Werkzeug-Maschinen auf der Weltausstellung in Chicago. Wien 1894 (Officieller Bericht der K. K. österreichischen Central-Commission für die Weltausstellung in Chicago 1893, H. 6)

Pechanh, Adf. Geografie, s. Mártonfy, Mart. v.

Pechar, Johann

—— **Beiträge zur Kohlenfrage, s. Peez.**

Pechar, Johann: Erläuterungen zu der Karte über die Circulation der böhmischen Braunkohle während des Jahres 1869. gr. 8. Sammt Karte in Imp. Form. (15 S.) Prag: Hunger in Comm. 1870

Pecher, J., Karte über die Circulation der böhmischen Braunkohle während des J. 1869. [Mit] Erläuterungen zu der Karte. Prag 1870. . . . . (Br. Mus.)

Pechar, Joh., Kohle u. Eisen in allen Ländern der Erde. Unter Mitwirkung hervorragender Fachgenossen hrsg. 2., unveränd. Aufl. gr. 8. (IV, 248 S.) Berlin 880. Springer. n. 5. —

Pechar, J., mineralische Kohle, s.a. Ausstellungs-Bericht, officieller.

Pechar, J.: Mineralische Kohle, s.a. Pecz, A.

Pechar, J.: Mineralische Kohle, s.a. Peez, A.

Pechar, J. und **Peez, A.** Mineralische Kohle. Wien, 1874.

Pechar, Joh., Kohlen-Revier-Karte des Kaiserstaates Oesterreich. Mit (23 S.) Text (in 8.). Wien 864. (Prag, Credner.) gr. Fol. n. 1 ₰

Pechar, Joh., Kohlen-Revier-Karte der österreichisch-ungarischen Monarchie. 2. und 3. Aufl. Chromolithogr. Imp.-Fol. Prag 879, (Kosmack und Neugebauer.) **

Pechar, J., Kohlenrevierkarte der österreichisch-ungarischen Monarchie. 1 Blatt circa 1:2 Mill. mit Nebenkarte in grösserem Masstabe. 4. Aufl. (In Commission.) Ebd. Gefalzt fl. 1.50 (nur baar mit 15%). 1887

—— die Lokomotiv-Feuerbüchse für Rauchverzehrung und Brennstoff-Ersparniss mit besond. Berücksicht. des Systems Nepilly. Beobachtungen, gesammelt von J. P. Nebst einem Anhang: Erfahrungen mit der Nepilly'schen Lokomotivfeuerung. gr. 8. (95 S. mit 48 Abbild. und 1 Tab.) Wien 884, Spielhagen und Schurich. *
Aus: Annalen für Gewerbe und Bauwesen und Organ für die Fortschritte des Eisenbahnwesens, besonders abgedruckt.

Pechar J, Tarife der österreichischen Eisenbahnen für Beförderung mineralischer Kohle und Koaks mit Lastzügen. 12° Wien 1864

Pechar, Joh., Welt-Ausstellung 1878 in Paris. Kohle und Eisen in allen Ländern der Erde. [Gruppe V, Classe 43.] Unter Mitwirkung hervorragender Fachgenossen hrsg. gr. 8. (248 S.) Berlin 878, Springer. *

Pechau, F., Handbuch über die Staats- und Ortsangehörigkeits- sowie die Armenpflege-Gesetzgebung mit den von den Hohen Staatsbehörden gegebenen bezüglichen Vorschriften, Deklarationen ꝛc., den Motiven aus den betr. Kammer-Verhandlungen ꝛc. Zum prakt. Gebrauche für Preuß. Provinzial-, Kreis- u. Kommunal-Behörden und Beamte herausg. Magdeburg 855. (Ebers.) 8. (VI, 258 S.) n. 1 ₰.

Peche, F., die Lebensversicherung als ein zweckmässiges Mittel um der Jugend eine Subsistenz zu gründen, Schulen zu organisiren u. Gewerbe zu fördern, den Gemeinden zur Einführung empfohlen; mit mehreren derartig entworfenen Plänen. Prag 867. (Karlstadt, Ascherfeld.) gr. 8. (48 S.) n. 12 ngr.

Peche Ferdinand, Dr.: Über die Bestimmung der Integrale

$$\int \frac{x^{\pm n}\,dx}{\sqrt{A+Bx+Cx^2+Dx^3}} \quad \text{und} \quad \int \frac{x^{\pm n}\,dx}{\sqrt{A+Bx+Cx^2+Dx^3+Ex^4}}$$

wenn n eine ganze Zahl vorstellt. S. 1. 630 . . . . Vgr.
Separatabdruck

Peche, Ferd., Integration der ellipt. Functionen. — Allgem. Auflösung der Gleichgn. 3. Grades, siehe: Abhandlungen, naturwissenschaftl., hrsg. v. Wilh. Haidinger. IV. Bd.

Peche K.: Mikrochemischer Nachweis der Cyanwasserstoffsäure in *Prunus Laurocerasus* L. (mit 1 Taf. und 1 Textfigur). S. 121. 1. 30 . . . .
Separatabdruck

Peche, *Wilhelm August* Martin [aus Jauer]: Analytische Bestimmung aller Minimalflächen, welche eine Schar reeller Parabeln enthalten. . . . Göttingen, Druck d. Dieterich'schen Univ.-Buchdr., 1891; 2 Bl., 36 S., 1 Bl. 8°
Göttingen, Phil. Fak., Inaug.-Diss. v. [7. Jan.] 1891

Peche, Mart., analytische Bestimmung aller Minimalflächen, welche e. Schaar reeller Parabeln enthalten. Diss. Lex.-8. (36 S.) Göttingen 891. (Vandenhoeck & Ruprecht.) n. 1. —

Peche, Martin, Dr.: Welche Minimalflächen sind Träger einer Schar reeller Hyperbeln? *Breslau 1903: R. Nischkowsky.* (16 S.) 8°
Breslau, OR, P 1903 (259)

Peche, Wilhelm August Martin, s. Peche, Martin

Pecheder, Jos. (Religionslehrer) „Fortschritt und Kirche". pg. 1—6. 4°. Jos. Thomann'sche Offizin (Joh. Bapt. v. Zabuesnig).
Landshut, Progr. 1847/48

Pecheder, Joseph (Priester) „Ueber die Lectüre schlechter Bücher". pg. 1—10. 4°. Jos. Thomann'sche Buchdr. (Joh. Bapt. v. Zabuesnig).
Landshut, Progr. 1854/55

Pechel, Johannes, a. Güstrow: Die Umgestaltung der Verfassung von Soest im Zeitalter Friedrich Wilhelms I. und Friedrichs II. 1715—1752. Göttingen 1905: Dieterich. (109 S.) 8° [F.]
Göttingen, Phil. Fak., Ref. Lehmann, Diss v. 26. Sept. 1905
[Geb. 11. Febr. 80 Güstrow; Wohnort: Göttingen; Staatsangeh.: Mecklenburg-Schwerin; Vorbildung: Gymn. Güstrow Reife O. 99; Studium: Göttingen 2, Bonn 1, Berlin 1, Göttingen 7 S.; Rig. 28. Juni 05.]

Pechel, Johs., die Umgestaltung der Verfassung v. Soest im Zeitalter Friedrich Wilhelms I. u. Friedrichs II. 1715—1752. (VII, 109 S.) gr. 8. Göttingen 905. Vandenhoeck & Ruprecht. n. 2. 40

Pechel, L. Die kulturhistorischen Momente in der Dichtung Walters von der Vogelweide. 22 S. Progr. *Malchin* 1876

Pechel, Rudolf, a. Güstrow in Mecklenburg: Prolegomena zu einer kritischen Wernickeausgabe. ⟨Einleitung, Abschnitt 1 u. 2.⟩ (Berlin: Mayer & Müller 1908.) (49 S.) 8° ¶ (Erscheint vollst. als: Palaestra 71.)
Berlin, Phil. Fak., Ref. E. Schmidt, Diss. v. 14. März 1908
[Geb. 30. Okt. 82 Güstrow; Wohnort: Güstrow; Staatsangeh.: Mecklenburg; Vorbildung: Domschule (Gymn.) Güstrow Reife O. 01; Studium: Göttingen 3, Berlin 8 S.; Rig. 18. Juli 07.]

Pechel, Rud., s.: Wernicke's, Christian, Epigramme.

Pecher, Friedrich [aus Bayreuth]· Beiträge zur Kenntniss der Wasser aus den geschichteten Gesteinen Unterfrankens .. Würzburg, Druck d. Stahel'schen Buchdr., 1887; 1 Bl. + 76 S. 8°
Würzburg, Phil. Fak., Inaug.-Diss. v. 1887

Pecher, Friedr., Beiträge zur Kenntniss der Wasser aus den geschichteten Gesteinen Unterfrankens. gr. 8. (76 S.) Würzburg 887, Stahel'sche Universitäts-Buchh. *
Aus: Verhandlungen der physikalisch-medicinischen Gesellschaft zu Würzburg, besonders abgedruckt.

Pecher, J., s. Pechar, Johann

Pecher, J., s. Pechar, Josef

Pecher, J. H., Diätetik u. Lebensregeln f. geistig Beschäftigte. Ein Rathgeber f. Gelehrte, Künstler, Geistliche, Lehrer, Beamte, Geschäftsleute u. alle Kopfarbeiter bei sitz. Lebensweise. 8. (124 S.) Leipzig 892. K. F. Pfau. n. 1. —

Pecher, M., Sonntags-Predigten. Fol. Augsb. J. Wolf. 730.

Pêcheurs, les. Com. en 1 Acte. 8. Berl. Rottmann.

Pechey, J., promtuar. praxeos medicae. 12. Amst. 718.

PECHFACKELN. Theil 1. (einz.). (Unvollendeter zahmer Roman.) O. O. (Altona, Verlagsges.) 1797. 8°. Rar! (12 Sgr. Scheible, vor 1875, jetzt theurer!)

Pechfackeln, 1r Thl. 8. Altona 797. (Herold jun.) 1 ℛ

Pechfackeln. 8. Hamb. Vollmer. 798.

Pechhold, Gust., Militär-Universal-Instradirungskarte von Oesterr.-Ungarn, in Evidenz genommen vom k. k. Militär-geographischen Institute. Ausgabe 1887. mit Eisenbahn-Station-Verzeichniss. 4 Blatt, 1: 900,000. Wien, R. Lechner's k. k. Hof- und Univ.-Buchhandlung fl. 6.20 (auf Leinwand mit Schuber fl. 11.70, mit Stäben fl. 13.50). 1887

Pechhold, Rud. K., der Bez. Stöcken, s. a. Mitteilungen d. Iglauer Museums-Vereines. 1.

Der Bezirk Stöcken. Topogr. Skizze aus d. Iglauer Sprachinsel. Von Rudolf K. **Pechhold.** Iglau 1907: J. Rippl & Sohn. (102 S.) 4°
— **Mitteilungen** d. Iglauer Museums-Vereines. 1. [07. 13466]

(F) **Pechhold**, R. K., Der Bezirk Stecken. Topographische Skizze aus der Iglauer Sprachinsel. [Mitteilungen des Iglauer Museumvereines. I.] Gr.-8°. (107 S. mit 1 Karte) K 2.—
Iglau Emil Netoliczka 1907

Pechio, s. Pecchio, G von

Pech-Kalender, neuer freier, für alle vereinigten deutschen Pech-Brüder, Schwestern, Vettern u. Tanten auf das Malefiz-Jahr 1866 von O. F. Berg. Wien 865. Dirnböck's Buchh. br. 8. (64 S. mit vielen Illustr. in Holzschn. zum Krank- u. zum Gesundlachen.) 6 ngr.

Pechl, M. Die classischen Studien sind das geeignetste Mittel zur Bildung der Jugend. Regensburg, St. A., 1856. 9 S. 4. Progr.

PECHLIN, F[RIEDR. CHR. FERD.] V., Gedichte. Stuttg. und Tübingen. 1840.

Pechlin, F. v., Gedichte. 8. (18¼ B.) Stuttgart u. Tübingen 840, Cotta'sche Buchh.

Pechlin, Friedr. v., Gedichte, ältere u. neuere. gr. 8. (11 B.) Stuttgart u. Tübingen 842, Cotta'sche Buchh.

v. Pechlin, F., Gedichte. 8. (VI u. 246 S.) Kopenhagen 852, Schwartz. n. 1½ ℛ; in Engl. Einb. n. n. 2 ℛ

—— Nachklänge der alten Geschichte, verhallend bis in die Neuzeit. (Gedichte.) gr. 16. (16 B.) Frankfurt a. M. 844, Sauerländer's Verl. *

Pechlin, F. v., Nachklänge der Weltgeschichte. 2., erweiterte Ausg. Berlin 856. Hertz. 12. (3 Bl., 365 S.) 1 ℛ. 15 ngr.

PECHLIN, JOH. NIC., De purgantium medicamentorum facultatibus exercitatio nova. Lugd. Bat. et Amstel. 1672. (M. Titelbill. og Tvl.). — Editio ultima cum indice materiarum aucta. Amstel. 1702. (M. Titelbill. og Tvl.).

Venantii Pacati Solitudo. seu Querela de Tempore (scripsit Joannes Nicolaus **Pechlinus**). Hamburgi. 1704 8°.

Pechmann, A.: Beiträge zur Natur des Colophoniums ..., s. Ihl, A.

Pechmann, Alois, Umrechnungs-Tabelle zur Bestimmung der Gradhältigkeit u. Menge der gebrannten geistigen Flüssigkeit. (263 S.) gr. 8. Werschetz 894. (Budapest, L. Toldi.) n. 4. —

Pechmann Ant.: Cadmium bei Schlaggenwald. (8). Elbogen R. 94. **Progr.**

Pechmann Anton Die Lehre von der Isomerie (18). Elbogen R. 90. **Progr.**

Pechmann, Auguste v., Mädchenschicksale. Erzählung f. junge Mädchen. 12. (220 S.) Straubing, Volks- u. Jugendschriften-Verlag. Geb. in Leinw. n. 3. —

Pechmann, Auguste Freiin v., der hl. Philipp Neri. 12. (V, 89 S. m. 1 Bildnis.) Freiburg i/B. 901. Herder. n. — 70

Pechmann, Auguste v., Patronagen f. jugendliche katholische Arbeiterinnen, s. a. Bücherei, soziale.

Pechmann, Auguste v.: Die Patronagen für jugendliche katholische Arbeiterinnen. — München: Buchh. d. Verbandes südd. kath. Arbeitervereine (1908). 79 S. 8° (Soziale Bücherei. 7.)

— 8 Theaterstückchen f. Mädchen in Pensionaten, Familien, Kinder-Bewahranstalten. 12. (142 S.) Donauwörth 902. L. Auer. n. — 75

Pechmann, Auguste v., 8 Theaterstückchen f. Mädchen in Pensionaten, Familien, Kinder-Bewahranstalten. 2. Aufl. (142 S.) kl. 8. Donauwörth 905. L. Auer. n. — 75

Pechmann Eduard Über die Abweichung der Lotlinie bei astronomischen Beobachtungsstationen und ihre Berechnung als Erfordernisse einer Gradmessung. (Auszug.) S. 47 II. 432 — — (mit 4 Karten). D 22. II. 41 . 4.—
Separatabdruck

Pechmann, Ed., die Abweichnng der Lothlinie bei astronomischen Beobachtungsstationen und ihre Berechnung als Erforderniss einer Gradmessung. gr. 4. (48 S. mit 4 lithogr. Karten.) Wien 863, (Gerold's Sohn.) *
Aus: Denkschriften der k. Akademie der Wissenschaften, besonders abgedruckt.

Pechmann, Ed., die Abweichung der Lothlinie bei astronomischen Beobachtungsstationen u. ihre Berechnung als Erforderniss einer Gradmessung. (Fortsetzung.) Wien 865. Gerold's Sohn. gr. 4. (33 S. mit eingedr. Holzschn. u. 9 lith. Karten.) n. 2 ₰

Pechmann, Eduard Ritter von Massen, Feldmarschallieut. Ein pädagogischer Beitrag zur Massen-Erziehung in den k. u. k. Militär-Instituten. 8. (299 S.) geb. 3 fl. Prag: Bellmann 1882.

— Notizen zur Höhen- u. Profilkarte, nebst dem Verzeichnisse der trigonometrisch bestimmten Höhen von Tirol u. Vorarlberg. [Aus: Mittheilungen der k. k. geographischen Gesellschaft.] Wien 865. (Leipzig, Brockhaus' Sort. 8. (121 S. mit 1 lith. Karte in 4.) n. 1 ₰ 10 ngr.

Pechmann, Günth. v., s.a. Ausstellung, die, München, 1908.

Die Ausstellung München 1908. Eine Denkschrift. Vorw. u. Einl. von Dr. Walther Riezler. Erl. Text von Günther v. Pechmann. Hrsg. von d. Ausstellungsleitung. München: F. Bruckmann 1908. (XV, 103 S.) 4° [08.17690]

Pechmann, H. v., Anleitung zur qualitativen chemischen Analyse f. Studierende der Medizin, zusammengestellt v. P., rev. v. O. Piloty. Zum Gebrauche im chem. Laboratorium des Staates zu München. 3. u. 4. Aufl. 8. (à IV, 98 S.) München 894. 900. (M. Rieger.) n.n. 2. 50

Pechmann, H. v., Anleitung zur quantitativen chemischen Analyse nach Cl. Zimmermann. Zum Gebrauche im chemisch. Laboratorium des Staates zu München. 10. Aufl. 8. (IV, 90 S.) München 901. (M. Rieger.) n. 2. 50

Pechmann, H. v., Anleitg. z. quantitativen chem. Gewichtsanalyse nach Cl. Zimmermann. Zum Gebrauche im chem. Laboratorium d. Staates zu München. 12. Aufl. (III, 67 S.) kl. 8. München 910. (M. Rieger.) 2.—

— Volhard's Anleitung zur qualitativen chemischen Analyse. Im J. 1900 rev. durch: K. A. Hofmann u. O. Piloty. Zum Gebrauche im chem. Laboratorium des Staates zu München. 9. u. 10. Aufl. 8. (à IV, 120 S.) Ebd. 898. 901. n. 2. 70;
Tafeln dazu. 7. Aufl. (40 S.) 898. n.n. 1. 40

— Volhard's Anleitung zur qualitativen chemischen Analyse. Im J. 1900 rev. durch: K. A. Hofmann u. O. Piloty. Zum Gebrauche im chem. Laboratorium des Staates zu München. 11. unveränd. Aufl. (IV, 120 S.) kl. 8. Ebd. 904. n. 2. 70

— Tafeln zur qualitativen chemischen Analyse, zusammengestellt von v. P., rev. v. O. Piloty. Zum Gebrauche im chemischen Laboratorium des Staates zu München. 8. u. 9. Aufl. 8. (à 40 S.) Ebd. (901). n. 1. 70

Pechmann, H. v., Tafeln zur qualitativen chemischen Analyse, rev. v. O. Piloty. Zum Gebrauche im chem. Laboratorium des Staates zu München. 10. u. 11. unveränd. Aufl. (40 S.) 8. München 903. 905. (M. Rieger.) n. 1. 50

PECHMANN, Hans Frh. von (München): Von dem Klima und seinem Einflusse auf den menschlichen Organismus.- München: Giesser 1838. 28 S.
12.8.1836 - Urk; F 63
Diss. Ingolst.-Landsh.-Mchn.

Pechmann, Heinrich von

— Anleit. z. Bau u. zur Erhaltung d. Haupt- u. Vizinal-Straßen, mit 6 lithogr. Tafeln. gr. 8. München 822, Lindauer.

Pechmann, Heinr. v., Anleitung z. Bau u. z. Erhalt. d. Haupt- u. Bezirks-Straßen. 2., umgearb. Aufl. gr. 8. (12½ B., 6 Stnt., qu. ½ gr. Fol. u. 4 lith. Tab.) München 835, Lindauer'sche Buchh.

— prakt. Anleitung zum Flußbaue. 2 Bde. Mit 8 Steintaf. gr. 8. München 825—26, Lindauer. (1r Bd. 1 Rthl. 8 gr. 2r 1 Rthl. 16 gr.)

Pechmann, Heinr. Frh. v., prakt. Anleitung zum Flußbaue. 2 Bde. M. 8 lith. Taf. (qu. Fol.). 2., verb. Aufl. gr. 8. (30 B.) München 832, Lindauer.

v. Pechmann, Heinr. Freih., Beiträge für die Baukunst mit vorzüglicher Hinsicht auf Bayern. 1. Thl. Mit 3 (lith.) Taf. (in qu. Fol.) gr. 8. (VIII u. 255 S.) München 847, Palm. 1½ ₰

v. Pechmann, (H. Fr.,) Beleuchtung der vom Geh. Rathe von Wiebeking unter d. Titel: abgedrungene Erklärung rc., herausgegebenen Druckschrift, u. einige Blicke auf seine Verwaltung des Wasser- u. Straßenbaues im Königr. Baiern. gr. 8. München 822, Lindauer.

—— Beleuchtung der vom geh. Rathe v. Wiebeking u. d. T.: Abgedrungene Erklärung, im J. 1822 hrsg. u. e. zweiten im J. 1831 erschien. Druckschrift dess. Verf. üb. d. Verwaltung d. Staats-Bauwesens in Bayern, u. einige Blicke auf seine Verwalt. d. Wasser- u. Straßenbaues im Königr. Bayern. 3., verm. u. verb. Aufl. gr. 8. (5½ B.) München 831, (Lindauer.)

—— Entwurf f. den Kanal z. Verbindung der Donau mit d. Main. Auf allerhöchst. Befehl hrsg. M. 1 Karte (3 Bl.) u. 7 Stndrcktaf. (Roy.-Fol.) gr. 4. (6 B. u. 1 Tab. qu. gr. Fol.) München 832, (Franz.)

—— Geschichte d. Austrocknung u. d. Cultur d. Donaumoores in Bayern. M. 1 Charte d. Donaumoores (Roy.-Fol.). gr. 8. (10¼ B.) München 832; Stuttgart, Cotta.

Pechmann, Heinr. v., Geschichte der Gemeinde Wiesenbrunn und des Bauers Georg Fromholz. Die durch ein lehrreiches Beispiel beantwortete Frage: Wie kann eine Bauerngemeinde durch Vervollkommnung ihres Ackerbaues, ihrer Hauswirthschaft, ihrer Schule, ihrer Armenpflege und ihrer übrigen Gemeindeanstalten wohlhabend, reich und in jeder Hinsicht glücklich werden. 2 Thle. München 857, 58. Palm in Comm. gr. 8. (VIII, 316; IV, 279 S.) n. 2 ₰.

—— Jahrbücher d. Baukunde, s.a. Jahrbücher.

— Jahrbücher d. Baukunde. 1r Bd. 2 Hfte. Mit 12 Steintaf. u. 2r Bd. 1s Hft. Mit 1 Steindr. gr. 4. Stuttg. 825—32. v. Cotta. 3 ₰ 21 gr.

Pechmann, Heinr. v., der Ludwigskanal. Kurze Geschichte seines Baues und seiner noch bestehenden Mängel, sowie die Mittel, sie zu entfernen und zu verbessern und den Kanal zu seiner Vollkommenheit zu erheben. gr. 8. (X und 214 S.) Nürnberg 854, Korn'sche Buchh.

Pechmann, Heinr. v., balneologische Notizen über d. Heilquelle Münchshöfen. 8. (4½ B. u. 1 Tab.) Straubing 843, Schorner.

PECHMANN, Heinrich Frh. von (Kötzting): De staphylomate corneae.- Straubingae: Lern 1833. 32 S. 21.12.1831 - Urk: F 60
Diss.Ingolst.-Landsh.-Mchn.

—— über Verbesserung u. Einricht. v. Feuerungsanstalten f. d. gewöhnl. häusl. Gebrauch. M. 7 lith. Taf. (Fol.) München 831, Lindauer.

—— über d. Verbindung der Donau mit d. Main u. d. Rhein, u. Beurtheil. der v. J. v. Baader in dies. Jahre erschien. Schrift üb. d. Vorzüge seiner verbess. Bauart von Eisenbahnen vor den schiffbaren Kanälen. gr. 8. (6½ B.) München 828, (Lindauer.)

— über den frühern u. gegenwärtigen Zustand des Wasser- u. Straßen-Baues im Königreich Baiern. gr. 8. München 822, Lindauer.

— über d. frühern u. gegenwärtigen Zustand des Wasser- u. Straßen-Baues im Königr. Baiern. gr. 8. Münch. 832. J. Lindauer. 12 gr.

Pechmann, Heinr. Fried. v., der Ludwig-Canal. Eine kurze Beschreibung dieses Canals u. die Ausführung desselben. gr. 8. (4½ B.) München 846, Lindauer'sche Buchh.

Pechmann, Jos. Frh. v., vermischte Dichtungen. 8. (10 B.) Straubing 832, Schorner.

Pechmann, K. Freyhr. v., Handbuch f. d. Unteroffizier d. Kavallerie. Zur Unterweisg. u. Selbstbelehrung auf Grund d. allerhöchsten Vorschriften. 3. Aufl. gr. 16. (VIII, 85 S.) München 896. Th. Ackermann. n. — 60

Pechmann, Kajetan v., Leitfaden bei Vornahme von Kassa-Liquidationen mit besonderer Rücksicht auf die bei den k. k. Steuerämtern vorzunehmenden Amtsuntersuchungen. Prag 856. Tempsky. 8. (122 S.) 22½ ngr.

Pechmann, Karl Frhr. v., das junge Pferd. Ein Beitrag zur Reit-Instruction mit specieller Bezugnahme auf deren 2. Theil. gr. 8. (32 S.) München 880. Th. Ackermann. n. — 60

Pechmann, M. Gonzaga Fr. v., I. B. M. V., Geschichte d. engl. Institutes Beatae Mariae Virginis in Bayern. Nach Quellen bearb. (VII, 549 S. m. 78 Abb. u. 1 Titelbild.) gr. 8. München-Nymphenburg (907). General-Mutterhaus. (Nur direkt.) 9. —

Pechmann, Wilhelm Frhr. von

Pechmann, W. Frhr. v., d. Reichsgesetz üb. d. Pflichten d. Kaufleute bei Aufbewahrg. fremder Werthpapiere (das sogen. Depotgesetz) v. 5. VII. 1896. Gesetzestext m. Erläutergn. [Aus: „Seuffert's Blätter f. Rechtsanwendg."] 8. (XI, 67 S.) Erlangen 897. Palm & Enke. n. 1. —

Pechmann, Ueberschau des Wirkungskreises der bayerischen Bezirksämter, s. Ueberschau.

Pechmann, Wilh. Frhr. v., Weltanschauung u. Freiheit, s. a. Schriften d. Münchener Freien Studentenschaft. Nr. 2.

Weltanschauung und Freiheit. Von Wilhelm Frh. v. Pechmann. München: Steinebach 1909. 77 S. 8°
(Schriften der Münchener Freien Studentenschaft. Abt. f. Weltanschauung u. Religionswissenschaft. Nr 2.)

Pechmann, Frhr. v., Wirkungskreis der bayer. Distrikts-Verwaltungsbehörden, zunächst der Bezirksämter. 2., umgearb. Aufl. der Ueberschau des Wirkungskreises der bayer. Bezirksämter von P. Bamberg 865. Buchner'sche Buchh. 4. (XIV, 390 S.) n. 3 ₰

Pechmann, Wilh. Frhr. v., Wirkungskreis der bayer. Distrikts-Verwaltungsbehörden, zunächst der Bezirksämter. 3. Aufl. des gleichbetitelten Werkes des verstorbenen k. Staatsministers des Innern Frhrn. v. Pechmann mit Berücksicht. der mittlerweile im Verwaltungsrechte eingetretenen Aenderungen umgearb. und ergänzt. 2 Hälften. gr. 4. (XII, 398 S.) Bamberg 869,70, Buchner'sche Buchh. à Hälfte *ℳ 4,80. *

Pechmann, Frhr. v., Wirkungskreis der bayerischen Distrikts-Verwaltungsbehörden, zunächst der Bezirksämter. 4. Aufl. Auf Grund der mittlerweile im Verwaltungsrechte eingetretenen Aenderungen und der neuesten Gesetzgebung bearb. von Wilh. Stadelmann. 5 Lfgn. gr. 8. Bamberg 880, Buchner'sche Buchh. [1. und 2. Lfg. (S. 1—336.) à *ℳ 3.; Velinpap. à *ℳ 4,50.; 3.—5. Lfg. (XL, S. 337—692.) *ℳ 8.; Velinpap. *ℳ 12.] *
Ausg. auf Velinpap. *
—— dass. — Nachtrag-Bd., enthaltend die sämmtl. seit dem J. 1880 erschienenen einschläg. Bestimmungen nebst den Entscheidungen des Verwaltungsgerichtshofes ꝛc., nach den Seitenzahlen des Hauptwerkes geordnet, dann ein ausführl. Gesammtregister für das Hauptwerk und den Nachtrag-Bd. 4 Lfgn. gr. 8. (XXXII, 336 S.) Ebendas. 883. à Lfg. *ℳ 2. *
Ausg. auf Velinpap. à Lfg. *ℳ 3. *

Pechmann, Frhr. v., der Wirkungskreis der bayer. Distrikts-Verwaltungsbehörden, zunächst der Bezirksämter. 4. Aufl. v. Wilh. Stadelmann. Nachtrag-Bd, enth. die sämmtl. seit den J. 1880 erschienenen einschläg. Bestimmgn. nebst den Entscheidgn. d. Verwaltungsgerichtshofes ꝛc., nach den Seitenzahlen d. Hauptwerkes geordnet, dann e. ausführl. Gesammtregister f. das Hauptwerk u. den Nachtragbd. gr. 8. (XXXII, 336 S.) Bamberg 885. Buchner. n. 8. —; auf Schreibvelinpap. n. 12. —

Wirkungskreis der bayer. Distrikts-Verwaltungsbehörden, zunächst der Bezirksämter (rechts d. Rheines) von Frh. [Johann Nepomuk Wilhelm] v. Pechmann, weil. Staatsmin. Auf Grund d. mittlerweile im Verwaltungsgeb. eingetretenen Aenderungen u. d. neuesten Gesetzgebung bearb. von F[riedrich] Brettreich, Bezirksamtsassessor. 5. Aufl. Abth. 1. 2 (in 10 Lfgen). *Bamberg* (2: *Bamberg & Leipzig:*) *C. C. Buchner 1890–92.* 2 Bde 8° [F.]

Pechnelken, Priapische, aus Deutschlands Musengarten. Poetische Nachlese zum silbernen, ehernen und zinnernen Zeitalter der deutschen Literatur. 97stes (94.) Körbchen. O. O. u. J. [1863]. V: *Lippert, Paul.* (BGE VI², 139) Vgl. V, 6990.

Pechnelken, Priapiscne, aus Deutschlands Musengarten. Poetische Nachlese zum silbernen, ehernen und zinnern Zeitalter der deutschen Literatur. 97. Körbchen. O. O. [1865]. V: *Lippert, C.* (BGE)

Pechner, Fr.

Pechner, J. Fr., Handbuch für Lehrer beim Gebrauche des preuß. Kinderfreundes. 1. Thl. Der gesammte deutsche Sprachunterricht für Volksschulen oder die Uebungen im Lesen, der Grammatik, Orthographie rc. geknüpft an den Lesestoff im preuß. Kinderfreund. 8. Königsb. 845, Bon. 3/4 ₰

Pechner, Fr., Handbuch f. Lehrer beim Gebrauche d. Preußischen Kinderfreundes. 1. Thl.: Der gesammte deutsche Sprachunterricht in Volksschulen od. die Uebungen im Lesen, der Grammatik, Orthographie u. dem mündl. u. schriftl. Gedankenausdrucke, geknüpft an den Lesestoff im Preußischen Kinderfreunde. 2. verb. u. verm. Aufl. 8. (XX u. 386 S.) Königsberg 847, Bons Verl. 24 ngr — 3. verb. u. verm. Aufl. 8. (XXIV u. 434 S.) Ebd. 852. 27 ngr — 2. Thl.: Die allgemeine Weltkunde nebst der Geographie u. Geschichte in Volksschulen, geknüpft an den Lesestoff im Preuß. Kinderfreund. 8. (XII u. 483 S.) Ebd. 847. 27 ngr — 3. Thl.: Die Naturkunde oder die Naturgeschichte u. Naturlehre in Volksschulen, geknüpft an den Lesestoff im Preuß. Kinderfreund. Mit 1 Steindrtaf. (in qu. Fol.) 8. (XII u. 412 S.) Ebd. 850. 27 ngr

Pechner, (J.) Fr., Handbuch für Lehrer beim Gebrauche des preußischen Kinderfreundes. 1. Thl.: Der gesammte deutsche Sprachunterricht in Volksschulen oder die Uebungen im Lesen, der Grammatik, Orthographie und dem mündl. und schriftl. Gedankenausdrucke, geknüpft an den Lesestoff im preuß. Kinderfreunde. 3., verb. und verm. Aufl. 8. (XXIII und 434 S.) Königsberg 852, Bon.

—— kleiner Kinderfreund, oder: Erstes Lesebüchlein für kleine Kinder, die nach der Jacotot'schen Methode lesen lernen. 8. (28 S.) Landsberg a. d. W. 848, Volger und Klein.

Pechner, Fr., kleiner Kinderfreund, oder: erstes Lesebüchlein für kleine Kinder, die nach der Jacotot'schen Methode lesen lernen. 2. Aufl. Landsberg a. d. W. 865. Volger & Klein. gr. 8. (24 S.) 2½ ngr.

—— der erste Lese- und Schreibunterricht nach Jacotot'schen Grundsätzen. Eine Anleitung für Lehrer beim Gebrauch des kleinen Kinderfreundes und der demselben entnommenen Wandtafeln. 8. (34 S.) Landsberg a. d. W. 848, Volger und Klein.

—— die Raumlehre, ein method. Handbuch für Lehrer in Volksschulen. 1. Thl. Formenlehre. 1—3. Lfg. gr. 8. (15¾ B., 3 Stnt. u. Holzschn.) Birnbaum 840. (Posen, Heine.) * —

—— die Redeübungen in Volksschulen, Schullehrer-Seminarien und Fortbildungsanstalten für künftige Landwirthe und Handwerker, theoretisch und praktisch bearb. gr. 8. (VIII und 240 S.) Erfurt 850, Körner. *

— Deutsche Sprachübungen, geknüpft an den Lesestoff. gr. 8. (32 S.) Posen 848, Gebr. Scherk. n. 1/6 ₰

— 6 Wandtafeln zum Lesenlernen nach Jacotot's Methode. gr. Fol. Landsberg a. d. W. 848, Volger & Klein. n. 1/3 ₰

Pechner, Henricus: Nonnulla de neonatorum erysipelate. Hamburgi 1838: Meldau. 32 S. 8°

Halle-Wittenberg, Med. Diss., nachgeliefert von dem am [10. März 1837] auf Thesen promovierten Verf.

Geb. Hamburg [23. 12. 1808]

Pechner, Ioann[es] Henr[icus] Bernh[ardus]: Theses. Halae (1837): Grunert. 2 Bl. 8°

Halle-Wittenberg, Med. Thesen v. 10. März 1837

Pechner, J. Fr., s. Pechner, Fr.

Pechnik, Alex.

Pechnik, A.: Die antiken Elemente in Schiller's „Braut v. Messina." 37. Neu-Sandec 78. Progr.

Pechnik, Al.: Goethes's Hermann und Dorothea und „Herr Thaddaeus" von Mickiewicz. Eine Parallele. 97. Neu-Sandec 79. Progr.

Pechnik, Alex., Goethe's „Hermann u. Dorothea" u. „Herr Thaddäus od. der letzte Einritt in Lithauen" von Mickiewicz. Eine Parallele mit Beigabe von mehreren übersetzten Auszügen aus dem letzteren Gedichte. gr. 8. (101 S.) Leipzig 879. Friedrich in Comm. n. 2. —

Pechowitsch, Gersch, a. Rußland: Resultate der operativen Behandlung der Bauchfelltuberkulose. Berlin (1908): E. Ebering. (46 S.) 8°

Berlin, Med. Fak., Hildebrand, Diss. v. 27. März 1908

[Geb. 31. Dez. 79 Moskau; Wohnort: Moskau; Staatsangeh.: Rußland; Vorbildung: St. Petri-Paul-Gymn. Moskau Reife M. 01; Studium: Heidelberg 3, Jena 2, Berlin 5 S.; Rig. 26. März 08.]

Pechstein, G. A., methodisch geordnete Geographie v. Sachsen nebst einer Einleitung f. Sachsens Volksschulen u. ihre Lehrer, bearb. u. hrsg. [Nebst 1 (lith. u. color.) Karte von H. v. Bose (in gr. 4.)] 8. (X u. 190 S.) Crimmitschau 850. (Leipzig, Thomas.) n. 5/12 ₰

Pechstein, Max, s.: Echo-Jahrbuch.

PECHT, Friedr. (Stecher), Aetz-Bilder aus Frankfurt a. M. Leipzig, Verlag von Louis Rocca (1849). Folio.

Umschl.-Titel u. 7 unbez. Tafeln in Radirung. — Cat. Lipperheide no. 3541.

Pecht, Friedrich. Arnold Böcklin. 1879

*** *Pecht, F.* Deutsche Künstler des 19. Jahrhunderts. Nördlingen, Beck, II. Bd. S. 180—202.

Pecht, Friedrich. Kritischer Gang durch die internationale Kunstausstellung zu München 1863. Sonder-Abdruck aus dem „Unterhaltungsblatt der Neuesten Nachrichten". München. 8°.

(Pecht, Friedrich.) Zu Arnold Böcklins 60. Geburtstag am 16. Oktober 1887. [Mit Illustrationen und 4 Tafeln. A.] 4. (München 1887.)

Pecht, Friedr., Geschichte der Münchener Kunst im 19. Jahrh. Lex.-8. (XII, 499 S. mit 40 Bilderbeilagen und zahlr. Abbild. im Text.) München 888, Verlagsanstalt für Kunst und Wissenschaft. geb. *

Die Ausgabe erfolgte in 16 Lfgn. à *M 1.—.

— aus dem Münchener Glaspalast. Studien zur Orientirg. in u. außer demselben während der Kunst- u. Kunstindustrie-Ausstellg. d. J. 1876. 8. (VI, 261 S.) Stuttgart 876. Cotta. n. 3. —

—— und Arthur v. Ramberg, Goethe-Galerie, s. Goethe-Galerie.

Pecht, Fr., s. Jahresausstellung, Münchener. — Kunst f. Alle.

—— die Berliner Jubiläums-Kunstausstellung 1886. Illustr. Berichte. Sep.-Ausg. der „Kunst für Alle". I. Jahrg. Heft 18/24; II. Jahrg. Heft 1/3. gr. 4. (160 S.) Ebendas. 886. geb. *

Pecht, Friedrich. Die Kunst für Alle. 1. Jahrg.— 1886—. München. 4°.

Pecht, Friedr., Kunst u. Industrie auf der Weltausstellung von 1867. Pariser Briefe. 1. u. 2. Aufl. Leipzig 867. Brockhaus. 8. (XII, 331 S.) cart. n. 1 ℛ 10 ngr.

Pecht, Frdr., Kunst u. Kunstindustrie auf der Pariser Weltausstellung 1878. 8. (X, 292 S.) Stuttgart 878. Cotta. n. 4. 50

—— Kunst und Kunstindustrie auf der Wiener Weltausstellung 1873. 1. und 2. Aufl. 8. (VII, 356 S.) Stuttgart 873, Cotta'sche Buchh. *

Pecht, Frdr., die moderne Kunst auf der internationalen Kunstausstellung zu München 1883. 19 Briefe. 8. (VI, 206 S.) München 883. Verlagsanstalt f. Kunst u. Wissenschaft. n. 3. —

Pecht, Frdr., die 6. Münchener internationale Kunst-Ausstellung 1892. Illustrierte Berichte. [Separat-Ausg. der „Kunst f. Alle", VII. Jahrg. Hft. 17/24, VIII. Jahrg. Hft. 1/2.] gr. 4. (IV u. S. 257—380 u. 1—32.) München 892. Verlagsanstalt f. Kunst u. Wissenschaft. n. 6. —; geb. n. 7. 50

— deutsche Künstler d. 19. Jahrh. Studien u. Erinnerungen. 1. Reihe. 8. (VII, 298 S.) Nördlingen 877. Beck. n. 4. —; geb. n. 4. 80

—— deutsche Künstler des 19. Jahrhunderts. Studien und Erinnerungen. 3. Reihe. 8. (VIII, 379 S.) Nördlingen 881, Beck'sche Buchh. *
geb. in Leinw. *
1. und 2. Reihe. Ebendas. 1877,79. *ℳ 9,50.; geb. in Leinw. *ℳ 11,30.

Pecht, Frdr., deutsche Künstler d. 19. Jahrh. Studien u. Erinnergn. 4. Reihe. gr. 8. (III, 368 S.) Nördlingen 885. Beck. n. 5. 50; geb. n. 6. 50 (1—4.: n. 20. 50; geb. n. 24. 30)

—— deutsche Künstler des 19. Jahrh. Studien und Erinnerungen. 2. Reihe. 2. umgearb. und bis zur Gegenwart ergänzte Aufl. 8. (V, 409 S.) [Nördlingen 887.] München, Beck'sche Verlagsh. *ℳ 5.50.; geb. **

—— Venedig's Kunstschätze, s. Venedig's Kunstschätze.

Pecht, Friedr. Venedigs Kunstschätze. Gallerie der Meisterwerke venetianischer Malerei in Stahlstich. Mit erläuterndem Text. Herausgeg. v. österr. Lloyd in Triest. *Triest* 1858. Lit.-artist. Abtheil. d. *österr. Lloyd*. V. u. VI. Heft. S. 41—80 Text und 6 Stahlst. gr. 4°.
Eine Lief. I. der Prachtausg. 2 fl. und 1 fl. 30 kr.
II. der feinen Ausg. 1 fl.
Vergl. Nr. 1567 (Mai).
INHALT des Textes: Marco Basaiti. — Boccacino von Cremona. — Cima v. Conegliano. — Girolamo da Udine. — Vinc. Catena. — Pier Franc. Bissolo. — Girol. da San Croce. — Piermaria Pennachi. — Giov. Buon-Consigli. — Giorgione (1478—1511). — Jac. Palma Vecchio (1477—1521.) — — Lorenzo Lotto (1480). — Rocco Marconi. — Fra Sebastiau del Piombo (1485—1547). — Tizian (1477—1576).
Die Bilder sind: San Marco fra quatro santi (Tizian). — Cristo in gloria, la fede, Venezia, S. Giustina etc. (Paul Veronese). — S. Giovanni Batt. fra quattro santi (Palma Vecchio). — Madonna col bambino (Giov. Bellini). — La incoronazione della vergine (Girolamo da Udine). — La Pala dei Pesaro (Tizian).

—— s. Lessing-Galerie. (Berichtigungen und Nachträge.)

— Lessing-Galerie. Charaktere aus Lessing's Werken. 30 Blätter in Stahlst. Mit erläut. Text von Friedr. Pecht. 6 Liefgn. Leipzig 866—68. Brockhaus. hoch 4. (30 Stahlst. u. IX, 120 S. Text.) Jede Liefg. n. 1 ℛ 10 ngr.
complet n. 8 ℛ
Lnwdbd. mit Goldschn. n.n. 10 ℛ
Lederbd. mit Goldschn. n.n. 11 ℛ;
Prachtausg. n.n. 14 ℛ;
Lederbd. mit Goldschn. n.n. 20 ℛ

— Lessing-Galerie. Charaktere aus Lessing's Werken. 30 Blätter in Stahlst. Mit erläuterndem Texte von Frdr. Pecht. Octav-Ausg. 10 Lfgn. 8. (à 3 Stahlst. m 12 S. Text.) Leipzig 877. Brockhaus. à — 75

Pecht, Friedr., sechs Monate in Rom, s. Weber's illustr. Reisebibliothek.

—— s. Pinakothek, die königl., älterer Meister zu München.

— Schiller-Galerie, s. Schiller-Galerie.

— Shakespeare-Galerie, s. Shakespeare-Galerie.

— Südfrüchte. Skizzenbuch eines Malers. 1. Bd. Venedig. Rom. — 2. Bd. Neapel. Florenz. Leipzig 854. Weber. 8. (XVI, 377; VI, 343 S.) n. 3 ℛ. 15 ngr.

—— ein Winter in Venedig, s. Weber's illustrirte Reisebibliothek.

— aus meiner Zeit. Lebenserinnerungen. 2 Bde. gr. 8. (IV, 362 u. 348 S. m. Bildnis.) Ebd. 894. n. 10. —; geb. n. 12. —

(Pecht, J[ohann] A[ndreas].) Beschreibung des Bodensee's und seiner Umgebung. Nebst 100 lithographirten Ansichten und einer Charte. [2 Theile.] 2. Aufl. Constanz (1833).
[Theil 1: Text.] 2. Aufl. 8. (1833.)
[Theil 2: Tafeln] *u. d. T.*: Ansichten vom Bodensee und seinen Umgebungen in 100 lithographirten Blattern. nebst Beschreibung und einer Charte. 2. verbesserte und vermehrte Aufl. quer-8. [1833.]

Pecht, J. A., s. Friedrich, Joh. Paul.

Pecht, (J. A.,) Gartenbuch, s. Friedrich, Küchengarten.

Pecht, J. A.: Der kunstreiche Obst- und Weingärtner, oder deutliche, auf Erfahrung gegründete, Anweisung, Durch Kunst die Fruchtbarkeit der Obstbäume zu erzwingen, die Früchte zu vergrößern, und merklich früher zur Reife zu bringen. Ferner, die Weinreben vor dem sogenannten Reeren zu bewahren, und die Größe sowohl, als frühere Reife der Trauben zu befördern. Nebst Angabe einer Methode: den Rebbau mit einer Ersparniß von drei Viertheil der sonst nöthigen Rebstecken zu besorgen. Durch mehrere Abb. erl. u. hrsg. Constanz: Pecht 1821. VIII, 56 S. -- 21*. Frei 100*
--- Dass. Constanz: Wallis 1823. VIII, 56 S. -- 16*
BJ: Pecht, J.A.: Der kunstreiche Wein- u. Obstgärtner ... Würzburg 1824; dazu Anmerkung: ' Der Titel lautet bei den verschiedenen Auflagen (1821/23 handelte es sich nur um ein geändertes Titelblatt) nicht ganz gleich'. -- Bibliotheca oenologica: Pecht, J.A.: Der kunstreiche Wein- und Obstgärtner ... Constanz 1824. -- Dochnahl: Würzburg 1824. -- Gatterer: Pecht, J.A.: Der kunstreiche Wein- und Obstgärtner ... Würzburg 1824. -- Heinsius: Constanz 1824. -- Kayser: Constanz 1824. -- Thienemann: Würzburg 1824.

— der kunstr. Obst- u. Weingärtner od. deutliche, auf Erfahrung gegründete Anweis., durch Kunst die Frucht d. Obstbäume zu erzwingen rc., durch mehrere Abbildungen erläutert, gr. 8. Constanz 824. Wallis. 16 gl. (Etlinger in Würzb.) 1 fl. 4 kr.

Pecht, J. A., d. kunstreiche Obst- u. Weingärtner, od. deutl., auf Erfahr. gegründ. Anweis., durch Kunst d. Fruchtbarkeit d. Obstbäume z. erzwingen, d. Früchte z. vergrössern etc. Mit Abb. gr. 8. Constanz, 1823. (St. Gallen, Scheitlin u. Zollikofer.) (fehlt.) a. Würzburg, 1824. (Regensburg, Manz.) — 5

Pechtel, Andreas (Weichau/Lausitz), De dotalibus ecclesiae, Von Pfarr-Dotalen. Diss. jur. Sub Moder. Ernst Tenzell. Erfurt (J. H. Grosch) 19. X. 1716. 17 S. (4.75) 25997
Gew.: Philipp Wilhelm von Boineburg.

Pechuel-Loesche. Die Vögel, s. Brehm's Tierleben.

Pechuel-Loesche, Eduard: Besitz, Recht, Hörigkeit unter Afrikanern. (Deutsche Rundschau. Heft 8. Jahrg. 1889. S. 281—295.) Berlin 1889. 15 S. 8°.

Pechuël-Loesche, E., die Bewirthschaftung tropischer Gebiete. Vortrag, gehalten am 22. Septbr. 1885 in der 58. Versammlung deutscher Naturforscher und Ärzte zu Strassburg. gr. 8. (31 S.) Strassburg 885, Trübner. *

Pechuel-Loesche, Eduard: Afrikanische Büffel. ([S.-A.] Zoologische Jahrbücher. Abth. für Systematik, Geographie und Biologie der Thiere. Bd. 3. S. 705—724.) (Jena 1888) 20 S., 2 Tf. 8°.

Pechuël-Loesche, Eduard: Der Gebirgslauf des Congo. Vortrag, gehalten auf dem Dritten Deutschen Geographentage zu Frankfurt a. M. ([S.-A.] Verhandlungen des Dritten Deutschen Geographentages zu Frankfurt a. M. 1883.) Berlin 1883. 11 S. 8°.

Pechuel-Loesche, Kongoland. I. Amtliche Berichte u. Denkschriften über das belg. Kongo-Unternehmen. II. Unterguinea u. Kongostaat als Handels- u. Wirthschaftsgebiet, nebst e. Liste der Faktoreien bis zum J. 1887. gr. 8. (XL, 521 S.) Jena 887. Costenoble. n. 10. —

Pechuël-Loesche, Eduard: Loango und die Loangoküste. ([S.-A.] Mittheilungen des Vereins für Erdkunde zu Leipzig vom Jahre 1876.) Leipzig 1876. 31 S. 8°.

Pechuël-Loesche, Eduard, die Loango-Expedition, s.: Güssfeldt, Paul.

—— Herrn Stanley's Partisane und meine offiziellen Berichte vom Kongolande. gr. 8. (31 S.) Ebendas. 886. *
Vgl.: Wobeser, H. v., Henry M. Stanley und Dr. Pechuël-Loesche.

—— Herr Stanley und das Kongo-Unternehmen. Eine Entgegnung. gr. 8. (74 S.) Leipzig 885, Keil's Nachf. *

-- Volkskunde v. Loango. Mit Illustr., gezeichnet v. A. Göring, M. Laemmel, G. Mützel, O. Herrfurth. [Aus: „Güssfeld usw., d. Loango-Exped."] (V, 482 S. m. 24 Abb. u. 5 Taf.) Lex. 8. Stuttgart 907. Strecker & Schröder. 24.—; geb. in Halbfrz. 27. —

Pechvogel, O'Sie, s.a. Familie, e. feine.

Eine feine Familie oder Die Erbschleicherei in Geheimratshosen. Eine moderne Sittengeschichte in Versen von Dr. O'Sie **Pechvogel.** Berlin: Walther [1908]. 46 S. 8° [09. 11551

Pechwell, die Militärstrafgerichtsordnung nebst Einführungsgesetz, s.a. Handbibliothek, Leipz. jurist.

Pechwell, Dr. Die Militär-Strafgerichtsordnung nebst Einführungsgesetz u. dem Gesetze betr. die Dienstvergehen der richterlichen Militärjustizbeamten &c. vom 1. XII. 1898. Mit Anmerk. u. Sachregister. Leipzig 1899. 682 S.

Pechwell, Aug. Jos., († d. 14. Febr. 1811.) s. Beschreib. d. k. Gemälde-Gallerie in Dresden, u. setze hinzu: (v. A. J. Pechwell).

Pečirka, Josef

Pečirka, Jos., die Giftgewächse des österreichischen Kaiserstaates und Deutschlands. Gemeinfaßliche Darstellung ihrer Eigenschaften, der durch sie hervorgerufenen Vergiftungserscheinungen und der ersten Hilfeleistung bei Vergiftungen. Erläutert durch viele der Wirklichkeit entnommene Erzählungen von Unglücksfällen, welche durch Giftgewächse bewirkt wurden. Ein Handbuch für Geistliche, Lehrer, Gemeindevorsteher u. andere gebildete Leser. Mit 26 (Kpfr.-) Taf. kolor. Abbildgn. u. 115 Holzschn. (im Text). Prag 859. André. gr. 8. (VIII, 174 S. u. 1 Tab. in Fol.) n. 1 ⁄ 6 ngr.

Pečirka, J.: Grundlinien d. reinen Krystallographie. Inaug.-Diss. Prag. 1848. 8°

Pečirka, Jos., Grundlinien der reinen Krystallographie. Eine Anleitung zum Studium der mineralischen Krystallformen. 2. verb. Aufl. mit 84 Abbildgn. (Holzschn. im Text.). Prag 853. André. gr. 8. (2 Bl., 68 S.) 12 ngr.

— Grundlinien der Pflanzenkunde. Für Unter-Gymnasien und Realschulen. Bearb. (unter Leitung von W. F. Kosteletzky). Prag 855. André. gr. 8. (VII, 241 S.) 16 ngr.

— Krystallnetze zu den sämmtlichen einfachen Krystallgestalten und einigen Combinationen. 2. verb., mit der Beschreibung der einfachen Krystalle nach den sechs Krystallsystemen verm. Aufl. Prag 859. Tempsky. 12. (46 S. u. 6 lith. Taf. in Fol.) 9 ngr.

Pečirka, Jos., Krystallnetze zu den sämmtlichen einfachen Krystallgestalten u. einigen Combinationen. 3. verb. m. der Beschreibg. der einfachen Krystalle nach den 6 Krystallsystemen verseh. Aufl. gr. 8. (48 S. m. 6 Steintaf. in qu. gr. 4.) Prag 874. Tempsky. n. 1. —

— Krystallnetze zu Modellen der sämmtlichen einfachen Krystallgestalten nebst einigen Combinationen. Prag 853. Tempsky. 8. (4 Bl. u. 6 lith. Taf. in Fol.) 9 ngr.

– nerostopis pro nižši gymnasia a realni školy. Se 6 lith. tabulkami (in Fol.). Prag 853. Tempsky. 8. (6 Bl., 124 S. m. Fig. im Text.) 15 ngr.

— vypsání živočichův. Pro školy. Ebend. 863. gr. 8. (VIII, 178 S. m. Holzschn.) 24 ngr.

Pěcirka, L.: Die Giftgewächse d. öster. Kaiserstaates und Deutschlands. 1859.

Peck: Zur Methodik des geographischen Unterrichts. 12 S.–Lauban, Progr. 1863

Peck, Cystenbildung in der Leibeswand des Embryo, s. Mittheilungen aus dem embryologischen Institute der k. k. Universität in Wien.

Peck, Ad. Lobeg., († d. 17. Sept. 1801.) s. Beschreib. d. Erzgebirges.

Peck, Burkhard

Peck, (B.,) systematische Anleitung f. Seelsorger am Krankenbette, zu einem zweckmäß. Verfahren u. wirksamer Behandlung d. Kranken. 2e Aufl. gr. 8. Wien 826, Al. Doll d. ält.

— philosoph. Betracht. üb. d. Christenthum. Zu näherer Ueberzeugung d. Erwachsenen u. besserem Unterricht d. Jugend. 8. Wien 801. Pichler. 1 fl.

— Curw. z. Predigten, z. Behuf kathol. Volkslehr. 3 Bde. 8. Wien, Hörling. 790–92.

— Erbauungsbuch. f. Kranke u. Sterbende. 8. Wien 790. 2e A. 794, 96. 3e A. 827. Wallishauser. 18 gl — Dass. 8. Augsb. 794. Bolling. 6 gl

— dreizehn Fastenpredigten nach d. Leidensgeschichte Jesu. 8. Augsb. 800. Doll. (Landsh., Krüll). 13 gl

— Seelsorger am Krankenbette. s. Magazin f. kathol. Pred. 11r.

Peck, E. A., codice di commercio generale, s: Raccolta di leggi od ordinanze della monarchia austriaca.

Peck, Ernest L(awrence): Ueber die isomeren Diacetbernsteinsäuremethylester. *Jena 1898: A. Kämpfe.* (35 S.) 8°
Jena, Phil. Diss. v. [15. Juni] 1898

Peck, F., zweiter Nachtrag zur „Flora von Schweidnitz", s. Abhandlungen der naturforschenden Gesellschaft zu Görlitz.

Peck, F: Organisation, Entwickelung, neuere Fortschritte und gegenwärtiger Stand des französischen Leuchtfeuerwerks. Berlin 1896

Peck, Francis. Denkwürdigkeiten über das Leben und die Thaten von Oliver Cromwell. A. d. Engl. 4. Leipzig 1740.

Peck, Friedrich B. [aus Amherst, Mass., U. S. A.]: Beitrag zur krystallographischen Kenntniss des Bournonit nebst e. Anh.: Wärmeleitg d. Antimonit u. Bournonit ... (Aus: Zeitschr. f. Krystallogr. u. Mineral., Bd. XXVII Heft 2 3.) Leipzig, W. Engelmann, 1896; 24 S., 1 Taf. 8.
München, Phil. Fak., Inaug.-Diss. v. 1896

Peck, Friedrich Gottlob (Kesselsd. / Meißen), De praecipuis iisdemque recentioribus literarum statoribus ac maecenatibus. Disput. histor.-phil. Präs. Sigismund Fritzsch. Wittenberg (Eichsfeld) Okt. 1736. 16 S. (4.50) 25998

Peck, Gl. F., graecae ling. lib. memorialis. 8. Dresd. Gerlach. 709.

Peckii, G. F., Graecae linguae liber memorialis, voces primitivas cum derivatis et compositis naturali ordine exhibens. Dresd. et Lips. 709. 8. 16 gr.

Peck, H. Unter welchen Bedingungen kann durch die Jugendbildung am sichersten eine bessere Zukunft verbreitet werden? 17 S.
Lauban, Progr. 1848

Peck, J. C. (Resp.): De phrenitide pannonica idiopathica, s. Alberti, M. (Praes.)

Peck, John, Wunder u. Wunderthäter. Deutsch v. Wolfg. Schaumburg. 12. (56 S.) Leipzig 892. Schaumburg-Fleischer. n. — 50

Peckii, M. G. T., manuale lexici graeco-latini, praefat. est Nordberg. 8maj. Kopenh. 814. Bonnier. 3 ℳ 8 gl

Peck, Reinhard: Beiträge zur Flora der Oberlausitz. Görlitz 1858.

Peck, R., meteorologische Beobachtungen in Görlitz vom 1. Januar 1883 bis 31. Dezember 1885, s. Abhandlungen der naturforschenden Gesellschaft zu Görlitz.

Peck, Reinh., Nachträge u. Berichtigungen zu Prof. Ernst Friedr. Glocker's geognostischer Beschreibung der preuß. Oberlausitz. Zusammengestellt im Auftrage der naturforsch. Gesellschaft zu Görlitz. [Aus: Abhandlungen der naturforsch. Gesellschaft.] Görlitz 865. (Remer.) Lex.-8. (55 S.) n. 7½ ngr.

— Verzeichniss der in der Preuss. Oberlausitz vorkommenden Land- und Wasser-Mollusken. Görlitz 1858.

Peck, S., das Jagdpolizei-Gesetz vom 7. März 1850. Mit Bemerkungen und spezieller Berücksicht. der wiederhergestellten Schonzeiten für die Mark. 16. (41 S.) Berlin 850, Hayn.

Peckam, Joa., s. Peckham, John

Peckelsheim [Schlagwort]

Peckelsheim, s.: Geologische Karten. Karte (Preussen).

Peckelsheim [Verfasser]

Peckelsheim, s.: Spiegel v. u. zu Peckelsheim.

Peckenstein, Laur. Theatrum Alvenslebianum. Jenae?

Peckert, Fritz Joachim, approb. Arzt aus Tann: Zur Casuistik der Embolie der Lungenarterien. *München 1902: C. Wolf & Sohn.* (32 S.) 8°
München, Med. Diss. v. 1902

Peckert, Heinrich, a. Tann in Niederbayern, Rechtsprakt. am K. Bezirksamt München: Militärgesetzgebung, Militärverordnungsrecht, Militärischer Oberbefehl nach Deutschem Staatsrecht. München: Th. Ackermann 1906. (56 S.) 8° [J.]
Erlangen, Jur. Fak., Ref. Rieker, Diss. v. 18. Juli 1906
[Geb. 10. Aug. 80 Tann; Wohnort: München; Staatsangeh.: Bayern; Vorbildung: Gymn. Straubing Reife Juli 99; Studium: München 6, Erlangen 2 S.; Rig. 20. Juni 06.]

Peckert, Hermann, approb. Arzt aus Tann: Ueber Haematocelen des Samenstranges. *München 1900: Kastner & Lossen.* (39 S.) 8°
München, Med. Diss. v. 1900

Peckert, Dr. Hermann Maria, I. Assistenzarzt des zahnärztlichen Instituts: Ueber Lokalanästhesie. Die zahnärztliche Lokalanästhesie mit besonderer Berücksichtigung der Präparate Dr. Ritserts. Heidelberg 1905: Heidelberger Verlagsanstalt und Druckerei. (74 S.) 8°
Heidelberg, Med. Fak., Hab.-Schrift v. 1905

Peckert, über Röntgenphotographie in der Zahnheilkunde, s.: Zahnheilkunde, deutsche, in Vorträgen. 11. Heft. (Port.)

Peckham, G., u. E. Peckham, Instinkt u. Gewohnheiten der solitären Wespen. Für Imker u. Naturfreunde. Aus dem Engl. übers. v. Walth. Schoenichen. (VIII, 194 S. m. 42 Abbildgn.) gr. 8. Berlin 904. P. Parey. n. 5.—

Peckham, John

Peckam, Ioa., canticum pauperis, s.: Bibliotheca Franciscana ascetica medii aevi. IV.

Fratris Johannis Pecham [**Peckham**] quondam archiepiscopi Cantuariensis Tractatus tres de paupertate cum bibliographia ediderunt C[harles] L[ethbridge] Kingsford, A[ndrew] G[eorge] Little, F[elice] Tocco. Aberdoniae 1910 Typ. Acad. VII, 198 S. 8°
(British Society of Franciscan Studies. Vol. 5.) [13. 3758

Peckold, Georg Friedrich (Schenckendebriens.), De ignorantia facti proprii interdum innocua ad L. XXII. pr. d. de condict. indebit. Präs. Christoph Ludw. Crell. Wittenberg (Scheffler) März 1741. 38 S. (5.25) 26000

— — Dasselbe. Wittenberg (Eichsfeld) März 1741. 1757. 40 S. (5.25) 26001

Peckolt, Theodor

Peckolt, Dr Th., Guaraná oder Uaraná (Sonder-Abdr. a. d. Sitzungsber. d. k. Akad. d. Wiss.) gr. 8. (13 S.) Ebda. in Comm. 10 kr
1867

Peckolt, Thdr., Catalog der pharmacognostischen, pharmaceutischen u. chemischen Sammlung aus der brasilian. Flora zur National-Ausstellung in Rio de Janeiro 1866. Wien 868. Gerold's Sohn. gr. 8. (XIX, 75 S.) n. 20 ngr.

Peclet, E., Anweis. z. Verfertigung d. Feuerzeuge, s. Schauplatz d. Künste, 40. Bd.

Péclet's, E., neueste, bewährte Erfindungen und Erfahrungen über Feuerungs-, Erwärmungs- und Ventilations-Anlagen, s. Schauplatz, neuer, der Künste und Handwerke. 212. Bd.

Péclet's Feuerungs- etc. Anlagen, s. a. Schauplatz, neuer, der Künste etc.

— — Ueber Feuerungs-, Erwärmungs- und Ventilationsanlagen, in öffentl. u. Privatgebäuden, Fabriken etc. 2. verm. u. verbess. Aufl. Mit 7 Tfln. von 7 Abbild. Weimar 1863. 8°.

Péclet, E., Grundsätze der Feuerungskunde, s. a. Schauplatz, neuer, der Künste u. Handwerke. 142. Bd.

Péclet, C: Grundsätze der Feuerungskunde. Nach dem »Traité de la chaleur« und den »Nouveaux documens relatifs au chauffage et à la ventilation« mit Rücksicht auf deutsche Bedürfnisse bearb. von Carl Hartmann. 3. umgearb. Aufl. Weimar 1858 (Neuer Schauplatz der Künste und Handwerke. Bd 142)

—— vollständiges Handbuch über die Wärme und ihre Anwendung in den Künsten und Gewerben. Für Physiker, Berg-, Hütten-, Fabriken- und Bau-Ingenieure etc. Nach der 3., gänzlich umgearb. Aufl. deutsch bearb. von Carl Hartmann. 3 Bde. gr. 8. Naumburg. Leipzig, Gerhard. [1. Bd. (XIII und 360 S. mit 8 Stnt. in qu. Fol.) 860. 3 Thlr. 27 Ngr., 2. Bd. (VII und 364 S. mit 19 Stnt. in qu. Fol.) 860. 4 Thlr. 15 Ngr., 3. Bd. (V und 241 S. mit 9 Stnt. in 8. und qu. Fol.) 861. * 2 Thlr. 18 Ngr.]

Péclet's, vollständiges Handbuch über die Wärme u. ihre Anwendung in den Künsten u. Gewerben. Für Physiker, Berg-, Hütten-, Fabriken- u. Ingenieure etc. Nach der 3., gänzlich umgearb. Aufl. deutsch bearb. von Carl Hartmann. Mit 601 lith. Abbildungen (auf 36 Taff. in 4. u. qu. Fol.). Neue wohlfeile (Titel-)Ausg. Leipzig (860) 868. Gerhard. gr. 8. (XVII, 965 S.) n. 5 Thlr.

-- vollständiges Handbuch über die Wärme und ihre Anwendung in den Künsten und Gewerben. Für Physiker, Berg-, Hütten-, Fabriken- u. Bau-Ingenieure etc. Nach der 3., gänzlich umgearb. Aufl. deutsch bearb. von Carl Hartmann. 3 Bde. Naumburg 860, 61. — Leipzig, Gerhard. gr. 8. (1. Bd.: XIII, 360 S. u. 8 lith. Taf.; 2. Bd.: VII, 364 S. u. 19 lith. Taf.; 3. Bd.: V, 241 S. u. 9 lith. Taf. in Fol.) n. 11 Thlr.
1. Bd.: n. 3 Thlr. 27 ngr.; 2. Bd.: n. 4 Thlr. 15 ngr.; 3. Bd.: n. 2 Thlr. 18 ngr.

—— **die Kunst der Gebäude-, Zimmer- und Straßenerleuchtung**, s. a. Schauplatz, neuer, der Künste etc. 40. Bd.

Péclet, E.: „Die Kunst der Gebäude-, Zimmer- und Straßenerleuchtung durch Oel, Wachs und Gas. Nebst einer Anweisung zur Verfertigung der neuesten und einfachsten Feuerzeuge", nach dem Französischen übersetzt von J. C. G. Weise, Ilmenau 1829 (Voigt).

Péclet, E., traité de la chaleur considérée dans ses applications. 3. édit. entièrement refondue. Livr. 1. 2. Planches 1—30. qu. fol. Liège 844, (Cologne et Aix-la-Chapelle,) Kohnen. à u. $1^3/_4$ Thlr.

Péclet, E., über die Wärme und deren Anwendung in den Künsten und Gewerben. Ein vollständiges und nöthiges Handbuch für Physiker, Technologen, Fabrikanten, Mechaniker, Architekten, Forst- u. Hüttenmänner. Aus d. Franz. übersetzt und mit den nöthigen Zusätzen für Deutschland versehen von C. F. A. Hartmann. 2r Thl. Mit 20 Steintaf. gr. 8. Braunschweig 831. (833.) Vieweg. 3 Thlr (Der 1e Thl., mit 7 lithogr. Taf. Ebd. 829. kostet $1^5/_6$ Thlr) Vgl. Thl. IV. S. 314.

—— über d. Wärme u. deren Anwendung in d. Künsten u. Gewerben. Ein vollständ. u. nöth. Handb. f. Physiker, Technologen, Fabrikanten etc. A. d. Franz. übers. u. mit den nöth. Zusätzen f. Deutschland vers. v. C. F. A. Hartmann. 2 Thle. gr. 8. Braunschweig, Vieweg. [1. (24 B. u. 7 Stnt. qu. Fol.) 830. 1 Thlr. 20 Gr., 2. (28 B. u. 20 Stnt. qu. Fol.) 831. 3 Thlr.]

Péclet, E.: „Ueber die Wärme und deren Verwendung in Künsten und Gewerben. Ein vollständiges und nöthiges Handbuch für Physiker und Technologen, Fabrikanten, Mechaniker, Architecten, Forst- und Hüttenmänner", 2 Teile, aus dem Französischen übersetzt und mit den nötigen deutschen Zusätzen versehen von C F A. Hartmann, Braunschweig 1830 bis 1833 (Vieweg).

Pečnik, Karl

Pecnik, Carl, Einfluss der Wüste auf Tuberkulose. Ausführlichere Besprechg. meines Vortrages auf dem internationalen ärztl. Kongresse zur Bekämpfg. der Tuberkulose, Berlin 1899. Ärztliche Studien u. Plaudereien. gr. 8. (VIII, 142 S.) Kairo 899. F. Diemer. n. 3.—

Pečnik, Carl, praktisches Lehrbuch der slovenischen Sprache, s. a. Kunst, die, der Polyglottie.

PEČNIK, Carl
Praktisches Lehrbuch der Slovenischen Sprache für den Selbstunterricht. Kurzgefasste theoretisch-praktische Anleitung, die Slovenische Sprache in kürzester Zeit durch Selbstunterricht leicht zu erlernen. Mit Uebungsaufgaben, Lesestücken, nebst beigefügten Erklärungen, einer Chrestomathie, mehreren Gesprächen, Sammlung von Slovenismen, Darstellung der dialektischen Eigenthümlichkeiten, einem slovenisch-deutschen und deutsch-slovenischen Wörterverzeichnisse mit durchgängiger Accentuation, nebst beigefügten Provincialismen und Fremdwörtern. Von Dr. Carl Pečnik. 2. Auflage. Wien. Pest. Leipzig. [1899.] Hartleben. 8°. 188 S. Geb. fl 1 10

Pečnik, Carl Jos., Praktisches Lehrbuch der slovenischen Sprache für den Selbstunterricht. Kurzgefaßte theoretisch-praktische Anleitung, die slovenische Sprache in kürzester Zeit durch Selbstunterricht leicht zu erlernen. Mit Uebungs-Aufgaben, Lesestücken nebst beigefügten Erklärungen, einer Chrestomathie, mehreren Gesprächen, Sammlung von Slovenismen, Darstellung der dialektischen Eigenthümlichkeiten, einem slovenisch-deutschen und deutsch slovenischen Wörterverzeichnisse mit durchgängiger Accentuation, nebst beigefügten Provinzialismen und Fremdwörtern. 8. (191 S.) Geb. (Bibliothek der Sprachenkunde. 31. Theil)
Wien Hartleben 1890 1.10

Pečnik, C., Praktisches Lehrbuch der slowenischen Sprache und für den Selbstunterricht. 3. Aufl. [Die Kunst der Polyglottie. 31 Teil.] 8°. (190 S.) Wien Hartleben 1905 geb. K 2.20

Pecnik, Charles, Ramleh, s.: Woerl's, Leo, handbook of travel.

— Ramleh, s.: Woerl, L., manuels de voyage.

— Ramleh, die eleusin. Riviera bei Alexandrien, s.: Woerl's Reisehandbücher.

Klimatische Wüstenkuren mit besonderer Berücksichtigung Ägyptens sowie d. Einflusses d. Wüste auf Tuberkulose. Was sollen Arzt u. Kranker vor Auswahl e. klimat. Winterkurortes wissen? Ärztl. Studien u. Besprechungen von Dr. med. Carl **Pecnik**. *Kairo: F. Diemer 1899.* (VIII, 144 S.) 8° (ot. 4968

Pecquet, Antoine

- Herrschaft

§ — —, Die, der Zaziris über die Menschen oder die Zazirocraten. Aus d. Französ. (des *Antoine Pecquet*). Nebst drey Anmerkungen. O. O. 1761. 8°. (In München: Ph. Pr. 1185 e.) Rar!

Cat. Cammerer II. Erlang 1796. 8°. p. 72. — Das Anon.-Lex. II. p. 281 gibt den Titel abweichend und mit der Adresse „Pecking" (nach Weller, fing. Druckorte).

Orig. L'empire des Zaziris sur les humains, ou la zazirocratie. Pékin 1761. 8°. (1 Mk. 25 Pfg., mit Beibd., Paul Lehmann. Berlin. Cat 58 jetzt theurer!)

[Pecquet, Antoine?]. Geheime Nachrichten Zur Historie von Persien. Vitiis nemo sine nascitur. Aus dem Französischen übersetzt. Cölln [= Rostock, Koppe] 1746. Kl.8° 4 Bl. 224 S. 28 und 1 Bl. Alter Pappband mit altem Goldpapier überzogen.

H.-G. V. 272. Weller, Druckorte I. 84. Cf. a. Barbier III, 244. Gay III, 185. Fromm 25679 (gibt als Verfasser FRANÇOIS VINCENT TOUSSAINT an, nach Hayn-Got. und dem Catalogue général käme als Verfasserin evtl. auch MME DE VIEUX-MAISONS in Frage). — Erste deutsche Ausgabe. Der Übersetzer war Samuel Gotthold Lange. — Das Original dieses höchst interessanten, auf Régime und Politik Ludwigs XV bezüglichen Schlüsselromans erschien ein Jahr zuvor in Amsterdam unter dem Titel „Memoires secrets pour servir à l'histoire de Perse"

Pecqueur, Car. Albert. Joseph. (geb. Duisburg 1806). De climatis [illegible] in corpus humanum efficacitate generatum et de epidemia febris in Batavia endemicae a me observata specimen. Berolini (1853). [illegible] 8°
Berlin, Med. Diss. v. 11. März 1853

Pécsi, Gust., Krisis der Axiome der modernen Physik. Reform der Naturwissenschaft. I. Buch: Newtons System u. d. neue phys. System. II. Buch: Das neue Sonnensystem. (405 S.) 8. Esztergom (Gran) 908. (G. Buzárovits.) Geb. 4. —

PECSICS, Árpád v.: **Über Allocinchonin. — 1901. 26 Bl. Diss. Graz, Univ.**

PECSNER, Aemilius De Gallicanismo. — (1881) 87 S. 8° (Handschr.)
Diss. Wien, Univ. Diss. 446

Pecz, A. v.: England und der Kontinent. (75 S.) 8°
Wien: Fromme 1910.

(F) **Pecz, A. v., England und der Kontinent. 2. Auflage. Lex.-8°. (51 S.)** † Wien Fromme 1909 **K 1.50**

Pecz, Wilh., Beiträge zur vergleichenden Tropik der Poesie. 1. Thl.: **Systematische Darstellung der Tropen des Aeschylus, Sophocles und Euripides, mit einander verglichen und in poet. und culturhistor. Rücksicht behandelt. gr. 8. (XII, 172 S.) Berlin 886, Calvary und Comp.** *

Aus Berliner Studien für classische Philologie und Archäologie, besonders abgedruckt.

—— dass. — s. **Studien, Berliner, für classische Philologie und Archäologie.**

Péczely, Ign. v., s. **Schlegel, Emil.**

Péczely, Ign., Entdeckungen auf dem Gebiete der Natur- u. der Heilkunde. Die chronischen Krankheiten. 1. Hft. 2. Aufl. Anleitung zum Studium der Diagnose aus den Augen. Mit 3 (lith. u. chromolith.) Taf. u. 8 in den Text gedr. Abbildgn. gr 8. (III, 82 S.) Budapest 881. (Tettey & Co.) n. 6. —

Péczely, Ign., die Lungenschwindsucht u., behufs Bewahrung vor derselben, Instruction zur gründlichen Heilung der acuten u. chronischen Lungencatarrhe. Ster.-Ausg. 8. (16 S.) Budapest 884. (Tettey & Co.) n. — 40

Peda, des Zwillings, Geschichte, s. Kanne, J. A., im Alphabet.

Pedanios Dioskurides, s.: Dioskurides.

Pedante --- , Der // Hochtrabende // Pedante. - 8 Blatt (nicht paginiert).
Das Schriftchen richtet sich wohl gegen den Leipziger Prof. Otto Mencke. Mensifacius heißt er als Herausgeber der Acta Eruditorum.
B. S. T. 8°.45.

Pedanten, Obscuranten, Bigotten u. Fanatiker, die, unseres Jahrhunderts. Ein Echo v. Sailers Geist gegen die falschen Werber unserer Zeit. Hrsg. v. J. M. F. 8. (18 S.) Augsburg 849, Kollmann in Comm. 2 ngl.

Pedanterei, Die, im Kriege. Rinteln 1749. 2. A. Erfurt 1750. V: *Wedekind, Rudolph.* (ML)

Die Pedanterie im Kriege 4 Rinteln 1750.

Pedantius, a latin comedy formerly acted in Trinity college, Cambridge, ed. by G. C. Moore Smith, s.: Materialien zur Kunde des älteren englischen Dramas. VIII.

Pedczenko, Marie. Gerichtlich-medizinische Untersuchungen über die Spuren auf den Kleidern bei verschiedenen Körperverletzungen. Diss. Med. Univ. Zürich. 30 S. 8. Zürich, A. Markwälder, 1910.

Pedell, Heinrich Gacander (Pless/Schlesien), De diaphoretica methodo. Diss. med. Präs. Johann Christian Reil. Halle (Tramp) 8. VII. 1797. 31 S. (4.25) 26002
Gew.: Joachim Samuel von Elsner, Johann Gacander Lehmann.

Pedell, Karl

Pedell, Carl (geb. Lobsens in Posen) Thesen. Berlin (1870). (2 Bl.) 8°
Berlin, Med. Thes. v. 22. Juli 1870

Pedemont, Vict. Amad., theoretisch-praktische Grammatik der englischen Sprache. Nach einer neuen Methode mit einer bedeutenden Anzahl accentuirter Uebungen und Beispiele. gr. 8. (XV und 348 S.) Wien 860, Braumüller's Verlags-Conto.

Pedemont, Vict. Amad., theoretisch-praktische Grammatik der englischen Sprache mit einer bedeutenden Anzahl Vokabeln, ferneren syntakt. Regeln, Redensarten und Uebungen etc. versehen. 2. Cursus. gr. 8. (X und 394 S.) Wien 862, Braumüller. *
1. Cursus. Ebendas. 1860. * 1 Thlr. 12 Ngr.

Pedemont, Vict. Amadeus, theoretisch-praktische Grammatik der englischen Sprache. Nach e. neuen Methode m. e. bedeutenden Anzahl accentuirter Uebgn. u. Beispiele. 1. Cursus. 2. verb. Aufl. gr. 8. (VI, 301 S.) Wien 873. Braumüller. n. 5. —

Pedemont, Vict. Amad., Handbuch der englischen u. deutschen Conversation, mit einer Serie ausgewählter mercantiler Gespräche u. Briefe. — Manual of English and German conversation. Wien 867. Gerold's Sohn. 16. (XI, 271 S. mit 1 Tab. in gr. Fol.) n. 24 ngr.

— leichtfaßliches Handbuch der deutsch-englischen Handelscorrespondenz m. Varianten u. besond. Rücksicht auf Handelsschulen, Bankinstitute, den kaufmänn. Stand u. zum Selbstunterrichte. Im Anh. e. ausführl. Wörterbuch mercantil. Ausdrücke. gr. 8. (IV, 212 S.) Wien 873. Gerold's Sohn. n. 4. —

—— englisches Lesebuch. Eine Auswahl der besten prosaischen und poet. Schriften der Neuzeit mit deutschen Anmerkungen. — Modern British authors' tales, sketches, essays, poetry. A reading-book. gr. 8. (IX und 408 S.) Wien 863, Braumüller. *

—— Lessons in english reading. Auswahl fortschreitender unterhaltender Leseübungen mit wörtlicher oder freier Uebersetzung und vollständ. Accentuirung nach des Verf. engl. Grammatik. gr. 8. (VIII und 300 S.) Wien 861, Braumüller's Verlags-Conto. Thlr.

— lessons in english reading. Auswahl fortschreit. unterhalt. Leseübgn. m. wörtl. Accentuirg. nach d. Verf. engl. Grammatik. 2. sorgfältig rev. Aufl. gr. 8. (X, 296 S.) Wien 873. Braumüller. n. 5. —

Pedemont, Victor Amadeus, the school and travelling companion. Manual of english and german conversation. (Praktisches Handbuch der englischen und deutschen Conversation, mit einer Serie ausgewählter merkantiler Gespräche und Briefe.) 8. (XI u. 271 S.) Ebds. 1 fl. 20 kr.
1867.

—— die englischen Schriftsteller älterer und neuerer Zeit. Eine historisch-krit. Sammlung von Auszügen aus ihrem Leben und ihren Werken chronologisch geordnet. In Fragen und Antworten. gr. 8. (VI und 288 S.) Wien 864, Braumüller. *

Pedemont, Vict. Amadeus, English Spelling-Book für Kinder und Erwachsene. Zur genauen Trennart, korrekten Aussprache und Orthographie engl. Vokabel mit einer Serie progressiver Memorir-, Lese-, Sprech- und Uebersetzungs-Uebungen. gr. 8. (X, 125 S.) Wien 870, Gerold's Sohn. *

Pedemontanus, Alexius: „Kunstbuch von mancherleyen nutzlichen vnnd bewerten Secreten oder Künsten; ins Teutsch gebracht durch Hansh Jacob Wecker", Basel 1616 (Ludwig König). — German. Nat. Mus. Nürnberg.

Pedemontio, Franciscus
s.: Francesco de Piedimonte

Pedersen, Gullow [aus Moss, Norwegen]: Studien über Aloë. Bern 1898. 69 S. 8°.
Bern. Phil. Diss. 1897/98.

Pedersen, Herm., u. Alb. **Schmidt**, dänische Unterrichts-Briefe für das Selbst-Studium nach der Methode Toussaint-Langenscheidt. 1—10. Brief. gr. 8. (160 S.) Leipzig 882. Morgenstern. à — 50

Pedersen, Herm., u. Alb. **Schmidt**, dänische Unterrichts-Briefe f. das Selbst-Studium nach der Methode Toussaint-Langenscheidt. 11—20. (Schluß-)Brief. gr. 8. (S. 161—320.) Leipzig 883. Morgenstern. à n. — 50

Pedersen, Holger, Aspirationen i Irsk, en sproghistorisk undersogelse. 1. del. Medet tillaeg: Thesen til den indoevropaeiske sproghistorie. gr. 8. (VIII, 200 S.) Leipzig 897. M. Spirgatis. n. 4. 50

Vergleichende Grammatik der keltischen Sprachen von Holger **Pedersen**, Prof., København. Bd 1. Göttingen: Vandenhoeck & Ruprecht 1908. 8°
= **Sammlung**, Göttinger, indogerman. Grammatiken [3,] 1. (08. 13397

— albanesische Texte m. Glossar. (Aus: „Abhandlgn. d. k. sächs. Gesellsch. d. Wiss."] Lex.-8. (208 S.) Leipzig 895. B. G. Teubner. n. 8. —

— zur albanesischen Volkskunde. Übersetzg. d. in den Abhandlgn. d. kgl. sächs. Ges. d. Wiss., phil.-hist. Cl. XV vom Verf. veröffentl. alb. Texte. gr. 8. (V, 125 S.) Kopenhagen 898. S. Michaelsens Nachf. n. 6. —

Pedersen, Hugo V., durch den indischen Archipel. Eine Künstlerfahrt. gr. 4. (303 S. m. Abbildgn. u. 8 farb. Taf.) Stuttgart 902. Deutsche Verlags-Anstalt. Geb. in Leinw. n. 25. —

Pedersen, Jens, über die Versicherung minderwertiger Leben. (V, 118 S.) gr. 8. Jena 906. G. Fischer. n. 3. —

Pedersen, R. H., Experiment. Untersuchungen der visuellen u. akustischen Erinnerungsbilder, angestellt an Schulkindern, s.: Sammlung v. Abhandlungen zur psycholog. Pädagogik. II, 1.

Pedersen, R. H., das Wetter u. unsere Arbeit, s.: Sammlung v. Abhandlgn. zur psycholog. Pädagogik. II, 2. (Lehmann, Alfr.)

Pederzani-Weber, Julius

Pederzani, Jul., in Acht u. Bann. Erzählung. 8. (307 S.) Preßburg 874. Heckenast. n. 4. 20

Pederzani-Weber, Jul., unter den Adlern Napoleons. Eine geschichtl. Erzählg. aus dem J. 1812. Der reiferen Jugend gewidmet. Illustriert v. Pet. Geh. gr. 8. (196 S. m. 3 farb. Bildern u. 1 Bildnis.) Berlin (902). R. Gahl. Geb. 3. 50

Pederzani, Jul., die christliche Andacht. 8. (256 S. mit 1 Stahlst.) Budapest 875, Heckenast. * M 3.; geb. *

—— dass. — 2. Ausg. gr. 16. (256 S. mit 1 Stahlst.) Preßburg 875, Heckenast's Nachf. *

Pederzani, Jul., die christliche Andacht. (Gebetbuch f. Altkatholiken.) 2. (Titel-)Ausg. 16. (256 S. m. 1 Stahlst.) Preßburg 891. G. Heckenast's Nachf. Geb. in Lbr. m. Goldschn. n. 4. —; m. Schließe n. 4. 80

PEDERZANI, Julius

(F) Die christliche Andacht. Von Julius Pederzani. 2. Ausgabe. Pressburg und Leipzig. [1899.] Heckenast. 16°. 256 S. mit 1 Tafel. In Ldrbd. fl. 3.—

Mit Schliesse fl. 3.60

Pederzani-Weber, Jul., die Belagerung v. Straßburg. Erlebnisse e. deutschen Schülers im J. 1870. gr. 8. (184 S. m. Abbildgn.) Leipzig 895. Volkening & Co. 2. —; geb. 2. 50

Pederzani-Weber, Jul., das Thorner Blutgericht. Erzählung aus der Zeit der Polenherrschaft in Preußen. Dem deutschen Volke u. der deutschen Jugend gewidmet. Mit Abbildgn. nach Originalen v. M. Hänicke. (171 S.) gr. 8. Berlin (903). Meidinger's Jugendschr.-Verlag Geb. in Leinw. 4. —

— das Buch der Mutterliebe. Der Jugend gewidmet. Mit 16 Vollbildern v. Fritz Bergen. (V, 278 S.) 8. Leipzig (906). Schmidt & Spring. Geb. in Leinw. n. 4. 50

(G) — Das Buch von der Mutterliebe. 906. (KVL 34.) Erm. Pr. 3. —

Pederzani-Weber, Jul. v., der Einsiedler von Sankt Michael. Erlebnisse eines Deutschen an der Nordwestküste von Amerika. Nach dessen Briefen der reiferen Jugend erzählt. gr. 8. (176 S. mit vielen Abbild. nach Orig.-Zeichnungen von Joh. Gehrts.) Leipzig 888, Hirt und Sohn. ℳ 3.50.; geb.

— der Einsiedler v. Sankt Michael. Erlebnisse eines Deutschen an der Nordwestküste v. Amerika. Nach dessen Briefen der reiferen Jugend erzählt. Mit vielen Abbildgn. nach Orig.-Zeichngn. v. Joh. Gehrts. 1. u. 2. Aufl. gr. 8. (176 S.) Leipzig 889. Hirt & Sohn. 3. 50; geb. 5. —

— die geheime Feme. Ein Kulturbild aus dem deutschen Mittelalter, der reiferen Jugend geschildert. Mit 9 großen Tonbildern nach Orig.-Zeichngn. v. Fritz Grotemeyer. gr. 8. (VII, 224 S.) Leipzig 891. Abel & Müller. Geb. in Leinw. n. 6. —

— die geheime Feme. Ein Kulturbild aus dem deutschen Mittelalter, der reiferen Jugend geschildert. Mit 9 großen Tonbildern nach Orig.-Zeichngn. von Fritz Grotemeyer. 3. Aufl. gr. 8. (VII, 224 S.) Ebd. (899). Geb. in Leinw. n. 4. 50

— die geheime Feme. Ein Kulturbild aus dem deutschen Mittelalter, der reiferen Jugend geschildert. Mit 9 großen Tonbildern nach Orig.-Zeichngn. v. Fritz Grotemeyer. 5. Aufl. (VII, 224 S.) gr. 8. Leipzig (903). Abel & Müller. Geb. in Leinw. n. 4. 50

Unter der Flagge der Hansabrüder. Die Siege d. deutschen Bürger über d. Seeräuber d. Nordens. Eine der reiferen Jugend gewidmete kulturgeschichtl. Erzählung von Jul. **Pederzani**-Weber. Mit Ill. Berlin: Globus-Verl. [1907]. (240 S.) 8° [F.] [07. 3390

Pederzani-Weber, die soziale Frage u. die Frauen. Eine Studie. 8. (55 S.) Leipzig 885. M. Schäfer. — 75

Pederzani[-Weber], Julius: Die Frauen. Eine Studie. — Pest: Heckenast 1872. 95 S. 8°

Pederzani-Weber, Jul., Gisco vom Reste, s. a. Erzählungen aus Schlesiens Geschichte u. Sage. 2. Bd.

Gisco vom Reste. Eine Erzählung aus Breslaus großer Vergangenheit ... von Jul[ius] **Pederzani**-Weber. Mit Buchschmuck von Hermann Knobloch. Breslau: Goerlich [1910]. 166 S. 8°
(Erzählungen aus Schlesiens Geschichte u. Sage. Bd 2.) [11. 5478 2

— das Goldland am Klondike. Erlebnisse eines Deutschen in Alaska. Nach dessen Briefen der reiferen Jugend erzählt. 2. [Titel-]Aufl. Mit 6 Holzschn. nach Zeichngn. v. Johs. Gehrts. gr. 8. (152 S.) Leipzig [901.] (902). F. Hirt & Sohn. 2. 25; geb. in Leinw. 3. —

Pederzani-Weber, J., Goetz v. Berlichingen m. d. eisernen Hand. Eine kulturgeschichtl. Erzählg. f. die reifere Jugend. gr. 8. (VII, 192 S. m. 10 Tonbildern nach Ed. Kämpffer.) Leipzig 889. Abel & Müller. geb. n. 6. —

— Goetz v. Berlichingen m. der eisernen Hand. Eine kulturgeschichtl. Erzählg. f. die reifere Jugend. Mit 10 Tonbildern nach Orig.-Zeichngn. von Eduard Kämpffer. 4. u. 5. Aufl. gr. 8. (à VII, 192 S.) Leipzig (900. 902). Abel & Müller. Geb. in Leinw. n. 4. 50

— Goetz v. Berlichingen m. der eisernen Hand. Eine kulturgeschichtl. Erzählung f. die reifere Jugend. Mit 10 Tonbildern nach Orig.-Zeichngn. v. Eduard Kämpffer. 6. Aufl. (VII, 192 S.) gr. 8. Ebd. (904). Geb. in Leinw. n. 4. 50

— Großstadtkinder od. der Segen guter Sitten. Eine Erzählg. für die Jugend. Mit 4 Vollbildern nach dem Entwurf e. bekannten Meisters. gr. 8. (224 S.) Berlin 888. Mehring. geb. n. 4. 50

Restvorräthe übernahm A. Glottko in Berlin.

— junge Helden. 4 Erzählgn. aus der Jugendwelt. (III, 107 S. m. 4 Farbdr.) 8. Stuttgart (904) Loewe. Geb. in Leinw. 2. —

— Junge Helden. 4 Erzählgn. aus d. Jugendwelt. 2. Aufl. (V, 105 S. m. 4 farb. Vollbildern.) 8. Stuttgart (910). Loewe. Geb. in Leinw. 2. —

— Am Hofe der Königin Luise, s.: Oehmigke's Jugendbibliothek.

Pederzani-Weber, Jul., am Hofe der Königin Luise, s.: Spiegelbilder aus d. Leben u. d. Geschichte d. Völker.

— die Hussiten in der Mark, s. a. Trewendt's Jugendbibliothek.

Pederzani-Weber, Jul.: Die Hussiten in der Mark. Ein Bild deutschen Bürgermutes im 15. Jh. Der reiferen Jugend geschildert von —. Mit Titelbild. Berlin: E. Trewendt [1904]. (116 S.) 8°
(Trewendt's Jugendbibliothek. N. F. 61. Bd. 130.)

— der große Kaiser u. sein Jugendfreund. Geschichtliche Erzählg. f. die reifere Jugend, f. Volk u. Heer. Mit 12 Kopfleisten, sowie 4 Tonbildern. 1. u. 2. (Titel-)Aufl. gr. 8. (VIII, 204 S.) Leipzig 890. 891. Spamer n. 4. —; geb. n. 5. —

— d. große Kaiser u. s. Jugendfreund. Geschichtl. Erzählg. f. die reif. Jugend, f. Volk u. Heer. 3. [Titel-] Aufl. Mit 12 Kopfleisten sowie 8 Tonbildern. gr. 8. (VI, 204 S.) Leipzig (891) 897. O. Spamer. n. 3. —; geb. in Leinw. n. 4. —

— Erzherzog Karl u. sein Grenadier. Eine geschichtl. Erzählg. aus den Kriegsjahren 1793 bis 1809. Der reiferen Jugend gewidmet. Mit 2 Farbendr., 6 Tondr.-Bildern u. e. Anzahl v. Holzschn. gr. 8. (237 S.) Teschen 892. K. Prochaska. Geb. in Leinw. n. 5. —

-- Der Kinderkreuzzug, s.: Oehmigke's Jugendbibliothek.

— der Kinderkreuzzug, s.: Spiegelbilder aus d. Leben u. d. Geschichte d. Völker.

—— die Kirche der Wahrheit. Rede, gesprochen in der Kirche am Hof den 8. März 1871. 8. Wien 871, v. Waldheim. *

— kleine Knaben — große Helden. Bilder aus d. Jugendwelt. Mit 15 Vollbildern v. Fritz Bergen. gr. 8. (VI, 210 S.) Leipzig (899). Schmidt & Spring. Geb. 4. —

— Kleine Knaben — große Helden. Bilder aus der Jugendwelt, geschildert. Mit 15 Vollbildern v. Fritz Bergen. 2. Aufl. (VI, 210 S.) 8. Leipzig (909). Schmidt & Spring. Geb. 4.—; erm. Pr. 2. 70

Pederzani-Weber, Jul., das rote Kreuz. Eine Erzählg. f. Deutschlands Frauen, Volk u. Heer. Nach den hinterlassenen Aufzeichngn. e. Dame geschildert. gr. 8. (V, 135 S.) Leipzig 891. Abel & Müller. Geb. in Leinw. n. 2. —

— die moderne Kultur u. die Frauen, s.a. Fragen, zeitbewegende.

Pederzani-Weber, [Julius]: Die moderne Kultur und die Frauen. Eine soziale Studie. — Leipzig: Wolf 1884. 48 S. 8° (Zeitbewegende Fragen. 7.)

-- die moderne Kultur u. die Frauen. Eine soziale Studie. 3. (Titel-)Aufl. gr. 8. (48 S.) Leipzig 890. Levien. — 50

—— Kynstudt. Die Siege der Helden der Marienburg über die Heiden des Ostens. Kulturgeschichtl. Bilder, der reiferen Jugend erzählt. gr. 8. (208 S. mit vielen Abbild. nach Orig.-Zeichnungen von Joh. Gehrts.) Leipzig 888, Hirt und Sohn. ℳ 4.50.; geb.

— die Marienburg. Deutschlands erste Kulturstätte im Osten. 8. (VII, 147 S.) Berlin 886. Friedrich Nachf. n. 2. 50

— die Marienburg. Deutschlands erste Kulturstätte im Osten. 2. Aufl. 8. (III, 147 S.) Berlin 887. Friedrich Nachf. n. 2.—

— die Marienburg. Eine deutsche Kulturstätte im Osten. 3., völlig umgearb. u. m. Abbildgn. ausgestattete Aufl. gr. 8. (132 S.) Königsberg i/Pr. 890. Bon's Verl. n. 3.—; geb. n. 4.—

Pederzani-Weber, J., Giuseppe Mazzini u. seine Ideen zur Linderung des sozialen Elends. gr. 8°. Berlin, Gergonne u. Co., 1888.

— die Opfer d. Beichtstuhles. Maria Mörl — Elise Sachs — Anna Dunzinger. 2. Aufl. 8. (48 S.) Wien 876. v. Waldheim. n. — 40

— auf rauhen Pfaden. Abenteuer u. Erlebnisse. Nacherzählt u. geschildert. 1. Bd. 8. (191 S. m. Abbildgn.) Leipzig 891. A. Twietmeyer. Geb. in Leinw. n. 3.60; auch in 4 Lfgn. à n. — 60

— dasselbe. Neue Folge. Bearb. v. Gust. Benseler. gr. 8. (VIII, 192 S. m. Illustr.) Ebd. 892. Geb. n. 3. 60; auch in 4 Lfgn. à n. — 60

Pederzani-Weber, Jul. v., Südfrüchte, s. Mehring's Unterhaltungsbibliothek.

— die verlorene Tochter. Eine Erzählg. aus dem Leben e. kleinen Stadt. Mit Orig.-Zeichngn. v. Thekla Brauer. 8. (V, 126 S.) Leipzig 890. Spamer. n. 2.—; geb. n. 3.—

-- die verlorene Tochter. Eine Erzählg. aus dem Leben e. kleinen Stadt. Mit Orig.-Zeichngn. v. Thekla Brauer. Wohlf. (Titel-)Ausg. gr. 8. (V, 126 S.) Leipzig 894. O. Spamer. n. 1.—; geb. in Leinw. n. 1. 50

— treu f. Kaiser u. Reich. Unter Landsknechten. Erzählg. f. die Jugend. Mit 4 Aquarellbildern v. M. Raenike. gr. 8. (III, 143 S.) Berlin (902). H. J. Meidinger. Geb. in Leinw. n. 3. —

— Der Treuschwur des Kunrat Letzkau. Eine geschichtl. Erzählg. aus Danzigs großer Zeit. (VII, 141 S. m. Abb.) gr. 8. Danzig 909. A. W. Kafemann. 150; geb. 2. —

— der Weiberfeind. Eine Erzählg. aus dem Thüringer Wald. 8. (V, 161 S.) Leipzig (900). B. Franke. n. 2.—; geb. in Leinw. n. 2. 50

PEDERZOLLI, Tryphon: De Isaiae vaticinio c. VII vv. 14—16. — (1891) 106 S. 4° (Handschr.) Diss. 512
Diss. Wien, Univ.

Pedetti, M. Kurze Darstellung der Kriegsbegenheiten, bey dem Vordringen der französ.-Moreau'schen Armee-Abtheilung nach Eichstätt v. 11.—16. Sept. 1796. Karte der Umgeg. v. E. mit Angabe der Stellungen, u. Plan m. Text. fol. Augsburg s. a.

Grundriss der Hochf. Residenzstadt Eichstädt und Plan von dessen Gegenden auf 8 Stunden im Durchmesser, dann Prospect der Stadt gegen Orient, Unter beglückter Regierung des Hochwürdigst. etc. Aufgenommen und gezeichnet von Moritz Pedetti, Hochf. Hof- und Kammerrath, Architect und Baudirectorn im Jahr 1795. Augsburg bey Gebrüder Klauber. Gegraben von B. F. Leitzelt A. V. 1: 7600. 1 Bl.

Pedetti, Peter Jos Mor., Karte des Rheinstroms von Basel bis Coblenz, worin die Beschreibung der Feldzüge von 1792—93. Nürnberg, Homann's Erben, 1794. 4 Bll. Fol. Kupf. u. kolor. . . . . [illegible]

Pedewitz, Ioa. Fel., († 1705), Historia ecclesiastica ecclesiae parochialis S. Jacobi Nissae. Mit e. Register versehen u. m. Erlaubnis des derzeit. Neisser Pfarrers, Erzpr. Aug. Pischel, durch den Druck hrsg. v. Bernh. Ruffert. (132 S.) gr. 8. Neisse 905. (J. Graveur.) 2. —
Sonderabdr. a.: „31. u. 32. Bericht der Neisser Philomathie".

Pediasimus, oder Galenus, Joa., Geometrie zum ersten Male hersg. u. erläut. von Gfried. Friedlein. Berlin 864. Calvary & Co. gr. 4. (40 S. mit 2 Steintaf. in qu. 4.) n. 16 ngr.

Pediasimus, oder Galenus, Joa., Geometrie zum ersten Male hrsg. und erläut. von Gfried. Friedlein. gr. 4. (40 S. mit 2 Stnt. in qu. 4.) Berlin 866, Calvary und Comp. *

Pediasimus, Geometrie hrsg. u. erläut. v. G. Friedlein. Pr. 1869. 40 S. m. 2 1
Taf. 4°. 1

Pediasimi libellus de XII Herculis laboribus, s.: Mythographi graeci.

Pedicini, Frz., der heil. Patriarch Joseph als Muster der Gerechtigkeit vorgestellt. Ein Buch für Priester u. Familienväter. Mit Genehmigung des Verf. aus dem Ital. übersetzt von einem katholischen Priester. gr. 16. (276 S. m. einer Chromoxylogr.) Regensburg 878. Pustet. n. — 90

[Pediculoso]: Vertheidigung der Mönche von einem Capuziner. Aus d. Franz. übers. Berlin 1783.

Pedigree der Vollblut-Hengste welche in Deutschland bis ... 1857 zur Zucht benutzt worden sind. Berlin 1857. V: *Gräfe*, *Carl.* (Ky)

Pedigree der Vollblut-Hengste welche in Deutschland bis einschliesslich 1857 zur Zucht benutzt worden sind. (Von Gräfe.) Berlin 857. Asher u. Co. Lex.-8. (2 Bl. u. 7 Tab. in Fol.) n. 2 ₰.

Pedo Albinovanus, s. Albinovanus.

Pedo-Albinovanus, C., drei (ihm zugeschriebene) Elegien, nebst einem Fragmente dieses Dichters, der latein. Text mit einer metrischen Uebersetzung und Anmerk. von J. H. F. Meineke. 8. Quedlinburg, Basse. 819. Rthlr.

Pedolin, Albert, z. Z. Assistenzarzt am Kantonsspital Aarau [von Chur, Kt. Graubünden]: Aus dem Kinderspital in Zürich. Die functionellen Resultate der conservierenden und operativen Behandlung der tuberculösen Coxitis im Kindesalter. Aarau H. R. Sauerländer u. Cie Dr. 1895. 66 S. 8°.
Zürich, Med. Diss. [v. 8. Mai 1895].

Pedott, Joseph: Die deutsche Arbeiterversicherungsgesetzgebung und ihre soziale Bedeutung. (Berlin 1910: Ebering.) 71 S. 8° ¶ (Rest ersch. in England u. d. T.: The German Workmen's Insurance-Legislation and social Effect.)
Berlin, Phil. Diss. v. 16. Febr. 1910, Réf. Sering
[Geb. 29. Juni 81 Chicago; Wohnort: Chicago; Staatsangeh.: Vereinigte Staaten; Vorbildung: High School u. Univ. Chicago B. Phil. 06; Studium: Berlin 7 S.; Rig. 3. Febr. 10.] [U 10. 222

Pedotti, Adolf, prakt. Arzt. von Fettan (Engadin): Aus dem pathologischen Institute der Universität Zürich. Über Mammacysten. Zür. Orell Füssli Dr. 1897. 35 S. 8°.
Zürich, Med. Diss. [v. 19. Febr. 1897].

Pedraglia, Bernh., Alma Julia. Ein Gedenkblatt zur Feier des 300jährigen Jubiläums der Julius-Maximilians-Universität zu Würzburg. 8. (28 S. mit 1 Holzschntaf.) Würzburg 882. Woerl. n. — 50

Pedraglia, Bernh., Julius Echter v. Mespelbrunn, Fürstbischof v. Würzburg, der Wohlthäter d. Frankenlandes. Ein Gedenkblatt zur Feier d. 300-jähr. Jubiläums d. Juliusspitales zu Würzburg. 8. (32 S. m. 1 Holzschntaf. in qu. 4.) Würzburg 876. Woerl. — 30

— die Marien-Capelle auf dem grünen Markt zu Würzburg. Ein Gedenkblatt zur 500jährigen Jubelfeier dieser Capelle. Mit einem (lith.) Bilde (in 4.). 8. (34 S.) Ebend. 877. n. — 50

Pedraglia, Karl August

Pedraglia, C[arl] A[ugust] (Assenheim)
Vier Fälle von Epithelialkrebs auf alten Narben.
Giessen: Brühl 1853. 38 S. mit 6 Abb. (in Δ mit „Thesen")
Diss. med. 29.6.1853. vorh. 26. 7. 11. Δ.

Pedrayes, Augustinus: Programma et Problema. – 1796.

Pedrazzina, M. Storia illustrata della Svizzera. Av. 24 illustrat. In-8°, 256 p. Einsiedeln, Gebr. Benziger. 1885 1 50

Pedreira do Coutto Ferraz, Luiz, die deutschen Ackerbau-Colonien in Santa Catharina. [Brasilien.] Ihre Lage u. ihre Zukunft. In's Deutsche übertragen u. mit einem einleitenden Vorworte versehen von Otto Köhler. Hamburg 859. G. W. Niemeyer. gr. 8. (XV, 100 S.) n. 15 ngr.

Pedretti, F. X. L., die kleinen Insulaner od. die drei Freunde im Glück u. Unglück. Eine Robinsonade z. Belehr. u. Unterhalt. f. d. Jugend. 1. Aufl. gr. 12. (8 B. u. 4 ill. Kpfr.) 836. 1 Thlr., 2., durchgeh. umgearb. Aufl. 8. (10 B. u. 4 ill. Kpfr.) Leipzig 841, Hirschfeld.

Pedretti, Karl

Pedretti, Carl [Rechtspraktikant aus Amberg]: Zur Lehre von der Amortisation der Inhaberpapiere ... Amberg, Druck v. H. Böes, *1895*. 40 S. 8.
Erlangen, Jur. Fak., Inaug.-Diss. v. Mai 1895.

Pedrillo del Campo; s. Campo.

Pedrillo del Campo eine komische Geschichte, aus dem Franz. des Herrn Thibault, 3 Theile, 8. Brünn, 785. 8. 15 sgl.

Pedro, Don, ein Roman. Berlin 1795. V: *Vulpius*, *Christian August.* (EE) »1785« (Ky)

Pedro I., Don, und Brasilien. Ein Rückblick auf d. Verhältniß, in welchem beide 10 Jahre lang zu einander gestanden haben. 8. (3½ B.) Leipzig 831, Engelmann.

Pedro und Ines. Ein deutsches Originaltrauerspiel in Versen von fünf Aufzügen. Wien 1771. V: *Weidmann*, *Paul.* (BrMm) (Jahrb. d. Grillp.-Ges. XIII.)

Pedro, Don, u. Seraphine, od. d. geheimnißvollen Waltungen d. Schicksals. 2 Bde. 8. Lpz. Rein. 804.

Pedrocchi, Jos., der Papagei, s. a. Esser's, J., Sammlg. leicht aufführbarer Theaterstücke.

[F.] Der Papagei. Schwank in 1 Aufz. Von Joseph Pedrocchi. A. d. Ital. ins Deutsche übertr. v. J[os.] Buhr, Priester d. Bist. Strassburg. *Paderborn: J. Esser 1895.* (23 S.) 1 Bd 8.
= Sammlung, J. Esser's, leicht aufführb. Theaterstücke. H. 35. [96.

Pedroli, U., Roma e la Gallia cisalpina (dal 225 al 44 a. C.) 1898. 142 S.

Pedros, Don, Rache. Eine Geschichte aus d. Zeiten Pedros des Grausamen. Nach Mortonvals „Martin Gil" aus d. Franz. übers. v. L. Kruse. 4 Bde. 8. Leipzig 833. Kollmann. $4^1/_2$ ₰

Pedrotti, Ernst, der moderne Holzbildhauer. Neue prakt. Entwürfe f. Holzschnitzereien all. Art. I. Serie. 30 Taf. Lichtdr. 2 Lfgn. (III S. Text.) 45×33,5 cm. Wien (907). F. Wolfrum & Co. In Mappe à Lfg. 20. —

— Der moderne Stuckateur. Neue prakt. Entwürfe f. die gebräuchlichsten Stuckarbeiten in modernem Stil. I. Serie. (24 Lichtdr.-Taf.) 45×34 cm. Ebd. (908). In Mappe 30.

Pedrotti, E., Der moderne Stukkateur. Serie I. 24 Tafeln in Mappe K 36.— Wien: Wolfrum 1908.

PEDROTTI, Marco

(F) Der Gyps und seine Verwendung. Handbuch für Bau- und Maurermeister, Stuccateure, Modelleure, Bildhauer, Gypsgiesser, u. s. w. Von Marco Pedrotti. Mit 45 Abbildungen. [Chemisch-technische Bibliothek Bd. 247.] Wien. Pest. Leipzig. 1901. Hartleben 8°. VIII, 264 S. K 4.40

Pée, Heinrich [aus Bilk bei Düsseldorf]: Untersuchungen über Leukocytose.... Berlin, Buchdr. v. Gustav Schade (Otto Francke) (1890); 36 S. + 2 Bl. 8°
Berlin, Med. Fak., Inaug.-Diss. v. 10. Mai 1890

Peeck, August [aus Altona]: Die Antisepsis in der Geburtshulfe und Gynäkologie .... Würzburg, Becker's Univ.-Buchdr., 1887; 28 S. 8°
Würzburg, Med. Fak., Inaug.-Diss. v. 1887

Peeck, August, die Antisepsis in der Geburtshülfe und Gynäkologie. Diss. Würzburg 1887, Stabelsche Univ.-Buchh. 8°. 28 S.

Peeck, August, Sammlung der Bestimmungen und Verordnungen für die Kolonien der Ausländer im Russischen Reich. Aus dem Russischen übers. und mit einem Anhange vervollständigt. 266 S. St. Petersburg 1862

Peeck, Heinrich, a. Breesen b. Roggendorf i. M.: Ein Beitrag zur Theorie der gebrochenen Fokaldistanzen. Rostock 1908: Adlers Erben. (73 S.) 8°
Rostock, Phil. Fak., Ref. Staude, Diss. v. 5. März 1908
[Geb. 5. April 83 Breesen; Wohnort: Rostock; Staatsangeh.: Mecklenburg-Schwerin; Vorbildung: Oberrealsch. Hannover Reife O. 03; Studium: Göttingen 5, Berlin 1, Rostock 3 S.; Rig. 3. März 08.]

Peeck, Karl, appr. Arzt a. Parchim: Ein Fall von reinem Fibrom des Dünndarms, zugleich ein Beitrag zur Resektionsfrage bei Intussusception. Rostock 1904: C. Boldt. (23 S.) 8°
Rostock, Med. Fak., Ref. Müller, Diss. v. 25. Juli 1904
[Geb. 3. Jan. 73 Parchim; Wohnort: Plau; Staatsangeh.: Meckl.-Schw.; Vorbildung: Gymn. Parchim Reife O. 92; Studium: Berlin 4, Rostock 5 S.; Coll. 7. Juli 04; Approb. 5. Nov. 01.]

Peege, B., die deutschen Eisenbahn-Gesetze, sowie die Einrichtgn. d. Eisenbahnen Deutschlands u. des Vereins deutscher Eisenbahn-Verwaltungen. Handbuch f. Eisenbahn-Beamte, unter Mitwirkg. mehr. Oberbeamten u. Beamten d. kgl. sächs. Staatseisenbahnen hrsg. 2., verm. Aufl. gr. 8. (152 S.) Dresden (894). C. Heinrich. Geb. in Leinw. n.n. 1.50

Peege, B., die deutschen Eisenbahn-Gesetze sowie die Einrichtungen der Eisenbahnen Deutschlands u. des Vereins deutscher Eisenbahn-Verwaltungen. Unter Mitwirkung mehrerer Oberbeamten u. Beamten der königl. sächs. Staatseisenbahnen hrsg. 3. (neu bearb.) Aufl. gr. 8. (166 S. m. 1 Taf.) Dresden 901. C. Heinrich. Geb. in Leinw. n. 2. —

Peek, J. H. Die neuesten Sterblichkeitstafeln des Pensionsfonds für Witwen und Waisen niederländischer Staatsbeamten. s'Gravenhage 1903.

Peekel, Gerh., Grammatik der neu-mecklenburg. Sprache speziell der Pala-Sprache, s. Archiv f. d. Studium deutscher Kolonialsprachen. IX.

Peekel, P. Gerhard: Grammatik der Neu-Mecklenburgischen Sprache speziell d. Pala-Sprache von P. Gerhard Peekel, Miss. Berlin: G. Reimer in Komm. 1909. XIV, 216 S. 8°
(Archiv f. d. Studium deutscher Kolonialsprachen. Bd 9.)

— Religion u. Zauberei auf dem mittleren Neu-Mecklenburg, Bismarck-Archipel, Südsee, s. Anthropos-Bibliothek. I. Bd. 3. Heft.

Religion und Zauberei auf dem mittleren Neu-Mecklenburg, Bismarck-Archipel, Südsee. Von P. G. **Peekel**, Missionar. Mit 1 Kt. u. 5 Bild. Münster i. W.: Aschendorff 1910. IV, 135 S. 8°
(Anthropos-Bibliothek. Bd 1, H. 3.) [10. 17318

Peel, wohlgemeinte Rathschläge für diejenigen, die an Schwerhörigkeit leiden. gr. 12. (3½ B.) Prag 842, Haase Söhne, Brlgs.-Expedition.

Peel und **Cobden.** Englands Todtengräber. Aus dem allgemeinen Anzeiger für Rheinland-Westfalen Kölnische Handels-Zeitung. Köln 1879.

Rechtfertigung der Freihandelspolitik. Rede Sir ROBERT PEEL's, gehalten im Unterhause am 6. Juli 1849 gegen den Antrag d'Israeli's auf Wiedereinführung von Schutzzöllen. Hamburg 1849. Druck von H. G. Voigt. 8o.

Peel's, Rob., Rede gegen die Schutzzölle! gehalt. in der Parlamentssitzung v. 22. Jan. 1846. In's Deutsche übertr. v. A. Kretzschmar. 8. (4 B.) Grimma 846, Verlags-Compt.

Peel, Rob., Rede an d. Studirenden in Glasgow. 2. Aufl. 8. (1 B.) Leipzig 837, Schreck. *
Aus der: Leipziger Zeitung 1837, No. 32—36., besond. abgedruckt.

Peel, Sir Robert, die Tarifvorschläge, s. Zollvereinsfragen.

— s. Wunder, die, des menschl. Körpers.

Peemöller, J. F., arithmetische Aufgaben zur Einübung und Befestigung der 4 Spezies in ganzen und gebrochenen, in unbenannten und benannten Zahlen, mit Einschluß der Dezimalbrüche, der Jugend für Haus und Schule dargeboten. Neustadt a. d. O. 853. Wagner. (Plauen, Schröter.) 8. (IV, 68 S.) 6 ngr.

Peemöller, J. F., Grundlage d. Schulunterrichts, ein Lesebuch für 6—9jährige Kinder. 8. (IV u. 124 S. m. 1 lith. Schrifttaf. u. 1 lith. Taf. Abbildgn.) Neustadt a. d. O. 850, Wagner. ⅓ ℳ

— Resultate zu den arithmetischen Aufgaben. Ebend. 853. 8. (23 S.) 3 ngr.

Entstehung und Entwickelung der Schonen- und Bergenfahrer-Kompagnie zu Greifswald, nach im Rathsarchiv vorhandenen Aufzeichnungen zsgest. von J. **Peemüller.** (Greifswald 1903: F. Bärwolff.) (16 S.) 4°(8°) [Kopft.] [06. 8771 9

Peenert, Aug., Aufruf u. Programm-Entwurf z. Gründung e. nation. Sozialistenpartei Deutschlands: Zugleich e. Kritik d. mod. Sozialdemokratie! Nebt Anh.: Was Karl Marx u. Friedrich Engels üb. die Wirtschaftskrisen u. die Rolle d. Geldkapitals in d. kapitalist. Gesellschaft zu sagen hatten. (72 S.) gr. 8. Wachau bei Leipzig 908. Selbstverlag. 1.—

Peer, Florian, aus Sent Experimentelle Untersuchung sehr dünner Metallfäden. Zürich 1904. 24 S. 8°. [2. VIII. 04.]
Zürich Phil. Diss. II. S. 1904,1905.

Peer, Florian. Experimentelle Untersuchung sehr dünner Metallfäden. Diss. Phil. [II.] Univ. Zürich. 24 S. 8. Zürich, Orell Füssli, 1904.

Peer, Jos., aus den Erlebnissen e. Schiffsarztes. (79 S. m. Abb.) kl. 8. Brixen 906. (Preßvereins-Buchh.) n. 1.—

Peer Richard: Joh. Christian Günther in der dramatischen Literatur der Deutschen.
H. 1909 PN 2673 Diss. Wien Univ. 294

Peerboom, Alf., Kunst-Verglasungen im mod. Stil. (24 farb. Taf.) 50,5×36 cm. Plauen (910). C. F. Schulz & Co. In Halbleinw.-Mappe 36.—

Peerdt, Ernst te, Berufung. Volksstück in 1 Aufzug. 8. (79 S.) Straßburg 901. J. H. E. Heitz. n. 2.—

Peerdt, Ernst te, der Dichter u. der Tod. Have pia anima. Darstellung in 1 Aufzug. Bühnentext. (33 S. m. Titelbild.) 8. Strassburg 906. J. H. E. Heitz. n. 1.—

Peerdt, Ernst te, „Ersatz-Bickel". Kunst-Monographie. 8. (38 S.) Straßburg 901. J. H. E. Heitz. n. 1.50

— das Problem der Darstellung des Momentes der Zeit in den Werken der malenden u. zeichnenden Kunst. 8. (47 S.) Ebd. 899. n. 1.—

Peerdt, Ernst te, v. dem Wesen der Kunst. Studie nach dem Leben. gr. 8. (VII, 88 S.) Leipzig 893. M. Spohr. n. 1.80

Peerenboom, Jacob [aus Wissel (Rheinprovinz)]: Über Placenta praevia und ihre Behandlung. . . . Würzburg, Becker's Univ.-Buchdr., 1887; 46 S. + 1 Bl. 8°.
Würzburg, Med. Fak., Inaug.-Diss. v. 1887.

Peerenboom, Jacob, über Placenta praevia und ihre Behandlung. Diss. Würzburg 1887, Stahelsche Univ.-Buchh. 8°. 46 S.

Peerlkamp, Peter Hofmann

– s. Acta nova literaria ...

Peerlkamp, P. H., C. Cornelii Taciti Agricola, ed. 1864. 204 S.

– s. Bibliotheca critica nova.

Peerlkamp, Petri Hoffmanni, epistolae aliq. excellentium Batavorum. III fasc. 8maj. Harlem 807. (Weidmann, Lpz).

Peerlkampii, Petri Hofmanni, opuscula oratoria et poetica, nunc primum conjunctim ed. Jo. Theod. Bergman. gr. 8. (XIII, 216 S.) Leiden 879. Brill. n.n. 3.50

—— Oratio de perpetua, quae acad. Leidensi cum gente Anausiaca intercessit, necessitudine, spectata praecipue in studiis principum. Accessit annot. histor. 8maj. (... u. 1 Stnt.) Leidae 840. (Lipsiae, Weidmann.) *

— oratio de Xenophonte Ephesio. 8maj. Harlem 806. (Weidmann, Leipz.)

Peerlkamp, P. H., Commentationis de Junio Philargyro pars I. Pr. 1846. 84 S.

Peerlkamp, P. Hofman, s. Virgilii Mar., Publ., Aeneidos libr.

Peerlkamp, P. Hoffmanni, Liber de vita doctrina et facultate Nederlandorum qui carmina lat. composuerunt. Edit. II. emend. et aucta. 8maj. (36¾ B.) Harlemi 838, Loosjes. (Lipsiae, libr. Weidmann.) *

— vitae aliq. excellentium Batavorum. 8maj. Harlem 802 (Weidmann, Leipz.)

Pérrons, Pet., Gedichte. (IV, 60 S.) 8. Dresden 904. E. Pierson. n. 1.—; geb. n. 2.—

Peers' deutsches Seebuch. Ein Ratgeber u. Führer f. deutsche Seereisende, Touristen u. Kurgäste. Nach offiziellen Quellen u. unt. Mitwirkg. d. grossen dtschn. Dampfschiffahrts-Gesellschaften m. zahlr. Illustr. u. 1 Routenkarte. (112 S.) 8. Hamburg 908. Gebr. Lüdeking. Kart. 2.—; erm. Pr. 1.—

Peers, K., der Obstwein im Hauskeller, seine Bereitung u. Pflege bis zur Reife. 8. (III, 54 S.) Güstrow 889. Opitz & Co. n. —75

Peers, K. (Karl Peters-Parchim), der Obstwein im Hauskeller, f. Bereitg. u. Pflege bis zur Reife. 2. Aufl. gr. 8. (III, 56 S.) Güstrow 895. Opitz & Co. n. —75

Peerson, Alfr., kein Zahnschmerz. Sicherster Rathgeber bei allen Zahnleiden. Berlin 867. C. A. E. Meyer. 8. (24 S.) n. 2½ ngr.

Peerz, Rud. E., der Abtheilungsunterricht in d. Volksschule. Sein Wesen u. s. Methode. (M. besond. Berücksicht. d. Schulverhältnisse auf d. Lande.) gr. 8. (III, 138 S.) Wien 897. A. Pichler's Wwe. & Sohn. n. 2.—

Peerz, Rud. E., kurzgefasste Anleitung zum Unterrichte an Landschulen, m. Zugrundelegung des Lehrganges f. die ungetheilte einclassige Volksschule. (Inliegend e. Stundeneintheilg. u. e. Lectionsplan.) gr. 8. (44 S.) Innsbruck 901. Vereinsbuchhandlung. n. 1.—

Peerz, Rud. E., s.a. Kreuz u. quer von Schule zu Schule.

(F) Peerz, R. E., Kreuz und Quer, von Schule zu Schule. 8°. (186 S.) Laibach: Kleinmayr & Fed. Bamberg 1910. K 1.50

– Lehre sparen! Ein sozialpädagog. Unterrichtsbeispiel. 2. Aufl. (16 S.) kl. 8. Laibach (908). (I. v. Kleinmayr u. F. Bamberg.) —40

Peerz, Rud. E., ein Tag, e. Jahr im Leben des Kaisers. 2. Aufl. (3.—6. Taus.) (23 S. m. 1 Bildnis.) kl. 8. Laibach 904. (J. v. Kleinmayer & F. Bamberg.) n.n. —20

(F) Peerz, R. E., Talaufwärts von Schule zu Schule. Eine lustige und lehrreiche Schulreise. 6°. (126 S.) * K 1.—
Laibach: Kleinmayr & Bamberg 1908.

Peerz, R. E., Der kürzeste und sicherste Weg im Rechenunterrichte der Volksschule. Gr.-8°. (57 S.) K 1.—
Innsbruck Wagner 1902.

— Das Zeichnen nach der Natur a) in der Stadtschule, b) in der Landschule. 2. Aufl. (XVI. 112 S.) kl. 8. Ebd. 908. 1.50; geb. 2.—
Sonderabdr. aus: „Ztschr. f. d. öst. Volksschulwesen".

Peerz, R. E., Das Zeichnen nach der Natur. 2. Aufl. 8°. (XVI, 112 S.) Laibach: Kleinmayr & Bamberg 1908. * K 1.50

Peschke, Gustav [aus Berlin]: Die negativen Fusspunktenkurven der Kegelschnitte, dargestellt als Rollkurven. . . . Berlin, Druck v. H. S. Hermann, 1890; 1 Bl., 87 S., 1 Taf. 8°
Rostock, Phil. Fak., Inaug.-Diss. v. 17. Aug. 1890

Peest [Schlagwort]

Peest, s.: Geologische Karten. Preussen. 83.

Ligne. — Peetermans, N. Le prince de . . . . ou un écrivain grand seigneur à la fin du XVIIIe siècle. 8. Liège. Paris, Vienne 1857.
— — 2e édition revue et corrigée. 8. Liège, Paris, Leipzig 1861.

Peets, W., s.: Jahresbericht der naturhistorischen Gesellschaft zu Hannover.

Peetsch (S.), & K. B. Schiedermayer. Systematische Aufzählung der im Erzherzog. Oesterreich Pflanzen. Wien, 1872. 8°.

Peetz, A., Lesebuch f. gewerbliche Fortbildungsschulen, s.: Mitzka, G.

Peetz, A. H.

Peez, A. H., Bemerkungen über die Thermen zu Wiesbaden, od. kleine Beiträge zur Pathologie, Diagnostik u. Therapie nicht genug beachteter Zustände, u. ihrem Verhältniss zu den Heilquellen. I. gr. 8. (1 ¼ B.) Wiesbaden 844, Scholz?

Peez, (A. H.,) Wiesbadens Heilquellen. Mit 1 Kpf. u. 1 Bign. gr. 8. Gießen (823), Heyer.

— s. G. H. Ritter, von den Mitteln und Wegen die Krankheiten zu vermindern.

—— Traité sur les eaux thermales de Wiesbade et sur leur efficacité dans les maladies de l'organisme, demontrée par des observations pratiques. Trad. de l'Allem. sur le manuscrit de la 2. édit. par J. P. Graffenauer. gr. in-8. (28 B., Titkpfr. u. Titlvign.) Wiesbade 830, Ritter.

Peez, H. A., das Verhältniß d. vier Elementarstoffe z. Natur. 8. Mainz, Kupferberg. 813.

Peez, H. A., das Verhältniß d. vier Elementarstoffe z. Natur. 8. Mainz 815. Kupferberg. 5 gr

—— the mineral wells of Wiesbaden and their sanative efficacy, described and illustrated by experimental evidence. gr. 12. (18 B. u. Ansichten in Stahlst.) Giessen 833, Heyer sen.

Peez, A. H., über d. Werth Wiesbadens u. einiger and. Curorte Deutschlands in Bezug auf Winter-Curen u. als Winteraufenthalt f. Kranke u. Schwächlinge. 8. (13 ¼ B. u. 1 Tab.) Wiesbaden 840. [Giessen, Ferber.] *

— über den Werth Wiesbadens u. einiger and. Curorte Deutschlands in Bezug auf Winter-Curen und als Winteraufenthalt für Kranke u. Schwächlinge. Mit 1 Tabelle. 8. Wiesbaden 840. Haßloch. n. ¾ ₰

Peez, A. H., Wiesbaden u. seine Heilquellen. Mit 1 Kpf. u. 1 Bign. gr. 8. Gießen 823. Heyer. 1 ₰ 4 gr 2e A. 831. Ebd. 1 ₰ 12 gr

Peez, A. H., Wiesbaden u. seine Heilquellen. 2., verb. Aufl. 8. (27 B., 1 Stndr. u. Titvign.) Gießen 831, [Heyer, Vater.]

Peetz, Adph., Handbuch d. operativen Zahnkunst. Hrsg. v. Verein deutscher Zahnkünstler. gr. 8. (III, 301 S.) Leipzig (Hainstr. 26) 897. Redaktion der Monatsschrift d. Vereins deutscher Zahnkünstler. n. 10.—

Peetz, Adph., Handbuch der operativen Zahnkunst. 2. Aufl. (350 S. m. 220 Abbildgn. u. 2 Taf.) gr. 8. Berlin (903). Berliner Union. Geb. in Leinw. 15.—

Peetz, Adph., die operative Zahnbehandlung, s. a. Handbuch des praktischen Dentisten. 1.

Peetz, Adolph: Die operative Zahnbehandlung von Adolph Peetz, Merseburg. 3. Aufl. Mit 238 Abb. u. 9 Taf Berlin: Meusser 1908. 423 S. 8°
(Handbuch d. prakt. Dentisten. Bd. 1.)

Peetz, Dr. Alexander, Zur neuen Handelspolitik. Ueber Abhandlungen. Gr.-8. (347 S.)
Wien: Georg Szelinski 1895.

Peetz, Geo. v., das Jagdgesetz vom 3. Febr. 1892, s.: Turkin, N. W.

Gerardus Peetz. Theses physiologicae de principiis intrinsecus corporis naturalis in genere, ac de materia prima et forma substantiali in specie. Propugnabit ornatus et eruditus Ignatius Dyblin, Steinbacensis, physices, ethices et metaphysices auditor. Oppugnabunt Gerardus Peetz, professor rhetoricae et poëticae, et ornati et eruditi Julianus Molique, Landaviensis, Josephus Greul, Badensis, physices, ethices et metaphysices auditores.
Badenae in aula principalis Athenaei die 9. Februarii MDCCLVI. horis ante et post meridiem consuetis. 4. 1 S. Fol. Rastatt, P 1756

Peetz, Hartwig, s. Peetz, Hartwig Freimund

Peetz, Hartwig Freimund

Peetz, Hartwig, Christian, Markgraf zu Brandenburg, und seiner beiden löblichen Städte Bayreuth und Culmbach Freud und Leid. 1603—1655. Darinnen zu finden, was sonderbare Schicksale sothane Städte in Läuften des 30jährigen Krieges bestanden, item was Herr Christian, Markgraf zu Brandenburg, u. sein fürstlich Haus Tugendsames gestifft u. erlebet, ingleichen draus gar gute Kenntniß von vielen Adeligen, Burgern u. Anderer jeweiligem Thun zu schöpfen. Auf den Grund der vorhandenen u. neuen Quellen bearb. u. seinen Zeitgenossen erzählt. Bayreuth 859. (Gießel. 8. (VIII, 440 S.) n. 1 ₰

Peetz, Hartwig Freimund, culturhistorische Einblicke in die Alpenwirthschaft des Chiemgaues. Hrsg. vom landwirthschaftl. Verein zu Traunstein. München 869. (Fleischmann.) gr. 8. (III, 59 S.) n. 5 ngr.

— die Fischwaid in den bayerischen Seen. Kulturhistorische Skizze. München 862. Fleischmann. gr. 8. (IV, 79 S.) n. 12 ngr.

Peetz, Hartwig, die Fischwaid in den bayerischen Seen. Kulturhistorische Skizze. gr. 8. (IV und 79 S.) München 862, [Merhoff's Verlag.] *

Peetz, Hartwig, die Kiemseeklöster. Eine Kiemgauer Wirthschaftcharacteristik aus Archiv u. Leben. gr. 8. (XII, 280 S.) Stuttgart 879. Cotta. n. 8.—

H. Peetz, Die älteren Seefischordnungen am Chiemsee. München 1859
(Vortrag im Münchener Fischerclub.)

H. Peetz, Die revidierte Seeordnung am Kiemsee (1503—1513). München 1885

— volkswissenschaftliche Studien. Darinnen zuvörderst unsere alten Bayernherzoge des 12. bis 16. Jahrh. als Bergherren mit ihren vornehmsten Gewerkern näher beleuchtet werden, ingleichen aber auch eine Kiemgauer Grundherrschaft (16. Jahrh.) nämlich die des hochedlen Geschlechtes derer Freiherren von Freyberg auf Hohenaschau erstmals zur Darstellung gebracht wird, viel urkundlich Material von deren alten Gerichtswändeln, dem damaligen Berg- u. Ackerbau, ihrem Verkehrswesen u. insondere von ihrer Almwirthschaft, welches der Rede wohl werth sein wird, zumal dem archivalischen Ernste auch soviel Ergötzliches beigemischt wurde, damit dieses Buch in Summa sowohl nützlich als lustig zum Lesen sein möchte. Alles dies wurde aus allerlei ehrwürdigen Büchselbriefen u. Geschriften unsrer bayerischen königl. Archive wie aus anderen glaubwürdigen Documenten u. vielen Rechnungen immer nach wahrhaftiger Selbstschau mit Fleiß u. langjähriger Ausdauer ins Werk gefaßt. 4. (IV, 382 S.) Augsburg 880. Literar. Institut von Dr. M. Huttler. n. 12. —; geb. in imitirtes Perg. n.n. 15. —; in Schweinsldr. n.n. 18. —

Peetz, Hartwig. Chiemgauer Volk. Erinnerungen e. Chiemgauer Amtmannes. 1. Bdchn. 8. (III, 122 S.) Lpz. 892, Liebeskind. * 1 60; geb. * 2 30

—— dass. — Aus seinem Nachlasse. 2. [Schluß-] Bdchn. 8. (III, 160 S.) Ebd. 893. * 2 —; geb. * 2 70

(8) Peetz, H., Chiemgauer Volk. 892. 8°. (KVL 28.) Jetzt: Stuttgart, J. G. Cotta Nf. Ladenpr. aufgehoben.

Peetz, Hugo [app. Arzt aus Lehesten (Sachsen-Meiningen)]: Aus d. Patholog. Institute zu München. Bericht über 2625 während der Jahre 1885—1888 im pathologischen Institute zu München vorgenommene Sectionen. . . . München, akad. Buchdr. v. F. Straub, 1889; 34 S. 8°
München, Med. Fak., Inaug.-Diss. v. 1889

Peetz, L[udwig]: Scheidung von Zinn und Blei aus Zinn-Blei-Legierungen. 1904. 30 S. 4° ¶ Aus: Metallurgie. Jg. 1.
Aachen, Dr.-Ing.-Diss. v. 17. 10. 1904

Peetz, M., Grauert, M., Mayerhofer, J.: Drei bayerische Traditionsbücher aus dem 12. Jahrhundert. München 1880.
Falkenstein, Au, Gars a. Inn

Peetz, P., Wegweiser durch die stenographische Litteratur der bekannteren Systeme, nebst Verzeichniss e. Anzahl verwandter Werke üb. Schriftkunde etc. Nach den Systemen geordnet u hrsg. gr. 8. (122 S.) Aachen 890. (Leipzig, Gracklauer.) n.n. 1. 50

Peetz, P., Wegweiser durch die stenographische Litteratur d. bekannteren Systeme, nebst Verzeichniss e. Anzahl verw. Werke über Schriftkunde etc. Nach d. Systemen geordnet u. hrsg. gr. 8. (121 S.) Aachen 890. (Leipzig, J. H. Robolsky.) n.n. — 50

Peez, A., Baumwolle u. Baumwoll-Waaren, s.: Ausstellungs-Bericht, officieller.

— u. Pechar, Beiträge zur Kohlenfrage in Oesterreich. Mit Zusätzen erweit. Abdr. aus den Berichten der vom Gemeinderathe niedergesetzten Approvisionirungs-Enquête der Stadt Wien. gr. 4. (43 S.) Wien 871. Meyer. n. 1. —

Peez A, sieben handelspolitische Briefe aus England. Leipzig 1863

Peez, A., und J. Pechar, Karte der Einfuhr, Ausfuhr und Verwendung von Baumwolle in Oesterreich. Fol. Prag 874, Kosmack und Neugebauer. **

– Mineralische Kohle, s. Ausstellungs-Bericht, Offizieller.

Peez A und Pechar, die österreichischen Kohlentarife. Wien 1865

— Oesterreich u. der Orient. Eine handelspolit. Studie. [Aus: „Neue freie Presse."] gr. 8. (42 S.) Wien 875. Meyer. n. — 80

— die Zoll-Politik u. die zwischen Oesterreich-Ungarn u. den anderen Staaten abgeschlossenen Zoll- u. Handelsverträge, s.: Kübeck, M. v.

Peez, A. H., s. Peetz, A. H.

Peez, Alex. v., die Aufgaben der Deutschen in Oesterreich. Geschichtlich-polit. Studie. 2. Aufl. (66 S.) gr. 8. Wien 906. C. Konegen. n. — 90

Peez, Alex. v., die Aufgaben der Deutschen in Österreich. Geschichtlich-polit. Studie. 3. Aufl. (63 S.) gr. 8. Wien 907. C. Konegen. — 50

Peez, Alex., das Bauernhaus in Oesterreich-Ungarn. [Aus: „Mittheilgn. der anthropolog. Gesellsch."] Imp.-4. (S. 57—59 m. 1 Illustr.) Wien 891. (A. Hölder.) n. — 80

— die Bedeutung v. Friedrich List f. die Gegenwart. Vortrag, geh. im „Verband der Industriellen in den polit. Bezirken Baden, Mödling, Neunkirchen, Wr.-Neustadt u. Umgebg." Mit dem Bildnis Lists u. seines Denkmals in Kufstein, sowie 1 Karte. (30 S.) gr. 8. Ebd. 906. n. 1. —

Peez, A. v., Die Bedeutung v. Friedrich List f. die Gegenwart. Vortrag. Mit dem Bildnis Lists u. seines Denkmals in Kufstein, sowie 1 Karte. (30 S.) gr. 8. Wien, C. Konegen. 1906. 1. —

— Bemerkungen zur Mittelschulreform. (Schriften des Vereins f. Schulreform.) (15 S.) gr. 8. Wien 908. Manz. — 40

Peez, Alex., sieben handelspolitische Briefe aus England. Leipzig 863. Liebeskind. Lex.-8. (IV, 65 S.) n. 10 ngr.

Peez, Alex., die Deutschen in Vergangenheit und Zukunft. Eine patriotische Phantasie. Göttingen 853. Deuerlich. gr. 8. (76 S.) n. 10 ngr.

— Deutschland am Wendepunkt seiner Geschicke. Wiesbaden 859. Limbarth. gr. 8. (2 Bl., 43 S.) 7½ ngr.

— England u. der Kontinent. 3. u. 4. Ausg. (73 S.) 8. Wien 909. 10. C. Fromme. 1. —
2. Ausg. (51 S.) 909. 1. 25

England und der Kontinent. Von Alexander v. Peez. 2. umgearb. Ausg. Wien & Leipzig: Fromme 1909. 51 S. 4° [illegible] 2

— dasselbe. II. (32 S. m. 2 farb. Karten auf dem Umschlage.) gr. 8. Berlin 910. Borussia. 1. —

Peez, A. v., England u. der Kontinent. 4. Ausg. (73 S.) 8. Wien, C. Fromme. 1910 1. —

Peez, Alex., Erlebt. Erwandert. I—III. gr. 8. Wien, C. Konegen. n. 7. —
I. (III, 136 S.) 899. n. 2. —
II. Haine u. Heiligthümer. (III, 113 S. m. 1 Photogr.) 899. n. 2. —
III. Blicke auf die Entstehg. der Ostmark u. Karl der Grosse als Neubegründer des deutschen Volksthums. (IV, 172 S. m. 1 farb. Karte.) 902. n. 3. —

Peez, Alexander v.: Europa aus der Vogelschau. Polit. Geographie, Vergangenheit u. Zukunft. Mit Bildn. u. biogr. Skizze. (2. Aufl.) Wien u. Leipzig 1916. 8° [1. Aufl. 1889.]

— Ueber die Frage eines singulären Erbrechtes für den kleinen Grundbesitz. 8°. Wien 1883.

— Die gelbe Gefahr in der Geschichte Europas. Karte von Frdr. Ritter v. Wiser. (38 S.) gr. 8. Wien 908. M. Braunschweig. 1. —

Peez, A. v., Die gelbe Gefahr in der Geschichte Europas. Karte von Fr. Ritter v. Wiser. (38 S.) gr. 8. Wien, Verlag „Lumen". 1909 1. —

Peez, Alex., z. neuest. Handelspolitik. 7 Abhandlgn. gr. 8. (III, 347 S.) Wien 895. (G. Szelinski.) n. 4. —

Peez, Dr. Alex., Die amerikanische Concurrenz. Hrsg. vom Industriellen Club in Wien. gr. 8°. Wien, Konegen, 1881.

— Stein, s.: Hillger's, Herm., illustrierte Volksbücher.

Peez, Karl, s.a. Noë, Heinrich.

Peez, Karl, Friesach, geschichtlich u. topographisch beschrieben. Mit einer (lith.) Planskizze der Stadt. 8. (47 S.) Klagenfurt 881. Leon sen. n. — 80

Peez, Carl, u. Jos. Raudnitz, Geschichte des Maria-Theresien-Thalers. (Mit Abbildg. des Thalers u. e. Karte.) gr. 8. (VIII, 143 S.) Wien 898. C. Graeser & Co. n. 4. —

Peez, Carl, Tizians schmerzensreiche Madonnen. (39 S. m. 2 Abb. u. 1 Taf.) gr. 8. Wien 910. A. Hölder. 1. 30

Peez, Carl, Mostar u. sein Culturkreis. Ein Städtebild aus der Hercegovina. gr. 8. (XIII, 245 S. m. 3 Abbildgn. u. 1 Plan.) Leipzig 891. F. A. Brockhaus. n. 4. —

Peez, M., Henriette Mendelssohn, s.: Broschüren, Frankfurter zeitgemäße.

Peffer, S., Schnorre aus Frankfort, s.: Schnorre.

§ PEFFER, Schanche (ps.), Schnorre aus Frankfort und Sachsehause. Frankfurt a. M. 1859. 8°. (In München: P. o. germ. 1051 h.) Selten!
Weller, Lex. Ps. p. 418 hat. „1858—59, 60".

Pegasus. Journal für deutsche Lyrik, Theater und Musik. Mit einer novellist. Beilage. Redact.: Max Leythäuser-Melano. 1. Jahrg. 1878. Nr. 1—6. (à 1—2 Bog.) gr. 4. München, (Unflad.)
Nicht weiter erschienen.

Pegasus, der. Humoristische Blätter für Literatur, Kunst und Theater. Hrsgbr. und Redact.: Leop. Ritter v. Sacher-Masoch. 1. Jahrg. 1885. [6 Nrn.] (à Nr. ³/₄ Bog.) Lex.-8. Leipzig, (Licht.) *
Nur 4 Nummern erschienen.

Pegasus. Zeitschrift f. dramat. Kunst, Literatur u. Musik. Hrsg.: Rob. Müller-Raabe. Jahrg. 1904. 14 Nrn. (à ca. 24 S. m. Bildnis.) 8. Berlin (H. Schildberger).
Fortsetzung s.: Rundschau, moderne. n. 4. —

Pegasus auf Reisen. Allerlei Heiteres und Ernstes aus Fremdenbüchern der sächsisch-böhm. Schweiz. Hrsg. vom Wander-Ausschuß d. Gebirgs-Vereins für die sächsisch-böhmische Schweiz. 12. (III, 68 S.) Dresden 889. Arnoldische Buchhandlg. n.n. — 50

Pegau [Schlagwort]

Pegau, s.: Sachsen. Karte. Messtischblätter.

Pegelavius, Dan. Aug.: Observatio phil.-iur. de principio iuris naturae mensae sodalium nomine scripta ad Güntherum a Bünau. Wittenbergae (1775).

Pegels, M[atthias], Referendar aus Aldekerk: Natur und Wirkungen der Vereinbarung, daß aus beliebigem Grunde geschuldetes Geld künftig als Darlehn geschuldet werden soll. (BGB. § 607 Abs. 2.) Cleve 1903: Koch. (61 S.) 8° Rostock, Jur. Diss. v. [31. Mai] 1903

Peger, Johannes, Assistenzarzt im 4. Inf.-Reg. No 103 in Bautzen Die Behandlung der Schußverletzungen großer Gefäße durch kleinkalibrige Mantelgeschosse. Leipzig 1904: B. Georgi. (23 S.) 8°
Leipzig, Med. Diss. v (18. Juli) 1904

Pegert u. Straube, s.: Gesetzgebung, die Preußische.

Pegert, E., Erklärung der Lex 12. Cod. de ususfructu (III, 33.) und motivirte Entscheidung der dort berührten Fälle nach dem Preußischen Allgemeinen Landrechte. Ein Beitrag zur Lehre vom Nießbrauche. Pasewalk 859. Braune. gr. 8. (57 S.) n. 7½ ngr.

Pegger, Hans, aus der Chronik v. Latsch u. seinen umgebenden Pfarr-Gemeinden. (190 S.) kl. 8. Meran 907. (E. Jandl.) 8. —

Pegius, M., v. Verguntungen od. Gantrecht. 4. Nürnberg. Felsecker. 751.

PEGIUS, Mart., Juristische Ergötzlichkeiten vom Hunderechte. Welchen als *Anhang* das Recht derer Tauben und Hüner beygefüget worden. Franckfurt & Leipzig 1725. 4°.
Haydinger's Bibl. II. no. 1593, Cat. Cammerer I. Erlang. 1796. p. 362.
Frühere Ausgaben (ohne den Anhang?): Franckfurt und Leipzig, b. Joh. Mart. Burgmannen, im Pauliner-Collegio zu Leipzig 1715. 4°. 6 Bog. Mit 1 Kpf. (Cat. Meissner II, Scheible, Cat. 4. p. 18, an No. 447.) — Ebd. 1720. 4° (Cat. Cammerer I. p. 361.)

— v. Hunderecht. 4. Frft. 725.

[Pegius, Mart.]: Tractatus jur. de jure canum. Oder: Hunds-Recht, deme statt e. Anh. beygefügt das Recht der Tauben und Hüner. Franckfurth u. Leipzig 1719.

Pegius, Mart.: Tractatus de jure emphyteutico oder Bau-Recht, darinnen umständlich und gehandelt wird, wie zwischen einen Grund-Herrn und einen Bau-Rechtern oder Erbbau-Rechtern ... nach den gemeinen Rechten gesprochen werden solle. Franckfurt u. Leipzig 1717.

PEGIUS, Mart.: Tr. de jure protimiseos, congrui, vel retractus, od. Einstand-Recht in vier Büchern. *Regenspurg.* 717. 4.

Pegius, Mart.: Tractatus de jure protimiseos, congrui vel retractus, Oder Einstand-Recht ... Sammt e.Anh. Regenspurg 1727.

PEGIUS, Mart.: Vom Recht u. Freiheit der Heirathsgüter. *Frankf.* u. *Lpz.* 717. 4.

— v. Recht u. Freyheit. d. Heirathsgüter. 4. Frft. 729.

— versch. jurist. Schriften. 8. Frft. 728.

— de Servitutibus od. d. Recht v. Dienstbarkeiten. 4. Frft. u. Nürnb. 733.

Pegius, Mart.: Unterricht von Recht und Freyheiten derer Heyrats-Güter, und aller dahin gehörigen Bedingnüssen, in 5 bes. Bücher abgefaßt, u. aus d. Latein. übers. Franckfurth u. Leipzig 1733.

Pegli bei Genua als Winter-Station. [Mit 1 Karte und illustriertem Umschlag.] 8. Zürich *o. J.* [1878.92].

Pegnitzgebiet [Schlagwort]

Pegnitzgebiet. Touristen-Karte durch d. Pegnitzgebiet. Gezeichnet im Auftrag der Verschönerungsvereine Hersbruck, Kersbach, Lauf, Neuhaus, Ottensoos, Rupprechtstegen, Schnaittach u. Velden. 1 : 70,000. 43 × 60 cm. Farbendr. Nürnberg 896. F. Korn.
Auf Leinw. in Futteral n. 1. 50

Pegnitz-Kreise [Schlagwort]

Pegnitz-Kreise — Charte von den zu dem — gehörigen Landgerichten Nürnberg, Altdorf, Hersbruck, Schnaittach, Gräfenberg und dem größten Theil des Landgerichts Schwabach. Verbesserte Ausgabe. Nürnberg bey Homanns Erben 1809. 1 : 150,000. 1 Bl.

Das Pegnitztal und seine Seitentäler (Hrsg. v. Verkehrsverband Pegnitzgau in Hersbruck unter Mitw. d. Nordbayer. Verkehrsvereins in Nürnberg. Nürnberg [um 1908] Nister.) 40 S. 8° [Umschlag.] [09. 7318]

Die reines Herzens sind. Roman von Marie Pego. Berlin & Leipzig: Frauen-Rundschau [1910]. 152 S. 8° [10. 17011]

Pego, Marie, die reines Herzens sind. Roman. (152 S.) 8. Berlin (910). Schweizer & Co. 2. —

— Leidesgewinn. Gedichte. (64 S.) kl. 8. Stuttgart (909). M. Kielmann. 1. —

— „Und du sollst e. Segen sein". Ein Porträt in Briefen. (88 S.) 8. Berlin (907). Schweizer & Co. nn — 50

Peguilhen, kritische Zeitschrift für Staatsregierung und Gesetzgebung, besonders in Hinsicht auf den Preuß. Staat. 1s und 2s Heft. gr. 8. Berlin, Dümmler. 817. (1s Heft 20 Gr. 2s Heft 16 Gr.)

Peham, Heinrich

Peham, H., das enge Becken. Eine Studie üb. den Geburtsverlauf u. die Indikationen zu operativen Eingriffen. Mit e. Vorworte v. R. Chrobak. (XV, 209 S.) Lex. 8. Wien 908. A. Hölder. 5. 40

Peharnik, s.: Lauppert v. Peharnik.

PEHARNIK, MARIA VON: Prolog, abgehalten von der Baronesse bey Gelegenheit der Jubelfeier da Hochw. Vorsteherin Maria Susanna Pelagia des Stiftes der Ursulinerinnen in Warasdin am 7 Oktober 1815. Agram (1815): Novoszel'sche Schriften. 4 f. - 4°

Pehem, Josef Johann Nepomuk

— Abhandl. v. Einführung d. Volkssprache in dem öffentl. Gottesdienste. 8. Wien 783. Hörling. 6 gr.

Pehem, Jos. Joh. Nep., histor.statistisch. Abhandlung v. Erricht. Ein- u. Abtheil. d. Bisthümer ec. gr. 8. Wien. (Tusch in Grätz.) 790. Rthlr.

— disquisitio histor.-jurid. de consensu parentum. 8. Innspruck 771.

— v. Einführ. d. Volkssprache, in d. öffentl. Gottesdienste. 8. Wien, Horling. 783.

— jus ecclesiasticum publicum. P. I. 8. Wien 781.

— jus ecclesiasticum universum. 8maj. Wien 786.

Pehem, Jos. Jo. Nep.: Praelectiones in jus ecclesiasticum universum methodo discentium utilitati accommodata. Viennae 1788. 2 Bde
P. 1. Jus ecclesiasticum publicum.
„ 2. Jus ecclesiasticum privatum.

PEHEM, Jos. J. Np.: Praelect. in jus eccles. univ. *Wien*, Gassler. (785—88.) 792. 2 P. 8. (2 Thl. 16 Gr.)

Pehem, Jos. Jh. Nep., praelect. in jus ecclesiast. universum. III Prts. 8maj. Wien 789—90. Gassler. 2 ℔ 16 gr.

— Versuch über die Nothwendigkeit e. vorzunehmenden Reformation d. geistl. Orden, u. das Recht d. Regenten, aus eigner Macht dieselbe in ihren Landen zu reformiren. 8. Wien 782.

Pehem, Jos. Joh. Nep.: Vorlesungen über das Kirchenrecht. Aus d. Latein. übers. Wien. 4 Bde
Bd 1. Das öffentliche Kirchenrecht. 1802.
„ 2. Privat-Kirchenrecht. 1803.

Dess.: Vorless. üb. d. Kirchenrecht. *Wien*, Doll. 802. 2 Bde. 8. (6 Thl.)

— Vorlesungen über d. öffentl. u. Privat-Kirchenrecht; aus d. Latein. 8 Bde. gr. 8. Wien 803. Ant. Doll. 5 ℔ 8 gr.

— Vorlesf. üb. d. öffentl. u. Privat-Kirchenrecht, a. d. Lat. 2 Bde. gr. 8. Wien, Ant. Doll. (Liebeskind in Leipz. in Commiss.) 807.

Die Flechten des Bezirkes Steyr in Oberösterreich von Anna Pehersdorfer. Mit 18 Abb. Steyr: Selbstverl. 1908. (32 S.) 8° [J.] [08. 10871]

Pehersdorfer, Anna, die Flechten des Bez. Steyr in Oberösterreich. Mit 18 Abb., gezeichnet nach der Natur v. Sepp Urban. (40 S.) 8. Steyr 908. (Leipzig, Th. O. Weigel.) 1. 50

Pehersdorfer, Anna, botanische Terminologie, alphabet. geordn. Handbuch zur Auffindg. aller in d. Botanik vorkomm. latein. Kunstausdrücke u. solcher deutschen, welche e. Erklärg. bedürfen. gr. 8. (58 S.) Steyr 897. (Linz, E. Mareis. — Wien, Sallmayer'sche Buchh.) n. 1. —

Pehersdorfer, Anna, botanische Terminologie, alphabetisch geordnet. Handbuch zur Auffindg. aller in d. Botanik vorkomm. latein. Kunstausdrücke u. solcher deutschen, welche e. Erklärg. bedürfen. 2. verb. u. verm. Aufl. gr. 16. (IV, 105 S.) Stuttgart 901. K. G. Lutz Geb. n. 1. —

Pehersdorfer, Anna, das Wichtigste aus der deutschen Literatur zum Gebrauche f. den Unterricht in den österreichischen Bürgerschulen u. in den Unterklassen der Mittelschulen. 2. Aufl. (52 S.) 8. Linz 906. O.-ö. Buchdruckerei- u. Verlagsgesellschaft. n. — 60

Pehkschen, Karl

Pehkschen, Carl. Untersuchung der Alcaloïde d. Veratrum album unter besond. Berücksicht. d. „Veratroïdins". Diss. gr. 8. (48 S.) Dorpat 890, (Karow). 1 —

Pehle, Maximilianus, Berolinensis: Thucydidis exemplar Dionysianum cum nostrorum codicum memoria confertur. Berolini 1907: W. Pormetter. (55 S., 1 Tab.) 8°
Greifswald, Phil. Fak., Ref. Gercke, Diss. v. 26. Okt. 1907
[Geb. 6. Mai 81 Berlin; Wohnort: Berlin; Staatsangeh.: Preußen; Vorbildung: Askan. Gymn. Berlin Reife O. 00; Studium: Berlin 8 S.; Rig. ? Aug. 06.]

Pehle, Wilh., der Kegelsport, s. a. Bibliothek f. Sport u. Spiel.

Der Kegelsport. Hrsg. im Auftr. d. Deutschen Keglerbundes von Wilhelm **Pehle**. Mit zahlr. Abb. Leipzig, Berlin, Paris: Grethlein & Co. [1907]. (210 S.) 8°
= Bibliothek f. Sport u. Spiel. [35.] Geb. 1940

Pehling, Arthur, Gerichtsassessor aus Königsberg i. Pr.: Grund und Bedeutung der Vorschrift des § 2231 B.G.-B., daß ein eigenhändiges Testament unter Angabe des Ortes und Tages zu unterschreiben ist. *Königsberg i. Pr. 1902: Ostpreuß. Druckerei u. Verlagsanst.* (42 S.) 8°
Freiburg i. B., Rechts- u. staatswiss. Diss. v. 1902

Pehling, Gerd Heinrich Philipp

Pehling, G. Heinr. Ph., Erbauungsbuch. Religiöse Erhebungen für Geist und Herz. Hamburg 857. (Altona, Heilbutt.) 12. (VIII, 196 S.) n. 24 ngr.

Pehling, G. Heinr. Phil., Gedichte. Auswahl. 12. (VIII und 184 S.) Hamburg 850. (Altona, Heilbutt.) *

Pehling, G. Heinr. Ph., Gedichte. Auswahl. 2., verm. Aufl. Hamburg 864. (Altona, Mentzel.) 8. (VIII, 224 S.) n. 1 ℛ 6 ngr; geb. n. 1 ℛ 18 ngr.; mit Photogr. n. 2 ℛ

Pehling, G. H. Ph., vermischte Gedichte. 2 Thle. 2. Ausg. 8. (20 B.) Hamburg 845, Kittler.

Pehling, G. Heinr. Ph., erster Lehrgang der englischen Sprache. Als Vorläufer der Grammatik. Zum Theil nach Gaspey's Methode. Altona 865. Verlags-Bureau. 8. (109 S.) 9 ngr.

Pehling, G. Heinr. Ph., erster Lehrgang der englischen Sprache. Als Vorläufer der Grammatik. Zum Theil nach Gaspey's Methode. 2. sorgfältig durchgeseh. und verm. Aufl. 8. (158 S.) Altona 870, Verlags-Bureau.

Pehling, G. Heinr. Ph., Schriften. Auswahl. 3. Aufl. 8. (128 S.) Hamburg 872. (Altona, Verlags-Bureau.) n. 2. —

Pehmler, J. Ed., die preussische Beamten- u. Militär-Herrschaft u. der polnische Aufstand im Grossherzogth. Posen im J. 1848. Eine histor. Skizze. gr. 8. (97 S.) Lemberg 886. Gubrynowicz & Schmidt. n. 2. —

Pehmler, J. E., Die preussische Beamten- u. Militärherrschaft u. der polnische Aufstand im Grossherzogthum Posen im J. 1848. Eine histor. Skizze. 2. Aufl. 8°. (97 S.) Krakau, Zupański & Heumann. fl. 1 20. 1886

Pehmöller, C. N., Darstell. d. Ereignisse, welche während d. Blockade die Hamburgische Bank betroffen haben. gr. 8. Hamb. 814. (Campe). 16 gr.

Pehmöller, C. N., Darstellung d. Ereignisse, welche während d. Blokade die Hamburgische Bank betroffen haben. gr. 8. Hamb. Perthes u. B. 814.

Pehmöller, C. N. Geschichtliche Darstellung der Ereignisse, welche während der Blockade in Folge der Verfügungen des französischen Gouvernements die Hamburgische Bank betroffen haben. 8. 1814.

Pehmöller, Frz. Heinr., Christi Boten, Gottes Kämpfer. Pred. üb. 2. Corinther 10, 4. 5. bei seiner Ordination geh. Mit vorgedr. Ordinations-Rede d. Hauptpastoris Strauch üb. 2. Cor. 12, 9. gr. 8. (2½ B.) Hamburg 837, Perthes-Besser u. Mauke. Thlr. *

(—) Geschichten aus d. Heidenwelt. 1—3. Hft. gr. 12. Hamburg, [Perthes-Besser u. Mauke] [1. (1 B.) 1½ Gr., 2. (1½ B.) 834., 3. (1 B.) 835. à ⅛ Thlr.]

— Geschichten aus d. Heidenwelt. 12 Numm. 8. (Berlin 837. Eichler.) ½ ℛ — s. auch Geschichten aus d. Heidenwelt.

Pehmöller, Frz. Heinr., die Heidenwelt. Pred. üb. Jes. 60, 1—6 am Feste d. Erschein. Christi 1834 (am Heidenfeste) geh. gr. 8. (1½ B.) Hamburg, [Perthes-Besser u. Mauke.]

— mache dich auf, werde Licht! Predigt über Jes. 60, 1—6. gr. 8. Hamburg 834. Perthes, Besser u. Mauke. ⅛ ℛ

(—) mache dich auf, werde Licht! Pred. üb. Jes. 60, 1—6, am Feste d. Erscheinung Christi 1835 gehalt. gr. 8. (1½ B.) Hamburg, [Perthes-Besser u. Mauke.]

Pehr, Franz

— Beiträge zur Namenkunde im Hochstuhl- u. Kotschutagebiet der Karawanken. (15 S.) kl. 8. Wien 909. (Klagenfurt, J. Heyn.) — 20
Sonderabdruck aus: „Mitteilgn. d. D. u. Ö. A.-V."

Pehr, Frz., kleine Heimatkunde v. Kärnten. Ein Wiederholungsbüchlein f. Volks- u. Bürgerschulen. Mit 12 Ansichten aus Kärnten. (32 S.) 8. Wien 908. A. Pichler's Wwe. & Sohn. — 40

— Die Produktionsverhältnisse in Kärnten. Ein Beitrag zur Heimatkunde. (215 S.) kl. 8. Klagenfurt 909. F. v. Kleinmayr. 4. —

Pehr Hörberg s. Hörberg.

Pehritzsch [Schlagwort]

Pehritzsch, s.: Preussen. Messtischblätter.

Pehritzsch, s.: Sachsen. Karte. Messtischblätter.

Pejacsevich, Gr. Joh. N., das Papstthum u. der Rechtsstaat. Aus civilisator. Gesichtspunkte beurtheilt. hoch 4. (IV, 84 S.) Budapest 873. (Lampel.) n. 3. —

PEJACSEVICH, JOHANN NEP. Das Papsttum und der Rechtsstaat. Pest 1873: Alois Bucsánszky. 8, 84, 2 S. - 8°

— dasselbe. gr. 8. (76 S.) Leipzig 875. O. Wigand. 1. 20

Pejacsevich, Julian Graf, Peter Frhr. v. Parchevich, Erzbischof von Marianopel, apostol. Vicar u. Administrator der Moldau, bulgar. Internuntius am kaiserl. Hofe u. kaiserl. Gesandter bei dem Kosaken-Hetman Bogdan Chmielnicki. [1612—1674.] Nach archivalischen Quellen bearb. Mit einem (eingedr.) Holzschn. [Aus: „Archiv f. österreich. Geschichte".] Lex.-8. (301 S.) Wien 880. Gerold's Sohn in Comm. n. 5. —

PEJACSEVICH, JULIAN GRAF: Peter Freiherr von Parcsevich von Martianopel apostolischer Vicar und Administrator der Moldau, Bulgarischer Internuntius am kais. Hofe und kais. Gesandter bei dem Kosaken Hetman Bogdan Chmielnicky. (1612-1684). Nach archivalischen Bullen. In: Arch. f. östr. Gesch. Jg. 59. 1880. S. 337-639. 10 t.
Dass. Wien 1880: Adolf Wolzhausen. S. 301. - 235 mm Inst. f. östr. Gesch. Forsch.

Pejacsevich, L. B. Fr. Xav., historia Serviae, c. fig. fol. Colocae. (Eggenberger, Pest.) 799.

Pejakovic, Stephan, Aktenstücke zur Geschichte des kroatisch-slavonischen Landtages und der nationalen Bewegung vom Jahre 1848. Mit einem Anhange: die wichtigsten Landtags-Akten vom Jahre 1861 und das Programm von O. Ostrożinski aus dem Jahre 1848. Nebst Porträt des Ban Jellačic. gr. 8. (XI und 355 S.) Wien 861, Mechitharisten-Congregations-Buchh.

Gallerie von teutschen Schauspielern und Schauspielerinnen (Verf. Abraham **Peiba** [Pseud.]; vermuteter wirkl. Verf.. Johann Jost Anton v. Hagen) nebst Johann Friedrich Schinks Zusätzen u. Berichtigungen. Mit Einl. u. Anm. hrsg. von Richard Maria Werner. Berlin: Gesellsch. f. Theatergeschichte 1910. LXVIII, XIV, 401 S. 8°
(Schriften d. Gesellschaft f. Theatergeschichte. Bd 13.) [10. 5127]

Peichl, Josef

Peichl, J., Geschichte der Entwicklung d. magnetischen Charakters v. Eisenschiffen S. M. Kriegsflotte u. Entwurf e. aus derselben abgeleiteten Depolarisirungsverfahrens. [Aus: „Mittheilgn. aus dem Gebiete d. Seewesens."] gr. 8. (64 S.) Pola 876. (Wien, Gerold's Sohn.) n. 1. 20

Peichl, Jos., Controlcompass sammt Dromoskop, patentirt in mehreren Staaten, u. Theorie u. Praxis der „mittleren Deviationen" Hiezu 1 (lith.) Taf. gr. 8. (40 S.) Wien 880. (Triest, Schimpff.) n. 1. 60

— Universalcompensation für Compasse. [Patentirt in mehreren Staaten.] [Aus: „Mittheilgn. aus d. Gebiete d. Seewesens".] Hiezu 1 (lith.) Taf. gr. 8. (19 S.) Ebend. 879. n. — 80

Peickart, Franz

— Andachten e. Christen. (N. A.) 18. Augsb. 824. Kranzfelder. Das Dutzend 10 gr.

Peickart, Frz., christl. Andachten f. d. Morgen u. Abend zur Messe, Beicht u. Communion. 12. Bamb. 801. 3 gr. (Wesche in Frankf. a. M.) N. A. 804. (Augsb., Rieger). 3 gr.

Peickart, Frz., christl. Andachten f. die Morgen- und Abendzeit. Meß, Beicht u. Communion rc. neue verm. Aufl. 12. Bamb. Gebhardt. 814.

Peickart, P. Frz., christl. Andachten für die Morgen- u. Abendzeit, Meß, Beicht u. Communion rc. 12. Regensburg 840. Reitmayr. 1/8 Thlr

— auserlesf. Andachtsübungen eines Christen, meistentheils aus d. Psalmen Davids gezogen. gr. 8. Augsb. 792. Wolf. 5 gr

— — dieselben. gr. 8. Augsb. M. Rieger. 804.

— Andachtsübungen e. Christen über die Morgens- u. Abendszeit, wie auch bei d. heil. Messe, Beichte u. Communion; mehrentheils aus d. Psalmen Davids gezogen, u. von e. and. Priester vermehrt. 12. 776. (Grätz, Miller). 6 gr Schrbp. 8 gr

Peickart, (P. Frz.,) christl. Andachtsübungen, größtentheils aus den Psalmen Davids; nebst dem h. Kreuzwege. Mit 1 Kpfr. 18. Augsb. 826, Veith u. R.

Peickart, Frz., christl. Andachtsübungen, größtenth. aus d. Psalmen Davids gezogen. Nebst d. h. Kreuzwege. 18. (238 Seit. u. Titlkpfr.) Donauwörth 835. (Landshut, Manz.) •

— christl. Andachtsübungen, größtenth. aus den Psalmen Davids gezogen. Nebst dem heil. Kreuzwege. Mit Titelkpfr. 18. Donauwörth 835. (Regensburg, Manz.) n. 1/6 Thlr — bei (M. Rieger in Augsburg) 1/8 Thlr

— Andachtsübungen, d. i. Morgen-, Abend-, Beicht- u. Communions-, auch Meßgebete zum Nutzen frommer Christen. 12. (Grätz, Miller). 5 gr Schrbp. 7 gr

Peickart, Frz., himmlischer Blumengarten, darin Andachtsübungen für die Morgen- u. Abendzeit, die h. Messe, Beichte u. Kommunion, sonn- u. feiertägl. Vesper u. der ambrosianische Lobgesang. Nebst beigesetztem heil. Kreuzweg. 9. Aufl. 8. (24 3/8 B.) Augsburg 845, Schmid'sche Buchh. Thlr.

— Erklär. d. Beschr. d. Evangelist., n. d. Buchst. u. sittl. Verst. Fol. Wien. 752.

— Erkl. d. Evang. Johannes. Fol. Ingolst. Krüll. 753.

— — — Lucas. Fol. Ebend. 753.

Peickart, Franz, Erklärung des Evangelisten Markus. Ingolstadt, Krüll, 1753, Fol.

Peickart, Franz, Erklärung des Evangelisten Matthaus. Ingolstadt, Krüll, 1753, Fol., 9 Mt.

Peickart, Franz. Exercitia Christianae devotionis. Cletti., Kleinmayer, 1779. 112 S.

— Exercitia Christianae Devotionis etc. 8. Augsb. Wolf. 781.

— geistl. Kern aller Gebete, d. i. Morgen-, Abend-, Beicht- und Communiongebete zum Nutzen u. Gebr. frommer Christen. Nebst Meßgebeten. 12. (Grätz, Miller). 5 gr Schrbp. 7 gr

— Leich- und Lobrede an Wilhelmine Amalie, römische Kaiserin. Fol. Wien, Gerold. 742.

Peickhart, Franciscus, Lobrede // auf den // Durchlauchtigen Prinzen // Eugenius Franciscus // Herzog von Savoyen und // Piemont etc. etc. // Ihro Röm. Kays. Maj. und des H. // R. Reichs Generallieutenant etc. etc. // in der Metropolitankirche zu St. // Stephan in Wien // gehalten // von // P. Franciscus Peickhart / a. d. G. J. // gedachter Metropolitankirchen // Domprediger. // In einer etwas veränderten deutschen Schreibart // neu aufgelegt. // Oldenburg / Gedruckt bey J. C. Götjen / Königl. // Dän. privil. Buchdr. - 68 S. und 1 Blatt (nicht paginiert) zwischen dem Titelblatt und Blatt a_2, enthaltend eine Erinnerung an den Leser.
B. S. T. 8°.516.

PEICKHARDT FRANZ S. J.: Lob- und Trauerrede über den Tod des Durchlauchtigsten Prinzen Eugenii Francisci Herzogen von Savoyen etc. da seine hohe Leichenbesingniß mit dreytägigen grossen Ehrengepräng in der allhiesigen Metropolitankirche zu St. Stephan gehalten wurde. Neu aufgelegt. Oedenburg o. J.: J. C. Götjen. 68 S. 8°

— nützliche Unterweisungen v. d. Schuldigkeiten einer Seele. 8. Wien, Camesina. 752.

PEIKHART FRANCISCUS S. J.: Nutzliche Unterweisungen vor denen Schuldigkeiten einer Seel, so trachtet, das letzte Ziel, und End ihrer Erschaffung neu zu erreichen. Wiederum hervor gegeben. Oedenburg 1767. 91 S. - 160 mm

— geistl. Vergißmeinnicht, d. i. Morgen-, Abend-, Beicht- und Communion-, wie auch Meßgebete rc. 12. (Prag, Miller). 5 gr Schrbp. 7 gr

900. 1902. Zur Geschichte der Dörfer Groß-Ottersleben, Klein-Ottersleben und Benneckenbeck. Nach gedr. u. ungedr. Urkunden. Nach Hs., Zeichn. pp. zsgest. u. bearb. von C[hristian] **Peicke**. Gr.-Ottersleben: Schwab (1902). 259 S. 8° [eq. 8140]

Peicker, C. R., Anleitung zum Baumsatz u. zur richtigen Auswahl der Obstsorten als Vorbedingg. f. e. gewinnreichen Betrieb d. Obstbaues. 8. (26 S.) (Münsterberg 872. Fest.) — 35

Schlesisches Normal-Obstsortiment ... Bearb. u. mit e. kurzen Anweisung über d. Pflanzung u. Pflege d. Obstbäume vers. von C. R. **Peicker**, Garteninsp., u. H[ermann] Rein, Obstbauinsp. 2. völlig neu bearb. Aufl. Breslau: Graß, Barth & Co. 1910. 48 S. 8° (Veröffentlichungen d. Landwirtschaftskammer f. d. Prov. Schlesien. H. 1.) [10. 14238 2]

Peickert-Graefinghoff, ... u. hätte der Liebe nicht —. Gedichte. (VIII, 160 S.) 8. Dresden (906). E. Pierson. n. 2.—; geb. n.n. 3.—

Peickhart, Franz, s. Peickart

Peiden. Bad P. im Lugnezerthal ... s.(G[oll], F[riedrich]).

Peiden, Bad, im Lugnezerthal (Graubünden). Zürich [1884]. V: *Goll, Frdr.* (Cat. d. Stadtbibl. Zürich. Zürich 1864—97.)

Peiden. Stahlbad P. im Bündner Oberland .... [Prospect. Mit 1 Illustration.] 8. [Zürich] *o. J.* [1892/99].

Peifer, Dav. Epistolae, statum ecclesiae et reipublicae sub Augusto, Saxoniae electore illustrantes. 4. Jenae 1708.

Peifer, Dav., memorabilia Lipsiensia. 8. Lps. 725.

Peiffer, E. Geschichtliche Entwickelung des höheren Schulwesens der Stadt Metz. 23 S. **Progr.** Rsch. *Metz* 1880.

Peiffer, Eduard. (Ferd. Car. Jos.) (geb. Neheim in Westf. [21. 3.] 1830): De pigmenti in intermittentibus perniciosis formatione ejusque effectibus. Berolini (1861). (32 S.) 8° Berlin, Med. Diss. v. 15. Juli 1861

Peiffer, Friedrich [app. Arzt]: Ein Fall von Lepra mixta ... Metz, Druckerei d. Lothr. Zeitg, 1895; 30 S. 8. Strassburg, Med. Fak., Inaug.-Diss. v. 1895

Peiffer, Wilhelm (Attendorf/Westfalen), De cholerae morbi contagio. Diss. med. Berlin (Brüschcke) 2. X. 1831. 32 S. mit Biogr. (M.: Gertmann.) (2.75) 26004
Oppon.: R. von Siedmogrodzki, L. Winckel, J. N. Liese. — Gew.: Johann von Wiebel.

Peiffhoven, *Carl* [Stadtbaurath]: Das neue Realschulgebäude an der Prinz-Georg-Strasse zu Düsseldorf. Düsseldorf, E. Lintz, 1897; 1—9 S., 1 Taf., 2 Pl. 4. Düsseldorf, st. R an d. Prinz-Georg-Strasse, OP 1897 (514)

Peigirsky, A(braham), aus Schirwint (Russl.): Über die Aussetzung des Personalpronomens als Subjekt in der französischen historischen Prosa des XIII. Jahrhunderts. *Berlin: W. Gronau 1901.* (54 S.) 8° ¶(Aus: Zeitschr. f. französ. Sprache u. Litt., Bd 23.) Strassburg, Phil. Diss. v. 1900

PEIGN, HENR. JOACH. DE, Disqv. med. inaug. de carcino. Kiliæ. 1752. 4. P.

Peigné, A., nouveaux éléments de grammaire, en 48 leçons. gr. in-12. Paris et Strasbourg 834. Levrault. $^{5}/_{12}$ ß

— nouveaux Tableaux de grammaire. Imp.-Fol. le même 834. $1^{2}/_{3}$ ß

Peignot, G., abrégé de l'histoire de France. av. portraits. 8. Paris. 819.

— — Précis historique et analytique des Pragmatiques, Concordats, Déclaration, Constitution, Convention et autres actes rélatifs à la discipline de l'église en France, depuis St. Louis jusqu'à Louis XVIII. gr. 8. Paris, Renouard. 819.

Peikart, Franz, s. Peickart

Peiker L.: Die Ebbe und Fluth des Meeres. 52. Triest St.-R. 78. **Progr.**

Peikert, Ernst (geb. Leobschütz 25. 10. 1848): Ueber Knochensarcome. Berlin (1873). (31 S.) 8° Berlin, Med. Diss. v. 26. Febr. 1873

Peikert, Georg *Karl August*: Über Puerperalpsychosen ... Görlitz, Druck v. Hoffmann & Reiber, 1897; 2 Bl., 24 S. 8. Leipzig, Med. Fak., Inaug.-Diss. v. 26. Dez. 1896

Peikert, Joseph Carl Julius, s. Peikert, Karl

Peikert, Karl

Peikert, Carl (Joseph Carl Julius) (Leobschütz / Schlesien), De koremorphoseos diversis methodis. Diss. med. Berlin (Nietack) 10. V. 1834. 48 S. mit Biogr. (M.: J. Jordan). (3.75) 26005
Oppon.: C. Plaetschke, C. Welzel, Wilh. Dietz.

Peikert, Carl, Referendar in Schmiedeberg i. R.: Die Rechtsnatur der offenen Handelsgesellschaft angewandt auf die bei derselben auftretenden Aufrechnungsfälle. Borna-Leipzig 1905: R. Noske. (IX, 39 S.) 8° [J.]
Breslau, Jur. Fak., Ref. Dahn, Diss. v. 3. Apr. 1905
[Geb. 9. Aug. 83 Liegnitz; Heimatsort: Liegnitz; Staatsangeh.: Preußen; Vorbildung: Gymn. Liegnitz Reife O. 01; Studium: Freiburg i. B. 1, Berlin 1, München 1, Breslau 3 S.; Rig. 22. Juli 04.]

Peil, Heinrich [aus Köln a. Rh.]: Ueber die Frakturen der Patella und deren Behandlung ... Bonn, Buchdr. v. K. Drobnig, 1897; 35 S., 2 Bl. 8. Bonn, Med. Fak., Inaug.-Diss. v. [6. Juli] 1897

Peil, Ottomarus: Animadversionum criticarum in Q. Horatii Flacci Odarum librum secundum specimen. Halis Saxonum (1864): Ploetz. 31 S. 8°
Halle-Wittenberg, Phil. Diss. v. 4. Juli 1864
Geb. [Weissenfels 30. 1. 1839]

(Wüllenweber, Henricus): *De Platonis dialogi, qui „Sophista" appellatur ratione atque consilio. 36 S. 2°
Halle-Wittenberg, Phil. Diss. v. 5. Juli 1864
Geb. [Herscheid (Rheinprov.) 7. 4. 1839]

Peill, Arthur, Referendar: Das gesetzliche Zurückbehaltungsrecht und die Einrede des nichterfüllten Vertrages nach dem gemeinen und bürgerlichen Recht. *Rostock 1904: C. Hinstorff.* (120 S.) 8° Rostock, Jur. Diss. v. [20. Juli] 1904

Peill, Aug., Sternschnuppen. Gedichte. gr. 8. (V, 148 S.) Aachen 897. C. Mayer. n. 2.60; geb. in Leinw. m. Goldschn. n.n. 3.60

Peill, Conrad, Referendar a. Elberfeld: Die Gefahrtragung beim Werkvertrag. Eine vergleichende Darstellung der Bestimmungen des römischen Rechts und des deutschen Bürgerlichen Gesetzbuchs. Borna-Leipzig 1906: R. Noske. (X, 74 S.) 8°
Leipzig, Jur. Fak., Diss. v. 15. Okt. 1906
[Geb. 6. Juni 81 Elberfeld; Wohnort: Elberfeld; Staatsangeh.: Preußen; Vorbildung: Städt. Gymn. Elberfeld Reife Juli 01; Studium: Leipzig 1, Genf 1, Berlin 1, München 1, Bonn 2 S.; Rig. 12. Jan. 05.]

Peilnetosi, der heilige Rock, od. Jesuiten in Sicht, s.a. Streitschriften, freundschaftliche.

Der heilige Rock oder Jesuiten in Sicht! Sendschreiben von Bischof Korum von **Peilnetosi**. Barmen: D. B. Wiemann [1891]. (15 S.) 8° [F.]
— **Streitschriften**, Freundschaftliche. No 36. [o6. 13047

Peilstein [Schlagwort]

Peilstein, s.: Wiener Ausflugskarten.

Peim, Idel, aus Schadow, Rußl.: Über die Einwirkung von Brom auf arom. Thioharnstoffe. *Königsberg i. Pr. 1903: H. Jaeger.* (53 S.) 8°
Königsberg, Phil. Diss. v. 14. Nov. 1903

Pein, August

Pein, A., Aufgaben der sphärischen Astronomie, gelöst durch planimetrische Konstruktionen u. m. Hülfe der ebenen Trigonometrie. Mit 3 (lith.) Fig.-Taf. gr. 4. (VIII, 48 S.) Bochum 883. (Leipzig, Teubner.) n. 1. 20

Pein, A., Aufstellung von n Königinnen auf e. Schachbrett v. n^2 Feldern derart, dass keine v. e. andern geschlagen werden kann. [Von $n = 4$ bis $n = 10$.] Mit 7 Fig.-Taf. gr. 4. (III, 62 S.) Leipzig 889. (Fock.) n. 1. 60

Pein, August [Oberl. Dr.]: Aufstellung von n Königinnen auf einem Schachbrett von n^2 Feldern derart dass keine von einer andern geschlagen werden kann. (Von $n = 4$ bis $n = 10$). Leipzig, Druck v. B. G. Teubner, 1889; 2 Bl., 62 S., 7 Taf. 4°
Bochum, st. R, OP 1889 (347)

Pein, A.: Die Neil'sche Parabel, ihre Sekanten u. Tangenten. 1875. 8°
Diss. Rostock

— einige Präparationen zu profangeschichtlichen Quellenstoffen, s.: Wohlrabe.

Pein, Ernst, aus Rathenow: Untersuchungen über die Verfasser der Passion und der Vengence Jhesucrist, enthalten in der Handschrift No 697 der Stadtbibliothek zu Arras. *(Werder a. H. 1903: O. Siltmann Nachf.)* (43 S.) 8°
Greifswald, Phil. Diss. v. 21. [vielm. 19.] Febr. 1903

Pein, G., neu entdecktes Verfahren, von allen Arten Blumen gefüllte u. im schönsten Farbenschmelz prangende Blüthen zu erlangen. Nach mehrjähr. Erfahrn. zusammengestellt. 16. (3 B.) Nordhausen 837, Fürst.

Pein, Kurt, appr. Arzt: Beiträge zur Kenntnis der Urobilinurie. Halle a. S. (1910): Pritschow. 32 S. 8°
Halle, Med. Diss. v. 25. April 1910, Ref. Schmidt
[Geb. 25. Jan. 85 Berlin; Wohnort: Berlin; Staatsangeh.: Preußen; Vorbildung: Leibniz-Gymn. Berlin Reife M. 03; Studium: Berlin 7, Marburg 1, Halle 2 S.; Coll. 18. Dez. 09; Approb. 26. März 10.] [U 10. 1696

Pein, L., english made easy oder Anweisung die englische Sprache auf die leichteste Weise und bei dem wenigst möglichen Unterricht zu erlernen, mit der Bezifferung nach Walker, für Auswanderer nach Amerika und Australien, sowie auch für Diejenigen, welche die Aussprache genau und auf die richtigste Weise erlernen wollen. Neubrandenburg 855. (Lingnau.) 8. (VI, 200 S.) n. 25 ngr.

Das Recht des Handlungsgehilfen. Eine kurze Erl. d. 6. Abschn. d. neuen HGB., giltig vom 1. Jan. 1898 an. Bearb. von R. v. **Pein**. 3. Aufl. *Hamburg: Verband 1899.* (22 S.) 8° [F.]
— [Flugschrift d. Deutschnat. Handlungsgehilfen-Verbandes. No 4.] [o0. 11053

Pelnagel, J., Wörterbuch üb. d. Griech. Schriftst., d. in d. Oesterr. Schul. geles. w. 8. Wien, Trattner. (Tendler.) 778.

Peinagl, Jos., (†...) Vocabularium Graeco-Germanico-Latinum etc. Wörterbuch über d. Griech. Schriftsteller, die in d. Oesterr. Schulen gelesen werden. 8. Wien 778. Trattner. 12 gr.

Peine [Schlagwort]

Peine, Kreis, s.a. Hildesheim, Reg.-Bez.

Peine, Kreis. Karte des Kreises Peine. 1 : 100,000. 43×36 cm. Farbdr. Berlin (901). M. Pasch. n. 4. —

Peine [Verfasser]

Peine, A., biblischer Ratgeber zu den Hauptbegriffen der christl. Religionslehre. Lex.-8. (277 S.) Magdeburg 888. E. Baensch jun. n. 3. —; geb. n. 3. 60

Peine, Bermannus: De fractura colli femoris intra ligamentum capsulare. Halae 1843: Ploetz. 14 S. 8°
Halle-Wittenberg, Med. Diss. v. [11. Aug. 1842], nachgeliefert
Geb. Kopenhagen [23. 3. 1814]
Verf. wurde in absentia promoviert.

Peine, Carl Ludwig, s. Peine, Karl Ludwig

Peine (E.). Der Bosensche Garten in Leipzig . . . Halle, 1690. 8°. Ed. 4. 1713.

Peine, Georg (geb. Alfeld in Hann. 3. 9. 1858): Ueber einige Derivate des Zimmtaldehyds. Berlin 1885. (45 S.) 8°
Berlin, Phil. Diss. v. 14. März 1885

PEINE, Hans (Buxtehude): Zwei Fälle von primären Wandungssarcom der Portio vaginalis kombiniert mit doppelseitigen, metastatischen Ovarialsarcomen. Mit 1 Taf.- München: Kastner & Callwey 1910. 47 S., 1 Taf.
29.7.1911 - Chr 1911/12,25; U 11.5707
Diss. Ingolst.-Landsh.-Mchn.

Peine, Heinrich [Mitarb.]
s. **Geyer**, Moritz: Geschichte des Friedrichsgymnasiums zu Altenburg seit 1789.

Peine, Heinrich [Dr.]: Die Altenburgischen Gymnasialprogramme des 17. Jahrhunderts. 1. Altenburg, Druck v. O. Bonde, 1893; 1 Bl., 1–30 S. 4.
Altenburg, Friedrichs-G, OP 1893 (681)

Peine, Heinr., die altenburgischen Gymnasialprogramme des 17. Jahrh. I. Progr. 4. (30 S.) Altenburg 893. (Schnuphase.) n. 1. —

Peine, Henricus [Saxo-Borussus]: De dativi usu apud priscos scriptores latinos. Argentorati (typis A. Kelleri), 1878. 8. 60 S.

Peine, Karl Ludwig

— **Carl Ludwig** ([Pilsuerda bei Torgau]), De finibus arbitrio judicis a legum latore ponendis. Präs. Christian Daniel Erhard. Leipzig (Kramer) 13. X. 1795. 36 S. (4.75) 26016

Peine, Paul, cand. min., Seminarlehrer: Descartes als Pädagoge. *Erfurt [1901]: M. Luther.* (36 S.) 8°
Rostock, Phil. Diss. v. [25. Apr.] 1901

Peine, Selmar

Peine, S. De ornamentis triumphalibus, s.a. Studien, Berliner, 2. Bd. 2. Hälfte.

— **Selmar** (Magdeburg), De ornamentis triumphalibus. Diss. Berlin ((C. Janke)) 1885. 85 S. u. Biogr. (M.: E. Schnarr). (2.50) 26017
Gew.: Viktor Gardthausen.

De ornamentis triumphalibus. Scripsit Selmar **Peine.** (Berlin: S. Calvary & Co. 1885.) (S. 309–397.) 8°
— **Studien,** Berliner, f. classische Philologie u. Archaeologie. Bd 2, [4.] (ø6. 7705

— die goldene Pforte in Freiberg u. insbes. d. Deutg. ihrer Figuren. [Aus: „Mitteilgn. d. Freiberger Altertumsvereins".] gr. 8. (8 S. m. Fig. u. 1 Autotypie.) Freiberg 897. Gerlach'sche Buchdr. n.n. — 60

[F.] **Peine,** Selmar [Dr.]: St. Barbara, die Schutzheilige der Bergleute und der Artillerie, und ihre Darstellung in der Kunst. M. Abbildgn. Freiberg, Gerlach'sche Buchdr., *1896;* 38 S. 4.
Freiberg, st. RG, OP 1896 (565)

Peine, Selmar, St. Barbara, d. Schutzheilige d. Bergleute u. d. Artillerie, u. ihre Darstellg. in der Kunst. gr. 4. (38 S. m. Abb.) Leipzig 896. Buchhdlg. G. Fock. n. 1. 20

Peine, Wernerus (Aloys. Armin.) (geb. Nieheim in Westf. 21. 10. 1823): Nonnulla de morbo Brightii. Berolini (1847). (27 S.) 8°
Berlin, Med. Diss. v. 30. Aug. 1847

Peine, Wilhelm [app. Arzt aus Cassel]: Ein Abscess des Antrum Highmori infolge von Influenza. . . . München, k. Hof- u. Univ.-Buchdr. v. Dr. C. Wolf & Sohn, **1890**: 19 + 1 S. 8°
München, Med. Fak., Inaug.-Diss. v. **1890**

Peinemann, J. G., s.: 1) d'Arnaud, Almanzi. 2) Bibliothek, kl., zum Zeitvertreib. 3) Loaisel v. Treogate, Irrthümer.

(Peinemann, J. T. und Bertram, J. J.): „Historische Untersuchung des Ursprungs und Wachsthums der Kaufmannschaft bei den allerersten Völkern und in den nachfolgenden Zeiten bei den Egyptiern, Phöniciern, Griechen und andern mehr. Wobei zugleich von der Erfindung der Münzen, der Jahrmärkte oder Messen und sogenannten Kauffmanns-Börschen gehandelt wird", Leipzig 1793.
— Vorh.: Com. Bibl. Hamburg.

Peinemann, Johann Tobias (Leipzig), De aestimandis et restituendis fructibus ad dec. nov. II. Diss. inaug. Präs. Joh. Gottfried Bauer. Leipzig (Langenheim) März 1753. 44 S. (4.25) 26018

PEINEMANN, K.
Beiträge zur pharmakognostischen und chemischen Kenntniss der Cubeben, und der als Verfälschung derselben beobachteten Piperaceenfrüchte. Basel, 1896. 8vo. Ill.

Peinlich's, Rich., Biographie, s.: Ilwolf, F.

Peinlich, Fürchtegott

Peinlich, F., s.: Bismarck's Reise nach Wien u. ihre Folgen.

Peinlich, Fürchtegott, Burenkrieg, siehe Gedanken.

Peinlich, Fürchtegott (Reichsfrhr. v. Fechenbach zu Landenbach), s. a. Gedanken u. Erinnerungen an den Krieg Englands gegen die Burenstaaten.

Peinlich, F. Gedanken und Erinnerungen an den Krieg Englands gegen die Burenstaaten. Berlin 1900. 8°.

— s.: Kaiser, der, u. der südafrikanische Krieg.

— s.: Wahrheit, die, üb. Bismarck.

Peinlich, Richard

Peinlich, R. Bemerkungen zur Satzlehre. Ofen, O. G., 1852. 18 S. 4. **Progr.**

PEINLICH, RICHARD: Dichtungen. Gesammelt und herausgegeben von P. Florian C. Kinnast O. S. B. Graz 1883. Verlagsbuchhandlung Styria. - 61 S. - 200 mm

— Einiges über die Lebens- u. Wirthschafts-Verhältnisse von Graz im 16. Jahrhundert. Eine Causerie auf archival. Boden. Graz 869. Ferstl. 8. (35 S.) n. 4 *ngr.*

Peinlich, Rich. Theodor Gassner. Nekrolog. 15 S. 8. 1 Staatsg. *Graz* 1877.
Progr.

Peinlich, Rich., Geschichte des Gymnasiums in Graz. 2. Periode. Collegium, Gymnasium u. Universität unter den Jesuiten. Graz 870. (Ferstl.) gr. 4. (109 S.) n. 15 *ngr.*

Peinlich, Rich., Geschichte d. Gymnasiums in Graz. 2. Periode. 2. u. 3. Hft. gr. 4. Graz 870. 71. (Moser.) n. 3. 60 (II, 1—3.: n. 5. 20)
2. (157 S.) n. 2. —; 3. (79 S.) n. 1. 60.

Graz I: Geschichte des Gymnasiums in Graz. III. Periode v. 1774 bis 1849 v. Dr. R. Peinlich. 167[4]. 1874 vergl. Progr. v. 1872.
Progr.

P(EINLICH), R(ICHARD): Geschichte der katholischen Kirche (4-7 Jh.). In: Der kath. Christ. Jg. 8. 1855 Nr. 1-52.

Peinlich, Rich., Zur Geschichte der Leibeigenschaft in Steiermark. 8°. Graz 1881.

— Geschichte der Pest in Steiermark. 1. Hft. 8. (282 S.) Ebend. 876. n. 2. —

Peinlich, Rich., Geschichte der Pest in Steiermark. 2 Bde. 8. (559; 652 S.) Graz 877, [Vereinsbuchdruckerei.] Verlagsh. Styria. à Bd. * *M* 5. *

Peinlich, Rich., unser heiliger Glaube im Gebete des Herrn. Sieben Predigten gehalten während der Fastenzeit des Jahres 1859 in der Hof- u. Domkirche zu Graz. Wien 859. Braumüller. gr. 8. (VI, 219 S.) n. 20 *ngr.*

— Gott ruft uns. Fastenbetrachtungen vor Passionsbildern über die Wege der göttlichen Erbarmung u. Langmuth. Wien 865. Braumüller. 8. (III, 198 S.) n. 20 *ngr.*

Peinlich, Rich., Jesus, der Verrathene und Judas, der Verräther. Sieben Predigten für die gebildeten Stände zur Fastenzeit des J. 1854, gehalten zu Ofen in Ungarn. Gratz 855. Kienreich. (Leipzig, Haessel.) gr. 8. (2 Bl., 111 S.) n. 20 *ngr.*

— Judenburg u. das heil. Geistspital daselbst. Graz 870. Moser. 8. (52 S.) n. 8 *ngr.*

PEINLICH, RICHARD: Christkatholischer Kalender für das Gemeinjahr 1855 (u. 1856). Jahrgang V. (u. VI.). Pest: St. Stephansverein 1855 (u. 1856).

P(EINLICH) RICHARD: Kirchengeschichte (Altertum. 41 Folgen). In: Der kath. Christ. Jg. 7. 1854. Nr. 21-42. S. 121-412.

— die steierischen Landschaftsmathematiker vor Kepler. [Ein Vortrag, geh. bei der Vierteljahrs-Versammlung d. hist. Vereines f. Steiermark am 10. Nov. 1871.] 8. (30 S.) Graz 872. (Leuschner & Lubensky.) n. — 40

—— die ältere Ordnung und Verfassung der Städte in Steiermark. Eine histor. Skizze. 8. (112 S.) Ebendas. 879. *

Peinlich, R.: Real-und Personal-Statistik des k. k. I. Staats-Gymnasiums in Graz v. 1774 bis 1872. Zur Weltausstellung in Wien 1873. 110 S. 4°.– Graz I. OG, Progr. 1873.

Peinlich Dr. R.: Die Egkennperger Stifft' zu Graz im 15. u. 16. Jahrh. Beitrag zur Culturgeschichte und Topographie der Stadt Graz. 70. Graz I. 75.
Progr.

—— die Trösterin der Betrubten. Eine Maiandachts-Betrachtung 8. (24 S.) Gratz 861, Kienreich's Verlag

— chronistische Übersicht der merkwürdigsten Naturereignisse, Landplagen u. Culturmomente der Steiermark vom Jahre 1000 bis 1850. Tabelle in Imp.-Fol. Graz 880. Leykam. n. 2. —

— Was haben die Frauen dem Christenthum zu verdanken? Ein Frühlings-Tannenreis, geflochten in den Maiandachtskranz zu Ehren der allerseligsten Jungfrau Maria. Eine Betrachtung, gehalten in der Stadt-Pfarrkirche zum heiligen Blut. Graz 859. (Wießner.) 8. (23 S.) n. 6 ngr.

— die Weihe des Lebens von der Wiege bis zum Sarge. Sieben Fastenpredigten über die Bedeutung und Wirksamkeit der heiligen Sakramente. Wien 861. Braumüller. 8. (VIII, 203 S.) n. 20 ngr.

PEINTINGER, Alfred: Über Höhengrenzen im Gebiet des Hochschwab. 1909. 83 Bl. Diss. Graz, Univ.

Peintres russes. Edition de la Sté J. N. Kouschnereff & Cie. Moscou. 1. livr. qu. Fol. (6 Farbendr.-Taf. m. 1 Bl. russ u. französ. Text.) Moscou 889. (Leipzig, Gerhard.) In Mappe. n. 12. —

Peintures diverses ou le porte-feuille d'Antonia. 8. Götting. 805. Vandenhöck u. R. 1 ℔

Peintures de Polygnote à Delphes, dessinées et gravées d'après la description de Pausanias par F. & J. Riepenhausen. (Rom 1826.) (Die Wandgemälde des Polygnotes in der Lesche zu Delphi, gez. u. gest. nach der Beschreibung des Pausanias von F. & J. Riepenhausen in Rom. Darstellend die Einnahme der Stadt Troja und den Rückzug der Griechen.) 28 Blätter in 2 Heften. Gr Roy Quer Folio, in Lithogr Farbendruck ausgeführt. Wien, k. k. Hof- und Staatsdruckerei. 1865. 48 fl.

Peintures de toutes sortes. 4 Hfte. 16. (à 6 color. Steintaf.) Wesel 874. Düms. à — 10
Auch in dänischer, englischer, schwedischer u. spanischer Sprache zu gleichem Preise.

Peip, Albert, Aussichten auf Deutschlands Einheit. gr. 8. (14 S.) Berlin 849, Schneider & Co. n. 3 ngr.

Peip, Alb., der Beweis des Christenthums. Berlin 856. Wiegandt u. Grieben. gr. 8. (2 Bl., 87 S.) n. 12½ ngr.

Peip, Alb., zum Beweis des Glaubens. [Aus: Der Beweis des Glaubens.] Gütersloh 867. Bertelsmann. gr. 8. (IV, 179 S.) n. 22½ ngr.

— Jakob Bohme, der deutsche Philosoph, der Vorlaufer christlicher Wissenschaft. Leipzig 860. Hirschfeld. gr. 8. (2 Bl., 260 S.) 1 ℔

Peip, Alb., Jakob Böhme, der deutsche Philosoph, in seiner Stellung zur Kirche. Ein Vortrag. 16. (46 S.) Hamburg 862, Agentur des Rauhen Hauses.

—— zur Charakteristik der Gegenwart. gr. 8. (15 S.) Berlin 849, Schneider und Comp. **

—— Christosophie. gr. 8. (VII und 116 S.) Berlin 858, Dümmler's Buchh. *

— Christus und die Kunst. Eingeleitet durch Worte der Erinnerung an Ludwig Tieck. Berlin 853. G. Reimer. 8. (62 S.) 7½ ngr.

Peip, Alb., das Credo der Kirche u. die Intelligenz d. Zeitgeistes. Vortrag, geh. im evangel. Verein. gr. 8. (32 S.) Gütersloh 872. Bertelsmann. n. — 50

Peip [illegible]
Schul-/Univ.-Schrift

— die Geschichte der Philosophie als Einleitungswissenschaft. Eine Antrittsvorlesung. Göttingen 863. Vandenhoeck & Ruprecht. gr. 8. (16 S.) n. 3 ngr.

— die Kirchen- und Staats-Parteien. (Abdr. aus Gelzer's „Protestant. Monatsblättern.") Dresden 861. am Ende. gr. 8. (45 S.) 7½ ngr.

— das Kreuz u. die Weltweisheit. Ein Vortrag im evangel. Verein zu Hannover gehalten. Hannover 869. Meyer. gr. 8. (28 S.) 6 ngr.

—— Philosophie und innere Mission. gr. 8. (46 S.) Dresden 860, am Ende.

Peip, Alb., Religionsphilosophie. Nach dessen akademischen Vorlesungen hrsg. von Thdr. Hoppe. gr. 8. (XII, 464 S.) Gütersloh 879. Bertelsmann. n. 8. —

—— die preußische Tagesfrage. gr. 8. (15 S.) Berlin 849, Schneider und Comp. *

— die Wissenschaft und das geschichtliche Christenthum. Vorwort zu einem Grundrisse der christl. Wissenschaft. Berlin 853. G. Reimer. 8. (4 Bl., 56 S.) 7½ ngr.

Peip, Christian: Atlas von Baden, s. Kürschner, Josef

Peip, Christian: Atlas von Württemberg u. Hohenzollern, s. Kürschner, Josef

(Ludwig) Ravenstein's Eisenbahn-Karte von Deutschland u. angrenzenden Gebieten mit Stations-Verzeichnis). Nach Entwürfen von Hans Ravenstein gez. von Chr[istian] Peip in Eisenach. Maßst. 1 : 1,250,000. [Mit 5 Nebenkarten.] *Frankfurt a. M.: L. Ravenstein (1904)* (1 Kartenbl. 94 × 75 cm, 39 S.) 8° [kol.]
[Umschlagt.:] Ravenstein's Reise- u. Eisenbahn-Karte von Deutschland bearb. von Chr. Peip. [04. 39]

Peip, Chr. Taschen-Atlas von Berlin und weiterer Umgebung. Leipzig 1892. 1 Bd. mit 16 Karten. [illegible]
Desgl. neue Ausgabe. Stuttgart 1899. 1 Bd. mit 21 Karten. [illegible]

Chr. Peip's Taschenatlas von Berlin und weiterer Umgebg. Neue verm. u. verb. Ausg. Enth. 18 Kt. nebst Führer v. Paul Lindenberg '(Berlin)' m. Anh.: Verzeichnis d. hauptsächl. Sehenswürdigktn Berlins. *Stuttgart: Hobbing & Büchle 1897.* (48 S., 20 Kt., 1 Pl.) 1 Bd 8. [97. 4636]

Chr[istian] Peip's Taschenatlas von Berlin und weiterer Umgebung. Neue verm. u. verb. Aufl. enth. 18 Kartenbl., 1 Plan d. inneren Stadt Berlin, 1 Spezialkarte von Potsdam u. Umgebung, 1 Spezialkarte vom Spreewald sowie 2 Textbeigaben: 1. Märkische Landschaft. Eine Skizze von Wolfgang Kirchbach. 2. Führer durch d. Umgebung Berlins. Von Paul Lindenberg. *Stuttgart: Hobbing & Büchle 1903.* (51 S., 13 Kartenbl.) 8° [03. 11733]

Peip, C.: Taschenatlas von Berlin und weiterer Umgebung. 33 farb. Kten u. Pl. nebst 185 S. Text. 5. gänzl. umgearb. Aufl. Stuttgart u. Berlin 1914. 8°
[1. Aufl. 1892.]

Chr. Peip's Taschen-Atlas vom Mittelrhein-Gebiet. 10 Kt. in feinstem Farbendr. 1—5. Taus. *Stuttgart: Hobbing & Büchle 1897.* (4 Bl., 10 Kt.) 1 Bd 8. [98. 1129]

Chr[istian] Peip's Taschenatlas vom Mittelrhein-Gebiet. Enth. 16 farb. Karten. (Maßst. 1:150,000 nebst beschreib. Text mit Übersichtskärtchen, 2 Ansichten u. 2 Pl.) Neue erg. u. verschönerte Ausg. 1904. *(Stuttgart: Hobbing & Büchle 1904.)* (IV S., 16 Kartenbl.) 8° [Kopft.] [04. 10285]

Peip, Chr. Taschen-Atlas über alle Teile der Erde. In 36 Haupt- und 70 Nebenkarten von Chr. P., Kartograph in Eisenach. Mit geographisch-statistischen Notizen von Otto Weber. 80 S. + 36 Tafeln. 8. Stuttgart und Leipzig, Deutsche Verlags-Anstalt, 1904. [geb. M. 2. 50]
Darin S. 9 f. 16. 57 etc. und Karten Nr. 4. 11. 13. 14. 18 etc. die Schweiz *betr.*

Chr. Peip's Taschenatlas von Wien u. weiterer Umgebg. Enthält: 20 Kt. ... u. 1 Pl. v. Wien, innere Stadt, nebst Führer durch Wien u. Umgebg v. A. Kühnel. *Stuttgart: Hobbing & Büchle 1896.* (72 S., 20 Kt., 1 Pl.) 1 Bd 8. [96. 5429]

Peip, Chr. Touristenkarte von Eisenach und Umgebung. Eisenach 1893. 1 Bl. c. Lichtdruck

Peipelmann, Georg, Referendar a. Eisenberg, S.-A.: Die „empfangsbedürftige" Willenserklärung des § 130 B.G.B. Eisenberg, S.-A. 1907: P. Kaltenbach. (VIII, 36 S.) 8° [𝔉.]

Jena, Jur. Fak., Ref. Thon, Diss. v. 22. Mai 1907

[Geb. 7. Sept. 83 Eisenberg i. S.-Altenb.; Wohnort: Eisenberg; Staatsangeb.: Sachsen-Altenburg; Vorbildung: Gymn. Eisenberg Reife M. 03; Studium: Lausanne 1, Kiel 1, Berlin 1, Jena 4 S.; Rig. 19. März 07.]

Peiper, C. R. S., s. Peiper, Karl Rudolf Samuel

Peiper, Erich, der Arzt. Einführung in die ärztl. Berufs- u. Standesfragen. In XVI Vorlesungen. Anh.: Gesetz, betr. die Bekämpfg. übertragbarer Krankheiten. (XIV, 254 S.) Lex.-8 Wiesbaden 906. J. F. Bergmann. n. 5. —

Die Bekämpfung der Säuglingssterblichkeit eine nationale Pflicht. Von Prof. Dr. Erich **Peiper**. Berlin-Schöneberg [1909]: Scholem. 32 S. 8° [Umschlagt.]

Peiper, Erich, die Bekämpfung der Säuglingssterblichkeit, e. nationale Pflicht. (32 S.) 11.8. Greifswald 909. L. Bamberg. — 50

Chronik der Familie Peiper. Zsgest. von Prof. Dr. Erich **Peiper**. Abgeschlossen am 1. Jan. 1905. [Nebst] Erg. Abgeschlossen am 1. Jan. 1911. Greifswald (1905–11): Abel. 8°

Peiper, Erich, Fliegenlarven als gelegentliche Parasiten des Menschen. 8. (76 S. m. 41 Abbildgn.) Berlin 900. L. Marcus. n. 2. —

— **tierische Parasiten, s.: Mosler, F.**

— Die **Säuglingssterblichkeit** in Pommern, ihre Ursachen u. ihre Bekämpfung. Unter Mitarbeit v. Rich. Pauli. Mit 1 Beilage, 3 Kurven u. 3 Karten im Text. (104 S.) gr. 8. Jena 910. G. Fischer. 4. —
Sonderabdruck aus: „Klin. Jahrb."

Peiper, E., die Schutzpockenimpfung u. ihre Ausführung. Ein Leitfaden f. Ärzte u. Studirende. Erweiterter Sep.-Abdr. aus der „Wiener Klinik". gr. 8. (IV, 76 S.) Wien 888. Urban & Schwarzenberg. n. 2. 50

Peiper, Erich, die Schutzpockenimpfung u. ihre Ausführung. Leitfaden f. Ärzte u. Studirende. 2., verm. u. verb. Aufl. Lex.-8. (IV, 107 S.) Wien 892. Urban & Schwarzenberg. n. 3. —

— die Schutzpockenimpfung u. ihre Ausführungsbestimmungen in Deutschland u. Österreich-Ungarn. 3. verm. Aufl. gr. 8. (VI, 270 S. m. 4 Abbildgn.) Wien 901. Urban & Schwarzenberg. n. 6. — geb. in Leinw. n. 7. 50

— dasselbe, s.: Klinik, Wiener.

— Untersuchungen üb. die Perspiratio insensibilis unter normalen u. pathologischen Verhältnissen. Mit e. lith. Taf. u. 3 Abbildgn. im Texte. gr. 8. (69 S.) Wiesbaden 889. Bergmann. n. 2. —

— die **Verbreitung der Echinococcen-Krankheit in Vorpommern. gr. 8. (53 S. m. 1 Karte.) Stuttgart 894. F. Enke. n. 2. —**

Peiper, Gust. Theod. Alex. (geb. Hirschberg in Schles. 13. 3. 1838): De gangraenae pulmonum sanatione, observationibus duabus illustrata. Berolini (1860). (32 S.) 8°

Berlin, Med. Diss. v. 13. Aug. 1860

PEIPER, Henr. Wilhelm: Dissertatio de cortice Hippocastani. - Duisburg 1763. 22 S.

Peiper, Hermann *(geb. Hirschberg in Schles. 23. 1. 1844)*: Ueber die Nothwendigkeit der Perforation und ihre Indikationen. Breslau (1869). (35 S.) 8°

Breslau, Med. Diss. v. 30. März 1869

Peiper, Karl Quaestiones propertianae. 16 S. Pars altera. 19 S. [Übersetzung einzeln. Eleg.] *Creuzburg O/S.* 1879. 1880. Progr.

Peiper, Karl Rudolf Samuel

Peiper, Carl Rudo. Sam., nähere Beleuchtung e. neuen Bearbeit. d. Buches Koheleth, od. d. Prediger Salomo. 8. (...) Leipzig 837, (Fr. Fleischer.) *

— Commentationis de libro persico مهر و مشترى sive de Mihri et Muschterii (Solis et Jovis) mysticis amoribus. Pt. I. Dissert. inaug. 4maj. (3¼ B.) Berolini 839, Asher et Comp. *

— s. Hariri.

— das hohe Lied der Indus, s. Bhagavad-Gita.

Peiper, Karl Rud. Sam., de Moallaka Lebidi, celeberr. veter. poëtae, carmine laudatissimo dissertatio commentario praevia. 4. Bresl. 823. Max. 1 *ß* (vergl. *Lebidi*).

Peiper, C. R. S., Promethea, carmen, in quo disputatur de optima eruditi vitae socia. gr. 8. (VIII und 349 S.) Leipzig 864, Fr. Fleischer. *

Peiper, C. R. S., Stimmen aus dem Morgenlande, s.a. Stimmen.

Stimmen aus dem Morgenlande, oder Deutsch-Morgenländische Frucht- und Blumenlese. Eine Sammlung von unbekannten, oder noch ungedruckten Schriftstücken Morgenländischer Autoren: ausgezogen, übersetzt, erläutert und herausgegeben von C. R. S. Peiper. Hirschberg 1850.

Peiper, Rudolf

Peiper, R., Zur Anthologie des Luxorius. S.-A. 1876. 18 S.

Peiper, R., Vermischte Bemerk. u. Mittheil. zu röm. Dichtern z. T. aus Handschr. S.-A. 1877. 22 S.

Peiper, Rud., Q. Valerius Catullus. Beiträge zur Kritik seiner Gedichte. gr. 8. (73 S.) Breslau 875. Gosohorsky. Freiburg i. Br., Kiepert. n. 2. —

Kauffmann, Will.: Zum Gedächtnis unseres am 12. Juni 1890 vollendeten Br. Will. Kauffmann. Vorgetragen bei der Trauerfeier der St. Andreas-Loge Montana [in Breslau] am 28. Juni 1890 von R[ud.] **Peiper.** Breslau [1890]: Grass, Barth & Co. 19 S. 8° [Umschlagtit.]

Peiper, Rudolf (Übers.), s. Husain b. ʿAlī al-Wāʿiẓ al-Kāšifī.

Peiper, R., de Senecae tragoediarum lectione vulgata. [Aus: „Festschrift zur Jubelfeier des Gymnasiums zu St. Maria Magdalena".] gr. 8. (55 S.) Breslau 893. (E. Morgenstern's Verl.) n. — 50

Peiper: Observatorum in Senecae tragoediis libellus. 40 S. –Breslau M., Progr. 1863

Peiper, R., Fortolfi Rythmimachia, s. Abhandlungen zur Geschichte der Mathematik.

Peiper, R., Die Strophen d. griech. u. lat. Bukoliker I. Theokritos. II. Vergilius. 1865. 28 S.

Peiper, R., praefationis in Senecae tragoedias nuper editas supplementum. Commentatio praemissa programmati gymnasii Magdalenaei Wratislaviensis. Wratislaviae 870. (Leipzig, Teubner.) 4. (36 S.) n. 10 ngr.

Peiper, R., Aeschyli Supplices v. 776—909 rec. Gel. 1862. 19 S.

Peiper R., Dracontii Orestis tragoedia, rec. 1875 51 S.

Peiper, R., die handschriftliche Ueberlieferung des Ausonius. [Aus: „Jahrbb. f. class. Philol." 11. Suppl.-Bd.] gr. 8. (167 S.) Leipzig 879. Teubner. n. 4. —

Peiper, U

- U., Eine neue Properzhandschrift. S.-A. s. a. 47 S.

Peiper, W., Joh. Amos Comenius, der große Schulmann Posens. Vortrag, geh. am 21. März 1891 in Koschmin. 12. (18 S.) Koschmin 891. (Krotoschin, U. Friede.) — 75

Peiper, W., die Gesetze, Reglements u. Verordnungen üb. die Elementarlehrer-Wittwen- u. Waisen-Pensions-Anstalten der Prov. Schlesien. 12. (VIII, 87 S.) Breslau 882. Woywod. n. — 80

Peipers, Alfred [aus Solingen]: Aus d. patholog. Institut zu Bonn. Fettige Degenerationszustände in der Niere ... Bonn, Druck v. J. F. Carthaus, 1892; 38 S., 1 Bl. 8.
Bonn, Med. Fak., Inaug.-Diss. v [15.] März 1892

Peipers, August, Referendar Die **Besitzrechtsklage** nach § 1007 BGB. gegenüber der actio Publiciana des römischen und gemeinen Rechts. *Rostock 1902: C. Hinstorff.* (111 S.) 8° [J. u. Ant.]
Rostock, Jur Diss. v [10. Mai] 1902

Peipers, August [geb. Mettmann] Thesen. Berlin (1870). (2 Bl.) 8°
Berlin, Med. Thes. v 22. Juli 1870

Peipers, C., s. Peipers, Karl

Peipers, Cos. Fr., Tertii et quarti nervorum cervicalium descriptio. Cui accedit succincta eorundem nervorum quinti; nervi phrenici, praesertim rationе originis; nervi accessorii Willisii, nervi duri, ejusque praecipue rami inferioris; nervi hypoglossi et occipitalis maximi a secundo cervicalium nervo, adumbratio. 36 pp C. 4 tab. Hal. 4°. *Ludwig,* 1795, IV, 18—49, 1 pl.

1793

[J.] Das protestantische Bekenntniss. Beitr z. Lösg d. Bekenntnissfrage in d. ev.-prot. Kirche, insbes. d. hannov. Landeskirche (nebst Aktenstücken)'. Von David **Peipers,** a. o. Prof. .. an d. Univ Göttingen. *Göttingen: Dieterich 1897.* (1 Bl., VI, 388 S.) 1 Bd 8. 97. 1132

Peipers, Dav., das protestantische Bekenntniß. Beitrag zur Lösg. d. Bekenntnißfrage in d. evang. protestant. Kirche, insbes. der hannov. Landeskirche (nebst Aktenstücken). gr. 8. (VI, 388 S.) Göttingen 897. L. Horstmann. n. 7. 50

Peipers, Dav., das protestantische Bekenntniß. Beitrag zur Lösg. der Bekenntnißfrage in der evangel.-protest. Kirche, insbesondere der hannov. Landeskirche (nebst Aktenstücken). Neue, bill. [Titel-]Ausg. gr. 8. (VI, 388 S.) Berlin (897. 899). C. A. Schwetschke & Sohn. n. 6. —

Peipers, Dav., ontologia Platonica ad notionum terminorumque historiam symbola. gr. 8. (XIV, 606 S.) Leipzig 883. (Teubner.) n. 14. —

Petition mehrerer Einwohner Göttingens an die außerordentliche Landessynode der evangelisch-lutherischen Kirche Hannovers. (Verf Prof D[avid] **Peipers.**) Eingereicht im März 1892. Als Ms. gedr Göttingen 1892 Dieterich. 18 S. 8° A 18. 7871

Peipers quaestt critt de Plat legg Bri.
Schul-/Univ.-Schrift

Peipers, Dav., quaestiones criticae de Platonis legibus. Berlin 863. Hertz. gr. 8. (V, 128 S. u. 1 lith. Taf.) n. 15 ngr.

Peipers, Dav., Untersuchungen üb. das System Plato's. 1. Thl. Die Erkenntnisstheorie Plato's m. besond. Rücksicht auf den Theätet. gr. 8. (XII, 742 S.) Leipzig 874. Teubner. n. 16. 80

Peipers, Eduard Philipp (Köln), De nervorum in secretiones actione. Diss. physiol. Berlin (Nietack) 30. VI. 1834. 36 S. u. Biogr. (M.: J. Hoddick). (3.25) 26019
Oppon.: A. Besserer, H. Urner, H. Feldmann. — Gew.: I. Mueller.

Peipers, E. Ph., die Anthropologie oder die Wissenschaft der Erfahrung. Der positiven Dialektik 2. Thl. gr. 8. (XIV u. 342 S.) Düsseldorf 847, Bötticher. 2⅓ ℛ (complt. 5 ℛ)

Peipers. Ed. Ph., die positive Dialectik. Die die Formbestimmtheit des Bewußtseins erzeugende That des Erkennens. gr. 8. (21¼ B.) Düsseldorf 845, Bötticher'sche Buchh.

—— dass. 2. Thl. A. u. d. Ttl.: die Anthropologie od. die Wissenschaft der Erfahrung. gr. 8. (22¼ B.) Ebds. 847.

Peipers, Ed. Ph., System der gesammten Naturwissenschaften, nach monodynamischem Princip. 1r Thl. Theorie des anorganischen Daseins. gr. 8. Köln 840. Du Mont-Schauberg. 1⅔ ℛ (Der 2e Thl. wird ehestens erscheinen.)

— System der gesammten Naturwissenschaften, nach monodynamischem Princip. 2. Thl. Theorie des organischen Daseins. gr. 8. Köln 841, Du Mont-Schauberg. 2⅓ ℛ (1. 2: 4 ℛ)

Peipers, Felix, approb. Arzt aus Bonn Aus d. psychiatr. Klinik zu Bonn. **Consanguinität** in der Ehe und deren Folgen für die Descendenz. Beiträge. *Berlin: G. Reimer 1902.* (70 S.) 8°
Bonn, Med. Diss. v. 22. Febr 1902

Peipers, Friedr (geb. Mettmann 15. 1 1844) Das Delirium tremens Berlin (1867). (32 S.) 8°
Berlin, Med. Diss. v 6. Aug. 1867

Peipers, Karl

Peipers, Carl (geb. Aachen 11 3. 1849) Ueber Neuroretinitis bei Hirnerkrankungen. Berlin (1873). (32 S.) 8°
Berlin, Med. Diss. v 24 Febr 1873

Peipers, Wilhelm

Peipers, W., english and german dialogues. 1. Edit. (58 S.) 1848. 7½ Ngr. und 2. Edit. 8. (94 S.) Düsseldorf 852, Bötticher. *

— Dialogues français et allemands. 12. (61 S.) Düsseldorf 818, Bötticher.

Peipers, W., Dialogues français et allemands. 2. Édition augmentée. 8. (104 S.) Düsseldorf 854, Bötticher, Vrlgsh. *

—— nouvelle grammaire française par demandes, et par réponses à l'usage des allemands, rédigée d'après les meilleures grammaires françaises et le dictionnaire de l'académie. gr. 12. (188 S.) Düsseldorf 849, Bötticher. *

—— Grammaire pratique de la langue allemande. 12. (358 S., wovon 19 lithogr.) Düsseldorf 848, Bötticher.

Peipers, Wilh., Grammaire pratique de la langue allemande. 2e édit. 8. (341 und 4 lithogr. S.) Düsseldorf 870, Böttcher's Verlag. [Berlin, Stilke.] cart. *

— Unter dem Kreuz, s. Trösteinsamkeit, katholische.

—— erster Cursus der neuen Methode zur leichten und schnellen Erlernung der englischen Sprache. Umgearb. und verm. mit der engl. Aussprache und den erläut. Noten. Zum Gebrauch in Lehranstalten jeder Art und beim Selbstunterricht. Von W. Molly. 8. verm. Aufl. gr. 8. (VIII, 244 S.) Düsseldorf 871, Bötticher.

Peiper's, W., erster Cursus der neuen Methode zur leichten u. schnellen Erlernung der englischen Sprache. Umgearb. u. verm. m. der engl. Aussprache u. den erläut. Noten. Zum Gebrauch in Lehranstalten jeder Art u. beim Selbstunterricht v. W. Molly. 9. vielfach verb. u. verm. Aufl. gr. 8. (XII, 244 S.) Berlin 873. Stilke. 1. 80; Schlüssel. (IV, 36 S.) 874. n. — 75

—— dass. — Erster Cursus. Schlüssel, hrsg. von W. Molly. gr. 8. (IV, 36 S.) Ebendas. 874. *

—— zweiter Cursus der neuen Methode zur leichten und schnellen Erlernung der englischen Sprache. Umgearb. und verm. mit der engl. Aussprache. Zum Gebrauch in Lehranstalten jeder Art und beim Selbstunterricht. Von W. Molly. 2. verb. und verm. Aufl. gr. 8. (XI, 307 S.) Ebendas. 874. *

—— practical method for the study of the german language. gr. 12. (463 S. und 10 lithogr. Bl.: german handwriting.) Düsseldorf 817, Bötticher.

Peipers, W., neue Methode zur schnellen u. leichten Erlernung d. engl. Sprache. 12. ($7\frac{2}{3}$ B.) Düsseldorf 845, Bötticher'sche Bh. * –

—— neue Methode zur schnellen und leichten Erlernung der engl. Sprache. 2. Aufl. gr. 12. (235 S.) Düsseldorf 848, Bötticher. * –

—— dass. — 2. Cursus. 8. (318 S.) Ebds. 852.

— neue Methode zur schnellen u. leichten Erlernung der englischen Sprache. (1. Cursus.) 4. Aufl. Düsseldorf 853. Bötticher. 8. (235 S.) 15 ngr.

Peipers, Wilh., neue Methode zur leichten und schnellen Erlernung der englischen Sprache. 2 Thle. und Schlüssel. gr. 8. Berlin 878,74, Freund und Jeckel. *

—— neue Methode zur schnellen u. leichten Erlernung der französischen Sprache nach Ollendorff's german grammar. 1. Aufl. ($8\frac{5}{12}$ B.) 814. u. 2. Aufl. ($14\frac{3}{4}$ B.) 12. Düsseldorf 846, Bötticher'sche Buchh. à * –

—— neue Methode zur schnellen und leichten Erlernung der französ. Sprache. 2. Cursus. gr. 12. (229 S.) Düsseldorf 850, Bötticher.
1. Cursus. Ebendas. 1846. * $17\frac{1}{2}$ Ngr.

— neue Methode zur schnellen und leichten Erlernung der französischen Sprache. 1. Cursus. 5. Aufl. Düsseldorf 853. Bötticher. 8. (239 S.) 15 ngr.

—— neue Methode zur schnellen und leichten Erlernung der französischen Sprache. 1. Cursus 10. Aufl. und 2. Cursus 3. Aufl. gr. 8. [Ebendas.] 871. à Cursus *M* 1,50.

—— neue Methode zur schnellen und leichten Erlernung der französ. Sprache. 2 Thle. gr. 8. Ebendas. 871. *

Peipers, W., über das Studium lebender Sprachen. Eine Erläuterung meiner neuen Methode zur schnellen und leichten Erlernung der französ. und engl. Sprache. 8. (16 S.) Düsseldorf 845, Bötticher. Thlr.

—— über das Studium lebender Sprachen. Eine Erläuterung meiner neuen Methode zur schnellen und leichten Erlernung der französ. und engl. Sprache. 8. (12 S.) Düsseldorf 852, Bötticher, Brlgsh.

PEIRCE, BENJAMIN OSGOOD, JUN. Ueber die electromotorischen Kräfte von Gaselement. Leipzig, 1879.

Peirce, Iac., paraphrasis et notae philolog. in epist. ad Hebraeos, lat. vert. et suas observ. add. I. D. Michaelis. 4. Halle, Kümmel. 747.

Peiré's v. Auvergne, Lieder, kritisch hrsg. m. Einleitg., Uebersetzg., Kommentar u. Glossar von Rud. Zenker. gr. 8. (X, 266 S.) Erlangen 900. F. Junge. n. 4. —

Peirille, J. v., praktischer Wegweiser zum Selbstunterricht und für Anfänger im Schachspiele. Danzig (854.) Kabus. 8. (39 S.) n. 10 ngr.

Peiritsch, Dr. J., Ueber künstliche Erzeugung von gefüllten Blüthen und anderen Bildungs-Abweichungen. (Aus dem Sitzungsber. d. k. Akademie der Wissenschaften.) 8. (9 S) In Comm. Wien: Tempsky 1889. —.15

v. Peirouse, s. Lapeyrouse.

Peirouse, la,. Schausp. v. Kotzebue. 8. Lpz. Kummer. 798. -

de la Peirouse. Abhandlung über die Eisenbergwerke und Eisenhütten in der Grafschaft Foix. Deutsch von G. Karsten. Halle a/S., 1798.

Peirouse, Picot de la

— descript. des plus nouv. espèces d'Orthocératites et d'Ostracites, av. fig. gr. fol. Erl. Walther. 784.

Peirouse, Picot de la, üb. d. Eisenbergwerke u. Eisenhütten, a. d. Franz. v. Karsten, m. K. 8. Halle, Renger. 789.

— traité sur les Mines de fer et les forges du Comté de Foix. 8. Strasb. Treuttel. 788.

Peisach, Berthold [app. Arzt aus München]: Zur Kasuistik der Herzverletzungen . . . München, Buchdr. Kastner & Lossen, 1895; 21 S. 8.
München, Med. Fak., Inaug.-Diss. v. 1895

Peiseler, Gottlieb: Anwendung der modernen Organisationsgrundlagen auf Klein- und Mittelbetriebe. Ausgeführt an einem Beispiel aus der Kleineisenindustrie. Berlin: Springer [1911]. 45 S. 4° ¶ Aus: Werkstattstechnik. Jg. 4. 5. 1910. 11.
Berlin, Dr.-Ing.-Diss. v. 24. 6. 1910

Peiser, Alfred, aus Posen: Zur Agglutination der Typhusbacillen durch den Harn Typhuskranker. *Würzburg 1901: Verlagsdruckerei.* (15 S.) 8°
Würzburg, Med. Diss. v. 1901

Peiser, Emil: Das Gräberfeld von Moythienen, s. Hollack, Emil

Peiser, Eugen: Anatomische und klinische Untersuchungen über den Lymphapparat des Uterus mit besonderer Berücksichtigung der Totalexstirpation bei Carcinoma uteri. *Stuttgart 1898: Union Deutsche Verlagsges.* (67 S.) 8°
Breslau, Med. Diss. v. 28. [handschr.: 30.] Juli 1898

Peiser, Felix Ernst

Peiser, F. E., keilschriftliche Acten-Stücke aus babylonischen Städten. Von Steinen u. Tafeln d. Berliner Museums in Autographie, Transscription u. Übersetzg. hrsg. u. commentiert. Nebst 2 Lichtdr.-Taf. Lex.-8. (XII, 147 S., wovon 23 autogr.) Berlin 889. W. Peiser Verl. n. 12. —

(B) **Peiser, F. E.**, keilschriftl. Aktenstücke. 889. (KBL 26.) — Z. Geschichte Abessiniens. 898. (KBL 30.) — Gesandtschaftsbericht. 894. — Die hetit. Inschriften. 892. (KBL 28.) — Iurisprudentiae babylon. 890. — Babylon. Verträge. 890. (KBL 28.) Jetzt: Leipzig, J. C. Hinrichs' Verl.

Peiser, F. E., der Gesandtschaftsbericht des Hasan ben Ahmed El-Haimî. Hrsg. von F. E. P. Lex.-8. (XXI, 87 S.) Berlin 894. W. Peiser Verl. n. 5. —

Peiser, F. E., zur Geschichte Abessiniens im 17. Jahrh. D. Gesandtschaftsbericht d. Hasan ben Ahmed El-Haimî. Uebersetzt v. P. gr. 8. (IV, XVIII, 85 S.) Berlin 898. W. Peiser, Verl. n. 3. —

Peiser, F. E., das Gräberfeld v. Moythienen, s.: Hollack, Emil.

— der Prophet Habakuk, s.a. Mitteilungen der vorderasiatischen Gesellschaft. VIII, 1.

Der Prophet Habakuk. Eine Untersuchung z. Kritik d. alten Testaments von F[elix] E[rnst] Peiser. *Berlin: W. Peiser 1903.* (38 S.) 8°
— Mitteilungen d. Vorderasiat. Gesellschaft. 1903, 1. [03. 760

— s.: Hammurabi's Gesetz.

— die hetitischen Inschriften. Ein Versuch ihrer Entzifferg., nebst e. das weitere Studium vorbereit., methodisch geordneten Ausg. 4. (XV, 128 u. Nachtr. 6 S.) Ebd. 892. Kart. n. 6. —

Peiser, Felix Ernestus [Berolinensis]: Jurisprudentiae Babylonicae quae supersunt. . . . Cöthen, Druck v. Paul Schettler's Erben, 1890; 41 + 1 S. + 1 Bl. 8°
Breslau, Phil. Fak., Hab.-Schr. v. 8. Aug. 1890

— jurisprudentiae babylonicae quae supersunt. Commentatio assyriologica. gr. 8. (41 S.) Cöthen 890. (Berlin, W. Peiser Verl.) n. 2. —

. . . Lectiones cursorias, quas . . . Felix **Peiser** Phil. Dr. Ueberblick über die Entwickelung der Assyriologie ad docendi facultatem rite impetrandam d. v. Maii . . . habebit, indicit Fridericus Peters Phil. Dr. P. P. O. Ord. Philos. h. t. Decanus. Regimonti Bor., ex offic. Hartungiana, 1894; 1 Bl. 4.

Peiser, F. E., s.: Litteratur-Zeitung, orientalistische.

— aus dem babylonischen Rechtsleben, s.: Kohler, J.

— Skizze d. babylonischen Gesellschaft, } s.a. Mitteilungen d. vorderasiat. Gesellschaft 1896. 1897.
— Studien zur oriental. Altertumskunde, } (see above)

Skizze der Babylonischen Gesellschaft von F[elix] E. Peiser. *Berlin: W. Peiser (1896).* (1 Bl., 30 S., 1 Bl.) 8.
= Mitteilungen der Vorderasiat. Gesellschaft. 1896. [No] 3. [97. 2263

— Studien zur oriental. Altertumskunde, s.a. Mitteilungen d. vorderasiat. Gesellschaft. V. 2. u. VI. 3.

Studien zur orientalischen Altertumskunde v. F[elix] E[rnst] Peiser. *Berlin: W. Peiser (1897).* (1 Bl., 32 S.) 8.
= Mitteilungen d. Vorderasiat. Gesellschaft. 1897. [No] 4. [97. 5084

— Texte jurist. u. geschäftl. Inhalts, s.: Bibliothek, keilinschriftl.

— s.a. Urkunden aus der Zeit der 3. babylon. Dynastie.

Urkunden aus der Zeit der dritten babylonischen Dynastie. In Urschrift, Umschrift u. Übers. hrsg. v. F[elix] E[rnst] Peiser. Dazu Rechtsausführungen v. Josef Kohler. Berlin: W. Peiser 1905. (XII, 44 S.) 4° [05. 16602

Peiser, Fel. Ernst [aus Berlin]: Die assyrische Verbtafel (V Rawl. 45.) I. D. assyrische Zeichenordnung auf Grund von S° u. V Rawl. 45 . . . . München, Druck v. F. Straub, 1886; 2 + 31 + 1 S. 8°.
Leipzig, Phil. Fak., Inaug.-Diss. v. 18. Jun. 1886.

— babylonische Verträge des Berliner Museums, in Autogr., Transscription u. Übersetzg. hrsg. u. commentiert. Nebst e. jurist. Excurs v. J. Kohler. Lex.-8. (XLIX, 351 u. 56 autogr. S.) Berlin 890. W. Peiser Verl. n. 28. —

Peiser, F. E., Die Zugehörigkeit der unter Nr. 84. 2—11 im British Museum registrirten Thontafelsammlung zu den Thontafelsammlungen des Königlichen Museums zu Berlin. [SA. aus SBA.] [Berlin 1889.]

Peiser, Georg, aus Posen: Beitrag zur Kenntnis der in den Kalkschiefern von Solnhofen auftretenden Gattung Eryon und ihrer Beziehungen zu verwandten recenten Tiefseekrebsen. Mit 3 Textfig. u. 1 Taf. *Erlangen 1904: E. Th. Jacob.* (57 S.) 8°
Erlangen, Phil. Diss. v. 9. März 1904

Peiser, Geo., über Friedrichs des Grossen burleskes Heldengedicht „La guerre des confédérés". (52 S.) gr. 8. Posen 903. (J. Jolowicz.) n. 1. 20
Sonderabdr. a.: „Ztschr. d. histor. Gesellsch. f. d. Prov. Posen".

— die Schule der Welt. Ein preuß. Lustspiel Friedrichs des Großen. (32 S.) gr. 8. Leipzig 906. F. W. Grunow. Sonderabdruck aus: „Grenzboten". n. — 60

Peiser, Gerson, Dr.: De invectivis, quae Sallustii et Ciceronis nominibus feruntur. *Posen 1903: Merzbach.* (26 S.) 4°
Posen, k. Berger-G u. Berger-OR, P 1903 (105)

Peiser, Hans, früherer Medizinalpraktikant: Aus d. städt. Allerheil.-Hospit. zu Breslau. Gynäkol. Abt. ⟨Primärarzt Asch⟩. Nierenveränderungen bei Uretervaginalfisteln. Mit 1 farb. Taf. u. 4 Textfig. Leipzig: Barth 1909. 25 S. 8°
¶[Tafel nicht ersch.]
Breslau, Med. Diss. v. 10. Juli 1909, Ref. Küstner
[Geb. 14. Jan. 84 Breslau; Wohnort: Breslau; Staatsangeh.: Preußen; Vorbildung: König-Wilhelms-Gymn. Breslau Reife O. 03; Studium: Berlin 1, München 2, Breslau 7 S.; Coll. 23. Juli 08; Approb. 7. Juni 09.] [U 09. 570

Peiser, Heinrich

Peiser, H., s.a. Festschrift der Handwerkskammer zu Danzig.

Festschrift der Handwerkskammer zu Danzig aus Anlaß der Einweihung der Technischen Hochschule zu Danzig. In Beitr. von [Arthur] Lindner u. [Heinrich] Peiser. — Danzig: Handwerkskammer 1904. 68 S. 8° [Umschlagt.:] Kunst u. Handwerk in Westpreußen.

Peiser, Heinr., die Geschäftsführung der Zwangsverwalter u. die gerichtliche Zwangsverwaltung auf Grund der allgemeinen Verfügung vom 7. März 1892 u. d. Gesetzes vom 13. Juli 1883. Text m. Anmerkgn., Formularen u. Beispielen. gr. 8. (VIII, 226 S.) Berlin 893. Siemenroth & Worms. n. 4. —; kart. n. 4. 50

Peiser, Heinr., das Gesetz betr. das Anerbenrecht bei Renten- u. Ansiedelungsgütern. V. 8. VI. 1896. F. d. Praxis erläut. gr. 8. (VIII, 170 S.) Berlin 897. Siemenroth & Troschel. n. 3. —

Peiser, Heinr., Handbuch des Testamentsrechts, s.a. Recht, das, des bürgerl. Gesetzbuchs in Einzeldarstellungen.

Handbuch des Testamentsrechts mit zahlreichen Beispielen u. Formularen. Dargest. von Heinrich Peiser, Landger.R. in Danzig. *Berlin: J. Guttentag 1902.* (XVI, 422 S.) 8°
— Recht d. Bürgerl. Gesetzbuchs in Einzeldarstellungen. No 13. [02. 8849

Peiser, Heinr., Handbuch des Testamentsrechts m. zahlr. Beispielen u. Formularen, unter eingehender Berücksicht. der Rechtsprechung u. Literatur. 2., verm. u. verb. Aufl. (XVI, 480 S.) gr. 8. Berlin 907. J. Guttentag. 9. —; geb. in Leinw. 10. —

[F.] Landwirthschaft und Bürgerliches Gesetzbuch. Referat erstattet vor d. Generalvers. d. Centralvereins Westpreuss. Landwirthe am 16. Nov. 1895 v. Heinrich Peiser, Amtsgerichtsr. in Danzig. *Berlin: Siemenroth & Troschel 1896.* (32 S.) 1 Bd 8. [96 …

Peiser, Testamentsrecht, s. Recht d. B. G. B.

— das Wesen u. der Geist des Rechts, s.a. Bibliothek, akademische.

Das Wesen und der Geist des Rechts. 10 Vorträge von Landger.R. H[einrich] Peiser. Berlin: Verl. 20. Jahrh. [1906]. (185 S.) 8° [F.]
— Bibliothek, Akademische. Ser. 1. Lfg 10-13. [06. 16686

Peiser, H., die Zwangsverwaltung v. Grundstücken nach dem preußischen Gesetze vom 13. Juli 1883. Für die Praxis unter Berücksicht. der Rechtsprechg. d. Reichsgerichts u. Obertribunals dargestellt. gr. 8. (XI, 163 S.) Berlin 888. Siemenroth & Worms. cart. n. 3. —

Die **Zwangsverwaltung** von Grundstücken. Nach Deutschem Reichsrecht u. d. Ausführungsgesetzen von H[einrich] **Peiser**, Landger.R. 2., vollst. umgearb. Aufl. d. preuss.-rechtl. Werks. *Berlin: Siemenroth & Troschel 1900.* (XI, 285 S.) 8° [F.] [oo. 3916

Peiser J., Betrachtungen über Ursache u. Wirkung auf dem Felde des Volks- u. Real- ... Unterrichte. Wien *18 S. 1865.*
Schul-/Univ.-Schrift

Peiser, Julius [aus Weimar]: Über den Einfluss des Chloralhydrats und des Amylenhydrats auf die Stickstoffausscheidung beim Menschen ... Halle a. S., Hofbuchdr. v. C. A. Kaemmerer & C., 1892; 27 S., 1 Bl. 8.
Halle, Med. Fak., Inaug.-Diss. v. 21. Mai 1892

Peiser, Julius, approb. Arzt: Ueber die Ursachen des angeborenen Klumpfusses. *München 1902: V. Höfling.* (38 S.) 8°
Breslau, Med. Diss. v. [16. Juni] 1902

Peiser, Karl, Johann Adam Hiller. Ein Beitrag zur Musikgeschichte des 18. Jahrh. gr. 8. (187 S.) Leipzig 894. Gebr. Hug & Co. n. 2. 40

Peiser, Karl, auch e. Culturfrage! Zur Abwehr d. Besteuerg. musikal. Aufführgn. 8. (16 S.) Leipzig 898. Gebr. Hug & Co. n. — 20

Peiser, Kurt, Tage u. Nächte. Gedichte. (52 S.) 8. Jauer (908). Glogau, Hellmann. 2.—; geb. 3. —

Peiser, Louis, angina pectoris. (VIII, 106 S.) Lex. 8. Stuttgart 908. F. Enke. 2. 80

Peiser, Louis [aus Posen]: Ein Beitrag zur Kenntniss der Lebersyphilis .... Leipzig, Druck v. August Pries, 1886; 52 S. 8°.
Erlangen, Med. Fak., Inaug.-Diss. v. Jul. 1886.

Peiser, Louis, die Lebersyphilis, ein Beitrag zur Symptomatologie derselben. gr. 8. (52 S.) Leipzig 886, Fock. * 1 20

Peiser, Marcus (geb. Glogau 10. 2. 1812) De renum morbis. Berolini (1839). (29 S.) 8°
Berlin, Med. Diss. v. 13. Mai 1839

Peiser, Max, appr. Arzt: Aus d. Kgl. Hygien. Inst. zu Posen, pathol.-anat. Abt. Über angeborene Herzfehler. Greifswald [1910]: Adler. 51 S. 8°
Greifswald, Med. Diss. v. 11. Jan. 1910, Ref. Busse in Posen, Grawitz
[Geb. 10. Febr. 75 Ostrowo; Wohnort: Ostrowo; Staatsangeh.: Preußen; Vorbildung: Gymn. Ostrowo Reife O. 94; Studium: Breslau 9 S.; Coll. 24. April 08; Approb. 12. April 99.] [U 10. 1582

Peiser, Max, der Kinderakt. (D. Kind als Modell.) 60 Blatt Modellstudien n. Naturaufnahmen in Lichtdr. Nach künstler. u. wissenschaftl. Gesichtspunkten gest. u. hrsg. 5 Hfte. gr. 4. (à 10 Bl.) Berlin 895. 96. Leipzig, Internationaler Kunstverlag M. Bauer & Co. à Hft. n. 5. —

Peiser, Maximil. (geb. Culm an d. Weichsel 16. 2. 1837) De laryngitide membranacea infantum. Berolini (1859). (32 S.) 8°
Berlin, Med. Diss. v. 8. Aug. 1859

Peisert, Kurt

Peisert, Curt: Der rechtliche Inhalt einer Geldschuld. Mit besonderer Berücksichtigung von Währungsänderungen. *Düsseldorf 1897: L. Schwann.* (36 S.) 8°
Erlangen, Jur. Diss. v. 1897

Peisert, Maximilian, Arzt aus Sobotka (Bz. Pos.) Ueber Herpes zoster recidivus. *Berlin 1904: L. Schumacher.* (22 S.) 8°
Leipzig, Med. Diss. v. (3. Febr.) 1904

Peisert, Paul, Lützen: Molieres Leben in Bühnenbearbeitung. Halle a. S. 1905 H. John. (VIII, 67 S.) 8°
Halle, Phil. Fak., Ref. Suchier, Diss. v. 15. Febr. 1905
[Geb. 29. März 78 Lützen; Wohnort: Halle a. S.; Staatsangeh.: Preußen; Vorbildung: Realgymn. Leipzig Reife O. 98. Studium: Leipzig 5, Marburg 1, Freiburg i. B. 1, Nancy 1, Rostock 1, Halle 4 S.; Rig. 29. Juli 04.]

Aug. Peisker, Goldschmid & Juwelier ..., Basel. Prospekt, illustré riche. Bijouterie, Joaillerie, Horlogerie, Orfèvrerie. (Preis-Katalog.) II + 48 S. 8. Basel, Lith. H. Wiemken, [1902].

Peisker, Geo. Chr.: Institutiones forenses, quibus processus et universum jus judiciarium methodice traditur. *Lips.*, 707. 8.

Peisker, G. G., institutiones forenses. 8. Lps. 717.

— tabulae Wellerianae. 4. 714.

Peisker, Hanns, Oberarzt b. Ulanen-Reg. von Katzler (Schles.) Nr. 2, Pless O.-S.: Aus d. Kgl. chirurg. Klinik zu Breslau. Ein Beitrag zur Differential-Diagnose von verheilten Beckenfrakturen und coxa vara. Breslau 1904: Schles. Druck.-Genoss. (32 S.) 8°
Breslau, Med. Fak., Ref. v. Mikulicz-Radecki, Diss. v. 15. Sept. 1904
[Geb. 21. Mai 72 Kauffung a. d. Katzbach; Heimatsort: Pleß O.S.; Staatsangeh.: Preußen; Vorbildung: Gymn. Jauer Reife M. 93; Studium: Breslau 9 S.; Rig. 30. Juni 99.]

Peisker, Ida, die Wildkatze. Roman. 8. (387 S.) Berlin 899. Deutsches Verlagshaus Bong & Co. n. 4. —; geb. n. 5. 50

Die älteren Beziehungen der Slawen zu Turkotataren und Germanen u. ihre sozialgeschichtl. Bedeutung von J[ohann] **Peisker**. Mit 4 Bl. Abb. Berlin, Stuttgart, Leipzig: W. Kohlhammer 1905. (XII, 243 S.) 8°
Aus Vierteljahrschrift f. Sozial- u. Wirtschaftsgesch. 3.
— **Peisker**: Neue Forschungen z. Sozial- und Wirtschaftsgeschichte d. Slawen. 1 [o6. 5130 11

Peisker, J., neue Forschungen zur Sozial- u. Wirtschaftsgeschichte der Slawen. 1. gr. 8. Stuttgart 905. W. Kohlhammer. n. 6. —; auf Büttenpapier n. 6. 50
Die älteren Beziehungen der Slawen zu Turkotataren u. Germanen u. ihre sozialgeschichtliche Bedeutung. Mit 4 Blatt Abbildgn. [Aus: „Vierteljahrsschr. f. Social- u. Wirtschaftsgesch."] (XII, 243 S.)

Neue Forschungen zur Sozial- und Wirtschaftsgeschichte der Slawen von J[ohann] **Peisker**. 1 Berlin, Stuttgart, Leipzig: W. Kohlhammer 1905. 8° [o6. 5129 11

Forschungen zur Social- und Wirtschaftsgeschichte der Slawen. Von J[ohann] **Peisker**. Graz: Selbstverl. 1896–1900. (260 S.) 8°
Aus. Zeitschrift f. Social- u. Wirthschaftsgesch. 5. 7. [o6. 4863

Neue Grundlagen der slawischen Altertumskunde. Ein Vorbericht von J[ohann] **Peisker** Stuttgart & Berlin: Kohlhammer 1910. 8 S. 8° [o9. 16721

Peisker, Johann, M. JOHANNIS // PEISKERI // INSTITUTIO // POETICA, // eaque universalis, // nec, instar σκελετῶ, exsanguis, sed succiplena, // Decem TABULIS inclusa. // POESEOS Candidatis cujuslibet Linguae profutura, // atque usu Poetico illustrata, cujus Thema esto :// JESUS EST NATUS // Editio Quinta eaq; multò auctior & correctior. // GLUCKSTADII, // Sumptibus GOTTHILFFII LEHMANNI, Bibliopolae // Typis Joannis Friderici Schwendimanni, Typographi Regii, Anno MDCCIV. - 1 Titelkupfer (Peiskers Bild) und 45 Blatt (nicht paginiert).
B. S. T. 4°.101.

- - , In JEsu Nahmen / Amen ! // Der Hochpreiswürdigen // Deutschgesinnten // Genossenschaft // Zunft= Tauf= und Geschlechts= // Nahmen /// darbei der Ort / wo sie geboh= //ren / oder sich niedergelassen / auch // eines und des andern Geflissenheit /// Stand / Ambts=Bedienung oder // Beruf zugleich angezeiget wird /// Auf Veranlassung vieler Liebhaber // der reinen deutschen Mutter=Sprache zum // andern mahl mit einer Vorrede / auch // nebst Vermehrung der nach und nach ein= //verleibten Mitglieder / in 17o5. Jahre // wiederum heraus gegeben // Von // Einem Mitgliede der // Obgedachten Genossenschaft. // Gedruckt zu Wittenberg // Bei Christian Schrödtern / Univers. Buchdr. // 17o5. - 4 Blatt (nicht paginiert) Titelblatt und Widmung. - 56 S.

B. S. I. 8⁰.512.

Peisker, J., die Knechtschaft in Böhmen. Eine Streitfrage der böhm. Socialgeschichte. Gegen Hrn. Jul. Lippert. [Aus: „Politik".] gr. 8. (III, 82 S.) Prag 890. (Řivnáč.) n. 1. 60

— Přemysl-Samo? Gegen Prof. H. Schreuer. (S. 197 bis 238.) 8. Ebd. 907. 1. —
Sonderabdr. a.: „Vierteljahrsschr. f. Sozial- u. Wirtschaftsgeschichte".

Peisker, J., die ältere Sozial- u. Wirtschaftsverfassung der Alpenslawen (Slowenen). Gegen Prof. Dr. Alfons Dopsch. (14 S.) 8. Stuttgart 909. W. Kohlhammer. — 60
Sonderabdr. a.: „Vierteljahrsschr. f. Sozial- u. Wirtschaftsgeschichte".

Peisker, Joh., die österreichische Wirthschaftsgeschichte u. ihr wichtigster Behelf, d. Katastralkarte. [Aus: „Mittheilgn. d. anthropolog. Gesellsch. in Wien".] gr. 4. (7 S.) Wien 897. (A. Hölder.) n. — 40

Peisker M., Severus von Antiochien. Ein krit. Quellenbeitrag z. Geschichte d. Monophysitismus. Diss. 1903. 68 S. 1.-

Peisker, Malwine, drei Bühnenstücke. (263 S.) 8. Breslau 905. Berlin, S. Schottländer's schles. Verlagsanst. n. 3. —; geb. n. 4. —

Peisker, Malwine, durch Nacht zum Licht. 8. (218 S.) Freiburg i/Br. 889. Kiepert. n. 4. —

In Freud' und Leid. Gedichte von Malwine Peisker. Breslau: Schles. Verl.-Anst. 1905. (223 S.) 8° [F.] [illegible]

Aus Herz und Leben. Roman von Malwine Peisker. Bd 1–3. Breslau: Schles. Verl.-Anst. 1905. 3 Bde 8° [F.] [illegible]

Peisker, Malwine, dichterische Knospen. Mit einem Vorwort von Böhmer. Breslau 858. Leuckart. 16. (5 Bl., 130 S.) 22¼ ngr.

Polterabend. Ernstes u. Heiteres. Mit e. Anh. von Rätseln u. Scharaden. Von Malwine Peisker. Breslau: Schles. Verl.-Anst. 1905. (127 S.) 8° [F.] [illegible]

Peisker, Malwine, Recommandirt. Geburt u. Erziehung. Novellen. 8. (209 S.) Freiburg i/Br. 884. Kiepert. n. 4. —

Schuld und Schicksal. 3 Novellen von Malwine Peisker. Breslau: Schles. Verl.-Anst. 1905. (348 S.) 8° [F.] [illegible]

Peisker, Mart., die Beziehungen der Nichtisraeliten zu Jahve nach der Anschauung der altisraelitischen Quellenschriften, s.: Zeitschrift f. die alttestamentl. Wissenschaft. 12. Heft.

Peisker, Martin, cand. min., Dr. phil., z. Z. Wilhelmsdorf, Kr. Goldberg ⟨Schlesien⟩: Die Beziehungen der Nichtisraeliten zu Jahve nach der Anschauung der altisraelitischen Quellenschriften. Leipzig 1906: W. Drugulin. (49 S.) 8° ¶(Erscheint vollst. in: 'Zeitschrift f. d. alttestamentl. Wissenschaft' Beih. 12.)
Halle, Theol. Fak., Ref. Kautzsch, Diss. v. 15. Jan. 1907
[Geb. 9. Apr. 82 Wilhelmsdorf, Kr. Goldberg; Wohnort: Wilhelmsdorf; Staatsangeh.: Preußen; Vorbildung: Gymn. Bunzlau Reife O. 00; Studium: Breslau 2, Halle 5 S.; Rig. 21. Juli 06.]

Die Beziehungen der Nichtisraeliten zu Jahve nach der Anschauung der altisraelitischen Quellenschriften von Lic. Dr. Martin Peisker. Gießen: A. Töpelmann 1907. (95 S.) 8°
= Zeitschrift f. d. alttestamentl. Wissenschaft. Beiheft 12. [07. 4608]

Peisker, Martin, aus Wilhelmsdorf, Bez. Liegnitz: Severus von Antiochien. Ein kritischer Quellenbeitrag zur Geschichte d. Monophysitismus. *Halle a. S. 1903: Wischan & Wettengel.* (XIV, 60 S.) 8° ¶(Enthält nur einen Teil der eingereichten Arbeit.)
Halle, Phil. Diss. v. 1903

Peiss, Johann Baptist ⟨geb. am 17 Okt. 1848 in Linz a Rh.⟩: Ueber den pathologischen Tetanus ... Bonn, Druck v. J. Trapp 1872. 1 Bl., 5—31 S., 1 Bl. 8.
Bonn, Med. Fak., Diss. v. 23 Dez. 1872

Peissakowitsch, J., russisch leicht gemacht, s.: Poohlmann, C. L.

Peissel, Karl Wilhelm

Peissel, Carl Wilhelm (Bautzen/Lausitz), De usu medico-chirurgico kalium cum fixorum tum volatilis. Diss. inaug. Präs. Burkhard Wilhelm Seiler. Wittenberg (Fr. I. Seibt) 31. VII. 1810. 33 S. (4.—) 26024
Gew.: Friedrich Ludolph Peissel (Vater).

Peißert, Ed., Tabellen für Techniker, insbesondere für Färber und Drucker. Berlin 862. Th. Grieben. 16. (VIII 58 S.) n. 20 ngr.

Peißl, Jos., Civilgesetzstatistik des Königreichs Bayern nach der Organisation der Gerichte vom 1. Juli 1862 bearb. Nördlingen 863. Beck. gr. 8. (X, 220 S.) n. 1 ℛ︀ 7½ ngr.

Peißner, Elias, Elemente der englischen Sprache und Conversation mit Rücksichtnahme auf die Verwandtschaft des Englischen und Deutschen. 16. (VIII und 111 S.) Schenectady 860. (Philadelphia, Schäfer und Koradi.) Thlr. *

Peist, H., poetisches Album der Reform, s. Album.

Peist, Hm., poetisches Album der Reform. Eine Auswahl der in der Reform enthaltenen Gedichte aus den Jahren 1848—1863. Hamburg 864. Richter. 8. (X, 306 S.) 18 ngr.

Peist, Herm., Geschichte des Thalia-Theaters, s. Schönwald, A.

Löwen und Nessel. Zehn Schleswig-Holsteinische Gedichte von Hermann Peist. Hamburg und Leipzig. 1861. 8⁰.

— Löwen und Nessel. Zehn Schleswig-Holsteinische Gedichte. Hamburg 861. Falcke. 8. (28 S.) n. 6 ngr.

— Hamburgs Ruin u. Wiedergeburt. Drei Gedichte zur Erinnerung an Hamburgs Brand. Altona 867. (Leipzig, Mentzel.) gr. 8. (26 S.) n. 3 ngr.

Peitgen, F., s.: Jahrbuch f. Verkehrsbeamte.

PEITHER, Anton (Cham): De morbis pulmonis praesertim infestantibus a nov. 1815 - Januar. 1817 in nosocochio Landishutani observatis.- Landishuti 1817.
27.8.1816 - Pe 352; F 57 Diss. Ingolst.-Landsh.-Mchn.

PEITHER, Karl (Cham): Die Hundswuth.- München: Weiss 1867. 16 S.
14.6.1866 - Urk (Titel: De rabie canina.); F 71
Diss. Ingolst.-Landsh.-Mchn.

Peithmann, E. C. H., Basilides, s.: Biographia antiqua. 8. Hft.

Die metaphysische Bibel-Auslegung. Den Herren Professoren d. Theol., den Geistlichen u. gebildeten Laien z. gefälligen Prüfung vorgelegt von Pastor E. C. H. Peithmann. *Bitterfeld & Leipzig: F. E. Baumann 1903.* (16 S.) 8° [03. 11036

— christliche Geheimlehre der ersten zwei (christlichen) Jahrhunderte. (Gnostischer Katechismus.) 3. u. 4. Heft. 8. Schmiedeberg, F. E. Baumann. à n. 1. —
3. Was ist der Mensch? (71 S.) 905.
4. Der untere Jesus. (S. 73—136.) (906.)

Peithmann, E. C. H., Geheimreden Jesu mit seinen Jüngern. 1. Jesu Verklärg. u. Himmelfahrt. (15 S.) gr. 8. Schmiedeberg (909). F. E. Baumann. — 50

Gnostischer Katechismus. Die heil. Lehren d. gnost. Kirche in d. ersten beiden Jahrhunderten z. 1 Male d. Öffentlichkeit übergeben. Von Pastor E. C. H. Peithmann. H. 1. Bitterfeld & Leipzig: F. E. Baumann 1904. 8° [Umschlagt.:] Peithmann: Die christl. Geheimlehre d. ersten 2 (christl.) Jahrhunderte. [03. 9908 3

— gnostischer Katechismus. Die hl. Lehren der gnost. Kirche in den ersten beiden Jahrhunderten, zum ersten Male der Oeffentlichkeit übergeben. (Umschlag: Die christliche Geheimlehre der ersten zwei [christl.] Jahrhunderte.) 1. u. 2. Heft. 8. Schmiedeberg, F. E. Baumann. n. 2. 50
1. Das Allerheiligste u. das Heilige. (62 S.) Bitterfeld 904. 1. —
2. Der Vorhof. (96 S.) Bitterfeld 904. 1. 50

— Justinus u. Simon Magus, s.: Biographia antiqua. 5./6. Hft.

— die Marcosier, s.: Biographia antiqua. 9. Hft.

— Markus, s.: Biographia antiqua. IV, 7.

— ältere griechische Philosophen. Heraclit; Parmenides; Empedocles; Anaxagoras; Demokrit. — Gnostische Väter. Die Naassener, die Peraten u. Sethianer, die Schöpfungslehre, s.: Biographia antiqua.

— s.: Urchristentum, das.

Peithmann, E. C. H., die Valentinianer, s.: Biographia antiqua.

— Jesu Verklärung u. Himmelfahrt, s.: Biographia antiqua. V, 1.

Peithner, Edler von Lichtenfels, Johann Thaddäus Anton

Peithner, J. F. Abhandlung über die Frage, wann haben die Silberbergwerke zu Joachimsthal ihren Anfang genommen? wie gross war ehemals die Ausbeute? was waren die Ursachen des Verfalls. (Aus den neuen physikalischen Belustigungen.) 1770. 8.

— Beschreib. d. Böhmischen Flüsse nach ihrem Ursprunge u. Lause bis zum Austritt in fremde Länder, mit mineralog. Anmerkk. 8. Prag 771.

Peithner v. Lichtenfels, Geschichte d. böhmischen u. mährischen Bergwerke. Wien 780.

Peithner, J. Th. A. Erste Gründe der Bergwerkswissenschaften. Zweite Abhandlung. Ueber die Mineralogie, in tabellarischer Ordnung vorgestellt. Prag 1770. 8., nebst vielen Tabellen in Folio und Halb-Folio.

Peithner, Edler v. Lichtenfels, Jh. Thadd. Ant., († d. 22. Juni 1792.) erste Gründe d. Bergwissenschaft u. Mineralogie, in tabellar. Ordnung. 2 Thle. gr. 8. Prag. (Dresd.) 778. Walther. 1 ₰ 8 ℛ

(P e i t h n e r, Edler von Lichtenfels, J. T. A.): „Versuch über die natürliche und politische Geschichte der böhmischen und mährischen Bergwerke", 2 Teile, Wien 1780. — Vorh.. Com. Bibl. Hamburg.

— Versuch über die natürliche u. polit. Geschichte d. Böhm. u. Mähr. Bergwerke. Fol. Wien 780. Gräffer. 4 ₰ 16 ℛ

Peitl, Josef

Peitl, J., theoret. prakt. Anleit. zu dem Elementarunterr. in d. deutschen Sprachlehre. 2te Aufl. 8. Wien, Wimmer. 821.

Peitl, J., theoret.-pract. Anleitung zu d. Elementar-Unterr. in d. deutschen Sprachlehre. 2 Thle. Ein Hülfsb. f. öffentl. u. Privat-Lehrer. 8. (24 B.) Wien 830, Pichler. (Leipzig, Liebeskind.)
Der 1. Thl. erschien bereits 1824.

— Methodenbuch, oder Anleit. z. zweckmäßigen Führung d. Lehramtes f. Lehrer der Trivial- u. Hauptschulen. 8. Wien 821 Wimmer. 16 ℛ

Peitl, Josef — Sammlung von verschiedenen kleinen Briefen und Gedichten. Von — — Vierte Ausgabe. Wien, 1857. Druck und Verlag von A. Pichler's Witwe und Sohn. (86 S. 8. Mit einem Holzschnitte.)

— — Sammlung von interessanten Gesprächen, Fabeln, Erzählungen und Anekdoten ꝛc. 8. Wien, Pichler. (Leipzig, Liebeskind.) 819.

Peitl, Joseph —. Sammlung von interessanten Gesprächen, Fabeln, Erzählungen und Anekdoten. Zur Belehrung und Unterhaltung fleißiger Kinder, von — —. Dritte Ausgabe (mit 1 Kupfer.) 8. (80 S.) Wien. Druck und Verlag von A. Pichler's Witwe und Sohn. 1854.

Peitl, Ludw., die Reblaus, ihre Ursache u. Verhütg. Nach eigener Erfahrg. 12. (8 S.) Wiener-Neustadt 891. (A. Folk.) n. — 50

PEITLER. Anton Joseph Peitler, Bischof von Waitzen. In: Der kath. Christ. Jg. 19. 1866. Nr. 13 v. 15. VII. 1866, S. 97-98.

Peitler, Frz., die Forstfrage im Herzogth. Salzburg. gr. 8. (30 S.) Salzburg 861, Oberer sel. Wwe.

—— zur neuen Forst-Regulirung im Herzogth. Salzburg. gr. 8. (31 S.) Salzburg 861, Oberer sel. Wwe.

—— Sammlung von Entscheidungen zum allgemeinen österreichischen bürgerlichen Gesetzbuche. Umfassend Rechtsfälle und Erkenntnisse des k. k. obersten Gerichtshofes, der ehemal. obersten Justizstelle und anderer Gerichte vom J. 1813 bis Ende 1857. Nach der Paragraphen-Ordnung des Gesetzes zusammengestellt. 7 Lfgn. Lex.-8. (XXXIX und 816 S.) Wien 858, F. Manz. à Lfg. 20 Ngr.

Peitler, Frz., Sammlung von Entscheidungen zum allgemeinen österreichischen bürgerlichen Gesetzbuche von 1812 bis 1859. Nach der Paragraphen-Ordnung des Gesetzes zusammengestellt. 2. verm. u. verb. Aufl. Wien 860. F. Manz. Lex.-8. (XXVIII, 1175 S.) 6 ₰

Peitler, Frz., systematische Sammlung der auf das Strafgesetz sich beziehenden Entscheidungen des k. k. obersten Gerichts- und Kassations-Hofes,
—— systematische Sammlung der auf die Strafproceßordnung sich beziehenden Entscheidungen des k. k. obersten Gerichts- und Kassationshofes,
—— systematische Sammlung von 326 auf das materielle Strafrecht sich beziehenden Entscheidungen des k. k. obersten Gerichts- und Kassations-Hofes ꝛc.,
s. Sammlung.

Peitler, Franz: Systematische Sammlung der auf das Strafverfahren sich beziehenden grundsätzlichen Entscheidungen des k. k. obersten Gerichts- und Kassations-Hofes von den Jahren 1850—54. Wien 1854.

Peitler, Frz., systematische Sammlung von 326 auf das materielle Strafrecht sich beziehenden Entscheidungen des k. k obersten Gerichts- u. Kassations-Hofes von den Jahren 1850, 1851 u. 1852 mit mehr als 100 Strafrechtsfällen, unter Citirung der einschlägigen Paragraphe des alten und neuen Strafgesetzes nach den einzelnen Gattungen und Arten der Verbrechen, Vergehen, Uebertretungen und der vormals sogenannten Polizei-Vergehen zusammengestellt, nebst Inhalts-Uebersicht, alphabet. Sachregister u. chronolog. Index. Ein Beitrag zur richtigen Anwendung des österreich. allgem. Strafgesetzes vom 27 Mai 1852. Wien 853. Sommer. (F. Klemm.) gr 8. (XVI, 312 S.) 1 ₰. 27 ngr.

— - 2. Bd. Nr. 327—1070. Ebend. 856. gr. 8. (XXIII, 543 S.) n. 2 ₰ 16 ngr.

— systematische Sammlung der auf die Strafproceßordnung sich beziehenden Entscheidungen des k. k. obersten Gerichts- u. Kassations-Hofes von den Jahren 1850—1856 u. s. w. Ein Beitrag zur richtigen Anwendung der österreich. Strafprozeßordnung vom 29. Juli 1853. 1. Bd. 1. u. 2. Heft. Wien 854, 56. Sommer. (F. Klemm.) gr. 8. (V, S. 1—283.) 1.: n. 20 ngr.; 2.: n. 24 ngr.

Peitler, Jul., Sammlung der wechselrechtlichen Entscheidungen des österreichischen obersten Gerichtshofes. Wien 864. Braumüller. gr. 8. (VIII, 244 S.) n. 1 ₰ 10 ngr.

Peitler, Dr. Julius, Sammlung von wechselrechtlichen Entscheidungen des österreichischen obersten Gerichtshofes. 2. Bd. Mit Gesammt-Regist. über beide Bände. [illegible] V u. 277 S.) Wien, Braumüller. 1867. 2 [illegible]

Peitmann, Heinrich: ⟨Aus dem Pathologischen Institut der Universität München.⟩ Casuistischer Beitrag zur Pathologie der Darmperforation infolge Tractionsgangrän. *München 1897: Kastner & Lossen.* (32 S. mit Taf.) 8°
München, Med. Diss. v. 1897

Peitsche, meine Berliner, Bürgerblatt. I. II. zu 4 Stück. 8. (Wilke in Warschau) 795, 96. (à 6 ₰) 2 ₰

Peitz [Schlagwort]

Peitz, s.: **Preussen. Messtischblätter.**

Peitz [Verfasser]

Peitz, A. Pfarrer Kneipps Wasserheilkunde, gemeinfaßlich dargestellt. 8. (80 S.) Flöha 892, Peitz u. Sohn. — 75

Peitz, F. A., Pfarrer Sebastian Kneipp's illustr. Wasserheilkunde Gemeinfaßlich dargestellt. gr 8. (75 S. m. 11 Abbildgn.) Hainichen 893. (Flöha, A. Peitz & Sohn.) n. - 25

Peitz, Herm., der Tod als Erlöser. Ein Lebens-Bild in 2 Abthlgn gr. 8. (15 S.) Berlin (896). M. Böhm. 1. 50

Peitz, Otto, mein Distanzmarsch von Berlin nach Wien. Wahrheitsgetreu geschildert gr. 16. (46 S. m. Bildnis.) Flöha 893. A. Peitz & Sohn. — 50

Peitz, Robert (Hrsg.), s.a. B a u g e s e t z , Allgem., f. d. Königreich Sachsen ...

Peitz, Rob., allgemeines Bau-Gesetz f. das Kgr. Sachsen v. 1. VII. 1900, nebst Ausführungs-Verordnung. Mit e. ausführl. Einleitg., den Kammer-Verhandlgn., den Begründgn. u. Entscheidgn., sowie Anmerkgn. u. e. ausführl. Sachverzeichnis hrsg. 8. (204 S.) Flöha 901. A. Peitz & Sohn. Kart. 3. —

Peitz, Rob., Enteignungsgesetz f. das Königr. Sachsen vom 24. VI. 1902 u. die Ausführungs-Verordnung vom 24. XI. 1902, nebst der Entstehung des Gesetzes u. Erläutergn. hierzu sowie e. ausführl. Sachverzeichnis. (130 S.) 8. Flöha 903. A. Peitz & Sohn. Kart. n. 2. —

— vom sächsischen Erzgebirge nach Konstantinopel. Eine Reise zu Rad u. Eisenbahn. (III, 95 S.) 8. Ebd. 904. n.n. 1. 50

Peitz, R., Gesetz üb. die Ergänzungssteuer vom 2. VII. 1902 im Königr. Sachsen. Text-Ausg., nebst Einleitg., Begründggn. u. e. Sachverzeichnis. (67 S.) 8. Flöha, A. Peitz & Sohn. **902.** Geb. 1. —

Peitz, R., Königl. sächsisches Gesetz, die Aufhebung der m. Apothekengerechtigkeiten verbundenen Verbietungsrechte betr., vom 24. VI. 1902. Nebst e. Verzeichnis der Apotheken im Königr. Sachsen. Text-Ausg. m. Einleitg. Begründgn. u. e. Sachverzeichnis. (20 S.) 8. Flöha, A. Peitz & Sohn. —. 75. **902.**

— königl. sächsisches Gesetz, die Errichtung e. Adelsbuches u. die Führung des Adels u. der Adelszeichen betr. vom 19. IX. 1902 nebst Ausführungs-Verordnung u. Gebühren-Ordnung vom 12. III. 1903. Mit e. Einleitung, den Begründgn. u. e. ausführl. Sachverzeichnis hrsg. (34 S.) 8. Ebd. 903. n. 1. —

— königl. sächsisches Gesetz üb. die Zwangsvollstreckung wegen Geldleistungen in Verwaltungssachen v. 18. VI. 1902, nebst Ausführungs-Verordnung v. 19. IX. 1902. Text-Ausg. m. Einleitg., Begründgn. sowie e. ausführl. Sachverzeichnis. 8. (67 S.) Ebd. 902. Kart. n. 1. —

Peitz, Rob., Gesetz, das Vereins- u. Versammlungsrecht f. d. Königr. Sachsen v. 22. XI. 1850 betr., m. Berücksicht. der Abänderg. des Gesetzes v. 12. VI. 1898, sowie Ausführungsverordng. v. 23. XI. 1850. Unter Berücksicht. der Motive, der Kammer-Verhandlgn., sowie der ergangenen Verordngn. u. Entscheidgn., m. e. ausführl. Einleitg. u. erläut. Bemerkgn. hrsg. 8. (81 S.) Flöha 899. A. Peitz & Sohn. n. 1. 50

Peitz, Rob., kurzgefaßtes Handbuch nebst Uebungsstücken zum Erlernen der englischen Sprache f. Deutsche. Zum Selbstunterricht, sowie f. Schüler u. Lehrer hrsg. 16. (V, 162 S.) Flöha 890. Peitz & Sohn. n. 1. —

Peitz, Rob., kurzgef. Handbuch nebst Uebungsstücken z. Erlernen d. französischen Sprache f. Deutsche. Zum Selbstunterr., sow. f. Schüler u. Lehrer hrsg. gr. 16. (X, 152 S.) Flöha 892. A. Peitz & Sohn. n. 1. —

— Die königl. sächsischen Jagd-Gesetze einschliesslich Wildschaden- u. Kaninchen-Gesetz, nebst den hierzu einschlag. deutschen Reichs-Gesetzen. Mit Erläutergn. u. Sachverzeichnis. (70 S.) 8. Flöha, A. Peitz & Sohn. **902.** Kart. 1. 25.

Peitz, Rob., die Parteien im deutschen Reichstag. Ihre Entstehgn., Entwickelgn. u. Bestrebgn. Unter Mitwirkg. von Politikern hrsg. 8. (181 S.) Flöha i. S. 892. A. Peitz & Sohn. n. 1. 25

— deutsches Reichs-Gesetz betr. Kinder-Arbeit in gewerblichen Betrieben vom 30. III. 1903. Text-Ausg. nebst Einleitg., Begründgn. u. ausführl. Sachverzeichnis. (43 S.) 8. Ebd. 903. n. — 75

Peitz, R., Reichsgesetz üb. die privaten Versicherungsunternehmungen vom 12. V. 1901, sowie Verordng., betr. das Verfahren u. den Geschäftsgang des kaiserl. Aufsichtsamts f. Privat-Versicherg. vom 23. XII. 1901, in Kraft getreten am 1. I. 1902. Erläutert u. m. e. Sachverzeichnis versehen. (102 S.) 8. Flöha, A. Peitz & Sohn. *1902.* Kart. 1. 50.

Peitz, R., Die Schlachtvieh- u. Fleischbeschau-Gesetze im Königr. Sachsen u. die Reichs-Gesetze betr. die Schlachtvieh- u. Fleischbeschau vom 3. VII. 1900. Mit Anmerkgn., den Begründgn., sowie den Kammerverhandlgn. u. den ergangenen Verordngn. u. Entscheidgn. unter Mitwirkg. v. Fachmännern hrsg. 8. (169 S.) Flöha, A. Peitz & Sohn. *1900.* Kart. 2. —

— die Schlachtvieh-Versicherungs-Gesetze im Kgr. Sachsen. Mit Anmerkgn., den Begründgn. u. den ergangenen Verordngn. u. Entscheidgn. u. e. ausführl. Sachverzeichnis. 8. (89 S.) Ebd. 900. Kart. 1. 50

— Verordnungen über den Gemeinde-Waisen-Rat im Königr. Sachsen. Textausg. nebst Einleitg., Anmerkgn. u. Sachverzeichnis. 12. (52 S.) Ebd. 902. Kart. n. 1.—

Peitz, R, Verordnungen vom 2. u. 3. IV. 1901 den Verkehr m. Fahrrädern u. Kraftfahrzeugen im Königr. Sachsen. Mit Anmerkgn. u. Erläutergn., sowie e. Sachverzeichnis hrsg. 8. (35 S.) Flöha, A. Peitz & Sohn. —. 75.

— Verordnungen vom 2. u. 3. IV. 1901 den Verkehr m. Fahrrädern u. Kraftfahrzeugen im Königr. Sachsen. Mit Anmerkgn. u. Erläutergn., sowie e. Sachverzeichnis hrsg. 8. (35 S.) Ebd. 901. — 75

— Verzeichnis sämtlicher im Königr. Sachsen belegenen Städte u. Ortschaften sowie der einzeln liegenden Wohnplätze m. Angabe der Postanstalt u. des Amtsgerichtsbezirks u. der Anzahl der Einwohner nach d. vorläuf. Volkszählungsergebnis v. 1. XII. 1900. Hrsg. unter Benutzg. amtl. Quellen. Im Anh. befinden sich: Verzeichnis der Anzahl der Gewerbetreibenden im Königr. Sachsen. Verzeichnis deutscher Ortsnamen in Oesterreich. Statistik üb. Bevölkerungsbewegg. 8. 8. (153 S.) Ebd. 901. Kart. 1. 50

Peitz Wilhelm M., Pater S. J.: Das Originalregister Gregors VII. im Vatikanischen Archiv. Reg. Vat. 2 nebst Beiträgen zur Kenntnis der Originalregister Innozenz' III. und Honorius' III., Reg. Vat. 4—11 (mit 8 Lichtdrucktafeln). S. 165/5 . . . . .
Separatabdruck

Peitzker Alfred: „Der Mönch im Käsekorb" von Jakob Ayrer.
II. 1906 PN 2084 **Diss.** Wien, Univ. 194

. ***Peitzner, Georg Ludw.***: Vortrag, gehalten in der Loge Harpocrates zur Morgenröthe im O. zu Schwerin am 24. Oct. 1814. Bey der Aufnahme seiner beiden Söhne Georg Ludw. und Heinr. vom Br. G[eorg] L[udw.] Peitzner, Schwerin 1815. 8 S. 8°
Kl. 1180b. 25.

PEITZSCH, BERNHARD. Versuche zur Synthese von Harnsäurederivaten. Leipzig, 1875.

Peitzsch, Richard, appr. Arzt a. Barmen: Über Placenta praevia. Eine Statistik aus d. Bonner Frauenklinik. Bonn 1908: F. Müller Söhne. (108 S.) 8°
Bonn, Med. Fak., Ref. Fritsch, Diss. v. 21. Febr. 1908
[Geb. 10. Juni 80 Barmen; Wohnort: Düsseldorf; Staatsangeh.: Preußen; Vorbildung: Gymn. Barmen Reife O. 99; Studium: Tübingen 5, Bonn 2, Berlin 1, Bonn 4 S.; Coll. 21. Febr. 08; Approb. 1. Okt. 05.]

Pek, J. B., philos. Betracht. über d. Christenth., a. d. Franz. 8. Wien, Pichler. 801.

Pekár, Emerich, Weizen u. Mehl unserer Erde vom Gesichtspunkt der Wissenschaft, des Consumenten, des Müllers u. des Produzenten. Im Auftrage d. k. ung. Ministeriums f. Ackerbau, Industrie u. Handel verf. Mit e. mikroskop. u. 3 graph. Darstellungen, 3 grossen u. 56 zwischen den Text gedr. verschiedenen Tab. u. Ausweisen. Lex.-8. (277 S.) Budapest 882. (Grill.) n. 4. —

Pekár, Gyula, aus Evas Reich, s.: Wick, Aug.

Pekar, Jos., eine unbekannt gebliebene Abhandlung üb. die Echtheit Christians. (22 S.) Lex.-8. Prag 905. (F. Řivnáč.) n. — 40
Sonderabdruck aus: „Sitzungsber. d. böhm. Gesellsch. d. Wiss."

Pekar, Jos., die Böhmen als Apostel d. Barbarisierg. Theodor Mommsen gewidmet. [Aus: „Politik".] gr. 8. (22 S.) Prag 898. Bursík & Kohout. n. — 30

Pekar, Jos., die Wenzels- u. Ludmilla-Legenden u. die Echtheit Christians. (VI, 443 S.) gr. 8. Prag (II, 1196) 906. A. Wiesner. 8. 40

Pekár, Jul., die Dame in Weiß, s.: Kürschner's, Jos., Bücherschatz.

Die Dame in Weiss. Roman von Julius Pekár. Deutsch von Ludwig Wechsler. Mit Ill. von F. Ranzenhofer. *Berlin, Eisenach, Leipzig: H. Hillger [1899].* (127 S.) 8° [F.]
— Bücherschatz, Kürschners. No 156. [99. 10784

Pekár, Jul., ungarische Novellen, s.: Sattler's interess. Bibliothek.

Pekár, Jul., die Romanze e. blinden Mädchens u. andere Erzählungen, s.: Kürschner's, Jos., Bücherschatz.

Die Romanze eines blinden Mädchens u. andere Erzählungen. Von Julius **Pekár**. Deutsch von Ludwig Wechsler. Mit Ill. von R. Mauff. Berlin, Eisenach, Leipzig: H. Hillger [1904]. (108 S.) 8° [F.]
— **Bücherschatz**, Kürschners. No 421. [05. 10600

Pekar, Lydia [von Cherson, Russland]: Ueber die Beobachtungen von Lepra auf der medicinischen Klinik in Zürich. Mit einer Tafel. Zürich 1902. 52 S. 8°.
Zürich Med. Diss. 1902/1903.

Pekar, Lydia. Über die Beobachtungen von Lepra auf der medicinischen Klinik in Zürich. Diss. Med. Univ. Zürich. [Mit 1 Tafel.] 52 S. 8. Zürich, Kirsten & Zeisberg, 1902.

Pekárek, F., und J. Grailich, das Sklerometer, s. Grailich.

Pekárek Franz: Über elektrische Lampen (mit 2 Taf.). S. 12. 263 . . . . vgr.
Separatabdruck *1854.*

Pekárek, H., Kunstschwimmen, Schnell- und Dauerschwimmen, Wasserspringen, Tauchen, m. Abb., 2. Aufl., Leipzig, 52 S., 8°.

Pekarski, P.: Zur Geschichte der Freimaurerei in Russland im 18. Jahrh. Petersburg 1869. 224 S. 8°
[Schuster, G.: D. geheim. Gesellschaften. 2 (1906) S. 83.]

Pekáry, Paul v., Heeresorganisation u. Pflichten, s.: Kohout, Ottok.

Pekelharing, C. A., Untersuchungen üb. das Fibrinferment. [Aus: „Verhandelingen der k. Akademie van wetenschappen te Amsterdam".] Lex.-8. (52 S.) Amsterdam 892. J. Müller. n. 1. 40

Pekelmann, Konrad

Pekelmann, Conr., Adam. Dramencyclus. I—III. gr. 8. Czernowitz, H. Pardini. n. 2. 70
I. Das Recht auf Reinheit. Prolog in 1 Aufzuge. (31 S.) 901. — 60
II. Die Treue. Drama in 2 Aufzügen. (54 S.) 902. — 60
III. Die Spitzen. Drama in 3 Aufzügen. [Aus „Bukowiner Journal".] (69 S.) 902. n. 1. 50

— vom Baume der Erkenntnis. Drama in 4 Aufzügen. gr. 8. (118 S.) Ebd. 900. n. 2. —

Pekelmann, Konr., vom Baume der Erkenntnis. Drama in 4 Aufzügen. 2. Aufl. (56 S.) 8. Czernowitz 906. H. Pardini. n. 1. 20

— aus der Bukowina. Versuch e. Provinzkritik. 2. u. 3. Bd. (à 80 S.) gr. 8. Ebd. n. 3. 50
2. 904. n. 2. —. — 3. 905. n. 1. 50.

Pekelmann, C., Aus der Bukowina. 2. Bd. Gr.-8°. (80 S.) Czernowitz: H. Pardini 1905. K 2 —

Pekelmann, C., Aus der Bukowina. Versuch einer Provinzkritik. 3. Teil. Gr.-8°. (80 S.) Czernowitz: H. Pardini 1905. 1.50

(F) Pekelmann, K., Lessing und das Theater der Gegenwart. 1. Teil. 8°. (56 S.) Wien: Manz 1906. K —.60

(F) Pekelmann, K., Lessing und das Theater der Gegenwart. 2. Teil. 8°. (46 S.) Czernowitz: Pardini 1906. K —.60

(F) Pekelmann, K., Lessing und das Theater der Gegenwart. 3. Teil. 8°. (44 S.) Czernowitz: Pardini 1906. K — 60

(F) Pekelmann, C., Die Spitzen. Komödie in 3 Aufzügen. 8°. (69 S.) Czernowitz: Pardini 1902.

— der Sündenfall. Drama in 3 Aufzügen. gr. 8. (97 S.) Ebd. 900. n. 2. —

— Unheil. Drama in 2 Acten. Nach dem Rumän. des Caragiale frei bearb. gr. 8. (56 S.) Ebd. 897. n.n. 1. —

Pekin Independent: 1870/
Weekly, published in English and German. Edited & published by Theodore Falk.
Pekin, IL

Peking [Sachliches OW]

Peking, Grundplan u. Beschreibung d. Stadt, nebst Bemerkungen üb. d. Anlagen d. chines. Gärten. Abdr. aus d. „allgem. Bauzeitung" 2 Fol. Bl. (jedes 11" h. 22" br.) Wien, L. Förster's artist. Anstalt. In Portefeuille. 1860 1 fl. 50 kr.

Peking [Schlagwort]

Peking, s.a. Asien, Herrich, A.

— s. a.: China. — Tschili.

Peking, s.a. China. Karte v. Ostchina. — Kriegsschauplatzkarten.

Peking. Aufgenommen 1900/1901 von den Feldtopographen d. Deutschen Ostasiat. Expeditions-Korps. Hrsg. von d. Kartogr. Abth. d. Kgl. Preuss. Landes-Aufnahme 1903. Massst. 1:17,500. *[Berlin]: Kgl. Preuss. Landes-Aufnahme 1903.* (1 Kartenbl. 65×78 cm.) gr. 2° [kol.]

— Plan

— — des Gesandtschaftsviertels in Peking. Zusammengestellt nach den Bauplänen der einzelnen Gesandtschaften in der kartogr. Abteilg. der preuss. Landes-Aufnahme. 1 : 3000. 84×66 cm. Farbdr. Ebd. 903. n.n. — 75

Peking. Plan von Peking. Aufgenommen 1900/1901 v. den Feldtopographen des deutschen ostasiat. Expeditions-Korps. Hrsg. v. der kartograph. Abtheilg. der königl. preuss. Landes-Aufnahme. 1 : 17,500. 64×58 cm. Farbdr. Berlin 903. (R. Eisenschmidt.) n.n. 2. 50

Peking. Plan von Peking u. Umgebung. Aufnahme innerhalb der Stadtmauern 1900/1901 durch die Feldtopographen des deutschen ostasiat. Expeditionskorps, Aufnahme ausserhalb der Stadtmauern 1902/1905 durch die topograph. Sektion der ostasiat. Besatzungsbrigade. Bearb. in der kartogr. Abteilg. der kgl. preuss. Landesaufnahme 1907. 1 : 25,000. 76×68,5 cm. Farbdr. Berlin (907). (R. Eisenschmidt.) nn 2. 50

Peking — Umgegend von —. etc. 1,350.000. G. M. 1860.

Pekii, M. G. T., s. Peck

Peklo, Jaroslav: Zur Lebensgeschichte von Neottia Nidus avis L.
Phil. Diss., Prag 1906/07

Peklo, Jaroslav, histochemisches üb. die Lokalisation der Saccharose in der Zuckerrübe. (28 S. m. 1 Taf.) Lex. 8. Prag 907. (F. Řivnáč.) - . 60
Sonderabdr. a.: „Sitzungsber. d. böhm. Gesellsch. d. Wiss."

Pekmesović Georg: Die charakteristischen Unterschiedsmerkmale der beiden albanischen Hauptdialekte des Gegischen und Toskischen.
1901 PN 1382 Diss. Wien. Univ. 2618

Pekmezi Derd: Vorläufiger Bericht über das Studium des albanischen Dialektes von Elbasan (mit 2 Taf.).
Siehe Schriften der Balkankommission. Vorläufige Berichte VIII.

Pekmezi, G., albanesische Bibliographie, s.: Manek, F.

Grammatik der albanesischen Sprache (Laut- u. Formenlehre). Dr. [Georg] Pekmezi. Wien: 'Dija' 1908. (IV, 294 S.) 8° [F.]

— Grammatik der albanesischen Sprache. (Laut- u. Formenlehre.) (IV, 294 S.) gr. 8. Wien 908. (Gerold & Co.) 8. —

Pekotsch, Leopold

Pekotsch, L., Erinnerungen. Türkische Geschichten u. Begebenheiten. Gesammelt u. samt deutscher Übertragung hrsg. (2 Tle.) (68 u. 67 S.) 8. Wien 910. A. Hölder. nn 4. 40

Pekotsch, Leopold, Heimat oder Silistria. Schauspiel in 4 Acten von Kemal Bey. Aus dem Türkischen übersetzt u. herausgegeben. 8. (V, 104 S.) Wien, Konegen. fl. —.90. 1886.

Pekotsch, Leop., s.a. Tschelebi, Mehmed.

Pekotsch, Leop., praktisches Übungsbuch zur gründlicheren Erlernung der osmanisch-türkischen Sprache sammt Schlüssel. 1. Thl. gr. 8. (X, 86 u. Schlüssel 69 S.) Wien 894. A. Hölder. n. 5. 40

Pekrun, Arth., Anzucht u. wirklich rationeller Schnitt aller Obstbaumformen. Pfirsichschnitt u. Weinschnitt. s.a. Gartenführer-Bibliothek.

Pekrun, Arth., Anzucht u. wirklich rationeller Schnitt aller Obstbaumformen. Pfirsichschnitt u. Weinschnitt. gr. 8. (VII, 118 S. m. 118 Abbildgn.) Erfurt (902). J. C. Schmidt. n. 1.—
Sonderabdruck aus: „Erfurter Führer im Gartenbau".

Pekrun, Arth., Anzucht u. wirklich rationeller Schnitt aller Obstbaumformen. Pfirsichschnitt u. Weinschnitt. (20. bis 30. Tauf.) (VII, 152 S. m. 150 Abbildgn.) gr. 8. Erfurt (905). J. C. Schmidt. n. 1.—; geb. n. 1. 80
Sonderabdruck aus: „Erfurter Führer im Gartenbau".

Pekrun, Hans [aus Dresden]: Ueber einige Benzylderivate des Piperidins, Tetrahydrochinolins und Pyridins. . . . Dresden, Albanus'sche Buchdr., 1890; 50 S. 8°
Tübingen, Naturw. Fak., Inaug.-Diss. v. 1890

Pekrun, H., über einige Benzylderivate d. Piperidins, Tetrahydrochinolins u. Pyridins. Inaug.-Diss. gr. 8. (50 S.) Dresden 890. (Tübingen, Fues.) n. 1. —

Pekrun, Willi, Referendar: Die Haftung der Eisenbahn für ihre Leute. Leipzig: Wigand 1909. 111 S. 8°
Leipzig, Jur. Diss. v. 3. Dez. 1909
[Geb. 12. Okt. 86 Dresden; Wohnort: Dresden; Staatsangeh.: Sachsen; Vorbildung: Wettiner-Gymn. Dresden Reife O. 05; Studium: Grenoble 1, Halle 1, Berlin 2, Leipzig 2 S.; Rig. 27. Juni 08.] [U 10. 2828

Pekulat, Das. Eine wahrhafte Staatsgeschichte und karakteristisches Gemälde der Aristokratie aus der Republik Luzern. Sursee 1831. V: *Meyer, Joseph Rudolph Valentin.* (AARK) (Cat. d. Stadtbibl. Zürich. Zürich 1864—97.)

Pekotsch, L., Mehmed Tschelebi. Ein ursprünglich türkisch verfaßter Schwank in neupersischer Übersetzung. Lex.-8°. (20 S. mit Tafeln) K 9.—
Wien: Alfred Hölder 1905.

Pekurezi, Grammatik der albanesischen Sprache. (Laut- und Formenlehre.) Gr.-8°. (IV, 294 S.) K 8.—
Wien: Gerold 1908.

Pel, Nic., de Ulcere noma. Dissertat. medica inaug. 8 maj. (4½ B. u. 2 ill. Stnt.) Groningae 846. (Leer, Praetorius et Seyde.) * —

Pel, Nicol., dissertatio medica inauguralis de ulcere noma. gr. 8. (58 S. m. 1 Lith.) Groningae 847. (Leer, Prätorius & Seyde.) n. 5/12 ß

Pel, P. K., die Behandlung der krupösen Pneumonie, s.a. Sammlung klinischer Vorträge.

Pel, P. K.: Die Behandlung der krupösen Pneumonie, krit. beleuchtet von P. K. Pel, (Amsterdam). Leipzig: Breitkopf & Härtel 1900. (36 S.) 8°
= Sammlung Klinischer Vorträge. N. F. No 284.

— s.: Krankheiten, die, des Blutes.

Die Krankheiten der Leber, der Gallenwege und der Pfortader, mit auf Grund eigener Beobachtung bearb. von Prof. Dr. P[ieter] K[laesz] **Pel**. ⟨Ein Buch f. pract. Aerzte.⟩ Haarlem: Bohn; Jena: Fischer 1909. 373, XVI S. 4°(8°) 109. 6147

— über die Kunst gesund u. glücklich zu leben u. Krankheiten zu verhüten. Rede, geh. am 270. Stiftungstage der Universität Amsterdam. Mit Genehmigg. des Verf. aus dem Holl. übers. v. Albr. Rosenstein. 1. u. 2. unveränd. Aufl. gr. 8. (32 S.) Jena 902. G. Fischer. n —50
Sonderabdruck aus: „Klin. Jahrbuch".

Über die Kunst gesund und glücklich zu leben und Krankheiten zu verhüten. Rede geh. am 270. Stiftungstage d. Univ. Amsterdam von P[ieter] K[laesz] **Pel**. Aus d. Holl. übers. von Albrecht Rosenstein. 3. unveränd. Abdr. Jena: Fischer 1903. 32 S. 8°
Aus: Klin. Jahrbuch. Bd. 9. 111. 549 6

Pel, P. K., Myxödema, s.: Sammlung klin. Vorträge.

— die acute u. chron. Nierenentzündung (Morbus Brightii). [Aus: „Zuelzer-Oberländer's klin. Handb. d Harn- u. Sexualorgane".] gr 8. (V, 81 S.) Amsterdam 895. A. M. van den Broecke. n.n. 1. 65

Pelachy, Frz., geologische Aufnahme des Kronprinz Ferdinand-Erbstollens, s.: Mittheilungen aus dem Jahrbuch d. k. ungar. geologischen Anstalt.

Peladan, das allmächtige Gold. Roman. Verdeutscht v. Emil Schering m. e. Vorw. v. Strindberg u. 1 Portr. Peladans. (Peladans Romane.) (XV, 296 S.) 8. München 911. G. Müller. 4.—; geb. n 5. 50

Pélagaud, E. Un conservateur au second siècle. Etude sur Celse et la première escarmouche entre la philosophie antique et le christianisme naissant. 1 vol. in-8°, 470 p. Bâle et Genève, H. Georg. 1878. 7 50
, Ce volume forme la continuation de l'oeuvre de Renan qui l'a approuvé et qui le présentera à l'Académie des Inscriptions et Belles Lettres
Il sera le *complément du nouveau livre de Renan : Marc Aurèle.*

Pelagius, epist. ad Demetriadem c. aliis alior. epist., recens. Semler. 8. maj. Halae, Hammerde et S. 775.

Pelagii, Epistola ad Demetriadem virginem, cum aliis aliorum epistolis. Acc. D. Whitby tractatus de imputatione divina. Augustini Epist. contra Pelagium et Hieronymi Epist. de servanda virginitate. Rec. et notas addid. J. S. Semler. Hal. 775. 8. 1 rthlr. 4 gr. Schwetschke

Pelagius, Leben u. Thaten der heil. Einsiedler u. Mönche, s. Leben u. Thaten d. heil. Altväter rc., 4. 5. Liefg.

Pelagonii artis veterinariae quae extant recensuit, praefatus, commentatus est Max. Ihm. 12. (244 S.) Leipzig 892. B. G. Teubner. n. 2. 40

Pelargonien, neue Arten v., s. Arten, neue.

Pelargus (junior) s.: Storch, Jakob

Pelargus, Huldericus
s.a. Storch, Johann

Pelargus, Hulder., Med. Jahrg. Lpz. 1724. 4°. 1724

Pelargus, Karl, Scherz und Ernst. Erzählungen. Mainz 862. Kirchheim. 8. (VI, 262 S.) 20 ngr.

Pelargus, R., das Erbrecht des bürgerlichen Gesetzbuchs f. das Deutsche Reich. Ein Hand- u. Nachschlagebuch f. jedermann. gr. 8. (X, 355 S.) Stuttgart 899. J. F. Steinkopf. n. 4.20; geb. in Leinw. n. 5. —

Pélaz, Adèle, den Freunden unsers jungen Volks. Nach dem Franz. „Aux amis des jeunes" v. M. K.-G. (III, 191 S.) 8. Basel 908. Kober. 1.60; geb. in Leinw. 2.40

Pelc, Ign., s.: Bericht üb. die sanitären Verhältnisse im Königr. Böhmen.

Pelchrzim, E. v., Instruktion für den Gruppenführer im Terrain. Für die Feuerwirkung des Zündnadelgewehrs bearb. 2. Aufl. Thorn 865. (Wallis.) 8. (39 S.) n.n. 3 ngr.

—— Leitfaden für eine instruktive Anordnung und Leitung kleinerer Felddienst- und Gefechts-Uebungen der Infanterie zur kriegsgemäßen Ausbildung der Mannschaften und Unteroffiziere. Mit allgemeiner Berücksichtigung von Waldersee's Methode bearb. 8. (VIII und 98 S.) Berlin 867, Mittler und Sohn. *

Pelchrzim, Theodor von

—— s. Zim, P. L. Chr.

— s.a.: Zim, Th. Chr. L. (Pseud.)

v. Pelchrzim, Thdr., die wissenschaftl. Ausbildung des Soldaten. Mit 3 lith. Taf. gr. 8. Potsdam 845. (Horvath'sche Buchh.) n. $^{2}/_{3}$ ℔

Pelchrzim, Theod. v., die wissenschaftliche Ausbildung des Soldaten. Enthaltend: Alles, was der Soldat (Unterofficier) in wissenschaftl. Beziehung lernen muß, um sowohl seine jetzige Stellung tüchtig auszufüllen, als auch jedem Examen zu genügen rc., wenn er als Gensd'arm, Grenz- oder Steuerbeamte oder im Civil versorgt zu werden wünscht. Für Regiments-, Bataillons-, Stadt- und Landschulen, sowie zum Selbstunterricht bearb. 3. Ausg. 1847. und 4. Aufl. gr. 8. (VIII und 198 S. mit 3 Stnt. in gr. 8., 4. und Fol.) Berlin 852, Mittler und Sohn.

Pelchrzim, Thdr. v., die wissenschaftliche Ausbildung des Soldaten. Enthaltend: Alles, was der Soldat (Unterofficier) in wissenschaftl. Beziehung lernen muß, um sowohl seine jetzige Stellung tüchtig auszufüllen, als auch jedem Examen zu genügen rc. Für Regiments-, Bataillons-, Stadt- und Landschulen, so wie zum Selbstunterricht bearb. 6. Aufl. 1855. und 7. Aufl. gr. 8. (VIII und 198 S. mit 3 Stnt. in gr. 8., 4. und Fol.) Potsdam 856, Horvath'sche Buchh.

Pelchrzim, Thdr. v., die wissenschaftliche Ausbildung des Soldaten. Enthaltend: Alles, was der Soldat (Unterofficier) in wissenschaftlicher Beziehung lernen muß, um sowohl seine jetzige Stellung tüchtig auszufüllen, als auch jedem Examen zu genügen, welches von ihm verlangt wird, wenn er als Gensdarm, Grenz- oder Steuerbeamte oder im Civil versorgt zu werden wünscht. Für Regiments-, Bataillons-, Stadt- und Landschulen, so wie zum Selbstunterricht bearb. 8—11. Aufl. 8. (VIII und 198 S. mit 3 Stnt. in 8., 4. und gr. 4.) Potsdam 857—59, [Döring.]

Pelchrzim, Thdr. v., die wissenschaftliche Ausbildung des Soldaten. Enth.: Alles, was der Soldat (Unteroffizier) in wissenschaftl. Beziehung lernen muß, um sowohl seine jetz. Stellung tüchtig auszufüllen, als auch jedem Examen zu genügen, welches von ihm verlangt wird, wenn er als Gensdarm, Grenz- oder Steuerbeamte oder im Civil versorgt zu werden wünscht. Für Regiments-, Bataillons-, Stadt- und Landschulen, sowie zum Selbstunterricht bearb. 12.—16. Aufl. gr. 8. (VIII und 192 S. mit 2 Stnt. in 8. und 4.) Potsdam 862—68, Döring.

Pelchrzim, Thdr. v., die wissenschaftliche Ausbildung des Soldaten. Enth. Alles was der Soldat (Unterofficier) in wissenschaftl. Beziehung lernen muß, um sowohl seine jetz. Stellung tüchtig auszufüllen, als auch jedem Examen zu genügen, welches von ihm verlangt wird, wenn er als Gensdarm, Grenz- oder Steuerbeamter oder im Civil versorgt zu werden wünscht. Für Regiments-, Bataillons-, Stadt- und Landschulen, sowie zum Selbstunterricht bearb. 17.—23. Aufl. 8. (VIII, 200 S. mit 1 lithogr. Taf.) Potsdam 869—73, Döring. (M 1,50.) *

Pelchrzim, Thdr. v., die wissenschaftliche Ausbildung des Soldaten. Enth.: Alles was der Soldat [Unteroffizier] in wissenschaftl. Beziehung lernen muß, um sowohl seine jetz. Stellung tüchtig auszufüllen, als auch jedem Examen zu genügen, welches von ihm verlangt wird, wenn er einst versorgt zu werden wünscht in Beamtenstellen — deren Gehälter am Ende dieses Buches verzeichnet sind — bei folgenden Behörden: 1. Staats-Eisenbahn-Verwaltung, 2. Steuer, 3. Post und Telegraphie, 4. Gendarmerie und Schutzmannschaft, 5. Gericht und Strafanstalt, 6. Königl. Kriegsministerium, 7. kaiserl. Marine, 8. verschiedenen anderen Staats- oder Civil-Behörden. Für Kapitulanten-, Regiments-, Bataillons-Schulen [den neuesten Bestimmungen gemäß], sowie für Stadt- und Landschulen, auch zum Selbstunterricht bearb. 25.—27. Aufl. 8. (VIII, 168 S.) Schweidnitz 886—88, Kaiser. *

Pelchrzim, Thdr. v., die wissenschaftliche Ausbildung d. Soldaten. Enth.: Alles was der Soldat [Unteroffizier] in wissenschaftl. Beziehg. lernen muß, um sowohl seine jetz. Stellg. tüchtig auszufüllen, als auch jedem Examen zu genügen, welches von ihm verlangt wird, wenn er einst versorgt zu werden wünscht. 27. Aufl. 8. (VIII, 168 S.) Schweidnitz 888. (Berlin, Cassirer & Danziger.) n. 1. —

Pelchrzim, Thdr. v., d. wissenschaftl. Ausbildg. d. Soldaten. Für Kapitulanten-, Regiments-, Bataillons-Schulen (d. neuesten Bestimmgn. gemäß), sow. f. Stadt- u. Landschulen, auch zum Selbstunterr. Neubearb. von H. v. Below. 28. Aufl. gr. 8. (VIII, 176 S.) Berlin 896. K. Siegismund. n. 1. —

Pelchrzim, Thdr. v., Characterzüge u. Einzelthaten preußischer Krieger während der glorreichen Feldzüge 1864, 1866, 1870—1871, nach Mittheilungen von Vorgesetzten gesammelt u. nebst der Autographie eines eigenhändigen Schreibens Sr. Maj. d. Kaisers u. Königs laut allerhöchster Genehmigung wiedergegeben. gr. 8. (44 S.) Schweidnitz 877. (Kaiser.) n. — 60

— Einzelthaten u. Charakterzüge preußischer Krieger während der glorreichen Feldzüge 1864, 1866, 1870—1871, nach Mittheilgn. v. Vorgesetzten gesammelt u. nebst der Autographie e. eigenhänd. Schreibens Sr. Maj. d. Kaisers u. Königs lt. Allerhöchster Genehmigg. wiedergegeben. gr. 8. (45 S.) Ebd. 893. n. — 50

— neue u. neueste Erfindungen. Elektricität durch Berührg. (Galvanismus). Elektrischer Telegraph nach Morse. Das Telephon nach Bell. Der Phonograph nach Edison. Das elektrische Licht nach Siemens. Verkupferung, Versilberg., Vergoldg., Herstellg. v. Büsten, Statuen u. Galvanoplastik nach Jakobi. (A. u. d. T.: Das kleine Buch der Erfindungen.) Für Jedermann faßl. beschrieben u. durch 18 in den Text eingedr. Zeichngn. erläutert. gr. 8. (31 S.) Charlottenburg 891. Ebd. n. — 50

—— Instruction im Artilleriedienst, wie er im Felde für jeden Soldaten vorkommen kann. Faßlich für jeden Nichtartilleristen zusammengestellt und durch 27 eingedr. Abbild. (in Holzschn.) erläutert. 8. (48 S.) Potsdam 856, Horvath'sche Buchh. *

—— Deutsche Kriegsthaten 1870 und 1871. 1) Vom Rhein bis zur Mosel (Metz). 2) Von der Mosel bis zur Marne (Chalons) und Maas (Sedan). 3) Von der Marne bis zur Seine, d. h. bis zur Capitulation von Paris und zum Friedensschluß. Geschmückt mit 11 Abbild. und eingedr. Holzschn. Für Jedermann verständlich zusammengestellt. 1. und 2. Aufl. 8. (110 S.) Berlin 872,73, Selbstverlag. *

— preußische Kriegsthaten 1864. Für Jeden verständlich zusammengestellt. Stettin 864. von der Nahmer. gr. 8. (96 S. m. Holzschn.) n. 7½ ngr.

— preußische Kriegsthaten 1866. I. Feldzug. II. Schilderungen u. Charakterzüge. Für Jeden verständlich zusammengestellt. Berlin 867. Bath. 8. (80 S. mit 19 Abbild. in eingedr. Holzschn. u. 1 Holzschntaf.) n. 7½ ngr.

—— Landsleute! lefet dieses Büchlein und lasset es eure Kinder lesen denn es enthält die Geschichte des Vaterlandes unter der segensreichen Regierung der Hohenzollern. Für jeden Preußen einfach und verständlich erzählt und mit 8 Abbild. versehen. 8. (52 S. mit Holzschn.) Potsdam 858, [Döring.]

— Landsleute! lefet dieses Büchlein und lasset es eure Kinder lesen denn es enthält die Geschichte des Vaterlandes unter der segensreichen Regierung der Hohenzollern. Für jeden Preußen einfach und verständlich erzählt u. mit 8 Abbildgn. (Holzschn.) versehen. Potsdam 858. Horvath. (52 S.) n. 7½ ngr.

Pelchrzim, Thdr. v., die Sonne mit ihren Planeten und deren Monden, die Kometen, feurigen Meteore [Sternschnuppen ꝛc.] nach dem jetzigen Stande der Wissenschaft. Erklärung der Spektral-Analyse und deren Anwendung auf jene Himmelskörper. Der Jugend in Gesprächen eines Vaters mit seinen Kindern erzählt. gr. 8. (144 S. mit 40 eingedr. Holzschn.-Illustr., 4 eingedr. Holzschn.-Portr. und 1 facs. Briefe.) Berlin 883, Kühl. cart. *

—— der electro-magnetische Telegraph. Allgemein verständlich dargestellt und durch 21 lithogr. (und ill.) Figuren erläutert. gr. 16. (15 S. und 1 Stnt.) Berlin 848, (Mittler und Sohn.) *

Pelchrzim, Theodor v., Secondelieut. im k. preuss. Garde-Reserve-Inft.-Reg. etc. Der elektro-magnetische Telegraph. Allgemein verständlich dargestellt und durch 21 lithographirte Figuren erläutert. 12. Berlin 1848.

— über electro-magnetische Telegraphie. Ein Vortrag, gehalten im wissenschaftlichen Verein von Officieren zu Potsdam. Nebst 1 (lith.) Taf. mit 24 illum. Fig. Potsdam 853. Horvath. 16. (50 S.) n. 10 ngr.

— über electrische Uhren, Maschinen-Bewegung durch Electromagnetismus, Wasserzersetzung durch galvan. Einwirkung, Galvanoplastik, electr. Licht und Minensprengung durch den galvanischen Strom. Ein Vortrag, gehalten im wissenschaftl. Verein von Officieren zu Potsdam, als selbständ. Fortsetzung eines Vortrags über electro-magnetische Telegraphie. Nebst 1 (lith.) Figurentaf. (in 4.) Potsdam 854. Horvath. 12. (36 S.) n. 8 ngr.

Pelchrzim, Theod. v., wie schreibt u. spricht man die im gewöhnl. Leben, namentl. beim Militair u. in der Gerichtssprache am häufigsten vorkomm. Fremdwörter richtig, u. was bedeuten sie? Für Militair- u. Bureaubeamten, so wie zum Gebrauch f. die untern Klassen der Gymnasien u. f. höhere Bürgerschulen. 8. (3 B.) Potsdam 840, Horvath'sche Buchh. *

Pelckmann, Johannes: Versus choliambi apud Graecos et Romanos historia. Kiliae 1908: Fiencke. 59 S. 8°
Greifswald, Phil. Diss. v. 19. Dez. 1908, Ref. Gercke
[Geb. 12. Nov. 84 Richtenberg; Wohnort: Kiel; Staatsangeh.: Preußen; Vorbildung: Gymn. Demmin Reife O. 03; Studium: Greifswald 3, Berlin 1, Greifswald 5 S.; Rig. 4. Juni 08.] [U 09. 1549

Pelech, Joh. E., das Stracenaer Thal und die Dobschauer Eishöhle. Aus dem Ungar. von Sam. Klein. gr. 8. (35 S. mit 6 Holzschntaf.) Igló 878. (Budapest, Ráth.) *
Aus: Jahrbuch des ungarischen Karpathen-Vereines, besonders abgedruckt.

Pelech, Ioannes: *De Conditionibus sub quibus Philosophia Speculativa ut mera cognitio possibilis sit. 36 Bl. 8° (4°)
Halle-Wittenberg, Phil. Diss. v. [10. Juni] 1829
Geb. Ratkó (Ungarn, Kom. Gömör) 1805. V. — Diplom v. 10., Examen: 11. Juni 1829.

Pelecyus, Al., s. Lehrschule, kernhafter Tugenden.

PELÉE de ST. MAURICE: Die Kunst italiänische Pappelbäume aufzuziehen, mit Anmerkungen über die Wahl und Einrichtung der Baumschulen wie man sie und die weiter verpflanzten Bäume aufziehen und warten soll. - Leipzig 1864. 34 Bog.

Pelegrin: Il Pelegrin
Korrigieren im Titel: Pelegrin.

Pelerin, le, de Notre-Dame des Ermites, ou instruction sur le pèlerinage, suivie d'un recueil de prières à l'usage des fidèles et principalement des Serviteurs de Marie. (Avec: Le chemin de la croix, distribué en quatorze stations.) Mit 10 Steindr. u. 15 Holzschn.) gr. in-18. Notre-Dame des Ermites 840. (Regensburg, Manz.) n. 11 gr

Pèlerin, le, de Notre-Dame des Eremites, ou instruction sur la pèlerinage, suivie d'un recueil de prières, à l'usage de fidèles et principalement des serviteurs de Marie. in-12. Einsiedeln 841, Gebr. Benziger. 8¾ ngr Velp. ⅜ ₰ Avec 8 grav. 5/12 ₰

Pélerin, le, de Notre-Dame des Ermites ou instruction sur le pélerinage suivi d'un recueil de prières à l'usage des fidèles et principalement des serviteurs de Marie. 3. édition. 18. (330 S. m. 1 Lith. u. lith. Titel u.: Le chemin de la croix 36 S. m. eingedr. Holzschn.) Notre-Dame-des-Ermites 851, Benziger frères. 8 ngr

Pélerin, le, de Notre-Dame des Ermites, ou instruction sur le pélerinage, suivie d'un recueil de prières à l'usage des fidèles et principalement des serviteurs de Marie. 4. édit. Einsiedeln 858. Benziger. 24. (3 Bl., 449 S. u. Anh.: Le chemin de la croix, distribué en 14 stations. 36 S. mit Holzschn. im Text, 4 Lithogr. u. lith. Titel.) 10 ngr.

Pélerin, le petit, de Notre-Dame-des-Ermites, contenant une instruction sur le pélerinage et un recueil de prière, av. grav. s. b. In-18°, 192 p. Einsiedeln, Gebr. Benziger. 1 20

Pelerin, Charles, Dalmatie, Monténegro et l'Herzégovine. Excursion artistique. Wien 861. (Gerold.) gr. Fol. (35 S., 11 Lithogr. in Farbendr. u. 2 Lithogr. in Tondr.) n. 6 ₰ 20 ngr.

—— l'Herzégovine et le pont de Mostar. gr. Fol. (5 S. mit 1 Chromolithogr.) Wien 861, Gerold's Sohn. *

Pelerin, Frz., s. Robinson des 18n Jahrhunderts.

Pelesz, Julian, Geschichte der Union der ruthenischen Kirche mit Rom von den ältesten Zeiten bis auf die Gegenwart. 1. Bd.: Von den ältesten Zeiten bis zur Wiederherstellung der Union der ruthen. Kirche mit Rom [1595]. gr. 8. (640 S.) Wien 878, (Mayer und Comp.) *

Pelesz, Julian, Geschichte der Union der ruthenischen Kirche mit Rom von den ältesten Zeiten bis auf die Gegenwart. 2. (Schluss-)Bd.: Von der Wiederherstellung der Union der ruthen. Kirche mit Rom von 1595 bis auf die Gegenwart. gr. 8. (XXIV, 1095 S.) Würzburg 881, Woerl. *
1. Bd. [Wien 1878, Mayer und Comp.] Würzburg, Woerl. *ℳ 8.

PELESZ, Julianus: De vita scriptis et actis sancti Cypriani Carthaginensis. — (1870) 290 S. 8° (Handschr.) Diss. 352
Diss. Wien, Univ.

Pelet, General, Memoiren üb. d. Kriege d. Kaisers Napoleon in Europa. Seit 1796—1815. Feldzug d. Kais. Napoleon in Deutschland im J. 1809, nebst d. besondern Operationen des Armee-Corps in Italien, Polen, Sachsen, Neapel u. Walchern. Eine nothwendige Ergänzung des Memorial d. Grafen Las-Cases; aus d. Französ. v. General J. v. Theobald. 4 Bde. gr. 8. Stuttg. 824—25. Brodhag. 8 ₰

Pelet, (General,) Memoiren über die Kriege d. Kais. Napoleon in Europa. Seit 1796—815. — Feldzug d. Kais. Napoleon in Deutschland im J. 1809, nebst den besondern Operationen d. Armee-Corps in Italien, Polen, Sachsen, Neapel u. Walchern. Eine nothwendige Ergänzung des Memorial des Grafen Las-Cases. Aus dem Französ. vom General J. v. Theobald. 4 Bde. gr. 8. Stuttg. 824—25. Frankh.

Pelet, Louis, d'Orbe (Vaud) Étude de l'eau régale et de la préparation du chlore au moyen des acides chlorhydrique et nitrique [S. A aus Bulletin de la Société vaudoise des Sc. nat. Vol. XXX [S. 151—198 Lausanne Corbaz & Cie Impr 1894. 55 S., 6 Tab 2 Taf 8° Zürich. Phil Diss. [v 17 Mai 1895].

Pelet, L. Etude de l'eau régale et de la préparation du chlore au moyen des acides chlorhydrique et nitrique. Avec 2 pl. et 6 tabl. In-8°. 55 p. Zurich. Thèse. 1895.

Pelet, Louis. Exercices de calcul oral. Livre du maître. 3me édition. In-16°. 95 p. Lausanne, F. Payot. 1 25

Pelet, J. E., bewährte Anweisungen, alle Arten lederner Handschuhe leicht u. sicher zu reinigen. 8. (1 1/2 B.) Quedlinburg 843, Basse.

Pelet-Jolivet, Louis

Pelet, L[ouis]. Die Theorie des Färbeprozesses. Von L. P'-Jolivet.... (Übersetzung [von] E[rnst] A Heber) Mit 14 Abbildungen und mehreren Tabellen [im Text]. VIII + 224 S. 8. Dresden, Theodor Steinkopff, 1910. [M. 7. —, geb. 8. —]

Was will der Verein zum Schutz der Kinder vor Ausnützung und Misshandlung? Ansprachen der Herren von PELET NARBONNE, SIMONSSON und von SODEN, gehalten in Berlin am 13. März 1899. Berlin (1899). Buchdruckerei von Wilhelm Greve (Ohne bes. Titelblatt.) 4°

Pelet-Narbonne, Gerhard von

Pelet-Narbonne, G. v., die Aussichten d. Kavallerie im Kampfe gegen d. Infanterie u. d. Artillerie. Vortrag, geh. in d. militär. Gesellschaft zu Berlin am 3. XI. 1897. [Aus: „Beiheft zum Militär-Wochenblatt".] gr. 8. (26 S.) Berlin 897. E. S. Mittler & Sohn. n. — 60

— dasselbe, s.: Beiheft z. Militär-Wochenblatt 1898.

Pelet. Spanischer Erbfolgekrieg 1701—13. Paris 1842. 2°

Pelet-Narbonne, G. v., üb. Erziehung u. Führung v. Kavallerie, sowie Uebungen gemischter Truppen im Gelände Eine Denkschrift. Mit 16 Skizzen im Text. gr. 8. (VIII, 200 S.) Berlin 894. E. S. Mittler & Sohn. n. 3. 75

— — 2. verm. Aufl. u. d. T.: über Organisation, Erziehung u. Führung von Kavallerie sowie Übungen 2c. 1896.

Pelet-Narbonne, G. v., der Felddienst des Kavalleristen, s.: Mirus, v.

— — Feldzug des Kaisers Napoleon in Deutschland im Jahre 1809. Bd 1—4. Aus dem Französ. von J. v. Theobald. Stuttgart 1824—1828.

Pelet, General. Feldzüge des Kaisers Napoleon in Deutschland, Italien und Polen im Jahre 1809, nebst den Expeditionen von Neapel und Walchern etc. Aus dem Französischen übersetzt von General J v. Theobald. (4 Bde.) 8. Stuttgart 1824.

Pelet-Narbonne, Gerh. v., Friedrich Wilhelm, der Große Kurfürst v Brandenburg, s.a. Erzieher des preußischen Heeres.

Friedrich Wilhelm der Große Kurfürst von Brandenburg von G[erhard] v. Pelet-Narbonne, Gen.Lt. z D. Berlin: B. Behr 1905. (II, 110 S.) 8° [F.] = Erzieher d. Preußischen Heeres. Bd 1. [05. 14980

— Geschichte der brandenburgisch-preußischen Reiterei von den Zeiten des Großen Kurfürsten bis zur Gegenwart. 2 Bde. Lex.-8. Berlin 905. E. S. Mittler & Sohn. n. 12. —; geb. n. 16. —

1. Die alte Armee vom Großen Kurfürsten bis zum Frieden v. Tilsit. Mit 16 Taf. u. Vollbildern, 194 Abbildgn., 3 Schlachtplänen u. 32 Geländeplänen im Text. (XXVII, 405 S.)
2. Die neue Armee vom Frieden zu Tilsit bis zur Gegenwart. Mit 22 Taf. u. Vollbildern, 174 Abbildgn. u. 36 Geländeplänen im Text. (XXVI, 465 S.)

— Geschichte der brandenburgisch-preußischen Reiterei v. den Zeiten des Großen Kurfürsten bis zur Gegenwart. 3. [Titel-]Aufl. 2 Bde. Lex. 8. Berlin [905] 908. E. S. Mittler & Sohn. 12.—; geb. 16. —

1. Die alte Armee vom Großen Kurfürsten bis zum Frieden v. Tilsit. Mit 16 Taf. u. Vollbildern, 194 Abb., 3 Schlachtplänen u. 32 Geländeplänen im Text. (XXVII, 405 S.)
2. Die neue Armee vom Frieden zu Tilsit bis zur Gegenwart. Mit 22 Taf. u. Vollbildern, 174 Abb. u. 36 Geländeplänen im Text. (XXVI, 465 S.)

Pelet-Narbonne, G. v., Handbuch zur Ertheilung d. theoretischen Unterrichts üb. Reiten an Unteroffiziere der Kavallerie u. zum Selbst-Unterricht f. angeh. Reitlehrer. 8. (IV, 40 S. m. e. eingedr. Holzschn.) Berlin 875. Mittler & Sohn. n. — 80

Pelet-Narbonne, G. v., die Haupt-Kadetten-Anstalt zu Lichterfelde bei Berlin, nebst einem Rückblick auf die Entwickelung des königl. preuß. Kadettenkorps. Mit 1 (lith.) Ansicht u. 1 (lith.) Grundriß. gr. 8. (22 S.) Berlin 878. Mittler & Sohn. n. 1. —

— Deutsche Heerführer. (159 S.) gr. 8. Berlin 911. K. Siegismund. 3.—; geb. in Leinw. 4. —

— Hülfsbuch zur Ertheilg. d. theoret. Unterrichts über Reiten an Reiter 2. Klasse u. Remontereiter, sow. zum Selbstunterr. f. angeh. Reitlehrer. (2. Aufl.) Neue [Titel-] Ausg. gr. 8. (IV, 47 S. m. 10 Abb.) Berlin (897) 898. E. S. Mittler & Sohn. n. — 80

— Improvisieren oder Organisieren? s.a. Zeitfragen, militärische. 1. Hft.

Improvisieren oder Organisieren. Ein Beitrag z. Frage d. Kavallerie-Korps u. -Divisionen. Von [Gerhard] v. Pelet-Narbonne, Gen.-Lt. z. D. *(Berlin: A. Bath 1902.)* (18 S.) 8° [Kopft.] — Zeitfragen, Militärische. H. 1, [1.] [03. 859

— mehr Kavallerie. Ein Mahnruf im Interesse v. Deutschlands Landesverteidigg. (80 S. m. 2 Karten.) gr. 8. Berlin 903. A. Bath. n. 1. —
Sonderabdruck aus: „Jahrbb. f. d. deut. Armee u. Marine".

[F.] Der Kavalleriedienst. E. Handb. f. Offiziere. Bearb. u. hrsg. v. G[erhard] v. Pelet-Narbonne, Generallt. ... 4. völlig neu bearb. Aufl. .. M. 2 farb. Steindrucktaf., 6 schwarzen Vollb. u. 202 Abb. im Text. *Berlin: E. S. Mittler & Sohn 1897* (IX, 552 S., 6 Bl. Tab., 2 Taf.) 1 Bd 8. [97. 2623

— der Kavalleriedienst. Ein Handbuch für Offiziere. I. Bd. u. II. Bd. 1. Thl. gr. 8. Berlin 901. E. S. Mittler & Sohn. n. 14. 50; geb. in Leinw. n.n. 16. 50
I. Die Ausbildg. im Frieden. 5. neubearb. Aufl. Mit 2 farb. Steindr.-Taf. u. 210 Abbildgn. im Text. (XI, 466 S.) n. 8. 50; geb n.n. 9. 50
II. Der Kavalleriedienst im Kriege. 1. Thl. Kavallerie in der Vorbewegg., Verfolgg. u. Aufklärg., dargestellt an dem Vormarsch der deutschen Reiterei v. der Saar üb. die Mosel in den Tagen vom 7. zum 15. VIII. 1870. 2., verm. Aufl. Mit 11 Kartenskizzen, 3 Kartenskizzen im Text u. 1 Karte des Geländes zwischen Saar u. Nied. (XXII, 254 S.) n. 6. —; geb. n.n. 7.—

— der Kavalleriedienst. Ein Handbuch f. Offiziere. II. Bd. Der Kavalleriedienst im Kriege. 2. Tl. Kavallerie im Sicherungsdienst u. in der Schlacht, dargestellt an den Ereignissen v. Coulmiers im Spätherbst 1870. Mit 3 Karten u. 1 Kartenskizze im Text. (XII, 138 S.) gr. 8. Berlin 903. E. S. Mittler & Sohn. n. 4. —; geb. in Leinw. n. 5. — (vollst.: n. 18. 50; geb. n.n. 21.50)

— Der Kavalleriedienst. Ein Handbuch f. Offiziere. (In 2 Bdn.) 1. Bd.: Der Kavalleriedienst im Frieden. 6. u. 7. Aufl. (XII, 493 u. 110 S. m. Abb.) gr. 8. Berlin 909. 10. E. S. Mittler & Sohn. 9.—; geb. 10. —

Der Kavalleriedienst und die Wehrkräfte des Deutschen Reiches. Ein Lehrb. f. jüng. Offiziere nebst e. Anh.: Der Melde- u. Rekognoszirungsdienst d. Kav.-Offiziers ... bearb. u. hrsg. von G[erhard] v. Pelet-Narbonne, Gen.-Lt. Mit Abb. im Text. Zugl. 6. Aufl. d. 'Hülfsbuchs beim theor. Unterr.' von [Rich.] v. Mirus. Th. 1–5. *Berlin: E. S. Mittler & Sohn 1881–1901.* 2 Bde 8° [F.]
(1–4 in 1 Bde.) 1881. 5 = Sattelbuch d. Kavallerieoffiziers. 1901. [03. 9794

Pelet-Narbonne, G. v., der Kavalleriedienst u. die Wehrkräfte d. Deutschen Reiches. Ein Lehrbuch f. jüngere Offiziere, sowie zur Benutzg beim theoret. Unterricht, nebst e. Anh.: Der Melde- u. Rekognoszirungsdienst d. Kavallerie-Offiziers, Formales üb. Dispositionen, Relationen, Croquis. 2. Aufl., zugleich 7. Aufl. d. „Hülfsbuch beim theoret. Unterricht von v. Mirus". Mit Abbildgn. im Text. gr. 8. (XX, 451 u. Anh. 48 S.) Berlin 885. Mittler & Sohn. n. 7. —

Pelet-Narbonne, G. v., der Kavalleriedienst u. die Wehrkräfte des Deutschen Reiches. 2. Aufl., zugleich 7. Aufl. d. „Hülfsbuch beim theoret. Unterricht von v. Mirus". Nachträge. gr. 8. (76 S.) Berlin 887. Mittler & Sohn. n. 1 — (Hauptwerk u. Nachträge: n. 8. —)

Pelet-Narbonne, G. v. Der Kavalleriedienst u. die Wehrkräfte des Deutschen Reiches. Ein Lehrbuch f. jüngere Offiziere, sowie zur Benutzg. beim theoret. Unterricht, nebst e. Anh.: Der Melde- u. Aufklärungsdienst d. Kavallerie-Offiziers, die Führg. d. Offizier-Patrouille. 3. Aufl., zugleich 8. Aufl. d. „Hülfsbuch beim theoret. Unterricht von v. Mirus". Mit Abbildgn. im Text. gr. 8. (XX, 450 u. Anh. 50 S.) Berl. 890, Mittler u. Sohn. * 7 —

— der Kavallerie-Unteroffizier im innern Dienst der Eskadron. gr. 8. (VII, 72 S.) Ebend. 884. n. 1. —

[F.] Der Kavallerie-Unteroffizier im inneren Dienst der Eskadron. S. Pflichten, Rechte u. Gebührnisse. Von G[erhard] v. Pelet-Narbonne, Generallt. . . . z. D. 2., umgearb. u. verm. Aufl. *Berlin: E. S. Mittler & Sohn 1896.* (VIII, 114 S.) 1 Bd 8. [96. 8013

Der Kavallerie-Unteroffizier im inneren Dienst der Eskadron. Seine Pflichten, Rechte u. Gebührnisse. Unter Mitw. e. aktiven Offiziers hrsg. von G[erhard] v. Pelet-Narbonne, Gen.Lt. z. D. 3., umgearb. Aufl. *Berlin: E. S. Mittler & Sohn 1904.* (VIII, 115 S.) 8° [F.] [04. 5621

Die Lehre für die Kavallerie aus dem Mandschurischen Feldzuge. Vortrag, geh. zu Berlin 1907 von [Gerhard] v. Pelet-Narbonne, Gen.Lt. z. D. Mit 4 Skizzen. Berlin: E. S. Mittler & Sohn (1908). (34 S.) 8° [F.]
= Militär-Wochenblatt. 1908, Beih. 1, [1.] [08. 3094 9

— Die Lehren f. die Kavallerie aus dem mandschurischen Feldzuge, s.a. Militär-Wochenblatt. 1908. 1. Beiheft.

Pelet-Narbonne, (G.) v. Die Lehren für die Kavallerie aus dem mandschurischen Feldzuge. (Berlin 1908.) 8° (Aus: Bh. z. M. W B.)

— u. E. v. **Pelet-Narbonne,** Leitfaden f. den Kavalleristen, s. Mirus, v.

— s.: Löbell's, v., Jahresberichte üb. rc. Militärwesen.

— der Melde- u. Aufklärungsdienst d. Kavallerie-Offiziers. Formales üb. Dispositionen, Relationen, Croquis. Zugleich Anh. zu „Der Kavalleriedienst". 2. Aufl. gr. 8. (IV, 48 S.) Ebend. 885. n. 1. —

Pelet-Narbonne, Gerhard von (Hrsg.), s. Militärwesen, Das, in seiner Entwicklung ..

— üb. Organisation, Erziehg. u. Führg. v. Kavallerie, sow. Uebgn. gemischter Truppen im Gelände. E. Denkschrift. 2., verm. Aufl. M. 16 Skizzen im Text. gr. 8. (X, 224 S.) Berlin 896. E. S. Mittler & Sohn. n 4. —; geb. n.n. 5. 25

— die Reiterei der ersten u. zweiten deutschen Armee in den Tagen vom 7. zum 15. VIII. 1870, dargestellt nach den Kriegsakten u. anderen Quellen unter Anschluß v. Betrachtgn. üb. den Kavalleriedienst im Kriege. Mit 10 Kartenskizzen u. e. Karte der Umgegend v. St. Avold. gr. 8. (XIV, 217 S.) Berlin 899. E. S. Mittler & Sohn. n. 6. —; geb. in Leinw. n.n. 7. 50

Sattelbuch des Kavallerieoffiziers. Technisches aus d. Heerwesen, Kenntniss fremder Armeen. Bearb. u. hrsg. von G[erhard] v. Pelet-Narbonne, Gen.-Lt. Mit vielen Abb. im Text. *Berlin: E. S. Mittler & Sohn 1901.* (91 S.) 8° [F.]
= Pelet-Narbonne: Der Kavalleriedienst u. d. Wehrkräfte d. Deutschen Reiches. T. 5. [03. 9794

— Sattelbuch des Kavallerieoffiziers. Technisches aus dem Heerwesen. Kenntnis fremder Armeen. (V. Tl. des Werkes „Der Kavalleriedienst I".) 6. Aufl. (110 S. m. Abb.) 8. Berlin 909. E. S. Mittler & Sohn. 1. 60

— General Carl v. Schmidt, s.a. Beiheft zum Militär-Wochenblatt. 1902. Hft. 11. 12.

General Carl v. Schmidt. Eine Skizze s. Lebens u. Wirkens. Unter Benutzung von nachgelassenen hs. Aufzeichn. d. Generals, von Briefen, Akten d. Geh. Kriegsarchivs, d. Königl. Kriegsmin., anderen amtl. Dokumenten u. sonstigen Quellen entworfen von G[erhard] v. Pelet-Narbonne, Generallt. z. D. Mit d. Reiterbild d. Generals, d. Denkmal- u. Grabbild sowie 1 Karte. *Berlin: E. S. Mittler & Sohn 1902* (S. 509–612.) 8° [F.]
= Militär-Wochenblatt. 1902, Beih. 11. 12 [02. 12795

— Aus dem Tagebuch e. preußischen Korpsadjutanten im böhmischen Feldzuge 1866. (29 S.) 8. Wien (908). C. Konegen. — 75

— Verfolgung u. Aufklärung der deutschen Reiterei am Tage nach Spicheren (7. VIII. 1870). Zugleich e. Richtigstellg. u. Vorausgabe der 2. Aufl. der Schrift: Die Reiterei der 1. u. 2. deutschen Armee in den Tagen vom 7. bis 15. VIII. 1870. gr. 8. (VIII, 29 S. m. 2 Karten.) Berlin 901. E. S. Mittler & Sohn. n. 1. —

— s.: Verwendung, die, größerer Kavalleriemassen.

— die Vorbedingungen d. Erfolges f. die Reiterei im nächsten europäischen Kriege, s.a. Beiheft zum Militär-Wochenblatt. 1904. Hft. 12

Die Vorbedingungen des Erfolges für die Reiterei im nächsten europäischen Kriege. Vortrag, geh. in d. Militär. Gesellsch. zu Berlin 1904. Von [Gerhard] v. Pelet-Narbonne, Gen.Lt. z. D. Berlin: E. S. Mittler & Sohn (1904). (S. 500–520.) 8° [F.]
= Militär-Wochenblatt. 1904, Beih. 12, [1] [05. 9388

Pelet-Narbonne, St. v., näher zu Gott, s.: Chapman, R.

Pelgrin: Il Pelegrin (Der Pilgrim)
① Amitg della casa christiana ⑤ 26. 1. 1900 (cont.) ⑥ 8° ⑦ Monatsblatt (16—18 Seiten), Jahrg. I 19 Nummern, II—VI 18 Nummern, seit VII: 12 Nummern à 16 resp. 28 S. ⑧ Disentis G. Condrau ⑨ Santa Maria per mummas e giuvnas, Il Pign Guido ⑩ Mistral G. Condrau, P M. Carnot ⑪ Carnot, P M. Dr Fry C. (seit 1923) ⑫ kath. Familienzeitung ⑬ BGSZ. 1009 ⑭ Ch K, Di Kb; Be: L.

Pelham; or, the adventures of a Gentleman, s. Bulwer compl. Works. Vol. I. — Uebers., dess. sämmtl. W. (Aachen, Mayer.) 1—3. Bd., (Stuttgart, Metzler.) 7—12. Bdchn., (Zwickau, Gebr. Schumann.) 5—8. Thl. u. einzeln.

Pelham, oder Begegnisse eines Weltmannes. Vom Verf. des Devereux rc.; aus d. Engl. übers. v. C. Richard. 3 Thle. 8. Aachen 829. Mayer. 4 ℳ

Pelham, Nannchen, oder die Tugenden des weiblichen Geschlechts; a. d. Engl. Zürich 1781. Ü: *Schulthess, Johann Georg.* (MGT)

Pelham's Nannchen, Geschichte, od. die Tugend des weiblichen Geschlechts, (v. Jh. Geo. Schultheß). 8. Zürich 781. Orell. 1 ℳ 6 gr

PELHAM, Norbert, Ein Frauenliebling. Roman. Berlin. 8° (1 Mk., Lwd., Schweitzer & Mohr, Berlin, 1909. ohne Jahrsangabe.)

Peli, Theobald, das Ganze der Schweizerbäckerei rc. Nebst einem Anhang, enthaltend die bewährt. Vorschriften zur Aufbewahrung des Mehls, der Butter, Milch, Eier, Citronen, Aepfel und Früchte jeder Art, zum Läutern u. Aufbewahren des Citronensaftes, zum Läutern des Honigs, dem Zuckersyrup seinen herben Geschmack zu benehmen, die Krankheiten der Weine zu heben rc. 8. Coburg 840. Riemann. 1 ℳ

Der Pelican Jahrgang 1 no. 1–26, Oct. 28, 1805 – Dec. 31, 1806
Weekly, Oct. 28, 1805 – June 3, 1806 [no. 1 – 22]; tri-weekly [no. 23 – 26], June 17 – Dec. 31, 1806. Title varies: Le Pelican. The Pelican. Der Pelican, no. 23 – 26, June 17 – Dec. 31, 1806. Printed in alternate columns in three languages. Appears to be Jeffersonian in sympathy. Large quarto [9 – 11] until June 17, 1806, then 10 – 17; each issue 4 pages. Subscription rate "3 Thaler" Oct. 28, 1805 – June 3, 1806, then 5 dollars. Name of editor and publisher given variously: "Gedruckt und herausgegeben von Josef Forster" no. 1 – 22, Oct. 28, 1805 – June 3, 1806; "Die Redaction führt P. J. Forster" and "Gedruckt und herausgegeben von Josef Forster" in no. 23 – 26.
Philadelphia, PA

Pelican, Bertha, Annette Freiin v. Droste-Hülshoff. Ein Bild ihres Lebens u. Dichtens. (XIII, 245 S. m. 1 Bildnis u. 3 Vollbildern.) 8. Freiburg i/B. 906. Herder. n. 2. 80; geb. in Leinw. n. 3. 60

Pelican, Bertha, Kunstwanderungen u. Kulturbilder. (XII, 290 S. m. 61 Abb.) gr. 8. Wien 910. H. Kirsch. 7. 20

— Leben der Erzherzogin Maria v. Steiermark, Mutter Kaiser Ferdinands II. Nach authent. Quellen bearb. (VIII, 133 S. m. 1 Bildnis.) 8. Wien 903. H. Kirsch. n. 1. 80

Peligot, Prof., chemische Analyse der verschied. Thierarten, s. Houssaye, J. G., der Thee.

—— u. Alcan, prakt. Anweisung z. Fabrikation der Stearinkerzen. Nach den neuesten engl. u. französ. Verbesserungen. 8. (2 B. u. 3 Taf. Abbild.) Quedlinburg 845, Basse.

Pelikan, der. Monatsschrift f. d. Volk z. Preise d. allerhlst. Altarssakramentes. Organ d. Erzbruderschaft d. ewigen Anbetg., d. Ehrenwache d. hlst. Herzen Jesu u. anderer eucharist. Vereine. Hrsg. v. Joh. Künzle. 1.—3. Jahrg. 1893—1895. à 12 Nrn. gr. 8. (123, 158 u. 160 S.) Feldkirch. Lindau, J. Lutz. à Jahrg. n. 1. —; in 1 Leinw.-Bd. n.n. 3. 20

— dasselbe. 4. Jahrg. 1896. 12 Nrn. (Bog.) gr. 8. Ebd. n. 1. 20

— dasselbe. M. Gratisbeilage: St. Michael. Monatsschrift f. d. Jugend zu Ehren d. allerheil. Altarssakramentes. Begründ. u. hrsg. v. Joh. Künzle. 5. Jahrg. 1897. 12 Nrn. (Bog. u. 8 S. in gr. 16.) gr. 8. Ebd. 1. 20

— dasselbe. Hrsg. v. Frz. Xav. Wetzel. Red. f. Oesterreich-Ungarn: Simbert Ammann. 6. Jahrg. 1898. 12 Nrn. (Bog. u. 8 S. in gr. 16.) gr. 8. Ebd. 1. 20

Pelikan, der, Fortsetzg., s.: Immanuel.

— d. kleine, od. Was aus e. Indianer werden kann, s.a. Missionstraktate, kleine, Nr. 43.

Pelikan, der kleine, oder was aus einem Indianer werden kann. 16. (16 S.) Basel 879. Missionsbuchhandlung. n. — 4

Beiträge zur Kenntnis der Zeolithe Böhmens (mit 3 Textfiguren) S. 111 (1. 83) . — 40
Separatabdruck

Pelikan, A., Beiträge zur Kenntnis der Zeolithe Böhmens. gr. 8. (14 S. m. 3 Fig.) Wien 902. (C. Gerold's Sohn.) n. — 40

PELIKAN, A.
Die Schalsteine des Fichtelgebirges, aus dem Harz, von Nassau und aus den Vogesen von A. Pelikan. (Mit 2 Tafeln.) (Aus den Sitzungsberichten der kaiserl. Akademie der Wissenschaften in Wien. Mathem.-naturw. Classe; Bd. CVIII, Abth. I. November 1899.) Wien. 1899. In Comm. Gerold's Sohn. Gr.-8° 58 S. K 1.90

Pelikan, A., üb. d. mährisch-schlesische Schalsteinformation. [Aus: „Sitzungsber. d. k. Akad. d. Wiss."] gr. 8. (62 S. m. 2 Taf.) Wien 898. (C. Gerold's Sohn.) n. 1. 80

Pelikan (A.), Petrographische Untersuchung der Gesteinsproben. T. 1. Anvers 1909. 4°
(Expéd. antarct. belge. Résultats du voyage du S. Y Belgica en 1897—1898—1899. Rapports scientif. Géologie.)

Pelikan, A., Petrographische Untersuchungen von Gesteinen der Inseln Sokótka, 'Abd el kûri und Sémha. Besonders abgedruckt a. d. 71. Bd. der Denkschriften der math.-naturw. Classe d. k. Akad. d. Wiss. 4°. (29 S. mit 2 Tafeln) † K 3.10
Wien. Gerold 1902.

Pelikan, Eug., Beiträge zur gerichtlichen Medicin, Toxikologie und Pharmakodynamik. Würzburg 858. Goldstein. gr. 8. (VIII, 212 S.) n. 24 ngr.

Pelikan, E., gerichtlich-medicinische Untersuchungen üb. das Skopzenthum in Russland, nebst histor. Notizen. Mit Genehmigg. d. Verf. aus dem Russ. in's Deutsche übers. v. Nic. Iwanoff. Mit 16 chromolith. Taf., 3 geograph. (chromolith.) Karten u. mehreren in den Text gedr. Holzschn. Imp.-4. (XII, 210 u. Beilagen 26 Sp.) Giessen 876. Ricker. n. 36. —

Relief-Karte von Salzburg und Umgebung (mit Berchtesgaden, Lofer, Reichenhall, Traunstein). 1:100.000. Mit Höhenschichten bis zu 100 M. Nach eigenem Modelle bearb. u. hrsg. von Gustav Edl. v. Pelikan, Major. *Salzburg: H. Kerber in Comm. [1899].* (1 Kartenbl. 55×50 cm.) gr. 2° [Umschlagt.] (99. 10303)

Pelikan, G. E. v., Reliefkarte von Salzburg und Umgebung. 1:100.000. 3. Aufl. gefalzt K 2.—, auf Leinwand K 3.20
Salzburg: Höllrigl 1909.

Pelikan, G. E. v., Reliefkarte des Salzkammergutes (in 2 Blättern 1 : 100.000). 2. Aufl. † Blatt I nördlicher Teil unaufgezogen K 1.—, auf Leinwand K 2.50. Beide Blätter auf Leinwand † K 4.80
Salzburg: Höllrigl 1903.

Relief-Umgebungs-Karte von Salzburg nach eigenen Modellen bearb. u. hrsg. von Gustav Edlen v. **Pelikan**, k. u. k. Major d. R. Massst. 1:100,000. (2. verb. Aufl.) *Salzburg: H. Kerber in Comm. [1902]; Kartogr. Anst. G. Freytag & Berndt, Wien.* (1 Kartenbl. 50×55 cm.) 8° [kol.] (02. 10303)

Der Dachshund. Seine Geschichte, Zucht, Dressur u. Führung. Von Josef **Pelikan** v. Plauenwald. Mit Abb. Aschersleben: Günther (1910). 90 S. 8°. (11, 467

Pelikan, Rich. v., Das Realgewerbe. Nach amtlichen Quellen im Auftrage des K. K. Handelsministeriums verfasst. 8°. Wien, Perles, 1909.

Pelikan, Rich. v., die Realgewerbe. Nach amtl. Quellen im Auftrage des k. k. Handelsministeriums verf. (IV, 167 S.) gr. 8. Wien 910. M. Perles. 4.—; geb. 5.—

Pelikan v. Plauenwald, Jos., der Dachshund. Seine Geschichte, Zucht, Dressur u. Führg. (90 S. m. Abb.) 8. Aschersleben (910). W. Günther. 2.25; geb. 2.75

Der Pelikan Edlere: Feb. 1806 -Jan. 28, 1807. **Philadelphia, PA**
Tri-weekly. Edited & published by Joseph P. Forster.

Pelíšek, Miloslav, sur quelques généralisations d'une relation appliquée par Hamilton et Mannheim. gr. 8. (14 S.) Prag 900. (F. Řivnáč.) n. —24
Sonderabdr. aus: „Sitzungsber. d. böhm. Gesellsch. d. Wiss."

Pelíček, Miroslav, sur la podaire de l'astéroïde. (7 S. m. Fig.) Lex. 8. Prag 907. (F. Řivnáč.) —20
Sonderabdruck aus: „Sitzungsber. d. böhm. Gesellsch. d. Wiss."

Pelíšek, Miloslav, perspectivische Studien. Mit 5 Holzschnitten. [Aus: „Sitzungsber. d. k. böhm. Gesellsch. d. Wiss."] gr. 8. (S. 175—214.) Prag 890. (Řivnáč.) n. —80

Pelissery, Roch-Antoine de. Erreurs et désavantages pour l'État, de ses emprunts des 7 janvier et 7 février 1777. 8°. Bale 1777.

Pelissier, Eduard: Die Landwehren der Reichsstadt Frankfurt a. M. Topograph.-histor. Untersuch. mit 1 Übersichtskte, 16 Spezialriss. u. 1 Tab. (Frankfurt a. M. 1905.) 8° (4°)
(Archiv f. Frankfurts Gesch. u. Kunst. 3. F., 8.)

Pelissier, Eduard, Prof., Oberl. am Lessing-Gymn. zu Frankfurt a. M.: Zur **Topographie** des rechtsmainischen Gebiets der Reichsstadt Frankfurt a. M. und der sogenannten 'Landwehr um die Stadt'. *Frankfurt a. M. 1902: A. Osterrieth.* (XIV, 96 S.) 4°(8°) ¶ (Aus: Archiv f. Frankfurts Gesch. u. Kunst, Folge 3, Bd 8. — Teil einer Arbeit: 'Die Landwehren d. Reichsstadt Frankfurt a. M.', von der ein Teil, die linksmainischen Landwehren, als Progr. des Frankf. Lessing-Gymn. 1901 erschien.)
Freiburg i. B., Phil. Diss. v. 1902

Pelissier, Ed[uard], Prof.: Zur **Topographie** und Geschichte **der linksmainischen** Landwehren der Reichsstadt Frankfurt. *Frankfurt a. M. 1901: Enz & Rudolph.* (S. 3–63.) 4°
Frankfurt a. M., Lessing-G, OP 1901 (424)

Pelissier, Ed., zur Topographie u. Geschichte der linksmainischen Landwehren der Reichsstadt Frankfurt. gr. 4. (63 S. m. 2 Taf.) Frankfurt a/M. 901. C. Jügel's Verlag. n. 1.60

Pelissier, Th., **Figuren-Zeichnen, s. Zeichenschule, allgemeine.**

Pelizaeus, Adolph. (geb. Rietberg in Westf. 25. 7. 1819): De carbunculo contagioso. Berolini (1841). (26 S.) 8°
Berlin, Med. Diss. v. 16. Aug. 1841

Pelizaeus, F., Christus u. Evangelium in moderner Beleuchtung v. Carrière, Schwalb, Brückner. gr. 8. (64 S.) Hannover 889. Weichelt. n. 1.—

Pelizaeus, F., Bad Elgersburg u. Umgebung, s.: Reisebücher, Thüringer.

— zur Lehre v. der chronischen Obstipation u. deren Behandlung, s.: Sonderabdrücke der Deutschen Medicinal-Zeitung.

Pelka, Eduard

Pelka, Ed., der Arzt als Hausfreund. A. u. d. T.: Der Arzt als Hausfreund des Landmanns. 2. (Titel-)Aufl. gr. 8. (VI und 250 S.) Basel 848, Fischer.

Pelka, Eduard, der Arzt als Hausfreund f. Jedermann. gr. 8. (16 B.) Basel 845, Bahnmaier's Buchh. *

Pelka, Ed., der Arzt als Hausfreund des Landmanns. 2. Aufl. Frankfurt a. M. 863. Völcker. gr. 8. (VI, 250 S.) n. 20 ngr.

Pelka, Otto, **altchristliche Ehedenkmäler, s. a. Zur Kunstgeschichte des Auslandes. V.**

Pelka, Otto, aus Berlin: Altchristliche Ehedenkmäler. *Strassburg 1901: J. H. E. Heitz.* (30 S.) 4°(8°) ¶ [Erschien vollst. 1901 als: Zur Kunstgeschichte d. Auslandes, 5.]
Erlangen, Phil. Diss. v. 2. Mai 1900

Katalog der Bibliothek des städtischen Kunstgewerbe-Museums zu Leipzig ... bearb. von Otto **Pelka**. Mit e. Nachtrag. [Nebst] Schlagwörterbuch. Leipzig: Kunstgewerbe-Museum 1908. 8° (09. 15729 2

Pelka, Wilhelm: **Studien** zur Geschichte des **Untergangs des** alten Thüringischen Königreichs im Jahre 531 n. Chr. *Jena: G. Fischer 1903.* (64 S.) 8°
Königsberg, Phil. Diss. v. 10. Dez. 1903

Pelkoven, Ueber die Anwendung des Gleichheitsprinzips bei dem Steueranschlag der Ritter- und Bauerngüter, ein Nachtrag zu den Actenstücken über das momentane Steuerprovisorium in der Provinz B. München 1808

Pelkhoven, Johann Nepomuk von

— s. Anlehen, über d. Baierische Staats-Lotterie, u. setze hinzu: (v. J. N. v. Pelkhoven).

Pelkhoven, Frhr. Jh. Nep. v., Ueber die Gewerbe in Baiern, aus einem höhern Standpunkte betrachtet, oder über die Folgen einer unbeschränkten Gewerbs- und Handelsfreiheit. gr. 8°. München, Lentner, 1818.

v. Pelkhoven, Frhr. Jh. Nep., Versuche in Dichtkunst u. Prosa. Mit 1 Kpf. 2e veränd. Aufl. 8. Straub. 818. Schmidt. (Schorner). 18 gr.

Pelkmann, Friedrich Samuel: Canticulum Melodo-Stylisticum, s. Gährich, Wenzel.

Pelkmann, Friedrich Samuel: Cantate zur 100jähr. Feier d. Stiftung d. Gr. Nat.-Mutterloge, gen. Zu den 3 Weltkugeln ..., s. Gährich, Wenzel

Pelkmann, Friedrich Samuel: Cantate zu d. Festarbeit der Gr. National-Mutterloge „Zu den 3 Weltkugeln" .., s. Decker

Pelkmann, F. S., Predigt z. Gedächtnißfeier d. entschlafenen Dr. Th. S. C. G. Küster. gr. 8. (2 B.) Berlin 838, (Th. Enslin.)

Pelkmann, Theod. Frid. Adolph. (geb. Berlin 1816) De praecavenda perinaei ruptura in partu. Berolini (1841). (26 S.) 8°
Berlin, Med. Diss. v. 3. Juli 1841

Pelkmann, Friedr. Sam.: **Pelkmanniana.** Zsgetragen und abgefasst von einem Einträchtigen. Mit anmuthigen Weisen vers. und vorgetragen von etlichen der edlen Musika Beflissenen am 9. Dec. 1839. [Berlin 1839.] 2 Bl. 4° [Umschlagtit.]
Lied ohne Noten zum 25jährigen Frmr-jubiläum von F. S. Pelkmann.

Pell, A., Bericht über den Agrikulturzustand der Vereinigten Staaten u. Kanada, s.: Sewell, C.

Pell, G. A., s. Pell, Georg

Pell, Georg

Pell, G., Abriß der Kirchengeschichte f. die höheren Bildungsanstalten. Ein Lernbuch. gr. 8. (XVI, 212 S.) Regensburg 886. Verlags-Anstalt. n. 2. 20

— das Dogma v. der Sünde u. Erlösung im Lichte der Vernunft. Eine dogmatisch-spekulative Abhandlg. gr. 8. (VIII, 114 S.) Ebend. 886. n. 1. 80

Pell, G. A. [Dr., K. Prof. d. Dogm. u. Apolog. am Lyceum zu Passau]: Die Lehre des heiligen Athanasius von der Sünde und Erlösung. . Passau, M. Waldbauer's Buchh. (Max Coppenrath), 1888, VIII + 239 S. 8°
München, Theol. Fak., Inaug.-Diss. v. 1888

Pell, Geo., noch e. Lösungsversuch zur Meßopfer-Frage unter Revision des Opferbegriffes. (39 S.) gr. 8. Passau 908. (G. Kleiter.) nn — 75
Sonderabdruck aus: „Theol.-prakt. Monatsschr."

Pell, Geo., s.: Monats-Schrift, theologisch-praktische.

Pellach, Karl Gottlob

Pellach, Carl Gottlob (Bautzen/Lausitz), De consignatione et taxa rerum sub hasta venalium. Diss. jur. Präs. Joh. Gottfried Bauer. Leipzig (I. Titius) 7. VI. 1726. 64 S. (5.—) 26027

Pellagra, über das, Briefe e. Aerzte in Italien (Perinetti u. Cerri); aus d. Ital. v. J. H. G. Schlegel. gr. 8. Jena 808. (Schmid) 8 gr.

Pellandini, Vittore. Bedano: Usi e costumi – Dialetto – Uomini illustri. 1904. Pubblicato negli Archives suisses des Traditions populaires ([= Schweizerisches Archiv für Volkskunde... . Jahrg. 8. Heft 4. Accresciuto di una] Appendice). IV + 33 p. 8. Zurich, Juchli & Beck. (fr. —. 80)

Pellar, Hanns, der kleine König, s.: Ostini, Fritz v.

Pellarin, Charles, die Seekrankheit. Ihr Wesen, ihre Ursachen, und die Präservative gegen dieselbe, sowie ihre therapeut. Benutzung zur Heilung gewisser Krankheiten. Deutsch bearb. von Hugo Hartmann. 8. (IV und 82 S.) Grimma 851. [Wurzen,] Verlags-Comptoir.

Pelldram, Leop., Hirtenbrief. [Aus: Eucharius.] Trier 866. Braun's Verl. 8. (16 S.) n. 2 ngr.

Pellegrin, ..., (Fr. Baron de la Motte Fouqué), s. a. Bernhardi, Sophie.

Pellegrin, (Fr. Baron v. Lamotte-Fouqué), Allwin. 2 Bde. 8. Berl. 808. (Brandenburg; a. Rücker). 3 rℓ

— Historia vom edlen Ritter Galmy u. einer schönen Herzogin v. Bretagne. 2 Thle. 8. Berl. 806. Reimer. 2 rℓ 8 gr.

* Pellegrin, Schauspiele. 8. Berl. Langer. 805.

— zwei Schauspiele. 8. Berl. 805. (Reimer). 1 rℓ 12 gr.

Pellegrin, (Fr. de la Motte Fouqué), dramat. Spiele. Herausg. von A. W. v. Schlegel. 8. Berl. 804. (Rücker). 1 rℓ

Pellegrin, dramat. Spiele, herausg. v. A. W. Schlegel. 8. Berl. Unger. 804.

Pellegrin, (Psdn.), Ueberlieferungen aus der Vorwelt. 8. Jena 812. Voigt. 12 gr.

— die Zwerge; dramat. Spiel. 8. Berl. 805. N. A. 816. Dümmler. 8 gr.

Pellegrini, I, al sepolcro di N. S. Oratorio . . . Die Pilgrimme am Grabe Jesu. [Dresden 1824.] Ü: *Neumann.* (BrMm)

Pellegrini, **Franc.**, Antologia italiana per le scuole commerciali, nautiche e reali superiori compilata. Lex.-8. (IV und 246 S.) Trieste 856, Coen. *

Pellegrini, Fran., Antologia italiana per le scuole commerciali, nautiche e reali superiori compilata. 2. ediz. intieramente rifusa, ed accresciuta di molti articoli attinti ad opere classiche moderne sul commercio, la navigazione, le scienze, le arti e l'industria. Triest 866. Coen. 8. (464 S.) n. 1 ₰

Pellegrini, F.. Ragguaglio storico sull' J. R. Accademia di commercio e nautica in Trieste pubblicato in occasione del 50. anniversario di sua fondazione di stesso per ... del Personale accademico. Trieste. *1867*.
Schul-/Univ.-Schrift

Pellegrini-Celoni, **Anna Maria**, Grammatica o siano regole di ben cantare. Gesangmethode, od. Anweisung z. regelmäßigen guten Gesange. Italienisch u. deutsch. Leipz. Bureau de Musique. (Peters.) 814.

Pellegrino, **Chierico**, 14 Tage Ultramontan. (84 S.) 8. Leutkirch 908. J. Bernklau. 1. —

Pellegrino, **D.**, Andeutungen über den ursprüngl. Religionsunterschied der römischen Patricier u. Plebejer. gr. 8. (8¾ B.) Leipzig 842, Brockhaus. *

Pellehn, **G.**, der Pantograph. 1603. 1903. Vom Urstorchschnabel zur modernen Zeichenmaschine. Mit 18 Abbildgn. verschiedener Pantographen, 7 Textfig., 1 Uebersicht der Uebertragungssysteme. (20 S.) Lex.-8. Berlin 903. (D. Reimer.) n. 1. —
Sonderabdruck aus: „Deut. Mechaniker-Zeitg."

Ostasien. Schantung. Deutsches Schutzgebiet Kiautschou. 〈Topogr. Karte.〉 Aufgenommen 1898/99 von d. Vermessung Kiautschou. Leiter: Kapitänlt. Deimling, Hauptleute Hoppe ... Bearb. von G[ustav] Pollehn Massst. 1:50,000. [Mit 3 Nebenkarten.] Bl. 1-9. *Berlin: Reichs Marine-Amt; D. Reimer in Komm. 1902; Geogr.-lith. Anst. C. L. Keller.* (9 Kartenbl. je 41 × 33 cm.) quer-4° [kol.]
Deutsche Admiralitätskarten, hrsg. vom Reichs-Marine-Amt. No 157. 〈Tit. XIV No 37.〉

Pellengahr, Adolf Die technische Chronologie der Römer in ihrer Entwicklung vom Anfange bis zur gregorianischen Kalenderreform 24 S. **Progr.** *Rheine* 1881.

Pellengahr. Adolph (geb. Ascheberg in Westf. 1794): De mensium fluxu. Berolini (1817.) (24 S.) 8°
Berlin, Med. Diss. v. 3. Juni 1817

Pellengahr, Ad.: Über Sternzeit, wahre und mittlere Sonnenzeit. 18 S. und Taf. – Rheine, Progr. 1872.

Pellengahr, Alfred, aus Ascheberg (Westph.): Ueber Fremdkörper im Magen. *München 1902: C. Wolf & Sohn.* (22 S.) 8°
München, Med. Diss. v. 1902

Pellens, **Eug.**, s.: Wahlpredigt, geh. zu Hildesheim.

Pellens, **Johann Paul** (Noerthens.), De probatione per picturas in sacris. Diss. inaug. Präs. Franz Ant. Dürr. Mainz (Aulica, J. J. Alef, Haeffner) Mai 1779. 78 S. (5.—) 26028

Pellens, (Joh. Paul,) Rechtfertigung meines u. der Meinigen Uebergangs aus d. röm.-kathol. in die allgemeine evangel. Christengemeinschaft. gr. 8. Hannov. 827, Hahn. 12 gr. Schreibp.

Peller, **Christoph Jakob** (Nürnberg), De libertate sive exemptione a jurisdictione principis et domini territorialis ordinarii. Disput. jur. Gießen/Hessen (J. R. Vulpius) Dez. 1703. 37 S. (5.—) 26029

Peller von Schoppershof, **Jo. Christoph**, Specimen II controversiarum in histor. Germanica occurentium de origine Baioariorum a Boiis. Disput. circulari. Präs. Jo. David Koeler. Altdorf (M. D. Meyer) Jan. 1720. 8 S. (4.—) 26032

— **Johann Jakob**, De jure victoris in res de victorum incorporales. Disput. ex jure naturae et gentium. Präs. Christian Gottlieb Schwarz. Altdorf (J. W. Kohle) 26. III. 1720. (5.50) 26033

Pellerin, **Jos.** et **d'Ennery**, Récueil des médailles antiques. Paris 762-67. 10 Vol. 4. 50 rthl. Additions. Paris et Haye 778. 4. Lettres de l'auteur. Francf. 770. 4. Jene 10 Vol. haben auch gewöhnlich ihre einzelnen besondern Titel.

Christian Pellet, Der Bauer unter der Herrschaft des freien Grundeigenthumes. Starnberg 1902

PELLET, Edmundus: Merita sancti Stephani primi regis Hungariae de ecclesia sibi comparata, speciatim autem fundationes ejus recensentur. — (1860) 78 S. 4° (Handschr.) Diss. 250
Diss. Wien, Univ.

Pellet, **Octave**, die Unfehlbaren. Schwank in 3 Akten. Deutsch v. Felix Adam. 16. (111 S.) München (898). Rubinverlag. n. 1. —

Pelletan, **E.**, Jarousseau, der Pfarrer der Wüste, s. a. Familien-Bibliothek, Calwer.

Pelletan, **E.** Jarousseau, der Pfarrer der Wüste. Deutsch bearb. von *F. Schlachter*. In-8°. 111 S (Biel, Verlag der „Brosamen".) Schaffhausen, Comm.-Verlag von Th. Kober. *1890*. Cart. 1 10

Pelletan, **E.** Jarousseau, der Pfarrer der Wüste. Deutsch bearb. von *F. Schlachter*. 2. Aufl. In-8°. 123 S. Bern, K. J. Wyss. 1 —
Leinwd. 2 —

Pelletan, **Eug.**, das neue Babylon. Aus dem Französ. von Th. Wildberg. 1. u. 2. Aufl. Bromberg 864. Levit. 8. (318 S.) 1 ₰ 20 ngr.

Pelletan, Eug., das neue Babylon. Aus dem Französ. von Th. Wildberg. 3. Aufl. (Volks-Ausg.) Bromberg 865. Levit. 8. (318 S.) 25 ngr.

Pelletan, **Eug.**, das neue Babylon. Aus dem Französ. von Th. Wildberg. 4. wohlfeile (Titel-)Volks-Ausg. 8. (318 S.) (Bromberg) (865)71. Bremen, Kühtmann und Comp. *

Pelletan, **Eug.**, das neue Babylon. Aus dem Französ. von Th. Wildberg. 5. wohlf. Volks-(Titel-)Ausg. 8. (318 S.) [Bremen (871)78, Kühtmann und Comp.] Fischer. *

Pelletan, Eug., das neue Babylon. Aus dem Franz. v. Th. Wildberg. 5., wohlf. Volks-(Titel-)Ausg. 8. (318 S.) Norden (1871) 878. Fischer Nachf. n. 2. —

— die Familie. (1. Bd.) Die Mutter. Aus dem Französ. von Friedr. Bran. Autoris. Ausg. Leipzig 865. Steinacker. gr. 8. (IV, 268 S.) 1 ₰

— die Menschenrechte. Nach der 3. Aufl. des Orig. deutsch von Aug. W. Peters. Bremen 870. Kühtmann & Co. 8. (384 S.) n. 1 ₰ 15 ngr.

— die Menschenrechte. Nach der 3. Aufl. des Originals deutsch v. Aug. W. Peters. 2. (Titel-)Ausg. 8. (384 S.) Ebend. (1870) 878. n. 4. 60

Pelleter, A , s. P e l l e t e r , J. Anton

Pelleter, A. J , s. P e l l e t e r , J. Anton

Pelleter, J. **Ant.**, **Geschichte der deutschen Literatur f. höhere Bildungsanstalten. gr. 8. (VIII, 259 S.) Bielitz 876. (Leipzig, Siegismund & Volkening.)** n. 2. 40

Pelleter: Glossen zur Reform des Gymnasialwesens mit Andeutungen über die Methodik d. Geschichtsunterrichtes an Gymnasien. 13 S.–Prag N , Progr. 1869

Pelleter, A. J., Leitfaden zur Geschichte der deutschen Literatur für Mittel- u. Bürgerschulen. 1. Thl. Prag 870. Bellmann. gr. 8. (IV, 91 S.) n. 16 ngr.

Pelleter, J. A., englisches Lesebuch. Eine Auswahl von Musterstücken aus den bedeutendsten engl. Prosaikern u. Dichtern von Shakespeare bis Bancroft, m. sprachl. u. sachl. Anmerkungen. gr. 8. (XII, 232 S.) Wien 878. Gerold's Sohn. n. 3. 20

Pelleter Dr A.: Zur Methodik des historisch-geographischen Unterrichtes an Mittelschulen. 25. Bielitz R. 76. Progr.

Pelleter: Die Staaten und Dynastien Italiens in der ersten Hälfte des XIV. Jhrh. u. ihre Parteigruppierungen. 15 S –Prag N., Progr. 1867

Pelleter: Oesterreichs Stellung zur orientalischen Frage in der Zeit vom Kaiser Josef II bis zum J 1856. 10 S. –Prag N., Progr 1865

Pelleter: U e b e r b l i c k über die Periode der Blüte und des Verfalls der deutschen Literatur von den Hohenstaufen bis zur Reformation 1138–1520. Das Zeitalter des Minnegesangs und des Meistergesangs. 2 S. – Prag, N , Progr 1864

Pelleter, Mich., Denkwürdigkeiten der Stadt Falkenau an der Eger und ihrer nächsten Umgebung. Ein Beitrag zur Geschichte der Deutschböhmen. gr. 8. (150 S.) Falkenau 876, Selbstverlag.

—— dass. — Neue Folge. 8. (VI, 181 S.) Tachau 882, Holub.

Pelletier, K., Abhandl. v. der Liebe des Nächsten, worin mit e. Worten d. heil. Schrift unsere allgemeinen Obliegenheiten gegen d. Nächsten vorgestellt werden; aus d. Französ. 8. Wien 770. Gerold. 12 gr.

Das maurerische Evangelium vom Br. Edm. Pelletier-Fournier. [Aus d. Franz. übers. von Herm. Mayer.] Dortmund 1858: Crüwell. 8 S. 8°
Abgedr. in: Bh. 6 (1863) S. 213—214.
Tt. 1723.

Pelletier de Frepillon s. Versuche üb. d. Beschneiden.

Pellican, s. P e l l i k a n

Pellicau, Konrad. Zürich [1871]. V: *Vögelin, Anton Salomon.* (Cat. d. Stadtbibl. Zürich. Zürich 1864—97.)

Pellicia, Alex. Aur. De christianae ecclesiae ... politia libri VI ... Ed. nova. Coloniae 1838. H: *Braun (Braune), Johann Wilhelm Joseph.* (winer)

Pelliccia, Al. Aurel., de christianae ecclesiae primae, mediae et noviss. aetatis Politia lib. VI. duobus Tomis compreh. quibus accedit Tom. III. in II. pts. distrib. in quo mantissae quaedam et dissertat. septem habentur. Edit. nova ad primam Venetam dilig. expressa cur. Jo. Jgn. Ritteri. II Ti. 8 maj. (33 B. u. 1 Tab.) Coloniae 829, Bachem. Thlr.

Pelliccia, Alex. Aur., de christianae ecclesiae primae, mediae et novissimae aetatis Politia lib. sex duobus tomis comprehensi, quibus acced. Tom. III. in duas partes distributus in quo Mantissae quaedam et dissertat. sept. exhibentur. Edit nova ad primam Venetam expressa cura Jo. Wilh. Jos. Braunii. Ti. III. Ps. I. II. Novae edit. Tom. II. (Finis.) 8maj. ($32\frac{1}{2}$ B.) Coloniae 838, Bachem.
Tom. I et II. cura J. J. Ritter. Ibid. 1829. 2 Thlr.

Pelliccioni, Cajet., commentariis doctorum virorum in Sophoclis Oedipum regem epimetron. Bononiae 867. (Turin, Löscher.) 8. (87 S.) n. 18 ngr.

Pellico, S., s. P e l l i c o da Saluzzo, Silvio

Pellico da Saluzzo, Silvio

——, Barante u. Graf De***, piemontesische Novellen, s. Novellen.

— des devoirs des hommes. Manuel de morale à l'usage des éléves des écoles primaires protestantes, imité de l'italien. gr. in-12. Paris et Strasbourg 834. Levrault. 5 gr.

— le même à l'usage des adultes catholiques (ou) protestans, imité de l'italien. gr. in-12. le même 834. $1/4$ **ngr**

—— dei doveri degli uomini, discorso ad un giovane. gr. 12. (4 B.) Lipsia 834, Baumgärtner.

Pellico, Silvio, dei doveri degli uomini, discorso ad un giovane. gr. 16. (86 S.) Triest 863, Coen. *

Pellico, Silvio, dei d o v e r i degli uomini, discorso ad un giovane. Triest 868. Coen. 16. (80 S. mit Portr. in Holzschn.) n. 4 ngr.

– F r a n c e s c o da Rimini

— dasselbe, s. a. Biblioteca italiana.

—— Francesca da Rimini, s. a. Emporeo drammatico.

— Francesca da R i m i n i, Tragedia, s. a. Teatro italiano. N. 4.

Pellico, Silvio, Francesca da Rimini, s. a. Uebersetzungs-Bibliothek zu den italienischen Unterrichtsbriefen.

— Francesca v. Rimini, s. a. Universal-Bibliothek.

——, Francesca v. Rimini. Trauersp., treu-metrisch nach d. Italien. v. E. Schäfer. (Deutsch u. Italien.) 8. (10 B.) Augsburg 830, Kranzfelder.

——, Franziska v. Rimini. Trauersp. in 3 Aufz. N. d. Italien. v. K. L. Kannegießer. 16. (4 B.) Zwickau 834, Gebr. Schumann.

—— Franziska v. Rimini, e. Trauersp. Aus d. Italien. metr. übers. u. mit e. Einleit. hrsg. v. P. J. J. Schädelin. gr. 12. (1½ B.) Zürich 835, Orell, Füßli u. Comp.

—— Francesca da Rimini. Tragedia in 5 atti. Für Lernende und Freunde der italienischen Sprache mit sprachlichen und erläuternden Anmerkungen und einem Wörterbuch hrsg. von Ed. Hoepfner. 8. (79 S.) Leipzig 847, Orthaus.

— Francesca von Rimini. Tragödie in 5 Akten. Aus d. Ital. übers. v. Max Waldau (Spiller v. Hauenschild). 16. (VI u. 104 S.) Hamburg 850, Hoffmann & Campe. ½ ₰; in Engl. Einb. m. Goldschn. ⅚ ₰

Pellico, S., Francesca da Rimini. Tragedia. Mit Einleitg. u. erklär. Anmerkgn. f. Schulen u. zum Privatstudium hrsg. v. F. K. Schwalbach. gr. 8. (72 S.) Davos 888. Richter. n. 1.—

— Gefangenschaft von ihm selbst geschildert u. mit Benutzung seiner andern Werke sowie der „Zusätze" seines Freundes Maroncelli neu hrsg. v. Fr. X. Görlich. 12. (270 S.) Neisse 847, Müller. ½ ₰

—— dass. — Aus dem Italien. von J. W. Christern. 2 Thle., s.a. Miniaturbibliothek ausländ. Classiker. 9—11. Bd.

Pellico da Saluzzo, S. Meine Gefangenschaft in den Kerkern von Mailand . . . A. d. Ital. Leipzig 1833. Ü: *Becker, Gottfried Wilhelm.* (Ky)

—— meine Gefangenschaft in d. Kerkern v. Mailand, unter d. Bleidächern zu Venedig u. in d. Kasematten auf d. Spielberge. Denkwürdigkeiten aus mein. Leben. A. d. Italien. v. *r. (G. W. Becker). gr. 12. (12 B.) Leipzig 833, (Voß.)

—— meine Gefangenschaft. A. d. Italien. übers. v. Heinr. Kurz. 8. (17 B. u. Bildn. d. Verf.) St. Gallen 837, [Scheitlin u. Zollikofer.]

— Silvio, meine Gefangenschaft. Memoiren. Aus dem Ital. von J. W. Christern. 32. Hamburg 846, Schuberth u. Comp. n. ⅓ ₰

Pellico, S., meine Gefängnisse, s.a. Universal-Bibliothek.

Pellico v. Saluzzo, Silvio, meine Gefängnisse. Denkwürdigkeiten. 8. (11 B.) Stuttgart 837, Köhler. Thlr.

Pellico, Silv., meine Kerkerhaft, s.: Meyer's Volksbücher.

— περὶ τῶν χρεῶν τοῦ ἀνθρώπου λόγος etc. Des devoirs des hommes, discours à un jenne homme. Trad. de l'Italien en Grèc moderne par Cébès de Thèbes. gr. in-12. Paris 835. (Leipzig, Brockhaus.) n. ⅔ ₰

— zwei Novellen nebst Thomas Morus. Aus dem Ital. von P. Stehres. Trier 869. Lintz' Verlag. 8. (106 S.) n. 10 ngr.

Pellico de Saluzzo, Silvio, Opere compiute. Cont. la vita di S. Pellico per Piero Maroncelli; le mie prigioni di S. Pellico; le prigioni di santa Margherita a Milano ed alle mie prigioni di S. Pellico addizioni di Piero Maroncelli; discorso dei doveri degli uomini; otto tragedi, cinque cantiche. In un vol. Col ritratto del poeta. Schmal gr. 4. (31 B.) Lipsia 834, E. Fleischer.

Pellico da Saluzzo, Silvio, Opere compiute. Vol. II. Cont.: Poesie inedite. Schmal gr. 4. (18 B.) Lipsia 838, E. Fleischer. Vol. I. Ebendas. 1834. 2 Thlr. 18 Gr.

Pellico da Saluzzo, Silvio. Die Pflichten des Menschen. Guter Rath an einen Jüngling. A. d. Ital. . . . Leipzig 1834. Ü: *Becker, Gottfried Wilhelm.* (EE) (Ky) (ErGr)

—— die Pflichten des Menschen. Guter Rath an e. Jüngling. A. d. Italien. v. *r. (G. W. Becker). Mit d. Bildn. d. Dichters. gr. 12. (5¼ B.) Leipzig 834, E. Fleischer.

—— über d. Pflichten des Menschen. A. d. Italien. gr. 12. (6 B.) Bonn 834, Habicht.

Pellico v. Saluzzo, Silvio, die Pflichten des Menschen. Uebers. von W. Plehn. 16. (VIII und 94 S.) Halle (861) 62, Schmidt's Verlagsh. *

— le mie prigioni e poesie scelte, s.a. Biblioteca d'autori italiani.

—— le mie prigioni, s.a. Bibliothek gediegener klassischer Werke der italienischen Litteratur.

Pellico, Silvio, le mie prigioni, hrsg. v. Bruno Herlot, s.a. Klassiker-Bibliothek, italienische.

—— le mie prigioni, s.a. Sammlung italien. Schriftsteller.

—— le mie prigioni, Memorie. 12 maj. (9½ B.) Lipsia 833, Baumgärtner.

—— le mie prigioni, memoire, con i doveri degli uomini. 12. (...) Francfort 835. [Lipsia, Kersten.]

— le mie prigioni, memorie, con i doveri degli uomini. 12. Frankfurt a. M. 835. Schmerber. 1 ₰

—— le mie prigioni. Memorie. (Ausg. ohne Anmerkn.) 8. (9¾ B.) Ebds. 837.

—— le mie prigioni. Memorie. — Mes prisons. Mémoires. (Italien. u. Französisch.) 8. (15 B.) Ebds. 837.

—— le mie prigioni. Memorie. — Mes prisons. Mémoires. Ausg. in drei Sprachen. 4. (26 B.) Ebds. 837.

—— le mie prigioni. Memorie. — Meine Gefängnisse. Denkwürdigkeiten. Ausgabe in zwei Sprachen. 8. (15½ B.) Ebds. 837.

—— le mie prigioni. Memorie. Mit erklär. Anmerkn. u. vollständ. Wörterbuche, f. d. Schulgebr. bearb. gr. 12. (13 B.) Stuttgart 838, Köhler.

—— le mie prigioni, con notizie preliminari sulla vita e le opere. Ediz. II. Mit grammatikal. Erläuterungen u. e. Wörterbuche. Zum Schul- u. Privatgebr. hrsg. v. Giov. Batta. Ghezzi. 2. Ausg. gr. 12. (11 B. u. P's. Bildn.) Leipzig 843, Baumgärtners Buchh. —

—— le mie priggioni. gr. 8. (178 S.) Zurigo 847, Orell Füssli und Comp.

— le mie prigioni; memorie: con addizioni di Pietro Maroncelli, e notizie preliminari intorno all' autore et l'ode sulla creduta di lui morte. 3. ediz. Mit vermehrten grammatikal. Erläuterungen u. einem Wörterbuche. Zum Schul- u. Privatgebrauch herausg. von Giov. Batta. Ghezzi. 3. Ausg. (XVI u. 264 S. m. des Verf. Portr. in Stahlst.) Leipzig 848, Baumgärtner. 3/4 ℛ

—— le mie prigioni. Memorie. Con addizioni di Pietro Maroncelli, e notizie preliminari intorno all' autore e l'ode sulla creduta di lui morte. 4. Edizione da Giav. Batta. Ghezzi. Mit vermehrten grammatikal. Erläuterungen und einem Wörterbuche zum Schul- und Privatgebrauche. 4. Ausg. 8. (XVI und 261 S. mit dem Portr. Pellico's in Stahlst.) Leipzig 858, Baumgärtner's Verlagsbuchh.

Pellico da Saluzzo, Silvio, le mie prigioni. Memorie. Con addizioni di Pietro Maroncelli. 5. ediz. riveduta e corredata di note tedesche da Prof. Giov. Batta - Ghezzi. 5. Ausg. Mit der deutschen Uebersetzung der schwierigsten im Werke vorkomm. Redensarten und Wörter. 8. (XV und 274 S. mit dem Portr. Pellico's in Stahlst.) Leipzig 864, Baumgärtner's Buchh.

— le mie prigioni. Memorie. Con addizioni di Pietro Maroncelli. Sesta edizione riveduta e corredata di note tedesche da Giov. Batta. Chezzi. 6. Ausg. Mit dem Portrait Pellico's (in Stahlst.) Mit der deutschen Uebersetzg. der schwierigsten im Werke vorkomm. Redensarten u. Wörter. 8. (XV, 274 S.) Leipzig 872. Baumgärtner. 2. 25

Pellico, Silvio, lo mio prigioni. Momorie. Con addizioni di Pietro Maroncelli, o notizie preliminari intorno all' autoro o l'odo sulla creduta di lui morto. 7. Aufl., rev von M. v. Metzsch. 8. (XIV, 274 S.) Leipzig 880. Baumgärtner. 1. 80

Pellico, Silvio, le mie prigioni. Memorie. Con addizioni di Pietro Maroncelli, e notizie preliminari intorno all' autore e l'ode sulla creduta di lui morte. Mit Übersetzg. der schwierigsten Worte u. Redensarten f. den Schul- u. Privatgebrauch hrsg. v. G. B. Ghezzi. 8. Aufl. 8. (XIV, 274 S.) Leipzig 883. Baumgärtner. geb. n. 1. 80

— mes prisons. Mémoires. Traduction nouvelle. Vignettes par J. Coomans. Mit viel. Holzschnitt-Vign. gr. in-8. Bruxelles 840. (Muquardt.) n. 3 ℛ

— poetische Werke. Im Versmaas der Urschrift aus d. Italien. übersetzt von F. M. Duttenhofer. 1r Bd. gr. 8. Stuttgart 835. Löflund; auch Beck u. Fränkel. 2 ℛ

— dass. 2r Bd. 1s Heft. A. u. d. T.: Eugenie von Asti. Trauerspiel. gr. 8. Ebd. 837. Beck u. Fränkel. 1/2 ℛ

—— poetische Werke. Im Versmaas d. Urschr. a. d. Italien. übers. v. F. M. Duttenhofer. 1. u. 2. Bd. 1. Hft. gr. 8. Stuttgart, [Beck u. Fränkel.]

Bd. 1. Eufemio v. Messina. Trag. in 5 Act. — Franceska v. Rimini. Trag. in 5 Act. — Esther v. Engadin. Trag. in 5 Act. — Thomas Morus. Trag. in 5 Act. (25 B.) 835. 2 Thlr.

- 2. Hft. 1. A. u. d. T.: Eugenie v. Asti. Trauersp. (7¾ B. 837. 12 Gr.

—— sämmtliche Werke in Einem Bande. A. d. Italien. v. K. L. Kannegießer u. Hieron. Müller. Mit Pellico's Bildn., Stahlst. Schmal gr. 4. (36 B.) Zwickau 834, (35,) Gebr. Schumann.

Inh.: Einleit v. Ado. Wagner. — S. P's. Leben. Uebers. v. K. L. Kannegießer. — Meine Haft, u. Zusätze hierzu v. Pietro Maroncelli. Uebers. v. H. Müller. — Abhandl. üb. d. Pflichten d. Menschen. Uebers. v. K. L. Kannegießer.

Trauerspiele.

Eufemio v. Messina. Uebers. v. K. L. Kannegießer. — Francesca v. Rimini. Uebers. v. dems. — Ester u. Engaddi. Uebers. v. H. Müller. — Iginia v. Asti. Uebers. v. K. L. Kannegießer. — Gismonda v. Mendrisio. Uebers. v. dems. — Leoniero v. Dertona. Uebers v. H. Müller. — Herodias. Uebers. v. K. L Kannegießer. — Thomas Morus. Uebers. v. dems.

Poetische Novellen. Uebers. v. H. Müller.

Tancrede. — Rosilde. — Helwig u. Wallfried. — Adello. — Ade an d. Sonne.

— sämmtliche Werke in Einem Bande. Aus d. Ital. v. K. L. Kannegießer u. Hieron. Müller. 2. (Titel-) Ausg. Mit dem Portr. d. Dichters (in Stahlst.) hoch 4. (VIII u. 254 S.) Stuttgart (835) 850, Metzler. 1 ℛ

Pellier, s. a. de Quengsy.

Pellier, Jean, 1001 Anecdotes. Collection faite pour l'amusement et l'instruction. gr. in-12. (9¼ B.) Leipsic 839, Klinkhardt.

Pellier, Jean, 1001 anecdotes. Collection faite pour l'amusement et l'instruction. 2. Édition corrigée et augmentée d'un vocabulaire. 8. (314 S.) Leipzig 854, Klinkhardt. *

Pellier, Jean, le questionneur. Frage- und Antwort-Spiel in französischer Sprache. gr. 16. (48 S.) Leipzig 857, A. Winter.

Pellier de Quengsy, Guillaume. Sammlung von Aufsätzen und Wahrnehmungen sowohl über die Fehler der Augen, als der Theile, die sie umgeben . . . a. d. Franz. Leipzig 1789. Ü: *Cappel, Wilhelm Friedrich.* (EngM) (Ky) (ML)

Pellier de Quengsy, (Guillaume): Sammlung von Aufsätzen und Wahrnehmungen sowohl über die Fehler der Augen, als der Theile, die sie umgeben, und die Mittel, sie zu heben, wobey er nach einer genauen Beschreibung des Auges ein neues Verfahren, den Staar mit einem von ihm erfundenen Instrument herauszuziehen, bekannt macht, und den angeblich guten Erfolg bey dem Niederdrücken des Staars bestreitet. (Recueil de mémoires et observations tant sur les maladies qui attaquent l'oeil et les parties qui l'environnent que sur les moyens de les guérir. Dt.) Th.1-2, 464 S., gbd., Abb.

Leipzig: Junius 1789

JB 4.219

Pellikan, Konr., das Chronikon. Zur 4. Säkularfeier der Universität Tübingen hrsg. durch Bernh. Riggenbach. gr. 8. (XLII, 198 S.) Basel 877. Bahnmaier. n. 7. 20

Pellikan's v. Rufach, Konr., Hauschronik. Ein Lebensbild aus der Reformationszeit. Deutsch v. Thdr. Vulpinus. gr. 8. (VIII, 168 S.) Straßburg i/E. 892. J. H. Ed. Heitz. n. 3. 50

— de modo legendi et intelligendi Hebraeum. Deutschland's erstes Lehr-, Lese u. Wörterbuch der hebr. Sprache, verfasst in Tübingen 1501, gedr. in Strassburg 1504, zur 4. Jubelfeier der Universität Tübingen 1877 durch Lichtdr. neu hrsg. v. Eberh. Nestle. gr. 8. (XI S. u. 89 phototyp. S.) Tübingen 877. Heckenhauer. n. 6. —

Pelling-Hall, L., Gedichte. (98 S.) 8. Strassburg 909. J. Singer. Kart. 2. —

Pellinghoff, Festrede, s.: Sedanfest, das 1., zc.

Pellis. Ugo: Il sonziaco. 63 S. 8. I. r. ginn. super. *Capodistria* 1910. Progr.

Pellischek, Thomas Friedrich —. Gemeinnützige Abhandlung über die europäische und asiatische Brechruhr, mit der genauesten Angabe aller der zu beobachtenden diätischen Vorschriften, um sich vor diesem modernen Feinde des Menschengeschlechtes zu wahren. Von — —. 12 (44 S) Wien. Druck von Keck und Pierer. 1854.

Pellissier, kurze Erbauungsreden auf verschiedene Sonn- u. Festtage. gr. 8. (8¼ B.) Karlsruhe 842, Müller'sche Hofbh.

Pellissier, Ad., Leitfaden zum Unterrichte in der ersten heiligen Communion für die reifere Jugend. 2., vielfach verb. Aufl. Mannheim 864. Löffler. (Segnitz.) 8. (XVI, 116 S.) n. 6 ngr; feine Ausg. m. 1 Stahlst. 9 ngr

Pellissier, Geo., prakt. Handbuch d. Acetylenbeleuchtung u. Calciumcarbidfabrikation. Autor. deutsche Ausg. v. Ant. Ludwig. gr. 8. (XVI, 265 S. m. Fig.) Berlin 898. S. Calvary & Co. Geb. in Leinw. n. 6. —

Pelliso, C. E., s. Pellisov, Karl Emil

Pellisov, Karl Emil

Pellisov, K. E., der Alte v. den Bergen. Eine Erzählung f. Kinder. 5e Aufl. 8. Ingolst. 826. (Landsh., Krüll). 5 gr.

Pellisov, Carl Emil, Berichtigung e. Fundamentalsatzes d. Akustik u. Beiträge z. Theorie einig. musikal. Instrumente. (1. Hft.) gr. 8. (2¾ B.) Halle 833, Anton.

Pellisov, (K. E.,) Klotilde. Eine romant. Tragödie mit Chören in 4 Abtheilungen. gr. 8. Ingolst. 825, (Leipz., Fr. Fleischer.)

—— über Schall, Ton, Knall u. einige and. Gegenstände d. Akustik. Der Beiträge z. Theorie etc. 3. Hft. gr. 8. (1½ B.) Ebds. 834.
Alle 3 Hfte. aus dem „Neuen Jahrb. d. Chemie u. Physik, hrsg. v. F. W. Schweigger-Seidel" besond. abgedruckt.

—— (?) der Sieg des Kreuzes, od.: Wie d. heidnischen Bayern Christen wurden. Eine Erzähl. gr. 8. (9 B.) München 831. (Regensburg, Manz.)

— Theorie gedeckter cylindrischer und konischer Pfeifen und der Querflöten. Der Beiträge zur Theorie zc. 2s Heftchen. Aus d. N. Jahrbuch der Chemie u. Physik abgedr. Mit 1 Kpfrtaf. gr. 8. Halle 833. Ed. Anton. n. 1/6 ℛ

— die Wallfahrt nach Jerusalem. Eine Erzähl. f. Kinder. N. Aufl. 8. Ebd. 826. 5 gr.

—— (?) die Wallfahrt nach Jerusalem. Eine Erzähl. f. Kinder. 4. Aufl. 8. (5 B.) Ingolstadt 833. (Regensburg, Manz.)

Pellisov, Carl Emil, Wingolf, s. Wingolf.

Pellnitz, Adolf, Assistenzarzt im Kurmärkischen Feldart.-Reg. Nr. 39: Ueber Sarkom des Magens. Leipzig 1907: B. Georgi. (46 S.) 8°
Leipzig, Med. Fak., Ref. Trendelenburg, Diss. v. 25. Nov. 1907
[Geb. 14. Nov. 82 Erfurt; Wohnort: Perleberg; Staatsangeh.: Preußen; Vorbildung: Lessing-Gymn. Berlin Reife O. 01; Studium: Kaiser-Wilhelms-Akad. Berlin 9 S.; Coll. 29. Nov. 07; Approb. 18. März 07.]

Pellnitz, Max, der Lithograph u. Steindrucker, einschließlich des Kartographen, s.: Beruf, mein künftiger.

— der Schriftsetzer u. Buchdrucker, s.: Beruf, mein künftiger.

— Wegweiser auf dem Gebiete der Technik des Buchdrucks u. des geschäftlichen Verkehrs f. Buchdrucker u. Buchhändler. (III, 195 S.) 8. Leipzig (905). H. Beyer. Geb. in Leinw. à n. 4. —

Pellnitz, M: Technisches Wörterverzeichniß der graphischen Branchen in deutscher, englischer und französischer Sprache. Wien, Post und Leipzig 1899

Pellnitz, Max, technisches Wörterverzeichniss der graphischen Branchen in deutscher, englischer u. französischer Sprache. 8. (VIII, 98 S.) Wien 899. A. Hartleben. Geb. in Leinw. n. 2. —

Pelloutier, Sim., († d. 3. Oct. 1757.) älteste Geschichte der Celten, insonderheit d. Gallier u. d. Deutschen; aus d. Französ., nebst Erläuterungsschr. von J. G. Purmann. 3 Thle. 8. Frankf. a. M. 777—84. (Hermann, a. Gebhard u. K.) 2 ℛ 4 gr.

Pelloutier, Simon, Religionsgebräuche der Kelten. Aus dem Französ. Frankfurt, Garbe, 1784, 8°.
Vgl. auch desselben Verf. Älteste Geschichte der Kelten, insonderheit der Gallier u. der Deutschen. Aus dem Französ., nebst Erläuterungsschriften von J. G. Purmann. 3 Teile. Ebendas. 1777–81, 8°. — Baudeau, Mémoires à consulter pour les anciens Druides. Paris 1778. Die Abhandlungen über die Druiden von Freret u. Duclos in den mém. de l'Académ. des inscript. T. 18 u. 19.

— Religionsgebräuche d. Celten, a. d. Franz. Ebend. 784.

Pellowski, Johannes [aus Berent, Prov. Westpreussen]: Zur Casuistik der Bauchdecken-Geschwulste. . . . Greifswald, Druck v. Julius Abel, 1889; 31 S. 8°
Greifswald, Med. Fak., Inaug.-Diss. v. 2. März 1889

Pellucio

Die Einrichtung einer Haushaltung, sowohl in der Stadt, als auf dem Lande. ([Verf.:] Pellucio.) Preiß-Schrift, welche die, in den Oeconomischen Nachrichten, auf diese Abhandlung gesetzte Prämie, erhalten.
Leipzig: Wendler 1761. S. 642-758. 8°

Aus: Oeconomische Nachrichten St. 70. [Um 1755.]

Pellworm [Schlagwort]

Pellworm, Insel, s.: Friesland.

Pelman, Karl

Pelman, Bericht üb. die Verwaltung der Bezirks-Irren-Anstalt Stephansfeld f. d. J. 1874. gr. 4. (59 S.) Strassburg 875. (Schultz & Co.) n.n. 2. —

Pelman, C., üb. die Grenzen zwischen psychischer Gesundheit u. Geistesstörung, s. a. Sammlung gemeinverständlicher wissenschaftlicher Vorträge.

Pelman, über die Grenzen zwischen psychischer Gesundheit und Geistesstörung. (Sammlung gemeinverstandlicher wissenschaftlicher Vorträge 444) Berlin 1884

Pelmann, Carl, psychische Grenzzustände. 2. durchgeseh. Aufl. (VII, 316 S.) gr. 8. Bonn 910. F. Cohen. 6.—; geb. 7.—
1. Aufl. (VII, 314 S.) 909. 6.—

Pelman, C., Nervösität u. Erziehung. [Aus: „Centralblatt f. allg. Gesundheitspflege".] 1.—6. Aufl. gr. 8. (41 S.) Bonn 888. Strauss. n. 1.—

Pelman, Rassenverbesserung u. natürl. Auslese, [Aus: „Centralbl. f. allgem. Gesundheitspfl."] gr. 8. (17 S.) Bonn 896. E. Strauss. n. —60

Pelman, zur Reform des Irrenwesens in Preussen u. des Verfahrens in Entmündigungssachen wegen Geisteskrankheit, s.: Zinn sen.

Pelman, Carolus (geb. am 24 Jan. 1838 in Bonn): De Bonnae urbis topographia et statistica medica ... Bonnae, formis F. Kruegerus [!] (1860). 2 Bl., 61 S., 1 Bl. 8.
Bonn, Med. Fak., Diss. v. 10 Aug. 1860

Die verminderte Zurechnungsfähigkeit. 2 Vorträge geh. in Düsseldorf von Prof. Dr. [Karl] Pelman (Bonn) u. Strafanstaltsdir. Dr. Finkelnburg (Düsseldorf-Derendorf). *Bonn: Röhrscheid & Ebbecke 1903.* (31 S.) 8°
Jg. 9953

Pelmann, Carl, s. Pelman, Karl

Pelope. Singsp. von Varrazi. 8. Tübingen. 755.

Peloponnes [Schlagwort]

Peloponnes, s. Geschichtskarten. Kiepert.

Peloponnesus hodie Morea ad normam veterum et recentiorum Mappar. accur. adornata et venalis exposita per Matth. Seutter. Chalcogr. Augustanum. 1 : 850,000. 1 Bl.

Peloponnesus. Hodie Moreae Regnum divisum in omnes suas Provincias, hodiernas atque veteres cui et adjunguntur Insulae Cefalonia, Zante, Cerigo etc. Auctore Justus Dankerts. 1 : 850,000. 1 Bl.

Peloponnesus hodie Moreae Regnum in omnes suas Provincias etc. accurate divisum. Editore Joh. Bapt. Homanno. Noribergae. 1 : 850,000. 1 Bl.

Pelotas (Karsten, G.), Meteorolog. Beobachtungen aus Pelotas in Süd-Brasilien (angestellt von Adolph Voigt 1875 und 1877.) (Schriften des Naturwissenschaftl. Vereins für Schleswig-Holstein. III. Band.) Kiel [1879].

Pelouze der Vater, die Beleuchtung mit Gas aus Stein- u. Braunkohlen, Torf, Oel, Fett, mineral. u. vegetabil. Harzen rc. rc. Mit vorgäng. Untersuchungen üb. d. Gehalt dies. Brennmaterialien an Wasser- u. Kohlenstoff, ihr Leuchtvermögen u. ihre fabrikökonomische Anwendung, rc. Mit Analysen u. krit. Bemerkungen v. M. Pelouze d. Sohn. In's Deutsche übertr. v. H. Bruhn. 4 Hfte. gr. 8. (25¾ B. u. 24 Stnt.) Chemnitz 839. [Leipzig, Bamberg.]

Pelouze's Kunstwäscherei, s.: Feldberg, Mathilde, die chemische Kunstwäscherin in der Haushaltung.

Pelouze, Madame, die Kunstwäscherin, nach erprobten engl. und französ. Verfahrungsarten, enthalt. Anweisungen: Spitzen, Blonden, Tüll, Flor, Gaze, alle Arten seidener Zeuge rc. zu reinigen und neu zu waschen; und endlich feine leinene und baumwollene Wäsche zu blauen, zu stärken, zu plätten, zu pressen, zu calandern oder zu mangen. Nach dem Französ. Mit Abbildungen. 1. Aufl. (VI und 110 S. mit 1 Stnt. in 4.) 1819. und 2., verm. Aufl. 12. (X und 130 S. mit 2 Stnt. in 4.) Weimar 851, Voigt.

Pelouze, Mme., die Kunstwäscherin, nach erprobten englischen und französischen Verfahrungsarten, enth.: Anweisungen: Spitzen, Blonden, Tüll rc. zu reinigen und neu zu waschen rc. Nach dem Französ. 3. Aufl. 1853. und 4. Aufl. Mit Abbildungen. 12. (X und 130 S. mit 2 Stnt.) Weimar 856, Voigt.

Pelouze, Madame, die Kunstwäscherin, nach erprobten englischen und französischen Verfahrungsarten, enthltd.: Anweisungen: Spitzen, Blonden, Tüll, Flor, Gaze rc. zu reinigen und neu zu waschen u. s. w. Nach dem Französ. 3. Aufl. 853. — 4. (Titel-)Aufl. Mit 2 (lith.) Quarttaf. Abbildgn. Weimar 857. Voigt. 12. (X, 130 S.) 10 ngr.

Pelouze, Madame, die Kunstwäscherin, nach erprobten englischen und französischen Verfahrungsarten, enth.: Anweisungen: Spitzen, Blonden, Tüll rc. zu reinigen und neu zu waschen; und endlich feine linnene und baumwollene Wäsche zu blauen, zu stärken, zu plätten rc. Nach dem Französ. 5. verm. Aufl. Mit 2 (lith.) Quarttaf. Weimar 859. Voigt. 12. (XII, 151 S.) 10 ngr.

Pelouze: Die Kunstwäscherin. 6. Aufl. von M. Felsberg. Weimar 1891

[Pelouze]: Die Kunstwäscherin in der Haushaltung. 7. Aufl. von M. Felsberg. Leipzig 1902

Pelouze, J., s. Pelouze, Théophiles Jules

Pelouze, M. E., gründliche Anweisung, künstliche, sehr harte u. politurfähige Steine zu verfertigen. Nach der 2., verm. u. verb. franz. Ausgabe bearbeitet. 8. (3¼ B. u. 2 Taf. Abbild.) Quedlinburg 842, Basse.

Pelouze, Théophiles Jules

Pelouze, J., und E. Fremy, Handbuch der Chemie für Gewerbtreibende, Künstler und Ackerbautreibende. Mit 24 lith. Taf. Leipzig 853. Schäfer. (C. F. Winter.) Lex.-8. (X, 261 S.) n. 2 rthl.

Pelouze, J., und E. Fremy, Handbuch der Chemie für Gewerbtreibende, Künstler und Ackerbautreibende. gr. 8. (X und 261 S. mit 24 Stnt.) Leipzig 854, Schäfer. Thlr. •

Pels, I., processus iudiciar. c. formulario advocator. et procurator. 4. Colon. 710.

Pels Leusden, Frdr., s. a. Leusden, Frdr. Pels.

Chirurgische Operationslehre für Studierende und Ärzte. Von Prof. Dr. Friedrich **Pels-Leusden.** Mit 668 Abb. Berlin, Wien: Urban & Schwarzenberg 1910. XVI, 728 S. 8°
10. 13321

Pels Leusden, Friedrich [pr. Arzt aus Lüdenscheid]: Aus d. patholog. Institut zu Marburg. Histologische Untersuchungen tuberkulöser Knochen- und Gelenkaffectionen sowie zweier Fälle von Lupus und Lupus erythematodes nach Tuberkulinbehandlung m. Berücks. d. Verändergn durch Jodoforminjektionen ... Marburg, Univ.-Buchdr. '(R. Friedrich)', 1891; 1 Bl., 34 S., 3 Bl. 8.
Marburg, Med. Fak., Inaug.-Diss. v. [18. Nov.] 1891

a Pelser Berensberg, Car. (geb. Lemiers in Holland 20. 1. 1817): De foetuum, qui spontanea aut versione aut evolutione eduntur, vivendi facultate. Berolini (1844). (20 S.) 8°
Berlin, Med. Diss. v. 24. Juni 1844

Pelser-Berensberg, Frz. v., Mitthellungen über alte Trachten u. Hausrath, Wohn- u. Lebensweise der Saar- u. Moselbevölkerg. gr. 4. (45 S. m. 5 [1 farb.] Taf.) Trier 901. (F. Lintz.) n. 4. —

Pelser-Berensberg, Frz. v., Mitteilungen üb. Trachten, Hausrat, Wohn- u. Lebensweise im Rheinland. 3., verb. u. verm. Aufl. (VII, 71 S. m. Abb. u. 12 [2 farb.] Taf.) 34,5×26,5 cm. Düsseldorf 909. L. Schwann. 6.—; geb. in Leinw. 10. —

Zur Geschichte des Geschlechtes von Pelser-Berensberg. Zsgest. durch M[aria] W[ilhelm] A[ugust] Otto v. **Pelser-Berensberg**. Bd 1. 2. Als Ms. gedr. Aachen 1908: Driessen. 4° [09. 10236

Pelser-Fürnberg, Karl v., s.: **Protokolle der Enquete betr. die Reform des österreichischen Eherechts.**

Pelster, Wilhelm: Stand und Herkunft der rheinischen Bischöfe der Kölner Kirchenprovinz im Mittelalter. Weimar 1909: Hof-Buchdr. 64 S. 8° ¶(Ersch. vollst. als Buch b. Böhlau, Weimar.)
Bonn, Phil. Diss. v. 18. Nov. 1909, Ref. Schulte
[Geb. 1. Aug. 84 Krefeld; Wohnort: Krefeld; Staatsangeh.: Preußen; Vorbildung: Gymn. Krefeld Reife O. 05; Studium: Freiburg i. B. 1, Berlin 1, Bonn 5 S.; Rig. 14. Juli 09.] [U 10. 409

Pelster, Wilh., Stand u. Herkunft der Bischöfe der Kölner Kirchenprovinz im Mittelalter. (VII, 109 S.) gr. 8. Weimar 909. H. Böhlau's Nachf. 3. 20

Pelt, Anton August Friedrich Ludwig, s. Pelt, Ludwig

Pelt, Ludwig

Pelt, Ant. Fr. Ludw., theologische Encyklopädie als System im Zusammenhange mit der Geschichte der theolog. Wissenschaft u. ihrer einzelnen Zweige. gr. 8. (45 B.) Hamburg u. Gotha 843, Friedr. u. Andr. Perthes. *

Pelt, L., s. *Homiliarium*.

Pelt, Ludwig [Hrsg.], s. Homilieensammlung.

Pelt, Ludw., das Horn d. Heils. 15 Gastpredigten. gr. 8. (13¼ B.) Greifswald 834, Mauritius.

PELT, [ANT. AUG. FRIEDR.] LUDW., Der Kampf aus dem Glauben und die religiösen Parteien unsrer Zeit. Eine vermittlende Betrachtung, veranlaszt durch die zweite Ausgabe von Strausz Leben Jesu und v. Ammons Fortbildung des Christenthums zu Weltreligion. Kiel. 1837. gr. 8. Kiel 837. Universitäts-Buchh.

· s.
—— theologische Mitarbeiten, s. Mitarbeiten.

—*s. Paulus*, Epist. ad Thessalon.

Pelt, A. Fr. L., die Schleswigschen Prediger im Verhältniß zu der im Herzogth. Schleswig eingesetzten Verwaltungscommission. Ein theol. Gutachten. gr. 8. (IV u. 116 S.) Kiel 850. Akademische Buchhandlung. n. 12 ngr

—— Protestantismus, Supranaturalismus, Rationalismus u. Speculative Theologie. Vier Vorlesn. Nebst e. polem. Anh. geg. Archidiac. Wolff. gr. 8. (10¼ B.) Kiel 839, Univ.-Bh.

Pelt, Ludov.: Theses theologicae. Berolini 1826. (2 Bl.) 8°
Berlin, Theol. Thes. v. 18. Nov. 1826

Peltasohn

--Wie es kam! Novelette der Wirklichkeit ... Cinci, 1885.

Peltasohn, Pelta (Posen), De diabete mellito. Diss. med. Berlin (Nietack) 11. VIII. 1837. 32 S. mit Biogr. (M.: H. Urbach). (2.50) 26034
Oppon.: Falk, Pauli, Loewenthal. — Gew.: Jakob Urbach (Oheim).

Peltasohn, M., u. Bruno Peltasohn, Rentenguts- u. Anerbenrechts-Gesetzgebg. in Preußen, s. a. Guttentag's Sammlung preuß. Gesetze.

Rentenguts- und Anerbenrechts-Gesetzgebung in Preussen. Text-Ausg. mit Anm. u. Sachreg. von M[artin] **Peltasohn**, Landger.R. u. Bruno Peltasohn, Rechtsanw. *Berlin: J. Guttentag 1903.* (280 S.) 8° [ü. = **Sammlung, Guttentag'sche, Preussischer Gesetze.** No 33. [4 1431

Peltason (vielm. **Peltasohn**), Richard, Gerichtsref.: **Das Recht** des Pfandgläubigers auf die Früchte der Pfandsache ⟨nach gemeinem und bürgerlichem Recht⟩. *Breslau 1901: Bresl. Genossenschafts-Buchdr.* (69 S.) 8°
Breslau, Jur. Diss. v. [9.] Jan. 1901

Peltesohn, Aemil. (geb. Posen 27. 7. 1843): De endoarteriitide chronica deformante seu nodosa. Berolini (1864). (32 S.) 8°
Berlin, Med. Diss. v. 15. März 1864

Peltesohn, Felix (geb. Posen 16. 1. 1859): Die Theorien über die Ursachen der respiratorischen Blutdruckschwankungen. Berlin (1883). (30 S.) 8°
Berlin, Med. Diss. v. 19. Febr. 1883

Peltesohn, Hugo (geb. Posen 10. 3. 1855): Quaenam vis tribuenda sit regulae juris, quam exhibent ll. 7 et 8. D. de juris et facti ignorantia. Berolini (1877). (55 S.) 8°
Berlin. Jur. Diss. v. 4. Aug. 1877

Peltesohn, Hugo, quaenam vis tribuenda sit regulae juris, quam exhibent II. 7. et 8. D. de juris et facti ignorantia. Dissertatio inauguralis regio praemio ornata. gr. 8. (56 S.) Berlin 877. C. Heymann's Verl. in Comm. n. 1. —

Peltesohn, Jacques, approb. Arzt aus Posen: **Aus d. chirurg. Universitätsklinik zu Freiburg i. B. Ueber einen Fall von Gastroenterostomia antecolica combiniert mit der Cholecystenterostomie.** *Freiburg i. B. 1902: K. Henn.* (38 S.) 8°
Freiburg i. B., Med. Diss. v. 1902

Peltesohn, Ludwig, a. Berlin: **Die Unterbindung und Resektion der Vena Cava.** Emmendingen: Druck- u. Verlags-Ges. vorm. Dölter 1907. (33 S.) 8°
Freiburg i. B., Med. Fak., Ref. Kraske, Diss. v. 1908
[Geb. 25. Okt. 82 Berlin; Wohnort: Freiburg i. B.; Staatsangeh.: Preußen; Vorbildung: Friedrichs-Werdersches Gymn. Berlin Reife O. 02; Studium: Berlin 5, Breslau 1, Berlin 2, Freiburg i. B. 2 S.; Coll. 31. Mai 07; Approb. 18. Mai 07.]

Peltesohn, Siegfried, appr. Arzt aus Berlin: **Das Verhalten der Kniescheibe bei der Little'schen Krankheit.** *Leipzig 1901: B. Georgi.* (35 S.) 8°
Leipzig, Med. Diss. v. (24. Juli) 1901

Peltier, tableau du massacre des ministres catholiques exécutés dans le couvent des Carmes etc. le 2, 3 et 4 Septbr. 1792. 18. Strasb. König. 797.

Peltre, Johann, Dankpredigt wegen des geschlossenen Friedens, zwischen Sr. Königl. Majestät unserm allergnädigsten Monarchen, und zwischen der Kayserin-Königin von Ungarn und Böhmen, und des Königs von Pohlen Majestäten, als Churfürsten von Sachsen, auf hohen Befehl, zu Schwedt in der Markgräflichen Schlosskirche bey hoher Anwesenheit des Hofes und zahlreichen Versammlung den 24ten Febr. 1763 gehalten von dem dasigen Hofprediger — — Berlin, bey Christian Friedrich Voss. 8. 28 S.

Peltre, J., Jubel-Predigt. s. Jubel-Predigt.

— Predigten z. Andenken d. Hrn. A. F. W. Sack. gr. 8. **Berlin, Rottmann.** Rthlr.

Peltz, die Schlachtvieh- u. Fleischbeschau-Gesetze ... önigr. Sachsen u. die Reichs-Gesetze betr. die Schlachtvieh u. Fleischbeschau vom 9. VII. 1900. Mit Anmerkgn. Flöha 900.

Peltz, A., die in der II. Ausg. der „russischen Pharmacopoe" enthaltenen Veränderungen, s.: Casselmann, A.

Peltz, E., s. Peltz, Ernst

Peltz, Ernst, in den Amatolas. Erzählg. aus d. Kaffernlande, frei nach d. Engl. f. d. Jugend bearb. M. 5 Farbdruck-Bild. v. W. Zweigle u. 4 Tonbild. v. F. Bergen. 8. (VII, 160 S.) Stuttgart 896. F. Loewe. Geb. in Leinw. 3. —

Peltz, Ernst, Hand- u. Hülfsbuch f. Gewerbtreibende aller Stände, m. besond. Berücksicht. der Bedürfnisse des Handwerkerstandes. gr. 8. (VI, 159 S.) Simmern 884. F. Böhmer. 1. 80

Peltz, E., u. R. Habich, praktisches Hand- u. Hülfsbuch f. Bierbrauer u. Mälzer. Mit zahlreichen in den Text eingedr. Holzst. gr. 8. (XV, 416 S.) Braunschweig 876. Vieweg & Sohn. n. 8. —

Peltz und Habich's praktisches Hand- und Hülfsbuch für Bierbrauer und Mälzer. 2. vollständig umgearb. und verb. Aufl. von E. Peltz und M. Krandauer. gr. 8. (XIII, 339 S. mit zahlreichen eingedr. Holzst.) Braunschweig 888, Vieweg und Sohn. *

Peltz, E. u. A. Pettinger. Handbuch f. Zeichenlehrer u. Zeichner. Unterrichtsstoff f. das elementare Zeichnen aller Lehr-Anstalten in 3 methodisch geordneten Lehrgängen, e. kurzgefasste Ornament-Formenlehre in 68 Taf. m. 22 (farb.) Taf. angewandter Ornamente u. 6 Bl. (farb.) Stickmuster f. Mädchenschulen. gr. 16. (59 S.) Bresl. 890, [Klapper.] Woywod. * 3 —; geb. * 3 50

— Kubik-Tabellen zur Bestimmung des Inhaltes runder Hölzer von 0,2 bis 20 m Länge u. 8 bis 100 cm Durchmesser. 2., umgearb. Aufl. 12. (32 S.) Ebd. 893. — 50

Peltz, Ernst, afrikanischer Lederstrumpf. Erzählg. aus den Amatolas im Kaffernlande. Für die Jugend bearb. Mit 5 Farb- u. 4 Tonbildern. gr. 8. (III, 160 S.) Stuttgart (901). Loewe. Geb. 3. —

Peltz, F., der Zeichenunterricht in der Volks- u. Fortbildungsschule, nebst Vorschlägen zur Umgestaltg. desselben. gr. 8. (43 S.) Breslau 892. F. Goerlich. — 60

PELTZ, Franciscus B.: De angelis bonis. — (1843) 96 S. 4° (Handschr.)
Diss. Wien, **Univ.** Diss. 165

Peltz, Jb. Fr., Gedanken üb. die Ursachen u. Folgen, daß Jesus s. Lehre nicht selbst aufgeschrieben habe. 4. Greifsw. 791.

PELTZ, Kurt (Schneeberg): Die Krankheiten der Leber und der Gallenwege auf der I. medizinischen Klinik und Abteilung des Herrn Geh.-Rats v. Ziemssen in den Jahren 1890–1895 incl.- München: Kastner & Lossen 1901. 29 S.- S.-Abdr.aus: Annalen der staedtischen allgemeinen Krankenhäuser zu München. Bd.11.
12.3.1897 - Chr 1896/97,21; Jv 1900/01,243 (Prom.-Datum: 1901)
Diss. Ingolst.-Landsh.-Mchn.

Peltz, M. J. F.: Über die schädlichen Folgen des Gebrauches destillierter Getränke. Stralsund 1852.

Peltz, W., die Flächenverhältnisse der mecklenburgischen Flussgebiete, s.: **Beiträge zur Statistik Mecklenburgs.**

Tiefenkarte der Müritz. Aufgenommen und in Grundlage d. Messtischblätter z. Landesaufnahme aufgetragen in d. Jahren 1901–1904 von W[ilhelm] **Peltz**-Güstrow. Hrsg. von d. Verein d. Freunde d. Naturgeschichte in Mecklenburg. Massst. 1:50,000. [Nebst] Begleitworte. (Güstrow: Opitz & Co. 1906.) (1 Kartenbl. 42×53 cm., 6 S. Text.) 8° [lith.] [kol.]
Begleitworte. Von W. Peltz (u. E[ugen] Geinitz).

Peltz, Walter, aus Schneeberg i. Sachs.: **Beiträge zur Kenntniß des Propargylaldehyds und des aus ihm gewonnenen Isoxazols.** *Kiel 1902: H. Fiencke.* (51 S.) 8°
Kiel, Phil. Diss. v. [1. Nov.] 1902

Peltzer: Die regelmässige Construction der Bedingungssätze im Griechischen. 25 S.– Warendorf, Progr. 1861.

Peltzer, Alfr., Anthoni, der Meister vom Ottheinrichsbau zu Heidelberg. (25 S.) 8. Heidelberg 905. C. Winter, Verl. n. — 80

Die ästhetische Bedeutung von Goethes Farbenlehre. Von **Alfred Peltzer.** *Heidelberg: C. Winter 1903.* (47 S.) 8°

— Albrecht Dürer u. Friedrich II. v. der Pfalz, s.a. Studien zur deutschen Kunstgeschichte. 61. Hft.

Albrecht Dürer und Friedrich II. von der Pfalz. Von Alfred Peltzer. Mit 3 Lichtdrucktaf. Straßburg: J. H. E. Heitz 1905. (54 S.) 8°
= Studien z. deutschen Kunstgeschichte. H. 61.

Peltzer, Alfr., Goethe u. die Ursprünge der neueren deutsch. Landschaftsmalerei. (VII, 67 S.) gr. 8. Leipzig 907. E. A. Seemann. 1. 20

— Heidelberg in der Kunstgeschichte des 19. Jahrh. (46 S.) 8. Heidelberg 905. C. Winter, Verl. n. 1. —

Peltzer, Alfred, Dr. phil., aus Krefeld: **Über Malweise und Stil in der holländischen Kunst.** *Heidelberg: C. Winter 1903 (Umschlagt. 1902).* (179 S.) 8°
Heidelberg, Phil. Hab.-Schr. v. 1902

Peltzer, Alfr., über Malweise u. Stil in der holländ. Kunst. gr. 8. (III, 179 S.) Heidelberg 903. C. Winter, Verlag. n. 5. —

— deutsche Mystik u. deutsche Kunst, s.a. Studien zur deutschen Kunstgeschichte. 21. Hft.

Peltzer, Alfred: Deutsche Mystik und deutsche Kunst. *Strassburg 1899: J. H. E. Heitz.* (90 S.) 8° ¶ [Erschien vollst. 1899 als H. 21 d. Studien zur Deutschen Kunstgeschichte.]
Heidelberg, Phil. Diss. v. 1899

— Über die Porträtmalerei, s.a. Führer zur Kunst. 18. Bdchn.

Peltzer A, über die Portraitmalerei. (48 S 1 T) (Führer z. Kunst 18) Esslingen 1910

(Peltzer, Alfred.) Giovanni Segantini. ⟨Betrachtungen bei Gelegenheit der Ausstellung zu Ehren des Verstorbenen in Mailand.⟩ [Mit Illustrationen und 2 Tafeln.] 4.
In: Die Kunst für Alle. Jahrgang 15, Heft 13. (München 1900.)

Peltzer, Carl, s. Peltzer, Karl

Peltzer, Bernh. Jos., de parodica Graecorum poësi et de Hipponactis Hegemonis, Matronis parodiarum fragmentis. Commentatio philologica. Monasterii 855. Theissing. gr. 8. (2 Bl., 67 S.) n. 16 ngr.

Peltzer, Eduard, Gesang, s.a. Weiterbildung, die, des Lehrers im Amte. XIV.

Gesang. Handbuch z. wissenschaftl. Fortbildung d. Lehrer u. z. Vorbereitung auf d. zweite Lehrer-, Mittelschul- u. Rektorprüfung von Eduard **Peltzer**, Seminarl. Düsseldorf: Schwann 1909. XII, 280 S. 8°
(Die Weiterbildung d. Lehrers im Amte. Bd 14.) [10. 15241

Peltzer, Eduard [app. Arzt aus Bremen]: Über Neubildung von Gallengängen in der Leber des Menschen. . . . Freiburg i. B., Univ.-Buchdr. v. Chr. Lehmann, 1888; 79 S. 8°
Freiburg i. B., Med. Fak., Inaug.-Diss. v. 1888

Peltzer, Friedrich *Karl* [Referendar zu Wegberg]: Begriff und Stellung des Verschwenders nach Gemeinem Recht unter Berücks. d. Altpreuss. u. Französ. Rechts ... Bonn, Buch- u. Steindr. J. Bach Wwe, 1896; 69 S. 8.
Erlangen, Jur. Fak., Inaug.-Diss. v. 1896

Peltzer, J., Die Begründung von Rentengütern und das Grundbuch im Gebiete des preussischen allgem. Landrechts. Mit dem Texte der beiden Rentengutsgesetze vom 27. Juni 1890 und 7. Juli 1891. gr. 8°. Berlin, F. Vahlen, 1895. (VI, 137 S.)

Peltzer, J.: Das Gesetz betr. das Anerbenrecht bei Renten- und Ansiedelungsgütern vom 8. 6. 1896. Unter Benutzung der Gesetzesmaterialien f. d. Geb. des Allg. Landrechts erl. Berlin 1896.

Peltzer, J., Gesetz, betr. den Forstdiebstahl, s.: Öhlschläger, O. v.

— d. preuß. Rentengutsgesetze, s.: Sterneberg, F.

Peltzer, J., das Verfahren in Auseinandersetzungsangelegenheiten, s.: Glatzel, A.

Peltzer, Ioan. Iacob. Bern. (geb. Grambusch im Rheinl. 21. 11. 1840): De leucorrhoeae gravidarum dignitate. Berolini (1864). (32 S.) 8°
Berlin, Med. Diss. v. 10. Aug. 1864

Peltzer, Joseph. (geb. Weiden bei Aachen 21. 3. 1821): De colica saturnina. Berolini (1846). (31 S.) 8°
Berlin, Med. Diss. v. 12. Okt. 1846

Peltzer, Karl

Peltzer, Carl (Theod. Franz) (geb. Charlottenburg 21. 8. 1856): Ueber Kehlkopffracturen. Berlin (1880). (32 S.) 8°
Berlin, Med. Diss. v. 10. Aug. 1880

Peltzer, Max

Peltzer, M. Üb. militärärztl. Augenuntersuchgn. (S.-A.) Berlin 1873.

Peltzer, M. Üb. Evakuation, Krankentransport u. Krankenzüge i. Kriege geg. Frankreich. (S.-A.)

Peltzer, M., Kriegslazareth-Studien. gr. 8. (VI, 71 S.) Berlin 876. Hirschwald. n. 2. —

Peltzer, M., das Militär-Sanitätswesen auf der Brüsseler internationalen Ausstellung für Gesundheitspflege u. Rettungswesen im Jahre 1876. Mit 31 (eingedr.) Holzschn. gr. 8. (VII, 70 S.) Berlin 877. Hirschwald. n. 2. --

Peltzer, Max, die Ophthalmia militaris sive granulosa (aegyptiaca, bellica, contagiosa) vom modernen Standpunkte. Eine militär-ärztliche Studie. Berlin 870. Peiser's Verl. 8. (IX, 110 S.) n. 20 ngr.

—— die deutschen Sanitätszüge und der Dienst als Etappenarzt im Kriege gegen Frankreich. gr. 8. (117 S. mit eingedr. Holzschn.) Berlin 872, Hirschwald. *

Peltzer, Maximil. Car. Theod. (geb. Berlin 10. 12. 1840): De diagnosi atque therapia ileotyphi specialibus. Berolini (1864). (32 S.) 8°
Berlin, Med. Diss. v. 23. Apr. 1864

Peltzer, Peter Jean Jacques Rousseau's Glaubensbekenntnis des Vikars aus Savoyen (Emil Buch 4) nebst Einleitung und Schluss. 38 S. **Progr.** Fr. Wi. G. *Cöln* 1885.

Peltzer, Pet. Jos., historische und dogmenhistorische Elemente in den apokryphen Kindheits-Evangelien. Inaug.-Dissert. Würzburg 864. (Cöln, J. & W. Boisserée.) gr. 8. (VIII, 104 S.) n. 10 ngr.

Peltzer, Pet. Jos., u. Mich. **Toepler,** Laudate dominum. Katholisches Gebet- u. Gesangbuch, zunächst für höhere Lehranstalten. Nach der 3. Aufl. des Gebet- u. Gesangbuches „Heil im Glauben" neu hrsg. Köln 867. Du Mont-Schauberg'sche Buchh. 12. (XVII, 246 S.) n. 20 ngr.

Peltzer, Robert, aus Narva [Russland]: Ueber einige Substitutionsproducte der Paraoxybenzoësäure und Anissäure. Zür. Zürcher u. Furrer Dr. 1867. 55 S. 8°.
[Zürich, Phil. Diss. v. 21. Juni 1867].

Peltzer, Rud. Arth., Geschichte der Messingindustrie u. d. künstlerischen Arbeiten in Messing (Dinanderies) in Aachen u. den Ländern zwischen Maas u. Rhein von der Römerzeit bis zur Gegenwart. (231 S. m. 13 Abb.) 8. Aachen 909. Cremer. 3. —
Sonderabdruck aus: „Ztschr. d. Aachener Geschichtsver."

Peltzer, W. Leichtes und sicheres Mittel, sich und andere ein sorgenfreies Alter zu verschaffen. Eine Abhandlung über die Rentenversicherungsanstalt in Berlin. Berlin 1841.

Brûderliche Worte gesprochen am Feste der Weihe des neuen Tempels der Loge Hermann zum Lande der Berge im Or.·. von Elberfeld am 27. Juni 5819 von W. **Peltzer.** [Elberfeld 1819]: Eyrich. 16 S. 8°
Der vollendete Tempel mahnt die Brr, sich ihrer hohen Aufgabe bewußt zu sein u. sie nach Kräften zu lösen.

Pelțer, W. E., Sammlung ein-, zwei-, drei- u. vierstimm. Lieder. 1. Hft. (Enth. 1- u. 2stimm. Lieder, zunächst f. d. hies. Elementarschulen bestimmt.) qu. 8. (3¼ lith. u. ¼ gebr. B.) Crefeld 829, Funcke. Thlr. ·

PELTZHOFFER, FRANZ ALBRECHT FREIHERR ZU SCHÖNAU (etc.). Neu-entdeckte Staats-Klugkeit In Hundert Politischen Reden Oder Discursen abgefasst, Und Mit allerhand Sinnreichen und ungemeinen Anmerckungs-Sprüchen, auch denckwürdigen ... Exempeln erläutert ... Frankfurt und Leipzig, Joh. Adolph, 1710. Folio. 2 Titel, *schönes allegor. Frontispiz, Joseph à Montalegre sc.*, 9 Bl. 697, 30 S. Zweispaltiger Druck. Beschabtes Ld. d. Z.

Peltzmann, Gregor P. — Marianischer Blumenkranz zur Beförderung der Verehrung Mariä, gewunden von — —. Mit Bewilligung Sr. Eminenz des hochwürdigsten Herrn Kardinals und Fürst-Primas zu Gran. Pest, 1856. Landerer und Heckenast. VIII, 476 S. und 6 Stahlstiche.

PELTZMANN, GREGOR: Himmlische Gnaden-Blumen zur Beförderung der Haus- und Kirchenandacht in den Herzen der reiferen Jugend von Gregor Peltzmann. Pest 1862: Emerich Bertalanffy. X, 350 S. 1 t. - 80 mm

Peltzmann, Gregor, himmlische Gnadenblumen zur Beförderung der Haus- und Kirchenandacht in den Herzen der reiferen Jugend. Pest 863. Gebr. Lauffer. 8. (X, 350 S. u. 1 Lithogr.) n. 16 *ngr.*

Peltzmann, Gregorius, Manuale Sacerdotum, pro visitatione et provisione infirmorum item supplicio afficiendorum, nec non sepultura mortuorum, idiomate hungarico. 8. (202 S.) Pest, Lauffer & Stolp. 1862 60 kr.
Idiomate germanico (182 S.) 60 kr.
slavico (189 S.) 60 kr.

---- **Manuale sacerdotum pro visitatione, et provisione infirmorum, item supplicio afficiendorum, nec non sepultura mortuorum, idiomate germanico, concinnatum.** 8. (V und 182 S.) Pest 863, Gebr. Lauffer. *

PELTZMANN, GREGOR: Geistlicher Wegweiser. Ein Belehrungs- und Erbauungsbuch. Zur Beförderung der christkathol. Kirchen- und Hausandacht zur würdigen und heilsamen Feier der Sonn- und Festtage, und zur tägl. Uibung der christlich-sittlichen und geselligen Tugenden. Für alle Stände. Mit 1 Stahlstich. Bearbeitet nach Sintzl, Hauber, Albach. Pesth 1850: A. Müller. XVIII, 406 S. - 8°
- Dass. Pesth 1853: L. Lukács. XXII, 662 S. Stark verm. u. verb. Aufl. 3 t. - 8°
- Dass. Pesth 1856: Gustav Heckenast. 592 S. 6 t. - 8°

Pelwesta, s. Freibeuter.

Pelz u. Peitsche. Roman-Zyklus v. Severin. 1. Bd. Frau Herrin. Roman. (174 S.) 8. Pressburg (907). H. Hartleb. 3.—

PELZ und Peitsche. Roman. (c. 1910.) (Mk. 2,50.)

Pelz, das Kreditbedürfnis der Handwerker. (Martin's Hausbücher 1) Simmern 1886

Pelz, Alfr., die Geologie der Heimat. Gezeigt am sächs. Erzgebirgssystem m. besond. Betonung der weiteren Umgegend v. Chemnitz. Mit 15 Zeichngn. u. 3 (farb.) lith. Taf. gr. 8. (VIII, 26 S.) Leipzig 903. E. Wunderlich. n. 1.—; geb. n. 1. 20

Pelz, Alfr., Geologie des Königr. Sachsen in gemeinverständlicher Darlegung. (VII, 152 S. m. 121 Fig. u. 1 Karte.) gr. 8. Leipzig 904. E. Wunderlich. n. 3.—; geb. n. 3. 60

Pelz, Alfred: Das Zwickau-Chemnitzer Kohlengebiet, s. Hänsch, Felix

Pelz, Alfr., das Zwickau-Chemnitzer Kohlengebiet, s.: Landschaftsbilder aus d. Königr. Sachsen. (Hänsch, F.)

Pelz, Anton

— das alte Germanien nach Völkerstämmen u. Sprach-Gränzen, mit Unterscheidung des Röm. Antheil's im IIten Jahrhundert. Lithogr. Fol. (Ebd.) n. 1/6 ₰

Pelz, Ant., Handkarte von Europa. Lithogr. Fol. (Neiße, Hennings.) Illum. n. 1/6 ₰

— Karte zur Erläuterung des Uebergang's Hannibal's über die Alpen. Lithogr. Fol. (Ebd.) n. 1/6 ₰

— Wand-Karte von Schlesien. Lithogr. 8 Blätter. Fol. (Ebd.) Illum. n. 2/3 ₰

Pelz, Arthur, approb. Arzt aus Schubin: Aus d. Kgl. Universitäts-Poliklinik f. Nervenkranke zu Breslau. Über die **Beziehung** der progressiven Muskelatrophie zur amyotrophischen Lateralsklerose. *Zossen-Berlin (1903): Deutsche Buch- u. Kunstdr.* (14 S.) 8°
Breslau, Med. Diss. v. [3. Aug.] 1903

Pelz, C., s. Pelz, Karl

Pelz, E. Das Schutzgeld. Skizze aus der Gegenwart in Deutschland. 8°. Leipzig 1845.

Pelz, Eduard

— s. auch Welp, Tr.

Pelz, Eduard. Autonomie: krit Darstellung d Staats- und Gesellschaftsformen in den VS Nas. NY, 1860.

Pelz, Ed., die deutsche Ansiedlung Neu-Bremen im Staate New-Jersey. Reisebericht. Bamberg 860. Buchner. Lex.-8. (14 S.) n. 6 *ngr.*

Pelz, Ed., über Auswanderung. [Aus: Deutsche Auswanderer-Zeitung.] Bremen 864. (Geisler.) 8. (25 S.) 3 *ngr.*

Pelz, Eduard, (Treumund Welp), eine Ausweisungsgeschichte. gr. 16. (31 S.) Leipzig 849. Hunger. 3 ngr.

— Betrachtungen über die Landkarte von Minnesota. Mit einer (lith.) Karte (in gr. Fol.). Gotha 870. Stollberg. gr. 8. (VIII, 21 S.) n. 10 *ngr.*

Pelz, Ed., († Treumund Welp,) patriotische Betrachtungen. 1. Hft. 8. (4¾ B.) Breslau 846, (47,) Verlags-Compt.

— s. Bildung, über die, von Vereinen rc.

— offener Brief an Heinr. Wuttke über den Stand der deutschen Verfassungsfrage. 8. (16 S.) Leipzig 850, Matthes. n. 2 ngr.

— die Deutschen in den Vereinigten Staaten von Nordamerika. Eine Beleuchtung. Gotha 870. Stollberg. gr. 8. (70 S.) n. 10 *ngr.*

— über den Einfluß der Fabriken u. Manufakturen in Schlesien. 1. Brief. Die Gebirgsdistrikte. 2. Brief. Polemisches. 3. u. 4. Brief. Die Handwerker auf dem Lande u. Blicke auf den Zustand uns. Gewerbe. gr. 8. Leipzig 844—46, Literar. Museum. n. 5/6 ₰

Pelz, Eduard. Etwas über den Piano-Forte-Bau, besonders in Amerika. Leipzig und New-York.

Pelz, Ed., transatlantische Federzeichnungen. 1. Bd. Mit einem (chemityp.) Plane von New-York (in 4.). Rudolstadt 853. Froebel. 8. (IX, 344 S.) n. 1 ₰. 10 ngr.

Pelz, Ed., e. Geldbrief. gr. 8. (30 S.) Gotha 874. Stollberg. — 50

— Geschichte Peters des Großen, s.a.: Hausbibliothek, historische, 7. Bd.

—— Geschichte Peters des Großen. Neue (Titel-)Ausg. (1848)65. * 1 Thlr. und 3. (Titel-)Ausg. gr. 8. (XV und 336 S. mit Portr. in Stahlst.) Leipzig 868, Senf.

—— Handbuch für Reisende durch die Vereinigten Staaten Nordamerika's. Nach den neuesten und zuverlässigsten Angaben bearb. 12. (VIII und 95 S. mit 1 in Kpfr. gest. und ill. Eisenbahn-, Post- und Kanal-Karte der Vereinigten Staaten in Imp.-Fol.) Bamberg 854, Buchner'sche Buchh.

--Vier Hauptfragen in d Auswandgsangelegenheit. Hist Flugschriften, v7 ii (Hamburg, 1869) 26 pp.

Pelz, Ed., vier Hauptfragen in der Auswanderungsangelegenheit. Hamburg 869. Hoffmann & Campe. gr. 8. (VI, 26 S.) n. 5 ngr.

--Die Hauptgebiete Nas, Neu-Schottland, Minnesota, Dakota. 4 pamphlets. Gotha, 1872.

— ein Jahresbericht der Emigranten-Commissäre v. Newyork. Mitgetheilt u. beleuchtet. (1. Hft.) [Aus der Allgem. Ausw.-Ztng. abgedr.] gr. 8. (72 S.) Rudolstadt 852. (Froebel.) n. 1/3 ₰

Pelz, Eduard, Katechismus der Auswanderung, s. Weber's, J.J., illustrirte Katechismen.

Pelz, Ed., Katechismus der Auswanderung. Kompaß für Auswanderer nach Ungarn, Rumänien, Serbien, Bosnien, Polen, Rußland, Algerien, der Kapkolonie, nach Australien, den Samoa-Inseln, den süd- u. mittelamerikanischen Staaten, den Westind. Inseln, Mexiko, den Vereinigten Staaten von Nordamerika u. Canada. 6., völlig umgearb. Aufl. Mit 4 Karten u. einer Abbildung (Holzschntaf.). 8. (VIII, 135 S.) Leipzig 881. Weber. geb. n. 1.50

— die Kinsburg. Den Besuchern derselben gewidmet. 12. (48 S.) Leipzig 847, Literarisches Museum. n. 1/4 ₰

— Compaß für Auswanderer nach Ungarn ꝛc., s. Weber's, J. J., illustr. Katechismen.

— Kompaß für Auswanderer nach den Vereinigten Staaten Nordamerikas. Mit besonderer Rücksicht auf die Landung im Hafen von New-York. 1. u. 2. Aufl. 853. — 3. Aufl. 854. — 4. Aufl. Cassel 855. Raabé u. Co. (Württenberger.) 16. (128 S.) 5 ngr.

— Minnesota in seinen Hauptverhältnissen. Emigrations-Monographie. 3. Aufl. 1866 u. 4., verm. Aufl. Hamburg 868. Hoffmann & Campe. 4. (69 S.) n. 5 ngr.

— Minnesota, das Centralgebiet Nord-Amerikas. In seinen Hauptverhältnissen dargestellt. Mit 5 in den Text gedr. Abbildungen (in Holzschn.) u. 1 Titelbild (in Holzschn. u. Tondr.). Leipzig 868. Weber. gr. 8. (31 S.) n. 10 ngr.

—— das Mississippi-Gesenke. Mit besond. Rücksicht auf Besiedelungsverhältnisse betrachtet. gr. 8. (VI, 58 S. mit 1 chromolithogr. Uebersichtskarte in Fol.) Leipzig 871, E. Fleischer. [Gotha, Stollberg'sche Verlagsh.]

— Nachrichten über Minnesota. Bamberg 858. Buchner. gr. 8. (VI, 25 S.) n. 6 ngr.

— New York u. seine Umgebungen. Wegweiser für Fremde u. Einheimische. 32. (100 S.) New York 851. Leipzig, Matthes. In Engl. Einb. n. 1/2 ₰

— Now-York u. seine Umgebungen. Wegweiser für Fremde u. Einheimische. 4., umgearb. Aufl. Ebend. 867. 16. (64 S. mit 1 lith. Stadtplane in qu. gr. Fol.) 15 ngr.

—— Nothwehr, s. Taschen-Bibliothek der Reise-, Zeit- und Lebensbilder.

— die Presse in den Vereinigten Staaten v. Nord-Amerika. Ein Gutachten. [Aus: „Literatur".] gr. 8. (31 S.) Leipzig 874. Expedition der Literatur. n. — 50

—— Die Schneeschurfrage, beleuchtet. 8. (1 3/4 B.) Breslau 846, Verlags-Comptoir.

—— das Wolter'sche verbess. Spinnrad. Mit 1 Abbild. (in 4.) Breslau 846, (Verlags-Comptoir.)

—— die deutsche Sprache gegenüber dem Englischen, besonders in Nord-Amerika. Ein Gutachten. Lex.-8. (16 S.) New-York 855. (Leipzig, Friese.)

—— die deutsche Sprache gegenüber dem Englischen, besond. in Nord-Amerika. Ein Gutachten. 2., verm. Aufl. 8. (62 S.) Hamburg 866, Hoffmann und Campe.

—— Stand der Leinwand-Angelegenheit in Schlesien. Skizze. 8. (1 B.) Breslau 846, W. G. Korn.
Aus: Schlesische Provinzial-Blätter, besond. abgedruckt.

Pelz, Ed., († Treumund Welp,) die Stellung der Arbeiter bei der Landwirthschaft. Ein nicht gehaltener Vortrag. 8. (1 1/4 B.) Breslau 846, (47,) (Verlags-Comptoir.) Thlr. *

— Superior City u. Umgegend. Emigrations-Monographie. Bremen 866. Geisler. 8. (31 S.) n. 5 ngr.

—— die 9. Versammlung deutscher Land- u. Forstwirthe in Breslau. Skizzirt. 8. (2 B.) Breslau 845, (Verlags-Comptoir.)

—— Verwaltung der Land-Gemeinden. 12. (1 B.) Breslau 845, (Verlags-Comptoir.)
Letztere zwei Schriften aus: Schlesische Provinzial-Blätter ꝛc., besonders abgedruckt.

--Der Wandertrieb des Menschen, eine Betrachtung. N. p., n. d.

--Die Wanderziele der Deutschen. N. p., n. d.

— wie können wir eine bessere Zukunft herbeiführen? Erster Vorschlag f. d. einzelnen Menschen u. die Familie. 8. (16 S.) Leipzig 850, Matthes. 1 1/2 ngr.

—— noch ein Wort über die deutsche Leinwandfrage. 8. (3 B.) Breslau 845, (Verlags-Comptoir.)

Welp, Treumund [d. i. Pelz, Ed.]: Einige Worte über das neue Preußische Ehegesetz. Leipzig 1843.

— einige Worte über die Verschiedenheit der Ansichten in Betreff der Auswanderung. gr. 8. (VIII, 20 S.) Leipzig 871, E. Fleischer. [Gotha, Stollberg'sche Verlagsh.] *

— das Centralgebiet Nordamerika's. gr. 8. (15 S. mit 1 lithogr. Karte in Fol.) Rudolstadt 868. (Hamburg, Hoffmann und Campe.)
Aus: Allgemeine Auswanderungs-Zeitung, besonders abgedruckt.

Pelz, Henriette, praktisches Kochbuch für bürgerliche Haushaltungen enth. leicht verständliche und genaue Anweisungen zum Kochen, Braten, Backen rc. Nebst einem nach den Jahreszeiten geordneten Küchenzettel. 5. verm. u. verb. Aufl. Breslau 865. Kern. 8. (XVI, 223 S.) 15 ngr.

Pelz, Henriette, schlesisches Kochbuch für bürgerliche Haushaltungen, enth. leicht verständliche und genaue Anweisungen zum Kochen, Braten, Backen rc. Nebst einem nach den Jahreszeiten geordneten Küchenzettel. Ein unentbehrl. Handbuch für Hausfrauen, Köchinnen und alle diejenigen, welche ihre Speisen wohlschmeckend, gesund und wohlfeil selbst herstellen wollen. 6. verm. und verb. Aufl. 8. (XVI, 223 S.) Breslau 876, Korn. geb.

Pelz, Henriette, schlesisches Kochbuch f. bürgerliche Haushaltungen, enth. leicht verständl. u. genaue Anweisgn. zum Kochen, Braten, Backen, Einmachen, Getränkebereiten, Pökeln, Räuchern rc. Nebst e. nach den Jahreszeiten geordneten Küchenzettel. 7., verm. Aufl. 8. (XV, 224 S.) Breslau 894. W. G. Korn. Geb. in Leinw. 1. 50
Wird an nichtschles. Handlungen u. d. T. „Praktisches Kochbuch" geliefert.

Pelz, Henriette, schlesisches Kochbuch f. bürgerliche Haushaltungen, enth. leicht verständl. u. genaue Anweisgn. zum Kochen, Braten, Backen, Einmachen, Pökeln, Räuchern, Getränkebereiten rc. 8. Aufl. Neubearbeitung v. Helene Roesler. 8. (224 S.) Breslau 902. W. G. Korn. Geb. in Leinw. 1. 50

Pelz, Henriette, schlesisches Kochbuch f. bürgerliche Haushaltungen, enth. leicht verständl. u. genaue Anweisgn. zum Kochen, Braten, Backen, Einmachen, Pökeln, Räuchern, Getränkebereiten etc. 9. Aufl. Neubearbeitung v. Helene Roesler. (264 S.) 8. Breslau 907. W. G. Korn. Geb. in Leinw. n. 2. —
Auch u. d. T.: Praktisches Kochbuch usw.

Pelz, Karl

Pelz, Carl, die Axenbestimmung der Kegelflächen zweiten Grades. Lex.-8. (13 S. mit 1 lithogr. Taf. in qu. 4.) Wien 874, (Gerold's Sohn.) *

Pelz, Carl, über die Axenbestimmung der Kegelschnitte. Lex.-8. (54 S. mit 2 lithogr. Taf. in qu. Fol.) Wien 876, (Gerold's Sohn.) *

Pelz, Carl, üb. die Axenbestimmungen v. Central-Projectionen der Flächen zweiten Grades. [Mit 1 (lith.) Taf. (in gr. 4.)] [Aus: „Sitzungsber. d. k. Akad. d. Wiss."] Lex.-8. (10 S.) Wien 873. (Gerold's Sohn). n. — 50

Pelz, Carl, zur wissenschaftlichen Behandlung der orthogonalen Axonometrie. Mit 1 (lith.) Taf. (in Fol.). [Aus: „Sitzungsber. d. k. Akad. d. Wiss."] Lex.-8. (31 S.) Wien 880. (Gerold's Sohn.) n. 1. 40

— dasselbe. [2. Mittheilg.] [Mit 1 (lith.) Taf.] [Aus: „Sitzungsber. d. k. Akad. d. Wiss."] Lex.-8. (10 S.) Ebend. 881. n. — 80

Pelz, Carl, zur wissenschaftlichen Behandlung der orthogonalen Axonometrie. III. Mittheilung. Lex.-8. (16 S. mit 1 lithogr. Taf.) Wien 885, (Tempsky.) *
I. und II. Mittheilung. Ebendas. 1880,81. *ℳ 2.20.

— Beiträge zur Bestimmung der Selbst- und Schlagschattengrenzen von Flächen II. Grades bei Centralbeleuchtung. 34. u. 1 Taf. Graz L.-R. 78. Progr.

Pelz, Carl, Bemerkung zur Axenbestimmung d. Kegelflächen zweiten Grades. S.-A. gr 8. (6 S. m. 1 Taf.) Wien, *Carl Gerold's Sohn. 30 kr. 1885.

— über eine allgemeine Bestimmungsart der Brennpunkte von Contouren der Flächen 2. Grades. [Mit 2 (lith.) Taf. (in qu. Fol.).] [Aus: „Sitzungsber. d. k. Akad. d. Wiss."] Lex.-8. (43 S.) Ebend. 877. n. 2. —

Pelz, Carl, über einen neuen Beweis des Fundamentalsatzes v. Pohlke. [Mit 1 (lith.) Taf.] [Aus: „Sitzungsber. d. k. Akad. d. Wiss."] Lex.-8. (16 S.) Wien 877. (Gerold's Sohn.) n. — 80

Pelz, Carl, zur klinogonalen Darstellg. d. Rotationsflächen. [Aus: „Sitzungsber. d. k. böhm. Gesellsch. d. Wiss."] gr. 8. (15 S. m. 1 Taf.) Prag 895. (Fr. Řivnáč.) n. — 60

— Ergänzungen zur allgemeinen Bestimmungsart der Brennpunkte von Contouren der Flächen 2. Grades. Mit 1 (lith.) Taf. (in qu. Fol.). [Aus: „Sitzungsber. d. k. Akad. d. Wiss."] Lex.-8. (30 S.) Ebend. 878. n. 1. 20

Pelz, Carl, Ueber die Focalcurven des Quetelet. (Sitzb. d. k. Akad. d. Wissensch. 82. Bd. II. Abth. 1880 December.) gr. 8. (12 S. mit 1 Tafel) geh. 40 kr.
Wien: Carl Gerold's Sohn 1881

Pelz, Carl, die Hauptsätze der stereographischen Projection als Corollarien des Satzes v. Quetelet u. Dandelin. gr. 8. (4 S. m. 1 Taf.) Prag 898. (F. Řivnáč.) n. — 30
Sonderabdr. aus: „Sitzungsber. d. böhm. Gesellsch. d. Wiss."

Pelz C.: Construction der Axen einer Ellipse aus 2 conjugirten Diametern. 12. Teschen R. 76.
Progr.

Pelz Karl: Zur Konturbestimmung windschiefer Schraubenflächen (mit 1 Taf.) S. 87. II. 473 K —.90
Separatabdruck

— zur Contourbestimmung windschiefer Schraubenflächen. [Mit 1 (lith.) Taf.] Lex.-8. (11 S.) Ebend. 883. n.n. — 90

Pelz, C. Herr Küpper und der Pohlke'sche Beweis des Satzes von Pohlke. Graz 1889.

Pelz, Prof. Carl, Zur Joachimsthalischen Lösung des normalen Problems. Mit einem Holzschnitt. Gr.-8. (4 S.) Prag: Fr. Rivnac 1895.

Pelz: Mathematik und die exakten Wissenschaften.
7 S.–Olmütz OR., Progr. 1865

Pelz, C., zum Normalenproblem der Ellipse. [Mit 1 Taf.] [Aus: „Sitzungsber. der k. Akad. d. Wiss."] Lex.-8. (11 S.) Wien 887. (Tempsky.) n.n. — 70

— zum Normalenproblem der Kegelschnitte. [Mit 1 (lith.) Taf.] [Aus: „Sitzungsber. d. k. Akad. d. Wiss."] Lex.-8. (6S.) Ebend. 882. n. — 60

Pelz, Carl. Note zur Abhandlung: „Über die Focalcurven d. Quetelet". [Mit 1 Taf.] Lex.-8. (6 S.) Wien 889, (Tempsky). * — 40
Aus: Sitzungsber. d. k. Akad. der Wissensch., besonders abgedruckt.

— über das Problem der Glanzpunkte. [Aus: „Sitzungsber. d. k. Akd. d. Wiss."] [Mit 2 (lith.) Taf. (in gr. 8. u. gr. 4.)] Lex.-8. (11 S.) Ebend. 872. n. — 80

— zur Tangentenbestimmung der Selbstschattengrenzen von Rotationsflächen. [Mit 1 (lith.) Taf.] [Aus: „Sitzungsber. d. k. Akad. d. Wiss."] Lex.-8. (25S.) Ebend. 879. n. 1. 20

Pelz, Rhard., Geschichte des Kreises Pyritz. Zugleich heimatgeschichtl. Ergänzungsheft zur Deutschen Geschichte v. H. Weigand u. A. Tecklenburg (sowie zur Geschichte der Prov. Pommern v. Abf. Sielaff). gr. 8. (48 S. m. Titelbild.) Hannover 900. C. Meyer. n. — 25

Pelz, Richard. Entgiftung des Cocains im Tierkörper unter der v. Esmarch'schen Ligatur. Aus der Klinik für grosse Haustiere der tierärztlichen Hochschule zu Dresden.... Diss. Vet.-Med. Bern. [Mit 8 Tafeln.] 104 S. 8. *o. O.* [1909]. [2. VII. 08.]

Pelz, Rudolph, approb. Arzt aus Habelschwerdt: Der **Kaiserschnitt** in der Giessener Frauenklinik. *Giessen 1900: v. Münchow.* (43 S.) 8°
Giessen, Med. Diss. v. 1900

Pelz, Siegfr. (geb. Rogasen in Posen 4. 11. 1848): Die vorzeitige Ablösung der Placenta. Berlin (1872). (35 S.) 8°
Berlin, Med. Diss. v. 27. Juli 1872

Pelzel, Franz Martin (auch, Pelzel, Franz Maria)

Pelzel, Franz Martin (Hrsg.), s.a. Abbildungen böhmischer und mährischer Gelehrter und Künstler.

[Pelzel, Franz Martin, Adauctus Voigt u. a.] Abbildungen Böhmischer und Mährischer Gelehrten und Künstler, nebst kurzen Nachrichten von ihren Leben und Werken ... Prag, bei Wolffgang Gerle [Bd. III: bey Johann Karl Hraba. Bd. IV: gedruckt durch ... Matthäus Adam Schmadl] ... 1773—1782.
4 Bde. 8°.
I 1773: Titelkupfer. XLII — 122 S., 1 Bl.; 32 Taf. in Kupferst.
II 1775: Titelkupfer, Tit., 3 Bl., XXVI + 184 S.; 26 Taf. in Kupferst.
III 1777: Titelkupfer, Tit., 3 Bl., XXX + 192 S.; 28 Taf. in Kupferst.
IV 1782: Titelkupfer, Tit., 4 Bl., S. III—XVI + 192 S.; 32 Taf. in Kupferst.
Benutzt die Kupferstiche des vorigen Werkes, die neu hinzugefügten Bildnisse gestochen von A. Niederhofer, J. Ott und J. Balzer. Die Verfasser nennen sich in den Widmungen und Vorreden.

— Abhandl. v. d. Böhm. König Przmisl Ottokar II., ob ihm d. Kaiserkrone angetragen worden. 8. Prag 776.

Pelzel, Frz. Mt., († d. 24. Febr. 1801.) Apologie Kaiser Karls IV., d. allgem. deutschen Bibliothek entgegengestellt. 1s Hft. gr. 8. Prag 782. Schönfeld. 3 gr.

– s. Balbini, Diss.

– s. Ellenhardi, Chronicon.

— Böhm., Mähr. u. Schles. Gelehrte u. Schriftsteller, aus d. Orden d. Jesuiten, gr. 8. Prag 786. Verf. (Walther in Dresd.) 16 gr.

— Geschichte Kais. Karls IV., Königs in Böhmen, v. J. 1316 bis 55. 2 Bde. gr. 8. Prag 780, 81. (Walther in Dresd.) 3 Thlr. 8 gr.

— kurzgefaßte Geschichte d. Böhmen, von d. ältesten bis auf d. jetzigen Zeiten. 8. Prag 774. 2e A. gr. 8. 779. 3e A. 2 Thle. gr. 8. Prag u. Wien 782. Schönfeld. 2 Thlr. 4e fortgesetzte A. 2 Thle. gr. 8. mit Kpf. Ebd. 817. 1 Thlr. 8 gr.

— Grundsäße d. böhm. Grammatik. 8. Prag 795. 2e A. 798.

Pelzel, Frz. Mt., Handbuch zum Gebr. d. Jugend bei Erklärung d. deutschen, französ. u. böhm. Sprache. 8. Prag 775.

— Lebensgesch. K. Karls IV. m. Diplom. gr. 8. Ebend. 780.

— Lebensgeschichte d. Röm. u. Böhm. Königs Wenceslaus. 2 Thle. Mit 2 Kpf. 8. Prag 788. (Neureutter). 3 Thlr. 8 gr.

– s. Scriptorum Bohemicor.

Pelzel, Jos. B., († ...) die lustigen Abentheuer an d. Wien. Ein Lstspl. 8. Wien 773.

– s. Belagerung, Wiens.

– s. Hausplage.

– s. Inkle und Yariko. u. setze hinzu: (Augsb.) auch 777. v. Jenisch u. St. 2 Gr.

– s. Troja, das gerächte.

– s. Waisen, die bedrängten.

Pelzeln, Aug. v., über neue Arten der Gattungen Synallaxis, Anabates und Xenops in der kais. ornithologischen Sammlung, nebst Auszügen aus Joh. Natterer's nachgelassenen Notizen über die von ihm in Brasilien gesammelten Arten der Subfamilien: Furnarinae u. Synallaxinae. (Aus den Sitzungsber. d. k. Akad. d. Wiss.) Wien 859. Gerold in Comm. gr. 8. (38 S.) n. 6 ngr.

Pelzeln, Aug. v., neue und weniger gekannte Arten der kaiserlichen ornithologischen Sammlung. (Aus den Sitzungsberichten d. k. Akad. d. W.) Wien 857. Gerold in Comm. gr. 8. (12 S.) n. 4 ngr.

Pelzeln, Aug. v., Beiträge zur Ornithologie Süd-Afrikas, s. Holub, Emil.

—— Bemerkungen gegen Darwin's Theorie vom Ursprung der Spezies. Lex.-8. (17 S.) Wien 861, Pichler's Wwe. und Sohn. (Leipzig, Liebeskind.) *

Pelzeln, Aug. v., Bericht über die Leistungen in der Naturgeschichte der Vögel. Fortsetzung, s.a. Bericht.

Pelzeln, Aug. v., Bericht über die Leistungen in der Naturgeschichte der Vögel während des Jahres 1878. gr.8. (90S.) Berlin 880. Nicolai's Verl. n. 3. —

— dasselbe, während des Jahres 1879. gr.8. (96S.) Ebend. 881. n. 3. —

— dasselbe, während des Jahres 1880. gr.8. (78S.) Ebend. 882. n. 3. —

Pelzeln, Aug. v., Bericht üb. die Leistungen in der Naturgeschichte der Vögel während d. J. 1881. gr. 8. (86 S.) Berlin 883. Nicolai's Verl. n. 3. —

Pelzeln, Aug. v., Geschichte der Säugethier- u. Vogel-Sammlung d. k. k. naturhistor. Hofmuseums. [Aus: „Annalen d. k. k. naturhistor. Hofmuseums".] Lex.-8. (S. 503—539.) Wien 890. A. Hölder. n. 2. —

— u. J. v. **Madarász,** Monographie der Pipridae oder Manakin-Vögel. Unter Mitwirkg. von L. v. Lorenz. 1. Lfg. gr. 4. (13 S. m. 5 color. Steintaf.) Budapest 887. (Berlin, Friedländer & Sohn.) n.n. 15. —

— Ornis Vindobonensis, s.: **Marschall, A. F. Graf.**

Pelzeln, Aug. v., zur Ornithologie Brasiliens. Resultate von Joh. Natterers Reisen in den J. 1817 — 1835 dargestellt. 1. und 2. Abthl. gr. 8. (XLIII und 188 S. mit 1 lithogr. Karte in qu. Fol.) Wien 868, Pichler's Wwe. und Sohn. à Abthl. 1 Thlr. 10 Ngr.

Pelzeln, Aug. v., zur Ornithologie Brasiliens. Resultate von Joh. Natterers Reisen in den J. 1817 bis 1835. 3. und 4. Abthl. (Schluss.) gr. 8. Wien, Pichler's Witwe und Sohn. [3. Abthl. (XLV—LIX, S. 189—390 mit 1 color. Stnt.) 870. *ℳ 6.; 4. Abthl. (S. 391—480.) 871. *ℳ 4.]
1. und 2. Abthl. Ebendas. 1868,69. ℳ 8.

— Zur Ornithologie der Insel Norfolk (m. 1 Taf.). S. 41 - 309
Separatabdruck

— brasilianische Säugethiere. Resultate v. Joh. Natterer's Reisen in den J. 1817 bis 1835. Hrsg. v. der k. k. zoologisch-botan. Gesellschaft. Beiheft zu Bd. 23. gr. 8. (140 S.) Wien 883. (Hölder. — Leipzig, Brockhaus' Sort.) n. 2. —

Pelzeln, Aug. v., üb. die malayische Säugethier-Fauna. Mit e. (lith. u. color.) Karte. [Aus: „Festschr. d. k. k. zool.-botan. Ges. in Wien."] gr. 4. (24 S.) Wien 876. (Braumüller. — Leipzig, Brockhaus' Sort.) n. 2. 80

Pelzeln, A. v., u. L. v. **Lorenz,** Typen der ornithologischen Sammlung des k. k. naturhistorischen Hofmuseums. 4 Thle. [Aus: „Annalen d. k. k. naturhist. Hofmuseums".] Lex.-8. Wien 886—888. Hölder. n. 4. 40
1. (22 S.) n. 1. 20. — 2. (26 S.) n. 1. 20. — 3. (14 S.) n. — 80. — 4. (26 S.) n. 1. 20.

— Vögel, s. Reise der österreichischen Fregatte Novara.

— Über zwei von Dr. Krüper zu Smyrna gesammelte Vogelarten. Sitta Krüperi n. sp. Serinus albogularis n. sp. S. 48 l. 19 . — 10
Separatabdruck

Pelzeln, Marie von

Pelzeln, F. v., der Erbe v. Weidenhof, s.: **Bachem's Roman-Sammlung.**

Pelzeln, M. v., Prinzessin Irrlicht, s. Bachem's Roman-Sammlung.

Pelzeln, Marie Edle v. (Emma Franz), drei Novellen aus dem literarischen Nachlasse, s.: Truxa, Hanns Maria, Marie Edle v. Pelzeln.

Pelzem, J. J. X.: Vorlesungen üb. d. öffentl. Privat-Kirchenrecht. Aus dem Latein. 2 Bde. *Wien,* 802. (1 Thl. 8 Gr.)

Pelzer, C., s. Pelzer, Karl

Pelzer, F., Maschinenfabrik in Dortmund.
Ventilator mit Turbine. Gruben-Ventilatoren.

Pelzer, Friedrich [app. Arzt aus Kuhlhausen (Regbez. Magdeburg)]: Studien über indirekte Beleuchtung ... Halle a. S., Hofbuchdr. v. C. A. Kaemmerer & C., 1893; 25 S., 1 Bl., Taf. 8.
Halle, Med. Fak., Inaug.-Diss. v. 27. Apr. 1893

Pelzer, Friedrich Josef, s.a. Pelzer, Josef

Pelzer, Friedr. Jos., vollständ. Handbuch d. gesammten Lederfabrikation theoret. u. prakt. bearb., nebst e. neuen nach chem. techn. Grundsätzen aufgestellten u. prakt. erprobten Schnellgerberei, mit Einschluß aller bis jetzt bekannt geword. Gerbearten d. verschied. Ledersorten. 8. (18¼ B. u. 1 Stnt.) Essen 837, Bädeker. Verklebt.

Pelzer, Henr. Clemens (geb. Stammheim im Rheinl. 7. 10. 1833) De placenta praevia. Berolini (1859). (30 S.) 8°
Berlin, Med. Diss. v. 6. Aug. 1859

Pelzer, Hermann, Kand. d. höh. Schulamts a. München-Gladbach: Friedrichs I. von Hohenstaufen Politik gegenüber Dänemark, Polen und Ungarn. Borna-Leipzig 1906: R. Noske. (IX, 65 S.) 8°
Münster, Phil. Fak., Ref. Erler, Diss. v. 25. Aug. 1906
[Geb. 19. Aug. 79 M.-Gladbach; Wohnort: Cöln; Staatsangeh.: Preußen; Vorbildung: Gymn. M.-Gladbach Reife O. 99, Studium: Bonn 7, Münster 4 S.; Rig. 11 Juni 06.]

Pelzer, Johann Heinrich (Aachen), De psoitide. Diss. med. Berlin (Brüschcke) 6. V. 1825. 31 S. (2.50) 26035
Oppon.: C. H. Ebermeier, F. H. Ippel, W. Krause. — Gew.: Christ. Pelzer (Vater), Fried. L. Pfaehler.

Pelzer, *Friedrich* Joseph [aus Mainz]: I. Ueber Semidinumlagerung von acetylierten Paraoxyazoverbindungen. II. Kryoskopische Untersuchungen über substituierte Säureanilide ... Heidelberg, Univ.-Buchdr. v. J. Hörning, 1897; 3 Bl., 57 S., 4 Taf. 8.
Heidelberg, Naturw.-math. Fak., Inaug.-Diss. v. [6. Juli] 1897

Pelzer, Karl

Pelzer, Carl [cand. med.]: Aus der gynaekolog. Klinik. Ueber das akute Hydramnion .... Bonn, Jos. Bach Wwe., Buch- u. Steindr., 1887; 27 + 1 S. + 1 Bl. 8°.
Bonn, Med. Fak., Inaug.-Diss. v. 23. Jul. 1887.

Pelzer, Carl, aus der gynaekolog. Klinik. Ueber das akute Hydramnion. Diss. Bonn 1887, Emil Strauss. 8°. 27 S.

Pelzer II, C., Merkbüchlein f. Hebammen, insbes. auch f. d. Hebammen-Nachprüfgn. 8. (VIII, 83 S.) Wiesbaden 898. J. F. Bergmann. Geb. in Leinw. n. 1. 60

Pelzer, Karl [Prof.]: Die Ursachen der Erdbeben. Breslau, Druck v. Grass, Barth & C., 1896; 3—11 S. 4.
Breslau, st. kath. R. OP 1896 (220)

Pelzer, Mich., kurriert od. Der gesunde Kranke, s.: **Radermacher's,** J., Vereinsbühne. 17. Hft.

Pelzer, Rob., s.: Kalender, akademischer, für die deutschen Hochschulen Oesterreichs.

Pelzhofer, Franz. Ad., Lacon politicus strictum Doctr. administ. reipubl. quam agunt Polit. complec. et evolens. 4. Posoni. (Eggenberger, Pest.) 716.

Pelzhofer, I. Albr., arcanor. status. Libr. VIII, de religione et consilio. 4. Frft. 711.

— neuentdeckte Staatsklugheit. Fol. Frkf. 710.

Pelzhoffer de Schönau, Franciscus Albert. lib. Bar.. „Arcanorum status libri decem" (Liber 7, 8, u. d. T.: „Tractatus historico-politicus de religione et consilio . . ."), Francofurti 1710 bis 1711. — Vorh.: Bibl. des Oberlandesgerichts Celle — Ta. 134.

Pelzkappe, Die, und das Taschentuch: Wiener Zeitschrift 1825, Nr. 92/97. V: *Hanisch, Carl.* Vgl. a. a. O. S. 621. (DARP)

Pelzl, Frz., Handbuch f. den ausübenden Postdienst in Oesterreich, s.: Bartl, Joh.

Pelzl, Frz. Martin Apologie Kaiser Karls IV 8. Prag 1782

Pelzl, Frz. Martin. Geschichte Kaiser Carls IV, Königs in Böhmen 2 Bde. 8. Prag 1780.

Pelzl, Heinrich, Handbuch für die Gemeinden Mährens. Erläuterung der Gemeinde-Ordnung, Gemeinde Wahl Ordnung und des Contributions Fonds-Gesetzes. Zugleich: Darstellung des eigenen und übertragenen Wirkungskreises der Gemeinde auf Grund der bestehenden Gesetze und Verordnungen. Ein unentbehrlicher Rathgeber für Gemeinde-Vorstands- und Ausschußmitglieder, Gemeindebeamten, Höchstbesteuerte, Gutsverwaltungen 2c. Gr.-8. (XIII, 776 S.) Brünn: Karafiat 1889. —

Pelzmann, P. Gregor — Geistlicher Wegweiser zur Beförderung der christlichen Kirchen- und Hausandacht für alle Stände. Verfaßt von — —. 3te verbesserte Auflage. Mit 6 Stahlstichen. Mit Bewilligung Sr. Eminenz des hochw Herrn Kardinals und Fürst-Primas zu Gran. Pesth, 1856. Druck und Verlag von Landerer und Heckenast. (XVI 592 S 8.)

Pelz-Mode, erste Wiener. Hrsg. u. Red.: Frz. Ergens. 1. Jahrg. Septbr. 1897—Oktbr. 1898. 12 Hfte. (à ca 5 Taf.) Lex.-8. Wien (VIII, Albertgasse 27), F. Ergens. n. 20. —

Pelz-Moden Zwieback, Wien. Saison 1906—1907. (12 Bl.) 4. Leipzig, A. Twietmeyer. n. 6. —

Pelzrock, der. 2. Aufl. Straßburg 868. (Berlin, E. Beck.) 8. (28 S.) n. 2½ ngr.

Neue Pelzwaren-Zeitung. Modernes Spezialblatt f. d. gesamte Rauchwarenbranche sowie f. Kürschner-, Mützen-, Hut- u. sonstige Geschäfte, die Pelzartikel führen. No 1. Berlin: Der Einkäufer [1904]. 2° [os. 5on

Pelzwaren-Zeitung, neue. Modernes Spezialblatt f. die gesamte Rauchwarenbranche u. Pelz-Konfektion, sowie f. Kürschner-, Mützen-, Hut- u. sonst. Geschäfte, die Pelzartikel führen. Zentralstelle des Arbeitgeberverbandes der Pelzwarenbranche v. Berlin. Red.: Emil Braß. Hrsg. u. Chef-Red.: Leo Korach. Jahrg. 1905 u. 1906. à 18 Nrn. (à ca. 20 S. m. Abbildgn.) Fol. Berlin, Zeitungsverlag der Einkäufer. à Jhrg. n. 3. —

Pelzwaren-Zeitung, neue. Modernes Spezialblatt f. Rauchwarenhandel u. Pelz-Konfektion, f. Kürschner, Mützen-, Hut- u. andere Geschäfte, die m. Rauchwaren od. Pelzkonfektion handeln. Zentralstelle des Arbeitgeberverbandes der Pelzwarenbranche v. Berlin. Hrsg. u. Chef-Red.: Leo Korach. Verantwortlicher Red.: Emil Braß. 7. Jahrg. 1910. 26 Nrn. (à ca. 24 S. m. Abb.) 37,5 ×25 cm. Berlin, Zeitungsverlag der Einkäufer. 6. —

Pelzwerk, Das heraldische. Monographie ... Nebst einem Anhange ... O. O. 1867. V: *Hohenlohe-Waldenburg, Frdr. Carl Fürst von.* (Kat. d. Lipperheideschen Kostümbibl. Berl. 1896 ff., II.) (TÜBZ 15, 19) (Cat. d. Stadtbibl. Zürich. Zürich 1864—97.)

Pemas, Nicolaus D., *ἐκ Μοναστηρίου τῆς Μακεδονίας, Θεοί, καὶ θεία διοίκησις, ἐν σχέσει πρὸς τὴν ἀνθρωπίνην ἠθικὴν παρ' Αἰσχύλῳ.* Leipz G. Fock 1889. VI, 71 S. 8°.
Zürich. Phil. Diss. v. 1. [14]. Juli 1888.

Pembaur, Jos., Beispiele u. Aufgaben zur Harmonie- u. Melodielehre. (83 S.) gr. 4. Leipzig (903). Berlin, H. Seemann Nachf. n. 2. —

Anton Bruckner Messe in D für Chor, Solostimmen, Orchester u. Orgel erl. von Josef **Pembaur**. Innsbruck: J. Gross [1908]. (21 S.) 8° [ʒ.] [os. r

Pembaur, Jos., üb. das Dirigieren. Die Aufgaben d. Dirigenten. beleuchtet vom Standpunkte der verschiedenen Disciplinen der Kompositionslehre. 12. (61 S.) Leipzig 892. F. E. C. Leuckart. n. 1. —

Pembaur, Jos., über das Dirigieren. Die Aufgaben des Dirigenten, beleuchtet vom Standpunkte der verschiedenen Disziplinen der Kompositionslehre. 2. bedeutend erweit. Aufl. (102 S.) kl. 8. Leipzig 907. F. E. C. Leuckart. 1. —

Pembaur, Jos., die 84 Etuden v. J. B. Cramer, s.a. **Musikführer, der.**

Die 84 Etuden von J B Cramer Anleitung zu gründlichem Studieren u. Analysieren derselben von Josef **Pembaur** (Neben d. Orig u. d Ausg von Bulow, Riemann, Germer, Vetter etc zu verwenden.) *Leipzig H Seemann Nachf [1901]* (48 S.) 8°
— **Musikführer** No 252 253. [os. 1491

— **Harmonie- u. Melodielehre.** Praktisches Lehrbuch m. vielen Beispielen der hervorragendsten Komponisten. 2. Aufl. gr. 4. (59 S.) Leipzig (901). H. Seemann Nachf. n. 4. —

— **Felix Mendelssohn-Bartholdy's 48 Lieder ohne Worte,** s.a. **Musikführer, der.**

Felix **Mendelssohn-Bartholdy** 48 Lieder ohne Worte. Erl. von Joseph **Pembaur**. *Leipzig: H. Seemann Nachf. [1901].* (20 S.) 8°
— **Musikführer.** 173. [os. 9557

Pember, G. H., M. A., die ersten Zeitalter der Erde in ihrer Verbindung m. dem Spiritismus u. der Theosophie unserer Zeit. Aus dem Engl. Autoris. Übersetzg. der Gräfin L. Groeben. gr. 8. (XXIII, 437 S.) Leipzig 894. W. Friedrich. n. 8. —

Pember, G. H., M. A., d. ersten Zeitalter d. Erde in ihrer Verbindg. m. d. Spiritismus u. d. Theosophie uns. Zeit. Aus d Engl. Autor. Übersetzg. d. Gräfin L. Groeben. gr. 8. (XXIII, 437 S.) Leipzig 897. W. Friedrich. n. 5 —

Pemberton, C., a handbook to the principal summer and winter resorts of Tyrol. 8. (VII, 124 S.) Moran 890. Ellmenreich's Verlag n. 1, 40

Pemberton, C(hristie) R(obert): Praktische Abhandlung über verschiedene Krankheiten des Unterleibes. (A practical Treatise on various diseases of the abdominal viscera. Third edition. Dt.) Übers.von Gerhard von dem Busch, hrsg.von J(ohann) A(braham) Albers. 201 S., gbd., 1 Taf.

Bremen: Heyse 1817

JB 2.428

— — Ebendasselbe, eine andere Uebersetzung. Mit Kupf. gr. 8. Gotha, Hennings. 818.

Pemberton, Christie Robert: Praktische Abhandlung über verschiedene Krankheiten der Unterleibsorgane. (A practical Treatise on various diseases of the abdominal viscera. Fourth edition. Dt.) Übers.und mit Anmerkungen versehen von C.A.M.Bresler. 128 S., gbd., 2 Taf.

Bonn: Habicht 1836

JB 2.429

— Kuransichten u. Kurmethoden b. Krankheiten d. Unterleibes. Nach d. 4n engl. Ausg. bearb. Mit Kpf. gr. 8. Gotha 818. Hennings. 16 gr.

Pemberton, Henry. Anfangsgründe der Neutonischen Philosophie. Berlin 1793. U: ***Bartholdy, Georg Wilhelm*** & ***Salomon Maimon.*** (MGT)

Pemberton, Dr., Anfangsgründe d. Newton'schen Philosophie; aus d. Engl. mit Anmerkk. v. S. Maimon. 1r Thl. mit 4 Kpf. gr. 8. Berl. 793. Maurers B. 18 gr.

Pemberton, Max, the adventures of captain Jack, s.a.Collection of British authors.

The Adventures of Captain Jack. By Max **Pemberton**. Copyright ed. Leipzig: Tauchnitz 1909. 271 S. 8°
(Collection of British authors. Tauchnitz Ed. Vol. 4154.) [11 5873

— **Beatrice of Venice,**
s.a. Collection of British authors

Beatrice of Venice. A romance of the last days of the Venetian Republic... By Max **Pemberton**. Copyright ed. In 2 vol. Vol. 1. 2. Leipzig: Tauchnitz 1905. 8°
(Collection of British authors. Tauchnitz Ed. Vol. 3784/5) [11. 8987

Pemberton, Max, the impregnable city, s.a.Collection of British authors.

The impregnable city. A romance by Max Pemberton. Copyright ed. Leipzig: B. Tauchnitz 1895. (287 S.) 8°
(Collection of British authors. Tauchnitz ed. Vol. 3002) [co. 18) 6

Pemberton, Max, crown thee king,
s. Collection of British authors

— The diamond ship, s.a.Collection of British authors.

The Diamond Ship. By Max **Pemberton**. Copyright ed. Leipzig: Tauchnitz 1907. 287 S. 8°
(Collection of British authors. Tauchnitz Ed. Vol. 3954.) [11. 8712

— The Lady Evelyn, s.a.Collection of British authors.

The Lady Evelyn. A story of to-day. By Max **Pemberton**. Copyright ed. Leipzig: Tauchnitz 1907. 295 S. 8°
(Collection of British authors. Tauchnitz Ed. Vol. 3940.) [11. 8700

— **the footsteps of a throne,** s.a.Collection of British authors.

The Footsteps of a throne. Being the story of an idler, and of his work; and of what he did in Moscow in the house of the exile. By Max **Pemberton**. Copyright ed. Leipzig: Tauchnitz 1901. 272 S. 8°
(Collection of British authors. Tauchnitz Ed. Vol. 3477) [11. 83c2

— **the garden of swords,**
s.a. Collection of British authors

The Garden of swords. By Max **Pemberton**. Copyright ed. Leipzig: **Tauchnitz** 1899. 279 S. 8°
(Collection of British authors. Tauchnitz Ed. Vol. 3360.) [11. 8176

— **the giant's gate,** s.a. Collection of British authors.

The giant's Gate. A story of a great adventure. By Max **Pemberton**. Copyright ed. In 2 vol Vol. 1. 2. Leipzig: Tauchnitz 1902. 8°
(Collection of British authors. Tauchnitz Ed. Vol 3566/7.) [11. 8408

— **The house under the sea,** s.a Collection of British authors

The House under the sea. By Max **Pemberton**. Copyright ed. Leipzig: Tauchnitz 1903. 295 S. 8°
Collection of British authors. Tauchnitz Ed. Vol. 3632.) [11. 8480

I crown thee king. A romance. By Max **Pemberton**. Copyright ed. Leipzig: Tauchnitz 1902. 263 S. 8°
(Collection of British authors. Tauchnitz Ed. Vol. 3588.) [11. 8445

— **die Insel der Geächteten, s.: Bobach's illustr. Roman-Bibliothek.**

— The lodestar, s.a.Collection of British authors.

The Lodestar. A novel. By Max **Pemberton**. Copyright ed. Leipzig: Tauchnitz 1907. 287 S. 8°
(Collection of British authors. Tauchnitz Ed. Vol. 3984.) [11. 8735

— Love the harvester, s.a.Collection of British authors.

Lowe the harvester. A story of the shires. By **Max Pemberton**. Copyright ed. Leipzig: Tauchnitz 1908. 280 S. 8°
(Collection of British authors. Tauchnitz Ed. Vol. 4065.) [11. 8801

Pemberton, Mid the thick arrows, s.a.Collection of British authors.

Mid the thick Arrows. By Max **Pemberton**. Copyright ed. In 2 vol. Vol. 1. 2. Leipzig: Tauchnitz 1905. 8°
(Collection of British authors. Tauchnitz Ed. Vol. 3816/7.) [11. 8609

— **Red morn,** s.a. Collection of British authors

Red Morn. By Max **Pemberton**. Copyright ed. Leipzig: Tauchnitz 1904. 295 S. 8°
(Collection of British authors. Tauchnitz Ed. Vol. 3737.) (11. 8337

— durch Nacht u. Eis, s.a. Kürschner's, Jos., Bücherschatz.

Durch Nacht und Eis. Roman nach wahren Begebenheiten von Max **Pemberton**. Autor Übers. von Albert Haufl. Berlin, Eisenach, Leipzig: H. Hillger [1905]. (128 S.) 8° [J.]
= **Bücherschatz**, Kürschners. No 440. (05. 10354

— **pro patriâ**, s.a Collection of British authors

Pro Patriâ. By Max **Pemberton**. Copyright ed. Leipzig: Tauchnitz 1901. 287 S. 8°
(Collection of British authors. Tauchnitz Ed. Vol. 3499.) (11. 8377

— **the phantom army**, s.a. Collection of British authors

The Phantom Army. Being the story of a man and a mystery. By Max **Pemberton**. Copyright ed. Leipzig: Tauchnitz 1899. 334 S. 8°
(Collection of British authors. Tauchnitz Ed. Vol. 3344.) (11. 8364

— The show girl, s.a. Collection of British authors.

The Show Girl. By Max **Pemberton**. Copyright ed. Leipzig Tauchnitz 1910. 287 S. 8°
(Collection of British authors. Tauchnitz Ed. Vol. 4199.) (11. 8910

— **My sword for Lafayette**, s.a. Collection of British authors

My Sword for Lafayette. Being the story of a great friendship: and of certain episodes in the wars waged for liberty both in France and America, by one who took no mean part therein. By Max **Pemberton**. Copyright ed. Leipzig: Tauchnitz 1906. 279 S. 8°
(Collection of British authors. Tauchnitz Ed. Vol. 3877.) (11. 8633

— Die Stadt unter dem Meer, s.: Enslin's interessante Bibliothek.

— White walls, s.a. Collection of British authors.

White Walls. A romance. By Max **Pemberton**. Copyright ed. Leipzig: Tauchnitz 1910. 271 S. 8°
(Collection of British authors. Tauchnitz Ed. Vol. 4170.) (11. 8863

— Wheels of anarchy, s.a. Collection of British authors.

Wheels of anarchy. The story of an assassin as recited from the papers and the personal narrative of his secretary, Mr. Bruce Ingersoll. By Max **Pemberton**. Copyright ed. Leipzig: Tauchnitz 1908. 287 S. 8°
(Collection of British authors. Tauchnitz Ed. Vol. 4031.) (11. 8774

— **The gold wolf**, s.a. Collection of British authors.

The gold Wolf. By Max **Pemberton**. Copyright ed. Leipzig: Tauchnitz 1903. 303 S. 8°
(Collection of British authors. Tauchnitz Ed. Vol. 3674.) (11. 8510

— **a woman of Kronstadt**, s.a. Collection of British authors

A Woman of Kronstadt. By Max **Pemberton**. Copyright ed. Leipzig: Tauchnitz 1898. 287 S. 8°
(Collection of British authors. Tauchnitz Ed. Vol. 3288.) (11. 8083

— **Doctor Xavier**, s.a. Collection of British authors

Doctor Xavier. By Max **Pemberton**. Copyright ed. Leipzig: Tauchnitz 1904. 280 S. 8°
(Collection of British authors. Tauchnitz Ed. Vol. 3713.) (11. 8540

Pemble, Josef

— de religionis emolumentis, neglectae detrimentis; religionis adjumentis et impedimentis. 4. Münch. 763. Nova Edit. ibid. 766.

— de tribus animi facultatibus. 4. Münch. 762.

— pietas quotidiana, nach Hevenesius bearb. 2 Thle. 8. München 760.

Pemble, Jos., († d. 24. Sept. 1781.) Princeps pastor, drama musicum. Fol. Münch. 764.

— Theatrum asceticum pro congregatione latin. Monacensi. 4. 758—66.

— Theatrum asceticum, sive meditationes scenicae de affectibus et sensibus humanis. 4. Ingolst. 761.

Pembrock, H., s. Pembroke, Heinrich von

Pembrock, Louise: „Natürliches und ökonomisches Wunderbuch für Frauenzimmer", 5 Theile, Ulm 1756 (Stettin).

Pembrock, Maria, s. Pembroke, Mary Sidney von

Pembrochiae, Th. Comes, Numismata antiqua in tres partes divisa. S. l. 746. 2 Vol. 4. Selten. 12 rthl.

Pembrocke, Emma, Geheimnisse der Grazien. Oder Kunst, die Schönheit des Körpers zu erhalten, zu erhöhen oder herzustellen. 3. Aufl. 12. (3 B.) Schw. Hall 843, Haspel'sche Bb.

—— neues Punktir-Büchlein. 18. Aufl. 24. (48 S.) Schwäb. Hall 843, Haspel'sche Buchh.

Pembrocke, Emmy, neues Punktir-Büchlein oder die Kunst, von dem Schicksal auf verschiedene Fragen passende Antworten zu erhalten. 19. Aufl. Schw. Hall (853.) Haspel. (Stuttgart, Fischhaber.) 32. (42 S.) 3¾ ngr.

Pembrocke, Lady Emmy, neues Punktirbüchlein oder die Kunst, v. dem Schicksal auf verschiedene Fragen pass. Antworten zu erhalten. 12. (40 S.) Reutlingen (900). R. Bardtenschlager. — 30

—— Pythia auf dem Dreifuß od. das Orakel zu Delphi. Eine angenehme Unterhaltung für Jedermann. 12. (2 B.) Schwäb. Hall 846, Haspel'sche Buchh. *

—— astrologische Traumtabelle, od. die Kunst, Träume mittelst der Kalenderzeichen deutlich auszulegen. Fol. u. ¼ B. Erklärung in 8. Schwäb. Hall 842, Haspel'sche Buchh.

—— Was bedeutet mein Traum? Ein Taschenbuch zum Auslegen der Träume. 3. Aufl. 12. (3 B.) Schwäb. Hall 842, Haspel'sche Buchh.

Pembroke, the Countess of Antonie, ed. by Alice Luce, s.: Forschungen, litterarhistor., 8. [Die dort falsche Wortstellung ist zu ändern in: Antonie. By the countess of Pembroke.]

Pembroke, Heinrich von

Pembroke, Henrich Graf v.: Anweisung, Pferde abzurichten und Soldaten reiten zu lehren zum Gebrauche für die Armee. Nach d. verb. 2. u. verm. Ausg. aus d. Engl. übers. Frankfurth, Leipzig u. Zelle o. J. [1768]. 78 S.

— Anweis. Pferde abzurichten, u. Soldaten reiten zu lehren. 8. Celle 768. Gsellius. 8 gl.

Pembrock, H., méthode de dresser des chevaux et d'enseigner le cavalier à monter à cheval etc. trad. de l'Angl. 8. Celle 768. Gsellius. 8 gl.

Pembroke, Mary Sidney von

v. Pembrock, Maria Gräf., Geheimnisse in melodisch. Schreib-, Gedächtn.-, Maler- u. Punktirkunst. 8. Ulm 752. Stettin. 4 gl. — Dass. 8. Nürnb. 763. Raspe. 4 gl.

Pembroke, Mary Sidney Countess of. Der berüchtigten Englischen Gräfin Maria von Pembrock seltene Geheimnüsse bestehend in einer Melodischen Schreib Gedächtnüß Mahler und Punctirkunst Woraus die Heimlichkeiten der Menschen und deroselben künftiges Schicksal in Reimen zu erforschen. Ulm & Memmingen, J. F. Gaum, 1752. Kl.8°. 135 S. *mit mehreren Figuren und Musiknoten.* Leicht benutztes HLd. d. Z.
Graeße, Bibl. mag. p. 104. Zweite, vermehrte deutsche Ausgabe (vgl. das 2. Vorwort).

— — seltsame Geheimnisse, bestehend in einer Melodischen Beschreibung, Gedächtniß-, Maler- u. Punctirkunst. Ulm 752. 8.

— s. auch Punktirkunst.

Pembroke, Mar. Gräf. v., compendiöse Punctir-Kunst. Cölln u. Leipz. 702. 8.

v. Pembrock, d. Graf., sämmtliche Werke d. Punktirkunst. Mit Kpf. 8. Ulm 781. Stettin. 8 gl.

— Des Grafen und der Gräfinn von Pembrock sämtliche Werke der Punctirkunst nach welcher ein jeder sich selbst die Nativität stellen und wissen kan, ob er in der Welt glücklich oder unglücklich seyn ... werde. Zum allgemeinen Vergnügen und Zeitvertreib sonderlich des schönen Geschlechts herausgegeben. *Mit [3] Kupfern.* Ulm, Frankfurt & Leipzig, A. L. Stettin, 1781. Kl.8°. Titel und 173 S. *mit mehreren Punktierfiguren und 1 gefalteten Tabelle.* Etwas fleck. Pbd. d. Z.
Graeße, Bibl. mag. p. 104?

PEMERL, Alois (Rosenheim): De prosopalgia.- Monachii: Poessenbacher 1835. 15 S.
20.7.1835 - Urk; F 62
Diss. Ingolst.-Landsh.-Mchn.

PEMERL, Jacob (München): Die Extraction nach oben mit Gräfe'schem Messer. Bericht über 926 von Prof. v. Rothmund ausgeführte Staaroperationen.- Wiesbaden: Bergmann 1884. 23 S.
29.7.1882 - Urk (Titel: De serie 1350 cataractorum in clinica ophthalmiatrica universitatis Monacensis extractarum.); Chr 1882/83,17
Diss. Ingolst.-Landsh.-Mchn.

Pemoeller, Paul Theodor Theophil (Hamburg), De crimine stupri violenti. Diss. Jena (Mauk) 16. X. 1822. 36 S. (3.75) 26036

Pemperton, C. R., s. Pemberton, Christie Robert

Pemsel, Georg (Henffenfeld/Bayern), Elucubratio ex theol. morali de scandalo sui ipsius. Präs. Christoph Sonntag. Altdorf (H. Meyer) 28. V. 1704. 44 S. (5.25) 26037

Pemsel, Dr. Herm. Die Abstufung des Malzaufschlages. Bericht an den Landes-Ausschuss des bayer. Brauerbundes. gr. 8°. München, Rieger, 1889.

Pemsel, Herm., die Fassung des Bucheides. Ein Beitrag zur Geschichte des Civilprozesses in Deutschland seit der Mitte des 16. Jahrh. Erlangen 866. Besold. gr. 8. (V, 81 S.) n. 15 ngr.

Pemsel, Hermann [Vorw.]
s. Laboulaye, Edouard-René Lefebure de: Paris in Amerika. 1868.

Pemsel, Hermann: Ueber die Pyrazol-3 oder 5-Carbonsäure. *Jena 1898: A. Kämpfe.* (30 S.) 8°
Jena, Phil. Diss. v. [22. Jan.] 1898

Pemsel, Herm., Rechtsstudium u. Prüfungsordnung in Bayern. Ein Vortrag, geh. in der juristischen Gesellschaft München am 17. Novbr. 1893. Lex.-8. (16 S.) München 893. J. Schweitzer, Verl. n. — 60

Pemsel, Herm., d. Tantièmen d. Vorstandes u. d. Aufsichtsrathes v. Aktiengesellschaften. Zur Auslegg. d. §§ 237 u. 245 Absatz 1 d. Handelsgesetzbuchs f. d. Deutsche Reich. [Aus: „Monatsschrift f. Handelsrecht u. Bankwesen".] gr. 8. (III, 29 S.) Berlin 899. C. Heymann's Verl. n. — 50

Pemsel, Herm., die deutsche Civilprozeßordnung u. deren Nebengesetze in Bayern [Subhastationsordnung u. Ausführungsgesetz]. Für Praktiker bearb. gr. 8. (XIV, 548 S.) Erlangen 879. Besold. n. 8. 40

Pemsel. Jos., ländliche Wohlfahrts-Pflege, e. Pflicht d. Gegenwart, beleuchtet. 8. (38 S.) Regensburg 898. F. Habbel. n. — 20

Pemsel, Wilhelm: I. Ueber die Einwirkung von Halogen auf ungesättigte aliphatische Halogenverbindungen. II. Zur Kenntnis der m-Toluolsulfosäure. *Heidelberg 1898: J. Hörning.* (38 S.) 8°
Heidelberg, Naturw.-math. Diss. v. [26. Febr.] 1898

Peña, Don Belisario, A la immaculada concepción de María. Con motiro del quincuagésimo aniversario de la proclamación del dogma de la immaculada concepción. 8. XII. 1904. (34 S. m. Titelbild.) 8. Freiburg i/B. 905. Herder. Geb. in Leinw. n. 1. 16

Peñafiel, A., monumentos del arte mexicano antiguo. Ornamentacion, mitologia, tributos y monumentos. Obra acompañada de 2 volumenes de láminas. gr. Fol. (III, 130; III, 108 u. III, 108 S. in span., engl. u. franz. Sprache m. 318 Taf. u. 1 Bl. Text in 2 Mappen.) Berlin 890. Asher & Co. cart. n.n. 900. —

⑧ **Peñafiel,** A., monumentos del arte mexicano antiguo. 890. (KBL 26.) Jetzt: Leipzig, K. W. Hiersemann. Erm. Pr. 400. --

Penard, E. Étude sur les Rhizopodes d'eau douce. Avec 11 planches. Gr. in-4°. 230 p. Genève, Bâle, Lyon, H. Georg. 1890. 15 —
*** „Mémoires de la Société de physique et d'histoire naturelle de Genève. Tome XXXI, N° 2."

Penard, Eugen

— die Heliozoën der Umgegend v. Wiesbaden. [Aus: „Jahrbb. d. Nass. Vereins f. Naturkde."] gr. 8. (28 S. m. 2 Taf.) Ebd. 890. n. 2. —

Penard, Eug., Catalog der nackten u. schalentragenden Rhizopoden v. Wiesbaden. [Aus: „Jahrbb. d. Nass. Vereins f. Naturkde."] gr. 8. (6 S.) Wiesbaden 890. Bergmann. n. — 80

— üb. cinigo neue od. wonig bokannte Protozoën. [Aus: „Jahrbb. d. Nass. Voreins f. Naturkdo."] gr. 8. (19 S. m. 1 lith. Taf.) Ebd. 890. n. 1. 50

Penaten, die, s.: Burchhardt, (J. A.)

Penaten, die. Eine Halbmonatsschrift, begründet u. hrsg. v. Max Geißler. 1. Jahrg 1893. 24 Hfte. (à ca. 1½ Bog.) gr. 8. Dresden, (Lehmann'sche Buchdr.). n. 8. —

Penaten, die. Organ f. Poesie u. Kritik. Halbmonatsschrift, hrsg. unt. Mitwirkung v. K. Bienenstein, Schulte vom Brühl, Heinr. Bulthaupt u. a. 3. Jahrg. 1895. 24 Hfte. (à ca. 24 S.) gr. 8. Dresden-Loschwitz. Leipzig, C. Minde. n. 8. —

Discours prononcé le 29. d'oct. 1778. Dans le sanctuaire des cinq loges réunies à l'Or. de Berlin, pour célébrer l'anniversaire de la naissance de Son Altesse Sérénissime, Monseigneur le Prince Frédéric Auguste, Duc de Brunsvic et de Lunebourg, comme grand-maître de toutes les loges établies dans les états de Sa Majesté le Roi de Prusse; par C[harles] A[ntoine] de Pénavaire. Berlin [1779]: Decker. XVI S. 8⁰ (Sammlung neuer Frmr-Reden. 3, [5].)
Kl. 978. Friedrich August als Beschützer der Frmrei.

Penawaire, P., Der Garten /// Der Teutschen // Stam=Wörter /// Mit angehängten No= //ten / in welchen die abgeleite= //te / Derivata, und gedoppel= //te / Composita zu // finden. // Seiner Chur=Printz= //lichen Durchlauchtigkeit // von Brandenburg /// Unterthänigst dedicirt, // Cölln an der Spree /// Druckts Ulrich Liebpert / Churfürstl. // brand. Hoff=Buchdr. // 17oo. - 8 Blatt (nicht paginiert) deutsches und französisches Titelblatt, Widmung und Vorrede. - 27o Seiten.
B. S. T. 8°.515.

Pencheniera, H., Berlitzova methoda. s.: Berlitz, M. D.

Penchienati, Giovanni Antonio (Comm.u.Hrsg.):
s.: Bertrandi, (Giovanni) Ambrogio: Lehre von den Knochenkrankheiten. (Delle Malattie delle ossa. Dt.) Dresden u.Leipzig: 1792
JB 3.236

Penck, Albrecht: Die Abfluss- und Niederschlagsverhältnisse ..., s. Ruvarac, V.

Penck, Albr., s.: Abhandlungen, geographische.

Penck, Albrecht, und Brückner, Eduard. Die Alpen im Eiszeitalter. Von der Sektion Breslau des Deutschen und Österreichischen Alpenvereins gekrönte Preisschrift. In drei Bänden. (11 Lieferungen.) XVI + X + XII + 1200 S. gr.-8. Leipzig, Chr. Herm. Tauchnitz. (1901—)1909. (*pro* Liefg. M. 5. —; [*cpl.* M. 55. —, geb. in 2 Bde, 60. —])
Band 1 (Liefg. 1—4): Die Eiszeiten in den nördlichen Ostalpen. Mit 56 Abbildungen im Text, 11 Tafeln und 8 Karten [wovon 6 im Text]. XVI S. + S. 1—398. 1909 (*d. i.* 1901—1902).
Band 2 (Liefg. 4—7): Die E' in den nördl' Westalpen. Mit 29 Abb' im Text, 7 [*d. i.* 8] Tafeln und 4 Karten X S. + S. 395—716. 1909 (*d. i.* 1902—1905).
Band 3 (Liefg. 7—11): Die E' in den Südalpen und im Bereich der Ostabdachung der Alpen. Mit 44 Abb' im Text, 12 Tafeln und 7 Karten [wovon 1 im Text]. XII S. + S. 717—1200. (1905—)1909.

Penck, A., das östorreichische Alpenland, s.: Vorträge d. Vereines zur Vorbreitg. naturwissenschaftl. Kenntnisse in Wien.

Penck, Albrecht: Das österreichische Alpenvorland. Vortrag. (Vorträge des Vereines zur Verbreitung naturwissenschaftlicher Kenntnisse in Wien. Jahrg. 30. Heft 14.) Wien 1890. 21 S. 8⁰. Hölzel

— s.: Anleitung zur deutschen Landes- und Volksforschung.

— u. Ed. **Richter**, Atlas d. österr. Alpenseen, s.: Abhandlungen, geograph.

Penck, Albrecht, Dr., u. Richter. Eduard, Dr., Atlas der österreich. Alpenseen. Wien 1895. Fol.

— Beobachtung als Grundlage der Geographie. Abschiedsworte an meine Wiener Schüler u. Antrittsvorlesg. an der Universität Berlin. (63 S.) gr. 8. Berlin 906. Gebr. Borntraeger. n. 1. 60

— und Ed. Richter, das Land Berchtesgaden. gr. 8. (84 S.) Salzburg 885, (Kerber.) *
Aus: Zeitschrift des Deutschen und österreichischen Alpenvereins, besonders abgedruckt.

— üb. Bergformen, s.: Sammlung populärer Schriften, hrsg. v. d. Gesellschaft Urania zu Berlin.

Über Bergformen. Von Prof. Dr. Albrecht Penck in Wien. M. Ill. *Berlin: H. Paetel 1895.* (29 S., 1 Taf.) 1 Bd 4. (8.)
— Sammlung populärer Schriften hrsg. v. d. ... Urania. No 33. (96. 35)

Penck. Albrecht, Dr., Bericht der Central-Kommission für wissenschaftliche Landeskunde von Deutschland, von Ostern 1891 bis Ostern 1893, und 1893 bis Ostern 1895. Berlin 1893, 95.

Penck. Albrecht: Geographische Bildersammlungen. (S.-A.) Verhandlungen des VIII. Deutschen Geographentages zu Berlin 1889. Berlin 1889. 4 S. 8⁰.

Penck. Albrecht: Die Bildung der Durchbruchthäler. Ein Vortrag, gehalten im Vereine zur Verbreitung naturwissenschaftlicher Kenntnisse in Wien den 22. Februar 1888. Wien 1888. 52 S. 8⁰.

— der Bodensee, s.: Vorträge des Vereines zur Verbreitg. naturwiss. Kenntnisse in Wien. 42. Jahrg. 6. Hft.

Penck. Albrecht: Ueber Denudation der Erdoberfläche. Ein Vortrag, gehalten im Vereine zur Verbreitung naturwissenschaftlicher Kenntnisse in Wien am 23. Februar 1887. Wien 1887. 27 S. 8⁰.

— die Donau, s.: Vorträge des Vereines zur Verbreitung naturwissenschaftlicher Kenntnisse in Wien.

Penck, Dr. Albrecht, Professor der Geographie an der Universität Wien. Die Donau. Vortrag gehalten den 5. November 1890. Mit 2 Tafeln und 2 Abbildungen im Texte. („Vorträge des Vereines zur Verbreitung naturwissenschaftlicher Kenntnisse in Wien." XXXI. Jahrgang. Heft 1.) kl. 8. Wien 1891.

— Der Drakensberg u. der Quathlambabruch. (29 S.) Lex. 8. Berlin 908. G. Reimer. 1. —
Sonderabdr. aus: „Sitzungsber. d. preuss. Akad. d. Wiss."

Penck. Albrecht: Einteilung und mittlere Kammhöhe der Pyrenäen. ([S.-A.] Jahresbericht der Geographischen Gesellschaft in München für 1885. Heft 10. S. 58—70.) München 1886. 13 S. 8⁰.

— die Eiszeit der Antipoden, s.: Vorträge des Vereines zur Verbreitung naturwissensch. Kenntnisse in Wien. 40. Jahrg. 9. Hft.

Penck, Albr., die **Eiszeit** in den Pyrenäen. gr. 8. (69 S. mit 1 lithogr. und color. Karte.) Leipzig 884, Duncker und Humblot. *
Aus: Mittheilungen des Vereins für Erdkunde zu Leipzig, besonders abgedruckt.

Penck, Albr., die **Eiszeit** in den Pyrenäen. Mit 1 (lith. u. color.) Karte. gr. 8. (69 S.) Leipzig 885. Duncker & Humblot. n. 3. —

— die vierte Eiszeit im Bereich der Alpen, s.a. Vorträge des Vereines zur Verbreitung naturwissensch. Kenntnisse in Wien. 39. Jahrg. 3. Hft.

Penck, Albrecht Die vierte Eiszeit im Bereiche der Alpen. Vortrag. gehalten den 14. December 1898. (Vorträge des Vereins zur Verbreitung naturwissenschaftlicher Kenntnisse in Wien. Jahrg 39 Heft 3.) Wien 1899. 20 S. 8°

——— Das Endziel der Erosion und Denudation. Vortrag. (Sonder-Abdruck aus den Verhandlungen des VIII. Deutschen Geographentages zu Berlin 1889.) Berlin 1889. 8.

Penck, Albrecht Die Erdoberfläche. ([S.-A.] Geographisches Handbuch zu Andrees Handatlas. 3. Auflage.) Bielefeld und Leipzig 1899. 50 S. 8°

Penck, Albrecht. Etablissement et publication d'une carte de la terre au 1 1,000,000. Propositions du Dr A' P'.... E. 8. Berne 1892

— der Flächeninhalt der österreichisch-ungarischen Monarchie. [Aus: „Sitzungsber d. k. Akad. d. Wiss."] Lex.-8. (6 S. m. 1 Tab.) Wien 889. (Tempsky.) n. —24

Penck, Albr., die Formen der Erdoberfläche, } s.: Sammlung gemeinnütziger Vorträge.

— d. Geographie an d. Wiener Universität. E. Vorwort zu d. Arbeiten d. geograph. Instituts d. k. k. Universität. [Aus: „Geograph. Abhandlgn.] Lex.-8. (16 S.) Wien 891. E. Hölzel. n. — 50

Penck, A Die Geschiebeformation Norddeutschlands. 1879.

— die Glacialbildungen um Schaffhausen u. ihre Beziehgn. zu d. praehistor. Stationen d. Schweizersbildes u. v. Thayingen. [Aus: „Denkschr. d. schweiz. naturforsch. Gesellsch., 35. Bd.: Nüesch, d. Schweizersbild".] gr. 4. (25 S. m. 1 farb. Taf.) Zürich 896. (Basel, Georg & Co.) n.n. 1. 20

Penck, Alb. Die Glacialbildungen um Schaffhausen u. ihre Beziehungen zu den prähistorischen Stationen des Schweizersbildes u. von Thayingen. Mit 1 Tafel. In-4°. Zürich (Basel u. Genf, Georg & Co.). 1897. 1 50
*** Sonder-Abdruck aus den Denkschriften der Allg. schweiz. naturforsch. Gesellschaft. Bd 35.

— Gletscher u. Eiszeit, s.a. Sammlung gemeinnütziger Vorträge

——— Gletscher und Eiszeit. (Sammlung gemeinnütziger Vorträge. Herausgegeben vom deutschen Vereine zur Verbreitung gemeinnütziger Kenntnisse in Prag, No. 59.) 8.

Penck, Albrecht: Finsterwalder's Gletscherwerk. ([S.-A.] Mittheilungen des Deutschen und Oesterreichischen Alpenvereins. Jahrg. 1899. Nr. 13.) Wien 1899. 9 S. 8°

— Der Hafen v. New York, s.a. Meereskunde. IV, 1.

Der Hafen von New York. Von Prof. Dr. Albrecht **Penck**. Berlin: Mittler 1910. 40 S. 8° [Umschlagt.]
(Meereskunde. Jg. 4, H. 1.) [11. 3063

Penck, Albrecht Der Illecillewaetgletscher im Selkirkgebirge ([S.-A.] Zeitschrift des Deutschen und Oesterreichischen Alpenvereins. Jahrg. 1898. Bd. 29. S. 55—60.) Wien 1898. 6 S. 8°

— über das Karstphänomen, s.: Vorträge des Vereines zur Verbreitung naturwiss. Kenntnisse in Wien. 44. Jhrg. 1. Hft.

— neue Karten u. Reliefs d. Alpen. Studien üb. Geländedarstellg. (IV, 112 S.) Lex.-8. Leipzig 904. B. G. Teubner.
Sonderabdruck aus: „Geograph. Zeitschr." n. 2. 80

Penck, Albrecht Die geographische Lage von Wien. Vortrag. (Vorträge des Vereines zur Verbreitung naturwissenschaftlicher Kenntnisse in Wien. Jahrg. 35. Heft 18.) Wien 1895. 34 S. 8°

Penck (Albrecht), Mensch und Eiszeit. (Sep.-Abdr. a. d. Archiv f. Anthropologie, Band 15, Heft 3.) Braunschweig 1884. 4.

Penck (A.), Die deutschen Mittelgebirge. (Abdr. a. d. Verb. d. Ges. f. Erdkunde zu Berlin. 1885.) 8.

— Morphologie der Erdoberfläche, s.a. Bibliothek geograph. Handbücher.

— Morphologie der Erdoberfläche. 2 Tle. (Bibliothek geograph. Handbücher. Hrsg. v. Frdr. Ratzel.) gr. 8. (XIV, 471 u. X, 696 S. m. 67 Abbildgn.) Stuttgart 894. J. Engelhorn. n. 32. —

Penck, Albrecht Morphometrie des Bodensees Mit einer Tafel. ([S.-A.] Festschrift der Geographischen Gesellschaft in München zur Feier ihres 25jährigen Bestehens. 1894. S. 119—155.) München 1894 37 S. 8°

— Das Museum f. Meereskunde zu Berlin, s.a. Meereskunde. I, 1.

Das Museum für Meereskunde zu Berlin von Prof. Dr. Albrecht **Penck**. Berlin: E. S. Mittler & Sohn 1907 (35 S.) 8° [Umschlagt.]
= **Meereskunde**. Jg. 1, H. 1. [07. 23100

— Niederlande u. Belgien, s.: Wissen, unser, von der Erde.

Penck, Albrecht s. Nüesch, Jacob. Das Schweizersbild. Zürich 1897 — Système. Le s' glaciaire des Alpes. Neuchâtel 1894.

Penck, Albrecht Der Oderstrom ([S.-A.] Geographische Zeitschrift. Jahrg. 5. Heft 1 u. 2.) Leipzig 1899. 29, 11 S. 8°

— u. **Leibbrand**, üb. die einheitl. Pflege der Hydrographie d. Verbandsländer, s.a. Verbands-Schriften des deutsch-österr.-ungar. Verbandes f. Binnenschiffahrt.

Penck, Albrecht, und **Leibbrand**: Ueber die einheitliche Pflege der Hydrographie der Verbandsländer Vorträge (Deutsch-Oesterreichisch-Ungarischer Verband für Binnenschiffahrt. Heft 19.) Berlin 1897. 23 S. 8°

Penck, Albrecht Die Pyrenaen-Halbinsel. Reisebilder Vortrag gehalten den 8. November 1893. Mit einer Abbildung im Texte. (Vorträge des Vereines zur Verbreitung naturwissenschaftlicher Kenntnisse in Wien. Jahrg. 34 Heft 1.) Wien 1894 40 S. 8°

Penck, Albr., die **Physiographie** als Physiogeographie in ihren Beziehungen zu anderen Wissenschaften. Vortrag, geh. gelegentlich des Congress of arts and science in St. Louis am 22. IX. 1904. (20 S.) Lex.-8. Leipzig 905. B. G. Teubner. n. — 80
Sonderabdruck aus: „Geograph. Zeitschr."

Penck, A., das deutsche Reich, s.a Wissen, unser, von der Erde.

— das deutsche Reich. Mit e. Einleitg.: Europa im allgemeinen v. A. Kirchhoff. Mit 13 Taf. in Farbendr., 90 Vollbildern u. 123 Textabbildungen. Lex.-8. (XII, 618 S.) Leipzig 887. Freytag. n. 30. —; geb. n. 35. —

Penck, Albrecht, Das Deutsche Reich. Mit einer Einleitung: Europa im allgemeinen von Prof. Dr. A. Kirchhoff. Wien, Prag und Leipzig 1887.

— Über Reichstagsauflösung u. Kolonialpolitik, s.: Schmoller, Gust.

Penck, Albrecht: Reisebeobachtungen aus Canada. Mit 12 Abbildungen im Texte. (Vorträge des Vereines zur Verbreitung naturwissenschaftlicher Kenntnisse in Wien. Jahrg. 38. Heft 11.) Wien 1893. 51 S. 8°.

Penck, Albrecht: Der alte Rheingletscher auf dem Alpenvorlande. ([S.-A.] Jahresbericht der Geographischen Gesellschaft in München für 1886. Heft 11.) (München 1886.) 20 S. 8°.

— Schwankungen des Meeresspiegels. [Aus: „Jahrbuch d. geogr. Gesellsch. zu München, VII. Bd."] gr. 8. (70 S.) München 882. Th. Ackermann. n. 1. 60

Penck, Albr., Friedrich Simony, s.a. Abhandlungen, geograph.

Friedrich Simony, Leben und Wirken eines Alpenforschers. E. Beitr. z. Gesch. d. Geogr. in Österr. Von Dr. Albrecht Penck, Prof. ... an d. Univ. Wien. M. 22 Taf. u. 11 Textfig. *Wien: E. Hölzel 1898.* (113 S., 1 Bl., 22 Taf., 1 Erl.-Bl.) 1 Bd 4.(8.)
— Abhandlungen, Geographische, hrsg. v. A. Penck. Bd VI. H. 3. (98.9930)

Penck, Albr., Physikalische Skizze von Mittel-Europa. Wien, Prag u. Leipzig 1887. Lex.-8. . . . . (D.; RPA.)
Ist: A. Kirchhoff, Unser Wissen von der Erde. II. M. 1.

Penck (Albrecht), Studien über lockere vulkanische Auswürflinge. (Abdr. a. d. Zeitschr. d. Deutschen Geolog. Ges., Jahrg. 1878.) (Ohne Druckort.) 8.

— das Studium der Geographie. Für Lehramtscandidaten. Vortrag, geh. als Einleitg. zu den Seminarübgn. im Winter-Semester 1891/92. [Aus: „XVII. Jahresbericht des Vereines d. Geographen an d. Univ. Wien".] gr. 8. (15 S.) Wien 892. (E. Hölzel.) n. 1. —

— dasselbe, s.a. Bericht üb. das XVII. Vereinsjahr, erstattet vom Vereine der Geographen an der Universität Wien.

Penck, Albrecht: Theorien über das Gleichgewicht der Erdkruste. Ein Vortrag gehalten im Vereine zur Verbreitung naturwissenschaftlicher Kenntnisse in Wien. den 27. Februar 1889. Wien 1889. 26 S. 8°.

Penck, Albr., geognostische Uebersichtskarte von Mittel-Europa, nach den Karten von H. v. Dechen, F. v. Hauer u. A. zusammengestellt und gezeichnet. Mit das Verständniss und den Gebrauch geolog. Karten erläut. Texte, nebst 1 Profiltaf. und 4 Kärtchen über die Verbreitung der Meere früherer Zeiten in Mitteleuropa. gr. 4. (3 Chromolithogr. in gr. 4. und qu. Fol. mit 4 S. Text.) Leipzig 878. Spamer. *

— Untersuchungen üb. Verdunstg. u. Abfluss v. gröss. Landflächen, s.a. Abhandlungen, geograph.

Penck, Albrecht: Untersuchungen über Verdunstung und Abfluss von grösseren Landflächen. Wien 1896. 49 S.
in: Geographische Abhandlungen. Bd. 5. Heft 5. S. 33–82. 8°.

— die Vergletscherung der deutschen Alpen, ihre Ursachen, periodische Wiederkehr u. ihr Einfluss auf die Bodengestaltung. Gekrönte Preisschrift. Mit 16 (eingedr.) Holzschn., 2 (chromolith.) Karten u. 2 (lith.) Taf. gr. 8. (VIII, 483 S. m. 2 Tab.) Leipzig 882. Barth. n. 12. —

Penck, Albr., zur Vergletscherung der deutschen Alpen. gr. 4. (15 S.) Halle 885. (Leipzig, Engelmann.) *
Aus: Leopoldina, besonders abgedruckt.

Penck, Albrecht: Das Verhältnis des Land- und Wasser-Areales auf der Erdoberfläche. ([S.-A.] Mittheilungen der k. k. Geographischen Gesellschaft in Wien. Bd. 29. Jahrg. 1886.) Wien 1886. 15 S. 8°.

— s.: Veröffentlichungen des Instituts f. Meereskunde u. des geograph. Instituts an der Universität Berlin.

— Versuch e. Klimaklassifikation auf physiogeographischer Grundlage. (S. 236—246.) Lex. 8. Berlin 910. G. Reimer. — 50
Sonderabdr. a.: „Sitzungsber. d. preuss. Akad. d. Wiss."

Penck, Albrecht: Geographische Wirkungen der Eiszeit. Vortrag, gehalten auf dem Vierten Deutschen Geographentage zu München. Mit einer Höhenkarte der Schneelinie in Europa. ([S.-A.] Verhandlungen des Vierten Deutschen Geographentages zu München.) Berlin 1884. 21 S. 8°.

Penck, Albrecht: Ziele der Erdkunde in Oesterreich. Vortrag, gehalten in der k. k. Geographischen Gesellschaft in Wien am 22. November 1887. Wien u. Olmütz 1889. 16 S. 8°.

— Ziele der Erdkunde in Oesterreich. Vortrag. gr. 8. (16 S.) Wien 889. Hölzel. — 50

Penckert, J. K. Rich., das Rettungswesen im Bergbau, s.: Bibliothek der gesamten Technik. 4. Bd.

Pendant zu J. H. F. Meineckens Beyträgen zur Beförderung christlicher Tugend und anständiger Sitten auf Schulen und Gymnasien. Quedlinburg 1797. V: *Schnorr, Heinrich Theodor Ludwig.* (Erman & Horn, Bibliogr. d. dtsch. Universitäten. 1. Leipz. u. Berl. 1904.)

Pendant u. abgedrungene Nothwehr gegen d. Recensenten der wohlgemeinten Gedanken, z. Berichtigung d. Briefe über d. neuen Wächter d. protest. Zions ꝛc. 16 Hft. 8. Eisenach. Wittekind. 4 ℊ.

Gaussisches Pendel, s. Lorentzen, Gerhard.

PENDELE, Joseph (München): De amaurosi.- Monachii: Wolf 1928. 18 S.
3.7.1827 - Urk (Titel: De nonnullis oculi humani morbis, praecipue de amaurosi.); F 59
Diss. Ingolst.-Landsh.-Mchn.

Pendeluhren, die englischen, übers. von Schmidt, s. Schauplatz, neuer, der Künste ꝛc.

Pendennis, Arthur, (Thakeray,) die Newcomes, s. Ausland, das belletristische. — Bibliothek, europäische.

Pendl, Erwin

Pendl, E., Große Ansicht von Wien. Papierformat 70×106 in Rolle. Wien: Hartleben 1904. K 5.—

Pendl, E., geographische Charakterbilder aus Österreich-Ungarn, s.: Gerasch, A.

Pendl, E., Das Karlseisfeld am Dachstein. [Geographische Charakterbilder aus Österreich-Ungarn.] 85×67 *cm.* K 3.—
Wien: A. Pichler's Witwe & Sohn 1905.

Pendl, E., Burg Karlstein. [Geographische Charakterbilder aus Österreich-Ungarn.] K 8.—
Wien: A. Pichler's Witwe & Sohn 1907.

Pendl, E., Die Kerkafälle. [Geographische Charakterbilder aus Österreich-Ungarn.] 86×69 *cm* K 3.—
Wien: Pichler 1903.

Pendl, Erwin, Österreich auf der Weltausstellung Paris 1900. Unter Mitwirkung hervorrag. Fachmänner zusammengestellt u. illustr. qu. Fol. (VIII, 160 S. m. 200 [2 farb.] Abbildgn.) Wien (900). A. Hartleben. Geb. in Leinw. n. 18. —

Pendl, E., Prag. [Geographische Charakterbilder aus Oster-reich-Ungarn.] 86 X 69 *cm* K 3.—
Wien: Pichler 1903.

Pendl, E., Der Semmering. [Geographische Charakterbilder aus Österreich-Ungarn.] 86 X 69 *cm* K 3.—
Wien: Pichler 1903.

— Die Stilfserjochstrasse, s.: Charakterbilder, geograph., aus Österreich-Ungarn.

— s. Vogelschauplan von Wien

Pendleton, J. H. [aus Virginia]: Ueber Isomerie in der Thiophenreihe .... Göttingen, Druck d. Univ.-Buchdr. v. E. A. Huth, 1886; 47 + 1 S. 8°.
Göttingen, Phil. Fak., Inaug.-Diss. v. 26. Jul. 1886.

Pendleton, J. H., über Isomerie in der Thiophenreihe. Inaugural-Dissertation. gr. 8. (47 S.) Göttingen 886, (Vandenhoeck und Ruprecht.) *

Pendleton, J. M., Handbuch f. Gemeineglieder. Nach dem Engl. v. e. Diener am Wort. gr. 16. (192 S.) Cincinnati 871. (Philadelphia, Schäfer & Koradi.) geb. n. 3. —

Pendnâmeh, s. 'Attar, Ferid-eddin.

Pend-Nameh, ou les livres des Conseils, de Ferid-eddin Attar; traduit et publié par M. le Baron Silvestre de Sacy. 8. Paris. Debure. 819.

Pendrey, A., a short modern history of English literature. (VIII, 239 S.) 8. Hamburg 908. O. Meissner's Verl. Geb. 2.—

Pendzig, Paul, die Ethik Gassendis u. ihre Quellen, s.a. Renaissance u. Philosophie. 2. Heft.

Die Ethik Gassendis und ihre Quellen. Von Dr. Paul **Pendzig**. Bonn: Hanstein 1910. 83 S. 8°
(Renaissance u. Philosophie. H. 2.) [10. 11301 5

— Pierre Gassendis Metaphysik u. ihr Verhältnis zur scholast. Philosophie, s.a. Renaissance u. Philosophie. 1. Heft.

Pendzig, Paul, a. Essen a. d. Ruhr: Pierre Gassendis Metaphysik und ihr Verhältnis zur scholastischen Philosophie. T. 1. Pierre Gassendis Metaphysik. Bonn 1908: C. Georgi. (46 S.) 8° ¶ (Erscheint vollst. u. d. gleichen T. b. P. Hanstein, Bonn.)
Bonn, Phil. Fak., Ref. Dyroff, Diss. v. 27. Febr. 1908
[Geb. 2. Nov. 85 Essen; Wohnort: Essen; Staatsangeh.: Preußen; Vorbildung: Königl. Gymn. Essen Reife O. 02; Studium: Bonn 7 S.; Rig. 18. Dez. 07.]

Pierre Gassendis Metaphysik und ihr Verhältnis zur scholastischen Philosophie. Von Dr. Paul **Pendzig**. Bonn: P. Hanstein 1908. (XIV, 176 S.) 8°
— **Renaissance** u. Philosophie. H. 1. [08. 13136

Pène, Henry de

MEMOIREN eines Kammermädchens. Nach der 9ten Aufl. des französ. Originals (des *Henri de Pène*) übers. Mit dem Bildnisse der Verfasserin. Wien, Heinr. Spitzer, 1864. 8°. (24 Sgr.) (48 xr. Heinr. Coppenrath, Regensb., vor 1875.)
Titelbild (auf rosa Papier) u. 243 S. Ziemlich zahm.
— — Dasselbe. 2. Aufl. Mit Portrait. Ebd. 1865. 8°. ($^2/_3$ Rthl. Fischhaber; 6 Mk. O. Rauthe, 1909.)

Pène, H. de, zu schön. Roman. Nebst einem Briefe v. Octave Feuillet, Mitglied d. Academie Française. Einzig autoris. Uebersetzung. 8. (310 S.) Dresden 887. Minden. n. 3. 50; geb. n.n. 4. 50

Pène, Henry de. Zu schön. Roman. Nebst e. Briefe v. Octave Feuillet. Einzig autoris. Übersetzg. 3. u. 4. Tausend. 8. (310 S.) Dresd. 890, Minden. * 2 —; geb. ** 3 —

Penecke, Alfr., das Campagne-Feuer der Infanterie. Ein Beitrag zur Repetirgewehr-Frage. gr. 8. (III, 24 S.) Wien 884, (Seidel und Sohn.) *

Penecke, Alfred, Das Compagnie-Feuer der Infanterie. Ein Beitrag zur Repetir-Gewehrfrage. gr. 8. (24 S.) Wien, L. W. Seidel & Sohn. 30 kr. 1884.

Penecke, A., das beste Rückladungsgewehr System Krnka. Geschichte u. Beschreibung dieser Erfindung nebst einem Anh.: Krnka's eingeklemmte Metallpatrone. Mit 1 lith. Taf. (in qu. Fol.) Wien 869. (Seidel & Sohn.) 8. (52 S.) n. 9 ngr.

PENECKE, Karl Alphons: Beiträge zur Kenntnis der Fauna der slovenischen Paludinenschichten. — 1882. 30 Bl. Diss. Graz, Univ.

Penecke, Karl Alphon, das Eocän d. Krappfeldes in Kärnten. [Mit 5 (lith.) Taf.] Lex.-8. (45 S.) Wien 880. (Gerold's Sohn.) n. 1. 80

Penecke, Karl Alphon, das Eocän des Krappfeldes in Kärnten. Lex.-8. (45 S. mit 5 lithogr. Taf.) Wien 885, (Tempsky.) *
Aus: Sitzungsberichte der k. Akademie der Wissenschaften, besonders abgedruckt.

Penecke, Karl Alph., marine Tertiär-Fossilien aus Nordgriechenland u. dessen türk. Grenzländern. [Aus: „Denkschr. d. k. Akad. d. Wiss."] gr. 4. (26 S. m. 3 Taf.) Wien 896. (C. Gerold's Sohn.) n. 3. —

Penegal, O. Eppan-
s. Eppan-Penegal. [10. 14444

Penck & Heim. Aus dem Gebiet des alten Isargletschers und des alten Linthgletschers. 1886.

Penck, Prof. Dr. Albrecht, Das Studium der Geographie. Für Lehramts-Candidaten. Vortrag, gehalten als Einleitung zu den Seminarübungen im Winter-Semester 1891/92. Gr.-8. (15 S.) In Comm. —.30

Penelope. Ein Trauerspiel in Versen von fünf Aufzügen. Wien 1761. V: *Heyden, Ludwig Jacob.* (Müller, Geschichte u. Tagebuch, S. 9) V (Vorrede): *Petrasch, Ernst Gottl. Freiherr von.* (Bespr. WrDiar. 1762, Nr. 58 Anhg.) (BiblPort)

Penelope. Trauersp. gr. 8. Wien, Trattner. 761.

Penelope, Taschenbuch, s. Hell, Theodor.

Penelope. Taschenbuch f. d. J. .... Hg.: Th. Hell.
Goed. VIII, 55, 23.
1811. 262 S. M. 8 Kpf. u. 1 Stickm.
1812. 10 Bl., 270 S. M. 10 Kpf. u. 2 Tfln.
1813. 7 Bl., XIV, 265 S. M. 11 Kpf. u. 2 Stickm.
1814. nicht erschienen.
1815. 7 Bl., XII, 286 S. M. 11 Kpf. u. 2 Stickm.
1816. 7 Bl., XX, 278 S. M. Portr., 9 Kpf. u. 2 kol. Stickm.
1817. 7 Bl., XIV, 386 S. M. 9 Kpf. u. 1 Stickm.

Penelope. Taschenbuch für das Jahr ... der Häuslichkeit und Eintracht gewidmet. Hrsg. v. Theodor Hell [d. i. Karl Gottlieb Theodor Winkler]. Mit ... Kupf. ... ([v. Johann] H[einrich] Ramberg, Joh[ann Nepomuk] Ender, M[oritz] Ret[z]sch, [Karl Alexander von] Heideloff, Martin Esslinger [u. a.]).
Leipzig: J. C. Hinrichs [1818—1844]. 16° (1841 ff. kl-8°)
[Anfangs Kupfert.]
[8/]1819: [1818.] XVI, 324 S., 7 Bl., 1 Titelkupf., 1 Bl. Stickmuster.
11/1822: [1821.] 7 Bl., XXVI, 375 S., 1 Titelkupf., 7 Kupfertaf.
12/1823: [1822.] XXIV, 384 S., 1 Bl., 1 Titelkupf., 8 Kupfertaf.
15/1826: [1825.] 8 Bl., XVI, 364 S., 2 Bl., 1 Titelkupf., 8 Kupfertaf.
16/1827: [1826.] XXVIII, 396 S., 1 Titelkupf., 8 Kupfertaf.
17/1828: [1827.] 9 Bl., 402 S., 1 Titelkupf., 7 Kupfertaf.
18/1829: [1828.] 8 Bl., 392 S., 4 Bl., 1 Titelkupf., 7 Kupfertaf.
19/1830: [1829.] 9 Bl., 402 S., 1 Titelbild, 7 Taf.
21/1832: [1831.] XV, 368 S., 1 Titelbild, 7 Taf.
22/1833: [1832.] XV, 392 S., 1 Titelbild, 7 Taf.
23/1834: [1833.] XIV, 386 S., 1 Titelbild, 7 Taf.
24/1835: [1834.] XV, 408 S., 1 Titelbild, 7 Taf.
30=NF 1/1841: [1840.] XXII, 392 S., 1 Bl., 1 Titelbild, 4 Taf. davon 1 kol.
31=NF 2/1842: [1841.] X, 410 S., 1 Titelbild, 2 Taf.
32=NF 3/1843: [1842.] X, 430 S., 1 Titelbild, 2 Taf.
[34=]NF 5/1845: [1844.] X, 434 S., 1 Bl., 1 Titelbild, 2 Taf.

1845. X, 1 Bl. 434 S. u. 1 Bl. M. 3 Stahlst.
1846. XIV, 434 S. M. 3 Stahlst.
1847. XIV, 1 Bl. 424 S. M. 3 Stahlst.
1848. 2 Bl. 442 S. u. 1 Bl. M. 3 Stahlst.
Leipzig. Goed. VIII, 76, 139.

Penelope, Taschenbuch f. das J. 1811 bis 1827. 1r—16r Jahrg. (f. 1814 ist es nicht erschienen). Mit 161 Kpft. Mit Beitr. d. beliebten deutschen Dichter. Hrsgg. von Th. Hell. 16. Leipz., Hinrichs. 24 ℛ Hbg. Pr. 12 ℛ 17r—22r Jahrg. 1828—1833. 16. Ebd. 827—32. à J. 1 ℛ 16 gℊ 10 ℛ

Penelope, Taschenbuch f. das J. 1822—828. Mit Beiträgen von Weisflog, Satori, Henriette v. Montenglaut, Agnes Franz, v. Miltitz, Laun, Blumenhagen, Ludw. Tieck u. A. Herausgeg. von Th. Hell. 11r—17r Jahrg. Mit Kupf. 16. Leipz. Hinrichs. à 1 Rthl. 16 gr.
(NB. Die Jahrgg. 1821 bis 828, sind auch f. 9 Rthl. 12 gr. zu haben.)

Penelope. Taschenbuch f. d. J. 1829—35. Hrsg. v. † Th. Hell. 18—24. Jahrg. Jeder m. 8 Stahl- u. Kpfrst. 8. (26, 26¼, 25, 23, 25½, 25 u. 26½ B.) Leipzig, Hinrichs. [829—34. à 1 Thlr. 16 Gr., 35. 2 Thlr.]
1—3. Jahrg. 1811—13. (14 erschien nicht.) — 4—10. J. 1815—21., hrbgs. Pr. à 18 Gr., fehlen jedoch im Buchhdl. — 11—23. J. 1822—34., hrbgs. Pr. à 18 Gr., zusamm. genomm. 9 Thlr. — J. 1831—34., zus. gen. 2 Thlr. 16 Gr.

Penelope. Taschenbuch für die Jahre 1834—1840. Herausg. von Theodor Hell. 23r—29r Jahrg. (Mit Beiträgen von L. Kruse, Fr. Laun, Wilh. Blumenhagen, Albano, Henriette May, Boromäus von Miltitz, W. v. Lüdemann, Grillparzer, G. von Deuern, Prätzel, Ludw. Würkert und Th. Hell.) Mit 8 Kpfr. (4e Gallerie theatral. Zeiterscheinungen: Die Lichtensteiner, v. J. F. Bahrdt. — Garrick in Bristol, von Deinhardstein. — Das Liebes-Protokoll, von Bauernfeld. — Robert der Teufel.) 16. Leipzig, Hinrichs. à n. 1⅔ ℛ — 30r Jahrg. 1841, oder Neue Folge 1r Jahrg. Mit Kpfr. gr. 16. Ebd. 840. n. 2 ℛ

Penelope. Taschenbuch f. d. J. 1836—42. Hrsg. v. † Theod. Hell. 25—31. Jahrg. (J. 1841 u. 42 auch mit der Bemerk.:) Neue Folge, 1. u. 2. Jahrg. gr. 16. Leipzig, Hinrichssche Bh. [836. (25⅓ B. u. 7 Stahlst.), 37. (25¼ B. u. 7 Stahlst.) 38. (25 B. u. 7 Stahlst.), 39. (25½ B. u. 6 Stahlst.), 40. (27 B. u. 6 Stahlst.) à * 1⅓ Thlr., 41. (26 B., 4 schw. u. 1 ill. Stahlst.), 42. (26¼ B. u. 3 Stahlst.) à * 2 Thlr.] *

Penelope. Taschenbuch für das Jahr 1842—1847. Herausg. von Thdr. Hell. 21.—26. Jahrg. od. Neue Folge, 2.—7. Jahrg. (Mit Beiträgen von W. Häring (W. Alexis), Th. Mügge, Isidor (von M.), W. Seyffarth, Elise Ehrhardt.) Mit Stahlst. gr. 16. Leipzig 841—46. à n. 2 ℛ 2.—4. Jahrg. ist jetzt Verlag von Strauß in Frankfurt. — 5., 6. Jahrg. Hinrichs'sche Buchh. à n. 2/3 ℛ 7. Jahrg. 1⅚ ℛ

Penelope. Taschenbuch f. das Jahr 1843—47. Hrsg. v. Theod. Hell. 32—36. Jahrg. od. N. Folge, 3—7. Jg. à J. m. 3 Stahlst. 8. Leipzig, Hinrichssche Buchh. [32. (27½ B.) * 2 Thlr., 33. (27⅞ B.) 34. (28 B.) à * 1 Thlr. 15 Ngr. (geb. m. Goldschn. à * 1 Thlr. 20 Ngr.), 35. (28 B.) * 1 Thlr. 20 Ngr., 36. (27½ B.) * 1 Thlr. 20 Ngr. (Geb. m. Goldschn. * 1 Thlr. 25 Ngr.)] *
Jahrg. 1841—44 zusammengenommen. Hrbgesf. Pr. * 2 Thlr.; Einzelne Jahrge. à * 20 Ngr.

Penelope. Taschenbuch für das Jahr 1848. Hrsg. von Thdr. Hell. (Neue Folge 8. Jahrg.) 8. (444 S. und 3 Stahlst.) Leipzig 847, Hinrichssche Buchh. *

Penelope
① Zeitschrift zur Belehrung und Unterhaltung für das weibliche Geschlecht ⑤ Juli 1846—Juni 1847 ⑥ 4° ⑦ Monatsblatt ⑧ Langenthal: A. Gyr (Juli 1846—Juni 1847); Schaffhausen: Brodtmann'sche Buchhandlung (Juli 1847? —?) ⑩ E. Loser, Langenthal ⑪ der Herausgeber ⑫ Fraueninteressen, für Frauenbildung «im christlichen und republikanischen Sinne» und die Gründung von Frauenvereinen ⑭ Be: L.

Penelope. Zeitschrift zur Belehrung u. Unterhaltung für das weibliche Geschlecht. Herausg. v. E. Looser. 1—6. Lfg. od. Jahrg. 1847 u. 7—18. Lfg. od. Jahrg. 1848. 12 Lfgn. gr. 4. Schaffhausen, Brodtmann. (1847: ½ ℛ 1848: 2 ℛ) 2½ ℛ

Penelope. Neue Muster-Zeitung für weibliche Arbeiten und Moden. Herausg. von Pauline Kolbe. 1—6. Jahrg. 1853—58. à 12 Nrn. (à 1 Bgn. Text mit lith. Modenbildern in 4. u. lith. Musterbgn. in Fol.). Glogau, Flemming. 4. Jeder Jahrg. 1 ℛ. 6 ℊ

Penelope. Neue Muster-Zeitung für weibliche Arbeiten und Moden. Hrsg. von Pauline Kolbe. 6—9. Jahrg. 1858—61 à Jahrg. 12 Nrn. (Bog. mit 2 lithogr. Musterbog. und 1 lithogr. Modenbild.) 4. Glogau, Flemming's Verlag. à Jahrg.

— nowy żurnal deseniowy robót i mód damskich. Wydanie przez Pauline Kolbe. Rok I—V. 1854—58. à 12 Nrn. (à 1 Bgn. Text mit lith. Modenbildern in 4. u. lith. Musterbogen in Fol.) Ebend. 4. **Glogau Flemming's Verlag.**

Penot, L., Amoretten. Vorlagen f. Holzbrandtechnik etc., s.: Vorlagen-Mappe.

Penet, L., Amoretten u. decorative Figuren. Kompositionen zur Verzierg. v. Kunstgegenständen. 1. Folge. gr. 4. (10 Lichtdr.-Taf.) Berlin 890. Claesen & Co. In Mappe. n 14.—

— Amoretten u. decorative Figuren. Kompositionen zur Verzierg. v. Kunstgegenständen. 2.—4. Folge. gr. 4. (à 10 Lichtdr.-Taf.) Berlin 891. Hessling & Spielmeyer. In Mappe. à n. 14.—

Peneter, Nikl. Jacob. Etwas über Brand-Assecurationen. Nürnberg 1784.

Pengel, W., der praktische Brunnenbauer. Leitfaden f. das Brunnenbaugewerbe m. 139 Abbildgn. im Texte. Nach eigenen Erfahrgn. bearb. (106 S.) gr. 8. Berlin (910). Laubsch & Everth. 2.50

Pengilly, R., wer soll getauft werden? u. worin besteht d. Taufe? beantw. aus d. Zeugnissen d. h. Schrift, u. durch d. Aeußerungen d. angesehensten Theologen aller Confessionen. N. d. Engl. gr. 12. (3¾ B.) Hamburg 839. (Leipzig, Barth.)

Pengilly, R., Wer soll getauft werden? und worin besteht die Taufe? beantwortet aus den Zeugnissen der heil. Schrift, und durch die Aeußerungen der angesehensten Theologen aller Confessionen. Nach dem Engl. 12. (96 S.) Philadelphia 852, (Schäfer und Koradi.) *

Penias, Joh. Gfr., Natur-Klänge. Poesie u. Prosa. 12. (XI, 131 S.) Dresden 893. E. Pierson. n. 1. 50; geb. m. Goldschn. n. 2. 50

Penicke

— **Johann Adolph** (Weißenfels), De poena pecuniaria in delictis carnis. Disput. jur. Moder. Sigismund Gottlieb Hilliger. Leipzig (I. Titius) 18. II. 1717. 40 S. (5.50) 26039
Gew.: Heinrich von Bünau.

— **Joh. Gottlieb**, De octiduo Saxonico rebusque intra illud expediendis, ad mand. elect. de oblatione sub dat. 1682 aliaque jura Sax. ad octiduum pertinentia. Präs. Martin Lang. Leipzig (Chr. Fr. Rumpff) 15. XII. 1708. 49 S. (5.50) 26040
Gew: Johann Egid. Alemann, Johann Georg Boerner v. Martin Lange.

— — (Weißenfels/Meißen), Dasselbe. Leipzig (Chr. Fr. Rumpff) 20. XII. 1708. 49 S. (5.50) 26041

— **Johann Martin** (Dresden), De eurematicis in materia possessionis et compossessionis. Disput. jur. Präs. Andreas Florent. Rivinus. Wittenberg (J. Fr. Schlomach) März 1743. 52 S. (5.25) 26042

Penig [Schlagwort]

Penig, s.: Chemnitz, Umgeg.

Penig, s.: Geologische Karten. Spezialkarte. (Sachs.)

Penig, s.: Limbach.

Penig, s.: Sachsen. Karte. Messtischblätter.

Penike, Georg

Penike, G., Notizen üb. die Insel Föhr u. ihr Seebad in topograph. u. medicin. Beziehg. Zunächst für Badegäste. gr. 16. (84 S.) Itzehoe 848. (Altona, Schlüter.) n. 1/2 ℛ

Penington, Isaac. Sendschreiben an alle ernstliche Bekenner der christlichen Religion, nebst Anweisungen für die müde Seele ... a. d. Engl. ... Pyrmont [181?]. Ü: *Seebohm, Joh Gg Ludw.* (NN) (MGT)

Penini, Jedaja ben Abraham Bediraschi, s. Buch, das, Mibchar ha-Peninim.

Penini, Jedaja „Bechinoth Olam" Betrachtungen über das Weltleben mit interpunktirtem ebräischen Texte und einer neuen, metrisch-gereimten, treuen Uebersetzung von M. E. Stern. Nebst einer biographischen Einleitung von Joseph Weisze. Wien 1847

Penitza, M. v., auf einsamer Straße, s.: Rosen-Knospen.

Penížek, Jos., aus bewegten Zeiten. 1895—1907. Lose Blätter. Mit 14 Portr. (IV, 382 S.) gr. 8. Wien 906. C. Konegen. n. 7.50; geb. n. 9.—

Penk, Albrecht, s. Penck

Penka, C., s. Penka, Karl

Penka, Ignaz Josef

Penka, Jos., Beantwortung einer eherechtlichen Frage der heiligen Schrift, den Zeugnissen der heiligen Väter und dem Ausspruche der heil. allgem. Kirchenversammlung zu Trident gemäß verfaßt. Olmütz 855. (Neugebauer.) 8. (6 Bl., 40 S.) 7 1/2 ngr.

Penka, Josef —. Beantwortung einer eherechtlichen Frage der heiligen Schrift, den Zeugnissen der h. Väter und dem Ausspruche der heiligen allgemeinen Kirchenversammlung zu Trident gemäß verfaßt von — —. Olmütz. 1855. Fürsterzbischöfliche Buchdruckerei des Franz Slawik. (4 Bl. 40 S. 8.)

—— **Vberior coelibatus sacerdotalis qua nunquam pereuntis, expositio.** 8maj. (12 1/2 B.) Cracoviae 846, Gieszkowski. (Leipzig, Kittler.)

Penka, Ignatius, Praelectiones ex Theologia dogmatic.. (IV Tomi.) Liber Syntheticus. Libri Analytici. Pars I—III. 8maj. (125 1/2 B.) Cracoviae 844, 45, Gieszkowski.

Penka, Ignaz Josef — Römischer Priester — Cölibat. Innig dargestellt von — —. Krakau. Gedruckt in der Buchdruckerei des „Czas." (VI. 253 S. 8.) 1856.

Penka, Josef, s. Penka, Ignaz Josef

Penka, Karl

Penka Karl: Ueber die Entstehung des synkret. Casus. Diss. Wien, Univ.
D: Selbstverlag, 1875.
1875 PN 33 2657

Penka C. Die Entstehung der synkretistischen Casus im Lat., Griech. und Deutschen. Ein Beitrag zur vergleichenden Casuslehre. 24. Wien IX. 74. Progr.

Penka, Karl, die Entstehg. der neolithischen Kultur Europas, s.: Beiträge zur Rassenkunde. 2. Heft.

Penka, Karl, die Heimat der Germanen. [Aus: „Mittheilgn d. anthropolog. Gesellschaft in Wien".] gr. 4. (32 S.) Wien 893. (Leipzig, K. W. Hiersemann.) n. 2.—

Penka, Karl, die Herkunft der Arier. Neue Beiträge zur histor. Anthropologie der europ. Völker. gr. 8. (XIV, 182 S.) Teschen 886. Prochaska. n. 5.20

— Herkunft der alten Völker Italiens u. Griechenlands, wie ihrer Kultur, s.: Beiträge zur Rassenkunde. 5. Heft.

— O. Schraders Hypothese v. der südrussischen Urheimat der Indogermanen, s.: Beiträge zur Rassenkunde. 6. Heft.

Penka, Karl, die Nominalflexion der indogermanischen Sprachen. gr. 8. (XII, 205 S.) Wien 878. Hölder. n. 2.40

Penka, K., **Origines ariacae.** Linguistisch-ethnolog. Untersuchungen zur ältesten Geschichte der arischen Völker und Sprachen. gr. 8. (IX, 214 S.) Teschen 883, Prochaska. *

Penka, Karl, zur Paläoethnologie Mittel- u. Südeuropas. [Aus: „Mittheilgn. d. anthropolog. Gesellsch. in Wien".] gr. 4. (36 S.) Wien 897. (A. Hölder.) n. 3.—

— Die alten Völker Nord- u. Osteuropas u. die Anfänge der europäischen Metallurgie, s.a. Beiträge zur Rassenkunde. 8. Heft.

Die alten Völker Nord- und Osteuropas und die Anfänge der europäischen Metallurgie von Karl Penka. Hildburghausen: Thüring. Verl.-Anst. [1910]. 60 S. 8°
(Beiträge z. Rassenkunde. H. 8.) [10. 6187 5

Penker, Chr. Erdm., († d. 29. Juni 1802.) Geschichte meiner Phantasmen, e. Beitr. zu Hrn. Fr. Nicolai Beispiel e. Erscheinung mehrerer Phantasmen. 8. Nürnb. 801. v. Seidel in Sulzb. 5 gr

— s. Catalogus v. G. P. Monath.

— Register zu Seybold's Handb., s. D. C. Seybold, Handb.

— Skizzen, s. Skizzen.

— Skizzen v. Italien. Ueber einige Theile dieses Landes, die es werth sind, sie näher kennen zu lernen. 1e u. 2e Samml. 8. Nürnb. 789, 90. Monath u. K. 20 gr 3e Samml. 8. Schwabach 794. Wolf. 12 gr 4e Samml. 8. Nürnb. 802. (v. Seidel in Sulzbach). 12 gr (NB. Penker hat sich blos auf d. 3n Theile genannt.)

Penker, Joh. Ign., kritische Blicke in das Wesen des Chemismus, nebst Grundzügen einer naturwissenschaftlichen Darstellung desselben. gr. 8. Jungbunzlau. (Schöps in Zittau. 817.)

— — dasselbe. 8. Prag, Krauß. 817.

Penkert, J. K. Rich., das Rettungswesen im Bergbau. Neue (2.) verb. Aufl. (IX, 64 S. m. 11 Abbildgn.) 8. Kattowitz (908). Phönix-Verlag. 1.50
Aus dem Buchhandel zurückgezogen.

— Die chemische Untersuchung der Wettergase, s.a. Bibliothek der gesamten Technik.

Die chemische Untersuchung der Wettergase. Von J. K. Richard Penkert Mit 31 Abb. Hannover: M. Jänecke 1907. (76 S.) 8°
= Bibliothek d. gesamten Technik Bd 32. [08. 1103 7

Penkert, L.

Penkert, kurze Anleitung zur Trichinenschau. Zum Unterrichte u. zur Wiederholg. f. die Trichinenschauer zusammengestellt. gr. 8. (31 S.) Merseburg 893. F. Stollberg. Kart. n. 1. —

Penkert, L., s.: General-Bericht üb. das öffentl. Gesundheitswesen d. Reg.-Bez. Merseburg.

Penkert, Max, aus Merseburg a. S.: Über Ichthyosis nebst fünf in der Königlichen medizinischen Klinik zu Greifswald beobachteten Fällen. *Greifswald 1899: H. Adler.* (81 S.) 8°
Greifswald, Med. Diss. v. 23. März 1899

v. Penkler, Frhrr. Jos., († ...) Abhandl. v. Schäfergebichten. gr. 12. Augsb. 767. v. Jenisch u. St. 8 gr (a. Veith.)

Penkmayer, Rich., Beweis des Satzes v. Fermat: Die Gleichung $a^n + b^n = c^n$ ist in ganzen Zahlen unlösbar, wenn $n > 2$ ist. (7 S.) 8. München 908. (J. Lindauer.) —50

— dasselbe. (Neubearbeitung.) (9 S.) 8. Ebd. 910. —50

Penkmayer, Richard: Theorie eines einfachen Entfernungsmessers. Amberg, Druck v. H. Böes, *1897;* 29 S., 2 Taf. 8.
Amberg, k. human. G, P 1897*

Penkun [Schlagwort]

Penkun, s.: Deutschland. Kürschner-Peip. — Geologische Karten. Preussen. 66.

Penl, Karl, Leitfaden für die erste Stufe des mineralogischen Unterrichtes. Zum Gebrauche an den unteren Classen der Mittelschulen. Mit 32 in den Text gedr. (Holzschn.-)Abbildungen u. 1 (lith.) Taf. Krystallformennetze. gr. 8. (VIII, 72 S.) Wien 881. Klinkhardt. n. 1. —

Penn, Heinrich. Ein goldenes Ehrenblatt für unser Heer und Volk. Zur Erinnerung an die vor 25 Jahren erfolgte Okkupation Bosniens und der Hercegovina. gr. 8. Wien 1903.

[F.] Auf zitternder Erde. Die Geschichte e. Erdbebens. Von Heinrich Penn. *Breslau: S. Schottlaender 1897.* (165 S.) 1 Bd 8.
(Unterwegs u. Daheim.) [97. 6649

Penn, Heinr., die Geschichte der Stadt Wien u. ihrer Vorstädte. Von ihrem Ursprunge bis auf die gegenwärtige Zeit. Nach den besten Quellen bearb. Mit über 300 schönen (eingedr. Holzschn.-)Illustr. hoch 4. (742 S. mit 1 chromolith. Plane.) Brünn 878—80. Karafiat. n. 15. 50

— Hadschi Loja u. die schwarze Sultanin von Trebinje, oder die österreichische Occupation Bosniens. Zeitgeschichtlicher Sensations-Roman. 20 Lfgn. gr. 8. (960 S. mit 4 Holzschntaf.) Ebend. 879. à n. — 50 (cplt.: n. 6. —)

Penn, Heinrich. Unser Kaiser. Geschildert für das österreichische Volk. 8. Brünn, im Jubiläumsjahre 1888.

Penn, Heinr., deutsche Lieder. Blätter aus der Zeit. Graz 864. (Leuschner & Lubensky.) 8. (VIII, 63 S.) n. 10 ngr.

Penn, Heinrich. (Patriotische Lieder und Gedichte.) I. Erzhg. Albrecht. II. Das Lied vom Vater Radetzky. III. Das Heer sollt Ihr uns lassen stahn! IV. Österreicher wollen wir bleiben. V. Aus der Kaiserstadt. VI. Weihnachts-Blätter aus Österreich. VII. Das Lied vom Kaiser. Ein Sang für Österreichs Volk und Jugend. (In 1 Mappe.) 4. Wien (1892)—1902.

— Olympia, die Tierbändigerin, s.a. Eckstein's Reise-Bibliothek.

[F.] Olympia, die Thierbändigerin. Erzählg aus d. Artistenleben v. Dr. Heinrich Penn. *Berlin: R. Eckstein Nf. [1897].* (128 S.) 1 Bd 8.
= Reisebibliothek, Ecksteins. No 169. [98. 7608

Penn, Heinrich. Aus treuem Österreicher-Herzen. Huldigungsblätter zum fünfzigjährigen Regierungs-Jubiläum Unseres Kaisers. (Mit 1 Porträt.) 8. Wien (1898).

— der Curort Sangerberg bei Marienbad u. seine Umgebungen. 8. (VIII, 78 S.) Wien 877. Braumüller. n. 1. 20

Penn, Heinrich. Soldatenbüchlein. Zur Enthüllung des Erzherzog Albrecht-Denkmales und zur Erinnerung an die ruhmreichen Kämpfe unseres Heeres vor hundert Jahren. 3. vermehrte Auflage. 8. Wien 1899.

Penn, Heinr., der Untergang Metullums. Trauerspiel in 4 Aufzügen aus der Geschichte Krains. Laibach 866. (Wagner.) 12. (VIII, 92 S.) n. 10 ngr.

Valerie. — Penn, Heinrich. — Erzherzogin Marie ..... Das Buch von unserer Kaisertochter. 8. Brünn 1889.

Penn, Heinr. M., der slavische Bauern-König. Historischer Roman in 2 Bdn. 8. (203 u. 194 S.) Jena 874. Costenoble. 6. 75

Penn, M., Güterverkehr und Eisenbahn, s. Hefte, freie, des Leipziger Journals.

Penn, William, oder die Zustände Englands 1644—1718. Aus dem Engl. frei übertragen von Ernst Bunsen. Leipzig 854. Brockhaus. gr. 8. (VIII, 215 S.) n. 1 ℳ. 10 ngr.

Penn, William, der Gründer Pensylvaniens, s. a. Wochenbände. Nr. 134.

Penn, William, (Gründer und Gesetzgeber der Colonie Pennsylvanien) oder die Zustände Englands 1644—1718. A. d. Engl. ... Leipzig 1854. V: *Dixon, Hepworth.* (KA)

Penn, William. Kurze Nachricht von der Entstehung ... der christlichen Gesellschaft und Freunde, die man Quäker nennt ... a. d. Engl. Hannover 1792. Ü: *Seebohm, Johann Georg Ludwig.* (Ky) »London [Hann.] 1793« (Wr)

Penn's, Will., Leben u. Wirken, s.: Mann, W. J.

W. **Penn's** Früchte d. Einsamk. in Gedanken u. Maximen üb. den menschl. Lebenswandel; aus d. Engl. v. J. F. **Schiller.** *Mainz* u. *Frkf. a. M.* 785. 8° 12 gl

Penn, William. Früchte der Einsamkeit, in Gedanken und Maximen über den menschlichen Lebenswandel. Aus dem Englischen. Tübingen 1785. Ü: *Schiller, Johann Friedrich* (d. »Steinheimer Vetter«). (Gradmann, Gelehrtes Schwaben) (Hdschr. Mitth. von Friedrich Müller, München)

Penn. Wlh., Früchte d. Einsamkeit; aus d. Engl. v. J. Fr. Schiller. 8. Tübing. 785. v. Cotta. 16 gl

— Früchte d. Einsamkeit; aus d. Engl. 8. Hannov. 802. Helwing. 12 gl

— Früchte d. Einsamkeit. 8. Friedensthal. (Pyrmont). 803. N. A. 813. (Uslar) 10 gl

PENN, William 1644 - 1718
Wilhelm Penn's kurze Nachricht von der Entstehung und dem Fortgang der christlichen Gesellschaft der Freunde die man Quäker nennt; worin 1. ihr Hauptgrundsatz, 2. ihre Lehre, 3. ihr Gottesdienst, 4. ihr Kirchendienst, 5. ihre Zucht und 6. ihre Verfahrungsart genau beschrieben ist.
Aus dem Englischen übersetzt, und mit Anmerkungen versehen, von Ludwig Seebohm.
Pyrmont: beim Übersetzer; Hannover: Hahn. 1792. 176 S. 8°
Universitätsbibliothek Marburg
Übers. v. A. Brief Account of the Rise and Progress of the People Called Quakers, zuerst London 1694.
Sabin 59740. Palmer: unvollständig.
Ludwig Seebohm, 1751-

Penn, Wlh., kurze Nachr. v. der Entstehung u. dem Fortgang d. christl. Gesellschaft u. Freunde, die man Quäker nennt ꝛc.; aus d. Engl. (v. L. Seebohm). 8. Hannov. 792. Hahn. 9 gl (a. Uslar in Pyrm.) 8 gl

Penn, (W.,) ohne Kreuz keine Krone. Eine Abhandl. über d. Eigenschaft u. Wirkung d. heil. Kreuzes Christi. Aus d. Engl. gr. 8. Pyrmont 825, Uslar. 1 Rthl. 8 gr. Schrp.

— väterl. Rath an d. Erweckten. Ein Sendschreiben; aus dem Engl. 8. Pyrmont 803. Uslar. 8 gl

— Schlüssel zu d. Grundsätzen d. Freunde. 8. Hannov. 802. Helwing. 4 gl

— Wiederherstellung d. Christenthums; aus d. Engl. 8. Hannov. 802. Helwing. 8 gl

Penn Germania: vol. 1 - 15 no. 3, Jan. 1900 - Nov./Dec. 1914
Quarterly Jan. 1900 - Oct. 1905 bi-monthly Jan. - July 1906 monthly Sept. 1906 - Nov./Dec. 1914. Subtitle: 1) A Popular Journal of German History and Ideals in the United States Jan. 1900 - 1908. 2) A Popular Magazine of Biography, History, Genealogy, Folklore, Literature. Title varies: The Pennsylvania German, vol. 1 - 12, 1900 - 11. Place of publication varies: Lebanon, Jan. 1900 - Sept. 1906; East Greenville, Oct. 1906 - Mar. 1909; Lititz, Pa., Apr. 1909 - Dec. 1911; Cleona, Pa., Jan. 1912 - Nov./Dec. 1914. Published in English, but of importance for Pennsylvania Dutch material. Variations in numbering: vol. 13 - 1 also as new series, vol. 1 - 3, Jan. 1912 - Nov./Dec. 1914. Suspended Apr. 1913 - Aug. 1914. Octavo, with variations; each issue ca. 48 - 64 pages, illustrated, including portraits, plates and facsimiles. Circulation: 1906, 1000. Edited & published by Philip Columbus Croll, Jan. 1900 - Oct. 1905; by Henry Addison Schuler, Jan. 1906 - Dec. 1907; by Howard Wiegner Kriebel, Jan. 1908 - Nov./Dec. 1914.
Lebanon, PA

Penn-Lewis, J., s. a.: Lewis, J. Penn.

Penn-Lewis, J., von Angesicht zu Angesicht. Blicke in das innere Leben Mosis. Aus dem Engl. 12. (VIII, 91 S.) Basel 901. Kober. n. — 80

— Sieben Bibelbesprechungen, e. Hilfe zum Bibelstudium. (6 Traktate 4, 8, 4, 6, 4 u. 8 S.) 8. Ebd. 907. In Umschlag — 30

— Meines Gottes Erziehungsweg. 3. Aufl. (30 S.) 11,3×7,6 cm. Ebd. (907). nn — 05

— Das Geheimnis des Auferstehungslebens. Berechtigte Übersetzg. aus dem Engl. (64 S.) 8. Barmen 909. E. Müller. — 80

— gekreuzigt m. Christo. Aus Ansprachen. 1. u. 2. Aufl. (71 bezw. 61 S.) 8. Frankfurt a/M. 905. Verlag Orient. n. — 75

— Hingabe an den hl. Geist u. deren Frucht. (Uebers. von E. v. Feilitzsch.) (101 S.) kl. 8. Düsseldorf 903. E. Schaffnit. n. — 80

— Kampf u. Sieg in den himmlischen Örtern. (123 S.) 8. Barmen 907. (E. Müller.) 1. 20

— Die Kraft des Kreuzes im inneren Leben. (31 S.) 9,5×14,1 cm. Freienwalde a/O. (907). (Frankfut a/M., Verlag Orient.) — 20

— das Kreuz auf Golgatha. Betrachtungen. Ins Deutsche übertr. v. G. Holtey-Weber. 2. durchges. Aufl. (186 S. m. 1 Tab.) 8. Barmen 904. E. Müller. n. 1. 80; geb. n. 2. 50

— Neues Leben. (7 Traktate zu je 4 S.) 11,2×15,2 cm. Ebd. (907). In Umschlag — 15

Penn-Lewis, J., auch durch die Nacht. Blicke in das Geheimnis des Leidens. Die Geschichte Hiobs. Autoris. deutsche Ausg. v. G. Holtey-Weber. (278 S.) kl. 8. Chemnitz (909). G. Koezle. 2.50; geb. 3. —

Die verborgenen Quellen der Erweckung in Wales. J. Penn-Lewis. (Vorr.: E[rnst] Lohmann, Freienwalde.) Freienwalde a. O.: Bibelhaus 1905. (86 S.) 8° [F.] 05. 9865

— die verborgenen Quellen der Erweckung in Wales. (86 S.) 8. Freienwalde 905. (Bonn, J. Schergens.) n. — 75

Penn-Lewis, J., seine Augen waren wie Feuerflammen. (12 S.) 11,6×7,9 cm. Freienwalde a/O. (907). (Frankfurt a/M., Verlag Orient.) nn — 05

— Das Tor zum ewigen Leben. (12 S. m. 1 Taf.) 8. Freienwalde a/O. (907). (Frankfurt a/M., Verlag Orient.) — 20

— Unser Gott ist e. verzehrend Feuer. (8 S.) 16. Freienwalde a/O. (907). (Frankfurt a/M. Verlag Orient.) — 03

Pennachi, Jos., de Honorii I. Romani pontificis causa in concilio VI. Dissertatio. Ad patres concilii vaticani. Praefatus est P. Bonifac. Wimmer. Regensburg 870. Pustet. gr. 8. (290 S.) n. 1 Thlr.

Pennafranca und Leander, Gedichte. 12. (4⅔ B.) Güstrow 837, [Opitz u. Comp.]

Pennant, Thom., Beschreib. d. Insel Ceylon u. ihrer Bewohn.; aus d. Engl. v. Ehrmann, s. a. Bibliothek d. Reisen. 11r Bd.

Pennant, Th., Beschreib. d. Insel Ceylon u. ihrer Bewohner, a. d. Engl. von Ehrmann. gr. 8. Weim. L. Ind. Comt. 804.

— Beschreib. v. London, vorzügl. in Rücksicht auf d. ältere Geschichte etc.; aus d. Engl. mit Anmerkk. v. J. H. Wiedmann. Mit Kpf. gr. 8. Nürnb. 791. Felssecker. 2 Thlr. 8 Gr.

— literar. Leben, v. ihm selbst beschrieben, mit literar. Anmerkk. v. J. J. K. Timäus, u. e. Einleit. v. E. A. W. v. Zimmermann. 8. Hannov. 794. Hahn. 18 Gr.

— nördliche Polarzoologie, a. d. Engl. 2 Thle. gr. 4. Lpz. Crusius. (F. C. W. Vogel.) 787.
mit 24 Engl. Originalkupf.

— Reise durch Schottland u. die hebridischen Inseln. 2 Thle.; aus d. Engl. von v. J. D. P. C. Ebeling. gr. 8. Leipz. 779, 80. Weygand. 2 Thlr. 12 Gr.

— dies. im Auszuge, s. a. Bibliothek d. Reisebeschreibb. 3r Bd.

— — dies. im Ausz. 8. Nürnb. Schneider. 781.

— britt. Thiergesch. 1ste Abth. vierfüß. Thiere. 2te Abth. Vögel., m. ill. K. Fol. Augsb. Haid. 783.

Thomas Pennant

[Arctic Zoology. Deutsch:] Thiergeschichte [Tiergeschichte] der nördlichen Polarländer. Aus d. Engl. des Thom[as] Pennant, mit Anm.u.Zusätzen durch E[berhard] A[ugust] W[ilhelm von] Zimmermann. Th.1.2. Leipzig:Crusius 1787. 256,568 S. 2 Bde 4°

[Die2Seitenzählung geht durch]

— Thiergeschichte d. nördl. Polarländer; aus d. Engl. v. E. A. W. v. Zimmermann. 2 Thle. gr. 4. Leipz. 787. (W. Vogel). 5 Thlr. Mit 24 engl. Originalkpf. 9 Thlr.

— allgem. Uebersicht d. vierfüßigen Thiere; aus d. Engl. mit Anmerkk. u. Zusätzen v. J. M. Bechstein. 2 Bde. Mit 54 Kpf. gr. 4. Weim. 799. Ind.-Compt. 8 Thlr.

— Zoologia bkitannica, tabulis aeneis 132 illustrata. Classis I. Quadrupedia. II. Aves; latin. don. C. G. de Murr. Fol Augsb. 771.

Penndorf, Balduin, Groitzsch: Das Innungswesen im Königreich Sachsen seit Einführung der Gewerbefreiheit. Leipzig: Th. Thomas 1907. (XVI, 230 S.) 8° [F.]

Tübingen, Staatsw. Fak., Ref. v. Schönberg, Diss. v. 15. April 1907

(Nicht für den Austausch)

[Geb. 27. Nov. 73 Groitzsch (Sachsen); Wohnort: Leipzig; Staatsangeh.: Sachsen; Vorbildung: Lehrerseminar Borna Wahlfähigkeitzeugnis O. 94; Studium: Leipzig 2, Tübingen 3, Handelshochsch. Leipzig 7 S.; Rig. 2. Aug. 06.]

Penndorf, Balduin, Katechismus f. die theoretische Gesellen- u. Meisterprüfung. (IV, 52 S.) gr. 8. Leipzig 903. H. Voigt. n.n. — 75

— Katechismus f. die theoretische Gesellen- u. Meisterprüfung. 2. neubearb. Aufl. (IV, 60 S.) 8. Leipzig 908. H. Voigt. nn — 75

— Methodik des kaufmännischen Rechnens, s. a. Methodik der kaufmännischen Unterrichtsfächer.

Methodik des kaufmännischen Rechnens von Dr. B[alduin] **Penndorf**, Oberl. Leipzig & Berlin Teubner 1910. 57 S. 8°
(Methodik d. kaufmännischen Unterrichtswesens.) 10. 17304

Penndorf, J., De scribis rei publicae Atheniensium. Diss. 18?7. 110 S.

Penndorf, Otto, a. Altenburg: [1.] Beiträge zur Kenntnis der Naphtalsäure. — [2.] Kondensation von Para- und Ortho-Xylylenxyanid mit Ätlylnitrat und Oxalester. Würzburg 1906: C. J. Becker. (III, 87 S.) 8°

Tübingen, Naturw. Fak., Ref. Wislicenus, Diss. v. 30. Mai 1906

[Geb. 13. Febr. 78 Altenburg; Wohnort: Altenburg; Staatsangeh.: Sachsen-Altenburg; Vorbildung. Realgymn. Altenburg Obersek., Pharmaz. Staatsprüf. Note 1; Studium: Braunschweig T.H. 5, Würzburg 1, Tübingen 4 S.; Coll. 30. Mai 06.]

Penne

— die. Scholarenzeitung. Red.: Paul Wiebach. Juni—Dezbr. 1908. 28 Nrn. (à ca. 10 S.) Lex. 8. Leipzig, P. Wiebach. 2. 40
Fortsetzg., s.: Scholaren, lustige.

Penne od. „Heiteres aus dem Schülerleben". Lustspiel in 1 Akte v. 2 Gymnasiasten. (48 S.) 8. Rostock (Breitestr. 19 I) 910. U. Böhmer. (Nur direkt.) — 75

Penne, G. L., die Lehre d. Christenthums in Gesängen, nebst Erläutrr. 8. Quedlinb. 802. Ernst. 8 Gr.

Penne, Quille, ein modernes Aschenbrödel, s. a. Weichert's Wochen-Bibliothek.

Ein modernes Aschenbrödel. Roman von Quille Penne. (Autoris. Übers. aus d. Engl. von Erna Frankenstein.) Mit 3 Vollbild. *Berlin: A. Weichert [1899].* (95 S.) 8° [F.]
— Wochen-Bibliothek. Weichert's. Bd 59. [oa. 760

Pennefather, William, „Sterben ist mein Gewinn." Hauptmann Trotters Leben. Frei nach dem Engl. 8. (44 S.) Basel 871. Spittler. n. — 20

Pennekamp, K. Der Ultramontanismus u. d. Volksschule, s. a : Streitschriften, freundschaftliche.

Der Ultramontanismus und die Volksschule. Eine kurze Beleuchtung d. jüngsten ultramont. Forderung. Allen Freunden d. Vaterlandes u. d. Volksschule, vor allen d. preuß. Lehrern, gewidmet von Karl Pennekamp, ev. Pastor. Barmen: D. B. Wiemann [1889]. (40 S.) 8° [F.]
— Streitschriften, Freundschaftliche. No 10. [o4. 13001

Pennell, Jos., die moderne Illustration. Aus dem Engl. v. L. u. K. Burger. Autoris. Ausg. gr. 8. (XV, 362 S. m. 170 Abbildgn.) Leipzig (901). H. Seemann Nachf. n. 7. 50; geb. n. 9. —

(B) **Pennell,** Jos., d. mod. Illustration. 901. (KBL 32.) Jetzt: Leipzig, Klinkhardt & Biermann.

Pennell, J., Zaandam. Originallithographie. 21 × 23 *cm* signierte Drucke K 25.—, gewöhnliche Drucke K 4.—
Wien: Gesellschaft f. vervielfält. Kunst 1910.

Pennequin, Petrus, S. J. Göttlicher Liebs-Zeiger, Das ist: Vollkommniste und außerlesniste Anleitung zur göttlichen Lieb'. In unterschidlichen schönen Discursen, Historien, Sinn- und Lehrreichen Concepten auß H. Schrifft, denen heiligen Vättern und andern geistreichen Lehrern zu embsiger Nachfolg beyderley Geschlechts, jeglichen Stands, Geistlich- und Weltlichen Liebhabern Gottes; Anfänglich in Frantzösischer und Lateinischer Sprach vorgetragen, anjetzo in das Teutsche übersetzet von Antonio Muzenhard. Augsburg, E. Schlüter, 1700. Kl.4° 7 Bll., 1040 S., 6 Bll. *Mit gestoch. Frontispiz v. J. Leidenkater* Ldrbd. d. Z. mit 2 Schließen.
De Backer-Sommervogel VI. 475. Erste deutsche Ausgabe.

Pennequin, Pet., göttl. Liebeszeiger. 4. Augsb. 715.

Penner, Cornelius: Über Pyelitis. Emmendingen: Dölter 1908. 40 S. 8°
Freiburg i. B., Med. Diss. v. 1909, Ref. Krönig
[Geb. 13. Aug. 82 Poppau, Westpr.; Wohnort: Freiburg i. B.; Staatsangeh.: Preußen; Vorbildung: Städt. Gymn. Danzig Reife O. 02; Studium: Freiburg i. B. 1, Königsberg 3, Freiburg i. B. 1, Berlin 1, Freiburg i. B. 4 S.; Coll. 29. Nov. 07.] [U 09. 962

Penner, E. u. C. Massey. Englisch, s. Methode Schliemann zur Erlernung fremder Sprachen.

Penner, Emil: Entwicklung der altenglischen Tonvokale. T. 1. *Berlin: R. Gaertner 1898.* (28 S.) 4°
Berlin, Vierte St. R (HB), OP 1898 (120)

Penner, Emil, Dr.: Entwicklung der altenglischen Tonvokale. T. 2. *Berlin: R. Gaertner 1899.* (S. 29—54.) 4°
* [Forts. d. P-Beil. 1898.]
Berlin, Vierte st. R (HB), OP 1899 (121)

Penner, Emil, Entwicklung der altenglischen Tonvokale. 2. Tl. Progr. 4. (S. 31—54.) Berlin 899. [R. Gaertner.] Weidmann. n. 1. —

— history of English literature, compiled from the best English authors and adapted for the use of schools. gr. 8. (XII, 151 S.) Leipzig 900. Renger. n. 2. —; geb. in Leinw. n. 2. 40

Penner, Emil, history of English literature compiled from the best English authors and adapted for the use of schools. 2. ed. (XII, 151 S.) gr. 8. Leipzig 908. Renger. 2. —; geb. 2. 40

— s.: Sammlung v. Festspielen z. Schüleraufführungen.

— Tabelle d. Entwickelung d. engl. betonten Vokale. gr. 8. (16 S.) Leipzig 896. Renger. n. — 50

Penner, Emil [aus Oliva bei Danzig]: Metrische Untersuchungen zu George Peele. . . . (Aus: Arch. f. d. Stud. d. neueren Sprachen Bd. LXXXV.) Braunschweig, Druck v. G. Westermann, 1890; 2 Bl., 40 S., 1 Bl. 8°
Halle, Phil. Fak., Inaug.-Diss. v. [27. Okt.] 1890

Penner, Fritz, Gerichtsref. in Bonn: Das Recht der Handlungsagenten nach dem H.G.B. von 1897. Borna-Leipzig 1905: R. Noske. (VI, 49 S.) 8° [F.]
Leipzig, Jur. Fak., Diss. v. 21. Sept. 1905
[Geb. 6. Juni 80 Bonn; Wohnort: Bonn; Staatsangeb.: Preußen; Vorbildung: Gymn. Bonn Reife O. 00; Studium Bonn, Kiel, Bonn; Rig. 31. Juli 03.]

PENNER, ROMAN SEBASTIAN: Erzablei Martinsberg. In: Progr. d. Ben. Gymn. zu Gran 1857-58, S. 25-36

Pennerstorfer Franz: Reimuntersuchung von Herzog Ernst B.
II. 1908 PN 2515 Diss Wien, Univ. 262

Pennerstorfer Heinrich: Die Fortbildung des Lehrers. 51. St. Pölten Lehr. Sem. 91.
Progr.

Pennerstorfer, Ign., historische Bibliothek f. die Jugend. Auszüge aus den hervorragendsten Quellenschriften. 1—6. Bdchn. 12. Wien 884. Manz. à n. — 30
1. Die Aegypter, Babylonier u. Assyrer. (46 S.) — 2. Die Inder. (45 S.) — 3. 4. Die Meder u. Perser. (48 u. 53 S.) — 5. 6. Die Griechen. (96 S.)

—— Festrede zur 600jährigen Jubelfeier der Vereinigung des Habsburgischen Herrscherhauses mit Oesterreich. 27. Decbr. 1282—27. Decbr. 1882. Mit sieben in den Text verflochtenen Festgedichten. 8. (20 S.) Wien 882, Klinkhardt. *

Pennerstorfer, Ign., österreichische Geschichte in Gedichten. Zum 600jähr. Jubiläum des Einzuges Rudolfs v. Habsburg in Wien hrsg. Mit dem (Holzschn.-)Bildniß Sr. Maj. d. Kaisers Franz Josef I. 2., verm. Aufl. gr. 8. (VI, 352 S.) Wien 879. Klinkhardt. n. 4. —

Pennersstorfer, Ignaz, Unser Kronprinz. Festschrift f. d. vaterländ. Jugend aus Anlaß d. Vermählung desselben. 8. (40 S.) geh. 12 kr. Wien: Julius Klinkhardt 1881.

Pennerstorfer, Ign., Lehrbuch der Geschichte für Bürgerschulen. 3 Thle. 3. Aufl. gr. 8. Wien 884, Manz'sche Hofverlagsh. à Thl. * 80 Pf.; *
Inhalt:
Thl. 1. Bilder aus der alten, mittleren und neueren Geschichte. Für die I. Classe dreiclass. Bürgerschulen. (IX, 120 S. mit 3 color. Karten.)
" 2. Bilder aus der mittleren und neueren Geschichte. Für die II. Classe dreiclass. Bürgerschulen. (IV, 110 S.)
" 3. —— dass. — Für die III. Classe dreiclass. Bürgerschulen. (IV, 116 S. mit 2 Karten und 2 Tab.)

Pennerstorfer, Ign. Lehrbuch der Geschichte f. Bürgerschulen. 1.—3. Thl. 4. vereinfachte Aufl. gr. 8. Wien, Manz. à Thl. * — 80; cart. à Thl. * — 96
1. Bilder aus der alten, mittleren u. neueren Geschichte. Für die I. Classe 3class. Bürgerschulen. (VII, 98 S. m. 4 kolor. Karten.) 891.
2. Bilder aus der mittleren u. neueren Geschichte. Für die II. Classe 3class. Bürgerschulen. (XIV, 92 S. m. 2 kolor. Karten.) 891.
3. Bilder aus der mittleren u. neueren Geschichte. Für die III. Classe 3class. Bürgerschulen. (IV, 90 S. m. 2 Karten u. 2 Tab.) 892.

Pennerstorfer, Ign., Lehrbuch d. Geschichte f. Bürgerschulen. 1. u. 2. Tl. 5., gänzl. umgearb. Aufl. gr. 8. Wien, Manz. Geb. n. 2. 70
1. Bilder aus der alten, mittl. u. neueren Geschichte. Für die I. Classe 3class. Bürgerschulen. (III, 138 S. m. 41 Abb. u. 4 farb. Karten.) 897. Geb. n. 1. 40
2. Bilder aus d. mittl. u. neueren Geschichte. F. d. II. Classe 3class. Bürgerschulen. Mit 28 Illustr., 3 Karten u. 7 Tab. (IV, VIII, 130 S.) 898. Geb. n. 1. 30

— dasselbe für 6-, 7- u. 8classige Volksschulen. Mit 31 Illustr., 1 Karte u. 1 Tab. gr. 8. (IV, 128 S.) Ebd. 898. Geb. n. 1. —

Pennerstorfer, Ign., Lehrbuch der Geschichte f. Bürgerschulen. 1. u. 3. Tl. gr. 8. Wien, Manz. Geb. n. 2. 70
1. Bilder aus der alten, mittleren u. neueren Geschichte. Für die I. Classe 3klass. Bürgerschulen. 6. Aufl. Inhaltlich unveränd., nach der neuen Rechtschreibung hergestellter Abdr. der 5. Aufl. (III, 138 S. m. 41 Abb. u. 4 farb. Karten.) 902. n. 1. 20; geb. n. 1. 40
3. Bilder aus der mittleren u. neueren Geschichte. Für die III. Classe 3class. Bürgerschulen. 5., umgearb. Aufl. Mit 25 Illustr., 8 Tab. u. 5 Karten. (V, 133 S.) 899. Geb. n. 1. 30

— dasselbe. Einteilige Ausg. Bilder aus der alten, mittleren u. neueren Geschichte. Mit 57 Illustr., 5 Karten u. 6 Tab. gr. 8. (VI, 228 S.) Ebd. 902. Geb. in Leinw. n. 2. 60

Pennerstorfer, Ign., Lehrbuch der Geschichte f. Bürgerschulen. 2. u. 3. Tl. gr. 8. Wien 903. Manz. Geb. à n. 1. 30
2. Bilder aus der mittleren u. neueren Geschichte. Für die II. Klasse 3klass. Bürgerschulen. 6. Aufl. Inhaltlich unveränd., nach der neuen Rechtschreibg. hergestellter Abdr. der 5. Aufl. (IV, VIII, 130 S. m. 28 Abbildgn., 3 farb. Karten u. 7 Tab.)
3. Bilder aus der mittleren u. neueren Geschichte. Für die III. Klasse 3klass. Bürgerschulen. 6. Aufl. Inhaltlich unveränd., nach der neuen Rechtschreibg. hergestellter Abdr. der 5. Aufl. (V, 136 S. m. 25 Abbildgn u. 5 [3 farb.] Karten.

— dasselbe. Einteilige Ausg. Bilder aus der alten, mittleren u. neueren Geschichte. Mit 57 Illustr., 5 Karten u. 6 Tab. 2. Aufl. (IV, 228 S.) 8. Ebd. 905. Geb. n. 2. 30

— dasselbe f. allgemeine Volksschulen. Mit 31 Illustr., 1 Karte u. 1 Tab. 2., unveränd. Aufl. (IV, 128 S.) 8. Ebd. 906. Geb. n. 1. —

Pennerstorfer, Ign., Lehrbuch der Geschichte f. Bürgerschulen. 3 Tle. 8. geänd. u. im Sinne der neuen Normallehrpläne vom 15. VII. 1907, Z. 2368, ergänzte Aufl. 8. Wien, Manz. Geb. 3. 40
1. Bilder aus der Geschichte des Altertums u. des Mittelalters bis 1273. Für die I. Klasse 3klass. Bürgerschulen. (IV, 132 S. m. 38 Abbildgn., 3 Tab. u. 7 farb. Karten.) 908. Geb. 1. 20
2. Bilder aus der mittleren u. neueren Geschichte von Rudolf v. Habsburg bis zum Zeitalter Maria Theresias. Für die 2. Klasse 3klass. Bürgerschulen. Mit 25 Illustr., 4 Karten u. 6 Tab. (IV, 116 S.) 909. Geb. 1. 10
3. Bilder aus der Geschichte der Neuzeit vom Zeitalter Maria Theresias bis zur Gegenwart. Für die 3. Klasse 3klass. Bürgerschulen. Mit 21 Illustr., 2 Tab. u. 3 Karten. (IV, 110 S.) 909. Geb. 1. 10

— dasselbe. Einteilige Ausg. Bilder aus der alten, mittleren u. neueren Geschichte. 4., geänd. u. im Sinne der neuen Normallehrpläne vom 15. VII. 1907, Z. 2368, ergänzte Aufl. Ausg. A. u. B. 8. Ebd. 909. Geb. 5. 15
A. Mit 58 Illustr., 7 Tab. u. 1 Karte. (VI, 272 S.) Geb. 2. 35
B. Mit 58 Illustr., 7 Tab. u. 12 Karten. (VI, 272 S.) Geb. 2. 80

—— Lehrbuch der Geschichte für Volks- und Bürgerschulen. 3 Thle. gr. 8. Wien, Klinkhardt. *
Inhalt:
Thl. 1. Bilder aus der alten, mittleren und neueren Geschichte. Zunächst für die VI. Classe der österreich. Volks- und Bürgerschulen. Mit 3 (eingedr.) Karten. (VII, 143 S.) 880. *ℳ 1.; 2. Aufl. (IX, 120 S.) 882. * 80 Pf.
„ 2. Bilder aus der mittleren und neueren Geschichte. Zunächst für die VII. Classe der österreich. Volks- und Bürgerschulen. (IV, 140 S.) 881. *ℳ 1.; 2. Aufl. (IV, 110 S.) 883. * 80 Pf.
„ 3. —— dass. — Zunächst für die VIII. Classe der österreich. Volks- und Bürgerschulen. Mit 2 lithogr. Karten. (IV, 102 S.) 882. *ℳ 1.; 2. Aufl. (IV, 114 S.) 883. * 80 Pf.

Pennerstorfer, Ign., Lehrbuch der Geschichte für Volks- und Bürgerschulen. 3 Thle. gr. 8. Wien 884, Klinkhardt. à Thl. * 80 Pf. *
Inhalt:
Thl. 1. Bilder aus der alten, mittleren und neueren Geschichte. Zunächst für die VI. Classe der österreich. Volks- und Bürgerschulen. 3. Aufl. (IX, 120 S. mit 3 eingedr. Karten.)
„ 2. Bilder aus der mittleren und neueren Geschichte. Zunächst für die VII. Classe der österreich. Volks- und Bürgerschulen. 3. Aufl. (IV, 110 S.)
„ 3. —— dass. — Zunächst für die VIII. Classe der österreich. Volks- und Bürgerschulen. 3. Aufl. (IV, 114 S. mit 2 lithogr. Karten.)

— Wanderungen durch Wien. Unter Mitwirkg. des Verbandes der Wr. Schulleiter hrsg. (Neue Jugendbibliothek.) 1. u. 2. Bdchn. kl. 8. Wien 906. Huber & Lahme Nachf. Geb. in Leinw. à n. 1. —
I. 2. Tausd. (103 S. m. eingedr. Grundrissen u. Vollbildern.)
II. (95 S. m. eingedr. Grundrissen u. Vollbildern.)

Pennert, Jacques, praktische Winke üb. das Schleifen der Schermaschinenschneidezeuge m. Erläuterung v. 8 Skizzen. (19 S. m. Abbildgn.) gr. 8. Brünn 906. Redaktion der Brünner Monatsschrift f. Textilindustrie. (Nur direkt.) — 60
Sonderabdruck aus: „Brünner Monatschr. f. Textilind."

Pennes, J. A. Notiz über das elektro-chemische Bad. Paris 1857 16.

Pennewitz, G., Ergebnisse d. geographischen Unterrichts, s.: Kunze, Fr.

Pennewitz, G., neuer Leitfaden f. den Rechtschreib-Unterricht in deutsch. Schulen. In 2 Schülerheften u. 1 Lehrerheft. 1. u. 2. Hft. 8. Halle 902. H. Schroedel. à n.n. — 20
I. 1. u. 2. Stufe: Methodisch geordnete Wörtergruppen. 11., überarb. Aufl. (32 S.)
II. 3. Stufe: Ergebnisse des Rechtschreib-Unterrichts. Nebst ausführl. Wörterverzeichnissen. 7., nach der Rechtschreibung von 1902 umgearb. Aufl. (60 S.)

Pennewitz, G., neuer Leitfaden f. den Rechtschreib-Unterricht in deutschen Schulen. In 2 Schülerheften u. 1 Lehrerheft. I. Heft. 1. u. 2. Stufe: Methodisch geordnete Wörtergruppen. Mit neuer deutscher Reichsorthographie vom J. 1902. 12. unveränd. Aufl. (32 S.) 8. Halle 906. H. Schroedel. n.n. — 20

Pennewitz, G., neuer Leitfaden f. den Rechtschreib-Unterricht in deutschen Schulen. In 2 Schülerheften u. 1 Lehrerheft. I. Heft. 1. u. 2. Stufe: Methodisch geordnete Wörtergruppen. Mit neuer deutscher Reichsorthographie vom J. 1902. 13. unveränd. Aufl. (32 S.) 8. Halle 910. H. Schroedel. nn — 20

Pennewitz, G., Leitfaden für den Rechtschreib-Unterricht in den preußischen Schulen. In 2 Schülerheften u. e. Lehrerheft. 8. Halle 889. H. Schroedel. n. — 96
1. I. u. II. Stufe: Methodisch geordnete Wörtergruppen. 2. u. 3. Aufl. (28 S.) n. — 16
2. III Stufe: Ergebnisse d. Rechtschreib-Unterrichts. Nebst ausführl. Wörterverzeichnissen. 2. u. 3. Aufl. (42 S.) n. — 20
3. Für die Hand des Lehrers: Vorwort, ausführl. Begründg. d. eingeschlagenen Ganges, Darlegg. der Behandlg. d. Schülerhefte, ca. 160 Diktatstoffe (70 S.) n. — 60

— Leitfaden f. den Rechtschreib-Unterricht in preußischen Schulen. In 2 Schülerheften u. 1 Lehrerheft. II. Hft.. 3. Stufe: Ergebnisse des Rechtschreib-Unterrichts. Nebst ausführl. Wörterverzeichnissen. 4. Aufl gr. 8. (42 S.) Halle 894. H. Schroedel. n. — 20

Pennewitz, G., Leitfaden f. d. Rechtschreib-Unterricht in preuß. Schulen. In 2 Schülerheften u. 1 Lehrerheft. III. Hft.: F. d. Hand d. Lehrers; Vorwort, ausführl. Begründg. d. eingeschlag. Ganges, Darlegg. d. Behandlg. der Schülerhefte; ca. 160 Diktatstoffe. 2. Aufl. gr. 8. (67 S.) Halle 898. H. Schroedel. n. — 60

Leitfaden für den Rechtschreib-Unterricht in preussischen Schulen von G. Pennewiss. In 2 Schülerheften u. 1 Lehrerheft. (9. u. 10. verm. Aufl.. H. 1 *Halle (Saale): H. Schroedel 1900.* 8° [Umschlagt. F.] {00 ...} 3

—— u. Pansegrau. Leitfaden f. den Rechtschreib- u. Sprach-Unterricht in preußischen Schulen. Einzelausg. d. Rechtschreibg. In 2 Schülerheften u. 1 Lehrerheft. 1. Heft: 1. u. 2. Stufe: Methodisch geordnete Wörtergruppen. 4. verm. Aufl. 8. (32 S.) Ebd. 892. * — 20

— u. **Pansegrau,** Leitfaden f. den Rechtschreib- u. Sprach-Unterricht in preußischen Schulen. Einzelausg der Rechtschreibg. In 2 Schülerheften u. 1 Lehrerheft 1 Hft: 1. u. 2. Stufe: Methodisch geordnete Wörtergruppe. 7., verm. Aufl. 8. (32 S.) Ebd. 894. n — 20; kart. n — 30

— geistliche Lieder f. die evangel. Schule u. den Kindergottesdienst. 113 der gebräuchlichsten Gesänge nach Text u Melodieen d sächs. Provinzial-Gesangbuchs. Mit D. Martin Luther's kleinem Katechismus. 8. (96 S.) Ebd. 889. n. — 40

Pennigsdorf, Martinus De quisque et quisquis pronominum apud comicos Latinos usu Halis Saxonum 1878: Karras. 29 S. 8°
Halle-Wittenberg Phil Diss. v 11 März 1878
Geb. Stapel (Altmark) 12. 4 1852. V

Penning, B., der Deserteur, s.: Um Freiheit u. Vaterland.

Penning, D, s. Wochenblatt, Landwirtschaftliches, für Schleswig-Holstein

Penning, G., und C. G. Bode, Sturm und Morgenröthe, s. Bode, C. G.

Penning, Gerhard Eberh Ducis als Nachahmer Shakespeares. 33 S. **Progr.** Dov R. *Bremen* 1884

Penning, G. E. A history of the reflective pronouns in the English language. Diss. Leipzig 1875. 64 S.

Penning, L., auf Burenkommando. Gespräch zum Gebrauch f. Jünglingsvereine f. 8 Personen. 12. (20 S.) Elberfeld (902). Buchh. des westdeutschen Jünglingsbundes. n. — 20

Unter der Fahne der Freistaaten. Eine Erzählung aus d. gegenwärtigen Burenkrieg von L. **Penning**. Uebertr von P G. Holtey-Weber *Hagen. O. Rippel 1902.* (248 S.) 8° [F.] {02. 2179

— unter der Fahne der Freistaaten. Eine Erzählg. aus dem gegenwärt. Burenkrieg. Einzige autoris. Uebertragg. v. G. Holtey-Weber. 2. Aufl. 8. (248 S.) Hagen 902. O. Rippel. Geb. in Leinw. n. 3. —

Unter der Fahne der Freistaaten. Eine Erzählung aus d. gegenwärtigen Burenkrieg von L. **Penning**. Einzige autor. Uebertr. von P. G[ustav] Holtey-Weber. 3. Aufl. Hagen: O. Rippel 1902. (248 S.) 8° [F.] {07. 13200

(R) **Penning,** L., unter d. Fahne d. Freistaaten. 902. (KBL 32.) Jetzt: Neukirchen, Buchh. d. Erziehungsvereins.

— der Held v. Spionkop. Erzählg. aus dem Boerenkriege. (Fortsetzung des „Löwen v. Moddersprnit".) Autoris. Uebersetzg. v. G. Piepersberg. gr. 8. (178 S.) Berlin (901). F. Zillessen. n. 1. 50

Penning, L., der Kolonist v. Südwestafrika. Erzählung aus dem Boerenkriege. Autoris. Uebersetzg. v. G. Piepersberg. (184 S.) 8. Berlin (904). F. Zillessen. n. 1. 50; geb. in Bibliotheksbd. n. 1. 80; in Geschenkbd. n. 2. 25

— der Kundschafter v. Christian de Wet. Erzählg. aus dem Boerenkrieg. Autoris. Uebersetzg. v. G. Piepersberg. gr. 8. (153 S.) Ebd. (902). n.n. 1. 80; geb. n.n. 2. 25

Der Löwe von Moddersprult. Erzählung aus d. Boerenkrieg von L. **Penning**. Autor. Uebers. von G. Piepersberg. *Berlin: F Zillessen [1900].* (160 S.) 8° [F.] {01. 10499

— der Sieger v Nooitgedacht. Erzählg. aus dem Boerenkrieg. Autoris. Uebersetzg. v. G. Piepersberg. (178 S.) 8. Ebd. (903). n. 1. 50; geb. in Bibliotheksbd. n. 1. 80; in Geschenkbd. n. 2. 25

Pennings, Heinrich, cand. phil.: Die Religionsunruhen in Aachen und die beiden Städtetage zu Speier und Heilbronn 1581 und 1582. Zur Vorgeschichte des Augsburger Reichstages 1582. Aachen 1905: H Kaatzer. (84 S.) 8° ¶(Aus: Zeitschrift des Aachener Geschichtsvereins Bd 27.)
Münster, Phil. Fak., Ref. Meister, Diss. v. 4. Okt. 1905
[Geb. 16. Febr. 79 Eilendorf, Rheinpr.; Wohnort: Münster i. W.; Staatsangeb.: Preußen; Vorbildung: Kaiser Karls-Gymn. Aachen Reife O. 01; Studium: Bonn 3, Munster 5 S.; Rig. 14. Juli 05.]

Pennington, J., d. äußere Jude, e. Spiegel f. die Christenthumsbekenner d. jetzigen Zeitalters; aus d. Engl. 8. Pyrm. 803. (Uslar). 8 gr

Pennington de Jongh, D(aniel). Die Tarifverträge im Baugewerbe der Schweiz. Diss. Phil. Basel. IV + 277 S. 8. Stuttgart, W. Kohlhammer, 1910.
(... erscheint in erweiterter Form in der Sammlung »Basler Volkswirtschaftliche Arbeiten« als Heft 2 unter dem Titel: »Die Tarifverträge der Schweiz« ...)

Pennrich, Alfred, in Breslau Die **Urkundenfälschungen** des Reichskanzlers Kaspar Schlick nebst Beiträgen zu seinem Leben. *Gotha 1901: F. A. Perthes.* (87 S.) 8°
Breslau, Phil. Diss. v 1 Juli 1901

Der Pennsburg Demokrat Apr 22 1857 1858
Democratic weekly Merged with Der Bauern-Freund Edited & published by Albrecht Kneule
Pennsburg, PA

Pennsylvania

Pensylvania — entworfen von D. F. Sotzmann. Hamburg bey Carl Ernst Bohn. 1797. 1 : 750,000. 1 Bl.

Pennsylvania Colony 1757
Der Inhalt von den verschiedenen Conferentzen, Welche einige Freunde zu Philadelphia mit etlichen Indianern gehalten um eine Vorbereitung zum Frieden zu machen nachdem der Krieg gegen die Indianer schon wirklich erklaret und publiciert war Samt der Bottschafft, welche der Governör auf General Janssens Order an die Indianer an der Susquehanna gesandt durch eben dieselbe Indianer und was die Bottschaffter daselbst ausgerichtet. Wie auch Der Inhalt von den Conferentzen Mit den Indianern zu Esten in den Monathen July und November 1756 Nebst dem Bericht welche die Glieder des Hausses dem Haus uberbracht haben Theils Gedruckt zu Philadelphia bey B Franklin und D. Haal und aus dem englischen ubersetzt und gedruckt zu Germanton bey Christoph Saur 1757 55 p 18 cm
Germantown, PA

Pennsylvania Dutchman vol. 1, no 1 3, Jan. –Mar 1873.
Monthly Prospectus also issued Quarto, each issue 32 pages.
Circulation 1873, 1250. Edited by Eduard H. Rauch, & published by Wylie & Grist.
Lancaster, PA

Mit der **Pennsylvania Eisenbahn** zur Columbian Welt-Ausstellung. Nebst beschreibenden Bemerkungen über d. Städte New York, Philadelphia, Washington, Chicago, sowie e. ausführl. Beschreibung des Ausstellungs-Platzes u. d. Gebäude. Mit Kt. u. Ill. Philadelphia: Pennsylvania Eisenbahn-Ges. 1892. 131 S. 8° {...

The Pennsylvania Fifth: vol. 1, no. 1 2, June 10 17, 1861?
Sub-title Published occasionally by the Fifth Regiment at Eight Dollars per annum, payable in advance Date line Camp M'Dowell, Alexandria.
Alexandria, VA

The Pennsylvania German: Mar 1840–?
Whig weekly, supported Harrison and Tyler, "und nur Einen Termin." Published in English and German, pages 1–2 in English, pages 3–4 in German, with title Der Pennsylvanische Deutsche Edited & published by Franz Joseph Grund. See also Grund's Pennsylvanischer Deutscher.
Philadelphia, PA

Pennsylvania Railroad and its Connections.
Pennsylvania Eisenbahn. Die Muster Bahn Amerika's. New York o. J. Farbendruck. 1 Bl. Quer-Fol. 42/100 cm. Zusammengefaltet in Buchdeckel 8°. Mit deutscher Beschreibung.

Pennsylvania Republican: Jan. 27, 1808–1809
Weekly. Edited & published by Richard White & Frederick Goeb, 1808–09.
Chambersburg, PA

Pennsylvania Tribüne: 1888?–1899?
Democratic weekly. Circulation: 1890, 850; 1897, *1750*. Edited & published by Tewell & Lenze, 1888–89; by Carl Tewell, 1890–96; by Mrs. M. R. Tewell, 1897–99.
Williamsport, PA

Pennsylvanien [Schlagwort]

Pennsylvanien. Habenicht, H., Karte des Ueberschwemmungsgebiets in Pennsylvanien. 1 : 3,700,000. Lith. u. color. 4. Gotha 889. J. Perthes. — 20

Der Pennsylvanier: Jan. 1831–Nov. 1880.
Weekly. Independent, 1831; later, Republican, even though title unchanged until 1865. Subtitle: 1) Vereinigung des LIBANON DEMOKRAT und der BERKS COUNTY ZEITUNG, May 1865–?; 2) Eine Zeitung für Tagesneuigkeiten und Beförderung von Gerechtigkeit, ?–1880. Title varies: 1) LIBANON CAUNTY DEMOKRAT, Jan. 1831–1833?; 2) LIBANON DEMOKRAT, 1833–44; 3) LEBANON DEMOKRAT, 1845?–Apr. 1865; 4) DER PENNSYLVANIER, Apr. 1865–1880. Circulation: 1870, 2700 (est.); 1880, 2500 (est.). Edited & published by Joseph Miller, Jan. 1831–1838?; by Joseph Miller & J. Becker, 1838?–1843?; by John P. Sanderson, 1844–49?; by John C. Seltzer, 1849?–1851?; by John Young & Co. [with John L. Becker, 1851–52; with J. Henry Miller & John C. Seltzer; and with John Seltzer], 1851–80.
Lebanon, PA

Der Pennsylvanisch-Deutsche: 1839–? **Philadelphia, PA**
Red. Franz Joseph Grund.

Penny, Frederick (Glasgow)
On the action of nitric acid on the chlorates, iodates, and bromates of Potassa and Soda.
[In: Liebigs Annalen Bd 37. 1841. S. 203-206.]
Dr. phil. Giessen 17.7.1842.

Penny, G., Deutschlands schöne Literatur d. Gegenwart u. Zukunft. Eine Rede an d. gesammte deutsche Lese-Publikum. gr. 8. (1½ B.) Reutlingen 836, [Mäcken Sohn.]

— Wegweiser durch Göttingen, s. Taschenbibliothek für Reisende. 76 Bdchen.

Pennyles, od. die Kunst immer fröhlich zu seyn. Ein Taschenb. f. 1802. Mit Kpf. 16. Hamb. 802. Gundermann. 6 gl.

* **Pennyles, P.**, empfindsame Gedanken bei verschiedenen Vorfällen. Neue Aufl. aus d. Engl. v. C. F. Weiße. 8. Leipz. Weidmann. 774.

Penon, David Georgius (geb. am 24 Apr. 1830 in Westerlee Holl.): Versiones Homeri Anglicae inter se comparatae ... Bonnae, form. H. B. Koenig 1861. 2 Bl., 60 S. 8. ¶ Erschien zugleich selbständig bei Marcus in Bonn.
Bonn, Phil. Fak., Diss. v. 30 Jan. 1861

Penon, Dav. Geo., versiones Homeri anglicae inter se comparatae. Bonn 861. Marcus. gr. 8. (60 S.) n. 12 ngr.

Penot, A.,
— Die Privat-Anstalten zur Hebung des Wohles der arbeitenden Klassen in den Fabriken des Oberrheins. Bericht an das Departemental-Comité für die allgemeine Industrie-Ausstellung von 1867. gr. 8°. Augsburg, Kranzfelder, 1870. (IV, 95 S.)

Penot, Ach., Entretiens sur la Chimie et la Mécanique, s. **Maître Pierre.**

— Traité élémentaire des Poids et Mesures métriques. gr. in-8. Strasbourg 833. Levrault. 1/6 ₰

Penot, Unterhaltungen üb. d. Chemie, } s. **Meister Bernhard.**
— Unterhaltungen ü. d. Mechanik, }

Penot, Jan von, a. Piekarach (Russ. Polen): Vergleichender Fütterungsversuch mit proteinreicheren und proteinärmeren Rationen. (Ausgeführt beim Schal.) Halle a. S. 1904: C. A. Kaemmerer & Co. (45 S.) 8°
Halle, Phil. Fak., Ref. Kuhn, Diss. v. 29. Sept. 1904
[Geb. 14 Juni 82 Piekarach, Polen, Wohnort: Krakau; Staatsangeh.: Rußland; Vorbildung: Oberrealschule Krakau Reife M. 00, Studium: Krakau 2, Jena 1, Halle 4 S.; Rig. 1 Juli 04.]

Penquitt, E., De Didonis Vergilianae exitu. Diss. 1910. 71 S.

Penrose, Bernard: Beschreibung der Falklands-Inseln. Nebst der Geschichte der Verlassung des Forts Port Egmont. [Nach Bernard Penrose: Account of the last expedition to Port Egmont. London 1775.]
in Beiträge zur Völker- und Länderkunde. Th. 1. S. 145–210. Leipzig 1781. 8°.

Penrose, Charles W. Strahlen des lebendigen Lichtes der Lehre Christi. (12 Nos. — [Flugschrift] der Kirche Jesu Christi, der Heiligen der letzten Tage.) IV + *12 mal* 4 S. 8. Zürich, A. Tschopp. [1905].

Pensalvin, Fürst der Finsterniss, und seine Geliebte; ein Roman ... Germanien [Gera] 1794. V: *Albrecht, Johann Friedrich Ernst.* (KY) (MGT)

Pensalvin, Fürst der Finsterniß u. seine Geliebte; e. Roman, (v. Jh. Fr. Er. Albrecht). Mit Kpf. 8. Germanien (Gera) 794.

Pensamientos por C. V. B. Primora Sorie. 16. (III, 72 Bl.) Hamburg 890. (C. Boysen.) geb. n. 6. —

Pensau [Schlagwort]

Pensau, s.: Preussen. Messtischblätter.

Pensch, Rud., Entwurf v. Formularien zur Veranlagg. d. allgem. Erwerbsteuer f. d. Gebrauch d. Finanzlandesbehörden u. der Steuerbehörden I. Instanz. Im Auftr. d. Finanzministeriums verf. gr. 8. (IV, 52 S.) Wien 896. (Hof- u. Staatsdruckerei.) n. — 30

Pensch, Rud., die allgemeine Erwerbsteuer, s.: Personalsteuern, die directen.

— alphabet. General-Sachregister zum Gesetze v. 25. X. 1896, R.G.Bl. Nr. 220, betr. d. directen Personalsteuern, zu d. Vollzugsvorschriften u. Nachtragsverordnungen. [Aus: „P., d. Gesetz, betr. d. directen Personalsteuern".] 8. (80 S.) Wien 898. M. Perles. n. 1. —; geb. n. 1. 80

— d. Gesetz v. 25. X. 1896 betr. d. directen Personalsteuern sammt den noch weiterhin gelt. einschläg. Gesetzen u. Verordngn. M. Benützg. d. Gesetzesmaterialien erläutert u. m. e. Inhaltsverzeichnisse sowie e. alphabet. Sachregister vers. 8. (III, IV, 264 S.) Ebd. 897. n. 2. 60; geb. in Leinw. n. 3. 40

— dasselbe, R.G.Bl. Nr. 220, sammt der Vollzugsvorschrift u. d. noch weiterhin gelt. einschläg. Gesetzen u. Verordnungen. M. Benützung d. Gesetzesmaterialien erläut. u. m. e. Inhaltsverzeichnisse, sow. e. alphabet. Sachregister versehen. 2 Thle. 2., verm., durch die Vollzugsvorschrift ergänzte Aufl. 8. Ebd. 897. n. 6. —; geb. n. 7. 60; in 1 Bd. n. 5. 60; geb. n. 6. 80
1. Eingangsbestimmgn. u. I. Hauptstück, betr. d. allgemeine Erwerbsteuer. (IV, VIII, 387 S.) n. 4. —; geb. n. 4. 80

2. II.—VI. Hauptstück. (VI, 170 S. m. 1 Formular.) n. 2.—; geb. n. 2.80

Pensch, Rud., R. G. Bl. Nr. 220 betr. d. directen Personalsteuern sammt d. Vollzugsvorschrift, d. Nachtragsverordngn. u. d. noch weiterhin gelt. einschläg. Gesetzen u. Verordngn. II. Thl. II.—VI. Hauptstück nebst Anh., enth. d. Nachtragsverordngn. M. Benützg. d. Gesetzesmaterialien erläut. u. m. e. Inhaltsverzeichnisse, sow. e. alphabet. General-Sachregister vers. 3., verm., durch d. Vollzugsvorschrift ergänzte Ausg. 8. (V, 872 S.) Wien 898. M. Perles. n. 10.—; geb. n. 11.60 (kplt.: n. 14.—; geb. 16.40; zusammen bezogen n. 13.—; geb. n. 14.40)

— unsere Werthpapiere u. d. neue Rentensteuer. Für Werthpapierbesitzer z. bequemen Nachschlagen u. zur raschen Orientirg. auf Grundlage d. im k. k. Finanzministerium zusammengest. Verzeichnisses hrsg. 4. Taus. 8. (32 S.) Wien 897. A. Hölder. n. —40

— Werthpapier-Kataster. Abdr. d. im k. k. Finanzministerium zusammengest. Uebersicht über die Behandung d. Zinsen d. wichtigsten inländ. Werthpapiere (m. Ausnahme d. Actien, Cassenscheine etc. u. d. auf Namen laut. Titres) in Bezug auf d. Rentensteuer nach d. Gesetze v. 25. X. 1896, R. G. Bl. Nr. 220 betr. d. directen Personalsteuern. Nach d. Stande v. 1. I. 1897 unt. Berücksicht. d. wichtigsten nachträgl. Veränderg. 4. Taus. [Aus: „P., d. Gesetz etc. betr. d. directen Personalsteuern".] 8. (53 S.) Wien 898. M. Perles. n. —60

Penschel, C. A., Abhandlung von der Physiognomie, Metoscopie und Chiromantie. Leipz. 768. 8.

Penschke, Fritz Jul., der Bauernsohn. Roman. (188 S.) 8. Prenzlau (909). A. Mieck. 2.—; kart. 2.50; geb. in Leinw. 3.—

Penschke, Fritz Jul., Jesus Christus Rettung u. Ruhe. Schriftgemäße Predigten üb. die neuen (Eisenacher) Evangelien. (Trinitatiszeit.) (IV, 362 S.) gr. 8. Groß-Lichterfelde-Berlin 904. E. Runge. n. 4.—

— dasselbe. (Advent bis Pfingsten.) (VI, 418 S.) gr. 8. Ebd. 905. n. 5.—

Treue bis zum Tod oder Paul Gerhardt in Berlin. Hist. Schauspiel aus d. Zeit d. G. Kurfürsten Friedr. Wilhelm v. Brandenb. Von Fritz [Jul.] Penschke. *Gr. Lichterfelde-Berlin: E. Runge 1899.* (75 S.) 8° [ȝ.]

Penschke, Fritz Jul., wie Mörder sterben. An der Hand wahrer Thatsachen nach dem Leben geschildert. In Verbindung m. anderen. 8. (VI, 163 S.) Gr.-Lichterfelde-Berlin (900). E. Runge. n. 2.—

Penschke, Fritz Jul., Zuchthausbilder u. Anderes. Nach dem Leben gezeichnet in Verbindg. m. anderen. Neue [Titel-]Ausg. d. „Wie Mörder sterben". (VI, 163 S.) 8. Groß-Lichterfelde-Berlin [900] (904). E. Runge. n. 1.—

Penschke Georg, aus Wittstock: Über Sensibilitätsstörungen der Cornea nach Trauma. *Rostock 1904: C. Hinstorff.* (40 S.) 8°
Rostock, Med. Diss. v. [20. Apr.] 1904

Penschuck, *Gotthilf* Max [aus Tilsit]: Ueber die Oxydation der Tiglinsäure u. Angelicasäure mit Kaliumpermanganat ... Strassburg i. E., Buchdr. C. Goeller, 1893; 21 S. 8.
Strassburg, Math.-naturw. Fak., Inaug.-Diss. v. 1893

Pensées

— ou sentiment sur quelques pseaumes choisies pour servir de préparation et d'action de Grace quand on approche à la sainte Table. 8. Wien 765. Trattner. 3 gr

Pensées, anecdotes et bons mots de Mad. de Sevigne, avec des notes de Levisac. 12. Braunschw. 810. Pluchart. 8 gr

Pensées sur l'avenir des Polonais. gr. in-8. (3½ B.) Berlin 841, Asher et Comp.

— cent, d'une jeune Anglaise, publ. en français et en allem avec Carte et fig. 16. Bresl. 806. Nouv. Ed. W. G. Korn. 12 gr (les mêmes aussi en franç. et en polonais).

Pensées choisies sur l'amitié chrétienne. Recueillies par H. G. 16. (80 S.) Mülhausen i. E. 888, Gangloff. — 40

Pensées chrétiennes pour chaque jour du mois recueillies par un R. P. de la Compagnie de Jésus, traduites de l'allemand en français par le R. P. Simon Stock, Carme déchaussé, aumônier des 100 Suisses de Sa Majesté Impériale. Vienne 1756. V: *Bonhours, Dominique.* (SO)

— chrétiennes pour tous les jours. 8maj. Wien 775. Trattner. 4 gr

— diverses, ou reflex. dans le gout de Mr. de la Bruyère etc. 8. Dresd. 791. Walther. 6 gr

Pensées sur le droit d'appel illimité accordé au Duc de Meclenbourg. S. l. 1780. V: *Batz, August Friedrich.* (MGT)

— quelques, sur l'education des femmes. (Par A. M. de Molin, née Huber). Avec Supplem. 8. Lausanne 830. (Zürich, Orell). 6 gr

— sur la Liberté, tirées d'un ouvr. mscr. p. Premontval. 8. Berl. Voss. 754.

— Maximes et Anecdotes de Chamfort. 8. Dresd. 803. Walther. 20 gr

Pensées, maximes, reflexions, extraites de l'histoire de la révolution française de Thiers. Disposées par ordre alphabétique. 16. (6 B.) Amsterdam 843. (Leipzig, Hartknoch.) *

Pensées, Mes. 7. éd. Berlin 1753. V: *La Beaumelle, Laurent Angliviel de.* (Cat. d. Stadtbibl. Zürich. Zürich 1864—97.)

— mes, av. le Supplém. 12. Lpz. 753.

— sur les Méthodes divers. du Sermon dont on propose la plus naturelle etc. 8. Halle. 755.

— morales de divers auteurs chinois, av. celles de Confucius, récueillies et trad. du latin et du russe p. Levesque. 8. Dresd. 786. Walther. 12 gr

— morales de Cicéron. 8. Dresd. Walther. 786.

— morales d'Isocrate, de Phocylide, de Theognis, des Sages de la Grèce, de Pythagore, Demophile, Democrate, Ménandre etc. 8. Dresd. 786. Walther. 12 gr

Pensées sur l'origine et les différens emplois des sciences ... Berlin 1757. V: *Sulzer, Johann Georg.* (Ky) (ML)

— philosophiques. 8. Frft. Esslinger. 760.

— philosoph., polit. et mor. sur le monde et bonheur. 4. Wien 771. Trattner. 12 gr

Pensées philosophiques sur la Religion. Berlin 1785. V: *Garve, Christian.* Ü: *Reclam, Peter Christian Frdr.* (Ky) (ML)

— philosophiques sur la réligion. 8. Berl. 785. Rottmann. 8 gr

Pensées Politiques, d'un homme qui n'est d'aucune faction. gr. 8. London. (Leipzig, Hartmann,) 818.

— politiques, d'un homme qui n'est d'aucune faction. gr. 8. Lond. (Leipz.) 818. (Lehnhold). 6 gr

— d'Alex. Pope, av. un abrégé de sa vie; extraits de l'Edition angloise de Mr. Warbourton. 8. Dresd. 791. Walther. 10 gr

Pensées raisonnables opposées aux Pensées philosophiques ... Berlin 1749. V: *Formey, Johann Heinrich Samuel.* (AarK) (BrMm) (Cat. d. Stadtbibl. Zürich. Zürich 1864—97.)

Pensées sur la réligion dirigée à la réunion des Chrétiens. S. l. 1749. V: *Loen, Johann Michael von.* (ML)

Pensées sur la réunion des églises Protestantes. Heidelberg 1723. V: *Brucker, Philipp Adam.* (ML) (Myl) (BrMm) (Rotermund, Gel. Hannover. Bremen 1823.)

— de Sénèque, recueil. p. de la Beaumelle. 8. Gotha 755. (Dieterich in Götting.) 16 gr

— sur ce qu'une grande puissance, unie à une grande modération, peut effectuer pour le bonheur de l'humanité. gr. 8. Braunschw. 814. Pinchart. 12 gr

Penseler, C., s.a. Penseler, Karl

Penseler, C., Fibel, s.: Steger u. Wohlrabe.

Penseler, C., das Weib. Anthropologisches Gedicht. Mit 1 Kpf. 8. Nordhausen 819. Happach (Leipz., Lauffer). 9 gr

Penseler, Gustav [aus Lüneburg]: Eine lineare Differentialgleichung fünfter Ordnung mit zwei endlichen singulären Stellen. . . . Kiel, Druck v. Carl Böckel, 1890; 23 + 1 S. + 1 Bl. 4°
Kiel, Phil. Fak., Inaug.-Diss. v. 24. Mai 1890

Penseler, G., eine lineare Differentialgleichung 5. Ordnung mit 2 endlichen singulären Stellen. Inaug.-Diss. gr. 4. (23 S.) Kiel 890. (Lipsius & Tischer.) n. 1. 20

Penseler, Karl

Penseler, C., Handbuch f. angehende Juristen, so wie z. Gebr. bei d. Vorbereitung auf das Auscultatur- u. Referentariats-Examen. gr. 8. Halle 829. (Reichardt in Eisleben). 1 ₰ 4 gr
2r unveränd. Abdr. gr. 8. Merseb. 832. Weidmann. 1 ₰ 8 gr

Penseler, C., Handbuch für angehende prakt. Juristen, sowie zum Gebrauch bei der Vorbereitung auf das Auscultator- und Referendariats-Examen. 2e Aufl. gr. 8. Merseburg 832. jetzt Gebr. Bornträger in Königsberg. 1⅓ ₰

Pensenverteiler (nach Wochen) f. Volksschulen. Fol. (8 Doppels.) Osterode a. H. 892, (Sorge). ** — 35

Pensenverteiler (nach Wochen) f. Volksschulen. 2. Aufl. Fol. (16 S.) Osterode 893. A. Sorge. u.u. — 35

Pensen-Verteilung f. d. .... Klasse d. .... klassigen .... zu .... Für d. ..... halbjahr 18 .. aufgestellt v. Lehrer d. .... 18 ... Fol. (16 S.) Hamm (894). E. Griebsch. n. — 30

— u. **Lehrbericht** f. Volksschulen, f. 1 Schuljahr ausreichend. Fol. (44 S.) Ebend. 886. n. 1. —

Pensen-Verteilung f. den Religions-Unterricht in der Mittel- u. Oberstufe v. einklassigen- u. Halbtagsschulen. (28 S.) 4. Lingen 905. R. van Acken. n. 1. —

— f. die Volksschule. Unterklasse. (Zusammengestellt v. P. Widdem u. N. Lackas im Anschluß an die v. denselben verf. Anleitg. zur Aufstellg. der Pensenverteilg.) (16 S.) Fol. Trier 904. F. Lintz. n. — 60

— dasselbe. Ober- u. Mittelstufe. (24 S.) Fol. Ebd. 904. n. — 60

Pensenverteilung für Volksschulen, für 1 Schuljahr ausreichend. Fol. (44 S.) Osnabrück 886, Billmeyer. *

Pensenverteilung f. Volksschulen, f. 1 Schuljahr ausreichend. Fol. (44 S.) Osnabrück 886. Veith. n. 1. —

— f. Volksschulen. (56 S.) Fol. Ebd. 903. n. 1. —

Pensenvertheilungen u. **Lektionspläne** für die Volksschule. 6 Hfte. 2., neu durchgearb. Aufl. 8. Dortmund 878. W. Crüwell. à n. — 60
1. Für einklassige Schulen. (48 S.) — 2. Für Halbtagsschulen. (46 S.) — 3. Für zweiklassige Schulen. (49 S.) — 4. Für dreiklassige Schulen mit 2 Lehrern. (49 S.) — 5. Für dreiklassige Schulen. (40 S.)

Pensenvertheilungen und Lektionspläne für die Volksschule. 6 Hefte. 8. (à Heft 60 S.) Dortmund 880—84, W. Crüwell. à Heft * 80 Pf. *
Inhalt:
Heft 1. Für einklassige Schulen. 3. und 4. Aufl.
" 2. Für Halbtagsschulen. 3. Aufl.
" 3. Für zweiklassige Schulen. 3. Aufl.
" 4. Für dreiklassige Schulen mit zwei Lehrern. 3. Aufl.
" 5. Für dreiklassige Schulen. 3. Aufl.
" 6. Für vierklassige Schulen. 1.—3. Aufl.

Pensenverteilungen u. **Lektionspläne** f. katholische Volksschulen. I., III.—V. Hft. 4., neu durchgearb. Aufl. gr. 8. Dortmund, W. Crüwell. à n. — 80
I. Für einklassige Schulen. (59 S.) 884. -- III. Für zweiklassige Schulen. (62 S.) 887. — IV. Für dreiklassige Schulen m. 2 Lehrern. (61 S.) 886. — V. Für dreiklassige Schulen. (62 S.) 886.
Das II. Hft., s.: Lehr- u. Lektionsplan m. Pensenverteilung f. Halbtagsschulen m. 1 od. m. 2 Lehrkräften. -- Das VI. Hft. ist vergriffen.

Pensenverteilungsplan, allgemeiner, f. die Volksschulen der Kreisinspektionsbezirke IX u. XV d. Reg.-Bez. Düsseldorf. Red. u. hrsg. durch e. Commission v. Lehrern der beiden Bezirke. Hierzu als Beilage e. Schnittmusterheft f. den Handarbeitsunterricht (8 Steintaf. m. 1 S. Text in 4.). 8. (40 S.) Essen 883. (Bädeker.) n. — 80; ohne Beilage n. — 50

Penseroso, Alban u. Nanny. 2 Thle. 8. (40½ B.) Leipzig 829, Wienbrack.

† **Penseroso**, (...) die beiden Alberts od. d. Homöopath. Novelle. 3 Bde. 8. (44½ B.) Leipzig 837, Wienbrack. Thlr.

† **Penseroso**, Manuelitta Dolores. Novelle. 3 Bde. 8. (628 S.) Leipzig 847, Wienbrack.

† **Penseroso**, die Engländer auf dem Rhein. Novelle. 3 Bde. 8. (38 B.) Leipzig 846, Wienbrack.

—— die Gebirgsreise. Novelle. 3 Bde. 8. (46¼ B.) Leipzig 836, Wienbrack.

—— die Gespielen der Prinzessin. Novelle. 2 Bde. 8. (35¾ B.) Leipzig 842, Wienbrack.

—— Gustav u. Waldemar. Novelle. 3 Bde. 8. (47½ B.) Leipzig 844, Wienbrack.

—— die Hofdame u. der Feind. Ein Roman. 3 Thle. 8. (48¼ B.) Leipzig 831, Wienbrack.

—— Klothar. Novelle. 3 Bde. 8. (693 S.) Leipzig 848, Wienbrack.

Penseroso, der Königssohn oder die letzten Tage August's von Polen. Roman. 4 Thle. Leipzig 866. Zieger. 8. (819 S.) 4 Thlr.

—— Nathaliens Liebe. Novelle. 8. (14 B.) Leipzig 840, Wienbrack.

—— Gräfin Elisabeth Löwenskiold. Novelle. 4 Bde. 8. (56 B.) Leipzig 839, Wienbrack.

—— das schöne Mädchen am Gmundner See. Novelle. 3 Bde. 8. (40⅝ B.) Leipzig 843, Wienbrack.

—— Neffe u. Oheim. Novelle. 4 Bde. 8. (63½ B.) Leipzig 835, Wienbrack.

—— Prinz Reinhold u. sein Führer. Novelle. 3 Bde. 8. (45½ B.) Leipzig 840, Wienbrack.

—— sämmtliche Romane und Novellen. (5—7. Bd. A. u. d. T.:) Die Hofdame und der Feind. Ein Roman. 2. Aufl. 3 Thle. 8. (709 S.) Leipzig 850, Wienbrack.

—— dass. — (51—53. Bd. A. u. d. T.:) Aristokrat und Demokrat. Novelle. 3 Bde. 8. (583 S.) Ebds. 850.

Penseroso, sämmtliche Romane und Novellen. Leipzig 853—58. Wengler. 8.
54—56. Bd.: Anastasia Scheliha. Novelle. 3 Theile. 853. (220; 203; 218 S.) 3 Thlr. 15 ngr.
58—60. Bd.: Victor Telsö-Szilvas. Novelle. 3 Thle. 856. (167; 163; 158 S.) 3 Thlr. 15 ngr.
61—63. Bd.: Herzog Heinrich und sein Weinberg. Historischer Roman. 3 Thle. 858. (607 S.) 3 Thlr. 15 ngr.

Penseroso, sämmtliche Romane und Novellen. 61—63. Bd.: Herzog Heinrich und sein Weinberg. Historischer Roman. 3 Thle. 8. (607 S.) Leipzig 858. [Philadelphia, E. Schäfer.]

Penseroso, Anastasia Scheliha. Novelle. 3 Thle. (Sämmtliche Romane und Novellen. 54—56. Bd.) 8. (641 S.) Leipzig 853, Wengler.

Penseroso's sämmtliche Schriften. 1—6. Bd. Philadelphia 864. Schäfer. 8. Jeder Bd. n. 10 ngr.
1. 2. Bd.: Die Gespielen der Prinzessin. Novelle. 2. Aufl. (418 S.)
3. 4. Bd.: Die Schwestern im Königssaal. Ein historischer Roman. 2 Thle. 2. Aufl. (353 S.)
5. 6. Bd.: Neffe und Oheim. 1. u. 2. Thl. 2. Aufl. (368 S.)

—— die Schwestern im Königssaal. Ein histor. Roman. 2 Thle. 8. (28 B.) Leipzig 828, Wienbrack.

Penseroso, Victor Telsö-Szilvas. Novelle. 3 Thle. (Sämmtliche Romane und Novellen. 58—60. Bd.) 8. (488 S.) Leipzig 856, Wengler. Thlr.

—— die Brüder Törnebladh. Novelle. 3 Bde. 8. (43½ B.) Leipzig 838, Wienbrack.

—— Treue u. Untreue. Novelle. 2 Bde. 8. (30 B.) Leipzig 845, Wienbrack.

—— die Verwandten in Copenhagen. Novelle. 3 Bde. 8. (46¾ B.) Leipzig 841, Wienbrack.

Pensdorn, F., Leitfaden f. den Konfirmandenunterricht. (76 S.) 8. Hannover 907. Hahn. Geb. — 70

Pensier, Armand, die Ideale des Materialismus. Lyrische Philosophie. 8. (140 S.) Köln 878. Lengfeld. n. 3. —

Pensionär, der. Zeitschrift des Verbandes pensionierter deutscher Reichs- u. Staatsbeamten, eingetragener Verein. Red.: Adf. Frantz. 2. u. 3. Jahrg. 1909 u. 1910. à 12 Nrn. (94 u. 98 S.) Lex. 8. Hannover, A. Sponholtz Verl. à Jahrg. 2. --

Pensionat, das. Allgemeiner Anzeiger f. Fremden-Pensionen, Pensionate, Privat-Hôtels, Casinos, Cantinen u. Privat-Speisehäuser unter besond. Berücksicht. der Nahrungsmittelbranche. Wertvolle, erprobte Orig.-Koch-Rezepte. Empfehlenswerte Neuheiten f. Haus u. Küche. 7.—9. Jahrg. 1904—1906. à 26 Nrn. (à ca. 8 S.) 4. Leipzig. F. A. Körner. à Jhrg. 1. 60

Pensionat, das. Allgemeiner Anzeiger f. Fremden-Pensionen, Pensionate usw. Wertvolle, erprobte Orig.-Koch-Rezepte. Empfehlenswerte Neuheiten f. Haus u. Küche. Schriftleitung: Fr. Körner. 10.—12. Jahrg. 1907—1909. à 26 Nrn. (à ca. 8 S.) 31×22,5 cm. Leipzig, F. A. Körner. à Jahrg. 1. 60
Fortsetzg., s.: Fachblatt f. Frauenberufe.

Pensionats-Kalender. Ein Unterhaltungsbuch f. junge Mädchen, zugleich Hand- u. Nachschlagebuch üb. Mädchenpensionate, Haushaltungsschulen u. Fremdenpensionen. Auf das Studienj. April 1907 bis April 1908. Im Auftrage v. „Welt u. Haus" hrsg. v. Frau M. Fischer. (359 S. m. Abb.) 8. Leipzig, Verlag der Wochenschrift „Welt u. Haus". Geb. 2. —

[F.] Die **Pensionen** und Provisionen der k. k. österr. Civilstaatsbediensteten und Staatsarbeiter sowie die Versorggsgenüsse ihrer Hinterbliebenen. Nebst d. einschläg. administrativen Vorschriften nach amtl. Quellen zsgest. v. Dr. Benno F[rh] v. Possanner. *Wien: Manz 1898.* (XLIV, 966 S.) 1 Bd 8. [98 1220]

Pension-Erlebnisse, s. Pensions - Erlebnisse

Pensionierung

Pensionirung der **Kommunalbeamten** (in **Preußen**) sowol 1.) nach Vorschrift der Städteordnung vom 19. Novbr. 1808 als auch 2.) der revid. Städteordnung vom 17. März 1831. Mit Allegirung der dies. erläut. allerh. Cabinetsordres rc. Zusammengestellt resp. erläut. durch Friedr. Bechstein. gr. 8. (20 S.) Eilenburg 847, (Offenhauer.) *

Pensionirungs-Vorschrift f. die Beamten des preußischen Heeres. Beilage zu Nr. 36 des Armee-Verordnungs-Blattes f. 1899. 8. (20 S.) Berlin 899. (E. S. Mittler & Sohn.) — 30

— für das bayerische Heer. (P. B.) gr. 8. (VII, 69 S.) München 900. (Literarisch-artist. Anstalt.) Kart. n. — 80; ausgefüllte Muster d. Anlage 1—4. (120 S.) Kart. n. 1.20

— f. das preußische Heer. (P. B.) gr. 8. (VII, 86 S.) Berlin 900. E. S. Mittler & Sohn. n. — 70; kart. n. — 90

Pensionierungs-Vorschrift f. das preußische Heer (P. B.). (Entwurf.) (D. V. E. Nr. 11a.) (IX, 134 S.) gr. 8. Berlin 906. E. S. Mittler & Sohn. n. 1. —; kart. n. 1.20

Pensionierungs-Vorschrift f. die kaiserl. Marine. (P.B.K.M.) (Entwurf D. E. Nr. 412.) (IX, 163 S.) gr. 8. Berlin 908. (E. S. Mittler & Sohn.) 2.—; kart. 2.40

Pensionierungs-Vorschrift mit ausgefüllten Mustern. München 1900.

Pensionierungs-Vorschrift f. d. Offiz. u. Kriegsbeamten d. bad. Heeres v. 31. Dez. 1831 nebst Vollzugs- u. Zusatzbest. Karlsruhe 1832. 23 S.

Pensions-Ansprüche, die gesetzlichen, der Reichsbeamten der Civilverwaltung und ihrer Familien-Angehörigen. gr. 8. (48 S.) Elberfeld 890. Baedeker. n. — 50

Pensions-Ansprüche, die gesetzlichen, der preußischen Staatsbeamten und ihrer Familien-Angehörigen. gr. 8. (47 S.) Elberfeld 887, Baedeker'sche Buchh. *

Pensions-Ansprüche, die gesetzlichen, der preußischen Staatsbeamten u. ihrer Familien-Angehörigen. 6. Aufl. gr. 8. (48 S.) Elberfeld 894. Baedeker. n. — 50

Pensions-Ansprüche, die gesetzlichen, der preussischen Staatsbeamten u. ihrer Familien-Angehörigen. 7. neubearb. Ausg. (51 S.) gr. 8. Elberfeld, Baedeker. 1902. —. 50.

Pensions-Ansprüche, die gesetzlichen, der preußischen Staatsbeamten u. ihrer Familien-Angehörigen. 8. neubearb. Ausg. gr. 8. (52 S.) Elberfeld 902. Baedeker. n. — 50

Pensionsansprueche, Die gesetzlichen, der Preussischen Staatsbeamten und ihrer Familien-angehörigen. 9, neubearb. Ausg., hrsg. von J. *Peters.* Elberfeld 1904. 8°. *[1. Aufl. 1887.]*

Pensionsanstalten, üb. die sogen., u. Nebenschulen in Berlin (v. W. A. Teller). 8. Berl. 784. Unger. 3 gr.

Pensionsbüchlein für die evangelischen Geistlichen Württembergs. Mit Pensionsberechnungstabellen. gr. 16. (XIV, 82 S.) Stuttgart 878. Bonz & Co. n. — 80

Pensions-Casse, s. Pensions - Kasse

PENSION (!)-Erlebnisse eines jungen Mädchens. („Flagellation".) (Mit priapischen Orgien angefüllte tolle Schmiererei.) Brüssel, o. J. (c. 1896). Kl. 8°, (Mk. 7—.) (5 Mk., eine böhmische Firma, 1901.)
87 S. (incl. Tit.). Lat. Lett. — Confiscirt 1905.
— — Dasselbe. Babylon 1903. 8°. (6 Mk. F. Waldau, 1909.)

PENSIONS-Fräulein, Die, zu Brigton (sic!). (Auch titulo: Pikantissima. Bdchn. 4.) Cincinnati 1874. Kl. 8°. (3 Mk. Scheible, vor 1885.) Ziemlich zahm.

Pensionsgesetz, das, vom 27. März 1872 in der durch das Gesetz vom 31. März 1882 abgeänderten Fassung. Gesetz, betr. die Abänderung des Pensionsgesetzes, vom 31. März 1882, u. Gesetz, betr. die Fürsorge für die Wittwen u. Waisen der unmittelbaren Staatsbeamten vom 20. Mai 1882. 8. (19 S.) Berlin 882. v. Decker. — 25

— dasselbe. gr. 8. (16 S.) Landsberg a/W. 882. Volger & Klein. — 25

Pensionsgesetz, das, vom 27. März 1872 in der durch die Gesetze vom 31. März 1882 u. 30. Apr. 1884 abgeänderten Fassung. Gesetze, betr. die Abänderg. d. Pensionsgesetzes vom 31. März 1882 u. 30. Apr. 1884 u. Gesetz, betr. die Fürsorge f. die Wittwen u. Waisen der unmittelbaren Staatsbeamten, vom 20. Mai 1882. 2. Aufl. Mit Sachregister. gr. 16. (29 S.) Berlin 886. v. Decker. — 30

Pensionsgesetz v. 27. März 1872 (betr. d. Pensionirg. d. unmittelbaren Staatsbeamten, sowie der Lehrer u. Beamten an d. höh. Unterrichtsanst. m. Ausschluß d. Universitäten) in d. durch d. Novellen v. 31. März 1882, v. 30. Apr. 1884, v. 20. März 1890 u. v. 25. Apr. 1896 geänd. Fassung. gr. 8. (17 S.) Berlin 896. Besser. n. — 40

[Umschlagt.:] [F.] **Pensions-Gesetz** v. 27. März 1872 in der durch d. Novellen v. 31. März 1882, v. 30. Apr. 1884, v. 20. März 1890 u. v. 25. Apr. 1896 geänderten Fassg. *Berlin: W. Hertz 1896.* (17 S.) 1 Bd 8. [96. 633]

— f. Staatsbeamte u. Diener, deren Witwen u. Waisen, s. a. Gesetze u. Verordnungen, österr.

[F.] **Pensionsgesetz** für Staatsbeamte und Diener, deren Witwen und Waisen nebst Durchführgsverordng. *Wien: K. k. Hof- u. Staatsdr. 1896.* (16 S.) 1 Bd 8.
= **Handausgabe** d. österr. Gesetze u. Verordngn. H. 116. [97. 98]

Pensions-Kasse

(**Pensions-Casse** oder Pensions-Anstalt. Krankenbücher und Leibcasse der Carlshütte bei Rendsburg). [Rendsburg. 1845?] 8°.

Pensionskasse. Die Pensions- und Hülfskasse der Bundesbahnen ... s.a. ([Amber]g, [Ernst Julius]).

Pensions- und Hilfscasse, Die, der Bundesbahnen. [Zürich] 1906. V: *Amberg, Ernst Julius.* (Bibliogr. Bull. d. Schweiz 1907.)

Pensionskasse, die Kruppsche, vor Gericht. Der Prozeß gegen die Firma Krupp auf Rückzahlg. der Pensionskassenbeiträge ausgeschiedener Arbeiter, nebst den dazu erstatteten Gutachten, zusammengestellt u. hrsg. vom christl. Metallarbeiterverband Deutschlands. (104 S.) 8. Essen 908. (Cöln, Verlag des Generalsekretariates der christl. Gewerkschaften.) 1. —

Pensions-Reglement für Angestellte der wirtschaftlichen und industriellen Anstalten der Stadt Berlin. Berlin 1889. 8°.

Pensions-Reglement für die als Invaliden entlassenen Unteroffiziere und Soldaten. (Darmstadt 1822.) 8°.

Pensions-Reglement, das Preußische, f. Civilbeamte. Nebst allen dasselbe ergänzenden, gedruckten u. ungedruckten Rescripten, Verordnungen etc. Nach amtlichen Quellen für Justiz-, Regierungs-, Polizeibeamte etc. Hrsg. von R. Ullrich. 8. (VIII u. 40 S.) Berlin 852, Hempel. n. 1/4 Thlr

Pensions-Reglement für die Civilbeamten vom 30. April 1825 mit den späteren abändernden und ergänzenden Bestimmungen. Zusammengestellt unter Benutzung der Akten des königl. Justiz-Ministeriums. gr. 8. (52 S.) Berlin 857, Decker'sche geheime Ober-Hofbuchdruckerei. *

Pensions-Regulativ für die Officiere der k. sächsischen Armee. 4. Dresden 1835.

Pensionsstatut für die Gemeindebeamten der Stadt Stuttgart. Mit Ortsstatut betr. Unfallfürsorge. Stuttgart 1903.

Pensions-Statut für die Verwaltungsbeamten und stabilen Diener der Domainen Sr. Excellenz des Hochgebornen Herrn Franz Grafen von Thun-Hohenstein, ddo. 23. August 1854, wirksam vom 3. Oktober 1854. 8. (6 Blätt.) Prag. Druck von Fr. Rohlicek. 1854.

Pensions-Statuten für die Beamten und Diener der k. k. privil. Theiß-Eisenbahn-Gesellschaft. Nyugdijintézeti-alapszabályok a cs. k. szab. tisza-vasuti-társaság hivatalnokai és szolgái számára. Mechitharisten-Buchdruckerei in Wien. (19 S. 4.) (Deutsch und Ungarisch zugleich.) 1857.

PENSIONS-Tagebuch. „Der schlimme Franz." Budapest, Schneider (190*). (Mk. 1,60.)

Pensionsverhältnisse der hessischen Staatsbeamten, s.: Staats- u. Beamtenrecht. 2. Heft.

Pensionsverhältnisse, die, d. sächsischen Volksschullehrer, in ihrer geschichtl. Entwickelung u. gegenwärtigen Gestaltung dargelegt vom allgemeinen sächs. Lehrervereine. Lex.-8. (47 S.) Dresden 888. (Huhle.) n. — 75

Pensions-und Hinterbliebenen-Versicherung

— — die staatliche, der Privat-Angestellten, s. a. Schriften des deutschen Werkmeister-Verbandes. 1. Heft.

Die staatliche **Pensions**- und Hinterbliebenen-**Versicherung** der Privat-Angestellten. 1. Vortrag d. Reichstagsabg. Dr. (Heinz) Potthoff. 2. Materialien z. Versicherungspflege, zsgest. v. Verbandssekr. (Karl) Eichler. (Düsseldorf: Deutscher Werkmeister-Verband 1906.) (45 S.) 8° [F.]
— **Schriften** d. Deutschen Werkmeister-Verbandes. H. 1. [06. 7666

Die staatliche **Pensions**- und Hinterbliebenen-**Versicherung** der Privat-Angestellten. 3., wesentl. verm. Aufl. Düsseldorf: Deutscher Werkmeister-Verband 1906. (48 S.) 8° [F.]
= **Schriften** d. Deutschen Werkmeister-Verbandes. H. 1. [06. 10893

Die staatliche **Pensions**- und Hinterbliebenen-**Versicherung** der Privat-Angestellten. 4., umgearb. Aufl. Düsseldorf: Deutscher Werkmeister-Verband 1907. (48 S.) 8° [Umschlagt. F.]
= **Schriften** d. Deutschen Werkmeister-Verbandes. H. 1. [07. 10839

Pensions- u. Hinterbliebenen-Versicherung, die, der Privatbeamten im Reichstage, s. a. Schriften des deutschen Werkmeister-Verbandes. 16. Heft.

Die **Pensions**- und Hinterbliebenen-**Versicherung** der Privatbeamten im Reichstage. Verhandlungen d. Reichstages v. 17. Jan. 1910. Mit e. Vorw. (von C. Eichler). Düsseldorf: Werkmeister-Buchh. 1910. 47 S. 8° [Umschlagt.]
(Schriften d. Deutschen Werkmeister-Verbandes. H. 16.) [10, 4468 5

Pensionsversicherung, die staatliche. Zusatzversicherung od. Ausbau der Invalidenversicherg.? Eine Darstellg. u. Kritik der Vorschläge der Reichsregierg. in Sachen der staatl. Pensionsversicherg. der Privatangestellten. (Hrsg. vom Verband der Bureauangestellten u. der Verwaltungsbeamten der Krankenkassen u. Berufsgenossenschaften Deutschlands, Sitz Berlin.) (28 S.) gr. 8. Berlin 908. C. Giebel. — 20

Verein f. Handlungs-Commis von 1858 ... Die staatliche **Pensionsversicherung** der Privatangestellten. Als Ms. gedr. Hamburg 1905: (H. O. Persiehl). (28 S.) 8° [F.] [07. 1969

Pensions-Versicherung, staatliche od. private, der Agenten? (48 S.) kl. 8. Berlin (904). Industrieller Verlag. n. — 25
Sonderabdruck aus: „Der Agent".

Pensionsversicherungsfrage (Zur). Neue Stimmen aus dem Kreise der Privatangestellten. 8°. Berlin, Druck v. Fr. Weber, 1908.

***Pensionsvorschrift** für die Beamten u. Diener der Handels- u. Gewerbe-Kammer in Klgft. Klgft., ?, 1871.

Pensions- u. **Provisions**-Vorschriften, d. österreichischen, für Civil-Staatsbedienstete. Systemat. dargestellt von Dr. H. Ritter v. H. Hankiewicz. Zweite mit Benützung der Original-Acten neubearbeitete Auflage. gr. 8°. (XV, 411 S.) Wien, Hof- u. Staatsdruckerei. fl. 4.—. 1886

Pensionswesen, das, und die Gesetze betreffend die Fürsorge für die Witwen und Waisen der unmittelbaren Staatsbeamten. Neueste, mit Ausführungsbestimmungen und Anmerkungen verseh. Ausg. 12. (43 S.) Neuwied 882, Heuser's Verlag. cart. *

Pensions- u. Reliktenwesen, das, der Arbeiter u. niederen Angestellten, s. a. Schriften der Centralstelle f. Arbeiter-Wohlfahrtseinrichtungen. Nr. 27.

Das **Pensions**- und **Reliktenwesen** der Arbeiter und niederen Angestellten. Vorbericht u. Verhandl. d. 13. Konferenz d. Centralstelle f. Arbeiter-Wohlfahrtseinrichtungen am 9. u. 10. Mai 1904 in Leipzig. Berlin: C. Heymann 1904. (270 S.) 8° [F.]
— **Schriften** d. Zentralstelle f. Arbeiter-Wohlfahrtseinricht. No 27. [05. 2220 9

Penski, Gottfried (Osterode), Interpretationem rubricae: ne filius pro patre. Präs. Sam. Fried. Willenberg. Danzig (J. Z. Stoll) 12. I. 1713. 16 S. (4.75) 26043
Gew.: Joach. Jakob Schrader, Carl Gottfried Schmied, Georg Ludw. Franckenberger, Sigism. Albert Rosenberg, Samuel Wolff. — Widm. v.: Michael Ludwig Harders (Oppon., dtsch.), Carl Ernst Pegelau (Opp.).

Pensky, B., die Zukunft des Handwerks im Lichte der neuen Gewerbegesetzgebung. 1. Heft. Programmrede, geh. auf dem 26. deutschen Mechanikertage zu Frankfurt a/M. am 7. VIII. 1909. 1.—3. Aufl. (28 S.) 8. Berlin 910. Polytechn. Buchh. A. Seydel. — 50

Pensky, Erich: Aus d. Königl. chirurg. Universitäts-Klinik zu Königsberg i. Pr. ⟨Direktor: Prof. Dr. E. Lexer⟩. Innere Einklemmungen nach Gastroenterostomie. Königsberg i. Pr. 1907: O. Kümmel. (30 S.) 8°
Königsberg, Med. Fak., Ref. Lexer, Diss. v. 24. Juni 1908
[Geb. 25. Juni 82 Gumbinnen; Wohnort: Königsberg i. Pr.; Staatsangeh. Preußen; Vorbildung: Friedrichs-Kollegium Königsberg i. Pr. Reife O. 02; Studium: Königsberg 10 S., Coll. 25. Nov. 07; Approb. 4. Juni 08.]

Pensky, Hugo, Verzeichniss aller in die amtlichen Register d. königl. Commerz- u. Admiralitäts-Collegii zu Königsberg i. Pr. eingetragenen Handelsfirmen, zusammengestellt u. m. Angabe der Geschäftsbranche u. d. Geschäftslokals versehen. gr. 4. (64 S.) Königsberg 875. Braun & Weber. n. 3 —

Pensumsvertheilung nach dem Seebold'schen Lehrplane, bearb. vom Lehrer-Verein zu Winsen a. d. L. gr. 8. (III, 60 S.) Lüneburg 876. Engel. n. 1. —

Pensuti, V., über e. neues System e. universalen klinischen Schrift (Klinographie). (2 S. m. Fig.) 4. Berlin 905. J. Goldschmidt. n. — 45
Sonderabdruck aus: „Deut. medizin. Presse".

Pensylvania, s. Pennsylvania

Die Simulation von Geisteskrankheit [La simulazione della pazzia ed il suo significato antropologico]. Mit e. Anh.: Die Geisteskrankheit in d. Gefängnissen. Von Prof. Dr. P[asquale] **Penta**. Autor. Übers. nach d. 3. ital. Ausg., nebst einigen Ergänzungen von Rudolf Ganter, Arzt. Würzburg: A. Stuber 1906. (214 S.) 8° [+6. 7584

Pentameron, Bilder aus Rußland u. dem Kaukasus von Lermontoff, Druschinin, Ssolosoff, Michailoff u. Gogol. 3 Bde. Leipzig 868. Kollmann. 8. (IX, 601 S.) 2 ₰

Pentarchie, Die europäische.
Leipzig 1839. V: *Goldmann, von.* (WFM)

Pentarchie, Die europaeische.
Leipz. 1839. V: *Gretsch, Nicolaus.* (Kat. der ständ. Bibl. Stuttg. 1907. S. 453.)

Pentarchie, die europäische. gr. 8. (28 B.) Leipzig 839, Otto Wigand.

Pentarchos Biographie des Aristides. Herausg. von J. Simon. Textheft und Einleitung und Kommentar. [Meisterwerke der Griechen und Römer. XI.] 8°. (38, 81 S.) K 1.70
Wien: Graeser 1908.

Pentas encoenialis; Kirmißpredigten u. Andachten. 2 Thle. 8. Görl. 711.

Pentas, Orationum Marianarum.
Graecii 1710. V: *Maurisperg, Anton.* (Jes)

Pentateuch(us.)
(weitere Ordnung chronologisch)

— — Herausg. von S. Herxheimer, s. Bibel.

Pentateuch, s. a. Bücher Moses, die fünf.

—— der; hrsg. von S. Herxheimer, s. Bücher, die 24, der Bibel.

— libri sacri veteris etc. auct. H. A. Schott et J. F. Winzer, s. *Libri* sacri etc.

— vergl. Mose, die 5 Bücher.

Pentateuchus hebraice. 8. Halae, Waisenh. Bchdl. 710. Schreibp.

— Syriace s. a. G. G. Kirsch.

Pentateuchus Syriace e Polyglottis Anglicanis cum Ephraemi Syri commentariis collatus summa fide ed. G. G. Kirsch. 4. Hof 787. (Leipz., Cnobloch). 5 ₰

Pentateuchus, hebraeo-Samaritanus charactere hebraeo-chaldaico edit. Benj. Blagney. 8maj. Oxonii. 790.

Pentateuchi nova versio graeca, s. a. Eph. Fr. Ammon.

Nova versio Graeca
— — — Pentateuchi. Nunc primum ed. C. F. Ammon. Erlang. 790. 91. 3 Vol. . 8. 3 rtlr. 16 gr.

— ex recens. text. hebraei et vers. antiquar. latine versar, notisque philolog. et crit. illustr. Jh. A. Dathe. 8maj. Halle ... Ed. II. 791. Waisenh.-B. 1 ₰ 6 ₰

— Pentateuch oder die fünf Bücher Mosis übersetzt von Jos. Bern. Benedict Venusi. Prag 1820.

— oder die 5 Bücher Mosis, übers. u. mit e. hebr.-deutsch-latein. Wörterbuche begleitet v. J. L. B. Benusi. Fol. Prag 820. (Haase, Söhne). 6 ₰ Schrbp. 7 ₰

Pentateuch, oder die fünf Bücher Mosis, übers. und mit einem hebräisch-deutsch-latein. Wörterbuche begleitet von J. W. B. Bennsi. Folio. Prag, Krauß. 820. Schreibpap.

— Chamischschä chomschê Torä im peruschê ... we-Targum Onkelos we-... Megillöt. 2 voll. Wien 1820.

Pentateuchus hebraice et graece. Recogn. et digessit, varias lectiones notasque crit. subjunxit, argumentis historico-criticis illustr. et cum annotat. perpetua edid. G. A. Schumann. Vol. I. — E. s. t.: Genesis. 8 maj. (55 B.) Lipsiae 829, Fr. Fleischer. 4 Thlr.. Vlnp.

Pentateuch. Die fünf Bücher Moses in d. Ursprache, besond. z. Gebr. f. Schulen. Hrsg. unt. Mitwirk. v. Epstein, J. Ettlinger, M. Rosenfeld, Willstätter u. E. Willstätter. gr. 8. (24¾ B.) [Carlsruhe u.] Baden 837, Marx.

—— der, hebräisch u. deutsch, mit erklär. Anmerkn. v. H. Arnheim. — Und Anh. עילת שבת od.: Gebete f. alle Sabbathe d. Jahres. Hebrä. u. deutsch, übers. v. H. Arnheim. (7 Lfgn.) gr. 8. (103 B.) Glogau 840, 41, Prausnitz. à ⅜ Thlr.

תורת משה — Der **Pentateuch** oder die 5 Bücher Mose's im ebräischen Texte, mit worttreuer Uebersetzung, fortlauf. Erklärung u. homiletisch benutzbaren Andeutungen. Hrsg. v. Salom. Herxheimer. gr. 8. (54 B.) Berlin 841, Lewent.

חמשה חומשי תורה Pentateuch d. i. die 5 Bücher Moses nach dem masoretischen Texte. Uebersetzt u. kommentirt v. G. Salomon. 5 Thle. in 14 Hftn. gr. 8. (1 Thl. Genesis 308 u. 76 S. 2. Thl. Exodus 292 u. 106 S. 3. Thl. Leviticus 224 u. 104 S. 4. Thl. Numeri 246 u. 72 S. 5. Thl. Deuteronomium 263 u. 81 S.) Krotoschin 847—49. (Leipzig, C. L. Fritzsche.) (à n. 1/4 ₰) n. 3 1/2 ₰

Pentateuch oder die fünf Bücher Mosis übers. von Jos. Bern. Bened. Benusi. 2. (Titel-)Ausg. Imp.-4. (VII und 478 S.) Meißen 854, Goedsche'sche Buchh. *
Vgl.: Venusi, J. B. B., Wörterbuch.

— nebst den Haftaroth mit deutscher Uebersetzung und erklärenden Anmerkungen von H. Arnheim. Hebräisch und deutsch. 5 Thle. 2. verm. u. verb. Aufl. Prag 855. — Leipzig, C. L. Fritzsche in Comm. 32. (1 Thl.: XLIV, 310, 310, u. Anh. 104 S.; 2. Thl.: XXVII, 285, 285, u. Anh. 104 S.; 3. Thl.: XII, 210, 310 u. Anh. 104 S.; 4. Thl.: XVIII, 255, 255 u. Anh. 104 S.; 5. Thl.: XXX, 219, 219 u. Anh. 104 S.) n. 2 ₰.

(— —) (Hebr. Text.) חמשה חומשי תורה מוגהים על פי תקין סופרים וגם ההפטרות מכל שבתות השנה נדפסות אחר כל סדר ꝛc. 5 Thle. 2. Aufl. Ebend. 855. 32. (319; 232; 304; 261; 224 S.) n. 28 ngr.

(——) חמשה חומשה תורה מוגהום על פי תקין סופרים וגם ההפטרות מכל שבתות השנה נדפסות אחר כל סדר. 5 Bde. 2. Aufl. 32. (1344 S.) Prag 855. (Leipzig, C. L. Fritzsche.) *

(Pentateuch) המשה חומשי תורה מוגהים על פי תקין סופרים וגם ההפטרות מכל שבתות השנה נדפסות אחר כל סדר. 5 Bde. 2. Aufl. (1344 S.) Leipzig 855(57), C. L. Fritzsche. *

—— der, oder die fünf Bücher Moscheh mit dem Buche der Haphtoroth. Enthaltend: Den hebr. Text, die deutsche Uebertragung, die allgemeine, ausführl. Erläuterung mit 197 engl. Holzschn., nebst Einleitung in den Pentateuch und einer homilet. Erläuterung zu den Haphteroth. Hrsg. von Ludw. Philippson. (Ausg. aus der 2., verb. Aufl. der Gesammtausg. der Bibel.) 13 Lfgn. hoch 4. (XXX und 1002 S. mit 1 Stahlst.) Leipzig 857. 58, Baumgärtner's Verlagsbuchh. à Lfg. 15 Ngr. Thlr.

Pentateuch (hebräisch). Wien 1859

Pentateuco, il, colle Haftaròt volgarizzato ad uso degl' Israeliti da Sam. Dav. Luzzatto. Vol. I — IV. 8. Triest 859—61, Coen. [Vol. I. (IX und 279 S.) * 1 Thlr. 18 Ngr., II. (VI und 311 S.) * 1 Thlr. 12 Ngr., III. und IV. (526 S.) * 3 Thlr. 15 Ngr.] *

Pentateuco, il, colle Haftaròt volgarizzato ad uso degl' Israeliti da Sam. Dav. Luzzatto. Vol. V. 8. (363 S.) Triest 860, Coen. * 2 Thlr. 4 Ngr.; compl. * Ordin. Ausg. *

Pentateuchus. In usum scholarum academicarum ex editione utriusque testamenti Tauchnitiana separatim edendum curavit Carol. Godofr. Guil. Theile. Edit. stereot. Leipzig 861. B. Tauchnitz. gr. 8. (294 S.) 27 ngr.

חמשה חומשי תורה. Pentateuch mit den Commentatoren Raschi, Targum, Onkelos und der bibliographischen Beigabe Toldot Aron, für den Schulgebrauch eingerichtet. 5 Thle. 4. (301 S.) Wien 861, Knöpflmacher und Söhne. geb.

Pentateuch, der, übers. und erläut. von Samson Raphael Hirsch. 1. Thl.: Die Genesis. hoch 4. (VI und 635 S.) Frankfurt a. M. 867, Kauffmann. **

Pentateuch, der, übers. und erläutert von Samson Raph. Hirsch. 2. und 3. Thl. hoch 4. Frankfurt a. M., Kauffmann.
Inhalt:
Thl. 2. Exodus. (III, 614 S.) 869. ** ℳ 7,80.
" 3. Leviticus. (749 S.) 873. * ℳ 9.
1. Thl. Ebendas. 1867. ** ℳ 7,80.

Pentateuch, der, übersetzt und erläutert von Samson Raph. Hirsch. 4. und 5. (Schluß-)Thl. Lex.-8. Frankfurt a. M., Kauffmann. à Thl. * ℳ 7,80. *
Inhalt:
Thl. 4. Numeri. (517 S.) 876.
" 5. Deuteronomium. (588 S.) 878.
1.—3. Thl. Ebendas. 1867—73. * ℳ 24,60.

— der, koptisch. Hersg. von Paul de Lagard. Leipzig 867. Teubner. gr. 8. (XXXVIII, 504 S.) n.n. 10 ngr.

Pentateuchus, Samaritanus. Ad fidem liborum manuscriptorum apud Nablusianos repertorum ed. et varias lectiones adscripsit H. Petermann. Fasc. I. Genesis. gr. 8. (128 S.) Berlin 872. Moeser. n.n. 15. —

Pentateuchus Samaritanus. Ad fidem librorum manuscriptorum apud Nablusianos repertorum ed. et varias lectiones adscripsit H. Petermann. Fasc. II. Exodus. gr. 8. (S. 129—259.) Berlin 882. Moeser. n. 15. — (I. u. II.: n. 30. —)

Pentateuchus samaritanus. Ad fidem librorum manuscriptorum apud Nablusianos repertorum ed. et varias lectiones adscripsit H. Petermann. Fasc. III et IV. gr. 8. Berlin, Moeser. n. 27. — (I—IV.: n. 57. —)
III. Leviticus quem ex recensione Petermanniana typis describendum curavit C. Vollers. (S. 261—347.) 883. n. 12. —
VI. Numeri, ex recensione Caroli Vollers. (IV u. S. 349—465.) 885. n. 15. —

Pentateuchus samaritanus. Ad fidem librorum manuscriptorum apud Nablusianos repertorum ed. et varias lectiones adscripsit H. Petermann. Fasc. V. Deuteronomium ex recensione Caroli Vollers. gr. 8. (III u. S. 469—553.) Berlin 891. W. Moeser. n. 15. — (kplt: n. 72. —)

Pentateuchus. Tevrat jani Mūsa pejgambere valy tarikile nāzil olan Šari ata ila kitabyder. [Übersetzt von W. G. Schauffler] [Wien 1877]

—— der. Illustrirte Volksausg. der fünf Bücher Moses in dem masoret. Text, neuer deutscher Uebersetzung und mit erläut. Bemerkungen ethnograph., geschichtl., archäolog. und wissenschaftl. Inhalts von Jul. Fürst. 15 Hefte. gr. 4. (480 S. mit eingedr. Holzschn. und Holzschntaf.) Prag 882, Pascheles. à Heft * 50 Pf. * geb. *

Pentateuch, der, übers. u. erläutert v. Samson Raph. Hirsch. 1. Thl.: Die Genesis. 2. Aufl. gr. 8. (VI, 633 S.) Frankfurt a/M. 883. Kauffmann. n. 7. 80

— Saadjā Ga'ōn al-Fajjūmī. Targum Arvi. Die arabische Interpretation des Pentateuch von Rabbi Saadia Hagaon. Ins Deutsche übertragen und commentirt von J. Schwarzstein. Genesis. Frankfurt a. M. 1886.

Pentateuco, s. Pentateuch

Bedingungslose Vergebung. Von Dr Pentecost. *(Cassel: J. G. Oncken Nachf. [um 1900].)* (8 S.) [Kopft. F.]
= [Traktate d. Christl. Traktat-Gesellschaft] Neue Serie. No 95.
[oa. 11576 4

Pentekost, G. F., wie können wir unsere Kirche f. die Evangelisations-Arbeit fruchtbar machen? Vortrag. 8. (63 S.) Berlin 892. Deutsche Evangel. Buch- u. Tractat-Gesellschaft. n. — 50

PENTENRIEDER, Bernard (München): Beitrag zur Lehre der Necrosen.- München: Huber 1878. 18 S.,Taf. 12.3.1878 - Urk (Titel: De necrosibus.); Chr 1877/78,10
Diss.Ingolst.-Landsh.-Mchn.

Pentenrieder, Bern., Beitrag zur Lehre der Necrosen. Inaugural-Dissertation. gr. 8. (18 S. mit 3 Photogr.) München 878. (Fritsch.) n.n. 2. 50

Penther, Arnold, das Gebiet des Erdschias-Dagh (Mons Argaeus), s.: Vorträge des Vereines zur Verbreitung naturwiss. Kenntnisse in Wien. 46. Jhrg. 12. Hft.

Penther, A., zur Kenntniss der Arachnidenfauna Südafrikas (Scorpiones). Lex.-8. (S. 153—163.) Wien 900. A. Hölder. n. — 60
Sonderabdr. a.: „Annalen des k. k. naturhistor. Hofmuseums".

Eine Reise in das Gebiet des Erdschias-Dagh ⟨Kleinasien⟩ 1902 von Dr. Arnold **Penther**. Mit Beiträgen von Dr. E[mmerich] Zederbauer u. I. Tschamler. Mit 5 Taf. u. 1 Kt. Wien: Lechner 1905. 48 S. 4°(8°)
(Abhandlungen d. K. k. Geograph. Gesellschaft in Wien. Bd 6, No 1.) [11. 13ᴿ19

Penther, Carl, s. Penther, Karl

Penther, Johann Friedrich von

Penther, Joh. Friedr. Ausführliche Anleitung zur bürgerlichen Baukunst. 2. Aufl. (Bd. 4 in 1. Aufl.) Augsburg 1748-67. 4 Bde. Fol. (6926)

— Anleit. z. Baukunst, enth. e. lexicon architecton. 4 Thle. m. K. Fol. Ebend. 744-46.

v. Penther, Jh. Fr., Bauanschlag, od. richtige Anweis., wie alle Baumaterialien ꝛc. Mit Kpf. Fol. Augsb. ... 3e A. ... 2 ℳ 16 𝔊

Penther, J. F., Bauanschlag, od. Anw. z. e. hölzern. u. e. steinern. Hause. m. K. Fol. Augsb. Lotter. 754.

Johann Friedrich von Penther

Gnomonica fundamentalis et mechanica, worinnen gewiesen wird, wie man so wohl gründlich als auf mechanischer Art allerhand Sonnen-Uhren, regulaire, irregulaire...verfertigen solle, worzu noch eine neue Invention einer Universal-Sonnen-Uhr kommt... Von Joh[ann] Friedr[ich von] Penther. Augspurg: Wolff 1734. 44 S., 15 Taf. 4°

Penther, Johann Friedrich, Gnomonica Fundamentalis et Mechanica. Augspurg 1762.

Penther, J. F. Gnomonica fundamentalis et mechanica. Augsburg 1760. 4°.

— gnomica fundamental. et mechan., od. Anw. allerl. Sonnenuhr. z. verfert. m. K. Fol. Augsb. Veith. (a. Klett.) 794.

Mathesin in vita humana necessariam ostendit simulque lectiones suas math. addit *J. Fr. Penther*. Götting. 4. 16 S. 1737.

PENTHER, Joh. Friedr.: Praxis geometriae, worinnen nicht nur alle bey dem Feld-Messen vorkommende Fälle, mit Stäben etc., sondern auch eine gute Ausarbeitung der kleinsten Risse bis zum größten etc. treulich communiciret werden. - 1729. - 9. Aufl. Augsburg 1788. 97 u. 55 S., 32 Taf.

Johann Friedrich von Penther

Praxis geometriae, worinnen nicht nur alle bey dem Feld-messen vorkommende Fälle...sondern auch eine gute Ausarbeitung der kleinesten Risse... treulich communiciret werden. Von Joh[ann] Friedr[ich von] Penther. Augspurg: Wolff 1732. 97 S. 4°

Johann Friedrich von Penther

Praxis geometriae, worinnen nicht nur alle bey dem Feld-Messen vorkommende Fälle...sondern auch eine gute Ausarbeitung der kleinesten Risse...communiciret werden. Von Joh(ann) Friedr(ich[von])Penther 2.Ed. [nebst] Zugabe. Augspurg:Wolff 1738-39. 4°
[Hauptw.:] 1738.
Zugabe: 1739.

Penther, J. Fr. Praxis geometriae. 3. A. Augsparg 1749. fol.

Penther, J. J. Praxis geometriae. Augsburg. **1752.**

Penther, J. F. Praxis geometriae. 6. Aufl. Augsburg 1761. 4°. (1. Aufl. 1732.)

Penther, Joh. Friedr., Praxis Geometriae. 7ᵃ Editio. Augsburg, 1768. Fol.

— praxis geometriae. 2 Thle. m. K. Fol. Augsb. Klett. 788.

Joh. Fr. Penther progr. von der Mathesi thaumaturgia. Göttingen. 4. 8 S. 1736.

Penther, Karl

Penther, Carl: Die Generalversammlung der eingetragenen Genossenschaft nach Gesetz und Statut. Posen: Verband der landw. Genossenschaften für die Provinz Posen 1910.

Penthesilea. Trauersp. v. Heinr. v. Kleist. gr. 8. Tübing. Cotta. 808.

Penthesileia. Ein Frauenbrevier f. männerfeindl. Stunden. Mit Zeichngn. v. Anna Costenoble. (92 S.) 8. Leipzig 907. F. Rothbarth. 3.—; geb. 4.50

Pentrup, Wilhelm, approb. Arzt aus Münster i. W.: **Die Statistik der Talma'schen Operation.** *Greifswald 1903: J. Abel.* (45 S.) 8°
Greifswald, Med. Diss. v. 3. Dez. 1903

Pentschew, Christo [aus Jassen, Bulgarien]: Untersuchungen zur Oekonomie und Technik des Lernens. Mit 11 Figuren im Text. (S.-A. aus Archiv. f. d. gesamte Psychologie, Bd. I Heft 4.) Leipzig 1903. 114 + 1 S. 8°.
Zürich. Phil. Diss. I, S. 1902/1903.

Pentschew, Christo. Untersuchungen zur Ökonomie und Technik des Lernens. Diss. Phil. I. Univ. Zürich. Mit 11 Figuren im Text. (Sonder-Abdruck aus Archiv für die gesamte Psychologie, Bd. 1. Heft 4.) 115 S. 8. Leipzig, Wilhelm Engelmann, 1903.

Pentz und Bessefeld. Plan von **Hannover.** 1 Bl. K.

Pentz, Adf., Erzählungen aus der meklenburgischen Geschichte. Für Schule u. Haus. gr. 8. (V, 170 S.) Wismar 880. Hinstorff's Verl. cart. n. 1. 50

Pentz, Adf., die biblische Geschichte in ihrem inneren Zusammenhange. Ein Hülfsbuch zum tieferen Verständniß der heil. Geschichte, insbesondere für Präparanden. gr. 8. (IV, 160 S.) Wismar 877, Hinstorff'sche Hofbuchh. *

Pentz, Adf., die biblische Geschichte in ihrem inneren Zusammenhange. Ein Hilfsbuch zum tieferen Verständnis der heil. Geschichte. 2. Aufl. gr. 8. (VIII, 170 S.) Wismar 883. Hinstorff's Verl. n. 2. —

Pentz, Adf., die biblische Geschichte in ihrem inn. Zusammenhange. E. Hilfsbuch z. tief. Verständnis d. hl. Geschichte. 3. Aufl. gr. 8. (VIII, 179 S.) Wismar 897. Hinstorff's Verl. n. 2. —

Pentz, A., Geschichte des Kirchspiels Jabel. Ein Beitrag zur mecklenburg. Kirchen- u. Kulturgeschichte. 8. (36 S.) Waren 888. Kaibel's Nachf. n. 1. —

Pentz, Adf., Geschichte Mecklenburgs. 2 Thle. gr. 8. Wismar 872, Hinstorff'sche Hofbuchh. à Thl. *M 1,50. *
Inhalt:
Thl. 1. Von den ältesten Zeiten bis zur Reformation. (VIII, 127 S.)
" 2. Von der Reformation bis auf unsere Tage. (VIII, 150 S.)

— Lehrbuch der heiligen Geschichte. Zur Orientirung u. zum praktischen Handgebrauch für Theologen, Lehrer u. Lehrerinnen. 1. Abth. 8. (XVI, 266 S.) Stavenhagen 881. Beholtz. n. 3. —

Pentz, Alwin, approb. Arzt aus Neumünster: Aus d. chirurg. Klinik zu Kiel. Zur Behandlung der Varicen und der varicösen Ulcera. *Kiel 1902: H. Fiencke.* (38 S.) 8°
Kiel, Med. Diss. v. [13. Febr.] 1902

Pentz, E., Bennos Wunsch, s.: Immergrün. 123.

PENTZ, Kuno v. u. BORGMANN, Wilhelm: Die Gewinnung des Kiefernsamens in den preussischen Staatsforsten vom forsttechnischen und forstpolitischen Standpunkte betrachtet. - Berlin 1904. 37 S. (Als Mskr. gedr. f. d. Ausstellung d. preuss. Staatsforstverwaltung zu St. Louis (Nordamerika). - Tl. 1: Geschichte und Einrichtung der Darren in Eberswalde und Annaberg. von K. v. Pentz. - Tl. 2: Betrieb und Leistung der Darren in Eberswalde und Annaberg. von Wilhelm Borgmann

Pentz, v., u. Borgmann, die Gewinnung des Kiefernsamens in den preussischen Staatsforsten vom forsttechnischen u. forstpolitischen Standpunkte betrachtet. Als Mskr. gedr. f. die Ausstellg. der preuss. Staatsforstverwaltg. zu St. Louis (Nordamerika). (37 S.) gr. 8. Berlin 904. J. Springer. n. 1. —

Pentz, M. v., s. a. Panitza.

Das Eckfenster. Erzählung von M. v. Pentz. *Berlin: Deutsche Ev. Buch- u. Tractat-Ges. 1899.* (20 S.) 8° [F.]
— Für Dich! No 15. [oo. 1011]

Pentzhorn, Edmund (Berlin)
Thomas Abbt. Ein Beitrag zu seiner Biographie.
Berlin 1884. 101 S.
Diss. phil. Giessen 1884. vorh. 26.7.

Pentzlin, Friedr., baltische Blüthen, s. Blüthen.

—— Molierus redivivus. Ein Sendschr. an Hrn. Doct. Krüger-Hansen, in Güstrow. gr. 8. (3¾ B.) Berlin 836, A. Hirschwald.

Pentzlin, Jul., die bürgerliche Eheschließung vom Standpunkte der luther. Kirche betrachtet. gr. 8. (III, 124 S.) Berlin 871. Leipzig, Hinrichs' Verl. n. 2. —

Peny, Georges *Lucien Ferdinand Edmond:* Beiträge zur Kenntnis der Hydrazinverbindungen der Dioxobernsteinsäureester ... Bonn, Druck v. J. Trapp, 1896; 36 S. 8.
Bonn, Phil. Fak., Inaug.-Diss. v. 6. Aug. 1896

Penz, Julie, nachher. v. Roquette, Gedichte. 2 Thle. 8. ... 797.

Penzberg [Schlagwort]

Penzberg, s.: Bayern. Karte.

Penzel, Abraham Jakob

Penzel, Abrah. Jak., († d. 17. März 1819.) de arte historica; ad Stanisl. Comit. de Soltyck. 8. Krakau 782. 8. Leipz. 784. Schwickert. 8 gr.

Penzel, Abraham Jakob (Dessau / Anhalt), De barangis in aula Byzantina militantibus disput. Präs. Christ. Adolph Klotz. Halle (Hundt) 9. IX. 1771. 33 S. (4.75) 26044
Widm. v.: Christ. Adolph Klotz

— s. Dio-Kassius, röm. Jahrbücher.

— s. a. Gedichte, sieben, an die Venus.

– Gedichte
* — —, Sieben kleine, Der Venus Erycina, dem Scherz und der Freude gesungen (von *Abrah. Jac. Penzel*, 1749—1819). Berlin, bey Aug. Mylius, 1769. 8°. (Auch in Dresden u. in Breslau, Kgl. u. Univ.-Bibl.) (12 Mk. Adolf Weigel, 1907.)
101 SS. u. 1 Bl. Inh. Joh. Geo. Jacobi in Halberstadt gewidm. — Einiges frei, z. B. No. 4 u. 6: Milon u. Chloe, ein carmen amoebaeum zwoer Verliebten. — Dithyrambe zum Lobe des Bacchus und der Ceres etc. — Weiteres bei Goedeke IV, 112, 43, 1.

— Samml. merkwürd. u. wichtiger Briefe an ihn. 1r Bd. gr. 8. Leipz. 798. Weygand. 1 rf

— s. Schiltberger, Reise.

— s. Strabo, Erdbeschreibung.

— triga observationum numismaticarum. 4. Krakau 780.

— vernünft. Versuch über die Grundwahrheiten d. kathol. Glaubens. 8. Krakau 782.

— Christian Friedrich (Merseburg), Cantate, welche bei dem zweyhundertjährigen Jubelfeste des Merseburgischen Gymnasii aufgeführt wurde. O. O. 19. XII. 1775. (3.50) 26045

Penzel, Jh. Jak., Predigten an den Danktagen f. d. Erndte u. and. Sonntagen. 8. Köthen 757. Körner. 12 gr

Penzel, Rich., die Gerätübungen, volkstümlichen Übungen u. Spiele d. männlichen u. weiblichen Jugend. Für Schulen u. Vereine zusammengestellt u. in 3 Stufen geordnet. (VIII, 160 S. m. Abb.) kl. 8. Dresden-A. (Marienstr. 16) 910. B. Protze. Geb. nn 2. 25

— Robert (Adorf), Einiges über die subcutanen Injectionen bei Cholera. Diss. med. Leipzig (Huethel u. Legler) 14. XII. 1867. 26 S. mit Biogr. (2.—) 26048
Oppon.: Schenkel, Peltz, Schiefer.

PENZENBERG, v., Der Sinn der mosaischen Eheverbote. Nach Grundtext, Logik u. Gefühl untersucht vom Herrn — —. Mühlheim 1785.
Ehestandsalmanach I. p. 259, ohne Formatsangabe.

Penzenkuffer, (Chr. Wilh. Fr.,) Beitrag zur endlichen festen Bestimmung des Rechtsverhältn. zwischen Autor u. Verfasser. 8. Nürnb. 823, Verf.

Penzenkuffer, C. W. F., neue Beyträge z. Erklär. der wicht. bibl. Stell., in w. d. Πνευμα ἁγιον vork. gr. 8. Nürnberg, Felsecker. 796.

— Dass. nach Kantischen Principien untersucht u. dargestellt v. E. aus S., s. Missionsgeschäft.

— s. Carel. Beretti.

— Elementargrundf. d. franz. Spr. 2 Thle. 8. Bayr. Lübeck.. 804.

Penzenkuffer, C. W. F., Elementargrundsätze d. franz. Sprache, zum Behuf des öffentl. u. Privatunterrichts. 2 Bde. Neue unveränd. Aufl. 8. Leipz. Hinrichs. 813.

— s. Etwas von Fichte.

— s. Grammaire raisonnée.

— s. C. B. Guarini, il pastor fido.

Penzenkuffer, ..., s. Boccaccio Raccolta.

— Racolta delle piu eleganti novelle de Giov. Boccacoio. 8. Nrnb. Bieling. 798.

— vollständ. Schema d. französ. Declinationen u. Conjugationen. 8. Nürnb. 809. (v. Ebner). 8 gr. N. A. 817. (Riegel u. W.) 12 gr.

— vollständiges Schema d. französischen Declinationen u. Conjugationen. 8. Nürnb. Lechner. 809.

— lat. Sprachlehre f. d. erst. Curs. 8. Ebend. (Benj. Fleischer, Lpz.) 798.

— lateinische Sprachlehre, ist Verlag von Bieling in Nürnberg.

— s. a. Vertheidigung d. Rechte der Schullehrer.

— Vertheidigung der in d. oberst. Staatszwecke begründ. Rechte u. Ansprüche d. gelehrten Schullehrer meines Vaterlandes. 8. Nürnb. 805. (v. Ebner). 16 gr.

Penzenkuffer, C. W. F., Vertheid. d. in d. oberst. Staatszwecke begründ. Rechte und Anspr. d. gel. Schullehr. m. Vaterl. 8. Nürnb. Lechner. 805. Rthlr.

— französ. Vorbereitungscursus f. d. ersten Anfänger. 8. Nürnb. 810. (Leipz., Er. Fleischer). 8 gr.

— italien. Vorbereitungscursus f. d. ersten Anfänger. 8. Nürnb. 816. Riegel u. W. 8 gr.

— vollst. Wörterbuch, deutsch u. franz. bearb. gr. 8. Nürnb. Bauer. (Schmidmer.) 802.

— vollständ. Wörterbuch, deutsch u. französ. bearb. gr. 8. Nürnb. 802. (Winter). (Enobloch in Leipz.) 1 ß 4 gr.

Penzenkuffer, Friedrich Ludwig (Nürnberg), De usu matri competente ad L. 2. Tit. 33. reformat. Noricae. Diss. jur. Erlangen (J. D. M. Camerarius) 11. VIII. 1760. 77 S. (5.50) 26049

Penzi, P. Vinc., Apparatus theologicus de sacra scriptura et arte eam exponendi. 4. Augsburg 774. M Rieger. 1 ß

Penzias, Alb., die Metaphysik der materialistischen Geschichtsauffassung. Eine krit. Studie. (57 S.) gr. 8. Wien 905. C. W. Stern. n. 1. 25

Penzig, üb. die Aufgabe der christlichen Kirche in unserer Zeit. Synodal-Predigt, geh. auf Grund v. Ev. Matth. 16, 26 am 25. Oktbr. d. J. in Liegnitz. 8. (15 S.) Liegnitz 872. Krumbhaar. n. — 20

PENZIG. Die Bekämpfung der Gewerbsunzucht durch die Sittenpolizei. Breslau 1909. Lex.-8°. 12 S.

Penzig, L., Geist und Natur im Lichte des Christenthums. Sechs Predigten gehalten zu Breslau im Jahre 1857. Breslau 857. Max u. Co. 8. (2 Bl., 95 S.) 7½ ngr.

Penzig, Otto

PENZIG (O.) Die Dornen von Arduina ferox, E. Mey. Regensb. 1879. 8

Penzig, O., Flora pyrenaea, s.: Bubani, P.

Penzig, O., u. P. A. Saccardo, Icones fungorum javanicorum. Mit 80, z. Th. color. Taf. in Photozincotypie. (VI, 124 S.) gr. 8. Leiden 904. Buchh. u. Druckerei vorm. E. J. Brill. n.n. 48. —

Penzig, O., die Myxomyceten d. Flora v. Buitenzorg, s.: Flore de Buitenzorg.

Penzig, O., Pflanzen-Teratologie, systematisch geordnet. 1. Bd. Lex.-8. Genua 890. (Berlin, Friedländer & Sohn.) geb. n.n. 20. —
Dicotyledones. Polypetalae. (XX, 540 S.)

Penzig, O., Pflanzen-Teratologie, systematisch geordnet. 2. Bd. Dicotyledones, Gamopetalae. Monocotyledones. Cryptogamae. gr. 8. (VII, 594 S.) Genua 894. (Berlin, R. Friedländer & Sohn.) Geb. in Leinw. n.n. 20. —
(1. 2.: n.n. 40. —)

Penzig, Otto *(geb. Samitz in Schles. 25. 3. 1856)* Untersuchungen über Drosophyllum lusitanicum Lk. (Namslau 1877.) (46 S.) 8°
Breslau, Phil. Diss. v. 24. Sept. 1877

PENZIG (O.). Unters. ueber Drosophyllum lusitanicum, Lk. [Breslau, 1877.] 8°.

Penzig, R., u. A. v. Jaczewski, was ist das f. e. Pflanze? Botanischer Wegweiser f. Pflanzenfreunde in den Gärten v. Montreux u. Umgegend. (Französisch u. deutsch.) 8. (172 S.) Vevey 893. B. Benda. In Leinw. kart. n. 1. 60

[F.] Ernste Antworten auf Kinderfragen. Ausgew. Kapitel aus e. prakt. Pädagogik fürs Haus v. Rudolph **Penzig**, Dr. phil., Doz. . in Berlin. *Berlin: F. Dümmler 1897.* (248 S.) 1 Bd 8. [97. 2083

Penzig, Rud., ernste Antworten auf Kinderfragen. Ausgewählte Kapitel aus e. prakt. Pädagogik fürs Haus. 2. durchgeseh. u. verm. Aufl. gr. 8. (271 S.) Berlin 899. F. Dümmler's Verl. n. 2. 80; geb. n. 3. 60

Penzig, Rud., ernste Antworten auf Kinderfragen. Ausgewählte Kapitel aus e. prakt. Pädagogik fürs Haus. 3. durchgeseh. (u. verm.) Aufl. (273 S.) gr. 8. Berlin 904. F. Dümmler's Verl. n. 2. 80; geb. n. 3. 60

Penzig, Rud., ernste Antworten auf Kinderfragen. Ausgewählte Kapitel aus e. prakt. Pädagogik fürs Haus. 4. erweit. u. verb. Aufl. (348 S.) gr. 8. Berlin 910. F. Dümmler's Verl. 3.20; geb. in Leinw. 4.20

— Darwinismus u. Ethik, s.: Philosophie, moderne.

Moritz v. Egidy. Lebendige Gedanken eines Toten von Dr Rudolph **Penzig** Berlin-Schlachtensee: Schwaner 1909. 30 S. 8° [Umschlagt.] [10. 11954

— Moritz v. Egidy. Lebendige Gedanken eines Toten. (30 S. m. 1 Bildnis.) gr. 8. Schlachtensee 909. Volkserzieher-Verlag. — 40

— Ohne Kirche. Eine Lebensführg. auf eigenem Wege. (XVIII, 282 S.) gr. 8. Jena 907. E. Diederichs. 5.—; geb. 6.50

— s.: Kultur, ethische.

— zum Kulturkampf um die Schule. Ein Mahnwort an Denkende. (VIII, 152 S.) gr. 8. Berlin 905. L. Simion Nf. n. 2.—

— Laienpredigten v. neuem Menschentum. Sonntagsvorträge, geh. in der humanist. Gemeinde zu Berlin. 1. u. 2. gr. 8. (Berlin, Verlag f. eth. Kultur.) à n. — 30
1. Sorgen u. Hoffngn. beim Jahreswechsel. (16 S.) Gottesberg. 905.
2. Das Recht auf Muße. (11 S.) 906.

— Laienpredigten v. neuem Menschentum. Sonntagsvorträge, geh. in der humanist. Gemeinde zu Berlin. 3.—8. (14 S.) gr. 8. Berlin, (Verlag f. eth. Kultur). 1.85
3. Das Evangelium des Kindes. (14 S.) 906. — 30
4. Vom Hoffen u. Harren. Eine Osterpredigt. (16 S.) 907. — 30
5. Die ethische Menschengemeinde. (18 S.) 907. — 30
6. Was will die humanist. Gemeinde? (20 S.) 908. — 30
7. Lebendige Gedanken eines Toten (Moritz v. Egidy). (30 S.) 909. — 30
8. Natürliche Erlösungsreligion. (28 S.) 910. — 35

— Massenstreik u. Ethik. (44 S.) gr. 8. Frankfurt a/M. 905. Neuer Frankfurter Verlag. n. — 75

— d. ersten Moralunterweisgn. d. Kinder, s.a. Vortragskurse, ethisch-socialwissenschaftl.

[F.] Die ersten Moralunterweisungen der Kinder. Von Dr. Rudolph **Penzig**, Doc. an d. Humboldtakad. zu Berlin. Bern: A. Siebert 1896. (16 S.) 1 Bd 8.
= Vortragskurse, Ethisch-socialwissenschaftliche Bd II. [96. 8668

Penzig, Rudolph: Arthur Schopenhauer und die menschliche Willensfreiheit. Halle a/S. (1879) Plötz. 66 S. 8°
Halle-Wittenberg, Phil. Diss. v. 29. März 1879
Geb. Samitz (Kr Goldberg-Haynau, Niederschlesien) 30. 1. 1853. V
Verf. erlebte die Diplomerneuerung 1929 als Stadtrat und Hochschuldozent in Berlin, vgl. Anh. Nr 717

Penzig, Rud., die weltliche konfessionslose Schule. (28 S.) gr. 8. Berlin 905. Kampf-Verlag. — 50

Penzig, Rud., Sünde u. Erlösung. Vortrag, geh. am 23. Febr. 1894. gr. 8. (30 S.) Berlin 894. Verl. der Deutschen Gesellschaft f. eth. Kultur. n. — 50

Penzig, R., siehe: *Vortragskurse*.

— ein Wort vom Glauben an seine Verfechter u. Verächter. 8. (XII, 320 S.) Kassel 884. Leipzig, A. Wehner. n. 3.—

Penzing. Statistischer Bericht über die wichtigsten demographischen Verhältnisse. Verfasst vom Gemeindeamte von Penzing. Lex.-8. (2 S.) Wien 887, Gerold's Sohn. *
Aus: Städtebuch, österreichisches, besonders abgedruckt.

Penzinger, Sebastian H.

— historia quatuor mundi monarchiar., compend. 4. ibid. 705.

— bon. ordo concionum supra dom. et fest. IV Tmi. 4. ibid. 704.

Penzinger, Seb. H., bonus ordo triplicis form. Concionis moral. in festa s. 4. Nrnb. 717.

Penzkofer, Geo., die Klause an der Höhe. Eine Erzähl. f. d. reif. Jugend. 8. (9 B. u. Titkpfr.) Regensburg 841, Manz.

Penzkofer, Joh. G., die Schule der Leiden. Eine Erzählung f. die Jugend u. ihre Freunde. 8. (9 B. u. 1 Stahlst.) Straubing 846, Schorner.

Penzl Johann: De Aeschyli atque Sophoclis monodiis. H. 1898 PN 1146 Diss. Wien, Univ. 1548

Penzl, Martin [app. Arzt aus München]: Beiträge zur Kniegelenksresection nach Ankylosen. . . München, Druck d. Akad. Buchdr. v. F. Straub, 1891; 30 S. 8°
München, Med Fak., Inaug.-Diss. v. 1891

Penzler, G., Johanna Schwartz, k. Hofschauspielerin zu Berlin, s.: Charakterbilder aus dem deutschen Bühnenleben.

Penzler, Johs., Fürst Bismarck als Christ. Vortrag, geh. am 31. III. 1901 in Leipzig. gr. 8. (44 S.) Leipzig 901. Dresden, Fr. Richter. n. — 60

Penzler, Johs., Fürst Bismarck nach s. Entlassung. Leben u. Politik des Fürsten seit s. Scheiden aus dem Amte auf Grund all. authent. Kundgebgn. Hrsg. u. m. histor. Erläutergn. vers. 7. Bde. gr. 8. Leipzig, W. Fiedler. à n. 8.—; geb. in Halbfrz. à n. 10.—
1. 20. III. 1890—11. II. 1891. (III, 384 S.) 897.
2. 12. II.—5. XII. 1891. (380 S.) 897.
3. 6. XII. 1891—27. VI. 1892. (367 S.) 897.
4. 28. VI. 1892—22. II. 1893. (400 S.) 897.
5. März 1893—Ende 1894. (384 S.) 897.
6. 26. XII. 1894—Ende 1895. (409 S.) 898.
7. 1. I. 1896—2. VIII. 1898. (IV, 610 S.) 898.

(B) — Fürst Bismarck nach seiner Entlassung. 897. 898. (KVL 30.) Jetzt: Leipzig (R. H. Nobolsky). Ladenpr. aufgehob.

Penzler, Johs., s.: Bismarck's, Fürst Herbert v., polit. Reden.

— Fürst Bismarck u. Leipzig. Zur Erinnerung an Leipzigs großen Ehrenbürger. gr. 8. (185 S. m. 8 Abb., 2 Fksms. u. 1 Taf.) Leipzig 898. E. Herfurth. Kart. n. 2.75

Fürst Bismarck und Leipzig. Zur Erinnerung an Leipzigs großen Ehrenbürger Von Johs. **Penzler**. Leipzig Herfurth 1899. 135 S. 4°(8°) A 12. 8108

Penzler, Johs., Bismarck u. die Hamburger Nachrichten, s.a. Geschichte des Fürsten Bismarck. 13.

Bismarck und die Hamburger Nachrichten. Die v. Ersten Reichskanzler beeinflußten Artikel in d. Hamburger Nachrichten aus d. J. 1890–1898. Von Johannes **Penzler**. Bd 1. Berlin: E. Trewendt 1907. 8° [F.]
= **Geschichte** d. Fürsten Bismarck in Einzeldarstellungen. Bd 13. [07. 11370

— Graf Wilhelm Bismarck. Ein Lebensbild, nach dem v. der Familie dargebotenen u. anderem Material entworfen. Mit 20 Orig.-Bildern. gr. 8. (III, 349 S.) Berlin 901. Stuttgart, W. Spemann. n. 10. —; geb. n. 11. 50

Graf Wilhelm Bismarck. Ein Lebensbild nach dem von d. Familie dargebotenen u. anderem Material entw. von Johannes Penzler. Mit 20 Originalbild. *Berlin & Stuttgart: W. Spemann 1902.* (349 S.) 8° [J.] [02. 436

— s.: Bülow's. Fürst. Reden.

— Bismarcks Dank. Auswahl aus Fürst Bismarcks Ansprachen nach s. 80. Geburtstage. 8. (122 S.) Leipzig 895. O. Wigand. 1. 20

Gerichtsverhandlung (in der gegen den Verlagsbuchhändler Emil Perthes erhobenen Anklage wegen öff. Beleidigung d. Ersten Staatsanwalts Immler). (Verf.: Johs. Penzler.) (*Leipzig 1896: O. Brandstetter.*) (22 S.) 8° [Kopft. J.] [03. 1036

— s.: Hinter den Kulissen des Hochschulstreits.

— s.: Hochschulstreit, der, üb. akademische Freiheit u. konfessionelle Verbindungen.

— Jahreslexikon. Ein alphabet. Nachschlagewerk üb. die bemerkenswertesten Ereignisse des J. 1905. (VI, 237 S.) gr. 8. Leipzig 906. K. G. Th. Scheffer. Geb. in Leinw. n. 6. —

— Jugendgeschichte des Fürsten Bismarck, s.a. Geschichte des Fürsten Bismarck in Einzeldarstellungen. 2. Bd.

Jugendgeschichte des Fürsten Bismarck (bis 1851). Von Johannes Penzler. Berlin: E. Trewendt 1907. (VI, 435 S.) 8° [J.]
— Geschichte d. Fürsten Bismarck in Einzeldarstellungen. Bd. 2. [07. 1398: 3

— s.a. Kaiser- u. Kanzler-Briefe.

Penzler, J: Kaiser- und Kanzler-Briefe. Briefwechsel zwischen Kaiser Wilhelm I. und Fürst Bismarck. Leipzig 1900

— geographisch-statist. Lexikon, s.: Ritter.

— Marksteine aus Bismarcks Lebensweg. E. chronolog. Darstellg. d. bedeutsamsten Ereignisse aus d. Leben d. Altreichskanzlers an d. Hand s. Reden. Festschrift z. 80. Geburtstage. 1. u. 2. Aufl. gr. 8. (IV, 154 S.) Leipzig 895. O. Wigand. 1. 50

Kirchliches Ortslexikon für das evangelische Deutschland. Ein schemat. u. e. alphab. Verzeichnis aller ev. Mutterkirchen, Filialen u. eingepfarrten Ortschaften u. Wohnplätze, nebst Angabe d. Standesämter, Postanst. u. Amtsgerichte. Nach amtl. Quellen bearb. von Johs. Penzler. (In 5 Lfgn. [Mehr nicht erschienen.]) *Berlin: M. Priber 1893–94.* (400 S.) 4°(8°) [Umschlagt. J.] [00. 10572

— Graf Posadowsky als Finanz-, Sozial- u. Handelspolitiker, an der Hand seiner Reden dargestellt. (In 4 Bdn.) 1. Bd. 1882—1898. (XIX, 706 S.) Lex.-8. Leipzig 907. J. J. Weber. Kart. n. 30. —

— Graf Posadowsky als Finanz-, Sozial- u. Handelspolitiker, an der Hand seiner Reden dargestellt. 2. Bd. 1898 bis 1902. (VIII, 647 S.) Lex. 8. Leipzig 908. J. J. Weber. Kart. 30. —

Penzler, Johannes. Graf Bülows Reden nebst urkundlichen Beiträgen zu seiner Politik. Mit Erlaubnis des Reichskanzlers gesammelt und herausgegeben. Mit dem Bildnis des Reichskanzlers. 8. Leipzig 1903.

Penzler, Johannes s. Ritter, [Benjamin]. Ritters Geographisch-Statistisches Lexikon 8. ... Aufl. Leipzig 1895.

Penzler, Johs., s.: Wilhelm's II., Kaiser, Reden.

Penzler, M., Die Monadenlehre u. ihre Bezieh. z. griech. Philosophie. Diss. 1878. 82 S.

PENZO, Vincentius. De vinculo matrimoniali. — (1863) 56 S. 8° (Handschr.)
Diss. Wien, Univ. Diss. 255

Penzold, Eduard: Bestimmung der Lichtmenge, welche ein Ellipsoid von einem leuchtenden Punkte empfängt, wenn es teilweise von einem andern Ellipsoide beschattet wird ... Jena, G. Neuenhahn Univ.-Buchdr., 1892; 35 S. 8.
Jena, Phil. Fak., Inaug.-Diss. v. 1892

Penzold, Ed., Elemente d. Physik, s.: Reis, Paul.

Penzoldt, Franz

Penzoldt, Frz., klinische Berichte, s. Leube, W.

Penzoldt, Franz, Dr., o. Prof. d. Pharmakol. Die Erkältung als Krankheitsursache. (Enthält auch: Jahresbericht über das Studienjahr 1899/1900, erstattet von d. Prorektor Dr. Theodor Kipp.) *Erlangen 1900: F. Junge.* (S. 1—18.) 4°
Erlangen, Rede bei Antritt d. Prorektorats 1900

Penzoldt, Frz., s.: Handbuch der gesamten Therapie.

Penzoldt, Frz., s.: Handbuch der Therapie innerer Krankheiten.

Penzoldt, F., s.: Handbuch der spec. Therapie inn. Krankheiten.

Penzoldt, Frz., ältere und neuere Harnproben und ihr praktischer Werth. Kurze Anleitung zur Harnuntersuchung in der Praxis. Für Aerzte und Studierende. gr. 8. (IV, 26 S.) Jena 884, Fischer. *

Penzoldt, F., ältere u. neuere Harnproben u. ihr praktischer Werth. Kurze Anleitg. zur Harnuntersuchg. in der Praxis f. Aerzte u. Studierende. 2. Aufl. gr. 8. (IV, 32 S.) Jena 886. Fischer n. — 80

Penzoldt, F., ältere und neuere Harnproben und ihr praktischer Werth. Kurze Anleitung zur Harnuntersuchg. in der Praxis f. Ärzte u. Studierende. 3., veränd. Aufl. 8. (VI, 61 S. m. 2 Holzschn.) Jena 890. Fischer. n. — 80

— Lehrbuch der klinischen Arzneibehandlung. Für Studierende u. Ärzte. gr. 8. (XXII, 249 S.) Ebd. 889. n. 6. —

— dasselbe. 2., veränd. Aufl. gr. 8. (XXII, 268 S.) Ebd. 890. n. 6. —; geb. n. 7. —

— Lehrbuch der klinischen Arzneibehandlung. Für Studirende u. Ärzte. 3., veränd. u. verm. Aufl. gr. 8. (XXIV, 311 S.) Jena 893. G. Fischer. n. 6. —; geb. n. 7. —

— Lehrbuch der klinischen Arzneibehandlung. Für Studirende u. Ärzte. 4., veränd. u. verm. Aufl. gr. 8. (XXIV, 336 S.) Jena 897. G. Fischer. n. 6. 50; geb. n. 7. 50

— Lehrbuch der klinischen Arzneibehandlung. Für Studierende u. Ärzte. 5., veränd. u. verm. Aufl. gr. 8. (XXIV, 360 S.) Jena 900. G. Fischer. n. 6. 50; geb. n. 7. 50

— **Lehrbuch der klinischen Arzneibehandlung.** Für Studierende u. Aerzte. 6., veränd. u. verm. Aufl (XXIV, 379 S.) gr. 8. Jena 904. G. Fischer. n. 6.50; geb. n. 7.50

— Lehrbuch der klinischen Arzneibehandlung. Für Studierende u. Ärzte. Mit e. Anh.: Chirurg. Technik der Arzneianwendg., von M. v. Kryger. 7. veränd. u. verm. Aufl. (XXIV, 426 S.) Lex. 8. Jena 908. G. Fischer. 7.50; geb. 8.50

—— die Magenerweiterung. Eine klin. Studie. gr. 8. (80 S. mit 1 lithogr. Taf.) Erlangen 875, Besold. *

— die **Magenverdauung** des Menschen unter verschiedenen physiologischen Einflüssen. gr. 8. (14 S.) Leipzig 901. A. Deichert Nachf. n. — 60
Sonderabdruck aus: „Festschr. d. Univ. Erlangen f. Prinzreg. Luitpold".

Penzoldt, F[ranz]: Das Medizinstudium der Frauen. Referat auf d. XXVI. Deutschen Ärztetag zu Wiesbaden. — Jena: Fischer 1898. 26 S. 8°

Penzoldt, F., die Therapie der Phthisis, s. Dettweiler, P.

—— einige **Versuche** Diphtherie auf Thiere zu übertragen, s. Beiträge zur pathologischen Anatomie, experimentellen Pathologie und praktischen Medicin. Festschrift für F. A. v. Zenker.

Penzoldt, Frz., die Wirkungen der Quebrachodroguen. Der gegenwärtige Stand der Frage nach der Wirkung von Aspidosperma Quebracho [Qu. blanco] u. Loxopterygium Lorentzii [Qu. colorado], für praktische Aerzte u. Pharmaceuten dargestellt. gr. 8. (VII, 39 S.) Erlangen 881. Besold. n. 1.20

Pénzváltó és kamatszámító. A gyors pénzváltó és kamatszámító. Azaz: Tizenhét tábla, melyben mindennemü régi pénz egy krajcártól egész 10,000 forintig az uj pénz különböző nemeire stb. stb. szabatosan ki van számitva. *Bécs* 1858. *Wallishausser* könyvkereskedése *(Klemm J.)* 18 S., 4°.
(Der schnelle Geldwechsler und Zinsenberechner, d. h. siebenzehn Tafeln, auf denen alle Sorten des alten Geldes von 1 Kreuzer bis 10,000 fl. nach den verschiedenen Arten des neuen Geldes u. s. w., u. s. w. genau berechnet sind *Wien* 1858. *Wallishausser'sche* Buchh. (*J. Klemm.*)

Penzy, Vincent., Apparatus theologicus de s. Scriptura seu rudimenta theologiae. Augsburg, Rieger, 1774, 4°.

Peoria Courier: 1855–1869. **Peoria, IL**

Wöchentlicher Peoria Demokrat: 1860?–1915?
Weekly edition of PEORIA DEMOKRAT. Circulation: 1870, 1000 (est.); 1880, 3000; 1890, 6000; 1900, 6000; 1909, 4000.
Peoria, IL

Tägliche Peoria Deutsche Zeitung: 1859–Nov. 9, 1878.
Republican daily, morning except Sunday. For weekly edition, see WÖCHENTLICHE PEORIA DEUTSCHE ZEITUNG. Continued from ILLINOIS BANNER. Merged with TÄGLICHER DEMOKRAT. Circulation: 1870, 700 (est.); 1875, 770. Edited & published by Eduard Rummel, 1859–65; by Eduard Rummel & Eduard Fresenius, 1865–69; by Eduard Fresenius, 1869–71; by Rudolph Eichenberger, 1871?–1878. Other editors: W. A. Rennen [in 1876]; Jens Peter Stibolt.
Peoria, IL

Wöchentliche Peoria Deutsche Zeitung: 1869?–1878? **Peoria, IL**
Weekly edition of TÄGLICHE PEORIA DEUTSCHE ZEITUNG.

Peoria Sonne: 1879–1923?
Weekly edition of DIE SONNE. Circulation: 1880, 2300; 1890, 3500; 1900, 3000; 1910, 3000.
Peoria, IL

Pepe, Guglielmo

Pepe, (Wilh.) Darstell. der polit. u. militär. Ereignisse in Neapel in den Jahren 1820 u. 21, ein Sendschreiben an den König beider Sicilien. Aus d. Französ. von F. Krug. gr. 8 Ilmenau 822, Voigt.

Pepe, W., Denkwürdigkeiten über Italien, s. a. Bibliothek ausgewählter Memoiren, 5 u. 6. Bd.

Pepe. Guglielmo. Denkwürdigkeiten über Italien, von General Wilhelm P'. Mit einer Einleitung: Uebersicht der italienischen Memoirenliteratur. 3 Theile. 8. Zürich 1848–1849.
Einleitung. 1849. — Theil 1–3. 1848.
Bibliothek ausgewählter Memoiren des XVIII. und XIX. Jahrhunderts ... hrg. von F[ranz] E[rnst] Pipitz und G Fink. Band 5.

Pepe, G(uglielmo). Histoire des révolutions et des guerres d'Italie en 1847, 1848 et 1849, par le général G(uillaume) P'.... 8. Bruxelles, Livourne, Leipzig 1850.

Pepe, Johann Jakob (Ital.), De ludis, eorumque in jure effectibus. Diss. jur. Präs. Augustin Leyser. Helmstedt (H. D. Hamm) 27. VIII. 1716. 24 S. (4.75) 26050
Widm. v.: **Augustin Leyser.**

Peper, Raumberechnungen f. Volksschulen, s.: Magnus, R. H. L.

Peper, Rechenbuch, s.: Heuer, Ferd.

— **Übungsbuch** f. den Rechenunterricht, s.: Heuer, Ferd.

Peper, Wilh., die wissenschaftl. u. prakt. Bedeutg. d. pädagog. Pathologie, s. a. Sammlung pädagog. Vorträge.

Die wissenschaftliche und praktische Bedeutung der pädagogischen Pathologie v. Wilhelm Peper, Mittelschull. in Preetz. *Bonn, Berlin, Leipzig: F. Soennecken [1898!]* (32 S.) 8.
— Sammlung pädagogischer Vorträge. Bd XI. H. 1. [98. 4255

Peper, Wilh., die lyrische Dichtg., s. a. Kunstschatz, der, des Lesebuchs.

Die lyrische Dichtung. Von Wilhelm Peper. Leipzig & Berlin: Teubner 1909. IV, 203 S. 8°
(Der Kunstschatz d. Lesebuchs.) [09. 8293

Die Heimatdichtung im Unterricht v. Wilhelm Peper. Altona, 1903. 4°

Peper, Wilh., über ästhetisches Sehen, s. a. Magazin, pädagogisches.

Über ästhetisches Sehen. Von Wilhelm Peper. *Langensalza: H. Beyer & Söhne 1901.* (56 S.) 8°
— Magazin, Pädagogisches. H. 174. [01. 14916 3

Pepericorni, Jos., defensio contra famosas obscurorum virorum epistolas. — Ortuini Gratii lamentationes obscurorum virorum. 16. (IV und 374 S.) Leipzig 864, Teubner.

Pepeunik, Ant., Beiträge zum elementaren Rechenunterrichte oder Operazionen mit dem Holzstäbchen-Rechenapparate. Für Eltern u. Lehrer. Wien 869. Pichler's Wwe. & Sohn. 16. (33 S.) 5 ngr.

Pepi, die Auswanderin, s.: **Bibliothek, Eur.**, 674 u. 675. Bd.

Pepi, Tante, s.: **Köchin**, die kleine.

— s.: **Papagei** u. **Puppenbäumchen**.

Pepin, Alph., zwei Jahre der Regierung 1830—1832. Deutsch v. L. v. Alvensleben. 8. (26 B.) Leipzig 834, Kayser.

Pepin, Phil., engl. u. deutsche Gespräche üb. nützl. u. unterhalt. Materien. gr. 8. Götting. 777. Dieterich. 12 gr.

— the man of fortune's faithful monitor, transl. from the french (des Callières). gr. 8. Götting. 775. Vandenhöck u. R. 6 gr.

— the Strains of the british muses, being a select. Variety of eleg. and interesting essays, tales etc. gr. 8. Götting. 779. Vandenhöck u. R. 1 ℔ 4 gr.

Pepin, Phil., († d. 29. Oct. 1811.) kurzer Unterr. von der engl. Aussprache u. Rechtschreibung. 8. Götting. 774. N. Titel. 8. Leipz. 791. Kummer. 4 gr.

Pepiński, A., Verzeichniss sämmtlicher Ortschaften im Landger.-Bez. Ostrowo. Nach amtlichen Quellen aufgestellt. 4. (50 S.) Ostrowo 888. (Priebatsch.) n.n. 1. —

Pepita de Oliva. Frei nach Schiller und Göthe. Ein Festgeschenk für alte u. junge Narren. Von ihrem Cousin Don Meyer de Oliva. 1. u. 2. Aufl. Hamburg 854, 55. Berendsohn. 16. (16 S.) 3 ngr.

Peplau, *Friedrich Albert* Georg [aus Drossen '(Frankfurt a. O.)']: Aus d. Syphilido-Klinik in Würzburg. Lupus laryngis ... Würzburg, P. Scheiner's Buchdr., 1897; 39 S. 8.
Würzburg, Med. Fak., Inaug.-Diss. v 1897

Peplier, nouv. Grammaire et parfaite royal française. Neue u. vollständ. Grammatik, mit sehr nützl. Regeln vermehrt ꝛc. 8. Leipz. 799. Weidmann. 8 gr.

— la même. gr. 8. Wien 782. Trattner. 8 gr.

— la même. 8. Berl. 785. Haude u. Sp. 8 gr.

— — la même. 8. Basel, Thurneysen. 789.

— — la même. 8. Vien. Tendler. 803.

Pepöck Jos.: Zur Charakteristik griechischer und deutscher Helden im Volksepos. 13. Pilsen. 89.
Progr.

Pepoli, Graf, die Puritaner, s. a. **Mode's** Opern-Text-Bibliothek.

Pepoli, die Puritaner, große Oper in 3 Aufz., nach d. Italien. zur beibehalt. Musik v. Bellini, von d. Frhrn. v. Lichtenstein. Schmal gr. 4. (2¼ B.) Mainz 836, Schott's Söhne.

Pepper, Augustus J., Grundzüge der chirurgischen Pathologie. Deutsche autoris. Ausg. Nach der 2. Aufl. des Orig. bearb. von Artur Pollack. 12. (VIII, 632 S. mit 82 in den Text gedr. Abbild.) Leipzig 887, Arnoldische Buchh. geb. * 8 —

Pepper, Aug., J., Grundzüge der chirurgischen Pathologie. Deutsche autoris. Ausg. Nach der 2. Aufl. d. Orig. bearb. v. Artur Pollack. 2. (Titel-)Ausg. Mit 82 in den Text gedr. Abbildgn. 12. (VIII, 632 S.) Leipzig 891. E. Haberland. Geb. in Leinw. n. 5. —

Pepper, C., Jahresbericht 1888 üb. d. instructive Thätigkeit des Revaler Meierei-Verbandes d. ehstländischen landwirthschaftlichen Vereins. gr. 8. (79 S. m. Textfig. u. 1 Tab.) Reval 889. Wassermann. n. 2. 50

— kurzgefasster Leitfaden d. Milchwirthschaft. gr. 8. (133 S. m. eingedr. Abbildgn. u. 4 Tab.) Ebd. 889. n. 4. —

[Gedicht.] Dem vielgeliebten Br. Carl Edu. Buek, zu seinem goldenen Maurerjubiläum, den 13. März 1866. Brüderlichst gewidmet von den Bbrn. Grossbeamten der Ehrw. Grossen Loge von Hamburg. [Unterz.: Peter Otto Heinr.] P[ep]p[e]r. [Hamburg 1866: Nobiling.] 2 Bl. 8° [Umschlagtit.]
„Dem Maurer Heil, der, treu dem Manneswort, . . .“

Die lieblichsten Klänge. [Von Peter Otto Heinr. **Pepper.**] [Hamburg] o. J. 1 Bl. 8° [Kopftit.]
Schwesterntoast in Versen: „Sanft von den Händen der Mutter getragen, . . .“

[Lied.] Dem Br. D. A. Cords und dem Br. H. W. Buek zum Johannisfest 1838 von den Grossschaffnern gewidmet. [Verf. von Peter Otto Heinr. **Pepper.**] Hamburg [1838]: Nestler & Melle. 2 Bl. 8° [Umschlagtit.]
Ohne Noten: „In Lustgefühl ergiesse sich‘. . .

[Lied.] Dem Br. Dav. And. Cords am Tage seiner Wiederwählung so wie dem Br. H. W. Buek brüderlichst gewidmet von den Bbrn. Grossschaffnern am Johannisfeste 1840. [Verf. von Peter Otto Heinr. **Pepper.**] Hamburg [1840]: Appel. 2 Bl. 8° [Umschlagtit.]
Ohne Noten: „Erhabner Bund, der Himmelslicht . . .“

Buek, Karl Edu.: [Lied.] Unserm geliebten Br. Carl Edu. Buek zum 25-jährigen Maurerfeste den 13. März 1841 brüderlichst gewidmet. [Verf. von Peter Otto Heinr. **Pepper.**] Hamburg [1841]: Nestler & Melle. 2 Bl. 8⁰ [Umschlagtit.]
Ohne Noten: „Wir grüssen Dich, am selt'nen Jubelfeste . . ."

[Lied.] Zum Schlusse des ersten Jahrhunderts der Loge St. Georg zur grünenden Fichte. Den 23. Sept. 1843. [Unterz.: Peter Otto Heinr.] **P[ep]p[e]r.** [Hamburg 1843]: Nestler & Melle. 1 Bl. 8⁰ [Kopftit.]
Ohne Noten: „Gross ist der Herr! — Jahrhunderte vergehen, . . ."

Melle, Jul. Friedr. Wilh.: [Lied.] Den geliebten Brrn. Jul. Friedr. Wilh. Melle, Martin Hinr. Cords, und Joh. Salis Fürst zur silbernen Jubelfeier ihrer Maurerweihe in Liebe und Freude gewidmet. [Unterz.: Peter Otto Heinr.] **P[e]p[pe]r.** Hamburg, den 9. Sept. 1858. 2 Bl. 8⁰ [Umschlagtit.]
Ohne Noten: „Hier im trauten Bruderkreise, . . ."

[Lied.] Dem geliebten Br. J. A. Oelreich sen. am Tage seiner goldenen Maurerweihe, den 18. März 1865, in Hochachtung, Anerkennung und Liebe gewidmet von seinen Brüdern. [Unterz.: Peter Otto Heinr.] **P[ep]p[e]r.** Hamburg [1865]: Nobiling. 2 Bl. 8⁰
Ohne Noten: „Der Du mit Stärk' und Licht vertraut, . . ."

[Lied.] Zur Feier des 125 jährigen Bestehens der Loge St. Georg. Den 24. Sept. 1868. [Unterz.: Peter Otto Heinr.] **P[ep]p[e]r.** [Hamburg 1868.] 1 Bl. 8⁰ [Kopftit.]
Ohne Noten: „Wie gross ist des Allmächt'gen Güte . . ."

Neujahrs-Lied. 1796. [Unterz.: Peter Otto Heinr.] **P[eppe]r.** [Hamburg: 1796.] 1 Bl. 8⁰ [Kopftit.]
Ohne Noten: „Sey neues Jahr uns sehr willkommen, . . ."

Schlusslied. Den 24. Sept. 1868. [Unterz.: Peter Otto Heinr.] **P[ep]p[e]r.** [Hamburg 1868.] 1 Bl. 8⁰ [Kopftit.]
Ohne Noten: „Der Wahrheit Keim verbreiten . . ." 193.

Büttner, Joh. Heinr.: Tafel-Lied den vielgeliebten Bbrn. Joh. Heinr. Büttner und Phil. Heinr. v. Beseler zur goldenen Feier ihrer Maurerweihe in Dank und Freude gewidmet. Den 5ten Oct. 1849. [Verf. von Peter Otto Heinr. **Pepper.**] Hamburg [1849]: Nestler & Melle. 2 Bl. 8⁰ [Umschlagtit.]
Ohne Noten: „Auch hier in heitrer, froher Tafelrunde, . . ."

Siemers, Joachim Friedr.: Tafellied, den geliebten Bdrn J. F. Siemers und P. Calais am Tage ihres goldenen Jubelfestes, den 17. Sept. 1861, gewidmet. [Unterz.: Peter Otto Heinr.] **P[ep]p[er]r.** Hamburg [1861]: Nobiling. 2 Bl. 8⁰ [Umschlagtit.]
Ohne Noten: „Lass dich mit deinem Himmelsglanz, . . ."

Tafellied dem Br. H. W. Buek an seinem 50 jährigen Jubelfeste, den 6. April 1870 gewidmet. [Unterz. Peter Otto Heinr.] **P[ep]p[e]r.** Hamburg [1870]: Nobiling. 2 Bl. 8⁰ [Umschlagtit.]
Ohne Noten: „Denkst Du daran, wie einst vor funfzig Jahren, . . ."

„Wünsche dem geliebten Br. H. W. Buek und dem Br. C. E. Buek am St. Johannisfeste den 24. Juni 1869 treugemeint dargebracht von sämmtlichen Brüdern. [Unterz.: Peter Otto Heinr.] **P[ep]p[e]r.** Hamburg [1869]: Nobiling. 2 Bl. 8⁰
Lied ohne Noten: „Das Bundesfest, das Tausende begehen, . . ."

Peppergrass, P., das Geheimniß der Königin, s. Sammlung unterhaltender Schriften der neuern engl. Literatur.

Peppert, Frz., fünf Zyklen Fastenvorträge. Hrsg. v. Geo. Dagenbichler. S. J. (IV, 372 S.) 8. Graz 904. U. Moser. n. 2.50; geb. in Leinw. n. 3.70

Peppert, Frz., Sonn- u. Festtagsexhorten. Hrsg. v. e. Priester der Gesellschaft Jesu. (VIII, 282 S.) 8. Graz 909. U. Moser. 2.50

— Troft im Gebet. Ein Gebet- u. Andachtsbuch. (VI, 264 S. m. Titelbild.) 16. Ebd. 901.
Geb. in Leinw. m. Goldschn. n. 1. 60

Peppert, J. C., Gedichte. 8. Wien 826. Sollinger. 12 gr.

Peppert, J. C., die Insel, s. Schumacher, A.

Peppert, J. C., das Verbot; Lstspl. — Befindet sich in A. Schumachers u. Pepperts vermischten Dichtungen; die Insel,

Peppi, der kleine, mit der neuen Hose, s. Bilderbücher, Münchener.

Peppler, August, aus Grünberg i. Oberhessen Zum Nachweise der Typhusbakterien mit besonderer Berücksichtigung der Piorkowskischen Methode. *Erlangen 1900: F. Junge.* (VI, 78 S.) 8°
Erlangen, Phil. Diss. v. 1 Dez. 1899

Peppler, Frdr., Schilderung meiner Gefangenschaft in Rußland vom J. 1812—1814, bearb. v. Karl Esselborn, s. Volksbücher, hessische, 1.

Peppler, Ritter Fr., Schilderung meiner Gefangenschaft in Rußland vom J. 1812—14. gr. 8. Worms 832. (Darmst., Heyer). 16 gr.

Peppler, Kapitän, Ritter Fr., Schilderung meiner Gefangenschaft in Rußland vom Jahre 1812—1814. 2e unveränd. Aufl. gr. 8. Darmstadt 834. M. h. (Jonghaus.) 2/3 ₰

Friedrich **Peppler**. Schilderung meiner Gefangenschaft in Rußland vom Jahre 1812 bis 1814. Bearb. von Karl Esselborn. Darmstadt: Diehl 1908. XVI, 140 S. 8°
(Hessische Volksbücher. 1.)

Peppmueller, Felix. De natura glaucomatis. Halis Saxonum (1856): Schmidt. 30 S. 8°
Halle-Wittenberg, Med. Diss. v. 19. Dez. 1856
Geb. Minden (Westf.) 19. 12. 1833. V.

Peppmüller, Fritz *Albrecht* [app. Arzt aus Chemnitz]: Beitrag zur Frage nach dem prophylaktischen u. therapeutischen Wert der Resektion des Opticus ... Halle a. S., Hofbuchdr. v. C. A. Kaemmerer & C., 1895; 68 S., 3 Bl. 8.
Halle, Med. Fak., Inaug.-Diss. v. 5. Jan. 1895

Peppmüller, Rud[olf] [Kurze Ansprache zur Feier des 200jährigen Jubiläums des Königreichs Preußen am 18. Januar 1901.] S. 14—15. 4. Progr. Gymn. *Stralsund* 1901 (161).

Peppmüller, Rud[olf], Dr., Dir. [Zwei Ansprachen, 1. bei dem Abschied des Prof. Dr. Hermann Wähdel, und 2. beim Tode des Bürgermeisters Friedr. Arnold Otto Brandenburg.] *Stralsund 1899: kgl. Regierungs-Buchdr.* (S. 15—17.) 4°
Stralsund, G, OP 1899 (156)

Peppmüller, R., Anthologie aus den Lyrikern der Griechen, s.: Buchholz, E.

Peppmüller, Rudolf Antrittsrede. 4 (S. 27—31).
Progr. G. *Seehausen i. Altm.* 1887 (236).

Peppmüller, Rudolf [Dir. Dr.]: Antrittsrede. Stralsund, Druck d. k. Regier.-Buchdr., 1890; S. 6—13; 4°
Stralsund, G, OP 1890

Peppmüller, Rud[olf], Dir. Dr.. Die Arndtfeier im Gymnasium zu Stralsund aus Veranlassung der Einweihung des Denkmals des Gefeierten am 2. September 1900. *Stralsund 1901: k. Reg.-Buchdr.* (S. 3—12.) 4°
Stralsund, G, OP 1901 (161)

Peppmüller Rudolf Emendationsvorschläge zu Homer 4 (9 S.)
Gratulationsschrift zum 550 jähr. Jubiläum des G. Stendal
Progr. G. *Seehausen i. A.* 1888.

Peppmueller, Rudolf In poetas Graecos, maxime in elegias Theognideas exercitationes criticae. Accedunt Theodori Bergkii ad Periclis vitam Plutarcheam adnotamenta. 4 (S. 3—16).
Progr. G. *Seehausen i. A.* 1887 (236).

Peppmüller, Rudolf *Aus der Gedächtnisrede auf Oberlehrer Karl Sander, gest. d. 26. Dzbr 1892.* 4 (S. 13—14 der Schuln.).
Progr. G. *Stralsund* 1893 (148).

Peppmüller, Rudolf, Dir. Dr.: Solons Gedichte. Stralsund 1904: Regierungs-Buchdr. (S. 1—16.) 4°
Stralsund, G OP 1904 (177)

Peppmüller, Rud., Commentar d. 24. Buches der Ilias m. Einleitung. Als Beitrag zur homer. Frage bearb. gr. 8. (LXXXII, 384 S.) Berlin 876. Weidmann n. 14. —

— über die Composition der Klagelieder im 24. Buch der Ilias. gr. 4. (25 S.) Halle 872. Lippert'sche Buchh. — 75

Peppmüller, R., Theodor Bergks Leben. S.-A. 1886. 83 S. —90

Peppmüller, Rudolf [Dr., Dir.]: *Rede zur Erinnerung an den ord. Lehrer Paul Sander, gest. am 12. Juli 1889.* Stralsund, Druck d. k. Regier.-Buchdr., 1890; S. 12; 4°
Stralsund, G, OP 1890

Peppmüller, Rud[olf], Dir. Dr.: [Rede zur Feier des 200-jährigen Jubiläums des Königreichs Preussen am 18. Jan. 1901.] *Stralsund 1901: k. Reg.-Buchdr.* (S. 14—15.) 4°
Stralsund, G, OP 1901 (161)

Peppmüller, Rud., Register, s.: Bergk, Th., griechische Literaturgeschichte.

Peppmueller, Rudolfus: De extrema Iliadis rhapsodia. 1. De versibus iteratis. Halis Saxonum 1868: Orphanotropheum. 50 S. 8°
Halle-Wittenberg, Phil. Diss. v. 12. Aug. 1868
Geb. Minden (Westf.) 13. 11. 1843. V

— Textkritisches zu Hesiods Erga. S.-A. 1897. 14 S.

Peppmüller, Rudolf [Dir. Dr.]: Variationen im pseudohesiodeischen Heraklesschilde. Stralsund, Druck d. kgl. Regierungs-Buchdr., 1893; 1 39 S. 4.
Stralsund, G, OP 1893 (148)

Peppmüller, Rudolf: *Worte bei dem Abgange des Zeichenlehrers Krackow und des Prof. Dr Wähdel.* 4 (S. 15—16 d. Schuln.).
Progr. G. *Stralsund* 1899

Worte der Erinnerung an Herrmann. 4 (S. 22—23 der Schuln.).
Progr. G. *Seehausen i. Altm.* 1889 (239).

Peppmüller, Rudolf *Worte bei der Feier zu Ehren des verstorbenen Dr Leist* 4 (S. 30—32 der Schuln.).
Progr. G *Seehausen i. Altm.* 1888 (237).

— *Worte bei der Gedächtnisfeier für Paul Sander, † am 12 Juli 1889.* 4 (S. 12.). Progr. G *Stralsund* 1890 (140).

Peppmüller, Rudolf: *Worte bei der Traueransprache anläßlich des Todes des Bürgermeisters Friedrich Arnold Otto Brandenburg.* 4 (S. 16—17 d. Schuln.). Progr. G. *Stralsund* 1899

Pepys, Samuel

Pepys, S., diary 1660—1661. gr. 16. (192 S.) Leipzig 887. Gressner & Schramm. n. — 80

Péquegnot, vieilles décorations depuis l'époque de la renaissance jusqu'à Louis XVI. (140 T) fol Berlin 1875

Per aspera ad astra ... Wien 1881. V: *Kotz v. Dobrz, Wilhelm Freiherr von.* (EB)

Per aspera ad astra. Von W. B. K. gr. 8. (166 S.) Wien 881. F. Bock. n. 2. —

—— **dass.** — Leben, Wirken und Heimgang weiland Sr. königl. Hoh. Friedrich Franz II., regierenden Großherzogs von Mecklenburg. 1. und 2. Aufl. gr. 8. (141 S.) Schwerin 883, Stiller'sche Hofbuchh. *

Per aspera ad astra. Schicksale eines ehemaligen Offiziers in Amerika. Berlin 1907. V: *Wernsdorff, von.* (stadtbibl Berlin XVI)

Per aspera ad astra. Schicksale e. ehemal. Offiziers in Amerika. [1. 2.] Berlin: C. A. Schwetschke & Sohn 1907. 2 Bde 8° [Ant. u. J.]
[1.] Lebenskampf. [2.] Lebenswende.

Per aspera ad astra. Schicksale e. ehemal. Offiziers in Amerika. Lebenskampf. (V, 235 S.) 8. Berlin 907. [C. A. Schwetschke & Sohn.] Süd-West-Verlag. 4.—; geb. 5. —

Per crucem ad lucem! Durch Leiden zur Herrlichkeit. Sieben Fastenpredigten für das Landvolk von P. H. B. Innsbruck 1864. V: *Babl, H.* (Russell XII, 1, 1021)

Per crucem ad lucem! Durch Leiden zur Herrlichkeit! Sieben Fastenpredigten für das Landvolk von H. B. Innsbruck 864. Wagner. 8. (91 S.) n. 8 *ngr.*

Per l'occhio e per il cuore. **Primo avviamento alla lettura.** Con 9 litogr. miniate. Trieste (858.) Coen. 16. (10 S.) 20 *ngr.*

Peraldus, ausgewählte Schriften, s.: Bibliothek der katholischen Pädagogik.

Peralta, M., la république de Costa-Rica (Amérique centrale.) Appel à l'émigration européenne. (Extrait du Globe, Journal de géographie.) 18 pp. in-8. Genève et Bâle, H. Georg. 1871. —. 50

Peranda, lettere, corrette e ristampate da J. G. di Fraporta. 8. Jena 772. Cröker. 12 *gl*

Pératé, André s. Vatican. Der Vatikan. Einsiedeln... 1898.

Pératé, Andr., d. Vatikan, s.: Goyau, Geo.

Pératé, André, Versailles, s. Kunststätten, berühmte. Nr. 34.

Versailles. Von André **Pératé**. Mit 126 Abb. Leipzig: E. A. Seemann 1906. (151 S.) 8° [J.]
= **Kunststätten, Berühmte.** No 34.

Perathoner, Victor Josef Elsensohn, k. k. Schulrath und Gymnasialdirector, † am 15. November 1891. (Umschlagtitel: Schulrath Josef Elsensohn. Ein Gedenkblatt). 8 (S. 23—36). **Progr.** K. k. Real- und Oberg. *Feldkirch* 1892.

Perathoner, Ant., brevis in Isaiam prophetam commentarius, quem usui clericorum in seminario Tridentino accommodavit P. gr. 8. (IV, 228 S.) Trient 899. J. Seiser. n. 3. —

PERATHONER, Antonius: Libris Paralipomenon cum libris Regum breviter comparatis de fine illorum librorum ita disputetur, ut, cur inter se differant, appareat. — (1897) 114 S. 4° (Handschr.) Diss. 469
Diss. Wien, Univ.

Perathoner, Vikt. Über den Vokalismus einiger Mundarten Vorarlbergs. 39 S. 8. **Progr.** *Feldkirch* 1883.

Perathoner, V., Zur Würdigung der Lehre von d. Seelenteilen i. d. platon. Psychologie. Pr. 1875. 24 S. 1.50

Perathoner, Wilhelm Die Melodie der Sprache in den Gesängen Pindar's. 8 (23 S.). (Fortsetzung.) 8 (32 S.). **Progr.** Zweites deutsch. Oberg. *Brünn* 1888. 1890.

Perau, Fr., neuere Phantasiegemälde. 8. (15½ B.) Leer 829. (Potsdam, Vogler.)

Pérau, Gabriel Louis Calabre

Die offenbarte Freymäurerey und das entdeckte Geheimniss der Mopse, aus d. Franz. übers. von dem Br Phidias, mit einem Schreiben des Uebers. für die Glaubwürdigkeit dieses Buchs und einem Anh. einiger Freymäurer Lieder und Reden verm. Mit Kpfrn. Leipzig: Mumme 1745. 243 S. 6 Taf. 4 Bl. Noten. 8°
Kl. 1864. Mit einigen Zusätzen.

Die verrathene Freymäuerey. Frankfurt u. Leipzig 1775. 80 S. 1 Kpfr. 8° (Die Freymäuerey im Fischbein-Rocke. 2.)

Das entdeckte Geheimniss der Frey-Mäurer und Mops-Gesellschaft. Mit Kpfrn. Berlin: Néaulme & de Bourdeaux 1745. 188 S. 9 Taf. 5 Bl. Noten. 8°

[Dasselbe.] Berlin: Klüter 1756. 188 S. 9 Taf. 5 Bl. Noten. 8°
Kl. 1862. Sehr selten.

Der verrathene Orden der Freymäurer, und das offenbarte Geheimniss der Mopsgesellschaft. Aus d. Franz. mit Kpfrn. Leipzig: Arkstee & Merkus 1745. 144, 45 S. 9 Kpfr. 5 Bl. Noten. 8°

[Dasselbe.] [Nachdr.] Frankfurth u. Leipzig 1745. 144, 46 S. 9 Kpfr. 5 Bl. Noten. 8°

[Dasselbe.] [Nachdr. ohne Lieder u. Kpfr.] Berlin 1745. 144 S. 8°

[Dasselbe.] Neue, und mit Beantwortung der wider dieses Buch hrsgekommenen Schriften, verm. Aufl. Leipzig: Arkstee & Merkus 1745. 144, 45 S., 9 Kpfr, 5 Bl. Noten. 8°
Auszug in: D. neu aufgesteckte brennende Leuchter d. Frmr-Ordens. 1746 S. 455—483.
cf. Radermacher, J. K.: Zwey Schreiben e. Frmrs an seinen Freund. 1760 S. 3—20.
Kl. 1863, Tt. 1378. Selten. Almanach f. Frmr. 1 (1776) Bl. 35 erwähnt eine Ausg. Leipzig 1746.

Les Secrets de l'ordre des francs-maçons, dévoilés et mis au jour par Ms [Gabr. Louis Calabre] P[érau]. P. 1. 2. Amsterdam [Frankfurt a. M.: v. Düren] 1745. XXVI, 240, 33 S. 8 Taf. 5 Bl. Noten. 8° [Kupfertit.]
1. XXVI, 112 S.; 2. 115—240, 33 S.
Kl. 1860. Wörtlicher Abdr. unter Hinzufügung eines Liedes von „L'Ordre des fr-maç. trahi". Amsterdam: Néaulme 1745. Von Pérau rührt nur der 1. Teil dieses Sammelbandes: „Le Secret des fr-maç." her.

Perault, od. Sklaven u. Herren. Scenen aus dem letzten Sklavenaufstand in Südcarolina. Aus d. Engl. v. A. Kretzschmar. 2 Bde. 8. (33 B.) Leipzig 844, Kollmann.

Perbandt, v. Feldzug gegen Hendrick Witbooi (1894). o. O. u. J. 4°. (Autogr.)

Perbandt, Conrad von, s. Perbandt, Konrad von

Perbandt, C. v., Nalube. Historisches Drama in 5 Aufzügen. 8. (V, 101 S.) Berlin 886. F. Luckhardt. n. 2. —

Perbandt, H. v., ist die Monopolstellung Krupps berechtigt? Kritische artillerietechn. Betrachtgn. (16 S.) gr. 8. Berlin (S.W. 68, Feilnerstr. 2) (909). J. G. Ernst. — 50

Perbandt, Konrad von

Perbandt, C. v., s. Wissmann, Hermann v., Deutschlands grösster Afrikaner.

Hermann v Wissmann, Deutschlands größter Afrikaner. Sein Leben u. Wirken, unter Benutzung d. Nachlasses dargest. von C[onrad] v. Perbandt, Hauptm. a. D., G[eorg] Richelmann, Oberstlt. z. D., Rochus Schmidt, Major, unter Mitw. von Oberstabsarzt a. D. Dr. (A[lex.]) Becker u. Oberstabsarzt Dr. (W[ilhelm]) Steuber. Mitzahlr. Abb., Facs. u. Karten. Berlin: A. Schall 1906. (x, 578 S.) 8°
— [Verein d. Bücherfreunde. Jg. 15, 3.] [07. 16364]

Perbandt-Windkeim, Egon Oswald von

Noten-System von E. O v. Perbandt-Windkeim. *Berlin: [Selbstverl.] 1901.* (4 S.) 4° [01. 10318]

Perbendt, F. V. (Red.), s. Verkehrsgewerbe, Deutsches.

Perboyre, Joh. Gabr., s.: Leben u. Martertod rc.

Perboyre's, Johann Gabriel, Tod. Trauer- u. Triumphspiel in 5 Aufzügen. Von e. Priester der Kongregation der Mission. 8. (71 S. m. Titelbild.) Münster 894. A. Russell. n. 1. 20

Percator, Metoposcopia et chiromantia. Jen. 4°. 1723

Percement des Alpes bernoises. Rapport et propositions adressés par la Direction des travaux publics et des chemins de fer au Conseil-exécutif, pour être transmis au Grand Conseil (du canton de Berne), concernant la construction d'un chemin de fer électrique de transit à travers les alpes bernoises et l'exploitation d'un pareil ch' de fer (ch' de fer du Lœtschberg. Approuvé par le Grand Conseil). ⟨19/27) Juin 1906.⟩ 24 p. 4. [Berne, Lierow & Cie, 1906.]

Perčević, Edler von Odavna, Franz, k. und k. Oberstlieutenant im 27 Inft.-Reg. Die Pflege der Disciplin. Abwehr materialistischer Angriffe auf das Heer und die Religion. Zur Feier des 50jährigen, glorreichen Regierungs-Jubiläums Seiner Majestät unseres erhabenen und gütigen Kaisers, Königs und Kriegs-Herrn Franz Joseph I. 8 Graz 1898.

Percheids N Photogr. in natürl. Farb. v H Scheidemantel. (138 S 4 T) Leipzig 1904

Percheron, der, sein Ursprung, seine Geschichte und seine Befähigung zur Verbesserung anderer Racen. (Von Graefe.) Leipzig 859. Friese. 8. (IV, 43 S. u. 1 Holzschntaf.) 7½ ngr

Percheron, A., Monographie des Passales et des genres qui en ont été séparés; accomp. de planches dessinées par l'auteur ou toutes les espèces ont été figurées. Mit 7 Kpfrtaf. Lex.-8. Paris 835 Mercklein. (Leipzig, Brockhaus) n. 2⅓ ℛ

Perchtholb, Jh. Rep., (†...) Amalie v. Kroabach; Trspl. 8. Regensb. 787. Montag u. W. 4 gr

— die geraubte Ehefrau; Drama. 8. Frankf. u. Leipz. 778. Klett. 2 gr

— Richard d. Dritte; Trspl. 8. Regensb. 788. Montag u. W. 5 gr

Percí, Emil, überzuckertes Gift. Eine Erzählung. Berlin 859. Beck. 16. (31 S.) 1½ ngr

Percl & Schacherer: Preiscourant der Kabelfabrik. Budapest (1897)

Percier, Charles

Percier, C., u. P. F. L. Fontaine, Innendecorationen, Moebel u. Geräthe. Neue Ausg. Fol. (72 Taf. m. 1 Bl. Text.) Berlin 888. Wasmuth. cart. n. 30. —

Percier, C., u. P. F. L. Fontaine, Innendecorationen, Moebel u. Geraethe. Neue Ausg. gr. Fol. (72 Taf. m. 3 S. Text.) Berlin 898. E. Wasmuth. Geb. n. 30. —

Percier, Charles, u. P. F. L. Fontaine, römische Paläste. Neudr. des im J. 1798 in Paris u. d. T.: „Palais, maisons et autres édifices modernes à Rome" erschien. Werkes. Fol. (101 S.) Berlin 897. B. Hessling. In Mappe n. 60. —

— — römische Villen u. Parkanlagen nach Maisons de plaisance de Rome et de ses environs. Von neuem hrsg. u. textl. auf Grund d. neueren Forschgn. bearb. v. Joseph. gr. 4. (76 Taf. m. 28 S. illustr. Text.) Ebd. 898. In Mappe n. 36. —

Percival, J. G. Jahresbericht der geologischen Vermessung des Staates Wisconsin. Milwaukie 1856.

Percival, Ludw., Tannengrün. Dankes-, Trost- u. Liebesbüchlein. 854. (2 Bl., 121 S.) n. 15 ngr — 2. verm. Aufl. Frankfurt a. M. 856. Brönner. 16. (2 Bl., 148 S.) 15 ngr.

Percival, Robert

Percival, Rob., Beschreib. d. Insel Ceylon, enthalt. ihre Gesch., Geographie, Naturbeschreib.; aus d. Engl. mit Anmerkk. u. e. Zusätzen ꝛc. übers. von J. A. Bergk. Mit 1 Karte. gr. 8. Leipz. 803. Rein. 2 ℛ 12 g.

— Dass., s. auch **Bibliothek** d. n. Reisebeschreibb. 11r Bd.

Percival, Robert: Beschreibung der Insel Ceylon und ihrer Bewohner. Nebst einer Nachricht von einer Gesandtschafts-Reise an den Hof von Kandi. Aus dem Englischen übersetzt. Mit einer historisch-literarischen Einleitung herausgegeben von T. F. Ehrmann.
in: Bibliothek der neuesten und wichtigsten Reisebeschreibungen. Bd. 11. Weimar 1804. XX, 440 S., 1 Krt. 8°.

— Beschreib. d. Vorgebirgs d. gut. Hoffnung; a. d. Engl. mit Anmerkk. hrsgg. v. Ehrmann, s.a. **Biblioth.** d. n. Reisen, 18r Bd.

Percival, Robert. Beschreibung des Vorgebirges der guten Hoffnung. A. d. Engl. . . . Weimar 1805. Ü: *Seume, Johann Gottfried.* (MGT) (EngG) (Ky)

Percival, Robert: Beschreibung des Vorgebirgs der guten Hoffnung nach seinem ehemaligen und jetzigen Zustande, . . . Aus dem Englischen. Herausgegeben und mit einer Einleitung und Anmerkungen begleitet von T. F. Ehrmann.
in: Bibliothek der neuesten und wichtigsten Reisebeschreibungen. Bd. 18. Weimar 1805. LXXXIV, 456 S. 8°.

Percival, Th., Practical observ. on the treatment and causes of the dropsy of the brain. Med. Facts and obs. Lond. 1791, I, 111—33. Deutsch. Lpz. 8°. *Blumenbach*, Bibl. III, 439. *Richter*, Chir. Bibl. XII, 221.
1791

Percival, Th., Unterr. für se. Kinder in Erzähll. u. Fabeln; aus d. Engl. 2 Thle. 8. Leipz. 776, 77. Weiemann. 11 g.

Perckmayr, Reginaldi, dreyf. kathol. Katechism.' 8. Augsburg. 751.

Percopo, Erasmo, Geschichte d. italienischen Litteratur, s. **Wiese**, Berthold.

Die leichte Percussionsbüchse M/49. Berlin 1854. 8°.

Percy. Ein Trauersp. in 5 Aufz. Eine freye Übers. aus d. Engl. Hamburg 1779; Nachdruck Wien 1779. V: *More, Miss Hanna.* Vgl. Ersch II, 2 (1840), Nr. 4106. — Orig.: 1777. (DARP)

Percy. Trauersp. gr. 8. Hamb. Bohn. 779.

Percy; e. Trspl. in 5 Aufz., nach d. Engl. gr. 8. Hamb. 779. (Schnuphase in Altenb.) 5 g.

§ **PERCY**, Natalie, oder Eitelkeit und Liebe. Eine (zahme) Novelle nach d. Französ. (von Caroline Paulus). Mit TKpf. Nürnberg, Schrag, 1811. 8°. (70 Pfg. Scheible, vor 1885.)
Die Uebersetzerin war die Gattin des bekannten Theologen H. E. G. Paulus.

Percy, . . ., Anecdotes of the cour etc. im Auszuge übers., s. **Hof**, der, v. St. James.

Percy, des Baron, Chef-Chirurg der großen Armee (1754—1825), Feldzugs-Journal. Hrsg. nach den unveröffentlichten Aufzeichngn. m. e. Einleitg. (im Auszug wiedergegeben) v. Emil Longin. Uebers. u. m. e. Vorworte versehen von Beppina Freifrau v. Weinbach, geb. Kaulbach. Mit Portr. — Autorisierte Ausg. 2 Bde. (XII, 254 u. 306 S.) gr. 8. Leipzig 906. H. Schmidt & C. Günther. n. 9. 20; geb. n.n. 11. 20

Percy, A. R., allgemeines chemisch-technisch-ökonomisches Recept-Lexikon. Eine Sammlung prakt. Erfahrungen, ganz neuer Entdeckungen und Beobachtungen in der techn. Chemie, Gewerbskunde, Gärtnerei, Land- und Hauswirthschaft. Zum Gebrauche für Fabrikanten, Gewerbtreibende, Künstler, Gärtner, Oekonomen, sowie für alle Haushaltungen gemeinfaßlich bearb. und hrsg. Lex.-8. (XXIII und 940 S. mit 2 Tab. in gr. Fol.) Nürnberg 854—56, v. Ebner'sche Buchh., Verlags-Conto. *

Percy, A. R., allgemeines chemisch-technisch-ökonomisches Recept-Lexikon. Zum Gebrauche für Fabrikanten, Gewerbtreibende, Künstler ꝛc. gemeinfaßl. bearb. und hrsg. Suppl.-Bd. A. u. d. T.: Neueste chemisch-technisch-ökonomische Recepten-Sammlung, enthaltend die in neuester Zeit gemachten prakt. Erfahrungen, Entdeckungen und Beobachtungen in der techn. Chemie, Gewerbskunde, Gärtnerei, Land- und Hauswirthschaft. 6 Lfgn. Lex.-8. (III und 384 S.) Nürnberg 858, Korn'sche Buchh. à Lfg. * 5 Ngr. *
Das Hauptwerk erschien: Nürnberg 1854—56, v. Ebner'sche Buchh. Verlags-Conto, und kostet * 1 Thlr. 24 Ngr.

Percy, A. R., allgemeines chemisch-technisch-ökonomisches Recept-Lexikon. Eine Sammlung prakt. Erfahrungen, ganz neuer Entdeckungen und Beobachtungen in der techn. Chemie, Gewerbskunde, Gärtnerei, Land- und Hauswirthschaft ꝛc. Zum Gebrauche für Fabrikanten, Gewerbtreibende, Künstler ꝛc. 2., vollständig umgearb., verb. und verm. Aufl. 15 Lfgn. Lex.-8. (1190 S.) Nürnberg 862,63, Korn'sche Buchh. à Lfg. * 6 Ngr. *

Percy, John

Percy J, die zukünftige Entwicklung der Elektrotechnik. Leipzig 1882

Percy, J., ausführl. Handbuch der Eisenhüttenkunde. Ergänzungsbd. zur 2. Abth., s.a. **Wedding**, H., die Berechnungen etc.

Percy. J. Ausführliches Handbuch der Eisenhüttenkunde. Bearb. von H. Wedding. 3 Abth. und 2 Suppl. Braunschweig 1864—88.

Percy, John, die Metallurgie, s.a. **Wedding**, Herm., ausführliches Handbuch der Eisenhüttenkunde.

Percy, J: Die Metallurgie. Uebertragen und bearb. von F. Knapp u. a. Braunschweig
Bd 1. Die Lehre von den metallurgischen Prozessen im Allgemeinen und den Schlacken, die Lehre von den Brennstoffen und den feuerfesten Materialien als Einleitung, und die Metallurgie des Kupfers, des Zinks und der Legirungen aus beiden. 1863
Bd 2. Ausführliches Handbuch der Eisenhüttenkunde. Gewinnung des Roheisens und Darstellung des Schmiedeeisens und Stahls. Bearb. von H. Wedding.
Abth. 1. Die physikalischen und chemischen Eigenschaften des Eisens und seiner Verbindungen. Die Eisenerze. Die Rennarbeit. 1864
Abth. 2. Der Hochofenprozeß. 1868
Erg. Bd Die Berechnungen für Entwurf und Betrieb von Eisenhochöfen. Th. 1. 2. 1887–1888
Abth. 3. Darstellung des schmiedbaren Eisens. 1874
Erg. Bd Der basische Bessemer- oder Thomas-Prozeß. 1884
Bd 3. Die Metallurgie des Bleies und die Scheidung des Silbers vom Blei. Bearb. von C. Rammelsberg. 1872
Bd 4. Abth. 1. Die Metallurgie des Silbers und Goldes. Bearb. von C. Rammelsberg. 1881

Percy, John, die Metallurgie. Gewinnung und Verarbeitung der Metalle und ihrer Legirungen, in prakt. und theoret., besonders chem. Beziehung. Uebertragen und bearb. von F. Knapp und Herm. Wedding. Autoris. deutsche Ausgabe unter direkter Mitwirkung des engl. Verf. 1. Bd. 2 Abthlgn. und 2. Bd. 1. Abthl. gr. 8. Braunschweig, Vieweg und Sohn. *

Inhalt:

Bd. 1. Die Lehre von den metallurgischen Processen im Allgemeinen und den Schlacken, die Lehre von den Brennstoffen und den feuerfesten Materialien als Einleitung, und die Metallurgie des Kupfers, des Zinks und der Legirung aus beiden. Bearb. von F. Knapp. 2 Abthlgn. (XIV und 594 S. mit 180 in den Text eingedr. Holzstichen.) 863. à Abthl. * 1 Thlr. 15 Ngr. * 3 Thlr.

» 2. Ausführliches Handbuch der Eisenhüttenkunde. Gewinnung des Roheisens und Darstellung des Schmiedeeisens und Stahls, in prakt. und theoret. Beziehung, unter besond. Berücksichtigung der engl. Verhältnisse. Bearb. von Herm. Wedding. Mit mehreren hundert in den Text eingedr. Holzstichen und 3 Taf. in Farbendr. In 3 Abthlgn. 1. Abthl. in 4 Lfgn. [1. Lfg. (X und S. 1—128.) 864. * 16 Ngr., 2. Lfg. (S. 129—272.) 865. * 16 Ngr., 3. Lfg. (S. 273—484 mit 3 Chromolithogr. in gr. 8. und 4.) 866. * 1 Thlr. 5 Ngr., 4. Lfg. (VI und S. 485—609.) 866. * 16 Ngr.] * 2 Thlr. 23 Ngr.

Percy, John, die Metallurgie. Gewinnung u. Verarbeitung der Metalle u. ihrer Legirungen, in prakt. u. theoret., besond. chem. Beziehung. Uebertragen u. bearb. von F. Knapp u. Herm. Wedding. Autoris. deutsche Ausgabe unter direkter Mitwirkung des engl. Verf. 2. Bd. 2—7. Liefg. Braunschweig, Vieweg & Sohn. 7 Thlr 17 ngr

Ausführliches Handbuch der Eisenhüttenkunde. Gewinnung des Roheisens u. Darstellung des Schmiedeeisens u. Stahls, in prakt. u. theoret. Beziehung, unter besond. Berücksichtigung der engl. Verhältnisse. Bearb. von Herm. Wedding.

Percy, Joh., die Metallurgie. Gewinnung u. Verarbeitg. der Metalle u. ihrer Legirgn. in prakt. u. theoret., besonders chem. Beziehg. Uebertragen u. bearb. v. Knapp u. Herm. Wedding. Autoris. deutsche Ausg. unter directer Mitwirkg. d. engl. Verf. 2. Bd. Eisenhüttenkunde. 8. Lfg. [2. Abth. 4. (Schluss-)Lfg.] Mit zahlreichen in den Text gedr. Holzst. gr. 8. (XVII u. S. 535—864 m. 2 Tab. u. 1 Holzschntaf. in qu. Fol.) Braunschweig 873. Vieweg & Sohn. n. 9. —

— dasselbe. 2. Bd. Eisenhüttenkunde. 9—12. Lfg. [3. Abth. 1—4. Lfg.] Mit zahlreichen in den Text gedr. Holzst. gr. 8. (V, 735 S.) Ebend. 874—76. n. 18. 40

Percy, John, die Metallurgie. Gewinnung u. Verarbeitung der Metalle u. ihrer Legirungen, in praktischer u. theoretischer, besonders chemischer Beziehung. Uebertragen u. bearb. von F. Knapp, Herm. Wedding u. C. Rammelsberg. Autoris. deutsche Ausg. unter directer Mitwirkung des engl. Verf. 2. Bd. Eisenhüttenkunde. 13. Lfg. [3. Abth. 5. (Schluss-)Lfg.] Mit zahlreichen in den Text eingedr. Holzst. gr. 8. Braunschweig 878. Vieweg & Sohn. n. 7. 40 (I—II, 13.: n. 68. 10)

Percy, John, die Metallurgie. Gewinnung und Verarbeitung der Metalle und ihrer Legirungen, in prakt. und theoret., besonders chem. Beziehung. Uebertragen und bearb. von F. Knapp, Herm. Wedding und C. Rammelsberg. Autorisirte deutsche Ausg. unter directer Mitwirkung des engl. Verf. 3. Bd.: Die Metallurgie des Bleies und die Scheidung des Silbers vom Blei. gr. 8. (X, 372 S. mit zahlreichen in den Text eingedr. Holzst. und 1 Diagramm.) Braunschweig 872, Vieweg und Sohn. *

Percy, John, die Metallurgie. Gewinnung u. Verarbeitung der Metalle u. ihrer Legirungen, in praktischer u. theoretischer, besonders chemischer Beziehung. Uebertragen u. bearb. von F. Knapp, Herm. Wedding u. C. Rammelsberg. Autoris. deutsche Ausg. unter directer Mitwirkung des engl. Verf. 4. Bd. Die Metallurgie des Silbers u. Goldes. Uebertragen u. bearb. von C. Rammelsberg. 1. Abth. Mit zahlreichen in den Text eingedr. Holzst. gr. 8. (VIII, 206 S.) Braunschweig 881. Vieweg & Sohn. n. 5. 60

Percy, J: Die Metallurgie. 2. Aufl. Braunschweig

Bd 2. Ausführliches Handbuch der Eisenhüttenkunde. Gewinnung und Verarbeitung des Eisens in theoretischer und praktischer Beziehung unter besonderer Berücksichtigung der deutschen Verhältnisse von H. Wedding.

Bd 1. Allgemeine Eisenhüttenkunde. 1891—1896

Bd 2. Die Grundstoffe der Eisenerzeugung. 1897—1902

Bd 3 Die Gewinnung des Eisens aus den Erzen.

Buch 1. Roheisenerzeugung im Hochofen. 1904–1906

Bd 4. Die Gewinnung des Eisens aus den Erzen.

Buch 2. Die Rennarbeiten. Lfg. 1. 1907 ff.

Percy's, John, Metallurgy of iron and steel, deutsche Bearbeitg., s.: Wedding, Hermann, ausführl. Handbuch d. Eisenhüttenkunde.

Percy, Pierre Franc., V. Ausziehen fremder Körper a. Schußw. Preisschr. 148 S. Straßb. 8°.

1789

Percy, ..., vom Ausziehen fremder Körper aus Schußwunden; e. gekrönte Preisschr.; aus d. d. Französ. mit Anmerkk. v. Th. Lauth. Mit 2 Kpf. gr. 8. Straßb. 789. Akad. Buchh. (Hinrichs in Leipz.) 12 gr

—Pyrotechnie chirurgicale pratique. 12. Strassb. 794. Levrault. 8 gr

—chirurg.-prakt. Pyrotechnie. gr. 8. Leipz. 798. Schmidt. 6 gr

Percy, Stephen, Tales of the kings of England. Mit Worterklärungen v. F. Ahn. gr. 16. (12¼ B.) Wiesbaden 844, Beyerle. * -

Percy, Stephen, Tales of the kings of England. 2. Bdchn. bis auf unsere Tage reichend. Mit Anmerkgn. v. W. Helm. gr. 16. (221 S.) Darmstadt 852, Beyerle. n. 1/6 Thlr (cplt. 11/12 Thlr)

Percy, Thomas, u. William Shenstone, ein Briefwechsel, hrsg. v. Hans Hecht, s.a. Quellen u. Forschungen zur Sprach- u. Culturgeschichte der german. Völker. 103. Heft.

Hecht, Hans. Thomas Percy und William Shenstone. Ein Briefwechsel aus der Entstehungszeit der Reliques of Ancient English Poetry. Hrg. mit Einleitung und Anmerkungen von Dr. H' H'.... II + XXXVI + 145 S. 8. Strassburg, Karl J. Trübner, 1909. (M. 5. —)

Quellen und Forschungen zur Sprach- und Culturgeschichte der germanischen Völker. Hrg. von Alois Brandl, Ernst Martin, Erich Schmidt. (Heft) 108....

Percy, Thom., Einleit. zur Lesung d. N. Test.; aus d. Engl. 8. Zürich 776. Ziegler u. S. 6 gr

Percy, King Lear and his three daughters, s.: Schulbibliothek, französische u. englische.

Percy, Th., reliques of ancient English poetry, s.a. Collection of British Authors.

Percy's reliques of ancient English poetry, s.a. Sprach- u. Litteraturdenkmale, englische, d. 16., 17. u. 18. Jahrh.

— reliques of ancient English poetry. Nach der 1. Ausg. v. 1765 m. den Varianten der späteren Orig.-Ausg. hrsg. u. m. Einleitg. u. Registern versehen v. M. M. Arn. Schröer. 2 Bde. 8. Berlin 893. Weimar, E. Felber. n. 15. —; Einbde à n.n. 1. —

1. Neue Ausg. (XXVIII, 534 S.) n. 4. —. — 2. (S. 525—1134.) n. 11. —.

Perczel, Anna. Programm der Privat-Lehr- und Erziehungsanstalt für Töchter geleitet von — — in Fünfkirchen. (Magán nőnevelő, és tanintézetének Programmja — —.) In deutscher und magyarischer Sprache. Pest. Müller Emil Könyvnyomd. 1853. 8 Falz. (24 pag.)

Perezzell, R. P. Emerici, Dissertatio de fundamento juris divini in Homines etc. 8. Budae, Typ. 777.

Perdelwitz, Paul, ein Beitrag zur intracraniellen Resection d. II. Trigeminusastes nach Hartley-Krause. Diss. gr. 8. (25 S.) Breslau 895. (Schletter.) n. — 60

Perdelwitz, Richard, Pfarrer aus Czarnikau: Die Lehre von der Unsterblichkeit der Seele in ihrer geschichtlichen Entwickelung bis auf Leibniz. *Leipzig 1900: Gressner & Schramm.* (46 S.) 8°
Erlangen, Phil. Diss. v. 20. Febr. 1900

[F.] Die Martyrer von Picpus, Opfer d. Schreckensherrschaft d. Commune zu Paris im J. 1871. (Vf. R. P. Benoît **Perdereau,** prêtre de Versailles.) A. d. Franz. übs. v. Johann Jacob Hansen, Pfarrer. *Paderborn: Bonifazius-Dr. 1895.* (139 S.) 8.
= **Hausschatz,** Geistl., f. katholische Christen. Jg. 17. H. 2. [96. 7384

Perdisch, Adolf, aus Berlin Der Laubacher **Barlaam.** Vorstudien zu einer Ausgabe. *Marburg 1903: R. Friedrich.* (137 S.) 8°
Göttingen, Phil. Diss. v. [2. Juli] 1903

Der Laubacher Barlaam. Vorstudien zu e. Ausg Von Adolf **Perdisch,** Dr. phil. *Marburg: Elwert 1904.* (135 S.) 8°
[Erschien auch als Inaug.-Diss. Göttingen 1903.] [03. 13400

Perdrizet, Paul, l'art symbolique du moyen âge à propos des verrières de l'église St-Etienne à Mulhouse avec 2 planches. Conférence, donnée à la société industrielle de Mulhouse. (24 S.) gr. 8. Leipzig 907. C. Beck. 2. —
Sonderabdr. aus: „Bulletin de la soc. ind. de Mulhouse".

— Die elsässischen typologischen Glasmalereien, s.: Lutz, J.

— s: Speculum humanae salvationis.

Pereat. Gründliche u. prakt. Anleitg. zu diesem besonders beliebten Kartenspiele, auf Grund reicher Erfahrg. systematisch zusammengestellt v. e. alten Spieler. (8 S.) 8. München (909). M. Beckstein. — 30

Pereault, s. Perrault.

Pereboom, C., descriptio et icon. delineatae novi gen. vermium, stomachidae dicti, in corp. hum. hospitant. 8. Amst. (Richter, Altenb.) 780.

Pereboom, N. E., disquisitio de ascaridibus, c. fig. 4. Amst. (Fritsch, Lps.) 789.

— materia vegetabilis systemat. plantarum praesertim philos. botanicae etc. 4. Leyd. 787. Luchtmans. 2 ℛ

— systema characterum plantarum, seu dictionar. rerum botanicarum. 4maj. Leyd. 788. Luchtmans. 3 ℛ

Pereciot, de l'Etat civil des Personnes et de la Condition des terres dans les Gaules etc. II Vol. gr. 4. Strasb. Acad. 786.

Pereda, José M. de, Flügge, s.: Roman- u. Novellenschatz.

v. **Perefixe,** Hartuin, Lebensbeschreib. Heinrichs d. Großen, Königs in Frankreich; übers. v. J. Ch. Kind. 8. Altenb. 753. (Akad. B. in Jena). 12 gr.

— Lebensbeschr. Heinrichs d. Gr., a. d. Franz. 8. Tübing. Heerbrand. 792.

— Dass. in e. and. Uebersetz. 8. Tüb. 792. (Osiander). 1 ℛ 4 gr.

Perego, P., il passato e l'avvenire d'Italia. Considerazioni. Wien 860. (Mechitharisten-Congreg.-Buchhdlg.) gr. 8. (31 S.) n. 10 ngr.

Peregrin, zwölf Bilder für die katholische Jugend. Meißen (855.) Goedsche. 4. (37 S. u. 12 color. Lithogr.) n. 25 ngr.

—— der katholische Bildermann. 12 Skizzen. 8. (69 S. mit 1 Stnt. in Tondr.) Meißen 855, Goedsche'sche Buchh.

—— Carl. Eine Erzählung für die kathol. Jugend. 8. (79 S. mit 6 lithogr. und ill. Bildern in Tondr. nach Zeichnungen von F. Flinzer.) Meißen 855, Goedsche'sche Buchh.

Peregrin, das vatican'sche Concil und die Priesterehe. Zugleich ein Beitrag zur Cultur- und Sittengeschichte. 1. Hälfte. gr. 8. (152 S.) Bern 870, Wyß. *

—— Rom. Geschichtliche Bilder für die kathol. Jugend. br. 8. (VIII und 120 S. mit 6 lithogr. Bildern in Farbendr. und 1 lithogr. Plan des alten und neuen Roms.) Meißen 856, Goedsche'sche Buchh.

— — 2. Reihe. Ebend. 857. 8. (VIII, 160 S.) 25 ngr.

Peregrin, Rom. Geschichtliche Bilder für die kathol. Jugend. 2. Reihe. br. 8. (VIII und 160 S.) Meißen 858, [Höfer]

—— Schwärmerei der Liebe oder: die Magie eines langen Haares. Aus der Reise-Mappe eines pfälz. Studenten. 8. (VI, 450 S.) Speyer 872, Lang.

PEREGRIN (ps.), Ein moderner Sklave. Hamburg, M. Jacobson (190*).
Confiscirt 1905.

—— Theodor. Eine Erzählung für die kathol. Jugend. 8. (171 S. mit 1 lithogr. Karte in 4. und 6 lithogr. und ill. Zeichnungen von F. Flinzer.) Meißen 856, Goedsche'sche Buchh. -

Peregrin, (K. J. Schloßmann), Jacob Waldis, od. der Glaube überwindet. Eine Erzählung für d. reifere Jugend. 8. Stuttgart 833. (Löflund u. Sohn.) n. 1/3 ℛ

Peregrin, Fel., s. Mar. Paolo, Reise in d. Orient.

Peregrin, Paul, deutsches Blut. Ein Sang aus Schlesiens Vorzeit. 12. (III, 283 S.) Bunzlau 900. A. Neudecker. n. 3. 50; geb. in Leinw. n. 4. 50

— auf dem Lebenspfade. Gedichte u. Gedanken. 8. (69 S.) Großenhain (902). Baumert & Ronge. n. 1. —; geb. n. 1. 50

Peregrin, Paul, auf dem Lebenspfade. Gedichte u. Gedanken. (69 S.) 8. Großenhain (903). Baumert & Ronge. n. 1. —; geb. n. 1. 50

Peregrin, Sarmatus, Monumente. 1—3. Thl. A. u. d. T.: Die Afrancesados. Histor. Novelle a. d. J. 1814. 3 Bde. 8. (227. 274 u. 256 S.) Leipzig 847, Kollmann. 3 ℛ

Peregrin, Treufest, Banater Liederbuch in bunter Reihe. Sammlung deutscher, ungar., serb., roman., kroat., slavon. und böhm. Volks- und Gesellschafts-Lieder, wie man sie täglich hört. Aus mündl. und gedr. Quellen. gr. 16. (VI und 216 S.) Temesvar 863, (Sellheim.) *

Peregrina, die kleine. Lebensbild eines Kindes. Berlin 862. (Beck.) 8. (24 S.) 1½ ngr.

Peregrina, Cordula (C. Schmid, geb. Wöhler), s. a.: Wöhler, C.

— an d. Kirche Hand zum Vaterland. 8. (VII, 178 S.) München 899. R. Abt. Geb. in Leinw. n. 1.—

— Sanct Antonius, der wunderbare Brotvater. 16. (4 S. m. 1 aufgeklebten Photogr.) Ebd. 897. n. — 05

Peregrina, Cordula (Cordula Schmid, geb. Wöhler), Bergblumen, in Tirol gepflückt, s.: Aus Welt u. Leben.

— Schlichte Bilder aus dem Volksleben, s.: Aus Welt u. Leben.

— s.: Blüten aus dem Himmelsgarten.

—— s. Crescentia, die gottselige, von Kaufbeuren.

— es ist der Herr! 16. (4 S. m. 1 aufgeklebten Abbildg.) München (900). J. Pfeiffer. 100 St. n. 5.—

Peregrina, Cordula (Cordula Schmid geb. Wöhler), Feierglocken zu hl. Freudentagen. 12. (XV, 256 S. m. 1 Stahlst.) Würzburg 898. A. Göbel. Geb. in Leinw. m. Goldschn. n. 3.—

Peregrina, Cordula (C. Schmid geb. Wöhler), Feierglocken zu hl. Freudentagen. 2., verb. u. verm. Aufl. (XV, 267 S. m. 1 Stahlstich.) 12. Würzburg 904. Göbel & Scherer. Geb. in Leinw. m. Goldschn. n. 3.—

Peregrina, Cordula (C. Wöhler), Friedhofs-Blüthen zur Erinnerung an uns're theuren Todten. Ein Büchlein f. Alle. 16. (159 S. m. 1 Stahlst.) München 892. J. Pfeiffer. Geb. n. — 60

— Friedhofs-Blüten zur Erinnerung an uns're teu'ren Toten. Ein Büchlein f. Alle. 2., verb. u. stark verm. Aufl. (IX. 197 S.) 16. München 905. J. Pfeiffer. n. — 80; geb. in Leinw. n. 1. 20

— flehentliches Gebet in großer Trübsal z. gnadenreichen Prager Jesukindlein. 16. (4 S. m. 1 aufgeklebten Photogr.) Ebd. 897. n. — 05

— Gebet — des Christen liebste Pflicht. 16. (4 S. m. 1 aufgeklebten Photogr.) München 897. J. Pfeiffer. — 05

— Gebet z. hl. Erzengel Raphael, d. besond. Freund u. Führer christlicher Braut- u. Eheleute. 16. (7 S. m. 1 aufgeklebten Photogr.) Ebd. 897. — 08

— neues Gebhardsbuch. Kathol. Haus- u. Gebetbuch f. die christl. Familie. Mit e. Vorrede von Frz. Hattler, S. J. 2., stark verm. Aufl. 16. (XXIV, 424 S.) Bregenz (900). J. N. Teutsch. Geb. in Leinw. n. 1. 60

Peregrina, Cordula, s. Geschichte, die, der heil. Nothburga von Rottenburg.

Peregrina, Cordula, die Geschichte der heiligen Nothburga. Poetisch erzählt. Innsbruck 870. F. Rauch. 8. (IV, 114 S.) 7½ ngr.

Peregrina, Cordula, Die Geschichte d. heil. Nothburga v. Rottenburg. Poetisch erzählt. 8. (151 S.) Innsbruck, Felician Rauch. 60 kr., geb. in Leinwd. mit Goldschn. 1 fl. 1883.

— die Geschichte der hl. Nothburga v. Rottenburg. Poetisch erzählt. 3., verb. u. verm. Aufl. (158 S.) kl. 8. Innsbruck 904. F. Rauch. n. 2.—

—— s. a. Haus- und Herzensleben, katholisches.

Peregrina, Cordula [C. Wöhler], katholisches Haus- u. Herzens-Leben, beleuchtet vom Schimmer d. ewigen Lichts. Eine Sammlg. geistl. Lieder. 16. (330 S. m. 1 Bild.) München 888. Pfeiffer. n. 1. —; geb. n. 1. 50

— katholisches Haus- u. Herzensleben, beleuchtet vom Schimmer d. ewigen Lichts. Eine Sammlg. geistl. Gedichte. 2., stark verm. Aufl. 12. (XVI, 378 S. m. 1 Titelbild.) Ebd. 893. Geb. in Leinw. n. 2.—

— Himmelsflug u. Erdenfahrt, ein Bilderbuch nach Dichterart. 12. (VIII, 364 S. m. 1 Stahlst.) Innsbruck 899. F. Rauch. n. 2.—; geb. in Leinw. m. Goldschn. n. 3.40

— Des weißen Sonntags Himmelsglück. Festgabe zur ersten hl. Kommunion. 1.—4. Aufl. (Je 288 S. m. 2 [1 farb.] Taf.) kl. 8. Kevelaer (908). J. Thum. Geb. m. Goldschn. 3. 20

— Dem Leben abgelauscht, s.: Aus Welt u. Leben.

— aus Lebens Liebe. Lust u. Leid, e. Pilgersang zur Abendzeit. 12. (XL, 343 S. m. Bildn.) Innsbruck 898. F. Rauch. 2. —; geb. in Leinw. m. Goldschn. n. 3.40

— aus Lebens Liebe, Lust u. Leid, e. Pilgersang zur Abendzeit. 2. verb. u. verm. Aufl. 12. (XXXVIII, 358 S. m. Bildnis.) Innsbruck 902. F. Rauch. n. 2.—

— Mairosen, entsprossen zu Füßen uns'rer lieben Frau. 12. (XV, 222 S. m. Titelbild.) Münster 897. Alphonsus-Buchh. n. 2. 40; geb. in Leinw. m. Goldschn. n. 3.60

— Marienrosen, entsprossen zu Füßen uns'rer lieben Frau. 2., verb. u. verm. Aufl. (XXVII, 240 S. m. 1 Stahlst.) kl. 8. Münster 904. Alphonsus-Buchh. Geb. in Leinw. m. Goldschn. n. 3. 60

— der gottgeweihte Monat in 32 Liedern vom „Werth der Zeit im Hinblick auf die Ewigkeit". 32. (110 S. m. 1 Stahlst.) München 891. J. Pfeiffer. Geb. n. — 50

— der gottgeweihte Monat in 32 Liedern vom „Wert der Zeit im Hinblick auf die Ewigkeit". 2. verb. Aufl. 16. (110 S. m. Titelbild.) München (902). J. Pfeiffer. Geb. in Leinw. n. — 60

— Ölbergsstunden voll Weh u. Wunden, mit Gott durchrungen, z. Trost Euch gesungen. 16. (126 S. m. 1 Stahlst.) München 897. J. Pfeiffer. Geb. in Leinw. n. 1.—

— St. Krescentia-Büchlein. Leben u. Verehrung der seligen Krescentia v. Kaufbeuren. 3. verb. u. verm. Aufl. 16. (256 S. m. 1 Bildn.) Ebd. 902. Geb. in Leinw. — 75; in Ldr. n. 1. 20; m. Goldschn. n. 1. 40

— singt d. Herrn! od. D. Kirchenjahr in Liedern. 12. (IX, XX, 416 S.) Salzburg 898. A. Pustet. n. 2. 80

— Todtenblumen zum Trost der jenseits Leidenden, zum Heil der Hinterbliebenen. 16. (228 S. m. Titelbild.) Ebd. 899. Geb. in Leinw. — 60; in Ldr. n. 1. —

— Totenblumen zum Trost der jenseits Leidenden, zum Heil der Hinterbliebenen. 2. verb. u. verm. Aufl. (232 S. m. Titelbild.) 7,9×11,2 cm. München 910. J. Pfeiffer. Geb. in Leinw. — 60; in Ldr. n 1. —

— seraphisches Vergißmeinnicht f. jedes gute Ordenskind. 16. (80 S. 6 Stahlst.) München 890. Pfeiffer. geb. n. — 60

— seraphisches Vergißmeinnicht f. jedes gute Ordenskind. 2. Aufl. 16. (80 S. m. 6 Stahlst.) München 897. J. Pfeiffer. Geb. in Leinw. n. — 60

— Seraphisches Vergißmeinnicht f. jedes gute Ordenskind. 3. verb. u. verm. Aufl. (84 S. m. 6 Stahlst.) 16. Ebd. (910). Geb. in Leinw. — 60

—— s. Was das ewige Licht erzählt.

Peregrina Cordula (C. Köhler), Was das ewige Licht erzählt. Gedichte über das allerheiligste Altarssakrament. 2. verbesserte u. vermehrte Auflage. 8. (258 S.) geh. 1 fl.
Innsbruck: Rauch 1882.

†Peregrina, Cordula [C. Wöhler], was das ewige Licht erzählt. Gedichte über das allerheiligste Altarssakrament. 3. verb. und verm. Aufl. (VI, 254 S. mit 1 Stahlst.) 1885 und 4. verb. und verm. Aufl. 8. (258 S. mit 1 Stahlst.) Innsbruck 888, F. Rauch's Buchh. * 2 —
geb. mit Goldschn. * 3 —

— was das ewige Licht erzählt. Gedichte über das allerheiligste Altarssakrament. 5., verb. Aufl. 12. (XIX, 258 S.) Innsbruck 889. Fel. Rauch. n. 2. —; geb. m. Goldschn. n. 3. —

— was das ewige Licht erzählt. Gedichte üb. das Allerheiligste Altarsiakrament. 6., verm. Aufl. 12. (XX, 272 S. m. 1 Stahlst.) Innsbruck 891. F. Rauch. n. 2. —; geb. m. Goldschn. n. 3. —

— dasselbe. 7., verm. Aufl. 12. (XX, 286 S. m. 1 Stahlst.) Ebd. 892. n. 2. —; geb. in Leinw. m. Goldschn. n. 3. —

— dasselbe. 8., verm. Aufl. 12. (XXII, 297 S. m. 1 Stahlst.) Ebd. 893. n. 2. —; geb. n. 3. —

Peregrina cordula. Was das ewige Licht erzählt. Gedichte über das allerheiligste Altarssacrament. 9. verbesserte und vermehrte Auflage. 8. (XXII, 305 S.) 1.— In Lnwdbd. mit Goldschnitt 1.50
Innsbruck: Rauch 1895.

— was das ewige Licht erzählt. Gedichte üb. d. allerheiligste Altarssakrament. 10., verb. u. verm. Aufl. 12. (XXII, 321 S. m. 1 Stahlst.) Ebd. 897. n. 2. —; geb. n. 3. —

— dasselbe. 11., verb. u. verm. Aufl. 12. (XXII, 336 S. m. Ziertitel u. 1 Stahlst.) Ebd. 898. Geb. in Leinw m. Goldschn. n. 3. 20

PEREGRINA, Cordula
(F) Was das Ewige Licht erzählt. Gedichte über das Allerheiligste Altarssacrament. Von Cordula Peregrina. (C. Wöhler.) 12. verbesserte und vermehrte Auflage. Mit Fürstbischöflicher Approbation. Innsbruck. 1899. Rauch. 8°. XXVI, 388 S. fl. 1.—, geb. fl. 1.60

(F) Was das ewige Licht erzählt. Gedichte über das allerheiligste Altarssacrament. Von Cordula Peregrina. (C. Wöhler.) 13., verbesserte und vermehrte Auflage. Mit fürstbischöflicher Approbation. Innsbruck. 1901. Rauch. 8°. XXVI, 342 S. mit 1 Tafel K 2.—, geb. K 3.20

— was das ewige Licht erzählt. Gedichte über das allerheiligste Altarssacrament. 14. verb. u. verm. Aufl. 12. (XXVI, 350 S. m. 1 Stahlst.) Ebd. 902. n. 2. —; geb. n. 3. 20

(F) Peregrina, C., Was das ewige Licht erzählt. Gedichte über das allerheiligste Altarsakrament. 16. Aufl. 8°. (XXX, 360 S.) Innsbruck: Rauch 1905. geb. K 3.20

— was das ewige Licht erzählt. Gedichte üb. das allerheiligste Altarssacrament. 17., verb. u. verm. Aufl. (XXXIII, 364 S. m. 1 Stahlst.) kl. 8. Ebd. 906. n. 2. —; geb. in Leinw. m. Goldschn. 3. 20

— Was das ewige Licht erzählt. Gedichte üb. das allerheiligste Altarssakrament. 19. verb. u. verm. Aufl. (XXXIII, 368 S. m. Titelbild.) kl. 8. Innsbruck 910. F. Rauch. Geb. in Leinw. m. Goldschn. 2. 70

— Weihnachtsabend. (Gedicht.) 16. (4 S. m. 1 aufgeklebten Photogr.) Ebd. 898. — 05

— Christkindleins Weihnachtsgruß an frohfromme Kinderherzen. gr. 8. (XII, 152 S. m. Abb. u. 1 Farbdr.) Regensburg 900. F. Pustet. Kart. 2. 60

Peregrinaggio di tre Giovani, s.: Beiträge, Erlanger, zur englischen Philologie.

Peregrinatio der Apostelen, und das Leben Pauli. Johannes et Henricus Stern excudebat. Abraham Goos Sculp. Klandere inventor. 1: 6,000,000. 1 Bl.

Peregrinator, s.: Trier, das hl.

Peregrinatores medii aevi IV: Burchardus de monte Sion, Riccoldus de monte Crucis, Odoricus de foro Julii, Wilbrandus de Oldenborg, quorum duos nunc primum edidit, duos ad fidem librorum mscr. recensuit J. C. M. Laurent. Leipzig 864. Hinrichs. 4. (VIII, 199 S.) n. 4 ₰ 24 ngr.

Peregrinatores medii aevi quatuor: Burchardus de Monte Sion. Ricoldus de Monte Crucis. Odoricus de foro Julii. Wilbrandus de Oldenborg. Quorum duos nunc primum edidit, duos ad fidem librorum manuscriptorum recens. J. C. M. Laurent. Ed. 2. Accessit Thietmari peregrinatio. gr. 4. (VIII, 279 S.) Leipzig 873. Hinrichs' Verl. n. 9. —

Peregrinens Abhandl., s. Vincenz v. Lerin.

Peregrinus ex Comitiis . . . Provinciae Leodiensis exsors dissertatio . . . in caussa Cronwels et Cons. contra Michels et Cons. Appellationis. Wetzl. 1771. V: *Zwierlein, Christian Jacob von.* (ML)

Peregrinus, der heilige, aus dem Orden der Diener Mariä. Oder: Andachtsübungen für Leidende u. Betrübte. 8. (7 B. u. 1 Stnt.) Dortmund 843, Krüger.

Peregrinus Eremita, Mittheilungen üb. pädagog. Gegenstände, s. Mittheilungen.

PEREGRINUS LATIOSUS. Gewaltige / Risen-Schritt / Eines immerstehenden Pilgers / von Forolio: / Nemlich des Heiligen / Peregrini / Latiosi, / Aus dem Orden der Diener / Mariae, / Welcher nebst anderen Seeligen GOttes / in dem vertrichenen Jubel-Jahr. / Von Ihro Heiligkeit Benedicto XIII. / Der Zahl der Heiligen zugeschrieben worden; / Dessen wunderbarliches Leben / Gnaden und Wunder-Werck / erstlich in italiänischer Sprach beschrieben; anjetzo zu besonderen Trost aller Christglaubigen in der Teutschen herauß / gegeben / Von einem Priester aus dem Closter des / Ordens der Diener Mariae zu Maria-Loreto in Ungarn. / Mit Genehmhaltung der Obern. (Wiener) Neustadt 1727. Gedruckt bey Samuel Müller. 157 (1,14) S. - 153 mm

† Peregrinus pedestris, (J. E. Marston,) der holstein. Tourist, s. Tourist.

Peregrinus pedestris [ɔ: J. E. Marston], **Der holsteinische Tourist oder Wegweiser für Fuszreisende in der Umgegend von Hamburg. Hamburg. 1833. (M. Tvl.).**

Peregrinus [Pseud.], s.a. Reuss, Theodor

Peregrinus [Pseudon.] s. Scherr, Ignaz Thomas.

Peregrinus (Peregrinus Grundner), Dichtungen. 8. (XI, 135 S.) Dresden 902. E. Pierson. n. 2.—; geb. n. 3.—

Peregrinus, s.: Kampf, der, um die hl. Seifenblase.

Was muss man von der Freimaurerei wissen? Eine allgemeinverständl. Darstellung d. Ordens d. Freimaurer, d. Illuminaten u. Rosenkreuzer von Br. **Peregrinus**. *Berlin: H. Steinitz (1901).* (80 S.) 8° [F.]

Was muß man von der Freimaurerei wissen? Eine allgemeinverständl. Darstellung d. Ordens d. Freimaurer, d. Illuminaten u. Rosenkreuzer von Br. **Peregrinus**. 2., verm. u. verb. Aufl. Berlin: H. Steinitz (1905). (79 S.) 8° [F.]

Peregrinus, Antonius, s.a. Peregrinus, Johann Dominik

Peregrinus, Ant., de fideicommissis praesert. universal. II Vol. fol. Nrnb. Endter. 725. Rthlr.

— de iure et privilegiis fisci. 8. Colon. 746.

— manuductio ad jurisprudentiam just. II Tmi. 4. Salzburg, Mayr. 764.

PEREGRINUS, G. (ps.), Abentheuer des Junker Hans von Birken und seines treuen Matz. Hamburg 1811. 8°. (12 Mk. 50 Pfg. [!] Edm. Meyer, Berlin, 1908:)
„Das gestochene Titelblatt zeigt das wohlgelungene, sauber kolorierte Konterfei des treuen Matz, das höchst originell wirkt." — Weller, Lex. Ps. p. 421.

Peregrinus, Geo., die Entwicklungsmöglichkeit d. deutschen Handwerks u. der Herr Geheime Hofrat Professor Dr. Stieda-Leipzig. (32 S.) 8. Dessau 909. (W. Claaß.) — 50

Peregrinus, Johann Dominik, s.a. Peregrinus, Antonius

Peregrinus, Joa. Dom.: De fideicommissis, praes. universal. II Vol. fol. *Norimbergae*, Endter. 825. (3 Thl. 8 Gr.)

Peregrinus, Joa. Dom.: De jure et privilegiis fisci. *Colon. Agripp.* (663.) 746. 8. (20 Gr.)

Peregrinus, Jh. Dom., († d. 22. Juni 1764.) manuductio ad jurisprudentiam Justinianeam simplici via per IV Institutionum libros; in us. stud. juvent. II Tomi. 4. Salzb. 733. Ed. V. 764. Mayr. 1 ℛ

Peregrinus, Johannes [Joh. Peregrin Hupfauf]. Geschichte der salzburgischen Dom-Sängerknaben. (S.-A. aus den im Selbstverlage der Gesellschaft für Salzburger Landeskunde erschienenen Mittheilungen Bd. XXVIII.) Salzburg (1889).

Peregrinus, J., Geschichte der salzburgischen Dom-Sängerknaben od. schlechthin d. Kapellhauses. gr. 8. (186 S.) Salzburg 889. (Oberers sel. Wwe.) n.n. 2. 50

Peregrinus, Johannes, Die neue Orgel im Dome zu Salzburg. (Sep.-Abd.) 12. (16 S.) Salzburg, *Hermann Kerber. 15 kr. 1883.

Peregrinus, Lael., de noscend. et emendand. animi affectionibus etc. 8. Lps. 714.

Peregrinus, Marc. Ant.: Consilia sive responsa juris. T. 1—6. Venetiis 1727—34. 6 Bde fol.

Peregrinus, S., Pali, s. Pali.

Peregrinus, Silvius, s.a. Itinerarium curiense in terram sanctam.

Peregrinus, Silvius. Itinerarium curiense in terram sanctam epigrammatis illustravit. In-12°. 66 p. Chur, Hitz'sche Buchh. 1833. 1 25

Peregrinus, Silvius, itinerarium in terram sanctam. Epigrammatis illustravit P. — Wanderbüchlein ins hl. Land, aus dem Lat. des Silvius Peregrinus aus Chur (2. Aufl.) übers. von Otto v. Bleichenberg. 12. (XVI, 111 S.) Paderborn 900. F. Schöningh. n. 1. 60

Peregrinus, Thdr., (Thdr. v. Haupt,) Wanderungen, malerische, durch Holland u. einen Theil v. Norddeutschland im J. 1810. 2 Bde. Mit 2 Kpf. 8. Hamb. 811. (Herold jun.) 1 ℛ 16 𝒢

Pereira, s.a. Arteaga y Pereira.

Pereira, v., Antwort auf den vom Pfarrer Segnitz in der Protestversammlung des evang. Bundes am 20. I. 1903 geh. Vortrag. (21 S.) gr. 8. Dresden 903. Verlag der Saxonia-Buchdruckerei. — 10

Pereira, Caldas, et Castro, opera omnia juridica, civilia et canonic. VII Tmi. fol. Lausanne, Pott et C. 744.

Pereira, worüber ich schrieb, das habe ich gesehen! Oder: Unumstößlicher Beweis, daß die Lungenschwindsucht heilbar ist. Aus d. Französ. 8. (5 B.) Wien 844, Haas'sche Bh. Thlr. -

Pereira, A., s. Pereira - Arnstein, Alfons Freiherr von

Pereira, Adolf Freiherr von, s.a. Pereira - Arnstein, Freiherr von

Pereira, Adf. Frhr. v., Getreidebanken, begründet auf dem Principe der Fungibilität. Eine Monografie über Getreide u. Getreidespeicher. Mit einer Zinkogr. gr. 8. (46 S.) Wien 881. Manz. n. 1. —

Pereira, Adf. Frhr. v., im Reiche d. Aeolus. Ein Vorbleben v. 100 Stunden an den Liparischen Inseln. Reiseskizzen. Mit 36 Illustr. u. 1 Karte. Lex.-8. (V, 168 S.) Wien 883. Hartleben. 4. 60; geb. 6. —

Pereira, Anton

— Abhl. von der Macht der Bischöfe, a. d. Frz. gr. 8. Frft. (Göbhard in Bamberg.) 810.

— Abhandl. von d. Macht der Bischöfe; aus d. Franzöf. gr. 8. Frkf. a. M. 810. (Wesche). 20 gr

— Abhandl. vom Rechte der Metropolitane über ihre Bischöfe aus d. Portugief. von Le Bret. gr. 8. Frkf. a. M. 810. (Wesche). 20 gr

PEREIRA, Ant.: doctr. antiq. ecclesiae de suprema imperantium civil. etiam. in person. eccles. potestate. (*Lissabon.* 766.) *Wien*, Kurzböck. 773. gr. 8. (10 Gr.)

Pereira, Ant., dissert. de gratis ac scriptis Gregorii 8. maj. Vien. Kurzbock. (Camesina.) 773.

PEREIRA, Ant., (v. FIGUEIREDO): Von der Macht d. Bischöfe, a. d. Portug. *Frkf. a. M. u. Bamb.*, Göbhard. 774. 8. (1 Thl. 4 Gr.)

Eb.: Protestation wider d. röm. Kanzleyregeln; od. Beweis d. Rechte d. Metropolitanen üb. ihre Bischöfe, a. d. Portug. (v. J. F. LE BRET.) *Eb.* 780. 8. (20 Gr.)

Pereira, Francisc. Maria Esteves, s.: Acta martyrum.

Pereira, Jonathan, Abhandlung üb. die Nahrungsmittel des Menschen. Aus dem Engl. im Auszuge übersetzt von Carl Velten. gr. 8. (5 ¼ B.) Bonn 845, Henry u. Cohen.

—— Handbuch der Heilmittellehre. Nach dem Standpunkte der deutschen Medicin bearb. v. Rud. Buchheim. In 2 Bänden mit vielen in den Text eingedruckten Holzschn. 1—12. Lfg. gr. 8. (96 B.) Leipzig 845—47, Voß. à Lfg. *

Pereira's, Jonath., Handbuch der Heilmittellehre. Nach dem Standpunkte der deutschen Medicin bearb. von Rud. Buchheim. Mit Holzschn. 13. und 14. (letzte) Lfg. gr. 8. (2. Bd. XXII und S. 641—920.) Leipzig 848, Voß. *

Pereira, Jon., Vorlesungen üb. Materia medica, s. Bibliothek v. Vorlesungen üb. Medizin, IX. Bd.

Pereira, Baronin Marie, (P. Myriam), der Herrgottshof. (173 S.) 8. Strassburg 910. J. Singer. 3. —

— Die schwarze Marie v. Ferleiten. (186 S.) 8. Wien 908. C. Konegen. 2.50; geb. 3. —

Pereira-Arnstein, Freiherr von,
s.a. Pereira, Adolf Freiherr von

Pereira-Arnstein, Frhr. v., volkswirthschaftliche Bedeutung der Obstweinerzeugung. (Deutsch u. französisch.) (Internationaler land- u. forstwirthschaftl. Congress zu Wien 1890, 113. Hft.) gr. 8. (9 S.) Wien 890. (Frick.) n. — 60

Freiherr von Pereira-Arnstein, Alfons. Erleben wir noch eine Renaissance in der Malerei? Die Temperatechnik der Meister der Renaissance und deren Anwendung zum Zwecke der Herstellung von dauerhaften Gemälden nach ihrer Malweise. Stuttgart 1891. 8°.

Pereira A v, Leitfaden für Temperamalerei. 2. Auflage. (36 S) Stuttgart 1893

Pereira Arnstein, Alfons Frhr. v., „Tempera rediviva!" An die Künstler. (XII, 151 S.) gr. 8. Leipzig 909. E. Haberland. 3. —

Pereira de Castro, de suprema regum et in clericos potestate etc. fol. Lps. Weidmann. 774.

Pereira Guimarães, José, grammatica elementar da lingua suéca com themas, trechos de conversação e leituras. (Methodo Gaspey-Otto-Sauer.) (VI, 187 S.) 8. Heidelberg 907. J. Groos. Geb. in Leinw. 2. —

Pereira Guimaraes, José, Grammatica elementare della lingua svedese con temi, letture e dialoghi. (Metodo Gaspey-Otto-Sauer.) (V, 188 S.) 8. Heidelberg 906. J. Groos. Geb. n. 2. —

Pereira da Silva, Brasilien unter Kaiser Dom Pedro II., s. Actenstücke Brasil. Seite.

Pereira de Vasconcellos, Manoel de Macedo, Morgen- u. Abend-Fastenpredigten. Aus der portugies. Urschrift übersetzt v. Frz. Jos. Schermer. gr. 12. (10 B.) Regensburg 842, Manz. —

Pereire, Isaak, die religiöse Frage. Mit Genehmigung des Verf. übers. von Heinr. Deutsch. gr. 8. (XVI, 116 S.) Wien 879. Rosner. n. 1. 60

Pereles, Julia, die Kunstbügelei. Stärkebereitg. u. Brillant-Glanzbügelei nebst e. Anleitg. üb. das Goufrieren od. Kräuseln u. die Vorhang-Appretur. Leichtfaßlich dargestellt. 4. verb. u. verm. Aufl. (VI, 63 S. m. 34 Abb.) 8. Leipzig 909. B. F. Voigt. 1. 50

Pereles, Julia, Leitfaden z. Selbstunterricht in d. Kunstbügelei, Stärkebereitung, Brillant-Glanzbügelei, Vorhang-Appretur u. im Goufrieren od. Kräuseln. Leichtfaßl. dargest. 2., verm. u. verb. Aufl. 8. (VIII, 70 S. m. 34 Abb.) Weimar 897. Leipzig, B. F. Voigt. 1. 50

Pereles, Julia, Leitfaden zum Selbstunterricht in d. Kunstbügelei, Stärkebereitg., Brillant-Glanzbügelei, Vorhang-Appretur u. im Goufrieren od. Kräuseln. Leicht faßlich dargestellt. 3. verm. u. verb. Aufl. 8. (VI, 67 S. m. 34 Abbildgn.) Leipzig 903. B. F. Voigt. 1. 50

Pereles, Julia, Leitfaden zum Unterricht in der Kunstbügelei, Stärkebereitung, Brillant-Glanzbügelei u. Vorhang-Appretur. Leichtfaßlich dargestellt. 8. (VI, 66 S. m. 34 Abbildgn.) Weimar 890. B. F. Voigt. 1. 50

Pereles, Phpp., Schule d. reisenden Kaufmannes. Ein prakt. u. unterhalt. Lehr-, Rat-, Hilfs- u. Lesebüchlein für alle Handels- od. Geschäftsreisenden, solche, die es waren, u. solche, die es werden wollen. Nach eigenen langjähr. Erfahrgn., unter Einflechtg. lust. u. tragikom. Reisevorfälle geschildert. 8. (V, 92 S.) Leipzig 890. G. Weigel. n. 1. 50; geb. n. 1. 80

Pereles, Philipp, Schule des reisenden Kaufmannes. Ein prakt. u. unterhalt. Lehr-, Rat-, Hilfs- u. Lesebüchlein f. alle Handels- od. Geschäftsreisenden, solche die es waren u. solche, die es werden wollen. Nach eigenen langjähr. Erfahrgn., unter Einflechtg. lust. u. tragikom. Reisevorfälle geschildert. 2. verb. u. nach den Rechten u. Pflichten des Handlungsreisenden im In- u. Auslande hin verm. Aufl. 8. (VII, 98 S.) Leipzig (902). G. Weigel. n. 1. 50; geb. n. 1. 80

Perel'man, Osip Isidorovič. 1908 [wirkl. Name]
s. Dymov, Osip [Pseud.] (03. 7017

PERELS, Arnold, Das Buch vom Küssen .... 1876.
Citiren Brümmer u. Kürschner ohne Ortsangabe.

Perels, Emil

Perels, E., Abhandlungen über Kulturtechnik. gr. 8. (VIII, 333 S.) Jena 889. Costenoble. n. 7. —

Perels, E. Abriss der landwirthschaftl. Geräthe- und Maschinenkunde. 3. A. Berlin 1872.

Perels, Emil, die **Anwendung der Dampfkraft in der Landwirthschaft. Für Landwirthe, Maschinenfabrikanten, Ingenieure, sowie zum Gebrauche an landwirthschaftl. u. techn. Schulen.** Mit 96 (eingedr.) Holzschn. u. 3 lith. Taf. (in qu. Fol.) gr. 8. (VIII, 334 S.) Halle 872. Buchh. d. Waisenh. n. 12. —

Perels, Emil, über die **Bedeutung** des Maschinenwesens für die Landwirthschaft, s. a. **Sammlung** gemeinverständlicher wissenschaftlicher Vorträge. 28. Heft.

Perels E.: Ueber die Bedeutung d. Maschinenwesens für die Landwirthschaft. Berl. 1867. 36 S. P.
(= **Samml. gemeinverständl. wissensch. Vortr. H. 28**).

Perels, E. Berichte über die internationale landwirthschaftliche Ausstellung zu Bremen vom 13.-21. Juni 1874. Heft 5: Die hervorragendsten Erscheinungen auf dem Gebiete des Maschinenwesens. Berlin. 4.

— die **Dampfbodenkultur.** **Vortrag gehalten im Club der Landwirthe zu Berlin, am 4. Janr. 1870. Mit 5 (lith.) Abbildgn. Berlin 870. Wiegandt & Hempel.** gr. 8. (47 S.) n. 10 ngr.

— **die hervorragendsten Erscheinungen auf dem Gebiete d. Maschinenwesens, s.: Berichte üb. die internationale landwirthschaftliche Ausstellung zu Bremen.**

— die **Fortschritte** auf dem Gebiete des landwirthschaftlichen Maschinenwesens in den J. 1863—1865. **Bericht über die Ausstellungen zu Breslau, Stettin, Cöln und Dresden 1865, erstattet dem Königl. Preuß. Ministerium für die landwirthschaftl. Angelegenheiten.** gr. 4. (VIII und 148 S. mit 14 Stnt. in qu. Fol. und 76 eingedr. Holzschn.) Berlin 865, Wiegandt und Hempel. *

Perels, Emil, die landwirthschaftlichen **Geräthe u. Maschinen, s. a. Bericht über die Weltausstellung in Philadelphia 1876.**

— **Die landwirthschaftlichen Geräthe u. Maschinen [auf der Weltausstellung in Philadelphia 1876].** Wien 1877. 248 S. Fig.
(**Bericht üb. die Weltausstellung . . . 1876. Herausg. v. d. oesterr. Commission . . . H. 1**).

Perels, Emil, Handbuch zur Anlage und Konstruction landwirthschaftlicher Maschinen und Geräthe, für Maschinenfabrikanten, Konstrukteure, für Studirende der Technik &c. 1—4. Heft. Leipzig (Jena) 862—64. Costenoble. Lex.-8. 1—3.: à n. 1 ℛ 10 ngr.; 4.: n. 1 ℛ 15 ngr.
1. Heft: Die Dreschmaschinen, Getreidereinigungsmaschinen und die Motoren der Dreschmaschinen. Mit 12 lith. Taf. in Fol. (X, S. 1—122.) — 2. Heft: Die Säemaschinen. Mit 10 lith. Taf. in Fol. (VI, S. 123—258.) — 3. Heft: Die Erndtemaschinen. Mit 11 lith. Taf. in Fol. (VI, S. 259—381.) — 4. Heft: Die Maschinen zur Bearbeitung der geerndteten Früchte u. die Pferdehacken. Mit 12 lith. Taf. in Fol. (VI, S. 383—504.)

— **Handbuch zur Anlage u. Konstruction landwirthschaftlicher Maschinen u. Geräthe, für Maschinenfabrikanten, Konstrukteure, für Studirende der Technik** &c. 5—8. Heft. Leipzig. (Jena), Costenoble. Lex.-8. Jedes Heft n. 1 ℛ 15 ngr.
5. Hft. Die Bodenbearbeitungsgeräthe. (VI u. S. 1—131 mit 13 Steintaff. in gr. Fol.) 866.
6. Hft. Die Bodenbearbeitungsgeräthe u. die Dampfpflüge. (S. 132—274 mit 13 Steintaff. in gr. Fol.) 866.
7. Hft. Die Lokomobilen. (S. 275—402 mit 12 Steintaff. in gr. Fol.) 866.
8. Hft. Die transportablen Mahlmühlen, Pumpen u. Ziegelpressen nebst einem Nachtrage zu den vorhergeh. Abschnitten. (XIX u. S. 403—502 mit 14 Steintaff. in gr. Fol.) 866.

— **Handbuch** des landwirthschaftlichen Maschinenwesens. Für Landwirthe u. Maschinentechniker, sowie zum Gebrauche an landwirthschaftlichen u. technischen Schulen. 2., vollständig neu bearb. Aufl. Mit ca. 400 in den Text gedr. Holzschn. u. 36 lith. Taf. 2 Bde. gr. 8. (XVI, 398 u. 431 S.) Jena 879. 80. Costenoble. n. 40. —

Perels, Emil, Handbuch des landwirthschaftlichen Transportwesens. gr. 8. (XIII, 539 S. mit 251 in den Text gedr. Holzschn.) Jena 882, Costenoble. *

— **Handbuch des landwirthschaftlichen Wasserbaus. Mit 348 (eingedr.) Holzschn. u. 4 Taf. in Farbendr. Lex.-8. (XII, 692 S.) Berlin 877. Parey.** n. 20. —

Perels, Emil, Handbuch d. landwirthschaftlichen Wasserbaus. 2. neu bearb. Aufl. Mit 341 Textfig. u. 4 Taf. in Farbendr. gr. 8. (XII, 660 S.) Berlin 884. Parey. n. 18. —

— **die Mähemaschinen. Zum Gebrauche für prakt. Landwirthe, Maschinenfabrikanten und Ingenieure. gr. 8. (X, 150 S. mit 36 Illustr. in Holzschn.) Jena 869, Costenoble.** *

— die landwirthschaftlichen **Maschinen** u. Geräthe auf der Welt-Ausstellung zu Paris 1867, s. a. **Berichte** über den landwirthschaftl. Theil der Pariser Welt-Ausstellung.

Perels E.: Die landwirthschaftlichen Maschinen u. Geräthe auf der Welt-Ausstellung zu Paris 1867. Berl. 1867. 160 S. Fig. 15 Tvl. 4°.
(= **Berichte üb. den landw. Theil d. Pariser W.-A. v. 1867, herausg. v. C. v. Salviati. Th. 2**). 353.

Perels u. W. Strecker, Ratgeber bei Wahl u. Gebrauch landwirtschaftl. Geräte u. Maschinen, s. a. **Thaer-Bibliothek.**

— Ratgeber bei Wahl und Gebrauch landw. Maschinen. 1. u 3. A. Berlin 1867. 72

— **Rathgeber bei Wahl u. Gebrauch landwirthschaftlicher Geräthe u. Maschinen. Abriß der landwirthschaftl. Geräthe- u. Maschinenkunde f. den prakt. Landwirth. 3., vollständig umgearb. Aufl. Mit 52 in den Text gedr. Holzschn.** gr. 8. (VI, 203 S.) Berlin 872. Wiegandt, Hempel & Parey. n. 2. —

— 4. umgearb. Aufl. Sst. 1876. 221 S. Fig.
(Thaer-Bibliothek. Bd. 21).

— **Rathgeber bei Wahl u. Gebrauch landwirthschaftlicher Geräthe u. Maschinen. Abriß der landwirthschaftlichen Geräthe- u. Maschinenkunde. 5., umgearb. Aufl. Mit 50 in den Text gedr. Holzschn. 8. (VIII, 195 S.) Ebend. 879. geb.** n. 2. 50

— Ratgeber bei Wahl u. Gebrauch landwirtschaftlicher Geräte u. Maschinen. Abriß der landwirtschaftl. Geräte- u. Maschinenkunde. 6., umgearb. Aufl. 8. (VIII, 220 S. m. 68 Textabbildgn.) Berlin 889. Parey. geb. n. 2. 50

[F.] [Emil] **Perels'** Ratgeber bei Wahl und Gebrauch landwirtschaftlicher Geräte u. Maschinen. Abriss d. landw. Geräte- und Maschinenkunde. 7. Aufl., vollst. neu bearb. v. Dr. W[ilh.] Strecker, Prof. . . . zu Leipzig. M. 154 Textabb. *Berlin: P. Parey 1897.* (2 Bl., 276 S.) 1 Bd 8.
= **Thaer-Bibliothek.** Bd 21. [97. 6700

[Emil] **Perels**-[Wilh.] Strecker. Ratgeber bei Wahl u. Gebrauch landwirtschaftlicher Geräte u. Maschinen. Abriss d. landwirtschaftl. Geräte- u. Maschinenkunde. 8. Aufl. vollst. neu bearb. von Dr. W. Strecker, Prof. zu Leipzig. Mit 167 Abb. *Berlin: P. Parey 1902.* (VIII, 279 S.) 8° [F.]
= **Thaer-Bibliothek.** Bd 21. [02. 5945

Perels, Ratgeber bei Wahl u. Gebrauch landwirtschaftlicher Geräte u. Maschinen, 9. Aufl., s. a. Strecker, W.

Perels, E: Ratgeber bei Wahl und Gebrauch landwirtschaftlicher Geräte und Maschinen. 9. Aufl. von W. Strecker. Berlin 1906

— die Trockenlegung versumpfter Ländereien, s. a. Bibliothek, landwirthschaftliche.

Perels E.: Die Trockenlegung versumpfter Ländereien m. besond. Berücks. d. Drainage. Berl. 1874. 160 S.
(Bibliothek d. Landwirths. Leipz.).

— die neuen amerikanischen Windräder für landwirthschaftliche Zwecke. [Aus: „Oesterr. landw. Wochenbl."] gr. 8. (17 S. mit 6 eingedr. Holzschn.) Wien 877. Faesy. n. — 80

Perels, Ernst, die kirchlichen Zehnten im karolingischen Reiche. Diss. (93 S.) gr. 8. Berlin 904. E. Ebering. n. 2. 50

Perels, Ferdinand

Perels, F., Auslieferung desertirter Schiffsmannschaften. gr. 8. (16 S.) Berlin 883, Mittler und Sohn. *
Aus: 40. Beiheft zum Marineverordnungsblatt, besonders abgedruckt.

Perels, Bestimmungen über die Disciplinar-Bestrafung an Bord in Dienst gestellter Schiffe u. Fahrzeuge der Kriegsmarine des norddeutschen Bundes erläutert. Kiel 869. Univ.-Buchh. gr. 8. (24 S. mit 1 Tab. in Fol.) 7½ ngr.

— — 2. Aufl. Ebend. 869. 8. (35 S. mit e. Tab. in gr. 4.) n. 10 ngr.

Perels, F., Entwurf e. Strandungs-Ordnung f. das deutsche Reich nebst Erläutergn. Lex.-8. (25 S.) Kiel 873. Universitäts-Buchh. n. 1. —

— Handbuch d. allgemeinen öffentlichen Seerechts im deutschen Reiche. gr. 8. (XIV, 510 S) Ebend. 884. n. 10. —

Perels, F. Handbuch des allgemeinen öffentlichen Seerechts im Deutschen Reiche. Berlin 1901.

Perels, F., s. a. Seerecht, das allgemeine öffentliche, im Deutschen Reiche.

Perels. F[erd.]: Das allgemeine öffentliche Seerecht im Deutschen Reiche. Sammlung der Gesetze und Verordnungen mit Erl. und Registern. [Nebst] Erg.Bd [1.] 2. Berlin 1901. 2 Bde
Erg.Bd [1.] Die Seemannsordnung vom 2. Juni 1902 und ihre Nebengesetze. 1902.
„ [2.] Die Seestraßenordnung vom 5. Febr. 1906 und die ihr verwandten Vorschriften. 1908.

Das allgemeine öffentliche Seerecht im Deutschen Reiche. Sammlung d. Gesetze u. Verordnungen mit Erl. u. Registern hrsg. unter Leitung von F[erdinand] **Perels**, Wirkl. Geh.R. *Berlin: E. S. Mittler & Sohn 1901.* (XIX, 288 S.) 8°
[01. 10319

Perels, F., das internationale öffentliche Seerecht der Gegenwart. gr. 8. (XXII, 425 S.) Berlin 882. Mittler & Sohn. n. 8. —

Perels, F., das internationale öffentliche Seerecht der Gegenwart. 2., neu bearb. Aufl. (XVI, 358 S.) gr. 8. Berlin 903. E. S. Mittler & Sohn. n. 8. —; geb. in Leinw. n.n. 9. 50

Perels, F., Verhalten d. Seeschiffe bei unsicht. Wetter nach dem internat. Seestraßenrecht. [Aus: „Marine-Rundschau".] Lex.-8. (VI, 61 S.) Berlin 898. E. S. Mittler & Sohn. n. 1. 60

Perels, Kurt, die allgemeinen Appellationsprivilegien f. Brandenburg-Preußen, s. a. Quellen u. Studien zur Verfassungsgeschichte des Deutschen Reiches in Mittelalter u. Neuzeit. III, 1.

Die allgemeinen Appellationsprivilegien für Brandenburg-Preußen. Von Dr. Kurt **Perels**, Prof. Weimar: H. Böhlau Nachf. 1908. (XIV, 153 S.) 8° [F.]
— **Quellen** u. Studien z. Verfassungsgeschichte d. Deutschen Reiches im Mittelalter u. Neuzeit. Bd 3, H. 1.
[08. 16451

— Das **Bergrechtsabkommen vom 17. II./2. IV. 1908 u. die bergrechtliche Stellung der deutschen Kolonial-Gesellschaft f. Südwest-Afrika, unter besond. Berücksicht. der Rechtsverhältnisse im Lüderitzbuchter Diamantsperrgebiet.** (IV, 25 S.) gr. 8. Berlin 910. E. S. Mittler & Sohn. — 75

— Stellvertretende **Bevollmächtigte zum Bundesrat, s. a. Festgabe der Kieler Juristen-Fakultät, Albert Hänel dargebr.**

Perels, Kurt, Stellvertretende Bevollmächtigte zum Bundesrat. Kiel u. Leipzig 1907. 8°.
Aus: Festgabe d. Kieler Juristen-Fakultät zu Albert Hänels 50jähr. Doktor-Jubiläum.

— Die **Datierung des preuss. Privilegium generale de non appellando illimitatum.** (7 S.) Lex. 8. Berlin 907. G. Reimer. — 50
Sonderabdruck a.: „Sitzungsber. d. preuss. Akad. d. Wiss."

— Die Errichtung e. Kolonial- u. Konsular-Gerichtshofes. Kritische Erörtergn. (39 S.) Lex. 8. Hamburg 910. L. Friederichsen & Co. 1. 20

Perels u. Spilling, das Reichsbeamtengesetz, erläutert. gr. 8. (VIII, 283 S.) Berlin 890. Mittler & Sohn. n. 5. —; geb. n. 5. 60

— u. Spilling, das Reichsbeamtengesetz, erläutert. 2., neubearb. Aufl. (X, 422 S.) gr. 8. Ebd. 906. n. 6. —; geb. n. 7. —

Das autonome Reichstagsrecht. Die Geschäftsordnung u. die Observanz d. Reichstages in systemat. Darstellung. Mit e. Anh.: Die Geschäftsordnung f. d. Reichstag in krit. Bearbeitung. Von Dr. Kurt **Perels**. Privatd., Kiel. *Berlin: E. S. Mittler & Sohn 1903.* (X, 136 S.) 8° [F.] [03. 5860

Perels, Kurt, Streitigkeiten deutscher Bundesstaaten auf Grund des Artikels 76 der Reichsverfassg. Diss. gr. 8. (59 S.) Berlin 900. (E. S. Mittler & Sohn.) n. 1.50

Perels, Leop., die Seemannsordnung vom 2. VI. 1902 u. ihre Nebengesetze, s. a. Seerecht, das allgemeine öffentliche, im Deutschen Reiche.

Die Seemannsordnung vom 2. Juni 1902 und ihre Nebengesetze bearb. von Dr. iur. L[eopold] **Perels**. *Berlin: E. S. Mittler & Sohn 1902.* (XI, 94 S.) 8°
— **Perels, Ferdinand**: Das allgem. öffentl. Seerecht im Deutschen Reiche. Erg.Bd.
[02. 11304

Perels, Leop., die Seestrassenordnung vom 5. II. 1906, s. a. Seerecht, das allgemeine, öffentliche, im Deutschen Reiche. 2. Erg.-Bd.

Die Seestraßenordnung vom 5. Febr. 1906 und die ihr verwandten Vorschriften bearb. von Dr. iur. Leopold **Perels**, Privatd. Berlin: E. S. Mittler & Sohn 1908. (XI, 55 S.) 8°
— **Perels**, Ferdinand: Das allgem. öffentl. Seerecht im Deutschen Reiche. Erg.Bd 2.
[08. 9996

Perels, Leopold, Dr. iur., Gerichtsassessor: Die Stellung des Kapitäns im deutschen Seehandelsrecht. 1. Stuttgart 1906: Union. (IV, 86 S.) 8° [F.] ¶(Aus: Zeitschrift für das gesamte Handelsrecht Bd 57.)
Mit: Einladung zur ..Probe-Vorlesung..d. 21. Dezember 1905.. Thema: Die rechtliche Bedeutung der Sorgfalt in eigenen Angelegenheiten. Heidelberg: J. Hörning. (1 Bl.) 8°
Heidelberg, Jur. Fak., Hab.-Schrift v. 1906

— Strandungsdelikte im deutschen Recht, s. Abhandlungen, strafrechtliche.

Perels, Leopold, Kammergerichtsref.: Strandungsdelikte im Deutschen Recht. *Breslau: Schletter 1898.* (XIV, 31 S.) 8° ¶ [Erschien vollst. 1899 als H. 17 d. Strafrechtl. Abhandlungen.]
Berlin, Jur. Diss. v. 15. Aug. 1898

— Zum Vorentwurf e. Seeunfallgesetzes, s. Zeitschrift f. das gesamte Handelsrecht u. Konkursrecht. 65. Bd. Beilageheft.

Zum Vorentwurf eines Seeunfallgesetzes. Von Dr. jur. Leopold **Perels**. Stuttgart. Enke 1909. 47 S. 8°
(Zeitschrift f. d. gesamte Handelsrecht u. Konkursrecht. Bd 65, Beil. H.) tog. 15900

Perels, Mart., Klänge aus Böhmen. Eine Apotheose zu Alfr. Meißner's: „Zizka." gr. 16. (64 S.) Prag 862, Kober. cart. mit Goldschn. *

Perels, Mart., Klänge aus Böhmen. Zeitgedichte. Eine Apotheose zu Alfr. Meißner's „Zizka." 2. Aufl. Leipzig 870. Matthes. 16. (112 S.) In engl. Einb. mit Goldschn. 22½ ngr.

Perels, Mart., Klänge aus Böhmen. Zeitgedichte. Eine Apotheose zu Alfr. Meißners: „Zizka." 3. Aufl. 16. (126 S.) Leipzig 870. Matthes. geb. m. Goldschn. n. 2. 50

Perels, Mart., „meine Krankheitsgeschichte!" Aus dem Tagebuche eines Irren. Sep.-Abdr. aus den Vorträgen über Sinnestäuschungen, Dämonomanie, Traum- und Seelenleben, Attentat, Wahnsinn und Selbstmord! 1.—5. Aufl. Volks-Ausg. gr. 8. (32 S.) Löbau i. Westpr. 880,81, (Skrzeczek.)

Perels, Martin (Hrsg.), s. Schaubühne, Die deutsche

— meine Selbstbiographie. Mit Anhang: Vertrauter Briefwechsel bekannter lebender Künstler-Persönlichkeiten. Berlin 862. Lassar. gr. 16. (56 S.) n. 15 ngr.

Perels, Mart., Vorträge üb. Sinnesempfindungen u. Sinnestäuschungen, Mondsucht, Traum- u. Seelenleben, üb. Dämonomanie, Verfolgungsmanie, Attentat, Wahnsinn u. Selbstmord. gr. 8. (196 S.) München 876. Huber. 3. —

Peremeschko, Beitrag zur Anatomie der Milz. [Aus den Sitzungsber. der k. Akad. der Wiss.] Wien 867. (Gerold's Sohn.) Lex.-8. (5 S. mit 1 Steintaf.) n. 4 ngr.

Peremeschko, über die Bilder der Keimblätter im Hühnerei. Lex.-8. (18 S. mit 1 lithogr. Taf. in qu. 4.) Wien 868, (Gerold's Sohn.) *
Aus: Sitzungsberichte der k. Akademie der Wissenschaften, besonders abgedruckt.

—— über die Entwickelung der Milz. Lex.-8. (8 S. mit 2 Stnt. in Lex.-8. und 4.) Wien 867, (Gerold's Sohn.) *
Vorstehende zwei Schriften des Verf. wurden aus: Sitzungsberichte der k. Akademie der Wissenschaften, besonders abgedruckt.

Peren, Nicolaus [app. Arzt aus Manderfeld (Rheinprov.)]: Die Deckung der Augenhöhle nach Ausräumung derselben. . . . Marburg, Univ.-Buchdr. (R. Friedrich), 1891; 27 S., 1 Bl. 8°
Marburg, Med. Fak., Inaug.-Diss. v. [26. Mai] 1891

S., C. W., Anna Perenna, Salfeld (o. J., Anfang des 18. Jahrh.)
siehe Christoph Wilhelm Schneier.

Perenotti di Cigliano, Pet. Ant., von der Lustseuche; aus d. Italien. mit Zusätzen v. Kurt Sprengel. gr. 8. Leipz. 791. (W. Rauck). 1 ₰

Perenotti di Cigliano, von der Lustseuche, aus dem Ital. mit Zus. von Sprengel. gr. 8. Lpz. Sommer. 791.

Perényi, Alex., Anleitg. zur Beurtheilg. u. Bestimmg. der Brunnen-Ergiebigkeit u. zur rationellen Ausnützg. der Ergiebigkeit von Pumpenanlagen. Für Brunnen- u. Eisenbahn-Ingenieure verf. gr. 8. (VII, 60 S. m. 10 Abbildgn.) Wien 900. A. Hartleben. n. 2. 25

Perényi, Alex., rationelle Konstruktion u. Wirkungsweise des Druckluft-Wasserhebers f. Tiefbrunnen. (V, 52 S. m. 14 Abb.) Lex. 8. Wiesbaden 908. C. W. Kreidel. 2. 40

PEREPELYCIA, Johann: Paulus gegen Kephas (Gal 2, 11—14). — (1909) XIV, 110 Bl. 4° (Handschr.) Diss. 676
Diss. Wien, Univ.

* **Peres, les deux, ou la leçon de Botanique, Comédie en 2 Actes, en Vaudev. 8. Brunsvic, Pluchart. 810.**

Peretti, Jos., üb. die frühere u. jetzige Behandlung der Geisteskranken. Vortrag, geh. in der General-Versammlg. d. Hülfsvereins f. Geisteskranke im Reg.-Bez. Düsseldorf am 24. Oktbr. 1894. gr. 8. (30 S.) Düsseldorf 895. L. Voß & Co. — 50

Peretti, Joseph (geb. am 24 Dez. 1852 in Bonn): Beiträge zur Toxikologie des Kaffein [!] . . . Bonn, Druck v. C. Georgi 1875. 48 S., 1 Bl., 1 Taf. 8.
Bonn, Med. Fak., Diss. v. 26 Juli 1875

Peretti, Wilhelm [approb. Arzt aus Cöln]: Ueber die Tonsillotomie und ihre Gefahren . . . München, Kgl. Hof- u. Univ.-Buchdr. v. Dr. C. Wolf & Sohn, 1885; 29 S. 8°.
München, Med. Fak., Inaug.-Diss. v. 1885.

Peretz, Bernhard [aus Kempen in Posen]: Altprovenzalische Sprichwörter. Mit einem kurzen Hinblick auf den mhd. Freidank. . . . (Sep.-Abdr. aus den Romanischen Forschungen, Bd. 3. Heft 3.) Erlangen, Druck d. Univ.-Buchdr. v. Junge & Sohn, 1887; 49 + 1 S. 8°.
Göttingen, Phil. Fak., Inaug.-Diss. v. 7. Dez. 1886.

Perotz, Eugen [pr. Zahnarzt aus Berlin]: Ueber Unterkieferfrakturen . . . Berlin, Druck v. Eyck & Friedlaender, 1893; 38 S. 8.
Würzburg, Med. Fak., Inaug.-Diss. v. 1893

Peretz, Wilhelm: Aus d. Nerven- u. psychiatr. Klinik d. Kgl. Charité. Sensibilitätsstörungen bei der multiplen Sclerose des Gehirns und Rückenmarks. (Berlin 1910: Blanke.) 49 S. 8°
Berlin, Med. Diss. v. 12. Aug. 1910, Ref. Ziehen
[Geb. 15. Okt. 80 Ekaterinburg; Wohnort: Ekaterinburg; Staatsangeh.: Rußland; Vorbildung: Gymn. Ekaterinburg Reife O. 05; Studium: Bern 4, Berlin 6 S.; Rig. 10. Aug. 10.] [U 10. 80

Pereville, Frz. X., kurzer Unterr. in den wissenswürdigst. Real-Kenntnissen f. d. Jugend, zunächst f. d. unt. Klassen d. Gymnasiums zu Coblenz. M. 11 Stnt. 8. (12¼ B.) Coblenz 829, Hergt.

Perewalowa, Lydia. Ueber die Veränderungen der Milz nach Verbrennung. Diss. Med. Bern. 12 S. 8. Bern, H. Hess, 1910.

Perewoschtschikoff, D.

—— Новыя изслѣдованія о предварепіи равноденствіи и колебаніи земной оси. (Neue Untersuchungen über das Gleichgewicht und das Schaukeln der Erde.) s. Mémoires de l'acad. imp. des sciences de St.-Pétersbourg.

— Вѣковыя возмущенія семи большихъ планетъ, s.a. Mémoires de l'Acad. Imp. des Sciences de St.-Pétersbourg.

Перевощиковъ, Д., Вѣковыя возмущенія семи Большихъ Планетъ. I и II. Отдѣленія. (Pereweschtschikoff, D., hundertjährige Veränderungen der sieben grossen Planeten. 1. und 2. Abthl.) Imp.-4. (71 S.) St. Petersburg 857. Leipzig, Voss. • *
Aus: Mémoires de l'académie impériale des sciences mathemat. et phys. de St.-Petersbourg, Tome VI, besonders abgedruckt.

Peres Jean Henri, Yverdon. Dissertatio inauguralis physico-medica de visu. 1544
Basel, Med. Diss. 1755.

Perey, Johann Peter (Orzens.), Systematis physici. Disput. Vigesima Nona quae est Quarta de dioptrica. Präs. I. P. de Crosa. Bern (Typ. Ill. Reip.) 1715. 23 S. (4.50) 26052
Gew.: Johann von Loys. de Villardins.

Perey, Lucien [Autorname] = Herpin, Mlle Lucie.

Pereyaslawzeff, Sophie, vorläufige Mittheilungen über die Nase der Fische. Inaugural-Dissertation. gr. 8. (60 S. m. 1 Steintaf. in qu. gr. 4.) Zürich 876. (Ebell.) n. 1. 50

Perez, die Vorschläge des Oberconsistorialraths Dr. Snethlage u. des Abtes Dr. Rupstein zur Vereinigung d. evangel. Kirche Deutschlands, den protestant. Höfen eingereicht u. aus authentischen Actenstücken mitgetheilt. 8. (2 B.) Grimma 846, Verlags-Comptoir. *

Perezii, Ant., institutiones imperiales, erotematibus distinctae. 8. Wien 753. Trattner. 12 ℛ

Perez, Bernard, die Anfänge d. kindlichen Seelenlebens, s.: Magazin, pädagogisches.

Perez, J. F. T., de febre hydrocephalica Marburgi aestate anni 1819 grassata. 8maj. Marb. 819. Krieger. 3 ℛ

I[ṣhaq] L[eb] **Perez**. Ausgewaehlte Erzaehlungen und Skizzen. Aus d. Juedischen uebers. von Mathias Acher [d. i. Nathan Birnbaum]. 2 Aufl. Berlin Jued. Verl. 1905. (282 S.) 8° [o8. 1330 11

Perez-Guzman, Don Alonso, der Getreue. O. O. 1739. V: *Wallbach, Joh. Ant.* (Jes)

Pérez de Castro, L., Wörterbuch, s.: Echo der spanischen Umgangssprache.

Benito Peroz Galdós. Electra, Schauspiel in 5 Acten. Einzig autor. Uebers. aus d. Span. von Rudolf Beer. *(Wien): Wiener Verl. 1901.* (130 S.) 8° [o1. 6008 5

Marianela. Novelle von [Benito] **Perez Goldós** [vielm. Galdós]. Nach d. Span. erzählt von Emil Jonas. Mit Vollbild. Berlin: A. Weichert [1903]. (57 S.) 8° [F.]
— **Wochen-Bibliothek**, A. Weichert's. Bd 152, [1.] [o4. 5307

Perez de Hita, Gines. Rittergeschichten der Mauren von Granada . . . Bremen 1810. Ü: *Zimmermann, W.* (Ky) (MGT)

Perez-Rosales, V(icente): Essai sur le Chili. — Hbg 1857: Nestler & Melle. XXI, 455 S., 2 Tab., 1 Kt.

(**Perfall, Frh. von**:) Das neue Geschäftshaus von Gebr. Bing Söhne, Köln a. Rh., Neumarkt 15, 17, 19. Erbaut von H. Müller-Erkelenz in Köln. [Mit Abb. u. Pl.] (Köln a. Rh. 1909: DuMont Schauberg.) 8 S. 8°

Perfall, Ant. Frhr. v., die Achenbacher. Roman. (Neue [Titel-]Ausg.) 8. (307 S.) Stuttgart [897.] (902). Deutsche Verlags-Anstalt. n. 1. —; geb. n. 1. 25

Perfall, Ant. Frhr. v., ein Akkord. Die Libelle, s.a. Heyse's, Max, Volksbücherei.

Perfall, Ant. Frhr. v., ein Accord. D. Libelle. Novellen. 1.—3. Taus. 12. (123 S. m. Titelbild.) Berlin 898. Leipzig, G. Müller-Mann. n. 1. —

— der Almschreck u. andere Geschichten. Illustr. von Hugo Engl. 12. (V, 237 S.) Stuttgart 903. A. Bonz & Co. n. 3. —; geb. in Leinw. n. 4. 20

Perfall, Ant. Frhr. v., Anca, s.a. Haus- u. Reisebibliothek, deutsche.

— Anca. Eine Cirkusgeschichte. 8. (140 S.) Berlin 897. J. Gnadenfeld & Co. 1. —

— der Bauer vom Wald, s.a. Goldschmidt's Bibliothek.

Der Bauer vom Wald. Novelle von Anton v Perfall. *Berlin A. Goldschmidt 1901* (108 S.) 8° [F.]
= Bibliothek, Goldschmidts, f. Haus u. Reise. Bd 100. [o2. 13336

— aus Berg u. Thal. Jagdgeschichten. Mit Illustr. von Hugo Engl. 1. u. 2. Aufl. 12. (à V, 185 S.) Stuttgart 902. A. Bonz & Co. n. 2. 40; geb. in Leinw. n. 3. 60

— sein Dämon. Roman. 8. (348 S.) Berlin 898. Deutsches Verlagshaus Bong & Co. n. 6. —; geb. n. 7. 50

— er lebt v. seiner Frau, s: Bibliothek moderner deutscher Autoren. 8. Bd.

— d. Erdmannshaus. Roman. (Wohlf. [Titel-] Ausg.) 8. (360 S.) Stuttgart (891) 896. Deutsche Verlags-Anstalt. n. 1. 50; geb. n. 1. 75

— König „Erfolg", s.a. Eckstein's illustr. Roman-Bibliothek. II. 4.

König 'Erfolg'. Roman von A[nton] v. Perfall. Ill. von Fr v. Reznicek. 1-10. Taus. *Berlin: R. Eckstein Nachf. [1899].* (173 S.) 8°
— Romanbibliothek, Ecksteins illustrierte. Jg 2, Bd 4. [oo. 1. 47

König 'Erfolg'. Roman von A[nton] v. **Perfall**. Ill. von Fr. v. Reznicek. 17. bis 21. Taus. Berlin: R. Eckstein Nachf. [um 1901]. (173 S.) 8°
— **Romanbibliothek**, Eckstein's illustrierte. Jg. 2, Bd 4. [o4. 8730 11

— **Faiful**, s.a. Eckstein's illustr. Roman-Bibliothek 1. Bd.

Faiful v. A[nton] v. **Perfall**. Ill. v. Friedr. Stahl. 1.-10. Taus. Berlin: R.Eckstein Nf. [1898]. (142 S., 1 Bl.) 1 Bd. 8.
= Romanbibliothek, Ecksteins illustrierte. [Jg. 1.] Bd. 1.

— die Finsternis u. ihr Eigentum, s.: Lutz' Kriminal- u. Detektiv-Romane. 38. Bd.

— der Freihof. Roman. 8. (360 S.) Stuttgart 901. A. Bonz & Co. n. 4. —; geb. in Leinw. n. 5. —

— das Geheimnis der „Maria“, s.: Goldschmidt's Bibliothek f. Haus u. Reise.

— das verkaufte Genie. Ein Sommernachtstraum, s.a. Eckstein's Miniaturbibliothek.

– Das verkaufte Genie, s.a. Kürschner's Bücherschatz.

Das verkaufte Genie. Ein Sommernachtstraum. Novelle von Anton Frh. von Perfall. Mit Ill. von A. Lewin. Berlin, Leipzig: Hillger [1909]. 90 S. 8°
(Kürschners Bücherschatz. Nr. 630.)

— Seltsame Geschichten. (III, 366 S.) 8. Stuttgart 910. A. Bonz & Co. 4.—; geb. in Leinw. 5.—

— das Gesetz der Erde. Roman. 1. u. 2. Aufl. Buchschmuck v. Hugo Engl. (401 S.) kl. 8. Stuttgart 905. A. Bonz & Co. n. 4.50; geb. in Leinw. n. 5.60

— über alle Gewalten. Zwei Novellen. 8. (314 S.) Ebd. 889. n. 4.—

— üb. alle Gewalten. 2 Novellen. (Neue Titel-Ausg.) 8. (III, 314 S.) Stuttgart 894. Deutsche Verlags-Anstalt. n. 1.50; geb. n. 1.75

— Gift u. Gegengift. Roman. (Neue Titel-Ausg.) 8. (420 S.) Stuttgart (890) 895. Deutsche Verlags-Anstalt. n. 1.50; geb. n. 1.75

— ihr Glück. Novelle. schmal 8 (78 S.) Berlin 897. R. Taendler. n. 1.—

— das Glück v. Tennexton, s.a. Kürschner's Bücherschatz.

[F.] Das Glück von Tennexton. Roman v. Frh. A[nt.] v. Perfall. M. Ill. v. R. A. Jaumann. *Berlin, Eisenach, Leipzig: H. Hillger [1898].* (119 S.) 1 Bd 8.
= Bücherschatz, Kürschners. No 70. [98. 1702

— das Goldherz. Roman. 8. (150 S.) Berlin (899). R. Taendler. n. 3.—; geb. n. 4.—

— unterwühlter Grund. Roman. (Neue [Titel-] Ausg.) 8. (303 S.) Stuttgart (892) 897. Deutsche Verlags-Anstalt. n. 1.50; geb. n. 1.75

— harte Herzen. Zwei Erzählgn. (Cens. — Rassenkampf.) (Wohlf. [Titel-] Ausg.) 8. (344 S.) Ebd. (890) 891. n. 1.50; geb. n. 1.75

— die Hexe v. Norderoog, s.: Bibliothek Langen, kleine.

— Jack, s.a. Erzählungen, 1001, f. Jung u. Alt.

— dasselbe, s.a. Jugendbücherei, deutsche.

— Jack. Der weiße Gamsbock, s.a. Kürschner's Bücherschatz.

[F.] Jack. Der weisse Gamsbock v. A[nt.] Frh. v. Perfall. M. Ill. v. R. A. Jaumann. *Berlin, Eisenach, Leipzig: H. Hillger [1897].* (123 S.) 1 Bd 8.
= Bücherschatz, Kürschners. No 56. [98. 4688

— Jack. Erzählung aus dem Goldlande Kaliforniens. Mit e. Lebensbilde v. F. Werner u. e. Titelbilde v. E. Fiedler. — Forest, Louis, das Geheimnis d. Schwarzwaldes. Verwunderliche Geschichte e. verlorengegangenen Erfindg. Mit e. Titelbild v. E. Fiedler. — Kristensen, Niels K., ein schwaches Kind, e. starker Mann. Deutsch v. Bernh. Mann. Mit e. Titelbilde v. E. Fiedler. — Myers, P. Hamilton, der Erbe. Bearb. v. Wilh. Lehr. Mit e. Titelbilde v. E. Fiedler. (96, 80, 96 u. 96 S.) kl. 8. Berlin 908. H. Hillger. Geb. 1.20

— Gesammelte Jagd- u. Berggeschichten. Volksausg. (341 S.) 8. Stuttgart 909. A. Bonz & Co. 2.50; geb. in Leinw. 3.60

— der Jagdteufel. Novelle. 8. (131 S.) Berlin 899. Deutsches Verlagshaus Bong & Co. n. 1.—; geb. n. 1.75

— Der Jäger. Jagd-Erzählgn. u. Skizzen. (Das Deckelbild zeigt das Bildnis des Verf. in e. Reproduktion nach dem bekannten Orig.-Gemälde „Der Jäger“ v. Wilh. Leibl [Berlin, Nationalgalerie, gemalt 1876].) (302 S.) 8. Leipzig (910). Grethlein & Co. 3.50; geb. in Leinw. 4.50

— Jägerblut. Eine Hochgebirgsgeschichte. Mit Buchschmuck v. Hugo Engl. (244 S.) kl. 8. Stuttgart 907. A. Bonz & Co. 3.50; geb. in Leinw. 4.50

— aus meinem Jägerleben. Jagderzählungen. Mit Buchschmuck v. Fritz Kuithan. (221 S.) 8. Leipzig (906). Grethlein & Co. n. 3.50; geb. in Leinw. n. 4.50

— auf Irrwegen d. Liebe. 3 Novellen. (Neue [Titel-] Ausg.) 8. (III, 323 S.) Stuttgart (891) 897. Deutsche Verlags-Anstalt. n. 1.50; geb. n. 1.75

— Justiz der Seele. Roman. 8. (290 S.) Ebd. 889. n. 3.—

— Justiz der Seele. Roman. (Neue Titel-Ausg.) 8. (290 S.) Ebd. 894. n. 1.50; geb. n. 1.75

— Ketten. Roman. 8. (226 S.) Leipzig 892. E. Keil's Nachf. 3.—; geb. in Leinw. n. 4.—

— Münchner Kindeln. Roman. (374 S.) 8. Leipzig (904). P. List. n. 4.—; geb. n. 5.—

[F.] Klippen. Roman v. A[nton] Frh. v. Perfall. *Nauen: M. Freyhoff [1892].* (163 S.) 1 Bd 8.
= Haus- u. Reise-Bibliothek, Deutsche. Bd 7. [94. 1879

[F.] Klippen. Roman v. A[nton] Frh. v Perfall. *Berlin: J. Gnadenfeld & C. [1897].* (159 S.) 1 Bd 8. [98. 3199

— Klippen. König Lear der Sümpfe, s.a. Vobach's illustr. Roman-Bibliothek. II, 4.

Klippen. Roman von A[nton] v. Perfall. Ill. von Th. Volz. Berlin-Leipzig: W. Vobach & Co. [1904]. (144 S.) 8° [F.]
= Roman-Bibliotkek, Vobachs illustriqrte. Ser. 2. Bd 4, [1.] [06. 9356 II

— Kraft u. Liebe. Roman. (436 S.) 8. Stuttgart 904. A. Bonz & Co. n. 4.50; geb. in Leinw. n. 5.60

— der Kroatersteig. Roman aus dem Hochgebirg. Illustriert v. Hugo Engl. (433 S.) kl. 8. Stuttgart 905. A. Bonz & Co. n. 4.80; geb. in Leinw. n. 5.80

— d. Krone, s.a. Veröffentlichungen des Vereins d. Bücherfreunde.

[F.] Die Krone. Romant. Erzählg v. Anton Frh. v. Perfall. 8.–12. Taus. *Berlin: Ver. d. Bücherfreunde [1896].* (2 Bl., 306 S.) 1 Bd 8.
= Verein d. Bücherfreunde. Jg. VI. [No] 1. [97. 2834

— die Krone! Schauspiel in 5 Acten. gr. 8. (116 S.) Berlin 898. A. Schall. n. 2. 50

Perfall, Anton Frhr von
Die Krone. Romantische Erzählung. Berlin: Schall & Grund (1899). 306 S. 8°

— die Krone, s.a. Romane, deutsche.

Die Krone. Romant. Erzählung von Anton Frh. v. Perfall. 2 Aufl. (In 7 Lfgen.) Berlin A. Schall [1901–02]. (306 S.) 8° [F.]
= Romane, Deutsche [3.] [03. 2:376

— aus Kunst u. Leben. 8. (237 S.) Berlin 894. R. Eckstein Nachf. n. 2. 50

— aus Kunst u. Leben, s.a. Eckstein's Reise-Bibliothek.

[F.] Aus Kunst und Leben. Von A[nton] Frh. v. Perfall. *Berlin: R. Eckstein Nachf. [1896].* (237 S.) 1 Bd 8.
= Reisebibliothek, Ecksteins. No 159/60. [97. 4924

— Künstlerblut, s.a. Eckstein's moderne Bibliothek, Nr. 86.

Künstlerblut. 3 Novellen von A[nton Frh.] v. Perfall. 1 bis 10. Taus. Berlin R. Eckstein Nachf. [1905]. (96 S.) 8°
= Bibliothek, Ecksteins Moderne. No 30. [05. 4578

— die Landstreicherin, s.: Eckstein's Miniaturbiblioth.

— die Landstreicherin, s.: Hesse's, Max, Volksbücherei.

König Lear der Sümpfe. Eine Erinnerung aus d. Westen von A[nton] v. Perfall. Ill. von Th. Volz. Berlin-Leipzig: W. Vobach & Co. [1904]. (37 S.) 8° [F.]
= Roman-Bibliothek, Vobachs illustrierte. Ser. 2. Bd 4, [2.] [04. 9557 II

— allerhand Lebendiges. Illustriert v. Hugo Engl. 1. u. 2. Aufl. (V, 270 S.) kl. 8. Stuttgart 904. A. Bonz & Co. n. 3. 40; geb. in Leinw. n. 4. 50

— die Libelle, s.: Reuter's Bibliothek f. Gabelsberger-Stenographen.

— Licht. Erzählung. 2. (Titel-) Aufl. 8. (227 S.) Jena (892) 895. H. Costenoble. n. 2. 50

— Loni, s.: Roman-Gallerie f. Salon u. Reise.

— die Malschule, s.: Bibliothek Langen, kleine.

— der Nachtfalter. Orig.-Roman. 1.—3. Aufl. (à 200 S.) 8. Berlin 906. A. Goldschmidt. n. 3. —; geb. in Leinw. n. 4. —

— das verlorene Paradies, s.a. Universal-Bibliothek.

— das verlorene Paradies. Roman. 8. (322 S.) Berlin 895. H. Steinitz. n. 3. 50

— Schloß Phantasie. Roman. (511 S.) 8. Dresden (909). M. Seyfert. 6.—; geb. 7. —

— Pygmalion, s.a. Goldschmidt's Bibliothek.

Pygmalion. Novelle von Anton Frh. v. Perfall. *Berlin A. Goldschmidt 1900* (107 S.) 8° [F.]
= Bibliothek, Goldschmidts, f. Haus u. Reise. Bd 85. [00. 10451

— Romanzero. Exotische Novellen. (Neue wohlf. [Titel-] Ausg.) 8. (III, 308 S.) Stuttgart (892) 898. Deutsche Verlags-Anstalt. n. 1. 50; geb. n. 1. 75

— Dämon „Ruhm". Roman. 2 Tle. in 1 Bd. (Neue Titel-Ausg.) 8. (231 u. 216 S.) Ebd (889) 895. n. 1. 50; geb. n. 1. 75

Perfall, Anton Frhr von
Der Scharffenstein. Roman. Berlin: Schall & Grund (1894). 302 S. 8°

Perfall, Ant. Frhr. v., der Scharffenstein. Roman. 11.—13. Tausend. 8. (302 S.) Berlin 894. Verein der Bücherfreunde. n. 4 —; geb. in Halbleinw. n. 5. —

— Schüchterchen. Roman. (Neue [Titel-] Ausg.) 8. (287 S.) Stuttgart [896.] (901). Deutsche Verlags-Anst. n. 1. —; kart. n. 1. 25

— aus d. Schule d. Ehe, s.a. Eckstein's mod. Biblioth.

Aus der Schule der Ehe. 2 Geschichten von A[nton Frh.] v. Perfall. 1 bis 10. Taus. *Berlin: R. Eckstein Nachf. [1901].* (96 S.) 8° [Umschlagt.] Perfall. Aus d. Geschichte der Ehen.
= Bibliothek, Ecksteins Moderne. No 2. [03. 13380

Aus der Schule der Ehe. 2 Geschichten von A[nton Frh.] v. Perfall. 11. bis 15. Taus. *Berlin: R. Eckstein Nachf. [1901].* (96 S.) 8°
= Bibliothek, Ecksteins Moderne. No 2. [03. 13380 II

— die Sonne. Roman. 8. (393 S.) Berlin 899. R. Taendler. n. 4. —; geb. n. 5. —

— die Sünde, s.a. Eckstein's Miniaturbibliothek.

Die Sünde. Novelle v. Anton Frh. v. Perfall. (15.–20. Taus.) *Berlin: R. Eckstein Nachf. [1895].* (127 S.) 1 Bd 8. [97. 515

— die Sünde. Novelle. 21.—30. Taus. 12. (127 S. m. Titelbild.) Berlin 898. Leipzig, G. Müller-Mann. n. 1. —

— Die Sünde. Novelle. (60. Tausend.) (96 S.) 8. Leipzig (908). G. Müller-Mann. 1. —

— an der Tafel des Lebens. Roman. 8. (455 S.) Stuttgart 902. A. Bonz & Co. n. 4. 80; geb. in Leinw. n. 6. —

— Todtenröschen. Erzählg. 2. (Titel-) Aufl. 8. (152 S.) Jena (892) 895. H. Costenoble. n. 1. 50

— die Tragödin, s.a. Kürschner's Bücherschatz.

[F.] Die Tragödin. Roman v. A[nton Frh.] v. Perfall. M. 20 Ill. v. H. Albrecht. *Berlin, Eisenach, Leipzig: A. Hillger [1897].* (118 S.) 1 Bd 8.
= Bücherschatz, Kürschners. No 3. [97. 6099

— wilde Triebe, s.: Roman-Gallerie f. Salon u. Reise.

— Truggeister. Roman. 8. (238 S.) Leipzig 892. E. Keil's Nachf. 3. —; geb. in Leinw. n. 4. —

— Die Uhr, s.: Reclam's Novellen-Bibliothek.

Perfall, Ant. Frhr. v., die Uhr, s.: Reclam's Unterhaltungs-Bibliothek.

— dasselbe, s.: Universal-Bibliothek.

— lebendige Wasser. Roman. (859 S.) 8. Leipzig (905). Ph. Reclam jun. n. 3. —; geb. n. 4. —

— ein Weidmannsjahr. M. Orig.-Zeichngn. v. Chr. Kroener, E. Otto, A. Singer, K. Wagner u. a. Lex.-8. (III, 115 S.) Berlin 896. P. Parey. n. 6. —

— Ein Weidmannsjahr. 2., verm. Aufl. Mit Zeichngn. namhafter Jagdmaler. (V, 288 S.) 8. Berlin 908. P. Parey. Geb. in Leinw. 6. —

— Stevens Werft, s.a. Goldschmidt's Bibliothek f. Haus u. Reise.

[F.] Stevens Werft. Roman v. Anton v. Perfall. *Berlin: A. Goldschmidt 1896.* (1 Bl., 108 S.) 1 Bd 3.
— Bibliothek, Goldschmidts, f. Haus u. Reise. Bd 38. [96. 2760

— König Wiglaf. Epische Erzählg. 8. (259 S.) Breslau 901. Schles. Buchdruckerei rc. n. 3. —; geb. n. 4. —

— König Wiglaf. Epische Erzählg. 2. Aufl. (259 S.) 8. Breslau 906. Berlin, S. Schottlaender's schles. Verlagsanst. n. 3. —; geb. n. 4. —

— der Wurmstich. Roman. Mit Buchschmuck v. Hugo Engl. (429 S.) kl. 8. Stuttgart 907. A. Bonz & Co. n. 5. —; geb. in Leinw. n. 6. —

Perfall, Karl v., e. Beitrag zur Geschichte der königl. Theater in München. 25. Novbr. 1867—25. Novbr. 1892. Lex.-8. (VI, 348 S.) München 894. Piloty & Löhle. n. 5. —

Perfall, Karl v., Bittersüß. Roman. 1.—5. Aufl. (à 293 S.) 8. Berlin 905. E. Fleischel & Co. n. 4. —; geb. n. 5. 50

Perfall, K. v., Vicomte Bossu. Novelle. 8. (222 S.) Düsseldorf 885. F. Bagel. 3. —

Perfall, Karl v., damals. Ein Frauenleben in zwei Büchern. Roman. 4. Aufl. 8. (276 S.) Köln (899). A. Ahn. n. 4. —; geb. n. 5. 50

Damals. Ein Frauenleben in 2 Büchern. Roman von Karl v. Perfall. *Berlin, Köln, Leipzig: A. Ahn 1900.* (276 S.) 8° [F.] [00. 9234

Perfall, Karl v., Dornröschen, s.: Breitkopf & Härtel's Textbibliothek. Nr. 61.

— verlorenes Eden, heiliger Gral. Roman in 3 Bdn. Mit dem Bildnis des Verf., Orig.-Radierg. v. Arth. Kampf. 8. (XII, 263; 274 u. 250 S.) Köln 894. A. Ahn. n. 9. —

Perfall, Karl v., der Ehering. Roman. 1.—7. Aufl. (299 S.) 8. Berlin 907. 08. E. Fleischel & Co. 4.—; geb. 5. 50

—— Die Einrichtung der neuen Schauspielbühne d. Münchener Hoftheaters. — Götz v. Berlichingen m. der eisernen Hand. Schauspiel in 5 Aufzügen v. Goethe. Unter Zugrundelegg. d. Jac. Baechtold'schen Werkes: „Goethe's Götz v. Berlichingen in dreifacher Gestalt" f. die neue Schauspielbühne d. Münch. Hoftheaters eingerichtet von K. v. P. Mit 5 Taf. u. 5 Grundrissen v. Karl Lautenschläger. 4. (XXVII, 94 S.) Münch. 890, Bassermann. * 2 —

— die Entwicklung des modernen Theaters, s.a. Veröffentlichungen d. dramatischen Gesellschaft Bonn.

Die Entwicklung des modernen Theaters. Vortrag geh. in d. dramat. Gesellsch. Bonn von Karl Frh von Perfall. *Godesberg b. Bonn: G. Schlosser 1899.* (10 S.) 8°
= Veröffentlichungen der dramatischen Gesellschaft Bonn. No 1. [99. 2171

Perfall, Karl v., um die Familie. Roman. 4. u. 5. Aufl. (320 S.) 8. Berlin 906. 07. E. Fleischel & Co. 4.—; geb. 5. 50

Perfall, K. v., vornehme Geister. Roman. 2 Bde. 8. (219; 192 S.) Düsseldorf 883, F. Bagel.

—— vornehme Geister. Roman in 2 Bdn. 2. Aufl. 8. (219; 192 S.) Ebendas. 886. * 2 50
geb. * 3 50

— die Heirath d. Herrn v. Radenau. Novelle. 8. (224 S.) Ebend. 884. 3. —

Perfall, Karl v., die Heirath des Herrn von Radenau. Novelle. 2. Aufl. 8. (224 S.) Düsseldorf 887. F. Bagel. n. 1. 50; geb. n. 3. —

Hörner trägt der Ziegenbock. Roman von Karl von Perfall. Berlin: Fleischel 1910. 300 S. 8° [10. 10477

[F.] Das Königsliebchen. Roman v. Karl v. Perfall. 3. Aufl. *Berlin, Köln, Leipzig: A. Ahn 1895.* (1 Bl., 233 S.) 1 Bd 8. [96. 1712

— das Königsliebchen. Roman. 8. Aufl. (283 S.) 8. Köln (904). A. Ahn. n. 2. —

Perfall, Karl v. Die Langsteiner. Süddeutscher Roman in 2 Bdn. (In 1 Bd.) 2. (Titel-)Aufl. 8. (168; 202 S.) [Düsseld. 890, F. Bagel.] Köln, Ahn. [3 —] 4 —; geb. * 5 —

— natürliche Liebe. Erzählung. 8. (221 S.) Ebd. 890. 4. —; geb. n. 5. —

— Raimondin, s.: Breitkopf & Härtel's Textbibliothek. Nr. 156. 127.

Perfall, Karl v., sein Recht. Die Geschichte e. Leidenschaft. Roman. 2. Aufl. 8. (275 S.) Köln 897. A. Ahn. n. 4. —; geb. n. 5. —

— sein Recht. Die Geschichte e. Leidenschaft. Roman. Umschlagzeichnung von F. v. Reznicek. 6.—10. Aufl. (239 S.) 8. Ebd. (905). n. 2. —

Ritter und Damen. Roman von Karl v. Perfall. Berlin: E. Fleischel & Co. 1903. (309 S.) 8° [F.] [03. 11333

— Frau Sensburg. Roman. 1.—4. Aufl. (à 306 S.) 8. Berlin 904. E. Fleischel & Co. n. 4. —; geb. n. 5. 50

— Loras Sommerfrische. Roman. 1. u. 2. Aufl. 8. (à 312 S.) Berlin 902. [F. Fontane & Co.] E. Fleischel & Co. n. 4. —; geb. n. 5. 50

Die Treulosen. Roman von Karl v. Perfall. *Berlin: E. Fleischel & Co.* *1903.* (314 S.) 8° [F.]

— Undine, s.: Breitkopf & Härtel's Textbibliothek. Nr. 156. 127.

— Vaterschaft. Roman. (3. Aufl.) (322 S.) 8. Ebd. 909. 4.—; geb. 5. 50

— e. Verhältniß. Roman. 8. (275 S.) Düsseldorf 887. F. Bagel. 4. 50

— e. Verhältniß. Roman. 3. Aufl. m. e. Vorrede: „Bemerkungen üb. das erot. Problem". 8. (283 S.) Düsseldorf 891. [F. Bagel.] Köln, A. Ahn. [4. 50; geb. 6. —] n. 4. —; geb. 5. —

— e. Verhältnis. Roman. M. e. Vorrede: „Bemerkgn. üb. d. erot. Problem". 7. Aufl. 8. (XXIII, 303 S.) Ebd. 896. n. 4. —; geb. n. 5. —

— ein Verhältnis. Roman. Mit e. Vorrede: „Bemerkungen üb. das erot. Problem". 9. Aufl. (303 S.) 8. Köln (904). A. Ahn. n. 2. —

Der schöne Wahn. Roman von Karl v. Perfall. *Berlin: F. Fontane & Co.* *1901.* (350 S.) 8° [F.]

Perfall, Karl v., der schöne Wahn. Roman. 5. Aufl. (350 S.) 8. Berlin 905. E. Fleischel & Co. n. 4. —; geb. n. 5. 50

—— Wanda. Schauspiel in 5 Acten. 8. (112 S.) Düsseldorf 883, F. Bagel.

— die fromme Wittwe. Roman. 1. u. 2. (Titel-)Aufl. 8. (298 S.) Ebd. 889. 890. n. 5. —; geb. n. 6. —

Perfeckl R.: Versuch einige klassische Götternamen etymologisch zu deuten. 5G. Kolomea. p. G. 91.
Progr.

Perfect, William: Annalen einer Anstalt für Wahnsinnige. (Annals of insanity, comprising a selection of curious and interesting cases in the different species of lunacy, melancholy, or madness, with the modes of practice in the medical and moral treatment, as adopted in the cure of each. Dt.) Übers. von Ernst Fr(iedrich) Wilh(elm) Heine. 404 S., gbd.

Hannover: Hahn 1804

JB 4.492

Perfect, W., Select cases in the different species of insanity, lunacy and madness, with the modes of practice as adopted in the treatment of each. 335 pp. Rochester. 8°. Uebers. v. C. F. *Michaelis.* Lps. 1789. 8°. 3. ed. unt. d. Tit.: Annales of Insanity 1793, deutsch v. W. *Heine*, Hann. 1804. Ausführl. in: *Friedreich*, Liter. 1830, S. 486. A. L. Z. 1802, n. 164. A. H. L. Z. 1806, II, 157. (61 Krankengesch. verschiedener Art von Wahnsinn; Ursache meist im Unterleibe zu beseitigen.)

1787

William Perfect
1740 - 1789

William Perfect's (A remarkable case [Case] of madness. [Deutsch:]) Merkwürdiger Fall des Wahnsinns nebst pragmatischen Erörterungen der ganzen befolgten Heilart. Aus d. Engl. [Übers.: Christian Friedrich Michaelis, 1727-1804.] Leipzig: Hilscher 1794. 42 S. 8°

[Gilt als Anh. zu Perfect's auserlesenen Fällen des Wahnsinns u.s.w.]

Perfect, W., Auserl. Fälle v. verschiedenen Arten des Wahnsinns 2c. Lpz. 1780. 8°. A. D. B. XCII p. 110. Salzb. med. chir. Zt. 1796, I p. 167.

Perfect, William: Auserlesene Fälle von verschiedenen Arten des Wahnsinnes nebst ihren Heilarten. (Select Cases in the different species of insanity, lunacy, or madness... Dt.) Übers. und mit Anmerkungen begleitet von Christian Friedrich Michaelis. 311 S., gbd.

Leipzig: Hilscher 1789

JB 4.446

Perfectibilität, üb. die, s. Alethophilus.

Perfectibilität, Die, des Katholicismus. Leipzig 1845. V: *Bolzano, Bernhard.* (Gla I, 2, 501)

Perfectibilität, die, des Katholicismus. Streitschriften zweier katholischer Theologen; zugleich ein Beitrag zur Aufhellung einiger wichtigen Begriffe aus Bolzano's Religionswissenschaft. gr. 8. Leipzig 845, L. Voß. n. 2 *ß*

Ueber die **Perfektibilität** des Menschengeschlechts und die nahe Vollendung der Erwählten. Eine Trostschrift für die Wartenden. Von 15. [Leipzig]: 1797. 51 S. 8°
Mystische Schrift. Scheint frmrisch zu sein. Redet vom Bau eines Tempels.

Perfectibilität, über die, der geoffenbarten Religion, an den Verfasser der Briefe über dieselbe, von Alethophilus. 8. Lpz. Müller. (Joachim.) 796.

D Les Perfidies dévoilées ou justice rendue à Napoléon le Grand! 8. av. 2 pl. Francfort. 1821

Perg, (J.,) gedrängtes Handbuch d. Fremdwörter in deutscher Schrift- u. Umgangs-, dann Kriegssprache, mit besond. Berücksicht. d. kriegswissenschaftl. fremdartigen Ausdrücke. 16. Dillingen 826, Roßnagel, (Leipz., Central-Cpt.)

Pergament, Das. Eine Erzählung . . . Stuttgart 1839. V: *Barth, Chn Gottlob.* (Ky)

Pergament, das, e. Erzähl. f. Christenkinder, v. Verf. d. „armen Heinrich." 12. (5¼ B.) Stuttgart 839, J. F. Steinkopf.

Pergament, das. Eine Erzähl. f. Christenkinder vom Verf. des „armen Heinrich." 12. (6 B.) Stuttgart 839, J. F. Steinkopf. *

Pergament, das. Eine Erzählung f. Christenkinder vom Verf. des „armen Heinrich" (C. G. Barth). 2. Aufl. 12. (134 S.) Stuttgart 852, J. F. Steinkopf. n. 1/6 ₰

— das geheimnißvolle, oder die merkwürdigste Prophezeiung e. blinden somnambulen Mädchens v. 19 Jahren, das die Ereignisse v. 1848 bis 1851 bereits vor 100 Jahren vorausgesagt hat. 8. (15 S.) Löbau 848, Breyer in Comm. 2 ngr

Pergament, J. J., Umriss des russischen Zivilrechts, s.: Klibanski, H. O., das Handelsrecht usw. Russlands.

Konventionalstrafe und Interesse in ihrem Verhältniss zu einander. Von Michael Pergament. Von d. jurist. Fak. d. Univ. Berlin gekr. Preisschr. *Berlin: R. L. Prager 1896.* (XI, 106 S.) 1 Bd 8. [96. 1101

Aus vergilbten Pergamenten. E. Folge von Tagebüchern, Briefen u. Berichten a. d. Napoleonischen Epoche. Hrsg. von Theod. *Rehtwisch.* Bd 1 ff. Leipzig (1910). 8°.
1—9, 1910. —

Pergamenus, Nicolaus, Dialogus creaturarum, hrsg. von J. G. Th. Grässe, s. Bibliothek des litterarischen Vereins in Stuttgart, Bd. 148.

Pergami (Stallmeister und Günstling der Königin) und sein Verhältniss zur Königin (Karolina) von England, von ihm selbst. Aus dem Französischen. 8. Leipzig (1818).

Pergami u. sein Verhältniß zur Königin v. England, von ihm selbst geschrieben; aus d. Französ. übers. Mit Pergamis Bildn. 8. Leipz. 820. Rein. 8 gr

Pergande, Wilhelm, prakt. Arzt in Landsberg, Ostpr.: Aus d. Convent-Hospital d. Barmherzigen Brüder zu Breslau. **Beitrag** zur Behandlung der Hydrocele testis, mit besonderer Berücksichtigung der Winkelmann'schen Methode. *Leipzig 1901: B. Georgi.* (50 S.) 8°
Leipzig, Med. Diss. v. (6. Apr.) 1901

Pergbauer, W.: Ignavum caput ferulis academicis submissum, id est tract. med.-pr. de affectibus cataphoricis ..., s. Morasch, J. A. [Praes.]

Pergen, Aliz v., die schöne Melusine. Eine Dichtg. zu Mor. v. Schwinds Bilderzyklus. (75 S. m. 11 Taf.) gr. 8. Wien 905. C. W. Stern. n. 2. 50

Pergen, Johann Anton Graf von

v. **Pergen**, Graf ..., s. Betrachtt. über Revolutionen.

[PERGEN, Johann Anton Graf von] 1725 - 1814
Betrachtungen über Die Revoluzion und das sogenannte Demokratische System in Frankreich herausgegeben von Friedrich Schilling ...
o. O. 1790. 8, 174 S. 8°.
Stadt- und Universitätsbibliothek Bern
Identisch mit Ausg. Wien 1791 [Kayser, I, 247]? Konnte nicht gefunden werden.
Kayser, I, 247: mit Verfasser.
Friedrich Schilling, 1754-1803

Pergens

— Abhandl. üb. die Frage: Ob die Ohrenbeichte in d. kathol. Kirche nützl. u. auch nothwendig sey? 8. Wien 783.

Pergens, Abhandlung über die Frage, ob man in jeder Kirche u. Religion das Heil u. die Seligkeit finden könne. Wien 1783, 8°.

Pergens, ..., († ...) Abhandl. üb. die Frage: Was von d. Verehrung u. Anrufung Mariä u. and. Heiligen in d. kathol. Kirche zu halten? Ob sie billig ꝛc. 8. Wien 786.

Pergens, Ob die wahre u. alleinseligmachende Kirche sichtbar oder unsichtbar sein müsse? Wien 1783, 8°.

Pergens, E., pliocäne Bryozoën v. Rhodos. Mit 1 lith. Taf. [Aus: „Annalen d. k. k. naturhistor. Hofmuseums".] Lex.-8. (34 S.) Wien 887. Hölder. n. 3. 20

Pergens, Ed., Pemphigus des Auges. gr. 8. (IV, 74 S.) Berlin 901. S. Karger. n. 2. —

Pergentinus et Laurentinus Germani Fratres in Christi fide ... Theatro dati ... S. l. 1710. V: *Camen, Fr.* [?]. (Jes)

Perger, A. v., Florian Lange's Erstlingsreise auf den Schneeberg zur Beobachtung der Sonnenfinsterniß vom 8. Juli 1842. Aus dessen Tageb. abgeschrieben. (Mit Ttlvign.) gr. 8. (1¾ B.) Wien 843, Tauer u. Sohn?

—— über die Lichtempfindlichkeit des Asphalts. Lex.-8. (16 S.) Wien 859, (Gerold's Sohn.)
Aus: Sitzungsberichte der k. Akademie der Wissenschaften, Jahrg. 1859, besonders abgedruckt.

Marginalien zur Geschichte der polygraphischen Erfindungen. S. 28–89 . . . . vgr.
Separatabdruck

— Über die Vervielfältigung von Lichtbildern (Photographien) durch Ätzungen und Galvanoplastik. S. 24. 78 . . . . vgr.
Separatabdruck

Perger, Aloysius Clemens (geb. Münster in Westf. 19. 11. 1816): De curva catenaria sphaerica parabolica. Berolini (1838). (30 S.) 4°
Berlin, Phil. Diss. v. 14. Juli 1838

Perger, Al. Cl., die ernsten Stunden eines Jünglings. Nach dem Französ. des Charles Sainte-Foi. 2., durchgesch. Aufl. 32. (IV und 236 S.) Münster (861)62, Aschendorff'sche Buchh.

Perger, Anton Ritter von

Perger, A. R. v., der Dom zu Sanct Stephan in Wien. Mit Illustr. Triest 854. Literar.-artist. Abth. d. Oesterr. Lloyd. gr. 4. (XIX, 118 S. mit 1 Holzschn. im Text, 13 Holzschnitttaf. u. 1 Stahlst.) n. 1 ₰. 18 ngr

Perger, A. v., Auszug aus König Maximilians II. Copeybuch vom Jahre 1564. Nebst einem Verzeichnisse der in demselben vorkommenden Personen- und Ortsnamen etc. (Aus dem Archiv für Kunde österreich. Geschichtsquellen abgedr.) Wien 864. Gerold in Comm. gr. 8. (80 S.) n. 12 ngr

Perger, A. Ritter v., zur Geschichte der Falkenjagd. Lex.-8. (44 S.) Wien 859, (Gerold's Sohn.) * *
Aus: Sitzungsberichte der k. Akademie der Wissenschaften, Jahrg. 1859, besonders abgedruckt.

Perger, A. R. v., die Kunstschätze Wien's, s. Kunstschätze.

Perger, A. R. von —. Die Kunstschätze Wien's in Stahlstich nebst erläuterndem Text, von — —. Herausgegeben vom Oesterreichischen Lloyd in Triest. 1–4. Heft. (33 Blätt. Text u. 12 Stahlstiche) 4 Triest. Literarisch-artistische Abtheilung des Oesterr. Lloyd. 1854.

Perger, A. R. v. — Die Kunstschätze Wien's in Stahlstich, nebst erläuterndem Texte von — —. Herausgegeben vom österreichischen Lloyd in Triest. 5.—8. Heft. Triest. 1855. Druck der Buchdruckerei des österr. Lloyd. Literar.-artist. Abtheilung des österr. Lloyd. (S. 81—142 und 12 Stahlstiche. 4.)

Perger, A. R. von —. Die Kunstschätze Wien's in Stahlstich mit erläuterndem Texte. Herausgegeben vom österreichischen Lloyd in Triest. 9—11. Heft. Triest. 1855. Buchdruckerei des österr. Lloyd. Literar. artistische Abtheilung des österr. Lloyd. (S. 143—192 und 9 Stahlstiche. 4.)

Perger, A. R. von —. Die Kunstschätze Wien's in Stahlstich nebst erläuterndem Texte von — —. Herausgegeben vom österreichischen Lloyd in Triest. Heft 12.—14. Triest. 1855. Buchdr. des österr. Lloyd. Literarisch-artistische Abtheilung des österr. Lloyd. (S. 193—228 und 9 Stahlstiche 4.)

Perger, A. R. v. — Die Kunstschätze Wiens in Stahlstich nebst erläuterndem Texte von — —. Herausgegeben vom österr. Lloyd in Triest. 17—19. Heft. Triest, 1855. Buchdr. des österr. Lloyd. (S. 261—302. Mit neun Stahlstichen 4.)

Perger, A. R. von — Die Kunstschätze Wien's in Stahlstich nebst erläuterndem Text von — —. Herausgegeben vom österr Lloyd in Triest. 20—22. Heft. Triest, 1855. Buchdruckerei des österr. Lloyd. (S. 303—338 und 9 Stahlstiche, 4.)

Perger, A. R. von —. Die Kunstschätze Wien's in Stahlstich nebst erläuterndem Text von — —. Herausgegeben vom österreichischen Lloyd in Triest. 24—27. Heft. Triest, 1856. Buchdruckerei des österreichischen Lloyd. (S. 353—398 und 12 Stahlstiche. 4.)

Perger, A. R. v. — Die Kunstschätze Wiens in Stahlstich nebst erläuterndem Text von — —. Herausgegeben vom österr. Lloyd in Triest. Heft Nr. 28—30. Triest, 1856. Buchdruckerei des österreichischen Lloyd. (S. 399—444 und 9 Stahlstichen. 4.) (Vgl. 983/1856.)

Perger, A. R. von — Die Kunstschätze Wiens in Stahlstich nebst erläuterndem Text von — —. Herausgegeben vom österreichischen Lloyd in Triest. 31—33. Heft. Triest, 1856. Buchdruckerei des österreichischen Lloyd. (S. 445—476 und 9 Stahlstiche. 4.)

Perger, A. R. von — Die Kunstschätze Wien's in Stahlstich nebst erläuterndem Text von — —. Herausgegeben vom österr. Lloyd in Triest. 34. 35. und 36. Heft. Triest, 1856. Buchdr. des österreichischen Lloyd. (S. 477—516. Titelblatt und 3 S. Inhalt. 4.) Schluß des Werkes.

—— Pflanzenaberglaube. Ein Vortrag. Wien 1870. 8.

— deutsche Pflanzensagen. Stuttgart 864. Schaber. 8. (2 Bl.. 363 S.) 1 Thlr. 22½ ngr.

Perger, A. R. v., die Spinnerin am Kreuze. Erzählendes Gedicht. Triest 853. Literar.-artist. Abth. d. Oesterreich. Lloyd. 8. (128 S. u. 6 Stahlst.) n. 1 Thlr.

— der deutsche Styl in seiner Entwicklung von der ältesten Zeit bis auf Schiller und Göthe. Wien 861. Braumüller. gr. 8. (2 Bl., 181 S.) n. 1 Thlr.

v. Perger, Ant. Ritter, anatom. Studien des menschl. Körpers für bildende Künstler. gr. 12. (VIII u. 336 S.) Wien 848, Gerold. 1⅓ Thlr.

— Studien über die deutschen Namen der in Deutschland heimischen Pflanzen. Aus d. Denkschriften d. k. Akad. d. W. zu Wien. Wien 858. Gerold in Comm. gr. 4. (116 S.) n. 1 Thlr. 24 ngr.

Perger, A. Ritter v., Studien über die deutschen Namen der in Deutschland heimischen Pflanzen. (1. und 2. Heft.) Imp.-4. Wien 860, (Gerold's Sohn.) à Heft * 1 Thlr. Thlr. *

Inhalt:

Heft 1. Bäume und Sträucher. (70 S.)

» 2. Monokotyledonen. (62 S.)

Vorstehende zwei Schriften des Verf. wurden aus: Denkschriften der k. Akademie der Wissenschaften, besonders abgedruckt.

Perger, Arnulf, System der dramat. Technik m. besond. Untersuchg. v. Grabbes Drama. (335 S.) gr. 8. Berlin 909. Weimar, A. Duncker Verl. 10.—; geb. n 11.50

Perger, August

Perger, A., S. J., s.: Bücher, drei, v. Streben nach der Vollkommenheit.

Perger, Aug., S. J., die Jesuiten in Madagaskar. 12. (76 S.) Paderborn 899. Bonifacius-Druckerei. n. — 60

Perger, Aug., S. J., der Jesuitenorden, s. a. Flugschriften, kathol.

Der Jesuitenorden. Ursprung, Geist, Verfassung, Tätigkeit u. Sittenlehre desselben. Von Aug. Perger, S. J. *Berlin: Germania [1903].* (116 S.) 8° [F.]

— Flugschriften, Katholische, zur Wehr u. Lehr. No 151/152. [04.6.97] 11

— Kreuz u. Altar. 7 Predigten üb. d. Opfer d. Neuen Bundes. 8. (119 S.) Paderborn 895. Bonifacius-Druckerei. — 90

— Kreuz u. Altar. 7 Predigten üb. das Opfer des Neuen Bundes. 2. unveränd. Aufl. gr. 8. (118 S.) Ebd. 899. — 90

— Kreuz u. Altar. 7 Predigten üb. das Opfer des Neuen Bundes. 3., unveränd. Aufl. (118 S.) gr. 8. Paderborn 904. Bonifacius-Druckerei. n. — 90

— Maria u. Joseph in der Hl. Schrift. Zur Belehrg. u. Erbaug. f. jedermann. gr. 8. (116 S.) Ebd. 900. n. 1.—

— Predigten auf die Festtage, auch als Lesung v. Laien zu benutzen. gr. 8. (414 S.) Ebd. 901. n. 4.—

Perger, A., homiletische Predigten üb. die sonn- u. festtäglichen Evangelien. 2 Bde. gr. 8. Paderborn 894. Bonifacius-Druckerei. n. 8. 40

1. Homiletische Predigten üb. die sonntägl. Evangelien. (XXV, 406 S.) n. 4. 80

2. Homiletische Predigten üb. die festtägl. Evangelien. (XIV, 292 S.) n. 3. 60

— homiletische Predigten über die sonn- u. festtäglichen Evangelien. 1. u. 2. Bd. gr. 8. Ebd. 897. n. 8. 40

1. Homiletische Predigten üb. die sonntägl. Evangelien. 2., durchgeseh. u. verm. Aufl. (XXVI, 468 S.) n. 4. 80

2. Homiletische Predigten üb. d. festtägl. Evangelien. 2., durchgeseh. u. verm. Aufl. (XV, 320 S.) n. 3. 60

— Homiletische Predigten üb. die sonn- u. festtäglichen Evangelien. 2 Bde. 3., durchgeseh. u. verm. Aufl. gr. 8. Ebd. n. 8. 40

1. Homiletische Predigten üb. die sonntäglichen Evangelien. (XXVI, 468 S.) 902. 4. 80. — 2. Homiletische Predigten üb. die festtäglichen Evangelien. (XVI, 332 S.) 903. 3. 60.

Perger, Aug., S. J., homilet. Predigten üb. die sonn- u. festtäglichen Evangelien. 1. Bd.: Homiletische Predigten üb. die sonntägl. Evangelien. 4., durchgeseh. Aufl. (XXVI 468 S.) gr. 8. Paderborn 910. Bonifacius-Druckerei. 4.80; geb. in Halbfrz. 6. 50

Perger, Bas., (†...) theses philosophicae ad usum praelect. suarum exquisitae. II Tomi. 8. Memming. 771.

Perger, Carl, s. Perger, Karl

PERGER, HUGO RITTER VON. Ueber einige Derivate des Anthrachinons. Leipzig, 1878.

Perger Hugo von Über die Einwirkung von Azetessigäther und Azetondikarbonsäuren-Ester auf Hydrazoverbindungen. S 9.3. H 25 vgr.
Separatabdruck

Perger, H. v., einige Färbeversuche, s.: Vorträge d. Vereines zur Verbreitung naturwissenschaftlicher Kenntnisse in Wien.

Perger, H. v., über Riechstoffe, s.: Vorträge des Vereines zur Verbreitung naturwissensch. Kenntnisse in Wien. 39. Jahrg. 8. Hft.

Perger, H. R. v.: Zur Werthigkeit des Fluors. 20 S. 8° – Laibach, OR., Progr. 1870.

Perger, Jos., der Weg zum deutsch-österreichischen Zollverein. (81 S.) gr. 8. München 904. J. F. Lehmann's Verl. n. – 60

Perger, Karl, s.a. Perges, Karl

Perger, Karl, Herrn Spreizenbergers Jugendgeschichte, treulich erzählt in e. Gedichte, in welchem d. Scherz sich z. Ernste gesellt. D. Wiener Publico dargest. 16. (119 S.) Wien 895. C. Vetter. 1.—

Perger, Carl, die Vespern der Hochfeste der katholischen Kirche, wie sie an den Vorabenden hoher Feste in der Metropolitankirche zu St. Stephan u. in allen Dom- u. Collegiatkirchen in feierlichster Weise abgehalten werden. In deutscher Sprache hrsg. v. C. P. (Lateinisch u. deutsch.) 8. (80 S.) Wien 893. „St. Norbertus". n. 1.—; geb. in Leinw. n. 1.50

Perger Lothar: Michael Haydn als Instrumental-Komponist. Diss.Wien, Univ.
D: Denkmäler der Tonkunst in Oest. Jg. 14, Teil 2, Wien 1907.
1905 PN 1938 2132

Perger, Ludw., über die Münsterischen Erbämter. Aus der Zeitschr. f. vaterl. Geschichte etc. Westfalens abgedr. Mit (1 Taf.) lith. Wappenabbildgn. Münster 858. Regensberg in Comm. gr. 8. (59 S.) n. 7½ ngr.

Perger, Ludwig, annalium Ibnrgensium fragmenta, s. Annalium etc.

— Otto von Ritberg, Bischof von Münster. (1301—1308.) Nach größtentheils bisher ungedruckten Quellen dargestellt. Münster 858. Regensberg. gr. 8. (VIII, 88 S.) n. 10 ngr.

Perger, Rich. v., Brahms, s.a. Universal-Bibliothek.

Brahms. Von Richard v Perger. Mit Brahms Bildnis. Leipzig: Ph. Reclam jun. [1908]. (85 S.) 8° [F.]
= Musiker-Biographien. Bd 27.
(Universal-Bibliothek 5006.)

— Denkschrift zur Feier des 50 jähr. ununterbrochenen Bestandes der philharmonischen Konzerte in Wien 1860—1910. (Umschlag: 50 Jahre Philharmoniker.) Mit e. statist. Anh. (133 S. m. 10 Taf. u. 1 Fksm.) Lex. 8. Wien 910. C. Fromme. 1.70

Perger, Richard v., Text d. Gesänge zu dessen Singspiel: „Die vierzehn Nothhelfer". Wien, Rebay & Robitschek. 15 kr. 1883.

Perger, Rudolf

Perger, R., Hochlandfahrt. Gedichte aus den Tiroler Alpen. 12. (VIII, 128 S.) Meran 890. Ellmenreich. n. 1.60

Perges, Karl, s.a. Perger, Karl

Perges, Carl, Die Vespern der Hochfeste der kathol. Kirche, wie sie an den Vorabenden hoher Feste in der Metropolitankirche zu St. Stephan und in allen Dom- und Collegiatkirchen in feierlichster Weise abgehalten werden. In deutscher Sprache mit gegenüberstehenden latein. Texte. 8. (80 S.) —.50, geb.
Wien: Urban & Schwarzberg 1893.

v. Perglas, K. A., Catilina; Trspl. in 3 A. gr. 8. Manh. 808. Schwan u. G. 9 gr.

Pergler, Adf., Hadubrand-Lieder. 12. (115 u. IV S.) Wien 894. (Huber & Lahme.) n. 1.20

Pergmayer, Josef, s. Pergmayr, Josef

Pergmayr, Jos., Betrachtungen in d. geistl. Einsamkeit, besond. f. Ordensleute. Neu hrsg. v. Mich. Sintzel. Mit e. Einleit. u. e. Anh. gr. 8. (21 B. u. 1 Stahlst.) Augsburg 841, Kollmann'sche Buchh.

Pergmayr, Jos., Betrachtungen in der geistlichen Einsamkeit, besonders für Ordensleute. Neu hrsg. von Mich. Sintzel. Mit einer Einleitung u. einem Anhange. 2. Aufl. der neuen Ueberarbeitung. Nebst 1 Stahlst. gr. 8. (XXIV u. 280 S.) Augsburg 851, Kollmann. 5/6 ₰

Pergmayr, Jos., Betrachtungen in der geistlichen Einsamkeit, besonders für Ordensleute. Neu herausg. von Michael Sintzel. Mit einer Einleitung u. einem Anhang. Nebst 1 Stahlst. 3. Aufl. der neuen Ueberarbeitung. Augsburg 859. Kollmann. gr. 8. (XXIV, 280 S.) 22½ ngr.

Pergmayr, Jos., Betrachtungen in der geistlichen Einsamkeit. Neu hrsg. v. Mich. Sintzel. Mit einer Einleitung u. einem Anhang. 4. Aufl. der neuen Ueberarbeitung. Mit 1 Stahlst. gr. 8. (XXVIII, 337 S.) Regensburg 878. Manz. 2.25

— gründl. Erwägungen ewiger Wahrheiten etc. gr. 8. Augsb. 784. Wagner. (Haslinger in Linz). 12 gr.

Pergmayer, Jos., S. J., gründliche Erwägung ewiger Wahrheiten f. geistliche Exercitien. Neu hrsg. v. e. kathol. Geistlichen. 3. Aufl. (XVI, 358 S) kl. 8. Regensburg 905. Verlagsanstalt vorm. G. J. Manz. n. 1.80

Pergmayr, Jos., S. J., neue große Exerzizien f. Ordensleute u. andere, die nach Vollkommenheit streben. Aus den gesammelten Werken des gottsel. P. ausgewählt u. geordnet v. Sr. Mar. Gabriela a Ss. Sacramento (H. v. Liszt). (X, 427 S.) 8. Graz 908. Styria. 1.80; geb. 2.60

— geistreiche Lesungen u. gründl. Unterweisungen etc. gr. 8. Augsb. 784. Wagner. (Haslinger in Linz). 12 gr.

Pergmayr, S. J., der Obere nach dem Herzen Gottes. gr. 16. (40 S.) Regensburg 902. F. Pustet. —30

— die Oberin nach dem Herzen Gottes. gr. 16. (40 S.) Ebd. 902. —30

Pergmayr, Jos., sämmtliche ascetische Schriften. Neu hrsg. von einem kathol. Geistlichen. 1—5. Bd. 8. Regensburg, Manz. à Bd. 18⅓ Ngr.

Auch unter den Titeln:

Bd. 1. Gründliche Erwägung ewiger Wahrheiten. (XV und 338 S.) 848.
- 2. Drei Schritte zur wahren und vollkommenen Liebe Gottes. Sammt einem Anhange. (306 S.) 848.
- 3. Christliche Grundsätze zum Gebrauche bei geistl. Uebungen für Seelsorger und heilsbegierige Seelen. (352 S.) 851.
- 4. Geistliche Lesungen und Unterweisungen zum Gebrauche bei geistl. Uebungen für heilsbegierige Seelen. (320 S.) 851.
- 5. Christliche Anmuthungen und Tugendübungen zum Gebrauche bei geistl. Uebungen für Seelsorger und heilsbegierige Seelen. (384 S.) 852.

Pergmayr, Jos., sämmtliche ascetische Schriften. Neu hrsg. von einem kathol. Geistlichen. 5 Bde. 2. verb. Aufl. 8. Regensburg, Manz. à Bd. M 1,90.

Inhalt:

Bd. 1. Gründliche Erwägung ewiger Wahrheiten, welche er in seinem Leben geistlichen Gemeinden bei den gewöhnlichen Exercitien beigebracht hat. (390 S.) 868.
- 2. Drei Schritte zur wahren und vollkommenen Liebe Gottes. Mit einem Anh.: Unterhaltungen mit Jesus Christus im heiligsten Sakramente. (370 S.) 866.
- 3. Christliche Grundsätze zum Gebrauche bei geistl. Uebungen für Seelsorger und heilsbegier. Seelen. (408 S.) 873.
- 4. Geistliche Lesungen und Unterweisungen zum Gebrauche bei geistl. Uebungen für heilsbegier. Seelen. (328 S.) 873.
- 5. Christliche Anmuthungen und Tugendübungen zum Gebrauche bei geistl. Uebungen für Seelsorger und heilsbegier. Seelen. (380 S.) 873.

Pergmayr, Jos., sämtliche ascetische Schriften. Neu hrsg. v. e. kathol. Geistlichen. 2. Bd. 8. Regensburg 894. Nationale Verlagsanstalt. 1. 80

Schritte auf dem Wege zur wahren u. vollkommenen Liebe Gottes. Neu bearb. u. hrsg. v. Jos. Ziegler. 3., sehr verb. Aufl. (408 S.)

Pergmayr, Jos., drei Schritte zur wahren u. vollkommenen Liebe Gottes. Mit einem Anh.: Unterhaltungen mit Jesus Christus im heiligsten Sakramente. Neu herasg. von einem kathol. Geistlichen. 2., sehr verb. Aufl. Regensburg 866. Manz. 8. (368 S.) 18⅓ ngr.

Pergmayr, Ios., Vita P. Phil. Ioningen. 4. Ingolstadt, Krüll. 763.

— — ead. 4. Münch. Lindauer. 763.

Die Magd als Herrin (La Serva Padrona). Intermezzo in 2 Aufz. Mus. von Giov. Batt. Pergolese. Übers. u. Bearb. f. d. deutsche Bühne von H[ans] M[ichel] Schletterer. Text d. Gesänge. Offic. Bearb. f. d. Leipziger Bühne. Leipzig: Breitkopf & Härtel [1893]. (11 S.) 8° [F.] = Textbibliothek, Breitkopf & Härtel's. No. 332.

Pergolese, Giov. Batt., s.: Schletterer, H. M.

Pergolese, G(iov.) B(attista) ⟨1710–1736⟩. Trio No 1. 2. für 2 Violinen, Violoncell und Pianoforte. (Bearb. von Hugo Riemann.) (Pianof., Viol. I., II., Violoncell ⟨Baß⟩.) Leipzig: Breitkopf & Härtel [1906]. 2 Bde 4°
1. G dur. 2. B dur.
— **Collegium** musicum. No 29. 30.
(Breitkopf & Härtel's Kammermusik-Bibliothek. No 1843–46.) [07. 9747

Perlnave K.: Zur Fredholmschen Funktionalgleichung mit Hermiteschem Kern. S. 121. Ha. [illegible] . . . . —.45
Separatabdruck

Peri, Hyacinth. Peccatum philosophicum Ad Theologicam Trutinam revocatum ac Pro Menstruo exercitio una cum Parergis ex Tractatu de Peccatis in genere. Clagenfurti, Kleinmayr, 1718. Quart. 30 S.

Peri, Hyacinth. Quinarius theologicus quinque brevibus opusculis comprehensus, ac unà cum Parergis ex Tractatibus de Peccatis, Gratia, Justificatione, & Merito. Clagenfurti, Kleinmayr, 1718. Quart. 152 S.

Peri, Pietro, Stemmi e sigilli antichi e nuovi del cantone Ticino, s. Mittheilungen der antiquarischen Gesellschaft in Zürich.

Peri, Pietro. Stemmi e sigilli antichi e nuovi del cantone Ticino (= Die Siegel des Kantons Tessin). Descritti dal Signore P' P'... . [Con 1 tavola.] (Mittheil. Ant. Ges. Zürich. Band 13, Abtheil. 1, Heft 5.) 4. Zürich 1861.
(Die Städte- und Landessiegel der Schweiz. [Serie B.] Heft 5.)

Periander — *Μηκωνοπαίγνιον* sive Papaver ex omni antiquitate erutum, gemmis, numis etc. illustratum. Cum figg. Norimb. 713. 4. zu 1 rthl. 14 gr. (Das Buch ist ohne des Verf. Namen herausgekommen).

Perić D.: Nekrol. auf den Landesschulinspector Joh. Šolar. 3. Cattaro 83. Progr.

Cantate auf den 29sten Dec. 1769, aufgeführt vom Herrn **Perichon.** (Für die Loge zu den drey Löwen zu Wismar.) Kl. 1730.
[Almanach od. Taschen-Buch f. Frmr. 2 (1777) Bl. 46.]

Peričić, B., die Echinokokkenkrankheit in Dalmatien, s. a. Klinik, Wiener. 1906. IX.

Die Echinokokkenkrankheit in Dalmatien. Klin. u. statist. Bericht nach einem beim 1. Kongr. d. serb. Ärzte u. Naturforscher 1904 geh. Vortrag von Dr. B. **Peričić** in Zara. Berlin, Wien: Urban & Schwarzenberg 1905. (S. 249–267.) 8°
aus **Klinik,** Wiener. 1905, H. 9. [05. 13904

— medizinisches Wörterbuch der deutschen u. kroatischen Sprache. I. Deutsch-kroat. Thl. (VII, 130 S.) 8. Zara 906. (Internat. Buchh. H. v. Schönfeld.) n.n. 4.20

Pericles, s. Perikles

Periclius J. D.: Dissertatio meteorologica prior exhibens hyetoscopium ... Diss. meteorologica posterior exhibens droscoscopium ... (2 Diss. i 1 Vol.). Vitemb. 1727. 28, 16 S. 1 Tvl.

Pericopae evangel. et epistolicae, ex interpret. Castellion. et Martini. 8. Berl. Realschulbuchhdl. 762.

Pericopen, s. Perikopen

Periculum juris publici ecclesiastici catholicorum ... S. l. 1745. Frankfurt u. Leipzig 1746. V: *Neller, Georg Chph.* Pütter, Litt. d. Teutsch. Staatsr. Gött. 1773 —91. III, 673.)

Periculum, Observationum philologicarum et criticarum in Palaephatum περὶ Ἀπιστῶν. ... Lipsiae 1743. V: *Carpzov, Bened.* (AarK)

Peride, Alexander G. (geb. (Jassy) 1. 1. 1846): Ueber Insufficienz der Mitralklappe. Berlin (1870). (32 S.) 8°
Berlin, Med. Diss. v. 10. Aug. 1870

Perigrin, Lambert, die ehemalige Prämonstratenser-Abtei „Himmelspforte" bei Wyhlen a. Rh. Mit 2 Ansichten u. 1 Plane. 2. vielfach verm. Aufl. (119 S.) kl. 8. Basel 904. Leipzig (K. Beck). n. — 80
1. Aufl. (103 S. m. Abb. u. 1 Plan.) 903.

Perikles

Pericles. Ueber den Einfluss der schönen Künste auf das öffentliche Wohl. A. d. Franz. . . . Rom [Gotha] 1806. V: *Dalberg, Carl Theodor Anton Maria von.* (WI) (EE)

Perikles; eine Erzählung aus dem athenischen Leben in der 83. Olympiade. Aus dem Englischen von Julius Fröbel. Leipzig 1847. V: *Cornwallis, Caroline Francis.* (zuwzür 1912)

Perikles. Erzählung aus d. atheniens. Leben in der 83. Olympiade. Aus dem Engl. v. Jul. Fröbel. 2 Bde. 8. (VIII. 260 u. 305 S.) Leipzig 847, Vereinsverlagsbuchh. (à $2^2/_3$ ℳ) $5^1/_3$ ℳ — Ein geschichtlicher Roman. Aus dem Engl. von Jul. Fröbel. 2. unveränd. (Titel-)Ausg. 2 Bde. 8. Leipzig (847) 851, Costenoble. n. $1^2/_3$ ℳ herabges. Preis: n. $^1/_2$ ℳ

Perikles, Prinz von Tyrus, v. Shakespear u. ein Trauersp. in Yorkshire. 8. Mannh. Schwan.

Perikles, Rede. Uebersetzt von Friedr. Aug. Nüsslin, s. Lobreden.

Perikopen

— die vom 1. Advent 1901 ab zu gebrauchenden, der weimarischen Landeskirche. gr. Fol. (1 Bl.) Weimar 902. H. Böhlau's Nachf. n. — 30

Perikopen, die, des evangelischen Kirchenjahres. Lex.-8. (160 S.) Leipzig 855, Teubner. Thlr.

Perikopen, die, des evangelischen Kirchenjahres. 2. Aufl. Lex.-8. (160 S.) Leipzig 858, Teubner.

Perikopen, die kirchlichen, od. die Evangelien u. Episteln f. alle Sonn- u. Festtage d. Kirchenjahres nach dem Text der m. Gutheißg. der Eisenacher Conferenz u. d. Evang. Ober-Kirchenrathes rev. Ausg. d. Neuen Testaments. Mit der Leidensgeschichte unseres Herrn Jesu Christi aus den vier Evangelisten zusammengefaßt. gr. 4. (III, 113 S.) Berlin 871. Wiegandt & Grieben. n. 2. 50

Perikopen f. die evangelisch-lutherische Landeskirche d. Königr. Sachsen. (Ausg. f. den Kirchengebrauch.) 2 Thle. 4. (V, 383 u. 124 S.) Leipzig 892. Pöschel & Trepte. n. 10. —; geb. in Ldr. m. Goldschn. n.n. 17. 50

— dasselbe. Ausg. f. den Handgebrauch. Hrsg. vom evangelisch-luther. Landesconsistorium zu Dresden. gr. 8. (V, 276 S.) Ebd. 892. n. 4. —; geb. in Leinw. n. 4. 80; in Ldr. m. Goldschn. n.n. 7. —

Perikopen, die neuen, der Eisenacher Konferenz. Exegetisch-homilet. Handbuch, in Verbindg. m. O. Reyländer u. A. Pfeiffer hrsg. von Glob. Mayer. 3 Bde. gr. 8. Leipzig, A. Deichert Nachf. n. 36. —; Einbde. in Halbfrz. à n.n. 2. —

1. Die neuen epistolischen Perikopen der Eisenacher Konferenz. Von O. Reyländer. In Verbindg. m. anderen Geistlichen hrsg. (VII, 865 S.) 901. n. 11. —
2. Die neuen evangelischen Perikopen der Eisenacher Konferenz. Von Glob. Mayer. (VIII, 1021 S.) 902. n. 13. —
3. Die neuen alttestamentlichen Perikopen der Eisenacher Konferenz. Von A. Pfeiffer. In Verbindg. m. Faber, Keßler, Kleinert u. a. hrsg. (XXI, 979 S.) 902. n. 12. —

Perikopen, die neuen, der Eisenacher Konferenz. Exegetisch-homilet. Handbuch in Verbindg. m. O. Reyländer u. A. Pfeiffer hrsg. v. Glob. Mayer. 1. u. 2. Bd. gr. 8. Leipzig, A. Deichert Nachf. n. 22. —; geb. in Halbfrz. n.n. 26. —

1. Die neuen epistolischen Perikopen der Eisenacher Konferenz. In Verbindg. m. anderen Geistlichen hrsg. Von O. Reyländer. 2. verb. Aufl. (VIII, 817 S.) 905. n. 10. 50; geb. n.n. 12. 50
2. Die neuen evangelischen Perikopen der Eisenacher Konferenz. Von Glob. Mayer. 2. durchgeseh. Aufl. (VI, 898 S.) 907. n. 11. 50; geb. n. 13. 50

Perikopen, die neuen, der Eisenacher Konferenz. Exeget.-homilet. Handbuch, in Verbindg. m. O. Reyländer u. A. Pfeiffer hrsg. v. Glob. Mayer. 3. Bd. 12 Lfgn. gr. 8. Leipzig 910. A. Deichert Nachf. à 1. —

3. Die neuen alttestamentlichen Perikopen der Eisenacher Konferenz. Exegetisch-homilet. Handbuch, in Verbindg. m. Faber, Keßler, Kleinert u. a. hrsg. Von A. Pfeiffer. 2. Aufl. (XXII, 909 S.) 909. 10. 12. —; geb. n 14.

Pericopen, od. Schrift-Abschnitte auf d. Sonn- u. Festtage d. kathol. Kirchenjahres, mit Inbegriff d. Wochentage in d. Faste, u. der harmon. Leidensgesch. des Herrn. Ingl. auf d. gewöhnl. Titularfeste d. Breslauer Diöces, u. die Communia Sanctorum d. kathol. Kirche. Uebers. u. zusammengestellt aus d. Missali Romano v. J. J. Pech. gr. 8. (18 B.) Breslau 828, [W. G. Korn.]

Perikopenbuch

— hrsg. im Auftr. d. deutschen evang. Kirchen-Konferenz. gr. 8. (225 S.) Stuttgart 897. C. Grüninger. n. 2. —; geb. in Halbleinw. n. 2. 50; in Leinw. m. Goldschn. n. 3. —

Perikopenbuch, hrsg. im Auftrage der deutsch-evang. Kirchen-Konferenz. Quart-Ausg. gr. 4. (277 S.) Sondershausen 900. F. A. Eupel. Geb. in Leinw. n. 4. —; m. Goldschn. n. 5. —

Perikopenbuch, hrsg. im Auftrage der deutsch-evangel. Kirchen-Konferenz. Quart-Ausg. 2. Aufl. (277 S.) 26,5 ×21 cm. Sondershausen 909. F. A. Eupel. Geb. in Leinw. 4. —; m. Goldschn. n 5. —

Perikopenbuch, allgemeines deutsches. Sammlung der in Deutschland jetzt kirchlich vorgeschriebenen Perikopenreihen, m. ausführl. Inhaltsangabe. Nebst Anh. v. amtlich gestatteten jetzt ungebräuchl., od. ausländ. Reihen. Hrsg. m. amtl. Unterstützg. gr. 8. (VIII, 448 S.) Halle a/S. 892. E. Anton. n. 6. —

Perikopen-Buch f. d. evangel. Kirchen d. Königr. Sachsen. 1. Hälfte, die Evangelien (als erste Reihe) u. d. Episteln (als zweite Reihe) enth. gr. 8. (5 B.) Dresden 840. (Leipzig, Fr. Fleischer.) *

Perikopenbuch der evangelischen Landeskirche A. B. in Siebenbürgen zum Gebrauch f. Kirche, Schule u. Haus. Hrsg. vom Landesconsistorium dieser Kirche. 8. (160 S.) Hermannstadt 874. Michaelis in Comm. n. — 80

Perikopenbuch der evang. Landeskirche A. B. in Siebenbürgen z. Gebrauch f. Kirche, Schule u. Haus. Hrsg. v. Landeskonsistorium dieser Kirche. 8. (160 S.) Hermannstadt 886. L. Michaelis. Geb. n.n. — 80

Perikopen- und Liederbuch, s. Lieder- und Perikopenbuch.

Pericopen-Ordnung für das christkatholische Kirchenjahr. Basel o. J. V: *Watterich, Joh. M.* (BSchwLk V, 10 e γ)

Peril and heroism, hrsg. v. J. Klapperich, s.: Schriftsteller, englische u. französische, der neueren Zeit. XXII.

Perille, S.· Hundert Gedanken einer jungen Engländerin mit Beschreibung der Reise eines Jünglings nach dem Glückslande (von S. Perille ps.). Mit Kupfer u. Karte. Breslau 1803 12⁰

Périn, Carl, s. Périn, Charles

Périn, Charles, die Lehren der Nationalökonomie seit einem Jahrhunderte. Autoris. Uebersetzung. gr. 8. (XIX, 358 S.) Freiburg i/Br. 882. Herder. 3. —

Périn, Charles, christliche Politik. Die Gesetze der christlichen Gesellschaften. Einzig für Deutschland autoris. Uebersetzung. gr. 8. (XXXIII, 765 S.) Freiburg i. Br. 875, Herder'sche Verlagsh. *

Périn, Charles, christliche Politik. Die Gesetze der christl. Gesellschaften. Einzig f. Deutschland autoris. Uebersetzg. gr. 8. (XXXIII, 765 S.) Freiburg i/Br. 876. Herder. n. 6. —

Périn, Carl, über den Reichthum in der christlichen Gesellschaft. Mit Genehmigung des Verf. aus dem Französ. übers. von Jos. Weizenhofer. 2 Bde. Regensburg 866, 68. Pustet. gr. 8. (IV, 656 S., 636 S.) Jeder Bd. 1 ₰ 10 ngr.

Perin, Eug., culture du houblon. Moyens d'augmenter son rendement. Avec 3 planches lith. 8. (107 S.) Strassburg 874. Schultz & Co. n. 2. —

— der Hopfenbau. Mittel den Ertrag zu vermehren. (Mit 3 lith. Taf.) 8. (98 S.) Ebend. 874. n. 2. —

Perin, Frz. v., Novellen. 1. Bd. Wien 860. F. Klemm in Comm. 8. (2 Bl., 175 S.) n. 20 ngr.

Perin, Jacques Antoine René

— — Die Leidenschaften u. vorfallenden Begebenheiten der Menschen in den Geschichten des Herrn v. Gersan. Aus d. Französ. Frankfurt 1783. 8⁰ 274 S. (2 Mk. Taussig, Prag, 1903.)

PERIN (= Perrin), (Jacques Antoine René, † 1813), Das Reich der Leidenschaften, oder Begebenheiten des Herrn v Gersan. Aus d. Französ. Frankfurt 1759. 8⁰ (In Stuttgart, mit 1 Beibd.)
16 Bogen. — Cat. Meissner II.
Orig. (in Stuttgart) L'Empire des Paßions, ou Mémoires de Mr. de Gersan, par Mr *Perin*. Londres, chez Jean Nourse, Libraire. 1756. 12⁰. (1/2 Rthlr. Scheible, vor 1885.)

Perin, Josephine von

Erzählungen. Von Josephine von Perin, geb. Freyin von Vogelsang. Mit 1 Kupfer.
Leipzig: Fleischer 1823. 228 S. 8⁰

Perrin, Mad., Gothische Mährchen. 2 Bde.
Auch unter dem Titel:
Erwina, oder Zauber, Minne und Mutter-Liebe, und Erick, der Sohn der Wüste.

Perin, la Baronne Joséphine, les récits de la grande mère à ses petits enfans. 16. (8 1/4 B. u. 8 col. Kpfrt.) Vienne 840, Müller.

—— was die Großmutter ihren Enkeln erzählte. A. d. Franz. frei übers. v. d. Verfassin. selbst. Nebst e. orig.-deutschen Erzähl. gr. 12. (5 1/2 B. u. 2 ill. Bild.) Wien 841, Pichler's sel. Wwe.

Périn, Josefine v., Was die Großmutter ihren Enkeln erzählte. Aus dem Französ. frei übers. von der Verfasserin selbst. Nebst einer original-deutschen Erzählung. Mit 2 illum. Bildern (in Stahlst.). 3. Ausg. Wien 861. Pichler. (Leipzig, Liebeskind.) 8. (134 S.) 15 ngr.

Périn, Karl, s. Périn, Charles

Perinello, Carlo, Giuseppe Verdi, s. Musiker, berühmte.

Giuseppe Verdi. Von Carlo Perinello. *Berlin Harmonie 1900.* (112 S.) 4⁰ 8⁰
= Musiker. Berühmte 9.

Perinet, Joachim

Perinet, Joach., die neue Alceste; e. Carrikatur u. Oper in Knittelversen. 8. Wien 806.

ANNEHMLICHKEITEN, 29, in Wien. („Qui promet, s'oblige".) Von einem Satyr (d. i. *Joachim Perinet*, 1765—1816). (Heft 1.) Mit Titelvignette (Bock und Satyr). O. O. (Wien) 1787. 8⁰ (In Dresden Hist. urb. Germ. 3000m, mit Beibd.)
I 87 S. (incl. Titel, 1 Bl. „kleinwinzige Vorrede", 1 Bl. Verz. d. 29 Kap.). U. a.: Das Milanische Kaffeehaus. — Der Schnepfenstrich (am Graben). — Das Findlingshaus. — Die Rorate. (Früh-Metten, ein Stelldichein für Verliebte.) — Der Fasching. — Die Winkeltanzmeister. — Ein Räthsel (Satire). — Der Prater. — Pierutschaden (Lockere Fahrten) in das Praterlusthaus. — Die Bastei. — Das Paradeisgärtchen. — etc. etc. (Voll Anspielungen auf sexuelle Ausschweifungen, ebenso in den Fortstzgn.) — Name des Vf. in dessen „Liliput. Steuerfassionen", am Ende der Vorrede.
— — Dasselbe. Braunschweig (Wien, Wucherer) 1788. 8⁰

— August u. Gustavina; Schspl. in 3 Aufz. 8. Wien 810. Wallishausser. 6 gr.

— das lustige Beilager; Sgspl. in 2 A. 8. Wien 797. Wallishausser. 6 gr.

— — Die Belagerung von Ypsilon, oder Evakathel und Schnudi. Eine Karrikatur in 2 Aufzügen. 4. Aufl. Ebd. 1813. 8⁰.
Goedeke V, 334, 41

— die Belagerung von Ypsilon, oder Evakathel u. Schnudi. Karrikatur in 2 A. 8. Wien... 4e A. 818. Wallishausser. 6 gr.

Perinet, Joach., Blumensträußchen. 8. Wien 814. Rehm. 16 gr.

— der Eremit auf Formentera; Schspl. in 3 A. 8. Wien 790. Gerold. 3 gr.

— der Fagottist, oder d. Zauberzither. Sgspl. in 4 A. 2 Thle. 8. Wien, Wallishausser. 12 gr.

— der Feldtrompeter, oder Wurst wider Wurst. Sgspl. in 1 A. 8. Wien 808. Wallishausser. 5 gr.

— der Geisterseher, neu nach Schiller. Schspl. in 5 A. 8. Wien 810. Wallishausser. 6 gr.

— s. Gesellschaftswagen, der.

— Hamlet, Karrikatur mit Gesang, in 3 A. 8. Wien 807. Wallishausser. 6 gr.

— Idas u. Marpissa; Oper in 3 A. 8. Wien 808. Wallishausser. 6 gr.

§ — — Der weyland Casperl aus der Leopoldstadt im Reiche der Todten. 4 Hfte. (Cplt.?) 1806. 8⁰. Selten!

PERINET, Joach. (1765—1816), Kleiner Katechismus der Liebe für Mädchen. Im Schlaraffenlande (Wien) 1786. 8⁰. (10 Kr. Gilhofer & Ranschburg, Wien, 1904:)
In Form eines Zwiegespräches. Sehr selten!

Perinet, Joach., Kora, die Sonnenjungfrau. Karrikaturoper in 3 A. 8. Wien 813. Wallishausser. 6 xr

Perinet, Joach., († d. 4. Febr. 1816.) 29 geheime Correspondenz- od. Liebesbriefe. 8. Wien 787. Hochenleitner. 6 xr

— — Die Laus. Eine beissende Kleinigkeit für lausige Zeiten. Paris (fing.) 5792. (1792.) 8⁰. 24 S.
Prof. v. Karajan's Bibl. I. Lpz. 1875, no. 6721. — Höchst selten!

LOBSPRÜCHE, Komische, in Blumauers Manier (von *J. Perinet*). 13 Hefte. Hohenzollern (Wallishausser in Wien) 1806.
Weller, fing. Dr. — Cplt. rar!

— Megera. 1r Thl. Zauberoper in 3 A. 8. Ebd. 816. 6 xr

— das Neusonntagskind. Sgspl. in 2 A. Ebd. 804. 6 xr

— der Page; Lstspl. in 3 A. 8. Ebd. 792. 6 xr

— Pumphia und Kulikan. Karrikatur-Oper in 2 A. 8. Ebd. 808. 6 xr

— Vittoria Ravelli, der weibliche Rinaldo. Schspl. 8. Ebd. 803. 6 xr

— die zwei Savoyarden. Schspl. in 1 A. 8. Ebd. 795. 5 xr

— die Schwestern von Prag. Singspl. in 2 A. 8. Ebd. 795. 6 xr

— die neue Semiramis. Travest. Oper in 2 A. 8. Ebd. 806. 6 xr

SINNGEDICHTE (von *Joachim Perinet*). Leipzig 1788.
Anon.-Lex. IV. p. 87 (nach Kehrein u. Wurzbach); Kayser u. Meusel haben „Wien". — Rar!

— s. Spielkarten-Almanach.

STEUERFASSIONEN, Liliputanische. Vom Verf. der Annehmlichkeiten von Wien .... (*Joach. Perinet*). Wien 1789.
Anon.-Lex. IV. p. 123 (Eigenbericht.) — Rar!

— der Taschengratulant, oder Alles in Allem. Mit Kpf. gr. 8. Wien 800. Wallishauser. 10 xr

— der Taschengratulant, oder alles in allem, m. Kupf. gr. 8. Ebend. 801-5.

— Telemach. Travestirt in 3 A. 1r Thl. 8. Ebd. 805. 6 xr

— der Tod des Herzogs Leopold v. Braunschweig; e. Cantate. gr. 8. Wien, Wucherer. 3 xr

PERINET, Joachim (Schauspieler u. Schriftsteller, beachtenswerther Wiener Possendichter, geb. zu Wien 20. Octob. 1765, † das. 4. Febr. 1816.), Poetische Versuche. Mit Titelkpfr. Wien 1799. 8⁰. (1 fl. 50 xr. Gilhofer & Ranschburg, c. 1888.)

Perinetti, über d. Pellagra, s. Pellagra.

Peringer, s.: Baukalender, norddeutscher.

— s.: Baukalender, süddeutscher.

Perinhart, J., die deutschen Juden und Herr W. Marr. 1. Aufl. (44 S.); 2. Aufl. gr. 8. (42 S.) Löbau i. Westpr. 879, Skrzeczek. *

Perini, Agost., Statistica del Trentino. 2 voll. 4. (1: VIII u. 752 S. 2: IV u. 668 S.) Trento 851. 52. (Innsbruck, Wagner.) n. 10 ℳ

Perini, Carlo, cenni della vita di S. Vigilio. Trient 863. (Seiser.) 16. (45 S.) n. $2\frac{1}{2}$ ngr.

— il concilio di Trento. Riassunto storico 1545—1563. Ebend. 863. gr. 8. (XXIII, 151 S.) n. 26 ngr.

Perini, Carlo, ed Agostino Perini, Flora dell Italia settentrionale e del Tirolo meridionale rappresentata colla fisiotipia. Centuria I—III. Dispensa 1—24. Fol. (102 Taf. in Naturselbstdruck und 2 S. Text und Centuria I—III. 140 Taf.) Trento 855—56. (Innsbruck, Wagner'sche Buchh.) à Disp. *

Perini, Giac., über Lebkuchenbäckerei rc., s. Stegmann, der Pfefferkuchenbäcker.

Perini, Giacomo, s. Schauplatz, neuer, der Künste und Handw., 24. Bd.

Perini, Giacomo, der Schweizerzuckerbäcker oder instruktive Anweisung zur Anfertigung aller feinen Torten, Kuchen, Plätzchen rc., im Ganzen gegen 900 Recepte enth. 4., verm. u. verb. Aufl. v. A. Cyprim. Mit 8 (lith.) Taf. Abbildungen. 8. (XXX, 327 S.) Weimar 879. B. F. Br.gt. 4.—

Perini's, Giacomo, Schweizerzuckerbäcker od. genaue Unterweisg. zur Anfertigg. aller in der Konditorei vorkomm. Arbeiten, insbesondere aller feinen Torten, Kuchen, Charlotten rc., im ganzen üb. 1000 Rezepte. 5., gänzlich umgearb. Aufl., hrsg. v. Ph. Born. Mit 24 Taf. Abbildgn. 8. (XXXII, 360 S.) Weimar 893. B. F. Voigt. 5.—

Perini, (Jacob Peter, und) Perini, (Joh[ann] Heinrich). Bittschrift der Gebrüder P' von Scanf an Die Ehrsamen Räthe und Gemeinden der Drey Bünden wegen einem ungerechten Votum des Tribunals des Herrn Vicari Gaudentz von Planta..., eingegeben am letzten Tag des... Jahrs 1791. fol. *o. O. u. J.* [1791, 92].

Perini, Johann Heinrich *s.* Perini, Jacob Peter, und Perini, Johann Heinrich.

Perino, Adf., s.: Mensch, d. moderne, u. d. Christentum.

PERINOVIĆ, Vladimir: De M. Tullii Ciceronis „de lege agraria" orationibus. — 1908. 91 Bl. Diss. Graz, Univ.

Periode, Die, des Jünglings ist die glücklichste des Menschenalters. Altd. 1778. V: *Balbach, Johann.* (MGT)

Periode, die jährliche, der Niederschläge in Ungarn. Mit 21 Zahlentabellen, 10 Abbildgn. u. e. Anh. v. J. Hegyfoky. (Officielle Publicationen der dem königl. ungar. Ackerbau-Minister untersteh. königl. ungar. Reichsanstalt f. Meteorologie u. Erdmagnetismus. 1909. VIII. Bd.) (Ungarisch u. deutsch.) (V, 130 S.) 31×23,5 cm. Budapest 909. (L. Toldi.) 6.—

Perioden der Litteratur und Industrie, kritisch betrachtet. München 1782. V: *Meidinger, Franz Sebastian.* (Ky) (BB) (MGT)

Perioden der Literatur u. Industrie, krit. beguckt (von F. S. Medinger). 8. Münch. 782. (Lindauer). 3 gr.

Perioden, sechs, der christlichen Kirche v. der apostol. Zeit an bis zur Zukunft des Herrn. gr. 8. (130 S.) Heilbronn 851, Scheurlen. 12 ngr.

Peripathetiker, die, oder Wanderungen zweyer Aufklärer. 2 Bde. 8. Hamb. Vollmer. (à 1 Rthlr. 12 gr.)

Peripatetiker, die, des 18. Jahrh., od. Wanderungen zweier Aufklärer. 3 Thle. 8. Hamb. 793—96. (Herold jun.) 2 ℛ 8 gr. (2r u. 3r Thl. A. u. d. T.: abentheuerl. Wanderungen durch d. Preuß. Staaten. 2 Thle. 1 ℛ 12 gr.) (Auch vielleicht noch unt. andern Titeln.)

Peripapetiker, Die, des 18ten Jahrhunderts oder Wanderungen zweyer Aufklärer. Athen [Altona? 1795—96]. V: *Venturini, Carl Hch Georg.* (GGr VI, 405) (Minor, Jacob, Goethes Fragment vom ewigen Juden und vom wiederkehrenden Heilande. Stuttg. und Berlin 1909. S. 214.)

Periplus, der, d. Erythräischen Meeres v. e. Unbekannten. Griechisch u. deutsch m. krit. u. erklär. Anmerkgn., nebst vollständ. Wörterverzeichnisse v. B. Fabricius. gr. 8. (III, 188 S.) Leipzig 883. Veit & Co. n. 6.—

Periplus ponti euxini octuplus ad fidem tabularum mss. Bibliothecae Caesareae Vindobonensis. (1 Tafel in Schuber.) Vindobonae 1836.

Perisceysymenus, s. *J. J. Carbach.*

Die Geschichte des israelitischen Waisenhauses für Stadt und Provinz zu Königsberg i. Pr. Eine Festgabe anläßl. d. Weihe d. neuen Anstaltsgebäudes 1905 von Adolf **Peritz**, Insp. Königsberg i. Pr 1905. Hartung. (77 S.) 8° [F. u. Ant.] 05. 1965 10

Statistische Uebersicht der für Versorgung der jüdischen Lehrer und Kultusbeamten in Deutschland bestehenden Hilfs- und Unterstützungs-Kassen. Ein Beitrag z. Förderung d. Einheitsbestrebungen d. jüd. Lehrerschaft in Sachen ihrer Versorgung von **Adolf Peritz**, Königsberg i. Pr *Königsberg in Pr. 1900: R. Leupold.* (12 S.) 8° [F.] 00. 10573

Die Versorgungs-Kassen der jüd. Lehrer und Kultusbeamten in Deutschland nach ihrem Stande vom 1 Jan. 1902 und in ihrer Entwickelung von 1898—1901 mit statist. Uebersichten u. e. Ehrentafel d. bedeutendsten Wohlthäter auf diesem Gebiete. Hrsg von **Adolf Peritz**, Königsberg i. Pr. *Königsberg i. Pr. 1902: J. Jacoby.* (34 S.) 8° [F. u. Ant.] 03. 4150 10

Peritz, Georg, appr. Arzt a. Waldenburg i. Schl.: Ein Beitrag zur Lehre vom Ovarialcarcinom. Leipzig 1906: B. Georgi. (32 S.) 8°
Leipzig, Med. Fak., Ref. Zweifel, Diss. v. 17. Febr. 1906
[Geb. 6. Okt. 89 Waldenburg; Wohnort: Waldenburg; Staatsangeh.: Preußen; Vorbildung: Gymn. Waldenburg Reife O. 00; Studium: Berlin 2, Breslau 7 S.; Coll. 17 Febr. 06; Approb. 15. März 05.]

Peritz, Georg [pr. Arzt aus Sommerfeld (Brandenb.)]: Über Brusthöhlengeschwülste .. Berlin, Buchdr. v. G. Schade, *1896;* 60 S., 1 Bl. 8.
Berlin, Med. Fak., Inaug.-Diss. v. 11. Aug. 1896

Peritz, Geo., die Pseudobulbär- u. Bulbärparalysen d. Kindesalters. gr. 8. (VII, 232 S. m. 10 Abbildgn.) Berlin 902. S. Karger. n. 6.—

Peritz, *Meyer* [cand. med. aus Breslau]: Ein Fall von primärem Carcinom des Ligamentum latum ... München, k. Hof- u. Univ.-Buchdr. v. Dr. C. Wolf & Sohn, 1892; 13 S. 8.
München, Med. Fak., Inaug.-Diss. v. 1892

Peritz, Mor., e. hebräischer Brief Elijah Levita's an Sebast. Münster, nach d. v. letzterem im J. 1531 besorgten Ausg. aufs Neue hrsg. u. m. e. deutschen Uebersetzg. u. Anmerkgn. vers. gr. 8. (16 S.) Breslau 894. (Berlin, Mayer & Müller.) n. —80

Peritz, Mor., das Buch der Gesetze, nach seiner Anlage u. seinem Inhalt untersucht, s. a. Schriften, hrsg. v. der Gesellschaft zur Förderung der Wissenschaft des Judentums.

Peritz, M., Das Buch der Gesetze, nach seiner Anlage u. seinem Inhalt untersucht. (XXXVI S.) gr. 8. Leipzig, Buchh. G. Fock. 1909. —. 80.
„Schriften. hrsg. v. der Gesellschaft zur Förderung der Wissenschaft des Judentums."

Peritz, Mor., Sefer ha-Mizwoth. Das Buch der Gesetze v. Moseh ben Maimun [Maimonides] im arab. Urtexte, nebst der hebr. Uebersetzg. d. Sholomoh ben Joseph ibn Ajub, zum 1. Male vollständig hrsg. u. m. e. deutschen Uebersetzg. u. Anmerkgn. versehen. 1. Thl. gr. 8. (VI, 34 u. 28 S.) Breslau 882. (Liegnitz, Cohn.) n. 1. 50

Peritz, Mor., zwei alte arabische Uebersetzungen des Buches Rûth. Zum ersten Male hrsg. u. m. Anmerkgn. versehen. gr. 8. (59 S.) Berlin 900. S. Calvary & Co. n. 1. 50

Periwinkle, Paul, od. der Preßgang. Von dem Verf. v. „Cavendish" 2c. Nach dem Engl. v. C. Brinckmeier. 4 Bde. 2. (Titel-) Aufl. 8. Braunschweig (840. 41) 851, G. C. C. Meyer sen. 1 ℛ

Perizonius, H., Taktik nach der für die königlich preußischen Kriegsschulen vorgeschriebenen „genetischen Skizze" zum Gebrauche für die preuß. und norddeutschen Kriegsschulen ausgearb. 2. Aufl. 1867. und 3., verb. Aufl. Lex.-8. (III und 367 S.) Berlin 868, Mittler und Sohn. * 1 20

— — 4. neu red. Aufl. von F. A. Paris [1. Hälfte, die Elementar-Taktik enth.] gr. 8. (VIII, 260 S.) Mit Atlas: Die formelle Taktik der drei Waffen: Infanterie, Kavallerie u. Artillerie, nach den königl. preußischen Exercir-Reglements, im Anschluß an die „Taktik von Perizonius" bildlich dargestellt von F. A. Paris. Ebend. 870. qu. Fol. (4 S. u. 36 Steintaff.) n. 2 ℛ 5 ngr.;
der Atlas apart n. 1 ℛ 5 ngr.;
die Taktik. I. apart n. 1 ℛ

Perizonius, H., Taktik nach der f. die königl. preußischen Kriegsschulen vorgeschriebenen „genetischen Skizze" ausgearbeitet. 4., neu red. Aufl. v. F. A. Paris. [2. Hälfte, die angewandte Taktik enth.] gr. 8. (VIII, 291 S.) Berlin 871. Mittler & Sohn. n. 4.— (cplt.: n. 10. 50)

—— dass. — 5., neu redig. Aufl. von Gen.-Maj. a. D. F. A. Paris. 2 Thle. in 1 Bde. gr. 8. (XII, 272; 299 S.) Ebendas. 872. *
6. Aufl. vgl.: Meckel.

— — 6. Aufl. u. d. T.: Lehrbuch der Taktik 2c. ausgearb. von Meckel. T. 1. 2. I. II. u. 1 Atl. 1874—1876. 8° u. 4°

—— Taktik-Heft zum Gebrauche auf den Königl. Kriegsschulen, für das Königl. Kadetten-Corps zu Berlin und zum Privat-Studium bearb. 2 Thle. Fol. Berlin, Mittler und Sohn. *
Inhalt:
Thl. 1. Formelle Taktik. (IV und S. 1—146.) 864. * 1 Thlr. 10 Ngr.
" 2. Angewandte Taktik. (S. 147—347.) 865. * 1 Thlr.

Perizonius, H. F. W., Geschichte Ostfrieslands. Nach den besten Quellen bearb. 4 Bde. Weener 868, 69. (Leer, Securius.) 8. [1. Bd. (VIII, 328 S.) n. 28 ngr., 2. Bd. (VIII, 359 S. mit 1 lith. Karte in 4.) n. 28 ngr., 3. Bd. (XII, 384 S. mit 1 Tab. u. 1 lith. u. color. Karte in Fol.) n. 1 ℛ, 4. Bd. (XVIII, 416 S.) n. 1 ℛ 4 ngr.]
n. 4 ℛ

Perizonius, Iac., animadversiones historicae, quae typis repetendas curavit Th. C. Harles. 8. Altb. (Ienae, Acad. Hdl.) 771.

Perizonius, Jak., animadversiones historicae, quas typis repetendas curavit G. C. Harles. 8. Altenb. 771. (Hennings in Neisse). 1 ℳ

Perizonii, Jac., Adnotationes in Suetonium, in scholis ejus excerptae. Ed. C. P. Koelnerus. Vratisl. 725. 8. 8 gr.

— origines Babylonicae et Aegytiacae. 8. Trajecti ad Rhenum. 749.

Perizonius, Jakob, Dissert. trias quarum in prima de constitutione divina super ducenda defuncti fratris uxore secunda de lege voconia feminarumque apud veteres hereditatibus tertia de variis antiquorum nummis agitur. Multa insuper alia passim per occasionem traduntur, nec pauca Auctorum utriusque linguae ut et S. Scripturae Joca, lapidumque ac nummorum inscriptiones illustrantur, explicantur, aut emendantur. **Joh. Gottl. Heinecke,** denuo recensuit et praefationem adiecit. Halle/Magdeburg (J. Chr. Krebs) (9. III.) 1722. 184 S. (6.50) 26054
Gew.: Bernhard Justus von Welevelt, Unicon Ripperdae, Heinrich von Iselmuden, Rudolph Steenberg, Otto Gansenebb, cognom. Tengnagel, Heinrich Quesen, Rutger Bredaeus.

Perk, Johs., e. unzeitige Frucht m. Nackencysten. Diss. gr. 8. (14 S. m. 2 Taf.) Königsberg i/Pr. 893. (W. Koch.) n. 1. —

Perk, M. A., le Luxembourg pittoresque. Esquisse. Traduit du hollandais par L.-J. Zello. Avec 2 cartes. 8. (XV, 253 S. m. 1 Lichtdr.) Luxemburg 885. Schamburger. geb. n. 2. 40

Perk, M. A., der Protestantismus im Grossherzogth. Luxemburg. Aus dem Niederländ. übers. gr. 8. (19 S.) Weimar 888. (Zuckschwerdt.) n. — 60

—— une visite à Mondorf-les-Bains. 8. (32 S.) Luxemburg 885, Schamburger. — 30

Perkasie Banner 1879 1892? Souderton, PA
Weekly

Perkel, Jos., zur Casuistik der Masern im Krankenhause. Diss. gr. 8. (29 S.) Berlin 899. M. Günther. n. — 60

Perkel, Lasar, Odessa (Rußl.): Ueber Phenylpyrazol- und Phenyltrimethylenderivate. *Berlin (1903): E. Ebering.* (32 S.) 8°
Berlin, Phil. Diss. v. 4. Juli 1903

Perkel, Olga. Ueber Ulcus ventriculi und Duodenalgeschwüre bei Kindern. Diss. Med. Univ. Zürich. [Mit 1 Tafel.] *Kopftitel:* Aus dem Kinder-Spital Zürich. 34 S. 8. Zürich, J. F. Kobold-Lüdi, 1904.

Perkhammer, Jh. M., Lob- u. Ehrenreden auf d. heil. Joh. v. Nepomuk. 8. Augsb. 782. Rieger. 2 ℳ

Perkiewicz, M: Das Mönch-Nonnen-Dach. Ludwigsberg bei Moschin (Posen) (1903)

Perkin, *Frederick* Mollwo [aus Sudbury bei Harrow (Engl.)]: Zur Kenntnis der Diazoamidokörper und der Diazosulfonate ... Würzburg, Druck d. Stahel'schen k. Hofbuchdr., 1897; 66 S., Bl. 8.
Würzburg, Phil. Fak., Inaug.-Diss. v. 1897

Perkins, Janet

Perkins, J., Fragmenta florae Philippinae. Contributions of the flora of the Philippine islands. Fasc. I. et II. (IV, 66 S. u. S. 67—152 m. 8 Taf.) gr. 8. Leipzig 904. Gebr. Borntraeger. Subskr.-Pr. n.n. 9. —

Perkins, Janet, u. Ernst Gilg, Monimiaceae, s. **Pflanzenreich, das. 4. Hft.**

Monimiaceae mit 309 Einzelbild. in 28 Fig. von Janet Perkins u. Ernst Gilg. *Leipzig: W. Engelmann 1901* (122 S.) 8°
= Pflanzenreich. H 4. (IV, 101.)

Perkins, Janet R(ussell), aus Chicago: Monographie der Gattung Mollinedia. Mit 2 Taf. *Leipzig: W. Engelmann 1900.* (52 S.) 8° ¶ (Aus: Engler's Botan. Jahrbücher, Bd 27, H. 5.)
Heidelberg, Naturw.-math. Diss. v. 1900

Perkins, J., Stryacaceae, s. Pflanzenreich, das.

Styracaceae mit 191 Einzelbild. in 18 Fig. von J[anet] Perkins. Leipzig: W. Engelmann 1907. (111 S.) 4°(8°)
— Pflanzenreich, Das. H. 30. (4, 241.)

Perkins-Stetson, Charlotte, Mann u. Frau. (Women and economics.) Die wirtschaftl. Beziehgn. der Geschlechter als Hauptfaktor der sozialen Entwicklg. Einzig berecht. Uebersetzg. v. Maria Stritt. gr. 8. (VIII, 286 S.) Dresden (901). H. Minden. n. 3. —; geb. n. 4. —

Perkmann: Erwerbung der burgundischen u. spanischen Länder an das österr. Haus unter Kaiser Friedrich III. und seinem Sohne Maximilian I. 1477–1516. Zs. 213 S. 8° – Klagenfurt, OR., Progr. 1858–1860.

Perkmann: Die Natur, eine Symbolik des Geistes. Zs. 45 S. – Meran, Progr 1868,69

Perkmann: Reisebericht über die mit den vorzüglichsten Hörern in den Ferienmonaten unternommene Instruktions-Reise nach Konstantinopel. 63-128 S. 8°–Wien H., Progr. 1869

Perkmann, Josef

Perkmann Josef Der Begriff des Charakters bei Platon und Aristoteles. 48 S. 8. K. k. Staats-Gymn. im XIII Bezirke *Wien* 1909.
Progr.

Perkmann, J., Zur Förderung d. griech. Unterrichts. Ein pädagog.-didakt. Entwurf. Pr. 1891 80 S. 1 20

Perkmann, J[osef]: Die wissenschaftlichen Grundlagen der Pädagogik. 17 S., 3 S. ungez. 8. K.k. Staats-Gymn. im XIII. Bezirke *Wien* 1906.
Ursprung des Strebens nach Wissen und Können; Formen desselben. Das auf Erziehung gerichtete Streben. Definition der Pädagogik (als Wissenschaft) und Analyse derselben. Die Bildsamkeit der Jugend nach Anlagen und Umständen. Bestimmung der Jugend.
Progr.

Perkmann, Jos., die wissenschaftlichen Grundlagen der Pädagogik, s. **Magazin, pädagogisches, 294. Heft.**

Die wissenschaftlichen Grundlagen der Pädagogik. Von Prof. Dr. Josef **Perkmann.** 2. erw. Aufl. Langensalza: H. Beyer & Söhne 1907. (48 S.) 8°
— Magazin, Pädagogisches. H. 294.

Perkmann, Jos., bildender Unterricht in den Sprachfächern. I. Thl. Grundlinien. gr. 8. (73 S.) Innsbruck 894. Wagner. n. 1. 50

Jahresbericht, sechster, der k. k. Ober-Realschule zu Klagenfurt. *Klagenfurt.* Druck v. *J. Leon.* 154 S., 8°.
INHALT. Erwerbung der burgundischen und spanischen Länder an das österreichische Regentenhaus unter Kaiser Friedrich III. und seinem Sohne Maximilian I. 1477—1516. Von *Peter Perkmann* (S. 1—116).

Perkmann, R., Geschichte der Cultur in Österreich. Einleitung. gr. 8. (VI und 114 S.) Wien 864, Braumüller. *

Perkmann, R., zur Geschichte der Wiener Universität. Auch ein Beitrag zur halbtausendjähr. Jubelfeier. Leipzig 865. O. Wigand. 8. (XII, 244 S.) n. 1 *n*ℬ

—— die Jesuiten und die Wiener Universität. 2. (Titel-)Ausg. 8. (XII und 244 S.) Leipzig (865)66, O. Wigand. *

Perkmann, R., Katechismus. 8. Augsburg, J. Wolf. 75.

— Land und Leute von Süd-Tirol, mit besonderer Rücksicht auf deren Beziehungen zu Italien u. Deutschland. 1. Heft. Allgemeiner Theil. Wien 862. Gerold in Comm. gr. 8. (VIII, 59 S.) n. 12 *ngr.*

Perkmann, R. (Bearb.), s. Seydlitz, Ernst von: Geographie.

Perkmann, R. (Bearb.), s. Seydlitz, Ernst von: Kleine Schul-Geographie.

Perkmann, Robert

Perkmann, Rob., Christus natus est nobis! Eine Sammlg. v. Ansprachen bei Weihnachtsbeschergn. 8. (95 S.) Wien 903. H. Kirsch. n. 1. —

Perkmann, Rob., aus der Geschichte der katholischen Kirche. Für den Schulgebrauch bearb. (58 S. m. 25 Abbildgn. u. 4 Karten.) 8. Wien 910. F. Tempsky. Geb. 1.20

Perkmann Robert, Der Gottesdienst in der katholischen Kirche. Für den Schulgebrauch bearbeitet. Mit 2 Farbentafeln, 31 schwarzen Abbildungen und mehreren Tabellen. Wien 1909. F. Tempsky. Geb. K —.80.

Perkmann, Rochus

Perkmann, R., Anlage, Einrichtung u. Lehrmittel der Volks- u. Mittelschule, s.: Ausstellungs-Bericht, officieller.

Perkmann, Rochus Zum geographischen Unterricht in der Mittelschule. 20 S. 8. **Progr.** *Hernals* 1884.

Schulkarte von Böhmen nach d. Stande v. J. 1905. Entworfen von Dr. Franz **Perko**... Maßst. 1:500,000. ([Prag: G. Neugebauer in Komm. 1906]; Photolith.: Berl. Lith. Inst., Berlin.) (1 Kartenbl. 67×55 cm.) [kol.] [07. 6713

Perko, Franz: Sprach- und Schulkarte von Mähren u. Schlesien. Gezeichn. v. Otto Perko. 1:375000. Gotha, Prag '10.

Perko, Franz: Streiflichter über die nationalen und wirtschaftl. Verhältnisse der gemischtsprachigen Bezirke Westböhmens mit bes. Berücks. des dt. Schulwesens. — Wien: Dt. Schulverein 1905. 27 S. 4°
Aus: Der getreue Eckart. Jg 3. 1905.

G. And. **Perko.** – Leut. Franz Mühlhofer. Die Riesengrotte bei Triest in Wort und Bild. Triest 1906: Osterr. Lloyd. 30 S. 8° [11. 16350

Perković Anton: Andreas Vitaljić und der kakavische Dialekt auf der Insel Lissa.
H. 1901 PN 1418 Diss. Wien, Univ.

Perkowski, Geschichte des niederschlesischen Train-Bataillons Nr. 5. Auf Befehl des königl. Bataillons bearb. Mit Abbildgn. (50 S.) gr. 8. Berlin 903. E. S. Mittler & Sohn. n. 3. 50; geb. n. n. 5. —

Perks, Berlin u. seine Arbeiter, s.: Best.

Perktold (A.). Beitrag zur geographischen Verbreitung der Hypneen in Tirol. Innsbruck, 1845. 8°.

—— Erlaeuterung und Beschreibung der Schildflechten von Tirol. Innsbruck, 1843. 8°.

—— Erlaeuterung und Beschreibung der Stereokaulen in Tirol. Innsbruck, 1845. 8°.

—— Erlaeuterung und Beschreibung der Umbilikarien von Tirol. Innsbruck, 1842. 8°.

—— Erlaeuterung und Beschreibung der Cetrarien von Tirol. Innsbruck, 1846. 8°.

Perktold, Fidelis Bemerkungen zum 4. Bande des Lesebuches von Kummer-Stejskal, insbesondere die Dispositionen der Prosastücke. 8 (40 S.). (2. Theil). 8 (44 S.). (3. Theil). 8 (S 3—16).
K. k. Staats-G. u. gewerbl. Fortbildungssch. *Oberhollabrunn* 1893. 1894. 1895.
Vollständig: Bemerkungen ... Stejskal mit den Dispositionen der Prosastücke Programme. Mit Verbesserungen und Zusätzen. 8 (III, 102 S.) Wien 1895. Manz. *M* 1,20.
Progr.

Perktold, Fidelis, Entwürfe zu deutschen Aufsätzen, s. a. Hilfsbücher f. den deutschen Unterricht. 5.

(F) Entwürfe zu deutschen Aufsätzen. Auf Grund der deutschen Lesebücher von Kummer-Stejskal und von Lampel für die Unterstufe der Mittelschulen bearbeitet von Fidelius Perktold. I. Theil. Wien. 1900. Manz. 8°. XII, 203 S. Geb. K 1.92

(F) Entwürfe zu deutschen Aufsätzen. Auf Grund der deutschen Lesebücher von Kummer-Stejskal und von Lampel für die Unterstufe der Mittelschulen bearbeitet von Fidelius Perkthold. II. Theil. Wien. 1900. Manz. 8°. VI, 205 S. Geb. K 1.92

PERKTOLD, Fidelis
(F) Entwürfe zu deutschen Aufsätzen. Auf Grund der deutschen Lesebücher von Kummer-Stejskal und von Lampel für die Unterstufe der Mittelschulen bearbeitet von Fidelis Perktold. III. Theil. Wien. 1900. Manz. 8°. 195 S. Geb. K 1.92

(F) **Perktold, F.,** Entwürfe zu deutschen Aufsätzen. 1. Teil. 2. Aufl. [Hilfsbücher für den deutschen Unterricht. 5. Bd.] 8°. (XIII, 255 S.) Wien: Manz 1906. geb. K 3.—

Perktold, Fidelis: Zum deutschen Unterricht in den Unterclassen der Mittelschule. 8 (S. 3—30).
K. k. Staats-G. u. gewerbl. Fortbildungssch. *Oberhollabrunn* 1899.
Progr.

Perkuhn, Bernhard (Bartenstein/Preußen), De ouuli impraegnati nexu cum utero. Diss. med.-phys. Präs. Johann Juncker. Halle/Magdeburg (J. Chr. Hilliger) 15. VI. 1757. 30 S. (4.25) 26055
Gew.: Hans von Lehwald. — Widm. v.: Johann Juncker.

Perkuhn, Fritz, Unterveterinär im 3. Garde-Feldartillerie-Regiment: Aus der chirurgischen Klinik der Kgl. Tierärztl. Hochschule zu Berlin. Untersuchungen über Stalldesinfektion durch Formaldehyd-Wasserverdampfung mittels des Lingnerschen Apparates. Mit fünf Abb. Stuttgart 1905: Union. (26 S.) 8°
Gießen, Verein. Med. Fak., Ref. Olt, Diss. v. 1. März 1905
[Geb. 29. Apr. 77 Königsberg i. Pr.; Wohnort: Berlin; Staatsangeh.: Preußen; Vorbildung: städt. Realgymn. Königsberg Reife O. 95; Studium: Militär. Veterinär-Akademie Berlin 7 S.; Rig. 1. Dez. 04.]

Perkuhn, J. G., Beschreibung eines Kriegesspiels, zum Gebrauch für Militairs. 8. Hamburg, Perthes und Besser. 817. 62 S. Rthlr.

Perkuhn, Wendt, aus Gnesen, Kammergerichtsref.: **Rechtslage des testamentarisch eingesetzten Erbschaftsbesitzers und des Erben bezüglich der von Ersterem bezahlten Erbschaftsschulden und Legate nach gemeinem Recht und Bürgerlichem Gesetzbuch.** *Berlin 1900: H. Klokow.* (45 S.) 8°
Erlangen, Jur. Diss. v. 3. Nov. 1899

Perkun, Willi, die Haftung der Eisenbahn f. ihre Leute. (Diss.) (111 S.) 8. Leipzig 909. (Dresden, v. Zahn & Jaensch.) nn 2. 50

Perl, s.: Realienbuch, Nicolaisches.

Perl, Alb., durch die Urwälder Südamerikas. (VIII, 235 S. m. 60 Abbildgn. u. 1 Karte.) gr. 8. Berlin 904. D. Reimer. Geb. in Leinw. n. 8. —

Perl, Alfred: Ueber einige im Steinkohlenteer neuentdeckte Kohlenwasserstoffe. 1909. 50 S. 8° ¶ Vgl. Berichte d. Deutschen Chem. Gesellschaft. Jg. 42.
München, Dr.-Ing.-Diss. v. 8. 7. 1909

Perl, Auguste, Attitüden der Lady Hamilton, s. Rehberg, F.

Perl, Carl, s. Perl, Karl

Perl, Ed., die Beleuchtungsstoffe u. deren Fabrikation. Eine Darstellg. aller zur Beleuchtg. verwendeten Materialien thier. u. pflanzl. Ursprungs, d. Petroleums, d. Stearins, der Theeröle u. d. Paraffins. Enth. die Schilderg. ihrer Eigenschaften, ihrer Reinigg. u. prakt. Prüfg. in Bezug auf ihre Reinheit u. Leuchtkraft, nebst e. Anh. üb. die Verwerthg. der sehr flücht. Kohlenwasserstoffe zur Lampenbeleuchtg. u. Gasbeleuchtg. im Hause, Fabriken u. öffentl. Localen. Ein Handbuch f. Fabrikanten, Händler v. Leuchtmaterialien, Kaufleute u. Hauswirthe. Mit 10 (eingedr. Holzschn.) Abbildgn. 8. (VIII, 126 S.) Wien 876. Hartleben. 2. —

Perl, Ed., die Beleuchtungsstoffe u. deren Fabrikation. Eine Darstellg. aller zur Beleuchtung verwendeten Materialien thier. u. pflanzl. Ursprungs, des Petroleums, des Stearins, der Theeröle, des Paraffins u. des Acetylens rc. Enth. die Schilderg. ihrer Eigenschaften, ihrer Reinigg. u. prakt. Prüfg. in Bezug auf ihre Reinheit u. Leuchtkraft, nebst e. Anh. üb. die Verwerthg. der flücht. Kohlenwasserstoffe zur Lampenbeleuchtg. u. Gasbeleuchtg. im Hause, Fabriken u. öffentl. Localen. 2., sehr verm. Aufl. 8. (VIII, 144 S. m. 24 Abbildgn.) Wien 900. A. Hartleben. n. 2. —; geb. n. 2. 80

Perl, Frz., **zur Frage der Valuta-Regulirung in Oesterreich-Ungarn.** 8. (68 S.) Zürich 886, Verlags-Magazin. * 1 —

Perl, Henry, s.: Jerôme Bonaparte, Madame, Briefe.

Perl, Henry, Napoleon I. in Venetien, s.a. Napoleon I.

— **Napoleon I. in Venetien.** Nach authent. Daten. gr. 8. (VI, 243 S. m. 1 Abbildg.) Leipzig 901. H. Schmidt & C. Günther. n. 3. 60

Perl, Henry, Novellen. 8. (416 S.) Wien 877. Gerold's Sohn in Comm. n. 5. —

— **das Oberammergauer Passionsspiel 1900.** quer schmal 8. (45 S. m. 8 farb. Taf.) München (900). Verlagshaus Salis. Kart. 2. —

Perl, Henry, s.: Pompadour, Marquise v., Briefe.

Perl, Henry, Venezia. Mit Orig.-Zeichngn. v. Ettore Tito, Tony Grubhofer, Luigi Cima etc. Hrsg. v. Emil M. Engel. gr. 4. (VII, 248 S.) Wien 894. E. M. Engel. Geb. in Leinw. n. 20. —

Perl, Henry, **Venezia.** Mit Orig.-Zeichngn. v. Ettore Tito, Tony Grubhofer, Luigi Cima u. A. Hrsg. v. Emil M. Engel. (Min.-Ausg.) gr. 16. (VII, 248 S.) Wien 895. E. M. Engel. Geb. in Leinw. n. 5. —

— **„Venezianine."** (I. Serie.) Venezian. Lebensbilder, m. 56 Orig.-Illustr. v. ital. Künstlern. Hrsg. v. Emil M. Engel. 12. (VII, 175 S.) Ebd. 895. n. 3. —

— dasselbe. Venezian. Lebensbilder. II. Serie. Mit 55 Orig.-Illustr. v. ital. Künstlern. Hrsg. v. Emil M. Engel. 12. (IV, 164 S.) Ebd. 896. Geb. in Leinw. n. 3. —

Perl, Henry, Richard Wagner in Venedig. Mosaikbilder aus seinen letzten Lebenstagen. Mit e. Vorworte u. unter Benutzg. der Beobachtgn. von Frdr. Keppler. 8. (VIII, 151 S.) Augsburg 883. Reichel. n. 2. —

Perl, Jacques — Der Freunde Fastnacht-Zug. Ein Schwank in Versen erzählt und seinen Freunden zur Erinnerung an das Jahr 1854 gewidmet von — — Wien, 1856. Druck und Papier von Leopold Sommer. (29 S. 8.)

PERL, JACQUES. Ueber einige Thiosulfonsäuren und Sulfinsäuren des Toluols. (Greifswald) Berlin, 1884.

Perl, Johann: Über p-Chlor-o-jodtoluol, p-Chlor-o-jodbenzoësäure, α-Jodanthrachinon und deren Derivate mit mehrwertigem Jod. Freiburg i. B.: Speyer & Kaerner 1910. 35 S. 8°
Freiburg i. B., Phil. Diss. v. 20. Mai 1910, Ref. Gattermann
[Geb. 11. Aug. 85 Mosócz; Wohnort: Mosócz; Staatsangeh.: Ungarn; Vorbildung: Oberrealsch. Kremnitz Reife Juni 03; Studium: Techn. Hochschulen Budapest 1, Berlin 1, Univ. Freiburg i. B. 8 S.; Rig. 17. Dez. 09.] [U 10. 1075

Perl, Jos., s.: Blätter f. Rechtspflege im Bez. d. Kammergerichts.

— s.: Festgabe der Rechtsanwaltschaft des Kammergerichts f. Dr. Richard Wilke.

Perl, Jos.: Zum Recht der Familienstiftungen in Preussen. Berlin 1900.

Perl, Isert

Perl, I., die Behandlung m. Stauungs- u. Saugungshyperämie in der allgemeinen Praxis, s.a. Klinik, Berliner.

Die Behandlung mit Stauungs- und Saugungshyperämie in der allgemeinen Praxis. Von I[sert] Perl, Berlin. Berlin: Fischer (1907). (17 S.) 8°
= Klinik, Berliner. H. 224.

Perl, Isert [aus Bromberg]: Anatomische und klinische Beiträge zur Begründung der Gastroskopie ... Berlin, gedr. bei L. Schumacher, 1896; 19 S., 2 Bl. 8.
Berlin, Med. Fak., Inaug.-Diss. v. 7. Febr. 1896

Perl, Jul., die Tuberkulose u. ihre Bekämpfung, s.: Broschüren, zwanglose. V.

— dasselbe, s.: Volksaufklärung Nr. 78.

Perl, Louis, die russischen Eisenbahnen im J. 1870/71. Mit e. (lith.) Uebersichtskarte der russ. Eisenbahnen (in gr. Fol.). gr. 8. (V, 55 S.) St. Petersburg 872. Röttger. n. 2. —

Perl, Karl

Perl, Carl, Lebensbilder. (111 S.) 8. Straßburg 908. J. Singer. 2. —

Perl, Karl, a. Berlin: Über conjugale Tabes mit besonderer Berücksichtigung der Augensymptome. Berlin 1906: W. Axt. (31 S.) 8°
Freiburg i. B., Med. Fak., Ref. Axenfeld, Diss. v. 1906
[Geb. 9. Nov. 82 Leobschütz, O.-Schl.; Wohnort: Berlin; Staatsangeh.: Preußen; Vorbildung: Gymn. Leobschütz Reife O. 01; Studium: Berlin 7, Freiburg i. B. 2 S.; Coll. 12. Jan. 06.]

Das Berliner Walzerlied vor hundert Jahren. Festgabe f. d. Berliner Bibliophilen-Abend z. 20. Januar 1910. Gewidmet von Max Perl. o. O. (1910). 4 ungez. Bl. 4° [Umschlagt.]

Perl, Maur. Leop. (geb. Berlin 18. 1. 1845) De caloris organici incremento et praemortali et postmortali. Berolini (1866). (32 S.) 8°
Berlin, Med. Diss. v. 18. Apr. 1866

Perl, Rob., die Gesundheits- u. Schönheitspflege der Zähne u. des Mundes. 8. (51 S.) Berlin 880. Mode's Verl. — 60

Perlagg-Spiel, das. Erklärung dieses Spieles nebst den Regeln, wie dieselben beim 1. tirol. Perlagger-Congreß am 19. Apr. 1890 festgestellt wurden. 8. (12 S.) Innsbruck 890. (Wagner.) — 30

Katalog der Galerie moderner Gemälde aus d. Nachlasse des Herrn John Harry Perlbach zu Hamburg. Versteig. zu Hamburg 1899 unter Leitung von Heinrich Lempertz jun. in Köln. *Köln 1899: M. DuMont Schauberg.* (20 S.) 4°

Katalog der Sammlungen alter und moderner Kunstsachen aus dem Nachlasse des Herrn John Harry Perlbach zu Hamburg. Versteigerung zu Hamburg 1899. *Köln 1899: M. Du Mont Schauberg.* (104 S.) 4°

Perlbach, Max

Perlbach, M., u. J. Luther, ein neuer Bericht über Luthers Verbrennung der Bannbulle. (8 S.) Lex. 8. Berlin 907. G. Reimer. — 50
Sonderabdruck aus: „Sitzungsber. d. preuss. Akad. d. Wiss."

Perlbach, Max, s.a. Aus alten Büchern der Hallischen Universitäts-Bibliothek.

Aus alten Büchern der Hallischen Universitäts-Bibliothek. Herrn Ober-Bibliothekar Dr. Oscar Grulich z. 25jähr. Dienstjubil. am 1. Oct. 1900 dargebr. von e. Collegen (Max Perlbach). *Halle a. S.: M. Niemeyer 1900.* (V, 79 S.) 8°

Perlbach, M., die ältere Chronik v. Oliva. gr. 8. (174 S.) Göttingen 871. Vandenhoeck & Ruprecht in Comm. n. 3. —

— s. Grunau's, Sim., preussische Chronik.

Perlbach, M., Daniel Manin u. Venedig 1848—49. Vortrag, geh. am 5. März 1878 im Verein für wissenschaftliche Vorträge zu Greifswald. 8. (47 S.) Greifswald 878. Bamberg. n. — 80

Perlbach, M., Prussia scholastica, die Ost- u. Westpreussen auf den mittelalterl. Universitäten. [Aus: „Monumenta hist. Warmiensis".] 2 Hfte. gr. 8. (XXXII, 287 S.) Leipzig 895. M. Spirgatis. n. 6. —

— Quellen-Beiträge zur Geschichte der Stadt Königsberg im Mittelalter. gr. 8. (VI, 214 S.) Göttingen 878. Peppmüller. n. 6. —

— Regesten der Stadt Königsberg 1256—1524. Aus gedruckten Werken gesammelt. [Aus: „Altpreuss. Monatsschr."] gr. 8. (39 S.) Königsberg 881. (Beyer.) n. — 60

— preussische Regesten bis zum Anfange des 13. Jahrh. 2 Hefte. gr. 8. Königsberg, Beyer's Verlag. [1. Heft. (I—IV, S. 1—172.) 875. * ℳ 3.; 2. Heft. (V—XII, S. 173—400.) 876. * ℳ 4.] *

Über eine Sammlung Strassburger Ordnungen und Mandate von 1513 - 1673 auf der Universitäts-Bibliothek zu Halle. Von Max Perlbach. [Halle: E. Anton 1902.] (S. 39-84.) 8°
Aus: Festschrift d. Thüring.-Sächs. Geschichtsver. Ernst Dümmler dargebr. 1902.

Perlbach, Max, die Statuten d. deutschen Ordens, nach den ältesten Handschriften hrsg. gr. 4. (LIX, 354 S.) Halle a/S. 890. Niemeyer. cart. Subscr.-Pr. n. 20. —; Ladenpr. n. 30. —

Perlbach, Max, preussisch-polnische Studien zur Geschichte d. Mittelalters. 2 Hfte. Lex.-8. (VIII, 149 u. VII, 128 S. m. 6 Schrifttaf.) Halle 886. Niemeyer. n. 10. —

Perlbach, Max, s.a. Totenbuch, das, des Prämonstratenserinnen-Klosters Zuckau bei Danzig.

Perlbach, Max: Das Totenbuch des Prämonstratenserinnen-Klosters Zuckau bei Danzig. Danzig 1906. 8°
(Quellen u. Darst. z. Gesch. Westpreußens. 4.)

— die ältesten preußischen Urkunden. Kritisch untersucht. gr. 8. (41 S.) Königsberg 874. Beyer. *

— s.: Urkunden, lombardische, d. 11. Jahrh. aus der Sammlung Morbio etc.

— s.a. Urkundenbuch, Pommerellisches.

POMMERELLISCHES URKUNDENBUCH. Herausgegeben vom Westpreussischen Geschichtsverein. Bearbeitet von M. PERLBACH. Danzig. 1882. 4°.

— Versuch einer Geschichte der Universitäts-Bibliothek zu Greifswald. 1. Heft. Bis 1785. gr. 8. (VIII, 71 S.) Greifswald 882. Bamberg. n. 2. —

Perlbaum, Der philosophische, das Gewächse der drei Principien zu deutlicher Erkenntniss des Steins der Weisen beschrieben. Frankf. u. Leipz. 1722. V: *Wallich, Dorothea Juliana.* (EB)

— s.a. Perlenbaum ...

Perlberg, F., Bilder aus dem hl. Lande. 30 Aquarelle. (Neue Aufl. des „Palästina-Album".) (III S. Text.) 14×21 cm. München (907). C. Andelfinger & Co. 2.—; geb. n 3.—

Perlberg, F., Palästina-Album. 10 Aquarell-Ansichten. qu. 8. München (904). C. Andelfinger & Co. n. 1.—

Perlberg, Wilhelm, Referendar: Die subsidiäre Alimentationspflicht der väterlichen Ascendenten des ausserehelichen Erzeugers. (Nach gemeinem u. preussischem Rechte sowie d. Rechte d. Bürgerl. Gesetzbuchs f. d. Deutsche Reich.) *Greifswald 1900: F. W. Kunike.* (36 S.) 8°
Greifswald, Jur. Diss. v. 1900

Perlberger, Heinrich: Ueber Kupfer- und Kadmium-Phosphormolybdate. Bern 1904. 47 S. 8°. [13. XI. 03]
Bern Phil. Diss 1904/1905

Perl-Bibel, die. Eleganteste Ausgabe im Schiller-Format. 16 Lfgn. 16. (71½ B. u. 24 Stahlst.) Hildburghausen 844,45, Bibliograph. Institut. (Leipzig, Gebhardt u. Reisland.) à Lfg. * 4 Ngr. *

Perle, die. Literarisches Beiblatt zu unseren Musterblättern f. Juweliere u. Goldarbeiter. Unter Mitwirkg. bewährter Fachmänner u. m. Unterstützg. d. „Deutschen Gewerbemuseums' in Berlin. Hrsg. v. Mart. Gerlach. 1. Jahrg. 1874. 12 Nrn. (B.) gr. 4. Berlin, Expedition. 3.—

— Musterblätter f. Juweliere u. Goldarbeiter. Entworfen, gezeichnet u. hrsg. v. Mart. Gerlach. 2. Jahrg. 1—3. Hft. Fol. (11 lith. Taf., wovon 5 chromolith. u. 2 S. Text.) Wien 873. 74. Gerlach & Co. n. 15.—

Perle, die. Kunst- u. stilgerechte Vorlagen für Juweliere u. Goldarbeiter. Entworfen, gezeichnet u. hrsg. v. Mart. Gerlach, unter Mitwirkung hervorragender Künstler u. m. Unterstützung der Gewerbe-Museen in Berlin u. Wien. 4—8. Hft. Fol. (à 4 Chromolith. m. 4 S. Text.) Wien 877. 78. Gerlach & Co. à n. 6.—

Perle, die. **Neue Ausg. Weltorgan für Juwelen, Gold- und Silberarbeiter. Unter Mitwirkung hervorrag. Künstler und mit Unterstützung des hies. k. k. Museum für Kunst und Industrie hrsg. von Mart. Gerlach. 1.—4. Jahrg. 1880—1883. à Jahrg. 12 Hefte. Fol. (41 Chromolithogr. mit 12 Bl. Text; 37 Chromolithogr. mit 12 Bl. Text; 47 Chromolithogr.; 48 Chromolithogr.) Wien, Gerlach und Schenk.** à Heft * à Jahrg. *M 36.; geb.
Nicht weiter erschienen.

PERLE, Die, des Ballets. (187*.) 12° (1 Mk. 50 Pfg. Ed. Fischhaber, vor 1885.)

Anonym: „Die Perle von Europa der blühenden und florisanten Kaufmannschaft, oder der politische und wohlerfahrene Kaufmann", nebst Anhang, Frankfurt und Leipzig 1733. — Vorh.: Com. Bibl. Hamburg.

Perle, die, von Genua, f. Jugendbibliothek, neue, für Unterhaltung x.

Perle, Die, von Genua, oder: Kindlicher Liebe Treue und Lohn. Eine Erzählung . . . Augsburg 1841. V: *Ambach, Eduard von.* (Ky)

Perle, die, von Genua, od.: Kindlicher Liebe Treue u. Lohn. Eine Erzähl. f. d. reif. Jugend. Von d. Verf. d. „Kinder d. Wittwe." 8. (12¾ B. u. 1 Stahlst.) Augsburg 841, v. Jenisch u. Stage'sche Buchh.

Perle, die, von Genua, oder: Kindlicher Liebe Treue u. Lohn. Eine Erzählung für die reifere Jugend. (Von Ed. v. Ambach.) 2., verb. Aufl. 8. (13 B. u. 1 Stahlst.) Augsburg 844, v. Jenisch u. Stage'sche Buchh.

Perle, die, v. Genua, od.: Kindliche Liebe, Treue u. Lohn. Eine Erzählung für die reifere Jugend. Von dem Verf. „Die Kinder der Wittwe" (Ed. v. Ambach). 3. sehr verb. Aufl. Mit 1 Stahlst. 8. (VIII u. 206 S.) Augsburg 851, v. Jenisch & Stage. ⅓ ℛ

Perle, Die im Acker des göttlichen Worts emsig gesuchte . . ., frommen Seelen mitgetheilet . . . O. O. 1761. V: *Weller Joh. Gg.* H: *Pfahler.* (Bibliotheca Norica Williana. Altdorf 1772—78. I, 3, 362.)

Perle, Die, im Golde oder Eins ist des andern werth. Dresden 1803. V: ***Wenzel, Gottfried Traugott.*** (BGE VIII², 381)

—— die köstliche, oder ein schöner Schmuck f. Jünglinge u. Jungfrauen, welche zeitlich u. ewig glücklich werden wollen. 16. (5 B.) Berlin 845, (J. A. Wöhlgemuth, Verl.) *

— köstliche, des Gebets für häusliche Andacht eines wahren Christen. Hrsg. von einem Vereine ächter Gottesmänner. Mit einem Stahlst. 4. Aufl. 16. (324 S.) Reutlingen 880. Baur. geb. n. 1.—

— christlicher Kunst. Meisterwerke deutscher Malerei u. Bildhauerkunst aus dem 15. u. 16. Jahrh. Zum ersten Male veröffentlicht. (In ca. 20 Lfgn.) 1. Lfg. Fol. (3 Lichtdr.-Taf. m. 1 Bl. Text.) München 882. Kellerer's Verl. in Comm. n. 3. 60

Perle, Die, auf Lindahaide. Fest-Spiel in Romanzen und lebenden Bildern . . . Berlin 1841. V: *Förster, Frdr.* (Kat. d. Lipperheideschen Kostümbibl. Berl. 1896 ff.)

Perle, Meine, vor dem Genfer Congress . . . Zürich 1868. V: *Borkheim, Sigism. Ludw.* (Cat. d. Stadtbibl. Zürich. Zürich 1864—97.)

— meine, vor dem Genfer Congress. Von einem proletar. Diplomaten. Zürich 868. Verlags-Magazin. gr. 8. (24 S.) n. 5 ngr.

Perle, Neutestamentliche Köstliche. Berlin 1726. V: ***Ultzen, Joachim Heinrich.*** (Myl)

Die Perle von Rom | oder | Heldenmuth einer jungen Römerin | in der Schlacht bei Mentana, den 3. November 1867.
Kol.: Mülhausen, gedruckt bei J. P. Risler und Comp. o. J. (1886), 1 Bl., zweiseitig bedruckt, 275 × 220.
BNP 4° Ž. 77.
Verfasser: Georg Hübler.

—— die, von Schenſt, ein chineſiſches Märchen für die Jugend. gr. 4. (8 S. mit 6 Chromolithogr.) Eßlingen 876, Schreiber. *

Perle, die, der Schneider, geſchildert in einer Trauerrede ꝛc. 8. Wien, Cameſina. Rthlr.

Die Perle der Tage

—— daſſ. — oder: Der Segen des Sonntags für den Arbeiter und den Landmann. Von einer Gärtners-Tochter. Aus dem Engl. überſ. von H. L. Sebald. Mit einer Selbſt-Biographie der Verfaſſerin. 1—3. Aufl. 8. (XIV und 42 S.) Berlin 849, Hertz. *

— die, der Tage od. die Vortheile des Sonntags für die arbeitenden Klaſſen v. der Tochter eines Arbeiters. Aus dem Engl. ins Deutſche übertragen u. mit Anmerkungen verſehen v. B. Andreae. gr. 16. (IV u. 83 S.) Frankfurt a. M. 849, Brönner. 6 ngl

—— daſſ. — oder: Die ſchottiſche Gärtnerstochter. Zur Beherzigung für Freunde einer würdigen Sonntagsfeier. 1. Aufl. (95 S.) 1849. 6 Ngr. und 2. Aufl. gr. 12. (71 S.) Hamburg 850, Agentur des Rauhen Hauſes.

— die, der Tage. Von einer Gärtnerstochter. Aus dem Engl. Mit einem Vorworte v. A. Harleß. Illuſtr. v. W. Georgy. 16. (IV u. 94 S.) Leipzig 850, Kretzſchmar. — 2. unveränd. Aufl. 16. (106 S.) Ebd. 850. n. 16 ngl In Engl. Einb. m. Goldſchn. n. 24 ngl

— die, der Tage od. die Vortheile des Sonntages für die arbeitende Klaſſe. Von der Tochter e. Arbeiters nebſt einer Skizze ihres Lebens. Aus dem Engl. in's Deutſche überſ. 8. (55 S.) Leipzig 849, Kittler. n. 4 ngl

— die, der Tage od. die Vortheile des Sabbaths f. die arbeitenden Klaſſen. Von der Tochter eines Arbeiters. Mit einem Lebensabriß der Verfaſſerin. Aus d. Engl. 32. (100 S.) Stuttgart 849 Scheible. 3½ ngl

—— daſſ. — oder: Die Vortheile des Sabbaths für die arbeitenden Klaſſen. Von einer Arbeiters Tochter. Mit einem Lebensabriß der Verfaſſerin. Aus dem Engl. überſ. und mit einigen nothwend. Anmerkungen für kathol. Leſer verſehen von J. H. Nütjes. 32. (107 S.) Emmerich 850, Romen. *

Perle, Die, der Tage oder die Vortheile des Sabbaths für die arbeitenden Klassen. Von der Tochter eines Arbeiters. Mit einem Lebensabriß der Verfasserin. Aus dem Engl. übersetzt. Stuttgart 1850. V: *Farquhar. Barbara H.* (EB)

Perle, Die, unter den Tagen ... A. d. Engl. ... Berlin 1849. V: *Farquhar, Barbara H.* (BrMm)

— die, unter den Tagen. Oder der Segen d. Sonntags für den Arbeiter u. den Landmann. Von einer Gärtners-Tochter. Aus dem Engl. überſ. v. H. L. Sebald. Mit e. Selbſt-Biographie der Verfaſſerin. 8 (XIV u. 42 S.) Berlin 849, Hertz. — 2. Aufl. 8. (XIV u. 42 S.) Ebd. 849. — 3. Aufl. 8. (XIV u. 42 S.) Ebd. 849. n. 4 ngl

Perle, Die, der Woche, oder Sonntags unter den Kindern ... hsg. vom Verein für die Jugend in Winterthur. Basel 1871. V: *Rubli, Jacob.* (Cat. d. Stadtbibl. Zürich. Zürich 1864—97.)

Perle, Eduard

Perle, Ed., die Molken und ihre Heilkraft. Berlin 858. A. Hirschwald. gr. 8. (45 S.) n. 10 ngr

Perle, Eduard (Griesel. bei Neumark), De pancreate ejusque morbis. Diss. med.-pathol. Berlin (Nietack) 29. V. 1837. 29 S. u. Biogr. (M.: L. Kosser.) (3.25) 26056
Oppon.: F. Quiring, W. Senger, H. Liebich. — Seinen Eltern gew. (V.: Ernst Perle), Adolph Kosser (Oheim).

Perle, Friedr Lockes Ansicht von der Sprache. Ein Beitrag zur Beurteilung seiner Erkenntnistheorie. 16 S. Progr. Rg. *Halle* 1883.

Perle, [Friedrich], Dir. Dr **Ansprache** zum Schlusse des Jahrhunderts am 23. Dezember 1899 ... *Halberstadt (1900): H. Meyer.* (S. 3—6.) 4° [F.]
Halberstadt, OR, OP 1900 (284)

Briefe zur französischen Revolution. ⟨Briefe Ludwigs XVI, Mirabeau's, La Fayette's u. a. m.⟩ Mit 1 Pl. d. Tuilerien. Hrsg. u. erkl. von Dr Friedrich **Perle**, Oberl. *Halle a. S. M. Niemeyer 1889* (XII, 139 S.) 8°
= Sammlung geschichtl. Quellenschriften z. neusprachl. Lektüre Bd 2
(02. 16568

Perle, Frdr., das ſtiliſtiſche Deutlichkeitsmoment im Franzöſiſchen b. Ausdruck d. Vorſtellg. Progr. 4. (17 S.) Halberſtadt 896. (C. Doelle & Sohn, Buchdr.) Nicht im Handel.

[Ant. u. F.] **Perle,** Friedrich [Dir. Dr.]: Zur Erinnerung an weil. Direktor *Karl Gustav Hermann* Crampe. Halberstadt, Druck v. C. Doelle & Sohn, *1896*; 26—27 S. 4.
Halberstadt, OR, OP 1896 (276)

Perle, Frdr., die Ney'ſche Erpreſſung in Halberſtadt. Ein Beitrag zur Geſchichte der Franzoſenzeit u. nachfolg. vaterländ. Beſchwerden. Nach archival. Quellen. Progr. (38 S.) 8. Halberſtadt 908. (Helm.) 1. —

Perle, Friedrich, Dir. Dr.: **Festrede** zum zweihundertjährigen Jubiläum des Königreichs Preussen am 18. Januar 1901. *Halberstadt (1901): H. Meyer.* (S. 3—7.) 4° [F.]
Halberstadt. OR. OP 1901 (286)

Perle, Frdr., die historische Lektüre im französischen Unterricht an Realgymnasien u. Realschulen. gr. 8. (66 S.) Oppeln 886. Franck. n. 1. 20

Perle, Friedrich. Die Negation im Altfranzösischen. Th. 1. Die einfache Negation. Halle 1878: Karras. 24 S. 8°
Halle-Wittenberg, Phil. Diss. v [9 März] 1878
Geb. Grünberg [vielmehr Polnisch-Nettkow] (Schlesien) 15. 9. 1855 [vielmehr: 1854]. V.
Ersch. vollst. in Zeitschrift f. roman. Philologie. Bd 2. Halle 1878. S. 1—24 u. 407—418. — Verf. erlebte die Diplomerneuerung 1928 als Geheimer Studienrat, Studiendirektor in Halberstadt, vgl. Anh. Nr. 716.

Perle, Friedrich, Dir. Dr.: **Paris** im Sommer 1791. (Wissenschaftl. Vortrag, geh. am 8. Nov. 1900.) *Halberstadt (1901): H. Meyer.* (S. 9—22.) 4° [F.]
Halberstadt, OR, OP 1901 (286)

— s. a. **Parlamentsreden, englische, zur französischen Revolution.**

Englische Parlamentsreden zur französischen Revolution. ⟨Reden von Pitt, Fox u. a.⟩ Hrsg. u. erkl. von Dr Friedrich **Perle**, Oberl. 2. verb. Aufl. *Halle a. S.: M. Niemeyer 1889.* (X, 125 S.) 8°
= Sammlung geschichtl. Quellenschriften z. neusprachl. Lektüre Bd 4.
(02. 16570

Perle, F., s. Sammlung geschichtlicher Quellenschriften zur neusprachlichen Lektüre.

Perle, Friedrich, Direktor Dr.: Voici und voilà. Ein Beitrag zur französischen Wortkunde und Stilistik. Halberstadt 1905: H. Meyer. (S. 5—27.) 4°
Halberstadt, OR OP 1905 (313)

Perle, Mor., Lust- u. Schmerzgefühl bei Skat- u. Schafskopfspiel. Humoristische Dichtg. Mit e. Bild v. Ferd. Gild. (48 S.) kl. 8. Cassel (908). C. Vietor. — 60

Perleb, Karl Julius

Perleb, C. J., Clavis classium, ordin. et familiar. atque index generum regni vegetabilis. — Diagnost. Uebersichtstafeln d. natürl. Pflanzensystems. Nebst vollständ. Gattungsregister. Schmal gr. 4. (6¾ B.) Freiburg 838, Emmerling. *

Perleb, Carl Julius, Natalitia Ludovici Guilielmi Augusti magni ducis Badarum ducis Zaringiae acad. Alberto-Ludovicianae rectoris senatus indicit. — Disseritur simul de horto botanico. Friburgensi. Freiburg/Breisgau (Fr. Wagner) 9. II. 1829. XXVIII, 38 S., 1 Taf. (3.50) 26057

Perleb, (K. J.) Lehrbuch der Naturgeschichte. 1r Bd. gr. 8. Freiburg 826, Fr. Wagner. 2 6
Hieraus ist besonders abgedruckt:
– Lehrbuch d. Naturgeschichte des Pflanzenreichs. gr. 8. Freib. 826, Fr. Wagner. 1 16

—— Lehrbuch der Naturgeschichte. 2. Bd. 2 Abthln. — A. u. d. T.: Lehrbuch der Zoologie. 2 Abthln. gr. 8. Freiburg, Wagner. [1. (26 B.) 831. 1 Thlr. 18 Gr., 2. (29½ B.) 835. 2 Thlr.]
1. Bd. (Mineralogie u. Botanik.) Ebendas. 1826. 2 Thlr. 6 Gr.

— Lehrbuch d. Naturgeschichte des Pflanzenreichs. gr. 8. Freib 826, Fr. Wagner.

Perleberg [Schlagwort]

Perleberg, s.: Geologische Karten. Preussen 105.

Perlen

—— Taschenbuch, s. Heller, R.

— Taschenbuch für 1842—1845. 1.—4. Jahrg. 5., 6. Jahrg., 1846, 1847. Von Rob. Heller. 16. Mit à 6 Stahlst. Nürnberg 842—46, Korn'sche Buchh. à n. 2⅙ ₰ — geb. mit Goldschnitt à n. 2⅓ ₰

— Taschenbuch für 1848. Von Rob. Heller. Mit 5 Stahlst. 7. Jahrg. 16. (XXIV u. 418 S. mit Titel in Golddr.) Nürnberg 848, Korn. n. 2⅙ ₰ Geb. mit Goldschn. n. 2⅓ ₰

—— Taschenbuch (romantischer Erzählungen) für 1851. Von Ludw. Bechstein. (8. Jahrg. oder) Neue Folge. 1. Jahrg. gr. 16. (XXIV und 472 S. mit 7 Stahlst.) Ebds. 850. *

—— Eine Sammlung geistreicher Gedanken aus den class. Schriften der Engländer, Franzosen, Spanier, Italiener u. Deutschen. Von K. W. S. 8. (6 B.) Leipzig 843, Weinedel.

—— Eine Sammlung geistreicher Gedanken aus den class. Schriften der Engländer, Franzosen, Spanier, Italiener und Deutschen. Von C. W. S. 2. (Titel-)Ausg. 8. (III und 92 S.) Leipzig 855(56,) Haynel.

—— Journal f. gute deutsche Original-Novellen nebst den besten Uebersetzungen d. berühmtesten Schriftsteller d. Auslandes. 1. u. 2. Jahrg. 1846 u. 1847. à 12 Hfte. 4. u. Lex.-8. Berlin, Sacco. à 3.

—— Journal für gute deutsche Original-Novellen nebst den besten Uebersetzungen der berühmtesten Schriftsteller des Auslandes. 3.—7. Jahrg. 1848—52. à Jahrg. 12 Lfgn. (à 3 Bog.) Lex.-8. à Jahrg. mit 2 Prämien. Berlin, Sacco. à Jahrg.

—— Journal für gute deutsche Original-Novellen nebst den besten Uebersetzungen der berühmtesten Schriftsteller des Auslandes. 8. Jahrg. 1853. 12 Lfgn. (à 3 Bog.) Lex.-8. Mit Prämien. Berlin, Sacco.

Die Fortsetzung erschien unter dem Titel:

— Deutsche Original-Novellen nebst Uebersetzungen der besten Schriftsteller des Auslandes. 8—13. Bd. (Jahrg. 853—58.) à 12 Liefgn. (à 3 Bgn.). Berlin, Sacco. Lex.-8. Jede Liefg. 4 ngr.

Perlen. Deutsche Original-Novellen nebst Uebersetzungen der besten Schriftsteller des Auslandes. 14—19. Bd. (Jahrg. 1859—64.) à 12 Liefgn. (à 3 Bgn.) Berlin, Sacco. Lex.-8. Jede Liefg. 4 ngr.

Perlen. Deutsche Orig.-Novellen nebst Uebersetzungen der besten Schriftsteller des Auslandes. 20. Bd. 16 Liefgn. (à 3 Bgn.) Berlin 865. Sacco Nachf. Lex.-8. 2 ₰ 4 ngr.
Wurde nicht fortgesetzt.

—— Gesammelte Novellen von F. Brunold, A. Woldemar und Leop. v. Kesteloot. 8. (III und 171 S.) Berlin 855, Hoevel. *

Perlen. Kleine Geschichten f. Jung u. Alt. Nr. 1—7. 16. Zwickau 883. 84. (Dresden, H. J. Naumann.) n. — 40
1—6. (à 16 S.) à n. — 5. — 7. (32 S.) n. — 10

Perlen. Kleine Geschichten f. Jung u. Alt. Nr. 8—10. 16. (à 16 S.) Zwickau 888. (Dresden, H. J. Naumann.) à n. — 50 (1—10.: n. 1. 98)

— Kleine Geschichten f. Jung u. Alt. Nr. 1—20. 16. Zwickau 893. 894. J. Herrmann. 1. 5
1—5. 4. Aufl. (à 16 S.) à — 5. — 6. 4. Aufl. (32 S.) — 10. — 7. 4. Aufl. (16 S.) — 5. — 8—10. 2. Aufl. (à 16 S.) à — 5. — 11—20. (à 16 S.) à — 5.

Perlen. Kleine Geschichten f. jung u. alt. Nr. 14. Zur Konfirmation. 8. Aufl. (16 S.) 16. Zwickau (905). J. Herrmann. n.n. — 05

Perlen. Erzählungen f. jung u. alt. Nr. 1—25. 12. (à 16 S.) Anklam 891. A. Schmidt's Verl. à n. — 5; 10 Hfte. in 1 Bd. geb. à n. — 80
1. Sven Dülfva. Von J. Evers.
2. Der Diamantensucher. Von M. Christlieb.
3. Aus Dunkel zum Licht. Von Else v. Manteuffel.
4. Ein Besuch beim Emir. Von M. Christlieb.
5. Nur e. Zeitungsjunge. Von J. Evers.
6. Der tapfere Mohr. Von M. Christlieb.
7. Ritter Gadubrand. Von M. Christlieb.
8. Ehrlich währt am längsten. Von M. Christlieb.
9. Zwei, die den Himmel suchen. Von J. Evers.
10. Die Treue im Kleinen. Von M. Christlieb.
11. Der beste Freund. Von Else v. Manteuffel.
12. Karlchen. Von M. Christlieb.
13. Die Eskimos. Von M. Christlieb.
14. Ich bin e. Christ. Von J. Evers.
15. Keiner sieht's. Von M. Christlieb.
16. Im Frühlingssonnenschein. Von Else v. Manteuffel.
17. Der Papagei. Von M. Christlieb.
18. Nur e. armes Tannenbäumchen. Von Th. v. Rothschütz.
19. Iwan u. der Tiger. Von M. Christlieb.
20. Das Muttersöhnchen. Von M. Christlieb.
21. Wozu es gut war! Von M. Christlieb.
22. Der kleine Trompeter. Von M. Christlieb.
23. Das Bild d. Kaisers. Erzählung v. Lucie Ideler (U. Derelli).
24. Der brave kleine „Pusang". Von Else v. Manteuffel.
25. Der Kaiser kommt! Eine Weihnachtsgeschichte v. M. Christlieb.

Perlen. Erzählungen f. jung u. alt. Nr. 26—47. 12. (à 16 S.) Anklam. Altona, M. Hoffmann. à n. — 05

Inhaltsübersicht in alphabetischer Ordnung:

Behm, L., des Bruders Hüter. Erzählg. f. jung u. alt. 896. (Nr. 36.)
— sei wahr! 896. (Nr. 43.)
— verloren u. wiedergefunden. (894.) (Nr. 26.)
— Weihnachtsgäste. 896. (Nr. 41.)
— ein Weihnachtswunder. 895. (Nr. 33.)
— wie die Saat, so die Ernte. (894.) (Nr. 30.)
Brandin, Th., Gustav Adolf, d. heldenmüt. Kämpfer f. das evang. Deutschland. (894.) (Nr. 31.)
Dahnow, M., geben ist seliger denn nehmen. Eine Weihnachtsgeschichte. — Gertruds erster Brief. 896. (Nr. 46.)
— durch Dunkel zum Licht. Die neue Mama. — Barmherzige Liebe. 896. (Nr. 47.)
— Liddys große Ferienreise. — Das Vierblatt. 896. (Nr. 45.)
Deutschlands Erhebung. 895. (Nr. 40.)
Jakobs, F., auf dem Königsee. 895. (Nr. 37.)
— der arme Holzhauer. 895. (Nr. 34.)
— der arme Wandersmann. 896. (Nr. 39.)
Ideler, L., auferstehen. 895. (Nr. 32.)
— Heimat u. Fremde. 896. (Nr. 44.)
— im Jahre 1812. — Im Jahre 1870. 896. (Nr. 42.)
— d. Kinder. (894.) (Nr. 29.)
— nur e. Wort. 895. (Nr. 38.)
— ritterliche Treue. (894.) (Nr. 27.)
Major, L., der ehrliche Franz. 895. (Nr. 35.)
Manteuffel, Else v., am Ostseestrande. (894.) (Nr. 28.)

(B) Perlen. Erzählungen. Jetzt: Anklam, A. Schmidt.

—— aus den deutschen Alpen von Jos. Wopfner. 1. Serie: München, Oberammergau, Partenkirchen, Hohenschwangau, Tegernsee, Kochelsee, Walchensee, Eibsee, Tölz-Krankenheil, Kreuth, Reichenhall, Gastein. qu. Fol. (12 Chromolithogr.) Leipzig 885, (Baldamus, Sep.-Cto.) Ausg. A. à Bl. * 1 80
Ausg. B. qu. gr. Fol. à Bl. * 1 60
Ausg. C. à Bl. * 2 10

—— dass. — von Rich. Püttner, Jos. Wopfner und Anderen. 2. Serie: Bozen, Berchtesgaden, Schliersee, Innsbruck, Salzburg, Chiemsee, Hintersee, Achensee, Königsee, Meran, Starnbergersee, Zell am See. qu. Fol. (12 Chromolithogr.) (Ebendas.) Ausg. A. à Bl. * 1 80
Ausg. B. qu. gr. Fol. à Bl. * 1 60
Ausg. C. à Bl. * 2 10

—— dass. — 1. und 2. Serie. Ausg. B. Ebendas. 886. compl. in Mappe * 42 —

PERLEN der Andacht. Christkatholisches Gebetbuch sammt allen Kirchengesängen. Pest o. J. J. A. Bucsánszky. 221, 3 S. - 16°

— der Andacht. Ein Andacht- und Erbauungsbuch für jeden wahren Christen von einer frommen Seele in der Einsamkeit. Freysing 859. Datterer. 8. (477 S.) 18 ngr.

— der Andacht. Vollständiges Gebet- u. Erbauungsbuch für kathol. Christen. Größtentheils entnommen den Schriften des heil. Bernard, Franz v. Sales, Alphons v. Liguori rc. Mit (4 lith.) Bildern u. (eingedr.) Holzschn. Einsiedeln 869. Gebr. Benziger. 32. (382 S.) 1½ ngr.

Perlen der Andacht. Vollständiges Gebet u. Erbauungsbuch f. kathol. Christen. Größtentheils entnommen den Schriften d. heil. Bernard, Frz. v. Sales, Alphons v. Liguori rc. Mit (4) Bildern (in Stahlst.) u. (eingedr.) Holzschn. 4. Aufl. Ausg. Nr. 2. 16. (382 S.) Einsiedeln 872. Benziger. 1. 30

—— der Andacht. Vollständiges Gebet- und Erbauungsbuch für kathol. Christen. Größtentheils entnommen den Schriften des heil. Bernard, Frz. v. Sales, Alph. v. Liguori und der ehrw. Wilh. Nakatenus und Mart. v. Cochem. Neue verb. und verm. Aufl. 16. (381 S. mit 3 Stahlst. und chromolithogr. Titel.) Einsiedeln 884, Gebr. Benziger.

—— der Andacht. Vollständiges Gebet- und Erbauungsbuch für kathol. Christen. Größtentheils entnommen den Schriften des heil. Bernard, Frz. v. Sales, Alph. v. Liguori rc. Neue verb. und verm. Aufl. Ausg. Nr. 3. 24. (445 S. mit Farbentitel und 2 Chromolithogr.) Einsiedeln 885, Benziger und Comp. — 75
geb. 1 10

Perlen der Andacht. Vollständiges Gebet- und Erbauungsbuch. Grösstentheils entnommen den Schriften des heil. Bernhard, Franz von Sales, Alphons von Liguori, und der ehrw. PP. Wilh. Nakatenus und Martin von Cochem. Mit Approbation des Hochw. Bischofs von Chur. Ausgabe N° 2 in rother, zierlicher Einfassung. Mit drei Stahlstichen und Ziertitel. In-24°, 384 S. Einsiedeln, Gebr. K. & N. Benziger. 1833. 1 40

— der Andacht. Vollständ. Gebet- u. Andachtsbuch v. e. kath. Priester. (M Anh. f. Amerika.) 32. (XVI, 418 u. 63 S. m. 1 Lichtdr.) Kevelaer 895. J. Thum.
Geb. in Ldr. m. Goldschn. 1. 40

— dasselbe. Kurz zusammengef. vollständ. Gebetbüchlein m. Lebensregeln. (In stenotachygraph. Schrift übertr. v. Lor. Pfändor.) 8. Aufl. 64 (IV, 184 S. m. Titelbild.) Augsburg (G. 85⅛) 895. L. Pfänder.
Geb. in Ldr n. 1. —

Perlen der Andacht. Vollst. Gebet- u. Erbauungsbuch f. kath. Christen. Größtentheils entnommen d. Schriften d. hl. Bernard, Franz v. Sales, Alphons v. Liguori u. der ehrw. P. P. Wilhelm Nakatenus u. Martin v. Cochem. Ausg. No 2. *Einsiedeln, Köln: Benziger & Co. [um 1902].* (381 S.) 8° [F.]

Perlen der Andacht. Vollständ. Gebet- u. Erbauungsbuch f. kath. Christen. Den Schriften d. hl. Bernhard, Franz v. Sales, Alphons v. Liguori u. d. ehrw. P. P. Wilhelm Nakatenus u. Martin v. Cochem entnommen. Neue, verm. u. verb. Aufl. Ausg. No 1. *Einsiedeln, Köln: Benziger & Co. [um 1902]* (397 S.) 8° [F.]

— der Andacht. Ausgewählte Gebete (u. Andachten) für kathol. Christen. Mit Vorwort v. Irenäus Bernauer, O. S. F. (224 S. m. farb. Titel u. Titelbild.) 32. Saarlouis 906. F. Stein Nachf. n. — 40

— der Andacht für denkende Christen. Ein Begleiter in Freude und Leid des ganzen Lebens, für Vater, Mutter und Kinder. Berlin (853.) Kühn. 32. (XII, 320 S.) 6 ngr.

— christlicher Andacht. Auswahl kathol. Andachten f. Kirche u. Haus. Mit Meßandacht, Vesper, Litaneien u. Gesängen in deutscher u. latein. Sprache. 16. (480 S. m. 2 Steintaf.) Einsiedeln 874. Eberle, Kälin & Co. — 75

Perlen christlicher Andacht, zur häuslichen Erbauung für evangel. Gläubige; von einem Freunde des Worts. 32. Stuttgart 841, Becher. geb. n. 6¼ ngr.

— christlicher Andacht, zur häuslichen Erbauung für Gläubige. Von einem Freunde des Wortes. Neue Aufl. 32. (192 S.) Stuttgart 849, Becher. ⅙ ₰; in Engl. Einb. mit Goldschn. 12 ngr.

— christlicher Andacht, zur häuslichen Erbauung für Gläubige. Von e. Freunde des Wortes. Neue Aufl. Halle 868. Schwabe. 32. (192 S.) geb. 7½ ngr.

— katholischer Ascetik. 1.—10. Bdchn. 8. Regensburg 888—890. Verlags-Anstalt. 16. 70

1. Des heil. Bernhard, Abtes u. Kirchenlehrers, Gedanken u. Betrachtungen. Gesammelt aus dessen Werken. Aus dem Franz. (VII, 211 S.) 1. 50
2. Erhebungen d. Herzens zu Gott od. Schule der göttlichen Liebe. Von Vincenz Carafa. (XIX, 272 S.) 1. 80
3. Der heil. Katharina v. Siena Weg zur christlichen Tugend. Ausgewählte Briefe aus dem Ital. 2., verb. Aufl. (XXIV, 278 S.) 2. —
4. Ludwig v. Granada, Einkehr in Gott auf der Bahn d. geistlichen Lebens. Aus dem Lat. 2., verb. Aufl. (XXIV, 295 S.) 2. —
5. 6. Geistliche Übungen, nebst Unterweisgn. u. Regeln f. die Kongregation der Liebhaber Jesu u. Mariä v. dem sel. Missionär Leonard da Porto Maurizio. Aus dem Ital. 2 Tle. (XII, 312 u. VII, 408 S.) 4. 80
7. O Maria, ohne Sünde empfangen; bitte f. uns! Neuntägige Andacht zu Ehren der unbefleckten Empfängnis Mariä, u. zugleich e. Vorberetg. zu den Festtagen der göttl. Mutter. Vom Verf.: „Schritte zur vollkommenen Liebe Gottes 2c." 8., verm. Aufl. (XII, 238 S. m. 1 Stahlst.) 1. 50
8. Karl Jos. Quadrupani, Barnabiten, Anweisung zur Beruhigung ängstlicher Seelen. Aus dem Ital. übers. v. J. B. Berger. 4., verb. Aufl. (XI, 131 S.) 1. —
9. — praktische u. moralische Anweisungen zu e. christlichen Leben. Aus dem Ital. übers. v. J. B. Berger. 4., verb. Aufl. (XV, 86 S.) — 60
10. Der Beruf zum Ordensstande, in kurzen Abhandlungen, Betrachtungen u. Briefen besprochen vom heiligen Kirchenlehrer u. Ordensstifter A. M. v. Liguori. Gesammelt u. übers. v. e. Priester der Kongregation d. allerh. Erlösers. 2., verb. Aufl. (VIII, 218 S.) 1. 50

—— und Blüthen der Andacht. Katholisches Gebetbuch von einem Priester in der Erzdiöcese Köln. 32. (512 S. mit 1 Stahlst. und Farbendr.-Titel.) [Köln und Neuß 877.] Düsseldorf, Schwann.

—— und Blüthen deutscher Dichtung, s. Blüthen und Perlen.

—— und Blüthen für die liebe Jugend. Vom Verf. der „Proben der Vaterhand Gottes." 16. (136 S. mit 5 Bildern, Holzschntaf.) Stuttgart 874, Rupfer. cart. — 75

Perlen und Blüthen aus dem Reiche Gottes. Eine Sammlung auserwählter Gebete und Andachtsübungen für gebildete Katholiken. 5. Aufl. 32. (384 S. mit farb. Titel und 1 Stahlst.) Salzburg 878, Pustet. * — 75

—— deutsche, f. d. deutsche Jugend. Eine Zusammenstellung lehrreicher Fabeln, Gedichte u. Aufsätze vermischten Inhalts, den besten deutschen Schriftstellern entnommen 2c. gr. 8. (16⅞ B.) Ulm 845, Rübling. —

—— deutscher Dichterwerke, s. Miniatur-Bibliothek classischer Dichterwerke.

—— deutscher Dichtungen zur Lektüre für die reifere Jugend. 8. (III, 208 S.) Berlin 882, H. R. Mecklenburg. cart. *

Drei Perlen. Eine Volksschrift vom Verfasser des „Flachstüchlein". 16 S. 8. Basel, C. F. Spittler. 1876. —. 10

— 3, der neulateinischen Poesie. Jac. Sannazaros Parthenias [Christi Geburt]. Epopöe in 3 Gesängen. Dessen Nänie auf Christi Leiden. P. Dondins Simsons Spiel u. Tod. Mit dem Orig. zur Seite metrisch übertr. u. den Freunden klass. christl. Epik u. Lyrik gewidmet v. Theophil Andr. Faßnacht. gr. 16. (XVIII, 213 S.) Leutkirch 875. Roth. n. 3. —

— drei, Thüringens. Eine Sommerfrischen-Lustreise üb. Berg u. Thal, durch Wald u. Hain. Von Burgkletterer. 8. (16 S. m. 4 Ansichten.) Kahla 889. Heyl. n. — 12

— ächte, (von John Mason,) nach dem Engl. von Thekla v. Gumpert. Berlin 856. Wohlgemuth. 32. (80 S.) 3 ngr; Velinp. 5 ngr

Perlen und Edelsteine. Eine Auswahl vorzüglicher Stammbuchs-Aufsätze aus Deutschlands gefeiertsten Dichtern. Schw. Hall (854.) Haspel. (Stuttgart, Fischhaber.) 16. (64 S.) n. 5 ngr.

—— u. Edelsteine in lehrreichen Sprüchen. Ein Fest- u. Prüfungsgeschenk f. d. Jugend. gr. 8. (13¼ B. u. Ttlbld.) Mainz 842, Wirth. —

—— edle. Ziehkästchen. 16. (128 Bl.) Bremen 880, Verlag des Tractathauses. In Futteral *
Mit Goldschn. *

— aus dem Harz. Ausg. A, enth. 18 Kunstblätter v. den schönsten Punkten des Harzes in feinster bunter Ausführg. 23,5×30,5 cm. Halberstadt (908). R. Lederbogen. Kart. 3. —

— dasselbe. Ausg. B., enth. 27 Kunstblätter. 23,5×30,5 cm. Ebd. (908). Geb. 4. 50

—— zu Hausfesten. Eine Sammlung von Gelegenheitsgedichten und Trinksprüchen, Gesellschaftsliedern und Spielen, Räthseln, Stammbuchversen und Anekdoten von H. S. 1. (Lfg.): Ernst und Schwank in Spruch und Sang zu Geburtstagen, Polterabenden, Hochzeiten 2c. gr. 16. (67 S.) Magdeburg 854, (Quednow.)

Perlen des Heils. Ein Gebet- u. Erbauungsbuch für das weibl. Geschlecht. 12. (228 S. mit 1 Stahlst.) Prag 848, Medau. ⅓ ₰

—— im Strom der Zeit mit Fleiß gefischt, zu Nutz u. Frommen aufgetischt. 1. Hft. 8. (5 B.) Berlin 846, Walter. *

— aus der Instrumenten-Sammlung v. Paul de Wit in Leipzig. qu. Fol. (16 Bl. in Photolithochrom. m. 14 S. deutschem, französ. u. engl. Text.) Leipzig 892. P. de Witt. Geb. 8. —; Prachtausg. in Plüschmappe 30. —; herabges. Pr. 25. —

Perlen f. Jungfrauen. Gesammelt v. A. S. Willibald. Eine Gabe f. Gebildete d. schönen Geschlechts. 8. (7 B.) Mannheim 830, Löffler.

Perlen Alter Kammermusik deutscher und italienischer Meister. Nach d. Orig. z. ersten Mal hrsg. von Arnold Schering. No 1. *Leipzig: C. F. Kahnt Nachf. 1901.* 4°
— Zeitschrift, Neue, f. Musik. Musikbeil. No 16. (64. 1??.)

—— köstliche, des Gebets für die häusliche Andacht eines wahren Christen. 16. (324 S. mit 1 Stahlst.) Reutlingen 862, (Ensslin und Laiblin's Sortiment.) * 16 Ngr.; geb. *
geb. mit Goldschn. *

—— köstliche, des Gebets für die häusliche Andacht eines wahren Christen. Von einem Verein ächter Gottesmänner. 2. Aufl. 16. (324 S. mit 1 Stahlst.) Tübingen 863, Osiander'sche Buchh. * 16 Ngr.; geb. *
In engl. Einb. * 21 Ngr.; in engl. Einb. mit Goldschn. *

— köstliche, d. Gebetes f. die häusliche Andacht e. wahren Christen. Hrsg. v. e. Verein ächter Gottesmänner. Mit e. Stahlstich. 3. Aufl. gr. 16. (324 S.) Reutlingen 872. Baur. — 90; geb. n. 1. 20

—— köstliche, des Gebets für häusliche Andacht eines wahren Christen. Hrsg. von einem Vereine ächter Gottesmänner. 4. Aufl. 16. (324 S. mit 1 Stahlst.) Reutlingen 880, Baur. geb. in Leinw. *
geb. in Leinw. mit Goldschn. *

— köstliche. d. Gebets, f. die häusliche Andacht e. wahren Christen. Hrsg. v. e. Verein ächter Gottesmänner. Mit e. Stahlst. 5. Aufl. 16. (324 S.) Reutlingen 890. Baur. geb. n. 1. 20

—— christlicher Kunst. Meisterwerke deutscher Malerei und Bildhauerkunst aus dem 15. und 16. Jahrh. Zum ersten Male veröffentlicht. 20 Lfgn. Fol. (60 Lichtdr.-Taf. mit 5 Bl. Text.) München 882—86, Kellerer's Buchh. à Lfg. *ℳ 3,60. *

— mittelalterlicher Kunst. Eine Auswahl von Photographien nach den schönsten u. seltensten Kupferstichen u. Radirungen aus dem 15., 16. u. 17 Jahrh. 7 Liefgn. Stuttgart 865. Gutekunst. gr. Fol. (84 Blatt) Jede Liefg. 12 ₰

— der akademischen Kunstausstellung 1887. Eine Ergänzg. zu: „In Berlin zu Hause". Ein Führer f. Einheimische u. Fremde. 16. (4 S.) Berlin 887. Hennig. — 15

—— der 61. Akademischen Kunst-Ausstellung im Akademiegebäude zu Berlin. Vom 1. Septbr. bis 27. Oktbr. 1889. Auch als Beigabe zu „In Berlin zu Hause". Ausg. 1888,89. 8. Aufl. gr. 16. (12 S.) Berl. 889, Hennig u. Comp. — 25

— aus Jean Pauls Levana; f. Aeltern u. Erzieher. 8. Bonn 823. (Büschler). 12 gr

—— aus dem evangelischen Liederschatze. Gesammelt und geordnet von Carl Braune. 8. (X und 46 S.) Altenburg 857, Pierer. *

Perlen der deutschen Literatur. Mit Berücksichtig. d. Dichter d. neueren Zeit, nebst biograph. Skizzen. Hrsg. v. Ludw. Lenz. 11 Hfte. (od. 1. Bd.) Schmal gr. 4. (60½ B. u. 3 Stahlst.) Berlin 838—41, Bade. à ¼ Thlr.

—— europäischer Literatur. gr. 8. (16¾ B.) Merseburg 846, Rulandt'sche Buchh.

—— deutscher Lyrik. Eine Anthologie der neueren Dichtungen. 16. (VII und 503 S. mit 1 Stahlst. und chromolithogr. Titel.) Regensburg 863, Manz. geb. mit Goldschn.

— deutscher Lyrik. Eine Anthologie der neueren Dichtgn. 2. Aufl. 16. (VII, 503 S.) Regensburg 871. Manz. geb. m. Goldschn. 4. 50

— der neuern englischen und amerikanischen Lyrik. Deutsch von Karl Wollheim. Leipzig 864. Wengler. 16. (272 S.) n. 20 ngr.

—— des Orientes u. Kernsprüche d. Väter. Eine metr.-gereimte Uebersetz. d. talmud. Traktates, betit.: Pirke Aboth, v. M. E. Stern. gr. 8. (3 B.) Wien 840. (Leipzig, Kummer.) *

— deutscher Poesie. Eine Auswahl. 32. (60 S.) Leipzig 875. Matthes. n. — 50

Perlen älterer romanischer Prosa. Hrsg. v. Hanns Floerke u. Alb. Wesselski. I. u. II. Bd. kl. 8. München, G. Müller. Geb. n. 20. —; Luxusausg. n. 40. —

I. Sacchetti, des Bürgers v. Florenz Franco, Novellen. Aus dem Ital. übers. u. eingeleitet v. Hanns Floerke. I. Bd. Mit 1 Bildnis des Verf. (XXXV, 360 S.) 907. Geb. n. 12. —; Luxusausg. n. 20. —

II. Cornazano, des Placentiners Antonio, Sprichwort-Novellen. Zum ersten Male verdeutscht v. Alb. Wesselski. (XI, 176 S.) 906. Geb. n. 8. —; Luxusausg. n. 20. —

— älterer romanischer Prosa. Hrsg. v. Hanns Floerke. 2.—15. Bd. kl. 8. München, G. Müller. Geb. 206.—; Luxusausg. 380. —

Basile, Giambattista, das Märchen aller Märchen od.: Das Pentameron. Unter Zugrundelegg. der Übersetzg. v. Fel. Liebrecht neu bearb. v. Hanns Floerke. Mit 10 Bildbeilagen von Frz. v. Bayros. 2 Bde. (LII, 568 u. 475 S.) 909. (Bd. 13. 14.) Geb. in Halbldr. 32.—; Luxusausg. auf van Geldern, geb. in Ldr. 60.

Celestina. Aus dem Span. übers. von Eduard v. Bülow. Neu hrsg. v. Loth. Schmidt. Mit 20 Holzschn. des Petrarcameisters (Joh. Weiditz) aus der Augsburger Ausg. v. 1520. (XV, 360 S.) 909. (Bd. 15.) Geb. 18.—; Luxusausg. 30. —

Cornazano, des Placentiners Antonio, Sprichwort — Novellen. Zum ersten Male verdeutscht von Alb. Wesselski. (XI, 176 S.) 906. (Bd. 4.) Geb. 8.—; Luxusausg. 20. —

Firenzuola, des Agnolo, Novellen und Gespräche. Übers., eingeleitet u. erläutert v. Alb. Wesselski. Mit 5 Zeichngn. v. Paul Renner u. anderen Bildbeigaben. (336 S.) 910. (Bd. 10.) Geb. in Halbfrz. 18.—; Luxusausg. 30. —

Heptameron, das, od. die Erzählungen der Königin Margareta v. Navarra. Eingeleitet, übers. u. m. Anmerkgn. versehen v. Alfr. Semerau. Mit 74 Vollbildern u 144 Titel- u. Schlussvignetten v. Freudenberg u. B. A. Dunker. 2 Bde. (XXII, XX, 971 S.) 909. (Bd. 11. 12.) Geb. in Halbfrz. 32.—; Luxusausg. 60. —

La Sale, Anthoine de, die hundert neuen Novellen, übers. u. eingeleitet v. Alfr. Semerau. 2 Bde. Mit 10 Bilderbeigaben v. Frz. v. Bayros. (XXVI, XXXVI, 720 S.) 907. (Bd. 5. 6 [ohne Sammeltitel].) Geb. 28.—; Luxusausg. 50. —

Morlini's, Girolamo, Novellen. Zum ersten Male übers., eingeleitet u. erläutert v. A. Wesselski, m. 6 Bildbeilagen von Frz. v. Bayros. (340 S.) (908.) (Bd. 7.) Geb. 18.—; Luxusausg. 30. —

Sacchetti, des Bürgers v. Florenz Franco, Novellen. Aus dem Ital. übers. u. eingeleitet v. Hanns Floerke. II. Bd. (XVI, 408 S.) 907. (Bd. II.) Geb. 12.—; Luxusausg. 20. —
Tritt an die Stelle des früher mit Bd. II bezeichneten Werkes.

— dasselbe. III. Bd. (XV, 359 S.) 907. (Bd. III.) Geb. 12.—; Luxusausg. 20.

Straparola v. Caravaggio, Giovan Francesco, die ergötzlichen Nächte. Aus dem Ital. übers. u. eingeleitet v. Hanns Floerke. Mit 10 Bildbeilagen v. Paul Renner. 2 Bde. (X, 425 u. XIV, 336 S.) 908. Bd. 8. 9.) Geb. 28.—; Luxusausg. 60. —

Perlen aus dem Psalmbuche. Versuch e. sinnerklär. Uebersetzg. 16. (104 S. m. Ornamenten.) Augsburg 888. Litterar. Institut v. Dr. M. Huttler. n. 1. —

— des heil. Rosenkranzes. Gebet- u. Betrachtungsstunden für gläubige u. fromme Katholiken. 12. (104 S.) Leipzig 850, Wengler. n. ⅙ ₰ Prachtausg. mit 3 Lithochrom. n. ⅓ ₰

— aus d. Schatze deutscher Lyrik. Gesammelt v. Frdr. Güll. 16. (XXIV u. 424 S.) München 851, Kayser. 1 ₰ 4 ngr In Engl. Einb. mit Goldschn. 1 ₰ 18 ngr

Perlen der Schrift. In 8⁰. 12 S. Zürich, Orell Füssli & Co. 1890. — 20

—— der heil. Schrift. In metr. Bearbeitn. hrsg. v. Ernst Gotthelf. 1. Hft. — A. u. d. T.: Jesu Christi Parabeln. 8. (5 B. mit eingedr. Holzschn.-Vign.) Barmen 835, Langewiesche.

Perlen d. heil. Schrift. Eine tägl. Quelle christl. Erbauung. 8. (21 B. u. Ttlbild.) Stuttgart 836, S. G. Liesching. Thlr.

Perlen aus der Hl. Schrift. Ein Ziehkästchen, enth. 95 Bibelsprüche m. Liederversen. 16. Neumünster 898. Vereinsbuchh. G. Ihloff & Co. — 50

— aus den Schriften der Heiligen. Zu Andachtsübungen u. zur Erbauung gewählt u. übers. v. Al. Ad. Waibel. 8. Augsb. 825. Wolling. 1 ₰ 6 gr

— schwarze. Aus dem Nachlasse e. Heimgegangenen. 12. (107 S.) Leipzig 893. Siegismund & Volkening. Geb. in Leinw. m. Silberschn. n. 3. —

— aus Scrivers Seelenschatz. 2. Aufl. 2 Bdchn. in 1 Bd. 16. (XII u. 224 S.) Hamburg 847, Agentur des Rauhen Hauses. 9 ngr.

— aus Shakspeare nach der Uebersetzung v. Schlegel u. Tieck. Aneinandergereiht v. E. A. 18. (XX u. 154 S.) Frankfurt a. M. 848, (Heider &) Zimmer. n. 5/12 Thlr.

—— aus Shakspeare nach der Uebersetzung von Schlegel und Tieck. Aneinandergereiht von E. A. 18. (XX und 154 S.) Frankfurt a. M. 848, [Völcker.] * —

—— in Spruch und Lied. Ziehkästchen für gläubige Erdenpilger. 32. (87 Bl.) Halle 859, Knapp's Verlag. In Futteral *
Feine Ausg. *

— in Spruch und Lied. Ziehkästchen für gläubige Erdenpilger. 859. — 2. Aufl. Halle 864. Knapp. 32. (87 S.) n. 8 ngr.

— in Spruch u. Lied. Ziehkästchen für gläubige Erdenpilger. 3. Aufl. Halle 865. Leipzig, Hinrichs' Verl. 16. (64 Blatt.) In Futteral. 10 ngr.; mit Goldschn. 15 ngr.

—— oder ausgewählte u. geord. Sprüche d. Bibel, Lieder, Fabeln u. prosa. Erzählungen ꝛc. Zum vorzügl. Gebr. bei relig. Verstandesübungen in Schulen u. z. Bildung d. Gedächtnisses. Kindern v. 7—9 Jahren gewid. gr. 12. (3 B.) Leipzig 841, C. H. Reclam.

— oder ausgewählte u. geordnete Sprüche der Bibel, Lieder, Fabeln u. prosaische Erzählungen ꝛc. (v. T. G. Reichelt). Zum vorzügl. Gebrauche bei religiösen Verstandesübungen in Schulen u. zur Bildung des Gedächtnisses. Kindern v. 7 bis 9 Jahren gewidmet. 2. verm. Aufl. 8. (VIII u. 71 S.) Leipzig 850, C. H. Reclam sen. 1/6 Thlr.

— der heil. Vorzeit, s. Pyrker.

— der Wahrheit aus den Schriften Gläubiger als Vermächtniß für ihre Kinder und für Suchende gesammelt von einer Gläubigen. Mit einem Vorw. von Phil. Wolff. 1. Bdchn. Rottweil 858. Degginger. 8. (XII, 283 S.) 22½ ngr.

— der Wahrheit aus Gottes Wort. gr. 16. (28 S. m. 1 Holzschn.) Basel 874. Spittler. n. — 30

— der Weihe aus Blüthen d. Jenseits. Stunden der Erkenntniß u. Betrachtg. im Sinne der Offenbarg. unsers Herrn u. Heilandes Jesus Christus v. Clemenzia. gr. 8. (119 S.) Leipzig 872. Mutze. n. 1. —

— christlicher Weisheit. Aus Fenelons religiösen Schriften gesammelt v. Aug. Gebauer. 2. (Titel-) Aufl. gr. 16. (VIII u. 230 S.) Stuttgart (846) 851, Cast. 6 ngr.

— aus Ida Gräfin Hahn-Hahn's Werken. (Habbel'sche Ausg., Regensburg.) Gesammelt v. J. G. (90 S.) 8. Regensburg (905). J. Habbel. n. — 60;
geb. in Leinw. n. — 80

— die zwei, Klagenfurts. Essai zur Entwicklg. dieser Stadt. Für Einheimische u. Fremde v. Anonymus. gr. 8. (7 S.) Klagenfurt 891. A. Raunecker. n. — 20

PERLEN, Edmund (St.Petersburg): Ueber Lungenschwindsucht und Beruf.- München: Wolf 1887. 30 S. 14.3.1887 - Chr 1886/87,13; Jv 1886/87,189
Diss. Ingolst.-Landsh.-Mchn.

Perlenbächlein. Blatt für christl. Erbauung. Hrsg. von G. F. Chr. Bauerfeind. Jahrg. 1857 — 61. à Jahrg. 6 Hefte. 12. (à Heft ca. 68 S.) Gesell. (Halle, Fricke.) à Jahrg. * *

Perlenbächlein. Blatt für christliche Erbauung. Hrsg. von G. F. Chr. Bauerfeind und F. Frz. Ph. Dümmler. Jahrg. 1862—67. à Jahrg. 6 Hefte. 12. (à Heft ca. 48 S.) Gesell. (Schleiz, Hübscher'sche Buchh.) à Jahrg. * *

Perlenbächlein. Blatt für christl. Erbauung. Hrsg. von G. F. Chr. Bauerfeind und F. Frz. Ph. Dümmler. Jahrg. 1868. 6 Hefte. 12. (à Heft ca. 90 S.) Gesell 868. (Halle, Fricke.) ** 1 —

Perlenbaum, Der philosophische, das Gewächse der drey Prinzipien ... Frankf. u. Leipz. 1722. V: *Westi, J.* (Verz. d. Büchersamml. d. Friedr.-Wilh.-Inst. Berl. 1890.)

— s.a. Perlbaum ...

Perlenbüchlein oder Loosungsworte für alle Tage des J. 1880 und 1881. Zusammengestellt von dem Verf. der Frohen Botschaft. 16. (IV, 201; IV, 199 S.) Bremen, Verlag des Tractathauses. cart. à Jahrg. * — 60
geb. à Jahrg. * — 80

Nicht weiter erschienen.

Perleninsel, die gesuchte, oder Wilh. Thomsons 21jährige Reisen, a. d. Engl. 8. Frkft. 753.

— d. gesuchte, od. William Thomson's wunderbare und seltsame Begebenheiten, v. A. Wilhelmi, (h. a. d. Tit.: Robinsonaden, neu erzählt von A. Wilhelmi. 1ster Bd.) 8. Leipz. Sommer 800.

Perlenkranz, geistlicher. Miniatur-Ausgabe von katholischen Erbauungsschriften. 1—5. Bdchn. Regensburg 860—64. Pustet. 16.

1. Bdchn.: Besuchungen des allerheiligsten Altarssakramentes und der allerseligsten Jungfrau Maria auf jeden Tag des Monats vom heil. Alph. Maria v. Liguori. Aus dem Italien. übers. von einem Priester der Diöcese Regensburg. Nebst einem Anhang ꝛc. 2. Aufl. (238 S.) 4 ngr.
2. Bdchn.: Die vier Bücher von der Nachfolge Christi. Aus dem Latein. in's Deutsche übertragen von J. B. Weigl. Aufs neue durchgesehen ꝛc. von M. Jocham. (LVIII, 360 S.) 6 ngr.
3. Bdchn.: Anleitung zum kindlichen Verkehre mit Gott. Von Herm. Dichtl. 4. Aufl. (108 S.) 3 ngr.
4. Bdchn.: Kommunionbüchlein für Alle, die den Herrn Jesum lieb haben. Von Geo. Ott. (272 S. u. 1 Stahlst.) 6 ngr.
5. Bdchn.: Leitsterne auf der christlichen Lebensbahn. Von Fr. Benno Fuchssteiner. Nebst einem Anhang von Morgen-, Abend-, Meß- ꝛc. Gebeten. (192 S.) 5 ngr.

Perlenkranz, geistlicher. Miniatur-Ausg. von kathol. Erbauungsschriften. 2., 6—11. Bdchn. Regensburg 865—69. Pustet. 25¾ ngr.

2. Bdchn. Die vier Bücher von der Nachfolge Christi. Aus dem Latein. getreu in's Deutsche übertragen von J. B. Weigl. Aufs Neue durchges. u. mit vielen Gebeten verm. von M. Jocham. Nebst e. Sachregister. Mit Titelstahlst. (LVIII, 404 S.) 6 ngr.
6. Bdchn. Sailer, Sebast., zwei Bücher von der Nachfolge Mariens. Aus dem Latein. übers. von Mich. Schuler. (106 S. mit 1 Stahlst.) 6 ngr.
7. Bdchn. Besuchungen des heil. Joseph für jeden Tag des Monats. Allen eifrigen Verehrern dieses großen Heiligen gewidmet von einer geistl. Tochter der heil. Theresia. Nach der 3. Aufl. aus dem Französ. übers. (95 S. mit Titelbild in Stahlst.) 3 ngr.

8. Bdchn. Das Opfer des kindl. Gebetes. Ein Unterrichts- u. Erbauungsbüchlein für Kinder vom Stadtpfr. Geo. Ott. 6. Aufl. (187 S.) 3¾ *ngr.*

9. Bdchn. Anleitung das heiligste Herz Jesu auf eine eigene, schöne u. leichte Weise recht zu verehren ꝛc. Aus den Ital. von Heinr. Obermayer. (88 S.) 2 *ngr.*

10. Bdchn. Erklärung des heiligen Meßopfers. Von Geo. Ott. (86 S.) 2 *ngr.*

11. Bdchn. O Mensch, bedenke es wohl! oder: kurze Betrachtgn. über die 4 letzten Dinge, mit Beispielen. Nach dem Franz. 2. Aufl. (148 S.) 3 *ngr.*

Perlenkranz, neuer, deutscher Schriftsteller in Poesie und Prosa. Gesammelt von Elise Brandhorst. 2 Sammlungen. gr. 8. (VIII, 272; 280 S.) Hannover 882, Weichelt.
à Sammlung *ℳ 3. * 6 —
geb. à Sammlung *ℳ 4. * 8 —

— spanischer Poesie, s. Schmitz, J. B.

—— spanischer Poesie. Aus Dichtern älterer und neuerer Zeit gesammelt und im Versmaße der Originale übers. von J. B. Schmitz. gr. 16. (XVIII und 310 S.) München 861, Lindauer'sche Buchh. * 1 Thlr. 10 Ngr.; geb. mit Goldschn. *

Perlenschnur, gesammelt aus d. Schriften von Engel, Fenelon, Garve, Gleim, Göckingk ꝛc., s. Triumph d. Lebensweisheit.

Perlenschnur, gesammelt aus den Schriften von Engel, Fenelon, Garve, Gleim, Göckingk ꝛc. 8. Leipzig, Joachim. 810.

— gesammelt aus d. Schriften von Alxinger, Emilie v. Berlepsch, Blum, Feßler, Göthe, Hagedorn ꝛc., (von Chr. Fr. Michaelis III.) N. Aufl. 8. Leipz. 811. Joachim. 1 *f* 8 *gr*

Perlenschnur. Gesammelt aus den Schriften v. Alxinger, Emilie v. Berlepsch, Blum, Engel, Fenelon, Feßler ꝛc. Neue Aufl. 8. Leipz. Joachim, 812.

Perlenschnur, die, von Fr. Pustkuchen. 2 Theile. Mit 1 Kupf. 8. Quedlinburg, Basse. 820.

Perlenschnur, od. Sammlung v. Stahlstichen d. ausgezeichnetsten Kuenstler Englands. Mit erlaeut. Text hrsg. v. Wilh. Tombleson u. fortges. v. A. Black. No. I—IV. gr. 8. (à 3 Taf. u. ½ B. Text.) London 836, [Black.] à

PERLENSCHNUR, Asiatische, oder die schönsten Blumen des Morgenlandes, in einer Reihe auserlesener Erzählungen dargelegt, von Anton Theodor Hartmann .... 2 Thle. Berlin, Unger, 1800—1. Kl. 8°. (12 Mk., Expl. in feinen Einbdn. d. Zeit, Rich. Bertling, Dresden, 1908.)

XCV, 523 u. 494 S. Selten! — Allg. Lit.-Ztg. 1801. Nr. 36. Sp. 285—88. (Goedeke VII, 581.)

I: Vorerinnerungen (Ursprung u. Charakter der orientalischen Märchen. — Geschichte Naurs, Königs von Kaschemir. — Geschichte des Nurgehan und der Damaka. — Geschichte des Khalifen Vathek. — II: Sadak und Kalasrade. — Geschichte des Korbes. — Medjenun oder Wahnsinn aus Liebe. — Der Derwisch. Eine türkische Erzählung. — Der Kadi und der Räuber. Eine arabische Erzählung. — Der Derwisch Alfuran. Eine persische Erzählung.

Perlenschnur, geistliche. Auserlesene köstl. Kernworte aus Schriften u. Predigten erleuchteter Männer zusammengereiht zur Erweckung u. Stärkung des Glaubens auf alle Tage des Jahres. Berlin 865. E. Beck. 32. (112 S.) cart. mit Goldschn. n. 7½ *ngr.*

— humoristische, s. Bibliothek des Frohsinns. 6e Sect.

Perlenschnur, humoristische. Eine Chrestomathie scherzhafter Aufsätze. 1. Bdchn. (Bibliothek des Frohsinns 9. Bdchn.) gr. 16. (110 S. mit eingedr. Holzschn.) Stuttgart 855, H. Köhler.

Perlenschnur, kleine, s. Tersteegen.

— neue, (sind die Zusätze zu dieser neuen Auflage, u. s. die Besitzer d. ersten besond. zu haben). 8. Leipz. 811. Joachim. 8 *gr*

— neue ꝛc. (für die Besitzer der ersten Aufl.) 8. Ebendas. 812.

Perlenschnüre. Sprüche nach Angelus Silesius [Ihns. Scheffler]. Luzern 1823. N. Aufl. München 1831. V: *Aurbacher, Ludwig.* Vgl. A. v. Schaden, Gel. München im J. 1834, S. 5. (DARP)

Perlenschnüre, Sprüche nach Angelus Sylesius. 16. Luzern 824. Anich. 6 *gr* N. A. 16. Münch. 831. (Jaquet). 4 *gr*

Perlenschnüre. Sprüche nach Angelus Silesius. 1 Aufl. 831. Neue Aufl. (à 6 B.) 16. München 832, Jaquet. à

Perlenschnüre. Sprüche nach Angelus Silesius. 3. Aufl. 16. (96 S.) Augsburg 847, Jaquet. 3 *ngr.*

Perlenschnüre aramäischer Gnomen u. Lieder, s. Fürst, J.

Perlep, A., Katalog der Stempelmarken aller Staaten. Mit 45 Abbildungen (auf 3 lith. Taf.) u. beigesetzten billigsten Preisen, zu denen sowohl der Verleger dieses Katalogs dieselben besorgt, als auch durch jede andere Briefmarkenhandlung zu beziehen sind. 8. (VII, 224 S.) Leipzig 880. Gebr. Senf. n. 4. —

PERLER, MATERNUS: Maria, die Salomonische Sänfte, in dem Haus Zachariä und Elisabeth, das ist: Schuld-verpflichte Lob- und Ehren-Rede von der Heimsuchung Mariä, als sothanes Titular-Fest in dem GOttes-Haus deren Fratrum Misericordiae zu Preßburg 1755. Gedruckt bey Joh. Mich. Landerer. 11 f. - 4°

Perles et parures, siehe: Gavarni.

Perles, Felix [cand. phil.]: Analekten zur Textkritik des Alten Testaments. 1. Abbreviaturen im vormasoretischen Bibeltext ... [Erschien vollst. 1895 bei Th. Ackermann in München.] München, Druck d. akad. Buchdr. v. F. Straub, 1895: 1 Bl., 33 S. 8.

München, Phil. Fak., Inaug.-Diss. v. 1895

Zur Erklärung der Psalmen Salomos von Felix **Perles**. *Berlin: W. Peiser 1902.* (56 S.) 8°

Aus: Oriental. Litteratur-Zeitung. Jg. 5.

— Zur Erklärung der Testamente der zwölf Patriarchen, s.: Literatur-Zeitung, orientalistische. Beiheft II.

— das Gebet im Judentum. (Vortrag, geh. im Verein f. jüd. Geschichte u. Literatur. Königsberg, 14. XI. 1900.) (28 S.) gr. 8. Frankfurt a/M. 904. J. Kauffmann. n. — 50

— s. a. Geiger, Abraham.

— Abraham Geiger. (25 S.) 8. Frankfurt a./M. 910. J. Kauffmann. — 60

— babylonisch-jüdische Glossen. (36 S.) 8. Berlin 905. W. Peiser. n. — 75
Sonderabdruck aus: „Orientalist. Litteratur-Zeitg."

(B) — Babylon.-jüd. Glossen. 905. Jetzt: Leipzig, J. C. Hinrichs' Verl.

— Die Poesie der Juden im Mittelalter. (21 S.) 8. Frankfurt a/M. 907. J. Kauffmann. — 60

Perles, Fel., Bousset's Religion des Judentums im neutestamentlichen Zeitalter, kritisch untersucht. (VI, 133 S.) gr. 8. Berlin 903. W. Peiser. n. 2. 50

(B) Perles, Fel., Bousset's Religion. 903. Jetzt: Leipzig, J. C. Hinrichs' Verl.

— zur althebräischen Strophik. [Aus: „Wiener Zeitschr. f. d. Kunde d. Morgenlandes".] gr. 8. (14 S.) Wien 896. A. Hölder. n. — 80

— was lehrt uns Harnack? gr. 8. (35 S.) Frankfurt a/M. 902. J. Kauffmann. n. — 60

— was nach dem Herrn Missionsprediger Juden u. Christen v. mir lernen können. gr. 8. (8 S.) Königsberg 902. Ostdeutsche Buchh. — 25

Perles, Jos., Antrittspredigt, geh. bei der Uebernahme seines Amtes als Rabb. der israelit. Cultusgemeinde München am 1. Tage d. Schabuothfestes 5631 [26. Mai 1871.] gr. 8. (15 S.) München 871. Th. Ackermann. — 30

Perles, Jos., Beiträge zur Geschichte der hebräischen u. aramäischen Studien. gr. 8. (VI, 247 S.) München 884. Th. Ackermann's Verl. n. 6. —

Perles, J., Beiträge zur rabbinischen Sprach- und Alterthumskunde. Sonderabdruck aus „Monatsschrift für Geschichte und Wissenschaft des Judenthums." 37. Jahrgang. Breslau 1893.

Perles, J., Geschichte der Juden in Posen. gr. 8. (155 S.) Breslau 865, Schletter'sche Buchh. *
Aus: Monatsschrift für Geschichte und Wissenschaft des Judenthums, besonders abgedruckt.

Perles, J., Die Berner Handschrift des kleinen Aruch. [SA. aus: Jubelschrift zum siebzigsten Geburtstage des Prof. Dr. H. Graetz.] [Breslau.]

— David Cohen de Lara's rabbinisches Lexicon Kheter Khehunnah. Ein Beitrag zur Geschichte der rabbin. Lexicographie. gr. 8. (20 S.) Breslau 868, (Skutsch.) * — 60
Aus: Monatsschrift für Geschichte und Wissenschaft des Judenthums, besonders abgedruckt.

Perles, J., die Leichenfeierlichkeiten im nachbiblischen Judenthume. Eine archäologische Studie. (Abdr. aus der Frankel'schen Monatsschrift.) Breslau 861. Schletter. gr. 8. (32 S.) 7½ ngr.

Perles, Josephus *(geb. Baja in Ung. 26. 12. 1835)*: Meletemata Peschitthoniana. Vratislaviae (1859). (56 S.) 8° *[Buchausg. 1859 bei Schletter in Breslau.]*
Breslau, Phil. Diss. v. 30. März 1859

— Predigt zur 500jährigen Jubelfeier der Synagoge zu München am 1. Peßach-Tage 5636 [9. April 1876] geh. gr. 8. (20 S.) München 876. Lindauer. n. — 20

Perles, Jos., Predigten. Aus d. Nachlaß hrsg. v. Fel. Perles. gr. 8. (IV, 202 S.) München 896. Th. Ackermann. n. 3. 60

Perles, Dr. J. (Rabbiner in München), eine neuerschlossene Quelle über Uriel Acosta. Krotoschin, B. L. Monasch & Co., 1877. 8°. Cart.*)
Gelehrte Untersuchung über d. interess. jüd. Apostaten. — Ausschn. m. besond. Tit. aus d. Frankel-Graetz'schen Monatsschr., Mai 1877, S. 193/213.

Perles, Jos., Rede, gehalten bei der Trauerfeier für weiland Sr. Maj. König Ludwig II. am 22. Juni 1886 in der Synagoge zu München. 8. (7 S.) München 886, Th. Ackermann's Verlag. * — 10

— Kalonymos ben Kalonymos' Sendschreiben an Joseph Kaspi. Aus der Münchener Handschrift zum ersten Male hrsg. und im Auftrage der ehemal. Hörer des jüdisch-theologischen Seminares zu Breslau als Festgabe zum 25jähr. Stiftungstage der Anstalt [10. Aug. 1879] überreicht. Lex.-8. (XVI, 28 S.) München 879, Th. Ackermann. *

— zur rabbinischen Sprach- u. Sagenkunde. gr. 8. (X, 99 S.) Breslau 873. Skutsch. n. 2. 40

— etymologische Studien zur Kunde der rabbinischen Sprache u. Alterthümer. gr. 8. (XIV, 135 S.) Ebend. 871. n. 2. 40

Perles, J., Thron und Circus des Königs Salomo. Aus einer Handschrift der K. Hof- und Staatsbibliothek zu München mitgetheilt. SA. Aus der Graetz'schen Monatsschr für Gesch. und Wissensch. des Judenth. 1872. Breslau 1872.

Perles, Jos., die in einer Münchener Handschrift aufgefundene erste lateinische Uebersetzung des Maimonidischen „Führers". gr. 8. Breslau 875, Preuß und Jünger.

Perles, Jos., die in einer Münchener Handschrift aufgefundene erste lateinische Uebersetzung des Maimonidischen „Führers". gr. 8. (52 S.) Breslau 875, [Skutsch.] Hepner's Verlag. *
Aus: Monatsschrift für Geschichte und Wissenschaft des Judenthums, besonders abgedruckt.

— Worte der Erinnerung an den verewigten Ober-Rabbiner u. Sem.-Direktor Dr. Z. Frankel. Gesprochen an מכתם לדוד ויקהל 5635 in der Synagoge zu München. gr. 8. (12 S.) München 875. (Th. Ackermann.) — 60

PERLES, Max: Über Solanin und Solanidin.- Leipzig: Hirschfeld 1889. 2 Bl.,82 S.,2 Taf.- Teilweise erschienen in: Archiv für experimentelle Pathologie und Pharmakologie. Bd.26.
3.2.1890 - Chr 1889/90,28; Jv 1889/90,228
Diss. Ingolst.-Landsh.-Mchn.

Perles, Max, ophthalmoskopische Tafel. 46,5×40,5 cm. Farbendr. Mit matt geschliffener Glasscheibe zum Einzeichnen ophthalmoskop. Befunde. Berlin 894. S. Karger. In Rahmen. n.n. 25. —

Perles, Moritz

Perles, Mor., s. a. Adressbuch f. den Buch-, Kunst- u. Musikalienhandel etc. der österreichisch-ungarischen Monarchie.

Perles, Moriz, Adressbuch für den österreichischen Buch-, Kunst-Musikalienhandel und verwandte Geschäftszweige. II. Jahrg. 1867. gr. 8. (82 S.) Wien, Beck'sche U.-B. (A. Hölder) in Comm. (Nur baar!) Subsc.-Preis brosch. 1 fl., cart. 1 fl. 12 kr., geb. 1 fl. 20 kr. Jetziger Preis: brosch. 1 fl. 10 kr., cart. 1 fl. 20 kr., geb. 1 fl. 30 kr.

Perles, Moriz: Adressbuch für den österreichischen Buch-, Kunst- und Musikalienhandel und verwandte Geschäftszweige, mit einem Anhange: Zeitungsadressbuch für Oesterreich. III. Jahrgang 1868. (112 S.) 8°
Wien: Beck'sche U.-B. (A. Hölder.)

Perles. Moriz. Adressbuch für den österreichischen Buch-, Kunst- und Musikalienhandel und verwandte Geschäftszweige, mit einem Anhange: Zeitungsadressbuch für Oesterreich. IV. Jahrgang. 1869. Mit dem Bildniss von Wilhelm Braumüller sen. 8. (122 S.) Wien, Perles. 1 fl. 30 kr., cart. 1 fl. 50 kr., geb. 1 fl. 60 kr. Nur baar.)

Perles, Moriz, Adressbuch für den Buch-, Kunst-, Musikalienhandel und verwandte Geschäftszweige der österreichisch-ungarischen Monarchie. Mit einem Anhange: Zeitungsadressbuch für Oesterreich. 1870. V. Jahrgang. Mit dem Bildnisse von Moriz Gerold. gr. 8. (130 S.) Wien. Perles. brosch. ohne Porträt. Subscriptionspreis 1 fl. 20 kr., jetzt 1 fl. 35 kr., cart. mit Porträt 1 fl. 40 kr., jetzt 1 fl. 55 kr., geb. mit Porträt, Subscriptionspreis 1 fl. 50 kr., jetzt 1 fl. 65 kr. Das Porträt apart 40 kr. Nur baar.

Perles, Rosalie, ein moderner Erlöser des Judenthums. Vortrag, geh. im Verein f. jüd. Geschichte u. Litteratur zu Königsberg i. Pr. gr. 8. (16 S.) Königsberg 901. Ostdeutsche Buchh. — 30

Zwischen Ost und West. Vortrag, geh. im Verein f. jüd. Geschichte u. Lit. 1905 von Frau Rosalie **Perles**. Königsberg i. Pr. 1905: Hartung. (16 S.) 8° [F.] [06. 3333 10

Perlet, C. G., dictaminum Stoicorum et Christianorum comparandorum specimen I—II. Erf. 1799. 4.

Perlet, Friedrich Christian Gottlieb

– s. **Terentii, Comoediae u. dess. Mädchen von Andros.**

Perlet, Frider. Chrstn. Gtl., Animadversiones in P. Terentii Afri Comoedias. Edit. Terentii A. 1820 vulgatae supplementum. 8 maj. (13¼ B.) Lipsiae 828, Hahn.

—üb. deutschen Beugungsmangel u. dessen Abhülfe. 8. Gotha 815. Steudel. 6 Gr.

—s. Val. Gratii, Cynegeticon.

– s. Chr. V. **Kindervater, Posthuma.**

—ausführl. Commentar üb. die Andrice, nebst Text u. Einleit. in den ganzen Terenz; od. Versuch e. vollständ. Erklärungsmethode f. d. mittl. Klassen gelehrter Schulen u. zum Selbststudium f. die Anfänger. 8. Ronneb. u. Leipz. 805. Schumann. 1 Rthlr 12 Gr.

Perletten, J. Adam, tröstlicher Unterricht von der Dreyeinigkeit Gottes und dessen Eigensch. 8. Sorau. 742.

Perlewitz, Carl Friedrich (Berlin), De revulsionibus ad cutem. Diss. med. Berlin (Obst) 7. IV. 1826. 34 S. mit Biogr. (3.—) 26058
Oppon.: Ippel, Horn, Gabler. — Gew.: F. C. Juengken.

Perlewitz, Paul [Oberl. Dr.]: Die Fusspunktlinien des umbeschriebenen Kreises eines Dreiecks, elementar behandelt. Berlin, R. Gaertners Verlagsbuchh., 1890; 16 S., 3 Taf. 4°
Berlin, Sophien-RG, OP 1890

Perlewitz, Paul, Registrierballonaufstiege in Hamburg vom April 1905 bis März 1906. (II u. S. 65—91 m. 1 Abbildg. u. 5 Taf.) Lex. 8. Hamburg 906. (L. Gräfe & Sillem). 3.—
Sonderabdr. aus: „Jahrb. d. hambg. wiss. Anst., 4. Beiheft".

Perlewitz, Paul, Temperatur-Abweichungen u. -Schwankungen. [Auf Grund 38jähr. Beobachtgn. der Berliner meteorolog. Station.] Mit 4 Taf. gr. 4. (22 S.) Berlin 886. Gaertner. n. 1.—

Perlewitz, Paul, die Temperatur-Verhältnisse v. Berlin. (Nach 50jähr. Beobachtungen: 1848—1897.) Progr. 4. (23 S.) Berlin 899. [R. Gaertner.] Weidmann. n. 1.—

Perlewitz P. Untersuchungen über die Fälle, in denen ein von zwei festen Punkten angezogener oder abgestossener Punkt eine Ellipse oder Hyperbel beschreibt, deren Brennpunkte jene beiden Punkte sind. 1872. 8.
Leipzig, Diss.

— Versuch e. Darstellung der Isothermen des Deutschen Reichs, nebst Untersuchungen üb. regionale thermische Anomalien, s.a. Forschungen zur deutschen Landes- u. Volkskunde. XIV. 2.

Perlewitz, Paul: Versuch einer Darstellung der Isothermen des Deutschen Reichs für Jahr, Januar und Juli nebst Untersuchungen über regionale thermische Anomalieen. Mit 3 Karten. *Stuttgart 1902: Union.* (72 S.) 8° ¶(Aus: Forschungen zur deutschen Landes- u. Volksk., Bd 14, H. 2.) Kiel, Phil. Diss. v. [3. Mai] 1902

Versuch einer Darstellung der Isothermen des Deutschen Reichs für Jahr, Januar und Juli nebst Untersuchungen über regionale therm. Anomalieen. Von Dr. Paul **Perlewitz**. Mit 3 Karten. Stuttgart: J. Engelhorn 1902. (S. 81-150.) 8°
= Forschungen z. deutschen Landes- u. Volkskunde. Bd. 14, H. 2.

Perlewitz, R., der Rechenunterricht in der Volks- u. Bürgerschule. 5 Hfte. Ausg. A. Für den Lehrer. 8. Neubrandenburg, C. Brünslow. n. 4. 55
1. (38 S.) 891. n. — 50. — 2. (68 S.) 891. n. 1. 25. — 3. (92 S.) 891. n. 1. 30. — 4. (95 S.) 892. n. 1. 30. — 5. (16 S.) 892. n. — 20.

— dasselbe. 5 Hfte. Ausg. B. Für den Schüler. gr. 8. Ebd. n. 1. 65
1. (18 S.) 891. n. — 15. — 2. 2. Aufl. (43 S.) 894. n. — 30. — 3. (63 S.) 891. n. — 40. — 4. (61 S.) 892. n. — 40. — 5. (50 S.) 892. n. — 40.

Perlewitz, R., der Rechenunterricht in der Volks- u. Bürgerschule. Bearb. in 5 Heften, jedes Heft in 2 Ausgaben. 1. u. 2. Hft. Ausg. B. f. d. Schüler. 2. Aufl. 8. Neubrandenburg. Mirow i/M., Buchdruckereibes. Kruse. n. — 55
1. (18 S.) 896. n. — 15. — 2. (61 S.) 898. n. — 40.

Perlewitz, R., der Rechenunterricht in der Volks- u. Bürgerschule. (In 5 Heften.) Vorstufe zu Heft 1 u. I.—III. Heft. Ausg. B. f. den Schüler. 8. Neustrelitz, G. Barnewitz. 1. 10
I. Für einklass. (Land-)Schulen, v. C. Hirchert. a. Zahlenraum von 1—10. b. Zahlenraum von 1—20. (16 S.) 909. — 15
I. Zahlenraum von 1—100. 5. neubearb. Aufl. (24 S.) 909. — 25
II. a. Zahlenraum von 1—1000. b. Unbegrenzter Zahlenraum. 5. neubearb. Aufl. (44 S.) 909. — 30
III. Rechnen m. mehrfach benannten Zahlen. 5. Aufl. (48 S.) 910. — 40

Perlia, R., stereoskopische Bilder f. Schielende, s.: **Kroll.**

Perlia, Leitfaden f. die Hygiene d. Auges. gr. 8. (V, 138 S. m. 32 Abbildgn.) Hamburg 893. L. Voss. n. 2.—

Perlich sen., F., warum raucht es beim Feuer u. an der Lampe nicht? Oder die Lösg. d. gord. Knotens der Rauch- u. Rußverbrennungsfrage. gr. 8. (14 S.) Leipzig 892. M. Schäfer. — 30

Theoria caloris mathematica nova methodo medicinae applicata, auctore *Jo. Daniele Perlicio.* Wittebergae, apud haered. G. Zimmermanni. 4. 19 Bog. 1 Kupf. 1728.

Perlicius, Johann Daniel [Praes.], s. Weidler, Johann Gottlob: Dissertatio meteorologica posterior exhibens drososcopium novum drosometriae curiosae specimen.

Perlin, (Mlle) Nachama ⟨Anna⟩. Beitrag zur Kenntnis der physiologischen Grenzen des Haemoglobingehaltes und der Zahl der Blutkörperchen im Kindesalter. Diss. Med. Lausanne. (Sonder-Abdruck aus dem Jahrbuch für Kinderheilkunde. N. F. Bd. 58.) *Kopftitel:* Aus dem Jenner'schen Kinderspital zu Bern. ⟨Direktor: Prof. [Max] Stooss⟩. 27 S. 8. Berlin, S. Karger, 1903.

Perlin, Raphael, aus Sloutzk ⟨Russland⟩: I. Elektrolytische Oxydation des Anthrachinons, einiger seiner Derivate und des Phenanthrenchinons. II. Das Verhalten des Phenanthrenchinons gegen Säureanhydride, insbesondere Essigsäureanhydrid. *Berlin (1899): E. Ebering.* (40 S.) 8°
Berlin, Phil. Diss. v. 6. März 1899

TÄNZERINNEN. — Die Perliner (!) Tänzerinnen wollen nicht aufgeben! (so!). Adresse der Perliner Tänzerinnen an das Staatsministerium. Berlin, 1848. Dr. v. Fähndrich u. Comp. Flugbl. Folio. (1 Mk. G. Priewe; 1 Mk. 30 Pfg. J. Windprecht, Augsburg.)

Perlinski, s.: Bericht der Poliklinik f. Zahn- u. Mundkrankheiten des zahnärztl. Instituts der königl. Universität Breslau.

Perlis, Isaak, a. Akkerman in Rußland: Kasuistischer Beitrag zur Kenntnis der anorganischen präsystolischen Geräusche an der Herzspitze. Berlin-Charlottenburg (1907): J. Zalachowski. (32 S.) 8°
Berlin, Med. Fak., Ref. Kraus, Diss. v. 5. Jan. 1907
[Geb. 9. Febr. 82 Akkerman, Rußland; Wohnort: Akkerman; Staatsangeh.: Rußland; Vorbildung: Richelieu-Gymn. Odessa Reife M. 01; Studium: Göttingen 1, Berlin 5, Wien 1, Berlin 3 S.; Rig. 14. Dez. 06.]

Perlitius, Ludwig: Der Einfluß der Begrannung auf die Wasserverdunstung der Ähren und die Kornqualität. ⟨Beobachtungen üb. Korrelationserscheinungen an einigen Weizen- u. Gerstensorten im J. 1901.⟩ *Merseburg 1903: F. Stollberg.* (77 S.) 8°
Breslau, Phil. Diss. v. 14. Febr. 1903

Perlitz, G., Vorschriften zur Erlernung der hebräischen Cursivschrift. Zum Gebrauche f. Schulen u. zum Selbstunterricht. qu. 8. (5 Steintaf.) Breslau 871. Skutsch. — 30

Perlitz, Gabriel: •Ethice Cartesiana, quae sint ejus fundamenta et quibus rebus cohaereat cum metaphysice. 34 Bl. 8° (4°)
Halle-Wittenberg, Phil. Diss. v. 11. Juli 1866
Geb. [Smichow bei Prag (Böhmen) 4. 8. 1839]
Verf. erlebte die Diplomerneuerung 1916 als Rabbiner in Nakel a. d. Netze.

Perlitz, Johann August (Merseburg), Quaestio controversa an pignore amisso heres semper conveniri possit actione pignoratitia. Präs. Christian Heinr. Breuning. Leipzig (Rumpf) 16. V. 1770. 8 S. (4.—) 26060

Perlitz, Paul, aus Labes: Die Sprache der Interlinear-Version von 'Defensor's Liber Scintillarum.' Ein Beitrag zur spätwestsächs. Grammatik. *Kiel 1904: Schmidt & Klaunig.* (67 S.) 8°
Kiel, Phil. Diss. v. [19. März] 1904

Perlitz, Walter, Arzt a. Klattau ⟨Böhmen⟩: Die Augenheilkunde des Arnald von Villanova. Berlin 1904: A. W. Schade. (32 S.) 8°
Freiburg i. B., Med. Fak., Ref. Axenfeld, Diss. v. 1904
[Geb. 26. Dez. 78 Klattau, Böhmen; Wohnort: Freiburg; Staatsangeh.: Preußen; Vorbildung: Gymn. Nakel Reife O. 99; Studium: Berlin, München, Freiburg; Coll. 4. März 04; Approb. 12. März 04.]

Perl-Kalender für 1877—1880. 128. (à ca. 28 S.) Prag, Otto. à Jahrg. *
Mit Metalldecke à Jahrg. *
Erschien früher u. d. T.: Kolibri-Kalender.

Perl-Kalender, Freysinger, für Portemonnaie auf das J. 1867. Freysing, Datterer. 128. (32 S.) n. 2 ngr.

Perlmann, Alfred, Arzt: Zur Anatomie des haemorrhagischen Glaukoms im myopischen Auge. *Königsberg i. Pr. 1903: O. Kümmel.* (37 S.) 8°
Königsberg, Med. Diss. v. 31. März 1903

Perlmann, Emil, der Kulturwert des Kinematographen. (16 S.) gr. 8. Düsseldorf 909. (E. Lintz.) — 50

Perlmann, Jenny: Aus d. chir. Universitätsklinik zu Königsberg i. P. Ein osteoplastisches Magenkarzinom. Königsberg i. P. 1909: Kümmel. 36 S. 8°
Königsberg, Med. Diss. v. 27. Sept. 1909, Ref. Lexer
[Geb. 2. Sept. 82 Jurburg, Rußland; Wohnort: Königsberg i. P.; Staatsangeh.: Preußen; Vorbildung: Friedrichs-Koll. Königsberg Reife O. 03; Studium: Breslau 2, Königsberg 9 S.; Coll. 15. Juli 09; Approb. 15. Aug. 09.] [U 10. 2581

Perlmann, Wilh., Memoiren d. Kardinal Richelieu, s.: Memoiren-Bibliothek.

— dasselbe, neue Ausg., s.: Gottberg, A., der galante Herzog.

Perlmann, Wulf [aus Tuckum '(Russl.)']: Ueber einen Fall von multipler Sklerose im jugendlichen Alter ... Berlin, Buchdr. v. L. Wechselmann, *1896;* 37 S., 1 Bl., 1 Taf. 8.
Berlin, Med. Fak., Inaug.-Diss. v. 28. Juli 1896

Perlmutter A.: Über die Zersetzung der Chinolinsäure durch naszierenden Wasserstoff. S. 101. IIb 63 . . . . vgr.
Separatabdruck

Perlmutter, Alb., Elegie auf d. Heimgang Ihrer Maj. d. Kaiserin Elisabeth. 8. (12 S.) Leipzig 899. O. Mutze. n. — 20

— die Kantische Lehre von der Causalität u. die Max Nordau'sche Auffassung derselben. 8. (16 S.) Ebd. 899. n. — 40

PERLMUTTER, Bernhard (Ichenhausen): Ueber Dermatol und dessen innere Anwendung.- München: Weiss 1897. 22 S.
10.12.1896 - Chr 1896/97,19; Jv 1896/97,237 (Prom.-Datum 1977)
Diss. Ingolst.-Landsh.-Mchn.

Perlmutter, Salomea, Karl Menger u. die österreichische Schule der Nationalökonomie, s. a. Studien, Berner, zur Philosophie u. ihrer Geschichte. 32.

Perlmutter, Salomea. Karl Menger und die österreichische Schule der Nationalökonomie. Eine kritische Untersuchung der Hauptlehren. IV + 84 S. 8. Bern, C. Sturzenegger, 1902.
Ausg. A: Diss. Phil. Bern ... 1899.
Ausg. B: (fr. 1. —.) — Berner Studien zur Philosophie und ihrer Geschichte. Hrg. von Dr. Ludwig Stein.... Band 32.

Perloff, A., s. Tolstoi, Was ist Geld?

Perfekt Russisch sprechen. M. Aussprache. E. Hilfsb. f. Deutsche auf Russ. Sprachgebiete. Von K. Perloff. *Berlin: H. Steinitz [1897].* (55 S) 1 Bd 8. [97. 508

Perls, Arnold, das Buch vom Küssen. Studien in Theorie u. Praxis des „mündlichen Verfahrens". Mit (eingedr. Holzschn.-)Illustr. v. G. Sundblad. 8. (VIII, 56 S.) Leipzig 877. C. A. Koch. 1. —

Perls, A., Kaiser Friedrich u. seine hunderttägige Regierung. Ein Büchlein der Erinnerg. allen freidenk. Deutschen gewidmet. Mit Bild u. Namenszug. gr. 8. (VII, 64 S.) München 888. Callwey. n. — 50

Perls, Arnold: Die Geschichte der Volkserhebung. Zur Erinnerung an die Märztage des Jahres 1848. Berlin 1898

Perls, Arnold, altdeutsche Götterlehre. Das Wichtigste aus der altnord. Mythe in gedrängter Uebersicht zur Erläuterg. bei der Lectüre deutscher Classiker u. f. Schulen. gr. 8. (VIII, 79 S.) Leipzig 876. Webel. 1. 20

— Hammerschläge. Fröhliches u. Bitterböses aus der Zeit u. f. die Zeit. 8. (131 S.) Berlin 887. Eckstein Nachf. n. 1. —

Perls, Arnold, Hausschatz guter Gedanken. Betrachtungen u. Aussprüche der Denker, Forscher u. Dichter aller Nationen, ausgewählt u. systematisch geordnet. 8. (VIII, 272 S.) Berlin 894. Ullstein & Co. 2. —

— Herzensklänge. Dichter-Album f. deutsche Frauen u. Jungfrauen. gr. 16. (XIX, 266 S.) Leipzig 874. C. A. Koch's Verl. geb. m. Goldschn. n. 3. 50

—— Herzensklänge. Dichter-Album für deutsche Frauen und Jungfrauen. 2. Aufl. gr. 16. (XXIII, 272 S.) Leipzig 878, C. A. Koch's Verlag. geb. mit Goldschn. *

Perls, Arnold, Herzensklänge. Dichter-Album für deutsche Frauen und Jungfrauen. 3. Aufl. 8. (XXVII, 276 S.) Leipzig 882, C. A. Koch's Verlagsh. geb. mit Goldschn. * 3 60

— s.: Jahrbuch f. die deutschen Gymnasiasten.

— der Kampf gegen den Reichstag. gr. 8. (70 S.) Berlin 887. Zenker. n. 1. —

Perls, Arnold, Reichs- u. Staats-Bürgerbuch, s. a. Ullstein's Sammlung prakt. Hausbücher. 7. Bd.

Reichs- und Staats-Bürgerbuch. Das Wissenswerte u. Wissensnötige vom gesamten Staatswesen f. Jedermann von Arnold Perls. *Berlin: Ullstein & Co. [1901].* (151 S.) 8° [F.]
= Sammlung, Ullstein's, prakt. Hausbücher. Bd 7. [ca. 766]

Perls, Arnold (Red.), s. Rundschau, Kaufmännische.

—— Herr Stöcker und sein Prozess. Zeitbetrachtungen. 2. Aufl. 8. (40 S.) Leipzig 885, Unflad. *

—— Streifzüge. Historische, literarhistor. und dramaturg. Aufsätze. 8. (VII, 121 S.) Leipzig 877, Lucius.

— deutscher Töchter-Almanach. Jahrbuch zur Unterhaltg. u. Belehrg. f. junge Mädchen. 1. Jahrg. 1875. 16. (138 S.) Leipzig, A. Krüger, Exp. Cto. n. 1. —; geb. n. 1. 50

— vom Zopf zur Schnurrbartbinde. Von Jena bis Löhning. Kulturgeschichtliches u. Zeitgeistiges. gr. 8. (48 S.) Berlin 902. Herm. Walther. n. — 50

Perls, Friedrich, Gerichtsassessor: Die Bestimmtheit der Hypothekenschuld. *Jena: G. Fischer 1903.* (48 S.) 8° [F.]
Breslau, Jur. Diss. v. 29. Jan. 1903

Perls, Max

Perls, M., üb. die Bedeutung der pathologischen Anatomie, s. a. Sammlung gemeinverständl. wissenschaftl. Vorträge.

Perls M, über die Bedeutung der pathologischen Anatomie und der pathologischen Institute. (Sammlung gemeinverständl. wissenschaftl. Vorträge 187) Berlin 1873

Perls, M., Lehrbuch der allgemeinen Pathologie für Studirende u. Aerzte. 1. u. 2. Thl. gr. 8. Stuttgart 877. 79. Enke. n. 24. —
1. Lehrbuch der allgemeinen pathologischen Anatomie u. Pathogenese. Mit 124 (eingedr.) Holzschn. (XV, 506 S.) n. 14. —
2. Lehrbuch der allgemeinen Aetiologie u. der Missbildungen. Mit 104 (eingedr.) Holzschn. (XI, 404 S.) n. 10. —

Perls, M., Lehrbuch der allgemeinen Pathologie für Aerzte und Studierende. 2. Aufl., hrsg. von F. Neelsen. gr. 8. (XVIII, 706 S. mit 288 in den Text gedr. Holzschn.) Stuttgart 886, Enke. *

Perls', M., Lehrbuch der allgemeinen Pathologie f. Ärzte u. Studirende. 3. Aufl., hrsg. v. F. Neelsen. gr. 8. (XX, 735 S. m. 256 Holzschn. u. 29 Abbildgn. auf 2 Taf. in Farbendr.) Stuttgart 894. F. Enke. n. 17. —

Perls, Max, Qua via insufficientia renum symptomata uraemica efficiat. Dissertatio inauguralis pathologica. gr. 8. (30 S.) Königsberg 864, (Akademische Buchh. von Schubert und Seidel.) *

Perls, Wilhelm [app. Arzt aus Beuthen '(O.-Schles.)']: Die Behandlung der eitrigen Pericarditis durch Incision '(Pericardiotomie)' ... Strassburg i. E., Buchdr. Ch. Müh & C., 1896; 52 S. 8.
Strassburg, Med. Fak., Inaug.-Diss. v. 1896

Perlstein, Gabriel van [aus Köln a. Rh.]: Über habituelle Skoliose .... Würzburg, Becker's Univ.-Buchdr., 1886; 27 S. 8°.
Würzburg, Med. Fak., Inaug.-Diss. v. 1886.

Perlstein, Moritz

Perlstein, M., üb. einige aromatische Verbindungen m. ungesättigten Seitenketten. Inaug.-Diss. gr. 8. (44 S.) Berlin 889. (Rudolstadt, Dabis.) n. — 40

Perly české. Vydány od sporu musea král. českého pro vědecké vzdělání řeči a literatury české. Spořádal Ant. Jarosl. Vrťátko. Prag 855. (Rziwnatz.) 16. (XXI, 408 S., 1 Stahlst. u. 8 lith. S. Musikbeilagen in 4.) n. 1 ℛ. 24 ngr

Permaneder, Michael

Permaneder, Mich., die kirchl. Baulast, od. d. Verbindlichkeit d. baulichen Erhalt. u. Wiederherstellung d. Cultus-Gebäude. A. d. Quellen d. gem. canon. u. bayer. Particular-Rechts dargest. gr. 4. (14½ B.) München 838, Lentner'sche Buchh.

Permaneder, Mich., die kirchliche Baulast oder die Verbindlichkeit der baulichen Erhaltung und Wiederherstellung der Cultus-Gebäude. Aus den Quellen des gemeinen canon. u. bayerischen Particular-Rechts dargestellt. 2., verb. Aufl. München 856. Lentner. gr. 8. (VIII, 194 S.) 24 ngr

Permaneder, M., die kirchliche Baulast od. die Verbindlichkeit der baulichen Erhaltung u. Wiederherstellung der Kultusgebäude. Aus den Quellen d. allgemeinen kanon. u. bayer. Partikularrechts dargestellt. 3. Aufl. Bearb. v. J. Riedle. 8. (XII, 178 S.) München 890. Stahl sen., Verl. 2. 60

Permaneder, M., die kirchliche Baulast od. die Verbindlichkeit der baulichen Erhaltung u. Wiederherstellung der Kultusgebäude. Aus den Quellen des allgemeinen kanon. u. bayer. Partikularrechts dargestellt. 3., verb. Aufl. Bearb. v. J. Riedle. (Neue Titel-Ausg.) gr. 8. (XII, 178 S.) München 893. O. Galler. n. 2. 60

—— Bibliotheca patristica. Tom. I. II. 8maj. Landishuti, libr. Krüll.
E. s. tit.:
Tom. I. Encyclopaedia patristica, sive patrologia generalis, in us. praelection. accommodata. (33½ B.) 841. 1 Thlr. 12 Gr.
II. Patrologia specialis. Vol. I. Ps. I. Patres et Scriptores eccl. Sec. I. et II. complectens. (20½ B.) 842. 20 Gr.

Permanederi, Michaelis, Bibliotheca Patristica. Tom. II. Pars II. E. s. tit.: Patrologia specialis. Vol. I. Pars II et III. Patres et scriptores seculi III complectens ecclesiae graecae. 8maj. Landishuti, libr. Universit. Krüll. [II. (24½ B.) 843., III. (20 B.) 844. à 1 Thlr. 7½ Ngr.]

Permaneder, M(ichaelis), Bibliotheca patristica. Fasc. I. 8maj. (S. 1—128.) Landshut 850, Krüll. *

—— das Gesetz, die Sicherung, Fixirung und Ablösung der auf dem Zehentrechte lastenden kirchl. Baupflicht betr., s. Gesetzgebung, die, des Königr. Bayern.

—— Handbuch des gemeingültigen kathol. Kirchenrechts, m. steter Berücksichtig. d. die äußern Seiten d. kathol. Kirche berührenden Landes-Verordnungen der deutschen Bundesstaaten, insbesond. Bayerns. 2 Bde. in 6 Abthl. Lex.-8. Landshut 846, Krüll'sche Universitätsbuchh. Thlr.
Bd. 1. §. 1—440. (39½ B.) 2 Thlr. 22½ Ngr.
» 2. §. 441—851. (50½ B.) 3 Thlr.

— Handbuch des gemeingiltigen katholischen Kirchenrechtes mit steter Rücksicht auf das katholisch-kirchliche Partikularrecht in Oesterreich, Preußen, Bayern, Sachsen, Hannover u. den übrigen deutschen Staaten bearb. 2. umgearb. Aufl. 853. (LXXXIV, 1042 S.) 4 Thlr. 3 ngr. — 3. vielfach verb. Aufl. Landshut 856. Krüll. gr. 8. (LXXXIII, 994 S. u. 1 Tab. in 4.) 4 Thlr.

Permaneder's Handbuch des gemeingiltigen katholischen Kirchenrechtes mit steter Rücksicht auf das katholisch-kirchliche Territorialrecht in Oesterreich, Preußen, Bayern, Sachsen, Hannover, Württemberg, Baden u. den übrigen deutschen Staaten, nach dessen hinterlass. Mscr. herbg. von Isidor Silbernagl. 4., verb. u. verm. Aufl. Landshut 865. Krüll'sche Universitäts-Buchh. gr. 8. (LXXXVI, 1098 S. mit 1 Tab. in qu. 4.) 4 Thlr.

De optima patrium sermonem in Gymnasiis docendi ratione. Scrips. Fr. Michael Permaneder, G. P. — 1829. Ibid. — S. 3—14.
Progr. München.

Permanent-Album f. Postwertzeichen. Ausg. A (auf weissem Karton). 30 Kartons. Imp.-4. Chemnitz (901). P. Kohl. Geb. in Halbldr. n. 12.50; 40 Kartons n. 14.50; 50 Kartons n. 16.—; 60 Kartons n. 18.30; Ausg. B, auf farb. Kartons n. 14.—; n. 17.—; n. 19.50 u. n. 22.50

— dasselbe. Ausg. C. Papierausg. 120 Blatt. Imp.-4. Ebd. 901. Geb. in Leinw. n. 15.—

— dasselbe. Mignon-Ausg. 30 Blatt. gr. 4. Ebd. 901. Geb. in Leinw. n. 11.—; 40 Blatt n. 12.50; 50 Blatt n. 14.—; 60 Blatt n. 15.50; 70 Blatt n. 17.—
Vergl.: Kohl, P., Permanent-Album f. Postwertzeichen.

Permanne, B. Études et réflexions sur l'origine, le développement et les rapports des langues romanes. Augsburg, kath. St. A., 1859. VII u. 48 S. 4. Progr.

Biologie der Coniomycetes Entophyti oder der inneren Brandpilze und ihre Beziehungen zur übrigen Pflanzenwelt. Ein Beitrag zum Studium der Botanik und der Kryptogamen insbesondere. — Von P. Benedict Permanne, L. P. — 1874. Augsburg, Ph. J. Pfeiffer. — S. 3—60[8].
Progr. Augsburg (bei St. Stephan)
K. Lyceum

Permanne, Bened., Geognosie u. Vegetalismus u. ihr genetlicher Zusammenhang. Naturgeschichtl. Studie. Augsburg 1883, 39 S., Progr. der Studienanst. St. Stephan.

Permanne, Frz., zur Erinnerung an die Konsekration u. Inthronisation d. hochwürdigsten Hrn. Bischofs Dr. Maximilian Lingg. Begrüßungsrede, geh. in der Domkirche zu Augsburg, den 20. VII. 1902. gr. 8. (8 S.) Augsburg (902). Kranzfelder. — 10

Permanne, Frz., Erinnerungen an Se. Heil. Papst Leo XIII. I. Ansprache aus Anlaß des Papstjubiläums Leo's XIII. an die kathol. Schuljugend Augsburgs in der hohen Domkirche am 15. II. 1903. — II. Ansprache, geh. bei den Trauerfeierlichkeiten f. Papst Leo XIII. daselbst am 30. VII. 1903. (9 u. 10 S.) gr. 8. Augsburg (903). Kranzfelder. n. — 20

Permanne, Frz., Kurze Religionsgeschichte für Schulen. 3. Aufl. 8. (51 S.) Augsburg 886, Litterar. Institut von Dr. M. Huttler. *

Permanne, Frz., Trauer-Reden. gr. 8. (VII, 272 S.) Ellwangen 902. J. Heß. n. 3.60; geb. in Leinw. n. 4.80

Permoser, Balthasar. Der Ohne Ursach verworffene und dahero von Rechts wegen auff den Thron der Ehren wiederum erhabene [!] Barth / Bey jetzigen ohnbärtigen Zeiten sonder alle Furcht zu männigliches Wohl und Vergnügen ausgefertiget vor und von Balthasar Permosern ... Sambt Anhang eines schönen / lustig und ausführlichen Real-Discurs von den Bärthen ... Auf Kosten guter Freunde zum Druck gebracht Durch M. Barbatium Schönbart. Franckfurth und Leipzig Anno 1714.
98 S.; 1 Taf. in Kupferst. 8°.
Nach (Heinecke,) Nachrichten von Künstlern. Leipzig 1768—69, I 70 ist nicht der Bildhauer Balthasar Permoser, sondern der Hofrat und Zeremonienmeister von König der Verfasser dieser Schrift.
1. Ausg. des Anhangs: „Real-Discurs von den Bärthen" 1614.
Vgl. Weller, Die falschen und fingierten Druckorte I, 30

Pernaczynski, Stanislaus

Pernaczynski, St., Eisenbahntarife u. Wasserfrachten, s. Roßmann, M.

Pernaczynski, S., Eisenbahntarife, s.a. Schriften f. Socialpolitik.

Pernaczynski, Stanislaus, aus Gnesen: Die Eisenbahntarife und Wasserfrachten für Getreide und Mehl in der Provinz Posen, ihre Geschichte und ihre Wirkungen. Von d. Staatswirtsch. Fakultät d. Universität München preisgekr. Schrift. *Leipzig 1900: (Pierer in Altenburg).* (80 S.) 8° [J.]
¶ (Aus: Schriften d. Ver. f. Socialpol., Bd 89.)
München, Staatswirtsch. Diss. v. 1900

Pernat, Frz. Sales, die Kurrent-Kalligraphie. Anleitung in 6—10 Stunden schön schreiben zu lernen. Mit einem Vorworte von G. Mayr. 1. Thl.: Deutsche Currentschrift. München 865. Lindauer'sche Buchh. 4. (12 u. 28 lithogr. S.) n. 5 ngr.

Pernat, Frz. S., Vorlagen, systematisch geordnet f. den Schönschreib-Unterricht. [Deutsche Schrift.] qu. 8. (12 Steintaf.) München 874. Kellerer in Comm. n. — 20

— dasselbe. [Lateinische Schrift.] qu. 8. (12 Steintaf.) Ebend. 875. n. — 20

PERNAU, F. A. Frhr. v.: Gründliche Anweisung alle Arten Vögel zu fangen, einzustellen, abzurichten, zahm zu machen, ihre Eigenschaften zu erkennen, Pastarden zu ziehen, ihnen fremden Gesang zu lernen, und sie zum Aus- und einfliegen zu gewöhnen; nebst Anmerkungen über Hervieux von Canarien-Vögeln, und Joseph Mitelli Jagdlust. - Nürnberg 1754. 696 S., 15 Taf. - ebd. 1768. - Auf's neue ganz umgearbeitet v. Joh. Matthäus Bechstein. Nürnberg, Altdorf 1796. XIV, 796 S., m. Kupf.

Pernau. – Ferdinand Pernau, s.a. Dyck, Johann Gottfried: Theater.

Pernau, Ferdinand,. Trauersp. 8. Lpz. Dyk. 787.

v. Pernauer, Frhr. J. P. F., s. v. Neucastle, neueröffnete Reitbahn.

Pernauhm, Fritz Geron

Pernauhm, F. G., die Infamen. (242 S.) 8. Leipzig (906). M. Spohr. n. 4. —

— der junge Kurt. (174 S.) 8. Berlin (904). [Magazin-Verlag.] Leipzig, M. Spohr. n. 3. —; geb. n. 4. —

Pernauhm, Fritz Geron, Ercole Tomei. Roman. gr. 8. (159 S.) Leipzig 900. M. Spohr. n. 2. —

Pernavia literata breviter concinnata et in lucem publicam anno 1703 emissa. [Rigae]. V: *Sjoeberg, Gabriel.* (Erman & Horn, Bibliogr. d. dtsch. Universitäten. 2. Leipz. u. Berl. 1904.) (Winckelmann, Bibliotheca Livoniae Historica. 21.)

Pernecker, Frz., Leitfaden des Bergwesens als erste Einführung f. Laien. (IV, 107 S. m. 187 Fig. auf 6 Taf.) 8. Teplitz-Schönau 910. A. Becker. 2. —

Pernecker Theodor: Morphologische und glaciale Studien aus dem Hochschwabgebiet.
H. 1910 PN 3007 Diss. Wien, Univ 2416

PERNEDER, Andr.: Institutiones testamentariae, od. vollständige Nachricht von Testamenten u. Codicillen. Verbess. v. Wolfg. HUNGERN. *Frcf.* u. *Lpz.* 721. 4. — *Ebend.* 725. 4.

Perner, über die Hauptgebrechen der Erziehung. München 868. (Finsterlin.) 8. (168 S. mit Holzschn. im Text.) n. 12 ngr.

Perner, Dr., Pflichten gegen die Thiere 2c., s. Jagler, J. J.

Perner, Jaroslav, études sur les Graptolites de Bohême. I. partie. Imp.-4. Prague 894. (Leipzig, R. Gerhard.) n.n. 15. —
Structure microscopique des genres Monograptus et Retiolites avec 3 planches lithochromiques et 8 chémigraphies. Suite de l'ouvrage: Système silurien du centre de la Bohême, par Joach. Barrande. Éditée aux frais du Barrande-Fonds. Traduit par A. S. Oudin. (14 S. m. 3 Bl. Erklärgn.)

Perner, Jaroslav, études sur les Graptolites de Bohême. II. et III. partie. Imp.-4. Prague. (Leipzig, R. Gerhard) à n.n. 15. —
II. Monographie des Graptolites de l'étage D avec 5 planches lithographiques. Suite de l'ouvrage: Système silurien du centre de la Bohême, par Joach. Barrande. Éditée aux frais du Barrande-Fonds. Traduit par A. S. Oudin. (31 S. m. 5 Bl. Erklärgn.) 895.
III. Monographie des Graptolites de l'étage E avec 5 planches lithographiques et 25 figures dans le texte. Section a. Suite de l'ouvrage: Système silurien du centre de la Bohême, par Joach. Barrande. Éditée aux frais du Barrande-Fonds. Traduit par A. S. Oudin. (25 S. m. 5 Bl. Erklärgn.) 897.

Perner, Jaroslav, Etudes sur les Graptolites de Bohême. III. partie. Sect. b. Imp.-4. Prague 899. (Leipzig, R. Gerhard). n.n. 15. —
Monographie des Graptolites de l'étage E avec 4 planches lithographiques et 49 figures dans la texte. Section 1. Suite de l'ouvrage: Système silurien du centre de la Bohême, par Joach. Barrande. Éditée aux frais du Barrande-Fonds. Traduit par A. S. Oudin. (IV, 24 S. m. 8 S. Erklärgn.)

Perner, Jarosl., Gastéropodes, s.: Barrande, Joach., système silurien du centre de la Bohême. IV.

Perner, (Ignatz), Jahres-Bericht des Münchener Vereins gegen Thierquälerei, unter der Vorstandschaft des Prinzen Eduard v. Sachsen-Altenburg, Herzogs zu Sachsen, f. die J. 1850 u. 1851. 16. (48 S.) (München 851, Finsterlin.) 3 ngr.

Pernerstorfer, Engelb., s.: Protokoll, stenographisches, der Gewerbe-Enquête im österreichischen Abgeordnetenhause.

Pernerstorfer und **Kronawetter,** Reden der Abgeordneten Pernerstorfer und Kronawetter im Parlament am 9. und 13. Dec. 1892. 8°. Wien, Arbeiterzeitung, s. a. (1892.)

Pernerstorfer, Engelb., Friedrich Schiller. Gedenkrede zur 100. Wiederkehr des Todestages Schillers. (26 S.) gr. 8. Wien 905. Wiener Volksbuchh. n. — 70

— die „Staatspolizei" vor dem österreichischen Parlament, s.: Kronawetter.

Pernerstorfer, Engelb., s.: Worte, deutsche.

Pernerstorfer, E., die Zustände im Wiener Allgemeinen Krankenhause. Reden v. E. Pernerstorfer, Schneider u. Eingang der Rede v. Max Menger nach dem stenograph. Protokolle d. österreichischen Abgeordnetenhauses, 144. Sitzg. am 6. Mai 1887. gr. 8. (19 S.) Wien 887. (Pichler's Wwe. & Sohn.) n. — 20

Pernet, Prof. Dr. J. S. 1845/1902. [Zürich] 1902. V: *Vetter, Theodor.* (zuwzür 6, 1902, I, S. 216)

Pernet, Prof. Dr. Johann, 1845—1902. Genf 1902. V: *Weilenmann, August.* (Zuwachsverz. d. Bibliotheken in Zürich 1898 ff., 7.)

Pernet, Hedw. Louise, geb. Baronin Kemmeter, ausgewählte Fabeln u. Erzählungen. Hrsg. u. biographisch eingeleitet v. Frz. M. Kometer. Mit Portr. u. Facsm. 12. (86 S.) Wien 894. (Gilhofer & Ranschburg.) n. 1. —

— neue vermischte Gedichte. 8. Heidelb. 795. Pfähler. 16 gr.

v. **Pernet,** Hedw. Louise, Versuch in Fabeln u. Erzähll., nebst e. kom. Trauerspiel in Versen. 8. Grätz 771.

Pernet, Jean

Pernet, J., Hermann v. Helmholtz, s. a. Neujahrsblatt, hrsg. v. der naturforsch. Gesellschaft.

Pernet, J[ean]. Hermann von Helmholtz. 31. August 1821 bis 8. September 1894. Ein Nachruf. [Mit 1 Porträt-Tafel.] Njbl. Naturf. Ges. Zürich 1895. 4. Zürich 1894.

Pernet, Johann

Pernet, J. Die periodischen Aenderungen des Luftdruckes in St. Petersburg. Petersburg 1872. 4.

Pernet, J., W. Jaeger u E. Gumlich, thermometrische Arbeiten betr. die Herstellung u Untersuchung der Quecksilber-Normalthermometer, s. a. Abhandlungen, wissenschaftliche, der physikalisch-technischen Reichsanstalt.

Pernet, Johann (*geb. Bern 18.12 1845*) Beiträge zur Thermometrie. I Ueber die Nullpuncts-Depressionen der Normal-Thermometer. München 1875. (53 S.) 8° *[Aus: Repert. f Experim.-Phys. Bd 11. 1875.]*
Breslau, Phil. Diss. v. 23. Nov. 1875

Pernet, J. Ueber die Bestimmung der Erdtemperaturen mit Thermoketten. Petersburg 1870. 4.

Pernet, J., Der jährliche Gang der Temperatur in St. Petersburg. Nach den hinterlassenen Manuscripten des Herrn Dr. L. F. v. Kämtz zusammengestellt von —. (Aus: Repertorium für Meteorologie, Bd. I.)

Pernet, J., Dr., Jaeger, W., Dr. und Gumlich, E., Dr., Herstellung und Untersuchung der Quecksilber-Normalthermometer (Sonder-Abdruck aus der Zeitschrift für Instrumentenkunde 1895, Heft 1—4.)

Pernet, J. Über die Notwendigkeit wiederholter Prüfung der wichtigsten meteorologischen Reiseinstrumente. 1890.

Pernet, J. Über die physikalisch-technische Reichsanstalt zu Charlottenburg und die daselbst ausgeführten electrischen Arbeiten. Zürich 1891.

Pernet, Kurt, approb. Arzt aus Berlin. Die operative Behandlung von Nervendefekten an der oberen Extremität mit Kontinuitäts-Resektion des Knochens nach Löbker. *Bonn 1903: C. Georgi.* (35 S.) 8°
Bonn, Med. Diss. v. 22. Juli 1903

Pernet, E., die Schwarz-Seifensiederei, nach d. neuesten, verbess. Methoden. Od. gründl., prakt. Anweisung, die schwarze Talg- u. Kunst-Kornseife sowohl im Kleinen als Großen mit Vortheil zu sieden. 2., verb. Aufl. M. 1 Taf. Abbild. 8. (8 B.) Quedlinburg 833, Basse.

Pernetti, Jacques

Geschichte
— — der Favoride. An den Herrn von Voltaire. Aus d. Französ. (des Abbé *Jacques Pernetti = Pernety*, n. 1696, † 1777). Frankfurt und Leipzig 1759. 8°. 80 S. (In München Rar. 8 d, 2.) (2 Mk. 50 Pfg. v. Zahn & Jaensch, Dresden, c. 1902.)
Cat. Meissner II; Bibl. Schwabii II.
Orig. (in Stuttgart): Histoire de Favoride. Genève, Barrillot & Fils, 1750. 8°.

Pernety, Antoine Joseph

Pernety, A. J., La connoissance de l'homme moral par celle de l'homme physique. 3 V. Brl. 1776—7. 8°.

1776

Pernety, Ant. Jos., Discours sur la physionomie et les avantages des connoissances physiognomiques. 102 pp. Berl. 1749. 8°. *Haller*, Bibl. anat. II, 403.

Pernety, Dom., Discours sur la physionomie et les avantages des connaissances physiognomiques. 102 pp. Brl. 8°. Hist. et mém. de l'ac. de Berl. 1769 p. 437. Nouveaux mém. 1773, p. 425. 442. 470.

1769

PERNETY, Antoine Joseph 1716 - 1801
Dissertation sur l'Amérique et les Américains, contre les Récherches philosophiques de Mr. de P
Par Dom Pernety . .
Berlin: Decker. [1770]. 6, 240 S. 8°.
Harvard University Library Cambridge, Mass.
Weitere Ausg. 1770, 1771, 1774, 1777, s. Nr. 7, 8, 10, 24, 25, 57, 152.
Sabin 60994. Dort auch Ausg. Berlin 1772; konnte nicht gefunden werden.

[PERNETY, Antoine Joseph] 1716 - 1801
Examen des Recherches philosophiques sur l'Amérique et les Américains et de la défense de cet ouvrage.
Premiere [- seconde] Partie.
Berlin: Decker. 1771. 8°
Sächsische Landesbibliothek Dresden
Sabin 60995.

Pernety, Antoine Joseph. Handlexikon der bildenden Künste, worinnen alles, was beym Zeichnen, Malen, Bildhauen, Kupferstechen, Stein-, Metall- und Formenschneiden, Aetzen und Giessen üblich ist, erkläret wird. Nebst einer praktischen Abhandlung von den verschiedenen Arten zu malen. Aus dem Französischen übersetzt. Berlin 1764. 8°.

— observat. sur les maladies de l'ame pour servir de suite au traité de la connoiss. de l'homme. 8maj. Berl. 777. (Rottmann). 16 gr

— Versuch e. Physiognomik, od. Erklärung des Moralmenschen durch d. Kenntniß d. physischen; aus d. Französ. 3 Thle. Mit Kpf. gr. 8. Dresd. 785. Walther. 2 ℛ 12 gr

Pernhardt, s. Pernhart

Pernhart, Markus

Pernhart, M., Bilder aus Kärnten. Nach der Natur gez., und mit beschreibendem Text begleitet von Vaterlandsfreunden. 1—4. Liefg. Klagenfurt 863, 64. Leon. qu. Fol. Jede Liefg. (à 2 Stahlst. u. 1—2 Bgn. Text) 20 ngr.; Pracht-Ausg. in gr. Fol. n. 1 ℛ 2 ngr.

Pernhart, M., Bilder aus Kärnten. Nach der Natur gez., u. mit beschreib. Text begleitet von Vaterlandsfreunden. (In 25 Liefgn.) 5—8. Liefg. Klagenfurt 865 – 68. Leon's Buchh. Jede Liefg. (2 Stahlst. u. 1 - 2 Bgn. Text.) 20 ngr., Pracht-Ausg. in gr. Fol. Jede Liefg n. 1 ℛ 2 ngr.

— — Volksausg. 1. u. 2. Liefg. Ebend. 868. qu. Fol. (6 Stahlst. u. 12 S. Text.) Jede Liefg. 12 ngr.

Pernhardt, M., Panorama der Villacher Alpe. Nach der Natur aufgenommen. Fol. Klagenfurt 871, Leon's Buchh. In Carton *

Pernhart, Markus. Panorama vom Dobratsch. Klgft., Leon, (1889). Folio/Oktav.

Pernhart, Markus. Panorama vom Luschariberg in Kärnten. Klgft., Leon, (1889). Folio/Oktav.

Pernhart, Markus. Panorama des Magdalensberges in Kärnten. Klgft., Leon, (1875). Folio/Oktav.

Pernhart, Markus. Panorama des Sternberges in Kärnten. Klgft., Leon, (ca. 1875). Folio/Oktav.

Pernhoffer, Gust. v., Untersuchungen und Erfahrungen über das Krankheitsübel Skérljevo im croatisch-istrianischen Küstenlande. Ein Beitrag zur Syphilis-Lehre. gr. 8. (VIII, 156 S. mit 1 lithogr. Karte in qu. 4. und 2 Tab.) Wien 868. [Leipzig, Fues's Verlag.] * 4 —

Pernhorst, Gustav, approb. Arzt aus Lüdinghausen Aus d. Kieler Frauenklinik. Ueber die Entstehung von peritonealen Verwachsungen nach Laparotomie. *Kiel 1901: P. Peters.* (36 S.) 8°
Kiel, Med Diss. v [19. Okt.] 1901

Pernhorst, Heinrich, Prof.: Zur Geschichte des Gymnasiums in Recklinghausen. Recklinghausen 1907: J. Bauer. (S. 3—20.) 4°
Recklinghausen, G OP 1907 (441)

Pernhorst, *Franz* Joseph [app. Arzt aus Lüdinghausen]: Aus d. Univ.-Frauenklinik in Kiel. Über Desmoide Geschwülste der Bauchdecken ... Kiel, Druck v. P. Peters, 1894; 23 S. 8.
Kiel, Med. Fak., Inaug.-Diss. v [9. Aug.] 1894

Pernice. Savigny. Stahl. Berlin 862. Heinicke gr 8 (X, 115 S.) 22½ ngr.

Pernice, Alfred Bemerkungen zur lex Aquilia Weimar Böhlau 1867 25 S. 8°
Halle-Wittenberg. Jur Hab.-Schr v [Mai] 1867
Vollst. Buchausg. ebda u. d. T Zur Lehre von den Sachbeschädigungen nach römischem Rechte VIII, 247 S.

Pernices, Lotharius Antonius **Alfredus,** Phil. Dr.: De comitibus palatii commentatio prior Halis Saxonum 1863. Hendel. 50 S. 8°
Halle-Wittenberg. Jur Diss. v 27 Apr 1863
Geb. [Halle a. d. S. 18. 8. 1841]
Im Buchhandel in Halle bei Anton. V, 53 S. 4°
Mehr nicht ersch.
Des Verf hier latinisierter Familienname lautete Pernice

— de M. Vellei Paterculi fide historica commentatio. Leipzig 863. Engelmann. 4. (2 Bl., 50 S.) 18 ngr.

Pernice, Alfred, formelle Gesetze im römischen Rechte, s.a. Festgabe für Rudolf v. Gneist.

Pernice, A., formelle Gesetze im römischen Rechte. [Aus: „Festgabe f. Rud. v. Gneist".] Lex.-8. (35 S.) Berlin 888. Springer. n. 1.20

Grundriß zu Vorlesungen über Pandektenrecht mit Ausführungen. [Bruchstücke.] Von Alfred Pernice. *Halle [um 1896]: (E. Karras).* [Fing. T.] (18, 109 S.) 8° [94. 1190 6

Pernice, Alfr., Marcus Antistius Labeo. Das römische Privatrecht im 1. Jahrh. der Kaiser-Zeit. 1. Bd. gr. 8. (X, 518 S.) Halle 873. Buchh. d. Waisenh. n. 9. —

Pernice, Alfr., Marcus Antistius Labeo. Das römische Privatrecht im 1. Jahrh. der Kaiserzeit. 2. Bd. gr. 8. (IX, 428 S.) Halle 878, Niemeyer. *

Pernice, Alfr. Labeo. Römisches Privatrecht im 1. Jahrh. der Kaiserzeit. 3. Bd. 1. Abtlg. gr. 8. (VII, 309 S.) Halle a. S. 892, Niemeyer. * 8 —

Pernice, Alfr., Labeo. Röm. Privatrecht im 1 Jahrh. d. Kaiserzeit. 2. Bd. 1. Abtlg. 2., neu bearb. Aufl. gr. 8 (VIII, 509 S.) Halle 895. M. Niemeyer. n. 12.—

Pernice, Alfr., Labeo. Römisches Privatrecht im 1. Jahrh. der Kaiserzeit. 2. Bd. Abt. II. 1. 2. neu bearb. Aufl. gr. 8. (VII, 260 S.) Halle 900. M. Niemeyer. n. 8.—

Pernice, Alfr., zur Lehre von den Sachbeschädigungen nach römischem Rechte. gr. 8. (VIII und 247 S.) Weimar 867, Böhlau. *

Pernice, A., De ratione quae inter praetorem et judicem intercedit observatiunculae. Gel. 1861. 15 S. 4° 1.—

— die sogenannten **res communes omnium,** s.a. Festgabe f. Heinrich Dernburg.

Pernice, Alfr.: Die sog. res communes omnium. Berlin 1900.
(in: Festgabe d. Jur.-Fak. d. Univ. Berlin f. Dernburg.)

—— völkerrechtliches und amtsrechtliches Verfahren in der römischen Kaiserzeit, s.a. Abhandlungen, juristische.

Pernice, Alfr.: Volksrechtliches und amtsrechtliches Verfahren in der römischen Kaiserzeit. Berlin 1885.
(in: Jur. Abhandlungen. Festgabe f. Beseler.)

— s.: **Zeitschrift d. Savigny-Stiftg. f. Rechtsgeschichte.**

Pernice, B., Die staatsrechtlichen Verhältnisse des gräflichen Hauses Giech während des Bestehens des deutschen Reichs und nach der Auflösung desselben. Mit geneal. Tabelle. Halle 1859. 8.

Pernice, Erich, s.: Geschichte, illustr., des Kunstgewerbes. I.

Pernice, Erich, griechische Gewichte. Gesammelt, beschrieben u. erläutert. gr. 8. (VI, 215 S. m. 1 Taf.) Berlin 894. Weidmann. n. 6. —

Pernice, Erich: Zwei antike Motive , s. Hosius, Karl

Pernice, Erich, griech. Pferdegeschirr im Antiquarium d. königl. Museen, s.a. **Programm z. Winckelmannsfeste der archäolog. Gesellsch. zu Berlin.**

Griechisches Pferdegeschirr im Antiquarium d. Kgl. Museen ... v. Erich Pernice. M. 3 Taf. u. 23 Abb. im Text. *Berlin: G. Reimer 1896.* (35 S., 3 Taf.) 1 Bd 4.
— Programm z. Winckelmannsfeste d. archäol. Gesellschaft zu Berlin. [No] 56. [97. 1319

Pernice, Erich, u. Frz. Winter, der Hildesheimer Silberfund der königl. Museen zu Berlin. Hrsg. u. erläutert. gr. Fol. (III, 74 S. m. 43 Abbildgn. u. 46 Lichtdr.-Taf.) Berlin 901. (G. Reimer.) Geb. in Leinw. n. 50. —

— hellenist. Silbergefässe im Antiquarium d. königl. Museen, s.a. **Programm z. Winckelmannsfeste der archäolog. Gesellsch. zu Berlin.**

Hellenistische Silbergefässe im Antiquarium der Königlichen Museen. .. v. Erich Pernice. M. 4 Taf. in Lichtdr. u. 9 Abb. im Text. *Berlin: G. Reimer 1898.* (30 S., 1 Bl., 4 Taf.) 1 Bd 4.
= Programm z. Winckelmannsfeste d. archäol. Gesellschaft zu Berlin. [No] 58. [98. 11204

Königl. Museen zu Berlin. Ausgewählte griechische Terrakotten im Antiquarium der Königlichen Museen zu Berlin. Hrsg. von d. Generalverwaltung. (Verf.: E[rich] Pernice; Vorr.: [Reinhard] Kekule v. Stradonitz, Dir.) *Berlin: G. Reimer 1903.* (28 S., 37 Taf.) 2° [03.

Pernice, Ericus [Gryphiswaldensis]: Galeni de ponderibus et mensuris testimonia ... Bonnae, typ. Caroli Georgi univ. typogr., 1888; 67 S. 8°
Bonn. Phil. Fak., Inaug.-Diss. v. 10. Aug. 1888

Pernice, Herbert (Bearb.), s. Aristophanes: Die Frösche.

Pernice, Herbertus: Commentationes iuris Romani duae. Halis: Anton 1855. XII, 259 S. 8°
Die Commentatio altera: Onus probandi cuinam in actionibus tam confessoria quam negatoria incumbat, habita ratione formularum in antiquo iudiciorum ordine usitatarum exponitur (S. 125—244, dazu von den Indices S. 250—252 und 256—259) ist des Verf. überarb. gekrönte Hallische juristische Preisschrift von 1854.

Pernice, Herb., kritische Erörterungen zur Schleswig-Holsteinischen Successionsfrage mit besond. Rücksicht auf die Schriften des Herrn v. Warnstedt. 2 Bde. in 5 Heften und Suppl.-Heft. gr. 8. (XII und 440 S., VIII und 811 S., und Suppl.-Heft VIII und 104 S. mit 1 Tab. in Imp.-Fol.) Cassel 866, Fischer.

Bd. 1. Cassel. 1866. (Heft 1. Geschiedenheit der Oldenburgischen und Schleswig-Holsteinischen Successionsverhältnisse. ebd. 1865. Heft 2. Die staats- und erbrechtlichen Verhältnisse der Fürstenthümer Schleswig-Holstein. Grösstentheils bearb. v. Theodor Schultze. ebd. 1866.)
Bd. 2. ebd. 1866. (Heft 3. Die lehnrechtlichen Verhältnisse der Herzogthümer. Heft 4. Die Reunionen. Heft 5. Rechtliche Entwickelung der Schleswig-Holsteinischen Successionsfrage seit dem Jahre 1850.)
Supplementsheft. ebd. 1866.

Pernice, Herbert, zur Lehre von der Insinuation der Schenkungen. Inaugural-Dissertation. gr. 8. (XIII, 100 S.) Greifswald 882. (Bamberg.) 1. 60

Pernice, Herbert, **Miscellanea zu Rechtsgeschichte und Texteskritik. I. gr. 8. (V, 175 S.) Prag 869, Calve'sche Universitäts-Buchh. [Halle, Buchh. des Waisenhauses.] * 2 40**

—— Rechtsgutachten betr. die eventuelle Succession der Sonderburger Linie des Hauses Holstein-Oldenburg in das Herzogth. Holstein, abgegeben an die preuß. Regierung den 30. Septbr. 1851. Nebst 6 Beilagen. 4. (IV und 87 S.) Kopenhagen 863, Lose.

— — s.a. Pernice, Ludwig

Pernices, Herbertus Victor Antonius, Phil. Dr.: Summum principum Germanicorum imperium num possit et quatenus possit nexui feudali subiectum esse. Halae 1855: Hendel. VIII, 55 S. 8°
Halle-Wittenberg, Jur. Diss. v. 11. Juni 1855
Geb. Halle a. d. S. [14. 4. 1832]
Hall. jur. gekrönte Preisarbeit v. 1854. Ersch. im Buchhandel Halae: Anton. VIII, 57 S.
Des Verf. hier latinisierter Familienname lautete Pernice.

Pernice, Herbert, die Verfassungsrechte der im Reichsrathe vertretenen Königreiche u. Länder der österreichisch-ungarischen Monarchie. Rechtshistorische Beiträge. 1. Hft. gr. 8. (X, 185 S.) Halle 872. Buchh. d. Waisenh. n. 3. —

Pernice, Herb., zur Würdigung der v. Warnstedt'schen Schrift: Staats- u. Erbrecht der Herzogthümer Schleswig-Holstein, Kritik des Staatsraths Zimmermann und des Geheimeraths Pernice. Eine nothgedrungene Ehrenrettung. Halle 864. Fricke. gr. 8. (49 S.) 12 ngr.

Pernice, Herbertus Victor Antonius, s. Pernice, Herbert

Pernice, Hugo Carolus Antonius: De morbosis ovi humani degenerationibus quas molarum nomine scriptores comprehendunt. Halis Saxonum (1852): Hendel. 18 S., 1 Taf. 4°
Halle-Wittenberg, Med. Diss. v. 6. Apr. 1852
Geb. Halle a. d. S. 9. 11. 1829. V.

Pernices, Hugo Carolus Antonius: Operationum in arte obstetricia examinatio critica et historica. P. 1. Halis 1855: Hendel. 53 S. 8°
Halle-Wittenberg, Med. Hab.-Schr. v. 12. März 1855
Ersch. im Buchhandel unter d. Verf.-Namen Pernice Leipzig: Engelmann 1855. — Der Name des Verf. erscheint hier, wie früher z. T. bei seinem Vater (vgl. Nr. 533 f, 537, 541) und bei seinen juristischen Brüdern (vgl. Nr. 972, 1005) latinisiert.

Pernice, Hugo, die Geburten mit Vorfall der Extremitäten neben dem Kopfe. Leipzig 858. Engelmann. gr. 8. (V, 106 S.) 15 ngr.

Pernice, (Hugo), über den Scheintod Neugeborner und dessen Behandlung durch electrische Reizungen. (Aus den Greifswalder medicin. Beiträgen.) Danzig 863. Ziemssen. Lex.-8. (37 S.) n. 8 ngr.

Pernice, Lothar Anton Alfred, s. Pernice, Alfred

Pernice, Ludwig

(—). — Academiae Frid. Halensis cum Vitebergensi sociatae prorector **Ludwig Pernices** ictus cum directore et senatu nomina civium suorum qui in certamine litterario solennium regis august. natal. caussa in dicto praemia ex ordinum aca demicorum judicio reportarunt renuntiat novasque simul quaestiones in annum sequentem propositas promulgat. — Insunt Johann Friedrich Meckel, Additamenta ad historiam molluscorum piscium et amphibiorum. Halle (Orphanotroph.) 3. VIII. 1832. 41 S. (3.75) 26063

Pernice, L.: Gesch., Alterth. u. Institutionen d. röm. Rechts im Grundr. *Halle*, Gebauer. 821. 8. (9 Gr.)

Pernice, (Ludw.,) Geschichte, Alterthümer u. Institutionen des röm. Rechts im Grundrisse. 2e umgearb. u. mit einer Chrestomathie von Beweisstellen verm. Aufl. gr. 8. Halle 824 Gebauer.

Pernice, Lud. (Aug. Ant.), **Commentatio qua de iure quaeritur quo Principes Hohenloenses tanquam Comites Gleichenses Duci Sax. Coburgensi et Gothano subiecti sint.** 4maj. (6¼ B.) Halis Sax. 835, [Mühlmann.]

— Grundriß zu d. Vorlesungen üb. deutsche Rechtsgeschichte. 8. Halle 822.

(Pernice, Ludwig), Index scholarum in acad. Fridericiana Halensi cum Vitebergensi consociata per hiemen 1832—1833 inde a die 22. X. usque ad diem 22. III. publice privatimque habendarum. Halle (Hendel), (6. IX. 1832). 20 S. (3.25) 26064

[Pernice, Ludovicus]: Commentatio de singulari dynastiae Schaueniae iure et conditione hodierna. Halis 1854: Hendel. S. IIII—LXXVIII. 8° (4°)
Halle-Wittenberg, Progr. z. akad. Preisverteilung 1854

Pernice, Ludw., die Nabelgeschwülste. gr. 8. (VII, 92 S.) Halle a/S. 892. M. Niemeyer. n. 2. —

(Pernices, Ludovicus): Observationes de principum comitumque imperii Germanici inde ab a. 1806. subiectorum iuris privati mutata ratione. Halis 1827: Grunert. S. IIII—XXXVIII. 8° (4°)
Halle-Wittenberg, Progr. z. akad. Preisverteilung 1827
[Nebent.:] Pernices, Ludovicus: Observationes... Halis: Anton 1827. — Buchausg. 1827 bei Anton in Halle.
Der Name des Verf. lautete Pernice, aber in seinen lateinischen Nieder- und Druck-Schriften bediente er (wie seine Söhne Herbert und Alfred) sich auch der Namensform Pernices.

— s. Sexti Pomponii, de origine.

Pernicis, Ludwig (Halle), Quaestionum de jure publico Germanico part. prima. Halle (C. Grunert) 1828. 48 S. (3.75) 26066

— — Dasselbe. Editio secunda auctior et emendatior. Halle (C. Grunert) 1831. 42 S. (3.75) 26067

— — Quaestionum de jure publico Germanico part. secunda. Halle (C. Grunert) 1831. 48 S. (3.75) 26068

— — Quaestionum de jure publico Germanico part. tertia. Halle (C. Grunert) 1835. 34 S. (3.75) 26069

Pernice, Ludw., Rechtsgutachten betr. die eventuelle Succession der Sonderburger Linie des Hauses Holstein-Oldenburg in das Herzogthum Holstein, abgegeben an die preuß. Regierung den 30. September 1851. Nebst 6 Beilagen. Kopenhagen 863. Lose & Delbanco. 4. (IV, 87 S.) 15 ngr.

— — s.a. Pernice, Herbert

— die staatsrechtlichen Verhältnisse des Gräflichen Hauses Giech während des Bestehens des Deutschen Reichs und nach der Auflösung desselben. Ein publicistisches Erachten. Nebst 32 Beilagen. Halle 859. Anton. Lex.-8. (VIII, 184 S. u. 1 Tab. in Fol.) 1 ₰ 15 ngr.

Pernice. Ludwig [aus Pommern]: Ueber die Wirkung localer Blutentziehungen auf acute Hautentzündungen .... Greifswald, Druck v. Julius Abel, 1887; 47 S. 8°.
Greifswald, Med. Fak., Inaug.-Diss. v. 25. Febr. 1887.

Pernice, Ludwig Wilhelm Anton (Halle), De furum genere quod vulgo directariorum nomine circumfertur diss. Accedunt de fumi venditoribus observationes. Göttingen (H. Dieterich) 10. II. 1821. 52 S. (4.—) 26065
Gew.: Johann August Jacobs.

Pernier, L., Antiquités crétoises, s.: Maraghiannis, G.

Pernin, Schatzkästlein fürs Priesterherz. Das geistl. Direktorium des hl. Franz v. Sales zum Gebrauch f. die Priester. Aus dem Franz. übers. (214 S. m. 1 Bildnis.) 16. Linz 906. Preßverein. Geb. in Leinw. n. 1. —

v. Pernin, Ant. Relation über den Zug des Kaisers Karl V wider Tunis im Jahre 1535 [Staatspapiere zur Geschichte des Kaisers Karl V mitgetheilt von Dr K Lanz.] Stuttgart 1845.

Pernin, Karl, Anleitung zum Betrieb des Stoß- und Hiebfechtens in Turnvereinen, April 1879 u. 1891, 99 u. 101 S., 16° 2 Bde

Pernin, Karl, Der Danziger Turn- und Fechtverein v. 1. 5. 1860—1892, Heubude b. Danzig 1892, 60 S., 8°

Pernin, Karl, Wanderungen durch die sogen. Kassubei und die Tuchler Haide als Beiträge zur Landeskenntniß gewidmet seinen westpreuß. Landsleuten, den Turnern und allen Freunden der Natur. 8. (XVIII, 208 S. mit 1 Karte.) Danzig 886, Kafemann. geb. *

Pernis, Jachem J. . Christiana praedgia funeraela... Proponida Sun La IIta. sepultüra del .. Signur Jachem à Travers In Scanf... Anno 1716. die 26. Januarii.... 4. Curiae 1718.

Pernisch, Jakob

Pernisch, J., les bains de Tarasp, s.a. l'Europe illustree.

Pernisch, J[acob]. Les bains de Tarasp (et environs). Avec 30 Illustrations par J[ohann] Weber [dont 5 planches] et une carte. (L'Europe illustrée. № 131. 132.) 8. Zurich ([18]90).

Pernisch, J., les bains de Tarasp-Schuls [Engadine—Suisse], leurs propriétés curatives et indication des maladies auxquelles ils conviennent. Description sommaire à l'usage des médecins. 8. (93 S. mit Illustr.) Chur 886, Hitz'sche Buchh. *

—— la Haute-Engadine, s.a. l'Europe illustrée.

Pernisch de Scanfs, J., la Haute-Engadine. Avec 21 Illustr. (eingedr. Holzschn. u. Holzschn.-Taf.) et 1 (chromolith.) carte. 8. (40 S.) Zürich 878. Orell, Füssli & Co. Verl. n. — 50

— the healthresort of Tarasp-Schuls, Engadine [Switzerland], its remedies and indications. Briefly described for the guidance of physicians. 2. ed. With 9 illustrations and a Diagram. gr. 8. (80 S.) Chur 887. Hitz. n. 1. 80

Pernisch, J., das Oberengadin, s.a. Europe, illustrated.

- s.a. l'Europe illustrée.

Pernisch, J. s.a. *Ober-Engadin.*

- s.a. Wanderbilder, europäische.

Pernisch, J[acob]. Das Oberengadin Mit 21 Illustrationen von J[ohann] Weber [wovon 6 Tafeln] nebst 1 Karte. 8. Zürich.
[1 Aufl.] (Illustrirte Wanderbilder № 8.) [1878.]
2. Aufl. (Europäische Wanderbilder. № 8.) [1880.]

— die amerikanische Schreibmaschine. Mit 3 Illustr. 8. (23 S.) Zürich 884. Orell Füssli & Co. Verl. — 80

— the Kurhaus Tarasp and its environs, s.a. Europe, illustrated.

Pernisch, J[acob]. The Kurhaus Tarasp and its Environs. ⟨Engadine, Switzerland⟩ With 30 Illustrations by J[ohann] Weber [5 Plates] and 1 Map. (Illustrated Europe. № 99. 100.) 8. Zürich ([18]88 - **Umschlag* Zurich [18]90–).

— das Kurhaus Tarasp u. seine Umgebungen, s.a. Wanderbilder, europäische.

Pernisch, J. Das Kurhaus Tarasp und seine Umgebungen. Mit 30 Illustrationen von J. Weber und einer Karte. (Europäische Wanderbilder No 132 u. 133.) Zürich [1888]. 66 S. 8°

Pernisch, J[acob]. Tarasp–Engadin, Schweiz.... Der Bade- und Höhenkurort T'-Schuls. Seine Heilmittel und Indikationen von Dr. med. J. P' †, Kurarzt.... 6., neu revidierte Aufl. [Illustriert.] IV + 72 S. 8. Samaden, Engadin Press Co., 1910.

—— der Kurort Tarasp-Schuls [Engadin, Schweiz], seine Heilmittel und Indicationen. Eine gedrängte Schilderung für Aerzte. gr. 8. (93 S.) Chur 884, (Hitz'sche Buchh.) * 1 20

Pernisch, J. Der Kurort Tarasp-Schuls, seine Heilmittel und Indicationen. Eine gedrängte Schilderung für Aerzte. Zweite Aufl. Mit 3 Illustr. In-8°, 87 S. Chur, Hitz'sche Buchhandlg. (Hitz & Heil). 1885. 1 35

—— der Kurort Tarasp-Schuls [Engadin, Schweiz], seine Heilmittel und Indicationen. Eine gedrängte Schilderung für Aerzte. 3. Aufl. gr. 8. (84 S. mit 9 Illustr. und 1 graph. Taf.) Chur 887, Hitz'sche Buchh. *

— der Kurort Tarasp-Schuls [Engadin, Schweiz], seine Heilmittel u Indicationen. Eine gedrängte Schilderg. f. Aerzte. 4. Aufl. 8. (87 S. m. 7 Illustr. u. 1 farb. Taf.) Chur 892. (Hitz.) n. 1. 80

Pernisch, J[acob]. Der Kurort Tarasp-Schuls ⟨Engadin, Schweiz⟩, seine Heilmittel und Indicationen. Eine gedrängte Schilderung für Aerzte von Dr. med. J. P' †, Kurarzt.... 5. Aufl., revidiert von Dr. med. Karl Meyer-Hürlimann, Kurarzt ... — *Aufdruck:* 5. neu revidierte Aufl. —. [Illustriert.] II + 88 S. 8. Samaden, Simon Tanner, 1901.

Pernisch, J., the Upper-Engadine, s.a. Europe, illustrated.

Pernisch de Scanfs, J., the Upper-Engadine. With 21 Illustrations (Holzschntaf. und eingedr. Holzschn.) by J. Weber and 1 (chromolithogr.) map. 8. (40 S.) Zürich 878, Orell, Füssli und Comp. * — 50

Pernisch, J[acob]. Zuz im Oberengadin... als Klimatischer Kurort (* *Umschlag:* als Luftkurort). [Mit 1 Tabelle.] 8. Chur 1876.

Pernitsch, H., Anweisung zur Waldwerthberechnung. gr. 8. Leipzig, Hartmann. 820.

Pernitza, Emil, Bau u. Entwicklung d. Erstlingsgefieders, beobachtet am Hühnchen. (Mit 1 (lith.) Taf. (in qu. 4.) [Aus: „Sitzungsber. d. k. Akad. d. Wiss."] Lex.-8. (11 S.) Wien 871. (Gerold's Sohn.) n. — 60

Pernitzsch, Gerhard, Dolmetscheraspirant: Verursachung und Verschuldung als Voraussetzungen der Schadenshaftung nach Reichsrecht. Berlin 1907: Vaterl. Verlags- u. Kunstanstalt. (74 S.) 8°
Leipzig, Jur. Fak., Diss. v. 7. Juli 1908
[Geb. 9. März 82 Treben (Sachsen-Altenburg); Wohnort: Shanghai; Staatsangeh.: Sachsen; Vorbildung: Thomas-Sch. Leipzig Reife O. 02; Studium: Berlin 6 S.; Rig. 7. Nov. 05.]

PERNITZSCH, Heinrich Gottlob: Anleitung zur Einrichtung, zweckmässigen Verwaltung und möglichst hohen Benutzung der Forste, vorzüglich der Privatforste. - Leipzig 1836. 252 S., m. Tab., Beil., 1 Kt. - 2. Ausg. ebd. 1843. 252 S.

—— praktische Anweisung zur Anstellung von Versuchen u. Benutzung von Erfahrungen f. forstwissenschaftl. Zwecke. 1. u. 2. Aufl. gr. 8. (à 14½ B. u. 14 Hülfstaf.) Frankfurt a. M. 842, Sauerländer's Verl. à

PERNITZSCH, Heinrich Gottlob: Anweisung zur Waldwerthberechnung. - Leipzig 1820. 164 S.

Pernitzsch, (Heinr.,) die Arithmetik u. Algebra in aufgelöster u. mit Erklärung versehenen Aufgaben zum Selbstunterricht insbesondere für angehende Forstmänner. gr. 8. Leipz. 823. Baumgärtner. 420 S.

Pernitzsch, Heinr. G., Beantwortung d. Preisfrage: Wie kann d. Forstwesen in Sachsen auf d. Beförderung d. Gewerbe einwirken, namentlich durch d. Anbau v. Fabrikhölzern, Ahorn, Buchen rc. gr. 8. (4 B.) Leipzig 834, (Hermann u. Langbein.) Aus „Acta Societ. Jablonovianae" besond. abgedruckt.

Heinrich Pernitzsch

Flora von Deutschlands Wäldern, mit bes. Rücks. auf praktische Forstwissenschaft entworfen von Heinrich Pernitzsch. Leipzig: Baumgärtner 1825. VI,332 S. 8°

—— Untersuchungen üb. Zuwachs, Bewirthschaftung, Ertrag, Rente, Besteuerung u. Kapitalwerth der Wälder, begründet auf 30jähr., bei deren Bewirthschaftung gemachte Erfahrungen u. mathematische Lehrsätze. Mit 35 Hülfstafeln u. e. Anweisung z. Gebrauche derselben. gr. 8. (17 B. u. 3 Tab.) Frankfurt a. M. 842, Sauerländer's Verl.

Pernold, Emanuel —. Firmenbuch. Enthaltend nach alphabetischer Ordnung alle bei dem hohen k. k. Handelsgerichte in Wien protokollirten Handels-, Fabriks- und Gewerbsfirmen mit Angabe ihrer Domicile. Zusammengestellt durch den Herausgeber — —. Wien, 1835. Druck von Leopold Sommer. (254 S. 8.) geh.

Pernold, Emanuel —. Firmenbuch. Enthaltend nach alphabetischer Ordnung alle bei dem hohen k. k. Handelsgerichte in Wien protokollirten Handels-, Fabriks- und Gewerbs-Firmen mit Angabe ihrer Domicile. (Abgeschlossen am 30. Dezember 1853.) 8 (176 S.) Wien. Gedruckt bei Leopold Sommer. 1854.

Pernold, Emanuel — Firmenbuch. Enthaltend nach alphabetischer Ordnung alle bei dem hohen k. k. Handelsgerichte in Wien protokollirten Handels-, Fabriks- und Gewerbs-Firmen mit Angabe ihrer Domicile. Redigirt und herausgegeben von — —. Wien, 1856. Druck und Papier von Leopold Sommer. (XVI. 275 S. 8.)

Pernold, Emanuel, *Grem. Secret. d. k. k. priv. bgl. Handelsstds. in Wien.* Firmenbuch. Enthaltend nach alphab. Ordnung alle bei dem hohen k. k. Handelsgerichte in Wien protocollirten Handels-, Fabriks- und Gewerbs-Firmen mit Angabe ihrer Domicile. V. Jhrg. *Wien* 1858. Druck v. *L. Sommer.* 404 S. 8°. 2 fl.

Pernold, Eman., Firmenbuch. Enth. die bei den k. k. Handelsgerichten in Wien u. in den Kronländern in neuester Zeit protokollirten Firmen, wie auch andere Geschäftsfirmen. 10. Jahrg. Wien 864. Gorischek. gr. 8. (IV, 351 S.) n. 2 ₰ 20 ngr.

Pernold, Emanuel —. Gremial-Almanach für das Jahr 1854. Dem löblichen k. k. priv. Gremium des bürgerlichen Handelsstandes in Wien hochachtungsvoll gewidmet von — —. 8. (168 und LXXXII S.) Wien. Gedruckt bei J. P. Sollinger's Witwe.

Pernold, Math., der Schreiblesеunterricht. Ein method. Fingerzeig für Lehrer an Volksschulen. gr. 8. (56 S. mit 2 Stnt. in qu. 4.) Szegedin 858,59, Burger. *

Pernolet, über die mechanische Aufbereitung der silberhaltigen Bleierze am Oberharze, s. Hennezel de.

Pernot, Alfr., Enseignement par l'aspect. Méthode Pernot. Leçons de choses et grammaire. (148 S. m. Abbildgn.) gr. 8. Esslingen (903). J. F. Schreiber. Geb. in Leinw. n 3. —

— and Frederick E. Akehurst, Teaching by picture. The Pernot method. Object lessons and grammar. (143 S. m. Abb.) 8. Ebd. (904). Geb. in Leinw. n. 3.—

Pernot, Jules, Handlexikon der modernen Kochkunst. Durchgesehen u. ergänzt v. M. Richter. (V, 498 S.) kl.8. Nordhausen(910).H.Killinger. Geb. in Leinw. 5.—

Pernoù, Max, üb. den Eisengehalt der Milzzellen d. Rinderfoetus, Kalbes u. erwachsenen Rindes. Inaug.-Diss. gr. 8. (46 S.) Dorpat 890. (Karow.) n. 1. 20

Pernoux, Charles. Die Formen des Praesens Indicativi von Être im galloromanischen Sprachgebiet, nach dem Atlas linquistique de la France Diss. Phil. Basel. [Mit 6 Karten.] 132 S. 8. Neuchâtel ⟨Schweiz⟩, Attinger Frères, 1909.

Pernowski, J., der ächte kleine Russe. Anleitung, die russ. Sprache in 8 Tagen ohne Lehrer richtig lesen, schreiben u. sprechen zu lernen. Mit beigefügter Aussprache. 16. (221 S.) Hamburg 888. Berendsohn. n. 1. —; geb. 1. 20

Pernsteiner, Geo., geschichtliche Notizen üb. d. Markt Hofkirchen a. D. gr. 8. (3 S.) Hofkirchen 900. (Passau, M. Waldbauer.) n. — 20

Pernt, Max, Tafeln zum Abstecken v. Kreis- u. Uebergangsbögen durch Polarkoordinaten. Mit e. Vorworte u. Gebrauchsanleitgn. v. Alfr. Birk. (XVI, 129 S. m. Fig.) 8. Wien 903. A. Hartleben. Geb. in Leinw. n. 3.60

Pernter, Alois: Professor Franz Stadelmann, † *1. August 1898.* 8 (S. 106—107). Progr K. k. G. *Triest* 1899.

Pernter, Josef Maria

Pernter, Jos., über die Absorption dunkler Wärmestrahlen in Gasen u. Dämpfen, s.: Lecher, E.

Pernter, J. M., Beitrag zu den Windverhältnissen in höheren Luftschichten. Lex.-8. (15 S.) Wien 884. (Gerold's Sohn.) n.n. — 30

— Meteorologische Beobachtungen an der Kais. Kgl. Universität Innsbruck. Jahr 1891—92. [Sonder-Abdruck.] Innsbruck 1891—93.

— Historische Einleitung zum Jubelband zur Feier des fünfzigjährigen Bestandes der k. k. Zentralanstalt für Meteorologie und Erdmagnetismus. 1) 73. III. vgr Separatabdruck

Pernter, J. M., zur Erklärung des täglichen Ganges der Windgeschwindigkeit. [Aus: „Sitzungsber. d. k. Akad. d. Wiss."] Lex.-8. (15 S.) Wien 893. (F. Tempsky.) n. — 30

Pernter, J. M., Erklärung des fälschlich „weisser Regenbogen" benannten Bouguer'schen Halos. (27 S. m. 6. Fig.) gr. 8. Wien 905. (A. Hölder.) n. — 70
Sonderabdruck aus: „Sitzungsber. d. k. Akad. d. Wiss."

Pernter, J. M., die blaue Farbe d. Himmels, s.: Vorträge d. Vereines zur Verbreitung naturwissenschaftlicher Kenntnisse in Wien.

Vorträge des Vereines zur Verbreitung naturwissenschaftlicher Kenntnisse in Wien. Dreissigster Jahrgang Heft 7. Inhalt: Dr. J. M. Pernter, Die blaue Farbe des Himmels. Vortrag, gehalten den 15. Januar 1890. 8. (23 S.)
Wien: Hölzel 1890. —.25

Pernter, J. M., die Farben d. Regenbogens u. der weisse Regenbogen. [Aus: „Sitzungsber d. k. Akad. d. Wiss"] gr. 8. (101 S. m. 3 Steintaf.) Wien 897. (C. Gerold's Sohn.) n. 2. —

Festrede zur Feier des 50jährigen Bestandes der Zentralanstalt für Meteorologie und Erdmagnetismus in Wien. Al. 1902. 75 vgr.
Separatabdruck

— der Formenreichtum der Schneekristalle, s.a. Vorträge des Vereines zur Verbreitung naturwiss. Kenntnisse in Wien. 46.

Pernter, J. M., Der Formenreichtum der Schneekristalle. [Vorträge d. Vereines z. Verbreitung naturw. Kenntnisse. XLVI. Jahrg. Heft 15.] 8°. (ill. 15 S. mit 16 Tafeln) K 1.50
Wien: Braumüller 1906.

Pernter, J. M., voraussetzungslose Forschung, freie Wissenschaft u. Katholicismus. gr. 8. (32 S.) Wien 902. W. Braumüller. n. 1. 20

— über den täglichen u. jährlichen Gang des Luftdruckes auf Berggipfeln u. in Gebirgsthälern. [Mit 5 (lith.) Taf.] [Aus: „Sitzungsber. d. k. Akad. d. Wiss."] Lex.-8. (42 S.) Wien 881. (Gerold's Sohn.) n. 1. 40

— besondere Gattungen gefürchteter Winde bei uns u. anderwärts, s.: Vorträge des Vereines zur Verbreitung naturwiss. Kenntnisse in Wien. 44. Jahrg. 14. Heft.

— die scheinbare Gestalt des Himmelsgewölbes u. die scheinbare Grösse der Gestirne, s.: Vorträge des Vereines zur Verbreitung naturwissensch. Kenntnisse in Wien. 41. Jahrg 7. Hft.

— üb. d. Häufigkeit, d. Dauer u. d. meteorolog. Eigenschaften des Föhns in Innsbruck. [Aus: „Sitzungsber. d. k. Akad. d. Wiss."] Lex.-8. (35 S.) Ebd. 895. n. — 60

— üb. die Höfe u. Ringe um Sonne u. Mond u. verwandte Erscheinungen, s.: Vorträge d. Vereines zur Verbreitung naturwissenschaftlicher Kenntnisse in Wien.

Pernter, J. M. Über die barometrische Höhenmessformel. Wien 1880?

— die allgem. Luftdruckvertheilung u. die Gradienten bei Föhn. [Aus: „Sitzungsber. d. k Akad. d. Wiss."] gr. 8. (21 S. m. 1 Fig. u. 1 Taf.) Ebd. 896. n. — 80

— Luftspiegelungen u. Fata Morgana, s.: Vorträge d. Vereines zur Verbreitung naturwissenschaftl. Kenntnisse in Wien. 42. Jahrg. 14. Hft.

— Messungen der Ausstrahlung auf dem Hohen Sonnblick im Febr. 1888. [Mit 3 Textfig.] [Aus: „Sitzungsber. d. k. Akad. d. Wiss."] Lex.-8. (25 S.) Wien 889. (Tempsky.) n. — 50

— allerlei Methoden, das Wetter zu prophezeien, s.: Vorträge des Vereines zur Verbreitung naturwiss. Kenntnisse in Wien.

Pernter, J. M., Dr., Die Niederschlags-Verhältnisse der Umgebung von Bozen in den Jahren 1891—93. (Sonder-Abdr.) Innsbruck 1892—93.

— meteorologische Optik. 1. u. 2. Abschn. gr. 8. (VIII, 212 S. m. Fig.) Wien 902. W. Braumüller. n. 4. 20

— meteorologische Optik. 3. Abschn. (S. 213–558 m. Fig. u. 6 Taf.) Lex.-8. Wien 903. W. Braumüller. n. 9. —

Pernter, J. M., meteorologische Optik. 4. Abschn. v. Fel. M. Exner. (XVII u. S. 559—799 m. 224 Fig.) Lex. 8. Wien 910. W. Braumüller. 10.— (Vollst. 25.—)

Pernter, Dr. Josef M., Psychrometerstudie. (S.-A.) gr. 8. (18 S.) Wien, *Carl Gerold's Sohn. 18 kr. 1885.

— Psychrometer-Tafeln, s.: Jelinek.

Pernter, J. M., Scintillometer-Beobachtungen auf dem hohen Sonnblick [3095 m] im Februar 1888. Lex.-8. (8 S.) Wien 888, (Tempsky.) *
Aus: Sitzungsberichte der k. Akademie der Wissenschaften, besonders abgedruckt.

— Falbs kritische Tage, s.: Sammlung populärer Schriften, hrsg. v. der Gesellschaft Urania.

— Zur Theorie der „schönsten der Haloerscheingn." (32 S.) gr. 8. Wien 907. A. Hölder. — 90
Sonderabdruck aus: „Sitzungsber. d. k. Akad. d. Wiss."

— zur Theorie des v. e. kreisförmigen Lichtquelle erzeugten Regenbogens. (17 S. m. 3 Fig.) gr. 8. Wien 905. (A. Hölder.) n. — 50
Sonderabdruck aus: „Sitzungsber. d. k. Akad. d. Wiss."

— Untersuchungen üb. die Polarisation d. Lichtes in trüben Medien u. des Himmelslichtes m. Rücksicht auf die Erklärung der blauen Farbe des Himmels. Zum Jubiläum der k. k. Centralanstalt f. Meteorologie u. Erdmagnetismus in Wien. gr. 4. (28 S.) Wien 901. (C. Gerold's Sohn.) n. 1. 90
Sonderabdruck aus: „Denkschr. d. k. Akad. d. Wiss."

— ein Versuch, der richtigen Theorie des Regenbogens Eingang in die Mittelschulen zu verschaffen. 2. Aufl. m. e. Zusatz. gr. 8. (22 S. m. 11 Fig. u. 1 Taf.) Ebd. 900. n. — 80
Sonderabdruck aus: „Zeitschr. f. österr. Gymnasien".

— die tägliche telegraphische Wetterprognose in Oesterreich. Eine Anleitg. zum Verständnis u. zur besten Verwertg. derselben. Mit 8 Wetterkarten. (61 S.) kl. 8. Wien 904. W. Braumüller. n. — 50

— Die tägliche telegraphische Wetterprognose in Österreich. Eine Anleitg. zum Verständnis u. zur besten Verwertg. derselben. Mit 8 Wetterkarten. 2. veränd. Aufl. (61 S.) kl. 8. Wien 907. W. Braumüller. — 50

PERNTER, J. M.
(F) Das moderne Wetterschiessen. Von Dr. J. M. Pernter. Sonderabdruck aus der Zeitschrift „Die Kultur", herausgegeben von der österr. Leo-Gesellschaft in Wien. Stuttgart und Wien. [1901.] Roth. Gr.-8°. 16 S. K —.48

— die Windverhältnisse auf dem Sonnblick u. einigen anderen Gipfelstationen. [Aus: „Denkschr. d. k. Akad. d. Wiss."] Imp.-4. (81 S.) Wien 891. (F. Tempsky.) n. 5. —

Pernter, J. M., Dr., Die Wolken. Vortrag, gehalten am 4. Januar 1893. Wien 1893.

— s.: Zeitschrift, meteorologische.

Pernwerth v. Bärnstein, Adf., Beiträge zur Geschichte u. Literatur des deutschen Studententhumes von Gründung der ältesten deutschen Universitäten bis auf die unmittelbare Gegenwart, mit besonderer Berücksichtigung des XIX. Jahrh. 8. (XIII, 156 S.) Würzburg 882. Stuber's Verl. n. 3. —

— carmina burana selecta. Ausgewählte lateinische Studenten-Trink- u. Liebeslieder des 12. u. 13. Jahrh. aus dem Codex buranus, mit neudeutschen Uebertragungen, geschichtlicher Einleitung, Anmerkungen u. Beigaben. Eine literatur- u. culturgeschichtliche Studie, zugleich ein Liederbuch. 8. (XXX, 176 S.) Würzburg 879. Staudinger. n. 2. 40

Pernwerth v. Bärnstein, A., in duplo. Gedichte zugleich in lateinisch-rhythm. u. in deutscher Fassg. Mit e. kurzgefaßten Geschichte der lateinisch-rhythm. Dichtg. 12. (XXII, 110 S.) München 888. Literarisch-artist. Anstalt. n. 2. 40; cart. n. 2. 60

Pernwerth v. Bärnstein, Adf., Imitata. Lateinische Nachbildgn. bekannter deutscher Gedichte. M. e. kurzgefassten Geschichte d. lateinisch-rhythm. Nachbildg. deutscher Gedichte. 12. (XV, 94 S.) Leipzig 897. Dietorich. n. 1. —; geb. in Leinw. m. Goldschn. n. 1. 50

— ubi sunt, qui ante nos in mundo fuere? Ausgewählte lateinische Studenten-, Trink-, Liebes- u. andere Lieder des 14. bis 18. Jahrh. aus verschiedenen Quellen, mit neudeutschen Uebertragungen, geschichtlicher Einleitung, Erläuterungen, Beigabe u. einer Abbildung (in Aubeldr.). Eine literaturgeschichtliche Studie, zugleich ein Liederbuch. 8. (XIV, 162 S.) Würzburg 881. Stuber's Verl. n. 3. —; geb. n. 4. —

Pernwerth von Bärnstein, Friedrich, a. München: Die Dampfschiffahrt auf dem Bodensee und ihre geschichtliche Entwicklung während ihrer ersten Hauptperiode (1824—1847). Unter Benutzung amtlicher Quellen. Lucka 1904: R. Berger. (164 S.) 8°
Würzburg, Jur. Fak., Ref. Schanz, Diss. v. 15. Dez. 1904
[Geb. 19. Juni 73 München; Wohnort: München; Staatsangeh.: Bayern; Vorbildung: Altes Gymn. Regensburg Reife Juli 92; Studium: München 4, Straßburg 2, Würzburg 2 S.; Rig. 14. Dez. 04.]

Pernwerth v. Bärnstein, Frdr., die Dampfschiffahrt auf dem Bodensee, s. a. Wirtschafts- u. Verwaltungsstudien m. besond. Berücksicht. Bayerns. XXI. XXII.

Die Dampfschiffahrt auf dem Bodensee und ihre geschichtliche Entwicklung während ihrer ersten Hauptperiode. (1824–1847.) Unter Benützung amtl. Quellen von Friedrich **Pernwerth** v. Bärnstein. *Leipzig: A. Deichert 1905.* (X, 241 S.) 8° [F.]
— Wirtschafts- u. Verwaltungsstudien mit bes. Berücks. Bayerns. 21.
F4 15229

Die Dampfschiffahrt auf dem Bodensee und ihre geschichtliche Entwicklung im Zusammenwirken mit den Eisenbahnen während ihrer zweiten Hauptperiode (1847–1900). Mit 1 Karte. Unter Benützung amtl. Quellen von Friedrich **Pernwerth** v. Bärnstein. Leipzig: A. Deichert Nachf. 1906. (XIV, 302 S.) 8° [F.]
— Wirtschafts- u. Verwaltungsstudien mit besond. Berücks. Bayerns. 22.
I06. 7235

Pernwinkler, A., Kunst d. d. Routine in 3 oder 4 Monaten französisch sprechen zu lernen. 8. Augsburg, Daisenberger.

Pernwinkler, A., Kunst, durch die Uebung in 3 od. 4 Monaten französisch sprechen zu lernen. N. Aufl. 8. Regensb. 812. Daisenberger. 5 gr

Peroch, Sigismondo, Grammatica francese, s. Kunst, die, der Polyglottie.

Peroch Sigismondo. Grammatica tedesca. Per lo studio autodidattico, con numerosi temi, esercizi di conversazione e una chiave completa. (Grammatik der deutschen Sprache für Italiener.) 8. (VII, 182 S.) (Bibliothek der Sprachenkunde, 54. Theil.) Gebdn. 1.10
Wien: Hartleben 1897.

Perold, Abraham Izaak), a. Paarl (Capland): Über die Verbindungen der Wolle mit farblosen Aminen und Säuren. Halle a. S. 1904: Wischan & Burkhardt. (39 S.) 8°
Halle, Phil. Fak., Ref. Volhard, Diss. v. 7. Nov. 1904
[Geb. 20. Okt. 80 Daljosaphat, Capland; Wohnort: Paris; Staatsangeh.: Großbritannien; Vorbildung: Victoria College Stellenbosch Bach. of Arts. Dez. 01; Studium: Halle 6 S.; Rig. 29. Okt. 04.]

Peron, s. Perron

Péronne, from Lincoln to Mac Kinley, s.: Authors, Engl.

Péronne, Johannes [Dr.]: Über den neusprachlichen Unterricht. Beobachtgn u. Erfahrgn. Berlin, R. Gaertner, 1896; 25 S. 4.
Berlin, Fünfte St. R '(HB)', OP 1896 (119)

Péronne, Johannes [aus Berlin]: Über englische Zustände im XVIII. Jahrhundert nach den Romanen von Fielding und Smollett. . . Berlin, Druck v. W. & S. Löwenthal, 1890; 51 + 1 S. 8°
Leipzig, Phil. Fak., Inaug.-Diss. v. 27. Febr. 1890

The United States, their origin and growth. Partly adapted from the 'History of the United States' by Prof. Edward Channing. Mit Anm. z. Schulgebr. hrsg. von Dr. J[ohannes] **Péronne**. [Nebst] Anh. u. Wörterbuch. Bielefeld & Leipzig: Velhagen & Klasing 1904. 3 Bde 8°
= **Sammlung,** Velhagen & Klasings, franz. u. engl. Schulausgaben. English authors. Lfg 92 B.

Peronnet, . . ., Andachtsbuch f. kranke u. sterbende Christen; aus d. Französ. gr. 8. Bamb. 794. N. Aufl. 812. (Wesché in Frankf. a. M.) 20 gr

Peronnet, . . ., Gebete u. Betrachtt. für kranke u. sterbende Christen, u. die, welche sie umgeben. 8. Frankf. a. M. (Wesché). 12 gr

Perontinus, Jan. De consiliis ac dicasteriis quae in urbe Vindobona habentur. Halae 1732. V: *Jannonius, Petrus.* Ü: *Forlosia, Nic.* (wr)

Perot, J. M. A., Mensch u. Gott. Physiologische Betrachtungen über den Menschen, seinen Ursprung u. sein Wesen. Nebst einem poetisch-philosophischen Anh. Auf den Wunsch des Verf. in das Deutsche übertragen. 8. (VII, 219 S.) Leipzig 882. Thomas in Comm. n. 3. —

Perouse, la, s. Peyrouse.

Peroux, Joseph Nicolaus. Pantomimische Stellungen von Henriette Hendel. Nach der Natur gezeichnet und .. herausgegeben von Joseph Nicolaus Peroux, in Kupfer gestochen durch Heinrich Ritter. Nebst einer historischen Erläuterung von ... Vogt. Zu finden bei dem Kunstmaler J. N. Peroux in Frankfurt a. M. [1809].
12 S.; 26 Taf. in Kupferst. gr 2°.

Perovits, Milosch. Die pädagogischen Ansichten des Dositheus Obradović. Ein Beitrag zur Geschichte der Aufklärungspädagogik. Diss. Phil. I. Univ. Zürich. 73 S. 8. Belgrad, S. Horowitz, 1906.

[Russ.] Sofija **Perovskaja.** *.* *Berlin: G. Štejnic 1903.* (58 S.) 8°
[Auf d. Umschl.:] *.* Sophie Perowskaja.
(Izvěstnějšaja russkaja biblioteka. Č. 41.)

Perozzo, Luigi, neue Anwendungen der Wahrscheinlichkeits-Rechnung in der Statistik, insbesondere bei der Vertheilg. der Ehen nach dem Lebensalter der Ehegatten. Deutsch bearb. v. Osc. Elb. gr. 4. (33 S. m. Fig. u. 1 Chromolith.) Dresden 883. Knecht. n. 2. 40

Perpéet, C. H., Anweisung zur kaufmännischen Arithmetik im Umfange d. gewöhnlichen Geschäfts-Verkehrs. Mit Muster- u. Uebungs-Aufgaben aus der alltägl. Praxis u. nach den gegenwärt. Münz-, Mass-, Gewichts- u. Cours-Verhältnissen Deutschlands u. d. Auslandes. Zum Selbstunterricht f. angeh. Kaufleute, Gewerbtreibende u. Jedermann. gr. 8. (116 S.) Krefeld 876. Klein in Comm. n. 2. —

Perpeet, C. H., leichtfaßliche Anweisung zur doppelten Buchhaltung. Theoretisch u. praktisch nach den bewährtesten Grundsätzen u. Regeln für den Selbstunterricht dargestellt. Crefeld 858. (Gehrich u. Co.) gr. 8. (128 S.) n. 22½ ngr.

—— die kaufmännische Arithmetik im Umfange des gewöhnlichen Geschäftsverkehrs. Mit Muster- und Uebungs-Aufgaben aus der alltägl. Praxis und nach den gegenwärtigen Münz-, Mass-, Gewichts- und Cours-Verhältnissen Deutschlands und des Auslandes. Zum Selbstunterricht für angeh. Kaufleute, Gewerbtreibende und Jedermann. 2. Aufl. 8. (116 S.) [Berlin 878.] Leipzig, Grieben's Verlag. * 1 —

Perpeet, C. H., der Bordholz-Berechner, ob. Tabellen z. Reduction d. geschnitt. Holzes nach Quadratfuß. Ein unentbehrl. Handb. f. Schreiner u. Holzhändler. 8. (9⅓ B.) Crefeld 840, Funcke'sche Buchh. (?)

Perpéet, C. H., die doppelte Buchhaltung. Theorie u. Praxis in neuer vereinfachter Darstellg., unter Mitwirkg. seines Sohnes Johs. Edm. Perpéet. gr. 8. (IV, 106 S.) Leipzig 891. (Voß' Sort.) n. 1. 50

—— der Klotzholz-Berechner, od. Tabellen z. Reduction d. vierkantigen Holzes nach Cubikfuß. Ein unentbehrl. Taschenb. f. Schreiner, Holzhändler, Zimmerleute, Werkmeister 2c. 4. (4 B.) Crefeld 840, Funcke'sche Buchh. (?)

Perpeet, C. H., Probe-Bilanzen in der doppelten Buchhaltung mit u. ohne Conto-Corrent-Buch. Ein Beitrag zur Praxis der systemat. Buchführg. m. besond. Berücksicht. d. gewöhnl. Waren- u. Fabrik-Geschäfts. gr. 8. (40 S.) Crefeld 884. (Kramer & Baum.) n. 1. —

Perpeet, Heinr., Fastenpredigten. 1—4. Cyclus. gr. 8. Münster, Aschendorf. à n. — 80
1. Das hl. Kreuz, dargestellt in 6 Bildern. Nebst Anh.: Charfreitags-Predigt: Zwei Worte Jesu vom Kreuze herab an uns Alle. (78 S.) 884.
2. Ueber den Fall u. die Auferstehung d. Apostelfürsten Petrus. Nebst Anh.: Charfreitags-Predigt: Christi Leiden — das Muster e. wahren Buße. (70 S.) 885.
3. Stationen auf dem Wege zur Hölle. Nebst Anh.: Charfreitags-Predigt: Von der Andacht zum leidenden Erlöser. (80 S.) 885.
4. Stationen auf dem Wege zum Himmel. Nebst Anh.: Charfreitags-Predigt: Vom Leiden u. Sterben Jesu, seinen Ursachen u. Wirkgn. (80 S.) 886.

—— Predigten auf die Sonn- und Festtage des katholischen Kirchenjahres. 1. Bd.: Die Sonntage des kathol. Kirchenjahres. 1.—4. Abth. gr. 8. Ebendas. *
Inhalt:
Abthl. 1. Der Weihnachts-Festkreis. (III, S. 1—108.) 886. *M 1.—
" 2. Der Oster-Festkreis. (S. 109—252.) 887. M 1.20.
" 3. u. 4. Der Pfingst-Festkreis. (S. 253—511.) 887. M 2.30.

PERPER, JACQUES. Beiträge zur Kenntnis der arsenigsauren Salze. (Bern) Berlin [1890].

Perpetua. Geschichte in Briefen aus d. Urzeit d. Christenthumes v. Theobul J. S. M. 2 Thle. Orig.-Aufl. 18. (15 B.) Wien 830, Schrämbl. (Leipzig, Liebeskind.)

Perpetuum mobile, über das sogenannte, besonders über d. Geiserische sich selbst im Gang erhaltende Pendeluhr, mit 1 Abbild. 8. Frankfurt a. M., Andreäische Buchhandl. 818.

Perpiñá, Bonifacius u. Possevin, der Jesuiten, ausgewählte pädag. Schriften, s. a. Bibliothek d. kathol. Pädagogik. XI.

Der Jesuiten (Petrus) **Perpiñá**. Bonifacius (Juan Bonifacio) und (Antonio) Possevin Ausgewählte pädagogische Schriften. Übers. von J(osef) Stier, H(einrich) Scheid, G(eorg) Fell, Mitgliedern d. Ges. Jesu. *Freiburg i. B.: Herder 1901.* (x, 564 S.) 8° [F.]
— **Bibliothek** d. Katholischen Pädagogik. 11. [01. 1846

Perpovedi, Prijetne sa otróke. Is Némshkiga naslovénili mladi duhóvni v' Zelovhski duhovshnizi. V' Zelovzi, v. Kleinmayr. 1832. 84 S. (2. Aufl. v.: Pripovedi. — Verf.: Christoph v. Schmid.)

Perx, Henry, Ersparnisse für Gas-Consumenten. Mit 2 in den Text gedr. Holzschn. Berlin 858. Plahn. gr. 8. (23 S.) n. 4 ngr.

Perrault, Charras u. Dodarts, Abhandll. zur Naturgeschichte der Thiere u. der Pflanzen. 3 Bde. Mit Kpf. gr. 4. (Leipz.) 757. Arkstee. 12 ℛ

Perrault, Abrégé de l'Histoire naturelle p. l'instr. de la jeunesse, imitée de l'allem. de Raff. 2 Vol. av. fig. gr. 8. Strasb. König. 787

— — le même. 4 Vol. av. fig. 12. Bern, Haller. 795.

— zur natürl. Historie der Thiere dienl. Nachrr.; aus d. Französ. v. G. L. Huth. 4. Nürnb. 753.

Perrault, Charles

Perrault, le Barbe-Bleu, s.: Prosateurs francais.

— la belle et la bête, s.: Prosateurs francais.

Perrault, Cendrillon, hrsg. v. Emil Tournier, s.: Prosateurs français. 91. Lfg.

Perrault, Charles, contes de fées, hrsg. v. G. Schmidt, s. Jugendlesebücher, fremdsprachl., illustr.

Perrault, Charl., Contes des Fées, s. a. Livre, le, des enfants, Pt. 1.

— Contes de fées, s. a. Schulbibliothek, französ. u. englische.

Perrault, Ch.: Contes des fées. Avec 10 fig. 8°
Leipzig 1820 (W. Nauck).

Perrault, Ch., Contes des fées. Avec 10 fig. gr. 18. Leips., Sommer. 820.

Perrault, Ch., contes de ma mère l'oie, s. a. Collection d'auteurs franc.

— les contes de ma mére l'oie, hrsg. v. Ludw. Appel, s. Klassiker-Bibliothek, französisch-englische.

Perrault, de ma mère L'oye, ou histoires du temps passé, 8. Berl. Sander. 770.

Perrault d'Armancour, Contes de ma mère loye, ou hist du temps passé. — Mährchen aus d. alten Zeit, od. Erzähl. d. Mutter Gans. Neue v. J. D. Sander verbess. Aufl. Mit 10 Steintaf. 8. Berlin 825, Sander.

Perrault, Charles. Feenmärchen für die Jugend ... Leipzig 1822. Ü: *Gleich*, *Friedrich*. (Ky) (MGT)

Perrault, (C.) Feenmährchen f. die Jugend. Mit 8 illum Kpfrn. (u. dem französ. Text zur Seite.) 8. Leipzig 822, Hinrichs.

— dass., ganz deutsch, ohne Kpfr. 8. Leipz. 825, Hinrichs.

Perrault, Ch.: Manuel élémentaire etc. d'après l'ouvrage allemand de Mr. Stoy. Avec un Atlas de 150 planches in 4. Bresl., W. G. Korn.

PERRAULT. *Märchen* nach Perrault, neu erzählt von MORIZ HARTMANN, illustriert von GUSTAV DORÉ. Stuttgart, Ed. Hallberger (c. 1865?). 2 Bl. V, 68 S. Mit 41 großen Holzschnitt-Tafeln u. Titelvignette. Gr.-4°. Dunkelvioletter Or.-Leinenbd. m. goldgepreßter gr. Illustration u. Goldschnitt. 45.—
Erste deutsche Ausgabe mit den Doréschen Bildern. Das französ. Original war 1862 erschienen. Enth.: Rotkäppchen, Däumling, Dornröschen, Aschenputtel, Der gestief. Kater, Riquet mit d. Schopf, Eselshaut, Die Fee, Blaubart. — Einband unbedeut. bestoßen.

— **Märchen**, neu erzählt v. Mor. Hartmann, illustr. v. Gust. Doré. 3. Aufl. Imp.-4. (V, 70 S. m. 41 Holzschntaf.) Stuttgart 872. Hallberger. geb. m. Goldschn. n. 12. —

PERRAULT. *Märchen*. Dieselbe deutsche, von Doré illustr. Ausgabe. 3. Aufl. Stuttgart, Hallberger (ca. 1875?). Mit 41 großen Holzschnitt-Tafeln. Gr.-4°. Blauer blindgepr. Or.-Leinenbd. m. goldgepr. Orig.-Komposition (der gestiefelte Kater n. Doré), Goldschnitt. — Schönes Ex. 24.—

Perrault, Carl, u. Mme. d'Aulnay, neues Mährchenbuch f. Knaben u. Mädchen. Hrsg. v. Jul. Grimm. Mit 16 Bildern (in Holzschn.) gr. 16. (VI u. 258 S.) Berlin 852, Th. Grieben. n. 1/2 ℛ

Perrault d'Armancour, s. Perrault, Charles

Perreau, Abbé, la Renommée. Poëme dedié à sa Maj. le Roi de Prusses, gr. 8. Berl. 814. (Duncker u. H.) 6 gr.

Perreau, Trésor historique, pour les adolescents studieux. 12. (5 1/2 B.) Berlin 835, Logier.

[F.] Der Roman einer Hofdame. Von Maxime Rude [d. i. Adolphe **Perreau**]. A. d. Franz. v. L[udwig] v. Leiferde. *Berlin & Leipzig: J. Gnadenfeld & C. [1892].* (152 S.) 1 Bd 8.
— **Collection Figaro**. [Bd] 98. [94. 352

Perreaz, David (Aquileens.), Systematis physici. Disput. Decima Nona. Präs. J. P. de Crosa. Bern (Typ. Ill. Reip. Bern) 1714. 23 S. (5.—) 2607
Gew.: Emanuel Ryhiner, Johann Franz Doges, David Roux, Daniel Roux, Johann Jakob Roux, Theophil Almeras, Isaac von Loes, Franz Roux, Anthon Perreaz.

Perréaz, E., des transformations du langage en Angleterre. gr. 8. (127 S.) Schaffhausen 873. Brodtmann. n. 1. 60

Perregaux, Ch., Führer durch den Kanton Neuenburg, s.: Diacon, Max.

Perregaux, E., Untersuchungen üb. die in toten tierischen Geweben vom galvanischen Strom bedingten elektrolytischen Veränderungen. gr. 8. (VIII, 145 S. m. 8 Taf. u. eingedr. Zeichngn.) Basel 892. B. Schwabe. n. 3. 20

Perregaux, Louis, Opuscule, renfermant des remarques particulières sur tous les mots français, dont la solution présente quelques difficultés aux étrangers, qui veulent se perfectionner, ou apprendre la langue franç. Suivi d'un traité de synonymes franç. 2 part. 8. Stettin. Müller et Soc. [1.e (7 B.) 845., 2. (6 B.) 46. Einzeln à Part. * 20 Ngr.] Zusammen nur *

Perrenon, Eugen, aus Marbach a. N. (Württemberg: Die Chirurgie des Hugo von Lucca nach den Mitteilungen bei Theodorich. (13. Jahrh.) *Berlin (1899): G. Schade.* (30 S.) 8°
Berlin, Med. Diss. v. 24. Jan. 1899

Perrenon, Karl

PERRENON, Carl: Ueber ein myelogenes Sarkom des Beckens von enormem Umfang.- München: Kastner & Lossen 1898. 21 S.
28.6.1898 - Chr 1898/99,11; Jv 1897/98,217
Diss. Ingolst.-Landsh.-Mchn.

Perrenot, ..., considérations sur l'étude de la jurisprudence. gr. 8. Berl. 768. Rottmann. 6 gr.

Perrenoud. ÷ Dr. L[oui]s-Aug[uste] P' (1837–1892), Med. Chirurg. [Notice nécrologique E.] 8. [Basel 1892.]

Perrens, F. T., Hieronymus Savonarola. Nach Originalurkunden u. größtentheils ungedruckten Schriften. Eine von der französ. Academie gekrönte Preisschrift. Nach der 2. Aufl. der französ. Originale übers. von Joh. Friedr. Schröder. Braunschweig 858. Schulbuchhandlung. 12. (XXII, 619 S.) n. 1 Thlr. 20 ngr.

Perret, s.a. Perronet

Perret, ..., Abhandl. vom Stahl, dessen Beschaffenheit, Verarbeitung, u. Gebrauch; aus d. Französ. v. J. H. Pfingsten. Mit Kpf. 8. Dresd. 780. Walther. 10 gr. 645

Perret, Pogonotomie, ou l'Art d'apprendre à se raser soi-même. etc. avec fig. 8. Berne, Typ. 770.

Perret, Adrien. Guide illustré de Lucerne et du Lac des Quatre Cantons (et environs), suivi de la Question de Guillaume Tell (et des Origines de la Suisse). Renseignements, Hôtels, Horaires [Avec 1 carte.] 8. (Lucerne, Vevey ... 1895.)

Perret, Ch[arles] A. Ueber die Dauerresultate bei Coxitis tuberculosa an der Hand von 65 Fällen. Diss. Med. Bern. Mit 3 Textfiguren. (Sonder-Abdruck aus dem Archiv für klinische Chirurgie. Bd. 85. Heft 2.) *Kopftitel:* Aus der chirurgischen Abtheilung des Prof. Dr. P[aul] Niehans, Inselspital zu Bern. 56 S. 8. Berlin, L. Schumacher, 1908.

Perret, D., Horlogerie, s. Weltausstellung, internationale, 1878 in Paris.

Perret, D: Horlogerie. Zürich 1879

Perret, Paul, la bague d'argent. 2 Vols. (Bibliothèque choisie. Vol. 715 et 716.) 16. (318 S.) Naumburg 864, Pätz.

Perret, Paul, Mademoiselle du Plessé. gr. 12. (356 S.) Leipzig 861, A. Dürr. *

Perret, Paul, Fräulein de Liré. Roman. Autor. Übersetzg. v. M. Gilbert. 8. (850 S.) Leipzig 897. A. Schumann's Verl. n. 6. —

—— un parasite. Suivi de la panthère noire par Th. Pavie. 2 Vols. (Bibliothèque choisie. Vol. 875 et 876.) 16. (264 S.) Naumburg 866, Pätz.

Perrett, Wilfrid, B. A. aus Bridgwater in Engl.: The Story of King Lear from Geoffrey of Monmouth to Shakespeare. (T. 1.) *Weimar 1903: R. Wagner Sohn.* (33 S.) 8° ¶ (Erscheint demnächst vollst. als Palaestra, H. 35.)
Jena, Phil. Diss. v. (26. Juli) 1902

Perrett, Wilfrid, the story of King Lear from Geoffrey of Monmouth to Shakespeare, s. Palaestra. XXXV.

The Story of King Lear from Geoffroy of Monmouth to Shakespeare by Wilfrid Perrett, B. A. *Berlin: Mayer & Müller 1904.* (X, 308 S.) 8°
= Palaestra. 35.

Perreyve, Heinr., Trostbuch für Kranke. Mit einer Einleitung von Pététot. Nach der 2. Aufl. aus dem Französ. übersetzt. gr. 16. (312 S.) Freiburg i. Br. 869, Herder'sche Verlagsh. 1 20

Perreyve, X. Henr., do matek i niewiast polskich. Tłomaczone z francuzkiego. 8. (16 S.) Leipzig 866, Rhode. *

Perriard, A[lexandre]. Petit manuel de connaissances civiques. D'après le Guide pratique « Aux Recrues Suisses » par [Alexandre] Perriard et [Paul] Golaz. Edition spéciale pour le canton de Fribourg par A. P'.... Ouvrage rendu obligatoire pour les Ecoles de répétition ou Cours de perfectionnement du c' de Fr'. [Couverture illustrée.] 104 p. 8. Zurich, Orell Füssli; (Fribourg, Dépôt central du matériel d'enseignement et des fournitures scolaires,) [1906]. [fr. 1.—]

Perriard et Golaz, experts pédagogiques, aux recrues suisses. Guide pratique. 8. (74 S.) Zürich 884. Orell, Füssli & Co. Verl. n. — 50

Perriard et Golaz. Aux recrues suisses. Guide pratique. 2e éd., revue et augmentée, In-12°, 72 p. Zurich, Orell Fussli & Cie. 1888 — 60

Perriard & Golaz. Aux recrues suisses. Guide pratique pour la préparation aux examens des recrues. 2e éd., revue et augm. In-8°. 73 p. Zürich, Orell Füssli & Co. 1890 — 60

Perriard et Golaz, aux recrues suisses. Guide pratique. 8. éd., revue et augmentée 1891. 8. (72 S. m. 1 farb. Karte.) Zürich 892. Art. Institut Orell Füssli, Verl. n. 1. 20

Perriard & Golaz, aux recrues suisses. Guide pratique (pour la préparation aux examens de recrues). 4. éd., revue et augmentée 1895. 8. (84 S.) Zürich 895. Art. Institut Orell Füssli. Verl. n. — 60

Perriard, [Alexandre], & Golaz, [Paul]. Aux Recrues Suisses. Guide pratique (pour la Préparation aux Examens des recrues. Rédigé) par P' & G', Experts pédagogiques. 8. Zurich, Orell Füssli. [fr. —. 60]

12e éd., revue et augmentée. IV + 108 p. (Lausanne-Fribourg [et] Z', O' F', [1901].)
13e éd., revue et augm'. IV + 108 p. (L'-F' [et] Z'..., [1902].)
14e éd., revue et augm'. IV + 103 p. (L'-F' [et] Z'..., [1903].)
15e éd., revue et augm'. IV + 103 p. (L'-F' [et] Z'..., [1904].)
16e éd., revue et augm'. IV + 104 p. [1906.]

Perriard, [Alexandre], & Golaz, [Paul]. Aux Recrues Suisses. Guide pratique (pour la Préparation aux Examens des recrues. Rédigé) par P' & G', Experts pédagogiques. 17e éd., revue et augmentée. IV + 120 p. 8. Zurich, Orell Füssli, [1910].
Ed. A: [Avec 1 vue et couverture illustrée.] [fr. —. 80]
Ed. B: (Avec [1 vue, couverture illustrée et] une carte colorée de la Suisse.) [fr. 1. 20]

Perrier, Antoine, od.: der Aufstand in den Cevennen, s.: Saat u. Ernte. 3. Bd.

Perrier. Blasius Pascals Leben aufgesetzt von seiner Schwester . . . [Breslau 1771.] Ü: *Schmid, Christian Hnr.* (ML)

Perrier, die vorzügl. alten Statuen in Rom 2c., s. Abbild.

Perrier, Ferdinand

Perrier, la Gruyère, s.a. L'Europe illustrée.

Perrier, [Ferdinand]. La Gruyère. Excursion du Léman à l'Oberland bernois par la nouvelle route alpestre de Bulle-Boltigen. Avec 20 gravures [dont 6 planches] et vignettes par J[oseph] Reichlen et J[ohann] Weber. et une carte. (L'Europe illustrée. N° 16.) 8. Zurich, (Paris, Londres) [1881].

— die Gruyère, s.a. Wanderbilder, europäische.

Perrier, [Ferdinand]. Die Gruyère ⟨Das Greyerzerland⟩. Vom Genfersee nach dem Berner-Oberland über die neue Alpenstrasse Bulle-Boltigen. Mit 20 Illustrationen [wovon 6 Tafeln] von J[oseph] Reichlen und J[ohann] Weber nebst 1 Karte. (Europäische Wanderbilder. N° 23.) 8. Zürich, (Paris, London) [1881].

— the Gruyère, s.a. Europe, illustrated.

Perrier, [Ferdinand]. The Gruyère. Excursion from the Lake of Geneva by the new mountain road from Bulle to Boltigen With 20 Illustrations [6 Plates] by J[oseph] Reichlen and J[ohann] Weber (*°Umschlag* The Gr'. The new m' r' from Vevey to Interlaken by Bulle-Bolt' With 20 Engravings), and a Map. (Illustrated Europe. N° 23.) 8. Zurich, London. (Paris) [1882].

(Perrier, [Ferdinand].) La Gruyère. Guide itinéraire à Bulle, au Moléson, à Gruyères... et dans l'Oberland bernois par la route alpestre de Bulle-Charmey-Boltigen. 2de éd. revue, corrigée et augmentée par V[ictor] Tissot. Avec 21 gravures [dont 5 planches] et vignettes par J[oseph] Reichlen (*°Umschlag* Reichlin) et J[ohann] Weber, et une carte (L'Europe illustrée. N° 16. 16a.) 8. Zurich ([18]88).

Perrier, (F[erdinand]). Guerre de Bourgogne: Batailles de Grandson et Morat, simple récit accompagné de notes et suivi de quelques lettres intéressantes et peu connues du Duc Charles de Bourgogne. [Avec des vignettes, 1 planche et 1 carte.] 8. Fribourg ⟨Suisse⟩ 1876.
[1re éd.] — 2me éd. revue et corrigée.

(Perrier, [Ferdinand].) Le Musée Marcello à Fribourg. (Marcello, 1836–1879, sa vie et ses oeuvres.) 8. Fribourg 1881.

Perrier, F[erdinand]. Quelques mots sur les journées des 13 et 14 novembre 1847. Réponse à la calomnie de trahison, par F. P'-Landerset.... 8. Fribourg en Suisse 1850.

Perrier, F[erdinand]. Nouveaux souvenirs de Fribourg, Ville et Canton..., avec des notices spéciales sur les Ponts, le Viaduc de Grandfey, les Orgues..., le Chemin de fer, etc. 1re éd. 8. Fribourg 1865.
Ed. A. Page VI avec 5 lignes de texte.
Ed. B. Page V avec note, p. VI avec 11 lignes de texte.

Perrigord, T., Glaube des Köhlers von Ardennes.

Perrigord, T., Glaube des Köhlers v. Ardennes, aus dem Franz. 8. Augsburg, Veith. 792.

Perrin's Fabeln, s.: Richard, S., die französ. Sprache.

Perrin. Vide: Scheu, H.: Der Hochverrathsprocess.

[Lied.] Zum Schwesternfest! [Am 14. Jan 1882. Von **Perrin.** Düsseldorf 1882.] 1 Bl. 8° [Kopftit.]
Lied ohne Noten: „Mucker und Ducker, grämliche Schlucker . . ."

Perrin, Alice, the charm, s.: Collection of Brit. authors.

— Idolatry, s.a. Collection of British authors.

Idolatry. By Alice **Perrin**. Copyright ed. Leipzig: Tauchnitz 1909. 326 S. 8°
(Collection of British authors. Tauchnitz Ed. Vol. 4117.) [11. 8.09]

Perrin, C. F. v.: Grundsätze des natürlichen Staatsrechts als Gegensätze derer von J. J. Rousseau über den gesellschaftlichen Vertrag. Nach d. Franz. des Herrn M. . . . bearb. Leipzig [um 1800].

Perrin, Charles, Rechtsanw. u. Notar zu Osterode i. Ostpr. Das Verhältniss des Vorerben zum Nacherben nach dem Bürgerlichen Gesetzbuch. *Jena 1901: A. Kämpfe.* (VI, 71 S.) 8°
Jena, Jur. Diss. v. (21. Mai) 1901

Perrin, Charles Joseph

Perrin, C. J., sämmtl. Predigten über die Evangelien; aus d. Französ. v. Ant. Jäger. 4 Thle. 8. Augsb. 755. Rieger. 1 ⸓ 20 ⸓

Perrin, Charles Joseph. Predigten über die evangelische Sittenlehre . . . A. d. Franz. . . . Augsburg 1771. Ü: *Jäger, Anton.* (JES)

Perrin. Gilles. Vita Justiniani. 8. Parisiis 1576. — 8. Francofurti et Lipsiae 1710.

Perrin, Heinrich [aus Mülhausen]: Ueber Gebromte Phenylvaleriansäuren ... Rixheim, Buchdr. v. F. Sutter & C., 1894; 42 S., 1 Bl. 8.
Strassburg, Math.-naturw. Fak., Inaug.-Diss. v. 1894

Perrin, J., die Brown'sche Bewegung u. die wahre Existenz der Moleküle. (Deutsch v. J. Donau.) (84 S. m. Fig.) gr. 8. Dresden 910. Th. Steinkopff. 2.50
Sonderabdr. aus: „Kolloidchem. Beihefte".

Perrin, John

— s. Anfangsgründe der französ. Sprache.

Perrin, J., les élémens de la conversation française et allemande, etc. — Französ. u. deutsche Gespräche. Ein Erleichterungsmittel f. Anfänger. Hrsg. u. verm. v. S. Debonale. 3. Aufl. gr. 12. (12 B.) Hamburg 835, A. Campe. (Leipzig, Brockhaus.)

Perrin, (John.) the elements of english conversation with new familiar and easy Dialogues in French and English. 8. Frankf. a. M. 824, Streng.

Perrin, John, the elements of english conversation, with new, familiar and easy Dialogues in French and English. — Elémens de la conversation anglaise, ou Dialogues familiers en français et en anglais. Suivis d'un choix des Idiotismes de la langue Anglaise, par Chambaud et de lettres de commerce, également en français et en anglais. 8. (15 B.) Francfort o. M. 833, Streng.

Perrin, J. Englische u. deutsche Gespräche. 5. A. durch H. E. Loyd. Hamburg 1822

—— franzöſ. u. deutſche Geſpräche, ſ. a. Geſpräche.
Füge a. a. O. hinzu: 2. Ausg. 8. (9 B.) Ebdſ. 841. 8 Gr.

— Geſpräche, franzöſ. u. deutſche, e. Erleichterungsmittel f. die Anfänger, Nach d. Franzöſ. hrsgg. v. S. Debonale. 8. Hamb. ... 2e A. 825. 3e A. 832. Campe. 16 gr. A. u. d. T.: Les élémens de la Conversation française et allemande etc.

Perrin, J., Conversations-Taſchenbuch der franzöſiſchen u. deutſchen Sprache, ſ.: Bozzi.

Perrin, Josephine, s. Perin, Jacques Antoine René

Perrin, M., Reiſe durch Hindoſtan und Schilderungen der Sitten ꝛc. nach dem franz. v. Theod. Hell. 2 Bde. m. K. u. Charten. gr. 8. Lpz. Hinrichs. 810.
Velinpap.

Perrin, Marshall Livingston (aus Boston, U. S. A.): Ueber Thomas Castelford's Chronik von England (Goettinger Bibliothek Ms. Num. 664). Boston, U. S. A., published by Ginn & Company, 1890; 47 + 1 S. 8°
Göttingen, Phil. Fak., Inaug.-Diss. v. 5. Aug. 1889

Perrin, Max

Perrin, M., die Schöne mit der Maske, ſ.: Leſe-Cabinet, belletriſtiſches, 442—444. Lfg.

Perrin, Max., le secret de madame. 2 Vols. (Bibliothèque choisie. Vol. 419 et 420.) 16. (320 S.) Naumburg (861)62, Paetz.

Perrin, Max, der Sultan eines Pariſer Stadtviertels, ſ. a. Collection Hartleben, IV, 25. 26.

Perrin, M., der Sultan eines Pariſer Stadtviertels, ſ. a. Leſe-Cabinet, neues belletriſtiſches.

PERRIN, Max., Der Sultan eines Pariser Stadtviertels. Deutsch von Streitfeld. 2 Thle. Pesth 1854. 8°. Zahm. (1 Mk., geles. Expl., Kühl, Berlin, c. 1882; 1 Mk. 50 Pfg. Jul. Neumann, Magdeb., 1907.)

Perrin, Paul. La République sud-africaine. Conférence de M. P. P. à la Société de Géographie de Berne, 9 septembre 1886. F. 8 [Bern 1888.]

Perrin, Raoul, der Handelsreiſende, ſ. Franzoſen, die, der neueſten Zeit.

Perrin, Theodor: Die Mortalität an puerperalen septischen Prozessen in der Schweiz 1891—1895 statistisch bearbeitet. Bern 1898. 15 S. 4°.
Bern. Med. Diss. 1898/99.

Perrin v. Angicourt, des Troveors, Lieder, hrsg. v. Geo. Steffens, s. a. Bibliothek, romanische. XVIII.

Die Lieder [Chansons] des Troveors Perrin von Angicourt. Krit. hrsg. u. eingeleitet von Dr Georg Steffens, Privatd. Halle a. d. S. M. Niemeyer 1905. (X, 364 S.) 8°
= Bibliothek, Romanische. 18. (05. 10709 6

Perrin du Lac, s.a. Lac.

Perrin du Lac, M., Reiſe in die beiden Louiſianen u. unter die wilden Völkerſchaften am Miſſouri, durch die vereinigt. Staaten in d. J. 1801—3. Nach d. Franzöſ. mit Anmerkk. v. K. L. M. Müller. 2 Thle. Mit Kpf. u. 1 Karte. gr. 8. Leipz. 807. Hinrichs. 1 Thlr 18 gr.

Perrin-Parnajon, C. v., Berlin u. Potsdam, od. die Könige von Preußen, deren Miniſter u. übrige Umgebungen im 18. u. 19. Jahrh. 8. Germ. (Quedlinb. Baſſe.) 812.
geh.

— Geiſt der leichten Truppen im Felde, nach d. neueſten takt. Grundſätzen, od. Bildung d. Schützen, Jäger u. Partiſans. 8. Leipz. 811. Hinrichs. 1 Thlr Velinp. 1 Thlr 16 gr.

Perrin-Parnajon, C. v., Handbuch für deutſche Gendarmen, und Leſebuch für Landesbewohner, m. 1 Kpf. gr. 12. Lpz. Gräff. 810.
(hat auch den Titel: Geſpräch zwiſchen zwey Gendarmen, einem deutſchen u. e. franzöſiſchen.)

Perrin-Parnajon, C. de.
Historisch-philosophisch-politisches Handbuch für Kaufleute ... Leipzig 1805. H: *Eschenbach, Christian Gotthold.* (Ky)

— hiſt.-philoſ.-polit. Handbuch für Kaufleute, oder kurzer Umriß der Weltgeſchichte n. d. f. d. Handl. wicht. Epoch. bearb. 8. Lpz. Joachim. 805.

— hiſtoriſches Handbuch f. Kaufleute, od. die Weltgeſchichte nach Handelsepochen bearbeitet. 2te verb. Aufl. gr. 8. Leipz. Hinrichs. 811.

— kleines Kriegswörterbuch zum Gebr. f. Zeitungsleſer. 8. Jena 805. Cröker. 6 gr.

Perrin-Parnajon, F. C. v., Lebenserfahrungen, Unglücksfälle, Feldzüge und Reiſen eines Weltbürgers. 2 Thle. 8. Leipzig, Kollmann. 820.

— der Officier auf Werbung. gr. 8. Breslau, Barth. 802.

— launigtes Quodlibet, hiſt., poet. u. ſatyriſchen Inhalts, in die jetzt noch ungedruckten Original-Aufſätzen. 8. Caſſel, Krieger. 813.

v. Perrin-Parnajon, C., Realkriegswörterbuch für das Militär u. Zeitungsleſer, oder prakt. erläut. u. erklärendes Handwörterbuch aller im Land- u. Seekriegsweſen vorkomm. Kriegs-Kunſt-Ausdrücke u. Wörter. 8. Leipz. 811. Hinrichs. 1 Thlr 12 gr. Schrbp. 1 Thlr 18 gr. Velinp. 2 Thlr 8 gr. 3005,

v. Perring, Elias Frz., ſ. Grundſätze d. natürl. Staatsrechts.

Perring, W., Lexikon für Gartenbau u. Blumenzucht. Unter Mitwirkung mehrerer Fachgenoſſen. Handbuch für Gärtner u. Gartenliebhaber über alle Zweige des gärtneriſchen Betriebs, mit beſonderer Berückſichtigung von Topfpflanzenkultur, Obſt- u. Gemüſebau. 8. (VI, 514 S.) Leipzig 882. Bibliograph. Inſtitut. n. 5. —; geb. n. 5. 50

Perrochet, A., exercices hébreux d'après le manuel hébreu-allemand de E. Kautzsch, mis en corrélation avec la grammaire hébraïque de Preiswerk. gr. 8. (VIII, 152 S.) Basel 887. Georg's Verl. n. 2. 40

Perrochet, C. Beiträge zur Eklampsie-Frage. Mit 1 Tab. In-8°. 76 S. Basel, (Georg & Co.). These. 1894

Perrodin, christlich-religiöse Charaktere. Nach dem Französ. bearb. von einem Priester O. S. B. Augsburg 858. Doll. 16. (VIII, 192 S.) 7½ ngr.

Perrollaz, Oscar. Die Abtretung des linken Rhoneufers an Frankreich 1800—1802. Separatabdruck aus den « Blätter aus der Walliser-Geschichte » [Jahrg. 7]. II + 31 S. 8. Sitten, Peter Pfefferle, Februar 1903.

Perrollaz, Oscar. Die grosse Feuersbrunst zu Sitten am 24. Mai 1788. Separatabdruck aus den Blättern für Walliser-Geschichte [Band 2, Jahrg. 6, 1901]. II + 16 S. 8. Sitten, Kleindienst & Schmid, 1902.

Perron, A., s. Perron, Paul

Cartographie nouvelle. La Suisse d'après le Relief au 1:100,000 construit selon la courbure terrestre par C. **Perron**. 1:500,000. Editée par le Comptoir minéral. et géol. Suisse. Photographie d'après le Relief, par F. Boissonnas, Genève. *Zurich: Orell Füssli (1900).* (1 Kartenbl. 70 × 49 cm.) quer-gr.2° [kol.]

Perron, Abraham Hyacinthe Anquetil du, s.a. Anquetil - Duperron, Abraham Hyacinthe

Peron, F. A., Entdeckungsreise nach Australien. 2r Thl. s. neue Bibliothek d. Reisen. 16r Bd.

— Entdeckungsreise nach Australien ꝛc. s. Bibliothek der Reisebeschr. 37r Bd.

Peron, F., Entdeckungsreise nach d. Südländern in d. Jahr. 1800 — 1804. Aus d. Franz. von P. W. G. Hausleitner. 2 Thle. mit Kupf. u. Plan. gr. 4. Stuttgart, Cotta. 808 und 809. Ist der Preis

— — dasselbe ohne Kupfer und Karten.

— Ostindien, in Hinsicht auf Europa, a. d. Franz. v. E. G. Küster. 2 Thle. gr. 8. Altb. Richter. 799.

— — dass. übersetzt von C. J. E. Schedel. 2 Thle. gr. 8. Frft. Eßlinger. 799.

— recherches hist. et géogr. sur l'Inde. II Pts. av. fig. gr. 4. Berl. Bernouilli. (Matzdorf.) 787.
Gr. Pap.

— Reisen, n. e. Beschr. der bürgerlichen Religionsgebräuche der Parsen, m. K. 8. Frankfurt, Garbe. (Gebhardt und K. auch Hermann.) 776.

Peron, F. Anquetil du, Versuch einer Darstellung d. uralten indischen Alleins-Lehre, oder d. berühmte Sammlung Tür Oupneck hat ūr: 16 Stck. Oupneck'-hat Tschehandouck genannt, übersetzt von Rixner. 8. Nürnberg, Stein. 808.

Perron, Heinrich, aus Winterthur [Kt. Zürich]: Textkritische Bemerkungen zu Philodem's Oeconomicus. Zür. J. Frey Dr. 1895. 35 S., 1 Bl. 8°. Zürich, Phil. Diss. I. S. [v. 10. März 1896].

Perron, Oskar: Über die Drehung eines starren Körpers um seinen Schwerpunkt bei Wirkung äusserer Kräfte. *München 1902: C. Wolf & Sohn.* (43 S.) 4°
München, Phil. Diss. v. 1902

Perron, Oskar, Dr. phil.: Grundlagen für eine Theorie des Jacobischen Kettenbruchalgorithmus. Leipzig 1906: B. G. Teubner. (76 S.) 8° ¶ (Aus: Mathematische Annalen Bd 63.)
München, Phil. Fak., Hab.-Schr. v. 1906

Perron, Osk., über die Kettenbruchentwicklung des Quotienten zweier Besselschen Funktionen. (S. 483—504.) gr. 8. München 908. G. Franz' Verl. — 40

— Über die Konvergenz der Jacobi-Kettenalgorithmen m. komplexen Elementen. (S. 401—482.) gr. 8. Ebd. 908. 1. 20

Perron, Osc., üb. die Konvergenz periodischer Kettenbrüche. (S. 495—508.) gr. 8. München 906. (G. Franz' Verl.) n. — 20

— Note üb. die Konvergenz v. Kettenbrüchen m. positiven Gliedern. (S. 315—322.) gr. 8. Ebd. 905. n. — 20
† Sonderabdrucke aus: „Sitzungsber. d. bayer. Akad. d. Wiss."

— Über e. Verallgemeinerung des Stolzschen Irrationalitätssatzes. (S. 181—199.) gr. 8. Ebd. 909. — 50
Sonderabdr. a.: „Sitzungsber. d. bayer. Akad. d. Wiss."

Perron, Paul, Brüllvogel. Schwank in 1 Act. gr. 16. (36 S.) Wien 876. Wallishausser. n. 1. 40

†**Perron, P.** (O. Riecke), ich und meine Schwiegermutter, s. Universal-Bibliothek Nr. 2355.

Perron, Paul (Osk. Riecke), die Kunstreiterin, s. a. Bibliothek interessanter Romane.

Perron, Paul (Osk. Riecke), d. Kunstreiterin. Roman. 2. Aufl. 8. (286 S.) Berlin 896. Erfurt, F. Bartholomäus. n. 2. —

Perron, Paul (Osc. Riecke), die Kunstreiterin. Roman. 4. Aufl. 8. (208 S.) Erfurt (901). F. Bartholomäus. 1. 50

Perron, A. (Osc. Riecke), die Kunstreiterin. Roman. (Neue Aufl.) (232 S.) 8. Gotha (905). Verlagsanst. u. Druckerei (H. Bartholomäus). 1. —

Perron, P., blinde Liebe, s.: Bibliothek, neue, f. das deutsche Theater.

— Warum haben Sie das nicht gleich gesagt? Schwank in 1 Act. gr. 16. (34 S.) Ebendas. 876. * 1 20

Perron, Ph., die dekorative Ornamentik des kgl. Schlosses Herrenchiemsee. 60 Taf. Photogr. u. Lichtdr. v. Jos. Albert. gr. Fol. München 897. Jos. Albert. In Mappe n. 40. —

— die figurale Plastik des kgl. Schlosses Herrenchiemsee. 20 Taf. Photogr. u. Lichtdr. v. Jos. Albert. gr. Fol. Ebd. 897. In Mappe 20. —

Die figurale Plastik. 897. Erm. Pr. 14.—. Jetzt: Leipzig, Baumgärtner.

Perroncito, Eduard: Über die Lebenszähigkeit des Cysticercus cellulosae und anderer Eingeweidewürmer.
Aus: Zeitschrift für praktische Veterinair-Wissenschaften. [1876]

Perrone, Giovanni

Perrone's, Johs., Abhandlung über die dogmatische Definition der unbefleckten Empfängniß der seligsten Jungfrau Maria. Aus dem Latein. von Aegid Dietl und Bernh. Schels. 2. (Titel-)Ausg. Regensburg (849.) 855. Manz. gr. 8. (XIV, 352 S.) 1 ℛ.

—— Thesis dogmatica de immaculata B. V. M. conceptione addenda praelectionibus theologicis quas in coll. rom. s. J. habebat. 8maj. (35 S.) Regensburg 855, Manz.

Perrone, Joan., de immaculato b. v. Mariae conceptu an dogmatico decreto definiri possit disquisitio theologica. Edit. 2. emend. et brevibus accessionibus ab ipso auctore locuplet. gr. 8. (VIII u. 276 S.) Monasterii Guestphal. 849, Theissing. n. 1 ℛ

—— de immaculato B. V. Mariae conceptu an dogmatico decreto definiri possit disquisitio theologica. Editio X., Mediolanensis I., aucta atque emendata. 8maj. (XV und 224 S.) Mediolani 852. (Oeniponte, Pfaundler.) *

Perrone, Joh., über d. gemischten Ehen. Eine dogmat. Abhandl. A. d. Lat. übers. durch Jos. Maria Axinger. 1. u. 2. Aufl. 8. (à 5¼ B.) Augsburg 840, 41, Kollmann'sche Bh. à

— über die gemischten Ehen. Eine dogmatische Abhandlung. Aus dem Latein. übersetzt durch Domkapitular Jos. Maria Axinger. 2. Aufl. 8. Augsburg 842, Kollmann. ⅓ ℛ

—— über die heil. Eucharistie. Eine theolog. Abhandl. Frei nach d. Latein. bearb. v. Leonh. Hörmann. 12. (12⅙ B. u. Titlvign.) Augsburg 846, Kollmann'sche Buchh. -

Perrone, Joh., Zur Geschichte des Hermesianismus. Aus dem Italien. 1 Abteil. Regensburg, Manz (jetzt Verlagsanst.), 1839, gr. 8°, VI, 78 S., 1 Mk.

L'Ermesianismo. 2 Teile. Rom 1838–9. Die in der vorlieg. 1. Abteil. nur teilweise ins Deutsche übertragene Schrift Perrones über d. Hermesianismus findet sich vollständig in Annali delle Science religiose, Heft 19, 27 u. 47. Über Plan u. Inhalt derselben siehe d. Besprechung im Litt. Anzeiger zur Sion 1839, S. 21–2.

Perrone, Jo., de Romani pontificis infallibilitate seu vaticana definitio contra novos haereticos. gr. 8. (224 S.) Augusta Taurinorum 874. (Regensburg, Pustet.) ** 2 40

— ist die unbefleckte Empfängniß der seligsten Jungfrau Maria dogmatisch definirbar? Eine theolog. Untersuchung. Aus dem Latein. v. Aegid. Dietl u. Bernh. Schels. gr. 8. (XVI u. 352 S.) Regensburg 849, Manz. 1 ℛ

Perrone, Johannes — Katechismus bezüglich des Protestantismus und Katholicismus Zum Volksgebrauche von — —. Aus dem Italienischen übersetzt von Dr. Ferdinand Mansi. Innsbruck, 1856. Druck und Verlag der Wagner'schen Buchhandlung. (218 S. 8.)

Perrone, P. G., über den Titel: „Katholische Kirche", s.a. Kirche, die katholische, 4. Heft.

Perrone, Joh., Über den Titel „katholische Kirche", welchen die von der römischen Kirche getrennten Sekten sich anmaßen. Aus dem Italien. übersetzt. Münster, Theissing, 1845, 8°, 40 S.

Heft 4 aus: Die kath. Kirche, verteidigt gegen die Angriffe der Gegner. Taf.

— Kompendium der kathol. Dogmatik. Zum Gebrauche für Theologen u. gebildete Laien deutsch bearb. v. einem kathol. Geistlichen. 1. Bd. 4 Lfgn. 2. Bd. 1 u. 2. Lfg. gr. 8. (1. Bd. XIV u. 406 S. 2. Bd. S. 1—160.) Landshut 852, Krüll. (à Lfg. 12 ngr) 2 ℛ 12 ngr

— Kompendium der katholischen Dogmatik. Zum Gebrauche für Theologen u. gebildete Laien deutsch bearb. von einem kathol. Geistlichen. II. Bd. 3—6. Liefg. — III. Bd. 1—4. Liefg. — IV. Bd. 1—5. Liefg. (Schluß). Landshut 853, 54. Krüll. gr. 8. (2. Bd.: IX, S. 161—489; 3. Bd.: X, 446 S.; 4. Bd.: XII, 490 S.) Jede Liefg. 12 ngr

— — 1. Bd. 2. (Titel-)Ausg. Ebend. (852.) 856. gr. 8. (IV, IX, 406 S.) 1 ℛ. 12 ngr

Perrone, Joh., de matrimonio christiano libri tres. 3 Tomi. gr. 8. (XVIII und 1482 S.) Rom 858. (Regensburg, Manz.) **

—— dass. — Editio Leodiensis ab auctore recognita et emendata, et locupl. indice aucta. 3 Tomi. gr. 8. (XVI und 1433 S.) Lüttich 861. (Mainz, Kirchheim.) *

—— Praelectiones theologicae, quas in Collegio Romano S. J. habebat. Vol. I—VII. Lex.-8. Lovanii. (Moguntiae, Kirchheim, Schott et Thielmann.) à * 1 10

Vol. I. Tractatus de vera religione.
II. Tractatus de Deo uno et de SS. Trinitate. } (55 B.) 838.
III. Tractatus de Deo creatore. (27 B.) 839.
IV. Tractatus de incarnatione et de cultu sanctorum. (27¼ B.) 839.
V. Tractatus de gratia et de sacramentis in genere. (25¼ B.) 840.
VI. Tractatus de baptismo, confirmatione, SS. eucharistia et poenitentia. (31 B.) 841.
VII. Tractatus de indulgentiis, de extrema unctione, de ordine et de matrimonio. (27 B.) 842.

—— Praelectiones theologicae, quas in Collegio Romano S. J. habebat. Edit. Lovan., dilig. emendata, et var. accession. ab auctore locupleta. Vol. VIII et IX. Lex.-8. Lovanii 843. (Moguntiae, Kirchheim, Schott et Thielmann.) *

Vol. VIII. Tractatus de locis theolog. partem priorem, videlicet de ecclesia et de Romano pontifice. (34¼ B.)
IX. Tractatus de locis theolog. partes II et III. (37¼ B.)
Vol. I—VII. ibid. 1838—42. * 9 Thlr. 25 Ngr.

—— Praelectiones theologicae quas in collegio Rom. S. J. habebat. Edit. post II. Romanam, dilig. emend., et novis accessionibus ab ipso auctore locupletata. IX Vol. Lex.-8. Viennae 842—44, Mechitaristen-Congregations-Buchh.

Vol. I. Tractatus de vera religione.
- II. Tractatus de locis theologicis. Pars I. } (42¼ B.)
- III. Tractatus de locis theologicis. Pars II. (28¾ B.)
- IV. Tractatus de Deo et Ss. Trinitate. (22¼ B.)
V. Tractatus de Deo Creatore.
VI. Tractatus de incarnatione. } (40 B.)
- VII. Tractatus de gratia Christi et de sacramentis in genere. (19¼ B.)
VIII. Tractatus de baptismo, de confirmatione, de eucharistia et de poenitentia. (23 B.)
IX. Tractatus de indulgentiis, de extrema unctione, de ordine et de matrimonio. (20 B.)

—— Praelectiones theologicae quas in collegio Romano habebat. Ab eodem in compendium redactae. Edit. Lovaniensis ab auctore recognita, aucta et emendata. Vol. I. gr. 8. (32¼ B.) Lovanii 846. (Novesii, Schwann.) pr. 1. u. 2. Bd. *

—— Praelectiones theologicae, quas in collegio Romano habebat etc. Vol. II. 8maj. (465 S.) Lovanii 846. (Cöln und Neuss, Schwannsche Vrlgsh.) 2 Bde. *

—— Praelectiones theologicae, quas in coll. Rom. S. J. habebat. 8 Vol. Edit. altera mediolanensis. gr. 8. (168 B.) Mediolani 846. (Oeniponti, Pfaundler.) *

—— Praelectiones theologicae, quas habebat in Collegio Romano. Ab eodem in compendium redactae. Editio post Romanam secunda diligentius emendata, et novis accessionibus ab ipso auctore locupletata. Vol. III. et IV. 8maj. (350 und 314 S.) Wien 847, Mechitaristen-Congregations-Buchh. à Vol. 22½ Ngr.

— praelectiones theologicae quas in coll. rom. S. J. habebat. Editio XXI. Ratisbonensis I. novissimis cl. auctoris curis ac notis ornata et aucta. 9 voll. Ebend. 854, 55. Lex.-8. (VJ, 282; 400; 442; 364; 324; 336; 302; 408; 288 S.) n. 6 ℛ𝓅.

—— id. — ab eodem in compendium redactae. Praemissa est ejusdem historiae theologicae cum philosophia comparatae synopsis. Editio XXVII. Ratisbonensis II. novissimis cl. auctoris curis ornata et aucta. II Voll. 8maj. (1208 S.) Ibid. 856. *

Perrone, Joa., praelectiones theologicae, quas in coll. rom. habebat J. P., ab eodem in compendium redactae. Praemissa est ejusdem historiae theologiae cum philosophia comparatae synopsis. Ed. XXXVI., Ratisbonensis III., novis cl. autoris post concil. Vatic. curis ornata et aucta. 2 voll. gr. 8. (662 u. 582 S.) Regensburg 881. Manz. n. 9. —

—— Praelectiones theologicae in Compendium redactae. Edit. post romanam II. diligentius emendata, et novis accessionibus ab ipso auctore locupletata. Vol. I. II. gr. 8. (47⅓ B.) Viennae 846, Mechitarist.-Congregations-Buchh. à

— — in compendium redactae. Praemissa est ejusdem historiae theologiae cum philosophia comparatae synopsis. Editio XXVII. Ratisbonensis II. novissimis cl. auctoris curis ornata et aucta. 2 vol. Ratisbonae 856. Manz. Lex.-8. (644; 564 S.) n. 2 ℛ𝓅. 16 ngr.

—— Praelectiones theologicae de virtute religionis deque vitiis oppositis, nominatim vero de mesmerismi, somnambulismi ac spiritismi recentiori superstitione. gr. 8. (XIII und 434 S. mit 1 Stnt.) Regensburg 866, Pustet.

—— dass. — Edit. II. gr. 8. (VIII und 308 S.) Taurini 867. (Innsbruck, Wagner'sche Universitäts-Buchh.) * *

Perrone, Joa., Praelectiones theologicae de virtutibus fidei, spei et caritatis. Lex.-8. (XIV und 450 S.) Regensburg 865, Pustet.

—— dass. — Edit. II. emendatissima. gr. 8. (300 S.) Taurini 867. (Innsbruck, Wagner'sche Universitäts-Buchh.) * *

—— der Protestantismus und die Glaubensregel. Aus dem Italien. 3 Thle. gr. 8. Regensburg, Manz. [1. (LX und 410 S.) 1 Thlr. 21 Ngr., 2. (XVI und 508 S.) 855. 1 Thlr. 25⅓ Ngr., 3. (XVI und 510 S.) 856. 1 Thlr. 25⅓ Ngr.]

—— dass. — Auf besond. Veranlassung des Verf. aus dem Italien. übers. von W. A. Maier. (In 6 Abthlgn. oder 3 Bdn.) 1. Abthl. (1. Bd. 1. Hälfte.) 2. Titel-Aufl. gr. 8. (LX und S. 1—176.) Ebds. 856(57.) -

—— über Protestantismus und Kirche. Kontrovers-Katechismus für das Volk. Aus dem Italien. von F. O'Byrn. Einzige vom Verf. anerkannte Uebersetzung. gr. 16. (VIII und 284 S.) Schaffhausen 860, Hurter'sche Buchh.

— theologische Vorlesungen, s. Probe.

Perrone, Joh., über den Cölibat der kathol. Geistlichen. Eine zeitgemäße Abhandlung. Nach d. Latein. in freier Uebersetzung v. e. Weltpriester rc. 8. (4 B.) Augsburg 845, Rieger'sche Bh.

Perronet, s.a. Perret

Perronet: Die Beschreibung der Entwürfe und der Bauarten der Brücken bei Neuilli, Mantes, Orleans, Ludwigs XVI. etc. Deutsch von J. F. W. Dietlein. Mit Atlas. Halle a. S. 1819. Atl. Fol.

Perronet's Werke, die Beschreibung der Entwürfe u. der Bauarten der Brücken bei Neuilli, Mantes, Orléans, Ludwigs XVI. etc., den Entwurf des Burgund'schen Kanals u. den der Wasserleitung von der Yvette u. Bievre nach Paris, sowie mehrere einzelne Abhandlungen enthaltend. Deutsch von Dietlein. Halle 1820. Text 4°. Atlas 4°.

Perronet's Werke über Wasser- und Brückenbaukunst. Aus d. Franz. übers. nebst Anhang über das Verfahren bey Bestimmung d. Abmessungen neu zu erbauender Brücken v. J. F. W. Dietlein. Mit 54 Kupfert. gr. 4. Halle, Hemmerde und Schw. 821.

Perronius, Theologus romanus, vapulans. Scripsit Lucius Sincerus. 8maj. (7 B.) Coloniae 840, Eisen.

Perroquet, le, ou mélange de div. pièces intéress. p. l'Esprit et p. le coeur. II Tom. 8. Frft. Varrentrapp. 742.

Perrot, theoretische u. prakt. Beschreibung der Mechanik, bestimmt zur Zusammensetzung u. z. Gebrauch der Maschinen, f Künstler u. Gewerbetreibende; übers. u. durch Zusätze verm. v Th. Raetz. Mit viel. Abbild. verschied. Maschinentheile. gr. 4 (5 B. u. 8 Stnt.) Berlin 844, (Heymann.) *

Perrot, s.a. Dichter-Grüsse aus der Fremde.

Perrot, Dichter-Grüsse aus der Fremde. Fremdsprachliche Dichtungen, ins Deutsche übertragen. 8. (VI, 74 S. m. Kopfleisten u. Schlussvignetten.) Augsburg 881. Literar. Institut von Dr. M. Huttler. n. 1. —; geb. n.n. 2. 25; auf Büttenpap. n. 1. 50; geb. n.n. 2. 75

Perrot, A. M., die Gravir-Kunst nach ihrem ganzen Umfange. Nebst Verzeichniß d. berühmtest. Gravir-Künstler u ihrer Werke. Nach d. Franz. Mit vielen Abbild. (2 lith. Taf., Fol.) gr. 12. (14 B.) Ulm 831, Ebner.

—— Handbuch d. Zeichenkunst, od. gründl. u. vollständ. Anleitung zu dem Linear-Zeichnen aus freier Hand zu geometr. u. Zierathen-Zeichnungen, z. Zeichnung d. menschl. Körpers u. zu Landschafts- u. Plan-Zeichgn. A. d. Franz. (1. Thl.) Mit vielen Abbild. (7 Taf., qu. Fol.) gr. 12. (9 B.) Ulm 832, Ebner.

Perrot, die Illuminirkunst, siehe: Schauplatz, neuer, der Künste u. Handwerke, 125. Bd.

Perrot, A. M., die Kunst d. Kolorirens, od. vollständ. u. faßl. Belehr. üb. d. Illuminiren, Tuschen u. Retouchiren d. Kupferstiche, Bilder, Lithographieen, naturhistor. Kupfertafeln, Landkarten u. topograph. Pläne, nebst e. Beschreib. d. Werkzeuge u. Geräthschaften, welche d. Kolorist nöthig hat, u. e. Abhandl. üb. Verfertigung, Beschaffenheit, Mischung u. Anwend. d. Farben rc. Durchges. u. verm. v. C. Blanchard. A. d. Franz. 8. (9½ B. u. 1 Stnt.) Stuttgart 836, Erhard.

Perrot, A. M., histor. Sammlung aller noch bestehenden Ritterorden der verschied. Nationen, nebst einer chronol. Uebersicht der erloschenen Ritterorden. Aus d. Franz. 1s und 2s Heft. 4. Leipzig, Baumgärtner. 821.

Perrot, A. M., Wegweiser durch die europäische Türkei und die Donau-Fürstenthümer. Geographisch-strategische Beschreibung der Wege, Städte, Festungen u. Seehäfen dieses Reichs. Aus dem Französ. Riga 855. (Dresden,) v. Boetticher. 8. (XII, 118 S.) 18 ngr.

—— kleine theoret.-prakt. Zeichnen-Schule. Od. gründl. Anweisung z. Linear-, Blumen-, Figuren-, Landschafts- u. Situationszeichnen, sowie zum Tuschen. Für Lehrer u. Lernende, so wie z. Selbstunterr. Nach d. Franz. bearb. M. 7 Taf. Abbild. (qu. Fol.) 4. (9½ B.) Quedlinburg 833, Basse.

Perrot, A. W., topograph.-statist.-histor. Beschreibung d. Stadt u. d. Königr. Algier. Nach d. 2. franz. Orig.-Ausg. bearb. u. mit mehr. wichtigen u. interessant. Zusätzen bereichert. Nebst 1 Grundrisse d. Stadt u. d. Hafens, so wie 1 Specialkarte d. Königr. Algier. gr. 8. (6 B.) Ilmenau 830, [Weimar,] Voigt.

Perrot, August [aus Biberach a. d. Riss]: Kernfrage und Sexualität bei Basidiomyceten ... Stuttgart, k. Hofbuchdr. Zu Gutenberg '(C. Grüninger)', 1897; 37 S., 2 Taf. 8.
Erlangen, Phil. Fak., Inaug.-Diss. v. 8. März 1897

Perrot, Bernh., deutsch-ostafrikanische Wirtschaftspolitik m. besond. Berücksicht. der Auswanderungsfrage, s. a. Zeitfragen, kolonialpolitische. 1.

Deutsch-Ostafrikanische Wirtschaftspolitik mit besond. Berücks. d. Auswanderungsfrage von Bernhard **Perrot**. Berlin: W. Süsserott 1907. (14 S.) 8° [Umschlagt. F.]
— **Zeitfragen**, Kolonialpolitische. H. 1. 07. 13856

Die Zukunft Deutsch-Ostafrikas. Soll Deutsch-Ostafrika e. deutsche Kolonie werden oder e. hamburgisch-indische Domäne bleiben? Von Bernhard **Perrot**, weil. Dir. (Hrsg. von Karl Perrot.) Berlin: Walther 1908. 186 S. 8°.

Perrot, Charles Herm., caisses de prêts et d'épargne ou propositions pour remédier au manque d'argent chez les petits bourgeois et chez les paysans d'Alsace-Lorraine, par l'augmentation et l'amélioration des caisses d'épargne et par l'organisation opportune du crédit agricole. Écrit et publié au nom de plusieurs amis du peuple. Éd. française. gr. 8. (64 S.) Strassburg 882. Vomhoff. n. 2. —

— die Kaiserdenkmünze. Jubelschrift auf die Stiftung einer Denkmünze zur Erinnerung an den Einzug Sr. Maj. des Kaisers Wilhelm I. in Straßburg am 1. Mai 1877, hrsg. bei Gelegenheit des 2. Besuches Sr. Maj. am 18. Sept. 1879. gr. 8. (56 S. m. 1 Lichtdr.) Ebend. 879. n. 1. 40; feine Ausg. n. 2. 40

— Spar- u. Darlehnskassen od. Vorschläge zur Abhülfe der Geldnoth unter dem Kleinbürger- u. Bauernstande in Elsaß-Lothringen, durch Erweiterung u. Verbesserung der Sparkassen u. zweckentsprechende Regelung des ländlichen Kreditwesens. Verf. u. hrsg. im Auftrage einer Anzahl Volksfreunde. 4. (63 S.) Ebend. 881. n. 1. —

—— die Vollendung des Domes zu Köln und der projektirte Ausbau des Sildthurmes am Münster zu Straßburg, sowie des Hauptthurmes am Münster zu Ulm, nebst Vorschlägen zur Bildung eines Central-Vereins zur Erhaltung und Herstellung nationaler Baudenkmäler. gr. 4. (23 S.) Ebendas. 880. * — 80

Perrot, Claude, prakt. Handbuch d. Farbenbereitung. Od. gründl. Anweis., alle in der Oel-, Wasser-, Tusch-, Pastell-, Emaille-, Seiden- u. Wachsmalerei gebräuchl. Farben zu bereiten u. anzuwenden, nebst den in dieser Hinsicht gemacht. neuesten Verbesserungen u. Entdeckn. Für Farbenbereiter u. Maler. 2., verb. u. verm. Aufl. 8. (12½ B.) Quedlinburg 833, Basse.

Perrot, Claude de. Ueber Kriegführung im Hochgebirge. Eine Studie als Beitrag zur gegenwärtigen Revision der Militärorganisation. 87 S. 8. Bern, Haller, 1905. [fr. 1.50]

Perrot, Claudius, s. a. Betrachtungen über das Leben und die Geheimnisse Jesu Christi.

Perrot, Claudius, Betrachtungen über das Leben und die Geheimnisse Jesu Christi, nach der Anweisung des heil. Ignatius. In 5 Thln. 4. Aufl. 2 Bde. gr. 8. (1680 S. mit 7 Abbild.) Einsiedeln 867, Gebr. Benziger.

Perrot, Claud., s.: Rechtilden-Büchlein.

—— geistliches Morgenbrod für christliche Seelen im Kloster- und Weltstande zur innigern Theilnahme am Leben der Kirche während des heil. Kirchenjahres. 2 Bde. 8. (XVI und 783 S. mit 5 Stahlst.) Einsiedeln 862, Gebr. Benziger.

Perrot, Claud., geistliches Morgenbrod für christliche Seelen im Kloster- und Weltstande zur innigern Theilnahme am Leben der Kirche während des heiligen Kirchenjahres. 2 Bde. Einsiedeln 863. Gebr. Benziger. 8. (XVI, 783 S. u. 5 Stahlst.) 1 ₰ 9 ngr.

Perrot, Claud., geistliches Morgenbrod für christliche Seelen im Kloster- und Weltstande zur innigern Theilnahme am Leben der Kirche während des heil. Kirchenjahres. 4 Thle. 2. Aufl. 8. (759 S. mit 5 Stahlst.) Einsiedeln 870, Gebr. Benziger. 3 60

Perrot, Claudius, O. S. B., geistliches Morgenbrot f. christl. Seelen im Kloster- u. Weltstande. Neu bearb. v. Paul Schindler, O. S. B. 3. verb. Aufl. (946 S. m. 5 Vollbildern u. 2 Stahlst.) kl. 8. Einsiedeln 908. Verlagsanstalt Benziger & Co. Geb. in Leinw. 3. 20

—— der Priesteramts-Kandidat. Vertrauliche Mittheilungen an die Kleriker des Weltpriester- und Ordensstandes. 8. (VIII und 415 S. mit 1 Stahlst.) Einsiedeln 868, Gebr. Benziger.

Perrot, Em., s.: Wandtafeln, pharmakognostische.

Perrot, F. J., Verfassung, Zuständigkeit u. Verfahren der Gerichte d. preuß. Rheinprovinzen in bürgerl. Rechtssachen. 2 Thle. gr. 8. Trier, Lintz'sche Buchh. Thlr.
A. u. d. Titln.:
Thl. 1. Verfassung u. Zuständigkeit &c. (42½ B.) 842. 2 Thlr. 15 Ngr.
" 2. Verfahren. 1. Bd. (25¾ B.) 844. 1 Thlr. 25 Ngr.

Perrot, Franz

Perrot, F., die Anwendung d. Penny-Porto-Systems auf den Eisenbahntarif u. das Packet-Porto. gr. 8. (III, 170 S.) Rostock 872. Werther. 2. 70

Perrot, Fr., der Bank-, Börsen- und Actienschwindel. Eine Hauptursache der droh. socialen Gefahr. Beiträge zur Kritik der polit. Oeconomie. 1. Abthl.: Der Eisenbahn-Actienschwindel. 2 Lfgn. gr. 8. Rostock, Kuhn. [Werther's Verlag.] [1. Lfg. (XV, S. 1—80.) 873. *M 1,60.; 2. Lfg. (S. 81—235.) 874. *M 2,60.] * 4 20

Perrot, Fr., der Bank-, Börsen- und Actienschwindel. Eine Hauptursache der droh. socialen Gefahr. Beiträge zur Kritik der polit. Oeconomie. 2. Abthl.: Das Bankwesen und die Zettel-Privilegien. Eine Untersuchung über die Principien der modernen Wirthschaftsführung und über das Verhältniß des Bank-Gewerbes zu denselben. gr. 8. (VIII, 151 S.) Rostock 874, Stiller'sche Hofbuchh. *

—— dass. — 3. Abthl.: Das Actienunwesen. Eine histor.-krit. Untersuchung. gr. 8. (VI, 276 S.) Rostock 876, Werther's Verlag. *

Perrot, d. Bankwesen u. d. Zettel-Privileg. Rostock 874.

Perrot, F., der Fall Bontoux u. der jüngste internationale Börsenkrach, s.: Sammlung von Vorträgen.

— die Börse u. die Börsensteuer, s.a. Sammlung von Vorträgen.

Perrot, F., die Börse und die Börsensteuer. gr. 8. (32 S.) Leipzig 876, Bidder. * — 40

— die Börse u. die Börsensteuer. gr. 8. (32 S.) Leipzig 876. Berlin, Nikndorf. n. — 40

— die Börsensteuer. Vortrag, geh. in der General-Versammlung der Steuer- u. Wirthschafts-Reformer am 17. Febr. 1880. gr. 8. (16 S.) Berlin 880. Verlagsh. (F. Graf Behr). n. — 25

— die Differentialtarife der Eisenbahnen. gr. 8. (XXXV, 330 S.) Berlin 874. Stuttgart, Krabbe. n. 6. —

— die deutschen Eisenbahnen. Beiträge zur Kenntniß und zur Reform des deutschen Eisenbahnwesens. gr. 8. (V, 78 S.) Rostock 871, Kuhn. [Werther's Verlag.]

— der deutsche Eisenbahnjammer in Permanenz u. die Stellung der Reformpartei zur Eisenbahnfrage. gr. 8. (47 S.) Leipzig 876. Berlin, Niendorf. n. — 60

— deutsche Eisenbahnpolitik, s.a. Zeit- u. Streit-Fragen, deutsche.

Perrot F, deutsche Eisenbahnpolitik. (Zeit- und Streitfragen 3. 4) Berlin 1872

— die Eisenbahnreform. Beiträge zur Kenntniß und zur Reform des deutschen Eisenbahnwesens. gr. 8. (IV, 200 S.) Rostock 871, Kuhn. [Werther's Verlag.] *

— zur Geschichte des Verkehrswesens. Allen Gebildeten gewidmet. gr. 8. (VII, 143 S.) Rostock 871, Kuhn. [Werther's Verlag.] *

— das Handwerk, seine Reorganisation u. seine Befreiung v. der Uebermacht d. Großkapitals. gr. 8. (31 S.) Leipzig 876. Bidder. n. — 50

— der Kampf gegen die Ausbeutung d. Publikums durch den Banknotenschwindel u. die Papierpest. gr. 8. (XVI, 294 S.) Rostock 872. Werther. n. 4. 50

Perrot, F. (Hrsg.), s. Monatsschrift, Deutsche.

Perrot's Monats-Schrift f. Eisenbahnreform, Handel, Industrie u. Verkehr, Volkswirthschaft u. Sozialreform. 1. Jahrg. April 1890—März 1891. 12 Hefte. (à Heft 2—2½ Bog.) gr. 8. Mainz, Perrot's Selbstverl. à Heft * 1 —; * 10 —
Nicht weiter erschienen.

— Dessen Reform des Eisenbahntarifes im Sinne des Pennig-Portos. Bonn 1869. Vgl. auch Perrot's Aufsätze in Deutsch. Handelsl. 1871 u. in d. Deutsch. Monatsschr. f. Handel, Schifffahrt u. Verkehrswesen.

— die Reform d. Zollvereinstarifes, s.a. Zeit- u. Streitfragen, deutsche.

Perrot F, die Reform des Zollvereinstarifes. (Zeit- und Streitfragen 37) Berlin 1874

— in zwölfter Stunde. Kritische Miszellen zur modernen Wirthschaftspolitik. 2. Aufl. gr. 8. (161 S.) Dresden. 879. v. Zahn. n. 2. —

Perrot, F. (Hrsg.), s. Verkehrszeitung, Allgemeine deutsche

Perrot, F., e. parlamentarisches Votum üb. das Aktienwesen, s.a. Sammlung v. Vorträgen.

Perrot, Ein parlament. Votum üb. d. Aktienwesen. Heidelberg 884.

— der Wagenraumtarif. Dokumente und Erörterungen zur Reform der Eisenbahn-Gütertarife. 8. (XVIII, 184 S.) Berlin 873, F. Duncker. [Stuttgart, Krabbe.] *

— die moderne Wirthschaftsgesetzgebung u. die sogenannte sociale Frage, s.: Blätter f. deutsche Politik u. deutsches Recht.

— Zeitfragen. Beiträge zur Lösung staats- und volkswirthschaftl. Fragen der Gegenwart. gr. 8. (VIII, 207 S.) Rostock 871, Kuhn. [Werther's Verlag.] *

— Zonen-Tarif, seine Bewährung in Ungarn u. seine Bedeutung f. die Personenbeförderung, s.a. Eisenbahn-Reformfragen in zwanglosen Heften.

Perrots Zonentarif, seine Bewährung in Ungarn u. seine Bedeutung f. die Personenbeförderung. Frkft. a/M. 889.

Perrot, G., De Galatia provincia Romana. Diss. 1867. 176 S. 8.50

Perrot, Georges, u. Charles Chipiez, Geschichte der Kunst im Alterthum. Aegypten — Assyrien — Persien — Kleinasien — Griechenland — Etrurien — Rom. Autoris. deutsche Ausg. 1. Abth. Aegypten. Mit ungefähr 600 Abbildungen im Text, 4 farbigen u. 12 schwarzen Taf. Bearb. von Rich. Pietschmann. Mit einem Vorwort von Geo. Ebers. (In ca. 20 Lfgn.) 1—8. Lfg. Lex.-8. (V—XII u. S. 1—352.) Leipzig 882. Brockhaus. à n. 1. 50

Perrot, Georges, u. Charles Chipiez, Geschichte der Kunst im Altertum. Aegypten — Assyrien — Persien — Kleinasien — Griechenland — Etrurien — Rom. Autoris. deutsche Ausg. 1. Abth. Aegypten. Mit ungefähr 600 Abbildgn. im Text, 4 farb. u. 15 schwarzen Taf. Bearb. v. Rich. Pietschmann. Mit e. Vorwort. v. Geo. Ebers. 9—24. (Schluss-)Lfg. Lex.-8. (XIII—LXXX u. S. 353—915.) Leipzig 883. 84. Brockhaus. à n. 1. 50 (cplt. geb.: n. 44. —)

Perrot Julius, Esmeralda. Großes Ballet in zwei Acten und 5 Bildern. Musik von Cäsar Pugni 8. (12 S.) Wien: Künast 1889 * — 20

Perrot, Julius. Gazelda oder die Zigeuner. Großes Ballet in 2 Akten, 4 Tableaux und einem Vorspiele. Musik von Cäs. Pugni. 8. (16 S.) Wien, A. Pichler's Witwe und S. 1853.

Perrot, Karl, Köln als Rhein-, See- u. Industrie-Hafen in Bezug auf die bevorstehende Stadterweiterung nebst Versuch e. Geschichte der Seeschifffahrt auf dem deutschen Rhein. (83 S.) gr. 8. Köln 903. (J. G. Schmitz.) n. 1.—

Perrot, Karl Hermann, s. Perrot, Charles Hermann

Perrot, L. de, trois semaines à Paris, Metz et Belfort en mars 1871. Frauenfeld 1871. 8.

Perrot, Nicolas

Perrot, N., Mémoire sur les mœurs, coustumes et relligion des sauvages de l'Amérique septentrionale, s.a. Bibliotheca americana.

Perrot, Nicolas. Mémoire sur les moeurs, coustumes et religion des sauvages de l'Amérique Septentrionale. Publié pour la première fois par J. Tailhan. (Bibliotheca Americana. Collection d'ouvrages inédits ou rares sur l'Amérique.) Leipzig et Paris 1864. VIII, 351, XI S. 8°

Perrottet, G. S., die Indigofabrikation 2c., s. Schauplatz, neuer, der Künste u. Handw., 17. Bd.

Perroulaz, Etienne s. Raemy de Bertigny, Héliodore, et Perroulaz, Etienne.

Perroux, A., die französischen directen Steuern. Eine Sammlg. darauf bezügl. Gesetzbestimmgn. m. Anmerkgn. u. Erläutergn. Deutsche Ausg. v. Th. Joppen. gr. 8. (IX, 306 S.) Straßburg 874. Trübner. n.n. 9. —

Perroy, G. F. G. Demartine von, Systhematis physici. Disput. Quadragesima Sexta. Quae est de gravium motu in plano inclinato et de tractationibus obliquis Nec non de liquidorum descensu. Präs. J. P. de Crosa. Bern (Typ. Ill. Reip. Bern.) 1721. 20 S. (5.—) 26072
Gew.: Gabriel von Wattenville, Anton von Gingins.

Perrücken, s. Perücken

Perrückenmagazin, s. Perückenmagazin

Perrückenstock, s. Perückenstock

Perry, die Erschliessung Japans, bearb. v. A. Wirth u. Adf. Dirr, s.: Bibliothek denkwürdiger Reisen. II.

Perry, Charles Copland [M. A. '(New-College, Oxford)']: Die Sprache des spätmhd. Gedichts „Karl der Grosse und die schottischen Heiligen" . . . Marburg, Univ.-Buchdr. '(R. Friedrich)', 1892; 53 S. 8.
Marburg, Phil. Fak., Inaug.-Diss. v [14. Febr.] 1892

Perry, Edmund Guthrie

Perry, E. Guthrie, Hymnen u. Gebete an Sin, s.a Studien, Leipziger semitistische. II, 4.

Hymnen und Gebete an Sin von Rev. Dr. E. Guthry **Perry**, Prof. Mit 4 Taf. Leipzig: J. C. Hinrichs 1907. (50 S.) 8°
— Studien, Leipziger semitistische. Bd 2, H. 4. [07. 9989]

Perry, E(dmund) Guthrie, a. Ottawa ⟨Canada⟩: Hymnen an Sin. Leipzig 1906: A. Pries. (VI, 32 S.) 8° ¶(Erscheint vollst. in: Leipziger semitistische Studien Bd 2 H. 4.)
Leipzig, Phil. Fak., Ref. Zimmern-Fischer, Diss. v. 3. Nov. 1906
[Geb. 13. März 73 Ottawa (Canada); Wohnort: Winnipeg (Canada); Staatsangeh.: England; Vorbildung: Baccal. Manitoba Univ. Frühjahr 93; Studium: Berlin 2, Leipzig 7 S.; Rig. 28. Juli 05.]

Perry, Edward Delavan, die amerikanische Universität, s.a Aus Natur u. Geisteswelt.

Die amerikanische Universität. Von Edward Delavan **Perry**, Prof., New York. (Vorr.: [Leopold] Bahlsen.) Mit 22 Abb. Leipzig: B. G. Teubner 1908. (IV, 96 S.) 8° [F.]
— Natur, Aus, u. Geisteswelt. Bdch. 206. [08. 11333]

Perry, Jam., Anweisung z. Fabrikation d. engl. metallenen Schreibfedern. Nach d. Engl. bearb. u. mit Zusätzen verm. M. 1 Taf. Abbild. 8. (1 B.) Quedlinburg 833, Basse.

Perry, Jean, Etat de la gr. Russie. 8. Hannover, Helwing. 717.

Perry, John, höhere Analysis f. Ingenieure. Autoris. deutsche Bearbeitg. v. Rob. Fricke u. Fritz Süchting. gr. 8. (IX, 423 S. m. 106 Fig.) Leipzig 902. B. G. Teubner. Geb. in Leinw. n. 12. —

Perry, John, höhere Analysis f. Ingenieure. Autoris. deutsche Bearbeitg. v. Rob. Fricke u. Fritz Süchting. 2., verb. u. erweit. Aufl. (XI, 464 S. m. 106 Fig.) gr. 8. Leipzig 910. B. G. Teubner. Geb. in Leinw. 13. —

Perry, John, die Dampfmaschine (einschliesslich der Dampfturbine) u. Gas- u. Ölmaschinen. Autoris., erweiterte deutsche Bearbeitg. v. Herm. Meuth. Mit 350 Fig. im Text u. 1 Wärmetaf. (XII, 708 S.) gr. 8. Leipzig 909. B. G. Teubner. Geb. in Leinw. 22. —

Perry, John, Drehkreisel. Volkstümlicher Vortrag, geh. in e. Versammlung der „British association" in Leeds. Uebers. von Aug. Walzel. (VIII, 125 S. m. 58 Abb. u. 1 Titelbild.) 8. Leipzig 904. B. G. Teubner. Geb. in Leinw. n. 2. 80

Perry, John, die zukünftige Entwickelung der Elektrotechnik. Vortrag, gehalten in der Society of Arts zu London. Aus dem Engl. von Adf. F. Weinhold. Mit Zusätzen des Autors, Anmerkungen des Uebersetzers und 14 Holzschn. im Text. gr. 8. (III, 51 S.) Leipzig 882, Quandt und Händel. *

— praktische Mathematik. Zusammenfassg. v. 6 Vorträgen. Autoris. deutsche Bearbeitg. v. Gust. Lenke. (133 S. m. Fig.) gr. 8. Wien 903. (L. Weiss.) n. 3. 40

— Angewandte Mechanik. Ein Lehrbuch f. Studierende, die Versuche anstellen u. numer. u. graph. Beispiele durcharbeiten wollen. Berecht. deutsche Übersetzg. v. Rud. Schick. (VIII, 666 S. m. 371 Fig.) gr. 8. Ebd. 908. Geb. in Leinw. 18. —

Perry, Newel: Das Problem der konformen Abbildung für eine specielle Kurve von der Ordnung 3 n. *München 1901: F. Straub.* (34 S.) 8°
München, Phil. Diss. v. 1901

Perry, Newel, das Problem der conformen Abbildung f. e. specielle Kurve v. der Ordnung 3 n. gr. 8. (S. 43—64.) München 902. (G. Franz' Verl.) n. — 40
Sonderabdruck aus: „Sitzungsber. d. bayer. Akad. d. Wiss."

Perry, Nic., Staat von Rußland oder Moscau, wobey a. e. Nachr. d. Tartaren und a. Völker 2c. 2 Thle. 8. Leipzig, Weidmann. 724.

Perry, Thomas Sergeant, Franz Lieber. Aus den Denkwürdigkeiten e. Deutsch-Amerikaners [1800—1872]. Auf Grundlage d. engl. Textes u. in Verbindg. m. Alfr. Jachmann hrsg. v. Frz. v. Holtzendorff. gr. 8. (VIII, 317 S. m. Stahlst.-Portr.) Stuttgart 885. Spemann. n. 8. —

Perry, Walt. Copland. (England), De rebus Ephesiorum. Diss. Göttingen (H. C. Seemann) 1837. 55 S. (3.50) 26073
Gew.: A. H. L. Heeren, Carl Ottfr. Müller.

Perry, Walt. S., Prang's kurzer Lehrgang im Formstudium, s.: Clark, John S.

Pers, Karl von

Pers, Carl v., das Gesetz vom 16. XII. 1906, RGBl. Nr. 1 ex 1907, betr. die Pensionsversicherung der in privaten Diensten u. einiger in öffentlichen Diensten Angestellten, samt der Vollzugsvorschrift v. 22. II. 1908, RGBl. Nr. 42, u. den einschläg. Ministerialverordngn. u. Erlässen. Erläut. durch Materialien. (VIII, 173 S.) 8. Wien 908. Manz. 1.90; geb. n 2.60

Persan, le, en Angleterre, pour suite et paroli aux lettres persannes de Montesquieu. 8. Frcft. Gebhardt et K. 771. –

Persanzig [Schlagwort]

Persanzig, s.: Geologische Karten (Preussen).

Persch, Jakob Wilhelm

— — (Zeitz), De dissensu juris patrii et subsidiarii in quaestione utrum substitutione pupillari mater jure petendi legitimam privetur? Präs. Christian Gottlob Einert. Leipzig (Langenheim) 26. XI. 1774. 20 S. (4.25) 26075
Gew.: Christian Carl Persch. — Widm. v.: Christian Gottlob Einert.

Persch, Jakob Wilhelm (Dresden), De distinctione inter animum occidendi directum atque indirectum specimen jur. crimin. Saxon. elect. diss. Leipzig (Klaubarth) 2. V. 1793. 39 S. (4.—) 26074

Persch, Joh. Friedr., Taschenbuch d. pferdeärztl. Praxis f. Pferdeärzte, Cür- u. Fahnenschmiede u. jeden Pferdebesitzer. Aus dess. hinterlass. Papieren. 8. (7 B.) Quedlinburg 840, Basse.

Perschbecher, Philipp Wilhelm (Frankfurt / Main), De equo sequelae et ad alia servitia destinato atque de equo equestri et feudali Vom Heer-Dienst-Ritter- und Lehen-Pferde. Diss. jur. Moder. Heinrich Hildebrand. Altdorf (J. W. Kohle) Nov. 1718. 36 S. (4.50) 26076
Widm. v.: Lorenz Heister.

— — Dasselbe. Altdorf (J. W. Kohle) Nov. 1718. 1734. 35 S. (4.50) 26077

— — De jure mulieris Francofurtanae secundum statutum patriae. Diss. jur. Altdorf (J. W. Kohle) 15. V. 1719. 51 S. (5.—) 26078
Widm. v.: Heinrich Hildebrand.

Perscheid N, Photogr. in natürl. Farben v. H Scheidemantel. (138 S 4 T) Leipzig 1904

Perschinka, Frz., Kunst u. Leben im Altertum, s.: Muzik, Hugo.

— Das alte Rom. Eine Geschichte u. Beschreibung der Stadt in 88 Bildern m. erläut. Texte. (62 S.) gr. 8. Wien (907). A. Pichler's Wwe. & Sohn. 1.70

— dasselbe, s.a. Lichtbildervortrag.

Perschinka Franz: De mediae et novae, quae vocatur, comoediae Atticae trimetro iambico. Diss. Wien, Univ.
D: Diss. phil. Vindobonensis, III. Bd., 1891.
1890 PN 598 1491

Perschke, .., 5 gutachtl. u. pädagog.-ämtl. Berichte, s. Berichte.

Perschke, Christian Gottlieb

Perschke, C. Gli., Briefwechsel über die Erziehungsanst. zu Nachterstett in Halberst. 8. Halle, Curt. 779.

Perschke, Chr. Gli., († d. 16. April 1808.) Briefwechsel üb die Erziehungsanstalt zu Nachterstedt in Halberstadt. 8. Halle 779. (Laue in Berl.) 3 gr.

— s. Habakuk.

— Orthometrie f. Schulen jeder Art, besond. deren Lehrer, f. beginnende Dichter, f. höhere Lehrstühle u. Kanzeln, f. Schaubühnen u. fur Musiksetzung poetischer Stücke. gr. 8. Frankf. a. d. O. 809. 1 ₰ 16 gr. Mit n. T. Lpz. 817. Lauffer. 1 ₰

— Religionsvortr. der Studier. zu Klosterbergen geh. 8. Halle, Curt. 779.

— Religionsvorträge, den Studirenden zu Klosterbergen gehalten. 8. Halle 779. (Laue in Berl.) 10 gr.

— Moses Mendelsohns Uebersetzung des 110. Psalms, sammt Friedländers Kommentar darüber, beleuchtet. 8. Berl. 788. (Reimer). 7 gr.

— s. G. Tr. Zachariä, biblische Theologie.

— Züge des gelehrten u. sittl. Charakters G. Tr. Zachariä. 8. Bremen 777. (Barth in Leipz.) 4 gr.

Perschke, W. Beschreibung u. Geschichte der Stadt Landeshut 8. Breslau 1829.

Perschke, Wilh., Peter Schmid. Eine Lebensgeschichte. gr. 8. (6 B.) Essen 837, Bädeker.
Aus: Rheinische Blätter rc., besonders abgedruckt.

Perschke, Wilh., Peter Schmid. Eine Lebensgeschichte. der reiferen Jugend erzählt. br. 8. (2 B. m. Einfassung.) Berlin 842, Oehmigke's Buchh.

Perschke, Wilh.: Das Verfahren bei der Hypotheken-Capitals-Verwaltung frommer Stiftungen. *Liegnitz*, Leonhardt, 825. gr. 8. (16 Gr.)

Perschke, Wilh., Versuch e. Metakritik der Kritik des Hrn. v. Raumer, Streckfuß, Horn, Wehnert u. Thiel, üb. d. Preuß. Städte-Ordnung, als Commentar zu dem Gesetze. gr. 8. Lpz. 828. (Lehnhold). 16 gr. (Vergl. Kritik d. Jesus Sirach.)

Perschke, Wilh., Versuch ein. Metakritik der Kritik der Hrn. v. Raumer, Streckfuß, Horn, Wehnert u. Thiel üb. d. Preuß. Städte-Ordn. als Commentar zu dem Gesetze. gr. 8. (10½ B.) Leipzig 829, [Lehnhold.)

(——) Nachtrag dazu, s. Kritik d. Jesus Sirach rc.

—— über d. Vervollkommnungs-Fähigkeit d. Feuerschadens-Assecuranz-Vereines d. Schles. Städte, mit Ausschluß Breslau's. Ein Versuch. (Auch als Handbuch f. d. Magistrate bei d. Verwaltung d. Feuer-Societäts-Wesens zu gebrauchen.) Nebst e. Beilage üb. den Belagerungs-Brandschaden-Prozeß d. Provinzial-Städte mit d. Breslauer Vorstädten, u. den daraus entstand. Regreß-Prozeß. gr. 8. (14¼ B.) Hirschberg 829, Krahn.

— Verzeichniß der öffentl. von Wallenberg-Fenderlinschen Bibliothek zu Landshut in Schlesien, nebst e. Geschichte dieser Stiftung. Mit 1 Bildn. 8. Landsh. 829. Auf Kosten des Bibliotheksfonds. 1 ./

Perschmann. De Laurentii Rhodomanni vita et scriptis. 21 S - Nordhausen, Progr 1864

Perschmann, Christian, approb. Arzt aus Gerbstedt, Assist. am Kgl. pathol. Inst. zu Halle a. S. Die glatte **Muskulatur** des Hodens und seiner serösen Hüllen. *Halle a. S. 1904: Wischan & Burkhardt.* (39 S.) 8°
Halle, Med. Diss. v. 8. Juli 1904

Perschmann, H., Beiträge zur Kritik der französischen Karlsepen, s.: Ausgaben u. Abhandlungen aus dem Gebiete der romanischen Philologie.

Perschmann, H. Die Stellung von O in der Ueberlieferung des altfranzösischen Rolandsliedes. Diss. Marburg 1880. 48 S.

Perschmann, Siegfried

Perschmann, S., 180 Spaziergänge u. Ausflüge in die nähere u. weitere Umgebung v. Koblenz. Ehrenbreitstein, Andernach, Boppard, Ems, Kochem, Königswinter, Neuwied, Vallendar usw. 3. Aufl. Mit 1 Wegekarte. (XXIV, 120 S.) kl. 8. Koblenz 904. W. Groos. In Leinw. kart. n. 1. 80

Perschmann, S., 129 Spaziergänge u. Ausflüge in die nähere u. weitere Umgebg. v. Würzburg. Nebst Wandergn. im Spessart u. Taubertal, im südl. Steigerwald u. in d. Rhön. Mit 1 Karte 1:200000. 2. verm. Aufl. (XV, 92 S.) kl. 8. Würzburg 908. S. Perschmann. 1. 50

Perschmann, S., 160 Spaziergänge u. Ausflüge in die nähere u. weitere Umgebung v. Koblenz, Ehrenbreitstein, Andernach, Boppard, Ems, Kochem, Königswinter, Neuwied, Vallendar usw. 2. Aufl. der „117 Spaziergänge u. Ausflüge". Mit 1 Wegekarte. 12. (XVI, 96 S.) Koblenz 902. W. Groos. n. 1. 60

200 Spaziergänge und Ausflüge in die nähere u. weitere Umgebung von Koblenz sowie von Ehrenbreitstein, Andernach, Boppard, Braubach, Ems, Kochem, Mayen, Neuwied, St. Goar ... [Verf.: Siegfried **Perschmann.**] Mit Kt. 4. Aufl. Koblenz: Groos 1908. XXIV, 152 S. 8° [10. 17365

— Das Taubertal von Wertheim bis Rothenburg. Ein Reisehandbuch f. Einheimische u. Fremde. Mit e. Karte vom Lauf der Tauber 1:100000. (III, 40 S.) kl. 8. Würzburg 907. A. Herzer. 1. —

Wegekarte der Umgebung von Koblenz. Gez. von Siegfried **Perschmann.** Maßst. 1 125,000. [Mit 1 Nebenkarte.] Koblenz: W Groos 1902 Aubeldr.-Anst. C.F. Kaiser, Köln. (1 Kartenbl. 53x51 cm.) 8° [kol.]

Perschmann, Thdr, der Entwicklungsgang Schiller's in den Jahren 1785—1795. Ein Beitrag zur 100jährigen Geburtstagsfeier des Dichters. Nordhausen 859. Haacke. gr. 8. (34 S.) n. 5 ngr.

Perschmann, Thdr., Johannes Clajus d. Aelteren Leben u. Schriften. gr. 8. (56 S.) Nordhausen 874. Haacke. n. — 80

Perschmann, Th., die Reformation in Nordhausen 1522—1525, s.: Neujahrsblätter, hrsg. von der historischen Comm. der Prov. Sachsen.

Perseke, K., allgemeine Ackerbaulehre f. landwirtschaftliche Lehranstalten. Zugleich 3., vollständig neu bearb. u. erweit. Aufl. v. Hildebrands Ackerbaulehre. (Sammlung landwirtschaftlicher Leitfäden.) (VI, 103 S. m. 60 Abb.) 8. Leipzig 907. H. Voigt. Geb. in Leinw. n. 1. 60

Perseke, K., Anleitg. zur Bekämpfg. d. Unkrautes. gr. 8. (46 S.) Berlin 896. P. Parey. n. 1. —

— landwirtschaftliche Betriebslehre f. landwirtschaftliche Lehranstalten u. f. die Praxis. (Sammlg. landwirtschaftl. Leitfäden.) (VI, 96 S.) 8 Ebd. 907. Geb. in Leinw. n. 1. 60

PERSEKE (K.) Formveraenderung der Wurzel in Wasser und Erde. Leipzig. 1877 8°

Persekutionsbüchlein, das. Geschichte der Verfolgungen des Evangeliums in Böhmen seit Einführung des Christenthums bis auf die Regierung Kaiser Ferdinand II. [894—1632.] Nach der latein. Orig.-Ausg. von J. 1648 deutsch bearb. von Bernh. Czerwenka. 8. (XVI, 401 S.) Gütersloh 869, Bertelsmann's Verlag. *

Persenaire, J. B. C. [geb. zu Schelle bei Zwolle]: Über Friedreich's hereditäre Ataxie . . Zwolle, de erven J. J. Tijl, 1890; 83 S., 1 Bl. 8°
Heidelberg, Med. Fak., Inaug.-Diss. v. [29. Jul.] 1890

Persephone. Ein Jahrbuch auf 1806.
Hrsg. v. Albert Ludewig Grimm u. Albert Ludewig Danquard.
Frankfurt a. M.: Mohr in Comm.

Persephron. Gedicht. [Leipzig 1813.] V: *Naubert, Christiane Benedicte Eugenia geb. Hebenstreit.* (schl)

Persepolis. Eine Muthmaassung. Gotha 1787. V: *Herder, Joh. Gfr. v.* (GGr)

Perser, die. Eine übermüthige Geschichte aus dem alten Jena v. ***. (Unterwegs u. daheim.) schmal 8. (152 S.) Breslau (898). Schlesische Buchdruckerei etc. n. — 75; geb. n. 1.—

Die **Perser.** Eine übermüthige Gesch. aus d. alten Jena von *** *Breslau: S. Schottlaender (1899)* (152 S.) 8° [F.]
= **Unterwegs** und Daheim. [7, 5.] [00. 4650

Perser, Moriz, das Geheimniß der Schnell-Malerei. 8. (...) Kaschau 835. [Pesth, Heckenast.]

Perseus und Andromida. Eine heroisch pantomimisches Ballet aus der Fabelgeschichte genommen. In drey Aufzügen. Bei Gelegenheit des Geburtstages Karl Anselmus des Heil. Röm. Reichs Fürsten von Thurn und Taxis Auf Höchst Dero privilegirten Schaubühnen am zweyten Junius 1780 zum erstenmale aufgeführet. O. O. u. J. V: *Roland, Albonico.* (BIBLPORT)

Perseus u. Demetrius; od. die feindl. Brüder. Trauersp. in 5 Akt. a. d. Engl. 8. Prag, Widtmann. 769. –

Perseverantia. Bühnen-Almanach für Freunde der deutschen Schauspielkunst. Hrsg. von Jul. Luqui. gr. 8. (VI und 138 S. mit 8 Stnt.) Berlin 857, Moeser. *

Persian, Tales, design. for use and entertainement, (ed. J. F. Facius). III Voll. 8. Cob. 779—81. (Riemann). 1 ℔ 4 gr

Persiani, Baron, u. Rimesso, das Kreuz v. Savoyen, s.: Retcliffe, Sir John, historisch-politische Romane.

Persiani, Baron, die Völker in Waffen. Roman-Trilogie aus der Gegenwart. 1. Abth.: Das Kreuz von Savoyen. Zeitgeschichtlicher Roman. [Fortgesetzt von Abbate Rimesso.] 1—28. Lfg. 8. (1. Bd. 467, 2. Bd. 464 S. u. 3. Bd. S. 1—384.) Berlin 880—82. Kogge & Fritze. à n. — 40

Persiani, Baron, die Völker in Waffen. Roman-Trilogie aus der Gegenwart. 1. Abth.: Das Kreuz v. Savoyen. Zeitgeschichtlicher Roman. [Fortgesetzt v. Abbate Rimesso.] 29—40. (Schluß-)Lfg. 8. (3. Bd. S. 385—480 u. 4. Bd. 480 S.) Berlin 883—86. Kogge & Fritze. à n. — 40

Persiani, Alfredo, das Handelsrecht, Wechselrecht u. Konkursrecht d. Republ. Argentinien, s.: Handelsgesetze, die, des Erdballs. (Quesada, Ernesto.)

Persich, Geo., Seemanns-Abenteuer, s.: Bloch's, Eduard, Theater-Korrespondenz.

Persiehl, H. O., Schriftenverzeichniss der Buchdruckerei von —. Hamburg 1886.

Persiehl, H. O., Schriften-Verzeichniss, Muster-Vorlagen der Buchdruckerei und Steindruckerei — Hamburg. Hamburg 1893.

Persien [Sachtitel]

Aus Persien. Aufzeichnungen eines Oesterreichers, der 40 Monate im Reiche der Sonne gelebt und gewirkt hat. Mit 17 Holzschnitten. gr. 8. (260 S.) geh. 3 fl. Wien: Waldheim 1882.

Persien. Das Land der Sonne u. des Löwen. Aus den Papieren eines Reisenden hrsg. v. I. Bleibtreu. Mit 50 Abb. u. 1 Karte. *Freiburg i. B.: Herder 1894.* (211 S.) 8° [5.]
(Ill. Bibliothek d. Länder- u. Völkerkunde.) 1894. 7

Persien [Schlagwort]

Persien, s.a Afghanistan. —

— s.a Afrika. Karte, neue, von. —

— s.a Geschichtskarten. Kiepert.

Persien, s.a Hand- u. Reisekarten. 51.

Persici — Imperii — in omnes suas Provincias exacte divisi Nova Tabula Geographica, quam ex praecipuis Olearii, Tavernieri, Relandi aliorumque recentium Authorum Scriptis concinnatam Luci publicae exponit J. B. Homann. Norimbergae 1712 ? 1 : 6,500,000. 1 Bl.

Persien. Kiepert, H., Wandkarte der Reiche der Perser u. Macedonier. 1 : 3,000,000. 6 Blatt. Chromolith. qu. gr. Fol. Berlin 889. D. Reimer. n. 9. —

Persifleur, Der. Zeitschrift. Leipzig 1796. V: *Heydenreich, Carl Heinrich.* (MGT) (Ky)

Persifleur, der, Zeitschrift (v. K. H. Heydenreich). 3 Stcke. 8. Leipz. 796. Feind. 18 gr

Persigk, G., de pastoribus ac doctoribus ad Eph. 4, 2. Lips. 1738. 4.

Persigny, F. de

—— Bericht üb. d. Unternehmen d. Prinzen Napoleon Ludwig Bonaparte u. die Beweggründe, die ihn dazu vermocht haben. A. d. Franz. gr. 8. (4 B.) Stuttgart 838, [Gärtner.]

Persigny, F. de, Relation de l'entreprise du Prince, Napoleon-Louis Bonaparte et des motifs qui l'y ont déterminé. gr. in-8. (4 B.) Stuttgart 838, [Gärtner.]

Persil, J. C., das Hypothekenwesen, od. Commentar üb. d. 18n Titel d. 3n Buchs d. Gesetzbuchs Napoleons; nebst Anhang. Uebers. u. mit e. Noten begleit. v. F. Collenbach. gr. 8. Düsseldorf 810. Levrault. 2 ℔ 8 gr

Persil, J. L.: Das Hypothekenwesen, od. Comment. üb. d. 18. Tit. d. 3n Bds. d. Gesetzb. Napoleons — von Privilegien u. Hypotheken — enth. die Entscheidungen d. Minister, d. Gerichtsgebrauch d. Cassationshofes, d. Erkenntniss d. Appellat.-Höfe u. Tribun. erster Instanz des Reichs, nebst Anh.; übers. u. mit ein. Not. begl. v. *F. Collenbach. Düsseldorf*, Gonder. 810. gr. 8. (2 Thl. 8 Gr.)

Persiles, d., u. d. Sigismunde Abenteuer, eine nordische Gesch. v. Miguel de Cervantes Saavedra, Verf. d. Donquixotte, a. d. spanischen Originale verdeutscht v. Reichsgrafen v. Soden, 4 Bde. 8. Ansbach, Gassert. 782.

Persiles und der Sigismunde Abentheuer, eine nordische Geschichte, von Miguel de Cervantes Saavedra, Verf. des Don Quixotte, aus dem Spanischen von Soden, 4 Theile, 8. Anspach, 782. Haueisen. 1 Rthl. 10 sgl.

— d., u. d. Sigismunde Drangsale v. M. de Cervantes Saavedra, a. d. Spanischen. 1r Thl. 8. Berlin, Realschulbchhdl. 808.

Persilus u. Sigismunde, eine nordische Historie. 8. Coburg. 746.

Persitz, I[saac]. Der Alkohol. Ein grosser Feind des Arbeiters. Ein Mahnwort an den klassenbewussten Arbeiter. Vortrag gehalten in der deutsch-österr. sozialdemokrat. Partei St. Gallen. 1.—2. Tausend. 15 S. 8. fr. —.20
Arbeiter-Bibliothek. Nr. 1.

Persius, die neuesten Bau-Ausführungen Sr. kgl. Hoh. des Prinzen Karl von Preussen im Schloss-Park zu Glienike bei Potsdam. gr. Fol. (2 B. Text u. 6 Kpfrt.) Potsdam 843, Riegel's Vrlgsh. *

— die Baulichkeiten im Königl. Wildpark bei Potsdam. Nach Zeichnungen des Architekten Jos. Egle zinkographirt in L. Förster's artist. Anstalt. Besond. Abdruck aus der Allgem. Bauzeitung 1843. Roy.-Fol. (13 Tafeln u. Text.) Wien 844, Försters art. Anstalt. n. 3½ ℔

Persius, s.: Bericht der verstärkten (IV.) Kommission f. Justizangelegenheiten über den Entwurf e. preuß. Gesetzes üb. die freiw. Gerichtsbarkeit.

—— architektonische Entwürfe f. den Umbau vorhandener Gebäude. 3 Lfgn. gr. Fol. Potsdam, Riegel's Vrlgsh. à Lfg. * 2 Thlr. 10 Ngr. *

Inhalt:

Lfg. 1. Der Umbau des kgl. Civil-Kabinetshauses bei Sanssouci. (2 B. u. 6 Kpfrt.) 843.
„ 2. Der Umbau der Hofgärtner Sello'schen Dienstwohnung in Sanssouci. (3 Bl. Text u. 6 Kpfrt.) 843.
„ 3. Die Villa; Schöningen an der Glieniker Brücke bei Potsdam. (1 B., 4 Kpfrt. u. 2 Stnt.) 845.

Persius, architektonische Entwürfe für den Umbau vorhandener Gebäude. 4. (letztes) Heft. gr. Fol. (4 Kpfr.- und 2 Stnt. mit 6 S. Text.) Potsdam 849, Riegel's Verlag. Thlr. *

Persius, Entwürfe für den Umbau vorhandener Gebäude. Auf allerh. Befehl Sr. Maj. des Königs von Preussen ausgeführt. (24 in Kpfr. gest. und lithogr. Taf. und 7 S. erläut. Text.) Neue, verb. Ausg. Imp.-Fol. Berlin 855, Riegel's Verlag. *

Persius, s. F r i e d e n s k i r c h e , Die, in Sanssouci.

Persius, Gedächtnis-Rede auf Kaiser Friedrich III., geb. am 17. Juni 1888. 1. u. 2. Aufl. gr. 8. (13 S.) Berlin 888. G. Nauck. — 30

Persius, K.

— Huldreich Zwingli, s.a. Für die Feste u. Freunde d. Gustav-Adolf-Vereins.

Persius, K. Huldreich Zwingli. In-12°, 42 S. Barmen, Hugo Klein. 1888 — 15
*** „Für die Feste und Freunde des Gustav-Adolph-Vereins" N° 63.

Persius Flaccus, Aulus

Persii fragmenta Bobiensia, s.: Juvenalis.

— — Modernisierung der 6 Satyren in F. H. *Bothe's* vermischten satirischen Schriften. Leipzig 1803. 8°.

Persius (A.), übers. von W. Binder, s. Bibliothek, Langenscheidt'sche, sämmtlicher griechischer und römischer Klassiker.

— — *Aulus Persius Flaccus.* Von Franz Passow. . . . Erster (einz.) Theil. Text und Uebersetzung. (S. 1—77.) Ueber das Leben und die Schriften des Persius. Anmerkungen zur 1. Satyre. Leipzig, bey Gerhard Fleischer d. Jüng. 1809. Gr. 8°. XII, 370 S.
Vorher: Abendztg. 1806; Prolog u. 1. Satyre: N. Tsch. Merkur 1806. April. S. 251—265.

— Satira I. edita et castigata a F. Hauthal. Pr. 1833. XXXII 42 S.

—— Satira prima ad XXX edit. antiquiss. undecunque collectas maximamque partem nunc primum collatas; novissima earum est adhuc ignota illa repetitio Ascensianae I. a. 1500. Parisiis a Thiel. Kerver impressa. Edita et castigata a Ferd. Hauthal. Prodromus I. histor. crit. et recens. Persii veterumque ejus commentator. 8 maj. (4¾ B.) Lipsiae 833, Baumgärtner.

Persius Flaccus, A. Satyrae. Les Satires . . . Berne 1765. H: *Sinner Herr zu Sallaigue, Johann Rudolph.* (ML) (Ky) (BrMm) (Cat. d. Stadtbibl. Zürich. Zürich 1864—97.)

— — Cum variis lectt. ed. G. F. Sebaldus, tabulisq. aeneis incidit J. M. Schmidius. Norimb. 765. 4. 18 gr.

— — Lateinisch u. Deutsch. Berl. 775. 8. 6 gr.

— — — id. l. 12. ibid. 780.

Persii, Aul. Flacci, et Juvenal. Satyrae. 8 maj. Bipont. 785. (Treuttel u. W. in Strassb.) 14 gl. Schrbp. 17 gl.

— — et Juvenalis. Cum notitia literar. Bipont. 786. 8. 16 gr.

Persius Flaccus, A. Satirarum liber cum glossis veteribus . . . Berlin 1789. H: *Reitz (Reiz), Friedrich Wolfgang.* (Ky) (Gi) (ML) (Ebert) (ErschDl.)

— — Cum glossis veter. ed. F. W. Reiz. Lips. 789. 8. 2 gr.

— satyrarum liber cum glossis veteribus. In us. praelect. acad. 8. Leipz. 789. Schwickert. 2 gl.

— — Latein. u. Deutsch mit Einleitung und Anmerkungen von G. G. Fülleborn. Züllich. 794. 8. 14 gr.

— Satyrae ex recens. Casauboni. 12. Nürnb. 800. Riegel u. W. 1 gl.

— — Cum selectis variis lectt. et annotationibus. Acc. Index uberrim. Norimb. 803. 8. 20 gr.

— — Cum commentario ed. König. Götting. 804. 2 Tom. 8. 15 gr. (Tom. II. Commentarius 12 gr.)

— Satyrae ad recens. Casaubon. typis excudi cur. B. Thorlacius. 8. Kopenh. 804. Schubothe. 3 gl. Schrbp. 4 gl.

— et Juvenal. Satyrae, una c. C. Lucilii Fragm. 8. Wien 804. Degen. (Armbruster). 8 gl. Schrbp. 12 gl. Velinp. 2 ß 16 gl.

— Satyrae, cum paraphrasi teutonica, et notis illustrant. a Benno Ortmann. 8. München. 807. Lentner. 12 gl.

— Satyrae. Text. recens. Frz. Passow. 8 maj. Leipz. 808. Er. Fleischer. 6 gl.

— — Ad optimos codd. ed. F. Passow. Lips. 809. 8. 6 gr.

— — Lateinisch u. Deutsch mit Anmerkungen von Passow. Leipz. 809. Band I. 8. 2 rthlr.

— et Junii Juvenalis Satyrae ad opt. libr. fidem accur. editae. Edit. stereot. 16. Lpz. 825. Tauchnitz. 6 gl. Hbg. Pr. 3 gl. fein Pap. 8 gl.

— Satyrae. Recens. et commentar. crit. atque exeget. addid. Fr. Plum. gr. 8. Kopenh. 827. Schubothe 4 ß 18 gl.

Persii Flacci, Auli, Satirarum liber, cum ejus vita, vetere scholiaste, et Is. Casauboni notis, qui eum recens. et commentar. libro illustr., una cum ejusdem Persiana Horatii imitatione. Edit. noviss. auct. et emend. ex ipsius auctoris codice: cura et opera Merici Casauboni IS. F. Typis repetendum cur. et recent. interpretum observationibus selectis aux. Frider. Duebner. 8 maj. (28 B.) Lipsiae 833, Lehnhold.

—— satirarum liber. Cum scholiis antiquis edid. Otto Jahn. 8maj. (39¾ B.) Lipsiae 843, Breitkopf et Haertel.

— et D. Junii Juvenalis Satyrae. Ad praestantium librorum lectiones accurate recens. C. H. Weise. Nova edit. stereot. 16. Leipzig 844, K. Tauchnitz. 1/8 ℛ — Fein. P. 6¼ ngr

Persius Flaccus, A., Satirae. In usum scholarum academ. edidit, translatione german., summariis, varietate lectionum et locis similibus instr. Henr. Duentzer. 8maj. (5 B.) Treveris 844, libr. Lintz.

Persii Flacci, A., satirarum liber recensuit Otto Jahn. 8. (40 S.) Lipsiae 851, Breitkopf und Härtel.

Persii Flacci, A., satirarum liber. Ex recens. Car. Frid. Hermanni. Lipsiae 854. Teubner. 8. (XVI, 21 S.) 3 ngr; fein Pap. 5 ngr

Persii Flacci, A., et D. Junii Juvenalis satirae. Ad praestantium librorum lectiones accurate recensuit Car. Herm. Weise. Nova edit. ster. C. Tauchnitiana. Nova impressio. 16. (IV und 157 S.) Leipzig 866, Holtze.

—— D. Iunii Iuvenalis, Sulpiciae saturae recognovit Otto Jahn. gr. 8. (160 S.) Berlin 868, Weidmann'sche Buchh.

—— et D. Iunii Iuvenalis Satirae. Ad praestantium librorum lectiones accurate recensuit C. H. Weise. Nova edit. ster. C. Tauchnitiana. Nova impressio. 16. (IV, 157 S.) Leipzig 870, Holtze.
Auf Velinpap. (Ausg. von 1844.)

Persii Flacci, A., satirarum liber. Ex rec. Carol. Frid. Hermanni. 8. (XVI, 21 S.) Leipzig 872, Teubner.

— D. Junii **Juvenalis, Sulpiciae** saturae, recognovit Otto Jahn. Ed. II. curam agente Frz. Buecheler. gr. 8. (XV, 238 S.) Berlin 886. Weidmann. 3.—

Persii Flacci, A., D. Iunii Iuvenalis, Sulpiciae saturae, recognovit Otto Iahn. Ed. III. Curam egit Frz. Buecheler. 8. (XVI, 254 S.) Berlin 893. Weidmann. n. 3.—

— et D. Iunius Iuvenalis, Saturae cum additamentis Bodleianis, recognovit brevique adnotatione critica instruxit S. G. Owen. (XVI, 176 S.) 8. Oxford (902). Clarendon Press. n.n. 2.60

Persius Flaccus, A., satirae. Edidit, adnotationibus exegeticis et indice verborum instruxit Geyza Némethy. (390 S.) gr. 8. Budapest 903. Verlagsbureau der ungar. Akademie der Wissenschaften. n. 8.—

— saturarum liber. Recensuit Santi Consoli. Ed. minor. (30 S.) 8. Rom 905. Loescher & Co. n.n. —80

— dasselbe. Recensuit, adnotatione critica instruxit, testimonia usque ad saeculum XV addidit Santi Consoli. Ed. major. (XVII, 256 S.) 8. Ebd. 905. n.n. 4.—

Persius Flaccus, Aulus: Satirarum liber. Ex rec. Caroli Friderici Hermanni. Ed. ster. Lipsiae: Teubner 1909. XVI, 21 S. 8⁰
(Bibliotheca scriptorum Graec. et Rom. Teubneriana.)

— D. Junii **Iuvenalis, Sulpiciae saturae.** Recognovit Otto Ian. Post francisci Buecheleri iterates curas editionem IV. curavit Fridericus Leo. (XXIV, 304 S.) 8. Berlin 910. Weidmann. 3.40

Persii Flacci, A., saturarum liber. Iterum recensuit, adnotatione critica instruxit, testimonia usque ad saeculum XV addidit Santi Consoli. (XX, 190 S.) gr. 8. Rom 911. Loescher & Co. 4.—

—— Satirae sex integrae ed. I. C. Orellii, s. Eclogae.

—Satirae sex integrae, s. Jo. Casp Orelli Eclogae.

Persii, Aul. Flacci, Satyrae sex. ad fidem optim. editionum. una cum var. lect. cod. Ebneriani c. G. F. Sebald. 8. Nürnb. 765. (Leipz., Hahn). 18 gr

— c. vers. gallica et fig. 8. Bern 769. Typ. 20 gr

— — s. e. erkl. Uebers. 8. Berl. Mottmann. 775.

— — in us. praelect. acad. 8. Lps. Schwickert 789.

— Satyrae VI. ed. cum comment. G. L. König. 8maj. Götting. 803. Dieterich. 15 gr Hbg. Pr. 10 gr Schrbp. 1 ℛ 1 gr Hbg. Pr. 17 gr Velinp. 1 ℛ 14 gr Hbg. Pr. 1 ℛ 2 gr Der Text apart 3 gr Hbg. Pr. 2 gr Schrbp. 4 gr Velinp. 6 gr Der Commentar besonders 12 gr Hbg. Pr. 8 gr Schrbp. 13 gr Velinp. 20 gr

— Satyrae sex uno libro compreh. ad opt. ed. coll. c. selecta lection. var. et perpetua annotatione. Acced. index uberrimus c. interpretatione. (ed. Jh. Siegm. Gruber.) 8maj. Nürnb. 803. (v. Ebner). 20 gr Schrbp. 1 ℛ 8 gr

Persius, A. Fl., Satyrae sex uno libro compreh. adopt. ed. coll. c. sel. lection. variet. et annot. etc. 8. maj. Nrnb. Lechner. 803.

— Satyrae VI. ed. G. L. König. gr. 8. Gött. Dietrich. (macht mit dem Commentar d. Script. class. rom. T. I. P. 2. aus.) 804.

— — der Commentar hierzu. 8. Ebend. 804.

— Satirae sex. Recens. et annot. crit. et exeget. addid. E. Guil. Weber. 12 maj. Lips. 826, Teubner. 6 gr. Fein Pap.

— dritte Satyre im Versmaß, mit Anmerkk. v. F. Blümm ꝛc. gr. 8. Würzb. 801. Rienner. (Wesche in Frankf.) 6 gr

— — die dritte Satyre, im Versmaaße des Origin. mit Anmerk. von F. Blümm. gr. 8. Würzburg. 801. Jetzt Göbhardt in Bamb.

Persius Flaccus, Aul., Satiren uebers. v. B. A. B. Otto, s. Otto

Persius Flaccus, A. Satiren, s. a. Sammlung griechischer u. römischer Classiker.

- - , verdeutscht durch J. B. Dragheim, Rostock (1725)
s. a. Johann Benjamin Dragheim.

— — Satyren. Deutsch von Dragheim. Rostock 1725. 8⁰. (2 Mk. 50 Pfg., Rich. Härtel, Dresden, 1909.)

— — nach Plutarchs Abhl., wie man Poeten lesen soll ꝛc. von J. D. Heyden. 8. Lpz. 738.

— Satyren, (latein.) sammt e. erklär. Uebersetzung. 8. Berl. 775. (Mettmann). 10 gr

— Satyren; Text u. Uebersetzung, mit Einleit. u. Erläuterungen v. G. G. Fülleborn. gr. 8. Züllich. 794. Frommann in Jena. 14 gr

— — Dasselbe. (Nachdruck.) Wien 1801 bey Joseph Oehler. 8⁰. 238 S.

— Satyren, in e. metr. Uebersetzung mit erläut. Anmerkk. von Ph. Wilh. Schindler, herausgg. v. C. F. Burbach. 8. Leipz. 803. (List in Berl.) 20 gr

— Satyren. Uebersetz. u. mit Anmerkk. begleit. v. Frz. Passow. 1r Bd. gr. 8. Leipz. 809. Gr. Fleischer. 2 Thlr

— — Übers. mit Anm. von J. F. Wagner. Lüneb. 811. 8. 8 gr.

— Satyren in der Versart d. Urschrift, verdeutscht u. mit erläut. Anmerkk. v. J. J. C. Donner. 8. Stuttg. 822. Metzler. 16 gr

— Satyren; übers. im Versmaße d. Orig. von C. C. Krause. 12. Prenzl. 831. Ragoczy. 6 gr

—— Satiren deutsch v. W. E. Weber. Mit Anmerkn. gr. 12. (6¼ B.) Bonn 834, Marcus.
Vgl. Emigrant u. Stoiker.

— Satyren, deutsch vom Director rc. Wilh. Ernst Weber. Mit Anmerkk. gr. 12. Bonn 834. Marcus. 5/12 Thlr (Vergl. W. E. Weber.)

Persius Flaccus, A. Satiren berichtigt und erklärt ... Leipzig 1844. H: *Jahn, Otto.* (BrMm)

—— Satiren berichtigt u. erklärt v. Carl Friedr. Heinrich. gr. 8. (11⅛ B.) Leipzig 844, Breitkopf u. Härtel.

— Satiren, übers. von Teuffel, s. Classiker des Alterthums.

—— Satiren übers. von W. S. Teuffel, s. Dichter.

— Satiren. Einleitung, Uebersetzung und Erklärung von W. S. Teuffel. Vollständ. in 1 Bochn. 16. Stuttgart 844, Metzler. ¼ Thlr

— sechs Satyren; übersetzt v. J. A. Messer. (Mit angehängt. Text). 8. Kiel 807. Hesse; (a. Aue in Altona). 12 gr

— sechs Satyren; übersetzt v. J. F. Wagner. 8. Lüneb. 811. Herold u. W. 8 gr

— 6 Satyren, übers. im Versmaaße des Orig. mit Anmerkk. u. beigefügtem Texte; ein Versuch von F. W. Kayser. gr. 8. Soest 822, (Hannov., Hahn.)

—— Satires, s. Juvenal.

— les Satyres de Perse, avec des notes par R. Sinner. av. 1 Vign. 8. Bern 765. Typ. 16 gr

— Text, metrisch-rhythmische Uebersetzung u. kritische Anmerkungen, s. Fd. Hauthal.

Perske, Arthur [aus Schneidemühl in Posen]: Ein Fall von Sarcoma deciduo-cellulare ... Anklam, Druck v. G. Kleese, 1894; 35 S. 8.
Greifswald, Med. Fak., Inaug.-Diss. v. 4. Juli 1894

Person, Amt u. Würde Jesu, über. (v. K. F. W. Herrosee). 8. Berl. 783. Maurers B. 8 gr

Die Person des Königs ist gefährdet! — Der Verein zur Wahrung der Rechte und Interessen der Provinzen. Gedruckt bei J. Sittenfeld. 1 Bl. Fol.
Flugblatt. Berlin, 27. Juni 1848.

Person, der, Freund, der Sache Feind, od. freimüthige Staatsbürgerworte üb. eine v. Pastor Hermes gehaltene Predigt. 8. Bresl. 804. J. F. Korn. 2 gr

Von der Person des Königs in der repräsentativen Monarchie Preußen. Von K. L. Berlin, C. G. Brandis 1851. 42 S. 8.

Person, Beschreibung neu erfundener höchst wichtiger Maschinen für die Landwirthschaft u. d. Ackerbau, herausgeg. von C. G. Eschenbach. 2 Hefte. gr. 8. Leipzig, Hinrichs. 802.
(a. dem Kunstmagazin besonders abgedruckt.)

Person, ..., Beschreib. neu erfundener höchst wichtiger Maschinen für die Landwirthe u. d. Ackerbau, hrsgg. v. C. G. Eschenbach. 2 Hefte mit 35 Kpf. gr. 4. Leipz. 803. Hinrichs. 2 Thlr 8 gr (Aus d. Kunstmagazin besonders abgedruckt).

Person, Benj., Tabellen z. Bestimmg. d. Trägheitsmomente symmetr. u. unsymmetr. beliebig zusammengesetzter Querschnitte f. Bauingenieure, Maschineningenieure u. Architekten. gr. 4. (V, 20 S. m. 5 Fig.) Zürich 897. (E. Speidel.) n. 2.—

Person, Robert. Wegweiser der Menschen zu ihrem ewigen Heil, durch das wahre Christenthum ... übersetzt ... Augsburg 1761. Ü: *Jobst, Franz Xaver.* (Jcs)

Cosmidromius Gobelini Person [**Persona**] und als Anh. desselben Verf. Processus translacionis et reformacionis monasterii Budecensis, hrsg. von Dr. Max Jansen. *Münster i. W.: Aschendorff 1900.* (LVII, 254 S.) 8°
= **Veröffentlichungen** d. Histor. Kommission d. Prov. Westfalen. [2.] [oo. 1088]

– Dass., s.a. Gobelinus Person

Personal der königl. preuss. Bergverwaltung. (Am 1. I. 1910.) (38 S.) Lex. 8. Berlin 910. W. Ernst & Sohn. 1.50
Sonderabdr. a.: „Ztschr. f. d. Berg-, Hütten- u. Salinenwesen im Preuss. Staate".

Personal, das, der vaterländischen Kriegsmarine. Unter Benutzung amtlichen Materials dargestellt. Berlin 867. Mittler & Sohn. gr. 8. (28 S.) n. 5 ngr

Personal, das medicinal- und veterinärärztliche, und die dafür bestehenden Lehr- und Bildungsanstalten im Königreich Sachsen am 30. Juni 1860. Im Auftrage des Königlichen Ministerium des Innern bearb. Dresden 860. Kuntze. gr. 8. (VIII, 132 S.) n. 15 ngr

— das medicinal- u. veterinär ärztliche, u. die dafür bestehenden Lehr- u. Bildungsanstalten im Königr. Sachsen am 1. Novbr. 1864. Auf Anordnung des Königl. Ministeriums des Innern bearb. Dresden 865. Kuntze. gr. 8. (103 S.) n. 12 ngr

— — am 1. Jan. 1866. Ebend. 866. gr. 8. (122 S.) n. 12 ngr

— — am 1. Jan. 1867. Ebend. 867. gr. 8. (127 S.) n. 12 ngr

Personal, das medicinal- und veterinärärztliche, und die dafür bestehenden Lehr- und Bildungsanstalten im Königr. Sachsen am 1. Januar 1868—1875. Auf Anordnung des königl. Ministeriums des Innern bearb. gr. 8. (à 131—146 S.) Dresden, Kuntze. 1868—1874. à *
1875. *

Personal, das medicinal- und veterinärärztliche, und die dafür bestehenden Lehr- und Bildungsanstalten im Königr. Sachsen am 1. Jan. 1876. Auf Anordnung des königl. Ministeriums des Innern bearb. gr. 8. (148 S.) Dresden 876, Kuntze. * 1 50

— dass. — am 1. Jan. 1877. Auf Anordnung des königl. Ministeriums des Innern bearb. gr. 8. (150 S.) Ebendas. 877. * 1 50

— dass. — am 1. Jan. 1878. Auf Anordnung des königl. Ministeriums des Innern bearb. gr. 8. (150 S.) Ebendas. 878. * 1 50

— dass. — am 1. Jan. 1879. Auf Anordnung des königl. Ministeriums des Innern bearb. gr. 8. (158 S.) Ebendas. 879. * 1 50

Personal, das medicinal- und veterinärärztliche, und die dafür bestehenden Lehr- und Bildungsanstalten im Königr. Sachsen am 1. Jan. 1880—1885. Auf Anordnung des königl. Ministeriums des Innern bearb. gr. 8. (...; 160; 164; 176; 175; 175 S.) [Dresden, Kuntze.] Leipzig, Fues's Verlag. à Jahrg. *

Personal, das medicinal- und veterinärärztliche, und die dafür bestehenden Lehr- und Bildungsanstalten im Königr. Sachsen am 1. Januar 1886 und 1887. Auf Anordnung des königl. Ministeriums des Innern bearb. gr. 8. (180; 186 S. mit je 1 graph. (autogr. und color.) Darstellung.) Dresden, Warnatz und Lehmann. à Jahrg. *
Die graph. Darstellung allein *

— dass. — am 1. Januar 1888 und 1889. Auf Anordnung des königl. Ministeriums des Innern bearb. gr. 8. (192; 201 S.) Ebendas. à Jahrg. *

Personal, das medicinal- u. veterinärärztliche, u. die dafür bestehenden Lehr- u. Bildungsanstalten im Königr. Sachsen am 1. Jan. 1890, bezw. 1891, bezw. 1892. Auf Anordn. d. königl. Ministeriums d. Innern bearb. gr. 8. (VIII, 197; VIII, 210; VIII, 215 S.) Dresd. 890—92, Warnatz u. Lehmann. 1890 * 1 80; 1891 u. 1892 à * 2 —

Personal, das medicinal- u. veterinärärztliche, u. die dafür bestehenden Lehr- u. Bildungsanstalten im Königr. Sachsen am 1. Jan. 1894. Auf Anordng. des königl. Ministeriums des Innern bearb. gr. 8. (VIII, 226 S.) Dresden 894. Warnatz & Lehmann. n. 2. —

Personal, das medicinal- u. veterinärärztliche, u. d. dafür besteh. Lehr- u. Bildungsanstalten im Königr. Sachsen am 1. I. 1898. Auf Anordng. d. kgl. Ministeriums d. Innern bearb. gr. 8. (VIII, 267 S.) Dresden 898. H. Burdach. n. 2. —

Das medicinal- und veterinärärztliche **Personal** und die dafür bestehenden Lehr- und Bildungsanstalten im Königreiche Sachsen am 1. Januar 1899. Auf Anordnung d. Kgl. Ministeriums d. Innern bearb. Dresden: Burdach 1899. VIII, 274 S. 8° [11. 11806

Personal, das medizinal- u. veterinärärztliche, u. die dafür bestehenden Lehr- u. Bildungsanstalten im Königreich Sachsen am 1. I. 1902. Auf Anordng. des königl. Ministeriums des Innern bearb. gr. 8. (VIII, 291 S.) Dresden 902. H. Burdach. n. 2.40

Personal, das medizinal- u. veterinärärztliche, im Kgr. Sachsen f. d. J. 1906. (112 S.) kl. 8. Dresden (H. Burdach). n. 2. —

— das medizinal- u. veterinärärztliche, im Königr. Sachsen, Fortsetzg., s.: Handbuch des Medizinal- u. Veterinärwesens im Königr. Sachsen.

Personal der Kaiserlichen Universität zu Dorpat. 1862 ff. Dorpat. 8° u. 4°

Personal-Angelegenheiten. Jahrg. 9—45. 1859—1895. (Jahrg 1—8 s. Armee-Verordnungsbl.) (36 Bde) Wien 1860—1895.

Personal-Anzeiger d. deutschen Reichsheeres. Red.: Zernin. 1—3. Jahrg. 1872—1874 à 52 Nrn. (à ½—1 B.) gr. 4. Darmstadt, Zernin. à Jahrg. n. 7. —; Ausg. auf Velinpap. n. 10. 50

PERSONALBESTAND UND BÜCHERSAMMLUNG der Gesellschaft für Natur- und Heilkunde in Dresden. Dresden 1841. Druck von B. G. Teubner. 8o.

Personal-Bestand der Georg-Augusts-Universität zu Göttingen. Auf d. halbe J. von Mich. 1833—Ost. 1834 ff. Verfert. von F *Dierking* [später von anderen]. 1833—1852 53. Göttingen (1833)—1853. 8°.
(Fortges. u. d. Tit.:)
Verzeichnis, Amtliches, des Personals [von] 1889/90 und der Studierenden der Königl. Georg-August-Universität zu Göttingen. 1883—1906. Göttingen 1883. 8°.
[Es fehlen d. J. 1835/36. 1839. 1840. 1840/41. 1870/71. 1874/75. 1875/76. 1879/80. 1881. 1884/85. 18..]

Personal-Bestand der g. u. v. Johannisloge Zum schwarzen Bär im Or. von Hannover vom 17. März 1774 bis dahin 1874. Zusammengestellt in Anlass der Säcularfeier der Loge. Hannover, Druck von Jänecke. 1874. gr. 8. 40 S.
Alphabet. geordnetes Verzeichniss von 1072 Mitgliedern, darunter viele hervorragende Namen. Beigefügt sind mehrere interessante statistische Tabellen.

Personalbestand der Familie von Kleist. 1887. 8.

Personalbestand der evang.-luth. Consistorien und der Geistlichkeit dieser Confession in Rußland. St. Petersburg 1857

Personal-Bestand und Stammtafeln der Familie v. Thümen. 1881.

Personal-Bestand der Königl. *(54 ff. Königlichen)* Universität zu Breslau. . SS 1854 *(u. ff. bis* SS 1885*)*. (Breslau 1854—85.) 63 Bde 8° [F.] *(Umfang zwischen 26 u. 43 S.)*

Die Personalbesteuerung. Gutachten auf Veranlassung der Eisenacher Versammlung für Besprechung der socialen Frage. (Schriften des Vereins für Socialpolitik. III.) Leipzig, 1873.

Personalchronik, allgemeine preußische. Jahrg. 1820. Mit Bildn. und Karten. gr. 4. Berlin, Enslin. 820.

Personal-Chronik der Schlesischen Landschaft seit ihrer Errichtung im Jahre 1770. Breslau 854. Max u. Co. 8. (XV, 302 S.) 22½ ngr.

Personal-Chronik der oldenburgischen Officiere u. Militär-Beamten 1775 bis 1867. 8. (VI, 88 S.) Oldenburg 876. Schulze. n. 1. 60

Personal-Einkommensteuer, die. 2. Aufl. gr. 8. (8 S.) Linz-Urfahr (899). Verlag des kathol. Preßvereines. — 15
Sonderabdruck aus: „Oberösterr. Preßvereins-Kalender".

Personal-Einkommensteuer u. Artikel II u. III der Regierungsvorlage v. Pz. Lex.-8. (39 S.) Wien 893. C. Konegen. n. 1. —

Herzoglich Mecklenburg-Schwerinscher Personal-Etat. 1793— s. Herzoglich Mecklenburg Schwerinscher Staats-Kalender. Tl 1.

Personal- u Konsulatsgesetze. (Volksausg. nordd. Bundesges.) 12° Berlin 1868

Personalhaft, die. Gesetz vom 6. April 1869. Mit Anmerkungen versehen von einem rechtskundigen Beamten. Würzburg 869. Stahel. gr. 16. (8 S.) 2 ngr.

Personalhandbuch der Stadt Kiel. [1.] Aufgest. im Juni 1903. *Kiel (1903): K. Jansen.* 8° [F.] [03. 1300] 8

Personal-Handbuch der Volksschul-Lehrer u. -Lehrerinnen des Reg.-Bez. Düsseldorf 1900. Mit Beihilfe der beteiligten Lehrerkreise bearb. v. H. Ruppel. 12. (VIII, 250 S.) Düsseldorf, L. Schwann. n. 2. —

Personalien bey dem Begräbniss des glorwürdigsten Königs Gustav des Dritten . . . A. d. Schwed. . . . Greifswald 1792. Ü: *Möller, Johann Georg Peter.* (Adel) (MGT)

Personalien bey dem Begräbnisse des Königs von Schweden, a. d. Schwed. 4. Greifsw. Röse. 792.

Personalien bey d. Begräbniß König Gustav III. von Schweden. 8. Greifsw. 792. Jetzt Enobloch in Leipzig.

Personalien Sr. Königlichen Hoheit Ludewig I. Grossherzogen von Hessen und Rhein. Darmstadt 1830. V: *Schmidt, Johann Ernst Christian.* (HS)

Personalien von Hrn. Pfr. Johannes Schnyder, gestorben den 27., begraben den 29. März 1901. [Mit Porträt-Tafel.] II + 7 S. 8. Bischofszell, II. Aus-der-Au, 1901.

Personalist u. Emancipator. Organ Dührings. Jahrg. 1899. (Octbr.—Decbr.) 6 Nrn. hoch 4. (à ca. 8 S.) Berlin, E. Keil. n. 1. 50
Vergl.: Völkergeist, moderner.

— Halbmonatsschrift f. actionsfähige Geisteshaltung u. gegen corrupte Wissenschaft. Red.: Ulr. Dühring. Jahrg. 1900—1902. à 24 Nrn. gr. 4. (à ca. 8 S.) Nowawes-Neuendorf bei Berlin, U. Dühring. (Nur direkt.) Postfrei à Jahrg. n.n. 6. 80

Personalist u. Emancipator. Halbmonatsschrift für actionsfähige Geisteshaltg. u. gegen corrupte Wissenschaft. Red.: Ulr. Dühring. Jahrg. 1903—1906. à 24 Nrn. (à Jhrg. 192 S.) gr. 4. Nowawes-Neuendorf bei Berlin, U. Dühring. (Nur direkt.) Postfrei à Jhrg. n. 6. 80.

Personalist u. Emancipator. Halbmonatsschrift f. actionsfähige Geisteshaltg. u. gegen corrupte Wissenschaft. Red.: Ulr. Dühring. 1907—1910. à 24 Nrn. (à Jahrg. 192 S.) 33×24 cm. Nowawes-Neuendorf b. Berlin, U. Dühring. (Nur direkt.) Postfrei à Jahrg. nn 6. 70

Personal-Katalog der kathol. Kirchenstellen u. der sämtl. Geistlichkeit des Bist. Rottenburg im J. 1895. gr. 8. (104 S.) Rottenburg 895. (W. Bader.) 1. 20

— der seit 1845 ordinierten u. z. Zt. in der Seelsorge verwendeten geistl. Kurse des Bist. Rottenburg, nebst e. Sozialstatistik d. Landesgeistlichkeit. Von Alfons Neher. 4. Aufl. (VI, 317 S.) gr. 8. Stuttgart 909. Deutsches Volksblatt. nn 5.50; geb. nn 6. —

— des Bist. Rottenburg im J. 1898. gr. 8. (106 S.) Ebd. 898. 1. 20

Personal-Katalog des Bist. Rottenburg im J. 1902. gr. 8. (108 S.) Rottenburg 902. (W. Bader.) n. 1. 50

Personal-Katalog des Bistums Rottenburg im J. 1906. (120 S.) 8. Rottenburg 906. (W. Bader.) n. 1. 50

Personal-Katalog d. Bist. Rottenburg im J. 1910. (127 S.) 8. Rottenburg (910). (W. Bader.) 1. 50

Personalkredit (Der) des Kleingrundbesitzes in Hinterpommern. Schriften d. Vereins f. Sozialpol., Bd. 74. gr. 8°. Leipzig 1896.

Personalkredit, der, d. ländl. Kleingrundbesitzes in Deutschland, s. a. Schriften d. Vereins f. Socialpolitik.

[F.] Der Personalkredit des ländlichen Kleingrundbesitzes in Deutschland. Berichte u. Gutachten veröffentl. v. Ver. f. Socialpolitik. (Hrsg.: E[merich] K[arl] Knebel.) Bd 1. 2. *Leipzig: Duncker & Humblot 1896.* 2 Bde 8.
1. Süddeutschland. (XIX, 414 S., 3 Tab.)
2. Mittel- u. Norddeutschland. (VI, 456 S., 4 Tab.)
— Schriften d. Vereins f. Socialpolitik. [No] 73. 74. [96. 9198]

— dasselbe in Oesterreich, s. a. Schriften d. Vereins f. Socialpolitik.

[F.] Der Personalkredit des ländlichen Kleingrundbesitzes in Österreich. Berichte u. Gutachten veröffentl. v. Ver. f. Socialpolitik. *Leipzig: Duncker & Humblot 1898.* (XIII, 394 S., 5 Tab.) 1 Bd 8.
— Schriften d. Vereins f. Socialpolitik. [No] 75. [98. 631]

Personalkredit (Der) des ländlichen Kleingrundbesitzes in Westpreussen. Schriften d. Vereins f. Sozialpol., Bd. 74. gr. 8°. Leipzig 1896.

Personalliste der Gerichte u. Staatsanwaltschaften im Bezirke des königl. Oberlandesgerichts zu Celle, nebst statistischen Angaben über die Einwohnerzahl u. den Umfang der Gerichtsbezirke. Bearb. mit Genehmigung des Präsidenten des königl. Oberlandesgerichts von einem Beamten des letzteren. Geschlossen im Jan. 1880. gr. 8. (109 S.) Hannover 880. Klindworth. cart. 1. 50

—— dass. — Geschlossen Ende Mai 1882. gr. 8. (112 S.) Ebendas. 882. cart. *
Ausg. für 1881 nicht erschienen.

Personal-Listen der Staatsminister, der sämmtlichen Justizbeamten, der Regierungs-Präsidenten, der Districtspolizeibeamten etc. des Königr. Bayern [nach dem Stande vom 30. Septbr. 1867] nebst dem Besoldungs-Status der in pragmat. Eigenschaft angestellten k. b. Beamten. München 868. Lentner. gr. 16. (71 S.) 5 ngr.

Personal-Listen der Staatsminister, der sämmtlichen Justizbeamten, der Regierungs-Präsidenten, der Districtspolizeibeamten etc. des Königr. Bayern [nach dem Stande vom 30. Septbr. 1867] nebst dem Besoldungs-Status der in pragmat. Eigenschaft angestellten k. bayer. Beamten. gr. 16. (71 S.) München 868, Stahl.

Personal-Nachrichten vom deutschen Bergbau. Verzeichnis der preuss. Bergbehörden, der Berggewerbegerichte, der bergmänn. Lehranstalten, der Bergassessoren, der Bergreferendare u. der Markscheider, sowie der deutschen Bergwerke u. Salinen im Privatbesitz u. ihrer Leiter, der Dampfkessel-Ueberwachungsvereine u. der bergbaul. Vereine. 12. (98 S.) Essen 900. G. D. Baedeker. n. 2. —

Personal-Nachweisung der Berliner Gemeinde-Verwaltung und der mit ihr in Verbindung stehenden Anstalten, Verwaltungen und Ämter. Amtl. hrsg. vom statist. Bureau, (1888 ff:) vom Magistrat der Stadt Berlin. Berlin. 25 Bde
Jg. 1879. 1881. 1885. 1888. 1890. 1892. 1894—1912.

Personal-Nachweisung der Breslauer Gemeinde-Verwaltung. Verzeichniss d. Gemeindebehörden, d. städt. Deputationen, Kommissionen, Kuratorien u. Vorstände sowie d. Anstalten, Aemter, Bureaus u. Kassen. Im Auftr. d. Magistr. Zsgest. v. Statist. Amt. 3. Ausg. Breslau 1899: Grass, Barth & Co. (IV, 78 S.) 8⁰ [F.]

Personal-Nachweisung der Breslauer Gemeinde-Verwaltung. Verzeichniss d. Gemeindebehörden, d. städt. Deputationen ... sowie d. Anstalten, Aemter ... Im Auftr. d. Magistr. zsgest. vom Statist. Amt. 4. Ausg. *Breslau 1901: Grass, Barth & Co.* (IV, 100 S.) 8° [F.] [01. 11969 2

Personal-Nachweisung der Breslauer Gemeinde-Verwaltung. Verzeichnis d. Gemeindebehörden, d. städt. Deputationen, Kommissionen, Kuratorien u. Vorstände sowie d. Anstalten, Ämter, Bureaus u. Kassen. Im Auftr. d. Magistr. zsgest. v. Statist. Amt. 5. Ausg. *Breslau 1903: Graß, Barth & Co.* (VI, 116 S.) 8° [F.] [03. [illegible] 2

Personal-Nachweisung der Breslauer Gemeinde-Verwaltung. Verzeichniß d. Gemeindebehörden, d. städt. Deputationen ... Im Auftr. d. Magistr. zsgest. v. Statist. Amt. Ausg. 1. Breslau 1905: Graß, Barth & Co. 8° [F.] [08. 1153

Personalschematismus der Erzdiöcese Freiburg. Actenmässige Privatarbeit. gr. 8. (146 S.) Freiburg i. Br. 871, Kury. *

— der Erzdiöcese Freiburg. 1895. 8. (251 S.) Freiburg i/B. (Herder.) Geb. in Leinw. n. 3. 20

Personal-Schematismus der Erzdiözese Freiburg 1899. gr. 8. (204 S.) Freiburg i/B. (Herder.) Geb. in Leinw. n. 3. —

— d. Säcular- u. Regular-Geistlichkeit d. Diöcese Gurk in Kärnten im J. 1898. 8 (288 S.) Klagenfurt (F. v. Kleinmayr). 3. 20

— der Säcular- u. Regular-Geistlichkeit des Erzbisth. Salzburg auf d. J. 1898. 8. (240 S.) Salzburg (A. Pustet). n. 2. 40

— sämtlicher kirchlicher Stellen u. Behörden der protestant. Kirche im Königr. Bayern diesseits des Rheins. 17. Ausg. gr. 8. (191 S.) Nürnberg 896. (J. Ph. Raw's Verlag.) n.n. 2. —

Personal-Schematismus der Diöcese Würzburg. Hrsg. f. d. J. 1898. Im Auftr. d. bischöfl. Ordinariates. gr. 8. (IX, 158 S.) Würzburg (A. Göbel). n.n. 1. 40

— die Diöcese Würzburg. Hrsg. f. d. J. 1899. Im Auftrag des bischöfl. Ordinariates. gr. 8. (IX, 158 S.) Würzburg (Göbel & Scherer). n. 1. 60

Personal Staat des Grosherzogthums Mecklenburg Schwerin. 1813—
s. Herzoglich Mecklenburg Schwerinscher Staats-Kalender. Tl 1.

Personalstand, der ärztliche, Württembergs im Jan. 1866. Nach amtlichen Quellen hersg. Stuttgart 866. Belser'sche Sortimentsh. gr. 8. (VI, 57 S.) n. 10 *ngr.*

Personalstand der Beamten zur Evidenzhaltung des Grundsteuerkatasters sowie der technischen Beamten im k. k. lithographischen Institute des Grundsteuerkatasters. Stand vom 1. VII. 1905. (IV, 78 S.) gr. 8. Wien 905. (Hof- u. Staatsdruckerei.) n. — 50

Personalstand der unbeschuhten Brüder u. Schwestern der allers. Jungfrau Maria vom Berge Carmel in den Klöstern der österreichischen Provinz zum heil. Leopold. *Linz* 1858. Druck v. *Huemer's Wt. & Danner.* 55 S. 8⁰.

Personalstand der Friedrich-Alexanders-Universität Erlangen in ihrem 1. Jahrhundert. gr. 8. (20½ B.) Erlangen 843, (Enke's Vrlgsb.) **

— der Wiener Erzdiöcese 1885. Ausgeg. am 1. Jänner 1885. 8. (379 S.) Wien, *Georg Szelinski. Cart. 2 fl. N. b.

Personalstand der k. k. Franzens-Universität in Olmütz und Ordnung der Vorlesungen an derselben im Sommer-Semester 1853. 4. (16 S.) Olmütz, Ant. Halauska.

Personalstand der k. k. Franzens-Universität in Olmütz und Ordnung der Vorlesungen an derselben im Wintersemester 1854. 4. (16 S.) Olmütz. Druck von Anton Halauska.

Personal-Stand der k. k. Franzen-Universität und der medicinisch-chirurgischen Lehranstalt in Olmütz und Ordnung der Vorlesungen an denselben im Sommer-Semester 1855. Olmütz. 1855. Druck von Ant. Halauska. (16 S. 4)

Personalstand der k. k. Franzens-Universität und der medizinisch-chirurgischen Lehranstalt in Olmütz und Ordnung der Vorlesungen an derselben im Wintersemester 1855. 4. (16 S.) Olmütz. Anton Halauska's Buchdruckerei.

Personalstand, geistlicher, der Diözese Gurk im J. 1877. 8. (190 S.) Klagenfurt 877, (Bertschinger und Heyn.) * 1 60
—— dass. — im J. 1879. gr. 16. (191 S.) Gurk 879. (Klagenfurt, Bertschinger und Heyn.) * 1 80

—— geistlicher, der Diözese Gurk im J. 1880. 12. (192 S.) Klagenfurt, (Bertschinger und Heyn.) *

Personalstand, Geistlicher — des Bisthumes Leoben in Obersteiermark. Auf das Jahr 1856. Abgeschlossen am 25. Nov. 1855. Gratz. Aus der C. Tanzerschen Buchdruckerei. (108 S. 8.)

Personalstand Geistlicher — des Bisthums Leoben in Obersteiermark. Auf das J. 1857. Abgeschlossen am 25. Nov. 1856. Gratz. Druck von C. Tanzer. (108 S. 8.)

Personalstand, geistlicher — des Bisthums Leoben in Obersteiermark. Auf d. Jahr 1858. Abgeschlossen am 25. Nov. 1857. *Gratz*. Druck v. *C. Tanzer*. 108 S. 8°.

Personalstand, geistlicher — des Bisthums Leoben in Obersteiermark. **Auf d. J. 1859.** ***Graz.*** *C. Tanzer*. 108 S. kl. 8°.
Abgeschlossen am 25. Nov. 1858.

Personalstand, geistlicher — des Bisthums Seckau in Steiermark, im Jahre 1856. Abgeschlossen mit 15. November 1855. Gedr. bei J. A. Kienreich. Im Verlage der Konsistorial-Kanzlei. (280 S. 8.)

Personalstand, geistlicher, — des Bisthums Seckau in Steiermark im Jahre 1859. Abgeschlossen mit 20. Nov. 1858. *Graz*. Im Verl. der *Consistorialkanzlei*. 288 S. 8°.

—— der Geistlichkeit des Bisth. Breslau [k. k. österreich. Antheils] für das J. 1877. 8. (100 S.) Teschen 877, (Feitzinger's Verlag.) * 2 —

Personalstand der Geistlichkeit des Bisth. Breslau österreichischen Antheils für die J. 1878—1884. 8. (à Jahrg. ca. 120 S.) Teschen, (Feitzinger.) à Jahrg. *

Personalstand der Geistlichkeit in der Linzer Diözese. Auf das Jahr 1854. 8. (230 S. und 19 Blätter.) Linz. Gedruckt bei Joh. Huemer's Witwe.
Catalogus Provinciae Austriae Societatis Jesu ineunte Anno 1854. 8. (32 S.) Lincii. Typogr. Joann. Huemer viduae.

Personalstand der Geistlichkeit in der Diözese Linz auf das Jahr 1855. Linz. Gedruckt bei Joh. Huemer's Wwe. (232 S. 20 Bl. 8.)

Personalstand der Geistlichkeit in der Diözese Linz auf das Jahr 1856. (Zu finden in der bischöflichen Konsistorial-Kanzlei.) Linz. Gedr. bei Joh. Huemer's Witwe. 8. (236 S. 20 Bl.) geh[

Personalstand der Geistlichkeit in der Diözese Linz auf das Jahr 1857. Linz, von Huemer's Witwe und Danner. (138 S. nebst Registral-Anhang. 8.)

Personalstand der Geistlichkeit in der Diözese Linz auf d. J. 1858. *Linz* 1858. Druck von *Huemer's Wtw. & Danner*. 280 S. 8°. nicht berechn.

Personalstand der Geistlichkeit in der Diözese Linz auf das Jahr 1864. Linz 864. (Haslinger.) 8. (319 S.) n. 1 ℳ

Personalstand des ständischen polytechnischen Instituts zu Prag und Ordnung der öffentlichen ordentlichen und außerordentlichen Vorlesungen daselbst im Schuljahre 18⁵³/₅₄. 4. (16 S.) Prag. Druck der k. k Hofbuchdruckerei von Gottlieb Haase Söhne.

Personalstand des ständischen polytechnischen Instituts zu Prag, und Ordnung der öffentlichen, ordentlichen und außerordentlichen Vorlesungen daselbst im Schuljahre 1854/55. 4. (18 S.) Prag. Druck der k. k. Hofbuchdruckerei von Gottlieb Haase Söhne. 1854.

Personalstand des ständischen polytechnischen Instituts zu Prag, und Ordnung der öffentlichen, ordentlichen und außerordentlichen Vorlesungen daselbst im Schuljahre 1855/56. Prag. 1855. Druck der k. k. Hofbuchdruckerei von Gottlieb Haase Söhne.

Personalstand des ständischen polytechnischen Instituts zu Prag und Ordnung der öffentlichen, ordentlichen und außerordentlichen Vorlesungen daselbst im Schuljahre 1856/57. Prag, 1856. Druck der k. k. Hofbuchdr. von Gottlieb Haase Söhne. (28 S. 8.)

Personalstand der k. k. deutschen Karl-Ferdinands-Universität zu Prag hrsg. v. akad. Senate. 1859. 65—77. 82—1911. Prag.

Personalstand des Bisthum Gurker Kirchensprengels im Jahre 1854. (Abgeschlossen mit 1sten November 1853.) 8. (136 S.) Klagenfurt. Gedruckt bei Johann Leon.

Personal-Stand des Bisthums Gurker Kirchen-Sprengels im Jahre 1855. 8. (136 S.) Klagenfurt, gedruckt bei Johann Leon.

Personalstand des Bisthums Gurker Kirchensprengels im Jahre 1856. (Abgeschlossen mit 1. Nov. 1855.) Klagenfurt, gedruckt bei Johann Leon. (133 S. 8.)

Personalstand des Bisthum Gurker Kirchen-Sprengels im J. 1857. Klagenfurt, gedruckt bei Johann Leon. (136 S. 8.)

Personalstand des Bisthum Gurker Kirchen-Sprengels im J. 1858. *Klagenfurt*. Gedr. bei *Johann Leon*. 137 S. 8°. nicht berechn.

Personalstand der Congregation der Schulschwestern vom dritten Orden des heil. Franziskus vom Mutterhause Mährisch-Trübau. Am Ende des Jahres 1856. Olmütz. Anton Halauska's Universitäts-Buchdr. (2 Bl. 8.)

Personal- und Concretal-Stand der k. k. Statthalterei und der Bezirksämter in Oesterreich unter der Enns. 8. (40 S.) Wien 861, Hof- und Staatsdruckerei.

Personal- u. Concretal-Stand der k. k. Statthalterei u. der Bezirksämter im Erzherzogthume Oesterreich unter der Enns. (Mit Ende 1861 abgeschlossen.) Wien 862. Hof- u. Staatsdruckerei. 8. (54 S.) n. 6 ngr

Personal- und Concretal-Stand der k. k. Statthalterei, der Kreis- und Bezirksämter in Oesterreich unter der Enns. Wien, 1856. Aus der k. k. Hof- und Staatsdruckerei. (38 S. 8.)

Personal- und Concretalstand der k. k. Statthalterei, der Kreis- und Bezirksämter in Oesterr. unter der Enns. Wien, k. k. Hof- und Staatsdruckerei. 1857. (38 S. 8.)

Personalstand der hohen siebenbürgischen Landesstellen und Dikasterien, dann der Pensionisten. 8 (80 S.) Sine loc. et anni indic. 1854

Personal-Stand der k. k. Landwirthschafts-Gesellschaft in Wien, mit Anfange des Jahres 1855. (26 S. 8.)

Personalstand des Bisthumes Lavant. Jahrg. 1860. 8. Marburg 860, (Leyrer's Buchh.)

Personal-Stand des Militär-Clerus in der kaiserl. königl österreichischen Armee. Für das Jahr 1877., 1881. (Von 1887 an:) Personal-Stand der Militär-Geistlichkeit. Für das Jahr 1887., 1889., 1891., 1892., 1895., 1897. (8 Bde.) 8. Wien 1877—1897.

—— des gesammt. Militair-Clerus in d. k. k. österr. Armee aus d. Jahre 1846. 8. (3 B.) Wien 846, Lechner's Univers.-Bh. *

Personalstand des gesammten Militär-Klerus in der k. k. österreichischen Armee. Auf das Jahr 1853. (Abgeschlossen mit 1. Juni 1853.) 8. (64 S.) Wien. Druck von Karl Ueberreuter. 1853.

Personalstand des gesammten Militär-Klerus in der k. k. österreichischen Armee. Für das Jahr 1854. (Abgeschlossen mit 1. Mai 1854) 8. (66 S.) Wien. Gedruckt bei Karl Ueberreuter.

Personal-Stand des gesammten Militär-Clerus in der k. k. österreichischen Armee. Für das Jahr 1855. (Abgeschlossen mit 1. Mai 1855.) Wien. Gedruckt bei Karl Ueberreuter. (72 S. 8. geh.

Personalstand des gesammten Militär-Clerus in der k. k. österr. Armee. Für das Jahr 1856. (Abgeschlossen mit 15. Mai 1856.) Wien. Gedruckt bei Karl Ueberreuter. Zu finden in der Kanzlei des k. k. Feld-Konsistoriums. (82 S. 8.)

Personalstand des gesammten Militär-Clerus in der k. k. österreichischen Armee. Für das Jahr 1857. (Abgeschlossen mit 1. Juli 1857.) *Wien* 1857. Gedruckt bei *Carl Ueberreuter*. 79 S. 8°.

Personalstand des gesammten Militär-Clerus in der k. k. österreichischen Armee. Für das Jahr 1858. *Wien* 1858. Gedruckt bei *C. Ueberreuter*. Zu finden in der Kanzlei des k. k. Feldconsistoriums. 81 S. 8°.

—— des gesammten Militär-Clerus in der kaiserl. königl. österreichischen Armee. Für das J. 1863. (Abgeschlossen mit 15. Juni 1863.) gr. 8. (84 S.) Wien 863, (Selch. — Helf.) *

Personalstand des k. k. Ministeriums für Handel, Gewerbe und öffentliche Bauten und der demselben unterstehenden Verwaltungsorgane. Im hohen Auftrage nach amtlichen Quellen zusammengestellt von F. Schmitt. 8. (220 S.) Wien. Gedruckt bei Karl Ueberreuter. Verlag von Tendler und Komp. 1854.

PERSONALSTAND der vier akademischen Nationen der Wiener Universität und der P. T. Herrn Mitglieder des St. Gregorius-Unterstützungs-Vereines. Neue Aufl. Ungarische Nation, S. 22-24. Wien 1863: Leopold Sommer. 35 S. - 223 mm

Personalstand der vier akademischen Nationen der Wiener Universität und ihres unter dem Schutze des heil. Pabstes Gregorius des Großen stehenden Vereines zur Unterstützung würdiger und dürftiger Studierender. Herausgegeben von der Centralleitung des St. Gregorius-Vereines. Geschlossen am 1. Juli 1855. Wien, 1855. (31 S. 8.)

Personalstand und Ordnung der öffentlichen Vorlesungen an der k. k. Franz-Josephs-Universität zu Czernowitz im Winter-(Sommer-)Semester . . . Czernowitz: Verl. d. akadem. Senats 1875/86. *(Erschienen für die Semester 1875–1886.)*

Personalstand und Ordnung der öffentlichen Vorlesungen an der k. k. Leopold-Franzens-Universität und am medizinisch-chirurgischen Studium zu Innsbruck im Winter-Semester 1854/55. 4. (16 S.) Innsbruck. Gedruckt in der Wagner'schen Universitäts-Buchdruckerei. 1854.

Personalstand und Ordnung der öffentlichen Vorlesungen an der k. k. Leopold-Franzens-Universität und der medizinisch-chirurgischen Studienanstalt zu Innsbruck im Winter-Semester 1855—1856. Innsbruck 1855. Gedruckt in der Wagner'schen Universitäts-Buchdruckerei. (18 S. 4.)

Personalstand und Ordnung der öffentlichen Vorlesungen an der k. k. Leopold-Franzens-Universität und der medizinisch-chirurgischen Studienanstalt zu Innsbruck im Sommer-Semester 1856. Innsbruck, 1856. Gedr. in der Wagner'schen Universitäts-Buchdruckerei. (18 S. 4.)

Personalstand und Ordnung der öffentlichen Vorlesungen an der k. k. Leopold-Franzens-Universität und der medizinisch-chirurgischen Studienanstalt zu Innsbruck im Winter-Semester 1856/57. Innsbruck, 1856. Gedr. in der Wagner'schen Universitäts-Buchdr. (18 S. 4.)

Personalstand und Ordnung der öffentlichen Vorlesungen an der k. k. Leopold-Franzens-Universität und der medizinisch-chirurgischen Studienanstalt zu Innsbruck im Sommersemester 1856/57. Innsbruck, Wagners Druckerei. 1857.

Personalstand und Ordnung der Vorlesungen an der k. k. Jagellonischen Universität zu Krakau im Winter-Semester des Schuljahres 1853/54. 8. (8 und 8 S.) Krakau in der k. k. Universitäts-Buchdruckerei. 1853.

Personalstand und Ordnung der Vorlesungen an der k. k. Jagellonischen Universität zu Krakau im Winter-Semester des Schuljahres 1854/55. 4. (16 S.) Krakau. In der k. k. Universitäts-Buchdruckerei. 1854.

Personal-Stand und Ordnung der Vorlesungen an der k. k. Jagellonischen Universität zu Krakau im Sommer-Semester des Schuljahres 1855. Krakau. 1855. In der k. k. Universitäts-Buchdruckerei. (16 S. 4.)

Personalstand und Ordnung der Vorlesungen an der k. k. Jagellonischen Universität zu Krakau im Winter-Semester des Schuljahres 1855/56. Krakau, 1855. In der k. k. Universitäts-Buchdruckerei. (13 S. 4.)

Personalstand und Ordnung der Vorlesungen an der k. k. Jagellonischen Universität zu Krakau im Sommer-Semester des Schuljahres 1856. Krakau, 1856. In der k. k. Universitäts-Buchdruckerei. (22 S. 4.)
Inhalt: Schulnachrichten.

Personal-Stand und Ordnung der Vorlesungen an der k. k. Jagellonischen Universität zu Krakau im Winter-Semester des Schuljahres 1856/57. Krakau, 1856. In der k. k. Universitäts-Buchdr. (21 S. 4.)

Personalstand und Ordnung der Vorlesungen an der k. k. Jagellonischen Universität zu Krakau im Sommersemester 1857. Krakau, in der k. k. Universitätsdruckerei. 1857. (21 S. 4.)

Personalstand und Programm für die Vorlesungen am k. k. technischen Institute zu Krakau im Studienjahre 18^{53}/54. 4. (12 S.) Krakau. Gedruckt in der k. k. Universitäts-Buchdruckerei. 1854.

Personalstand und Programm für die Vorlesungen am k. k. technischen Institute zu Krakau im Studienjahre 1854/55. Krakau. 1855. Gedruckt in der k. k. Universitätsdruckerei. (12 S. 4.)

Personal-Stand und Programm für die Vorlesungen am k. k. technischen Institute zu Krakau im Studienjahre 1855—1856. Krakau, 1855. Gedruckt in der k. k. Universitäts-Buchdruckerei. (14 S. 4.)

Personalstand und Programm für die Vorlesungen an dem k. k. technischen Institute zu Krakau und für den Unterricht in den mit diesen vereinigten Schulen für das Studienjahr 1856/57. Krakau, 1856. Gedruckt in der k. k. Universitäts-Buchdr. (18 S. 4.)

Personalstand der Säkular- und Regular-Geistlichkeit der Brünner Diözese in Mähren für das Jahr 1853. 8. (228 S.) Brünn, Druck. Franz Gastl 1853.

Personalstand der Säkular- und Regular-Geistlichkeit der Brünner Diöcese in Mähren, für das Jahr 1854. 8. (232 S.) Brünn. Gedruckt bei Franz Gastl.

Personal-Stand der Säkular- und Regular-Geistlichkeit der Brünner Diözese in Mähren für das Jahr 1855. 8. (232 S.) Brünn. Gedruckt bei Franz Gastl.

Personalstand der Säkular- und Regular-Geistlichkeit der Brünner Diözese in Mähren, für das Jahr 1856. Abgeschlossen mit 15. November 1855. Brünn. Aus Franz Gastl's Buchdruckerei. (232 S. 8. geb.)

Personalstand der Säkular- und Regular-Geistlichkeit der Brünner Diözese in Mähren, für das Jahr 1857. Abgeschlossen mit 15. Nov. 1856. Brünn. Aus Fr. Gastl's Buchdr. (236 S. 8.)

Personalstand der Säcular- und Regular-Geistlichkeit der Brünner Diöcese in Mähren f. d. J. 1859. *Brünn. G. Gastl.* 238 S. 8°.
1 fl. 5 kr. Ö.-W.
Abgeschlossen mit 15. Nov. 1858.

Personalstand der Säkular- und Regular-Geistlichkeit der erzbischöflichen Olmützer Diözese für das Jahr 1853. — 8. (292 S.) 1. Band. Olmütz, fürst-erzbischöfliche Buchdruckerei des Franz Slawik.

Personal-Stand der Säkular- und Regular-Geistlichkeit der fürsterzbischöflichen Wiener Diözese. Auf das Jahr 1853. Wien. Leopold Grund. (326 S. 2 Bl. 8.) geh.

Personal-Stand der Säkular- und Regular-Geistlichkeit der fürsterzbischöflichen Wiener Diözese. Auf das Jahr 1854. Wien. Gedruckt bei Leop. Grund. (322 S. 2 Bl. 8.) geh.

Personal-Stand der Säkular- und Regular-Geistlichkeit der fürsterzbischöflichen Wiener Diözese. Auf das Jahr 1855. Wien. Druck von Leopold Grund (330 S. 2 Bl. 8.) steif.

Personalstand der Säkular- und Regular-Geistlichkeit der fürsterzbischöflichen Wiener-Diözese. Auf das Jahr 1856. Wien. Gedr. bei Leopold Grund. (327 S. 16.)

—— der Säcular- und Regular-Geistlichkeit der fürst-erzbischöflichen wiener Diöcese auf das J. 1861. 8. (349 S.) Wien 861, Fürst-erzbischöfl. Konsistorial-Kanzlei.

Personalstand der Säkular- u. Regular-Geistlichkeit der Diözese Gurk in Kärnten. Klgft., v. Kleinmayr, Leon, St. Hermagoras-Druck., St. Josefs-Druck., 1794—. (1794—1802: „Verzeichnis"; 1819—21: „Lokal- u. Personal-Stand"; 1822—25: „Schematismus".)

—— der Secular- und Regular-Geistlichkeit der Diözese Gurk in Kärnten im J. 1881—1884. 8. (219; 197; 200; 200 S.) Klagenfurt, (v. Kleinmayr.) Jahrg. 1881—1883 à *
Jahrg. 1884 **

Personalstand der Secular- und Regular-Geistlichkeit der Diözese Gurk in Kärnten im J. 1885. 8. (200 S.) Klagenfurt, (Heyn.) *

—— dass. — in den J. 1886—1888. 8. (173; 174; 157 S.) Klagenfurt, (v. Kleinmayr.) à Jahrg. **

Personalstand der Säculär- u. Regular-Geistlichkeit der Diöcese Gurk in Kärnten im J. 1889, 1890, 1891 bezw. 1892. 8. (176; 174; 158; 157 S.) Klagenf. 889—92, (v. Kleinmayr). à Jahrg. ** 1 60

Personalstand der Säcular- und Regular-Geistlichkeit der Diöcese Gurk in Kärnten im Jahre 1894. 8. (248 S.) * 1.20 netto.
Klagenfurt: Kleinmayr 1894.

Personalstand der Säcular- und Regular-Geistlichkeit der Diöcese Gurk in Kärnten im Jahre 1894. 8. (248 S.) In Comm. * 1.40 mit 10%
Klagenfurt: Raunecker 1894.

— der Säcular- u. Regular-Geistlichkeit der Diöcese Gurk in Kärnten im J. 1896. 8. (260 S.) Klagenfurt 894. (F. v. Kleinmayr.) n. 3.20

Personalstand der Säcular- und Regular-Geistlichkeit der Diöcese Gurk in Kärnthen im Jahre 1896. 8. (286 S.) Klagenfurt: Kleinmayr 1896. * 1.20

Personalstand der Säcular- und Regular-Geistlichkeit der Diöcese Gurk in Kärnten im Jahre 1897. 8. (277 S.) Klagenfurt: Kleinmayr 1897. 20

Personalstand der Säcular- und Regular-Geistlichkeit der Diöcese Gurk in Kärnten im Jahre 1898. 8. (288 S.) Klagenfurt: Kleinmayr 1898. 1.20

(F) Personalstand der Säcular- und Regular-Geistlichkeit der Diöcese Gurk in Kärnten im Jahre 1899. Klagenfurt. Verlag der f. b. Ordinariats-Kanzlei. [In Comm. Raunecker.] 8°. 288 S. * fl. 1.60 netto

(F) Personalstand der Säcular- und Regular-Geistlichkeit der Diöcese Gurk in Kärnten im Jahre 1900. Klagenfurt. Verlag der f. b. Ordinariats-Kanzlei. [In Comm. Kleinmayr.] 8°. 292 S. * K 2.40

(F) Personalstand der Säcular- und Regular-Geistlichkeit der Diöcese Gurk in Kärnten im Jahre 1901. Klagenfurt. Im Verlage der fürstbischöflichen Ordinariats-Kanzlei. [In Comm. Kleinmayr.] 8°. 299 S. K 2.40

— der Säcular- u. Regular-Geistlichkeit der Diöcese Gurk in Kärnten im J. 1902. 8. (299 S.) Klagenfurt (F. v. Kleinmayr). n. 3.20

Personalstand der Säkular- und Regular-Geistlichkeit der Diözese Gurk in Kärnten im Jahre 1904. 8°. (308 S.) † K 2.40
Klagenfurt: Buchh. d. St.-Josef-Vereines 1904.

Personalstand der Säkular- und Regulargeistlichkeit der Diözese Gurk in Kärnten im Jahre 1905. 8°. (314 S.) * K 2.40
Klagenfurt: Buchh. d. St.-Josef-Vereines 1905.

— der Säkular- u. Regular-Geistlichkeit der Diözese Gurk in Kärnten im J. 1907. (317 S.) 8. Klagenfurt (Buch- u. Kunsthandlg. des St. Josef-Vereines). n. 2.70; geb. in Leinw. n. 3.40; m. Goldschn. n. 4.—

Personalstand der Säkular- u. Regular-Geistlichkeit der Diözese Gurk in Kärnten im J. 1910. (323 S.) 8. Klagenfurt, (Buch- u. Kunsthandlg. des St. Josef-Vereines). 2.80

Personalstand über die Sekular- und Regular-Geistlichkeit des Bisthums Leoben für 1853. kl. 8. (72 S.) Gratz. C. Tanzer.

Personalstand über die Secular- und Regular-Geistlichkeit des Bisthums Leoben in Steiermark. Auf das Jahr 1854. Abgeschlossen am 1sten Dezember 1853. 8. (72 S.) Gratz. Aus der C. Tanzer'schen Buchdruckerei.

Personal-Stand über die Sekular- und Regular-Geistlichkeit des Bisthums Leoben in Obersteiermark. Auf das Jahr 1855. 8. (88 S.) Gratz. Aus der E. Tanzer'schen Buchdruckerei.

Personalstand der Säkular- und Regular-Geistlichkeit des Erzbisthums Salzburg. Auf das Jahr 1853. 8. (220 S.) 1. Band. Salzburg, Dr. Franz X. Duyle.

Personalstand der Secular- und Regular-Geistlichkeit des Erzbisthums Salzburg. Auf das Jahr 1854. 8. (XXIV und 208 S.) Salzburg. Gedruckt bei Franz Xav. Duyle. 1853.

Personal-Stand der Säkular- und Regular-Geistlichkeit des Erzbisthums Salzburg. Auf das Jahr 1855. 8. (154 und XX—XLIX S.) Salzburg. Gedruckt bei Franz X. Duyle.

Personalstand der Säkular- und Regular-Geistlichkeit des Erzbisthums Salzburg. Auf das Jahr 1857. Salzburg. Gedr. in der Oberer'schen (Endl und Penker) Buchdr. (146, 48 S. 8.)

Personalstand der Säcular- und Regular-Geistlichkeit des Erzbisthumes Salzburg auf das Jahr 1858. *Salzburg* 1858. Gedruckt in der *Oberer'*-schen Buchdruckerei. 145 S. 2 Bl. 32 S. 8°.

—— der Säcular- und Regular-Geistlichkeit des Erzbisth. Salzburg auf die J. 1880—1885. 8. (223; 203; 217; 240; 216; 232 S. mit 1 Karte.) Salzburg, (Mittermüller.) à Jahrg. *

Personalstand der Säcular- und Regular-Geistlichkeit des Erzbisthums Salzburg auf das Jahr 1897. 8. (240 S.) In Comm. * 1.—
Salzburg: Pustet 1897.

Personalstand der Säcular- und Regular-Geistlichkeit des Erzbisthums Salzburg auf das Jahr 1898. 8. (240 S.) * —.90 no.
Salzburg: Pustet 1898.

Personalstand der Säcular- und Regular-Geistlichkeit des Erzbisthums Salzburg auf das Jahr 1899. Salzburg. Verlag der f.-e. Consistorial-Kanzlei. [In Comm. Pustet.] 8°. 245 S. * fl. —.90

— der Säcular- u. Regular-Geistlichkeit des Erzbisth. Salzburg auf d. J. 1902. 8. (235 S. u. S. 32—76.) Salzburg (A. Pustet). n. 2.—

Personalstand der Säkular- und Regulargeistlichkeit des Erzbistums Salzburg auf das Jahr 1903. 8°. (236 S.) K 1.80 n.
Salzburg: Pustet 1903.

Personalstand der Säkular- und Regulargeistlichkeit des Erzbistums Salzburg auf das Jahr 1904 8°. (240 S.) K 1.80
Salzburg: Pustet 1904.

Personalstand der Säkular- u. Regular-Geistlichkeit des Erzbistums Salzburg auf d. J. 1906. (244 u. 48 S.) 8. Salzburg (A. Pustet). n. 2. —

Personalstand der Säkular- und Regular-Geistlichkeit des Erzbistums Salzburg auf das Jahr 1907. 8°. (107 S.) K 2.–
Salzburg: Pustet 1907.

— der Säkular- u. Regular-Geistlichkeit des Erzbist. Salzburg f. d. J. 1910. (256 S.) 8. Salzburg, (A. Pustet). 2. 40

Personalstand der Säkular- u. Regular-Geistlichkeit des Bisthums Seckau in Steiermark im Jahre 1853. 8. (164 S. 1 Tab.) Gratz, Druck von Jos. Kienreich, Verl. der Konsistor. Kanzlei 1853.

Personalstand der Secular- und Regular-Geistlichkeit des Bisthums Seckau in Steiermark. Im Jahre 1854. (Abgeschlossen mit 20. November 1853.) 8. (172 S.) Gratz. Im Verlage der Konsistorial-Kanzlei. Gedruckt bei Jos. Kienreich.

Personal-Stand der Sekular- und Regular- Geistlichkeit des Bisthums Seckau in Steiermark im Jahre 1855. (Abgeschlossen mit 20. November 1854.) Gratz. Druck von Jos. A. Kienreich. Im Verlage der Konsistorial-Kanzlei. (20 S. 8.)

Personalstand der (1872/73 ff.: Kgl. Bayerischen) Polytechnischen Schule (1877/78 ff.: Technischen Hochschule) zu (1910/11 ff.: in) München im W.-S. 1868/69.'S.-S. 1869 [usw.]—W.-S. 1912/13. 1869—1912.

— sämtlicher kirchlicher Stellen u. Behörden der protestantischen Kirche im Königr. Bayern diesseits d. Rheins. 16. Ausg. gr. 8. (148 S.) Nürnberg 892. (J. Ph. Raw.) n.n. 1. 80

Personalstand sämtlicher kirchlicher Stellen u. Behörden der protestantischen Kirche im Königr. Bayern diesseits des Rheins. 18. Ausg. gr. 8. (178 S.) München 899. (Nürnberg, G. Löhe.) n. 2. 70

Personal- und Vermögensstand der Witwen-Societät der Wiener medizinischen Fakultät für das Verwaltungsjahr 1853. 8. (56 S.) Wien. Mechitaristen-Buchdruckerei 1854

Personal- und Vermögensstand der Witwen-Societät der Wiener medizinischen Fakultät für das Verwaltungsjahr 1854. Wien, 1855. Mechitharisten-Buchdruckerei. (56 S. 8.)

Personal- und Vermögensstand der Witwen Societät der Wiener medizinischen Fakultät für das Verwaltungsjahr 1856. Wien, 1857. Mechitharisten-Buchdr.

Personalstand der deutschen Volksschulen in der Diözese Linz. (Der Reinertrag ist dem Schullehrer-Pensions-Institute zu Linz gewidmet. Zu haben in der Stadtpfarr-Musterschule zu Linz.) Linz, 1856. Druck von Joh. Huemers Witwe. (112 S. 8.)

Personalstand und Vorlesungen an den ständisch-technischen Lehranstalten zu Gratz im Studienjahre 1854/55. (Preis 6 kr. C. M.) 4. (ungeheft. 16 S.) Druck und Papier von Jos. A. Kienreich. (Gratz.)

Personalstand der Welt- u. Ordensgeistlichkeit des Bisth. Breslau österreichischen Antheils f. d. J. 1894. 8. (VIII, 133 S.) Teschen 894. (E. Feitzinger.) n.n. 2. 50

Personalstandesausweis der niederösterr. Lehrerschaft VI. Jahrg. Gr.-8°. (327 S.) geb. K 3.—
Wien: Huber & Lahme 1906.

Personal-Standesausweis der niederösterreichischen Lehrerschaft. Stand vom 10. X. 1908. Hrsg. vom niederösterr. Landes-Lehrer-Vereine. Jahrbuch. 7. Jahrg. Zusammengestellt vom Floridsdorfer Lehrer-Vereine. (XXII, 348 S.) 8. Wien 908. (Sallmayer'sche Buchh.) Geb. in Leinw. 4. —

Personal-Standesausweis der k. k. politischen Verwaltungs-Behörden u. Organe im Herzogtume Kärnten. Klgft., v. Kleinmayr. 1904—. Quart.

Personal-Standesausweis (Schematismus) d. deutschen Volksschulwesens in Böhmen f. d. Schulj. 1907—1908. VI. Jahrg. Hrsg. v. deutsch. Landeslehrervereine in Böhmen. Zusammengest. v. Frz. X. Ölkrug. (476 S.) 8. Reichenberg 908. (P. Sollors Nachf.) nn 5. —

[Personalstatus resp. Bestandliste der von der Grossen Loge von Hamburg konstituierten Provinzialloge von Mecklenburg Schwerin und Strelitz zu Rostock seit 1820/21.]

Personalstatus der Gymnasien, Progymnasien und Lateinschulen im Königreich Bayern nach d. Stande v. 1. Febr. 1905, auf Veranl. d. Ausschusses d. Bayer. Gymnasiallehrerver. zsgest. München: Selbstverl. d. Gymn. Lehrer-Ver. 1905. (116 S.) 8°

Personalstatus der evangelisch-lutherischen u. evangelisch-reformirten Kirche in Russland, hrsg. v. C. Laaland. 8. (IV, 116 S.) St. Petersburg 886. (Eggers & Co.) n. 1. 80

—— dass. — 8. (IV, 117 S.) (Ebendas.) 888. *

Personalstatus der evangelisch-lutherischen u. evangelisch-reformirten Kirche in Russland, hrsg. von C. Laaland. (Jahrg. 1890.) 8. (IV, 124 S.) St. Petersburg 890. Eggers & Co. n. 2. 40

Personalstatus der evangelisch-lutherischen u. evangelisch-reformirten Kirche in Russland, hrsg. v. G. Pingoud. 12. (VII, 117 S.) St. Petersburg 892. Eggers & Co. n. 3. —

Personalstatus der evangelisch-lutherischen u. der evangelisch-reformirten Kirche in Russland. 12. (IV, 135 S.) St. Petersburg 897. Eggers & Co.) n. 3. —

Personalstatus der evangelisch-lutherischen und der evangelisch-reformirten Kirche in Russland. (Von G. Pingoud.) 12. (VII, 136 S.) St. Petersburg 900. Eggers & Co. n. 3. —

Personalstatus d. evangel.-lutherischen u. d. evangel.-reformierten Kirche in Russland. (Von G. Pingoud.) (Neue Ausg.) (VII, 140 S.) 8. St. Petersburg 910. Eggers & Co. 3. —

Personal-Status der kaiserl. Oesterreichischen Konsularämter in sämmtlichen fremden Staaten. (Abgedruckt aus dem Verordnungsblatte für die Verwaltungszweige des Oesterreichischen Handelsministeriums. Nr. 8. Bd. I. Jahrg. 1853.) 8. (18 S.) Wien, k. k. Hof- und Staatsdruckerei 1853.

Personal-Status der kaiserlich-österreichischen Konsularämter in sämmtlichen fremden Staaten. (Abgedruckt aus dem Handbuche des Ministeriums für Handel, Gewerbe und öffentliche Bauten.) Wien. 1854. Gedruckt bei Karl Ueberreuter. (10 S. 8.)

Personal-Status der kaiserl. österr. Konsularämter in sämmtlichen fremden Staaten. (Abgedruckt aus dem Personal- und statistischen Handbuche des österr. Handelsministeriums. Jahrgang 1855.) Wien. 1855. K. K. Hof- und Staatsdruckerei. (8 S. 8.) geh.

— der definitiv angestellten Lehrpersonen des Schulbez. Wien, nebst Angabe der wichtigsten Personaldaten. Hrsg. vom Zentralverein der Wiener Lehrerschaft. (19 S.) 34×21 cm. Wien 908. (Central-Antiquariat u. Buchh.) nn 1.25

— der humanistischen, realistischen, technischen u. landwirtschaftlichen Mittelschulen im Königr. Bayern nach dem Stande v. 1. XI. 1909. Bearb. im Auftrage des bayer. Gymnasiallehrervereins u. des bayer. Realschulmännervereins v. Osw. Silverio u. Nikol. Wührer. (142 S.) gr. 8. München 909. (J. Lindauer.) 1.50

Personal-Status der nach der Constitution der Grossen National-Loge Royal-York z. Fr. arbeitenden Grossen Provinzial-Loge zur Sonne in Franken O. V. Bayreuth. 1810/11. Hoereth. 4. 9 Bl.
Enthält ausser der Mitgliederliste der Bayreuther Loge das Verzeichniss der Beamten der Logen zu Hof und Fürth.

Personalstatus der bayerischen Studienanstalten, zusammengestellt vom Ausschuss d. Vereins v. Lehrern an bayer. Studienanstalten. gr. 4. (28 S.) München 872. (Lindauer.) n. — 75

Personalstatus der k. b. Zoll- u. Steuer-Verwaltung m. e. Verzeichnis der Beamten u. Bediensteten. Stand Ende Febr. 1906. Bearb. v. Max. Jos. Himmelstoß. (106 S.) kl. 8. Ansbach, C. Brügel & Sohn. n. — 30

Personalsteuergesetz, das, des Königr. Sachsen, s. Gewerbe- und Personalsteuergesetz.

Personalsteuern, die direkten. (Gesetz v. 25. X. 1896, RGBl. Nr. 220.) Das Gesetz betr. die direkten Personalsteuern, Rob. Meyer. — Die allgemeine Erwerbsteuer, Rud. Pensch. — Die Erwerbsteuer v. den der öffentl. Rechnungslegg. unterworfenen Unternehmgn., Osk. Mann. — Die Rentensteuer, die Personaleinkommensteuer, die Besoldungssteuer v. höheren Dienstbezügen, Bohumil Blasák. — Strafbestimmungen, Jos. Drachovský. (VII, 170 S.) 8. Wien 907. A. Hölder. 2.80

Personal-Union, Die, ein offener Brief an Franz v. Pulzky. Wien 1878. V: *Hellenbach, Lazar Baron.* (EB)

Die **Personal-Union** Schleswig-Holsteins mit Preussen. Ein Vortrag. Erlangen. 1866. 8°.

Personalunion, Zentralisation, Dualismus. Jena 1868. II: *Maassen, Friedrich Bernhard Christian.* (Biogr. Jahrb. V, 244.)

Personalunion, Centralisation, Dualismus. Reden u. aus Reden cisleithan. Minister über Oesterreichs staatsrechtl. Gestaltung. Jena 868. Deistung. gr. 8. (90 S.) 12 *ngr.*

Personal-Verordnungsblatt für die k. u. k. Kriegs-Marine. I.—III. Jahrg. 1902—1904. (3 Bde.) 4. Wien 1902—1904.

Personal- u. Ortsverzeichnis, alphabet., der Diöcese Paderborn. Hrsg. v. bischöfl. Generalvikariate Ende Jan. 1898. 12. (86 S.) Paderborn, Bonifacius-Druckerei. n. — 30

Amtliches Personal-Verzeichniss der Rhein. Friedrich-Wilhelms-Universität zu Bonn für das Winter-Halbjahr 1899—1900. *Bonn (1899): C. Georgi.* (65 S.) 8° [J.]

Amtliches Personal-Verzeichniss der Rhein. Friedrich-Wilhelms-Universität zu Bonn für das Sommer-Halbjahr 1900. *Bonn (1900): C. Georgi.* (70 S.) 8° [J.]

Personal-Verzeichnis, Amtliches, der Rhein. Friedrich-Wilhelms-Universität zu Bonn und der Landwirtschaftlichen Akademie Bonn-Poppelsdorf. *[Wird fortges.]*

Personal-Verzeichnis, Amtliches. [der] Städt. Handels-Hochschule Cöln für d. S.-S. 1903 ff. Cöln 1903 ff. 8°.
S.-S. 1903, 1903. — W.-S. 1910/11. 1910.

Personal-Verzeichniss der kgl. Aufschlagverwalter, Einnehmer u. Steueraufseher d. Königr. Bayern. Mit e. genauen alphabet. Namensregister. Nach dem Stande vom 1. Aug. 1892 nach dem Amtsblatt bearb. u. in Klassen nach Einnehmern u. Steuerbeamten hrsg. v. e. Aufschlagverwalter. 8. (26 S.) Fürth 892. G. Rosenberg. Kart. n. — 60

Personalverzeichniss der Universität Basel f. d. Sommersemester 1875. 8. Basel, Druck von C. Schultze. 1875.

Personenverzeichnis der Universität Basel für das Wintersemester 1884/85. In-8°, 20 S. Basel, Schultze'sche Universitäts-Buchdruckerei. 1884.

Personal-Verzeichnis der Universität Basel für das Wintersemester 1897/98. Basel 1897. 24 S. 8°.
Basel. Univ.-Schr. 1897/98.

Personal-Verzeichnis der Universität Basel für das Sommer-Semester 1898. Basel 1898. 24 S. 8°.
Basel. Univ.-Schr. 1897/98.

Personal-Verzeichnis der Universität Basel für das Winter-Semester 1898/99. Basel 1898. 24 S. 8°.
Basel. Univ.-Schr. 1898/99.

Personal-Verzeichnis der Universität Basel für das Sommer-Semester 1899. Basel 1899. 24 S. 8°.
Basel. Univ.-Schr. 1898/99.

Personal-Verzeichnis der Universität Basel für das Winter-Semester 1899/1900. Basel 1899. 24 S. 8°.
Basel. Univ.-Schr. 1899 1900.

Personal-Verzeichnis der Universität Basel für das Sommer-Semester 1900. Basel 1900. 24 S. 8°.
Basel. Univ.-Schr. 1899 1900.

Universität Basel. Personal-Verzeichnis. 8. Basel, Fr. Reinhardt.
Wintersemester 1900/1. 26 S. 1900. — Sommersemester 1901. 26 S. 1901. — Wintersemester 1901/2. 26 S. 1901.

Universität Basel. Personal-Verzeichnis. 8. Basel. Fr. Reinhardt, 1902.
Sommersemester 1902. 26 S. — Wintersemester 1902/3. 26 S.

Universität Basel. Personal-Verzeichnis für das Sommersemester 1903. 27 S. 8. Basel, Fr. Reinhardt, 1903.

Personal-Verzeichnis der Universität Basel für das Winter-Semester 1903/1904. Basel 1903. 27 S. 8°.
Basel. Univ.-Schr. 1903/1904.

Personal-Verzeichnis der Universität Basel für das Sommer-Semester 1904. Basel 1904. 26 S. 8°.
Basel. Univ.-Schr. 1903/1904.

Personal-Verzeichnis der Universität Basel für das Winter-Semester 1904/05. Basel 1904. 26 S. 8°.
Basel. Univ.-Schr. 1904/1905.

Personal-Verzeichnis der Universität Basel für das Sommer-Semester 1905. Basel 1905. 27 S. 8°.
Basel. Univ.-Schr. 1904/1905.

Personal-Verzeichnis der Universität Basel für das Winter-Semester 1905/06. Basel 1905. 28 S. 8°.
Basel. Univ.-Schr. 1905/1906.

Personal-Verzeichnis der Universität Basel für das Sommer-Semester 1906. Basel 1906. 28 S. 8°.
Basel. Univ.-Schr. 1905/1906.

Personal-Verzeichnis der Universität Basel für das Wintersemester 1906/07. Basel 1906. 29 S. 8°.
Basel. Univ.-Schr. 1906/1907.

Personal-Verzeichnis der Universität Basel für das Sommersemester 1907. Basel 1907. 30 S. 8°.
Basel. Univ.-Schr. 1906/1907.

Personal-Verzeichnis der Universität Basel für das Sommersemester 1909. Basel 1909. 30 S. 8°.
Basel. Univ.-Schr. 1908/09.

Personal-Verzeichniss d. kgl. preuss. Bergwerksverwaltung. (Am 1. I. 1897.) [Aus: „Zeitschr. f. d. Berg-, Hütten- u. Salinenwesen".] gr. 4. (24 S.) Berlin 897. W. Ernst & Sohn. n. 1. 50

Personal-Verzeichniss der königl. preussischen Bergwerksverwaltung. (Am 1. I. 1902.) gr. 4. (29 S.) Berlin, W. Ernst & Sohn. n. 1. 50
Sonderabdruck aus: „Zeitschr. f. d. Berg-, Hütten- u. Salinenwesen."

Personal-Verzeichnis der königl. preussischen Bergwerksverwaltung. (Am 1. I. 1906.) (35 S.) Lex.-8. Berlin, W. Ernst & Sohn. n. 1. 50
Sonderabdr. a.: „Ztschr. f. d. Berg-, Hütten- u. Salinenwesen".

Personal-Verzeichnis der kgl. preussischen Bergwerksverwaltung. (Am 1. I. 1907.) (86 S.) Lex. 8. Berlin, W. Ernst & Sohn. 1. 50
Sonderabdr. a.: „Ztschr. f. d. Berg-, Hütten- u. Salinenwesen".
Fortsetzg., s.: Personal d. kgl. preuss. Bergverwaltg.

Personal-Verzeichnis der Schlesischen Friedrich-Wilhelms-Universität zu Breslau. *[Wird fortges.]*

Personal-Verzeichniß der katholischen Geistlichen v. Baden u. Hohenzollern. 16. (29 S.) Leutkirch 885. Roth. — 20

Personal-Verzeichniss der Grossherzogl. Hessischen Technischen Hochschule zu Darmstadt (1910/11 ff.: Grossherzogl. Technische Hochschule Darmstadt. Personal-Verzeichnis) für das S.-S. 1896. W.-S. 1896-97 [usw.]—W.-S. 1912/13. 1896—1912.

Personal-Verzeichniss der Kgl. Technischen Hochschule zu Aachen fürs W.-H. 1900-1901. S.-H. 1901 [usw.]—W.-H. 1912-1913.

Personal-Verzeichniss der Kgl. Technischen Hochschule zu Berlin fürs W.-H. 1900-1901. S.-H. 1901 [usw.]—W.-H. 1912/13.
1907/08 ff. [Nebst Verzeichnis der] Honorar-Assistenten für das [W.-H. 1907/08. S.-H. 1908 usw.]—W.-H. 1912/13.

Personal-Verzeichnis der Kgl. Technischen Hochschule zu (1911 ff.: in) Breslau für das W.-H. 1910/11. S.-H. 1911 [usw.]—W.-H. 1912/13.

Personal-Verzeichnis der Kgl. Technischen Hochschule zu Danzig für das W.-H. 1904/1905. S.-H. 1905 [usw.] — W.-H. 1912/13. 19[05]—12.

Personal-Verzeichniss der Kgl. Technischen Hochschule zu Hannover fürs (1905 ff.: für das) W.-H. 1900-1901. S.-H. 1901 [usw.]—W.-H. 1912/13. 1900—12.

Personal-Verzeichnis der Königlichen Tierärztlichen Hochschule zu Berlin. S. S. 1908 ff. Berlin 1908 ff.
S.-S. 1908.
S.-S. 1909.
W.-S. 1909/1910.
S.-S. 1910.
W.-S. 1910/1911.
S.-S. 1911.

Personal-Verzeichnis der Kgl. Sächsischen (1898 ff.: Sächs.) Technischen Hochschule für das S.-S. 1890. Nr. 1. W.-S. 1890/91. Nr. 2 [usw.]—W.-S. 1912/13. Nr. 46. 1890—1912.

Personal- u. Pfarreien-Verzeichnis der Diözese Trier pro 1906. (10 u. 18 S.) kl. 8. Trier, Paulinus-Druckerei. n. — 30

Personal- u. Pfarreien-Verzeichnis d. Diözese Trier pro 1910. (18 u. 11 S.) kl. 8. Trier, Paulinus-Druckerei. — 30

— der königl. sächs. Staats-Forstverwaltung auf d. J. 1902. 8. (58 S.) Dresden, C. Heinrich. n. — 75

— der kgl. sächsischen Staats-Forstverwaltung auf d. J. 1906. (60 S.) 8. Dresden, C. Heinrich. n. — 75

— der kgl. sächs. Staats-Forstverwaltung auf d. J. 1910. (66 S.) 8. Dresden, C. Heinrich. 1. —

Personal-Verzeichnis der Königlichen Universität zu Münster i./W. f. d. W.-H. 1904/05. Münster i./W. 1904 ff. 8°.
W.-H. 1904/05, 1904— S.-H. 1910, 1910.

Personal-Verzeichnis der Westfälischen Wilhelms-Universität zu Münster i. W. *[Wird fortges.]*

Personal-Vorschriften f. das k. k. Heer. Ergänzte u. bericht. Ausg. Nr. 1. Gesetze betr. die Anstellg. ausgedienter Unteroffiziere sammt Ausführungs-Verordngn. 8. (68 S.) Teschen 876. Prochaska. n. — 40

Staatseisenbahnverwaltung **Personalvorschriften**. ⟨Pers. V⟩ Ausg 1909. Berlin 1909 Hermann. 348 S. 4° (09. 6665

Personen, berühmte, zu Pferde, nach Victor Adam. 1. u. 2. Liefg. qu. 4. (à 12 lith. u. sauber illum. Blätter.) Düsseldorf 842, Arnz u. Co. In verziert. Mappe à n. 2/3 ℛ

Personen die in verbotenen Graden verwandt sind, bedürfen . . . zur Giltigkeit ihrer Ehe . . . keiner ferneren geistlichen Freilassung. Grätz 1786. Ü: *Neupauer, Frz Xaver.* (EB)

Personen, über die göttlichen, und die Ursache der Benenn, des Sohnes Gottes. 8. Wism. Bödner. 776.

Personen, f. junge, bei dem Eintritt ins eheliche Leben. 8. Frankf. am M. Döring. 815.

Personen und Zustände Berlins seit dem 18. März 1848. Ein Beitrag zur künft. Geschichte Preußens. 1. Heft. gr. 8. (55 S.) Leipzig 849, [Keil.]

Personen und Zustände aus der Restauration. Berlin 1853. V: *Leo, Sophie.* (EB)

Personen und Zustände aus der Restauration und dem Julikönigthum von der Verf. der „Erinnerungen aus Paris. 1817—1848". gr. 8. (III und 286 S.) Berlin 853, Hertz. *

Personen und Zustände aus den kirchlich-politischen Wirren in Preussen. Michelis. Binterim. von Droste. 1840. V: *Bunsen, Chn Carl Josias Freih. v.* (ADB 21, 694.)

Personen u. Zustände aus d. kirchl. polit. Wirren in Preußen. — Michelis. — Binterim. — v. Droste. Mit 39 bisher ungedr. Dokumenten. gr. 8. (9½ B.) Leipzig 840, Voß.

Personennamen, Slavische. Perleberg 1901. V: *Vogel, Otto.* (Berl)

Personen-Rettung, die, in Brandfällen. Bericht der Brüsseler Special-Commission. Mit Ermächtigung der Communalbehörden zu Brüssel aus dem Französ. übers. von G. Kitzinger. 12. (IV, 88 S.) Stuttgart 880, [Kitzinger.] Kohlhammer. *

Personenstands-Beamte, der, in den anhaltischen Herzogthümern Dessau und Köthen. 8. (50 S.) Dessau 850, Neubürger.

Personenstands-Buch. Auszug aus dem Reichsgesetze vom 6. Febr. 1875, nebst besonders f. das Großherzogth. Oldenburg gült. Bestimmungen u. Tabellen zur Einrichtung einer Familien-Stammtafel. gr. 8. (19 S.) Oldenburg 877. Büttmann & Gerriets. cart. — 75

Personen-Tarif, der neue, der Nordbahn, nebst den Bestimmgn. üb. den Gepäcktransport. Giltig vom 1. Apr. 1891. 16. (16 S.) Mähr.-Ostrau 891. Kittl. n. — 10

Personen- und Güter-Verkehr der Stationen des Eisenbahn-Direktionsbezirks Erfurt. [1.] Für d. J. 1891/92. Erfurt 1892: G. A. Koenig 4° [F.]
Anf. s. u. d. T. Stations-Statistik der unter d. Verwaltung d. Kgl. Eisenbahn-Dir in Erfurt stehenden Eisenbahnen. (08. 6028

Personen- und Güter-Verkehr der Stationen des Eisenbahn-Direktionsbezirks Essen. [1.] Für d. Jahre 1894/95 u. 1893/94. Essen 1895 W Girardet. 4° [F.]
[Umschlagt.:] Eisenbahn-Direktionsbezirk Essen. Verkehrs-Statistik. (08, 1117

Personen- und Güter Verkehr (Verkehrsstatistik) der Stationen des Eisenbahn-Direktionsbezirks Münster [1.] Für d. J. 1893/94 u. 1894/95. Hannover [1896]. Janecke 4° (8°) (09. 5409

Persönlichkeit u. Erziehung. 3 Vorträge: Sapper, Karl, das moderne u. das christliche Persönlichkeitsideal. — Heisler, Herm., Erziehung u. Persönlichkeit. — Selle, Frdr., Religionsunterricht od. Moralunterricht. (67 S.) gr. 8. Graz 910. F. Pechel. — 90

Persönlichkeit, die intellektuelle, d. deutschen Reichskanzlers v. Freimund. 8. (26 S.) Berlin 887. Eckstein Nachf. n. — 50

Persönlichkeit, die, des Trösters. Aus dem Engl. gr. 8. (22 S.) Düsseldorf 850, (Buddeus'sche Buchh.)

Persönlichkeiten. Illustrierte Essays üb. führ. Geister uns. Tage. Hrsg. u. Red.: Willy Leven. 1.—24. Heft. gr 8. Charlottenburg [Virgilius-Verlag]. Leipzig, J. Püttmann. à — 30

Auer, Fritz, Friedrich Naumann. (38 S. m. Abb.) (906.) (Heft 4.)
Bahr, Rich., Gustav Schmoller. (23 S. m. 1 Bildnis.) Charlottenburg (909.) (Heft 24.)
Batka, Rich., Richard Strauss. (30 S.) (908.) (Heft 16.)
Bratter, C. A., David Jayne Hill u. die amerikanische Diplomatie. (35 S. m. 1 Bildnis.) (908.) (Heft 22.)
Brieger-Wasservogel, Loth., Reinhold Begas. (32 S. m 1 Bildnis.) (908.) (Heft 20.)
— Emmy Destinn. — Maria Labia. (32 S. m. 2 Bildn.) (908.) (Heft 9.)
Flake, Otto, die Leute vom Simplicissimus. (24 S.) (908.) (Heft 13.)
Fried, Alfr. H., Bertha v. Suttner. (26 S.) (906.) (Heft 14.)
Friedmann, Fritz, Clemenceau. (22 S. m. 1 Bildnis.) (908.) (Heft 7.)
Hildebrand, Hauptm., Graf Ferdinand v. Zeppelin. (33 S. m. 1 Bildnis u. 1 Abb.) (908.) (Heft 2.)
Kienzl, Herm., Kaiser Franz Josef I. (39 S. m. 2 Taf.) (908.) (Heft 17. 18.)
Klemperer, Vict., Prinz Emil v. Schönaich-Carolath. (33 S. m. 1 Bildnis.) (908.) (Heft 23.)
Köhrer, Erich, Ludwig Max Goldberger. (31 S.) (906.) (Heft 19.)
Lichtenstein, Alfr., Dr. Carl Peters. (28 S. m. 1 Bildnis.) (908.) (Heft 6.)
Lorenz, Fel., Graf Leo Tolstoj. (30 S. m. 1 Bildnis.) (908.) (Heft 11.)
Lusztig, J. C., Felix Weingartner. (29 S. m. 1 Bildnis.) (908.) (Heft 12.)
Moszkowski, Walt., Bernhard Dernburg. (19 S.) (908). (Heft 1.)
Reventlow, Ernst Graf zu, Fürst Bülow. (43 S. m. 2 Bildnissen.) (908.) (Heft 3.)
Sincerus, Kaiser Wilhelm II. (31 S.) (908.) (Heft 21.)
Tschudi, Hugo v., von Loth. v. Kunowski, Geo. Fuchs. Max Osborn, Frz. v. Stuck, Meier-Graefe, Walt. Leistikow, Rich. Muther, Curt Herrmann, Aug. Rodin (24 S.) (908.) (Heft 15.)
Turszinsky, Walt., Adolph L'Arronge zum 70. Geburtstag. (29 S. m. 1 Bildnis.) (908.) (Heft 8.)
Wiegler, Paul, Maximilian Harden. (23 S. m. 1 Bildnis.) (908.) (Heft 5.)
Wilm, Werner, Thomas Alva Edison. (25 S. m. 1 Bildnis.) (908.) (Heft 10.)

Persönlichkeiten, die hervorragendsten, auf dem russisch-türkischen Kriegsschauplatz. Von Frhrn. v. S*****. 1. u. 2. Aufl. Leipzig 854. Romberg. (Sondershausen, Neuse.) gr. 8. (2 Bl., 117 S.) n. 12 ngr.

— neue hervorragende, auf dem jetzigen Kriegsschauplatz. Von Frhrn. v. S*****. Leipzig 855. Romberg. (Nordhausen, Neuse.) gr. 8. (1 Bl., 114 S.) n. 12 ngr.

Persoon, Christian Hendrik

Persoon, Chr. Hnr., Abhandl. üb. die eßbaren Schwämme, mit Angabe d. schädl. Arten u. einer Einleit. in die Geschichte d. Schwämme. Aus d. Französ. übers. u. mit Anmerkk. begl. J. H. Dierbach. Mit 4 color. Kpft. gr. 8. Heidelb. 821. Oßwald. 1 ℛ 8 ℊ

— Bemerkk. üb. die Flechten, nebst Beschreibb. einiger neuen Arten dieser Famme d. Aftermoose. 8. Zürich 794.

— commentarius J. C. Schallerii fungorum Bavariae indigenarum Icones pictas differentiis specif., synonymis et observat. select. illustrans. 4maj. Erlangen 800. Palm. Schreibp. 2 ℛ 16 ℊ Postp. 3 ℛ 16 ℊ

— comment. de fungis claviformibus c. 4 tabb. col. 8maj. Leipz. 797. Wolf. (Schmidt). 2 ℛ

— s. Holmskiold, Corophaci clavarias.

— Icones et descript. fungorum minus cognit. c. XIV tabb. aen. pict. Fasc. I. et II. Fol. Leipz. 798. Breitkopf u. H. (à 3 ℛ) 6 ℛ

— icones pictae specierum rariorum fungorum in synopsi methodica descript. (Figures coloriées etc.) IV Fasc. c. fig. color. 4. Paris u. Strassb. 803—9. König. (à 3 ℛ) 12 ℛ charta pergam. 15 ℛ 18 ℊ

Persoon, C(hristian) H(endrik) (Ed.):

s.: Linné, Karl von: Systema vegetabilium... Editio decima quinta quae ipsa est recognitionis a Jo(han) Anders Murray institutae tertia. Gottingae: 1797

JB 25

PERSOON, C. H.: Mycologia europaea seu completa omnium fungorum in variis Europae regionibus detectorum enumeratio, methodo naturali disposita ... 3 sectiones. - Erlangae 1822, 1825 u. 1828. - Die 3. Sect. a. u. d. T.: Monographia Agaricorum, comprehendens enumerationem omnium specierum huc usque cognitarum.

Persoon, (C. H.) Mycologiae Europaea seu completa omnium fungorum in var. Europ. regionibus detectorum enumeratio etc. Sect. I. c. tab. XII. color. 8 maj. Erlangae 822, Palm.

— id. lib. Sect. II. c. tab. X. color. gr. 8. Ebd. 825.

Persoon, Chrstn. Henr., Mycologia Europaea, seu completa omnium fungorum in variis Europae regionibus detector. enumeratio, methodo naturali, disposita; Descriptione succincta, synonymia selecta et observationibus crit. additis. Sect. III. Part. I. — E. s. t.: Monographia Agaricorum, comprehendens enumer. omnium specierum huc usque cognitarum. Cum tab. VIII col. 8maj. (18 B.) Erlangae 828, Palm.

— observationes mycologicae, s. Descriptiones tam novorum quam notabil. fungorum. II Tomi. c. 12 tabb. aen. pict. 8maj. Leipz. 796. Wolf. (Schmidt). (à 2 ℛ 16 ℊ) 5 ℛ 8 ℊ

Persoon (C. H.) Observationes mycologicae. Lipsiae, 1796–9. 8°.

— s. J. Chr. Schäffer, fungorum.

— synopsis methodica fungorum. P. I. et II. Cum tabb. aen. 8. Götting. 801, 8. Dieterich. 2 ℛ 12 ℊ index a Lünemann. 8. ibid. 808. 4 ℊ

— Synopsis plantarum hucusq. cognit. Vol. I. II. Tüb. Cotta. 805–808. (I. 2 Rthlr. 16 gr. II. p. 1. 1 Rthlr. 14 gr. II. p. 2. 2 Rthlr. 6 gr.)
Velinp. (I. 5 Rthlr. 8 gr. II. p. 1. 3 Rthlr. 16 gr. II. p. 2. 4 Rthlr.)

— tentamen disposit. meth. fungorum in classes, ordines, genera et familias, c. supplem. adjectis. Cum figg. 8maj. Leipz. 797. Wolf. (Schmidt). 15 ℊ

Persoz, neues Verfahren bei der Cultur des Weinstocks. Nach dem Französ. bearb. von L. L. Dietrich. Mit 2 (lith.) Taf. Abbildgn. (in 4.). Quedlinburg 853. Basse. gr. 8. (34 S.) 15 ngr.

Persoz, Jean François

Persoz, J., Handbuch des Zeugdrucks, s.a. Schauplatz, neuer, der Künste u. Handwerke, 162 u. 163. Bd.

PERSOZ, JEAN FRANÇOIS.
Handbuch des Zeugdrucks und der damit verbundenen Färberei. Nach deutschen Bedürfnissen bearbeitet und mit einem ausführlichen Sachregister versehen von Chr. H. Schmidt. Weimar, 1848. 2 vols., 8vo. Ill.
Zweite Auflage. Weimar, 1852. 2 vols., 8vo. Ill.

— der vollkommene Kolorist, f.: Lachmann, Alex. G.

— Vorträge über Färberei und Druckerei. Berlin 855. Th. Grieben. 8. (102 S.) n. 12 ngr.

Perspectiv f. Maler u. Baumeister rc. Mit 100 Kpf. 2 Thle. Fol. Ausgsb. 800. (Landsh., Storno). 5 ⁄ 16 gl

Perspectiva practica oder vollständige Anleitung zu der Perspectiv-Reiss-Kunst . . . a. d. Franz. . . . Augsburg 1710. V: *Du Breuil, Jean.* (EB)

Perspective für Landschaftsmaler zum Selbststudium. Dorpat 1825. V: *Senff, Carl Julius.* (Ky) (R-N)

Perspective, poetische, eingeführt v. K. Rosenkranz. 8. Königsberg 840. Gräfe u. Unzer. 5/6 ₰

Perspective, quelle, offre l'an IX. de la Républ. franç aux Propriétaires. 8. Lpz. G. Fleischer. 800. Rthlr.

Perspective à vol d'oiseau des pays limitrophes de la France et de l'Allemagne. Panoramakarte der deutsch-französischen Grenzländer etc.... [1870.] . . (Br. Mus.)

Perspectivkarte des Erzherzogthums Oesterreich unter der Enns in 63 Sektionen. Wien ca. 1840. V: *Schweickhardt, Franz Xaver Joseph.* (Dorotheum VI. Bücher-Auktion 17. u. 18. März 1910. Nr. 335.)

De origine ac vi primigenia gerundii et gerundivi latini scripsit P[er] Persson. *Upsala: (Akad. Bokh.; Leipzig: O. Harrassowitz) 1900.* (138 S.) 8°
— Skrifter utg. af K. Humanist. Vetenskapssamfundet i Upsala. Bd 3, 4. (ou. 8346

Persson, P., Studia etymologica. Diss. 1886. 122 S.

Persson, Per, Studien zur Lehre v. d. Wurzelerweiterung u. Wurzelvariation. [Aus: „Upsala Universitets Arsskrift".] gr. 8. (VI, 294 S.) Upsala 891. Akadem. Buchh. n. 8. 80

Persien, nach Jourdain, f. Miniaturgemälde, 356 u. 3(?)6 Bdchen.

Persuhn, *Heinrich* [Prof.]: Katalog der Lehrerbibliothek der Städt. Realschule zu Dortmund. Dortmund, Druck v. W. Crüwell, *1896;* 70 S., 1 Bl. 8.
Dortmund, st. R, P 1896 (387)

Persuhn, Werner

Persuhn, Hülfsbuch bei Revision u. Leitung eines Postamtes f. Postaufsichtsbeamte u. Amtsvorsteher. 12. (V, 84 S.) Leipzig 881. Findel. cart. 1. 50

Persuhn, W., Hülfsbuch bei Revision u. Leitung e. Postamtes f. Postaufsichtsbeamte u. Amtsvorsteher. 2., zahlreiche Verbessergn. u. Nachträge enthalt. Aufl. 8. (V, 146 S.) Leipzig 883. Findel n. 1. 60; cart. n. 2.—

Persuhn, W., Hülfsbuch bei Revision und Leitung eines Postamtes für Postaufsichtsbeamte und Amtsvorsteher. 3. durchgeseh. und verm. Aufl. 12. (IV, 224 S.) Eisleben 887, M. Gräfenhan. geb. **

Persuhn, W., Hülfsbuch bei Revision u. Leitung e. Postamtes f. Postaufsichtsbeamte u. Postamtsvorsteher. 4., neu bearb. Aufl. 12. (IV, 191 S. m. 1 Abbildg.) Eisleben 891. Gräfenhan. geb. n.n. 2. 50

Persuhn, W., Hülfsbuch bei Revision u. Leitung e. Postamtes f. Postaufsichtsbeamte u. Postamtsvorsteher. 5., neubearb. Aufl. gr. 16. (IV, 192 S.) Eisleben 894. M. Gräfenhan. Geb. in Leinw. n n. 2. 50

Persuhn, W., Hülfsbuch bei Revision u. Leitung e. Postamts f. Postaufsichtsbeamte u. Postamtsvorsteher. 6. neubearb. Aufl. 12. (VII, 263 S.) München 901. R. Oldenbourg. Geb. in Leinw. n. 2. 50

Persuhn, W., Hülfsbuch bei Revision u. Leitung eines Postamts f. Postaufsichtsbeamte u. Postamtsvorsteher. 7. neubearb. Aufl. (VII, 266 S.) kl. 8. München 905. R. Oldenbourg. Geb. in Leinw. n. 3. 20

Persuhn, (Werner), Hilfsbuch bei Revision u. Leitung e. Postamts f. Postaufsichtsbeamte u. Postamtsvorsteher. Bearb. v. G. Haupt. 8. Aufl. (VI, 277 S.) kl. 8. München 908. R. Oldenbourg. Geb. in Leinw. 3. 50

— Unser Postwesen, s. Bibliothek der Rechts- u. Staatskunde.

Persuhn, W., Unser Postwesen. Stuttgart, 1907. 176 S.

van Persyn, Joan. Christian. (geb. Berlin 28. 4. 1798): De exostosium atque osteosteatomatum pelvis muliebris influxu in partum. (Berolini 1821.) (37 S.) 8°
Berlin, Med. Diss. v. 17. Nov. 1821

Persz, Adf., die Nationalitätenfrage im staatsethischen Lichte. Eine Art Kritik der Flugschrift „Die Stellung der Siebenbürger Sachsen in Ungarn" von Osc. v. Meltzl. gr. 8. (76 S.) Hermannstadt 879, Schmiedicke. * 1 60

Pert, Camille, Käuflich. Autoris. Uebersetzg. aus dem Franz. von Paul v. Stetten. (226 S.) 8. Leipzig (904). C. G. Naumann. n. 2. 50; geb. in Leinw. n. 3. 50

Perteck, J., der blaue Atlasschuh, f.: Bloch's, E., Theater-Correspondenz.

Perten, Paul, die ungültige Ehe im österreichischen Strafrecht, s.: Abhandlungen, fünf strafrechtliche.

Pertev Bey, unter Graf v. Haeseler. Persönliche Erinnergn. (X, 226 S. m. 1 Bildnis.) gr. 8. Berlin 905. E. S. Mittler & Sohn. n. 3. 50; geb. n. 5.—

Perthaler's, Hans v., auserlesene Schriften. Ausgewählt, hrsg. u. m. e. Lebensbilde des Verewigten versehen v. Ambros Mayr. 2 Bde. Mit e. Bildnisse v. Perthaler's. 8. Wien 883. Braumüller. n. 10.—
1. Biographie. Lyrische Dichtungen. Schöngeistige Prosa. Aus dem Briefwechsel. (VI, 403 S.)
2. Staatsmännische Schriften. Socialwissenschaftliche u. philosophische Studien. Aphorismen u. Excerpte. (V, 374 S.)

Perthaler, (Joh.), das Erbkaiserthum Kleindeutschland. 8. (IV und 35 S.) Frankfurt a. M. 849. (Wien, Beck'sche Universitäts-Buchh.) **

Perthaler, Joh., Recht u. Geschichte. Zur encyklopäd. Einleitung in das Studium der juridisch polit. Wissenschaften. gr. 8. (4½ B.) Wien 843, Beck'sche Universit.-Buchh.

Perthel, Eduard, Papst Leo's I. Leben u. Lehren. Ein Beitrag zur Kirchen- u. Dogmengeschichte. gr. 8. (17½ B.) Jena 843, Mauke.]

Perthel, Eduard Theoph. (Jena), Georgii Spalatini in emendationem sacrorum merita. Oratio quam in memoriam Augustanae confessionis ex lege Beneficii Lynckeriani habuit. Jena (G. Schreiber) 30. V. 1840. 24 S. (3.75) 26082

Perthes, Justus, in Gotha 1785—1885. [Gotha 1885.] V: *Perthes, B.* (Kat. d. stat. Bureaus. Dresden 1890.)

Justus Perthes in Gotha. 1785—1885. [Mit Abb.] (München 1885: Knorr & Hirth.) 108 S. 4°

Perthes', Friedr. Christoph, Leben, s.: Baur, W.

Perthes, Die staatliche Gewerbeförderung im Fürtentum Reuss ältere Linie. Internat. Kongress d. städt. u. gewerbl. Mittelstandes, Lüttich 1905, Aug. 8°. Wien 1905.

Perthes' Handlexikon f. evangelische Theologen. Ein Nachschlagebuch f. das Gesamtgebiet der wissenschaftl. u. prakt. Theologie. 1.—20. Lfg. gr. 8. (1. Bd. 782 S. m. Illustr., 2. Bd. 726 S.) Gotha 890. F. A. Perthes. à n. 1.— (1. u. 2. Bd. cplt.: à n. 10.—; geb. à n. 12.—)

Perthes' Handlexikon f. evangelische Theologen. Ein Nachschlagebuch f. das Gesamtgebiet der wissenschaftl. u. prakt. Theologie. 21.—30. (Schluß-)Lfg. gr. 8. (3. Bd. VIII, 732 S. m. Fig.) Gotha 891. F. A. Perthes. à n. 1.— (à Bd. n. 10.—; geb. n. 12.—)

Perthes; Die nationalen Kämpfe um die Rheingränze. Rede. 10 S.– Treptow a/R., Progr. 1871.

Perthes' Schulausgaben engl. u. französ. Schriftsteller. Nr. 1—9. 8. Gotha, F. A. Perthes. Geb. n. 11.60

1. La fille du braconnier. Von Cécile Rosseeuw de Saint-Hilaire (J. d. Vèze). F. d. Gebrauch an höh. Töchterschulen bearb. v. Herm. Soltmann. (VII, 114 S.) 897. n. 1.—
2. Les femmes savantes. Comédie par Molière (1672). Für den Schulgebrauch bearb. v. J. Mosheim. (XXII, 138 S.) 898. n. 1.50
3. Ausgew. Erzählgn. von Franç. Coppée. F. d. Schulgebrauch bearb. v. A. Rohr. (VIII, 126 S.) 898. n. 1.40; Wörterbuch (20 S.) n. —20
4. Histoire d'un conscrit de 1813 par Erckmann-Chatrian. Für d. Schulgebrauch bearb. v. Karl Holtermann. (V, 116 S. m. 1 Karte.) 898. n. 1.40; Wörterbuch (26 S.) n. —20
5. Le siège de Paris. Impressions et souvenirs par Francisque Sarcey. Für den Schulgebrauch bearb. v. Erich Meyer. (V, 100 S. m. 1 Karte u. 1 Plan.) 898. n. 1.40; Wörterbuch (32 S.) n. —20
6. Napoléon Bonaparte. Aus: Les origines de la France contemporaine von Hippolyte Taine. Für den Schulgebrauch bearb. v. Bruno Herlet. (VIII, 150 S.) 898. n. 1.50; Wörterbuch (57 S.) n. —50
7. Le tour de la France par deux enfants par G. Bruno. Als erste französ. Lehre f. d. Schulgebrauch bearb. v. J. Haas. (138 S.) 898. n. 1.20
8. A christmas carol in prose, being a ghost story of christmas by Charles Dickens. F. d. Schulgebrauch erklärt v. H. Hoffschulte. (XII, 138 S.) 898. n. 1.—; Wörterbuch (41 S.) n. —40
9. Athalie par Racine (1691.) Für d. Schulgebrauch bearb. v. Ignaz Harczyk. (XXXII, 122 S.) 898. n. 1.20; Wörterbuch (16 S.) n. —20

Perthes' Schulausgaben englischer und französischer Schriftsteller. Nr. 1, 10—30, 31a u. 32—43. 8. Gotha, F. A. Perthes. Geb. n. 42.10

Inhaltsübersicht in alphabetischer Ordnung:

Augier, Emile, le gendre de Monsieur Poirier. En collaboration avec Jules Sandeau. Für den Schulgebrauch bearb. v. Erich Meyer. (VIII, 133 S.) 901. (Nr. 28.) n. 1.60; Wörterbuch (19 S.) n. —20

Barrau, Theod. H., histoire de la révolution française de 1789—1792. Für den Schulgebrauch bearb. v. H. Zech. Mit 1 Plan der Stadt Paris, der Umgebung v. Paris und des Schlosses v. Versailles. (VII, 127 S.) 901. (Nr. 29.) n. 1.20; Wörterbuch. (33 S.) n.n. —30

Burnett, F. H., Little Lord Fauntleroy. Für den Schulgebrauch erklärt v. A. Stoeriko. (V, 108 S.) 901. (Nr. 34.) n. 1.—; Wörterbuch (19 S.) n. —20

Corneille, le Cid. (1636.) Für den Schulgebrauch bearb. v. Heinr. Drees. (XXVI, 124 S.) 901. (Nr. 30.) n. 1.20; Wörterbuch (20 S.) n. —20

Daudet, A., lettres de mon moulin. (1869.) Ausgewählt u. erklärt v. O. Thoene. (XV, 114 S.) 899. (Nr. 13.) n. 1.—; Wörterbuch (35 S.) n.n. —30

— Tartarin de Terascon. (1872.) Ausgewählter Text m. Erklärgn. v. O. Thoene. Autoris. Ausg. (VII, 107 S.) 902. (Nr. 36.) n. 1.20; Wörterbuch (32 S.) n. —20

Dickens, Charles, the cricket on the hearth. A fairy tale of home. Für den Schulgebrauch erklärt v. H. Hoffschulte. (X, 132 S.) 899. (Nr. 15.) n. 1.—; Wörterbuch (34 S.) n.n. —50

Green, J. R., England in the 18. century. Abschnitte aus A short history of the English people. Für den Schulgebrauch erklärt v. W. Weissor. (VIII, 97 S.) 899. (Nr. 14.) n. 1.—; Wörterbuch (24 S.) n. —20

d'Herrison, Comte, Journal d'un officier d'ordonnance juillet 1870 — février 1871. Im Auszuge f. den Schulgebrauch bearb. v. E. Werner. Mit 2 Karten. (VI, 95 S.) 899. (Nr. 18.) n. 1.20; Wörterbuch (22 S.) n. —20

Jerome, Jerome K., three men in a boat (to say nothing of the dog.) Für den Schulgebrauch erklärt v. H. Schmitz. (VI, 99 S.) 900. (Nr. 21.) n. 1.20; Wörterbuch (31 S.) n. —20

Kipling, Rudyard, three tales from the jungle book and the second jungle book. Für den Schulgebrauch hrsg. v. A. Hertling. (X, 74 S.) 900. (Nr. 26.) n. —80; Wörterbuch (22 S.) n. —20

Knaut, Carl, chants pour les écoles. Für den Schulgebrauch u. als Ergänzg. zu jedem Übungsbuche und zu jeder Gedichtsammlg, hrsg. (VIII, 57 S.) 899. (Nr. 12.) n. —60

Lanfrey, Pierre, Campagnes de 1805—1807. Auszug aus der Histoire de Napoléon Ier. Ausgewählt u. erklärt von Karl Martin. Mit 6 Karten. (VI, 123 S.) 898. (Nr. 10.) n. 1.—; Wörterbuch (30 S.) n. —40

Michaud, histoire de la première croisade. Für den Schulgebrauch bearb. v. A. Aschenberg. (VII, 104 S.) 900. (Nr. 22.) n. 1.20; Wörterbuch (25 S.) n. —20

Mignet, A. F. Aug., histoire de la révolution française depuis 1789 jusqu'en 1814. Für den Schulgebrauch bearb. v. J. Mosheim. Mit e. Plan der Stadt Paris, der Umgebg. v. Paris u. des Schlosses v. Versailles. (X, 175 S.) 902, (Nr. 41.) n. 1.40; Wörterbuch (24 S.) n. —20

Molière, l'Avare. Comédie (1668). Für den Schulgebrauch bearb. v. Arth. Diebler. (XXVI, 127 S.) 901. (Nr. 32.) n. 1.—; Wörterbuch (19 S.) n. —20

— le misanthrope. Comédie. Für den Schulgebrauch bearb. v. Frz. Meder. (XX, 119 S.) 902. (Nr. 39.) n. 1.—; Wörterbuch (27 S.) n. —20

Morley, John, Oliver Cromwell. Für den Schulgebrauch bearb. u. erklärt v. K. Pusch. (VII, 135 S. m. 1 Karte.) 902. (Nr. 43.) n. 1.50; Wörterbuch (35 S.) —30

Musset, Alfr. de, il faut qu'une porte soit ouverte on fermée u. On ne saurait penser à tout. Für den Schulgebrauch bearb. v. Banner. (VII, 90 S.) 899. (Nr. 17.) n. 1.—; Wörterbuch (20 S.) n. —20

Plattner, Ph., Paris et autour de Paris. Plaudereien üb. die französ. Hauptstadt u. ihre Umgebung Nach französ. Quellen f. den Schulgebrauch entworfen. Mit 1 Karte der Umgebg. u. 1 Plan v. Paris. (IV, 144 u. Wörterverzeichnis 31 S.) 900. (Nr. 25.) n. 1.60

Racine, Britannicus. (1669.) Für den Schulgebrauch bearb. v. Ign. Harczyk. (XXXVI, 103 S.) 900. (Nr. 20.) n. 1.—; Wörterbuch (13 S.) n. —20

Rosseeuw de Saint-Hilaire Mlle. Cécile (J. de Vèze), la fille du braconnier. Für den Gebrauch an höh. Töchterschulen bearb. v. Herm. Soltmann. 2. Aufl. (IX, 114 S.) 899. (Nr. 1.) n. 1.—

Sand, G., la mare au diable. Für den Schulgebrauch bearb. v. J. Haas. (VI, 90 S.) 899. (Nr. 19.) n. 1.20; Wörterbuch (24 S.) n. —20

Sandeau, Jules, Mademoiselle de la Seiglière. (1851.) Für den Schulgebrauch bearb. v. K. Engelke. (X, 121 S.) 902. (Nr. 40.) n. 1.60; Wörterbuch (15 S.) n. —20; Ausg. B. Mit französ. Anmerkgn. (VI, 123 S.) n. 1.60; Wörterbuch (15 S.) n. —20

Scribe, Eug., le verre d'eau ou les effets et les causes. Comédie en 5 actes. (1840.) Für den Schulgebrauch erklärt v. O. Thoene. (VIII, 101 S.) 902. (Nr. 37.) n. 1.—; Wörterbuch (33 S.) n. —20

Ségur, Général Comte de, Incendie de Moscou et retraite de la grande armée jusqu'au Niémen. Aus: Histoire de Napoléon et de la grande armée pendant l'année 1812. Mit 2 Plänen. Für den Schulgebrauch bearb. v. P. Steinbach. (XI, 147 S.) 902. (Nr. 38.) n. 1. 20; Wörterbuch (26 S.) n. — 20

Shakespeare, William, Julius Caesar. Für den Schulgebrauch erklärt v. Gust. Wack. (XVIII, 107 S.) 900. (Nr. 23.) n. 1. 20; Wörterbuch (26 S.) n. — 20

— Macbeth. Für den Schulgebrauch erklärt v. Gust. Wack. (XX, 131 S.) 901. (Nr. 33.) n. 1. 20; Wörterbuch (29 S.) n. — 20

Slocum, Joshua, sailing alone around the world. Für den Schulgebrauch hrsg. v. R. Blume. Mit 1 Abbildg. und 1 Karte. (IV, 93 S.) 902. (Nr. 42.) n. 1. 20; Wörterbuch (26 S.) n. — 20

Souvestre, Emile, ausgewählte Erzählungen aus Au coin du feu. Für den Schulgebrauch erklärt v. C. Reichel. (V, 109 S.) 901. (Nr. 35.) n. 1. 20; Wörterbuch (29 S.) n. — 20

Theuriet, André, ausgewählte Erzählungen. Für den Schulgebrauch erklärt v. Hallbauer. (VI, 131 S.) 900. (Nr. 24.) n. 1. 20; Wörterbuch (42 S.) n.n. — 30

Thiers, Bonaparte in Ägypten u. Syrien. Aus der Geschichte der französ. Revolution. Für den Schulgebrauch bearb. v. Karl Beckmann. (VIII, 172 S. m. 1 Karte.) 899. (Nr. 16.) n. 1. 20; Wörterbuch (31 S.) n. — 40

Unruh, Ferd., Sammlung französischer Gedichte. Proben aus der Lyrik des XIX. Jahrh., nebst e. Anh. v. Fabeln. Mit beigefügter Verteilg. nach Klassen hrsg. und erklärt. 1. Tl.: Kanon. Metrische Vorbemerkgn. Texte. Litterarhistorische Übersicht. (XXII, 214 S.) 901. (Nr. 31 a.) n. 2. —

Waddington, Rich., La campagne française de 1757. Aus La guerre de sept ans. Für den Schulgebrauch hrsg. u. erklärt v. Otto Arndt. Einzige autoris. Schulausg. (VII, 134 S.) 901. (Nr. 27.) n. 1. 20; Wörterbuch (29 S.) n. — 20

Waterloo. Suite du conscrit de 1813. (Von Erckmann-Chatrian.) Ouvrage adopté par la ville de Paris pour être distribué en prix. Ausgewählt u. erklärt v. Holtermann. Mit e. Karte. (V, 120 S.) 899. (Nr. 11.) n. 1. —; Wörterbuch (24 S.) n.n. — 30

Perthes' Schulausgaben englischer u. französ. Schriftsteller. Nr. 16 B. 21. 31 B. 34 B. 42 B. 43 B. 44—47. 47 B u. 48—54. 8. Gotha, F. A. Perthes. Geb. n. 23. 10; Wörterbücher n. 7. 50

Boissonnas, Mme. B., une famille pendant la guerre 1870—1871. Im Auszuge f. den Schulgebrauch bearb. von E. Werner. Mit 2 Karten. (VIII, 86 S.) 903. (Nr. 48.) n. 1. —; Wörterbuch (28 S.) n. — 40

Brown's, Tom, schooldays, by an old boy (Thom. Hughes). Für den Schulgebrauch hrsg. v. Curt Reichel. (XX, 114 S.) 903. (Nr. 47.) n. 1. 20; Wörterbuch. (29 S.) n. — 40

— dasselbe. (Ausg. B. Mit engl. Anmerkgn.) (XIX, 130 S.) 904. (Nr. 47 B.) n. 1. 20; Wörterbuch. (29 S.) 903. n. — 40

Burnett, F. H., little Lord Fauntleroy. (1886.) Ed. with explanatory notes by A. Stoeriko. Ausg. B. m. engl. Anmerkgn. (III, 129 S.) 903. (Nr. 31 B.) n. 1. —; Wörterbuch. (19 S.) n. — 20

Byron, Lord, ausgewählte Dichtungen. Für den Schulgebrauch hrsg. v. Herm. Jantzen. (XIII, 140 S.) 905. (Nr. 52.) n. 1. 20; Wörterbuch. (37 S.) n. — 60

Duruy, Vict., Règne de Louis XIV. Aus: Histoire de France. Für den Schulgebrauch bearb. von Ludw. Klinger. Mit e. Karte, e. Skizze u. e. genealog. Tabelle. (IX, 150 S.) 903. (Nr. 44.) n. 1. 80; Wörterbuch. (29 S.) n. — 40

Jerome, Jerome K., three men in a boat (to say nothing of the dog.) Für den Schulgebrauch erklärt von Heinr. Schmitz. 2. Ausg. Mit 1 Karte. (VI, 99 S.) 903. (Nr. 21.) n. 1. 20; Wörterbuch. (31 S.) n. — 20

Laughton, John Knox, Drake — Blake — Hawke aus From Howard to Nelson. Für den Schulgebrauch bearb. v. F. Wilkens. (IV, 126 S.) 905. (Nr. 51.) n. 1. 20; Wörterbuch. (40 S.) n. — 60

Macaulay, Thom. B., Lord Clive. An essay. Für den Schulgebrauch m. Einleitg. u. Anmerkgn. hrsg. v. Karl Köhler. Mit e. Karte v. Vorderindien. (XVIII, 146 S.) 904. (Nr. 49.) n. 1. 40; Wörterbuch. (42 S.) n. — 60

Marbot, Baron de, Campagne de 1809. Aus den „Mémoires". Mit 2 Plänen. Für den Schulgebrauch bearb. v. P. Steinbach. (IX, 127 S.) 903. (Nr. 45.) n. 1. 60; Wörterbuch. (26 S.) n. — 30

Meisterwerke englischer Dichtung. Chevy Chase, Milton, Gray, Ossian, Wordsworth, Moore, Macaulay, Longfellow. Für den Schulgebrauch hrsg. v. Herm. Jantzen. (V, 159 S.) 906. (Nr. 54.) n. 1. 40; Wörterbuch. (30 S.) n. — 40

Mérimée, Prosper, Colomba. Für den Schulgebrauch bearb. v. Aug. Sturmfels. Mit e. Karte v. Korsika. (XII, 135 S.) 904. (Nr. 50.) n. 1. 20; Wörterbuch. (40 S.) n. — 60

Morley, John, Oliver Cromwell. Adapted for the use of schools, and provided with English notes by Karl Pusch. With 5 sketches. (Ausg. B. Mit engl. Anmerkgn.) (IV, 154 S.) 903. (Nr. 43 B.) n. 1. 50; Wörterbuch. (35 S.) 902. n. — 30

Sheridan, the school for scandal. Für den Schulgebrauch erklärt v. Herm. Hartmann. (XII, 121 S.) 903. (Nr. 46.) n. 1. 20; Wörterbuch. (39 S.) n. — 40

Slocum, Joshua, Sailing alone around the world. Adapted for the use of schools by R. Blume. With a plan and a map. Ausg. B m. englischen Anmerkgn. (IV, 92 S.) 903. (Nr. 42 B.) n. 1. 20; Wörterbuch. (26 S.) n. — 20

Tennyson, Alfr., Poetical works. Für den Schulgebrauch ausgewählt u. erklärt v. Bruno Herlet. (XV, 134 S.) 906. (Nr. 53.) n. 1. 20; Wörterbuch. (36 S.) n. — 60

Thiers, A., Histoire de l'expédition d'Egypte. Tirée de l'histoire, de la révolution française. Édition annotée à l'usage des classes par Charles Beckmann. (VIII, 113 S. m. 1 Karte.) 903. (Nr. 16 B.) n. 1. 20; Wörterbuch. (31 S.) n. — 40

Unruh, Ferd., Sammlung französischer Gedichte. Proben aus der Lyrik des XIX. Jahrh., nebst e. Anh. v. Fabeln. Mit beigefügter Verteilung nach Klassen hrsg. u. erklärt. 2. Tl.: Anmerkgn. u. Wörterbuch. (163 S.) 903. (Nr. 31 B.) n. 1. 50; Sonderwörterbuch. (52 S.) n. — 50

Perthes' Schulausgaben englischer und französischer Schriftsteller. Nr. 1, 3, 4, 10, 21, 34, 40 u. 55—61. 8. Gotha, F. A. Perthes. Geb. 17.40; Wörterbücher. 4. 10

Besant, Walt., all sorts and conditions of men. An impossible story. Für den Schulgebrauch hrsg. v. Elise Deckner. (XII, 115 S.) 910. (Nr. 61.) Geb. 1.50; Wörterbuch. (25 S.) — 30

Burnett, F. H., little Lord Fauntleroy. Für d. Schulgebrauch erklärt v. A. Stoeriko. (Ausg. A.) 2., verb. Aufl. (V, 108 S.) 906. (Nr. 34.) Geb. 1.—; Wörterbuch. (19 S.) — 20; Ausg. B (m. engl. Anmerkgn.) 2. ed. (V, 129 S.) 906. Geb. 1.—; Wörterbuch. (19 S.) — 20

Coppée, François, ausgewählte Erzählungen. Für den Schulgebrauch bearb. v. A. Rohr. 2., verb. Aufl. (VIII, 126 S.) 909. (Nr. 3.) Geb. 1.40; Wörterbuch. (20 S.) — 20

Daudet, Alphonse, Tartarin sur les Alpes. Nouveaux exploits du héros Tarasconnais. Hrsg. v. Otto H. Brandt. Autoris. Ausg. (XII, 141 S.) 909. (Nr. 59.) Geb. 1.20; Wörterbuch. (23. S.) — 30

Erckmann-Chatrian, histoire d'un conscrit de 1813. Für den Schulgebrauch bearb. v. Karl Holtermann. 2., verb. Aufl. (V, 116 S. m. 1 Karte.) 909. (Nr. 4.) Geb. 1.40; Wörterbuch. (28 S.) — 20

Jerome, Jerome K., three men in a boat (to say nothing of the dog). Für den Schulgebrauch erklärt v. Heinr. Schmitz. 3. Aufl. Mit 1 Karte. (VI, 100 S.) 907. (Nr. 21.) Kart. 1.40; Wörterbuch. (31 S.) — 20

Lamartine, A. de, Graziella. Für den Schulgebrauch hrsg. v. Hanna Glinzer. (VII, 112 S.) 908. (Nr. 58.) Geb. 1.—; Wörterbuch. (35 S.) — 40

Lanfrey, Pierre, Campagnes de 1805—1807. Auszug aus der Histoire de Napoléon Ier. Ausgewählt u. erklärt v. Karl Martin. 2. Aufl. (VI, 123 S. m. 6 Karten.) 908. (Nr. 10.) Geb. 1.—; Wörterbuch. (30 S.) — 40

Macaulay, Thomas B., Warren Hastings. An essay. Für den Schulgebrauch m. Einleitg. u. Anmerkgn. hrsg. v. Karl Köhler. Mit e. Karte v. Vorderindien. (XVIII, 176 S.) 907. (Nr. 55.) Geb. 1.50; Wörterbuch. (43 S.) — 50

— William of Orange and his descent of England. (Aus: The history of England, chap. VII, IX.) Ausgewählt, erklärt u. m. geschichtl. Einleitg. versehen v. Walth. Otto. (XVII, 104 S.) 907. (Nr. 56.) Geb. 1.—; Wörterbuch. (29 S.) — 40

Rosseeuw de Saint-Hilaire, Mlle. Cécile (J. de Vèze), la fille du braconnier. Für den Gebrauch an höheren Töchterschulen bearb. v. Herm. Soltmann. 4. Aufl. (IX, 114 S.) 908. (Nr. 1.) Kart. 1. —

Sand, George, la petite fadette. Für den Schulgebrauch hrsg. v. Emmy Schild. (V, 116 S.) 908. (Nr. 57.) Geb. 1.—; Wörterbuch. (36 S.) — 40

Sandeau, Jules, Mademoiselle de la Seiglière. (1851.) Für den Schulgebrauch bearb. v. K. Engelke. 2. Aufl. (X, 121 S.) 910. (Nr. 40.) Geb. 1.60; Wörterbuch. (15 S.) — 20

Verly, Baron Alb., les étapes douloureuses. (L'empereur, de Metz à Sédan.) Im Auszuge f. den Schulgebr. bearb. v. Walth. Kirschten. Allein berecht. Ausg. (VII, 90 S. m. 6 Kartenskizzen auf 1 Taf.) 910. (Nr. 60.) Geb. 1.40; Wörterbuch. (30 S.) — 40

Perthes, Caroline, s. Perthes, Karoline

Perthes, Clemens, s. Perthes, Klemens

Entgegnung auf die Klagebeantwortung des Ersten Staatsanwaltes am Herzogl. Landgericht Gotha Herrn Immler in der Klage d. Verlagsbuchhändlers Emil Perthes gegen ihn wegen Beleidigung. *(Leipzig 1895: O. Brandstetter.)* (15 S.) 8° [F.]

Perthes, Emil, eine moderne Gründergeschichte. gr. 8. (81 S.) Berlin 900. Herm. Walther. n. — 50

Der Erste Staatsanwalt Herr Christian Immler in Gotha als Vorsitzender des Aufsichtsrates der Gothaischen Verlagsanstalt vorm. Friedrich Perthes in Gotha. (Verf.: Emil Perthes.) *Gotha 1894.* (74 S.) 8° [F.]

Perthes, Fr., etwas über d. deutschen Adel, s. Fr. de la Motte Fouqué.

Perthes, Friedr. Andr., Catalog No. 10. Verzeichniss der von mir aus dem Orient eingeführten arabischen, persischen, türkischen und Sanskrit-Bücher. Gotha 1878.

Verlagskatalog von Friedrich Andreas **Perthes** Aktiengesellschaft in Gotha. (1796–1906.) Abgeschlossen am 28. Febr. 1906. Ausgeg. am 1. April 1906. (Gotha: F. A. Perthes 1906.) (VI, 247 S.) 8° [F.] [06. 9090

Perthes, Friedr. Matth., des Bischofs Johannes Chrysostomus Leben nach den Forschungen Neanders, Böhringers u. Andrer für die Familie unsrer Tage dargestellt. Gotha 853. F. A. Perthes. 8. (VIII, 251 S.) n. 20 ngr.

Perthes, Fr. Matth., die alte und die neue Lehre über Gesellschaft, Staat, Kirche, Schule, Ehe und Arbeit. Für Stadt und Land faßlich dargestellt. 1–3. Aufl. 8. (VI und 62 S.) Hamburg 849, Perthes-Besser und Mauke. *

Perthes, F. M., Predigt zum Preise der am 17. Jan. 1836 erfahrenen Hülfe Gottes, in Moorburg gehalten am 24. Januar 1836. 8. Hamburg, Perthes, Besser u. Mauke. 1/8 ß

Perthes, Geo., Briefe aus China. Nebst 25 Bildern nach Orig.-Aufnahmen. 8. (VII, 147 S.) Gotha 903. J. Perthes. Geb. in Leinw. n. 3. —

Perthes, Georg *Clemens* [aus Moors]: Über siebenundzwanzig mit Koch'schen Injectionen behandelte Fälle. . . . Bonn, Univ.-Buchdr. v. C. Georgi, 1891; 68 S. 8°
Bonn, Med. Fak., Inaug.-Diss. v. [21.] Jun. 1891

Perthes, (Georg), die Verletzungen u. Krankheiten d. Kiefer, s. a. Chirurgie, deutsche. Lfg. 33a.

Die Verletzungen und Krankheiten der Kiefer. Von Prof. Dr. G(eorg) **Perthes**, Leipzig. Mit 10 Röntgenbild. auf Taf. 1–4 u. 168 Abb. Stuttgart: F. Enke 1907. (LVI, 359 S.) 8°
= **Chirurgie**, Deutsche. Lfg 33 a. [07. 9104

Perthes, Giusto, s. Perthes, Justus

Perthes, Hermann

Perthes, H., Beiträge zur Erklärung Pindars (8. isthmische u. 11. pythische Ode). Pr. 1871. 16 S. 4°. —.90

Perthes, Herm., Cäsar-Wortkunde zum Privat-Studium. Lexikolog.-stilist. Hülfsbuch. [Sonder-Ausg. der 2. Abth. d. 4. Thls. der „Lateinischen Wortkunde im Anschluss an die Lectüre".] gr. 8. (IV u. S. 191 bis 482.) Berlin 880. Weidmann. n. 3. —

— **dasselbe f. Quarta. Hilfsbuch zum Ersatz des Lexicons bei der häusl. Repetition d. in der Classe Vorübersetzten. [Sonder-Ausg. der 1. Abth. d. 4. Thls. der „Lateinischen Wortkunde im Anschluss an die Lectüre".] gr. 8. (II, 187 S.) Ebend. 880. n. 2. —**

Perthes, Herm., die deutsche Einheit in ihrer geschichtlichen Entwickelung bis zur Erneuerung der Kaiserwürde. Vortrag, geh. in Colberg den 15. Januar 1872. gr. 8. (33 S.) Colberg 872. Post. n. — 50

Perthes, Herm., lateinische Formenlehre, s. a. Gillhausen, W.

— dasselbe. Ausg. B, s.: **Bruhn**, Ewald, lateinische Formen- und Satzlehre f. Reformanstalten.

Perthes, Herm., lateinische Formenlehre zum wörtlichen Auswendiglernen. Mit Bezeichnung sämmtl. langen Vocale von Gust. Löwe. 1. Aufl. (VI, 56 S.) 1876; 2. Aufl. gr. 8. (VIII, 56 S.) Berlin 877, Weidmann'sche Buchh. * — 60

— **lateinische Formenlehre zum wörtlichen Auswendiglernen. Mit Bezeichnung sämmtl. langen Vokale von Gust. Löwe. 3. Aufl. gr. 8. (VIII, 56 S.) Ebend. 882. n. — 60**

Perthes, Herm., lateinische Formenlehre zum wörtlichen Auswendiglernen. Mit Bezeichng. sämtl. langen Vokale v. Gust. Löwe. 4. Aufl. gr. 8. (VIII, 56 S.) Berlin 886. Weidmann. cart. n. — 70

Perthes, Herm., lateinische Formenlehre zum wörtlichen Auswendiglernen. Mit Bezeichng. sämtl. langen Vokale v. Gust. Löwe. 5. Aufl., besorgt v. W. Gillhausen. gr. 8. (VIII, 76 S.) Berlin 891. Weidmann. Kart. n. — 80

Perthes, Herm., lateinische Formenlehre z. wörtl. Auswendiglernen. Ausg. B., besorgt v. W. Gillhausen. gr. 8. (IV, 76 S.) Berlin 896. Weidmann. Kart. n. — 80

Perthes, Herm., lateinische Formenlehre zum wörtlichen Auswendiglernen. Ausg. B. 2. Aufl., besorgt v. W. Gillhausen. gr. 8. (IV, 76 S.) Berlin 899. Weidmann. Kart. n. — 80
3. Aufl. s.: Gillhausen, W.

Perthes, Herm., lateinische Formenlehre zum wörtlichen Auswendiglernen. Mit Bezeichng. sämtl. langen Vokale v. Gust. Löwe. 6. Aufl., besorgt v. H. Jungblut. (XII, 92 S.) gr. 8. Berlin 903. Weidmann. Kart. n. 1. —

— das Latein an der Realschule u. die Zulassung zum Medicin-Studium. [Aus: „Pädagog. Archiv".] gr. 8. (50 S.) Stettin 880. v. der Nahmer in Comm. n. — 80

Perthes, Hermannvs (geb. am 5 Febr. 1840 in Bonn): Qvaestiones Livianae ... Bonnae, typ. C. Georgi (1863). 2 Bl., 48 S. 8. ¶ Erschien zugleich selbständig bei Marcus in Bonn.
Bonn, Phil. Fak., Diss. v. 11 Aug. 1863

—— **zur Reform des lateinischen Unterrichts auf Gymnasien und Realschulen. I.—IV. gr. 8. Berlin, Weidmann'sche Buchh.** *
Inhalt:
I. (29 S.) 874. * 30 Pf.
II. (30 S.) 874. * 30 Pf.
III. Lateinische Formenlehre. Sprachwissenschaftliche Forschungen und didact. Vorschläge. 1. Hälfte: Zur regelmäss. Formenlehre. (VIII, 68 S.) 874. * M 1,30.
IV. Die Principien des Uebersetzens und die Möglichkeit einer erhebl. Verminderung der Stundenzahl. (VIII, 169 S.) 875. * M 4.
Aus: Zeitschrift für Gymnasialwesen, besonders abgedruckt.

—— zur Reform des lateinischen Unterrichts auf Gymnasien und Realschulen. II. 2. Aufl. gr. 8. (31 S.) Berlin 880, Weidmann'sche Buchh. *
Aus: Zeitschrift für Gymnasialwesen, besonders abgedruckt.
I. und III.—V. Ebendas. 1873–76. * M 9,40.

—— **zur Reform des lateinischen Unterrichts auf Gymnasien und Realschulen. 1.—5. Artikel. gr. 8. Ebendas.** * 10 80
Inhalt:
Artikel 1. 2. Aufl. (24 S.) 885. * 60 Pf.
» 2. 3. Aufl. (31 S.) 885. * 60 Pf.
» 3. Zur lateinischen Formenlehre. Sprachwissenschaftl. Forschungen und didact. Vorschläge. 1. Hälfte: Zur regelmäss. Formenlehre. 2. Aufl. (VIII, 68 S.) 886. * M 1.60.
» 4. Die Principien des Übersetzens und die Möglichkeit einer erheblichen Verminderung der Stundenzahl. 2. Aufl. (VIII, 169 S.) 886. * M 4.—.
» 5. Erläuterungen zu meiner lateinischen Formenlehre. (VIII, 175 S.) 876. * M 4.—.

Perthes, H., Latein.-deutsche vergleichende Wortkunde i. Anschl. an Caesars Bellum Gallicum. Ein Hilfsbuch f. d. lat. u. deutsch. Unterricht. 1879. 176 S. 1.50

— lateinische Wortkunde im Anschluss an die Lectüre. Für Gymnasien u. Realschulen. I—IV. Curs. gr. 8. Ebend. 874—76. n. 11. 80

1. Für Sexta. Grammatisches Vocabularium im Anschluss an Perthes' latein. Lesebuch f. Sexta. Mit Bezeichng. sämmtl. langen Vocale v. Gust. Löwe. (VIII, 143 u. X, 86 S.) n. 2. 40
2. Für Quinta. Grammatisch-etymolog. Vocabularium im Anschluss an Perthes' latein. Lesebuch f. Quinta. Mit Bezeichng. sämmtl. langen Vocale v. Gust. Löwe. (VIII, 76 u. X, 41 S.) n. 1. 60
3. Für Quarta. Etymologisch-phraseologisches Vocabularium im Anschluss an Vogel's Nepos Plenior. (XIV 190 u. XVI, 108 S.) n. 3. —
4. Lateinisch-deutsche vergleichende Wortkunde im Anschluss an Caesar's bellum gallicum. Ein Hülfsbuch f. den latein. u. deutschen Unterricht. (XXXII, 482 S.) n. 4. 80

—— lateinische Wortkunde im Anschluss an die Lectüre. Für Gymnasien und Realschulen bearb. 1., 2. und 4. Cursus. Ebendas. *

Inhalt:
Cursus 1. Grammatisches Vocabularium im Anschluss an Perthes' latein. Lesebuch für Sexta. Mit Bezeichnung sämmtl. langen Vocale von Gust. Löwe. 2. und 3. Aufl. (IV, 89 S.; Lesebuch VII, 54 S.) 881,84. *ℳ 1,60.
» 2. Für Quinta. Grammatisch-etymolog. Vocabularium. Mit Bezeichnung sämmtl. langen Vokale von Gust. Löwe. 2. verb. Aufl. Nebst dem latein. Lesebuch für Quinta. (VI, 144 S.; Lesebuch VI, 86 S.) 882. *ℳ 2,40.
» 4. Zur Durchnahme in Unter- und Ober-Tertia und zum Handgebrauch in den oberen Klassen. A. u. d. T.: Lateinisch-deutsche vergleichende Wortkunde im Anschluss an Caesars bellum gallicum. Ein Hülfsbuch für den latein. und deutschen Unterricht. 2. Aufl., besorgt von W. Gillhausen. 1. Abtl.: Zu Caesars bellum gallicum I—IV. (XX, S. 1—187.) 884. *ℳ 2,40. — 2. Abthl.: Cäsar-Wortkunde zum Privat-Studium. (IV, S. 188—482.) 880. *ℳ 3.
3. Cursus. Ebendas. 1873. *ℳ 3. (Vergriffen.)

— lateinische Wortkunde im Anschluss an die Lectüre. Für Gymnasien u. Realschulen bearb. 1., 3. u. 4. Kurs. gr. 8. Ebend. n. 6. —

1. Für Sexta. Das Wort nach seiner grammat. Endg. m. Unterscheidg. der zu lern. Primitiva u. der zunächst nur zu les. Derivata. 3. Aufl., besorgt v. W. Gillhausen. A. u. d. T.: Grammatisches Vocabularium im Anschluss an Perthes' latein. Lesebuch f. Sexta. Mit Bezeichng. sämtl. langen Vokale v. Gust. Löwe. 3. Aufl. Nebst latein. Lesebuch. 3. Aufl. (IV, 89 u. VII, 54 S.) 884. n. 1. 60
3. Für Quarta. Das Wort nach seiner Ableitung u. Verbindung. Etymologisch-phraseologisches Vocabularium im Anschluss an Vogels Nepos plenior. 2. Aufl., besorgt v. Karl Jahr. (XV, 182 S.) 886. n. 2. —
4. 2. Aufl. Zur Durchnahme in Unter- u. Ober-Tertia u. zum Handgebrauch in den oberen Klassen. A. u. d. T.: Lateinisch-deutsche vergleich. Wortkunde im Anschluss an Caesars bellum gallicum. Ein Hülfsbuch f. den latein. u. deutschen Unterricht. 2. Aufl., besorgt v. W. Gillhausen. 1. Abtlg. Zu Caesars bell. gall. I—IV. (XX, 187 S.) 884. n. 2. 40

—— lateinische Wortkunde im Anschluss an die Lektüre. Für Gymnasien und Realgymnasien bearb. 1.—3. Kurs. gr. 8. Ebendas. * 6 —

Inhalt:
Kurs. 1. Für Sexta. Das Wort nach seiner grammatischen Endung. Mit Unterscheidung der zu lernenden Primitiva und der zunächst nur zu lesenden Derivata. A. u. d. T.: Grammatisch-etymolog. Vocabularium im Anschluss an Perthes' latein. Lesebuch für Sexta. Mit Bezeichnung sämtl. langen Vokale von Gust. Löwe. 4. verb. Aufl., besorgt von W. Gillhausen. Nebst latein. Lesebuch. (IV, 109 und latein. Lesebuch VII, 54 S.) 888. *ℳ 1.60.
» 2. Für Quinta. Das Wort nach seiner grammatischen Endung. und nach seiner Ableitung. A. u. d. T.: Grammatisch-etymolog. Vocabularium im Anschluss an Perthes' latein. Lesebuch für Quinta. Mit Bezeichnung sämtl. langen Vokale von Gust. Löwe. 3. verb. Aufl., besorgt von W. Gillhausen. Nebst latein. Lesebuch. (VI, 136 und latein. Lesebuch VIII, 80 S.) 887. *ℳ 2.40.
» 3. Für Quarta. Das Wort nach seiner Ableitung und Verbindung. Etymologisch-phraseolog. Vocabularium im Anschluss an Vogel's Nepos plenior. 2. umgearb. Aufl., besorgt von Karl Jahr. (XV, 182 S.) 886. *ℳ 2.—.
4. Kurs in 2 Abtlgn. Ebendas. 1880,84. *ℳ 5.40.

— lateinische Wortkunde im Anschluss an die Lektüre. Für Gymnasien u. Realgymnasien. 1. Kurs., 2. Kurs., 4. Kurs. 1. u. 2. Abtlg. gr. 8. Ebd. n. 10. —

1. Kurs. f. Sexta. Das Wort nach seiner grammat. Endg. A. u. d. T.: Grammatisch-etymolog. Vocabularium im Anschluss an Perthes' latein. Lesebuch f. Sexta. Mit Bezeichng. sämtl. langen Vokale v. Gust. Löwe. 5., verb. Aufl., hrsg. v. W. Gillhausen. (IV, 96 u. latein. Lesebuch VII, 55 S.) 891. n. 1. 60
2. Kurs. f. Quinta. Das Wort nach seiner grammat. Endg. u. nach seiner Ableitg. A. u. d. T.: Grammatisch-etymolog. Vocabularium im Anschluss an Perthes' latein. Lesebuch f. Quinta. Mit Bezeichng. sämtl. langen Vokale v. Gust. Löwe. 4., verb. Aufl., besorgt v. W. Gillhausen. (IV, 107 u. latein. Lesebuch XII, 77 S.) 893. n. 2. —
4. Kurs. 1. Abtlg. Zur Durchnahme in Unter- u. Ober-Tertia u. zum Handgebrauch in den oberen Klassen. Das Wort nach seiner Ableitg., Verbindg. u. Bedeutungswandelg. Das Wort im Zusammenhang d. Satzes u. nach seiner Beziehg. zu wörtl. Übersetzg. u. sinngetreuer Verdeutschg. A. u. d. T.: Lateinisch-deutsche vergleichende Wortkunde im Anschluss an Caesars Bellum gallicum. 3. Aufl., besorgt v. W. Gillhausen. 1. Abtlg. Zu Caesars Bell. gall. I—IV. (XX, 176 S.) 892. n. 2. 40
4. Kurs. 2. Abtlg. — dasselbe. 2. Aufl. 2. Abtlg. Zu Caesars Bell. gall. V—VII. (VIII, 366 S.) 891. n. 4. —

Vgl. Marx, Aug. Hülfsbüchlein f. die Aussprache der lateinischen Vokale in positionslangen Silben.

— lateinische Wortkunde im Anschluss an die Lektüre. Für Gymnasien u. Realgymnasien. 1. Kurs. Für Sexta. Das Wort nach seiner grammat. Endung. A. u. d. T.: Vocabularium im Anschluss an Perthes' latein. Lesebuch f. Sexta. Mit Bezeichnung sämtl. langen Vokale v. Gust. Löwe. 6. veränd. Aufl., besorgt v. H. Jungblut. (IV, 86 u. latein. Lesebuch VIII, 80 S.) gr. 8. Berlin 903. Weidmann. n. 1. 60

Perthes, Herm. Friedr., die Peleiaden zu Dodona. Eine religionsgeschichtl. Untersuchung. Moers 869. (Spaarmann.) 4. (39 S.) n. 12 ngr.

Perthes, Johann Justus

Perthes, J. Just., Diss. de doloribus parturientium. Erf. 4°. 1754

Perthes, Justus (Hrsg.), s. Anzeiger, Geographischer. Jg. 1.

Perthes' Justus, Deutscher Armee-Atlas. Bearbeitet von Paul Langhans. Mit Begleitworten von Major a. D. Th. Toegel. Inhalt: Begleitworte. Nr. 1. Die Heere Mittel-Europa's nach Stärke und Waffen. Nr. 2. Truppenverteilung im Nordwesten des Reiches und in den Niederländern. Nr. 3. Truppenverteilung im Osten (deutsch-russisch-österreichische Grenzländer). Nr. 4. Truppenverteilung im Süden des Reiches und im nordöstlichen Frankreich. Nr. 5. Landwehr-Bezirkseintheilung. (Mit 5 Karten.) Fol. Gotha 1899.

Perthes, Giusto. Atlante tascabile. 24 carte incise su rame di Ermanno Habenicht. Con indice alfabetico dei nomi. 12. (54 S.) Gotha 891, J. Perthes. geb. * 2 40

Perthes', J., alldeutscher Atlas. Bearb v. P. Langhans. Mit Begleitworten: Statistik der deutschen u. der Reichsbewohner. 3. Aufl. (5 farb. Karten m. 4 S. Text.) 4. Gotha '05, J. Perthes. 1. —

Perthes', Just., Atlas antiquus. Taschen-Atlas der alten Welt von Alb. van Kampen. 24 kolor. Karten in Kupferst. kl. 4. Mit Namenverzeichnis. 12. (60 S.) Gotha 893, J. Perthes. geb. * 2 60

Perthes, Justus, Atlas portátil. Arreglado y traducido de la 30a edición alemana de H. Habenicht por Br. Domann. 28 mapas coloridos grabados en cobre. Con noticias geográfico-estadisticas por H. Wichmann. 8. Gebunden 1.86
Gotha: Perthes 1894.

Perthes', Justus, Elementar-Atlas. Für Schulen d. Deutschen Reichs bearb. v. Herm. Habenicht. qu. gr. 4. (12 chromolith. Karten m. 2 S. Text.) Gotha 882. J. Perthes. n. 1. 20

Perthes, Justus. Geschichte der Gothaischen Genealogischen Taschenbücher den Besuchern der Heraldischen Ausstellung zu Berlin April—Mai 1882 gewidmet. (Druck der Engelhard-Reyher'schen Hofbuchdruckerei in Gotha 1882.)
30 S., 1 Bl. 8°.

Perthes J, Geschichtsatlas z. mittl. u neuer. Gesch. v. A Schulz. (24 K) Gotha 1898

Perthes, Justus, s. Mittheilungen aus J. Perthes' geograph. Anstalt.

Justus Perthes' See-Atlas. Entworfen und bearbeitet von Hermann Habenicht. Gotha 1894. 1 Bd. (24 Karten) mit 127 Hafenplänen. c. K.

Perthes, Justus, Staatsbürger-Atlas. 24 Karten-Blätter mit über 60 Darstellungen zur Verfassung und Verwaltung des Deutschen Reiches und der Bundesstaaten. Mit Begleitworten. Von Paul Langhans. 8. (36 S. Text.) Gebunden 1.20
Gotha: Perthes 1896.

Perthes, J. (Hrsg.), s. Stieler's Hand-Atlas

—— Taschen-Atlas. 1.—21. Aufl. Vollständig neu bearb. von Herm. Habenicht. 24 color. Karten in Kpfrst. qu. 4. Mit einem geographisch-statist. Text. 8. (32 S.) Ebendas. 884,85. In 8. geb. * 2 —

Perthes', Just., Taschen-Atlas. 22. Aufl. Vollständig neu bearb. v. Herm. Habenicht. 24 kolor. Karten in Kpfrst. 4. Mit e. geographisch-statist. Text. kl. 8. (32 S.) Gotha 886. J. Perthes. geb. 2. —

Justus Perthes' Taschen-Atlas. 24. Aufl. Gotha 1888. 32 S. 24 Kt.

Perthes', Just., Taschen-Atlas. 26.—28. Aufl. Vollständ. neu bearb. v. Herm. Habenicht. 24 color. Karten in Kpfrst. 4. Mit geograph.-statist. Notizen. kl. 8. (32 S.) Gotha 890—92, J. Perthes. geb. * 2 —

Perthes', Justus, Taschen-Atlas. 24 colorirte Karten mit einem geographisch-statistischen Text. Sonder-Ausgabe mit 4 weiteren Karten für die österr.-ungar. Monarchie. 30. Auflage. (1894.) 8. In Lnwd. geb. **1.60**
Gotha: Perthes 1894.

Perthes, Justus, Taschen-Atlas. 32. Auflage. Vollständig neu bearbeitet von H. Habenicht. 24 color. Karten in Kupferstich. Sonderausg. mit 4 weiteren Karten für die Oest.-Ung. Monarchie Gotha: Perthes 1896. 1.56

Justus Perthes' Taschen-Atlas. 33. Auflage. Vollständig neu bearbeitet von Hermann Habenicht. 24. colorirte Karten in Kupferstich. Mit geographisch-statistischen Notizen von H. Wichmann. 16. (68 S) Geb. 1.56
Gotha: Perthes 1897.

Justus Perthes' **Taschen-Atlas.** 40. Aufl. Vollst. neu bearb. von Hermann Habenicht. 24 kol. Karten. Mit geogr.-statist. Notizen von Hugo Wichmann. *Gotha: J. Perthes 1903.* (80 S., 24 Karten.) 8° [o3. ==]

Justus Perthes' Taschen-Atlas vom Deutschen Reich. Bearb. von Hermann **Habenicht.** 24 kol. Karten mit Namenverzeichnis. Geogr.-statist. Notizen von Hugo Wichmann. Gotha: J. Perthes 1907. (20, 95 S., 24 Karten.) 8° (o7. 158

Perthes, Justus, Überschwemmungsgebiet am Rhein 1883. Karte M. 1 : 740000. Gotha 1883.

Perthes, Karoline

Perthes, Caroline, s. Brandt, M. G. W.

Perthes, Klemens

Perthes, Clemens (geb. am 2 März 1809 in Hamburg): De proscriptione et banno regio quid statuerit Speculum Saxonicum ... Bonnae, typ. C. Georgii (1834). 1 Bl., 34 S. 8.
Bonn, Jur. Fak., Diss. v. 13 Sept. 1834

De sententiis iuris publici peritorum quas habuerint de imperii Germanici forma et statu. Quo ad audiendam orationem de sententia, quam Petrus ab Andlow de ratione status in imperio Romano-Germanico habuerit, ut professionem iuris ord. in universitate litt. Fridericia Wilhelmia Rhenana ... auspicaretur d. XIV m. Aug. ... habendam ... invitat Clemens **Perthes** ... Bonnae, excud. C. Georgi 1844. 8 S. 4.

Perthes, Clem. Thdr., Briefwechsel m. d. Kriegsminister Grafen v. Roon, s.: Briefwechsel.

Perthes, Clemens Theod., die Einverleibung Crakau's u. die Schlußacte des Wiener Congresses. 1. u. 2., unveränd. Aufl. gr. 8. (2 B.) Hamburg u. Gotha 846, 47, Friedr. u. Andr. Perthes. à

Perthes, Clem. Thdr., das Herbergswesen der Handwerksgesellen. 8. (VI und 86 S.) Gotha 855(56,) F. A. Perthes. *

Perthes, Clem. Thdr., das Herbergswesen der Handwerksgesellen. 2. Aufl., m. e. Vorwort von Fr. v. Bodelschwingh. 8. (IX, 86 S.) Gotha 883. F. A. Perthes. n. 1. —

Perthes, Clemens Theod., Friedrich Perthes Leben. Nach dessen schriftl. und mündl. Mittheilungen aufgezeichnet. 2 Bde. gr. 8. Hamburg und Gotha, Fr. und A. Perthes. [1. (VI und 362 S.) 848. 1 Thlr. 24 Ngr., 2. (VI und 436 S.) 851. 2 Thlr.]

—— Friedrich Perthes Leben. Nach dessen schriftl. und mündl. Mittheilungen aufgezeichnet. 1. und 2. Bd. 2. Aufl. (XIV und 704 S. mit Portr. in Stahlst.) 1853. und 3. Aufl. gr. 8. (XIII und 704 S. mit Portr.) Hamburg und Gotha 855, F. A. Perthes. *

—— dass. — 3. Bd. 1. Aufl. 1855. und 2. Aufl. gr. 8. (VI und 594 S.) Ebds. 856. *

— — 3 Bde. 4. Aufl. Ebend. 857. gr. 8. (VIII, 288 S. u. Portr. in Stahlst.; VI, 345; VI, 528 S.) n. 3 ℛ.

Perthes, Clem. Thdr., Friedrich Perthes Leben nach dessen schriftlichen u. mündlichen Mittheilungen. 3 Bde. 5. Aufl. Gotha 861. F. A. Perthes. gr. 8. (XVI, 1163 S. u. Portr. in Stahlst.) n. 3 ℛ

Perthes, Clemens Thdr., Friedrich Perthes' Leben nach dessen schriftlichen u. mündlichen Mittheilungen. 3 Bde. 6. Aufl. (VIII, 288; VIII, 346 u. VIII, 563 S.) Gotha 872. F. A. Perthes. n. 4. 80

Perthes, Clem. Thdr., Friedrich Perthes' Leben, nach dessen schriftl. u. mündl. Mitteilgn. aufgezeichnet. 3 Bde. 7. Aufl. gr. 8. Gotha. F. A. Perthes. n. 15. —
1. (IV, 284 S. m. 1 Bildnis.) 892. n. 3. 60. — 2. (VI, 341 S.) 892. n. 4. 40. — 3. (VI, 538 S.) 892. n. 7. —.

— Friedrich Perthes' Leben, nach dessen schriftl. u. mündl. Mitteilgn. aufgezeichnet. 3 Bde. 8. [Titel-] Aufl. Jubiläums-Ausg. gr. 8. (IV, 284; VI, 341 u. VI, 538 S. m. Bildnis.) Gotha (892) 896. F. A. Perthes. n. 10. —; in 2 Bde. geb. n. 14. —

Perthes, Clem. Theod., der Staatsdienst in Preußen, e. Beitr. z. deutschen Staatsrecht. gr. 8. (11½ B.) Hamburg 838, Fr. Perthes.

—— das deutsche Staatsleben vor der Revolution. Eine Vorarbeit zum deutschen Staatsrecht. gr. 8. (23⅛ B.) Hamburg u. Gotha 845, Friedr. u. Andr. Perthes. *

—— politische Zustände und Personen in Deutschland zur Zeit der französischen Herrschaft. Das südl. und westl. Deutschland I. gr. 8. (VII und 352 S.) Gotha (861)62, F. A. Perthes. *

Perthes, Clem. Theod., politische Zustände und Personen in Deutschland zur Zeit der französischen Herrschaft. Das südl. und westl. Deutschland. II. gr. 8. (III und S. 353—576.) Gotha 862, F. A. Perthes. *

—— dass. — I. II. (1. Bd.) 2., unveränd. Aufl. gr. 8. (VI und 497 S.) Ebendas. 862. *

—— dass. — 2. Bd. A. u. d. T.: Die deutschen Länder des Hauses Oesterreich von Carl VI. bis Metternich. gr. 8. (XII und 380 S.) Ebendas. 868. *

Perthes, Clem. Theod., politische Zustände u. Personen in Deutschland zur Zeit der französischen Herrschaft. 2. Bd. A. u. d. T.: Die deutschen Länder des Hauses Oesterreich von Carl VI. bis Metternich. Gotha 869. F. A. Perthes. gr. 8. (XII, 380 S.) n. 1 *ℛ* 22 *ngr.*

Perthes, Otto

Perthes, O., Atlaseinheit in den einzelnen Klassen. Ein Weg zu ungehobenen Schätzen unseres Schulwesens. gr. 8. (VI, 41 S.) Leipzig 888. Wagner & Debes. n.n. — 75

Perthes, Otto, die Bedeutung des Standes der Dentisten (Zahntechniker) f. unser öffentliches Leben, dargelegt. (31 S.) gr. 8. Berlin 909. G. Siemens. — 60

— dasselbe. (34 S.) 8. Frankenthal 909. L. Göhring & Co. — 60

Entwurf zu einer Spruchsammlung von Otto **Perthes**, Prof. zu Bielefeld. *Bielefeld: O. Fischer 1903.* (98 S.) 8° [F.] [04. 13305]

Perthes, Otto, der Gedächtnisstoff im Religionsunterricht. Beiträge zu seiner Auswahl u. seiner Behandlg. Nebst: Entwurf zu e. Spruchsammlung. (XIII, 443 u. 98 S.) gr. 8. Bielefeld 903. O. Fischer. n. 2. 50

— Hoffnungen u. Befürchtungen bei der Rede Sr. Maj. d. Kaisers zur Eröffnung der Schulenquête. [Sonderdr.] 8. (13 S.) Bielefeld 890. Helmich's Buchh., Verl. n. — 40

Perthes, Otto, die platonische Schrift Menexenus im Lichte der Erziehungslehre Platos. 4. (24 S.) Bielefeld 886. (Bonn, Behrendt.) 1. 50

— die Mitschuld unseres höheren Schulwesens an der Überfüllung in den gelehrten Ständen. gr. 8. (56 S.) Gotha 889. F. A. Perthes. n. 1. —

— die Notwendigkeit e. durchgreifenden Umgestaltung d. Schulwesens. Eine Antwort auf Osk. Jäger's Schrift: Das humanist. Gymnasium. gr. 8. (50 S.) Ebd. 890. n. — 80

Perthes, Otto, die deutsch-konservative Partei u. das höhere Schulwesen. Eine Bitte an den Vorstand der deutsch-konservativen Partei. gr. 8. (23 S.) Bielefeld 892. E. Siedhoff — 60

Perthes, Otto, Prof. Der gegenwärtige Stand der Reform von Hermann Perthes und die Mittel zu ihrer Weiterbildung. *Bielefeld 1901: Velhagen & Klasing.* (S. 3—16.) 4° [F.]
Bielefeld, G u. RG, P 1901 (376)

Perthes, Otto, Werden u. Wirken v. Clemens Theodor Perthes, geb. 2. III. 1809, gest. 25. XI. 1867. (71 S. m. 1 Bildnis.) gr. 8. Gütersloh 909. C. Bertelsmann. 1. 20
Sonderabdruck aus: „Monatsschrift f. innere Mission".

Perthes, Wilh., u. Agnes **Perthes,** aus der Franzosenzeit in Hamburg, s. a. Hausbibliothek, hamburgische.

Aus der Franzosenzeit in Hamburg. Erlebnisse von Wilhelm **Perthes** u. Agnes Perthes. (Hrsg.: Dr. O. Mathies.) Hamburg: Janssen 1910. 91 S. 8°
(Hamburgische Hausbibliothek.) [10. 5562]

Perthun, J., ein Kämpfer f. Wahrheit u. Recht. Eine Dichtg. m. 6 leb. Bildern, arrangirt v. A. Hoffmann u. B. Schröder. gr. 8. (7 S.) Berlin (901). A. Hoffmann. — 10

Pertik, Otto, s.: Archiv, ungarisches, f. Medicin.

Pertik, Otto, s.: Studien, physiologische, aus Instituten der Universität Budapest.

Pertinax Philalethes, (P. C. v. Planta-Wernetz), die Wissenschaft des Staates. 1. Thl.: Der Mensch. br. gr. 8. (VIII u. 290 S.) St. Gallen 848, Huber & Co. 1⅓ *ℛ*

Pertinax [Pseudon.] *s.* La Harpe, Frédéric-César de

Pertinax, Irenaeus, offene Antwort auf die Encyklika vom 20. Juni 1894 an Papst Leo XIII., s. a. Streitschriften, freundschaftliche.

Offene Antwort auf die Encyklika vom 20. Juni 1894 an Papst Leo XIII. von Irenaeus **Pertinax.** Barmen: Wiemann [1894]. 19 S. 8°
(Freundschaftl. Streitschriften 61.)

Pertinax, Severus [Pseudon.] *s.* Troxler, Ignaz Paul Vital.

Pertl, Dr. Carl, Revision der Mittel- und westeuropäischen Arten der Gattung Plinthus germ. Lex.-8. (24 S.) Wien: Gerold 1896. —.30

Pertout, Lor., der betende Jüngling an der Hand der Kirche. Gebet- und Erbauungsbuch, mit besond. Berücksicht. der studirenden Jugend zusammengefaßt und geordnet. Lateinisch und deutsch. 16. Görz 860, Sochar.

Pertsch, Ch. F., Alexandersbad, Luisenburg u. die Kösseine m. e. Situationsplane der Luisenburg. (2. Aufl.) 16. (38 S.) Wunsiedel 889. (H. Nehring's Nachf.) n. — 30

Pertsch, H., s. P e r t s c h , Johann Heinrich

— **Johann Christian** (Coburg), Diss. inaug. Differentias juris Romani et Germanici in senatusconsulto velleiano exule. Präs. Johann Peter Ludewig. Halle/Saale (J. Fr. Krottendorff) 4. V. 1720. 30 S. (4.75) 26086

— — Dasselbe. Halle/Saale (J. Fr. Krottendorff) 4. V. 1720. 30 S. (4.75) 26087
Widm. v.: Carl Caspar Neubauer, B. V. Stisser.

— — Dasselbe. Halle/Magdeburg (J. H. Grunert) 4. V. 1720. 1739. 30 S. (4.75) 26088

Pertsch, Johann Georg

PERTSCH, J. G.: Abh. v. d. Ursprunge d. Archidiakonen, Archidiakonalgerichte, bischöfl. Officialen (10 Gr.) carien. *Hildesh.* u. *Brschw.*, Schröder. (753.) 774

PERTSCH, J. G. et Franc. Dom. HÄBERLIN: Annot. ad J. Jac. *Schmausii* comp. jur. publ. S. R. I. insigni apparatu scriptor. jur. publ. instructae. *Brunswigae*, (Vieweg u. Sohn.) 761. 4. (1 Thl.)

— — Commentatio de variis adpellationibus et divisionibus beneficiorum ecclesiasticorum. Helmstedt (Schnorr) 1752. S. 63—158. (5.50) 26099
Mit sehr schöner Titelzeichnung. — Enthält: Cap. II. De variis adpellationibus beneficiorum.

(PERTSCH, Jo. Geo.): Umständlicher Beweis, dass d. protest. Kirche rechtschaffene Priester habe. *Hild.* 732. 4

— — Commentatio histor. de burggraviis speciatim Noribergensibus, lingua vernacula: Von Burg Grafen absonderlich denen Nürnbergischen. Editio nov. Jena (Heller) (22. IX. 1745.) 1748. S. 15—23 mit Namen. (4.75) 26095

— — (Bayreuth u. Gera), Comment. jur. ecclesiastici de crimine Simoniae qua fata Simonis et criminis ab eo commissi ex antiquitatibus ecclesiasticis eruunrtur tradita juris canonici enucleantur et involucra papalia quibus Simonia involoi solet deteguntur antehac in regia Fridericiana instar disput. proposita nunc vero denuo revisa atque multum aucta. — Praemissa est Justus Henning Böhmer, diss. epistol. prooemialis de intentione patrum circa doctrinam de Simonia adiecti sunt indices locupletissimi. Halle/Magdeburg (Novi Bibliop.) (13. II.) 1719. 308 S. (7.—) 26101

— — Dasselbe. Halle/Magdeburg (Novi Bibliop.) (13. II.) 1719. 308 S. (7.—) 26102
Angbd.: Catalogus librorum, qui vel sumptu Novi Bibliopoli prodierunt.

Pertsch, Jo. Ge.: Elementa juris canonici et protestantium ecclesiastici commoda auditoribus methodo adornata. Ed. 3. P. 1. 2. Jenae 1741.

— s. Grundriß d. röm. Alterthumskunde.

Pertsch, Jo. Georg (Präs.), s. H a s p e r g , Heinrich Wilhelm: Observat. miscell. de rescissione actuum valide et legitime celebratorum.

Pertsch, Johann Georg [Praes.], s. H e n d r i c h , Christoph Sigismund von: Divisionem operarum in determinatas ...

— kurze Historie d. kanonischen u. Kirchenrechts, besonders zum Gebrauch akadem. Vorlesungen. gr. 8. Bresl. 753. W. G. Korn. 1 ℛ

— **Johann Georg** (Wunsiedel/Vogtland), De involucris Simoniae detectis. Diss. jur. Präs. Justus Henning Boehmer. Halle/Magdeburg (J. Gruner) 4. V. 1715. 69 S. (5.—) 26103

— — Dasselbe. Halle/Magdeburg (J. Gruner) 4. V. 1715. 66 S. (5.—) 26104

— — Dasselbe. Halle/Magdeburg (J. Chr. Gruner) 4. V. 1715. 1736. 69 S. (5.—) 26105

— **Joh. Georg**, De jure Augusti imperatoris exigendi a Judaeis aurum coronarium annumque censum vulgo numum oblatorium dictum, oratio inaug., in Juleo novo circa auspicium muneris recitata, nunc cum notis perpetuis illustrata. Helmstedt (P. D. Schnorr) o. J. 40 S. (5.—) 26089

— — De jure erigendi coemeterium. Disput. jur. Präs. Justus Henning Böhmer. Halle/Magdeburg (Chr. Henckel) (21.) Dez. 1716. 50 S. (5.—) 26106
Widm. v.: Justus Henning Böhmer.

— — Dasselbe. Halle/Magdeburg (J. Grunert) (21.) Dez. 1716. Rec. 1726. 50 S. (5.—) 26107
Widm. v.: Justus Henning Böhmer.

(—). — Memoriam viri magnif. illustr. et consult. **Jo. Georg Pertsch** acad. Juliae Carolinae prorectoris in purpura defuncti civibus et posteritati commendant provicerector et senatus acad. Juliae Carolinae. Helmstedt (Schnorr) 19. VIII. 1754. 48 S. (5.25) 26100
Enthält Verzeichnis der Schriften von Jo. Georg Pertsch.

P e r t s c h , J. G., de notione vocis cleri genuina. Helmst. 1745. 4.

Pertsch, Jh. Geo., († d. 19. Aug. 1754.) observationes juris canonici ecclesiast. Protestantium. (Nach P. Tode herausgg. v. J. L. Uhl.) 8. Nürnb. 760. Felssecker. 6 ℊ

J. G. P e r t s c h de orig. beneficiorum ecclesiast. — Idem de variis adpellationibus et divisionibus Beneficior. 4. Helmstädt 1752.

— — De origine jurisjurandi perhorrescentiae quaedam disserit, simulque lectiones per semestre aestioum habendas solemniter indicit. Helmstedt (P. D. Schnorr) (Apr.) 1744. 32 S. (4.50) 26093

— — De origine usu et auctoritate pallii archiepiscopalis diss. secunda qua simul lectiones per semestres hybernum habendas indicit. Helmstedt (Drimborn) (16. X.) 1746. 46 S. (5.—) 26096

— — **De origine usu et auctoritate pallii archiepiscopalis diss. tertia qua simul lectiones per semestre aestivum habendas indicit.** Helmstedt (Drimborn) (6. IV.) 1747. 47 S. (5.—) 26097

—Tractatus de origine, usu et auctoritate pallii. Archiepiscopal. 4. Helmst. 754. (Weygand in Lpz.) 1 ₰ 20 gr

— parentalia in memor. ipsius. fol. maj. Lips. Weygand.

— — **De burggraviis speciatim Norimbergensibus pauca disserit simulque solemnem doctorum in utroque jure renuntiationem indicit.** (Helmstedt 22. IX. 1745.) Mit Namen. (4.75) **26094**

— — **Oratio de principe armis decorato et legibus armato in laudes seren. princ. et dom. Caroli Brunovicesium et Luneburgensium ducis excurrens in acad. Juliae Carolinae de natali recitata. Exhibens simul recensionem et elenchum variarum constitutionum a celsissimo nostro duce publicatarum.** Helmstedt (P. D. Schnorr) 1748. 36 S. (5.25) 26098

— — **Programma invitatorium ad lectiones juris et privatas et gratuitas.** Jena (Fickelscherr) (14. X. 1728). (4.50) 26090

— — **De quaestione: teneat canonicus scholasticus verum beneficium ecclesiasticum et dignitatem nec ne? Pauca disserit simulque lectiones per instans semestre hybernum habendas indicit.** Helmstedt (P. D. Schnorr) (9. XI. 1743). 22 S. (4.25) 26092

PERTSCH, J. G.: Recht d. Beichtstühle. 2e verm. Aufl. *Wolfenbüttel*, Albrecht. (721.) 738. 4. (1 Thl. 12 Gr.)

PERTSCH, J. G.: Recht des Kirchenbannes. Andere u. verm. Aufl. *Wolfenbüttel*, Albrecht. (721.) 738. 4. (1 Thl. 12 Gr.)

(—). — **Stricturae in celeb. icti Hildesiensis Jo. Georg Pertschii tractatum Vom Recht der Beichtstühle quibus sententia eius quod ab obitu apostolorum, nullus unquam ecclesiae minister jure absolvendi confitentes gavisus sit, nedum nunc gaudeat modeste examinatur.** Frankfurt u. Leipzig. 1739. 46 S. (5.—) 26091

— de tortura. 8. Wolfenb. Meisner. 737.

— von dem Ursprung d. Archidiacon. u. Archidiacongerichte. 8. Hildburgh. Schröder. 743.

— Versuch einer Kirchenhistorie, sofern solche als eine Einleitung für geistliche Rechtsgelahrheit kann angesehen werden. 16–46 Jahrhundert, mit Kupf. in 5 Theilen. gr. 4. Wolfenbüttel. (F. C. W. Vogel in Leipz.) (auch Helwing in Hannover.) 736–40.

Pertsch, Johann Heinrich

Pertsch, J. Hnr. I., († d. 2. Jan. 1811.) Gedanken üb. die im Fürstenthum Coburg eingeführte ältere Ernestin. Prozeßordnung. 4. Cob. 796. Meusel. 6 gr

Pertsch. – s.a. *Grundriſs.*

Grundriſs der röm. Alterthumskunde. Coburg 808. 8. 12 gr. (Verf. ist Pertsch).

Pertsch, H., Lehrbuch der Menschengeschichte für Gymnasien und Lyceen. 8. Coburg, Ahl. 805.

Pertsch, Jh. Hnr. II., Lehrbuch d. Menschengeschichte f. Gymnasien u. Lyceen, nebst e. synchronist. Tabelle. 8. Cob. 805. (Riemann). 1 ₰ 8 gr

— neues allgem. literar.-artistisches Lexicon. 2 Thle. 8. Coburg 807. Sinner. 3 ₰ 8 gr.

— üb. d. Studium d. Röm. u. Griech. Klassiker auf Gymnasien. 1s Partikel. 4. Cob. 809.

— **Johann Jakob** (Wunsiedel), **De eo quod justum est circa deprecationem publicam ecclesiasticam vulgo Von der Kirchen-Buße.** Diss. jur. Präs. Christian Wildvogel. Jena (Müller) 14. X. 1702. 35 S. (5.—) **26108**
Widm. v.: Joachim Christoph Tornau, Johann Christoph Leopold (dtsch.), Paul Paucker (dtsch.), Christian Friedrich Schreiber.

— — Dasselbe. Jena (Croeker) 14. X. 1702. 37 S. (5.—) **26109**
Widm. v.: Joach. Christoph Tornau, Johann Christoph Leopold (dtsch.), Paul Paucker (dtsch.), Christian Friedrich Schreiber.

— **Johann Ludwig** (Coburg), **De usu vesicantium.** Diss. med. Jena (Stranckmann) 1. X. 1793. 19 S. (4.50) **26110**

Pertsch, Johann Wilhelm: De fractione insignium, s. Fichtner, Johann Georg

Pertsch, Ludw., P. W. Forchhammer, s.: Höck, Adb.

Pertsch, Wilhelm

Pertsch, W., Eine unedierte lykisch-griechische Bilinguis. 1869. 10 S. u. 1 Taf.

Pertsch, W., das Decret d. Pixodaros, s. Schmidt, M.

Pertsch, Wilh., die arabischen Handschriften d. herzogl. Bibliothek zu Gotha. Auf Befehl Sr. Hoh. d. Herzogs Ernst II. v. Sachsen-Coburg-Gotha verzeichnet. 1—3. Bd. gr. 8. (XV, 492, VIII, 495 u. VII, 488 S.) Gotha 877—81. F. A. Perthes. n. 51. —

— dasselbe. 4. Bd. 1. Hft. gr. 8. (240 S.) Ebend. 882. n. 8. —

Pertsch, Wilh., die arabischen Handschriften der herzogl. Bibliothek zu Gotha. Auf Befehl Sr. Hoh. d. Herzogs Ernst II. v. Sachsen-Coburg-Gotha verzeichnet. 4. Bd. 2. Hft. gr. 8. (VIII u. S. 241—564.) Gotha 883. F. A. Perthes. n. 11. 60 (I—IV.: n. 70. 60)

Pertsch, Wilhelm, Die orientalischen Handschriften der Herzoglichen Bibliothek zu Gotha. Theil I. II. III, 1—5 und Anhang. 6 voll. Wien 1859. 1864. Gotha 1878—1893.

Pertsch, Wilh., die orientalischen Handschriften der herzogl. Bibliothek zu Gotha. Auf Befehl Sr. Hoh. d. Herzogs Ernst II. v. Sachsen-Coburg-Gotha verzeichnet. III. Thl. 5. Bd. gr. 8. Gotha 892. F. A. Perthes. n. 20. — (1—5.: n. 90. 60)
Die arabischen Handschriften. 5. Bd. (VII, 562 S.)

— dasselbe. Anh.: Die oriental. Handschriften m. Ausnahme der pers., türk. u. arab. gr. 8. (X, 65 S.) Ebd. 893. n. 3. —

Pertsch. Wilhelm. Die persischen Handschriften der Herzoglichen Bibliothek zu Gotha. Wien 1859.

— — Die türkischen Handschriften der Herzoglichen Bibliothek zu Gotha

Pertsch, (Ludov. Car.) Guil. (geb. Coburg 19. 4. 1832): Upalekhae de kramapâṭha libelli particula prior, prolegomena, textum, versionem, varietatem lectionis tenens. Berolini (1854). (XXIII, 10 S.) 8° * Vollst. ersch. u. d. Tit.: Upalekha de kramapâṭha libellus. Textum Sanscriticum rec., varietatem lectionis, prolegomena, versionem Latinam, notas, indicem adjecit Guil. Pertsch. Berolini: F. Dümmler 1854.
Berlin, Phil. Diss. v. 29. März 1854

Pertsch, Wilhelm (Hrsg.), s. Rückert, Friedrich: Grammatik, Poetik und Rhetorik der Perser.

Pertsch, W., alphabetisches Verzeichniss der Versanfänge der Rikaamhita. gr. 8. (118 S.) Berlin 853, Dümmler's Verlag. *
Aus: Indische Studien, III, 1., besonders abgedruckt.

Pertsch, W., Verzeichniss der persischen Handschriften, s.a. Handschriften-Verzeichnisse, die, der königl. Bibliothek zu Berlin.

— — Verzeichniss der persischen Handschriften der Königlichen Bibliothek zu Berlin. Berlin 1888. 4°.

— Verzeichniss der türkischen Handschriften, s.: Handschriften-Verzeichnisse, die, der königl. Bibliothek zu Berlin.

Pertsch, Wilhelm, Verzeichniss der türkischen Handschriften der Königlichen Bibliothek zu Berlin. [= Die Handschriften-Verzeichnisse der Königlichen Bibliothek zu Berlin. 6. Band.] Berlin 1889. 4°.

Pertsch, Wilh., drei Vorträge. Hrsg. v. R. Ehwald. Mit Portr. gr. 8. (XII, 99 S.) Gotha 900. F. A. Perthes. n. 2. —

Pertsch, Wolfgang Heinrich Friedrich [Praes.], s. Verner, Andreas Konrad: . . . sive dissertatio philologica, de Scriptura S. omnis dictionis vitii experte.

Pertuis u. Sage, Erfahrung über die Mittel, die Fabrikation der Pottasche zu vermehren, (deutsch u. französ.) 8. Straßb. 794. König. 1 ℛ

Perturbationsapparat von G Ernst. Nürnberg

Pertusier, Charles

Pertusier, C., Promenades pittoresques dans Constantinople et sur les rives du Bosphore. III Vol. 8. Strasbourg, Treuttel et W. 815.

— Versuch einer Befestigungsart nach den Grundsätzen des neueren Krieges u. nach dem gegenwärtigen Stande der Geschützkunst. A. d. Franz. übs. von J. G. v. Hoyer. Mit Taf. Berlin 1821. 260 S.

Pertusier, K., gegenwärt. Zustand d. Türkei, besonders Constantinopels, in topograph., moral., religiöser, polit. u. merkantil. Hinsicht, übersetzt von J. A. Bergk. Mit 12 Steindr. u. d. Plane v. Constantinopel. gr. 8. Lpz. 822. Ind.-Compt. 4 ℛ

Perty, Maximil., die Anthropologie als die Wissenschaft v. dem körperlichen u. geistigen Wesen d. Menschen. 1. u. 2. Bd. gr. 8. (VIII, 376 u. IX, 534 S.) Leipzig 873. 74. C. F. Winter. n. 15. —

Perty, Max, über die Bedeutung der Anthropologie für Naturwissenschaft und Philosophie. Ein Vortrag, gehalten vor der schweiz. naturforsch. Gesellschaft in Sitten den 19. Aug. 1852. Bern 853. Fischer. 8. (51 S.) 6 ngr.

Perty, Max., über d. höh. Bedeutung d. Naturwissenschaften u. ihren Standpunkt in uns. Zeit. Eine akadem. Eröffnungsrede. gr. 8. (2¼ B.) Bern 835, Jenni Sohn.

Perty. M. Ueber den Begriff des Thieres und die Eintheilung der thierisch belebten Wesen. Bern. 1848. 8.

Perty, Beiträge zur Kenntnis der Fauna monacensis. Oken's Isis.
(Südbayerische Fischarten, zum größten Teil nach Material vom Münchener Fischmarkt.)
1832 München

Perty, Max., die Bewegung durch schwingende mikroskopische Organe im Thier- u. Pflanzenreiche. Nebst Erörterungen über Sporozoidien, Infusorien, Bacillarieen, u. über die Elementarstruktur der Halcyonella fluviatilis var. Nymphaeae. (2. veränd. Ausg.) gr. 4. (IV u. 42 S. m. 3 lith. Taf.) Bern 848, Fischer. 1 1/3 ℛ

—— Blepharophora Nymphaeae. Ein Beispiel automat. Wimperbewegung im Pflanzenreiche. Nebst einigen Erörterungen über Bewegung durch schwingende mikroskop. Organe und über Sporozoidien, Infusorien, Bacillarieen. gr. 4. (IV und 35 S. mit 3 Stnt.) Bern 848, Fischer.

Perty, Maxim., Blicke in das verborgene Leben d. Menschengeistes. Leipzig 869. C. F. Winter'sche Verlagsh. gr. 8. (X, 290 S.) n. 1 ℛ 15 ngr.

—— Delectus animal. articulator. etc., s. 8. Bd.: Martius, C. F. Ph. de.

— Herr Geheimerath Ehrenberg in Berlin und die Infusorienkunde. Ein Sendschreiben an die Naturforscher u. Freunde der Naturwissenschaft. (Solothurn, Jent u. Gassmann.) gr. 4. (3 S.) gratis.

Perty, Max., Erinnerungen aus dem Leben eines Natur- u. Seelenforschers d. 19. Jahrh. gr. 8. (VIII, 486 S. m. Portr. in Stahlst.) Leipzig 879. C. F. Winter. n. 7. —

Perty, Max., die mystischen Erscheinungen der menschlichen Natur. Leipzig 861. C. F. Winter. gr. 8. (XVIII, 770 S.) n. 3 ℛ 20 ngr.

— die mystischen Erscheinungen der menschlichen Natur. Dargestellt u. gedeutet. 2. verm. u. verb. Aufl. 2 Bde. gr. 8. (XXVIII, 445 u. VI, 498 S.) Ebend. 872. n. 14. —

Perty. [Maximilian]. Ueber Georg Forster, [James] Cook's Begleiter auf der Entdeckungsreise von 1772–75. ⟨Vorgetragen den 18. Januar 1868.⟩ [A.] 8. [Bern 1869.]

— über die Grenzen der sichtbaren Schöpfung, s.a. Sammlung gemeinverständl. wissenschaftl. Vorträge.

Perty M, über d. Grenzen d. sichtbaren Schöpfungen nach d. jetzigen Leistungen der Mikroskope und Fernröhre. (Sammlg wissensch. Vorträge 195) Berlin 1874

— Grundzüge der Ethnographie, s.a. Volks-Naturgeschichte der drei Reiche.

Perty, Dr. M., Grundzüge der Ethnographie. Leipzig und Heidelberg 1859. 8°.

—— Grundzüge der Zoologie, s. Agassiz.

Perty, Max., die Gymnasien als Bildungsanstalten f. d. Humanismus im weitern Sinne. Mit besond. Rücksicht auf das höhere Gymnasium in Bern. Rede. gr. 8. (1¼ B.) Bern 846, Huber u. Comp. *

Perty, [Maximilian]. Moritz Isenschmid (1850–1878), Nekrolog. ⟨Vorgetragen in der allgemeinen Sitzung [der Naturforschenden Gesellschaft in Bern] vom 23. Nov. 1878.⟩ [A.] 8. [Bern 1879.]

— zur Kenntniss kleinster Lebensformen nach Bau, Funktionen, Systematik, m. Specialverzeichniss der in d. Schweiz beobachteten. Mit 17 lithochrom. Taf. Imp. 4. (VIII u. 228 S.) Bern 852, Jent u. Reinert. n. 13 ₰

— s. G. C. v. Morlot, die Bienenzucht.

Perty, Maximil., die Natur im Lichte philosophischer Anschauung. gr. 8. (VIII, 805 S.) Leipzig 869, C. F. Winter'sche Verlagsh. * 11 —

—— allgem. Naturgeschichte, als philosoph. u. Humanitätswissenschaft f. Naturforscher, Philosophen u. d. höher gebild. Publikum. 3 Bde. gr. 8. (117¾ B. u. 2 Tab.) Bern 837—41, Fischer.

—— allgemeine Naturgeschichte, als philosophische u. Humanitätswissenschaft, f. Naturforscher, Philosophen u. das höher gebildete Publikum bearb. Neues, wohlf. Abonnement. 3 Bde. in 7 Lfgn. gr. 8. (104⅝ B.) Bern 843, Fischer. à L. * 25 Ngr. *

—— dass. 4. od. Supplem.-Bd. Neue Ergebnisse der Wissenschaft, Zusätze u. Verbesserungen. gr. 8. (33½ B.) Bern 844, Fischer. *

—— und C. A. Quitzmann, Naturgeschichte des Menschen als Individuum und als Race, s. Volks-Naturgeschichte.

—— Naturgeschichte des Thierreichs, s. Volks-Naturgeschichte.

Perty, Max., Observationes nonnullae in Coleoptera Indiae orientalis. Dissert. philosoph.-entomolog. Cum tab. I. 4. (5½ B.) Monachii 831, [Jaquet.]

Perty, Max., ohne die mystischen Thatsachen keine erschöpfende Psychologie. gr. 8. (V, 66 S.) Leipzig 883, C. F. Winter'sche Verlagsh. *

Perty, M[aximilian]. Mikroskopische Organismen der Alpen und der italienischen Schweiz. [A.] 8. [Bern 1849.]

— über den Parasitismus in der organ. Natur, s. a. Sammlung gemeinverständlicher wissenschaftlicher Vorträge.

Perty M, über den Parasitismus in der organischen Natur. (Slg wiss. Vortr. 91) Berlin 1869

Perty, M[aximilian]. Neue Räderthiere der Schweiz. ⟨Vortrag vom 19. Januar 1850.⟩ [A.] 8. [Bern 1850.]

— die Realität magischer Kräfte und Wirkungen des Menschen gegen die Widersacher vertheidigt. Ein Supplement zu des Verf. „Mystischen Erscheinungen der menschlichen Natur." Leipzig 863. C. F. Winter. gr. 8. (83 S.) n. 16 ngr.

Perty, M[aximilian]. Über den gefärbten Schnee des St. Gotthard, vom 16.–17. Febr. 1850. [A.] 8. [Bern 1850.]

—— über die Seele. Ein öffentl. Vortrag, gehalten den 7. März 1856 zu Bern. gr. 8. (70 S.) Bern 856, Huber und Comp.

—— über das Seelenleben der Thiere. Thatsachen und Betrachtungen. gr. 8. (VII und 336 S.) Leipzig 865, C. F. Winter'sche Verlagsh. *

— über das Seelenleben der Thiere. Thatsachen u. Betrachtgn. 2. umgearb., sehr bereich. Aufl. gr. 8. (VIII, 719 S.) Leipzig 875. C. F. Winter. n. 11. —

— der jetzige Spiritualismus u. verwandte Erfahrungen der Vergangenheit u. Gegenwart. Ein Supplement zu d. Verf. „myst. Erscheinungen der menschl. Natur". gr. 8. (XVI, 365 S.) Ebend. 877. n. 6. —

Perty, [Maximilian]. System der Infusorien. ⟨Auszug aus einem den 10. Januar 1852 gehaltenen Vortrage.⟩ [A.] 8. [Bern 1852.]

Perty, M[aximilian]. Über verticale Verbreitung mikroskopischer Lebensformen. [A.] 8. [Bern 1849.]

(Perty, Maximilian.) Verzeichniss der in der Schweiz vorkommenden Wirbelthiere. Ausgegeben für die projectirte zoologische Ausstellung in Bern. 8. (Bern *o. J.* [1860/70].)

— Vorschule der Naturwissenschaft. Leichtfaßliche Uebersicht der Haupt-Formen u. Erscheinungen. Mit 216 Holzschn. (im Text). Stuttgart 853. J. B. Müller. (Leipzig, C. F. Winter.) gr. 8. (XII, 342 S.) 1 ₰. 15 ngr.

—— anthropologische Vorträge gehalten im Winter 1862—1863 in der Aula zu Bern. gr. 8. (VII und 321 S.) Leipzig 863, C. F. Winter'sche Verlagsh. *

— die sichtbare u. die unsichtbare Welt, Diesseits u. Jenseits. gr. 8. (III, 320 S.) Ebend. 881. n. 5. —

— specielle Zoologie, s. Agassiz.

Pertz, Arthur, Dr., Assistenzarzt d. chirurg. Universitätsklinik: Die Diagnose chirurgischer Erkrankungen vermittelst der Röntgenstrahlen. *Freiburg i. B.: Speyer & Kaerner 1902.* (68 S.) 8°
Freiburg i. B., Med. Hab.-Schr. v. 1902

Pertz, Arthur [aus Hannover]: Aus d. physiolog. Institute zu Freiburg i. B. Photometrische Untersuchungen über die Schwellenwerte der Lichtreize ... Freiburg i. B., F. Wagner'sche Buchdr., 1896; 39 S. 8.
Freiburg i. B., Med. Fak., Inaug.-Diss. v. 1896

Pertz, Carl August Friedrich,
s. Pertz, Karl August Friedrich

Pertz, Ernst, Beitrag zur Kenntniss d. Chryseans u. üb. die Substituirbarkeit d. Wasserstoffs im Methylen durch Schwefel. Diss. gr. 8. (42 S.) Göttingen 891. (Vandenhoeck & Ruprecht.) n. 1. —

Pertz, Ernst, Hand- u. Hülfsbuch f. Gewerbetreibende aller Stände, m. besond. Berücksicht. der Bedürfnisse d. Handwerkerstandes. gr. 8. (VIII, 159 S.) Simmern 884. (Leipzig, Schneider.) n. 1. 80

Pertz, G. H., s. Pertz, Georg Heinrich

Pertz, Geo., Fremdes und Eigenes. 16. (X und 271 S. mit dem Portr. von Henry W. Longfellow in Stahlst.) Leipzig 862, E. F. Winter'sche Verlagsh. * 1 Thlr.; geb. mit Goldschn. *

Pertz, Geo., verwandte Klänge. Eine Auswahl engl. und amerikan. Gedichte. 16. (X und 221 S. mit dem Portr. von Felicia Hemans in Stahlst.) Leipzig 860, E. F. Winter'sche Verlagsh. *
geb. *

Pertz, Georg Heinrich

Pertz, G. H., über die gedruckten Ablassbriefe von 1454 and 1455. Aus den Abhdlgn. d. k. Akad. d. W. zu Berlin. Mit 2 Kpfrtaf. Berlin 857. Dümmler's Verlhdlg. in Comm. gr. 4. (14 S.) n. 15 ngr.

Pertz, Geo. Heinr., Archiv d. Gesellschaft f. ält. deutsche Geschichtskunde zc., s. Archiv.

Pertz, G. H., über die politische Bedeutung des Jahres 1810. (Aus den Abhdlgn. d. k. Akad. d. Wiss. zu Berlin.) Berlin 861. Dümmler's Verlhdlg. in Comm. gr. 4. (48 S.) n. 16 ngr.

Pertz, Georg Heinr., die königl. Bibliothek in Berlin, s. Bibliothek.

Pertz, Geo. Heinr., über die Berliner und die Vaticanischen Blätter der ältesten Handschrift des Virgil. gr. 4. (20 S. mit 3 Blätter in Licht-Stndr. in gr. Fol.) Berlin 863, (Dümmler's Verlag.) cart. *
Aus: Abhandlungen der k. Akademie der Wissenschaften zu Berlin, besonders abgedruckt.

Pertz, Georg Heinrich (Hrsg.), s. Briefe Steins an den Freiherrn von Gagern

Pertz, G. H., über ein Bruchstück des 98. Buchs des Livius. [Mit 2 Kpfrtaf.] gr. 4. (20 S.) Berlin 848, G. Reimer. 1/2 ₰

Pertz, Georg Heinr., über eine rheinische Chronik des 13. Jahrhunderts. gr. 4. (20 S. mit 1 Stnt.) Berlin 855, (Dümmler's Verlag.) Thlr. *
Aus: Abhandlungen der k. Akademie der Wissenschaften zu Berlin 1855, besonders abgedruckt.

—— über die Denkwürdigkeiten der Markgräfin von Bayreuth. Gelesen in der Akademie der Wissenschaften am 25. April 1850. gr. 4. (19 S. und 2 lithogr. Facsim.) Berlin 851, G. Reimer.

Pertz, G. H., s.: Epistolae saeculi XIII e regestis pontificum romanorum selectae.

Pertz, Geo. Hnr., die Geschichte d. Merowingischen Hausmeier. Mit e. Vorrede von A. H. L. Heeren. gr. 8. Hannov. 819. Hahn. 20 gr.

Pertz, G. H., s. Geschichtschreiber, die, der deutschen Vorzeit.

—— über Leibnitzens kirchl. Glaubensbekenntniss. Gelesen in d. philos.-histor. Klasse d. kgl. Academie der Wissenschaften zu Berlin etc. gr. 8. (1½ B.) Berlin 846, Veit u. Comp. Thlr. *
Aus: Zeitschrift f. Geschichte Bd. VI. Hft. 1. besond. abgedruckt.

—— über einige Handschriften deutscher Rechts- und Gesetzbücher. gr. 4. (22 S.) Berlin 857, (Dümmler's Verlagsh.) *
Vorstehende Schrift des Verf. wurde aus: Abhandlungen der k. Akademie der Wissenschaften zu Berlin, Jahrg. 1857, besonders abgedruckt.

—— die Handschriften-Verzeichnisse der königl. Bibliothek (zu Berlin), s. Handschriften-Verzeichnisse.

—— das Leben des Feldmarschalls Grafen Neithardt v. Gneisenau. 1. und 2. Bd. gr. 8. Berlin, G. Reimer. à Bd. * 3 Thlr. 10 Ngr. *
geb. à Bd. * 3 Thlr. 20 Ngr. *
Inhalt:
Bd. 1. 1760—1810. (XX und 696 S. mit 1 Kpfr. und 1 lithogr. Karte in qu. gr. 4.) 864.
" 2. 1810—1813. (XXIII und 725 S. mit 1 Stndr.) 865.

Pertz, Geo. Heinr., das Leben des Feldmarschalls Grafen Neithardt v. Gneisenau. 3. Bd. 8. Juni bis 31. Decbr. 1813. gr. 8. (XXIV, 737 S.) Berlin 869, G. Reimer. * 10 —
geb. * 11 —

Pertz, G. H., das Leben des Feldmarschalls Grafen Neithardt v. Gneisenau. Von Hans Delbrück. 4. und 5. (Schluß-)Bd. gr. 8. (VI, 713; III, 711 S. mit 1 genealog. Tab.) Berlin 880, G. Reimer. à Bd. *ℳ 10. *
geb. à Bd. *ℳ 11. *

—— Aus Stein's Leben. 1. Hälfte: 1757—1814. gr. 8. (XXVI und 782 S. mit 1 Stahlst.) Berlin 856, G. Reimer. *

—— dass. — 2. Hälfte: 1814—1831. gr. 8. (XX und 883 S. mit 1 lithogr. Facs.) Ebds. 856. *

— das Leben des Ministers Frhrn. vom Stein. 4 Bde. gr. 8. (1. Bd. 1757 bis 1807: XX u. 590 S. mit Portr. in Stahlst. 2. Bd. 1807 bis 1812: XVI u. 758 S. 3. Bd. 1812 bis 1814: XX u. 727 S. mit 2 lith. Facsimile. 4. Bd. 1814. 1815: XX u. 756 S. m. 1 lith. Facs.) Ebd. 849—51. (1. Bd. n. 2⅔ ₰; in Engl. Einb. n. 3 ₰ 2—4. Bd. à n. 3⅓ ₰; in Engl. Einb. à n. 3⅔ ₰) n. 12⅓ ₰; in Engl. Einb. n. 14 ₰

— das Leben des Ministers Freiherrn von Stein. 5. u. 6. (letzter) Bd. 1815 bis 1831. Berlin 854, 55. G. Reimer. gr. 8. (XVI, 865; XVI, 1239 S. u. Beilagen 288 S.)
5.: n. 3 ₰. 20 ngr; 6.: n. 6 ₰. 10 ngr

— s. Liudprandi, opera omnia.

—— Monumenta Germaniae historica, s. Monumenta.
Vgl. Grundr. u. Aufriß d. christl.-german. Kirchen- u. Staats-Gebäudes im Mittelalter zc.

Pertz, (G. H.,) Monumenta historica Germaniae inde ab Anno Christi 500. usque ad annum 1500 auspiciis societat. aperiendis fontibus rerum Germanicarum medii aevi. Tom. I. in fol. Mit 8 lithogr. Handschriftproben. Leipz. 826, Hahn. 11 Rthl. Velinp.

— s. Nithardi historiarum.

— Reise nach Italien, im Auftrage der Gesellschaft für ältere deutsche Geschichtskunde v. Nov. 1821 bis Aug. 1823. gr. 8. Hannov. 824. Hahn. 1 ₰ 12 gr (Aus d. Archiv d. Gesellsch. f. Geschichtskunde abgedr.)

— Italienische Reise zc. 1 Rthl. 12 gr., s. Archiv d. Gesellsch. f. ält. deutsch. Geschichtskunde. 5r Bd.

— s. Richeri historiar.

—— Schrifttafeln zum Gebrauch bei diplomatischen Vorlesungen. 4 Hfte. Fol. (8 Bl. Text u. 43 lith. Bl.) Hannover 846, Hahn'sche Hofbuchh. *

—— Schrifttafeln zum Gebrauch bei diplomatischen Vorlesungen. Handschriften. 5. Heft: Die Tafeln des 7. und 8. Scriptoren-Bandes der Monumenta Germaniae. gr. Fol. (9 theils lithogr., theils lithochrom. Bl. mit 1 Bl. Text.) Hannover 849, Hahn'sche Hofbuchh. *
1—4. Heft. Ebendas. 1846. * 4 Thlr.

—— Schrifttafeln zum Gebrauch bei diplomatischen Vorlesungen. Handschriften. 6.—9. Heft des 9.—12. und 16. —19. Scriptoren-Bandes der Monumenta Germaniae. Hrsg. von Karl A. F. Pertz. Fol. (32 Chromolithogr. mit 4 Blatt Text.) Hannover 866, Hahn'sche Hofbuchh. à Heft * 1 Thlr. *
1.—5. Heft. Ebendas. 1844—49. * 5 Thlr.

—— Schrifttafeln zum Gebrauche bei diplomatischen Vorlesungen. Handschriften. 10. und 11. Heft. Fol. Hannover, Hahn'sche Buchh. à Heft *ℳ 3. * 6 —
Inhalt:
Heft 10. Die Tafeln des 3. und 4. Gesets-Bandes der Monumenta Germaniae. Hrsg. von Karl A. F. Pertz. (10 Chromolithogr. mit 1 Bl. Text.) 869.
» 11. Die Tafeln des 20. und 21. Scriptoren-Bandes der Monumenta Germaniae. Hrsg. von Karl A. F. Pertz. (1 Photolithogr., 5 Chromolithogr. und 1 Bl. Text.) 872.
1.—9. Heft. Ebendas. 1844—66. à Heft *ℳ 3.

— s. Scriptores rerum Germanicarum.

—— König Ludwigs u. Arnulfs Urkunden f. d. Bisthum Verden u. d. Stiftungs-Urkunden v. Gandersheim, Ramelslohe u. Uelzen, als Probedruck e. Urkundenbuches d. Welfischen Lande etc. hrsg. gr. 4. (1½ B.) Hannover 840, Hahn'sche Hofbuchh.

Pertz, G. H. Der älteste Versuch zur Entdeckung des Seeweges nach Ostindien im Jahre 1291. Der Königlich Bayerischen Akademie der Wissenschaften zu München am Tage ihrer hundertjährigen Stiftungsfeier überreicht. Berlin am 28. März 1859. 12 S. 4°

— chronologisches Verzeichniss der Schriftproben, welche in Heft 1—10 der Schrifttafeln zum Gebrauche für diplomatische Vorlesungen sowie in den entsprechenden Bänden der „Monumenta Germaniae" enthalten sind. Hannover 869. Hahn'sche Hofbuchh. gr. Fol. (12 S.) n. 12 ngr.

Pertz, Georg Heinrich (Hrsg.),
s. Vom Stein, Heinrich Friedrich Karl Frh.: Denkschriften über deutsche Verfassungen.

– s. Widukindi Res Gestae Saxonicae.

Pertz, Henr. Ludolf., de Johanne Arndtio ejusque libris qui inscribuntur: De vero christianismo. Commentatio in certamine literario civium Acad. Geo. Aug. praemio regio ornata. 4maj. (VIII und 96 S.) Hannoverae 852, Rümpler. *

Pertz, Jul., nederlandsch snellschrift naar het stenographiesysteem van F. X. Gabelsberger. In 6 gemakkelijke lessen voor school-en zelfonderricht naar J. Müller's leerwijze uitgegeven. gr. 4. (II, 26 S. m. Bildnis.) Barmen 891. (H. Klein.) n.n. 1. 75

Pertz, Karl August Friedrich

Pertz, Carol. Aug., Colophoniaca. gr. 8. (60 S.) Göttingen 848, Dieterich. n. ⅓ ₰

Pertz, Kar. Aug. Frid., de cosmographia Ethici libri III. Accedit tabula (lith. in 4.). Berolini 853. Nicolai. gr. 8. (VIII, 197 S.) 1 ₰.

Pertz, C. A., Quaestt. Lysiacarum cap. I. Pr. 1857. 14. S. 4°. 1.20
— — II. Pr. 1862. 18 S. 4°. 1.20

Pertz, Karl A. F., chronologisches Verzeichniss der Schriftproben, welche in Heft 1—10 der Schrifttafeln zum Gebrauche für diplomatische Vorlesungen sowie in den entsprechenden Bänden der „Monumenta Germaniae" enthalten sind. gr. Fol. (12 S.) Hannover 869, Hahn'sche Buchh. * 1 20

Pertz, Ludolf, die höhere Mädchenschule, das Lehrerinnenseminar u. beider Lehrkörper. gr. 8. (54 S.) Hannover 878. Schmorl & v. Seefeld. n. 1. —

Pertz, Ludolf, Met. Historisches u. Topographisches m. e. (eingedr.) Plane der Stadt. gr. 8. (36 S.) Hannover 871. Schmorl & v. Seefeld. n. — 60

Pertz, Ludolf, Rede, zum Gedächtnis des am Sonnabend den 25. Febr. 1882 verstorbenen Hrn. Dr. phil. Karl Morgenstern in der Aula der städtischen Höheren Töchterschule I am Dienstag den 28. Febr. gehalten. 8. (8 S.) Hannover 882, Schmorl und v. Seefeld. *

Pertz, Wilh., die Diagnose chirurgischer Erkrankungen vermittelst der Röntgenstrahlen. Habilitationsschrift. gr. 8. (68 S.) Freiburg i/B. 902. Speyer & Kaerner. n. 2. —

Pertzel, A., Ornamentik f. Schlosser u. Architekten, s.: Krug, A.

— dasselbe, s.: Puls, E.

Pertzel, der kleine Ornamentist f. Schmiedeeisen, s.: Puls.

Pertzel, Walter, Referendar: Forderungsübergang kraft Gesetzes nach dem Rechte des Bürgerlichen Gesetzbuches. Borna-Leipzig 1910: Noske. VIII, 54 S. 8°
Leipzig, Jur. Diss. v. 18. Mai 1910
[Geb. 29. Jan. 87 Gera R.; Wohnort: Gera; Staatsangeh.: Reuß j. L.; Vorbildung: Gymn. Gera Reife O. 05; Studium: Breslau 5, Jena 5 S.; Rig. 21. März 10.] [U 10. 2829

Peru [Sachliches OW]

Peru, nach seinem gegenwärt. (1808) Zustande dargestellt. Aus d. Mercurio Peruano v. Skinner. Nach d. Engl. v. Weyland u. Cr. A. Schmid, hrsgg. v. F. J. Bertuch. 2 Thle. Mit Karten. gr. 8. Weim. 807, 8. Ind.-Compt. 5 ₰

Veröffentlichung d. Minist. d. öff. Arbeiten. Peru für die Einwanderung Gebiet d. Ucayali. *Basel [1902?]: E. Birkhäuser.* (20 S.) 8° [Umschlagt.] [03. 2.. 11

Peru [Schlagwort]

Peru. — Tabula Americae specialis Geographica Regni — Brasiliae, Terrae Firmae et Reg. Amazonum; secundum observationes recentiores designata, et edita per G. de l'Isle, nunc recusa per Homannianos Heredes. 1733? 1 : 9,000,000. 1 Bl.

Peruche, Th., elsaß-lothringische Gesetze, Verordnungen u. Verfügungen, zur Ausführung des bürgerlichen Gesetzbuchs u. der damit im Zusammenhang stehenden Reichsgesetze. Auf amtl. Veranlassung zusammengestellt u. m. Sachregister versehen. 4. Aufl. (VII, 681 S.) kl. 8. Straßburg 905. W. Heinrich. Geb. in Leinw. n. 5. 50
3. Aufl. (VII, 547 S.) 903. Geb. 4. 50.

Perücke, die, u. das Referat. 8. Linz, Suara. 786. -

Perücken, die; od. der Diener ist klüger als der Herr. Lustsp. in 1 Akt v. C. H. Spieß. 8. Freyb. Craz u. G. 802. -

Perrücken, Die, und das Referat. Linz 1785. V: *Cremeri, Benedict Dominik Anton.* (GGr) (Ky)

Perücken, die, und das Referat, (v. B. D. A. Cremeri). 8. Linz 786. Suara. 3 gr.

Der Perückenmacher. [Brandenburg u. Leipzig 1761.]
34 S. m. 1 Kupferst. von Schleuen; 1 Taf. in Kupferst. 8°
Aus: Joh. Sam. Halle, Werkstäte der heutigen Künste oder die neue Kunsthistorie. Bd. 1.

Perrückenmagazin, Des Herrn v. B. lehrreiches, zur Bildung deutscher Köpfe eingerichtet. 2. Aufl. Paris 1762. V: *Marchand, Jean Henri.* (CLZür Forts. II.)

Perrückenstock, Der, eine dramatische Bagatelle in einem Akt. Berlin 180? V: *Heigel, Caesar Max.* (Ky) (MGT)

Perrückenstock, der; e. dramat. Bagatelle in 1 A., (v. Caes. Max. Heigel). 8. Berl. 180. . (Krause). 2 gr.

Perugino, Bernardo

Perugino Die Grablegung. In engl. Schabmanier gestochen von Albert Schultheiss. gr. Folio. Innsbruck, Franz Unterberger. 1866
5 fl. 50 kr.

Perugino, Meisterbilder, s.a. Weicher's Kunstbücher.

Die Meisterbilder von [Bernardo] **Perugino** (1446–1524). Eine Auswahl von 60 Reprod. nach Orig.-Aufnahmen. Berlin Weicher 1909. 60 S. 8°
(Weichers Kunstbücher Nr. 21) [1909. 17305]

Der Perükenmacher, s. Perückenmacher, Der.

Peruseau, auserlesene Predigten, a. d. Frz. 2 Thle. gr. 8. Lpz. Fritsch. 765.

Perusek *Raimund* Die Aberkios-Inschrift. Eine orientierende Skizze. (Umschlagtitel: Inschrift.) 8. S. 3–35.
Progr. K. k. Staats-Oberg. *Laibach* 1898

Perusek, R., De scholiorum Bernensium origine et auctoribus, argumento et indole. P 1881 82 S 1.2

Perutz, Conrad, s. Perutz, Konrad

Perutz, F., eine soziale Studienfahrt nach England, s.: Fortschritt-Bibliothek.

Perutz, Felix: Zur Histiogenese des primären Lungencarcinoms. *München 1897: Kastner & Lossen.* (60 S. mit Taf.) 8°
München, Med. Diss. v. 1897

Perutz, H., Handbuch für Seifenfabrikanten enthaltend: die chemische Analyse der Materialien so wie eine genaue Anweisung zur Alkalimetrie. Zum prakt. Gebrauch. Berlin 854. J. Springer. 8. (92 S.) n. 20 ngr.

Perutz, H., die Industrie der Fette u. Oele. Enthltd.: die Seifen- u. Glycerin-Fabrikation, die Darstellung der Paraffin-, Stearin-, Wachs- u. Wallrathskerzen, ferner die Rüböl-Raffinerie zc. Nach eigenen fabrikmäßigen Erfahrungen u. mit Benutzung der neuesten deutschen, franzöſ. u. engl. Literatur. Berlin 866. Springer's Verlag. gr. 8. (XXII, 396 S. mit 46 in den Text gedr. Holzschn.) n. 3 Thlr 20 ngr.

— die Industrie der Mineralöle, des Petroleums, Paraffins u. der Harze, nebst sämmtl. damit zusammenhäng. Industriezweigen. Mit vielen in den Text gedr. Holzschn. Wien 868. Gerold's Sohn. gr. 8. (XII, 348 S.) n. 3 Thlr

Perutz, H., die Industrie der Mineralöle, des Petroleums, Paraffins und Ceresins, nebst den neuesten Fabrikationsmethoden. 2. (Schluß-)Thl. gr. 8. (X, 206 S. mit 11 eingedr. Holzschn. und 2 lithogr. Taf.) Wien 880, Gerold's Sohn. * 6 —

Perutz, H., Wärme- und Brennmaterialien, ihre Anwendung für industrielle Zwecke u. Beschreibung der besten Rauchverbrennungs-Anlagen. Ein Handbuch für Brennereien, Brauereien, Färberei- und Druckereibesitzer etc. so wie überhaupt für industrielle Etablissements jeder Art. Mit Benutzung der neuesten Literatur und nach eigenen Erfahrungen für den praktischen Gebrauch bearb. Mit 36 in den Text gedr. Holzschn. Berlin 863. J. Springer. gr. 8. (VIII, 203 S.) 1 Thlr 15 ngr.

Perutz, Konrad

PERUTZ, CONRAD Über einige Derivate der Naphtoylorthobenzoësäure und der Acenaphtoylorthobenzoësäure Lausanne, 1900.

Perutz, Sigmund

Perutz, Sigm., der innere Gebrauch des Teplitzer Thermal-Wassers auf physiologischen u. therapeutischen Erfahrungen begründet. Teplitz 861. Copek in Comm. gr. 8. (39 S.) n. 8 ngr.

Perutz, Sigm., die Mineralquellen zu Teplitz als homöopathische Heilmittel betrachtet. gr. 12. (65 S.) Prag 848. (Kronberger.) n. 1/3 Thlr

Perutz, Dr. Badärztliche Notizen. 8. (20 S.) Prag, Gottl. Haase Söhne 1853.

Perutz, (Sigm.), der Rheumatismus und seine Heilung durch Teplitz. Nach homöopath. Grundsätzen dargestellt. Dessau 855. Katz. gr. 8. (16 S.) n. 4 ngr.

—— the thermal springs of Teplitz. A homoeopathic sketch. gr. 8. (IV und 60 S.) Leipzig 858, Dürr'sche Buchh. *

— Teplitz und die Gicht. Eine Abhandlung im Sinne der Homöopathie. Leipzig 858. Dürr'sche Buchhdlg. gr. 8. (20 S.) n. 4 ngr.

— Teplitz-Wirkungen und Hautkrankheiten. Eine homöopath. Skizze. Prag 856. (Leipzig, Hunger.) 8. (15 S.) n. 4 ngr.

— die Thermalbäder zu Teplitz u. ihre Heilkräfte. Vom Standpunkte der Homöopathie aus betrachtet. gr. 8. (X u. 174 S.) Dessau 852, Katz. n. 1 Thlr

Peruzzi's, B., Biographie und Charakteristik, s. Redtenbacher, R.

Pervanoglu, J., historische Bilder aus dem byzantinischen Reich. I. und II. 8. Leipzig, Friedrich. à *M 2,50. * 5 —
Inhalt:
I. Andronik Comnenus. (150 S.) 879.
II. Kaiser Alexius. (III, 170 S.) 880.

Pervanoglu, J., Culturbilder aus Griechenland. Mit einem Vorwort von A. R. v. Rangabé. gr. 8. (VIII, 150 S.) Leipzig 880, Friedrich. * 4 —

Pervanoglu, Peter

Pervanoglu, P., das Familienmahl auf altgriechischen Grabsteinen. Eine archaeolog. Untersuchg. Mit e lith. Taf. gr. 8. (78 S.) Leipzig 872 Engelmann. n. 2.40

Pervanoglu, Pet., die Grabsteine der alten Griechen nach den in Athen erhalt. Resten derselben besonders untersucht. gr. 8. (VIII und 98 S. mit 3 Stnt. in gr. 8. und qu. Fol.) Leipzig 863, Engelmann.

Pervente, od. die Wünsche. Eine kom. Oper in 3 Akten, von Aug. v. Kotzebue. (Nach einem bekannten Mährchen von Wieland), f. Kotzebue, Opernalmanach im Alphabet.

Auctoris incerti pervigilium veneris, commentario perpet. illustr. et var. lect. instr. a Er. Konr. Fr. Schulze. 4. Götting. 812.

Pervigilium V e n e r i s . Lateinisch u. deutsch. Die Nachtfeyer der Venus. Übers. mit Anmerk. von A. Möbius. Soest 1816. (Hannover). 8°

Pervigilium Veneris pristino nitori restitutum. Lipsiae 1852. H: *Lindemann, Heinrich.* (Russell VII, 1, 793)

Pervigilium Veneris pristino nitori restitutum. gr. 8. (22 S.) Lipsiae 852. W. Engelmann. n. 1/6 ₰

Pervigilium Veneris adnotabat et emendabat F r a n c. B u e c h e l e r. Leipzig 859. Teubner. 16. (63 S.) n. 8 ngr

Perwe, J., die Zaubergeige, f.: Bocci, Frz.

Perwez, J. N., Defense des officiers de la troupe de Schill etc. befindet sich als Anhang bei: Frz. A. M. Fiedler, die Verurtheilung und Hinrichtung der elf Preuß. Offiziers ꝛc.

Perwo, Car. (Guil.) (geb. Wormditt 19. 12. 1826): De … ventriculi. Berolini (1848). (25 S.) 8°
Berlin, Med. Diss. v. 29. Sept. 1848

Perwolf, Eman., Erwerb u. Einkommen im Zukunftsstaate. Ein Mittelstandsprojekt. Anh. Schätzung d. Volkseinkommens u. Volksvermögens in Österreich. (VI, 150 S.) gr. 8. Wien 909. C. Konegen. 3. 50

Perwolf, Emmanuel, die Farbendruckerzeugung mittelst Chromolitho- und Chromozinkographie. Ein Grundriß für angehende Fachmänner, Buch- und Kunsthändler. 8. (80 S. mit 1 lithogr. Facs. in qu. 4. und 1 Holzschn.) Wien 878, Lehmann und Wentzel. * 1 60

Perwolf, Emmanuel, die Farbendruckerzeugung mittelst Chromolitho- u. Chromozinkographie. Ein Grundriß f. angeh. Fachmänner, Buch- u. Kunsthändler. Mit einem (lith.) Facsim. in qu. 4. u. einem Holzschn. 8. (80 S.) Wien 878. Spielhagen & Schurich. n. 1. 60

Perwolf, Eman., der österreichische Reichsrath u. die Delegation. Die Vertretungskörper u. Mitwirkg. derselben bei der Gesetzgebg. seit dem J. 1861 [bez. 1868] bis auf die Gegenwart. Mit Tabellen. Eine historisch-statist. Studie. gr. 8. (VI, 74 S.) Wien 883. Bloch & Hasbach. n. 2. —

Perwow, P.

— f.: Methode Toussaint-Langenscheidt, russisch.

Perwow, P., das russische Zeitwort, f.: Garbell, Adph.

Perykopy čili Řeči, Epištoly a Evangelia při mši svaté na neděle, slavnosti Páně a svátky Svatých, též na každý den v postě. Wien. K. k. Schulbücher-Verlag. 1896. (Min.-Erl. vom 6. März 1896, Z. 4857.) In Lnwd. geb. —.50
1896.

Perry Shu, der psychische Atem als Schlüssel zur Geheimlehre. (IV, 64 S. m. Fig. u. 1 Taf.) 8. Leipzig 910. M. Altmann. 1. —

— Indische Fakir-Lehre. Theorie u. Praxis des Fakirtums. (III, 42 S. m. Fig. u. 1 Taf.) 8. Ebd. 909. 1. —

— Die Magie des Willens. Mit Berücksicht. d. Atmungs-Kunst in der ind. Geheim-Lehre. (III, 47 S. m. Fig.) 8. Ebd. 909. 1. —

— Sexual-Mysterien in der Religion. Mit Anh.: Bildliche Darstellg. aus d. Geheim-Buddhismus. (VIII, 71 S. m. Fig.) 8. Ebd. 910. 1. —

Perzager, Magnus Maria, Johannes der Liebesjünger Ein Geschichtsbild aus den apostolischen Zeiten. Innsbruck, Vereinsbuchhandlung, 1872, 8°. 532 S., 2,80 Mk (fl. 1,40.)

Perzager, Magnus Maria, Leben der schmerzhaften Mutter Maria in vierzig Betrachtungen nebst verschiedenen Beispielen und Erzählungen. Innsbruck 854. F. Rauch. 8. (4 Bl., 627 S. u. 1 Stahlst.) n. 1 ₰. 15 ngr

Perzager, Magnus M., Maria Magdalena, die Sünderin und Büßerin. Ein Lebensbild aus den Zeiten Christi. 8. (VIII und 643 S. mit 1 Stahlst.) Innsbruck 862, C. Rauch's Buchh.

Perzager, Magn. M., O. Servit, Maria Magdalena, die große Sünderin u. Büßerin. Sitten- u. Lebensbild aus der Zeit Christi. 2. Aufl. Hrsg. v. Lor. Leitgeb, C. Ss. R. (IV, 700 S. m. 4 Taf.) 8. Innsbruck 904. F. Rauch. n. 4. —; geb. in Leinw. n. 5. —

— Marien-Dienst im 3. Orden und in der schmerzhaften Erzbruderschaft der Diener Mariens [Serviten]. Mit 1 Stahlst. Innsbruck 862. F. Rauch. 16. (VIII, 155 S.) 16 ngr

Perzager, Magnus M., Marien-Geschichten zur Belebung der Liebe und des Vertrauens zu unserer lieben Frau, hrsg. von der Marian. Gesellschaft zur Verbreitung guter Schriften. gr. 8. (VIII und 552 S.) Innsbruck 860, (F. Rauch.) *

Perzager, Magnus M., Marien-Geschichten zur Belebung des Vertrauens auf die Fürbitte der seligsten Jungfrau Maria gesammelt. [Beigabe zu dessen katechetischer Marien-Lehre.] Innsbruck 868. Vereinsbuchh. gr. 16. (VII, 240 S.) 9 ngr

—— katechetische Marien-Lehre für das christkatholische Volk. gr. 16. (IV und 288 S.) Innsbruck 867, Vereinsbuchh.

Perzager, Magnus, September, Monat der Schmerzen-Mutter. Ein Seitenstück zum Maimonat. Allen Verehrern Mariens gewidmet. gr. 16. (VIII, 472 S. m. 1 Stahlst.) Innsbruck 871. Vereins-Buchh. 2. —

PERZEL, Karl (München): Über Tenoraphien und deren Erfolge. (Titel nach der Urkunde)
8.3.1897 - Urk; Chr 1896/97,20
Diss. Ingolst.-Landsh.-Mchn.

Perzel, Michael, a. Irkutsk ⟨Rußl.⟩: Beitrag zur Erkenntnis und Behandlung der Choledochussteine. Berlin (1907): E. Ebering. (32 S.) 8°
Berlin, Med. Fak., Ref. Hildebrand, Diss. v. 10. Dez. 1907
[Geb. 23. Juli 83 Irkutsk; Wohnort: Irkutsk; Staatsangeh.: Rußland; Vorbildung: Gymn. Irkutsk Reife M. 07; Studium: Berlin 3, Heidelberg 1, Berlin 6 S.; Rig. 29. Nov. 07.]

Percentual-Gebühren-Scala nach dem Gesetze vom 13. December 1862, Reichsgesetzblatt Nr. 89 Stück 40., berechnet nach §§. 2 u. 7 von je 20 fl. mit Weglassung der Beträge unter 1 fl. Innsbruck 863. Wagner. (1 Tab. in gr. Fol.) n. 2 ngr

Perzich, Sim., s. Fabeln, moral., des heil. Cyrill.

Perzina, E., der Kanarienvogel, s.: Bibliothek f. Naturfreunde.

Perzina, Joseph, approb. Arzt aus Aachen: **Aus d. pathol. Institut zu Leipzig.** Ueber einen **Fall** von knotiger Leberhyperplasie. *Leipzig 1903: B. Georgi.* (37 S.) 8°
Leipzig, Med. Diss. v. (10. Juni) 1903

PERZL, Maximilian (Mering): De aneurismatibus.- Monachii: Giesser 1837. 14 S.
30.1.1836 - Urk; F 63
Diss. Ingolst.-Landsh.-Mchn.

Perzyna, L., (1742—1812), der Arzt f. d. Landmann od. ärztl. Rath f. d. gemeinen Mann in Krankh. Kalisch. 8°.
1793

Perzyński, Frdr., der japanische Farbenholzschnitt, s.a. Kunst, die, 18. Bd.

Der Japanische **Farbenholzschnitt,** seine Geschichte – sein Einfluß. Von Friedrich **Perzyński.** Mit 2 Kunstbeil. u. 8 Vollbildern. *Berlin: J. Bard [1903].* (93 S.) 8°
= **Kunst,** Die. Bd 13. [03. 6010

Perzynski, Friedr., Der japanische Farbenholzschnitt, s. Gesch., s. Einfluss. 2. Aufl. Berlin [1904]. 8°
(D. Kunst, hrsg. von Rich. *Muther.* Bd 13.)

— **Hokusai, s.a. Künstler-Monographien. LXVIII.**

Hokusai. Von Fr[iedrich] **Perzyński.** Mit 97 Abb. u. 6 Einschaltbild. *Bielefeld & Leipzig: Velhagen & Klasing 1904.* (96 S.) 4°(8°) [F.]
= **Künstler-Monographien.** 68. [04. 5904 II

Hokusai Von Friedrich Perzynski. Mit 101 Abb. u. 7 Einschaltbild. 2. verm. u. verb. Aufl.
Bielefeld & Leipzig. Velhagen & Klasing 1908. 100 S. 4° (8°)
(Künstler-Monographien. 68.)

— Korin u. seine Zeit, s.a. Kunst, die.

Korin und seine Zeit. Von Friedrich **Perzyński.** Mit 34 Vollbild. u. zahlr. Abb. Berlin: Marquardt & Co. [1907]. (109 S.) 8°
= **Kunst,** Die. Bd 63. 64. [07. 18119

— Vortrag üb. den japanischen Farbenholzschnitt, geh. in der Bremer Kunsthalle am 14. X. 1907. (XV S.) Lex. 8. Bremen 908. F. Leuwer. 1. 50

— **Weltstadtseelen, s.: Bibliothek Langen, kleine. 73. Bd.**

Pesach-Hagada, die, od. Erzählung v. Israël's Auszug aus Egypten, z. Gebr. d. beiden ersten Abende d. Mazot-Festes. Von Neuem wörtl. aus d. hebrd. Orig. verdeutscht. 2. u. 3., verb. Aufl. (Mit d. Orig.-Texte z. Seite.) 8. (à 6 B.) Leipzig 839, 40, (C. L. Fritzsche.) à *

Pesach-Hagada, die, u. Erzählung von Israel's Auszug aus Aegypten, zum Gebrauche der beiden ersten Abende des Mazot Festes. Von Neuem wörtlich aus dem hebr. Orig. verdeutscht. 5., verb. Aufl. Leipzig 866. C. F. Schmidt. 8. (XVIII, 78 S.) 5 ngr.

— — mit vollständigem, sorgfältig durchgesehenem Texte. Uebersetzt u. erläutert von David Cassel. 2., verb. Aufl. Berlin 870. Poppelauer. gr. 8. (III, 67 S.) n. 6 ngr.

Pescantini, F., et L. Delâtre, Panthéon des grands écrivains des temps modernes, depuis le XIII siècle jusqu'à nos jours. 2. Edit. (1 verziertes Blatt in gr. Imp.-Fol.) Leipsic 842, Brockhaus et Avenarius. *

Pescator, Cran., metoposcopia et chiromantia cur., oder Anw., w. a. d. Gesicht, Händen rc. des Menschen s. Glück rc. z. stellen. m. Kpf. 12. Jena. 723.

Pescatore, B., de emptione venditione et subministratione secundum jus mercatorium explanatio. Dissertatio inauguralis. gr. 8. (68 S.) Landsberg a/W. 875. Schaeffer & Co. 1. 50

Pescatore, B., neue Parteien. Ein Versuch zur Ausgleichung polit. Gegensätze. gr. 8. (40 S.) Landsberg a. d. W. 872, Schäffer und Comp. *

Pescatore, Gust., s.: Beiträge zur mittelalterlichen Rechtsgeschichte.

Pescatore, Gustav: Guilielmus Durantis. Landsberg a. W. 1909: Dermietzel & Schmidt. S. 126—134. 8°
Landsberg a. W., k. G u. R, in Festschr. z. 50 j. Jubil. T 2. OP 1909 (93)** [S 09. 353

Pescatore, G., die Glossen d. Irnerius. Mit 1 lith. Taf. gr. 8. (116 S.) Greifswald 888. Abel. n. 4. 50

Pescatore, Herstellung d. Inhaltes verlorengegangener letztwilliger Verordnungen u. Geltendmachung von Ansprüchen aus denselben nach preußischem allgemeinen Landrechte. gr. 8. (63 S.) Landsberg a/W. 877. Schaeffer & Co. n. 1. 20

– Miscellen, s.a. Beiträge zur mittelalterlichen Rechtsgeschichte

Miscellen. ⟨No 1–13.⟩ Von Dr. Gustav **Pescatore.** Berlin: R. L. Prager 1889. (121 S.) 8°
= **Beiträge** z. mittelalterl. Rechtsgeschichte. H. 2. [06. 6180

Pescatore, Gustav, Prof. Dr.: **Miscellen.** ⟨Zur Rechtsgeschichte d. 12., 13. u. 16. Jhs.⟩ *Greifswald 1901: F. W. Kunike.* (24 S.) 8°
Greifswald, Beil. zum Verz. d. Vorl. f. d. WS 1901/02

Pescatore, Gust., die sogenannte alternative Obligation. gr. 8. (XII, 286 S.) Marburg 880, Elwert'sche Verlagsh. *

— kritische Studien auf d. Gebiete d. civilist. Litterärgeschichte d. Mittelalters, sa Beiträge zur mittelalterlichen Rechtsgeschichte.

Kritische Studien auf dem Gebiete der civilistischen Litterärgeschichte des Mittelalters. Von Dr. Gustav **Pescatore,** o. Prof. ... an d. Univ. Greifswald. *Greifswald: Kommn. v. J. Abel 1896.* (2 Bl., 204 S.) 1 Bd 8.
= **Beiträge** z. mittelalterlichen Rechtsgeschichte. H. 4. [96. 7808

Pescatore, Gust., Placentini Summa 'Cum essem Mantue', sa Beiträge zur mittelalterlichen Rechtsgeschichte.

Pescatore, Gustav: Placentini Summa 'Cum essem Mantue' sive de accionum varietatibus. Herausgegeben. ⟨Beiträge zur mittelalterlichen Rechtsgeschichte. Heft 5.⟩ *Greifswald 1897: J. Abel.* (XII, 66 S.) 8°
Greifswald, Beil. z. Verz. d. Vorl. f. d. W.S. 1897—98

– incerti auctoris summa de successionibus,
s. Beiträge zur mittelalterlichen Rechtsgeschichte.

Pescatore, Gust., die Wahlschuldverhältnisse, s.a. Abhandlungen zum Privatrecht u. Zivilprozeß des Deutschen Reiches. XIII. 1.

Die Wahlschuldverhältnisse. Von Dr. Gustav **Pescatore,** Prof., Greifswald. München: C. H. Beck 1905. (VIII, 333 S.) 8° [F.]
= **Abhandlungen** z. Privatrecht u. Zivilprozeß. Bd 13, H. 1. [05. 7865

— zur Würdigung d. preußischen Richterstandes u. seiner Leistungen. Eine Entgegnung auf die Verunglimpfungen desselben durch Nicolaus Planenberg. gr. 8. (36 S.) Ebend. 877. n. — 80

Pescatore, Kuno (Franz Viktor Kuno) (Neuwied), Ueber die Endergebnisse der Resectionen des Ellbogengelenkes. Diss. med.-chir. Berlin (G. Schade) 21. V. 1892. 34 S. u. Biogr. (2.—) 26111
Oppon.: Friedrich Müller, Paul Hesse, Georg Senf. — Seinen Eltern gew.

Pescatore, M., Pflege u. Ernährung des Säuglings. Ein Leitfaden f. Pflegerinnen. (IV, 79 S.) 8. Berlin 906. J. Springer. Kart. n. 1. —

Pescatore, M., Pflege u. Ernährung des Säuglings. Ein Leitfaden f. Pflegerinnen. 3., verb. Aufl., bearb. v. Leo. Langstein. (92 S.) 8. Berlin 910. J. Springer. Geb. 1. —

Pescatore, Max, approb. Arzt aus Broich, Bez. Düsseldorf: Über Perforation des Ösophagus durch verschluckte Fremdkörper. *München 1901: C. Wolf & Sohn.* (47 S.) 8°
München, Med. Diss. v. 1901

Pescatore, Paul, Gerichtsref. Über die Bedingung des § 18 Absatz 2 des Reichsgesetzes vom 1. Juni 1870 betreffend die Erwerbung und den Verlust der Reichs- und Staatsangehörigkeit. *Greifswald 1898: J. Abel.* (51 S.) 8°
Greifswald, Jur. Diss. v. 1898

Pesarovius, Paul Wilhelm v.

— s. Katechismusübung, christl.

Ein Wort der Wahrheit von Paul Pesarovius über die Schmähschrift: Meine Verfolgung in Russland von Karl Limmer. Leipzig: Reclam 1823. IV, 244 S. 8°
cf. D. Lit. Beobachter. 1823 No 45, 46. 283.

v. Pesarovius, Paul Wlh., ein Wort d. Wahrheit über die Schmähschrift: meine Verfolgung in Rußland, v. K. Limmer. gr. 8. Leipz. 824. Reclam. 1 ₰ 8 𝔤𝔤

Die Glossen des Irnerius von Dr. Gustav Pescatore, ord. Prof. d. Rechte a. d. Univ. Greifswald. (Mit einer lithograph. Tafel). Greifswald, Verl. u. Druck v. Julius Abel, 1888; 2 Bl. + 114 S. + 1 Bl. u. 1 Taf. 8°

Pesch, Christian

Christian Pesch S. J. Glaube, Dogmen und geschichtliche Tatsachen. Eine Untersuchung über d. Modernismus. Freiburg im Br. Herder 1908. VI, 242 S. 8°
(Pesch: Theolog. Zeitfragen. Folge 4.) 09. 2174

Christian Pesch S. J. Glaubenspflicht und Glaubensschwierigkeiten. Freiburg im Br. Herder 1908. 217 S. 8°
(Pesch. Theolog. Zeitfragen. Folge 5.) 09. 2175

Pesch, Chrn. Gott u. Götter, s. Stimmen aus Maria-Laach, Ergänzungshefte.

Pesch, Chrn., Gott u. Götter. Eine Studie zur vergleich. Religionswissenschaft. [Stimmen aus Maria-Laach, Ergänzungsheft 49.] gr. 8. (VII, 128 S.) Freiburg i/Br. 890. Herder. n. 1. 70

Pesch, Chrn., der Gottesbegriff in den heidnischen Religionen des Alterthums. Eine Studie zur vergleichenden Religionswissenschaft. [Ergänzungshefte zu den „Stimmen aus Maria-Laach", 32.] gr. 8. (X, 144 S.) Freiburg i. Br. 885, Herder'sche Verlagsh. *

Pesch, Christian, Der Gottesbegriff in den heidnischen Religionen des Altertums. Eine Studie zur vergleichenden Religionswissenschaft. Freiburg, Herder, 1886, gr. 8°. X, 141 S., 1.90 Mk
Auch als 32. Ergänzungsheft zu den „Stimmen a. M. Laach"

— der Gottesbegriff in den heidnischen Religionen der Neuzeit. Eine Studie zur vergleich. Religionswissenschaft. [Ergänzungshefte zu den „Stimmen aus Maria-Laach" 41 u. 42.] gr. 8. (VIII, 112 u. III, 140 S.) Ebd. 888. n. 3. 30

Pesch, Christian, S. J., De inspiratione sacrae scripturae. (XI, 653 S.) gr. 8. Freiburg i/B. 906. Herder. n. 8. 80; geb. in Leinw. n. 10. —

— Liberalismus, Socialismus u. christl. Gesellschaftsordng., s. a Frage, d. sociale, beleuchtet durch „d. Stimmen aus Maria-Laach", Hft. 8.

Pesch, Liberalismus, Socialismus u. christliche Gesellschaftsordnung. 3 Thle. 2. Aufl. Freiburg in Br. 896—900.
I. 1. Der christl. Staatsbegriff. 898.
2. D Privateigenthum. 896.
3. Freiwirthschaft oder Wirthschaftsordnung. 896.
II. Die philosoph. Grundlagen des ökonom. Socialismus. 899.
III. Der moderne Socialismus. 900.

Pesch, Chrn., praelectiones dogmaticae quas in collegio Ditton-Hall habebat P. Tom. I. gr. 8. Freiburg i/B. 894. Herder. n. 5. 40; geb. in Halbfrz. n. 7.
Institutiones propaedeuticae ad sacram theologiam. I. De Christo legato divino. II. De ecclesia Christi. III. De locis theologicis. (XIII, 403 S.)

Pesch, Chrn. S. J., Praelectiones dogmaticae, quas in collegio Ditton-Hall habebat P. Tom. I—VIII. gr. 8. Freiburg i/B., Herder. n. 42. 20; Halbfrz.-Einbde. à n. 1. 60
I. Institutiones propaedeuticae ad sacram theologiam. I. De Christo legato divino. II. De ecclesia Christi. III. De locis theologicis. Ed. II. (XIII, 403 S.) 898. n. 5. 40
II. Tractatus dogmatici. I. De Deo uno secundum naturam. II. De Deo trino secundum personas. (XIII, 369 S.) 895. n. 5. —
III. Dasselbe. De Deo creante. De peccato originali. De angelis. II. De Deo fine ultimo. De actibus humanis. (XII, 370 S.) 895. n. 5. —
IV. Dasselbe. I. De verbo incarnato. II. De beata virgine Maria. III. De cultu sanctorum. (XII, 350 S.) 896. n. 5. —
V. Dasselbe. I. De gratia. II. De lege divina positiva. (XI, 323 S.) 897. n. 5. —
VI. Dasselbe. (De sacramentis in genere. De baptismo. De confirmatione. De ss. eucharistia. (XVIII, 428 S.) 896. n. 6. —
VII. Dasselbe. De sacramento paenitentiae. De extrema unctione. De ordine. De matrimonio. (XIII, 432 S.) 897. n. 6. —
VIII. Dasselbe. I. De virtutibus in genere. II. De virtutibus theologicis. (X, 314 S.) 898. n. 4. 80

Pesch, Chrn., S. J., Praelectiones dogmaticae quas in collegio Ditton-Hall habebat P Tom. II—IX. gr. 8. Freiburg i/B., Herder. n. 42. 80; Halbfrz.-Einbde. à n. 1. 60
II. De Deo uno secundum naturam. De Deo trino secundum personas. Tractatus dogmatici. Ed. II. (XIII, 380 S.) 899. n. 5. 40
III. De Deo creante et elevante. De Deo fine ultimo. Tractatus dogmatici. Ed. II. (XII, 377 S.) 899. n. 5. —
IV. De verbo incarnato. De beata virgine Maria. De cultu sanctorum. Tractatus dogmatici. Ed. II. (XII, 352 S.) 900. n. 5. —
V. De gratia. De lege divina positiva. Tractatus dogmatici. Ed. II. (XI, 324 S.) 900. n. 5. —
VI. De sacramentis. Pars I. De sacramentis in genere. De baptismo. De confirmatione. De ss. eucharistia. Tractatus dogmatici. Ed. II (XVIII, 417 S.) 900. n. 6. —
VII. De sacramentis. Pars II. De sacramento paenitentiae. De extrema unctione. De ordine. De matrimonio. Tractatus dogmatici. Ed. II. (XIII, 437 S.) 900. n. 6. —
VIII. De virtutibus in genere. De virtutibus theologicis. Tractatus dogmatici. Ed. II. (X, 320 S.) 900. n. 4. 80
IX. De virtutibus moralibus. De peccato. De novissimis. Tractatus dogmatici. Ed. altera. (X, 413 S.) 902. n. 5. 60
1. Aufl. (X, 366 S.) Ebd. 899. n. 5. 40.

— Praelectiones dogmaticae, quas in collegio Ditton-Hall habebat P. Tom. I et II. gr. 8. Ebd. n. 11.40; geb. in Halbfrz. n. 14.60
I. Institutiones propaedeuticae ad sacram theologiam. I. De Christo legato divino. II. De ecclesia Christi. III. De locis theologicis. Ed. III. (XXV, 415 S.) 903. n. 5.80; geb. n. 7.40
II. De Deo uno secundum naturam. De Deo trino secundum personas. Tractatus dogmatici. Ed. III. (XIII, 386 S.) 906. n. 5.60; geb. n. 7.20

Pesch, Christian, S.J., praelectiones dogmaticae quas in collegio Ditton-Hall habebat P. Tom. I u. III—VIII. gr. 8. Freiburg i/B., Herder. 44.20; geb. in Halbfrz. 55.40
I. Institutiones propaedeuticae ad sacram theologiam. De Christo legato divino. De ecclesia Christi. De locis theologicis. Ed. IV. (XXVI, 452 S.) 909. 7.—; geb. in Halbfrz. 8.60
III. De Deo creante et elevante. De Deo fine ultimo. Tractatus dogmatici. Ed. III. (XII, 395 S.) 908. 6.40; geb. in Halbfrz. 8.
IV De verbo incarnato. De beata virgine Maria. De cultu sanctorum. Ed. III. (XII, 399 S.) 909. 6.40; geb. in Halfrz. 8.—
V. De gratia. De lege divina positiva. Tractatus dogmatici. Ed. III. (XI, 331 S.) 908. 5.60; geb. in Halbfrz. 7.20
VI. De sacramentis. Pars I. De sacramentis in genere. De baptismo. De confirmatione. De eucharistia. Tractatus dogmatici. Ed. III. (XVIII, 452 S.) 908. 7.—; geb. in Halbfrz. 8.60
VII. De sacramentis. Pars II. De sacramento poenitentiae. De extrema unctione. De ordine. De matrimonio. Tractatus dogmatici. Ed. III. (XIII, 469 S.) 909. 6.40; geb. in Halbfrz. 8.—
VIII. De virtutibus in genere. De virtutibus theologicis. Tractatus dogmatici. Ed. III. (X, 344 S.) 910. 5.40; geb. in Halbfrz. 7.—

— die christliche Staatslehre nach den Grundsätzen der Encyklika vom 1. Novbr. 1885. gr. 8. (126 S.) Aachen 887. Barth. 1.50

Theologische Zeitfragen. Von Christian Pesch, S. J. *Freiburg i. Br.: Herder 1900* (167 S.) 8° [F.]
= Stimmen aus Maria-Laach. Erg.H 76. [00. 4268

— dasselbe, s. a. Stimmen a. Maria-Laach.

— theologische Zeitfragen. 3. Folge. gr. 8. (123 S.) Ebd. 902. n. 1.60

— Theologische Zeitfragen. 4. u. 5. Folge. gr. 8. Ebd. 6.60
4. Glaube, Dogmen u. geschichtl. Tatsachen. Eine Untersuchg. üb. den Modernismus. (VII, 243 S.) 908. 3.40
5. Glaubenspflicht u. Glaubensschwierigkeiten. (VII, 219 S.) 908. 3.20

Pesch, E., Die Kämpfe der Römer um Gallia Cisalpina seit d. Schlacht b. Clastidium. Pr. 1885. 18 S. 4° 1.25

Pesch's, F. W., complete business-code. (IV, 312 S.) 34×27,5 cm. Berlin (907). S. Rosenbaum. Geb. in Leinw. 100.—

Pesch, Friedr. Die Kämpfe der Römer um Gallia cisalpina seit der Schlacht bei Clastidium nach den Quellen dargest. 18 S. G. *Coblenz* 1885
Progr.

Pesch, Heinrich

Die Sociale Befähigung der Kirche in protestantischer Beleuchtung. Von P[ater] Heinrich [d. i. Heinrich **Pesch**]. Berlin: Germania 1890. (264 S.) 8° [F.]
= Wittenberg u. Rom. 1.
= [**Pesch**, Tilmann]: Christ oder Antichrist? Bd 3, 1. [06. 6314

— die sociale Befähigung d. Kirche in protestant. Beleuchtg., s. a. Christ od. Antichrist.

Pesch, Heinr., die sociale Befähigung der Kirche in protestantischer Beleuchtung. [Aus: „Christ od. Antichrist" III. Bd.] gr. 8. (264 S.) Berlin 892. Germania n. 2.40

Die Sociale Befähigung der Kirche in protestantischer Beleuchtung. Von Heinrich **Pesch** S. I. [Neue Ausg.] Berlin: Germania 1897 (1898). (211 S.) 8° [F.]
= Wittenberg u. Rom. 1.
= [**Pesch**, Tilmann]: Christ oder Antichrist? Bd 3, 1. [07. 9107 11

Die sociale Befähigung der Kirche. Von Heinrich **Pesch** S. J. 2. verm. Aufl. Berlin: Germania 1899. (639, XII S.) 8° [F.]
= Wittenberg u. Rom. 1
= [**Pesch**, Tilmann]: Christ oder Antichrist? Bd 3, 1. [06. 6605

Pesch, Heinr., S. J., Lehrbuch der Nationalökonomie. 1. Bd. Grundlegung. (XIV, 485 S.) Lex.-8. Ebd. 905. n. 10.—; geb. in Leinw. n. 11.50

Pesch, Heinr., S. J., Lehrbuch der Nationalökonomie. 2. Bd. Allgemeine Volkswirtschaftslehre. I. Wesen u. Ursachen des Volkswohlstandes. (X, 808 S.) Lex. 8. Freiburg i/B. 909. Herder. 16.—; geb. in Leinw. 17.60
1. Bd. Ebd. 905. 10.—; geb. 11.50

— Liberalismus, Socialismus u. christliche Gesellschaftsordnung, s. a. Frage, die sociale, beleuchtet durch die Stimmen aus Maria-Laach.

— Liberalismus, Socialismus und christliche Gesellschaftsordnung. 1. Theil. Einige Grundwahrheiten der christlichen Gesellschaftslehre. (Die sociale Frage, beleuchtet durch die „Stimmen aus Maria Laach", Heft 8, 10 u. 11.) gr. 8°. Freiburg i. Br. 1893—1896. 1. Theil. 2. Aufl. gr. 8°. Ebenda 1898.

— Liberalismus, Socialismus u. christl. Gesellschaftsordnung. 3 Thle. in 2 Bdn. 2. Aufl. gr. 8. (XIII, 772, IX, 395 u. 601 S.) Freiburg i/B. 901. Herder. n. 14.—

— die Wohlthätigkeitsanstalten der christlichen Barmherzigkeit in Wien, s. a. Stimmen aus Maria-Laach.

Pesch, Heinrich S. J.,
Die Wohlthätigkeitsanstalten der christlichen Barmherzigkeit in Wien. (Stimmen aus Maria Laach, Ergänzungsheft 51.) gr. 8°. Freiburg i. Br., Herder, 1891.

— Ein Wort zum Frieden in der Gewerkschaftsfrage. (46 S.) gr. 8. Trier 908. Paulinus-Druckerei. —50

Pesch, Heinz, a. Köln: Bürger und Bürgerrecht in Köln. Marburg 1908: R. Friedrich. (79 S.) 8°
Marburg, Phil. Fak., Ref. von der Ropp, Diss. v. 24. April 1908
[Geb. 10. Nov. 83 Cöln; Wohnort: Marburg; Staatsangeh.: Preußen; Vorbildung: Gymn. an d. Apostelkirche Cöln Reife O. 04; Studium: Bonn 2, Marburg 1, Berlin 1, Marburg 3 S.; Rig. 11. Dez. 07.]

Pesch, Joh., Blütenlese aus dem Paradiesesgarten, s.: Jugend- u. Volksbücherei (illustrierte). 6. Bd.

Pesch, Joan. Hubert. (geb. Raeren im Rheinl. 25. 4. 1822): De oophoritide. Berolini (1848). (27 S.) 8°
Berlin, Med. Diss. v. 24. Okt. 1848

Die Vordereifel. Geschichtliches u. Wanderungen nebst e. Lieder-Anh. Von Joseph Pesch. *Euskirchen: Eifelvereins-Ortsgruppe' Hardtburg' 1901.* (170 S.) 8° [F.]

Pesch, Matthias (geb. am 21 Jan. 1799 in Burtscheid bei Aachen): De vitiis et morbis ovi abortus causa ... Bonnae, typ. Bueschlerianis 1823. 41 S., 2 Bl. 8.
[Bonn], Med. Fak., Diss. v. [3 Dez.] 1823

Pesch, R., die wichtigsten neueren Gesetze u. Verordnungen über das vaterländische Elementar-Schulwesen, mit besond. Rücksicht auf den Regierungs-Bezirk Coblenz. Saarlouis 868. Stein. 8. (VI, 210 S.) n. 15 ngr.

Pesch, R., die Pflichten der Unterthanen gegen die weltliche Obrigkeit. Aus den h. h. Vätern zusammengestellt und für Schulen bearb. Trier 855. Gall. 12. (IV, 55 S.) n. 5 ngr.

Pesch, R., Pius IX. ein Hermesianer, oder Beleuchtung der Schrift: „Pius IX. u. die kathol. Kirche in Deutschland rc." v. Herm. Jos. Stupp. gr. 12. (64 S.) Coblenz 849, Hergt. n. 1/6 ß

Pesch, Tilmann, s. a.: Gottlieb.

— aus's Diesseits e. Jenseits, s.a. Flugschriften, katholische, zur Wehr u. Lehr'.

—— Aus's Diesseits ein Jenseits! Vertheidigung der Menschenwürde gegen alle Menschenverächter. Ebendas. 1892, 16°, 57 S., 10 Pf. (Kath. Flugschriften rc. Nr. 11.)

— aus dem Dunkel zum Licht od. die menschl. Vernunft auf dem Wege zur Kirche, s.a. Flugschriften, Katholische, zur Wehr und Lehr

Pesch, Tilm., Aus dem Dunkel zum Licht, oder: Die menschliche Vernunft auf dem Wege zur Kirche. Berlin, Germania, 1891, 16°, 63 S., 10 Pf. (Kath. Flugschr. zur Wehr u. Lehr' Nr. 33.)

Pesch, Tilm., Aus dem Dunkel zum Licht, oder: Die menschliche Vernunft auf dem Wege zur Kirche. Ebendas. 1891, 16°, 63 S., 10 Pf. (Flugschriften rc. Nr. 33.)

Briefe aus Hamburg. Ein Wort z. Vertheidigung d. Kirche gegen d. Angriffe von 7 Läugnern d. Gottheit Christi. (Verf.: Gottlieb [d. i. Tilmann **Pesch**].) 3. rev. Aufl. Berlin: Germania 1889. (683 S.) 8° [F.]
— [**Pesch**]: Christ oder Antichrist? Bd 1.

Briefe aus Hamburg. Ein Wort z. Vertheidigung d. Kirche gegen d. Angriffe von sieben Leugnern d. Gottheit Christi, von Gottlieb [d. i. Tilmann **Pesch**]. 4. durchges. u. verm. Aufl. (In 12 Lfgen.) Berlin: Germania 18(93–)94. (III, 900, XI S.) 8° [F.]
— [**Pesch**]: Christ oder Antichrist. Bd 1.

Briefe aus Hamburg. Ein Wort z. Vertheidigung d. Kirche gegen d. Angriffe von sieben Leugnern d. Gottheit Christi. Von Gottlieb (Tilmann **Pesch** S. J.). 5. durchges. Aufl. Berlin: Germania 1905. (XVI, 955, XI S.) 8° [F.]
— [**Pesch**]: Christ oder Antichrist? Bd 1.

Pesch, Tilmann, The catholic's manual. A prayer-book with instructions, advice and devotions for the catholic laity. (XXIII, 708 S. m. 1 Stahlst.) 16. Freiburg i/B. (904). Herder. Geb. in Leinw. n. 2. 50

Pesch, Tilmann, S. J., the catholics manual. A prayerbook with instructions, advice and devotions for the catholic laity. 2. ed. (XXVII, 665 S. m. 1 Stahlst.) 16. Freiburg i/B. (907). Herder. 1.50; geb. in Leinw. 2.—

— s. Christ od. Antichrist?

Christ oder Antichrist? Beiträge z. Abwehr gegen Angriffe auf d. religiöse Wahrheit; von Gottlieb [d. i. Tilmann **Pesch**]. Bd 1–3. Berlin: Germania 1889–1897. 6 Bde 8° [F.]
1 — (Gottlieb [T. Pesch]): Briefe aus Hamburg. 3. rev. Aufl. 1889.
2 — (Gottlieb [T. Pesch]): Der Krach von Wittenberg. 1889.
3, 1–4 — Wittenberg u. Rom. 1–4. 1890–97.
1 — Heinrich, P[ater] [d. i. Heinrich Pesch]: Die Sociale Befähigung d. Kirche. 1890 (1891).
2 — Noit, H. v.: Ueber Bibelkenntniß u. Bibellesen ... 1896.
3 — (Tonning, [Knud] Krogh-): Der Protestantismus in d. Gegenw. 1897.
4 — Lütke, U.: Drei offene Wunden d. heutigen Protestantismus. 1897.

Christ oder Antichrist? Beiträge z. Abwehr gegen Angriffe auf d. religiöse Wahrheit von Gottlieb [d. i. Tilmann **Pesch**]. Bd 1–3. Berlin: Germania 1894–99. 3 Bde 8° [F.]:
1 — Gottlieb [T. Pesch]: Briefe aus Hamburg. 4. durchges. u. verm. Aufl. 1894.
2 — Gottlieb [T. Pesch]: Der Krach von Wittenberg. 2. Ausg. 1894.
3, 1–4 — Wittenberg u. Rom. 1–4. [Neue Ausg.] 1899.
1 — Pesch, Heinrich: Die sociale Befähigung d. Kirche. 2. verm. Aufl. 1899.
2 — Noit, H. v.: Über Bibelkenntniß u. Bibellesen ... 1896 (1899).
3 — (Tonningh, [Knud] Krogh-): Der Protestantismus in d. Gegenwart. 1896 (1899).
4 — Lütke, U.: Drei offene Wunden d. heutigen Protestantismus. 1897 (1899).

Christ oder Antichrist? Beiträge z. Abwehr gegen Angriffe auf d. religiöse Wahrheit. (Verf.: Gottlieb d. i. Tilmann **Pesch** S. J.) (Hrsg.: M[atthias] Reichmann S. J.) (5. durchges. Aufl.) Bd 1. Berlin: Germania 1905. 8° [F.]

Pesch, Tilman, S. J., der Christ im Welt-Leben, s.a Baudon, A.

— Der Christ im Weltleben u. seine Unvollkommenheiten. Zur Beherzigg. f. gebildete Christen aller Stände. 23. Aufl. Durchgesehen v. Heinr. Liese, S. J. (354 S. m. Bildnis.) kl. 8. Köln (910). J. P. Bachem. Geb. in Leinw. 2. —

—— Die Haltlosigkeit der „modernen Wissenschaft". Eine Kritik der Kantischen Vernunftkritik für weitere Kreise. Ebendas. 1877, gr. 8°, IV, 132 S., 1,70 Mk.
Drittes Ergänzungsheft zu den „Stimmen a. M.-Laach".

Pesch, T., institutiones logicales secundum principia S. Thomae Aquinatis ad usum scholasticum accommodavit T. P. 2 prts. in 3 voll. gr. 8. Freiburg i/Br., Herder. n. 18. —; geb. n. 22. 80
Pars I. Summa praeceptorum logicae. (XXII, 588 S.) 888. n. 6. —; geb. n. 7. 60
Pars II. Logica maior. Vol. I. complectens logicam criticam et formalem. (XXII, 644 S.) 889. n. 6. 50; geb. n. 8. 20
— dasselbe. Vol. II. continens logicam realem et conclusionem polemicam. (XVI, 555 S.) 890. n. 5. 50; geb. n. 7. —

Pesch, Tilman, S. J., Institutiones philosophiae naturalis secundum principia S. Thomae Aquinatis, s.a Philosophia Lacensis.

Pesch, Tilmannus, Institutiones philosophiae naturalis secundum principia S. Thomae Aquinatis ad usum scholasticum accomodavit. (Vol. I der Philosophia Lacensis.) gr. 8. (XLIX, 752 S.) Freiburg i. Br. 880, Herder'sche Verlagsh. *

Pesch, Tilmannus, Institutiones philosophiae naturalis secundum principia s. Thomae Aquinatis ad usum scholasticum. Freiburg, Herder, 1897, gr. 8°, 2 Bde, XXVIII, 444 u. XX, 406 S., 2. Aufl., 10 Mk.

— Institutiones psychologicae secundum principia S. Thomae Aquinatis, s.a. Philosophia Lacensis

Pesch, Tilm., Institutiones psychologicae secundum principia s. Thomae Aquinatis. Ad usum scholasticum accommodavit. Freiburg, Herder, 1896—98, gr. 8°, 2 Teile, in 3 Bden, ILL, 1446 S., 15 Mk.
Vol. I: Psychologiae naturalis liber prior, qui est analyticus. XVI, 472 S., 5 Mk.
Vol. II.: Psychologiae naturalis liber alter, qui est syntheticus. XIV, 122 S., 4,50 Mk.
Vol. III.: Psychologia anthropologica. XVIII, 552 S., 5,50 Mk.

Der Krach von Wittenberg. Blicke auf d. religiösen Wirrwarr d. Gegenwart. (Verf.: Gottlieb [d. i. Tilmann **Pesch**].) (In 7 H.) Berlin: Germania 1889. (686 S.) 8° [F.]
= [**Pesch**]: Christ oder Antichrist? Bd 2. [06. 6318

Der Krach von Wittenberg. Blicke auf d. religiösen Wirren d. Gegenwart von Gottlieb [d. i. Tilmann **Pesch**]. 2. Ausg. (In 9 Lfgen.) Berlin: Germania 1894. (686 S.) 8° [F.]
= [**Pesch**]: Christ oder Antichrist. Bd 2. [06. 6603

Der Krach von Wittenberg. Blicke auf d. religiösen Wirren d. Gegenwart. Von Gottlieb ⟨Tilmann **Pesch** S. J.⟩. 2. Ausg. [Neue Titel-Aufl.] Berlin: Germania 1894. (686 S.) 8° [F.]
= [**Pesch**]: Christ oder Antichrist? Bd 2. [06. 10896

Pesch, Tillmann, S. J., der hl. Kreuzweg, s.: Overbeck, Frdr.

— das religiöse Leben. Ein Begleitbüchlein m. Rathschlägen u. Gebeten f. die gebildete Männerwelt. 32. (XVI, 464 S. m. 1 Stahlst.) Ebend. 878. — 90

— dasselbe. Mit einem Stahlstich u. einem Farbentitel. 2., erweit. Aufl. (Ausg. Nr. 3.) 12. (XXXII, 526 S.) Freiburg i/Br. 882. Herder. 2. —; Ausg. Nr. 5. 16. (XXXII, 526 S. m. 1 Stahlst.) 1. 50

Pesch, Tilmann, das religiöse Leben. Ein Begleitbüchlein m. Rathschlägen u. Gebeten f. die gebildete Männerwelt. Mit 1 Stahlst. 3. Aufl. 16. (XXIII, 560 S.) Freiburg i/Br. 884. Herder. 1. 20

Pesch, Tillmann, das religiöse Leben. Ein Begleitbüchlein mit Ratschlägen und Gebeten zunächst für die gebildete Männerwelt. 4. Aufl. Ausg. Nr. 5. 16. (XX, 554 S. mit 1 Stahlst.) Ebendas. 888.
Vgl.: Regel- und Gebetbuch zum Gebrauche der Marianischen Männer-Congregation.

—— Das religiöse Leben. Ein Begleitbüchlein m. Rathschlägen u. Gebeten, zunächst f. die Männerwelt. 5. Aufl. Mit 1 Stablst. (XX, 554 S.) 890. 6. Aufl. 32. (XX, 568 S.) Ebd. 892. 1 —
geb. von * 1 45 bis * 3 40

— das religiöse Leben. Ein Begleitbüchlein m. Rathschlägen u. Gebeten zunächst f. die gebildete Männerwelt. 7. Aufl. 16. (XX, 568 S. m. 1 Stahlst.) Freiburg i. B. 894. Herder. 1. —; geb. in Leinw. n. 1. 45; m. Goldschn. n. 1. 70; in Bockldr. n. 2. 35; m. Goldschn. n. 2. 50; in Kalbldr. m. Goldschn. n. 3. 40

— das religiöse Leben. E. Begleitbüchlein m. Rathschlägen u. Gebeten zun. f. d. gebildete Männerwelt. 9. Aufl. 16. (XX, 568 S. m. 1 Stahlst.) Freiburg i/B. 898. Herder. 1. —

— das religiöse Leben. Ein Begleitbüchlein m. Rathschlägen u. Gebeten zunächst f. die gebildete Männerwelt. 10. Aufl. gr. 16. (XIX, 606 S. m. 1 Stahlst.) Freiburg i/B. 900. Herder. 1. 80; geb. in Leinw. n. 2. 20; in Ldr. m. Goldschn. n. 3. 50

— dasselbe, span. Uebersetzung, s.: Fe, la.

— dasselbe. 11. Aufl. 16. (XX, 570 S. m. 1 Stahlst.) Ebd. 901. 1. —; geb. in Leinw. n. 1. 45

— das religiöse Leben. Ein Begleitbüchlein m. Rathschlägen u. Gebeten zunächst f. die gebildete Männerwelt. 12. u. 13. Aufl. Mit e. Stahlst. (XX, 570 S.) 16. Freiburg i/B. 903. 906. Herder. n. 1. —; geb. in Leinw. n. 1. 45

— Das religiöse Leben. Ein Begleitbüchlein m. Ratschlägen u. Gebeten zunächst f. die gebildete Männerwelt. 14. Aufl. (XVI, 592 S. m. Titelbild.) 16. Freiburg i/B. (909). Herder. 1.20; geb. 1. 60

Christliche Lebensphilosophie. Gedanken über religiöse Wahrheiten. Weitern Kreisen dargeboten von Tilmann **Pesch**. Freiburg i. Br.: Herder 1895. XI, 599 S. 8° [10. 10636

— christliche Lebensphilosophie. Gedanken üb. religiöse Wahrheiten. Weitern Kreisen dargeboten. 4., unveränd. Aufl. 12. (XI, 604 S.) Ebd. 898. n. 3. 50; geb. in Halbleinw. n. 4. 70

— christliche Lebensphilosophie. Gedanken üb. religiöse Wahrheiten. Weitern Kreisen dargeboten. 5.—7. Aufl. 12. (à XV, 607 S.) Freiburg i/B. 900—903. Herder. n. 3. 50; geb. in Halbleinw. n. 4. 70

— christliche Lebensphilosophie. Gedanken üb. religiöse Wahrheiten. Weitern Kreisen dargeboten. 8. u. 9. Aufl. (XV, 607 S.) kl. 8. Ebd. 904. 906. n. 3. 50; geb. in Halbleinw. n. 4. 70

Pesch, Tillmann, S. J., christliche Lebensphilosophie. Gedanken üb. religiöse Wahrheiten. Weitern Kreisen dargeboten. 10.—12. Aufl. (XV, 607 S.) kl. 8. Freiburg i/B. 907—10. (Herder.) 3.50; geb. in Leinw. 4. 70

— Regel- u. Gebetbuch zum Gebrauche der Marianischen Männer-Congregationen gebildeter Stände. Anhang zu dem Büchlein „Das religiöse Leben". 16. (VI, 136 S.) Ebend. 884. n. — 30

— Regel- u. Gebetbuch z. Gebrauche d. marianischen Männer-Congregationen. 2. Aufl. 16. (VIII, 136 S.) Ebd. 895. n. — 80; geb. in Leinw. n. — 55

— Regel- u. Gebetbuch zum Gebrauche der marianischen Männer-Congregationen. 3. Aufl., besorgt v. Frz. Miller, S.J. 16. (VIII, 136 S.) Ebd. (902). Geb. in Leinw. n. — 65

— Seele u. Leib als zwei Bestandtheile der e. Menschensubstanz, gemäss der Lehre des hl. Thomas v. Aquin. Vortrag, geh. am 5. Septbr. 1893 zu Bamberg. gr. 8. (31 S.) Fulda 893. Fuldaer Actiendruckerei. n. — 60

— der Soldatenfreund. Geleitbüchlein für katholische Soldaten. Neu hrsg. v. e. Divisionspfarrer. (XVI, 267 S. m. Titelbild.) 16. Ebd. 906. Geb. in Kunstldr. n. — 65

— üb. die Unsterblichkeit der menschlichen Seele, sa Flugschriften, katholische, zur Wehr u. Lehr'.

Pesch, Tilmann, Über die Unsterblichkeit der menschlichen Seele. Das Zeugnis der Wissenschaft,* in Erinnerung gebracht. Berlin, Germania, 1892, 16°, 64 S., 10 Pf. (Kath. Flugschriften zur Wehr und Lehr', Nr. 40.)

Pesch, Tilmann, das Weltphänomen. Eine erkenntnißtheoret. Studie zur Säcularfeier v. Kant's Kritik der reinen Vernunft. [Ergänzungshefte zu den „Stimmen aus Maria-Laach" 16.] gr. 8. (VIII, 137 S.) Freiburg i/Br. 881. Herder. n. 1. 80

— die grossen Welträthsel. Philosophie der Natur. Allen denk. Naturfreunden dargeboten. 2 Bde. gr. 8. Ebend. n. 20. —
1. Philosophische Naturerklärung. (XXII, 872 S.) 883. n. 12. —
2. Naturphilosophische Weltauffassung. (XI, 599 S.) 884. n. 8. —

Das grosse Welträthsel. Philosophie der Natur. Allen denkenden Naturfreunden dargeb. v. Tilmann **Pesch** S. J. . . . 2., verb. Aufl. Bd 1. 2. *Freiburg i. B.: Herder 1892.* 2 Bde 8.
1 Philos. Naturerklärg. (XXV S., 1 Bl., 799 S.)
2 Naturphilos. Weltauffassg. (XII, 116 S.) [98. 9669

— Die grossen Welträtsel. Philosophie der Natur. Allen denk. Naturfreunden dargeboten. 8., verb. Aufl. 2 Bde. Lex. 8. Freiburg i/B., Herder.
18.—; geb. in Halbfrz. 23.—
1. Philosophische Naturerklärg. (XXIII, 781 S.) 907.
10.—; geb. 12.50
2. Naturphilosophische Weltauffassg. (XII, 592 S.) 907.
8.—; geb. 10.50

Pesch, Tilmann, Die moderne Wissenschaft betrachtet in ihren Grundfeste. Philosophische Darlegung für weitere Kreise. Freiburg, Herder, 1876. gr. 8°, IV, 108 S., 1,40 Mk. (Fehlt.)
Erstes Ergänzungsheft zu den „Stimmen a. M.-Laach"

Pesch, Wilhelm: Einige Bemerkungen über das Wesen und die Arten der dramatischen Poesie '(angeknüpft an die Poetik des Aristoteles)'. (Th. 1.) Trier, F. Lintz'sche Buchdr., 1895; 1—17 S. 4.
Trier, k. G. P 1895 (474)

Pesch, Wilhelm: Einige Bemerkungen über das Wesen und die Arten der dramatischen Poesie '(angeknüpft an die Poetik des Aristoteles)', '(Forts. [d. P-Beil. 1895.])' Trier, Buchdr. J. P. Hegner, 1896; 1—17 S. 4.
Trier, k. G. P 1896 (473)

Peschechonow, Ein Agrarprogramm in Verbindung mit der Agrarbewegung. (In russ. Sprache.) 8⁰. St. Petersburg 1906.

Pescheck: Der Panama-Canal, s. Canäle.

— der Suezcanal u. seine Erweiterung, s.: Canäle.

Pescheck, s.: Zum Gedächtnis d. frühvollendeten Rich. Fürchtegott Kühn.

Pescheck, C., Erinnerungen an d. Riesengebirge in 20 maler. Ansichten u. 2 Bog. Text. 4. Dresd. 826. Walther. (J. F. Korn in Bresl.) 2 ℳ

PESCHECK, Ch. Fr., Fritz von Pappelwald. Wien, Hörling, 1783. 8°.
Schlesinger's Berliner Leihbibl.-Cat. 1825, S. 194. — Kayser hat „1784".

Pescheck, Chr. Fr., Fritz v. Pappelwald. 8. Wien 784. Hörling. 21 gl.

M. *Christian Pescheck's* A. B. C. der Rechenkunſt. 1730.
— Zittau, 5 Bog. 1732.
— * Leipzig und Zittau. 8. 1750.
— Zittau. 8. 1763.

Pescheck, Chr., ABC der Rechenkunſt. 8. Zittau 750. Schöps. 2 gl

Chr. Peschecks angehender Algebraiſt. Zittau. 8. 21 B. (7 gr.) 1744.

M. *Christian Pescheck's* ſehr deutliche Anführung zur Rechenkunſt. Greifswald. 8. 1734.

M. *Christian Pescheck's* Anleitung zur Rechenkunſt vor die Niederſächſiſche Jugend, nach Niederſächſiſchen Münz- Maaſs- Gewichten und zählenden Sorten. 4. 1734.

M. *Christian Pescheck's* nach Kauffmänniſchen Vortheilen abgefaſste Arithmetic. Budiſsin. 8. 1737.

M. *Christian Pescheck's* Beſchluſs der Rechenkunſt. 1715. *
Budiſsin und Görlitz. 1717. —
Görlitz. 1722. —

— ſelbſtlehrender Dreieckmeſſer. 8. Leipz. 769. Barth. 6 gl

— Epiſtolographie oder Briefſtellung. 4. Ebend. 746.

Pescheck, Christian: „Erklärung der Kaufmanns- und ökonomischen Rechnung", Bautzen 1745 (Richter).

— deutl. Erklär. der kaufmänn. u. ökonom. Rechnungen. 8. Bautzen 766. Richter. 16 gl

M. Christian Pescheck's alte und neue arithmetiſche und geometriſche Erquickſtunden und Ergötzlichkeiten. Budiſſin. 8. 1716.
— 1717.
— Zittau. 1726.
— 1720.

* *M. Christian Pescheck's* Gymn. Zitt. Coll. et Praecept. Matheſeos, arithmetiſche und geometriſche Erquickſtunden, darinnen faſt 200 curioſe, rare, luſtige, anmuthige und ſinnreiche, ſowohl alte als auch ganz neue arith- und geometriſche Problemata oder Aufgaben anzutreffen. Allen denen, ſo in ſolchen arith- und geometriſchen Aufgaben entweder ihre Beluſtigung und Zeitvertreib ſuchen, oder von andern mit Auflöſen dergleichen Aufgaben tentiret werden; zum Beſten theils aus vielen Authoribus corrigiret, völlig elaboriret, und deutlich dargeſtellt. Budiſſin, verlegts David Richter. 8. 1726.

M. *Chr. Pescheck's* rechnender Feldmeſſer oder Geometra, welcher die bei der Geometrie eingeführte, und ſogenannte Decimalrechnung nicht allein mit allen deren ſpecieb. und Regeln ſowohl nach dem Länge- und Quadrat- oder Flächen- als auch Cubic- od. Körpermaſse, ausführlich beſchreibt; ſondern auch derſelben mancherley bei der Feldmeſskunſt vorfallende Caſus und Aufgaben gründlich aufzulöſen lehrt. Budiſſ. verl. Dav. Richter. 8. 1730.
— Leipz. Barth. 8. (4 gr.) 1769.

* M. *Christian Pescheck's* Arithmetiſcher Haupt- und Löſe-Schlüſſel, welcher nicht allein alle ſchwere Exempel, ſo in ſeinen bisher edirten Rechenbüchern befindlich, aufgelöſst, ſondern auch viele neue vortheilhafte Anmerkungen, die vorhin übergangen, aufrichtig entdeckt, daſs alſo nunmehr einem jeden ſo der Rechenkunſt nicht kundig die Thür zu derſelben angelweit eröfnet, daſs ſolche ohne Müh erlernt werden kann. Budiſſin. 1te Communication. 4. 1716.
— * Leipzig und Budiſsin. 1 Alph. 15 u. 1 halb. B. 4. 1717.
— zweyte Communication. 4. 1718.
— 1 Alph. 8 Bog. 4. 1721.
— dritte Communication. 4. 1744.
— vierte Communication. 4. 1751.

— arithmetischer Haupt- und Löseschlüssel. 4 Bde. 4. Lpz. Kummer. 741.

— arithmet. Hauptschlüssel über d. Rechenkunst. 4 Thle. 4. Zittau, Schöps. 741.

* *M. Christian Pescheck's* Arithmetischer Haupt-Schlüssel, welcher alle diejenigen Exempel so in seinen vielmal edirten Rechenstunden unausgerechnet sich befinden, vollkommen ausgearbeitet darstellt etc. Erster Theil. Zittau. 2 Alph. 18 Bog. 1741.

— über die Italienischen Rechenstunden. 2 Theile. 2 Alph. 22 und ein halber Bogen. 1741.

— über die allen drey Hauptständen nöthige Rechenstunden. 2 und ein halbes Alph. 1742.

— geogr. Hauptschlüssel. 8. Bud. Richter. 735.

M. *Christian Pescheck's* allzeit fertiger Haushaltungsrechner, absonderlich Capitalisten und Handelsleuten nüzlich. Franckfurth. 8. 1752.

M. Christian Pescheck's Arithmetischer Informator nach Schles. Böhm. und Oestreich. Münz- Maass- Gewicht- und Zählungs-Sorten, 2 Thle. Lauban. 1743.

— 8. 1761.

— arithmetischer Informator d. edlen Rechenkunst. 3 Thle. 8. Laub. 759. 1 ß

M. *Christian Pescheck's* Kauffmann- und ökonomische Rechnungen. 8. 1732.

— 1738.

— 8. 1745.

M. *Christian Pescheck's* böhmischer und schlesischer Cassirer, so lehret die kayserl. Siebenkreuzer und Siebzehner nach Würfen in Thalern eincassiren. 8. 1716.

1717.

— Löseschlüssel. 4 Thle. 8. Lpz. Richter. 741.

—— neues Lausitzisches Magazin ꝛc., s. Magazin.

M. *Christian Pescheck's* Kurze Nachrichten seiner arithmetischen Wissenschaften. Budissin. 4. 1739.

M. *Christian Pescheck's* Italiänische oder Welsche Practica in ganzen und gebrochenen Zahlen. 1707.

— Fortsetzung derselben. 1710.

— Görlitz und Budissin. 1712.

— 1722.

— 1732.

— Budissin. 1739.

— Rechenkunst nach den Niedersächsischen Münzen ꝛc. 8. Stralsund. 734.

M. *Christian Pescheck's* Fortsetzung der Rechenkunst, darinnen die Tara, und Fusti-Rechnung, Regula de tri inversa, regula quinque vel dupla conversa, als auch Zinss etc. deutlich vorgestellt werden. Görlitz. 2te Aufl. 1712.

— 8. 1714.

— 8. 1717.

— 2 Alph. 17 und ein halben Bogen. 8. 1722.

M. *Christian Pescheck's* getreuer und gründlicher Rechenmeister. Budissin, 8. 17 Bog. 1727.

M. *Christian Pescheck's* mathematischer Rechenmeister. Budissin. 8. 1727.

— anf. Rechenschüler, herausgegeben von Heynatz. gr. 8. Zittau, Schöps. 810.

* M. *Christian Pescheck's* Anfahender Rechenschüler, das ist Eine deutliche Anweisung, wie man einen Schüler sobald er zu lesen anfängt, zu der edlen Rechenkunst erstlich durch kindische, hernach durch nützliche und im Häuslichen Wesen täglich vorkommende Exempel anführen und ihn zu dieser unentbehrlichen Wissenschaft bey Zeiten spielend präpariren soll. Zum Anhange sind etliche curiöse und lustige Exempel beygefügt, zur Ergötzung der Lehrbegierigen Rechenschüler. Zittau, J. J. Schöps. 12 und ein halber Bogen. 1714.

— Ibid. 1723.

— 1727.

— vermehrt, Zittau und Leipzig. 1733.

— 1734.

— 1737.

— 1743.

— 1762.

— 14te Aufl. Leipzig und Zittau, Spieckermann. 464 S. 8. 1786.

— der Rechenschüler. 18e od. 4e v. J. F. Heynatz herausgg. Aufl. gr. 8. Zittau 814. 21e A. 822. Schöps. 4 gr

Pescheck, Ch., Rechenschüler, verb. v. Heynatz. 20ste Aufl. 8. Zittau, Schöps. 816.

Pescheck, Chrstn., Rechenschüler, verbess. u. verm. v. Joh. Friedr. Heynatz. 22. od. 7. durchges. Aufl. 8. (11½ B.) Zittau 835, Schöpsische Buchh.

Ch. Pescheck's allgemeine deutsche Rechenstunden, worinnen die fünf Specien der Rechenkunst mit unbenamten und benamten, sowohl ganzen als gebrochenen Zahlen nebst directen und indirecten Regel de tri, ohne und mit Brüchen, und der Progressionsrechnung, ausführlich und deutlich, in brauchbaren Beyspielen vorgetragen sind. 1723.

— 1727.

— 1734.

— 1745.

— * verbesserte Auflage. Zittau und Leipz. 1 Alph. 14 Bog. 8. 1765.

— verbessert und vermehrt von *J. F. Heynatz.* Zittau und Leipzig, Schöps. 1790.

Ch. Pescheck's italiänische Rechenstunden. 1728.

— 1736.

— Leipz. und Zittau. 8. 1 Alph. 7 Bog. 1762.

— verbesserte Auflage. Leipzig und Zittau, Spiekermann. 464 S. 8. 1786.

M. *Chr. Peſcheck's* Allgemeine deutſche Rechenſtunden, worinn die fünf Specien der Rechenkunſt mit unbenannten und benannten ſowohl ganzen als gebrochnen Zahlen, nebſt der directen und indirecten Regel de Tri ohne und mit Brüchen und der Progreſsionsrechnung ausführlich und deutlich in brauchbaren Beyſpielen vorgetragen ſind. Verbeſſert und vermehrt von M. *Joh. Fr. Heynatz.* Zittau und Leipz. b. Schöps. 1790. 8.

— allgemeine deutſche Rechenſtunden. 2e Aufl. 797. Zum 3n mal verm. v. J. F. Heynatz od. 1r Thl. 8. Zittau 809. Schöps. 14 gr. 2r Thl. Italieniſche Rechenſtunden. .. Aufl. v. J. F. Heynatz 801. Aufs Neue verm. u. verb. v. J. F. Köhler.. 8. Ebd. 820. 18 gr. 3r Thl. nöthige u. gemeinnütz. Rechenſtunden. .. Aufl. verb. v. J. F. Heynatz. 8. Ebd. 801. 14 gr. N. A. verb. u. verm. v. J. F. Köhler. 8. Ebd. 818. 20 gr.

M. *Chriſtian Peſcheck's* Deutſche und Italiäniſche Rechenſtunden, erſter Theil. Zittau, 8. 1724.
— ibid. 8. 1725.
— ibid. 8. 1726.
— zweyter Th. ibid. 8. 1732.
— dritter Theil, ibid. 8. 1735.
— vierter Th. ibid. 1736.
— 3 Theile. Zittau, 8. 1762.
— ibid. 8. 1765.

Peſcheck, Christian: „Italiänische Rechen-Stunden, Darinnen Die Fünf Species der Rechen-Kunst .... Nebst der Regula de-tri .... abgehandelt und erkläret sind. Am Ende ist auch Eine kurtze Alphabetische Nachricht von denen ausländischen Müntz-Sorten .... beygefüget. Zum vierdten mahl zum Druck befördert", Leipzig und Zittau 1745. — Vorh.: Bücherei der Industrie- und Handelskammer Leipzig.

— italieniſche Rechenſtunden, oder 2r Theil. 8. Ebend. 801.

— italieniſche Rechenſtunden ꝛc. oder Rechenſtunden 2r Thl. Aufs Neue revidirt von J. F. Köhler. 8. Zittau u. Leipzig, Schöps. 820.

M. *Chriſtian Peſcheck's* Allen drey Hauptſtänden nöthige Rechenſtunden. 8. 1725.
— 8. 1732.
— 8. 1738.
— 8. 1743.
— * Verbeſserte Auflage, Zittau und Leipzig. 1 Alphabet 13 Bog. 8. 1765.

— nöthige und gemeinnützige Rechenſtunden, oder 3r Thl. 8. Ebend. 801.

Die Regula de Tri in gebrochenen Zahlen von M. *Chriſtian Peſcheck.* Görlitz. 8. 1707.
— II. 1708.

— d. anf. lat. deutſche Schüler. 8. Ebend. 739.

— Sonnenuhrkunſt. 8. Bud. Richter. 733.

Die ſpecies und reg. de tri in ganzen Zahlen von M. *Chriſtian Peſcheck.* Görlitz. 1708.

Die Species in gebrochenen Zahlen, von *M. Chriſtian Peſcheck.* Görlitz. 8. 1707.
—— II. 1708.

Chr. Peſchecks ſelbſtlehrende Trigonometrie oder Dreyeckmeſſer, welcher aller geradlinichten Triangul ihre Winkel und Linien vermittelſt deren tabularum ſinuum tangentium et ſecantium als auch logarithmorum gründlich aufzulöſen lehrt. Budiſs. Dr. Richter. 8. 1731.
* — Leipz. Barth. 8. (6 gr.) 1769.

— Vorhof der Aſtronomie, mit Kupf. 8. Budiſſin, Richter. 729.

M. *Chriſt. Peſcheck's* Vorhof der Meſskunſt, darinnen ein deutlicher Handgriff des Lineals, Cirkels, Maaſsſtabes, und Transporteurs anzutreffen. Budiſſin, Dav. Richter. 4. 1718.

— Vorhof d. Meßkunſt, mit Figuren. 8. Budiſſin, Richter. 743.

M. *Chriſtian Peſcheck's* Vorhof der Rechenkunſt. Görlitz, J. G. Laurentius. 8. 1708.
— 8. 1712.
— Budiſsin und Görlitz. 8. 1714.
— Görlitz. 8. 1714.
— Görlitz. J. G. Laurentius und Dav. Richter. 8. 1716.
— Budiſs. und Görlitz. 8. 1718.
— Budiſsin. 8. 1722.
— Görlitz. 8. 1732.
— Ibid. 8. 1736.
— Budiſsin. 8. 1737.
— 8. 1744.
— * Budiſsin und Leipz. 1 Alph. 5 Bog. 8. 1768.

M. *Chriſtian Peſcheck's* Vorhoff der Rechenkunſt, Practica, Fortſetzung und Beſchluſs. Bautzen. 8. 1713.

— Vorhof d. Rechenkunſt. 3 Thle. 8. Leipz. 766—68. (1r Thl. N. A. 789. 2r Thl. N. A. 780.) Kummer. 1 ß

— Vorhof der Schreibekunſt, n. d. 2n Th. Orthogr. 4. Zittau, Schöps. 748.

— Weihnachts-Präſent; beſtehend in kurzen Geſprächen, in latein. u. deutſchen Kinderreden ꝛc. 8. Zittau, Schöps. 2 gr.

M. *Chriſtian Peſchecks* Arith- und geometriſcher Wurzel-Mann. Zittau. 8. 1727.
* — 1748.

Pescheck, Christian Adolf

Peſcheck, Chr. Ado., allgemeinfaßl. Anleitung z. nähern Kenntniß u. zum erbaul. Leſen d. heil. Schrift. Eine gekr. Preisſchr., veranlaßt durch d. Einladung e. Geſellſch. v. Bibelfreunden. Mit Vorw. v. Steudel. 8. (9¼ B.) Tübingen 829. Fues.

Peſcheck, Chrn. Adph., die Auswanderung glaubenstreuer Proteſtanten aus Böhmen nach Sachſen im 17. Jahrh. Allen Nachkommen von Exulanten gewidmet. gr. 8. (71 S.) Löbau 858. (Zittau, Pahl'ſche Buchh.) **

Pescheck, Chrstn. Ado., kleine Chronik d. Oybins. gr. 12. (1½ B.) Zittau 839. (Schöpsische Buchh.)

Pescheck, Christian Adolph (Zittau), *ΕΚΙΑ ΤΩΝ ΜΕΛΛΟΝΤΩΝ* apud Romanos h. e. sententiae Romanorum ad idolem Christianae religionis prope accedentes. Diss. theol. Leipzig (F. A. Brockhaus) 18. II. 1846. 27 S. (3.50) 26112

—— Empfindungen beim Anblicke unsrer zerstörten Hauptkirche. Eine Predigt, am Brandgedächtnißtage d. 23. Jul. 1834 in d. Petri Paul-Kirche zu Zittau geh. gr. 8. (1 B.) Zittau, (Schöps.)

—— die böhmischen Exulanten in Sachsen. Zur Beantwortung der von der fürstl. Jablonowski'schen Gesellschaft gestellten histor. Preisfrage: „Untersuchung der bis zur Mitte des XVII. Jahrh. stattgefundenen Uebersiedelung aus Böhmen nach Sachsen und der Folgen, welche diese für Sachsen's Cultur gehabt haben." gr. Lex.-8. (VI und 170 S.) Leipzig 857, Hirzel. *

Pescheck, Chrstn. Ado., Geschichte der Gegenreformation in Böhmen. Nach Urkunden u. anderen seltenen gleichzeitigen Quellen bearb. 2 Bde. gr. 8. Dresden u. Leipzig 844, Arnoldische Bh. à Bd. 2 Thlr. 22½ Ngr.

Bd. 1. Vorgeschichte bis 1621. (33 B. u. Budowa's Bildn.)
" 2. Hauptgeschichte seit 1621 u. Nachgeschichte. (36 B. u. Slawata's Bildn.)

Pescheck, Chrstn. Adph., Geschichte der Gegenreformation in Böhmen. Nach Urkunden und anderen gleichzeit. Quellen bearb. 2 Bde. Mit 2 Stahlst. 2. (Titel-)Ausg. gr. 8. Leipzig 850, Arnoldische Buchh.

Bd. 1. Vorgeschichte bis 1621. (XXIII und 504 S.)
" 2. Hauptgeschichte seit 1621 und Nachgeschichte. (VI und 570 S.)

— Geschichte d. Oybiner Kirche. 8. Zittau 825. Schöps. 1 Gr.

Pescheck, Chrstn. Ado., Geschichte d. Poesie in d. Lausitz. Eine gekr. Preisschr. Mit ergänz. Bemerkn. v. Gust. Köhler. gr. 8. (8 B.) Görlitz 836, Heyn'sche Buchh. Thlr. *
Aus: Neues lausitz. Magazin, besond. abgedruckt.

—— Geschichte d. Cölestiner d. Oybins, urkundl. erforscht u. dargestellt. gr. 8. (7¾ B.) Zittau 840. (Leipzig, Fr. Fleischer.)

— Handbuch der Geschichte von Zittau. 1r Thl. 1e u. 2e Lfrg. gr. 8. Zittau 834. (Schöps.) ½ Thlr. — 1r u. 2r Thl. Mit 1 Ansicht u. 1 lithogr. Plan. gr. 8. Ebd. 834 u. 837. 6 Thlr.

—— Handbuch d. Geschichte v. Zittau. 2 Thle. gr. 8. Zittau, (Schöpsische Buchh.) [1. (50 B., 1 Kpfrt. u. 1 Plan, Fol.) 834. * 2 11/12 Thlr., 2. (59½ B.) 837. * 3 1/12 Thlr.]
Zusamm. genomm. nur *

—— Homiletica. Horatiana. Edit. II. 8maj. (1 B.) Lipsiae 841, B. Tauchnitz jun.

— Jesus u. die Frauen, ein Andachtsbuch für denkende Freundinnen d Herrn. 8. Zittau 819. Schöps. 10 Gr. Hbg. Pr. 6 Gr.

— Menschenwerth, in Thatsachen u. Vorbildern dargest. Ein Lesebuch z. Geisteserhebung, f. das frühere Jünglingsalter, besond. f. junge Studirende. gr. 8. Zittau 821. Schöps. 20 Gr.

Pescheck, Dr., Nachtrag zu meiner Literatur der Nachforschung in der Oberlausitz. 1842.
— Nachträge zur Literatur der oberlausitzer Alterthümer. 1848.
Görlitz, Naturforschende Gesellschaft

Pescheck, Chrn. Adph., König Ottokar II. und die Begründung der Stadt Zittau 1255. Ein histor. Vortrag beim 600jähr. Jubiläum der Stadt Zittau, am 20. Aug. 1855 gehalten. gr. 8. (III und 33 S.) Görlitz 855. (Zittau, Schöpsische Buchh.) *
Aus dem Neuen laus. Magazin 1856, besonders abgedruckt.

— König Ottokar II. und die Begründung der Stadt Zittau 1255. Ein histor. Vortrag beim 600jähr. Jubiläum der Stadt Zittau, am 20. Aug. 1855 gehalten. (Aus dem Neuen Lausitz. Magazin 1856 abgedr.) Görlitz 856. (Zittau, Schöps.) gr. 8. (2 Bl., 33 S.) n. 5 ngr.

— der Oybin bei Zittau, Raubschloß, Kloster u. Naturwunder. 8. Zittau 792. 2e A. gr. 8. 804. Schöps. 16 Gr. Schrbp. 20 Gr. Schrbp. mit K. 2 Thlr. 16 Gr.
vgl. Pescheck, Karl

— Petrus v. Zittau, Abt zu Königsaal in Böhmen, ums Jahr 1300. Nebst Proben aus seinem histor. Werke. A. u. d. T.: Beiträge z. deutschen Kulturgeschichte rc. gr. 8. Zittau 823. Schöps. 16 Gr.

— Petrus von Zittau, Abt zu Königsaal in Böhmen, um Jahr 1300. Nebst Proben aus seinem histor. Werke. — A. u. d. T.: Beiträge zur deutschen Kulturgeschichte rc. gr. 8. Zittau 824, Schöps.

— zwei Reden, in d. Abendstunden d. Reform.-Jubelfestes 1817 gehalten. 8. Zittau 817. Schöps. 2 Gr.

— Zittau u. seine Umgebungen. Ein Handbuch theils f. Reisende, welche die Merkwürdigkeiten u. Schönheiten dieser Gegend aufsuchen, theils f. Einheimische, welche Fremde dazu anleiten wollen. Mit e. Prosp. der Stadt u. Nachtrag. gr. 8. Zittau 821. Schöps. 22 Gr. Hbd. Pr. 16 Gr.

Peschek, Christian August (Zittau), De gravidarum affectionibus earumque cura. Diss. med. Leipzig (Walther) 16. IV. 1784. 32 S. (4.75) 26114

— s.a. Anekdoten, Fürsten- u. Volkslaunen, u. setze hinzu: (v. Chr. Aug. Pescheck).

Anekdoten, Fürsten- u. Volks-Launen, als Beiträge zur Charakteristik Kaiser Josephs des Zweiten, Frankreichs u. unserer Zeiten überhaupt (von *Christian August Pescheck*). 2 Thle. O. O. 1790—91. 8°. 110 u. 120 S. (8 Mk. Hugo Streisand, Berlin, 1908.)

Pescheck, Chr. Aug. (Hrsg.), s.a. Arzt, Der.

Peschek, C. A., der Arzt, eine Monatsschrift zur belehrenden Unterhaltung für Nichtärzte. a. Jahr 1821. 8. Ebend. in Comm.)

Peschbeck, (Chr. A.,) der Arzt, e. Monatsschrift zur belehr. Unterhalt. f. Nichtärzte. 1r Bd. 1821, Zittau 822, Schöps.

— Beitrr. z. natürl. ökonom. u. polit. Geschichte d. Ober- u. Nieder-Lausitz, (als Fortsetzung d. Wochenblatts). 2 Thle. 4. Zittau 791, 92. (Schöps). 2 Thlr. (Vergl. Lausitzer Monatsschrift).

§ **EHESTANDSVORBEREITUNGEN** in lehrreichen Schilderungen, oder Amor u. Hymen in ihrer Blösse (von *Christian August Pescheck*). 2 Thle. (15 u. 12 mit pikanten Erzählungen untermischte moralische u. medicin. Aufsätze.) Mit TVign. v. Richter. Bresslau, 1794, bey Christian Frdr. Gutsch. 8⁰. (2 Rthl. Scheible; 5 Mk. W. H. Kühl; 6 Mk. 50 Pfg. G. Priewe; 6 Kronen Halm & Goldmann.)
VI—255 SS. u. 1 S. Inh. Gesucht und selten!
I: 1. Von der Liebe überhaupt. 2. Die Geschlechtsliebe ist eigentlich nur ein Werk der Sinne. 3. Romanhafte Liebe. 4. Ritterliebe. 5. Theaterliebe. 6. Klosterliebe. 7. Soldatenliebe. 8. Fürsten- u. Hofliebe. 9. Ländliche Liebe. 10. Greisliebe. 11. Gefängniss- u. Lazarethliebe. 12. Verbotene Liebe. 13. Von der Verführung in der Liebe. 14. Von d. Einflusse d. Liebe auf die Gesundheit. 15. Erlaubte u. tugendhafte Liebe.
II: (S. 141 ff.) 1. Von d. Ehe überhaupt. 2. Verlobungen. 3. Trauung u. Hochzeit. 4. Etliche moral. u. häusliche Pflichten der Ehegatten. 5. Untreue. 6. Eifersucht. 7. Schwangerschaften. 8. Wochenbetten. 9. Erziehung der Kinder. 10. Spätere Jahre der Ehe. 11. Krankheiten und Tod. 12. Schlusserinnerung.
Zuerst gedr. 1786 titulo: Liebe (s. d.) und Ehe in der Narrenkappe und im Philosophenmantel.

— — Dasselbe, tit.: Amor und Hymen in ihrer Blösse. Leipzig 1794. 8⁰.

— s. v. Hutten, Ulr., für deutsche Freiheit.

– s.a. Jägermädchen, Das, für empfindsame Spötter.

JÄGERMÄDCHEN, Das. Für Empfindsame und Spötter. (Stellenw. freier Roman von *Chrn. Aug. Peschek.*) Mit TVign. u. 1 Kpf. v. Rosmaesler. Wien, bey Joseph Gerold. 1782. 8⁰. (In Dessau, Herzogl. Bibl.) (3 Mk. 60 Pfg., geles. Expl., Lehmann & Lutz, 1884.)
Selten! Tit., 6 Bll. poet. Widm. (an Lavater) u. 383 SS. — Vgl. Behrisch, die Wiener Autoren, 1784.

PESCHECK, Christian Aug. (1760—1833), An Jünglinge und Mädchen. Beiträge zur Sittenlehre und Erziehungskunde. Breslau 1796. 8⁰. 242 S. Selten! (3 Mk. Rich. Härtel, Dresden, 1907.)
Handelt über geschlechtliche Sünden, Bordelle, Bäder, Kleidermoden etc. — Selten!

— Kinderreisen, oder praktische Anleitung für die reifere Jugend, reisend mit Aufmerksamkeit zu sehen, zu hören und zu forschen, in e. Beispiele dargest. 16. Zittau 836. Birr. 7/12 ₰ — (N. Ausg.) (Mit ill. Titelbild.) 12. Ebd. 836. n. 1/? ₰

– s. Krankheiten der Haut.

— dicht. Kriegsgemälde, s.a. Kriegsgemälde.

KRIEGSGEMÄLDE, Dichterische (von *Chrn. August Pescheck*). Leipzig 1782.
Anon.-Lex. II. p. 374 (nach Otto, Meusel, Kayser, W. v. Maltzahn).

– s. Liebe und Ehe in der Narrenkappe

– s. Melintes.

– s. Mittel, Knaben u Mädchen nach Belieben zu zeugen.

– s. Monatsschrift f. d. schöne Geschlecht

– s.a. Nonne, Die verkannte.

NONNE, Die verkannte, in der Geschichte der Caroline Henriette P.... (von *Chrn. Aug. Pescheck*). 2 Thle. Mit 1 reizenden Titelkpf. u. 2 Titelvignetten, gestoch. von Rosmäsler. Leipzig, Barth, 1781. 8⁰. (4 Mk. 50 Pfg. Max Jaeckel, Potsdam, 1905; 50 Kr. (!), Expl. in schönem rothen Maroquinbd. d. Z., mit Rückenvergoldg., Gilhofer & Ranschburg, 1909.)

– s. Peyrilhe, Mittel.

– s.a. Philipp u. Jacobine.

PHILIPP und Jakobine. Oder: Eine Hand wäscht die andre. Ein Beytrag zur Geschichte der Dorfprediger. (Liederlicher Roman von *Christian August Pescheck.*) Mit Titelkpfr. u. Titelvign. Breslau und Leipzig, bei Christian Friedrich Gutsch. 1792. 8⁰.
15 Bll. Vorst. u. 340 S. — Dem Oberkonsistorialrath Boettiger in Weimar gewidmet.
— — Dasselbe mit d. Tit.: Philipp Zeidelbär und Binchen Magensaft; oder die zwei Stuzperükken und ihre Besitzer. Mit (drast.) TVignette. Halberstadt, in der Buchhdlg. der Großschen Erben. 1798. 8⁰. 340 S.
— — Dasselbe. Leipzig, Sommer, 1808. 8⁰.
Kayser, Roman-Verz. 1827. S. 136. — Nicht im Anon.-Lex.

— Rhapsodien u. Kriegslieder. 8. Zittau 789. (Schöps). 12 gr.

– s. Sagen und Abenteuer vom Räuberschloß Oybin.

Pescheck, Chr. A.; s.a. Theodor, oder die Rache des Schicksals.

THEODOR oder die Rache des Schicksals. Eine Geschichte zur Zeit der Klöstereinziehung in Oesterreich (von *Chrn. Aug. Pescheck*). Leipzig, bey Joh. Phil. Haug 1784. 8⁰.
174 S. incl. Tit. m. Vign. u. 7 Bl. Ded. u. Vorr. (Widmung an ein Mädchen, 3 Bll. in Versen.) Eingestreut sind moralisirende Betrachtungen, hier und da etwas frei. — Anon.-Lex. IV. p. 167 (nach Kayser, Otto, Meusel).

– s. Unterhaltungen, monatliche.

Pescheck, Chr. Aug., Versuch üb. die Ausartung d. Begattungstriebes unter d. Menschen. 8. Bresl. 790. Gehr. 12 gr.

Pescheck, Chr. Aug. (Hrsg.), s. Wochenblatt, Lausitzisches ...

Pescheck, Chr. Aug., Wörterb. d. Hausarzneikunde f. Aerzte u. Nichtärzte. 2 Bde. 8. Zittau 800—802. (Schöps). 2 ₰

Pescheck, H. Ed., das Ganze d. Steindrucks, s.a. Schauplatz d. Künste, 43. Bd.

Pescheck H E, das Ganze des Steindrucks. 3. Auflage von L Bergmann. (Schauplatz der Künste und Handwerke 43) Weimar 1856

Pescheck, Karl

— s. Ansicht der Stadt Zittau.

Pescheck, (Karl), der Oybin bei Zittau, dargest. in 12 Ansichten und mit kurzem, erläut. Text begleitet. 16. Dresden 835. Morasch u. Skerl. 1 1/3 ₰
vgl. Pescheck, Christian Adolf

Pescheck, Paul: Über Beschränkungen der elterlichen Gewalt des Vaters im ganzen und in einzelnen Beziehungen nach römischem und bürgerlichem Recht. Liegnitz 1905: C. Seyffarth. (VIII, 54 S.) 8° [F.]
Jena, Jur. Fak., Ref. Danz, Diss. v. 13. März 1905
[Geb. 4. April 77 Minden-Westf.; Wohnort: Liegnitz; Staatsangeh.: Preußen; Vorbildung: Ritter-Akademie Liegnitz Reife O. 99; Studium: München 2, Breslau 8 S.; Rig. 20. Dez. 04.]

Pescheck, W., homiletische Amtsfrüchte, d. i. einfache Dispositionen über die Texte des sächs. Perikopenbuches, zu Predigten gehörig, welche in den letzten 25 Jahren vor Landgemeinden gehalten worden sind. gr. 8. (VI, 178 S.) Frankenberg 890. (Roßberg.) n. 3.60; geb. n. 4.—

Peschek (Mitarb.), s. A b h a n d l u n g e n , Pädagogische, Recensionen u. Schulnachrichten.

Peschek — Menschenwerth in Thatsachen und Vorbildern dargestellt, einem Lesebuche zur Geisteserhebung für das frühere Jünglingsalter, besonders für junge Studirende. Zittau und Leipzig 821. 8.

Peschek, Ant. Alb., groszes Wörterbuch der modernen europäischen Sprachen. (Deutsch, französisch, englisch, italienisch, spanisch, lateinisch, holländisch, schwedisch, böhmisch, slovakisch, slovenisch, polnisch, serbisch-kroatisch und ungar. Thl.) 1. Lfg. gr. 4. (16 S.) Prag 874, Dr. Grégr und Dattel. *

Peschek, Ant. Alb., groszes Wörterbuch der modernen europäischen Sprachen. [In 20 Sprachen. Deutsch, französisch, englisch, russisch, ungarisch, böhmisch, polnisch, serbisch, kroatisch, slovakisch, slovenisch, romanisch, italienisch, spanisch, portugiesisch, niederländisch, schwedisch, dänisch, neugriechisch und lateinisch.] (In 60 Lfgn.) 1.—14. Lfg. gr. 4. (1. Thl. S. 1—112.) Brünn 875,76, Peschek. à Lfg. *ℳ 1. *

Peschek, Ant. Alb., grosses Wörterbuch der modernen europäischen Sprachen. 1. Bd. 48 Lfgn. gr. 4. (XV, 367 S.) Brünn 877—79, Peschek. à Lfg. *ℳ 1. *

Peschek, Anton Albert. Grosses W ö r t e r b u c h der modernen e u r o p ä i s c h e n S p r a c h e n. I. Th. (Erscheint nicht weiter.)
4. Brünn (1880).

Peschek, Christian August, s. P e s c h e c k .

— Friedrich August (Zittau / Lausitz), De furore uterino. Diss. med. Leipzig (Klaubarth) 15. XI. 1810. 46 S. (4.50) 26115

Peschek, Karl, s. P e s c h e c k .

Peschel: Untersuchungen über den Eiweißbedarf des gesunden Menschen. Inaug.-D. 34 S. Berlin, 1880.

Peschel, A., Hilfsbuch f. d. Montage elektr. Leitgn. zu Beleuchtungszwecken. Für Elektrotechniker, Monteure u. Installatoure zur prakt. Anlage u. Behandlg. d. Leitungsmaterials. gr. 8. (VI, 234 S. m. 322 Abb.) Leipzig 896. O. Leiner. n. 5. —; geb. in Leinw. 6. —

Peschel, A., Hilfsbuch f. die Montage elektr. Leitgn. zu Beleuchtungszwecken. Für Elektrotechniker, Monteure u. Installateure zur prakt. Anlage u. Behandlg. des Leitungsmaterials. 2. verm. Aufl. (III, 340 S. m. 589 Abbildgn.) gr. 8. Leipzig 903. O. Leiner. n. 6. —; geb. in Leinw. n. 7. 50

Peschel, C., s.: Kinderengel, der.

Peschel, C., das Buch Tobiä in 11 bildl. Darstellungen. Zur Förderung frommen Sinnes hrsg. u. mit e. Vorw. begleitet v. A. Hahn. 4. (4 B.) Leipzig 830, (Brockhaus.)

Peschel, C. F., Lehrbuch der Physik, nach dem gegenwärtigen Standpuncte dieser Wissenschaft bearbeitet, zum Gebrauche bei Vorlesungen auf höheren Gymnasien und mit besonderer Berücksichtigung für Militairbildungsanstalten. 1. Abtheil.: Physik der wägbaren Stoffe. Mit 5 Kupfert. u. 15 Tabellen. gr. 8. Dresden u. Leipzig 842, Arnold'sche Buchh. Ladenpr. 2½ ℛℬ — 2. Abtheil.: Physik der unwägbaren Stoffe. Mit 8 Steintaf. u. 10 Tab. gr. 8. Ebend. 844. 1 ℛℬ — Cart. compl. n. 6 ℛℬ

— Lehrbuch der Physik zum Gebrauche bei Vorlesungen auf höheren Gymnasien und mit besonderer Berücksicht. von Militair-Bildungsanstalten. 2. (Titel-)Ausg. Mit 13 Steindrucktaf. (in Fol.) u. 25 Tab. (in 8. u. Fol.). Leipzig (844.) 856. Arnold. gr. 8. (XX, 1133 S.) 1 ℛℬ. 15 ngr.

Peschel, C. G., Köpfe, s. Zeichnenschule.

Peschel, C. W.

— der Gröditzberg. Romant. Gesch. 8. Bresl. 825, Graß, Barth u. C.

Peschel, C. W., der Rathgeber f. d. Bürger u. Landmann, s. Rathgeber ꝛc.

Peschel, C. W., Scenen aus Luthers Leben, poetisch dargestellt zur Erinnerung d. 31. Oct. 1817. 8. Liegnitz, Kuhlmey. 818.

—— Volkssagen u. Mährchen der Schlesier. 1. Bdchn. 8. (9 B.) Bunzlau 830, Appun.
Inh.: Das Jagdschloß an d. Katzbach. — Die Rabendecken bei Goldberg. — Die Neujahrsnacht in Steinthal. — Die Domglocke in Breslau.

— Volkssagen u. Mährchen der Schlesier. 1s Bdchen: Das Jagdschloß an der Katzbach. — Die Rabendocken bei Goldberg. — Die Neujahrsnacht in Steinthal. — Die Domglocke in Breslau. 8. Bunzlau 831. Appun. 12 gℓ

Peschel, C. W., der Waldmann. Trspl. in 5 A. 8. Liegnitz 814. Kuhlmey. 12 gℓ

—— Weidenröschen. 2 Bdchn. 8. (21 B.) Bunzlau 830, Appun.
Bdchn. 1. Coeurdame. — Die Calixtiner. — Gimpels Reise nach d. Hauptstadt. 12 Gr.
" 2. Sebastians Kreuz- u. Querzüge durch d. Künstlerwelt. — Der Schlafpelz. 12 Gr.

Peschel, Carl, s. P e s c h e l , Karl

Peschel, Carl August, s. P e s c h e l , Karl August

Peschel, Carl Friedrich, s. P e s c h e l , Karl Friedrich

Peschel, Carl Robert, s. P e s c h e l , Karl Robert

Peschel, Carl Wilhelm, s. P e s c h e l , Karl Wilhelm

Peschel, Chr. Fr., neues Treppenbuch f. Tischler u. Zimmerleute. Mit Kpf. gr. 8. Kopenh. . . . N. Aufl. mit 13 Kpft. 806. Brummer. (Schubothe). 3 ℛℬ

Peschel, Edm., über Trennung der Schule von der Kirche. Vortrag an die Schuldeputation zu Dresden erstattet. Dresden 869. (Burdach.) hoch 4. (VII, 280 S.) n. 24 ngr.

[F.] Theodor Körner und die Seinen geschildert v. Dr. W. Emil Peschel, Begründer d. Körnermuseums d. Stadt Dresden, u. Dr. Eugen W i l d e n o w, Gymnasialoberl. in Greifswald. M. vielen Abb. in u. ausser d. Texte, Faks. u. 2 Kt. Bd 1. 2. *Leipzig: E. A. Seemann 1898.* 2 Bde 8.
1. (X, 401 S., 1 Portr., 5 Facs., 1 Taf.)
2. (IV, 271 S., 3 Facs., 2 Kt., 1 Tab.)
[98. 66g.

Peschel, Emil Paul, s. P e s c h e l , Paul

Peschel, Emil W., „wer Kinder liebt." Poetische Remiscenzen aus der Kinderwelt. 8. (80 S. m. eingedr. Holzschn.) Leipzig 873. Friese. n. 1. —

Peschel, F: Der Planteur als Universalwerkzeug, besonders als Plantir-, Triebniet-, Steinfaß- und Schraubenausschlagmaschine. Rokitnitz 1886

Peschel, Fritz: Der richterliche Eid mit besonderer Berücksichtigung der oberstrichterlichen Rechtsprechung. Heidelberg 1909: Hörning. XVII, 108 S. 8°
Heidelberg, Jur. Diss. v. 29. Nov. 1909, Ref. Heinsheimer
[Geb. 6. Febr. 72 Düsseldorf; Wohnort: Kastellaun; Staatsangeh.: Preußen; Vorbildung: Kgl. Gymn. Düsseldorf Reife O. 90; Studium: Bonn 5, Genf 1, Paris 1 S.; Rig. 29. Jan. 09.] [U 10. 1967

Peschel, Gottlieb Hieronymus Christian

— — De cura convalescentium ex febribus acutis. Leipzig (Langenheim) 19. V. 1775. 36 S. (4.75) 26118

— **Gottlieb Hieronymus Christian** (Freiberg), De gangliis nervorum. Diss. neurol. Präs. Johann Gottlob Haase. Leipzig (Langenheim) 3. IV. 1772. 55 S. (5.25) 26117
Gew.: Christian Gotthelf von Gutschmid.

Peschel, Jh. Gli., Anleit. überall gutes Bier zu brauen, oder Beantwort. d. Frage: Warum kann man in d. e. Brauhause nicht dasselbe gute Bier brauen, wie in d. andern? Mit e. Vorrede v. C. G. Eschenbach. gr. 8. Leipz. 809. Hinrichs. 8 gr, Schrbp. 12 gr, Velinp. 18 gr

Peschel, Johann Gottlieb.
Anleitung zur Verfertigung steinerner Röhren ... Leipzig 1802. H: *Riem, Johann.* (EngMt)

— Anleit. z. Verfertigung steinerner Röhren, nebst Zeichn. der dazu erforderl. Materialien; hrsgg. v. J. Riem. Mit 1 Kpf. gr. 4. Leipz. 802. Voß. 8 gr

Peschel, J. G. Gedrängte Ansicht von der Dampfmaschine und den Versuchen sie zu verbessern. Dresden 1817.

— gedrängte Uebersicht von d. Dampfmaschine. 8. Dresd. 817.

Peschel, K. A., ausführliche Erklärung der wichtigsten Bibelstellen f. den Katechismusunterricht. 2. Aufl. 6 Hfte. gr. 8. (XVI, 495 S.) Meißen 887. Schlimpert. n. 4. 50; geb. n. 5. 25

Peschel, Karl

Peschel, Carl, Führer durch den Park Alt-Zella's u. seine Ruinen. Auf Grund der vorhandenen Nachrichten bearb. 3. Aufl. gr. 8. (32 S.) Nossen 872. E. Hensel. — 75

Peschel, Karl August

Peschel, Carl Aug., ausführliche Erklärung der wichtigsten Bibelstellen f. d. Katechismusunterricht. gr. 8. (XII, 542 S.) Meißen 879. 80. Schlimpert. n. 4. 50

Peschel, Carl Aug. Ausführliche Erklärung der wichtigsten Bibelstellen f. den Katechismusunterricht. 2. Aufl. 2.—6. (Schluß-)Heft. gr. 8. (XVI, S. 97—495.) Meißen 888, Schlimpert.
à Heft * — 75; 3 75
1. Heft. Ebd. 1887. * — 75.

Peschel, Carl Aug., s.: Günther's, Frdr. Joach., Entwürfe zu Vorträgen u. Aufsätzen 2c.

Peschel, Carl Aug., was hast du von deiner Bibel zu halten? Mit besonderer Berücksichtigung der Bibelauszugfrage beantwortet. Leipzig 869. Dörffling & Franke. gr. 8. (63 S.) 9 ngr

Peschel, Karl Friedrich

Peschel, Carl Friedr., Abhandlung üb. e. neue Art d. Minenzündung mittelst Percussionsvorrichtung. gr. 8. (1 B. u. 1 Stnt., qu. ½ Fol.) Dresden 834, (Arnold.)

Peschel, (C. F.,) Handbuch d. Waffenlehre; entworfen für angehende Krieger u. insbesondere zum Behuf der Vorlesungen am Königl. Sächs. Cadetten-Corps. Mit 5 Kupfertaf. in Fol. gr. 8. Dresden 825, Arnold.

—— die Kriegsbaukunst im Felde. Ein Leitfaden f. d. Unterricht in Militair-Schulen, u. als Handb. f. d. Officiere aller Waffen. M. 10 grossen Stndrcktaf. (qu. Fol.) gr. 8. (35¼ B.) Dresden 832, Arnold.

Peschel, C. F., die Kriegsbaukunst im Felde. Ein Leitfaden für den Unterricht in Militair-Schulen und als Handbuch für die Officiere aller Waffen. 2., verm. und gänzlich umgearb. Aufl. von Otto Andrée. gr. 8. (XXXVI und 795 S. mit 12 Stnt. in qu. Fol.) Leipzig 854(55,) Arnoldische Buchh. *

Peschel, Karl Robert

Peschel, Carl Rob., erbauliche Selbstbetrachtungen über die Hauptstücke des christl. Glaubens und Lebens, zunächst für Confirmanden zum Vorbereitungsunterrichte, wie auch für erwachsene Christen. Nebst einem Anhange, enth. Morgen-Andachten am Confirmationstage und Beichtgebete. 8. (IV und 124 S.) Roßwein 851. (Leipzig, Hunger.) **

Peschel, Carl Rob., erbauliche Selbstbetrachtungen über die Hauptstücke des christlichen Glaubens und Lebens, zunächst für den Confirmandenunterricht, wie für die kirchl. Examina. Nebst einem Anhange, enth. Morgen-Andachten am Confirmationstage und Beichtgebete. Neue (Titel-)Ausg. 8. (IV und 124 S.) Dresden 854, (Kori.) Thlr. *

Peschel, Karl Wilhelm

Der schwarze Christoph. Romantische Erzählung aus Schlesiens Vorzeit.
Glogau: Heymann 1826. 167 S. 8°

Die Stadt Goldberg und ihre Umgebung, sowie Goldbergs Sagen u. Volksmärchen. Nach Beschreibungen von K[arl] W[ilhelm] **Peschel** u. L[udwig] Sturm zsgest. (Goldberg i. Schl.: O. Collmar [1906].) (274 S.) 8° [J.] [07. 9990 2

Peschel, Karl Wilhelm: Die Stadt Goldberg und ihre Umgebung sowie Goldbergs Sagen u. Volksmärchen. (Ein Beitrag z. schles. Heimatskunde. 2. Aufl.) Nach Beschreibungen von [Karl] W[ilhelm] Peschel u. L[udwig] Sturm zsgest. (Goldberg: Collmar [1909].) 287 S. 8°

Peschel, Carl Wilhelm (Breslau / Schlesien), Nonnullarum quaestionum de difficultatibus Salomonis libri, qui ecclesiastes inscribitur et ejus sensis de vita aeterna sectio posterior. In memoriam Joannis Casparis Arletii. Halle/Magdeburg 25. I. 1784. 1801. 7 S. (4.—) 26116
Enthält: Super Ecclesiastae Cap. III. 21. coll. Cap. XII. 7.

Peschel, Max, Aphorismen zur kantischen Philosophie, nebst Andeutung eines positiven methaphys. Standpunktes. gr. 8. (52 S.) Basel 879. Schwabe. n. 1. 20

Peschel, Oscar: Abhandlungen zur Erd- und Völkerkunde. Herausgegeben von J. Löwenberg. Leipzig 1877. X. 530 S. 8°.
— Neue Folge. (Bd. 2.) Leipzig 1878. (II). 546 S. 8°.
— Bd. 3. (Schlussband.) Leipzig 1879. (II). 455 S. 8°.

Peschel, Osc., Abhandlungen zur Erd- und Völkerkunde. Hrsg. von J. Löwenberg. gr. 8. (X, 530 S.) Leipzig 877, Duncker und Humblot. *

--- dass. — Neue Folge. gr. 8. (VI, 546 S.) Ebendas. 877. *

—— dass. — 3. (Schluss-)Bd. gr. 8. (VI, 455 S.) Ebendas. 879. *

— physikalisch-statistischer Atlas des Deutschen Reichs, s.: Andree, R.

Peschel's, O., Biographie, s.: Hellwald, F. v.

— physische Erdkunde. Nach den hinterlassenen Manuscripten selbständig bearb. u. hrsg. von Gust. Leipoldt. 2 Bde. gr. 8. (XII, 371 u. VIII, 759 S. m. eingedr. Holzschn.) Leipzig 879—81. Duncker & Humblot. n. 28. —

Peschel's, Osc., physische Erdkunde. Nach den hinterlassenen Manuskripten selbständig bearb. u. hrsg. v. Gust. Leipoldt. Mit zahlreichen Holzschn. u. lith. Karten. 2. Aufl. 2 Bde. gr. 8. (XVI, 623 u. VIII, 830 S.) Leipzig 883—85. Duncker & Humblot. n. 30. —

Peschel, O., physische Erdkunde. Nach den hinterlassenen Manuscripten O. P.'s selbständig bearb. u. hrsg. v. G. Leipoldt. Mit zahlr. Holzschn. u. 2 Karten. 2., vielfach verb. Aufl. Neue, billige Lieferungsausg. 15 Lfgn. gr. 8. (1. Bd. XVI, 623 u. 2. Bd. VIII, 830 S.) Leipzig 888. Duncker & Humblot. à Lfg. n. 1. 40; cplt.: n. 21. —

— Geschichte der Erdkunde bis auf Alexander v. Humboldt u. Carl Ritter, s. Geschichte der Wissenschaften in Deutschland.

Peschel, Osk., Geschichte der Erdkunde bis auf Alex. v. Humboldt und Carl Ritter. Mit eingedr. Holzschn. u. 3 lith. Karten in 4. u. gr. Fol. München 1865. 8.
Ist: Geschichte der Wissensch. in Deutschland. Bd. 4. . . . . (D.)
——, —— 2. verm. u. verb. Aufl. herausg. von S. Ruge. Ebda 1877. 8. . . . . (D.)

Peschel, Osc., Geschichte des Zeitalters der Entdeckungen. Stuttgart 858. Cotta. 8. (VIII, 681 S.) n. 3 ℛℊ. 6 ngr.

— Geschichte des Zeitalters der Entdeckungen. 2. Aufl. Mit dem Bildnisse d. Verf. (in Holzschn.). gr. 8. (X, 636 S.) Stuttgart 877. Cotta. n. 12. —

— neue Probleme der vergleichenden Erdkunde als Versuch einer Morphologie der Erdoberfläche. Leipzig 760. Duncker & Humblot. gr. 8. (VII, 171 S. mit eingedr. Holzschn. u. 1 lith. Karte in Fol.) 1870. n. 1 ℛℊ

— neue Probleme der vergleichenden Erdkunde als Versuch e. Morphologie der Erdoberfläche. 2., um e. Abhandlg. verm. Aufl. Mit e. alphabet. Register. gr. 8. (VIII, 215 S. m. 2 Steintaf. in qu. Fol.) Leipzig 876. Duncker & Humblot. n. 5. —

— neue Probleme der vergleichenden Erdkunde als Versuch einer Morphologie der Erdoberfläche. 3. Aufl. Mit einem alphabetischen Register u. 2 Steintaf. gr. 8. (VIII, 215 S.) Leipzig 878. Duncker & Humblot. n. 5. —

— neue Probleme der vergleichenden Erdkunde als Versuch e. Morphologie der Erdoberfläche. 4. Aufl. Mit e. alphabet. Register u. 2 Steintaf. gr. 8. (VIII, 215 S.) Ebend. 883. n. 5. —

— europäische Staatenkunde. Mit einem Anh.: Die Vereinigten Staaten von Amerika. Mit Benutzung der hinterlassenen Manuscripte nach den Orig.-Quellen bearb. von Otto Krümmel. 1. Bd. 1. Abth. gr. 8. (XX, 425 S.) Ebend. 880. n. 9. —

— die Theilung der Erde unter Papst Alexander VI. u. Julius II. gr. 8. (40 S.) Ebend. 871. n. — 60

Peschel Oscar: Die Theilung der Erde unter Papst Alexander VI und Julius II. Leipzig 1871. 40 S.
an: Peschel: Abhandlungen zur Erd- und Völkerkunde. [1.] 1877. 8°.

—— Völkerkunde. 1.—3. unveränd. Aufl. gr. 8. (XII, 570 S.) Ebendas. 874—76. *

— Völkerkunde. 4., unveränd. Aufl. gr. 8. (XII, 570 S.) Ebend. 877. n. 11. 20

—— Völkerkunde. 5. Aufl., bearb. von Alfr. Kirchhoff. 5 Lfgn. gr. 8. Ebendas. 881. [1.—3. Lfg. (S. 1—272.) à *ℳ 2.; 4. und 5. Lfg. (XII, S. 272—546.) *ℳ 5,20.] *

— Völkerkunde. 6. Aufl., bearb. v. Alfr. Kirchhoff. Mit e. Namen- u. Sachverzeichnis. gr. 8. (VIII, 596 S. m. 1 Tab.) Ebend. 885. n. 12. —; geb. n. 14. —

Peschel, Osc., Völkerkunde. 7. Aufl. Unveränd. Abdr. d. Urtextes. M. e. Vorwort von Ferd. Frhrn. v. Richthofen. gr. 8. (XIV, 570 S. m. Bildn.) Leipzig 897. Duncker & Humblot. n. 10. —; geb. n. 12. —

— über e. italienische Weltkarte aus der Mitte d. 16. Jahrh. [Aus: „Jahresber. d. Vereins v. Freunden der Erdkunde zu Leipzig."] gr. 8. (6 S. m. e. Chromolith. in qu. Fol.) Leipzig 872. Hinrichs' Verl. in Comm. n. 1. —

Peschel, Otto [aus Unruhstadt]: (Aus d. Klinik d. Herrn Geheimrat Gerhardt.) Untersuchungen über den Eiweissbedarf des gesunden Menschen. . . . Berlin, Buchdr. v. G. Schade, *1890;* 84 S., 1 Bl. 8°
Berlin, Med. Fak., Inaug.-Diss. v. 20. Dez. 1890

Peschel, *Emil* Paul [aus Klein-Tinz bei Liegnitz]: Psoriasis und Gelenkrheumatismus ... Berlin, Buchdr. v. G. Schade, *1897;* 47 S. 8.
Berlin, Med. Fak., Inaug.-Diss. v. 12. März 1897

Peschel, W., s.: Goldberg, die Stadt, u. ihre Umgebung.

Das große philosophisch-theologische Problem. Von W. Peschel. *Reval: Selbstverl.; Emden: A. Gerhard in Komm. 1899.* (80 S.) 8° [F.] (03. 3494

Peschel, W. E., englische und deutsche Aufgaben zum Lesen und Uebersetzen. Eine Sammlung ausgewählter Stücke aus den Werken englischer und deutscher Prosaiker und Dichter mit einem reichhaltigen Wörterverzeichniß. — English and German exercises for reading and translating. Dresden 862. Kuntze. gr. 8. (XVI, 262 S.) n. 25 ngr.

Peschel, W. E., english and german exercises for reading and translating. A selection of pieces in prose and verse from the best authors, with a copious vocabulary. 2. ed. revised and enlarged. — Englische u. deutsche Aufgaben zum Lesen u. Uebersetzen. Eine Sammlung ausgewählter Stücke aus den Werken engl. u. deutscher Prosaiker u. Dichter, mit einem reichhaltigen Wörterverzeichniß. 2. verb. u. verm. Aufl. Dresden 870. Kuntze. gr. 8. (XVI, 269 S.) geb. n. 5 ngr.

Peschel, W. E., vollständige englische Sprachlehre für Schulen und zum Selbstunterricht. Nach leicht faßl. Methode bearb. gr. 8. (VIII und 358 S.) Dresden 861, Kuntze.

—— vollständige englische Sprachlehre für Schulen und zum Selbstunterricht. Nach leicht faßl. Methode bearb. 2., verm. und verb. Aufl. gr. 8. (XII und 352 S.) Dresden 868, Kuntze. geb. *

Peschel, W. Emil, s. Körner's, Thdr., Tagebuch u. Kriegslieder aus dem J. 1813.

Peschel, W. Emil, u. Eug. Wildenow, Theodor Körner u. d. Seinen. M. vielen Abb. in u. außer dem Texte, Facsimiles u. 2 Karten. 2 Bde. gr. 8. (X, 401 u. IV, 271 S.) Leipzig 898. E. A. Seemann. n. 12. —; geb. n. 15. —

Peschel

— **Wilhelm Ottobald** (Zittau), De methodis hydrocelen curandi variis. Diss. chir. Leipzig (J. Ch. Ackermann) 14. VI. 1852. 27 S. mit Biogr. (M.: H. A. Gössel). (3.25) 26113
Gew.: Friedrich Herberg.

Peschell. Karte vom Grossherzogthum Posen. Aus der Gillyschen Karte von Südpreussen reducirt. Posen. 1 Bl. c. K.

Peschges, Werner [aus Köln a/Rh.]: Beitrag zur Kenntnis der Amidine ... Erlangen, k. b. Hof- u. Univ.-Buchdr. v. F. Junge, 1896; 42 S., 1 Bl. 8.
Erlangen, Phil. Fak., Inaug.-Diss. v. 24. Apr. 1896

Peschic, Swetosar, a. Nisch in Serbien: Zur Ätiologie der Poliomyelitis acuta infantum. Berlin (1905): G. Schade. (28 S.) 8°
Berlin, Med. Fak., Ref. Heubner, Diss. v. 28. Nov. 1905
[Geb. 10. Sept. 81 Nisch, Serbien; Wohnort: Nisch; Staatsangeh.: Serbien; Vorbildung: Gymn. Nisch Reife Juni 99; Studium: Berlin 11 S.; Rig. 22. Mai 05.]

Peschier, Chemische Untersuchungen über das Titan. (Der naturforsch. Ges. zu Genf mitgetheilt im Januar 1823.) (Aus der Bibl. univers., B. 26, Heft Mai 1821, übersetzt von Dr. Meissner.) (Aus: Journ. f. Chem., N. R. 12. B., 2. H.)

Peschier, A., Causeries Parisiennes, s. **Coursier, E., Manuel de la conversation française et allemande.**

Peschier, A., Causeries parisiennes. Recueil d'entretiens propres à servir de modèles aux étrangers qui veulent se former à la conversation française. 1. Édit. (8⅛ B.) 844, 10 Ngr. et 2. édit., augmentée de nouvelles causeries et adaptée à l'usage de la jeunesse. 8. (8½ B.) Stuttgart 846, Neff.

Peschier, A., Causeries Parisiennes. Recueil d'entretiens propres à servir de modèles aux étrangers qui veulent se former à la conversation française. 3. Édit. (XIV und 118 S.) 1848. und 4. Édit., revue et augmentée de la traduction en Allemand de tous les passages difficiles. 8. (XIV und 111 S.) Stuttgart 851, Neff. -

Peschier, A., Causeries Parisiennes. Recueil d'entretiens propres à servir de modèles aux étrangers qui veulent se former à la conversation française. 5. Edition, revue et augmentée de la traduction en allemand de tous les passages difficiles. 8. (XIV und 110 S.) Stuttgart 852, Neff. -

Peschier, A., Causeries Parisiennes. Recueil d'entretiens propres à servir de modèles aux étrangers qui veulent se former à la conversation française. 7—9. Édit. augmentée de la traduction en allemand et d'une table alphabétique de tous les gallicismes. 8. (XXIII und 124 S.) Stuttgart 857—61, Neff. -

—— dass. — 9. Edit. augmentée de la traduction en anglais et d'une table alphabétique de 1200 gallicismes. 8. (XX und 125 S.) Ebendas. 861. -
Vgl.: Coursier, Ed., Handbuch der französischen und deutschen Conversationssprache.

Peschier, A., causeries Parisiennes. Recueil d'entretiens propres à servir de modèles aux étrangers qui veulent se former à la conversation française, avec la traduction en allemand et une table alphabétique de tous les gallicismes. 9. édit. augmentée de la traduction en allemand etc. 861. — 10. édit. revue et augmentée. Stuttgart 863. Neff. 8. (XXIII, 128 S.) 11¼ ngr.

Peschier, A., Causeries Parisiennes. Recueil d'entretiens propres à servir de modèles aux étrangers qui veulent se former à la conversation française, avec la traduction en allemand et une table alphabétique de tous les gallicismes. 10. et 11. édit. revue et augmentée 1863,66, et 12. édit. entièrement refondue. 8. (XXIII und 148 S.) Stuttgart 868, Neff.

Peschier, A., causeries Parisiennes. Recueil d'entretiens propres à servir de modèles aux étrangers, qui veulent se former à la conversation française, avec la traduction en Allemand et une table alphabétique de tous les Gallicismes. 14. éd. gr. 16. (VIII, 139 S.) Stuttgart 873. Neff. 1. 13

— dasselbe, s.: Coursier, E., Handbuch der französ. u. deutschen Conversationssprache.

Peschier, A., causeries parisiennes. Recueil d'entretiens propres à servir de modèles aux étrangers qui veulent se former à la conversation française. Avec la traduction en allemand et une table alphabétique de tous les gallicismes. 16. éd. Revue et corrigée d'après le Dictionnaire de l'Académie française de 1878. 12. (X, 139 S.) Stuttgart 881. Neff. n. 1. 15

— dasselbe. s.: Coursier, E., manuel de la conversation française et allemande.

Peschier, A., Causeries parisiennes. Recueil de dialogues à l'usage des étrangers qui veulent se former à la conversation française. 17. éd., entièrement refondue par P. Banderet. 12. (VII, 133 S.) Stuttgart 900. P. Neff Verl. 1.15; geb. in Leinw. 1.25

Causeries Parisiennes. Recueil de dialogues à l'usage des étrangers qui veulent se former à la conversation franç. par A[dolphe] **Peschier,** Prof. 17e éd. entièrement refondue par P[aul] Banderet. Prof. Berlin-Schöneberg. G. Langenscheidt 1907. (VII, 132 S.) 8° [illegible]

Peschier, A., causeries parisiennes. Recueil de dialogues à l'usage des étrangers qui veulent se former à la conservation française. 18e éd., entièrement refondue par Rob. du Maroussem. (VII, 122 S.) kl. 8. Berlin-Schöneberg 908. Langenscheidt's Verl. 1.15; geb. 1.25

— s.; Chefs-d'oeuvre des classiques français.

—— Correspondance familière ou lettres la plupart inédites, propres à former le style épistolaire. 8. (18 B.) Wien 846, [Tendler u. Comp.]

—— Correspondance familière ou lettres la plupart inédites, propres à former le style épistolaire. 2. Édit. 8. (VIII und 280 S.) Vienne 848, Tendler und Comp.

— correspondance familière ou lettres la plupart inédites, propres à former le style épistolaire. 2. édit. Vienne (853.) Tendler et Co. 8. (VIII, 280 S.) n. 20 ngr.

—— le coeur d'une mère. Choix de lettres de Mme. de Sévigné, avec des notes grammaticales, historiques et littéraires à l'usage des écoles. 8. (VIII und 204 S.) Stuttgart 855, Neff.

Peschier, A., Cours de littérature française. gr. in-8. (22¾ B.) Stouttgart et Tubingue 839, Cotta.

— s. Coursier, Ed., manuel de la Conversation.

Peschier, A., Discours prononcé à l'ouverture du Cours de Littérature française. gr. in-8. (2 B.) Francfort s. M. 831, Schmerber.

—— Entrétiens familiers à l'usage des écoles et des personnes qui étudient le français, servant d'introduction aux Causeries Parisiennes. Avec des notes en allemand. 8. (VIII und 115 S.) Stuttgart 861, Neff.

—— Esprit de la conversation franç., ou recueil de plus de deux mille Gallicismes à l'usage des étrangers qui veulent se perfectionner dans l'étude du Français, avec la traduct. anglaise et allem. en regard. 1. et 2. Livr. Breit 8. Stuttgart et Tübingen, Cotta. [1. (4¼ B.) 837. ⅜ Thlr., 2. (6½ B.) 838. ⅔ Thlr.]

—— Esprit de la conversation française ou recueil des gallicismes avec la traduction anglaise et allemande en regard. Nouvelle édition entièrement refondue, et augmentée de notes grammaticales, historiques et littéraires. 8. (VIII und 384 S.) Stuttgart 855, libr. Cotta.

— esprit de la conversation française. Recueil de gallicismes avec la traduction angl. et allem. en regard. 3. édit., rédigée sur un plan entièrement neuf, et suivie d'un petit vocabulaire des excentricités de language moderne. Stuttgart 864. Cotta. 8. (XVI, 312 S.) 1 ℛ

—— Gallicismes dialogues. Französ. Gespräche, welche sich in Gallicismen und andern Schwierigkeiten der französ. Sprache bewegen. Mit der deutschen Uebersetzung zur Seite. Ein Uebungsbuch für französisch Lernende. 8. (VI und 156 S.) Stuttgart 847, Neff.

— gallicismes dialogués. Französische Gespräche, welche sich in Gallicismen u. anderen Schwierigkeiten der französ. Sprache bewegen. Mit der deutschen Uebersetzg. zur Seite. Ein Uebungsbuch f. Französisch Lernende. 2., gänzlich umgearb. Aufl. gr. 16. (VIII, 160 S.) Stuttgart 872. Neff. 1. 20

— Histoire de la littérature allemande, depuis les temps les plus reculés jusqu'à nos jours, précédée d'un parallèle entre la France et l'Allemagne, et suivie d'une table analytique des matières. Tome I. et II. gr. in-8. Paris 836. (Francfort, Schmerber.) n. 3⅓ ℛ

— s. Mozin, französ. Wörterbuch.

— der Parasit, s.: Auswahl deutscher Bühnenstücke.

— s. v. Stolterfoth, Album du Rhin. — dess. Description de Mayence. — dess. Description de Wisbade. — dess. Description du Rheingau.

—— Supplément au dictionnaire complet des langues française et allemande de Mozin. gr. Lex.-8. (IV und 489 S.) Stuttgart 859, Cotta'sche Buchh. *

Peschier, A., traits mémorables propres à former le coeur et l'esprit. Lectures françaises à l'usage des écoles et des pensionnats avec des notes explicatives en allemand et en français. Stuttgart 855. Neff. 8. (VIII, 229 S.) 15 ngr

—— Wörterbuch der französischen und deutschen Sprache enthaltend eine Auswahl erläut. Beispiele, mit besond. Rücksicht auf die in den Naturwissenschaften, dem Handel, dem Eisenbahnwesen und der Telegraphie, wie der Umgangs- und Kunstsprache gebräuchl. Ausdrücke bis zur neuesten Zeit ꝛc. — Dictionnaire de langue française et allemande. — 2 Bde. Lex.-8. Stuttgart 861. 62, Cotta'sche Buchh. [1. Thl. Französisch-deutsch. (X und 639 S.) * 1 Thlr. 18 Ngr., 2. Bd. Deutsch-französ. (IV und 877 S.) * 2 Thlr. 6 Ngr.] *

— Wörterbuch der französischen u. deutschen Sprache. — Dictionnaire des langues française et allemande. 3. Abdr. 2 Bde. Lex.-8. (VI, 639 u. IV, 877 S.) Stuttgart 876. Cotta. n. 12. —

Peschier, Eugène

Peschier, E., Dichterbuch der französischen Schweiz, s. a. Dichterbuch.

Peschier, E., Dichterbuch der französischen Schweiz. Gesammelt u. übersetzt. Basel 865. Georg's Verl. 16. (XXVIII, 362 S.) n. 1 ℛ; mit Photogr. geb. n. 1 ℛ 15 ngr.

Peschier, Eug., Lazarus Geiger. Sein Leben u. Denken. [Aus: „Augsburger Allgemeine Zeitung.") gr. 8. (31 S.) Frankfurt a. M. 871. Auffarth. — 75

Peschier, Eugène, Johann Ludwig Runeberg, ein schwedisch-finnischer Dichter. Gedenkblatt zur Verbindung des bad. und schwed. Fürstenhauses. gr. 8. (125 S.) Stuttgart 881, Metzler'sche Buchh. *

Peschier, Eugène, an zwei Seen. 8. (XV, 375 S.) Konstanz 890. Meck. n. 2. —

— Esaias Tegnér. Sein Leben u. Dichten mit einem Blütenkranz aus seinen lyrischen Gedichten. Festgabe zu dem hundertjähr. Jubiläum des Dichters der Frithiofsage. 8. (110 S.) Lahr 882. Schauenburg. n. 1. —; geb. n. 1. 50

Der Salomonische Tempel. Zur Einweihung der neuen Bauhütte der ▭ Allvater zum freien Gedanken in Lahr 18. Nov. 1888. Von Eug. Peschier. Lahr i. B. [1888]: Pfisterer. 6 S. 8° [Umschlagtit.]
Abgedr. in: Bh. 31 (1888) S. 405—406.
Gedicht.

Peschier, M. A., Discours prononcé à l'ouverture du Cours de Litterature française Decembre 1831. gr. 8. Frankf. 832. Schmerber. 6 𝒢

Peschka, D. M., Hilfsbuch zur Zustandebringung der allerhöchsten Orts gestatteten freiwilligen Ablösung der Naturalfrohnen u. Naturalzehenten, nebst eigenen Ansichten hierüber. gr. 8. (32 S.) Wien 848, Beck. ⅙ ℛ

— der herrschaftl. Privatbeamte mit Rücksicht auf seine gegenwärtige Stellung u. mit Rücksicht auf künftige Staatsdienste. Zeitgemäß dargestellt. gr. 8. (16 S.) Wien 848, Wallishausser. 2 ngr

Peschka, Gust. Ad. V., Beitrag zur Theorie der Normalenflächen. [Mit 1 (lith.) Taf.] [Aus: „Sitzungsber. d. k. Akad. d. Wiss."] Lex.-8. (35 S.) Wien 880. (Gerold's Sohn.) n. — 80

Peschka, Gust. Ad. V., elementarer Beweis des Pohlke'schen Fundamentalsatzes der Axonometrie. Lex.-8. (13 S. mit 1 lithogr. Taf.) Wien 878, (Gerold's Sohn.) *
Aus: Sitzungsberichte der k. Akademie der Wissenschaften, besonders abgedruckt.

Peschka, G. A. v. Über die Dampfkessel-Explosion in der Fabrik Pintner in Brünn. 1867.

— Dimensionirung von Maschinentheilen, welche im Maschinenwesen eine vielseitige Verwendung finden. Ebend. 869. gr. 8. (84 S.) n. 16 ngr.

—— kotirte Ebenen [kotirte Projektionen] und deren Anwendung. Vorträge. Zum Gebrauche für Ingenieure, für höhere Lehranstalten und zum Selbststudium. gr. 8. (XIII, 193 S. mit 47 lithogr. Taf.) Brünn 877, Buschak und Irrgang. *

Peschka, Gust. Ad. V., neue Eigenschaften der Normalenflächen für Flächen 2. Grades längs ebener Schnitte. [Mit 8 (lith.) Taf.] [Aus: „Sitzungsber. d. k. Akad. d. Wiss."] Lex.-8. (27 S.) Wien 882. (Gerold's Sohn.) n. 2. —

Peschka, G. A. v. Ueber Formänderungen prismatischer Stäbe durch Biegung. Brünn 1868.

—— darstellende und projective Geometrie nach dem gegenwärtigen Stande dieser Wissenschaft mit besond. Rücksicht auf die Bedürfnisse höherer Lehranstalten und das Selbststudium. 4 Bde. gr. 8. Ebendas. [1. Bd. (XVIII, 578 S. mit 1 Atlas von 34 lithogr. Taf. in qu. Fol.) 883. *M 18.; 2. Bd. (XVIII, 576 S. mit 1 Atlas von 11 lithogr. Taf. in qu. Fol.) 884. *M 17.; 3. Bd. (XIV, 792 S. mit 1 Atlas von 42 lithogr. Taf. in qu. Fol.) 884. *M 24.; 4. Bd. (XIV, 607 S. mit 1 Atlas von 30 lithogr. Taf. in qu. Fol.) 885. *M 21.] *

Peschka, Gust. Ad. V., darstellende u. projective Geometrie nach dem gegenwärtigen Stande dieser Wissenschaft, m. besond. Rücksicht auf die Bedürfnisse höh. Lehranstalten u. das Selbststudium. 1. Bd. 2. umgearb. u. erweit. Aufl. Mit e. Atlas v. 43 lith. Taf. (in qu. Fol.). gr. 8. (XXI, 719 S.) Wien 899. F. Deuticke. n. 14. —

Peschka, Gust. Ad. V., der Indicator u. dessen Anwendung. Mit e. lith. Taf. [Aus: „Zeitschrift d. mähr. Gewerbevereins."] gr. 8. (30 S.) Brünn 871. (Winiker.) n. 1. 60

Peschka, Gust. Ad. V., Constructions-Verhältnisse der Schiebersteuerungen für Dampfmaschinen. Brünn 869. (Winiker.) gr. 8. (27 S. mit eingedr. Holzschn.) n. 8 ngr.

— Normalenfläche einer Developpablen längs ihres Durchschnittes mit einer krummen Fläche. [Aus: „Sitzungsber. d. k. Akad. d. Wiss."] Lex.-8. (10 S.) Ebend. 881. n.n. — 25

— Normalenflächen längs ebener Flächenschnitte. [Mit 4 (lith.) Taf.] [Aus: „Sitzungsber. d. k. Akad. d. Wiss."] Lex.-8. (52 S.) Ebend. 880. n. 2. 50

— u. Em. Koutny, freie Perspektive in ihrer Begründg. u. Anwendung. Mit 336 (eingedr.) Holzchn. Hannover 868. Rümpler. gr. 8. (XVII, 434 S.) n. 3 ₰ 10 ngr.

Peschka, Gust. Ad. V., freie Perspektive [centrale Projektion] in ihrer Begründung und Anwendung, mit besonderer Rücksicht auf die Bedürfnisse höherer Lehranstalten und das Selbststudium. 2. vollständig umgearb. und verm. Aufl. 1. Bd. gr. 8. (XXIII, 336 S. mit 13 lithogr. Taf.) Leipzig 888, Baumgärtner's Buchh. *M 14.—; geb. *

Peschka, Gust. Ad. V. Freie Perspektive [centrale Projektion] in ihrer Begründung u. Anwendung, m. besond. Rücksicht auf die Bedürfnisse höherer Lehranstalten u. das Selbststudium. 2. vollständig umgearb. u. verm. Aufl. 2. Bd. Mit 30 Textfig. u. 16 lith. Taf. gr. 8. (XX, S. 337—664.) Lpz. 889, Baumgärtner. * 14 — geb. * 16 —

1. Bd. Ebd. 1888. * 14 —; geb. * 16 —.

—— freie schiefe Projection. Lex.-8. (24 S. mit 1 lithogr. Taf.) Wien 877, (Gerold's Sohn.) *
Aus: Sitzungsberichte der k. Akademie der Wissenschaften, besonders abgedruckt.

—— kotirte Projectionsmethode [kotirte Ebenen] und deren Anwendung. Zum Gebrauche für Militär- und Civil-Ingenieure, für höhere Lehranstalten und zum Selbststudium. 2. (Titel-)Ausg. gr. 8. (XIII, 193 S. mit 47 lithogr. Taf.) Brünn 882, [Buschak und Irrgang.] Irrgang. *

Peschka, G. A. v.: Theorie des Differenzial-Flaschenzuges. Brünn 1866.

Peschka, G. A. v.: Ursachen der Dampfkessel-Explosion. Brünn 1867.

Peschkau, Emil, am Abgrund, s. Universal-Bibliothek Nr. 2219.

Peschkau, Emil, die Aermsten, s. Kürschner's Bücherschatz.

[F.] Die Aermsten. Lebensbild v. Emil Peschkau. M. Ill. v. MartinRänike. *Berlin, Eisenach, Leipzig: H. Hillger [1897].* (128 S.) 1 Bd 8.
= Bücherschatz, Kürschners. No 65. [98. 4697

Peschkau, Emil, Ein- u. Ausfälle. Allerlei Humore. 8. (126 S.) Frankfurt a/M. 883. Koenitzer. n. 1. 50

— Suzons Ende, s. Universal-Bibliothek.

Suzons Ende. Novelle von Emil Peschkau. Leipzig: Reclam jun. [1909]. 93 S. 8°
(Universal-Bibliothek 5112.) [09. 14494

— unsere lieben Frauen. Allerlei Humore. gr. 8. (III, 144 S.) Berlin 895. Freund & Jeckel. n. 2. —

— Friedburg. Zwei Tanten. 2 Novellen. 8. (122 S.) Ebend. 883. n. 1. 50

— Furcht vor d. Leben. Ein Politiker, s. Michow-Bücher, Bd. 3.

Furcht vor dem Leben. Ein Politiker. Zwei Novellen v. Emil Peschkau ... *Charlottenburg: A. Michow 1897.* (128 S.) 1 Bd 8.
= Michow-Bücher. Bd III. [98. 2726

Peschkau, E., lehrreiche Geschichten, s.: Zehnpfennig-Bibliothek.

— aus Herz u. Welt. Allerlei neue Humore. gr. 16. (297 S.) Leipzig 885. Liebeskind. n. 3. —

Peschkau, Emil, Lebensrätsel. Neue Novellen. (Der schwerste Kampf. — Zur Psychologie der Liebe. — Der Studienkopf. — Rohrdommeln. — Gretchen.) 8. (V, 353 S.) Berlin 893. [J. H. Schorer.] Leipzig, Paul List. n. 4. —; geb. 6. —

Peschkau, Emil, Leidenschaft. Löwenherz, s. Kürschner's, Jos., Bücherschatz.

Leidenschaft. Löwenherz. 2 Novellen von Emil Peschkau. Mit Ill. von W. Roegge. *Berlin, Eisenach, Leipzig: H. Hillger [1902].* (108 S.) 8° [F.]
= Bücherschatz, Kürschners. No 322. [02. 600

– Ein moderner Märtyrer,
s.a. Kürschner's, Jos. Bücherschatz

Peschkau, Emil: Ein moderner Märtyrer. Schlosszauber. 2 Novellen von –. Mit Ill. von A. Jaumann. Berlin, Eisenach, Leipzig: H. Hillger [1901]. (128 S.) 8°
Bücherschatz, Kürschners. No 236.

– Allerlei Menschen. Helden,
s.a. Kürschner's, Jos. Bücherschatz

Peschkau, Emil: Allerlei Menschen Helden. Zwei Novellen von Emil Peschkau. Mit Ill. von R. A. Jaumann. Berlin, Eisenach, Leipzig: H. Hillger [1899] (128 S.) 8°
Bücherschatz, Kürschners. No 140.

— Miniaturen. Ernste u. heitere Geschichten. 8. (119 S.) Frankfurt a/M. 884. Sauerländer. n. 1. —

— Narren u. Närrchen. Allerlei Humore. 8. (157 S.) Berlin 897. Freund & Jeckel. n. 2. —

— Herr u. Frau Pieps. 2. Aufl. 8. (VII, 308 S.) Dresden 886. Pierson. n. 3. —

— die Primadonna u. andere Humoresken, s.: Eckstein's humoristische Bibliothek.

—— die Prinzessin, s. Universal-Bibliothek Nr. 1801.

— moderne Probleme, s.: Universalbibliothek.

Peschkau, Emil, das Rätsel e. Nacht, s.a. Kürschner's Bücherschatz.

Das Rätsel einer Nacht. Roman von Emil **Peschkau**. Mit Ill. von A. Lewin. Berlin, Leipzig: H. Hillger [1907]. (96 S.) 8° [F.]
— Bücherschatz, Kürschners. No 543. 07. 13359

— Frau Regine, s.: Engelhorn's allgemeine Roman-Bibliothek.

Peschkau, Emil
Die Reichsgrafen von Walbeck. Roman. Aus der Gegenwart.
Frankfurt a.M.: Sauerländer 1884. 321 S. 8°

— ein Reise-Abenteuer, s.a. Novitäten-Bühne, Frankfurter.

— ein Reise-Abenteuer. Schwank in 1 Aufzuge. 8. (24 S.) Frankfurt a/M. 883. (Berlin, M. Böhm.) 1. —

Peschkau, Emil, Noras Roman, s.: Engelhorn's allgemeine Romanbibliothek.

— die Siegerin, s.: Goldschmidt's Bibliothek f. Haus u. Reise.

— Familie Skram. Roman. 8. (208 S.) Leipzig (899). Ph. Reclam jun. n. 3. —; geb. n. 4. —

—— Sommersprossen. Neue Humoresken. 8. (135 S.) Frankfurt a. M. 884, Sauerländer's Verlag. *

— Sommersprossen. Neue Humoresken. 8. (135 S.) Frankfurt a/M. 886. Sauerländer. n. 1. —

— die Stadtfrauba s. Roman. 8. (221 S.) Ebd. (902). n. 3. —; geb. n. 4. —

— Traum u. Leben. Gedichte. 16. (VIII, 131 S.) Ebend. 884. geb. m. Goldschn. n. 3. —

Peschkau, Emil, Traumdeutung, s.: Unterhaltungsbücher, neue, f. Stenographen. Nr. 8.

— hinter dem Vorhang. Neue Novellen. 8. (200 S.) Halle 884. Abenheim. n. 3 —

—— die Reichsgrafen v. Walbeck. Roman aus der Gegenwart. 8. (VII, 321 S.) Frankfurt a. M. 884, Sauerländer's Verlag. *

— Welt, Weib u. Wagenpferd. Allerlei Humore. 8. (V, 162 S.) Berlin 899. Freund & Jeckel. n. 2. —

— Zeitglossen. Essays, Plaudereien, Satiren. 8. (VI, 243 S.) Leipzig 886. Friedrich. n. 3. —

Peschkau, Karl August Immanuel

Peschkau, Carl August Immanuel (Löbau/Lausitz), De variis modis, quibus locatio conductio finitur. Diss. Leipzig (Staritz) 27. VI. 1822. 52 S. (4.50) 26122

— — Dasselbe. Leipzig (Staritz) 27. VI. 1822. 52 Seiten. (4.—) 26123
Gew.: Ernst Friedrich Carl Emil von Werthern, Johann Gottfried Mueller.

Peschke Abhandlung zur Theorie der Kegelschnitte gehörig. 19 S Figt.
Oppeln, Progr. 1850

Peschke, der Vetter auf Reisen oder Was Er in Berlin wollte? Ein Schlüssel zu den Mysterien der höheren Diplomatie. Berlin 868. (Conrad.) Lex.-8. (8 S.) baar 1⅓ ngr.

Peschke, Berth, die Feuerversicherung (Mobiliarversicherung), s.a. Wager's Bibliothek der Praxis. 3. Bd.

Peschke, B. Die Feuerversicherung (Mobiliarversicherung). Donauwörth o. J.

PESCHKE, Ed., Lied für den Stuverclub in Benischi 1884. Druck v. Wilh. Krommer in Freudenthal.
Verboten v. L.-G. Troppau, 24. October 1884. § 516.

Peschke, Ed., hebräische Syntax f. Gymnasien. 12. (45 S.) Leipzig 892. H. Bredt. Kart. n. — 60

Peschke, Fr., siehe: Apologet, der.

Peschke, Frz., Jesus Christus wahrer Gott. Predigt am 24. Sonnt. n. Pfingsten gehalten. Ein Gegenwort auf die Einwendungen gegen die Gottheit Jesu Christi. gr. 8. (1¼ B.) Breslau 845, Friedr. Aderholz. *

—— offenes Sendschreiben an den Prof. Dr. Regenbrecht, über seine an den Weihbischof D. Latussek gerichtete Erklärung in Betreff seines Ausscheidens aus der röm.-kathol. Kirche. Lex.-8. (3½ B.) Breslau 845, Phil. Aderholz.

(F) **Peschke, J.**, Fünfzig Jahre. Ein Märchentraum. 2. Aufl. [Sonder-Abdruck a. „Österr. Forst- u. Jagdzeitung", 190?.] 8°. (6 S.) † Wien: Frick 1902. * K —.60

Peschke, Jul., u. Fritz Lunzer, unter Verbrechern, s.: Volks-Theater.

Peschke, Karl, kaufmännische Buchführung. Doppelte Buchhaltg. (74 S. Formulare.) Fol. Neutitschein (903). E. Hölzel's Nachf. n. 1. 30

Peschke, Carl, Einj.-Freiw.-Arzt b. Inf.-Reg. No. 51: Aus d. chir. Univ.-Klin. zu Breslau. Über multiple tuberkulöse Darmstenosen. Breslau 1909: Breslauer Genossensch.-Buchdr. 31 S. 8°
Breslau, Med. Diss. v. 15. Jan. 1909, Ref. Küttner
[Geb. 12. Sept. 82 Breslau; Wohnort: Breslau: Staatsangeh.: Preußen; Vorbildung: Gymn. Kattowitz Reife O. 02; Studium: Breslau 10 S.; Coll. 22. Dez. 08; Approb. 30. Juni 08.] [U 09. 571

Peschke, Karl, Vorlageblätter f. d. Grundzüge des Situationszeichnens an Knaben-Bürgerschulen u. verw. Anstalten. qu. 4. (2 lith. Taf. m. 1 Bl. Text.) Neutitschein 897. R. Hosch. n. — 15; kolor. n. — 50

Peschke, Konrad, Arzt zu Neuhaus a. d. Oste: Ein Beitrag zur Casuistik der Scheidenstenose. Leipzig 1906: B. Georgi. (24 S.) 8°
Leipzig, Med. Fak., Ref. Zweifel, Diss. v. 28. Mai 1906
[Geb. 21. Aug. 80 Cammin; Wohnort: Neuhaus a. d. Oste; Staatsangeh.: Preußen; Vorbildung: Gymn. Gartz a. O. Reife O. 00; Studium: Berlin 2, Marburg 3, Berlin 1, Marburg 2, Berlin 1 S.; Coll. 28. Mai 06; Approb. 31. Aug. 05.]

Peschke, Kurt, **die Herausetzung unserer Strafmündigkeit,** sa **Kultur u. Fortschritt.**

Peschke K. die Heraufsetzung unserer Strafmündigkeit. (19 S) (Kultur und Fortschritt 268) Gautzsch 1909

Peschke, Otto, die Petri'sche Methode zur Reinigung städtischer Kanalwässer. Geschichte u. Kritik der Methode m. besond. Berücksicht. der Berlin-Plötzensee'er Versuchs-Anlage. Ein Beitrag zur Frage der Verwendbarkeit v. Torfgrus als Filtermaterial. gr. 8. (28 S. m. 1 Steintaf.) Berlin 884. Polytechn. Buchh. n. 1. 25

Peschke, Paul, eine Pillenaffaire, sa **Theater, kleines. 331. Hft.**

Eine Pillenafaire[!]. Zeitbild in 1 Aufz. von **Paul Peschke**. *Paderborn: B. Kleine [1902].* (15 S.) 8° [F.]
— **Theater,** Kleines. H. 331. [03. 9066

(**A. Peschke Kðedt:**) Preußen und Dänemark. Die Optantenfrage in Nordschleswig. (Prag. 1907.) 8° Ausschnitt aus: Cechische Revue. Jg. 1, H. 6.

Peschkes, Max, aus Krefeld: Ueber einige neue Alkyl- und Acylderivate des Hydroxylamins. *Bonn 1900: C. Georgi.* (55 S.) 8°
Bonn, Phil. Diss. v. 7. Nov. 1900

Peschko, W., u. L. Sonnabend, stufenweisgeordn. Aufgaben-Sammlung für's Tafelrechnen. 3. Hft. 8. (6½ B.) Breslau 842, G. P. Aderholz.
Auflösungen hierzu. 3. Hft. 8. (2¾ B.) 842. 4 Gr.
1. u. 2. Hft. nebst Auflösungen. 1. u. 2. Hft. (erschienen anonym.' Ebendas. 1838—41. 16 Gr. Vgl. Aufgaben-Sammlung. Der Preis des 2. Hfts. ist dort statt 7 Gr. in 5 Gr. abzuändern.

Peschko, W., u. L. Sonnabend, stufenweisgeordnete Aufgaben-Sammlung fürs Tafelrechnen. 1. Hft. Addiren, Subtrahiren, Multipliciren u. Dividiren mit gleichbenannten Zahlen. 3. Aufl. 8. (5¾ B.) Breslau 845, Phil. Aderholz.
Vgl.: 9. Bd. 2. Abthl. S. 117.

Peschko, W., und L. Sonnabend, stufenweis-geordnete Aufgaben-Sammlung fürs Tafelrechnen. Zur Erleichterung des Rechenunterrichts für Schule und Haus bearb. 1. Heft: Addiren, Subtrahiren, Multipliciren und Dividiren mit gleichbenannten Zahlen. 4. Aufl. 1847. und 5., unveränd. Aufl. 8. (IV und 88 S.) Breslau 852, G. P. Aderholz.

Peschkoff, Alexej Maximowitsch = Gorkij, Maxim [Autorname].

Peschl, A. J., die wichtigsten Factoren der Dampfmaschinen. Mit e. Anh. üb. Locomobilen. Für den pract. Gebrauch bearb. 12. (140 S. m. Abbildgn. u. 5 Taf.) Prag 899. F. Řivnáč. n. 2. 40

Die wichtigsten Factoren der Dampfmaschinen. Mit einem Anhange über Locomobilen. Für den praktischen Gebrauch bearbeitet von Ingenieur A. J. Peschl. 1. Ausgabe. Prag 1900. Řivnáč. 8°. 139 S. mit 6 Tafeln. fl. 1.20

Peschl, A. J., d. neue österreichische Patentgesetz v. 1. I. 1897. (R.-G.-Bl· Nr. 30), erläut. unt. Berücksicht. d. abweich. Bestimmgn. in Ungarn. 16. (81 S.) Prag 898. J. G. Calve. n. 1.—

— **Vademecum d. Eisengiessereibetriebes. M. e. Anh. üb. Emailliren. F. den prakt. Gebrauch bearb.** gr. 16. (135 S. m. Abb. u. 1 Bildn) Ebd. 898. n. 1. 60

Peschl, Adf., über Verdampfapparate in Verbindung m. der trockenen Schiebervacuumpumpe m. potenzirter Leistung. 2. Aufl. gr. 8. (23 S. m. 3 Taf.) Prag 886. Calve. n. 2. —

Peschl, J. F., praktisches Handbüchlein der Kaninchen-Zucht od. kurzgefaßte Anleitg. zum sichersten u. gewinnreichsten Betriebe der rationellen Kaninchenzucht in Deutschland, m. besond. Berücksicht. der klimat. Einflüsse auf dieselbe, nebst e. belehr. Anh. üb. die zweckmäßigsten Arten der Zubereitg. d. Kaninchenfleisches. 2. gänzl. umgearb. Aufl. 16. (55 S.) Passau 874. Bucher. — 60

Peschmann, Johann Daniel (Frankfurt/Main), De Judaeo creditore tam ex jure communi quam patrio occasione reform Francof. part. II. tit. XII. Dissert. (!) jur. [Altdorf] (J. W. Kohle) 23. VI. 1733. 28 S. (4.75) 26124

Peschmann, Max, sa **Waldenburg, Max.**

Die Boten. Komische Szene mit Gesang, f. 4 Personen. Von Max **Waldenburg** [d. i. **Peschmann**]. Schweidnitz: G. **Brieger** [1904]. (S. 66–86.) 8° [F.]
— **Waldenburg:** Der Leierkasten. H. 3. [05. 15033 2

Eine Nacht im Panoptikum. Burleske in 1 Aufz. Von **Max Waldenburg** [d. i. **Peschmann**]. Schweidnitz: G. Brieger [1904]. (S. 40–58.) 8° [F.]
— **Waldenburg:** Der Leierkasten. H. 2, [1.] [05. 15031 2

Der Sängerkrieg auf der Narrenburg. Karnevalistisch gewagnertes Musikdrama. ⟨Ein Karnevals-Tafellied.⟩ Von **Max Waldenburg** [d. i. **Peschmann**]. Schweidnitz: G. Brieger [1904]. (S. 60–62.) 8° [F.]
— **Waldenburg:** Der Leierkasten. H. 2, [2.] [05. 15032 2

Spoaß muß sein! Gedichte in schles. Mundart von Max **Waldenburg** [d. i. **Peschmann**]. 2. Aufl. Schweidnitz: G. Brieger [1904]. (84 S.) 8° [F.]
[05. 15035 2

Humoristische Vorträge. Von Max **Waldenburg** [d. i. **Peschmann**]. Schweidnitz: G. Brieger [1904]. (S. 88–130.) 8° [F.]
— **Waldenburg:** Der Leierkasten. H. 4. [05. 15034 2

— **Ulrich Thomas** (Frankfurt/Main), De periculo nominis pupillaris. Disput. jur. Moder. Casp. Achat. Beck. Jena (Fickelscherr) 24. IX. 1729. 40 S. (5.—) 26125

Peschties, E., Quaest. philol. et archaeolog. de Apollonii Rhodii Argonauticis. Diss. 1912. 103 S. 3.—

Peschties, K(urt), Arzt: Aus d. Königsberger chirurg. Universitätsklinik. Direktor: Prof. Dr. Lexer. Über spontane und traumatische Luxationen des Hüftgelenks im Kindesalter. Königsberg i. Pr. 1908: O. Kümmel. (24 S.) 8°
Königsberg, Med. Fak., Ref. Lexer, Diss. v. 5. Juni 1908
[Geb. 9. Okt. 82 Rössel (Ostpr.); Wohnort: Königsberg; Staatsangeh.: Preußen; Vorbildung: Friedrichs-Kollegium Königsberg Reife M. 00; Studium: [illegible]

Pesel, Emma, Puppen-Märchen. gr. 16. (136 S. m. 3 Steintaf.) Hannover 875. (Goslar, Stöckicht.) n. 1. 20

Pesendorfer, Frdr., Grabschriften u. Sprüche f. Sterbebilder, s.: Fest- u. Gelegenheitsgedichte. 7. Bdchn.

Pesendorfer, Frdr. J., Alpenblumen aus Tirol. Ferienbilder. (II. Tl. [u.:] „Beim Pfarrach in Bertsham".) Mit (z. Tl. farb.) Orig.-Illustr. v. Hans Bertle. (IV, 150 S.) 8. Linz 911. Preßverein. 1.70; geb. 2. 10

Pesendorfer, Frdr. J., goldenes Alphabet f. christliche Jünglinge. 1. u. 2. Taus. 12. (173 S.) Wels 893. F. Trauner Geb. in Leinw. n 1. 40; feine Ausg. n. 2. 40

— dasselbe f. christliche Jünglinge. 4. Aufl. 12. (172 S. m. 1 Titelbild.) Ebd. 899. Geb. in Leinw. n. 1. 40; feine Ausg. n. 2. 40

Pesendorfer, Frdr. J., goldenes Alphabet f. christliche Jünglinge. 7. Aufl. (172 S. m. farb. Titelbild.) kl. 8. Urfahr 902. Linz, Preßverein. Geb. in Leinw. n. 1. 40; feine Ausg. n. 2. 40

Pesendorfer, Frdr. J. Goldenes Alphabet f. christliche Mädchen. 12. (VII, 119 S.) Wels 892, Trauner. geb. in Leinw. m. G. 2 40

— dasselbe. 3.—5. Aufl. 12. (131 S. m. Titelbild.) Ebd. 893—895. Geb. in Leinw. n. 1. 40; feine Ausg., geb. in Leinw. n. 2. 40

Pesendorfer, Frdr. J., goldenes Alphabet f. christliche Mädchen. 7. Aufl. 12. (128 S. m. 1 Titelbild.) Linz-Urfahr 899. Verlag des kathol. Preßvereines. Geb. in Leinw. n. 1. 40; feine Ausg. n. 2. 40

— dasselbe f. christliche Mädchen. 14. Aufl. (128 S. m. Titelbild.) kl. 8. Ebd. 903. Geb. in Leinw. n. 1. 40; feine Ausg. n. 2. 40

— Goldenes Alphabet f. christl. Mädchen. 18.—20. Aufl. (128 S. m. Titelbild.) kl. 8. Ebd. 911. Geb. in Leinw. 1.40; feine Ausg. 2. 40

— s.: Ave Maria-Kalender.

— das gute Beichtkind. Ein Beichtbüchlein f. Kinder. 16. (110 S. m. Titelbild.) Winterberg 899. J. Steinbrener. Geb. in Leinw. m. Goldschn. n. — 50

— Donauperle, s.: Zöhrer, Ferd.

— der kirchliche Festdichter, s.: Fest- u. Gelegenheits-Gedichte.

Pesendorfer, Frdr. J., Fest- u. Gelegenheitsgedichte. E. reichhalt. Sammlg. von meist Orig.-Gedichten zu d. verschiedensten festl. Gelegenheiten. (1. Bdchn.) D. kirchl. Festdichter. Festgedichte u. Prologe zu Papst-, Bischof- u. Priesterfeierlichkeiten u. zu kirchl. Festlichkeiten aller Art. 8. (184 S.) Linz-Urfahr 897. Verl. d. kathol. Preßvereins. n. 1. 50

— dasselbe, s. a. Fest- u. Gelegenheits-Gedichte.

— das wahre Glück d. christl. Ehe, s. a. Volksbibliothek, kathol. Nr. 6.

— das wahre Glück der christlichen Ehe. Ein Belehrungsbüchlein f. Braut- u. Eheleute. 3. Aufl. 16. (75 S.) Ravensburg 894. Dorn. n. — 50

— Immaculatarosen. Neue Mariengedichte, zum Kranze gewunden zu Ehren der unbefleckten allerseligsten Jungfrau Maria. 12. (143 S. m. 1 Stahlst.) Wels 893. F. Trauner. Geb. in Leinw. m. Goldschn. n. 3. 60

— dasselbe. 2., verm. Aufl. 12. (145 S. m. 1 Stahlst.) Ebd. 894. Geb. in Leinw. n. 2. —; feine Ausg., geb. in Leinw. m. Goldschn. n. 3. 60

— der Inschriftendichter, s. a. Fest- u. Gelegenheits-Gedichte.

(F) **Pesendorfer,** F., Inschriftendichter. 1. Teil. [Fest- und Gelegenheitsgedichte. 14. Bd.] 8°. (VII, 160 S.) K 2.— Pressverein Linz a. D. 1905.

— Der Jungfrau Liliengarten. Lehr- u. Gebetbuch f. Jungfrauen aller Stände. Hrsg. nach dem Mskr. e. kathol. Lehrerin. (640 S. m. farb. Titel u. Titelbild.) 12,5×8 cm. Linz 907. Preßverein. Geb. in Leinw. 1.80; in Ldr. m. Goldschn. 2. 70

— Auf des Welterlösers Pfaden. Gedenkbuch an den 3. oberösterr. Pilgerzug ins Hl. Land April 1910. (Einbd.: 3. oberösterreich. Heiligland-Fahrt.) Mit 1 Chromo-Titelbild u. 385 Text-Illustr. in Tondr. (XVI, 400 S.) gr. 8. Ebd. 910. Geb. in Leinw. 6. 25

— beim Pfarrach in Bertsham, s. a. Allerhand aus Volk u. Land. 2. Bd.

PESENDORFER, Friedrich
(F) Beim Pfarrach in Bertsham. Bilder aus Tirol von Friedrich Pesendorfer. Linz-Urfahr. [1900.] Kathol. Pressverein. 8°. VIII, 191 S. mit 5 Tafeln K 2.50

— Reise-Erinnerungen aus dem schönen Frankreich. M. vielen Orig.-Illustr. gr. 8. (IV, 191 S.) Wels 897. F. Trauner. n. 2. 40

— u. Frz. Bichler, in die Siebenhügelstadt. Erinnerungen an die Romfahrt des Wiener Pilgerzuges im März 1903. Mit 2 Titelbildern u. 100 Textillustr. (IV, 186 S.) gr. 8. Linz 903. Preßverein. n. 2. 50

— vom Donaustrand ins hl. Land. Gedenkbuch an den II. oberösterreich. Pilgerzug nach Jerusalem vom 17. IV. bis 8. V. 1904. Im Auftrage des Pilgerkomitees verf. Mit e. Chromo-Titelbild u. 350 Textillustr. in Tondr. (VIII, 502 S. m. 1 Karte.) gr. 8. Linz 905. Preßverein. Geb. in Leinw. n. 5. 85

Peser, A., s.: Rottal, das untere.

Pesikta, s. a. Bibliotheca rabbinica.

Pesikta des Rab. Kahana, d. i. die älteste in Palästina redigirte Haggada. Übertragen von Aug. Wünsche. gr. 8. Lpz. 885. Berl., Felber. * 8 —

Pesikta d. Rab Kahana, d. i. die älteste in Palästina redigirte Haggada. Nach der Buberschen Textausg. zum 1. Male ins Deutsche übertr. u. m. Einleitg. u. Noten versehen v. Aug. Wünsche. gr. 8. (XII, 300 S.) Leipzig 885. O. Schulze. n. 8. —

Pesis, P., die Stadt Dubno u. ihre Rabbiner. Kurze Biographien sämmtl. Rabbiner dieser Stadt vom J. 5360 (1600) bis zur Gegenwart. (In hebr. Sprache.) gr. 8. (36 S.) Krakau 902. (Frankfurt a/M., J. Kauffmann.) n. 1. —

PESKA, Franciscus: De vita et scriptis s. Bedae venerabilis presbyteri et monachi. — (1859) 62 S. 8° (Handschr.) Diss. 189
Diss. Wien, Univ.

Peskin, Aron: Aus d. psychiatr. Abth. d. Kgl. Charité zu Berlin unter Leitung d. Herrn Geh. Rath Prof. Jolly. Ueber eine eigenthümliche Form familiärer Erkrankung des Centralnervensystems. *Berlin: M. Günther (1900).* (29 S.) 8°
Berlin, Med. Diss. v. 4. Dez. 1900

Peśky, B., a J. **Jahn,** naše mohyly. Památka výtečníkům československého naroda. Prag 861. (Rziwnatz.) 16. (IV, 78 S.) nn. 10 ngr.

Pesl, Daniel, a. München: Die Belastung des Erbbaurechtes nach dem Bürgerlichen Gesetzbuch. München 1907: Wild. (65 S.) 8°
Würzburg, Jur. Fak., Ref. Mendelssohn-Bartholdy, Diss. v. 19. Aug. 1907
[Geb. 9. April 77 München; Wohnort: München; Staatsangeh.: Bayern; Vorbildung: Gymn. München Reife; Studium: München 7, Heidelberg 1 S.; Rig. 17. Juli 07.]

Pesl, D., das Erbbaurecht. Geschichtlich u. wirtschaftl. dargestellt. (158 S.) gr. 8. Leipzig 910. Duncker & Humblot. 3. 50

Pešl Theodor: De servorum apud tragicos Graecorum poetas condicione.
H. 1909 PN 2759 Diss. Wien, Univ. 1656

Pesler, Jo. Chrph.: De Botding et Lodding iudiciis Germaniae in primis Marchiae Brandenburgensis antiquissimis. [Resp.:] Jo. Car. Conr. Oelrichs. Traiecti ad Viadr. (1750).
[Beigedr.:]
Pesler, J. C.: De origine vocis Lehnware. (1750.) [Einladungsschrift.]

Pesler, Johann Christoph [Praes.], s. Gutzmar, Joachim Heinrich: De feudo fideicommissario ex jure communi et Mecklenburgico.

Pesler, Johann Christoph [Praes.], s. Hering, Karl Samuel Matthias: De salviano interdicto utili adversus quemcunque rerum oppignoratorum possessorem competente.

Pesler, Johann Christoph [Praes.], s. Jablonski, Johann Ernst: De testamento arcano ad L. XXI. C. de testam.

Pesler, Johann Christoph, Jus fisci mero adhaerens imperio. Präs. Gottfr. Ludw. Mencken. Wittenberg (Hake) Nov. 1735. 44 S. (5.25) 26126

— — Dasselbe. Wittenberg (Hake) Nov. 1735. 44 S. (5.—) 26127
Gew.: Bernhard von Zech.

Pesler, Johann Christoph [Praes.], s. Mencke, Gottfr. Ludwig: Jus cerevisiarium civitatum Saxonicarum ad Milliare omnio restrictum esse demonstrat.

Pesler, Johann Christoph [Praes.], s. Oelrichs, Jo. Karl Konrad: De bonis nobilium juri detractus obnoxiis.

Pesler, Johann Christoph [Praes.], s. Oelrichs, Jo. Karl Konrad: De botding et bodding judiciis Germaniae in primis Marchiae Brandenburgensis antiquissimis.

— — **De origine vocis Lehnware disserit atque ad disput. inaug. viri Jo. Carl Conrad Oelrichs in audit. habendam rectorem acad. etc. invitat.** (Frankfurt/Oder) (5. V. 1750). 12 S. mit Biogr. v. Oelrichs (Berlin) (M.: S. Fr. Eversmann). (4.—) 26128

Pesler, Johann Christoph [Praes.], s. Schwechten, Johann Daniel: De postulato pontificis R. confirmandi electionem regis Romanorum sibi nuntiatam dissertatio II. eaque circularis.

— **series** ducum Carinthiae saec. IX–XIV. docum. prisci aevi conciuu. 4. Viteberg. 740.

JOSEPH PESLMÜLLER. **Musiksatz von Cornel-Schmitt.** (Mit Tafeln.) München. (1909.) Druck u. Verlag von Carl Aug. Seyfried u. Comp. (Carl Schnell.) quer 4°.

Peslmüller, Jos., aus entschwundenen Tagen. 50 echte Volkslieder in Wort u. Weise 15.—19. Jahrh., ausgewählt im Auftrage des Verein's f. Volkskunst u. Volkskunde. Musiksatz v. Cornel. Schmitt. (II, 89 S.) 24×31,5 cm. München (909). C. A. Seyfried & Co. Geb. 4. 80

Pesmarica cerkevna, ali svete pesme, ki jih pojo ilirski Slovenci, in nektere molitvice, litanije in svet krizoven pot, zbral in na svet izdal Matia Majer. 12. (10½ B.) Celovcu 843, Leon.

Pesmarica, Slovenska. Uredil J. Aljaž. V Celovcu. St. Hermagoras-Druck., 1896—1900. 2 Bde.

***Pesme.** Missionske Catholish Karshanske Pejssme. V' Celouci. Kleinmayr, 1752. 114 S. (Verf.: Primus Laurenzhizh S. J.)

Pesme sa Deshelski Bran. V' Zelouzi, Leon, 1809. 12 S.

Pesme po koróshkim ino Shtajarskim snane, enokoljko popravlene ino novo sloshene. Na svetlo dal Matija Ahazel. V' Zelovzi, Leon, 1833. 1. Tl. (Nicht mehr ersch.)

Pesme, Koroshke in Shtajarske, enokoljko popravljene ino na novo sloshene. Na svetlo dal Matija Ahazel. 2. natis. Pomnoshene. V' Zelovzi, Leon, 1838. 174 S. — 3. natis pomnoženi. 1855. 189 S. (1. Aufl. v.: Pesme po Koróshkim ...)

Pesmi, Enokoljko popravlene in na novo zložene. Na svetlo dal Matija Ahacel. 3. natis pomnoženi. Klagenfurt 855. Leon. 8. (165 S. u. 24 lith. S. Musikbeilagen.) 15 ngr.

(Pesmi.) Šestdeset pesem z napevi za cerkev, šolo in kratek čas. Na svetlo dal Leopold Cvek. V Celovcu, Leon, 1854. 112 S.

Pésmi, slovénske, krajnſsiga naroda. gr. 12. Ljubljani 839. (Wien, Wenedikt's Witwe.) ⅜ ℛ

Pesniczki, Serbske, zezberane a Serbskim holcam a holcam kzweselenu wubate wot Czescheczanskich Wiczazec Petra. 16. (2 B.) Budyschine 841, Weller.

Pessachabende, die beiden. Uebersetzt von Dr. R. J. Fürstenthal, begleitet mit erläuternden Vorbemerkungen und homiletischer Betrachtung von Dr. A. Schmiedl. Hebräisch mit schwarzen Abbildungen. 8. (63 S.) Wien, Herzfeld & Bauer. 1867 cart. 15 kr

— — Dasselbe, hebräisch und deutsch mit color. Abbildungen. Ebds. 1867 cart. 35 kr.

Pessarov, Paul. Pom., illuminat. in veritate relig. H. Grotius et I. Cleric. de elig. inter dissent. christian. sententia. 8. Servest. 721.

Pessaritsch, Anton —. Berechnungs-Schlüssel zum Gebrauche bei Getränk-Vorraths-Erhebungen Behufs Ermittlung der Mengen in den nicht vollen Gefäßen. Von — —. Zweite Auflage. 8. (40. S.) Laibach. Verlag des Alois Pessaritsch. Gedruckt bei Josef Blasnik. 1854.

Pessaritsch, Anton —. Raum-Inhalts-Berechnungstafel nach den Abmessungen in Wiener Zollen für zylindrische Gefäße, Bottiche und regelmäßig oder unregelmäßig gebaute Fässer, nebst deutlicher Anleitung zur praktischen Anwendung und einer Abhandlung von der Drittel-Visir. Von — —. Zweite vermehrte und verbesserte Auflage. 8. (3. Bl. 76 S.) Laibach. Verlag des A. Pessaritsch. Gedruckt bei Josef Blasnik. 1854.

Pesselier, Gedanken eines Bürgers von d. Bedürfn. d. Armen. gr. 8. Bamb. Göbhard. 769.

Pesselier, Gedanken eines Bürgers von den Bedürfnissen, Rechten und Pflichten der Armen; aus dem Französisch. von M. J. D. Heide. gr. 8⁰. Bamberg 1769. (Wesché in Frankfurt a. M.)

Pesselier. Pensées d'un bon Citoyen sur les besoins, les droits et les devoirs des vrais pauvres. 8. *Paris* 1765.

Uebersetzt von J. D. Heide. *Bamberg* 1769.

Pessels, Constance, the present and past periphrastic tenses in Anglo-Saxon. Diss. gr. 8. (III, 82 S.) Strassburg 896. K. J. Trübner, Verl. n. 2. —

Pessen, Eug., die Schlussepisode des Rigomerromanes. Kritischer Text nebst e. Einleitg. u. Anmerkgn. (75 S.) 8. Berlin 907. (Mayer & Müller.) 2. —

Pessen, Eugen: Die Schlussepisode des Rigomerromanes. Kritischer Text nebst einer Einleitung und Anmerkungen. Berlin 1907: H. Schiftan. (74 S.) 8°

Heidelberg, Phil. Fak., Ref. Neumann, Diss. v. 11. Sept. 1907

[Geb. 10. Juli 81 Rautenburg (Ostpr.); Wohnort: Soldau; Staatsangeh.: Preußen; Vorbildung: Realgymn. Insterburg Reife O. 01; Studium: Breslau 4, Berlin 6, Heidelberg 1 S.; Rig. 14. Juli 06.]

Pessenbacher, (J. N.,) das Krankenhaus d. Stadt Erding 8. München 824, Fleischmann.

Pesslack, Louise, ins Kinderherz. Gedichte. 8. (XI, 178 S.) Laibach 885. v. Kleinmayr & Bamberg. n. 2. 50

Pessima, Dr. Wenzel — Interessante Ereignisse betreffend die Nepomucenische Hereditát zu Prag, verbürgt durch den Redaktor — —. Prag, 1855. Druck von Friedrich Rohlicek. (IV. 22 S. 8.)

Pessimisten-Brevier. Von einem Geweihten. Extractum vitae. gr. 16. (X, 422 S.) [Berlin 879.] Leipzig, Grieben's Verlag. *

Pessimisten-Brevier. Von einem Geweihten. Extractum vitae. 2. (Titel-)Aufl. 16. (X, 422 S.) [Berlin 881.] Leipzig, Grieben's Verlag. *

Pessina, Ignaz Josef

— s. Alter, das, d. Pferdes.

Pessina, Ignaz Josef Das Alter des Pferdes . , s. Kirtland, Georg

— Anleit. z. Heilung d. Rindviehpest mit d. eisenhalt. Salzsäure. 8. Wien 802. Bmz. 7 gr

Pessina, J. J., Anleitung z. Heilung d. Rindviehpest m. d. eisenhalt. Salzsäure. 8. Wien, Binz. 812.

Anleitung zur Heilung der Viehpest oder Löserdürre mit der eisenhaltigen Salzsäure. Neu bearb. 8. Rostock 08. Stiller. M. – .65

Pessina, Ign. Jos., († d. 14. Febr. 1808.) Anleit. z. Heilung d. Viehpest od. Lösendürre; neu bearb. 8. Leipz. u. Rostock 807. Stiller. 5 gr

Pessina, Ignaz Joseph: Anleitung zur Heilung der Viehpest mit der eisenhaltigen Salzsäure. o. O. 1808. 36 S.

Pessina (von Czechorod), I(gnaz) J(oseph): Über die Erkenntnis des Pferdealters an den Zähnen. Atlasband, Textband hrsg. von (Johann Gottfried Ubald) Fechner, gbd.

Atlasband: Wien: Selbstverlag 1809
Textband: Wien: typ. P.P. Mechitaristen 1810

JB 5.954

Pessina, J. J. Ueber die Erkenntniss des Pferdealters aus den Zähnen. Mit Kupfern. 4. Wien 1811.

Pessina, (J. J.,) über d. Erkenntniß d. Pferdealters aus d. Zähnen. Neue unveränd. Aufl. Mit 9 Kpfr. gr. 4. Wien 824, Schaumburg u. C.

— — Neue unveränderte Ausg. Sst. 1825. 55 S. 9 Tvl. 4⁰.

Pessina v. Čechorod, W. M., heilige Aerzte und Pfleger der Kranken. Prag 859. (Credner.) Lex.-8. (VIII, 79 S. u. 1 lith. Taf.) n. 20 ngr.

Pessina, Wáclaw Mich., Pobožnost k Neposkwrněnému Početj Neysw Panny Marie, Neyblahoslawenėgssj Rodičky Božj, kterauž ze samých swatých Otců wyňal a sestawil. Prag 855. (Credner.) 8. (100 S. u. 1 Lithogr.) n. 5 ngr.

Pessina, Wenzel, die Bischofsweihe in der kathol. Kirche. 12. (107 S. mit 1 Stahlst.) Prag 850. (Credner & Kleinbub.) Mit Goldschn. n. ⅓ ₰

Pessina, Dr. Wenzel —. Leben des heil. Johann von Nepomuck in Liedern. Zum Bewillkommnen der frommen Pilger zum Grabe unseres heil. Landespatrons, herausgegeben von — —. Prag, 1856. Druck von Fr. Rohlicek. (12 S. kl. 8.)

—- Obět' mše swaté, s připogeným swatodennjm pořádkem a četnými wýklady mše swaté. Sestaweno a wzdělano. 12. (IV und 385 S.) Prag 850, (Credner und Kleinbub.) *

—— die Weihe eines Gotteshauses in der kathol. Kirche. 12. (IV und 244 S. mit 1 Stahlst. und 2 Stnt.) Prag 850, (Credner und Kleinbub.) *

Pessl, Franz v.

Pessl, v.: Ueber eine besondere Art magischer Quadrate. 11 S. – Amberg, Progr. 1872.

von Pessl, Franz Ritter [app. Arzt aus Amberg '(Oberpfalz)']: Ueber Vaginal-Cysten ... Dillingen, Buchdr. v. J. Keller, 1892; 22 S. 8.
Würzburg, Med. Fak., Inaug.-Diss. v. 1892

Pessl, H. v., das chronologische System Manetho's. gr. 8. (XI, 268 S.) Leipzig 878. Hinrichs' Verl. n. 6. —

Peßl, B., Postkartenvers'ln, meist in österreichischer Mundart. Neue Ster.-Ausg. 32. (32 S.) Reutlingen (902). Enßlin & Laiblin. — 10

Pessler, anonyme Briefe e. Geistlichen, s.: Fälscher u. Schwindler.

Peßler, B. G.

— Beistand d. Mechanik, um Scheintodte beim Erwachen im Grabe auf d. wohlfeilste Art wieder daraus zu erretten. Mit 1 Kpf. 8. Braunschw. 798.

— Beschreib. u. Abbildd. e. neuen Dreschmaschine. Mit Kpf. 8. Braunschw. 797. (Andreä in Leipz.) 6 ß

Peßler, B. G., Beschreib. u. Abbildung e. neuerfundenen Butterfasses. Mit Kpf. u. e. Anh. 8. Braunschw. 797. 2e A. ... 3e A. 801. (Andreä in Leipz.) 12 gr

Peßler, B. G. Beschr. und Abbildung eines neuerfundenen Butterfasses. 8. Braunschweig. (Bauer in Leipzig.) 801.

Peßler, E., s.: Weihnachten in Lied u. Bild.

Pessler, Ernst, biblische Bilder des Alten u. Neuen Testamentes. Nach Orig.-Zeichnungen, in Oelfarbendr. ausgeführt von Ed. Hölzel's Kunstanstalt in Wien. Im Auftrage d. hohen k. k. Ministeriums f. Cultus u. Unterricht. 32 Blatt in 10 Lfgn. qu. gr. Fol. Wien 878. Hölzel. In Mappe. n. 48. —

Peßler, Heinr., neueste sehr specielle und complicirte Tabelle zur Feststellung der, nach allen nur möglichen Wispelpreisen sich herausstellenden Preis-Beträge für die Unterabtheilungen des Wispels u. des Scheffels. Für den Frucht-, Getreide- u. Mühlenfabrikations-Handel ꝛc. auf's Sorgfältigste u. Gewissenhafteste bearb. Halberstadt 858. (Quedlinburg, Ernst.) 8. (48 S.) 5 ngr

— zuverlässige Tabellen. A. zur Reduction des alten Preußischen Gewichts auf das mit dem 1. Juli 1858 eingeführte neue Preuß. Handelsgewicht, B. zur Reduction der vorkömmlichen Preise von a. 1 Ctnr. d. alten auf 1 Ctnr. neuen Gewichtes, b. 1. Pfd. d. alten auf 1 Pfd. neuen Gewichts, C. zur Feststellung der Preise von den Unterabtheilungen des Centners u. des Pfundes im neuen Preuß. Handelsgewicht. Für den öffentl. Handelsverkehr ꝛc. bearb. Halberstadt 858. (Berlin, Geelhaar.) 8. (68 S.) 7½ ngr

Pessler, Johann Traugott (Wiesenthal), Quaestio controversa an jure prodita sit actio ad petendam mortis causa donationem. Präs. Christian Heinrich Breuning. Leipzig (Walther) 19. IV. 1770. (4.—) 26129

Das Pfarrhaus in Sottrum im Jahre 1813 von Mathilde **Peßler**, geb. Büttner. 2. Aufl. (Hrsg.: Dr. med. Johannes Peßler.) *Hannover: H. Feesche 1903.* (VIII, 154 S.) 8° [F.]
Die 1. Aufl. erschien anonym in Westermanns Ill. Deutschen Monatsheften 1864 u. d. T.: 'Ein Pfarrhaus vor 50 Jahren'. [04. 2680

Peßler, Mathilde, geb. Büttner, das Pfarrhaus in Sottrum im J. 1813. 3. Aufl. (VIII, 152 S. m. 2 Vollbildern.) kl. 8. Hannover 910. H. Feesche. Geb. in Leinw. 2. -

Peßler, Paul, zur Feststellung des Geisteszustandes der Beschuldigten im Strafverfahren (§ 51 R.-Str.-G.-B.; § 81 Str.-Pr.-O.). Kriminalpsychiatrische Plauderei, nebst e. Sammlg. v. Strafrechtsfällen. (IV, 157 S.) 8. Braunschweig 905. J. H. Meyer. n. 2. 40

Peßler, Paul, d. Jagdrecht u. d. Jagdgesetze d. Herzogth. Braunschweig. M. Anh.: D. wichtigsten jagdrechtl. Gesetze d. Reiches u. Preußens. gr. 8. (VII, 253 S.) Braunschweig 895. J. H. Meyer. n. 4. —; geb. n. 4. 80

— dasselbe. 1. Ergänzungsheft. Braunschweig. Gesetz v. 16. Aug. 1895, betr. Abänderg. d. Gesetzes üb. Jagdpolizeiübertretgn. Preuß. Jagdscheingesetz v. 31. Juli 1895. D. f. d. Fischer wichtigsten Bestimmgn. d. braunschweig. Fischereigesetze. 8. (15 S.) Ebd. 895. — 30
(Hauptwerk u. 1. Ergänzungshft.: n. 4. 30)

Peßler, Paul, das Jagdrecht u. die Jagdgesetze des Herzogth. Braunschweig. 2. Ergänzungsheft: Enth. die seit 1895 erlassenen jagdrechtl. Gesetze, Entscheidgn. u. s. w., besonders die durch das bürgerl. Gesetzbuch f. das Deutsche Reich bedingten Abändergn. des braunschweig. Jagdrechts. 8. (III, 48 S. m. 1 Taf.) Braunschweig 900. J. H. Meyer. n. 1. —

— das Jagdrecht u. die Jagdgesetze des Herzogt. Braunschweig. 3. u. 4. Ergänzungsheft. 8. Ebd. n. 3. 40
3. Enth. die Erhebgn. über den Beschluß der Landesversammlung vom 25. III. 1896, betr. Vorlage e. neuen Jagdordng. u. die auf den Beschluß erfolgte Entschließung der herzogl. Landesregierung, d. d. 13. I. 1904, sowie jagdrechtl. Entscheidgn. braunschweig. Gerichte. (52 S.) 904. n. 1. —
4. Enth. Ueberblick, Gesetze, Entscheidgn., Landtagsverhandlgn. Inhaltsverzeichnis zu den Ergänzungsheften I bis IV. (III, 160 S.) 906. n. 2. 40

Peßler, Paul, das Jagdrecht u. die Jagdgesetze d. Herzogt. Braunschweig. 5. Ergänzungsheft. Enth.: Jagdrechtlich-weidmänn. Plauderei, Entscheidgn., preuß. Jagdordng. v. 15. VII. 1907 nebst Ausführungsbestimmgn. (III, 116 S.) 8. Braunschweig 908. J. H. Meyer. 2. —

Peßler, Willi, a. Hannover: Das altsächsische Bauernhaus in seiner geographischen Verbreitung. Mit 171 Illustrationen im Text, 6 Tafeln, 1 Original und 2 Karten, sämtliche Abbildungen sind eigene Aufnahmen des Verfassers. Braunschweig 1906: F. Vieweg. (XVI, 260 S.) 8° [F.] ¶[Erschien im gleichen Verlage im Buchhandel.]
Königsberg, Phil. Fak., Ref. Hahn, Diss. v. 8. Febr. 1906
[Geb. 21 März 80 Riga, Rußland; Wohnort: Königsberg i. Pr.; Staatsangeh.: Preußen; Vorbildung: Lyzeum 1 Hannover Reife O. 99; Studium: Tübingen 1, Berlin 1, Göttingen 2, München 1, Leipzig 3, Königsberg 3 S.; Rig. 26. Juli 05.]

Peßler, Willi, Richtlinien zu e. Volkstums-Atlas v. Niedersachsen. Ein ethnogeograph. Programm. Vortrag, geh. auf der Pfingstkonferenz f. wissenschaftl. Heimatkde. Niedersachsens 1909. (14 S.) 8. Hannover 909. E. Geibel. —60

— Der volkstümliche Wohnbau an der Niederelbe, vornehmlich im hamburgischen Amte Ritzebüttel, sa Mitteilungen aus dem Museum f. hamburg. Geschichte. Nr. 1.

Der volkstumliche Wohnbau an der Niederelbe vornehmlich im hamburgischen Amte Ritzebüttel. Von Dr. Willi **Pessler**. Mit 54 Textbild., 4 Taf. u. 12 Kt. (Hamburg Gräfe & Sillem in Komm. 1909.) 107 S. 4°
(Mitteilungen aus d. Museum f. hamburg. Geschichte. Nr 1.)
(Jahrbuch d. Hamburg. Wiss. Anstalten. Jg. 26, Beih. 5.)

Pest [Schlagwort]

Pest und Ofen Plan von, Pest, G Emich. *1864*
color. auf Leinwand aufgezogen 1 fl. 20 kr.

Pest-Ofen. Plan von, mit einem kurzen Wegweiser. Buda-Pest térképe. Rövid kalauzzal. gr. 4. Chromolithogr. Pest, Ferd. Eggenberger. 45 kr.

Pest-Ofen — Plan der Umgebung von —. Nach einem Orig. der Generalstabs-Abth. der XIII. Tr.-Division 1870. 28,800. 4 Bl.

Pest-Ofen — Umgebung von —. 57,600. Nach einem von d. G. St - Abth. der II. Cav. Div. erh. Orig. im milit. geogr Inst. photolithographirt. Wien 1868. 4 Bl.

Pest, die Umgebungen von. 4 Bl. photolithogr., im Massstabe von 1" = 400°. Wien, k. k. milit. geogr. Instit. Debit bei Artaria & Comp. 1868.

Pest [Sachliches OW]

Pest, von der, s. Chicoyneau.

Pest, v. der, s. Ringebroig.

Pest. Die P' zu Bern 1439. Njbl. Bern 1835 sa[Stierlin, Emanuel].

Pest, Die, zu Bern 1439. **Bern 1835.**
V: *Stierlin, Emanuel.* (ZÜRKL)

Pest, die große, in London, s. Wochenbände.

Pesth und Ofen nebst Umgegend. Dargestellt in malerischen Original-Ansichten nach der Natur aufgenommen von Ludw. Rohbock. Mit historisch-topographischem Text von Joh. Hunfalvy. Pest 859. Lauffer. Lex.-8. (IV, 306 S. u. 24 Stahlst.) n. 6 *ℛ* 20 *ngr.*

(Pest. Die P' in der Schweiz in den Jahren 1564 bis 1566.) Njbl. sa[Meyer, Ferdinand].

Pest, Die Stadt, und ihre Cc gend . . . Pesth 1803. V: *Tobold, Johann.* (EngG) (KU)

Pest-Wien-Brünn-Prerau. Führer für Reisende auf den Eisenbahnen zwischen Pesth, Wien, Brünn und Prerau, s. Brockhaus' Reise-Atlas.

Pesta Hermann: Ein Beitrag zur Würdigung George Crabbes. Diss.Wien, Univ.
D: Wiener Beiträge, Bd. X. 1903.
1896 PN 1027 1932

Pesta, Herm., George Crabbe. sa **Beiträge, Wiener, zur englischen Philologie. X.**

Pesta, Hermann

George Crabbe. Eine Würdigung seiner Werke. Von Hermann Pesta. Wien & Leipzig: Braumüller 1899. Repr.
London: Johnson (1964). VI,71 S. 8°
(Wiener Beiträge zur englischen Philologie. Bd. 10.)
Auch als Diss. Wien.

Pesta, Otto, Beiträge zur Kenntnis parasitischer Copepoden. (11 S. m. 8 farb. Taf. u. 3 Bl. Erklärgn.) 61,5×24,5 cm. Wien 908. A. Hölder. 2.70
Sonderabdr. a.: „Denkschr. d. k. Akad. d. Wiss."

— **Copepodentypen. (Betrachtungen üb. Körperbau u. Lebensweise.) (12 S. m. 2 Taf.) gr. 8. Ebd. 908. —70**
Sonderabdr. a.: „Sitzungsber. d. k. Akad. d. Wiss."

— Zoologische Ergebnisse. 15. Copepoden (1. Artenliste 1890) (mit 5 Textfiguren). Siehe I. Abt. Berichte der Kommission für Erforschung des östlichen Mittelmeeres, 10. Reihe
Separatabdruck

— Zoologische Ergebnisse 17 Die Isopodengattung *Microniscus* (mit 7 Textfiguren). D 85. II. 1 „ 1.65
Enthalten in Berichte der Kommission für ozeanographische Forschungen, 11. Reihe (noch nicht erschienen)
— — 18. Copepoden des östlichen Mittelmeeres (2. und 3. Artenliste, 1891 und 1892) (mit 2 Taf.). D 85. II. 11 „ 2.85
Enthalten in Berichte der Kommission für ozeanographische Forschungen, 11 Reihe (noch nicht erschienen).
Separatabdruck

— Kritik adriatischer Pisa-Arten aus dem Formenkreis armata-gibbsi-nodipes (mit 2 Textfiguren). S 122. I. 223 „ —.60
Separatabdruck

— **Die Isopodengattg. Microniscus, s.: Berichte d. Kommission f. ozeanograph. Forschungen des östl. Mittelmeeres.**

— Notiz über einen bisher aus der Adria nicht bekannten Dekapodenkrebs (mit 1 Textfigur). S. 121. I. 95 „ —.30
Separatabdruck

— Die auf den Terminfahrten S. M. Schiff „Najade" erbeuteten Dekapoden *Sergestes*, *Lucifer* und *Pasiphaea* (mit 1 Farbentaf. und 25 Textfiguren). S. 123. I. 189. „ 2.—
Separatabdruck

Pestalozzi, Ludwig, aus Neuburg a. D.: **Beiträge** zur chemischen Kenntnis des Wismut. 1. Studien über die basischen Wismutnitrate. 2. Über Wismutseleniate und kritische Untersuchungen über die quantitative Bestimmung der Selensäure. *München 1902: G. Hafner.* (30 S.) 8°
Erlangen, Phil. Diss. v. 24. Juli 1902

Pestalozza, Anton Graf von, in München: Der Begriff der Mentalreservation im Sinne des § 116 B.G.B. Zugleich ein Beitrag zur Lehre von d. Willenserklärungen. *München: J. Schweitzer 1904.* (X, 57 S.) 8° [J.]
Würzburg, Jur. Diss. v. 1904

Pestalozza, Hanna Gräfin v., Homers Frauengestalten. (92 S.) 8. Strassburg 910. J. Singer. 2.—

Pestalozzi

—— nach seinem Gemüth, Streben u. Schicksale. Uebersetzt aus d. Französ. der Notice sur la vie de Pestalozzi. Yverdon 1843. gr. 12. (2½ B. u. 2 Stnt.) Aarau 844, Sauerländer, Sort.-Buchh. Thlr. *

— Verhältniß zum modernen Leben und zur modernen Wissenschaft. Ein Vortrag gehalten am 12. Jan. 1846 dem Säcular-Geburtstage Pestalozzi's im Lehrerverein zu Nürnberg von J. P. Scheuenstuhl. gr. 8. Ansbach 846, Dollfuß'sche Buchh. 3 ngl

— Vorträge und Reden, zur Frauen-Feier seines 100jährigen Geburtstages am 25. Jan. 1846 in Berlin von Josephine Stalin in Zürich, Rosette Niederer in Genf, Tinette Homberg in Emmerich, Gertrud Flender, Ida Klug, Auguste Schmidt, Adolph Diesterweg in Berlin. gr. 8. Berlin 846, Th. Enslin. n. 12 ngl

— Zeitschrift für Haus und Schule (1. Jahrg.) 1846. Redig. von H. A. Ruete. 43 Nrn. (Bog. od. März—December.) kl. Fol. Hamburg. (Perthes-Besser u. Mauke.) n. 2½ ℳ

—— Sein Leben u. Wirken einfach u. getreu erzählt f. das Volk. Hrsg. v. d. zürcherischen Schulsynode z. 100. Geburtstage Pestalozzi's. 2. Aufl. (1. Aufl. 20,000 Exempl.) 8. (5½ B. nebst P's. Bildn.) Zürich 846, Meyer u. Zeller.

Pestalozzi, Vater; geschichtliches Charakterbild mit Chorgesängen in 4 Aufz. Budweis 1898. V: *Ruschka, Adalb.* (Zuwachsverz. d. Bibliotheken in Zürich 1898 ff.)

Pestalozzi. Sein Leben u. sein Wirken als Volksmann u. als Bahnbrecher auf dem Gebiete der Erziehg. u. d. Unterrichts. (III, 66 S. m. 7 Abb.) 8. Wien 909. A. Pichler's Wwe. & Sohn. 1.—

Almanach Pestalozzi. Agenda de poche à l'usage de la jeunesse des écoles. Éd. spéciale pour la Suisse française. [1re Année.] 1910. [Avec des illustrations et 5 planches.] V + 272 p. 8. Berne, Kaiser & Cie ([relié] fr. 1. 60)

—— zur Biographie P.'s, s. Grünfeld, H. P. H. — Morf, H. — Wießner, Ed.

Pestalozzi, zur Biographie. E. Beitr. zur Geschichte d. Volkserziehung v. H. Morf. II. Thl.: Pestalozzi u. s. Anstalt i. d. 2. Hälfte d. Burgdorfer Zeit. In-8°. Winterthur, Bleuler-Hausheer & Cie. 1893. 3 75

Pestalozzi, H. Ein Wort über ihn und seine unsterblichen Verdienste ... 3. Aufl. Berlin 1845. V: *Diesterweg, Frdr. Adolph Wilhelm.* (Ky)

— Ein Wort über ihn und seine unsterblichen Verdienste, für die Kinder und deren Eltern, zu dem ersten Säcularfeste seiner Geburt. Von A. D.(iesterweg). 3. verb. u. verm. Aufl. gr. 8. Berlin 845, Th. Chr. Fr. Enslin. n. ¼ ℳ

Pestalozzi, Hans Jakob. [Zürich 1853.] V: *Pestalozzi, Johann.* (Cat. d. Stadtbibl. Zürich. Zürich 1864—97.)

Pestalozzi. — Heinrich Pestalozzi. Illustrierte Festschrift zur Feier von P.'s 150. Geburtstag am 12. Januar 1896. In-8°. 64 S. Zürich, J. R. Müller. 1 —
*** In deutscher, französ., italien. u. roman. Sprache.

Pestalozzi's, Heinr., Lebensbild, s.: Alberti, C. E. R.

(Pestalozzi, Johann Heinrich P', geb.... 1746, gest.... 1827.) Njbl. sa [Meyer, Heinrich I].

Pestalozzi, Johann Heinrich. [Zürich 1847.] V: *Meyer, Hnr.* (Cat. d. Stadtbibl. Zürich. Zürich 1864—97.)

Pestalozzi, Joh. Heinr., bearb. v. Paul Natorp, s.: Greßler's Klassiker der Pädagogik.

Pestalozzi und Lessing. Zwei Vorträge. (Manuscript.) Wittenberg [1852]. V: *Schmidt, Hermann & O. Kostoski.* (Cat. d. Stadtbibl. Zürich. Zürich 1864—97.)

— der Revolutionair. Von einem Zöglinge desselben. gr. 8. Charlottenburg 846, Bauer. n. ⅙ ℳ

(Pestalozzi. Salomon P', 1753–1840.) Njbl. sa [Zimmermann, Heinrich].

Pestalozzi, Salomon. [Zürich 1843.] V: *Zimmermann, Heinrich.* (Cat. d. Stadtbibl. Zürich. Zürich 1864—97.)

Pestalozzi in Spanien. Winterthur 1876. V: *Morf, Hnr.* (Cat. d. Stadtbibl. Zürich. Zürich 1864—97.)

Pestalozzi. ([Johann] Heinrich) P' in Spanien. Winterthur 1897 sa. [Morf, Heinrich I].

Pestalozzi, A.: Vortrag über Organisation der Arbeit. Zürich 1870.

Pestalozzi, Anton [aus Zürich]: Die Gattung Boscia Lam. Genève 1898. 152 S. XIV. Taf. 8°. (Sep.-Abdr. aus Mitt. a. d. Botan. Museum, Zürich VII.)
Zürich. Phil. Diss. II. S. 1898/99.

(Pestalozzi, A[nton].) Preisliste der imprägnierten botanischen Präparate mit und ohne Glaslinsen, System Dr. A. Pestalozzi. [Illustriert.] 19 S. 8. Zürich, Orell Füssli, (Mai 1905).

Pestalozzi, C., Notes mathématiques etc. v. Aide-mémoire.

Pestalozzi, Carl, s. Pestalozzi, Karl

(Pestalozzi, Fr[iedrich] Otto.) Die Unterwaldner Maler (Melchior) Paul und Theodor v(on) Deschwanden (1811–1881 *u.* 1826–1861). [Mit 3 Tafeln.] Njbl. Künstlerges. Zürich 1883. 4. [Zürich.]

[Pestalozzi, Friedrich Otto.] [1.] Johann Friedrich Dietler. Maler, von Solothurn (1804–1874). [Von F' O' Pest'. Mit 2 Tafeln.] — [2.] Traugott Schiess, Landschaftsmaler, von Herisau... (1835–1869). [Von Johann Gottfried Steffan.] Njbl. Künstlerges. Zürich 1876. 4. [Zürich.]

(Pestalozzi, F[riedrich] O[tto].) Die Restauration der Fraumünsterkirche. (Zweiter) Bericht der Kirchenpflege (Berichterstatter: F. O. P') an die Gemeinde, die kantonalen Behörden und alle Freunde der Fraumünsterkirche. November 1905. [Mit Illustrationen und 1 Tafel.] II + 21 S. 8. Zürich, Zürcher & Furrer, 1905.
(Erster Bericht = *Vorlage vom* 8. Oktober 1898 ...: O Zür)

Pestalozzi, F. O., s. a. Schritte, die ersten, auf dem Weg zum Vorwärtskommen.

(Pestalozzi, F[riedrich] O[tto].) Die ersten Schritte auf dem Weg zum Vorwärtskommen. Von einem Kaufmann. 40 S. 8. Zürich, Buchh. der Evangelischen Gesellschaft, 1909. [fr. —. 30]

Pestalozzi, Friedrich Otto *s.* Spyri, Bernhard, und Pestalozzi, Friedrich Otto.

Pestalozzi, F[riedrich] O[tto]. Zwei Zürcher im Dienste des «Roi Soleil» ⟨Joh[ann] Jakob und Joh[ann] Balthasar Keller⟩. Separatabzug aus dem «Zürcher Taschenbuch» ([N. F. Jahrg. 28,] 1905). [Mit Illustrationen und 3 Tafeln.] II + 69 S. 8. [Zürich, Fäsi & Beer.]

Pestalozzi, Hans. Chronik der schweizerischen Artillerie. [7 Teile.] 4. Zürich.
In: Njbl. Feuerw. Zurich (1881) *u.* 1882 *u.* 1884 *u.* 1887 *u.* 1889 *u.* 1893 *u.* 1900.
[Teil 1.] ... von 1876 -1878. [Von H' P'.]
[Teil 2.] ... von 1879 und 1880. ⟨Fortsetzung ....⟩ [Von H' P'.]
[Teil 3.] ... von 1881 und 1882. ⟨Fortsetzung ....⟩ [Von H' P'.]
[Teil 4.] ... von 1883 bis 1885. Fortsetzung .... [Von H' P'.]
[Teil 5.] ... für die Jahre 1886 und 1887. Fortsetzung ..., von Major H' P'.
[Teil 6.] ... von 1888 bis 1891 ⟨Fortsetzung ...⟩ von Oberstlieutenant H' P'.
[Teil 7.] ... von 1892 -1898 ⟨Fortsetzung ...⟩ von Oberst H' P'.

Pestalozzi, Hans *s.* Stiefel, Julius, und Pestalozzi, Hans.

(Pestalozzi. Hans Jakob P', geb: ... 1749 – gest: ... 1831.) Njbl. *sa* [Pestalozzi, Johannes *I*].

Pestalozzi, Hans Jak., Grundlinien einer Geschichte d. kirchl. Literatur d. ersten 6 Jahrhunderte. Zum Gebr. bei Verlesungen gezogen. 8. Götting. 811. Vandenhöck u. R. 14 gl

Pestalozzi, Heinrich [1746–1827] *sa* Pestalozzi, Johann Heinrich.

Pestalozzi, Heinrich

Pestalozzi, H., (Oberst-Lieut.), s. Bildung, üb. technische.

Pestalozzi, H., Chronik der schweizerischen Artillerie, s.: Neujahrsblatt, 84., der Feuerwerker-Gesellschaft in Zürich.

Pestalozzi, Heinr., zur Frage der Selbstdispensation d. Ärzte. Ein Vortrag. gr. 8. (25 S.) Zürich 898. (F. Schultheß.) n. — 60

Pestalozzi, Heinrich, von Zürich, gewes. Assistenzarzt der chirurg. Klinik daselbst: Über die Grenzen in der Anwendung der Lithotripsie. Zür. J. Schabelitz Dr. 1880. 93 S., 1 Bl. 8°.
Zürich, Med. Diss. [v. 18. Aug. 1880].

Pestalozzi, H[einrich: 1790–1857]. Ueber die Höhenänderungen des Zürchersee's. Der naturforschenden Gesellschaft in Zürich vorgetragen. [Mit 7 Tabellen und 3 Tafeln.] (N. Denkschr. Schweizer Ges. für Naturwiss. Band 14). 4. (Zürich 1855.)

Pestalozzi, H[einrich]. Die Initiative für Freigebung der arzneilosen Heilweise im Kanton Zürich und was von ihr zu halten ist. Von Dr. med. H. P' in Männedorf, Kt. Zürich. 32 S. 8. Zürich, Dr. der Neuen Zürcher Zeitung, 1904.

Pestalozzi, H., siehe: *Keller, C. C.*

— nochmals d. Selbstdispensation d. Ärzte. Zugl. Entgegng. auf d. Antwort des Hrn. Kantonsapotheker Dr. C. C. Keller in Zürich gegen des Verf. Broschüre: „Zur Frage d. Selbstdispensation d. Ärzte". 8. (31 S.) Ebd. 898. n. — 60

Pestalozzi, H., über die Verhältnisse des Rheines in der Thalebene bei Sargans. Mit 1 (lith.) Karte der Gegend von Sargans (in qu. Fol.) Aus den Mittheilungen der naturforschenden Gesellschaft in Zürich abgedr. gr. 8. (30 S.) Zürich 847, Höhr. 8 ngl

Pestalozzi, Heinr., zur Vermeidung v. Irrwegen bei d. Ausbildung der menschl. Stimme durch individuelle Stimmbildg. (36 S.) gr. 8. Berlin (910). A. Stahl. 2. —

— ein Wort üb. hirtenamtl. Arbeitsorganisation im Sinne der vom „Reichsboten" vertretenen Auffassung. gr. 8. (63 S.) Leipzig 886. (Uhlig.) n. 1. —

— ein Wort üb. evangelische Kirche u. Staat im Hinblick auf den Antrag der konservativen Partei im Abgeordnetenhause. 8. (20 S.) Cassel 886. Röttger. — 50

Pestalozzi, J., Antisemitismus u. Judenthum. Ein Beitrag zur Beleuchtg der Stöcker'schen Agitation. 2. Aufl. gr. 8. (VIII, 69 S.) Halle 886. Strien. n. 1. 40

— der Antisemitismus, e. Krebsschaden, der am Marke unseres Volkslebens frißt. gr. 8. (103 S.) Leipzig 891. Verlag der Akadem. Buchh. (W. Faber). n. 1. 60

Pestalozzi, J., Antichristenthum in alter u. neuer Zeit. Versuch e. Darstellg. als e. Hülfsmittel zur Orientirung f. alle Stände deutscher Christenheit. gr. 8. (III, 436 S.) Leipzig 887. (Grunow.) n. 7. —

Pestalozzi. J., Antichristenthum in alter u. neuer Zeit. Versuch e. Darstellg. als e. Hülfsmittel zur Orientirg. f. alle Stände deutscher Christenheit. 2. (Titel-)Ausg. gr. 8. (V, 436 S.) Leipzig 893. (F. W. Grunow.) n. 4. —

— e. Appell an die neuen Chefs d. Kultusministeriums u. d. Oberkirchenrathes. Eine Stimme falschen Prophetenthums. [Aus: „Wächterstimme".] gr. 8. (8 S.) Haydau b/Altmorschen 891. J. Pestalozzi's Selbstverl. n. — 5

— die gegenwärtigen Bestrebungen zur Befreiung der evang. Kirche in Preußen. Protestantisch beleuchtet. gr. 8. (48 S.) Leipzig 886. (Uhlig.) n. — 90

Pestalozzi, J., Bilder aus dem Leben U. Zwingli's, in Versen. 12. Zürch, Orell. 819.

— der geschichtliche Christus. Eine kurze Beleuchtg. der v. H. Ziegler in Liegnitz hrsg. Vorträge, nebst e. Nachwort üb. das Gutachten der theolog. Fakultät der Kaiser-Wilhelm-Universität zu Straßburg i/E. [Aus: „Wächterstimme".] gr. 8. (42 S.) Cassel 891. E. Röttger. n. — 80

— der Ernst in Wort u. That, gegen M. v. Egidy u. seine „Ernsten Gedanken“ gerichtet. gr. 8. (72 S.) Kiel 891. [E. Homann.] J. Eckardt. n. 1. —

Pestalozzi, J., die innere Mission u. ihr Verhältniß zu Staat u. Kirche. [Aus: „Eine Wächterstimme f. die Gemeinde d. wahren Christenthums“.] gr. 8. (46 S.) Haydau b/Altmorschen 889. (Leipzig, [Gustorff] Wallmann.) — 30

— Herr Hofprediger Stöcker u. die christlich-soziale Arbeiterpartei. Ein Beitrag zur Wegleitg. d. öffentl. Urtheils. gr. 8. (V, 35 S.) Halle 885. Strien. n. — 80

— die Verschärfung der gegenwärtigen Nothlage, deren bedenklichste Symptome u. der Weg zur Hülfe. [Aus: „Wächterstimme“.] gr. 8. (11 S.) Haydau b/Altmorschen 891. J. Pestalozzi's Selbstverl. n. — 10

— was hat das deutsche Volk vom Evangelischen Bunde zu hoffen, zu befürchten u. zu fordern? Eine Betrachtg. im Rückblick auf die 3. Generalversammlg. d. Evangel. Bundes zu Eisenach. gr. 8. (40 S.) Bonn 889. (Schergens.) n. — 60

— Was ist die Heils-Armee? [Salvation Army]. gr. 8. (VII, 280 S.) Halle 886, Strien. *

— Ein Wort über hirtenamtliche Arbeitsorganisation im Sinne der vom „Reichsboten“ vertretenen Auffassung. gr. 8°. Leipzig, Uhlig in Comm., 1886.

Pestalozzi, Jh., Bilder aus d. Leben U. Zwingli's, in Versen. 12. Zürich 819. Orell. 8 gr

Pestalozzi, Joh., unsere Kinderlehre, mit Bezieh. auf d. Druckschr. d. Hrn. Friedr. Häfelin. gr. 8. (1½ B.) Zürich 836, Orell, Füßli u. Comp.

Pestalozzi, Joh., Predigt, gehalten an d. Zürcher'schen Synode d. 23. Sept. 1828. 8. ... Zürich, Orell, Füßli u. Comp.

Pestalozzi, Johann Conrad, s. Pestalozzi, Johann Konrad

Pestalozzi, Johann Heinrich

— u. Stephani's ABC, s. ABC.

— Die Abendstunde e. Einsiedlers, bearb. v. Karl Richter, s/a Bibliothek, pädagogische. XVII.

— Abendstunde e. Einsiedlers, s/a Lehrer-Prüfungs- u. Informations-Arbeiten.

Pestalozzi, Hnr., Abendstunde eines Einsiedlers. Zur Erinnerung an ihn neu herausgeg. von Otto Schulz. gr. 8. Berlin 845, Nicolai. n. 1/12 ♂

— die Abendstunden eines Einsiedlers. Mit einleitenden Bemerkungen. Herausgeg. von J. P. Scheuenstuhl. 2. Aufl. gr. 8. Fürth 846, Schmid's Buchh. 1/8 ♂

Pestalozzi, Heinr., Abendstunde e. Einsiedlers. Neue Ausg. m. Einleitgn. v. L. W. Seyffarth. gr. 16. (74 S.) Brandenburg a. H. 874. Müller. — 60

— die Abendstunde e. Einsiedlers. Bearb. u. m. Erläutergn. versehen v. Karl Richter. gr. 8. (XVI, 48 S.) Leipzig 885. Siegismund & Volkening. n. — 50; cart. n. — 70

Pestalozzi, J. H.: Die Abendstunde eines Einsiedlers. Bearb. u. mit Erl. vers. v. K. Richter. Leipzig 1885. 48 S. (Pädagog. Bibliothek. 17, 1.)

Pestalozzi, (Johann Heinrich). Die Abendstunde eines Einsiedlers. Bearb. und mit Erläuterungen versehen von Karl Richter. 4. durchgesehene, verbesserte und durch Beigabe des zweiten und dritten Abdruckes der Abendstunde vermehrte Aufl. XVIII + 46 S. 8. Leipzig, Siegismund & Volkening, 1909. (M. —. 75, geb. 1. 05 u. 1. 25)

Pädagogische Bibliothek. Eine Sammlung der wichtigsten pädagogischen Schriften älterer und neuerer Zeit. Hrg. von Karl Richter. Band 17....

— Anschauungslehre d. Maaßenverhältnisse, s. unten Elementarbuch.

— Anschauungslehre d. Zahlenverhältnisse, s. unten Elementarbuch.

— Ansichten u. Erfahrungen, die Idee der Elementarbildung betr., in Verbindung m. Aufsätzen u. Bruchstücken, die den Gang u. die Geschichte meiner Lebensbestrebungen erheitern. Umarbeitung der Schrift: „Wie Gertrud ihre Kinder lehrt“. gr. 8. (IX, 115 S.) Liegnitz (900). L. Seyffarth. 1. 50

Pestalozzi, [Johann] Heinrich. Ansichten und Erfahrungen, die Idee der Elementarbildung betreffend, in Verbindung mit Aufsätzen und Bruchstücken, die den Gang und die Geschichte meiner Lebensbestrebungen erheitern. Umarbeitung der Schrift: «Wie Gertrud ihre Kinder lehrt.» (Hrg. von L W Seyffarth.) X + 115 S. 8. Liegnitz, Carl Seyffarth, [1901]. (M. 1. 50)

Pestalozzi, Heinr., Ansichten, Erfahrungen und Mittel z. Beförd. e. d. Menschennatur angemeff. Erziehungsweise. 1s Heft. 8. Leipzig, Gräff. 807.

— Ansichten, Erfahrungen u. Mittel z. Beförderung e. d. Menschennatur angemessenen Erziehungsweise. 1s Heft. 8. Leipz. 807. (Wienbrack). 12 gr

Pestalozzi, [Johann] Heinrich. Ansichten über Gegenstände, auf welche die Gesetzgebung Helvetiens ihr Augenmerk vorzüglich zu richten hat. 8. Bern 1802.

— Anweis. z. Buchstabiren und Lesenlehren, m. Tabellen. 8. Bern, Nationaldruckerey. (Gräff in Leipz.) 801. ohne Tabellen.

— Anweis. z. Buchstabiren u. Lesenlehren. Mit Tabb. 8. Bern 801. (Wienbrack in Leipz.) 6 gr ohne Tabell. 3 gr

— Eine Auswahl aus seinen Briefen u. kleineren Schriften, hrsg. u. eingeleitet von Herm. Walsemann, s/a Charakterköpfe, deutsche. III.

Pestalozzi, (Johann) Heinrich. H' P'. Eine Auswahl aus seinen Briefen und kleineren Schriften, hrg. und eingeleitet von Hermann Walsemann. Mit 19 Abbildungen im Text und auf 7 Tafeln. VI + 190 S. 8. Leipzig und Berlin, B. G. Teubner, 1909. [geb. M. 2. —]

Deutsche Charakterköpfe. Denkmäler deutscher Persönlichkeiten aus ihren Schriften. Begründet von Wilhelm Capelle. Band 3.

Pestalozzi, Johann Heinrich. Auswahl aus Pestalozzis Schriften s. Natorp, Paul. J' H' Pestalozzi .... Teil 2 u. 3.

Pestalozzi, Joh. Heinr., eine Auswahl aus seinen Schriften v. Ludw. Gurlitt, s/a Bücher der Weisheit u. Schönheit.

Pestalozzi, (Johann Heinrich). P'. Eine Auswahl aus seinen Schriften in sachlicher Anordnung von Prof. Dr. Ludwig Gurlitt. 1. bis 5. Tausend. (Buchschmuck von Franz Stassen.) VIII + 182 S. 8. (Stuttgart, Greiner & Pfeiffer, 1907.) (geb. M. 2.50)
Bücher der Weisheit und Schönheit. Herausgeber: Jeannot Emil Freiherr von Grotthuss.

— s. Bilderfibel, neue deutsche.

Pestalozzi, ([Johann] Heinrich). Pestalozzis Brief an einen Freund über seinen Aufenthalt in Stans 1799. Mit Erläuterungen [und 3 Tafeln]. SA. 8. Zürich 1899 (*Umschlag: 1900).

Pestalozzi, Heinrich. Bis dahin unedirte Briefe und letzte Schicksale. Bern 1834. H: *Fellenberg, Phil. Eman. v.* (Aark)

Pestalozzi, Heinrich. Bis dahin unedirte Briefe und letzte Schicksale. Bern 1834. H: *Rochholz, E. L.* (Hunziker: Rochholz, S. 41) (Zeitschr. f. Büch. N. F. 15, 1923, S. 118)

Pestalozzi, (Joh.) Heinr., bis dahin unedirte Briefe u. letzte Schicksale. 8. (4 B.) Bern 834, Jenni Sohn.

Pestalozzi, Hnr., Bruchtabelle, 1e, in 4 Blättern. 4 gr 2e 6 gr Fol. Stuttg., Steinkopf. 10 gr

— Bruch-Tabellen. 1e Fol. Stuttg. 824, Steinkopf.

— Buch f. Mütter, od. Verstandes- u. Sprachübungen, die Kinder bemerken u. reden zu lehren, f. Elementarschulen brauchbarer bearb. 8. Ulm 824. Ebner. 12 gr. s. auch unten Elementarbuch.

— s.a. Christoph u. Else.

— Christoph und Else lesen in d. Abendstunden d. Buch: Lienhard und Gertrud. 8. Zürich, Ziegler. 782.

— cómo Gertrudis enseña á sus hijos, s.: Biblioteca de la familia y de la escuela.

— s.: Denksprüche.

— Elementarbücher. 6 Hfte. gr. 8. Zürich 803—5. (Leipz., Wienbrack.) (1s—3s 1 ß 12 gr, 6s 18 gr) 2 ß 6 gr (Einzeln unt. folg. Titeln: 1) Buch d. Mütter. 1s Heft. 12 gr 2) ABC d. Anschauungslehre der Maßverhältnisse. 1s Hft. 8 gr 2s H. 12 gr 3) Anschauungslehre d. Zahlenverhältnisse. 1s H. 12 gr 2s u. 3s à 18 gr)

— Erziehungsunternehmung im Verhältniß z. Zeitkultur. 1e u. 2e Abthlg. gr. 8. Iferten 813. Liter. Büreau.

— Fabeln. Neue unveränderte Ausgabe der Figuren zu meinem ABC-Buch. 8. Basel 803. Flick. (Neukirch). 1 ß (vergl. Figuren).

— s. Fellenberg's Klage gegen Pestalozzi.

— s.a. Gesetzgebung, über.

Ueber Gesezgebung und Kindermord. Wahrheiten und Träume, Nachforschungen und Bilder. Vom Verfasser Lienhardts und Gertrud *(Joh. Heinr. Pestalozzi)*. Geschrieben 1780. Herausgegeben 1783. Frankfurt u. Leipzig. Auf Kosten des Verfassers, und in Kommission bey der Buchhandlung der Gelehrten. 8°. 2 Bll. u. 390 S. (Im British Museum u. in Zürich, Stadtbibl.) (10 Mk. E. Frensdorff, 1906.)
Anon.-Lex. IV. p. 236. — Engelmann hat „1789".

— über Gesetzgeb. und Kindermord, Wahrh. u. Träume rc. 8. Dessau, Gel. Handl. (Ziegler, Zürich.) 789.

Pestalozzi, Johann Heinrich. Über Gesetzgebung und Kindermord. Wahrheiten und Träume, Nachforschungen und Bilder. Von J' H' P' 1783. Mit einer Einführung und Anmerkungen neu hrg. von Dr. Karl Wilker. XIV + 274 S. 8. Leipzig, Johann Ambrosius Barth, 1910. [M. 4.—, geb. 4.80]

(U.-Titel:) Ein gutes Gewissen | ist ein sanftes Ruhekissen! | Aus »Lienhard und Gertrud« | von | J. H. Pestalozzi. | (Fig.: *Die Mutter im Totenbett*, 53 × 65) | Reutlingen. | Druck und Verlag von Enßlin und Laiblin. (= *Neue Volksbücher*, g.). o. J. (1886), 14 S. + 1 Bl, 165 × 106.
LBS d. D. oct K 3349.

— Idee e. ABC d. Anschauung, s. J. F. Herbart.

— Idee u. Macht der menschlichen Entwickelung. Bearb. v. Josephine Zehnder, geb. Stadlin. 1. Bd. gr. 8. Gotha 875. Thienemann. n. 15. —
Zeit u. Vorzeit v. Pestalozzi's Entwickelung. (XVI, 830 S.)

Pestalozzi, (Joh.) Heinr., Idee von d. Wohnstube. Ein Vortrag am Festabend des 12. Jan. 1846 zu Winterthur rc. gr. 8. (2 B. M. e. Facsimile Pestalozzi's.) Zürich 846, Orell, Füßli u. Comp.

Pestalozzi, J. H.: Das Pestalozzische Institut an das Publikum. Eine Schutzrede gegen verläumderische Angriffe. Yferten 1811. 186 S.

Pestalozzi, ([Johann] Heinrich). Pestalozzi's Leben und Ansichten, in einem wortgetreuen Auszuge ... dargestellt. Zürich 1846[–1847] s.a. Christoffel, Raget.

—— Leben u. Ansichten in einem wortgetreuen Auszuge aus sämmtl. von Pestalozzi herrührenden Schriften zur Feier von dessen hundertstem Geburtstage dargestellt v. Raget Christoffel. 9 Lfgn. 4. (67½ B.) Zürich 846, 47, Meyer u. Zeller. à Lfg. 9 Ngr.

— meine Lebensschicksale als Vorsteher meiner Erziehungs-Institute in Burgdorf u. Iferten. 8. Leipz. 826, G. Fleischer. Velinp.

— derselben 2e Fol. Ebd. 824.

— Leonardo y Gertrudis, s. Biblioteca de la familia y de la escuela.

— s.a. Lienhard u. Gertrud.

— Lienhard et Gertraude. 2 Vol. 12. Berne, Typ. 783.

— dasselbe, s.a. Bibliothek d. Gesamtlitteratur des In- u. Auslandes.

— Lienhard u. Gertrud, s.a. Bibliothek, pädagogische. VII.

Pestalozzi, J. Heinr., Lienhard u. Gertrud, s.a. Erzählungen des deutschen Hausfreundes.

— Lienhard u. Gertrud, s.a. Handbibliothek, pädagogische.

— dasselbe, s.a. Klassiker, pädagogische.

—— dass. — s.a. Meyer's Volksbücher.

—— Lienhard und Gertrud, s.a. Nationalbibliothek, schweizerische.

— dasselbe, eingerichtet v. Fr. Wilh. Bürgel, s.a. Sammlung der bedeutendsten pädagog. Schriften. 12.

— dasselbe, hrsg. v. Fr. W. Bürgel, s.a. Sammlung der bedeutendsten pädagog. Schriften aus alter u. neuer Zeit. 13. Bd.

— dasselbe, hrsg. v. J. Nießen, s.a. Schriften hervorragender Pädagogen. 12. Hft.

— — s.a. Universal-Bibliothek.

Pestalozzi, Joh. Heinr., Lienhard u. Gertrud, hrsg. v. A. Thorbecke, s.a. Velhagen & Klasing's Sammlung pädagogischer Schriftsteller. 7. Lfg.

— dasselbe, s.a. Verein für Verbreitung guter Schriften. Zürich.

Pestalozzi. Joh. Hch. Lienhard und Gertrud. Berlin 1781.

— Lienhard und Gertrud, e. Versuch d. Grundsätze der Volksbildung zu vereinfachen. 3 Thle. m. Kupf. 8. Zürich, Ziegler. 790. (à 1 Rthlr. 4 gr.)
ohne Kupfer

— Lienhard und Gertrud, e. Buch f. Volk. 8. Zürich, Geßner. 802.

— Lienhard und Gertrud. Ein Buch für das Volk. Neue, nach der ursprüngl., vollständigsten u. besten Ausg. durchgesehene u. veranstaltete Aufl. 4 Thle. gr. 12. Trogen 831. Meyer u. Zuberbühler. (Leipzig, Fr. Fleischer.) n. 1⅔ ℳ

—— Lienhard u. Gertrud. Ein Buch f. d. Volk. Die 2 ersten Theile, in 1 Bde. nach der ursprüngl. Ausg. neu gedruckt. Mit 13 Federzeichnungen v. H. Bendel u. 1 Musikbeil. 4. (34½ B.) Zürich 844, (Meyer u. Zeller.) *

Pestalozzi, Heinr., Lienhard und Gertrud. Ein Buch für das Volk. Neue, nach den ursprünglichen und besten Ausgaben überarb. Aufl. (von W. Hechel.) Mit vorangeschickter Biographie des Verf. u. Bruchstücken aus „Christoph u. Else". 2 Thle. Brandenburg 856. Müller. 8. (II, 444 S. u. Bildniß in Holzschn.) 24 ngr.

— — Die 2 ersten Thle. in 1 Bd. nach der ursprünglichen Ausgabe neu gedruckt. Mit 13 (lith.) Federzeichngn. von H. Bendel u. 1 Musikbeilage. 2. wohlf. (Titel-)Ausg. Zürich (844.) 857. Meyer u. Zeller. 4. (X, 266 S.) u. 15 ngr.

— Lienhardt u. Gertrud. Ein Buch für das Volk. Halle 867. Buchh. des Waisenhauses. 8. (X, 248 S. mit einem Portr. Pestalozzi's in Holzschn.) n. 12 ngr.; geb. n. 18 ngr.

—— Lienhard und Gertrud. Ein Buch für das Volk. Hrsg. von L. W. Seyffarth. 5 Bde. 8. (248; 270; 336; 336; 320 S.) Brandenburg a. H. 869,70, Müller. *

— Lienhard u. Gertrud. Ein Buch f. das Volk. [Aus: „Bibliothek pädagog. Klassiker."] 2 Bde. gr. 16. (423 u. 580 S.) Langensalza 871. Beyer & Söhne. n. 3. 50

— Lienhard u. Gertrud. Ein Buch für das Volk. 2. Aufl. Mit einem Portrait Pestalozzi's in Holzschn. 8. (XII, 248 S.) Halle 877. Buchh. d. Waisenh. n. 1. 60

Pestalozzi, H. Lienhard u. Gertrud. 3 Thle. In-8°. Leipzig, Kempe. 1879. cart. 2 —

— dasselbe. 2 Thle. Neu hrsg. zum Jubiläum der Orig.-Ausg. vom J. 1781 von der Kommission für das Pestalozzistübchen in Zürich. Mit einem Titelbilde u. einer Titelvignette in Lichtdr. gr. 8. (XXIV, 480 S.) Zürich 881. Schultheß. 8. —

— dasselbe. Bearb. u. mit Erläuterungen versehen von Karl Richter. 4., durchgeseh. u. verm. Aufl. gr. 8. (XXIV, 203 S.) Leipzig 882. R. Hesse. n. 1. 50; geb. n. 2. 25

—— dass. — Bearb. und mit Erläuterungen versehen von Karl Richter. 4. durchges. und verm. Aufl. gr. 8. (XXIV, 203 S.) Leipzig 883, Siegismund und Volkening. *
geb. *

—— dass. — 3. und 4. (Schluß-)Tl. Neu hrsg. als Fortsetzung der Jubiläums-Ausg. des 1. und 2. Tls. von der Kommission für das Pestalozzistübchen in Zürich. 6 Lfgn. gr. 8. (XXXII, 636 S. mit Portr. in Kpfrst.) Ebenda. 884.
1.—5. Lfg. à * 60 Pf.; 6. Lfg. * ℳ 1,20. *

Pestalozzi, J. H. Lienhard und Gertrud. Ein Buch für das Volk. In-16°, 403 S. Leipzig, Bibliographisches Institut (Meyer). 1887. — 80
, Meyer's Volksbücher, N° 315–320.

Pestalozzi's Lienhard und Gertrud, für den Gebrauch der Seminarzöglinge und Lehrer eingerichtet von *F. W. Bürgel*. Gr. in-8°, VIII u. 172 S. Paderborn. Ferdinand Schöningh. 1887
, Ausgew. Schriften berühmter Pädagogen, Bd. 3.

Pestalozzi, J. H. Lienhard und Gertrud. Mit Einleitung u. Anmerkungen von *J. Wychgram*. In-8°, XXV u. 213 S. Wien, A. Pichlers Wittwe und Sohn. 1888. 4 — gebd. 4 70
, Pädagogische Klassiker. Auswahl der besten pädagogischen Schriftsteller Herausgegeben v. *G. A. Lindner*. 18. Band.

Lienhard und Gertrud. Ein Buch fürs Volk. Von J[oh.] H[einr.] **Pestalozzi**. *Leipzig: Siegismund & Volkening [1893].* (178 S.) 8° [F.]
= **Sammelmappe**, Pädagogische. H. 149. [00. 10329

[F.] Lienhard und Gertrud. E. Buch fürs Volk v. Johann Heinrich **Pestalozzi**. Für Schule u. Volk bearb. v. Richard Poppe u. Otto Schulze. *Halle a. d. S.: O. Hendel (1896).* (VIII, 492 S.) 1 Bd 8.
= **Bibliothek** d. Gesamtlitteratur d. In- u. Auslandes. No 976—981.
[97. 1134

[Joh. Heinr.] **Pestalozzis** Lienhard und Gertrud f. d. Gebr. d. Seminarzöglinge u. Lehrer einger. v. Schulr. Fr[iedr.] Wilh. Bürgel, Dir. . . . in Boppard. 3. Aufl. *Paderborn: F. Schöningh 1896.* (VII, 202 S.) 1 Bd 8.
= **Sammlung** d. bedeutendsten pädagog. Schriften aus alter u. neuer Zeit. Bd XII.
[96. 8981

— Lienhard u. Gertrud. E. Buch f. d. Volk. Ausz. in 1 Bde. 2. Aufl. Von L. W. Seyffarth. gr. 8. (389 S.) Liegnitz 897. C. Seyffarth. n. 1. 50

— dasselbe. 1. u 2. Thl., m. 6 Bild. in Lichtdr. nach Chodowiecki u. 1 Ansicht d. Neuhofs. Nach d. Orig.-Ausg. v. 1781/83 neu hrsg. von d. Commission für d. Pestalozzistübchen in Zürich zum 12. Jan 1896. gr. 8. (8, VI, 520 S.) Zürich 896. F. Schultheß. n. 4. 80; geb. in Leinw. n. 6. —; in Halbfrz. n. 7. —
Erschien auch in 6 Lfgn. à n. — 80.

[Johann Heinrich] **Pestalozzis** Lienhard und Gertrud. Für d. Gebr. d. Seminarzöglinge u. Lehrer eingerichtet von Schulrat Fr[iedrich] Wilh. Bürgel, Dir. in Boppard. 5. Aufl. *Paderborn: F. Schöningh 1903.* (VIII, 202 S.) 8° [F.]
= **Sammlung** d. bedeutendsten pädag. Schriften. Bd 12. [04. 3375

Lienhard und Gertrud. Von Heinrich **Pestalozzi**. Im Ausz. z. Gebr. an Seminaren hrsg. von Geh. Hofrat Prof. Dr. A[ugust] Thorbecke. Bielefeld & Leipzig: Velhagen & Klasing 1905. (X, 236 S.) 8° [F.]
= **Sammlung**, Velhagen & Klasings, pädag. Schriftsteller. Lfg 7. [06. 3750

(Johann Heinrich) **Pestalozzis** Lienhard und Gertrud, f. d. Gebr. d. Seminarzöglinge u. Lehrer eingerichtet von Schulrat Fr[iedrich] Wilh. Bürgel. 6. Aufl. Mit 1 Bildn. Pestalozzis. Paderborn: F. Schöningh 1905. (VIII, 200 S.) 8° [F.]
= **Sammlung** d. bedeutendsten pädag. Schriften. Bd 12. [06. 937

Pestalozzi, J[ohann] H(einrich). J. H. Pestalozzis Lienhard und Gertrud. Ausgewählt und mit einer Einleitung und mit Anmerkungen versehen von J[oseph] Niessen, Seminarlehrer in Kempen <**Rhein**>**. 92 S. 8. Breslau, Ferdinand Hirt, 1906. (M. 1. —, cart. 1. 20)**
Schriften hervorragender Pädagogen für Seminaristen und Lehrer. Heft 12.

(Joh. Heinrich) **Pestalozzis** Lienhard und Gertrud. Für d. Gebr. d. Seminarzöglinge u. Lehrer eingerichtet von Schulrat Fr[iedrich] Wilh. Bürgel. 7. Aufl. Mit e. Bildn. Pestalozzis. Paderborn: F. Schöningh 1907. (VIII, 200 S.) 8° [F.]
= **Sammlung** d. bedeutendsten pädag. Schriften. Bd 12. [08. 8904

— **Lienhard u. Gertrud. Ein Buch f. das Volk, nebst einigen kleineren Schriften. Bearb. v. Herm. Walsemann. (181 S.) gr. 8. Leipzig 909. [Dürr'sche Buchh.] Berlin, Union, Zweigniederlassg. 2. —**

[Johann Heinrich] **Pestalozzis** Lienhard und Gertrud f. d. Gebrauch d. Seminarzöglinge u. Lehrer eingerichtet von F[riedrich] Wilh. Bürgel. 8. Aufl. Mit e. Bildn. Pestalozzis. Paderborn: Schöningh 1909. VIII, 200 S. 8°
(Sammlung d. bedeutendsten pädag. Schriften. Bd 12.) [10. 2.71

Pestalozzis Lienhard und Gertrud. Für d. Gebrauch d. Seminarzöglinge u. Lehrer eingerichtet von Schulrat Fr[iedrich] Wilh. Bürgel. Mit 1 Bildn. 9. Aufl. Paderborn: Schöningh 1910. VIII, 200 S. 8°
(Sammlung d. bedeutendsten pädag. Schriften. Bd 12.) [11. 10543

— **Menschenlehre, aus seinen Nachforschungen üb. d. Gang der Natur, die Entwickelung d. Menschengeschlechts gezogen u. mit krit. Anmerkk. dialog. bearb. v. C. G. Hempel. 8. Leipz. 803. Steinacker. 12 gl**

— **Methode, üb. d. und ihre Einführung. (v. Süskind.) 8. Stuttgart, Steinkopf. 810.**

Pestalozzi, H., neue Methode, die alten Sprachen zu lehren, von einem seiner Mitarbeiter in ihren Grundzügen dargestellt. 8. Carlsruhe, Marx. 818.

— **מודעלבבי ברכה, od. Kinderfreund und Lehrer, ein Lehr- und Lesebuch für die jüdische Jugend ꝛc. 1r Thl. 8. Leipz. Gräff. 808.**

— s.a. **Nachforschungen, meine.**

(H. Pestalozzi's) freymüth. Nachforschungen üb. d. Gang d. Natur in d. Entwickel. d. Menschengeschl. *Zür.*, Gessner. 797. 8° 20 gl

Pestalozzi, J. H., meine Nachforschungen üb. den Gang der Natur in der Entwicklung d. Menschengeschlechts. Neu hrsg. als Fortsetzg. der Jubiläums-Ausg. v. „Lienhard u. Gertrud" v. der Kommission f. das Pestalozzistübchen in Zürich. gr. 8. (IV, 232 S.) Zürich 886. Schultheß. 2. 70

— **Der Tiere Notwehr auf Peter Klaussens Gut. Worte u. Musik v. P. (Zum Tl. farb.) Bilder v. Rich. Nitsch. Mit e. Geleitwort v. Lilli Lehmann. (39 S.) 26,5×34,5 cm. Zürich (909). Art. Institut Orell Füßli. Geb. 5. —**

— **Predigt, gehalten an d. Züricher Synode, d. 23. Sept. 1828. 8. Zürich 828. Orell. 2 gl**

Pestalozzi, Joh. Hch. Prospekt des Pestalozzischen Instituts zu Münchenbuchsee, in Verbindung mit den Erziehungsanlagen zu Hofwyl. 1805.

— **Rede an seinem 73 Geburtstage, zu Iferten am 12. Jan. 1818. gehalten. 8. Zürich 818.**

— **Rede an sein Haus, an seinem 74sten Geburtstage. Nebst D. Schmids 2 Reden bei solchen Veranlassungen. gr. 8. Iferten. 821. (Zürich, Orell). 18 gl**

— **Religionslehre, aus seinen Schriften gezogen u. dialog. bearbeit. v. C. G. Hempel. 8. Leipz. 804. Steinacker. 9 gl**

Pestalozzi, Joh. Heinr. Ausgewählte Schriften, s. a. **Bibliothek pädagog. Klassiker.**

Pestalozzi, J[ohann] H[einrich]. Ausgewählte Schriften. M. Pestalozzis Biographie. hrsg. von Friedrich Mann. Bd 1–4. Langensalza 1891–1897. 8°.
1 5. Aufl. 1897 · 3 4. Aufl. 1894
2 4. Aufl. 1894 · 4 4. Aufl. 1894
Bibliothek Pädagog. Klassiker, hrsg. von Friedr. Mann.

[F.] J[ohann] H[einrich] **Pestalozzis** Ausgewählte Schriften. M. Pestalozzis Biogr. hrsg. v. Friedrich Mann ... 5. Aufl. Bd 1. *Langensalza: H. Beyer & Söhne 1897.* 8.
= **Bibliothek** Pädagogischer Klassiker. Bd 1. [98. 8865

Pestalozzi, Hnr., (eigentl. Pestaloz,) sämmtl. Schriften. 1r–15r Bd. gr. 8. Stuttg. 820–26 v. Cotta. 21 ℔ 20 gl (Daraus sind einzeln zu haben: Christoph u. Else 824. 1 ℔ 21 gl — Figuren zu meinem ABC-Buch. 824. 1 ℔ 12 gl — Lienhard u. Gertrud. 4 Thle. 820. 6 ℔ — Wie Gertrud ihre Kinder lehrt. 821. 1 ℔ 4 gl — Schwanengesang. 826. 1 ℔ 8 gl)

der natürliche Schulmeister od.: praktische Anweisg. in den einfachsten Grundsätzen d. Kinderunterrichts in allen Vorkenntnissen, die ihnen unter dem 6. Jahre beizubringen nothwendig ist. [Aus: „Sämmtliche Werke".] 8. (310 S.) Ebend. 873. 2. 70

— **dasselbe. Auszug in e. Bde. v. L. W. Seyffarth. gr. 8. (400 S.) Brandenburg 874. Müller. n. 2. 40**

— **Schweizerblatt, s. Schweizerblatt.**

— **s. Seyffarth, L. W.**

— **an die Unschuld, den Ernst und den Edelmuth meines Vaterlandes. gr. 8. Iferten. (Leipzig, Schlegg in Comm.) 815.**

— **an die Unschuld, d. Ernst u. d. Edelmuth meines Vaterlandes. gr. 8. Iferten 820. 1 ℔ 12 gl**

(Pestalozzi, [Johann Heinrich].) An mein Vaterland! Am 24sten Augstmonat 1798. 8. *o. O.*

— Vaterlehren in sittlichen Wortdeutungen. Ein Vermächtniß an seine Zöglinge. Bewahrt u. gesammelt v. H. Krüsi. gr. 8. Trogen 829. (Huber u. C. in St. Gallen). 8 gl

—— Verhältniß zum modernen Leben u. zur modernen Wissenschaft. Ein Vortrag gehalt. am 12. Jan. 1846 dem Säcular-Geburtstage Pestalozzi's im Lehrerverein zu Nürnberg v. J. P. Scheuenstuhl. gr. 8. (1 B.) Ansbach, Dollfuß'sche Buchh.

—— s. Vogel, Aug., systematische Darstellung der Pädagogik J. H. P.'s.

(Pestalozzi, [Johann Heinrich].) An Helveziens Volk! [N° 2. Ausg. 2.] 8. o. O. [1798].

(Pestalozzi, [Johann Heinrich].) An Helveziens Volk! 2 N[ummern]. 8. [1798.]
N° 1. (Arau.) — N. 2. o. O.

Pestalozzi, J. H. Ein pädagogisches Volksbuch, von *E. Wiessner*. Gr. in-8°, 132 S. Bernburg, Backmeister. 1885. 1 35

Pestalozzi, H. Vorträge und Reden, zur . . . Feier seines hundertjährigen Geburtstages . . . 1846 in Berlin . . . Berlin 1846. H: *Diesterweg, Friedrich Adolph Wilhelm.* (BrMm)

— ausgewählte Werke, hrsg. v. Frdr. Mann, s. a Bibliothek pädagogischer Klassiker.

Pestalozzi's, J. H., ausgewählte Werke. Mit Pestalozzi's Biographie hrsg. von Friedr. Mann. 4 Bde. 2. Aufl. gr. 8. Langensalza, Beyer und Söhne. [1. Bd. (XVI, 360 S.) 877. *ℳ 2,50.; 2. Bd. (410 S.) 878. *ℳ 3.; 3. Bd. (VI, 333 S. mit 3 lithogr. Fig.-Taf.) 878. *ℳ 3.; 4. Bd. (368, XIX—CXXV S.) 879. *ℳ 3.] *

—— ausgewählte Werke. Mit Pestalozzi's Biographie hrsg. von Friedr. Mann. 4 Bde. 3. Aufl. gr. 8. Langensalza, Beyer und Söhne. [1. Bd. (XVI, 376 S.) 883. *ℳ 2,50.; 2.—4. Bd. (X, 426; 533 S. mit 3 Taf.; CXXXX, 382 S.) 883—85. à *ℳ 3.] *ℳ 11,50.; geb. *

Pestalozzi, J[ohann] H[einrich]. J. H. Pestalozzis Ausgewählte Werke. Mit Pestalozzis Biographie hrg. von Friedrich Mann. Band 2. 5. [Titel-] Aufl. X + 428 S. 8. Langensalza, Hermann Beyer & Söhne, 1902. (br. M. 3. —, geb. M. 4. —)
Bibliothek Pädagogischer Klassiker. Eine Sammlung der bedeutendsten pädagogischen Schriften älterer und neuerer Zeit, hrg. von Friedrich Mann. (Band 2.)
4. Aufl. 1891.

Pestalozzi, H., sämmtliche Werke. Gesichtet, vervollständigt u. mit erläuterten Einleitungen versehen von L. W. Seyffahrth. 1—24. Liefg. Brandenburg a. H. 869,70. Müller. gr. 16. (1. Bd. 324; 2. Bd. 270; 3. Bd. 533 S.; 4. Bd. 336 S., 5. Bd. 324; 6. Bd. 368 S., u. 7. Bd. 351 S.) Jede Liefg. n. 6 ngr

Pestalozzi's, Heinr., sämmtliche Werke. Gesichtet, vervollständigt u. m. erläut. Einleitgn. versehen v. L. W. Seyffarth. 25—61. (Schluß-)Lfg. gr. 16. (8. Bd. 320, 9. Bd. 286, 10. Bd. 375, 11. Bd. 315, 12. Bd. 312, 13. Bd. 424, 14. Bd. 272, 15. Bd. III, 209, 16. Bd. 497, 17. Bd. 384 u. 18. Bd. 335 S.) Brandenburg a. H. 871—73. Müller. à n. — 60

Pestalozzi's, Heinr., sämmtliche Werke. Gesichtet, vervollständigt und mit erläuternden Einleitungen versehen von L. W. Seyffarth. Neue (Titel-)Ausg. 54 Lfgn. oder 16 Bde. 12. (324; 270; 336; 336; 324; 368; 351; 320; 286; 375; 315; 312; 424; 272; III, 209; 497 S.) Berlin 881, Eisenschmidt. à Lfg. * 60 Pf.; compl. *

Pestalozzi's, Joh. Heinr., sämtliche Werke. Unt. Mitwirkg. von H. Morf u. O. Hunziker hrsg. von L. W. Seyffarth. 19. u. 20. Bd. 10 Lfgn. gr. 8. Liegnitz 895. 96. C. Seyffarth. à n. — 60 (In 1 Halbfrzbd.: n. 8. —)
Pestalozzi u. Anna Schultheß. Briefe aus d. Zeit ihrer Verlobg. Hrsg. von H. Morf u. L. W. Seyffarth. (IV, 416 u. 235 S.)

Pestalozzi, (Johann Heinrich). Pestalozzi's sämtliche Werke. Hrg. von Dr. L[udwig] W[ilhelm] Seyffarth, Pastor ... zu Liegnitz. 12 Bände. 8. Liegnitz, Carl Seyffarth, 1899—1902. [Subscr. M. 40. —; *geb. à M. 1. 50 mehr*]
Band 1: [Mit Porträt.] II + X + 453 S. 1899. [M. 4.50] — Band 2. IV + 416 S. 1899. [M. 4. —] — Band 3. II + 386 S. 1899. [M. 3. 60] — Band 4. XVI + 660 S. 1899. [M. 6. 30] — Band 5. XII + 498 S. 1900. [M. 4. 80] — Band 6. VIII + 449 S. 1901. [M. 4. 20] — Band 7. VIII + 519 S. 1901. [M. 5. —] — Band 8. IV + 498 S. 1900. [M. 4. 80] — Band 9. IV + 608 S. 1901. [M. 5. 70] — Band 10. VI + 636 S. 1901. [M. 6. —] — Band 11. IV + 640 S. 1902. [M. 6. —] — Band 12: [Mit Gesamtregistern.] IV + 591 S. 1902. [M. 5. 70]

Pestalozzi, (Johann Heinrich). Peztalozzi's sämtliche Werke. Hrg. von Dr. L[udwig] W[ilhelm] Seyffarth, Pastor ... zu Liegnitz. Bände 6, 7, 9 u. 10. 8. Liegnitz, Carl Seyffarth, 1901. [cpl. in 12 Bänden, Subscr. M. 40. —]
Band 6. VIII + 449 S. [M. 4. 20] — Band 7. VIII + 519 S. [M. 5. —] — Band 9. IV + 608 S. [M. 5. 70] — Band 10. VI + 636 S. [M. 6. —]

— wie Gertrud ihre Kinder lehrt; Anleit., wie Mütter, ihre Kinder selbst unterrichten können; aus Briefen. 8. Zürich 801. Geßner. 1 ℛ 8 gl

— wie Gertrud ihre Kinder lehrt. Ein Versuch den Müttern Anleitg. zu geben, ihre Kinder selbst zu unterrichten, in Briefen. [Aus: „Bibliothek pädagog. Klassiker."] gr. 16. (202 S.) Langensalza 871. Beyer & Söhne. n. 1. —

— wie Gertrud ihre Kinder lehrt, s. a Bibliothek, pädagogische.

Pestalozzi, J. H.: Wie Gertrud ihre Kinder lehrt. Bearb. u. mit Erl. vers. v. A. Richter. Berlin 1872. 256 S. (Pädagog. Bibliothek. 1.)

— dasselbe, Einleitg. u. Kommentar v. Karl Riedel, s. a Klassiker, pädagogische.

Pestalozzi JH, wie Gertrud ihre Kinder lehrt. Mit einer Einleitung: Pestalozzi's Leben, Werke u Grundsätze von Karl Riedel. (Pädagog. Klassiker III) Wien 1877

-- dasselbe, s. a Universal-Bibliothek.

Pestalozzi, J. H.: Wie Gertrud ihre Kinder lehrt. Ein Versuch, den Müttern Anleitung zu geben, ihre Kinder selbst zu unterrichten. Leipzig 1878. 216 S. (Reclams Univ.-Bibl. 991—92.)

— wie Gertrud ihre Kinder lehrt. Bearb. u. mit Erläuterungen versehen von Alb. Richter. 4., durchgeseh. u. verb. Aufl. gr. 8. (210 S.) Leipzig 880. Siegismund & Volkening. 2. —

—— wie Gertrud ihre Kinder lehrt, s. a Schriften, ausgewählte, berühmter Pädagogen.

Pestalozzi's, J. H., „Wie Gertrud ihre Kinder lehrt". Für den Gebrauch d. Seminarzöglinge u. Lehrer eingerichtet von *K. A. Beck*. Gr. in-8°, VIII u. 227 S. Paderborn, Ferd. Schöningh. 1887. 2 40
*** Ausgew. Schriften berühmter Pädagogen. Bd. 4.

Wie Gertrud ihre Kinder lehrt. Ein Versuch, den Müttern Anleitung zu geben, ihre Kinder selbst zu unterrichten. Von J[oh.] H[einrich] Pestalozzi. *Leipzig Siegismund & Volkening [1893].* (168 S.) 8°
= Sammelmappe, Pädagogische. H 150. [00. 10330

— dasselbe, hrsg. v. Rud. Lehmann, [a Velhagen & Klasing's Sammlung pädagog. Klassiker. 1 Lfg.

Pestalozzi, [Johann] Heinrich. Wie Gertrud ihre Kinder lehrt. Ein Versuch, den Müttern Anleitung zu geben, ihre Kinder selbst zu unterrichten. In Briefen. Zum Gebrauch an Lehrer- und Lehrerinnenseminarien hrg von Prof. Dr. Rudolf Lehmann.... VI + 122 S. 8. Bielefeld und Leipzig, Velhagen & Klasing, 1902. (geb. M. —. 90)

(Velhagen & Klasings Sammlung Pädagogischer Schriftsteller. Liefg. 1.)

Pestalozzi, Johann Heinrich. Johann Heinrich Pestalozzis «Wie Gertrud ihre Kinder lehrt». Ein Versuch, den Müttern Anleitung zu geben, ihre Kinder selbst zu unterrichten. (1801.) Für den Gebrauch der Seminarzöglinge und Lehrer eingerichtet von D. Dr. K[arl] Aug[ust] Beck.... 2. Aufl. X + 248 S. 8. Paderborn, Ferdinand Schöningh, 1902. (M. 1. 80)

Sammlung der bedeutendsten pädagogischen Schriften aus alter und neuer Zeit. Mit Biographien, Erläuterungen und erklärenden Anmerkungen hrg. von Dr Bernh[ard] Schulz ..., Dr. J[ohann] Gansen ... [und] Dr A[dam] Keller ... Band 28 ...

Wie Gertrud ihre Kinder lehrt. Ein Versuch, den Müttern Anleitung zu geben, ihre Kinder selbst zu unterrichten; in Briefen von Heinrich Pestalozzi. Mit Einl., erl. Anm. u. e. zusammenhäng. Darstellung d. pädag. Gedanken Pestalozzis, von Richard Poppe u. Otto Schulze, (Rektor, Halle). Mit d. Bilde Pestalozzis. Halle a. S. O Hendel[1905]. (XIV, 216 S.) 8° [F.]
(Bibliothek d. Gesamtlitteratur d. In- u. Auslandes. No 1929–1931.) [06. 3506

— dasselbe, [a Sammlung der bedeutendsten pädagogischen Schriften. 28.

Johann Heinrich Pestalozzis Wie Gertrud ihre Kinder lehrt' Ein Versuch, den Müttern Anleitung zu geben, ihre Kinder selbst zu unterrichten (1801). Für d. Gebr. d. Seminarzöglinge u. Lehrer eingerichtet von D Dr K[arl] Aug. Beck, Reg.- u. Schulrat. 3. Aufl. Paderborn: F Schöningh 1905. (X, 247 S.) 8° [F.]
= Sammlung d. bedeutendsten pädag Schriften. Bd 28 [07. 14470

— dasselbe, hrsg. v. J. Niessen, [a Schriften hervorrag. Pädagogen.

Pestalozzi, Johann Heinrich. J' H' Pestalozzis Wie Gertrud ihre Kinder lehrt. Ein Versuch, den Müttern Anleitung zu geben, ihre Kinder selbst zu unterrichten. Ausgewählt, mit einer Einleitung und mit Anmerkungen versehen von J[oseph] Niessen.... 88 S. 8. Breslau, Ferdinand Hirt, 1906. (M. 1 —, cart. 1.20)

Schriften hervorragender Pädagogen für Seminaristen und Lehrer. Heft 13.

Pestalozzi, [Johann] Heinrich. Wie Gertrud ihre Kinder lehrt, ein Versuch, den Müttern Anleitung zu geben, ihre Kinder selbst zu unterrichten, in Briefen von H' P'. Für den Seminar- und Selbst-Unterricht bearb. von Dr. Hermann Walsemann.... 144 S. 8. Schleswig, Johs. Ibbeken, 1906. [M. 1 20, geb. 1 50]

Johann Heinrich Pestalozzis 'Wie Gertrud ihre Kinder lehrt'. Ein Versuch, den Müttern Anleitung zu geben, ihre Kinder selbst zu unterrichten. (1801.) Für d. Gebrauch d. Seminarzöglinge u. Lehrer eingerichtet von D. Dr. K[arl] Aug Beck. 4. Aufl. neu bearb. von Dr Th[eobald] Edelbluth. Paderborn Schöningh 1909. VII, 257 S. 8°
(Sammlung d. bedeutendsten pädag Schriften Bd 25.) [10. 1798

— wie Gertrud ihre Kinder lehrt, hrsg. v. Thdr. Tupetz, [a Schulausgaben pädagog. Klassiker.

Pestalozzi, J(ohann Heinrich). Wie Gertrud ihre Kinder lehrt. [Von] J. G. P'. Hrg. von Dr. Theodor Tupetz.... Mit 1 Titelbild. 2. Aufl. 152 S. 8. Wien, F. Tempsky; Leipzig, G. Freytag, 1910. geb. M. 1. 20

Schulausgaben pädagogischer Klassiker. Hrg. von Dr. Th' T'. Heft 4.

— Wie Gertrud ihre Kinder lehrt, e. Versuch, d. Müttern Anleitg. zu geben, ihre Kinder selbst zu unterrichten, in Briefen. Für den Seminar- u. Selbstunterricht bearb. v. Herm. Walsemann. 2. Aufl. (163 S.) 8. Schleswig 910. J. Ibbeken. 1.20; geb. 1.50

— Wochenschrift f. Menschenbildung. 4 Bde à 3 Stück. gr. 8. Aarau 807 — 811. (1r u. 2r Bd. N. A. 815.) Sauerländer. 5 ₰ 8 gr.

— Ein Wort üb. d. gegenwärt. Zustand meiner pädagog. Bestrebungen u. üb. die neue Organisation meiner Anstalt. gr. 8. Zürich 821 (Orell). 9 gr.

Pestalozzi, [Johann Heinrich]. Pestalozzi's Zweites Zehntenblatt 1799 Zum Drucke befördert mit einer orientirenden Beigabe von Dr H[einrich] Morf 8 Winterthur 1895

Pestalozzi, Johann Konrad

Pestalozzi, Joh. Conr Über das Zunft- u. Innungswesen in der Schweiz. Zürich 1829

Pestalozzi J[ohann] Martin Predigt. am Tage nach dem furchtbaren Brand-Unglücke Gehalten zu Niederwenningen, den 16. April 1820 8 Zürich.

[Pestalozzi, Johannes / 1793–1876.] (Heinrich von Edlibach Geb. 1793. — Gest 1861 [Mit 1 Porträt-Tafel.]) Njbl. Hülfsges. Zürich 1868 4 [Zürich.]

Pestalozzi, Johannes. Vertiefte Gottes-Welt- und Selbst-Erkenntnis, das grosse Bedürfnis der Christenheit und der Kirche unserer Tage, IV + 227 S. 8. Stuttgart, Max Kielmann, 1902. [M. 3. —]

[Pestalozzi, Johannes /.] (Joh[ann] Jakob Hess. Bürgermeister, 1791–1857 [Mit 2 Abbildungen und 1 Porträt-Tafel.]) Njbl. Hülfsges. Zürich 1859 4. [Zürich.]

[Pestalozzi, Johannes /.] (Das Hospitium auf dem grossen St. Bernhard. [Mit 1 Tafel.]) Njbl. Hülfsges. Zürich 1827 4. [Zürich.]

[Pestalozzi, Johannes /] (Die Schweizerischen Lazariter-Ritterhäuser [Mit 1 Tafel.]) Njbl. Hülfsges. Zürich 1835. 4. [Zürich.]

Pestalozzi, Joh[annes] / Morgenpredigt, gehalten ... [zu Zürich] ... den 6. Merz 1842 nach der Feuersbrunst auf dem obern Mühlesteg den 5. Merz 1842 8. Zürich 1842.

[Pestalozzi, Johannes /.] (Hans Jakob Pestalozzi, geb 8. Oct 1749 – gest 8 Oct 1831 [Mit 1 Porträt-Tafel.]) Njbl. Waisenh. Zürich 1853. 4. [Zürich.]

[Pestalozzi, Johannes /] (Barbara von Roll, 1502–1571, und die Krankenpflege. [Mit 1 Tafel.]) Njbl. Hülfsges. Zürich 1842. 4. [Zürich.]

[Pestalozzi. Johannes /] (Johann Heinrich Schinz, Pfarrer zu Zollikon, Kirchenrath.... Geb. 1764. gest. 1822. [Mit 1 Porträt-Tafel.]) Njbl. Chorh. Zürich 1823. 4. [Zürich.]

Pestalozzi, Joh[annes] / Die Trauer um das Vaterland! Abendpredigt nach den Ereignissen im Kanton Luzern, gehalten ... [zu Zürich] .. den 6. April 1845 8 Zürich 1845.

Pestalozzi, Joh[annes] /. Worte gesprochen bei der Beerdigung der im heiligen Kampfe den 6. September 1839 auf dem Münsterhof in Zürich gefallenen Männer, .. den 8. September 1839 ... [zu Zürich]. 8. [Zürich.]

Pestalozzi, Karl

Pestalozzi, C[arl]. Alkoholismus und Seelsorge. Referat von Herrn Pfr. C. P' in St. Gallen, gehalten in Zürich am 15. Juni 1910 bei Anlass der schweizer. Predigerversammlung. 31 S. 8. Bern, Schweiz. Agentur des Blauen Kreuzes, 1910. [fr. —. 25]

Pestalozzi, Karl: Bemerkungen über das Projekt betreffend Ausleitung eines Theils der Rheinhochwasser durch das Rinnsal bei Geissau.

Pestalozzi, K., Bericht üb. Ingenieur- u. Transportwesen auf der schweizerischen Landesausstellung Zürich 1883, s.: Gerlich, E.

Pestalozzi, Karl, Eiserner Brückenbelag. Zürich, Polytechnikum 1868. Progr.

Pestalozzi, Karl, eiserner Brückenbelag. Zürich 870. (Meyer & Zeller's Verl.) gr. 4. (27 S. mit 1 Steintaf. in qu. Fol.) n. 10 ngr.

Pestalozzi, Karl, eiserner Brückenbelag. 2. Bearbeitg. m. 3 (lith.) Taf. (in qu. gr. 4.) gr. 8. (48 S.) Zürich 876. Meyer & Zeller. n. 1. 60

Pestalozzi, Carl, Heinrich Bullinger, s. Leben und ausgewählte Schriften der Väter und Begründer der reformirten Kirche.

Pestalozzi, Carl I [1815–1869]. Heinrich Bullinger. Leben und ausgewählte Schriften. Nach handschriftlichen und gleichzeitigen Quellen. 8. Elberfeld 1858.
Leben und ausgewählte Schriften der Väter ... der reformirten Kirche. Theil 5.

Pestalozzi, Carl III [geb. 1852]. Zur dankbaren Erinnerung an Karl Steffensen (1816–1888), Professor der Philosophie in Basel. SA. 8. Basel 1889.

Pestalozzi, Carl II [1825–1891]. Die Geschiebsbewegung und das natürliche Gefäll der Gebirgsflüsse. (Progr.) 4. (Zürich 1878.)

Pestalozzi, Carl, die Geschiebsbewegung u. das natürliche Gefäll der Gebirgsflüsse. gr. 4. (31 S.) Zürich 880. (Meyer & Zeller.) n. — 80

Pestalozzi, C., Bertold Haller, s. Leben und ausgewählte Schriften der Väter u. Begründer der reform. Kirche.

Pestalozzi, Carl I. Bertold Haller. Nach handschriftlichen und gleichzeitigen Quellen. 8. Elberfeld 1861.
Ausg. A. Leben und ausgewählte Schriften der Väter ... der reformirten Kirche. ⟨Supplement-⟩Theil 9.
Ausg. B. [Sep.-Ausg. von: Leben und ausg' Schr' der V'... der ref' K'. ⟨Supplement-⟩Theil 9.]

— s.: Handbuch der Ingenieurwissenschaften.

—— Leo Judä, s.a. Leben und ausgewählte Schriften der Väter und Begründer der reformirten Kirche

Pestalozzi, Carl I. Leo Judä. Nach handschriftlichen und gleichzeitigen Quellen. 8. Elberfeld 1860.
Ausg. A. Leben und ausgewählte Schriften der Väter ... der reformirten Kirche. ⟨Supplement-⟩Theil 9.
Ausg. B. [Sep.-Ausg. von: Leben und ausg' Schr' der V'... der ref' K'. ⟨Supplement-⟩Theil 9.]

Pestalozzi, Carl, das zürcherische Kirchengut in seiner Entwicklung zum Staatsgut. (IX, 111 S.) gr. 8. Zürich 903. Fäsi & Beer. n. 2. —

Pestalozzi, Carl, Kommet zum Herrn! Drei Predigten, gehalten in Zürich vor dem Bettage 1853. gr. 8. (36 S.) Zürich 853, Meyer und Zeller's Verlag. *

[Pestalozzi, Carl I.] (Hans Rudolf Lavater Bürgermeister. Geb: 1491. Gest: 1557. [Mit 1 Porträt-Tafel.]) Njbl. Waisenh. Zürich 1864. 4. [Zürich.]

— Notizen über Mathematik etc., s. Handbuch der schweizer. Artillerie-Officiere.

Pestalozzi, Carl III s. Peyer, Gustav, und Pestalozzi, Carl III — Reben am Weinstock. Basel.

Pestalozzi, Carl, s.: Reben am Weinstock.

Pestalozzi, Karl, Prof., Ueber die Rheincorrection im Canton St. Gallen. Mit 1 lithogr. Karte. 76 Stn. gr. 8. Zürich, in Commiss. bei S. Höhr. 1872
Separat-Abdruck aus der Vierteljahrsschrift der Naturforsch. Gesellschaft in Zürich.

Pestalozzi, Carl, die Sanct Magnus-Kirche während 1000 Jahren 898—1898. Ein Beitrag zur st. gall. Kirchen- u. Kulturgeschichte. gr. 8. (XII, 188 S. m. 27 Abbildgn.) St. Gallen 898. Fehr. n. 3. —

Pestalozzi, Carl. Die Sanct Magnus-Kirche in St. Gallen während tausend Jahren. 898—1898. Ein Beitrag zur st. gallischen Kirchen- und Kulturgeschichte. Mit 27 Abbildungen [wovon 6 Tafeln]. 2. Aufl. XII + 180 S. 8. St. Gallen, Buchh. der Evangelischen Gesellschaft, 1902. [fr. 3. —]

Pestalozzi, Carl, Stephan Serres und Johanna Terrasson, s. Reben am Weinstock.

Pestalozzi. Steinschnitt u. Treppenbau. [Als Manuscript autographirt vom Polytechniker-Verein in Zürich. 1880.] 8

Pestalozzi, Karl: Verbauung der Wildbäche und Regulierung der Gebirgsflüsse. 1880?

Pestalozzi, C., verstehest du auch, was du liesest? Bibelauslegungen f. alle Tage d. Jahres im Anschluß an den Bibelkalender d. „Christl. Volksfreundes". In Verbindg. m. Freunden hrsg. 8. (649 S. m. 1 Lichtdr.) Zürich 887. Schultheß. n. 4. 80; geb. n. 6. —

— dasselbe. 2. Bd. 4 Hfte. gr. 8. (632 S. m. 1 Titelbild.) Ebd. 890. à n. 1. 20 (2. Bd. cplt. geb.: n. 6. —)

Pestalozzi, Carl. Verstehest du auch, was du liesest? Bibelauslegungen f. alle Tage d. Jahres. 2. Bd. 4 Hefte. gr. 8. (632 S. m. 1 Titelbild.) Zürich 890, Schultheß. à Heft * 1 20; * 4 80 geb. * 6 —
1. Bd. Ebd. 1887. * 4 80; geb. * 6 —.

Pestelozzi, Karl: Vortrag über Steinschnitt. Aut.

Pestalozzi, Carl, ein Wort über Kirche u. Sittlichkeit in ihrem gegenseit. Verhältnisse mit Bezug auf Rich. Rothe's theolog. Ethik. Referat, vorgetragen in der Versammlung der asket. Gesellschaft in Zürich den 11. Juni 1850. 8. (IV u. 52 S.) Zürich 851, Meyer & Zeller. n. 8 ngr.

Pestalozzi, Carl, die 7 Worte unseres sterbenden Erlösers u. der Friedensgruß des Auferstandenen. 8 Predigten. 8. (III, 72 S.) St. Gallen 892. Huber u. Co. n. 1. —; geb. in Leinw. n. 1. 60

Pestalozzi, Konr. v., Erlebnisse e. Globe-Trotters. 8. (V, 150 S.) Luzern 898. (Strassburg, E. d'Oleire.) n. 1. 80

Pestalozzi, Leonh., Beyträge zur Schweizer. Münzgeschichte, nebst Ansichten üb. Münzeinheit, mit Beziehung auf d. 21. Art. d. Bundesurkunde. gr 8. (7 B. u. 2 Tab., incl. 1, Fol.) Zürich 833, Orell, Füßli u. Comp. Thlr.

Pestalozzi, Leonh., über d. Landplage d. fremden Scheidemünze im Kanton Zürich, u. welches das einzig wirksame Mittel sei, sich davon zu befreien. gr. 8. (2¼ B.) Zürich 838, Orell, Füßli u. Comp.

Pestalozzi, Leonh., über Schweizerische Münzeinheit. Betrachtungen im J. 1849. Als Fortsetzung der Schrift von 1839: „Die Münzwirren der westl. Schweiz nebst dem Versuche ihrer Lösung. gr. 8. (23 S.) Zürich 849. (Orell, Füßli & Co.) n. 4 ngr

—— die Münzwirren d. westl. Schweiz, nebst d. Versuche ihrer Lösung. gr. 8. (3½ B.) Zürich 839, Orell, Füßli u. Comp. *

—— der Schweizerfranken als eidgenössische Münzeinheit. Gutachten laut Auftrag der zürcherischen Handelskammer abgefaßt. gr. 8. (55 S.) Zürich 849, (Orell, Füßli und Comp.) *

[Pestalozzi, Ludwig.] Ansprache bei der Beerdigung von Frau Henriette von Muralt-Hirzel, gestorben 18. April... 1880. 8. (Zürich.)

Pestalozzi, L[udwig]. Zur Erinnerung an Fräulein Henriette Irminger. Leichenrede gesprochen den 18. Dezember 1891 ... [zu Zürich]. 8. Zürich 1891.

Pestalozzi, L[udwig]. Gedenkworte beim Begräbniss des Herrn Prof. Dr. A[nton] Salomon Vögelin ‹20. October 1880› gesprochen. 8. o. O.

Pestalozzi, L., der christliche Glaube. Altes und Neues gesammelt und gesichtet. gr. 8. (352 S.) Zürich 875, Schultheß. *

Pestalozzi, L., der christliche Glaube. Altes u. Neues gesammelt u. gedichtet. gr. 8. (352 S.) Zürich 876. Schultheß. n. 3. 60

Pestalozzi, L., vom Hausgottesdienste. Rede, gehalten bei der Jahresfeier der Evangel. Gesellschaft in St. Gallen, den 27. Oktob. 1879. [Aus: „Jahresber. der Evangel. Gesellsch."] gr. 8. (12 S.) St. Gallen 879. Buchh. der Evangel. Gesellschaft. n. — 20

[Pestalozzi, Ludwig.] Himmelan. Erinnerungen an unsere liebe Mutter (Frau Emilie Pestalozzi-Wiser, 1818–[1882]). 8. Zürich 1887.

[Pestalozzi, Ludwig.] An der Jahrhundertwende. Rückblicke auf das geistige und geistliche Leben im Kanton Zürich. Vortrag an der Jahresversammlung der Evangelischen Gesellschaft. 31 S. 8. Zürich, Berichthaus, 1901.

Pestalozzi, L., (Diakon), In der Welt habt ihr Angst, aber seid getrost, ich habe die Welt überwunden. Synodalpredigt über Joh. 16, 33. Broch. in-8. Zürich, Schulthess. 1873 —. 45

Pestalozzi, L., siehe: *Kirchenfreund.*

Pestalozzi, L., die christliche Lehre in Beispielen zum Gebrauche f. Kirche, Schule u. Haus. gr. 8. (VII, 359 S.) Zürich 884. Höhr. n. 3. 15; geb. n. 4. —

Pestalozzi, L., die christliche Lehre in Beispielen zum Gebrauche für Kirche, Schule und Haus. 2. Aufl. 8. (VIII, 359 S.) Zürich 885, Höhr. *

Pestalozzi, L., die christliche Lehre in Beispielen zum Gebrauche f. Kirche, Schule u. Haus. Neue Folge. 8. (VIII, 384 S.) Zürich 895. Fäsi & Beer. n. 3. 50; geb. n. 4. 40 (1. u. 2.: n. 6. 65)

Pestalozzi, L., die christliche Lehre in Beispielen, zum Gebrauche f. Kirche, Schule u. Haus. 3. Aufl. gr. 8. (VIII, 359 S.) Zürich 901. Fäsi & Beer. n. 3. 50; geb. n. 4. 40

— dasselbe. Neue Folge. 2. Aufl. 8. (VIII, 384 S.) Ebd. 901. n. 3. 50; geb. n. 4. 40

— dasselbe. 3. Sammlg. gr. 8. (VIII, 283 S.) Ebd. 902. n. 2. 80; geb. n. 3. 60

Pestalozzi, L. (Diakon). Parteipflichten u. Parteisünden. Vortrag geh. in der Zürch. Sektion d. Eidgenössischen Vereins, 2. Dezember 1878. In-8°, 20 S. Als Manuskript gedruckt.

Pestalozzi, L[udwig]. Politisches bei Gottfried Keller. Vortrag. 19 S. 8. [Zürich, Berichthaus, 1904.]

[Pestalozzi, Ludwig.] Johann Jakob Reithard (1805–1857). [Biographische Skizze. SA.] 8. [Zürich 1882.]

Pestalozzi, L[udwig]. Adolf Stöcker. Ein Vortrag, gehalten von L' P'.... SA. 8. Basel 1885.

— L., siehe: *Taschenbuch, Zürcher.*

Pestalozzi, L., siehe: *Wochenblatt.*

Pestalozzi, L[udwig]. Worte zur Erinnerung an den sel. verstorbenen Herrn Gottfried v[on] Grebel-Orelli, geb. den 6. März 1839, gest. den 30. April 1890, gesprochen von Herrn L. H[einrich] P'.... 8. Zürich 1890.

Pestalozzi, L[udwig]. Worte zur Erinnerung an den sel. verstorbenen Hrn. Hans Rud[olf] v[on] Orelli-Hess, geboren den 28. März 1820, gestorben den 22. August 1884, gesprochen von Herrn L. H[einrich] P'.... 8. (Zürich.)

Pestalozzi, L[udwig]. Worte der Erinnerung an Herrn Friedrich Schulthess-Meyer, geboren den 20. November 1832, gestorben den 8. September 1904. Gesprochen bei seiner Beerdigungsfeier. 14 S. 8. Zürich, Schulthess & Co., [1904].

Pestalozzi, [Ludwig], und Stränli, [Emil]. Worte der Erinnerung an den sel. Herrn Oberrichter Gottlieb Wintsch, gesprochen an seiner Begräbnissfeier den 24. April 1890. 8. [Zürich.]

Pestalozzi, L[udwig]. Worte der Erinnerung an die selige Fräulein Maria Louise Zeller, gesprochen bei der Beerdigung derselben ... den 15. Februar 1893. 8. Zürich 1893.

Pestalozzi, O., siehe: *Zürich.*

Pestalozzi, Rud., syntaktische Beiträge. I. Systematik der Syntax seit Ries. II. Die Casus in Johannes Keßlers Sabbata, sa Teutonia. 12. Heft.

Pestalozzi, Rudolf. Syntaktische Beiträge: 1. Systematik der Syntax seit (John) Ries; 2. Die Casus in Johannes Kesslers Sabbata. 8. Leipzig ... 1909.

Ausg. A: (Züricher Habilitationsschr.) VI + 80 S. L', Eduard Avenarius (**Umschlag:* Greifswald, Druck von Julius Abel).

Ausg. B: VIII + 80 S. L', Ed' Av'. [M. 3.—.] — Teutonia. Arbeiten zur germanischen Philologie, hrg. von Dr. phil. Wilhelm Uhl, ao. Professor.... Heft 12....

Pestalozzi, Rudolf. O(tho) Werdmüllers Hauptsumma, Zürich 1552 und Herborn 1588. Eine sprachgeschichtliche Untersuchung. Diss. Phil. [I.] Univ. Zürich. 8. Zürich, Berichthaus, 1905.
Ex. A: [Mit Vita.] XIV + 72 [+ 1] S.
Ex. B: XIV + 72 S.

Pestalozzi, S[alomon]. Die Bauarbeiten am Simplontunnel. Mit 88 Textabbildungen. Sonder-Abdruck aus der « Schweizerischen Bauzeitung » Bd. 38 Nr. 18, 19, 20, 22, 24 und Bd. 39 Nr. 3, 4, 9, 10, 13, 14, 17. II + 38 S. 4. Zürich, Ed. Rascher's Erben, 1902. (fr. 2. —)

Pestalozzi, S[alomon]. Die Bauarbeiten am Simplontunnel. Mit 88 Textabbildungen. Sonder-Abdruck aus der «Schweizerischen Bauzeitung» Bd. 38 Nr. 18, 19, 20, 22, 24 und Bd. 39 Nr. 3, 4, 9, 10, 13, 14, 17 2. Aufl. II + 38 S. 4. Zürich, Ed. Raschers Erben, 1904. (fr. 3. —)

Pestalozzi, S. Bericht über den Bestand der Sammlung des Kartenvereins in Zürich. Zürich 1894

Pestalozzi, Th., das Thierleben der Landschaft Davos. 8. (56 S.) Davos 883. Richter. n. 1. 20

(Pestalozzi-Hirzel, [Johann] C[onrad, und] Iselin-Iselin, Ab[raham].) Bericht an das Comité der schweizerischen gemeinnützigen Gesellschaft über die Reise nach den Kantonen Uri und Tessin, zur Untersuchung der dortigen durch das Hochgewitter vom 27 August 1834 leidenden Wasserbeschädigten Gemeinden ([Gegeben] Zürich, den 25 Dezember 1834) 4. *o O.*

Pestalozzi-Hirzel, (J. C.), über techn. Bildung, s. Ueber.

Pestalozzi - Hoffmeister, Konrad

Pestalozzi-Hoffmeister, C., die National-Subscription zu Gunsten der noch rückständigen Kriegsschuld der ehemal. sieben Sonderbunds-Kantone. Aus den Akten zusammengestellt. gr. 8. (IV und 95 S.) Zürich 853, Drell, Füßli und Comp.

Pestalozzi-Hoffmeister, C[onrad]. La souscription nationale pour l'extinction du restant de la dette de guerre des sept Cantons de l'Ex-Sonderbund Rapport redige d apres les actes [Avec 1 tableau] 8 Bâle 1853

Neujahrsblatt

— der Künstlergesellschaft in Zürich. Der neuen Reihenfolge 48. Gr.-4°, 47 S. mit 1 Photogr. und 2 Radierungen (Portr.) Druck von J. J. Ulrich.
*** **Enthält:** Die Unterwaldener Maler Paul u. Theod. von Deschwanden. Von *Otto Pestalozzi-Junghans.*

Ernste Betrachtungen. Vortrag, gehalten in der Loge Modestia cum libertate im Or. Zürich von O[tto] Pestalozzi-Stockar. [Zürich 1879.] 30 S. 8° [Kopftit.]
Abgedr. in: Al. 5 (1879) S. 85—96, 101—108, 117—128.
Veranl. durch die jüngsten Vorgänge im Gr. Or. de France legt der Verf. seine Ansichten üb. Religion u. Politik in der Frmrei dar, gibt Anregung zur genauen Regelung der Aufnahme von neuen Mitgl. u. spricht üb. das verantwortliche Amt eines vorbereitenden Brs.

Pestalozzi-Stockar, O. Sparsamkeit, Wohlstand und modernes Finanzwesen. Betrachtungen u Rathschläge. In-8°, V u. 120 S. Zürich, F. Schulthess. *1888* 2 —

Pestalozzi - Wiser, Rudolf

Pestalozzi-Wiser, R., Leben des Malers u. Schriftstellers Auguste Bachelin, sa Neujahrsblatt der Künstlergesellschaft in Zürich.

Leben des Malers und Schriftstellers Auguste Bachelin. (Verf R Pestalozzi-Wiser.) *[Zurich] 1885, Ulrich & Co* (33 S.) 4°
= Neujahrsblatt d Künstlergesellschaft in Zürich f. 1808 Neue Reihenfolge s. a. 2 [illegible]

[Pestalozzi Wiser Rudolf] Sylvester-Gedanken eines unabhangigen Staatsburgers. Ein Beitrag zur zurcherischen Culturgeschichte vom Jahre 1867 [Epigramme.] 8 Zürich 1867
[1 Aufl] — 2 Aufl

— Louis August Veillon, s.a. Neujahrsblatt der Künstlergesellschaft in Zürich.

[Pestalozzi-Wiser, Rudolf] Louis Auguste Veillon (1834-18[illegible] [Mit 3 Tafeln.] Njbl. Kunstlerges Zurich 1891 4 [Zurich.]

[Pestalozzi-Wiser, Rudolf] Jacob Joseph Zelger (1812-1885) [Mit 1 Abbildung und 2 Tafeln.] Njbl Kunstlerges. Zürich 1887 4 [Zurich.]

Pestalozzi-Abreisskalender mit Citaten für das Jahr 1896. Zürich, Hofer & Burger. 1 50

Pestalozzi-Album. Mit Originalbeiträgen v. B. Auerbach, O A. Banck, A. Buddeus, A. v. Chamisso 2c. Zum Besten hilfsbedürftiger Lehrerwaisen im Königr. Sachsen hrsg. von Ernst Fischer. 8. (VIII u. 312 S.) Dresden 852, Meinhold & Söhne. n. 1 *ℳ*

Pestalozziblätter, red. von O. Hunziker, sa Zeitschrift, schweizer. pädagog.

—— Zur Förderung erziehlichen Zusammenwirkens von Haus und Schule. Hrsg. von Chr. Liebermann. 1.—5. Jahrg. 1879 —1883. à Jahrg. 36 Nrn. (à Nr. 1/4 Bog.) gr. 8. Kassel, Baier und Comp. à Jahrg. *

— Zur Förderg. erziehl. Zusammenwirkens v. Haus u. Schule. Begründet v. Chr. Liebermann. Fortgeführt u. hrsg. v. J. W. Lange. 6. Jahrg. 1884. 36 Nrn. (1/4 B.) gr. 8. Cassel, Baier & Co n. 1. —

Pestalozzi-Blätter. Hrsg. von der Kommission f. das Pestalozzi-Stübchen der schweiz. permanenten Schulausstellung in Zürich. 1—3. Jahrg. 1880—1882. à 6 Nrn. gr. 8. (96 S. m. 1 Stahlst.) Zürich, (Meyer & Zeller). à Jahrg. n. 2. —

Pestalozzi-Blätter. Hrsg. v. der Kommission f. das Pestalozzi-Stübchen der schweiz. permanenten Schulausstellg. in Zürich. 4—7. Jahrg. 1883—1886. à 6 Nrn. (B.) gr. 8. Zürich, (Meyer & Zeller). à Jahrg. n. 2. —

Pestalozzi-Blätter. Beilage zum „Schweiz. Schularchiv" 8. u. 9. Jahrg. 1887. 1888. à 6 Nrn. (1/2 B.) gr. 8. Zürich, (Meyer & Zeller). à Jahrg. n. 2. —

Pestalozzi-Blätter. Zeitschrift f. d. Wohlfahrtsbestrebungen d. deutschen Lehrer. Hrg. von Paul Hinz in Konitz Wpr. Jg 1906. Nr 1-6. [Mehr nicht ersch.] Konitz: Dupont 1906. 96 S. 8° [Umschlagt.] [illegible] 10

Pestalozzifeier, die, in Dresden 1846. gr. 8. (3 1/2 B.) Leipzig, Arnoldische Buchh. *

—— die, zu Hamburg 1846. gr. 8. (3 B.) Hamburg, (Perthes-Besser u. Mauke.) * —

—— die, in Plauen am 12. Jan. 1846 veranstaltet vom voigtländ. Volksschullehrer-Verein. 8. (2 B.) Plauen, Schröter. *

Pestalozzi-Fest. Gefeiert am 12. Jan. 1816 vom Lehrervereine im untern Herzogth. Anhalt-Bernburg. 8. (2 B.) Bernburg, Gröning'sche Buchh.

Pestalozzi-Fier. D' Pest'-F' 12. Jänner 1896. [Mit 1 Porträt.] 8. Baden 1895.

Pestalozzigesellschaft Zürich. Verein für Volksbildung u. Volkserziehung. 1. Heft: Wie steuern wir der Verwahrlosung unter der Schuljugend? Nach einem Vortrag von *C. Grob.* In-8°. 24 S. Zürich, Pestalozzigesellschaft. *1897* — 20

Pestalozziheft [der] Mitteilungen der Gesellschaft für deutsche Erziehungs- und Schulgeschichte.... hrg. von Karl Kehrbach: Jahrgang 6, Heft 1. [Mit 1 Porträt.] 8. Berlin 1896.

Pestalozzi-Kalender, s. Amtskalender für sächsische Geistliche und Schullehrer.

Pestalozzi-Kalender, s.: Amts-Kalender f. Lehrer im Königr. Sachsen.

Pestalozzi-Kalender, sa Kalender d. sächs. Pestalozzi-Vereins.

Pestalozzi-Kalender auf d. J. 1850—1852. 4—6. Jahrg. 4. (1850: 68 S. 1851: 108 S. mit 1 lith. Karte. 1852: 120 S.) Dresden. (Leipzig, Klinkhardt.) 1850 u. 1851 à baar n. n. 1/2 ₰ 1852 baar n. n. 5/12 ₰

Pestalozzi-Kalender für 1899. I. Jahrg. gr. 16. (96 S.) Konitz, W. Dupont. Geb. n. — 80

Pestalozzi-Kalender. Kaiser's Neuer Schweizer Schülerkalender. Jahrg. (4,) 1911. [Mit Illustrationen, 17 Tafeln und 1 Beilage.] 274 + 64 S. 8. Bern, Kaiser & Co. ([geb.] fr. 1. 50)
Forts. von: Kaiser's Neuer Schweizer Schülerkalender....

Pestalozzische Blätter, s. Nieberer, J.

Pestalozzische Einheitstabelle, 2 Blatt Fol. Basel 822. Neukirch. 5 gl (Schultheß in Zürich. 7 gl kleine Ebd. 1 gl — Dass. große, 2 Bl. gr. Fol. Stuttg., Steinkopf. 2 gl kl. 1 gl

Pestalozzische Einheitstabelle, 2 Blatt. Roy.-Fol. Basel 832, Neukirch.

— Methode, üb. die, u. ihre Einführung in Volksschulen (v. F. G. v. Süßkind). 8. Stuttg. 810. Steinkopf. 8 gl

Die **Pestalozzi-Stiftung** in Billwärder bei Hamburg. [Leipzig 1855: Brockhaus.] 2 Bl. 4° [Umschlagtit.]
Schilderung des Stiftes (der Ill. Ztg. v. 21. April 1855 entnommen) u. Abb. 167.

Pestalozzi-Stiftung, die deutsche. Erster Rechenschaftsbericht erstattet von Diesterweg und Kalisch. gr. 8. (59 S.) Berlin 817, Th. Enslin.

Pestalozzi-Stiftung, die, im 4. bis 7. Jahr ihrer Entwicklung. Dritte öffentl Rechenschaft. 1849–53.

Pestalozzistübchen. Das P' in Zürich. Zürich 1882 *u.* 1886 *sa* [Hunziker, Otto].

Pestalozzi-Stübchen, Das, in Zürich. Zürich 1882. V: *Hunziker, Otto.* (Cat. d. Stadtbibl. Zürich. Zürich 1864 —97.) (Ky)

Pestalozzistübchen, das, in Zürich. (Von O. Hunziker.) [Aus: „Neue Züricher Zeitg."] 8. (39 S. m. 1 Holzschntaf.) Zürich 886. (Schultheß.) n. — 60

Pestalozzi-Studien. Monatshfte. f. Pestalozzi-Forschgn., Mitteilgn. u. Betrachtgn. Hrsg. von L. W. Seyffarth. 1.—3. Jahrg. Apr. 1896—März 1899. à 12 Hfte. (Bog.) gr. 8. Liegnitz, C. Seyffarth. à Jahrg. n. 2. 40
Kann auch vierteljährlich bezogen werden.

Pestalozzi-Studien. Monatsschr. f. Pestalozzi-Forschgn. Mitteilgn. u. Betrachtgn. Hrsg. v. L. W. Seyffarth 4.—7. Jahrg. 1899—1902. à 12 Nrn. gr. 8. (à ca. 16 S.) Liegnitz. C. Seyffarth. à Jahrg. 2. 40

Pestalozzi-Studien. Monatsschrift für Pestalozzi-Forschungen. Mitteilungen u. Betrachtungen. Hrsg. v. L. W. Seyffarth. 8. Jahrg. 1903. 12 Nrn. (à ca. 16 S.) gr. 8. Liegnitz, C. Seyffarth. 2. 40
Erscheint nicht mehr.

Pestaluz, J., Abhandl. üb. d. Züricherische Wechselrecht. mit Vergleichung d. Augsburger, St. Galler u. Baseler Wechselordnung. gr. 8. Zürich 827. Geßner. (Schultheß). 23 gl

Pestaluz, J., Sammlung d. Statuten d. Eidsgenöß. Cantons Zürich, s. Sammlung ꝛc.

Pestalutz, J. Conr., Bericht an die Schweizerische gemeinnützige Gesellschaft über das Zunft- u. Innungswesen der Schweiz. 8°. Zürich, Orell, Füssli u. Co., 1829.

Pestbeschreibung Infektionsordnung
Pest-Beschreibung und Infections-Ordnung. Welche vormahls in besondern Tractaten hrsg., nunmehro aber in ein Werck zusammengezogen, samt der Anno 1713 zu Wienn in Oesterreich furgewesten Contagion, mit denen dargegen gemacht und beschriebenen Veranstaltungen... Theil (1)-2, 312 S., gbd.

Wienn: Heyinger 1727
(Teil 1): Mannagetta, Johann Wilhelm: Pestordnung... durch P.de Sorbait revidirt. 1679
(Teil 1): Leopold I., Kaiser: Infektions-Ordnung, Neue..in..Wien.. 1679
Leopold I., Kaiser: Infektions-Ordnung, Neue..auf dem Lande 1680
Erinnerung, Höchst notwendige und nutzliche... 1692
Teil 2 : Bewahrung-Hülf- und Rettungsmittel, welche.. 1713.. sind angeordnet..worden. 1713

JB 5.394

Pestbeschreibung Infektionsordnung
Pestbeschreibung und Infections-Ordnung; welche vormals in besondern Tractaten hrsg., nunmehro aber in einem Werk zusammen gezogen, samt der Anno 1713 zu Wien in Oesterreich fürgewesten Contagion, mit denen dargegen gemacht und beschriebenen Veranstaltungen... Theil (1)-2, 312 S., gbd.

Wien: Trattner 1763
(Teil 1): Mannagetta, Johann Wilhelm: Pestordnung... durch P.de Sorbait revidirt. 1679

(Teil 1): Leopold I., Kaiser: Infektions-Ordnung, Neue,..in..Wien 1679
Leopold I., Kaiser: Infektions-Ordnung, Neue.auf dem Lande 1680
Erinnerung, Höchst notwendige und nutzliche... 1692
Teil 2: Bewahrung- Hülf- und Rettungsmit=tel, welche.. 1713.. sind ange=ordnet..worden. 1713

JB 5.395

Pestbeule, eine, am Leibe unseres Volkes. Hrsg. von dem Christl. Verein zur Hebung der öffentlichen Sittlichkeit für Deutschland. 1.–6. Aufl. 8. (8 S.) Mülheim a. d. Ruhr 885—88, Buchh. des evangel. Vereinshauses.

Eine Pestbeule am Leibe unseres Volkes. Hrsg. von d. Christl. Ver. z. Hebung d. öffentl. Sittlichkeit f. West-Deutschl. 7. Aufl. *Mülheim a. d. Ruhr: Buchh. d. ev. Vereinshauses 1892.* (8 S.) 8° [ℌ.] [... 4369 5

Pestblätter des XV. Jahrhunderts hrsg. von Paul Heitz. Mit einl. Text von W. L. Schreiber. 41 Abb. *Strassburg: J. H. E. Heitz 1901.* (18 S., 41 Taf.) 2° [01. 466.. 7

A pest-budai dalárda alapszabályai. Statuten des Pest-Ofner Gesangvereines. Pest, 1867. Druck von Emil Müller. (33 S. 8.) (Ungarisch und deutsch zugleich.)

Medizinisches Pest-Consilium. Alten-Stettin: Effenbarth 1709.

Pestel, Aug. Wilh., Handbuch der Tierarzneikunde für deutsche Tierärzte bearbeitet. Aus dem Französischen des P. Vatel übersetzt. 2 Bände. (II.) Leipzig 39. Lehnhold. M. 9.–

Pestel, A(ugust) W(ilhelm) (Übers.):

s.: Lallemand, (Claude) F(rançois): Beobachtungen über die Krankheiten der Harnwerkzeuge. (Observations sur les maladies des organes génito-urinaires. Dt.) Th.1 - 2. Leipzig: 1825 - 1828

JB 3.769

Pestel, A(ugust) W(ilhelm) (Übers.):

s.: Lallemand, (Claude) F(rançois): Krankheiten der Harn- und Geschlechtsorgane. (Des Maladies des organes génito-urinaires. Dt.) Leipzig: 1828

JB 3.769/2

Pestel, A(ugust) W(ilhelm) (Übers.):

s.: Lallemand, (Claude) F(rançois): Ueber Verengerungen der Harnröhre und deren Behandlung. (Des Retrécissements de l'urètre et de leur traitement. Dt.) Leipzig: 1825

JB 3.769/1

(unter Pseudonym Wilhelmi), Vollständiges Rezeptbuch für Tierärzte etc. 2 Bde. gr. 12. Leipzig 32. Köhler. M. 9.–

Pestel, August Wilhelm, s. V a t e l , Pierre Isidor: Handbuch der Thierarzneykunde ...

Pestel, Bernh., der menschliche Fuß u. seine naturgemäße Bekleidung. Zur Belehrg. f. Jedermann, insbesondere f. Schuhmacher u. Leistenschneider. Bearb. v. Max Richter. Mit 90 Taf. in Lichtdr. gr. 8. (XII, 79 S.) Glauchau 885. Kunst-Verlagsanstalt E. Diener. n. 7. 50

Pestel, Bernh., der menschliche Fuß u. seine naturgemäße Bekleidung. Zur Belehrg. f. Jedermann, insbesondere f. Schuhmacher u. Leistenschneider. Bearb. v. Max Richter. 2. unveränd. (Titel-)Aufl. gr. 8. (XII, 79 S. m. 90 Taf. in Lichtdr.) Leipzig 893. Th. Grieben. n. 5.—; geb. n. 6.–

Pestel, C. A., s. P e s t e l , Kaspar August

Pestel, Carl Philipp, s. P e s t e l , Karl Philipp

— **Christian Gottlob** (Dresden), Diss. jur. sistens genuinas curae sexus et aetatis differentias, cum usu practico. Präs. Tobias Jak. Reinharth. Erfurt (Grosch) 28. IX. 1728. 32 S. (4.75) 26143
Gew.: Bernhard von Zech.

Pestel, David [Praes.], s. K o p f , Christoph Philipp: De prohibita appellatione, hoc est: de causis in quibus appellatio locum non habet ad cameram.

Pestel, Friedrich Ulrich [Praes.], s. B e c k e r , Philipp: De comitiis provinicialibus, vulgo Land-Tagen.

Pestel, Friedrich Ulrich [Praes.], s. B e c k e r , Philipp: Edicto divi Hadriani tollendo.

Pestel, Friedrich Ulrich [Praes.], s. B u c h , Heinrich Wilhelm: Usum practicum capitis diminutionis mediae.

— **Fried. Ulrich**, Programma de causis exitus felicis belli injusti quo ad examen publicum Joh. Heinr. Fried. Steuber (Rinteln-Schauenburg) in loco consistorii audiendum omnes boni et aequi amantes humanissime invitat. Rinteln (J. G. Enax) 18. III. 1748. 12 S. (4.—) 26132

Pestel, Friedrich Ulrich [Praes.], s. G ö s s e l l , Johann Christoph: De legato pacis gratia ad hostem misso ipso jure gentium etiam sine literis commeatus vulgo Passeport inviolabili.

Pestel, Friedrich Ulrich [Praes.], s. G r a e v e m e y e r , Christoph Ludw.: De conscientia erronea.

Pestel, Friedrich Ulrich [Praes.], s. H e n k e l , Ludwig Gottfried: De effectu possessionis nondum vacuae a statu imperii adprehensae.

Pestel, Friedrich Ulrich [Praes.], s. K l e n c k , Georg Ludwig von: Larvam detrahens JCtorum opinionibus invidiae plenis.

Pestel, Friedrich Ulrich [Praes.], s. K o e h l e r , Joh. Christ.: De judice in dubia successione lineali et graduali principum.

Pestel, Friedrich Ulrich [Praes.], s. L o t h e i s e n , Joh. Justus: Exerc. ac. ostendens solam ignorantiam quantum vis justam.

Pestel, Friedrich Ulrich [Praes.], s. M e y e r , Bernh. Christoph: De jure circa lateraria vulgo Vom Ziegelbrennerey-Recht.

Pestel, Friedrich Ulrich [Praes.], s. M ü h l m e i s t e r , Herm. Heinr.: De usu jurisjurandi perhorrescentiae.

Pestel, Friedrich Wilhelm

Pestel, Frdr. Gu., **Animadversiones quaedam ad Taciti Germaniam.** Rintelii 1747. 4.

— **sel. capita juris gentium maritimi.** 4maj. Leyd. 789. Luchtmans. 10 ℊ

v. *Pestel.* Fr. Wlh., († d. 16. Oct. 1805.) **brevis expositio reipubl. Batavae in us. auditor.** 8maj. Leyd. 790. Luchtmans. 18 ℊ

Pestel, Friedrich Wilhelm [Praes.], s. Exter, Johann Ludolph von: Justitia et benignitas legum Germanicarum erga peregrinos examinata.

v. Pestel, Fr. Wlh., fundamenta jurisprudentiae naturalis delineata in usum audit. 8. Leyd. 773. Ed. II. 774. Ed. III. 776. Ed. IV. 8maj. ibid. 788.

(PESTEL, Fr. W.): Gedanken v. d. Rechtmässigkeit der reichsständ. Landposten u. der Unerweislichkeit eines diese ausschliessenden fürstl. Taxisschen Reichspostmonopolii. (Rinteln.) 759. 4.

Pestel, Friedrich Wilhelm. Vollständige Nachrichten von der Republik Holland . . . A. d. Lat. . . . Berlin 1784. Ü: *Mebes, Joh. Aug.* (EngG) (CBH) (MGT) (Ky)

— vollständ. Nachr. v. d. Republ. Hollands; aus Urkunden gesammelt; aus d. Latein. übers. mit Anmerkk. (v. J. A. Mebes). gr. 8. Berl. 784. Reimer. 1 ℔ 8 ℊ

— Diss. de praesidiis libertatis publ. 4maj. Leid. 789. Luchtmans. 10 ℊ

— prolegom. in usum jur. nat. et gent. 8. Lemgo, Meyer. 756.

— commentarii de republica Batava. 8. Leyd. 782.

Pestel, Friedrich Wilhelm [Praes.], s. Schmid, Albert Karl: Explanatio iuris clientelaris Schaumburgici de obligatione successoris feudalis ad solvendum aes alienum heredetarium.

— Fried. Wilhelm, De successione inter conjuges ab intestato disquisitio juris Germanici. Rinteln (J. G. Enax) (12. X.) 1745. 131 S. (8.—) 26133

Pestel, Friedrich Wilhelm [Praes.], s. Vietor, Karl Emil: Dissertatio iuridica inauguralis repraesentans fontem errorum de odio usurarum legitimo investigatum et obstructum.

Pestel

— **Joh. Friedrich** (Bielefeld / Westfalen), De testamentis personarum illustrium. Diss. jur. Präs. Heinrich Ernst Kestner. Rinteln (H. A. Enax) 21. VIII. 1706. 48 S. (—.—) 26134
Widm. v.: Heinrich Ernst Kestner.

Pestel, Karl Philipp

Pestel, Carl Philipp (Herford/Westfalen), Meditationes de emendanda litium protractione circa appellationes eventuales. Präs. Johann Tobias Carrach. Halle/Magdeburg (J. Fr. Grunert) 2. X. 1752. 48 S. (—.—) 26131
Widm. v.: Johann Tobias Carrach.

Pestel, Kep. Aug., d. Bedeutungvolle d. Brodes u. Weines im heil. Mahle d. Christen, als ein Beitr., den erkalteten Eifer f. d. Feier desselben zu erwärmen. 8. Querf. 816. (Lpz., Griesshammer). 8 ℊ

— einige Homilien u. Predigten. gr. 8. Leipz. 797. Griesshammer. 14 ℊ

Pester, C. Otto, Anfangsgründe f. Schriftsetzerlehrlinge, s.: Bopiel, L.

Pesth, s. Pest

Pesther-Bote, der — Großer gemeinnütziger Kalender für Stadt und Land auf das Jahr 1855. Mit einem umfassenden Civil- und Militar-Schematismus von Karl Galgóczi. I. Jahrgang. Preis: 1 fl. C. M. gr. 8. (300 S.) Pesth. Gedruckt bei Landerer und Heckenast.

Pestilentia in nummis. Weimar 1880. V: *Pfeiffer, Ludwig.* (EB)

Pestlin [Schlagwort]

Pestlin, s.: Geologische Karten (Preussen).

Pestlin, s.: Preussen. Messtischblätter.

Politisches Pest-Regiment der Stadt Alten-Stettin, auf Anordnung E. E. Wolw. Raths auffs neue rev. und nach jetziger Zeiten und anderer Umstände Gelegenheit eingerichtet. Anno 1709. Alten Stettin: Effenbahrt 1709.

Pesty, Frdr., die Entstehung Croatiens. Aus dem ungar. Mscr. [Aus: „Ungar. Revue".] gr. 8. (86 S.) Budapest 882. Kilian. n. 1. 60

Pésζak, Georgius Bajzáth de — (Ein lateinisches Gedicht zum Preise der unbefleckten Maria.) Mechitharisten-Buchdruckerei in Wien. (24 S. 4.) 1856

Peszke, Jos., experimenteller Beitrag zu den neueren Untersuchungen üb. das Wundfieber. Inaugural-Dissertation. gr. 8. (36 S.) Breslau 871. (Maruschke & Berendt.) n. 1. —

Peszke Josef Beiträge zur Kenntniss des feineren Baues der Wirbelthierleber Diss Dorpat 8° 64 pp. mit zwei Farbendruck-Tafeln 1874

Petagna, Vinc., specimen insectorum ulterioris Calabriae. c. tab. aen. 4. Frankf. a. M. 787. Varrentrapp. 8 ℊ Ed. nov. cum 58 iconib. ad naturam colorat. 4maj. Leipz. 808 u. 820. (List in Berl.) 1 ℔

Petak, Arthur Über die Bedeutung des Jugendspiels an der Mittelschule. S. 12—14. 8. Progr. K. k. Staatsgymn. Iglau 1907

Petak, Arth., Grabschriften aus Oesterreich, s. Zeitschrift f. österreich. Volkskunde. II. Suppl.-Hft.

Grabschriften aus Österreich. Hrsg. von Dr. Arthur Petak, Prof. in Görz. *Wien: Ver. f. österr. Volkskunde 1904.* (75 S.) 4°
— Zeitschrift f. österreichische Volkskunde. Jg. 10, Suppl. H. 2.

Petak A.: Jugenderziehung im Jugendspiel. 4. Wien XIX. 04. Progr.

Petak Dr. Artur: Die Lieder von der schönen Müllerin. Ein Beitrag zur deutschen Mühlenromantik. 35. Iglau 06. Progr.

Petak, Arth., s.: Mitteilungen des Iglauer Museums-Vereines.

Petak Arthur: Die Mühlenromantik in der deutschen Lyrik, nebst einer historischen Einleitung über das Mühlenmotiv.
1895 PN 954 Diss.Wien. Univ. 73

Petak, Artur: [Prolog zur Gedächtnisfeier der 100. Wiederkehr von Schillers Todestag.] S. 62–63. 8. Progr. K. k. Staatsgymn. *Iglau* 1905.

Petak, Arthur: Z. Volkslied v. d. drei Winterrosen. *Weimar 1898.* in: Forschungen z. neueren Litteraturgeschichte. Festgabe f. R. Heinzel.

P(etasch), H. A., Erlernung d. Geschlechts d. franz. Hauptwörter, s. Fabeln, 6, zur schnellen u. gründl. Erlernung rc.

Petasch, H. A., s. Fabeln, sechs, zur Erlernung des Geschlechts der franz. Hauptwörter.

Pétavel-Olliff, E., question vitales. La fin du mal, ou l'immortalité des justes et l'anéantissement graduel des impénitents. 8. (II, 214 S.) Paris 872. Sandoz & Fischbacher. n. 3. 50

Petavii, Dionysii, Aurelianensis, opus de theologicis dogmatibus expolitum et auctum collatis studiis Car. Passaglia et Clem. Schrader. Tom. I. Romae 857. (Leipzig, Gerhard.) gr. 4. (4 Bl., LXIV, 712 S.) n. 16 ℛℊ.

Petavius, Dionys., rationar. temporum, III Tmi. 8. Col. (Krüll, Ingolst.) 720.

Petazi, Adelm. Anton de, respons. Cartesii ad regul. fidei et rationis. 8. Augsb. 722.

Petrani-Steinberg, A. J. Ritter v., die ungarisch-galizischen Bahnverbindungen u. ihre Bedeutung. Pest. Wien 870. (Lehmann u. Wentzel.) gr. 8. (27 S.) n. 10 ngr.
Eine polnische Ausg. erschien zu demselben Preis.

Petek, Prvi, vsakega meseca božjemu srcu Jezusovemu posvečen. Pouk, molitve in pesmi. V Celovcu, St. Hermagoras-Druck., 1890. 59 S. (Vorwort von Mih. Lendovšek.)

Petelenz, Karl, u. Rich. Maria Werner, kurzer Abriss d. Stilistik u. Poetik. [Aus: „P. u. W., deutsches Lesebuch f. d. galiz. Mittelschulen".] gr. 8. (30 S.) Lemberg 892. Seyfarth & Czajkowski. Kart. n.n. — 50

Petelenz, K.: Albrechts von Hallers Bedeutung für das Aufkommen einer neuen besseren Zeit in der deutschen Dichtkunst auf Grund politischer und culturgesch. Verhältnisse. 41 Jaslo 1877. Progr.

Petelenz, Karl, u. Rich. Maria Werner, deutsches Lesebuch f. die galizischen Mittelschulen. 5.—8. Classe. gr. 8. (VI, 463 S.) Lemberg 893. Seyfarth & Czajkowski. Geb. in Leinw. n. 12. 60
6. (V, 308 S.) 892. n. 2. 40. — 6. (VII, 371 S.) 892. n. 2. 80. — 7. (VI, 453 S.) 893. n. 3.—. — 8. (VII, 530 S.) 894. n. 4. 40.

Petelenz, C(arl) J. Konrad's von Würzburg (+ 1287) Leben und Bedeutung. Studium von Dr. K(arol) J. P. [A]. 8. (Kraków 1881.)

Petelin, Martin: Katalog der Lehrerbibliothek. 8 (S. 3—31).
Progr.

Petelin, M.: Katalog der Lehrerbibliothek. 29 S. Rudolfswert, St. G., Progr. 1897

Petenbeck, Maria, d. Schloßvogts Töchterlein, od. wahrer Liebe Sieg u. höchstes Glück. Für's Volk erzählt. 8. (64 S.) Reutlingen 883. Bardtenschlager. — 25

Petényi, Joh. Salamon v., ornithologische Fragmente aus den Handschriften. Deutsch bearb. v. Titus Csörgey. Mit e. Einleitg. v. Otto Herman. (Ungarische ornitholog. Centrale.) (XXXVI, 400 S. m. Abbildgn. u. 1 Bildnis.) gr. 8. Gera-Untermhaus 905. F. E. Köhler. n. 10. —

Petényi, J. S. v., ornithol. Fragmente. Jetzt: Leipzig, Th. Osw. Weigel.

Peter. Lustsp. n. Collé v. J. G. Dyk. 8. Lpz. Dyk.

Peter. Die Folgen der Unwissenheit. Eine Geschichte für Kinder. Aarau 1821. V: *Tobler, Joh.* (Ky

Peter, od. die Folgen d. Unwissenheit. Eine unterhaltende Geschichte für Kinder (von Geo. Vict. Keller). 8. Aarau 821. Sauerländer. 16 gr

Peter oder die Folgen der Unwissenheit. Eine unterhaltende Geschichte für Kinder. Aarau 1821. V nicht: *Keller, G. V.* V: *Tobler, Johann Georg von, Wolfhalden.* (Ky) (GGr X, 44)

Peter, Carl Ludwig, geb. 6. Apr. 1808, gest. 11. Aug. 1893. (Von Herm. Peter.) [Aus: „Biograph. Jahrb. f. Altertumswissensch."] gr. 8. (42 S.) Berlin 896. S. Calvary & Co. n. 1. 50

Peter der Däne, Graf, ein historisches Gemählde von F. von Kleist, 8. Berlin, 791. Fr. Vieweg. 1 Rthl.

Peter, Graf, d. Däne, ein hist. Gemälde von Frz. v. Kleist. 8. Berlin. (Vieweg in Braunschw.) 792.

Peter I., Kaiser v. Rußland, s. a. Jh. Chr. Aug. Bauer, Anekdoten aus d. 18. Jahrhund.

Peter I., Kaiser von Russland, oder Sammlung der interessantesten Züge aus dem Leben dieses grossen Mannes. 8. Leipzig 180?.

Peter in d. Fremde, Posse in 2 Akten. 8. Leipz. Köhler. (in Comm.) 815.

Peter der Grausame. Berlin 1787. V: *Spalding, Carl August Wilhelm.* (Pr) »1797« (BrMm) (Ky)

Peter d. Grausame, König v. Kastilien; Geschichte (v. K. A. W. Spalding). 8. Berl. 797. (Vieweg in Braunschw.) 12 gr

— d. Große, s. a. Gallerie aller merkwürd. Menschen.

Peter der Große, s. a. Wochenbände.

— der Große. Schausp. in 5 Aufz. v. Weidmann. 8. Wien, Wallishäußer.

— der Große. Trauersp. von Dorat. 8. Offenbach, Weiß. 778.

— der Große. Musikal. Drama von Hempel. 8. Lpz. Haug. 780.

Peter der Grosse, ein Heroisches Originalschauspiel in fünf Aufzügen. Wien 1781. V: *Weidmann, Paul.* (Jahrb. d. Grillp. Ges. XIII.)

Peter der Grosse. Ein Episch-lyrischer Versuch. Riga 1791. V: *Scherwinsky, Christian Friedrich.* (R-N) (Ky)

Peter der Große. Lebensbild eines Monarchen. Mit Benutzung neuer Quellen bearb. von N. v. N. Berlin 867. Adolf & Co. 8. (308 S.) n. 1 Rthlr 15 ngr.

Peter d. Große, Kaiser v. Rußland, Biographie. 8. Chemnitz 823. Starke. 6 gr. (Vergl. auch **Biographie**).

Peter der Grosse, Kaiser und Selbstherrscher aller Russen. 171 S. Chemnitz 1794

Peter der Grosse in Catharinenthal. [Reval 1821.] V: *Kickers, Heinrich Wilhelm Joachim.* (R-N)

Peter u. Hannchen; od. die Bezauberten. Operette von Favart. 8. Frkft. u. Lpz. Eßlinger. 772. Rthlr.

Peter Herz, s. a. Herz, Peter.

Peter Herz, od. die erkannte Unschuld. — Georg u. Louis, od. der Sieg des Edelmuthes. Zwei Erzählungen f. die Jugend v. Verf. des Rosenstöckchens. 12. (4 1/4 B. u. Titlbild.) Reutlingen 846, Fleischhauer u. Spohn.

Peter v. Hirschau, tragikom. Reise durch China. 2 Thle. 8. Wien 806. Gerold. 1 Rthlr

Peter, der kleine. 64. (14 S.) Karlsruhe 875. (Barmen Klein.) — 9.

Peter und Maria, Scenen aus Schlesiens Geschichte. Züllichau 1793. V: *Vangerow, August Wilh. Ludw.* (MGT) (Ky)

— und Marie. Scenen aus Schlesiens Gesch. 8. Züllichau, Darumann. 793. Schreibp.

— u. Marie, (v. Aug. Ldw. Wlh. Vangerow). 8. Züllichau 793. (Michelsen in Leipz.) 12 gr. Schrbp. 1 Rthlr

—— u. Martha. Aus d. Französ. (Geschenk des Uebersetzers an das Rauhe Haus.) 12. (3 B.) Hamburg 843, (Perthes-Besser u. Mauke.)

—— —— dass. 2. Aufl. 8. (4 1/2 B.) Hamburg 845, Agentur des Rauhen Hauses. *

Peter u. Martha. Aus dem Franz. 3. Aufl. 12. (72 S.) Hamburg 850, Agentur des Rauhen Hauses. 1/6 Rthlr

Peter u. Martha. Aus dem Französ. 4. Aufl. Hamburg 865. Agentur des Rauhen Hauses. 12. (72 S.) 3 3/4 ngr.

—— und Martha. Aus dem Französ. 5. Aufl. 8. (72 S.) Hamburg 878, Agentur des Rauhen Hauses. cart. *

Peter Medaille, Kern und Mark d. Evangel. od. Betr. üb. alle Sonn- und Festtagsevang. d. J. etc. gr. 8. Strasburg, König. 754. Rthlr.

Peter Minus, offener Brief an den Grafen Pinto, s. Brief.

Peter Nissen, der reiche Bauer, s.: Schillings-Bücher, 20. Lfg.

— u. Paul; eine Gesch. 8. Wien, Hartmann. (Lpz. Böhme.) 785.

Peter und Paul. Eine Geschichte in zwey Bändchen. Frankfurt und Leipzig [Wien] 1783. Frankfurt 1788. V: *Hegrad, Fch.* (BGE *VI/151) (GGR V/506, Nr. 8/2) ([Hch. Wolfg. Behrisch] Die Wiener Autoren. Pressburg 1784. S. 95) (Hdschr. Mitth. von Gustav Gugitz, Wien) (BiblPort)

Peter u. Paul. Gott armer Waisen bester Vater. Schicksale aus d. Leben zweier armen Waisenknaben in ihrem Kindes-, Jünglings- u. Mannsalter mit durchaus eingewebten Lehren wahrer christl. Weisheit etc. Für Kinder u. Jünglinge, auch f. Erwachsene, Aeltern u. Lehrer erzählt v. einem Kinderfreunde (J. Jos. Huber). 12. (6 1/6 B. u. 1 Kpfr.) Grätz 830, Ferstl.

***Peter** in Pavl, ali Bog ubozih sirot najboljši oče. Povest. Iz nemškiga poslovenjena. V Celovcu, Leon. 1851. 80 S. (Christoph v. Schmid?)

Peter in Pavl, ali Bóg ubózih sirót najboljši oče. Povest za otroke in mladénče, za odrašene, kakor tudi za starše in učitelje. Iz nemškiga poslovenjena. Z 1 podobo. 8. (V und 88 S.) Klagenfurt 852, Leon'sche Buchh.

—— u. Petronella, s. Glocke, C.

Peter v. Quakenbach. s. Junker, Peter.

Peter, der Raubschütze in der Herrschaft Pöggstall. Eine vaterländ. Begebenheit des vor. Jahrh. 8. (56 S.) Urfahr-Linz 878, Kraußlich.

—— der rothe. Schausp. in 3 Aufz. Frei nach dem Französ. bearb. von L. W. G. gr. 8. (5 3/8 B.) Karlsruhe 843, Macklot. –

— der Schornsteinfeger; kom. Oper in 2 A. Aus d. Italien von Karl Aug. Zschiedrich. 8. Pirna 799. Dresd. 804. Arnold. 6 gr.

— d. Schornsteinfeger. Eine kom. Oper, a. d. Italien. v. Zschiedrich. 8. Dresden, Arnold. 810.

— Schwalbe, der lahme Wächter des Beinhauses, (v. K. Gleich). 8. ... 802.

Schwarzer **Peter** von Kopenick. Spielregel . Berlin-Schoneberg: Dorfbarbier [1900]. (32 Bl.) 8° [07. 1573]

Sultan **Peter** der unaussprechliche und seine Veziere. Oder Politisches A. b. c. Büchlein zum Gebrauch der Königskinder von Habessinien. Hrsg. und mit doppeltem Connoissement versehen, von einem Freunde der höheren Pädagogik. 1794. 456 S. 8° [Nebentit.:] Philosophisch - Politische Beobachtungen, gesammelt in Habessinien, nebst politischem Glaubensbekänntniss des Abbé Erasmus Puff gen. Ignaz Brandtwurm. Erstes, und wahrscheinlich nicht letztes Bändchen.
cf. D. neuesten Religionsbegebenheiten. 17 (1794) S. 709—721.
Erzählung. Schildert den Sturz eines Ministers, der dem Illuminaten-Orden die Herrschaft verschaffen will, durch einen Jesuiten.

— Sultan, d. Unaussprechliche, u. s. Veziere, (a. unt. d. Tit.: Beobacht. ges. in Habessinien.) 8. Frkft. Hermann. 794.

— — Anhang hierzu, s. Worte, ein Paar, an d. deutsche Publikum rc.

Peter, Temringer, oder die Sage vom Schloss Staufenberg. Baden 1863. V: *Eckert.* (BaBb)

—— Tordenskiold, ein histor. Gemälde aus d. Anfange des 18. Jahrh. Von P. P. Aus dem Dän. durch J. 3 Thle. 8. (74⅟₄ B.) Leipzig 843, Kollmann.

Peter des Grossen Tagebuch v. J. 1698 bis zum Neustädter Frieden A. d. Russ. (650), 8. Berlin 1773

Peter, s. a. Meister Peter.

Peter: Beitrag zur Geschichte des hiesigen Gymnasium I. Saarbrücken 1863. Schul-/Univ.-Schrift

Peter, Pastor. Es ist besser in das Klaghaus gehen, denn in das Trinkhaus. Dresden 1884.

Die Frage der Genehmigung des Verhaftbefehls gegen den Abgeordneten der 2. badischen Kammer Peter in Konstanz. (Von **Peter.** Frankfurt am Main. 1848.) 8°

PETER, Die jungen Herren. Wiener Roman. Berlin 1911. 8°. (Mk. 6—.) (2 Mk. 80 Pfg. Ludw. Stark, München, 1912.)

Peter, Die Ohrtrompeten der Säugetiere und ihre Anhänge. S.-A. a. A. f. m. A. Bd. XXXXIII. Bonn. Cohen.

Peter, Ueber die boni viri des Cicero. Gel. 1837. 15 S. 4°.

Peter, was kann geschehen, um die Gemeinde im kirchl. Bekenntnis zu stärken?, s.: Schutz- u. Trutz-Schriften des christl. Kolportage-Vereins. Nr. 7.

Peter, A. W., and Schmidt, W. (comp). Gesch d allg Ev-Luth Synode von Ohio u anderen Staaten. Columbus, n. d.
vgl Peter, P A.

Peter, Adf., Beiträge zur Anatomie der Vegetationsorgane v. Boswellia Cartori Birdw. (24 S. m. 3 Fig. u. 3 Taf.) gr. 8. Wien 903. (A. Hölder.) n. 1. —
Sonderabdruck aus: „Sitzungsber. d. k. Akad. d. Wiss."

Peter, Adf., König Laurin. Oper in 3 Aufzügen u. 1 Vorspiel v. Hans Görlich. Musik v. P. (Textbuch.) gr. 8. (47 S.) Karlsbad 901. H. Feller. n. — 50

Peter, Alb.

PETER (A.) Ueber Bau und Entw. der Brutknospen Ed. 2. Hameln. 1863. 8°

Peter, A., Convolvulaceae, Polemoniaceae, Hydrophyllaceae, s.: Engler, A., u. K. Prantl, d. natürl. Pflanzenfamilien, IV, 3a.

Peter, Alb., Flora von Südhannover nebst den angrenzenden Gebieten, umfassend: das südhannov. Berg- u. Hügelland, das Eichsfeld, das nördl. Hessen m. dem Reinhartswalde u. dem Meissner, das Harzgebirge nebst Vorland, das nordwestl. Thüringen u. deren nächste Grenzgebiete. 2 Tle. (in 1 Bd.) u. e. Karte des Gebietes. gr. 8. (XVI, 323 u. 137 S.) Göttingen 901. Vandenhoeck & Ruprecht. n. 8. —; in 2 Tle. geb. n. 9. 25

Peter, Alb., üb. Gefässe u. gefässartige Gebilde im Holze, besonders in der Markscheide einiger Dikotylen. Inaugural-Dissertation. gr. 8. (26 S.) Königsberg 874. (Leipzig, Kessler.) n. 1. —

Peter, A., die Hieracien Mittel-Europas, s.: Nägeli, C. v.

Peter, A., Hieracium, s.: Engler, A., u. K. Prantl, die natürlichen Pflanzenfamilien.

Peter A. Zur [illegible] 1885.

Peter, Alb., botanische Wandtafeln. Taf. 23—50. à 70×90 cm. Farbdr. Nebst Text. gr. 8. (S. 87—93.) Berlin 901. P. Parey. à n.n. 2. 50
23. Solanaceae. — 24. Hippocastanaceae. — 25. Borraginaceae. 26. Compositae. — 27. Caryophyllaceae — 28. Cyperaceae. — 29. Passifloraceae. — 30. Ranunculaceae. — 31. Euphorbiaceae. — 32. Rafflesiaceae. — 33. Vitaceae (Ampelideae). — 34. Hydrocharitaceae — 35. Cruciferae. — 36. Umbelliferae. — 37. Oxalidaceae, Balsaminaceae. — 38 Campanulaceae. — 39. Nymphaeaceae. — 40. Droseraceae — 41. Ericaceae. — 42. Scrophulariaceae. — 43. Lythraceae. — 44. Lentibulariaceae. — 45. Rosaceae. — 46. Orchideae. — 47. Caryophyllaceae: Alsineae, Paronychieae. — 48. Malvaceae. — 49. Oleaceae. — 50. Papilionaceae.

—— Wandtafeln zur Systematik, Morphologie u. Biologie der Pflanzen f. Universitäten u. Schulen. 1. Lfg. 2 Blatt in Farbendr. 71×91 cm. Nebst Text. gr. 8. (4 S.) Cassel 892, Fischer. à Blatt * 2 —; * 4 —

— Wandtafeln zur Systematik, Morphologie u. Biologie der Pflanzen f. Universitäten u. Schulen. Bl. 1—17 u. 20. à 71×91 cm. Farbendr. Nebst Text. gr. 8. (40 S.) Cassel 893. 894. Th. Fischer. à n. 2. —; auf Leinw. m. Oesen à n. 3. 20
1. Cucurbitaceae. — 2. Violaceae. — 3. Papaveraceae. — 4. Liliaceae, Amaryllidaceae. — 5. Palmae. — 6. Typhaceae, Sparganiaceae. — 7. Acoraceae. — 8. Miristicaceae. — 9. Salicaceae. — 10. Cactaceae. — 11. Sarraceniaceae, Nepenthaceae. — 12. Corylaceae. Betulaceae. — 13. Myrtaceae, Lecythideae — 14. Labiatae. — 15. Fumariaceae. — 16. Coniferae. — 17. Bromeliaceae. — 20. Polygonaceae

— Wandtafeln zur Systematik, Morphologie u. Biologie d. Pflanzen f. Universitäten u. Schulen. Bl. 12, 18, 19, 21 u. 22. à 71×91 cm. Farbendr. Nebst Text. gr. 8. Cassel, Th. Fischer. à n. 2. —; auf Leinw. m. Oesen à n.n. 3. 20
12. Corylaceae, Betulaceae. (3 S.) 894.
18. Commelinaceae. Alismaceae. (2 S.) 895.
19. Primula elatior Jacq. Garten-Primel, Himmelsschlüssel. (3 S.) 895.
21. Resedaceae. (2 S.) 895.
22. Cinchona succirubra Pav. Fieberrindenbaum. (2 S.) 895.

Peter, Albert Gedenkschrift mit Bildern zur Enthüllung des Denkmals Zu Ehren Heinrich Bosshard's, Dichter — Sänger — Patriot — Schöpfer des Sempacher Liedes. Am 13. Juli 1909 in Highland, Illinois, U. S. A. Hrg. von der Bosshard Denkmal Commission in St. Louis, Mo. [Mit 1 Melodie.] II + 40 S. 8. [St Louis,] Gerber Printing Co., (1909). fr — 25

Peter, A[lbin], und Held, J[acob]. Praktische Anleitung zur Fabrikation und Behandlung des Emmenthalerkäses. Für Käser und Molkereifachleute bearbeitet. [Mit Illustrationen und 9 Tafeln.] IV + 92 S. 8. Bern, K. J Wyss, 1907. [geb. fr. 2. 50]

Peter, A[lbin]. und Held, J[acob]. Praktische Anleitung zur Fabrikation und Behandlung des Emmentalerkäses. Für Käser und Molkereifachleute bearbeitet. Mit neun Bildertafeln und einigen Figuren im Texte. 2. Aufl. VIII + 108 S. 8. Bern, K J. Wyss, 1910. [geb. fr. 2. 50]

Peter, A[lbin]. Erhebungen über den Brennmaterialverbrauch in Emmentalerkäsereien. Bearb. im Auftrag des Zentralvorstandes von A. P . [Mit 2 Tabellen. Herausgeber] Schweizerischer milchwirtschaftlicher Verein. 18 S. 4. Bern, K. J. Wyss, 1910. [fr. 1. —]

Peter, A., s.: Käserei- u. Molkerei-Kalender, schweizerischer.

Peter, A., Milchkenntnis u. Milchuntersuchg., s.: Wyßmann, E.

— Milchwirtschaft, s.: Wyßmann, E.

Peter, A[lbin]. Reisebeobachtungen über die Milchwirtschaft in Holland, England, den Vereinigten Staaten und Kanada. Mit 36 Abbildungen. 47 S. 8. Frauenfeld, Huber & Co., 1910. [fr. 2 —]

Peter, Alfred. Ex-Libris. Mit [Porträt und Vignetten des Künstlers, sowie] einer Einführung von Richard Braungart, München. [8 Bl. + 20 Tafeln.] 4. (Basel, Buch- & Kunstdruckerei Bertschi. [geb. Subscr. fr 15.—, im Buchh. 20.—]
(... im Juni 1908 vom Künstler und Verleger zusammengestellt und in .. 200 Exemplaren ... hrg., .. vom Künstler handschriftlich nummeriert. [Exemplar] № 8.)

Peter, Alfr., Ex-Libris. Mit e. Einführg. v. Rich. Braungart. (20 Blatt m. 6 Bl. Text u. 1 Bildnis.) Lex. 8. Basel (Petersgasse 40) 909. Buchdruckerei Bertschi. Geb. in Halbfrz. 16. —

Peter, Ant., Burgen u. Schlösser im Herzogthum Schlesien. 1. Lfg. Lobenstein. — Wiegstein. — Wagstadt. gr. 8. (64 S.) Teschen 879. Prochaska in Comm. n. 1. —

Peter, Ant., Burgen u. Schlösser im Herzogth. Schlesien. Mit steter Bezugnahme auf die Orts-, Adels- u. Landes-Geschichte. 1. Bd. 2.—5. (Schluss-)Lfg. gr. 8. (XVIII u. S. 65—295). Teschen 879. (K. Prochaska.) à n. 1. —

Peter, Ant., Burgen und Schlösser im Herzogth. Schlesien. 2.—5. (Schluss-)Lfg. gr. 8. (XVIII, S. 65—295.) Teschen 880, (Prochaska.) à Lfg. * ℳ 1. *
1. Lfg. Ebendas. 1879. * ℳ 1.

Peter, Anton: Burgen und Schlösser im Herzogtum Schlesien. N. F. Bd 1. — Teschen 1894: Prochaska. III, 253 S. [Mehr nicht ersch.] [1. Ausg. 1897.]

Peter, A., Geschichte der Stadt Teschen. gr. 8. (VIII, 241 S. m 1 Bild.) Teschen 888. Prochaska. n. 4. 50

— dasselbe. Neue Folge. 4 Lfgn. gr. 8. (III, 253 S.) Ebd. 894. à n. 1. 20

Die Stadt Heilsberg und ihre Umgebung von der Gründung bis in die neueste Zeit. Mit Berücks. d. wichtigsten Begebenheiten aus d. Gesch. Ermlands. Kurz zsgef. von A Peter, Lehrer in Heilsberg Mit 6 Ill. 2. umgearb., verm. u. verb. Aufl. *Heilsberg: Selbstverl. 1900.* (81 S.) 8° [J.]
[a. 5467 10

— Heimatkunde des Herzogth. Schlesien. gr. 8. (VIII, 104 S.) Ebend. 880. n. 1. —

—— Jugendlektüre und Volksschul-Bibliotheken. Ein Vortrag, gehalten in der Bezirkslehrer-Conferenz in Teschen. 8. (38 S.) (Ebendas.) 879. *

Peter, Ant., Zuckmantler Passionsspiel. Troppau 868. Schüler. gr. 4. (II. 40 S. mit 1 Steintaf.) n.n. 10 ngr.

Peter, Anton: Zuckmantler Passionsspiel. II. (Besonders abgedruckt aus dem Programme des Ober-Gymnasiums vom Jahre 1869. Schluss. 4. (32 S.) Troppau: Schüler's B. (Fr. Bergmann.)

Peter, A., das Herzogth. Schlesien, s.: Länder, die, Oesterreich-Ungarns in Wort u. Bild.

Peter, Ant., Kajetan Sweth, der Leidensgefährte Andreas Hofers, s.: Anno Neun. 5. Bdchn.

Peter, Anton Kajetan Sweth, der Leidensgefährte Andreas Hofers. Von Anton Peter, Prof., Innsbruck. Innsbruck. Vereinsbuchh. 1908. 58 S. 8°
(Anno Neun. Bdch. 5)

— Teschen. Ein historisch-topograph. Bild. gr. 8. (112 S.) Ebend. 878. n. 2. —

Peter, Ant., Verzeichnis von geeigneten und nicht geeigneten Jugendschriften für Volks- und Bürgerschulbibliotheken. Im Auftrage des k. k. schles. Landesschulrathes und über Beschluß der dritten schles. Landes-Lehrerconferenz hrsg. gr. 8. (55 S.) Troppau 883, Buchholz und Diebel. *

— Verzeichnis v. geeigneten u. nicht geeigneten Jugendschriften f. Volks- u. Bürgerschulbibliotheken. Im Auftrage d. k. k. schles. Landesschulrathes u. üb. Beschluss der 3. schles. Landes-Lehrerconferenz hrsg. 2. Aufl. gr. 8. (64 S.) Troppau 886. Buchholz & Diebel. n. 1. —

Peter, Ant., Volksthümliches aus Österreichisch-Schlesien. 2 Bde. 8. Troppau, (Schüler.) *
Inhalt:
Bd. 1. Kinderlieder und Kinderspiele, Volkslieder und Volksschauspiele, Sprichworte. (XV und 459 S.) 865. * * 1 Thlr. 20 Ngr
» 2. Sagen und Märchen. Bräuche und Volksaberglauben. 5 Lfgn (XVI und 288 S. und Anh. 26 S.) 867. à Lfg. * 7 Ngr * 1 Thlr. 5 Ngr.

—— Volksthümliches aus Oesterreichisch-Schlesien. 3. (Schluss-)Bd.: Leben der Oppaländler in Vergangenheit und Gegenwart. [Erläuterungen zu Bd. I und II des Werkes: Schlesisch-oppaländ. Wörterbüchlein.] gr. 8. (VII, 178 S. mit 8 lithogr. Trachtenbildern.) Troppau 873. (Teschen, Prochaska.) *
1. und 2. Bd. Troppau 1865,66. (Ebendas.) * ℳ 8,50.

[Umschlagt.:] Peter, *Julius* Arnold: Die Flächen, deren Haupttangentenkurven linearen Komplexen angehören ... Christiania & Kopenhagen, A. Cammermeyer, *1895;* 87 S., 2 Bl. 8.
Leipzig, Phil. Fak., Inaug.-Diss. v [20. Juni] 1895

Peter, Arnold, zur Methodik d. Rechenunterrichts, zugleich e. Begleitwort zur Neubearbeitg. v. Löbes Sammlg. v. Aufgaben aus der Arithmetik f. Gymnasien, Realschulen u. höh. Bürgerschulen. (16 S.) 8. Leipzig 908. F. Brandstetter. — 30

— Sammlung v. Aufgaben aus der Arithmetik, s.: Löbe.

Peter, Arthur, s. Bibliothek des litterarischen Vereins in Stuttgart CLXXV.

Peter, Arth., simples lectures scientifiques et techniques, s.: Garrigues-Monvel.

Peter, Arth., des Don Francisco de Rojas Tragödie „Casarse por vengarse" u. ihre Bearbeitgn. in d. and. Litteraturen. Progr. gr. 4. (LI S.) Dresden 898. (Leipzig, Buchh. G. Fock.) n. 2.—

Peter, Arthur: Des Don Francisco de Rojas Tragödie „Casarse por vengarse" und ihre Bearbeitungen in den anderen Litteraturen. *Dresden 1898: Lehmann.* (III—LI S.) 4°
Dresden, G z. heiligen Kreuz, OP 1898 (558)

Peter, *August* [Prof. Dr.]: Übersicht über die Entwicklung des höheren Schulwesens in Ohlau. Ohlau, Schnellpressendr. v. A. Bial, *1897;* 22 S. 4.
Ohlau, st. G, Festschr. 1897**

Peter, Berta, Hans u. Gretchens Weihnachtsabend! Weihnachtsspiel f. Kinder. (9 S.) 8. Aarau 907. H. R. Sauerländer & Co. —40

Peter, *Friedrich Adolf* Berthold [aus Magdala]: Die Ohrtrompeten der Säugethiere und ihre Anhänge ... M. 3 Taf. (Aus: Arch. f. mikr. Anat., Bd. 43.) Bonn, F. Cohen, 1894; 1 Bl., 327—376 S., 1 Bl., 3 Taf. 8.
Leipzig, Phil. Fak., Inaug.-Diss. v. [2. Apr.] 1894

Peter, Bruno

Peter, B., Anleitung zur Anstellung geograph. Ortsbestimmungen auf Reisen m. Hilfe d. Sextanten u. Prismenkreises, s.: Beobachtungen, wissenschaftliche, auf Reisen.

Peter, Bruno, Beobachtungen am sechszölligen Repsoldschen Heliometer der Leipziger Sternwarte, sa Abhandlungen der kgl. sächs. Gesellschaft der Wissensch. Mathem.-phys. Klasse 29 VII.

Peter, Bruno, Beobachtgn. a. sechszöll. Repsoldschen Heliometer d. Leipziger Sternwarte. [Aus: „Abhandlgn. d. k. sächs. Gesellsch. d. Wiss."] Lex.-8. (140 S. m. 4 Fig. u. 1 Doppeltaf.) Leipzig 895. B. G. Teubner. n. 6.—

Peter, Bruno, Beobachtgn. am sechszölligen Repsoldschen Heliometer der Leipziger Sternwarte, sa Abhandlungen der königl. sächs. Gesellschaft der Wissenschaften. Mathem.-phys. Cl. 27. VI.

Beobachtungen am sechszölligen Repsoldschen Heliometer der Leipziger Sternwarte v. Bruno Peter. Abt. [1.] II. *Leipzig: S. Hirzel 1895—98.* 4. (8.)
[1.] M. 4 Textfig. u. 1 Doppeltaf. 1895. (1 Bl., 139 S., 1 Taf.)
II. M. 2 Textfig. u. 1 Taf. 1898. (1 Bl., 154 S., 1 Bl., 1 Taf.)
= Abhandlungen d. Kgl. Sächs. Gesellschaft d. Wissenschaften. Math.-phys. Classe. Bd 22. No IV. Bd 24. No III. [98. 1919

— Catalog v. 9547 bezw. 11875 Sternen, s.: Bruns, H.

— Katechismus der Kalenderkunde, s.: Weber's illustr. Katechismen.

Peter, B., Monographie der Sternhaufen G. C. 4460 u. G. C. 1440, sowie e. Sterngruppe bei *o* Piscium. [Aus: „Abhandlgn. d. k. sächs. Gesellsch. d. Wiss."] Lex.-8. (92 S. m. 2 Holzschn. u. 2 Taf.) Leipzig 889. Hirzel. n. 4. —

Peter, Bruno, astronomische Ortsbestimmungen, sa Reiss, W., u. A. Stübel, Reisen in Süd-Amerika.

Astronomische Ortsbestimmungen bearb. von Bruno Peter. *Berlin: A. Asher & Co. 1893.* (XXII, 327 S.) 4°
= Studien, Geol., in d. Republik Colombia. 3.
= Reiss, Wilhelm: Reisen in Süd-Amerika. [2, 3.] [94. 1966

Peter, (Bruno), Parallaxenbestimmgn. an dem Repsoldschen Heliometer d. Leipziger Sternwarte, sa Abhandlungen der kgl. sächs. Gesellschaft d. Wissenschaften. Mathem.-physik. Kl. 30, IV.

Parallaxenbestimmungen an dem Repsoldschen Heliometer der Leipziger Sternwarte von B[runo] Peter. Leipzig: B. G. Teubner 1908. (17 S.) 4°
= Abhandlungen d. Kgl. Sächs. Gesellschaft d. Wiss. Math.-phys. Kl. Bd 30, No 4. [c8. 11247

— Die Planeten, sa Aus Natur u. Geisteswelt.

Peter, Bruno: Die Planeten. Von Dr. Bruno Peter, Prof., Leipzig. Mit 18 Fig. Leipzig: Teubner 1909. 131 S. 8°
(Aus Natur u. Geisteswelt. Bdch. 240.)

Peter, Bruno (Bearb.), s. Reiss, Wilhelm und Alfons Stübel: Reisen in Süd-Amerika

Turn- u. Wanderlieder f. d. Schule u. die reifere Jugend, ausgew. v. Bruno Peter, Sommerfeld 1899, 130 S., 16°.

Turn- und Wanderlieder für d. Schule u. d. reifere Jugend ausgew. von Bruno Peter, Lehrer in Sommerfeld. *Sommerfeld: H. Mertsching [1900].* (130 S.) 8° [F.] [01. 7965

Peter, Bruno, Untersuchung des Vorüberganges der Venus vor der Sonnenscheibe im Jahre 1882. Dresden 1877.

Der kreuzfidele Kupferschmied ... Humorist. Marsch mit Gesang (ad lib.) von C. Peter. Op. 70. Violine & Pfte. Danzig: H. Lau [1906]. (5 S.) 4° [06. 5639 10

Peter, C., s.: Vorträge, geh. auf dem 2. rhein. Rednerkursus der nationalliberalen Partei in Köln.

Peter, C. H. W., Rechnenknecht nach dem neuen Preußischen Gewicht. Ein Hülfsbuch beim Ein- und Verkauf für Kaufleute u. Kleinhändler. Enthaltend vollständig ausgerechnete Tabellen vom Centner auf Pfunde, vom Pfund auf Lothe, vom Loth auf Quentchen rc. Berlin (858.) Fr. Schulze. gr. 8. (VI, 164 S.) 15 ngr.

Peter, C. W., Beispiele, Lehren und Uebungsaufgaben aus der Grammatik, Orthographie und Interpunktion, s. Davin, G.

Peter, C. W., Leitfaden f. die Erziehung der Kinder zur Beschützung der Tiere. Hrsg. v. dem Verbande der Tierschutzvereine d. Deutschen Reiches. 2., verb. Aufl. 8. (XIV, 77 S.) Cassel 891. (A. Freyschmidt.) n. —50

Peter, C. W., deutsches Lesebuch, s.: Clemen, C. Fr. Wilh.

Peter, C. W., deutsches Lesebuch, s.: Davin, G.

— Tierwelt im Lichte der Dichtung. gr. 8. (VIII, 309 S. m. Abb.) Leipzig (901). H. Seemann Nachf. n. 3.—

Peter, Carl, s. P e t e r , Karl

Peter, Carl Eduard, s. P e t e r , Karl Eduard

Peter, Carl Friedrich, s. P e t e r , Karl Friedrich

Peter, Carl Ludwig, s. P e t e r , Karl Ludwig

Peter, Carl Wilhelm, s. P e t e r , Karl Wilhelm

Peter, Clemens, s. P e t e r , Klemens

Peter, Clemens Arthur, s. P e t e r , Arthur

Peter, Curt, s. P e t e r , Kurt

Peter, Curt Leo v., s. P e t e r , Kurt Leo v.

PETER, Eligius (Strasserzöhl): Das Instrumentarium der Trepanation. (Titel nach der Urkunde) 10.3.1896 – Urk; Chr 1895/96,10
Diss. Ingolst.-Landsh.-Mchn.

Peter, Ernst, die Zugspitze, s.: G i p f e l f ü h r e r , alpine. I.

Peter, Eva Hermine, sa **Max,** Hero

Nächstenliebe. Drama in 1 Akt von Hero M a x (Eva Hermine **Peter**). Strassburg: Heitz 1908. 34 S. 8° [II. 13408

Szene im Kloster. Dramat. Skizze von Hero M a x (Eva Hermine **Peter**). Strassburg: Heitz 1908. 16 S. 8° [II. 13410

Peter, F.

P e t e r. Einige Beiträge zu den griechischen Wörterbüchern, mit besonderer Berücksichtigung des Passowschen Werkes. 16 S.
Saarbrücken, Progr. 1855

Peter, F. Comment., in qua, enarrata Virorum Doctorum de O p p i a n i s disceptatione, in eorundem vitam graece scriptam inquiritur. 22 S. . . . .
Zeitz, Progr. 1840

Peter, F. Glossarii fragmentum nebst Einleitung. 22 S.
Zeitz, Progr. 1850

Peter: Comm. de Cic. nat. deor. I. 19. 49. 8 S.–Saarbrücken. Progr. 1861

P e t e r, Fr. Chrstn., die ersten Grundregeln d. deutschen Sprache. Nach d. Ansichten d. neuern Grammatiker bearb. u. mit vielen Uebungen u. Aufgaben versehen. Für Schüler d. untersten Classen höh. Lehranstalten. gr. 8. (6 B.) Hannover 839, Hahn'sche Hofbuchh.

Peter, Fr. Chr., die ersten Grundregeln der deutschen Sprache. Nach den Ansichten der neuern Grammatiker bearb. u. mit vielen Uebungen u. Aufgaben. Für Schüler der untersten Classen höh. Lehranstalten. 2. Aufl. gr. 8. (X u. 86 S.) Hannover 849, Hahn. 1/4 ₰

Peter, Fr. Chr., die ersten Grundregeln der deutschen Sprache. Nach den Ansichten der neueren Grammatiker bearb. u. mit vielen Uebungen u. Aufgaben versehen. Für Schüler der untersten Classen höherer Lehranstalten. 3., mit Berücksichtigung der vom K. Oberschul-Collegium empfohlenen Orthographie verm. u. verb. Aufl. Hannover 857. Hahn. gr. 8. (VIII, 92 S.) 7½ ngr.

Peter, Fr. Prosper, Anleitg. zur Behandlg. angewandter Gleichungen. Zur Methodik d. Mathematikunterrichts u. zur Selbstbelehrg. der studier. Anfänger. (IV, 32 S.) 8. Wien 907. A. Pichler's Wwe. & Sohn. — 60

Peter, Frz., die Literatur der Faustsage bis Ende des J. 1848. Systematisch zusammengestellt. Als Manuscript gedr. gr. 8. (VIII u. 24 S.) Leipzig 849. (Literar. Antiquarium.) n. 1/3 ₰ — 2. verm. u. verb. Aufl. gr. 8. (VI u. 46 S.) Leipzig 851, Voigt. n. 1/2 ₰ (Vergl.: P e t z h o l d t, Jul., Zur Peterschen Faustliteratur.)

Peter, Frz., die Literatur der Faustsage systematisch zusammengestellt. 3. durch Zusätze bedeutend verm. Ausg. Leipzig 857. Hartung. gr. 8. (46 S. u. Zusätze 36 S.) 25 ngr.; die Zusätze allein 15 ngr.

Peter, Frz. Chr., die ersten Grundregeln der deutschen Sprache. Nach den Ansichten der neueren Grammatiker bearb. u. mit vielen Uebungen u. Aufgaben versehen. Für Schüler der untersten Classen höherer Lehranstalten. 4., mit Berücksichtigung der vom Königl. Oberschul-Collegium empfohl. Orthographie verm. Aufl. Hannover 867. Hahn'sche Hofbuchh. gr. 8. (VIII, 92 S.) 7½ ngr.

Peter, Friedrich Adolf Berthold, s. P e t e r , Berthold

Peter, Fritz, in einsamen K ä m p f e n. Ein Lebensbild. (IV, 383 S.) 8. Halle 908. Gebauer-Schwetschke. 4.—; geb. 5. —

— Der L e h r e r v. Steinbach. Aus dem Volksleben des Thüringer Waldes. (235 S.) 8. Leipzig 910. Schulze & Co. 3.—; in Pappbd. 3. 50

Peter, Fritz, der Nachtwächter von Ellrich. Kleinstädtisches Charakterbild aus vergangenen Tagen. 2 Tle. in 1 Bde. 8. (VIII, 200, 203 S.) Dresden 887, Reinhold und Söhne. * geb. *

P e t e r, Fritz. Das Priestererbe. Roman. Zugleich e. Beitrag zur neuesten Geschichte der Wiederkatholisierg. Deutschlands. 8. (VIII, 318 S.) Lpz. 890, Selbstverlag. * 4 —; geb. * 4 75

Das Priestererbe. Roman. Ein Beitrag z. neuesten Geschichte d. Wiederkatholisierung Deutschlands von Fritz **Peter.** 2. Aufl. Leipzig: Selbstverl.; (C. Braun in Komm.) 1897. (XII, 318 S.) 8° [F.] 106. 890 4

Peter, Fritz (Fritz Petermann), das P r i e s t e r e r b e. Roman. E. Beitrag zur neuesten Geschichte d. Wiederkatholisierg. Deutschlands. 2. [Titel-] Aufl. 8. (XII, 318 S.) Leipzig (890) 897. F. Peter's Selbstverl. n. 3. —; geb. n. 3. 60

Peter, Fritz, das Priestererbe. Roman. Ein Beitrag zur neuesten Geschichte der Wiederkatholisierg. Deutschlands. 3. Aufl. (XII, 189 S.) 8. Leipzig 906. (C. Braun.) Kart. n. 1. 20

Peter, G. A., Wochentag-Telegraph für jedes Datum aller Jahre von 1—7200 nach Christi Geburt alten u. neuen Styls. Zuletzt: Kaiser-Geburtstags-Tabelle mit Neujahr- u. Osterfall auf 100 Jahre [1797—1897]. 2. Aufl. Verb., erweitert u. mit vielen Beispielen wicht. Daten aus dem Leben, der Geschichte u. Gegenwart versehen. Lex.-8. (12 S.) Leipzig 879. Dietz & Zieger in Comm. n. 1. —

Peter, Geo., pädagog. Beweggn. d. Gegenwart im Spiegel der Vergangenheit. Vortrag, geh. auf der amtl. Hauptkonferenz des Schulinspektionsbez. Auerbach i. V. am 11. VI. 1910. (32 S.) gr. 8. Dresden (910). C. Heinrich. — 60

Peter, Gottfr[ied]. La lettre de change et autres valeurs analogues au point de vue spécial de la législation suisse. Avec 7 formulaires modèles et un résumé de la poursuite pour lettre de change. Par Gottfr. Peter. Traduit de l'allemand par E[rnest] Morel. IV + 46 p. 8. Bienne, Ernest Kuhn, 1902. [fr. 1.20]

Peter, Gottfr[ied]. Wechsel und wechselähnliche Papiere, unter specieller Berücksichtigung der Schweiz. Gesetzgebung. Mit 7 Formularbeilagen. IV + 46 S. 8. Biel, Ernst Kuhn, 1901. [fr. 1.20]

Peter, Gottfr[ied]. Wechsel und wechselähnliche Papiere, unter spezieller Berücksichtigung der Schweiz. Gesetzgebung. Mit 8 Formularbeilagen. 3. (vermehrte) Aufl. IV + 52 S. 8. Biel und Zürich, Ernst Kuhn, 1910. [fr. 1.50]

PETER, Gustav Albert: Über Gefässe und gefässartige Gebilde im Holze, besonders in der Markscheide einiger Dikotylen. - Königsberg 1874. 26 S. - Diss.

Peter, Gustav Jacob. Ein Beitrag zur Geschichte des zürcherischen Wehrwesens im XVII. Jahrhundert. Diss. Phil. I. Univ. Zürich ... von G' Jakob P' .... [Mit Akten-Beilagen und 2 Karten, sowie 5 Tabellen u. Tafeln.] VIII + 159 S. 8. Zürich, Schulthess & Co., 1907.

Peter, G[ustav] J[acob]. Zur Geschichte des zürcher. Wehrwesens im XVII. Jahrhundert. Ein kulturgeschichtlicher Beitrag. Quellenmässig dargestellt auf Grund von Originalkarten Hans Konrad Gygers. Mit zwei Karten und diversen [Akten-]Beilagen [sowie 5 Tabellen u. Tafeln]. VIII + 159 S. 8. Zürich, Schulthess & Co., 1907. [fr. 5.—]

Peter, H., dem Andenken unserer lieben Verklärten, oder: Erinnerungen an den Friedhof zu Worms. Worms 867. (Rahke). gr. 16. (135 S.) n. 15 ngr.

Peter, H. Die Anfänge der brandenburgischen Marine 1675—1681. 32 S. Progr. So. G. *Berlin* 1877.

Peter, H., Der allgemeine deutsche Arbeiter-Congress in Berlin. 8⁰. Berlin 1868.

Peter, H., s.: Assanierung, die, v. Zürich.

Peter H. v.: Erfahrung aus d. Praxis üb. die Fettbestimmung in d. Milch mittelst d. Lactobutyrometers. U. St. o. A. (4) S. (Sartr.). P.

Peter, H. H., Musteralphabete z. Gebrauch f. Techniker u. Studirende techn. Hochschulen. Auf Veranlassg. des Polytechniker-Ingenieur-Vereins Zürich hrsg. qu. 12. (15 lith. Taf.) Zürich 898. (E. Speidel.) n. 1.20

Peter, Hans, der Alkoholzehntel u. seine Verwendung durch d. Kantone. (51 S.) 8. Zürich 909. Art. Institut Orell Füssli. 1.—
Sonderabdr. a.: „Schweiz. Zentralbl. f. Staats- u. Gem.-Verwaltg."

— Die Fischereiberechtigg. nach schweizer. Recht, s. Beiträge, Zürcher, zur Rechtswissenschaft. XV.

Die Fischereiberechtigung nach schweizerischem Recht. Von Dr. jur. Hans **Peter.** Zürich: Schultheß & Co. 1907. (XVII, 146 S.) 8°
Zürcher Diss.
— Beiträge, Zürcher, z. Rechtswissenschaft. 15. [07. 9517]

Peter, H[einrich]. Bericht über die Ergebnisse der Vorarbeiten zur Gewinnung von Grund- oder neuen Quellwasserzuflüssen [für die] Wasserversorgung der Stadt Zürich. Erstattet von H. P', Direktor der W'. November 1910. 25 S. 8. Zürich, Buchdr., Züricher Post, 1910.

(Peter, H[einrich].) Bericht über die Erstellung der Quellwasserversorgung (der Stadt Zürich) aus dem Sihl- und Lorzetal. Erstattet vom Ingenieur der Wasserversorgung, Oktober 1906. ([Mit 12 Tafeln und 1] Übersichtsplan....) 16 S. 4. Zurich, Jacques Bollmann, 1906.

Peter, H[einrich]. Bericht über die Erweiterung der Wasserversorgung der Stadt Zürich durch Gewinnung neuer Zuflüsse. Erstattet von H. P', Direktor der W'. November 1908. [Mit Figuren.] 85 S. 8. Zürich, Buchdr. Züricher Post, 1908.

Peter, H[einrich]. Technischer Bericht über das Projekt für eine neue Seewasser-Gewinnungsanlage [für die] Wasserversorgung der Stadt Zürich. Erstattet von H. P', Direktor der W'. November 1910. [Mit 1 Plan.] 38 S. 8. Zürich, Buchdr. Züricher Post, 1910.

Peter, Heinr., der badische Entwurf e. Wertzuwachssteuer. Eine krit. Studie. (35 S.) 8. Mannheim (910). J. Bensheimer's Verl. 1.—

Peter, Heinr., der Krieg des grossen Kurfürsten gegen Frankreich 1672—1675. Halle 870. Buchh. d. Waisenhauses. gr. 8. (IX, 397 S.) n. 2 ₰

Kriegserlebnisse eines preussischen Landwehrmanns 1866, 1870–1871. [Verf.: Prof. Dr. Heinrich **Peter**, Oberl. zu Berlin.] Als Ms. gedr. *Meissen 1897: C. E. Klinkicht & Sohn.* (247 S.) 8° [J.] [01. 1223]

Peter, Heinrich: Zur Lage der Kellnerinnen im Großherzogtum Baden. Tübingen 1907: H. Laupp jr. (55 S.) 8°
Heidelberg, Phil. Fak., Ref. Rathgen, Diss. v. 1. Mai 1907
[Geb. 12. Sept. 83 Mannheim; Wohnort: Mannheim; Staatsangeh.: Baden; Vorbildung: Gymn. Mannheim Reife M. 02; Studium: Heidelberg 7 S.; Rig. 27. Febr. 06.]

Peter, Heinrich, Lexikon der Geschichte des Altertums u. der alten Geographie. Die histor. Personen, Völker, Länder u. Stätten aus der oriental., griech. u. römischen Geschichte bis zur Zeit der Völkerwanderung. 8. (III, 456 S.) Leipzig 882. Bibliograph. Institut. n. 4. 50; geb. n. 5.—

— Urkunden u. Actenstücke zur Geschichte des Kurfürsten Friedrich Wilhelm von Brandenburg, s. Urkunden u. Actenstücken.

— Wert u. Preis unbebauter Liegenschaften in d. mod. Grossstadt. Dargestellt auf Grund der Verkäufe unbebauter Liegenschaften in Mannheim 1895—1906. (VII, 169 S. m. 1 eingedr. Plan.) Lex. 8. Karlsruhe 910. G. Braun'sche Hofbuchdr. 5.—

Analecta ad historiam Philippi de Heinsberg archiepiscopi Coloniensis. Dissertatio quam 1861 publice defendet auctor Heinricus Gustavus **Peter.** Berolini. (1861.) 8°.

Peter, Herm., König Albert, s.: Ecce, Grimmaisches. 7. Hft.

Peter, Herm., Albert, König von Sachsen, s.: Ecce, Grimmaisches. 23.

Peter, Herm., praktische Anweisung zur Erteilung d. elementaren Gesangunterrichtes, s.: Beiträge zur Methodik d. Unterrichtes in der Volksschule.

Peter, Hermann [Oberschulr. Dr., Rekt. u. erster Prof.]: *Bericht über die Enthüllungsfeier der Standbilder des Stifters und des jetzigen Schirmherrn der Anstalt, Herzogs Moritz und Königs Albert von Sachsen.* Meissen, gedr. bei C. E. Klinkicht & Sohn, 1894; 53—55 S. 4.
Meissen, Fürsten- u. Landes-S, MP 1894 (544)

Peter, Hermann: [Bericht über die Feier des Dezennalfestes am 2. u. 3. Juli 1903.] S. 16—19. 4.
Progr. Fürsten- u. Landesschule St. Afra in *Meißen* 1904 (632).

Peter, H., Bericht üb. die Litteratur zu d. röm. Annalisten 1883—1892. S.-A. 1893. 21 S.

— Bericht üb. d. Litteratur zu den Scriptores historiae Augustae 1883—1892. S.-A. 1893. 43 S.

Peter, Herm., der Brief in der römischen Litteratur, sa Abhandlungen der königl. sächs. Gesellschaft der Wissensch. Phil.-hist. Cl. 20. III.

Der Brief in der römischen Litteratur. Litterargesch. Untersuchungen u. Zusammenfassungen von Hermann Peter. *Leipzig: B. G. Teubner 1901.* (259 S.) 4°(8°)
= Abhandlungen d. K. Sächs. Gesellschaft d. Wiss. Phil.-hist. Cl. Bd 20, No 3. (01. 2173)

Peter, Herm., „Disziplin". Militär-Drama in 4 Akten. (148 S.) 8. Stuttgart (906). Berlin, Klemm & Beckmann. Geb. in Leinw. n. 2. —

Peter, Hermann [Oberschulrat Dr., Rektor u. erster Prof.]: *Das Ecce der Fürsten- und Landesschule St. Afra in Meissen am 23. Nov. 1895.* (Nach Mittheilgn v. Prof. Lic. *Gustav* Türk.) Meissen, gedr. bei C. E. Klinkicht & Sohn, 1896; 35—30 S. 4.
Meissen, Fürsten- u. Landes-S St. Afra, MP 1896 (553)

Peter, Hermann [Oberschulrat Dr., Rektor u. erster Prof.]: *Das Ecce der Fürsten- und Landesschule St. Afra in Meissen am 21. Nov. 1896.* (Nach Mittheilgn v. Prof. Lic. *Gustav* Türk.) Meissen, gedr. bei C. E. Klinkicht & Sohn, 1897; 51—52 S. 4.
Meissen, Fürsten- u. Landes-S St. Afra, MP 1897 (563)

Peter, Hermann: [Das Ecce der Fürsten- und Landesschule St. Afra in Meissen am 20. November 1897.] *Meissen 1898: C. E. Klinkicht & Sohn.* (36—37 S.) 4° ¶ (Nach Mittheilungen von Prof. Lic. Gustav Türk.)
Meissen, Fürsten- u. Landes-S St. Afra, MP 1898 (567)

Peter, Herm., de P. Ovidii Nasonis fastorum locis quibusdam epistula critica. gr. 8. (23 S.) Leipzig 874. Teubner. — 75

Peter, Hermannus [Dr., Rekt. u. 1. Prof.]: Georgii Fabricii ad Andream fratrem epistolae ex autographis primum editae. (Umschl.-Tit.: . . . Pars prior.) Meissen, gedr. bei C. E. Klinkicht & Sohn, 1891; S. 1—32; 4°
Meissen, Fürsten- u. Landes-S St. Afra, MP 1891 (538)

Peter, Hermannus [Dr., Rekt. u. 1. Prof.]: Georgii Fabricii ad Andream fratrem epistolae ex autographis primum editae. P. 2. (Schluss d. P-Beil. 1891.) Meissen, gedr. bei C. E. Klinkicht & Sohn, 1892; 1—31 S. 4.
Meissen, Fürsten- u. Landes-S St. Afra, MP 1892 (540)

Peter, Herm. (H.), exercitationes criticae in scriptores historiae Augustae. gr. 4. (24 S.) Posen 863, (Behr's Buchh.) *

Peter, Herm. De P. Ovidii Fastis disputatio critica. 29 S. **Progr.** Fürst. *Meissen* 1877.

Peter, Herm. (H.), Geographie für die Volksschule. Mit besond. Berücksichtigung Thüringens überhaupt und des Herzogth. Meiningen insbesond. 2., verm. und verb. Aufl. 8. (X und 93 S.) Hildburghausen 865, Gadow und Sohn. *

Peter, Herm., Geographie f. die Volksschule. 3. verm. u. verb. Aufl. 8. (X, 111 S.) Hildburghausen 872. Gadow & Sohn. n. — 37

—— Geographie für die Volksschule. 4.—7. verm. und verb. Aufl. 8. (IV, 124 S.) Hildburghausen 880—83, Gadow und Sohn. *

Peter, Herm. (H.). Geographie f. die Volksschule. 8. bericht. Aufl. 8. (IV, 124 S.) Hildburgh. 889, Gadow u. Sohn. * — 40

Peter, Herm, Geographie f. d. Volksschule. 9., genau durchgeseh. u. bericht. Aufl. gr. 8. (IV, 90 S.) Hildburghausen 897. F. W. Gadow & Sohn. n. — 40

Peter, Herm. Kurze Geschichte des Baues und der Einweihung des neuen Landesschulgebäudes zu St. Afra nebst den bei dieser Feier gehaltenen Reden. S. 18—46. **Progr.** Fürst. *Meissen* 1880.

Peter, Hermannvs (geb. am 7 Sept. 1837 in Meiningen): Historia critica scriptorvm historiae Avgvstae ... Lipsiae, typ. B. G. Tevbneri (1860). 42 S., 1 Bl. 8. ¶ In Komm. bei Teubner in Leipzig.
Bonn, Phil. Fak., Diss. v. 18 Febr. 1860

—— s. Historicorum Romanorum reliquiae.

— Jahresbericht über die scriptores historiae Augustae in den Jahren 1865—1882. S.-A. 1884. 58 S. 1.50

—— Leitfaden für den geographischen Unterricht an gehobenen Volks- und Bürgerschulen, sowie den untern Klassen von Realschulen und Gymnasien. 1. Aufl. (VIII, 127 S.) 1868, und 2., stark verm. und verb. Aufl. 8. (VIII, 143 S.) Hildburghausen 869, Gadow und Sohn. *

Die geschichtliche Litteratur über die römische Kaiserzeit bis Theodosius I und ihre Quellen v. Dr. Hermann Peter. Bd 1. 2. *Leipzig: B. G. Teubner 1897.* 2 Bde 8.
1. (XI, 478 S.) 2. (VI, 410 S.) (97. 3458

Peter, Herm., die Quellen Plutarchs in den Biographien der Römer. Neu untersucht. Halle 865. Buchh. des Waisenhauses. gr. 8. (174 S.) n. 1 ⅙

Peter, [Hermann]: [Rede bei seinem Ausscheiden als Rektor der Anstalt.] S. 14—20. 4.
Progr. Fürsten- u. Landesschule St. Afra in *Meißen* 1905 (652).

Peter, H., Claudi Quadrigari annalium reliquiae. Pr. 1868. 33 S. 4°. 1.—
Frankfurt a. d. Oder.

Peter, Herm., die Scriptores historiae Augustae. Sechs litterar-geschichtl. Untersuchgn. gr. 8. (VIII, 266 S.) Leipzig 892. B. G. Teubner. n. 6. 40

Peter, Herm., Tragfähigkeitstabelle f. Säulen u. Stützen, Träger u. Balken. Ersatz für stat. Berechngn. Zum prakt. Gebrauche f. Architekten u. Bauunternehmer, Baupolizei-Beamte, Bauschulen, Eisenhändler u. s. w. qu. gr. Fol. Mit Txt. schmal gr. 8. (20 S. m. Fig.) Dresden 900. G. Kühtmann. Geb. in Leinw. n. 3. —

(B) **Peter**, Herm., Tragfähigkeitstabelle. 900. (KBL 32.) Jetzt: Leipzig, H. A. L. Degener.

Peter, Herm., die römischen sogen. dreissig Tyrannen, s.: Abhandlungen der königl. sächsischen Gesellschaft der Wissenschaften. Philol.-histor. Klasse. 27. VII.

Peter, Herm., Untersuchungen über den Bau und die Entwickelungsgeschichte der dicotyledonischen Brutknospen. Inaug.-Dissert. Mit 2 (lith.) Taf. (in 4.) Hameln 862. Schmidt & Suckert. gr. 8. (2 Bl., 44 S.) n. 15 ngr.

— Untersuchungen uber den Bau und die Entwickelungsgeschichte der Brutknospen. 2. verm. Aufl. Mit 3 (lith.) Taf. (in 4. u. Fol.) Ebend. 863. gr. 8. (VIII, 59 S.) 24 ngr.

Peter, Herm. Über den Wert der historischen Schriftstellerei von König Juba II. von Mauretanien. 14 S. Fürst. *Meissen* 1879. **Progr.**

Peter, Hilarius [Pseud.], s. Nicolai, Carl Ludwig

Peter, Hugo, Eisenachs Bewohner von 1630—1640, sa Beiträge zur Geschichte Eisenachs.

Eisenachs Bewohner von 1630–1640. Ein Namensverzeichniss. Von Hugo Peter. *Eisenach: H. Kahle 1901.* (120 S.) 8° [F.]
— Beiträge z. Geschichte Eisenachs. 10. [02. 1491]

Peter, Hugo, Hausmarken u. Steinmetzzeichen in u. um Eisenach: d. Eisenacher Stadtsiegel, s.a Beiträge zur Geschichte Eisenachs, VI

Peter, Hugo: Hausmarken u. Steinmetzzeichen in und um Eisenach: Die Eisenacher Stadtsiegel. Eisenach: Kahle 1897. 42 S. 3 Taf. 8°
(Beiträge zur Geschichte Eisenachs 6.)
[Georg: Schlagwort-Katalog. 3, 1 (1900) S. 652.]

Peter, Hugo, 1. Der Moseberg, 2. Weinstraße u. Wiegardi, 3. der Pulverturm, 4. der Eidechsen-Stein, s.: Beiträge zur Geschichte Eisenachs. XIV.

Peter's, Hugo, physikalische Musterbogen. Anleitung zur Selbstherstellg. betriebsfähiger Modelle nach Zeichnungen in natürl. Grösse. 1. Serie. Nr. 1 6. (Mit Text auf dem Umschlag.) Farbdr. Halle (904). H. Peter. à n. — 80

1. Elektromotor. 30,5×43,5 cm. — 2. 3. Flachring-Dynamomaschine. 43,5×62,5 cm. — 4. Induktions-Apparat. 30,5×43 cm. — 5. Morse-Schreibtelegraph. 30,5×43 cm. — 6 Batterie zum Betriebe obiger Modelle. 31×45,5 cm.

— Die herzogl. Residenz in Eisenach, s.a Beiträge zur Geschichte Eisenachs. XX.

Die herzogliche Residenz in Eisenach von Hugo Peter. Mit 16 Taf. Eisenach: Kahle 1910. 55 S. 8°
(Beiträge z. Geschichte Eisenachs. 20.) [11. 2650]

Peter, Hugo, die Hospitäler St. Clemens, St. Spiritus, St. Anna u. St. Justus in Eisenach, s.a Beiträge zur Geschichte Eisenachs. XVII.

Die Hospitäler St. Clemens, St. Spiritus, St. Anna und St. Justus in Eisenach. Von Hugo Peter. Mit 7 Ansichten, 1 Grundr. u. 1 Lagepl. Eisenach: H. Kahle 1907. (79 S.) 8° [F.]
— Beiträge z. Geschichte Eisenachs. 17. [08. 8145]

[F.] Die alte Stadtbefestigung. Von Hugo Peter. M. 1 Lagenpl. u. 2 Ans. *Eisenach: H. Kahle (1896).* (3 Bl., 34 S., 1 Pl.) 8.
— Beiträge z. Geschichte Eisenachs. [H.] 1. [96. 4193]

— die alte Stadtbefestigung Eisenachs, s.a Beiträge zur Geschichte Eisenachs. 1.

Die alte Stadtbefestigung (Eisenachs). Von Hugo Peter. Mit 1 Lagepl. u. 5 Ansichten d. alten Eisenach. 2. verb. u. erw. Aufl. Eisenach: H. Kahle 1905. (57 S.) 8° [F.]
— Beiträge z. Geschichte Eisenachs. 1. [05. 15760]

Peter, J. K., s. Peter, Jakob Christoph

Peter, J. Ulricus, Toessensi-Turicensis: Monstri duplicis per implantationem expositio anatomica. Tur typ. C. Koehleri 1844. 18 S., 1 Taf., 1 Bl. 8°.
Zürich, Med. Diss. v. 16. März 1844.

Peter, Jakob Christoph

— vollständ. theoret.-prakt. Anleit. zur Handlungswissenschaft. 1r Thl. gr. 4. Heidelb. 789. Pfähler. 2 ₰ 16 gl.

Peter, Jak. Cph., († 1790.) Entwurf v. Gedanken auf die Nothwendigkeit einer systemat. Verbesserung d. Handlungszustandes. 8. Manh. 785. Löffler. 3 gl.

Peter, Joh., junges Blut. Dorfgeschichten aus dem Böhmerwald. 8. (III, 172 S.) Leipzig 891. F. Blüttner (Verlag zum Greiffen). n. 1. 50

Peter, J., „Buchengrün". Neue Gestalten u. Geschichten aus dem deutschen Böhmerwald. (374 S.) Leipzig 887. Verlag d. Illustrirten Jagdzeitung. n. 5. —; geb. n. 6. 50

— Charakter- und Sittenbilder aus dem deutschen Böhmerwalde. 8. (228 S.) Graz 886. Leykam. n. 3. —

— Dorfgeschichten aus dem Böhmerwald, s.: Büchersammlung, allgemeine, lebender Schriftsteller.

Peter, Joh., Es war im Böhmerwald. Erzählungen u. Skizzen. (297 S. m. Bildnis.) 8. Essen (909). Fredebeul & Koenen. 3. —; geb. in Leinw. 4. —

Peter, Joh., Frühling, Wald u. Liebe. Gedichte. Hrsg. v. J. Nader jun. 12. (86 S.) Budweis 881. Hansen in Comm. n. 1. 20

— Geschichten aus dem Böhmerwald, s.a Meyer's, Ulr., Bücherei.

Geschichten aus dem Böhmerwald. Von Johann Peter. Ill. von M. Ränike. Berlin: U. Meyer [1907]. (79 S.) 8° [F.]
— Bücherei, Ulrich Meyer's. No 27. [08. 2303]

— Granit u. Gneis. Neue Geschichten aus dem böhm.-bayr. Hochwalde. (287 S. m. Bildnis.) 8. Essen (909). Fredebeul & Koenen. 3. —; geb. in Leinw. 4. —

— unscheinbare Hilfsmittel u. Wege der Erziehung, s.: Lehrer-Bibliothek, kleine.

Peter, Joh., im tiefen Keller. Dorfgeschichten aus d. niederösterreich. Weinlande. 8. (207 S.) Linz (902). Wien, Oesterreich. Verlagsanstalt. n. 2. —; geb. n. 3. —

(B) — Im tiefen Keller. 902. (KBL. 32.) Jetzt: Wien, J. Deubler.

Peter, Joh., praktische Kopfrechnungs-Vortheile f. Schule u. Haus bearb. 8. (39 S.) Nürnberg 850, Riegel & Wießner. 4 ngl.

Peter, Joh. Nep., praktische Kopfrechnungs-Vortheile für Schule u. Haus. 2., verb. u. verm. Aufl. Regensburg 866. Pustet 8. (31 S.) 2 ngr.

— der Poet im Dorfschulhause. Ausgewählte Gedichte. 8. (162 S. m. Bildnis.) Großenhain 894. Baumert & Ronge. n. 1. 50; geb. n. 2. 50

— Tanne u. Rebe, s.a Für Hütte u. Palast, Hft. 10.

Peter, Joh., Tanne und Rebe. Dorfgeschichten aus dem Böhmerwalde und niederösterreichischen Weinlande. (Für Hütte und Palast. Sammlung gediegener österreichischer Unterhaltungsschriften. Band X.) 12. (208 S.) Wien Kirsch 1897 1. —

— Waldmeister u. Enzian. Gestalten u. Geschichten aus d. Böhmerwalde. 8. (XII, 176 S.) Leipzig 896. G. H. Meyer. n. 2. —; geb. in Leinw. n. 3. —

(B) — Waldmeister u. Enzian. 896. (KBL 30.) Jetzt: Berlin, J. Wunder.

— Wildsarren. Hochwaldgeschichten aus dem böhmisch-bayer. Grenzgebirge. Mit e. Vorworte v. P. K. Rosegger. 8. (XI, 211 S.) Wien 889. Hartleben. geb. n. 4. —

— Der Wuwu, e. Ungeheuer, u. e. anderes Abenteuer, e. Buch f. Kinder. Mit Schattenbildern v. Jos. Mauder. (23 S.) Lex. 8. München (909). Verlag der Jugendblätter. Geb. 1. 20

Allegorisches Gedicht auf den Verfall des hl. römischen Reiches mit Version aus dem 14ten Jahrhundert, herausgegeben von Joh. Mich. Peter, G. P. — 1842. Ebend. — S. 3—18.
Progr. Münnerstadt.

Commentatio de loco difficili C. Plinii Sec. Naturalis Historiae Lib. VII. Cap. 51. „atque etiam morbus est aliquis, per sapientiam mori." Scrips. Joan. Mich. Peter, P. G. — 1836. Ibid. — S. 3—14. — Errata.
Progr. Münnerstadt.

Peter, Johs., das Aquarium (2. Aufl. v. Frdr. Arnold, das Aquarium), s.: Universal-Bibliothek.

Peter, Johs., Festpredigt zur Weihe der Lutherkirche zu Chemnitz, am 1. IV. 1908 geh. (8 S.) 8. Chemnitz (908). (O. May.) — 15

Peter, Johs., Kirche u. theologische Wissenschaft. Vortrag, geh. in der Pastoralkonferenz zu Bautzen am 22. VI. 1899. gr. 8. (30 S.) Leipzig 900. B. G. Teubner. n. — 60

Peter, Johs., der Schelm aus dem Böhmerwalde. Ein lust. Buch. (193 S.) 8. Großenhain (903). Baumert & Ronge n. 1. 60; geb. n. 2. 50

Peter, Jos., Apostolat des Gebetes, ein Aufruf zur Verehrung des göttl. Herzens Jesu für die deutsche Schweiz. 1. Aufl. 1866 u. 2. Aufl. Luzern 867. Gebr. Räber. 8. (48 S.) n. 4 ngr.

Peter, Jos., Blüthen der Liebe oder Fürbitten-Büchlein zur Verehrung des göttlichen Herzen Jesu für die Mitglieder des Gebets-apostolats. 16. (348 S. mit 1 Stahlst.) Luzern 868, Gebr. Räber. *

— Flammen der Liebe. Ein kathol. Gebetbuch zur Verehrung des göttlichen Herzens Jesu beim Besuche des heiligsten Altarssakramentes. 1. Aufl. 1866. u. 2. Aufl. Einsiedeln 867. Gebr. Benziger. 32. (352 S. mit 4 Chromo-Bildern in Holzschn.) 6¼ ngr.

— Licht u. Schatten oder Volksstimme gegen den Priesterhaß in unsern Tagen. Luzern 869. Gebr. Räber. gr. 8. (174 S.) 12 ngr.

Peter, Jos., der Spiritismus u. seine Phänomene m. e. Anh.: Die tanzenden Tische. — Der Astralkörper. — Die Phantome der Lebenden. (III, 72 S.) 8. Leipzig (910). O. Mutze. 1. —

— Streiter Christi oder neue Anbetungs-Stunde zum göttl. Herzen Jesu zur Sühne unserer Missethaten u. für das Wohl der heil. kathol. Kirche besonders für die Mitglieder des Gebets-Apostolats. Einsiedeln 867. Gebr. Benziger. 16. (31 S. mit eingedr. Holzschn. u. 1 Steintaf.) 2 ngr.

Peter, Jos., die wissenschaftlichen Untersuchungen der Eusapianischen Phänomene an der Universität in Neapel. Nach dem Berichte des Bottazzi üb. 7 Sitzgn. m. Eusapia Paladino. (37 S.) 8. Leipzig 908. O. Mutze. — 50

Haideblüthen. Gedichte von Juliane [Richarde] Peter. Schkölen 1897; (Erding/München: Schwankl). (131 S.) 8° [F.] [07. 8754

[F.] Märchen und Allerlei v. Juliane Richarde Peter. *Schkölen (Thüringen): Selbstv.: (Dr. v. Bartholomaus in Erfurt) [1898].* (2 Bl., 89 S., 1 Bl.) . Bd 8. [.. ...] 3

Peter, Juliane Richarde, Märchen u. Allerlei. 8. (III, 91 S.) Schkölen 898. (Erfurt, F. Bartholomäus.) Geb. 1. 60

Peter, Juliane Richarde, der Märchenkessel. Märchen u. Allerlei, nebst 3 Märchen v. Aurélie Obermayr-Wallner. (Zum Tl. farb.) Bilder v. L. Fahrenkrog. (II, 56 S.) 33,5×27 cm. Straubing (910). C. Attenkofer's Verl. Geb. in Halbleinw. 3. —

Scheide-Grüße. Gedichte von Juliane Richarde Peter. Schkölen 1898; (Erding/München: Schwankl). (32 S.) 8° [F.] [07. 8755

Peter, Juliane Richarde, was Angerbächlein fabulirt. (Titelbild von Rud. v. Reisschneider.) 8. (56 S.) Wien (902). Verlag Neue Literatur. n. 2. —; erm. Pr. n. 1. —

Wegzeichen. Gedichte von Juliane Richarde Peter. Schkölen 1898. (16 S.) 8° [F.] [07. 8756

Peter, Julius

Peter, Jul., der Rothe Berg in der Grafschaft Glatz. Monographie. 8. (60 S.) Glatz 884, Hirschberg's Buchh. *

Peter, Jul., Frankenstein, Camenz u. Wartha in Schlesien, nebst Reichenstein, Silberberg, Warthapaß, Königshainer Spitzberg u. deren Umgebungen. Handbuch f. Reisende u. Einheimische. 8. (VII, 393 S.) Glatz 885. Hirschberg. geb. n. 3. 50

(JULIUS PETER), Kleiner Führer durch die Grafschaft Glatz. Herausgegeben auf Veranlassung des Gebirgs-Vereins der Grafschaft Glatz. Habelschwerdt 1881. J. Franke. 8°.

Peter, Jul., kleiner Führer durch die Grafsch. Glatz. Auf Veranlassung des Gebirgsvereins der Grafschaft Glatz zusammengestellt. Für die Sommer-Saison 1882. 16. (64 S.) Habelschwerdt 882. Franke. n. — 20

Peter, Jul., neuester u. zuverlässiger Führer durch das Riesengebirge u. seine Anschlüsse, m. besond. Berücksicht. der Bäder Warmbrunn, Johannisbad, Flinsberg u. Liebwerda. 16. (XII, 316 S. m. 1 lith. Karte in qu. 4.) Hirschberg 875. Actienges. „Bote aus dem Riesengebirge." n. 1. 25

—— ausführliche Geschichte der Grafschaft Glatz. Von der ältesten bis in die neueste Zeit. 1. Bd.: Von der ältesten Zeit bis zur Besitzergreifung Schlesiens und der Grafschaft Glatz durch Preußens König Friedrich II. im J. 1742. 1. Lfg. gr. 8. (48 S.) Glatz 875, Selbstverlag des Verfassers. *
Nicht weiter erschienen.

—— die Grafschaft Glatz und deren Anschlüsse. Handbuch für Reisende und Einheimische. Mit besond. Berücksicht. der Bäder und klimat. Kurorte. 16. (XX, 383 S. mit 1 chromolithogr. Karte.) Habelschwerdt 881, Franke's Buchh. geb. *

Peter, Julius Arnold, s. Peter, Arnold

Peter, Karl

Peter, Carl, d. Anatomie, Morphologie u. Physiologie d. Pflanzen. Repetitorium f. Studierende d. Naturwissenschaften, Medicin u. Pharmacie. gr. 8. (28 S.) München 896. Th. Ackermann. n. — 60

— dasselbe, s.: Abhandlungen d. kgl. sächs. Gesellschaft d. Wissenschaften, Bd. 42, Nr. 3.

Anleitung zum Studium der organischen und anorganischen Chemie für das Tentamen physicum. Bearb. von Dr. Carl Peter. *Berlin: S. Calvary & Co. (1900).* (XVII, 179 S.) 8°
= Tentamen physicum. T. 4. [00. 10131

Anleitung zum Studium der Physiologie für das Tentamen physicum. Bearb. v. Dr. Carl Peter. *Berlin: S. Calvary & C. [1897].* (2 Bl., 126 S., 1 Bl.) 1 Bd 8.
= Tentamen, Das, physicum. Tl 1. [97. 5918

Anleitung zum Studium der Zoologie für das Tentamen physicum. Bearb. von Dr. Carl Peter. *Berlin: S. Calvary & Co. [1901].* (VIII, 128 S.) 8°
= Tentamen physicum. T. 5. [01. 3689

Peter, Karl, die Bedeutung d. prophetischen Wortes f. die Gegenwart. 8. (48 S.) Barmen 871. Klein. n. — 60

Peter, Carl, Beleuchtung des Ruthardtschen Vorschlags u. Plans einer äußeren u. inneren Vervollständigung der grammatikal. Lehrmethode ꝛc. gr. 8. (3 B.) Leipzig 843, C. H. Reclam sen. *

Allgemeine Botanik. Bearb. v. Dr. Carl Peter. *Berlin: S. Calvary & C. [1898].* (31 S.) 1 Bd 8.
= Tentamen physicum. Tl 6. [98. 4539

— s. Cicero de claris oratoribus.

Peter, Car., Commentatio crit. de Xenophontis Hellenicis. Smaj. (7½ B.) Halis Sax. 837, libr. Orphanotrophei.

Peter, Karl: Die Entwicklung und funktionelle Gestaltung des Schädels von Ichthyophis glutinosus. *Leipzig: W. Engelmann 1898.* (75 S.) 8° ¶(Aus: Morphologisches Jahrbuch, Bd 25 H. 4. — Mit Tafeln.)
Breslau, Med. Hab.-Schr. v. 7. März 1898

Peter, Carl, die Epochen der Verfassungsgeschichte der römischen Republik. Mit besond. Berücksichtigung der Centuriatcomitien und der mit diesen vorgegangenen Veränderungen. gr. 8. Leipzig 841, W. Vogel. 1¼ ℛ︀

Peter, C.: Flavius Josephus und der jüdische Krieg. 32 S.– Perleberg städt. R., Progr. 1871.

Peter, Carl, Geschichte Roms. 1. u. 2. Bd. Halle 853, 54. Buchhdlg. des Waisenhauses. gr. 8. 5 ℛ︀ 15 ngr.
1. Bd.: Die fünf ersten Bücher, von den ältesten Zeiten bis auf die Gracchen enthaltend. (XXII, 616 S.) 2 ℛ︀ 25 ngr.
2. Bd.: Das sechste bis zehnte Buch, von den Gracchen bis zum Untergange der Republik enthaltend. (XXI, 575 S.) 2 ℛ︀ 20 ngr.

Peter, Carl, Geschichte Roms in 3 Bdn. Halle, Buchh. des Waisenh. gr. 8. 5 ℛ︀ 7½ ngr.
1. Bd. Die 5 ersten Bücher von den ältesten Zeiten bis auf die Gracchen enthltd. 2., grösstentheils völlig umgearb. Aufl. (XXIV, 551 S.) 865. u. 3. verb. Aufl. (XXIV, 568 S.) 870. 1 ℛ︀ 15 ngr.
2. Bd. Das 6—10. Buch, von den Gracchen bis zum Untergange der Republik enthltd. 2., grösstentheils völlig umgearb. Aufl. (XVI, 526 S.) 866. u. 3. verb. Aufl. (XVIII, 516 S.) 870. 1 ℛ︀ 15 ngr.
3. Bd. 1. Abthl. Das 11. u. 12. Buch, die Geschichte d. Kaiser aus dem Julisch-Claudischen Hause enthltd. (XXVII, 364 S. mit 1 Tab.) 867. 1 ℛ︀ 7½ ngr.
3. Bd. 2. Abthl. Das 13. Buch, die Kaisergeschichte vom Tode Neros bis zum Tode Marc Aurels. (X, 254 S.) 869. 1 ℛ︀

Peter, Karl, Geschichte Roms in 3 Bdn. 3. (Schluss-) Bd. Das 11. bis 13. Buch, die Geschichte der Kaiser bis zum Tode Marc Aurels. 3. verb. Aufl. gr. 8. (XXXII, 620 S.) Halle 871. Buchh. d. Waisenh. 6. — (cplt.: 15. —; geb. 19. 50)

Peter, Carl, Geschichte Roms in 3 Bdn. 4., verb. Aufl. gr. 8. (XXVIII, 550; XX, 525 u. XXXI, 605 S.) Halle 881. Buchh. d. Waisenh. n. 18. —

—— römische Geschichte in kürzerer Fassung. gr. 8. (XX, 571 S.) Halle 874, Buchh. des Waisenhauses. * geb. *

— römische Geschichte in kürzerer Fassung. gr. 8. (XX, 571 S.) Ebend. 875. n. 7. 50; geb. n. 9. —

Peter, Carl, römische Geschichte in kürzerer Fassung. 2. verb. Aufl. 8. (XXIII, 698 S.) Halle 878, Buchh. des Waisenhauses.

Peter, Carl, Geschichts-Tabellen z. Gebrauch beim Elementarunterricht in der Geschichte. 8. (62 S.) Halle 849, Buchhandlung des Waisenhauses. 4 ngr.

—— Geschichts-Tabellen zum Gebrauch beim Elementarunterricht in der Geschichte. 7. Aufl. 1864. und 8. Aufl. 8. (66 S.) Halle 867, Buchh. des Waisenhauses. *
Aus: Der Geschichts-Unterricht auf Gymnasien, besonders abgedruckt.

—— Geschichts-Tabellen zum Gebrauche beim Elementar-Unterricht in der Geschichte. 9. Aufl. (66 S.) 1870, und 10. Aufl. gr. 8. (80 S.) Ebendas. 873. *
Aus: Geschichts-Unterricht auf Gymnasien, besonders abgedruckt.

Peter, Carl, Geschichts-Tabellen zum Gebrauch beim Elementar-Unterricht in der Geschichte. 8. (80 S.) Halle 878, Buchh. des Waisenhauses. cart. *
Aus: Der Geschichts-Unterricht für Gymnasien, besonders abgedruckt.

—— Geschichts-Tabellen zum Gebrauch beim Elementar-Unterricht in der Geschichte. 2.—12. Aufl. 8. (80 S.) Ebendas. 879—84. cart. *
Aus: Der Geschichts-Unterricht für Gymnasien, besonders abgedruckt.

Peter, Carl, Geschichts-Tabellen zum Gebrauch b. Elementar-Unterricht in d. Geschichte. [Aus: „P., d. Geschichts-Unterricht f. Gymnasien".] 13. Aufl., besorgt v. Heinr. Peter. 8. (83 S.) Halle 899. Buchh. d. Waisenhauses. n. — 50

—— der Geschichtsunterricht auf Gymnasien. Ein method. Versuch als Beitrag zur Neugestaltung des deutschen Gymnasialwesens. gr. 8. (X und 238 S.) Halle 849, Buchhandlung des Waisenhauses.

Peter, C., Ueber die Grundzüge der Entwicklung der römischen Verfassung. Ein Beit zur Kritik von Niebuhr römischer Geschichte. Pr. 1849. 29 S. 4°.

— zur Kritik der Quellen der älteren römischen Geschichte. gr. 8. (VIII, 166 S.) Ebend. 879. n. 3. —

—— Livius und Polybius. Ueber die Quellen des 21. und 22. Buchs des Livius. gr. 4. (82 S.) Halle 863, Buchh. des Waisenhauses. *

Die Methoden der Rekonstruktion. Von Karl Peter, Greifswald. Mit 40 Abb. Jena: G. Fischer 1906. (VIII, 140 S.) 8° [06. 11998 9

Peter, Karl: Die Nierenkanälchen des Menschen und einiger Säugetiere. 2. Michio Inouye, Die Nierenkanälchen d. Rindes u. d. Tümmlers. Mit 8 Taf. u. 75 Textfig. Jena: Fischer 1909. 446 S. 8°
(Untersuchungen über Bau u. Entwickelung d. Niere. H. 1.)

— Normentafel zur Entwicklungsgeschichte der Zauneidechse (Lacerta agilis), s. a. Normentafeln zur Entwicklungsgeschichte der Wirbeltiere. 4. Hft.

Normentafel zur Entwicklungsgeschichte der Zauneidechse (Lacerta agilis). Von Karl Peter in Breslau. Mit 4 Taf. u. 14 Fig. *Jena: G. Fischer 1904.* (165 S.) 2°(4°)
- Normentafeln z. Entwicklungsgeschichte d. Wirbeltiere. H. 4. [04. 66,1]

Peter: Ueber die Quellen des XXI. und XXII. Buchs des Livius. 81 S.–Pforta, Progr. 1863

Peter, Karl. Gesammelte Schriften. Milwaukee, 1887.

Peter: Studien zur römischen Geschichte mit besonderer Beziehung auf Th. Mommsen. 68 S.–Pforta, Progr. 1861.

—— Studien zur römischen Geschichte. Ein Beitrag zur Kritik von Th. Mommsen's röm. Geschichte. 1. und 2. Aufl. gr. 8. (VII und 183 S.) Halle 863, Buchh. des Waisenhauses.

Peter, Carl (Hrsg.), s.a. Tentamen physicum, Das.

— das Tentamen physicum. Anleitg. zum Studium der Anatomie, Physiologie, Physik, Chemie, Zoologie, Botanik. 1. Tl.: Physiologie. 8. (126 S.) Berlin 897. S. Calvary & Co. n. 2. —; geb. n. 2. 50

— dasselbe. 6. Tl.: Allgemeine Botanik. 8. (31 S) Ebd. 898. n. - 80; geb. 1. 30

Peter, Carl, das Tentamen physicum. Anleitung zum Studium der Anatomie, Physiologie, Physik, Chemie, Zoologie, Botanik. 4. u. 5. Tl. 8. Berlin, S. Calvary & Co. n. 5. 60; Einbde. à n. — 50
4. Organische u. anorgan. Chemie. (XVIII, 179 S.) 900. n. 3 60
5. Zoologie. (VIII, 128 S. m. 1 Tab.) (901.) n. 2. —

— Untersuchungen üb. individuelle Variationen in der tierischen Entwicklung. (6 S. m. 4 Fig.) Lex.-8. Berlin 905. (G. Reimer). n. — 50
Sonderabdruck aus: „Sitzungsber. d. preuss. Akad. d. Wiss."

Peter, C.: Das Verhältniß des Livius und Dionys von Halikarnaß zu einander und zu den ältern Annalisten. 13 S. – Progr. Anclam 1853.

Peter, Karl, ein Vorschlag zur Reform unserer Gymnasien. gr. 8. (V, 88 S.) Jena 874. Dufft. n. 1. 50

Peter, Carl, die Wichtigkeit des Studiums der alt- u. neutestamentlichen Prophetie für Kirche u. Theologie. Ein Vortrag. 1. u. 2. Aufl. Barmen 869. Klein. 8. (48 S.) n. 4 *ngr.*

Peter, Karl [aus Frankfurt a. O.]: Die Wirbelsäule der Gymnophionen ... [Aus: Ber. d. Naturf. Ges. zu Freiburg i. B., Bd IX.] Freiburg i. B., Buchdr. v. C. A. Wagner. 1894; 2 Bl., 24 S. 8.
Freiburg i. B., Med. Fak., Inaug.-Diss. v. 1894

—— Zeittafeln d. griech. Geschichte, als Grundlage d. Vortrags in höh. Gymnasialklassen, mit beständ. Bezieh. auf d. Quellen. gr. 4. (12¼ B.) Halle 835, Buchh. d. Waisenhauses.

—— Zeittafeln d. röm. Geschichte, z. Handgebr. u. als Grundlage d. Vortrags in höh. Gymnasialklassen, mit fortlauf. Belegen u. Auszügen aus d. Quellen. gr. 4. (32½ B.) Halle 841, Buchh. d. Waisenhauses.

Peter, Carl, Zeittafeln der römischen Geschichte zum Handgebrauch und als Grundlage des Vortrags in höheren Gymnasialklassen mit fortlaufenden Belegen und Auszügen aus den Quellen. Neue für den Gebrauch der Schüler eingerichtete Ausg. gr. 4. (IV und 138 S.) Halle 854, Buchhandlung des Waisenhauses. Thlr.

Peter, Carl, Zeittafeln der griechischen Geschichte zum Handgebrauch und als Grundlage des Vortrags in höheren Gymnasialklassen mit fortlaufenden Belegen und Auszügen aus den Quellen. 2., völlig umgearb. Aufl. gr. 4. (VIII und 146 S.) Halle 858, Buchhandlung des Waisenhauses.

—— Zeittafeln der römischen Geschichte zum Handgebrauch und als Grundlage des Vortrags in höheren Gymnasialklassen mit fortlauf. Belegen und Auszügen aus den Quellen. 3. Aufl. 1864. und 4., verb. Aufl. gr. 4. (III und 138 S.) Halle 867, Buchh. des Waisenhauses.

— Zeittafeln der griechischen Geschichte zum Handgebrauch u. als Grundlage d. Vortrags in höheren Gymnasialklassen m. fortlauf. Belegen u. Auszügen aus den Quellen. 4. verb. Aufl. gr. 4. (146 S.) Halle 873. Buchh. d. Waisenh. n. 4. —

—— Zeittafeln der römischen Geschichte zum Handgebrauch und als Grundlage des Vortrags in höheren Gymnasialklassen mit fortlauf. Belegen und Auszügen aus den Quellen. 5. verb. Aufl. gr. 4. (III, 118 S.) Ebendas. 874. *

—— Zeittafeln der griechischen Geschichte zum Handgebrauch und als Grundlage des Vortrags in höheren Gymnasialklassen mit fortlaufenden Belegen und Auszügen aus den Quellen. 5. verb. Aufl. gr. 4. (III, 146 S.) Ebendas. 877. *

— Zeittafeln der römischen Geschichte zum Handgebrauch u. als Grundlage des Vortrags in höheren Gymnasialklassen mit fortlaufenden Belegen u. Auszügen aus den Quellen. 6., verb. Aufl. gr. 4. (IV, 142 S.) Ebend. 882. n. 3. 60

Peter, Carl, Zeittafeln zur griechischen Geschichte zum Handgebrauch und als Grundlage des Vortrags in höheren Gymnasialklassen, mit fortlaufenden Belegen und Auszügen aus den Quellen. 6. verb. Aufl. gr. 4. (IV, 166 S.) Halle 886, Buchh. des Waisenhauses. *

Peter, Karl Eduard

Peter, Carol. Ed., de fontibus historiae imperatorum Flaviorum. Dissertatio historica. Halle 866. (Berlin, Calvary & Co.) gr. 8. (68 S.) n. 12 *ngr.*

Peter, Car(olus) Eduard(us): De fontibus historiae imperatorum Flaviorum. Halis (1866): (Sieling in Naumburg). 66 S. 8°
Halle-Wittenberg, Phil. Diss. v. 25. Jan. 1866
Geb. [Meiningen] 24. 9. 1840. V.
Im Buchhandel Halle (Berlin: Calvary) 1866. 68 S. 8°

Peter, Karl Friedrich

Peter, Carl Friedrich, approb. Arzt: Aus d. Kgl. Universitäts-Frauenklinik zu Würzburg. Beitrag zur extraperitonealen Stielversorgung bei verjauchten Myomen. *Würzburg [1899]: J. M. Richter.* (44 S.) 8°
Würzburg, Med. Diss. v. 1899

Peter, Karl Ludwig

Peter, Carolus Ludovicus: • Symbola critica in Iesaiae vaticinia. 27 [vielmehr: 32] S. 4°
Halle-Wittenberg. Phil. Diss. v. 8. Okt. 1831
Geb. Freyburg a. d. U. 6. 4. 1808. V.
Verf. erlebte die Diplomerneuerung 1881 in Jena als Rektor a. D. der Landesschule Pforta, vgl. Anh. Nr. 583.

Peter, Karl Wilhelm

Hessischer Tierschutzver. in Cassel. Des Pferdes Bitte an die Herren Kutscher, Fuhr- u. Ackerleute. [Verf.: Karl Wilhelm **Peter**.] *(Cassel: Hess. Tierschutzver. [1902?].)* (1 Bl.) 4° [Kopft. F.] [03. 7648 4

Erziehung zum Tierschutz in der Familie. Vortrag ... von C[arl] W[ilhelm] **Peter**. *Cassel 1897: Weber & Weidemeyer.* (10 S.) 8° [Umschlagt. F.] [03. 7224 4

Erziehung zum Tierschutz in der Schule. Vortrag ... von C[arl] W[ilhelm] **Peter**. *Leipzig: C. Meyer 1899.* (15 S.) 8° [Umschlagt. F.] [03. 7235 4

Der lieben Vögel Lust und Leid. Dargest. von C[arl] W[ilhelm] **Peter**. *Cassel: Hess. Tierschutzverein 1901.* (27 S.) 8° [Umschlagt. F.] [03. 7236 4

Hessischer Tierschutzver. in Cassel. Mahnruf der Vögel im Frühling. Von C[arl] W[ilhelm] **Peter**. *(Cassel: Tierschutzver. [1902?].)* (1 Bl.) 8° [Kopft. F.] [03. 7649 4

Hessischer Tierschutzver. in Kassel. Zwei Modebilder. Von C[arl] W[ilhelm] **Peter**. *(Cassel: Hess. Tierschutzver. [1902?].)* (1 Bl.) 8° [Kopft. F.] [03. 7650 4

Hessischer Tierschutzver. in Cassel. Notschrei der Vögel im Winter. [Verf.: Karl Wilhelm **Peter**.] *Cassel: Hess. Tierschutzver. [1902?].* (1 Bl.) 8° [Kopft. F.] [03. 7651 4

Notwendigkeit der Tierschutzvereine und Erfolge ihrer Bestrebungen. Vortrag ... von C[arl] W[ilhelm] **Peter**. *Marburg 1899: J. Hamel.* (12 S.) 8° [Umschlagt. F.] [03. 7237 4

Ein zeitgemässes Sünden-Register. Das Stadtkind u. d. Tierschutz. 2 Vorträge von C[arl] W[ilhelm] **Peter**. 2. Aufl. *Cassel: Hess. Tierschutzver. 1894.* (19 S.) 8° [Umschlagt. F.] [03. 7238 4

Hessischer Tierschutzver. in Cassel. Tierschutz im Winter. (Verf.: C[arl] W[ilh.] **Peter**.) *(Cassel: Tierschutzver. [1902?].)* (1 Bl.) 4° [Kopft. F.] [03. 7652 4

Vortrag über die von dem Vorstande des Braunschweiger Tierschutzvereins gestellte Frage: 'Ob u. wie die aktive Beteiligung von Kindern an d. Tierschutzvereinen u. ihren Bestrebungen wünschenswert erscheint' ... von C[arl] W[ilhelm] **Peter**. *Cassel (1895): Weber & Weidemeyer.* (12 S.) 8° [Umschlagt. F.] [03. 7239 4

Hessischer Tierschutz-Ver. zu Kassel. Was der Hund zum Menschen spricht. (Verf.: C[arl] W[ilhelm] **Peter**.) *(Kassel: Tierschutz-Ver. [1901?].)* (1 Bl.) 4° [Kopft. F.] [03. 7653 4

Zum Schutze der oft mißhandelten Arbeitspferde sind folgende Vorschriften genau zu beachten... (Verf.: C[arl] W[ilhelm] **Peter**.) *(Cassel: Hess. Tierschutzver. [1902?].)* (1 Bl.) [Kopft. F.] [03. 7654 4

Peter, Klemens

Peter, Clem., die Arbeiterfamilie im Lichte des Christenthums. Ein Beitrag zur Arbeiterfrage. 8. Zwickau 870, Döhner.

Peter, Clem., vom thätigen Glauben. 6 Predigten. Chemnitz 866. Focke. gr. 8. (III, 50 S.) n. 7⅓ ngr.

Peter, Clem., „Lasset uns hören, was Gott der Herr zu uns redet!" Predigt zur Friedens-Feier am 5. März 1871 gehalten in der Kreuzkirche zu Dresden. gr. 8. (12 S.) Dresden 871. Burdach. n. — 25

—— Trachtet nach dem, was droben ist! Abschiedspredigt an die Gemeinde zu St. Johannis in Chemnitz gehalten am Sonntage Quasimodogeniti, den 19. April 1868. gr. 8. (10 S.) Chemnitz 868, Focke. *

Peter, Kurt

Peter, Curt, appr. Arzt: Die Atropinbehandlung des Ileus. Leipzig 1905: B. Georgi. (50 S.) 8°

Leipzig, Med. Fak., Ref. Trendelenburg, Diss. v. 6. Juni 1905

[Geb. 25. März 77 Altenburg; Wohnort: Altenburg; Staatsangeh.: S.-Altenburg; Vorbildung: Friedr.-Gymn. Altenburg Reife O. 96; Studium: Jena 5, Leipzig 8 S.; Coll. 26. Juni 05; Approb. 13. Febr. 03.]

Peter, Kurt Leo v.

Peter, Curt Leo von: Das Problem des Zufalls in der griechischen Philosophie. Eine histor.-krit. Untersuchung. Berlin 1909: Simion. VIII, 55 S. 8°

Jena, Phil. Diss. v. 31. Jan. 1910, Ref. Liebmann

[Geb. 7. Nov. 88 Berlin; Wohnort: Berlin; Staatsangeh.: Preußen; Vorbildung: Wilhelms-Gymn. Berlin Reife O. 06; Studium: Berlin 4, Jena 4 S.; Rig. 11. Dez. 09.] [U 10. 2360

Peter, Curt Leo v., das Problem d. **Zufalls in** d. griech. Philosophie. **Eine historisch-krit.** Untersuchg. (55 S.) gr. 8. **Berlin 910.** L. Simion Nf. 1.50

Peter, Leop., katholisches Choral-Melodienbuch, aus dem von dem Organisten J. J. A. Homeyer verfaßten Choralbuche und Altargesange zunächst für die eichsfeld., dann auch für andere kathol. Schulen, in denen man einen einfach kräftigen und gleichförmigen Volkskirchengesang zu begründen beabsichtigt, ausgezogen und hrsg. 8. (IV und 104 S.) Heiligenstadt 854, (Delion.)

Peter, Marie, die Wissenschaft des Gekreuzigten. A. d. Franz. v. Wolfg. Reithmeier. 8. (8 B.) Straubing 845, Schorner.

Peter, Mathias —. Festpredigt bei der Feier des 75jährigen Priester-Jubiläums des hochw. . . Achaz Freih. v. Stiebar . . . . Gehalten von — —. 8. (10 S.) Wien. Gedruckt bei Anton Schweiger. 1854.

Peter, Max [app. Arzt aus Meiningen]: Ueber die carcinomatoese Degeneration der Uterusfibromyome ... Freiburg i. B., Buchdr. v. Ch. Ströcker, 1893; 34 S. 8.

Freiburg i. B., Med. Fak., Inaug.-Diss. v. 1893

Peter, Otto [prakt. Arzt von Zürich]: Über Rückbildung der Epithelien der gewundenen Harnkanälchen. Zürich 1898. 32 S.

Zürich. Med. Diss. 1897/98.

Peter, Otto, morphologische u. experimentelle Studien üb. e. neues, bei Rindern in Uruguay (Südamerika) gefundenes Trypanosoma, sa Archiv f. Schiffs- u. Tropenhygiene. XIV. Bd. 6. Beiheft.

Peter, Otto. Morphologische und experimentelle Studien über ein neues, bei Rindern in Uruguay ⟨Süd-Amerika⟩ gefundenes Trypanosoma. Diss. Vet.-Med. Bern. [Mit 1 Tafel.] 38 S. 8. Leipzig, Johann Ambrosius Barth, 1910.

Peter, P. A. - Schmidt, Wm.: Geschichte der Allgemeinen Evangelisch-Lutherischen Synode von Ohio und anderen Staaten. *Im Auftrage der Publikations-Behörde verfaßt . . . Columbus, O.: Verlagshandlung der Synode 1900. V, 415 S.*

vgl. Peter, A. W.

Peter, Prosper, der Kampf um das 20. Jahrh. Allegorisches Schauspiel in 5 Aufzügen. Aus Anlaß des Papstjubiläums Pius X. gedichtet. (90 S.) kl. 8. Kaufbeuren (908). G. Mayr. 1.—

Peter, R., Denkschrift zur Enthüllungsfeier d. Denkmals weil. Sr. Maj. d. Kaisers u. Königs Wilhelm I. zu Bad-Ems am 7. Mai 1893. gr. 8. (20 S. m. 1 Ansicht.) Bad-Ems (893). R. Sommer. n. — 50

Peter, R De Romanorum precationum carminibus Gel. 1884. 17 S.

PETER, Robert Die Fragen des Apostelkonzils in der Geschichte der ersten vier christlichen Jahrhunderte — (1910) XI, 277 Bl. 4° (Handschr.) Diss. 901 Diss.Wien, Univ.

Peter, Robert, aus Berlin Zur Kenntnis des 1,3-Dimethyl-4-imino-2, 6-dioxypyrimidins. *Berlin (1903): G. Schade.* (22 S.) 8°
Berlin, Phil Diss. v 25. März 1903

Peter, Rosa, der seligen Johanna v. Arc, Jungfrau v. Orleans, Berufung, Triumph u. Tod, s.: Theater, kleines.

Peter, Rud., Decimeter-Durchmesser-Theilung. Räderfräsen-System. gr. 8. (12 S. m. 2 Fig.) Zürich 896. A. Raustein. n. — 80

Peter, Rud., Kaufmannsstand u. Christentum. Predigt üb. Matth. 13, Vers 45 u. 46 zum 50jähr. Jubiläum der Handelsschule in Pirna am 31. I. 1909 in der Stadtkirche zu Pirna. (11 S.) 8. Pirna (909). C. Diller & Sohn. — 20

Peter, Rudolfus [Silesius]: Quaestionum pontificalium specimen Argentorati, apud Carolum I. Truebner, 1886, 84 S. 8°
Strassburg, Phil. Fak., Inaug. Diss. v. 1886.

Peter, R., quaestionum pontificalium specimen. gr. 8. (84 S.) Strassburg 887. Trübner, Verl. n. 1. 80

Peter, S., Schillers Leben. Der reiferen Jugend erzählt. 8. (V, 163 S. m. Abbildgn.) Halle a/S. 892. M. Niemeyer. n. 1. 80; geb. in Leinw. n. 2. 40

Peter, Thdr. Emil, allein aus Gnaden selig! Abschiedspredigt üb. Apostelgesch. 15, 6—12, am 17. Trinitatissonntage [20. Septbr.] 1891 in der Kirche zu Großenhain geh. gr. 8. (11 S.) Großenhain 891. A. Hentze. n.n. — 25

Peter, Waldemar [pr. Arzt]: Zur Aetiologie und Statistik der Mastitis puerperalis. Königsberg i. Pr. Hartungsche Buchdr. (1890); 26 S. 8°
Königsberg, Med. Fak., Inaug.-Diss. v. 17 Mai 1890

Peter, Wald. Zur Aetiologie u. Statistik der Mastitis puerperalis. Diss. gr. 8. (24 S.) Königsb. i. Pr. 890, (Koch). * — 75

(P[eter], W[erner].) Das Landesbanner von Sargans. [Separatabdruck aus: «Werdenberger & Obertoggenburger». Jahrg. 33, Nr. 101, 1902 August 30.] 8 S. 8. [Buchs, J. Kuhn.]

Peter, Guilelmus Augustus: De dialecto Pindari. Halis Saxonum (1866) Ploetz. 69 S. 8°
Halle-Wittenberg, Phil. Diss. v 14. Juni 1866
Geb. Nordhausen 5.6.1842. V
Im Buchhandel Halis Saxonum (Berlin Calvary) 1867 71 S. 8°

Peter, Guil. Aug., de dialecto Pindari. Dissertatio inauguralis philologica. Halis Saxonum 867. (Berlin, Calvary & Co.) gr. 8. (71 S.) n. 12 ngr.

Peter, Will.

Peter, W., deutsches Lesebuch, s.: Davin, C.

Peter, Will., s. v. Schiller, Fr., Maria Stuart.

— William Tell, s.: Schiller.

Peter, Willi, Dipl. Ing. a. Karlsruhe: Ueber aliphatische Verbindungen des mehrwertigen Jod's. Straßburg i. E. 1907: C. & J. Goeller. (49 S.) 8°
Straßburg, Math.-naturw. Fak., Ref. Thiele, Diss. v. 1906
[Geb. 15. Apr 81 Karlsruhe, Baden, Wohnort: Karlsruhe; Staatsangeh.: Baden; Vorbildung: Staats-Oberrealsch. Triest Reife Sommer 99; Studium: T.H. München 8, Univ. Straßburg 5 S.]

Peter-Schanzer, Karl, Tiroler Feierabendgeschichten. Das Geheimnis vom Leichwalde. Roman. — Hans der Zieler Bauernhumoreske. (92 S.) 8. Dresden 906. E. Pierson n. 2. —; geb. n. 3. —

Peterek, A. J. Britannicus. Ein biographischer Versuch. 23 S.
Trzemeszno, Progr. 1843

Peterek, J. Maria von Burgund und Maximilian von Österreich. 22 S.
Ostrowo, Progr. 1849

Péterffy, Gyula, Szolgálati-Szabályzat a császári királyi gyalogság számára. 2 Rész. Wien 865. Seidel & Sohn. 8. (XLI, 500 S.) n. 1 rthl 2 ngr.

Peterffy, Jos., Daniel Hooibrenk's Pflanzen-Cultur-System. Nach seiner Wichtigkeit für Obstbaum- u. Reben-Anlagen, Maulbeer-Plantagen, Industrie- und Gemüse-Pflanzen dargestellt. Mit 4 Abbildgn. (in Holzschn.) Berlin 861. Thiele. (Leipzig, Wartig.) gr. 8. (VI, 45 S.) 12½ ngr.

Péterffy, Jul. v., ungarische Militär-Sprachlehre, s. Militär-Sprachlehre.

Péterffy, Jul. v., ungarische Militär-Sprachlehre zum Gebrauche für Offiziere der k. k. österreich. Armee. 2., verb. und verm. Aufl. 1. Heft. A. u. d. T.: Magyar hadi nyelvtan a császári királyi Osztrak Hadsereg tisztjei számára. 1. Füzet. gr. 16. (VI und 209 S.) Pesth 853, (Geibel.)

Zur Frauenbildungs-Frage. Denkschrift über das Wirken eines Freimaurers im profanen Leben. [Unterz.:] Jos. **Péterffy, Edler v. Jagócs.** Budapest 1880: Khór & Wein. 8 S. 8° [Umschlagtit.]
Fordert auf, Beiträge zu stiften für die in Pressburg errichtete u. unter Obhut der Loge Verschwiegenheit stehende Industrie-Lehrerinnen-Bildungsanstalt. 25.

Péterfy, A., s.: Lesebuch, deutsches, f. die II. Klasse der Volksschulen.

Peter-Hafen [Schlagwort]

Peter-Hafen, s.: Seekarten.

PETERHANS, Jos. Ueber die Kondensation von Toluchinon mit Benzoylessigester. Bern, 1893.

Peterhaensel, Albin, Referendar in Steinach S.-M.: Der Kreditauftrag nach B.G.B. Jena-Ziegenhain 1906: Thür. Verlagsdruckerei. (59 S.) 8°
Jena, Jur. Fak., Ref. Thon, Diss. v. 29. Mai 1906
[Geb. 21 Mai 81 Hasenthal, S. Meiningen; Wohnort: Steinach, S.-Meiningen; Staatsangeh. Sachsen-Meiningen; Vorbildung: Gymn. Hildburghausen Reife O. 00; Studium Würzburg 1, Leipzig 3, Jena 6 S., Rig. 29. Mai 06.]

Peterin, Jul., üb. die Bildung elektrischer Ringfiguren durch den Strom der Influenzmaschine. Mit 1 (lith.) Taf. [Aus: „Sitzungsber. d. k. Akad. d. Wiss."] Lex.-8. (8 S.) Wien 870. (Gerold's Sohn.) n. — 40

Peterin, J., über elektrische Entladung und Induction, s. Blaserna, P.

Peterin, Jul., und Edm. **Weiss**, Untersuchungen über das Tönen der Flammen flüssiger u. fester Körper. Mit 1 (lith. u. color.) Taf. Aus d. Sitzungsberichten d. k. Akad. d. W. Wien 858. Gerold in Comm. gr. 8. (10 S.) n. 6 ngr

Peterinsel, Die, im Bielersee. Bern [1796]. V: *Wagner, Siegmund von.* (Bibliogr. d. Schweiz. Landeskunde. Bern 1892 ff. III.)

Peterka, J. S., dissertatio anatomico-physiologica, medico-chirurg. de morbis oculorum. 8. Vacia 804. (Eggenberger in Pest). 9 gr

Peterka, Johann

— gründl. u. kurzgefaßte Darstell. d. verschied. Arten v. Knochenbrüchen u. Hufkrankheiten unserer landwirthschaftl. Hausthiere, um sie mittelst e. Schwebe-Maschine leicht zu heilen. Mit 4 Steint. gr. 8. Prag 827. Enders. 16 gr

Peterka, **Johann: Die richtige Erkenntnis des gesunden und kranken Zustandes des zur Schlachtbank, zum Handel oder Transport bestimmten Horn-, Woll- und Borstenviehes. Ein Leitfaden für Viehbesichtigungs-Beamte und Commissäre,** so wie für Käufer und **Verkäufer dieser Thiere. 56 S., gbd.**

Prag: Widtmann 1829

JB 5.918

— Versuch einer systemat. Darstell. d. Dreh-, Horn- u. Lungenwurmkrankheit d. Schafe. Nebst Verhaltungsregeln für die Schäfer. Mit Beantwortung d. von d. k. k. Landwirthschaftsgesellschaft in Wien üb. die Drehkrankheit am 19. Jan. 1824. ausgesetzten 5 Preisfragen. gr. 8. Prag 826. Calve. 10 gr

—— Versuch e. systemat. Darstellung d. Rinderpest-Krankheit, in ihren verschied. Richtungen, Gestalten u. Combinationen. Zur Beantwort. der üb. dies. Gegenstand aufgestellt. Preisfrage. Nebst e. Mittel üb. d. Verhütung dies. fieberhaften contagiös. Krankheit, u. einig. besond. Verhaltungsregeln im Allgemeinen. Mit besond. Rücksicht auf die im J. 1828—29 in Böhmen geherrscht habende Rinderpest-Krankheit. gr. 8. (9 B.) Leipzig 833, [Böhme.]

— Versuch e. systemat. Darstell. d. Rinderpest-Krankheit, in ihren verschied. Richtungen, Gestalten u. Combinationen. Zur Beantwort. der üb. diesen Gegenstand aufgestellten Preisfrage. Nebst e. Mittel üb. die Verhütung dieser fieberhaften contagiösen Krankheit rc. Mit besond. Rücksicht auf die im J. 1828 u. 29. in Böhmen geherrscht habende Rinderpest-Krankheit. gr. 8. Leipz. 833. (832.) Hartmann. 16 gr

Peterka, Otto, das **Burggrafentum** in Böhmen. Eine rechtsgeschichtl. Untersuchg. (63 S.) gr. 8. Prag 906. J. G. Calve. 3.50

— Das **Gewerberecht** Böhmens im XIV. Jahrh. (110 S.) gr. 8. Wien 909. W. Braumüller. 3.40

Peterka, Otto, das Wasserrecht der Weistümer. (VI 83 S.) gr. 8. Prag 905. J. G. Calve. n. 3. —

Peterke, Curt, a. Stettin: Untersuchungen über das Zeeman-Phänomen im sichtbaren Spektrum von Nickel und Palladium. Halle a. S. 1909: John. 26 S. 8°
Halle, Phil. Diss. v. 8. Dez. 1909, Ref. Dorn
[Geb. 19. April 87 Stargard i. Po.; Wohnort: Gartz a. O.; Staatsangeh.: Preußen; Vorbildung: Stadtgymn. Stettin Reife O. 05; Studium: Jena 1, Halle 8 S.; Rig. 4. Nov. 09.] [U 10. 1784

Peter- und Pauli-Kirche, vom Magistrat hsg. Görlitz 1842. V: *Köhler, Gust.* (LVS)

Peterlechner, Anton

Peterlechner A.: Über die Abfassungszeit des Dialogus de oratoribus. 7 M. Trübau 80.
Progr.

*Peterlechner, Anton [Geschichte des Gymnasiums.] 1. Teil. I. Zecha's Testament. Die deutschen Schulen. II. Geschichte des Gymnasiums. a) 1803—1807. III. Geschichte des Gymnasiums von 1829—1848. IV. Geschichte des Gymnasiums seit 1848. [Abdruck aus dem Programm 1882/3.] S. 15—60. — Zechetner, Josef 2. Teil. Chronik der Anstalt vom Jahre 1882—1903. — Der Lehrplan vom Jahre 1884 und seine weiteren Veränderungen. S. 61—87. 8

Peterlspiel, das Höttinger. Ein Beitrag zur Charakteristik des Volkstums in Tirol. Hrsg. v. A. Rud. Jenewein. 8. (123 S.) Innsbruck 903. Wagner. n. 1. 60

Petermann v. Gundoldingen; od. die Sempacher Schlacht. Trauersp. v. Zimmermann. 8. Basel, Schweighäuser. 779. —

Petermanns Jagdbuch, s. Herrn Petermanns Jagdbuch.

Petermanns, Herrn, Jagdbuch, s. Jagdbuch.

Petermanns, Herrn, Jagdbuch, oder Skizzen und Abenteuer aus den Jagdzügen des Herrn Petermann und seiner Freunde. Zu Nutz und Frommen aller Jäger und Jagdliebhaber hrsg. und mit vielen Bildern in eingedr. Holzschn. geziert. 1. Thl. 3. Aufl. und 2. und 3. Thl. 1. Aufl. 1857. und 2. Aufl. gr. 4. München 860, Braun und Schneider. [1 Thl. (50 Bl.) 2. (44 Bl.) 3 (48 Bl.) à Thl. 1 Thlr.] geb.

Petermann's, Herrn, Jagdbuch, oder Skizzen u. Abenteuer aus den Jagdzügen des Herrn Petermann u. seiner Freunde. Zu Nutz u. Frommen aller Jäger u. Jagdliebhaber hrsg. u. mit vielen Bildern (in eingedr. Holzschn.) geziert. 1., 2., 4. u. 5. Thl. München, Braun & Schneider. gr. 4. [1. Thl. 4. Aufl. (50 Bl.) 866., 2. Thl. 3. Aufl. (44 Bl.) 866., 4. Thl. (52 Bl.) 865., 5. Thl. (16 Bl.) 869.] Jeder Thl. 1 rf

Petermann's, Herrn, Jagdbuch, oder Skizzen und Abenteuer aus den Jagdzügen des Herrn Petermann und seiner Freunde. Zu Nutz und Frommen aller Jäger und Jagdliebhaber hrsg. und mit vielen Bildern (in eingedr. Holzschn.) geziert. 5. und 6. Thl. gr. 4. (46; 54 Bl.) München 869,76, Braun und Schneider. cart. à Thl.
1.—4. Thl. Ebendas. à M 3.

Petermanns, Herrn, Jagdbuch od. Skizzen u. Abenteuer aus den Jagdzügen d. Herrn Petermann u. seiner Freunde. Zu Nutz u. Frommen aller Jäger u. Jagdliebhaber hrsg. u. m. vielen Bildern geziert. 7. Thl. gr. 4. (48 Bl. m. eingedr. Holzschn.) München 884. Braun & Schneider. cart. 3. — (1—7.: 21. —)

Petermann's, Herrn, Jagdbuch. Kleine Ausg. (160 S. m. Abbildgn.) Lex.-8. München (906). Braun & Schneider Geb. in Leinw. n. 4 —

Petermann, Geschichte d. Colbergschen Grenadier-Regiments Graf Gneisenau [2. Pommersches] Nr. 9. 1842—1889. Im Anschluß an v. Bagensky's Geschichte des 9. Infanterie-Regiments, genannt Colbergsches. gr. 8. (VIII, 267 S. m. 1 Bildniß, Karten u. Plänen.) Berlin 889. Mittler & Sohn. n. 8. 50

— Geschichte des Infanterieregiments Kaiser Wilhelm König v. Preußen [2. Württ.] Nr. 120. Im Auftrage d. Regiments f. Unteroffiziere u. Mannschaften dargestellt. gr 8. (103 S. m. 2 Karten.) Stuttgart 890. Kohlhammer. n. 1. 50

— Geschichte d. Infanterieregiments Kaiser Wilhelm, König v. Preußen (2. Württ.) Nr. 120. Im Auftr. d Regiments in volkstüml. Weise dargest. 4. Aufl. gr. 8. (91 S. m. 2 Plänen u. 1 Karte.) Stuttgart 896. W. Kohlhammer. n. 1. 50

Petermann, Grundlinien f. den Unterricht in der deutschen Sprache. 3. Aufl. gr. 8. (25 S.) Crossen 874. Appun. n. — 25

Petermann, die Lungenschwindsucht, ihre Heilstätten u. ihre Heilg. 8. (61 S.) Leipzig 898. E. Demme. 1. —

Petermann: De genitivi substantivorum in ius et ium exeuntium forma aliquot observationes. 13 S – Progr Gr Glogau ev , 1863

Petermann, Orts-Statistik oder Gemeinde-Statistik. Dresden 873.

Petermann. Einige Punkte aus der allgemeinen Grammatik. Crossen, H. B., 1874. Progr.

PETERMANN Ueberführung der Benzoësäure in Anthranilsäure und Salicylsäure. Göttingen, 1868.

Petermann, (A. Widmann), was ist eigentlich Socialismus u. Communismus u. was bezweckt diese Partei? Ein bürgerl. Gespräch. gr. 8. (53 S.) Weimar 850, Voigt. 1/3 ℛ

Petermann, A., s.a. Petermann, August

Petermann, A., über den landwirthschaftlichen Werth der sogenannten zurückgegangenen Phosphorsäure. [Aus: „Landw. Versuchsstationen".] gr. 8. Berlin 880. Parey. n. — 50

Petermann, Adolf (Hrsg.). s. Almanach, Zahnärztlicher

Petermann, Albert, aus Kauscha Ueber sterische Einflüsse bei den Reaktionen halogensubstituierter Aniline. *Erlangen 1900: E. Th. Jacob.* (36 S.) 8°
Erlangen, Phil. Diss. v 7 März 1900

Petermann, Alb., Bachmüllers Liebesabenteuer, s. a. Carnevals-Bühne. Nr. 8.

Bachmüllers Liebesabenteuer. Carnevalist. Fastnachtsschwank in 1 Akt von Alb. **Petermann.** *Mühlhausen i. Th.: G Danner [1901].* (20 S.) 8° [J.]
— **Karnevals-Bühne.** No 8. [ol. gsso 3

Petermann, Andr., casuum medico-legal. Decad. II. 8. Lips. Junius. (Cnobloch.) 708. 9.

— observat. medicar. Decad. III. 8. ibid. 707.

Petermann, Andr., Curiose Gedanken vom Alpe. A. d. Lat. 72 S. Dresd. u. Lpz. 8°.

1702

PETERMANN, Dr Andr., De infantibus expositis, von Findelkindern. Lipsiae 1677 4°.
1 Mk. Bielefeld 60. no 767.

— — Idem opus. Ibid. 1702. 4°
60 Pf. Weller, Bautzen, 62. no. 164.

— manuductio ad Praxin medicam. 8. ibid. 707.

— opuscula med. atq. chym. 8. ibid. 750.

Petermann, Aug., an account of the progress of the expedition to Central Africa, performed by order of Her Majesty's foreign office, under Mss. Richardson, Barth, Overweg and Vogel, in the years 1850, 1851, 1852 and 1853. Consisting of maps and illustrations, with descriptive notes, constructed and compiled from official and private materials. London 854. (Gotha, J. Perthes.) gr. Fol. (14 S., 3 lith. u. color. Karten u. 4 lith. Portraits.) nn. 7 ℛ. 15 ngr.

Petermann, A., die südamerikanischen Republiken Argentina, Chile, Paraguay, u. Uruguay kartographisch dargestellt, } s. a. Mittheilungen aus J. Perthes' geographischem Institut.

Petermann, August Die süd-amerikanischen Republiken Argentina Chile Paraguay und Uruguay Nach dem Stande der geographischen Kenntniss in 1875. Nach Originalen und offiziellen Quellen kartographisch dargestellt. Nebst einem geographisch-statistischen Compendium von Prof. Dr H Burmeister Gotha 1875. (II), 24 S., 1 Krt.
in Ergänzungsheft zu Petermann's Geographischen Mittheilungen. No. 39. 8°

Petermann, A., Atlas der neuesten Entdeckungen in Afrika. Eine Sammlung von 12 Kartenblättern, welche die Resultate der in dem Decennium 1850—1860 ausgeführten hauptsächlichsten Reisen graphisch veranschaulichen. Gotha 860. J. Perthes. Fol. (12 lith. u. color. Bl.) n. 3 ℛ 10 ngr.

—— und F. v. Hochstetter, geologisch-topographischer Atlas von Neu-Seeland, s. Hochstetter, F. v.

Petermann De satirae Romanae auctore ejusque inventore. 26 S. , Hirschberg, Progr. 1846

Petermann, Aug., Australien in 1871, s. a. Mittheilungen aus J. Perthes' geographischer Anstalt.

Petermann, August Australien nach dem Stande der geographischen Kenntniss in 1871 Nach Originalen und offiziellen Quellen kartographisch dargestellt Nebst einem geographisch-statistischen Compendium von C F Meinicke Abth 1 Die Nordhälfte Australiens in 4 Kartenblättern Abth 2 Die Südhälfte Australiens, in 4 Kartenblättern. Gotha 1871 1 Bd. (III), 28 16 S., 1 Krt.
= Ergänzungshefte zu Petermann's Geographischen Mittheilungen. No. 29 u. 30. 8°

Petermann, A. Die südlichen Batta-Länder auf Sumatra. 1 : 1000000. Gotha 1870. 1 Bl. c. A Sch.

Petermann, A., Dr, Die Eisverhältnisse in den Polarmeeren und die Möglichkeit des Vordringens in Schiffen bis zu den höchsten Breiten, und Der Nordpol und Südpol, die Wichtigkeit ihrer Erforschung in geographischer und kulturhistorischer Beziehung. Mit Bemerkungen über die Strömungen der Polar Meere. (Aus Petermann's Mittheilungen, 1865, Heft 4.)

— das General-Gouvernement Elsass. Mit e. (color.) Karte (in Stahlst. in Imp.-4.). [Aus: „Geogr. Mittheilgn."] 4. (3 S.) Gotha 870. J. Perthes. — 60

Petermann, A. Die Entdeckungen der Englischen Expedition »Alert« und »Discovery« unter Sir George Nares, 1875/6. 1 : 2 500 000. Gotha 1877. 1 Bl. c. A. Ff.

Petermann, A. Die Entdeckungen der Amerikanischen Nordpol-Expedition unter Kapitän C. F Hall. 1871—1873. Nebst Skizze der Entdeckungen der Englischen Expedition unter Kapitän Nares 1875/6. 1 : 2 200 000. Gotha 1876. 1 Bl. c. A.

Petermann, A. Die neuesten Entdeckungsreisen im Innern von Australien von Warburton, Giles, Forrest, April 1873 bis September 1874. 1 : 3 500 000. Gotha 1876. 1 Bl. c A. Ff.

— Ergänzungen zu den Mittheilungen aus Justus Perthes' Geographischer Anstalt uber wichtige neue Erforschungen auf dem Gesammtgebiete der Geographie. Erganzungsband I, II, IV–XX, 1860–89. Gotha 1860–89.

— Ergänzungen zu den Mittheilungen aus Justus Perthes' Geographischer Anstalt. Ergänzungsband XXI–XXIII. Gotha 1890–92.

— Ergänzungen zu den Mittheilungen aus Justus Perthes' Geographischer Anstalt, Ergänzungsband XXIV–XXVII.
Gotha 1895, 96, 98, 99.

— sa Erzeugnisse, die, des deutschen Gewerbfleißes.

Petermann, Aug., Die Erzeugnisse des Deutschen Gewerbfleisses in ihrer National-Ausstellung zu Berlin nach geographischer Verbreitung der betheiligten Fabrikationsstätten zusammengestellt in der Geographischen Kunstschule zu Potsdam. Berlin 1844. . . . . (Br. Mus.)

Petermann, A. Thomas Elder's Expedition durch Inner-Australien von Beltana im Osten bis Perth im Westen. Mai bis November 1875. 1:3500000. Gotha 1876. 1 Bl. c. L. Ff.

Petermann, A., der englische Feldzug in Abessinien, Janr.—April 1868. 2 (lith.) Spezialkarten von Reyra Guddy bis Magdala, enthltd. die Resultate engl. Aufnahmen u. 1 (lith.) Orig.-Ansicht der Festung Magdala, von Th. v. Henglin. [Aus d. „geogr. Mittheilungen."] Gotha 868. J. Perthes. gr. 4. (2 S.) n. 10 ngr.

(Petermann, [August].) Über die Gletscher-Welt im Allgemeinen und die Gletscher des Mont-Blanc im Besondern. Nach Prof. James D[avid] Forbes und andern. ⟨Mit Karte.⟩ [A.] 4. ([Gotha] 1855.)

Petermann A, der Golfstrom und Standpunkt der thermometrischen Kenntnis des atlantischen Ozeans und Landgebiets im Jahr 1870. 4° Gotha 1870

— — Indien & Inner-Asien. Nördliches Blatt. [Stieler's Hand-Atlas No. 64] Gotha 1876. 2°.

Petermann, A., Inner-Afrika, sa Mittheilungen aus J. Perthes' geographischer Anstalt.

Inner-Afrika nach dem Stande der geographischen Kenntniss in den Jahren 1861–1863. Nach den Quellen bearb. v. August Petermann u. Bruno Hassenstein. Nebst Original-Berichten v. M. von Beurmann etc. Abth. 1. 4. = Petermanns Mitteilungen aus Perthes' geogr. Anst. Ergänzungsbd. 2, Nr. 7. 8; 10–11. Gotha. 1862–63 4°

Petermann, A. Instruktion für die zweite deutsche Nordpolar-Expedition. 1869–70. Gotha. 4.

— A., Iran & Turan oder: Persien, Afghanistan, Balutschistan, Turkestan. [Stieler's Hand-Atlas No. 62.] Gotha 1876.

Petermann, A. Ethnographische Karte des Russischen Reiches. Hauptsächlich nach Rittich und Venjukoff. 1:20000000. Gotha 1877. 1 Bl. c. L. Ff.

— royal geographical Kalendar for 1854. London. — Gotha, J. Perthes. (1 lith. Tab. in Farbendr. in gr. Fol.) 1 ℛ. 10 ngr.

Petermann, A. Karte von Hawaii mit Benutzung der Daten von F. Birgham. 1:1000000. Gotha 1876. 1 Bl. c. L. Sch.

Petermann, A., Karte von Indien und Inner-Asien in 2 Blättern. 1:7,500,000. [Stieler's Hand-Atlas Bl. Nr. 63 und 64.] Kpfrst. und color. gr. Fol. Gotha 882, J. Perthes. Zusammengesetzt mit Leinw.-Streifen in Carton *
Auf Leinw. in Futteral *

Petermann, A., Karte des Mittelländischen Meeres. 1:3,500,000. 8 color. Karten in Kpfrst. qu. gr. Fol. Gotha 881, J. Perthes. * ℳ 12.; auf Leinw. in Mappe * Auf Leinw. mit Stäben * ℳ 20.; lackirt *

—— Karte des Mittelländischen Meeres und Nord-Afrika's in 2 Blättern. 1:7,500,000. [Stieler's Hand-Atlas Bl. Nr. 13 und 14.] Kpfrst. und color. gr. Fol. Ebendas. 882.
Zusammengesetzt mit Leinw.-Streifen in Carton *
Auf Leinw. in Futteral *

Petermann, A., Karte von Ost-Europa in 6 Blättern, enthaltend: Norwegen, Schweden, Russland, Kaukasien und die Türkei. 1:3,700,000. [Stieler's Hand-Atlas Bl. Nr. 50—55.] Kpfrst. und color. gr. Fol. Gotha 882, J. Perthes.
Zusammengesetzt mit Leinw.-Streifen in Carton *
In Mappe * ℳ 7,20.; mit Stäben *

—– Karte von Süd-Amerika in 6 Blättern. 1:7,500,000. [Stieler's Hand-Atlas Bl. Nr. 90—95.] Kpfrst. und color. gr. Fol. Ebendas. 882.
Zusammengesetzt mit Leinw.-Streifen in Carton *
Auf Leinw. in Mappe *
Mit Stäben *

Petermann, A., Karte der Vereinigten Staaten von Amerika in 6 Blättern. 1:3,700,000. [Stieler's Hand-Atlas Bl. Nr. 83—88.] Kpfrst. und color. gr. Fol. Gotha 882, J. Perthes. Zusammengesetzt mit Leinw.-Streifen in Carton *
Auf Leinw. in Mappe *
Mit Stäben *

— A., Karte eines Theiles von Afrika (1. Westl. Blatt, 2. Oestl. Blatt) zur Uebersicht von Dr. Barth's Reisen 1850—55 und der von ihm gesammelten Itinerarien. Gotha 1858.

Petermann, A. Karte vom südwestlichen Theile der Krim mit Sebastopol. 1:170000. Gotha 1854. 1 Bl. c. L. Ff.

—– Karte von West-Indien, Central-Amerika bis zum südlichen Canada in 4 Blättern. 1:7,500,000. [Stieler's Hand-Atlas Bl. Nr. 79—82.] Kpfrst. und color. gr. Fol. Ebendas. 882. Zusammengesetzt mit Leinw.-Streifen in Carton *
Auf Leinw. in Mappe *
Mit Stäben *

Petermann. Der amerikan. Kriegsschauplatz zu Baltimore u. New-York. 1:1000000. Gotha 1862.

Petermann. Der amerikan. Kriegsschauplatz zw. Washington und Richmond. 1:1000000. Gotha 1862.

Petermann, A. Russisch-Türkischer Kriegsschauplatz, 1877. 1:3700000. Gotha 1877. 1. Bl. c. L. Ff.

Petermann, Dr. A. Die Halbinsel Krim nebst der Strasse von Kertsch. 1:740000. Gotha 1855. 1 Bl. c. L. Ff.

Petermann, A., Map of the United States of America. 1:3,700,000. 6 Sheets. Fol. Gotha 874, J. Perthes. *
aufgez. in Mappe * ℳ 12.; mit Rollen * ℳ 15.; lackirt *

—— Mittheilungen aus Justus Perthes' geograph. Anstalt über wichtige neue Erforschungen auf dem Gesammtgebiete der Geographie, sa Mittheilungen.

Petermann, Dr. A., Mittheilungen aus Justus Perthes geogr. Anstalt über wichtige u. neue Forschungen auf dem Gebiete der Geographie. Gotha 1855—80 — Bd. 1—26 — 4°.

Hiezu Ergänzungsbände, welche enthalten:

Heft 1: Vibe, A., Küsten u. Meer Norwegens.
„ 2: Tschudi, J. J. v., Reise durch die Andes von Südamerika, 1858.
„ 3: Barth, Dr. H., Reise durch Kleinasien, 1858.
„ 4: Lejean, G., Ethnographie der europ. Türkei mit französ. u. deutschem Text.
„ 5: Wagner, Dr. Mor., Physisch-geographische Skizze des Isthmus von Panama.
„ 6: Petermann u. Hassenstein, Ostafrika zwischen Chartum, Sauakin u. Massaua.
} Ergänz.-Bd. I.

„ 7, 8, 10 u. 11: Petermann u. Hassenstein, Inner-Afrika nach dem Stande der geograph. Kenntniss i. d. Jahren 1861—63.
} Ergänz.-Bd. II.

„ 9: Halfeld u. Tschudi, Minas Geraes.
„ 12: Kořistka, Die hohe Tatra in den Central-Karpathen.
} Ergänz.-Bd. III.

Heft 13: Die deutsche Expedition in Ost-Afrika 1861 u. 1862.
„ 14: Richthofen, v., Die Metall-Produktion Kaliforniens u. der angrenzenden Länder.
„ 15: Heuglin, Th. v., Die Tinne'sche Expedition im westl. Nil-Quellgebiet 1863 u. 64.
} Ergänz-. Bd. III.

„ 16: Petermann, Dr. A., Spitzbergen und die arktische Central-Region.
„ 17: Payer, Jul., Die Adamello-Presanella-Alpen.
„ 18: Payer, Jul., Die Ortler-Alpen (Suldengebiet u. Monte-Cevedale).
„ 19: Behm, C., Die modernen Verkehrsmittel, Dampfschiffe, Eisenbahnen, Telegraphen.
„ 20: Tschihatscheff's P. v., Reisen in Kleinasien, Armenien, 1847—63.
} Ergänz.-Bd. IV.

„ 21: Spörer, Nowaja Semla in geogr., naturhistor. u. volkswirthschaftl. Beziehung.
„ 22: Fritsch, Reisebilder von den Canar. Inseln.
„ 23: Payer, Jul., Die westlichen Ortler-Alpen (Trafeier-Gebiet).
„ 24: Jeppe, Die Transwaal'sche oder Süd-Afrikanische Republik.
„ 25: Rohlfs, Reise durch Nord-Afrika von Tripoli nach Kuka.
} Ergänz.-Bd. V.

„ 26: Lindemann, Die arktische Fischerei der deutschen Seestädte 1620—1868.
„ 27: Payer, Jul., Die südl. Ortler-Alpen.
„ 28: Koldewey u. Petermann, Die erste deutsche Nordpolar-Expedition 1868.
„ 29: Petermann, Australien in 1871. Abth. 1.
„ 30: „ „ „ „ „ 2.
„ 31: Payer, Jul., Die centralen Ortler-Alpen.
„ 32: Sonklar, C., Die Zillerthaler Alpen.
„ 33: Behm u. Wagner, Die Bevölkerung der Erde. I.
„ 34: Rohlfs, Reise durch Nordafrika 1865—67.
} Ergänz.-Bd. VI. u. VII. in 1 Bd.

„ 35: Behm u. Wagner, Die Bevölkerung der Erde. II.
„ 36: Radde, Dr. G., Vier Vorträge über den Kaukasus.
„ 37: Mauch's Reisen im Innern von Süd-Afrika 1865—72.
„ 38: Wojeikoff, A., Die atmosphär. Circulation.
„ 39: Petermann, Die südamerikan. Republiken Argentina, Chile, Paraguay u. Uruguay in 1875. Mit einem geograph. Compendium von Burmeister.
„ 40: Waltenberger, A., Die Rhätikon-Kette, Lechthaler- u. Vorarlberger-Alpen.
„ 41: Behm u. Wagner, Die Bevölkerung der Erde. III.
„ 42: Sewerzow's Erforschung des Thian-Schan Gebirgssystems mit Spezialkarte von A. Petermann. 1. Hälfte.
} Ergänz.-Bd. VIII. u. IX. in 1 Bd.

Heft 43: Dasselbe. 2. Hälfte.
„ 44: Cernik's technische Studien-Expedition durch die Gebiete des Euphrat und Tigris. 1. Hälfte.
„ 45: Dasselbe. 2. Hälfte.
„ 46: Bretschneider, Dr. E., Die Peckinger Ebene u. das benachbarte Gebirgsland.
„ 47: Haggenmacher's Reise im Somali Lande 1876.
„ 48: Czerny, Die Wirkungen des Windes auf die Gestaltung der Erde 1876.
„ 49: Behm u. Wagner, Die Bevölkerung der Erde. IV. 1876.
„ 50: Zöppritz, Pruyssenaere's Reisen im Nilgebiete. 1. Hälfte. 1877.
„ 51: Dasselbe. 2. Hälfte. 1877.
„ 52: Forsyth, Ost-Turkestan u. d. Pamir-Plateau. 1877.
} Ergänz.-Bd. X. u. XI. in 1 Bd

„ 53: Przewalski's Reisen an den Lob-Nor und Altyn-Tag 1876/77. 1878.
„ 54: Die Ethnographie Russlands nach A. F. Rittich. 1878.
„ 55: Behm u. Wagner, Die Bevölkerung der Erde. V. 1878.
„ 56: Credner, Die Delta's, ihre Morphologie, geograph. Verbreitung u. Entstehungs-Bedingungen. 1878.
„ 57: Soetbeer, Dr. Ad., Edelmetallproduktion. 1879.
„ 58: Fischer, Theob., Studien über das Klima der Mittelmeerländer. 1879.
„ 59: Rein, Dr. J. J. Prof., Der Nakasendô in Japan. 1880.
„ 60: Lindemann, Mor., Die Seefischerei. 1880.
} Ergänz.-Bd. XII. u. XIII. in 1 Bd.

„ 61: Rivoli, J., Oberförster, Die Serra da Estrella. 1880.
„ 62: Behm u. Wagner, Bevölkerung der Erde. VI. 1880.
„ 63: Mohn, H. Prof., Die Norwegische Nordmeer-Expedition. 1880.
} Ergänz.-Bd. XIV (unvollständig.)

Inhaltsverzeichniss zu Jahrgang 1865—74 und zu Ergänz.-Band 1—5. Gotha 1877. 4°

— dasselbe. Ergünzuugsheft Nr. 45—70. gr. 4. Ebend. 876—82. n. 99. —

45. Ingenieur Josef Černik's technische Studien-Expedition durch die Gebiete des Euphrat u. Tigris, nebst Ein- u. Ausgangs-Routen durch Nord-Syrien. Nach den Tagebüchern, topograph. Aufnahmen u. mündl. Mittheilungen d. Expeditions-Leiters bearbeitet u. hrsg. von Amand Frhr. v. Schweiger-Lerchenfeld. 2. Hälfte mit 4 (lith. u. color.) Karten (in gr. 4. u. qu. Fol.). (47 S.) n. 4. —
46. Die Pekinger Ebene u. das benachbarte Gebirgsland. Von E. Bretschneider. Mit 1 (chromolith.) Orig.-Karte (in qu. Fol.). (42 S.) n. 2. 20
47. G. A. Haggenmacher's Reise im Somali-Lande 1874. Mit 1 (lith. u. color.) Orig.-Karte. (45 S.) n. 1. 80
48. Die Wirkungen der Winde auf die Gestaltung der Erde. Ein Streifzug im Gebiete der physikal. Geographie v. Frz. Czerny. Mit einer (chromolith.) Karte (in qu. Fol.). (IV, 53 S.) n. 2. 20
49. Die Bevölkerung der Erde. Jährliche Uebersicht über neue Arealberechnungen, Gebietsveränderungen, Zählungen u. Schätzungen der Bevölkerung auf der gesammten Erdoberfläche. Hrsg. v. E. Behm u. H. Wagner. IV. Mit 2 (chromolith.) Karten (in gr. 4. u. gr. Fol.). (VIII, 120 S.) n. 5. —
50. 51. E. de Pruyssenaere's Reisen u. Forschungen im Gebiete des Weissen u. Blauen Nil, nach seinen hinterlassenen Aufzeichnungen bearb. u. hrsg. von K. Zöppritz. Mit einer Spezialkarte vom mittleren Ost-Sudan in 2 Blättern. Mit 2 (lith.) Karten (in qu. gr. Fol.). (VI, 38 u. 48 S.) n. 5. 80
52. Ost-Turkestan u. das Pamir-Plateau nach den Forschungen der brit. Gesandtschaft unter Sir T. D. Forsyth 1873 u. 1874. Bearb. nach dem officiellen „Report of a mission to Yarkund in 1873, under command of Sir T. D. Forsyth, K. C. S. J., C. B., Bengal Civil Service, with historical and geographical information regarding the possessions of the Ameer of Yarkund. Calcutta, 1875". Mit einer (chromolith.) Karte. (76 S.) n. 4. —
53. Reise des russischen Generalstabs-Obersten N. M. Przewalsky von Kuldscha über den Thian-Schan an den Lob-Nor u. Altyn-Tag 1876 u. 1877. Uebersetzung des an die k. russ. Geograph. Gesellschaft in St. Petersburg gerichteten officiellen Berichtes v. Przewalsky, d. d. Kuldscha 18. Aug. 1877. Mit 2 (lith. u. color.) Karten. (IV, 31 S.) n. 2. —
54. Die Ethnographie Russlands nach A. F. Rittich. Mit 2 (lith. u. color.) Karten (in Imp.-Fol.). (VI, 43 S.) n. 5. —
55. Die Bevölkerung der Erde. Jährliche Uebersicht über neue Arealberechnungen, Gebietsveränderungen, Zählungen u. Schätzungen der Bevölkerung auf der gesammten Erdoberfläche. Hrsg. v. E. Behm u. H. Wagner. V. Mit 9 (chromolith.) Karten auf 2 Taf. (in gr. 4.). (VIII, 111 S.) n. 5. —

56. Die Deltas, ihre Morphologie, geographische Verbreitung u. Entstehungs-Bedingungen. Eine Studie auf dem Gebiete der phys. Erdkunde v. Geo. Rud. Credner. Mit zahlreichen Karten auf 3 (lith. u. color.) Taf. (in qu. Fol.). (74 S.) n. 4.—
57. Edelmetall-Produktion u. Werthverhältniss zwischen Gold u. Silber seit der Entdeckung Amerika's bis zur Gegenwart. Von Adf. Soetbeer. Mit 3 (lith. u. color.) Taf. graph. Darstellungen. (III, 141 S.) n. 5. 60
58. Studien über das Klima der Mittelmeerländer. Von Theobald Fischer. Mit 7 Karten auf 3 (chromolith.) Taf. (II, 64 S.) n. 4. —
59. Der Nakasendô in Japan. Nach eigenen Beobachtungen u. Studien im Anschluss an die Itinerar-Aufnahme v. E. Knipping u. mit Benutzung von dessen Notizen dargestellt v. J. J. Rein. Mit 3 (lith. u. color.) Taf. (38 S.) n. 3. 20
60. Die Seefischereien, ihre Gebiete, Betrieb u. Erträge in den Jahren 1869—1878. Von Mor. Lindeman. Mit 2 (chromolith.) Karten. (VI, 95 S.) n. 5. —
61. Die Sierra da Estrella. Versuch einer physikalisch-geograph. Beschreibung dieser Gebirgsgruppe, m. specieller Berücksicht. ihrer forstl. Verhältnisse. Von J. Rivoli. Mit einer (chromolith.) Karte. (III, 36 S.) n. 2. —
62. Die Bevölkerung der Erde. Jährliche Übersicht über neue Arealberechnungen, Gebietsveränderungen, Zählungen u. Schätzungen der Bevölkerung auf der gesammten Erdoberfläche. Hrsg. v. E. Behm u. H. Wagner. VI. Mit 3 (1 chromolith. u. 2 eingedr.) Karten. (VIII, 132 S.) n. 5. —
63. Die norwegische Nordmeer-Expedition. Resultate der Lothungen u. Tiefseetemperatur-Beobachtungen. Von H. Mohn. Mit 12 Karten u. 12 Durchschnitten auf 3 (lith. u. color.) Taf. (24 S.) n. 2. —
64. Die Dattelpalme, ihre geographische Verbreitung u. culturhistorische Bedeutung. Eine verspätete Gabe zu Karl Ritter's 100jähriger Geburtstagsfeier von Theobald Fischer. Mit 2 (lith. u. color., 1 eingedr.) Karten. (IV, 85 S.) n. 4. —
65. Die Gotthard-Bahn, Beschreibendes u. Geschichtliches v. H. A. Berlepsch. Mit einer (lith. u. color.) Karte der Gotthard-Bahn in 3 Blatt. (77 S.) n. 4. 60
66. Die Bedeutung der Windrosen für theoretische u. praktische Fragen der Meteorologie u. Klimatologie bei dem heutigen Zustand der Wissenschaft, dargelegt durch die aus 15jähr. Beobachtungen in Leipzig sich ergeb. Beispiele v. Paul Schreiber. Mit 2 (chromolith.) Taf. (III, 34 S.) n. 2. 20
67. Versuch einer Ethnographie der Philippinen v. Ferd. Blumentritt. Nebst einem Anh.: Die maritimen Entdeckungen der Spanier im Archipel der Philippinen. Mit einer (chromolith.) Karte der Philippinen. (III, 69 S.) n. 5. —
68. Das Val d'Anniviers u. das Bassin de Sierre. Ein Beitrag zur physikal. Geographie u. Ethnographie der Walliser Alpen. Von G. Berndt. Mit einer (chromolith.) Karte d. Val d'Anniviers. (55 S.) n. 4. —
69. Die Bevölkerung der Erde. Jährliche Uebersicht über neue Arealberechnungen, Gebietsveränderungen, Zählungen u. Schätzungen der Bevölkerung auf der gesammten Erdoberfläche. Hrsg. v. E. Behm u. H. Wagner. VII. Mit 2 (eingedr. u. color.) Karten. (VIII, 148 S.) n. 7. 40
70. Der Inngletscher von Kufstein bis Haag. Ein Beitrag zur Kenntniss der südbayer. Hochebene. Von Frz. Bayberger. Mit 15 in den Text gedr. Profilen u. Skizzen u. einer (chromolith.) Karte. (IV, 67 S.) n. 4. —

Petermann's, A., Mittheilungen aus Justus Perthes' geographischer Anstalt. Hrsg. von E. Behm und M. Lindeman. 25. Bd. oder Jahrg. 1879. 12 Hefte. (à 5—6 Bog. mit Karten.) gr. 4. Gotha, J. Perthes. à Heft *ℳ 1,50. * geb. *

Vgl.: Mittheilungen aus Justus Perthes' geograph. Anstalt.

Petermann's, A. (I.), Mittheilungen aus Justus Perthes' geographischer Anstalt. Hrsg. von E. Behm und M. Lindeman. 26. Bd. oder Jahrg. 1880. 12 Hefte. (à Heft 5—6 Bog. mit Karten.) gr. 4. Gotha, J. Perthes. à Heft *ℳ 1,50. *

—— dass. — Hrsg. von E. Behm. 27.—30. Bd. oder Jahrg. 1881—1884. à Jahrg. 12 Hefte. (à Heft 5—6. Bog. mit Karten.) gr. 4. Ebendas. à Heft *ℳ 1,50.; à Jahrg. *

— dasselbe. Ergänzungsheft Nr. 71—84. gr. 4. Ebend. n. 66. —
71. Die russischen Kosakenheere. Nach dem Werke d. Obersten Choroschchin u. andern Quellen von Fr. v. Stein. Mit 1 (lith. u. color.) Karte. (39 S.) 883. n. 2. 20
72. Reisen im oberen Nilgebiet. Erlebnisse u. Beobachtgn. auf der Wasserscheide zwischen Blauem u. Weissem Nil u. in den ägyptisch-abessin. Grenzländern 1881 u. 1882. Von Juan Maria Schuver. Mit 1 (chromolith.) Karte. (IV, 95 S.) 882. n. 4. 40
73. Kritische Untersuchungen üb. die Zimtländer. Ein Beitrag zur Geschichte der Geographie u. d. Handels. Von Carl Schumann. Mit 1 (chromolith.) Karte. (II, 53 S.) 883. n. 2. 80
74. Die Florenreiche der Erde. Darstellung der gegenwärt. Verbreitungsverhältnisse der Pflanzen. Ein Beitrag zur vergleich. Erdkunde. Von Osc. Drude. Mit 3 (chromolith.) Karten. (74 S.) 884. n. 4. 60
75. Der Tasman-Gletscher u. seine Umrandung. Von R. v. Lendenfeld. Mit e. Lichtdr., 2 Karten u. 10 in den Text gedr. Skizzen. (III, 80 S.) 884. n. 5. 40
76. Die Entwickelung der Ortschaften im Thüringerwald [nordwestliches u. zentrales Gebiet]. Ein Beitrag zur Siedelungslehre Thüringens. Von Fritz Regel. Mit 1 (chromolith.) Karte. (III, 100 S.) 884. n. 4. 40
77. Die Handelsverhältnisse Persiens, m. besond. Berücksicht. der deutschen Interessen. Von F. Stolze u. F. C. Andreas. Mit 1 (chromolith.) Karte. (III, 86 S.) 885. n. 4. —
78. Ein Beitrag zur Geographie u. Lehre vom Erdmagnetismus Asiens u. Europas. Resultate aus astronomisch-geograph., erdmagnet. u. hypsometr. Beobachtgn., angestellt an mehr als 1000 Orten in den J. 1867 bis 1883, nebst e. Instruktion zur Anstellg. solcher Beobachtgn. auf Reisen. Von H. Fritsche. Mit 5 Karten. (III, 73 S.) 885. n. 5. —
79. Die Strömungen d. europäischen Nordmeeres. Von H. Mohn. Mit 10 Durchschnitten u. 13 Karten auf 4 Taf. (III, 20 S.) 885. n. 2. 60
80. Baffin-Land. Geographische Ergebnisse e. in den J. 1883 u. 1884 ausgeführten Forschungsreise. Von Frz. Boas. Mit 2 Karten u. 9 Skizzen im Text. (100 S.) 885. n. 5. 40
81. Geographisch-geologische Studien aus dem Böhmerwalde. Die Spuren alter Gletscher, die Seen u. Thäler d. Böhmerwaldes. Von Frz. Bayberger. Mit 2 Karten u. 2 Skizzen im Text. (V, 63 S.) 886. n. 4. —
82. Die pacifischen Eisenbahnen in Nordamerika. Von Rob. v. Schlagintweit. Mit 1 Karte. (III, 31 S.) 886. n. 2. 60
83. Der Alpenföhn in seinem Einfluss auf Natur- u. Menschenleben. Von Gust. Berndt. Mit 1 Karte. (66 S.) 886. n. 3. 60
84. Archiv f. Wirtschaftsgeographie. Von Alex. Supan. I. Nordamerika, 1880—1885. Mit 2 Karten. (57 S.) 886. n. 5. —

Petermann's, A., Mitteilungen aus Justus Perthes' geographischer Anstalt. Hrsg. von A. Supan. 31. und 32. Bd. oder Jahrg. 1885 und 1886. à Jahrg. 12 Hefte. (à Heft 5—6 Bog. mit Karten.) gr. 4. Gotha, J. Perthes. à Heft *ℳ 1.50.; à Jahrg. *

— dasselbe. Inhaltsverzeichnis 1875—1884. [10 Jahresbände u. 8 Ergänzungsbde.] Nebst 4 Karten zur Übersicht der in diesen Bdn. enth. einzelnen Karten u. Pläne. gr. 4. (II, 61 S.) Ebd. 886. n. 4. —

—— dass. — 33. und 34. Bd. oder Jahrg. 1887 und 1888. à Jahrg. 12 Hefte. (à Heft 5—6 Bog. mit Karten.) gr. 4. Ebendas. à Heft *ℳ 2.—.; à Jahrg. *

— dasselbe. Ergänzungsheft Nr. 85—99. gr. 4. Ebd. n. 65. 40

85. Aus den Dagestanischen Hochalpen, vom Schah-dagh zum Dulty u. Bogos. Reisen, ausgeführt im Sommer 1885 v. G. Radde. Mit 2 Karten u. 1 Taf. m. Ansichten. (IV, 64 S.) 887. n. 4. 40
86. Die Reliktenseen. Eine physisch-geograph. Monographie. Von R. Credner. I. Tl.: Über die Beweise f. den marinen Ursprung der als Reliktenseen bezeichneten Binnengewässer. Mit 2 Übersichtskarten. (III, 110 S.) 887. n. 5. 60
87. Forschungsreisen in den australischen Alpen. Von R. v. Lendenfeld. Mit 3 Karten auf 2 Taf. (37 S.) 887. n. 3. —
88. Die Insel Korfu. Eine geograph. Monographie. Von J. Partsch. Mit 1 Karte der Insel Korfu u. 3 Nebenkarten. (III, 97 S.) 887. n. 5. 40
89. Die Reliktenseen. Eine physisch-geograph. Monographie. Von R. Credner. II. Tl.: Über die Kennzeichen u. die Entstehungsarten der echten Reliktenseen. Mit zahlreichen Karten auf 1 Taf. (51 S.) 888. n. 3. 40 (1. u. 2.: n. 9. —)
90. Die geognostischen Verhältnisse von Afrika. Von M. Blanckenhorn. I. Tl.: Der Atlas, das nordafrikan. Faltengebirge. Mit e. geognost. Übersichtskarte. (IV, 63 S.) 888. n. 4. —
91. Von Hankau nach Su-tschou. Reisen im mittleren u. westl. China 1879—81. Von H. Michaelis. Mit 3 Karten u. 12 Skizzen im Text. (58 S.) 888. n. 4. —
92. 93. Wissenschaftliche Ergebnisse v. W. Junker's Reisen in Zentral-Afrika. I—III. (II, 114 S. m. 4 Karten.) 889. n. 8. 80
94. Von Pergamon üb. den Dindymos zum Pontus. Von W. v. Diest. (100 S. m. 2 Karten u. 1 Lichtdr.-Taf.) 889. n. 6. 40
95. Die Insel Leukas. Eine geograph. Monographie. Von J. Partsch. (29 S. m. 1 Karte.) 889. n. 2. 60
96. Beiträge zur nähern Kenntnis der brasilianischen Provinz São Pedro do Rio Grande do Sul. Reisen u. Beobachtgn. während der J. 1875—1887 von M. Beschoren. Mit e. Orig.-Karte. (IV, 91 S.) 889. n. 5. —
97. Kulturzonen v. Nord-Abessinien. Von K. Dove. (34 S. m. 1 Karte.) 890. n. 2. 60
98. Kephallenia u. Ithaka. Eine geograph. Monographie. Von J. Partsch. Mit 1 Karte, 2 Plänen u. 5 Skizzen im Text. (III, 108 S.) n. 6. —
99. Ostäquatorial-Afrika zwischen Pangani u. dem neuentdeckten Rudolf-See. Ergebnisse der Graf S. Telekischen Expedition 1887—88. Von L. Ritter v. Höhnel. (III, 44 S. m. 3 Karten.) n. 4. 20

Petermann's, A., Mitteilungen aus Justus Perthes' geographischer Anstalt. Hrsg. v. A. Supan. 35.—38. Bd. od. Jahrg. 1889—1892. à Jahrg. 12 Hefte. (à Heft 5—6 Bog. m. Karten.) gr. 4. Gotha, J. Perthes. à Heft * 2 —; à Jahrg. * 24 —

—— dass. — Ergänzungsheft Nr. 93—105. Ebd. * 65 20

93. Wissenschaftliche Ergebnisse v. Dr. W. Junkers Reisen in Zentral-Afrika. II—III. gr. 4. (S. 53—114 m. 2 Karten.) 889. * 4 80.
94. Diest, W. v. Von Pergamon über den Dindymos zum Pontus. gr. 4. (100 S. m. 2 Karten u. 1 Lichtdr.-Taf.) 889. * 6 40.
95. Partsch, Jos. Die Insel Leukas. Eine geograph. Monographie. gr. 4. (29 S. m. 1 Karte.) 889. * 2 60.
96. Beschoren, Max. Beiträge zur nähern Kenntnis der brasilianischen Provinz São Pedro do Rio Grande do Sul. Reisen u. Beobachtgn. während der J. 1875—1887. Mit e. Orig.-Karte. gr. 4. (IV, 91 S.) 889. * 5 —.
97. Dove, Karl. Kulturzonen v. Nord-Abessinien. gr. 4. (34 S. m. 1 Karte.) 890. * 2 60.
98. Partsch, Jos. Kephallenia u. Ithaka. Eine geograph. Monographie. Mit 1 Karte, 2 Plänen u. 5 Skizzen im Text. gr. 4. (III, 108 S.) 890. * 6 —.
99. Höhnel, Ludw. Ritter v. Ostäquatorial-Afrika zwischen Pangani u. dem neuentdeckten Rudolf-See. Ergebnisse der Graf S. Telekischen Expedition 1887—88. gr. 4. (III, 44 S. m. 3 Karten.) 890. * 4 20.
100. Radde, Gust. Karabagh. Bericht üb. die im Sommer 1890 im russ. Karabagh v. Gust. Radde u. Jean Valentin ausgeführte Reise. gr. 4. (56 S. m. 1 Karte.) 890. * 4 —.
101. Die Bevölkerung der Erde. Periodische Übersicht üb. neue Arealberechngn., Gebietsverändergn., Zählgn. u. Schätzgn. der Bevölkerg. auf d. gesamten Erdoberfläche. Hrsg. v. Herm. Wagner u. Alex. Supan. VIII. Lex.-8. (XIV, 271 S. m. 5 Karten.) 891. * 10 —.
102. Walther, Johs. Die Adamsbrücke u. die Korallenriffe der Palkstrasse. Lex.-8. (40 S. m. 1 farb. Karte.) 891. * 2 60.
103. Schnell, Paul. Das marokkanische Atlasgebirge. Quellenmässig dargestellt. Lex.-8. (119 S. m. 1 farb. Karte.) 892. * 5 —.
104. Hettner, Alfr. Die Kordillere v. Bogotá. Ergebnisse v. Reisen u. Studien. Lex.-8. (VII, 131 S. m. Karten u. Profilen.) 892. * 6 —.
105. Mohn, H. u. Fridtjof Nansen. Wissenschaftliche Ergebnisse v. Dr. F. Nansens Durchquerung von Grönland 1888. Lex.-8. (IV, 111 S. mit 6 Taf. u. 10 Fig.) 892. * 6 —.

— dasselbe. Ergänzungsheft Nr. 100—113. 4. Ebd. n. 83. —

100. Karabagh. Bericht üb. die im Sommer 1890 im russ. Karabagh v. Gust. Radde u. Jean Valentin ausgeführte Reise. Von Gust. Radde. (56 S. m. 1 Karte.) 890. n. 4. —
101. Die Bevölkerung der Erde. Periodische Übersicht üb. neue Arealberechngn., Gebietsverändergn., Zählgn. u. Schätzgn. der Bevölkerg. auf der gesamten Erdoberfläche. Hrsg. v. Herm. Wagner u. Alex. Supan. VIII. (XIV, 271 S. m. 5 Karten.) 891. n. 10. —
102. Die Adamsbrücke u. die Korallenriffe Palkstrasse. Von Johs. Walther. (II, 40 S. m. 1 farb. Karte.) 891. n. 2. 60
103. Das marokkanische Atlasgebirge. Quellenmässig dargestellt v. Paul Schnell. (119 S. m. 1 farb. Karte.) 892. n. 5. —
104. Die Kordillere v. Bogotá. Ergebnisse v. Reisen u. Studien v. Alfr. Hettner. (VII, 131 S. m. Karten u. Profilen.) 892. n. 6. —
105. Wissenschaftliche Ergebnisse v. F. Nansens Durchquerung v. Grönland 1888. Von H. Mohn u. Fridtjof Nansen. (IV, 111 S. m. 6 Taf. u. 10 Fig.) 892. n. 6. —
106. Die Entwickelung der Kartographie v. Amerika bis 1750. Festschrift zur 400jähr. Feier der Entdeckg. Amerikas v. Sophus Ruge. (II, 85 S. m. 32 Kärtchen auf 2 farb. Taf.) 892. n. 6. —
107. Die Bevölkerung der Erde. Periodische Übersicht üb. neue Arealberechngn., Gebietsverändergn., Zählgn. u. Schätzgn. der Bevölkerg. auf der gesamten Erdoberfläche. Hrsg. v. Herm. Wagner u. Alex. Supan. IX. (VI, 130 S.) 893. n. 7. —

108. Neue Beiträge zur Geologie u. Geographie Japans. Von Edm. Naumann. (II, 45 S. m. 2 Skizzen im Text u. 3 farb. Karten.) 893. n. 3. 60
109. Wissenschaftliche Ergebnisse e. Forschungsreise zur See, ausgeführt in den J. 1891 u. 1892 v. Gerh. Schott. (VIII, 132 S. m. 9 Fig. u. 6 Taf.) 893. n. 8. —
110. Die Oro- u. Hydrographie der preussischen u. pommerschen Seenplatte, insbesondere im Stromgebiet der Weichsel. Von Alois Bludau. (63 S. m. 1 farb Karte.) 891. n. 6. —
111. Die kartographischen Ergebnisse der Massai-Expedition des deutschen Antisklaverei-Comités. Von Osc. Baumann, m. Ergänzg. durch die Aufnahmen v. G. A. Fischer, W. Werther u. Spring u. unter Mitwirkg. v. Bruno Hassenstein u. L. Ambronn. (II, 56 S. m. 4 farb. Karten.) 894. n. 7. —
112. Das Ostufer des Pontus u. seine kulturelle Entwickelung im Verlaufe der letzten dreissig Jahre. Vorläufiger Bericht üb. die Reisen im kolch. Tieflande, Adsharien, am Ostufer des Schwarzen Meeres, am Unterlaufe des Kuban u. üb. die Durchquerg. der Hauptkette von Psebai nach Sotschi im Sommer 1893. Von G. Radde u. E. Koenig. (126 S. m. 2 Karten.) 894. n. 6. 10
113. Grundzüge der physikalischen Geographie v. Guatemala. Von Carl Sapper. (IV, 59 S. m. 4 Karten.) 894. n 6. 40

Petermann's, A., Mitteilungen aus Justus Perthes' geographischer Anstalt. Hrsg. v. A. Supan. 37.—40. Bd. od. Jahrg. 1891—1894. à 12 Hfte. (à 5—6 Bog. m. Karten.) gr. 4. Gotha, J. Perthes. à Hft. n. 2. —

Petermann's, A., Mitteilungen aus Justus Perthes' geograph. Anstalt. Hrsg. v. A. Supan. 41.—44. Bd. od. Jahrg. 1895—1898. à 12 Hfte. (à ca. 40 S. m. Karten.) gr. 4. Gotha, J. Perthes. à Hft. n. 2. —

— dasselbe. Ergänzungsheft Nr. 114 — 120. Lex.-8. Ebd. n 39. 80

114. Aus dem Stromgebiet des Qyzyl-Yrmaq (Halys). Ergebnisse d. Forschungsreise von v. Prittwitz u. Gaffrow u. v. Flottwell vom 1. Juli bis 1. Oktbr. 1893. Von v. Flottwell. Mit 1 (farb.) Karte in 4 Blatt u. 3 Skizzen im Text. (II, 55 S.) 895. n. 5. —
115. Beiträge zur physischen Geographie v. Montenegro mit bes. Berücksicht. d. Karstes. Von Kurt Hassert. Mit 4 Taf. u. 1 Skizze im Text. (IV, 174 S.) 895. n. 7. —
116. Neue Forschgn. im nordwestl. Kleinasien. Von W. v. Diest u. M. Anton, m. Beiträgen von Graf Götzen, A. Körte u. G. Türk. M. 1 (farb.) Karte in 3 Blättern. (II, 131 S.) 895. n. 8. —
117. Der Nordfuss d. Dagestan u. d. vorlagernde Tiefland bis zur Kuma. Vorläuf. Bericht üb. d. im Sommer 1894 ausgef. Reisen. Von G. Radde u. E. König. M. 2 Karten. (IV, 65 S.) n. 6. —
118. Reisen in Nord- u. Zentral-Persien. Von A. F. Stahl. (III, 39 S. m. 3 farb. Karten.) 896. n. 4. 40
119. Die allgem. geolog. Ergebnisse d. neueren Forschgn. in Zentral-Asien u. China. Von Karl Futterer. M. 1 Karte u. 1 Profiltaf., sowie 2 Karten u. 1 Profil im Text. (II, 60 S.) n. 4. 40
120. Deutsch-Südwest-Afrika. Ergebnisse e. wissenschaftl. Reise im südl. Damaralande v. Karl Dove. M. 3 Karten auf 1 Taf. (VI, 93 S.) n. 5. —

— Inhalts-Verzeichniss zu — Mittheilungen aus Justus Perthes' Geographischer Anstalt, 1885—94 (10 Jahresbände und 9 Ergänzungsbände.) Gotha 1897.

Petermann's, A., Mitteilungen aus Justus Perthes' geographischer Anstalt. Hrsg. v. A. Supan. 45.—48. Bd. 1899—1902. à 12 Hfte. gr. 4. Gotha, J. Perthes. à Hft. n. 2. —

45. (VI, 208 u. XII, 208 S. m. 18 farb. Karten.) — 46. (VI, 298 u. XI, 200 S. m. 23 farb. Karten.) — 47. (IX, 290 u. XII, 208 S. m. 21 farb Karten.) — 48. (VI, 292 u. XII, 224 S. m. 21 farb. Karten.)

Petermann's, A., Mitteilungen aus Justus Perthes' geographischer Anstalt. Hrsg. v. A. Supan. 49. bis 52. Bd. 1903—1906. à 12 Hefte. gr. 4. Gotha, J. Perthes. à Jhrg. 24. — ; einzelne Hefte n. 2. 50
49. (VI, 288 S. m. 9 Abbildgn. u. 24 Taf. u. XII, 2x6 S.)
50. (VI, 293 S. m. 8 Abbildgn. u. 21 Taf. u. XII, 226 S.)
51. (VI, 288 S. m. 4 Abbildgn. u. 21 Taf. u. XII, 2.6 S.)
52. (VI, 288 S. m. 6 Abbildgn. u. 20 Taf. u. XIV, 224 S.)

Petermann's, A., Mitteilungen aus Justus Perthes' geographischer Anstalt. Unter Mitwirkg. v. A. Supan hrsg. v. Paul Langhans. 53.—56. Bd. 1907—1910. à 12 Hefte. Lex. 8. Gotha, J. Perthes. à Jahrg. 24. —
53. (VI, 292 S. m. 3 Abb. u. 21 Karten u. XIV, 240 S.)
54. (VI, 290 S. m. 3 Abb. u. 20 Karten u. XIV, 252 S.)
55. (IX, 392 S. m. 9 Abb. u. 45 Karten u. XIII, 256 S.)
56. (XVI, 352 S. m. 7 Abb. u. 61 Karten u. XVI, 352 S. m. 2 Abb. u. 53 Karten.)

— Inhaltsverzeichnis v. 1885—1894. (10 Jahresbde. u. 9 Ergänzungsbde.) Nebst 5 Karten zur Uebersicht d. in diesen Bänden enthalt. 901 einz. Karten, Pläne, Profile, Ansichten etc. gr. 4. (129 S.) Ebd. 897. n. 8. —

Petermann's, A., Mitteilungen aus Justus Perthes' geographischer Anstalt. Hrsg. v. A. Supan. Ergänzungsheft Nr. 121—139. Lex.-8. Gotha, J. Perthes. n. 143. 80

121. Erforschungsgeschichte u. Staatenbildgn. des Westsudan m. Berücksicht. seiner histor., ethnolog. u. wirtschaftl. Verhältnisse. Von Paul Const. Meyer. Mit 4 Karten auf e. Taf. (II, 107 S.) 897. n. 6. 40
122. Zur Geologie v. Persien. Geognostische Beschreibg. von Nord- u. Zentral-Persien. Von A. F. Stahl. Mit 3 Karten u. 1 Profiltaf. (III, 72 S.) 897. n. 7. 40
123. Über geographische Ortsbestimmgn. ohne astronomische Instrumente. Elementare Darstellung. Von Paul Harzer. Mit 19 Fig. im Texte. (VIII, 127 S.) 897. n. 7. 40
124. Die Verteilung des Niederschlags auf der festen Erdoberfläche. Von Alex. Supan. Mit 3 Karten u. 2 Skizzen im Text. (IV, 103 S.) 898. n. 7. 40
125. Von Tilsit nach Angora. Forschungsreise zweier preuss. Stabsoffiziere im Frühj. 1896. Von Walth. v. Diest. Mit e. Anh. v. E. Oberhummer. Mit 3 Karten u. 2 Skizzen im Text. (IV, 98 S.) 898. n. 7. —
126. Wissenschaftliche Ergebnisse der im J. 1886 allerhöchst befohl. Expedition nach Transkaspien u. Nord-Chorassan. Von G. Radde. Mit e. Karte. (V, 195 S. m. 1 Bildnis.) 898. n. 9. —
127. Über Gebirgsbau u. Boden des nördlichen Mittelamerika. Von Carl Sapper. Mit 3 Karten u. 25 Profilen. (VI, 119 S.) 899. n. 10. —
128. Die Insel Kythera. Eine geograph. Monographie. Von Rich. Leonhard. Mit 1 Karte (II, 47 S.) 899. n. 3. 20
129. Die Kilimandscharo-Bevölkerung. Anthropologisches u. Ethnographisches aus d. Dschaggalande. Von A. Widenmann. Mit 11 Taf. u. 75 Abb. im Text. (IX, 104 S.) 899. n. 7. —
130. Die Bevölkerung der Erde. Von Alex. Supan. Periodische Übersicht über neue Arealberechngn., Gebietsverändergn., Zählgn. u. Schätzgn. der Bevölkerg. auf der gesamten Erdoberfläche (begründet von Ernst Behm u. Herm. Wagner). X. Europa. (VI, 84 S.) 899. n. 6. —
131. Die geographisch-wissenschaftl. Ergebnisse meiner Reisen in Zentralasien, 1894—1897. Von Sven Hedin. Mit Beiträgen v. K. Himly, Gerard de Geer, N. Wille, W. B. Hemsley, H. H. W. Pearson, Helge-Bäckström u. B. Hassenstein. Mit 6 Karten u. 83 Fig. u. Skizzen im Text. (VII, 399 S.) 900. n. 20. —
132. Geomorphologische Untersuchungen in den Hochalpen. Von Ed. Richter. Mit 6 Taf. u. 14 Fig. im Text. (VI, 103 S.) 900. n. 6. 40
133. Wissenschaftliche Ergebnisse e. Reise im Atlas-Vorlande v. Marokko. Von Theob. Fischer. (V, 165 S. m. 1 Taf. u. 3 farb. Karten.) 900. n. 9. —
134. Beiträge zur griechischen Inselwelt. Von Alf. Philippson. Mit 4 Karten. (IV, 172 S.) 901. n. 10. —
135. Die Bevölkerg. der Erde. Von Alex. Supan. Periodische Übersicht üb. neue Arealberechngn., Gebietsverändergn., Zählgn. u. Schätzgn. der Bevölkerg. auf der gesamten Erdoberfläche (begründet v. Ernst Behm u. Herm. Wagner). XI. Asien u. Australien samt den Südsee-Inseln. (IV, 107 S.) 901. n. 6. 40
136. Beiträge zur Kenntniss der Pommerschen Seen. Von Wilh. Halbfass. Mit 6 Karten u. 1 Profiltaf. (VI, 131 S) 901. n. 10. —
137. Die periodischen Luftmassenverschiebgn. u. ihr Einfluss auf die Lagenändergn. der Erdachse (Breitenschwankgn.). Von Rud. Spitaler. Mit 1 (farb.) Karte. (VI, 51 S.) 901. n. 4. —
138. Rechtsverhältnisse u. Sitten der Wadschagga. Von M. Merker. Mit Taf. u. 26 Fig. im Text. (III, 41 S.) 902. n. 4. —
139. Geographische Skizze der Wüste Gobi zwischen Hami u. Su-tschôu. Von K. Futterer. Mit 1 Karte. (35 S.) 902. n. 3. 20

Petermann's, A., Mitteilungen aus Justus Perthes' geograph. Anstalt. Hrsg. v. A. Supan. Ergänzungsheft Nr. 140—155. Lex.-8. Gotha, J. Perthes. n. 125. 40

Arctowski, Henryk, die antarktischen Eisverhältnisse. Auszug aus meinem Tagebuch der Südpolarreise der „Belgica" 1898—1899. Mit 1 Karte im Texte u. zahlreichen Abbildgn. (IV, 121 S.) 903. (Nr. 144.) n. 7. —
Auler Pascha, die Hedschasbahn. Auf Grund e. Besichtigungsreise u. nach amtl. Quellen bearb. Mit e. Einführung von Frhr. Colmar v. d. Goltz. Mit 1 Karte, 1 Blatt Längenprofilen u. 16 Abb. im Text. (V, 80 S.) 906. (Nr. 154.) n. 6. —
Blum, Rich., die Entwicklung der Vereinigten Staaten v. Nordamerika. Nach den amtl. Berichten über die Volkszählgn. der Vereinigten Staaten von 1880, 1890 u. 1900 u. zum Teil zurück bis 1790. Bearb. u. zusammengestellt. Mit 10 Karten auf 1 Taf. (VI, 106 S.) 903. (Nr. 142.) n. 8. —
Fischer, Theob., der Oelbaum. Seine geogr. Verbreitung, seine wirtschaftl. u. kulturhistor. Bedeutg. Eine Studie. Mit Karte. (III, 87 S.) 904. (Nr. 147.) n. 5. —
Fitzner, Rud., Niederschlag u. Bewölkung in Kleinasien. Mit e. Karte u. e. Taf. Regenwindrosen. (II, 90 S.) 902. (Nr. 140.) n. 5. —
Futterer, K., geographische Skizze v. Nordost-Tibet. Begleitworte zur Kartenaufnahme des Reiseweges vom Kukenur über den oberen Hoang-ho u. durchs Thao-Tal nach Min-tschôu. Mit 2 Karten. (66 S.) 903. (Nr. 143.) n. 4. 40
Machaček, Fritz, der Schweizer Jura. Versuch e. geomorpholog. Monographie. Mit 1 Kartenskizze, 1 Profiltaf. u. 13 Abbildgn. im Text. (VII, 147 S.) 905. (Nr. 150.) n. 9. —
Merzbacher, Gottfr., vorläufiger Bericht üb. e. in den J. 1902 u. 1903 ausgeführte Forschungsreise in den zentralen Tian-Schan. Mit 1 Karte u. 2 Panoramen. (III, 100 S.) 904. (Nr. 149.) n. 8. —
Oestreich, Karl, die Täler des nordwestlichen Himalaya. Beobachtungen u. Studien Mit 1 Karte, 36 Taf. u. 39 Fig. im Text. (VIII, 106 S.) 906. (Nr. 155.) n. 8. —
Sapper, Karl, über Gebirgsbau u. Boden des südlichen Mittelamerika. Mit 2 Karten u. 2 Profiltaf. (V, 82 S.) 905. (Nr. 151.) n. 8. —
Schaffer, Frz. X., Cilicia. Mit 3 Karten auf 2 Taf. (110 S.) 903 (Nr. 141.) n. 6. —
Stavenhagen, D. W., Skizze der Entwickelung u. des Standes des Kartenwesens des ausserdeutschen Europa. (XXVIII, 376 S.) 904 (Nr. 148.) n. 18. —
Supan, Alex., die Bevölkerung der Erde. Periodische Uebersicht üb. neue Arealberechngn., Gebietsverändergn., Zählgn. u. Schätzgn. der Bevölkerung auf der gesamten Erdoberfläche (begründet von Ernst Behm u. Herm. Wagner). XII. Amerika, Afrika u. Polarländer. Bevölkerung der Erde um die Jahrhundertwende. (VI, 158 S. m. 1 farb. Karte.) 904. (Nr. 146.) n. 9. —
Thoroddsen, Th., Island, Grundriss der Geographie u. Geologie. I. Mit Karte u. 9 Fig. im Text. (III, 161 S.) 905. (Nr. 152.) n. 10 —
— dasselbe. II. Mit 4 Karten auf 3 Taf. u. 16 Fig. im Text. (IV u. S. 163—358.) 906. (Nr. 153.) n. 12. — (Vollst.: n. 22. —)
Voss, Ernst Ludw., Beiträge zur Klimatologie der südlichen Staaten von Brasilien. I. Der Staat São Paulo. II. Die Staaten Paraná, Santa Catharina u. Rio Grande do Sul. Mit farb. Karte. (IV, 48 S.) 903. (Nr. 145.) n. 4. —

— dasselbe. Inhaltsverzeichnis 1895—1904. (10 Jahresbände u. 8 Ergänzungsbände.) Nebst 11 Kärtchen auf 2 Taf. zur Übersicht der in diesen Bänden enth. 1218 einzelnen Karten, Pläne, Profile etc. (IV, 160 S.) Lex. 8. Ebd. 907. 10. —

— dasselbe. 156.—168. Ergänzungsheft. Lex. 8. Ebd. 129. —

Auler, Pascha, die Hedschasbahn. II. Tl.: Ma'an bis El'Ula. Auf Grund e. 2. Besichtigungsreise u. nach amtl. Quellen bearb. Mit Karte u. 26 Abbildgn. im Text. (III, 65 S.) 908. (Nr. 161.) 4.60 (I u. II: 10. 60)
Cvijić, J., Entwicklungsgeschichte des Eisernen Tores. Mit 2 Karten, 9 Abbild. u. 31 Fig. im Text. (IV, 64 S.) 908. (Nr. 160.) 7. 60
— Grundlinien der Geographie u. Geologie v. Mazedonien u. Altserbien, nebst Beobachtgn. in Thrazien, Thessalien, Epirus u. Nordalbanien. I. Tl. (Mit 21 Bildern auf 16 Taf., 2 Karten, 15 Profilen auf 1 Taf. u. 46 Skizzen im Text.) (VIII, 392 S.) 909. (Nr. 162.) 20. —
Fischer, Alfr., die Hurricanes od. Drehstürme Westindiens. Mit Karte u. 7 Fig. im Text. (III, 70 S.) 908. (Nr. 159.) 4. 60
Frobenius, Leo, Kulturtypen aus dem Westsudan. Auszüge aus den Ergebnissen der 2. deutschen innerafrikan. Forschungsexpedition. nebst e. Anh. üb. Kulturzonen u. Kulturforschg. in Afrika. (V, 125 S. m. 7 Fig. u. 1 farb. Karte.) 910. (Nr. 166.) 8. 40
Gogarten, Emil, über alpine Randseen u. Erosionsterrassen im besonderen des Linthtales. Mit 5 Profilen auf 3 Taf. u. 3 Fig. im Text. (VII, 80 S.) 910. (Nr. 165.) 6. 40
Hanslik, Erwin, Kulturgrenze u. Kulturzyklus in den polnischen Westbeskiden. Eine prinzipielle kulturgeograph. Untersuchg. Mit 8 Abbildgn. u. 3 Karten auf 4 Taf. (VII, 115 S.) 907. (Nr. 158.) 9. —

Krüger, Paul, die Patagonischen Anden zwischen dem 42. u. 44. Grade südlicher Breite. Reisen, Studien u. Aufnahmen, ausgeführt im Auftrag der chilen. Regierg. (IV, 242 S. m. 4 Taf. u. 1 farb. Karte.) 909. (Nr. 164.) 18. —
Marek, Rich., Waldgrenzstudien in den österreichischen Alpen. (VIII, 102 S. m. 4 Diagr. auf 1 Taf. u. 1 farb. Karte.) 910. (Nr. 168.) 8. 40
Philippson, Alfr., Reisen u. Forschungen im westlichen Kleinasien. 1. Heft. Einleitung. — Das westl. Mysien u. die pergamen. Landschaft. Mit 8 Bildertaf., 1 (farb.) geolog. Karte u. 1 Skizze im Text. (IV, 104 S.) 910. (Nr. 167.) 12. —
Stefani, Carlo de, die Phlegräischen Felder bei Neapel. Mit 67 Phototypien, Zeichngn. u. Diagrammen u. e. geolog. Karte. (IV, 201 S.) 907. (Nr. 156.) 14. —
Supan, Alex., die Bevölkerung der Erde. Periodische Übersicht über neue Arealberechngn., Gebietsverändergn., Zählgn. u. Schätzgn. der Bevölkerg. auf der gesamten Erdoberfläche (begründet v. Ernst Behm u. Herm. Wagner.) XIII. Europa. (Mit 1 [farb.] Karte im Text.) (VI, 144 S.) 909. (Nr. 163.) 10. —
Voss, Ernst Ludw., die Niederschlagsverhältnisse v. Südamerika. Mit 19 Karten auf 2 Taf. (VII, 59 S.) 907. (Nr. 157.) 6.

Petermann, A., Mittheilungen über wichtige neue Erforschungen auf dem Gesammtgebiete der Geographie. 14—22. Band. Gotha 1868—76. 4.

Petermann's, A., „Geographische Mittheilungen." Inhalts-Verzeichniss 1855—64. (10 Jahresbände und 3 Ergänzungsbände.) Nebst Uebersichtskarte der in denselben enthaltenen 350 einzelnen Karten und Pläne. Gotha 1865.
— Dieselbe Publikation. Inhalts-Verzeichniss 1865—74. (10 Jahresbände und 5 Ergänzungsbände.) Nebst 2 Karten zur Uebersicht der in diesen Bänden enthaltenen 380 einzelnen Karten und Pläne. Gotha 1877.

Petermann, A. Das Mündungsgebiet des Ob und Jenissei. Mit Benutzung von Nordenskiölds Messungen. 1 : 3 000 000. Gotha 1876. 2 Bl. c. L.

Petermann, A. Neu-Seeland. 1 : 5 000 000. Gotha 1876. 1 Bl. c. L. Ff.

— die deutsche Nordpol-Expedition. 1868. [Aus den geogr. Mittheilungen.] Gotha 868. J. Perthes. 4. (22 S. u. 2 chromolith. Taff.) n. 10 ngr.

— — Verlauf vom 24. Mai bis 20. Juni 1868. Nebst 2 (lith. u. color.) Karten. [Aus d. geogr. Mittheilungen.] Ebend. 868. 4. (10 S.) 10 ngr.

Petermann, August: Die deutsche Nordpolfahrt. Aufruf an die Nation. (Geographie und Erforschung der Polar-Regionen. No. 11. Petermann's Geographische Mittheilungen. 1866. Heft 4. S. 144—162.) Gotha 1866. 19 S. 8°. [D 2370

Petermann, A. Der untere Ogowe. Zur Uebersicht der Aufnahme von Savorgnan de Brazza 1876/77. 1 : 2 000 000. Gotha 1878. 1 Bl. c. L. Ff.

Petermann, A. Originalkarte des Herero- und Kaoko-Landes. 1 : 2 200 000. Gotha 1878. 1 Bl. c. L. Sch.

Petermann, A. Ostafrika zwischen Chartum, Sauakin u. Massaua. s. Petermann, A. Mittheilungen aus Justus Perthes geogr. Anstalt.

Petermann, Aug. Neuester Plan von der Königlichen Residenzstadt Potsdam. 1 : 6 000. Potsdam (1843). 1 Bl. c. K. Ff.

Petermann, A. Das neuentdeckte Polarland und die Expeditionen im Eismeer nördlich der Beringsstrasse 1818—1867. Gotha 1869. 4.

Petermann, A. Die geologische Reichsanstalt in Wien und ihre bisherigen Leistungen (Aus Petermann's Mitth.) Gotha. 1863. 4.

Petermann, A. L. Cameron's Reise durch Afrika vom Tanganjika-See nach Loanda. 1874—1875. 1 : 4 800 000. Gotha 1876. 1 Bl. c. L. Ff.

Petermann. Ueber die Satire des Ennius. Thl. 1. 23 S. Thl. 2. 20 S. Hirschberg, Progr. 1851, 1852

—— die Schlacht bei Königgrätz am 3. Juli 1866. gr. 4. (8 S. mit chromolithogr. Karte und Schlachtplan in qu. Fol.) Gotha 866, J. Perthes. *
Aus: Geographische Mittheilungen, besonders abgedruckt.

Petermann, A. Skizze der Entdeckungen der Englischen Polar-Expedition unter Nares, 1876. 1 : 16 000 000. Gotha 1876. 1 Bl. c. A.

Petermann, A. Specialkarte von Armenien zur Uebersicht des nach dem Frieden von San Stefano, 3. März 1878 zu Russland gekommenen Gebietes. 1 : 1 200 000. Gotha 1878. 1 Bl. c. L. Sch.

Petermann, Special-Karte von Australien in 9 Blättern. Nach originalen und officiellen Quellen. 1875. Maasstab 1 : 3.500.000. Fol. Gotha 1875.

Petermann, A., Specialkarte von der deutschen Grenze bis Paris. 1 : 740,000. Mit einem Plane von Paris und Umgegend. 1 : 200,000. Fol. Gotha 870, J. Perthes.

Petermann, Aug., J. Perthes' Specialkarte der deutsch-französischen Grenzländer bis Wesel, Basel, Bodensee etc. M. 1 : 740000. Gotha, J. Perthes, 1867. Imp.-Fol. Kpfrst. u. kolor. . . . . . (Br. Mus.)
—, —— von Mainz bis Bern (aus Stieler's 25-Blatt-Karte). M. 1 740000. A. Petermann red. Ebda. 1870. . . . . . (Br. Mus.)
—, —— von Mainz bis zur Nordsee (aus Stieler's 25-Blatt-Karte). M. 1 : 740000. A. Petermann red. Gotha, J. Perthes, 1870. . . . . . (Br. Mus.)

Petermann, Aug., J. Perthes' Specialkarte der norddeutschen Küstenländer von Emden und Borkum bis zur Insel Rügen (aus Stieler's 25-Blatt-Karte). M. 1 : 740000. Red. von A. Petermann. Gotha, J. Perthes, 1870. . . . . . (Br. Mus.)

Petermann, A., J. Perthes' Specialkarte der norddeutschen Küstenländer von der Insel Rügen bis Königsberg (aus Stieler's 25-Blatt-Karte). M. 1 : 740000. Red. A. Petermann. Gotha, J. Perthes, 1870. . . . . . (Br. Mus.)

Petermann, A. Specialkarte der Insel Nias. 1 : 360 000. Gotha 1878. 1 Bl. c. A. Ff.

Special-Karte von Nord-Schleswig v. August Petermann. 1 : 150000. Gotha. 1864. Lithogr. 1 Bl. Fol. 65,51 cm. Zusammengefaltet in Buchdeckel. 8°.
Mit 2 Nebenkärtchen:
Fredericia und Umgegend, 1 : 150000, und
Die Düppler Höhen und Umgegend, 1 : 75 000.

Krim — Special-Karte des Südwestlichen Theils der — von Dr. A. Petermann 170,000. Nebst Plan zur Uebers. der Belagerung v. Sebastopol 90,000. Gotha J. Perthes 1855. 1 Bl.

Petermann, A. Special-Karten von Nord- und Süd-Schleswig im Massstabe 1 : 150000. (2 Karten.)

—— 4 Specialkarten. 1. Das Festungs-Viereck Verona, Peschiera, Mantua und Legnago; 2. Die Meerenge von Gibraltar; 3. Der Isthmus von Panama; 4. Die Viti- oder Fiji-Inseln. (Ergänzungen zu Stieler's Hand-Atlas.) Kpfrst. und ill. gr. Fol. Mit Text. (4 S. in Fol.) Gotha 862, J. Perthes. *

— Spitzbergen u. die arktische Central-Region, sa. Mittheilungen aus J. Perthes' geogr. Anstalt.

(Petermann, August): Spitzbergen und die arktische Central-Region. Eine Reihe von Aufsätzen und Karten als Beitrag zur Geographie und Erforschung der Polar-Regionen. Gotha 1865. X, 70 S., 3 Krt.
= Ergänzungsheft zu Petermann's Geographischen Mittheilungen. No. 16. 8°.

Petermann, A. Die Staaten der Balkan-Halbinsel nach den Bestimmungen des Friedens von S. Stefano, 3. März 1878. 1 : 6 000 000. Gotha 1878. 1 Bl. c. L. Ff.

Petermann, A. Die Europäische Türkei. Eintheilung und die Confessionen. 1 : 2 500 000. Gotha 1876. 1 Bl. c. L. Ff.

(Petermann, August): Uebersichtskarte von Alex. v. Humboldt's Reisen 1798—1829. (Petermann's Geogr. Mittheilungen. 1869. Heft 8.) 3 S., 1 Krt. 4°. 4.A 4340

Petermann, A. The United States of America. 1 : 3 700 000. Gotha 1874. 6 Bl. c. L. Ff.

Petermann, A. Ueber den Ursprung und Begriff der römischen Satire. Erster Theil. 34 S.
Glogau, Ev., Progr. 1856

Petermann, A. Vertheilung der Gross-, Weiss- und Klein-Russen. Nach A. F. Rittich. 1 : 3700000. Gotha 1878. 1 Bl. c. L. Ff.

Petermann, (Fridericus Henricus) Augustus *(geb. Breslau 4. 8. 1818)*: De C. Lucilii vita et carminibus. Vratislaviae (1842). (41 S.) 8° *[Im Buchhandel 1842 bei Schulz & Ko. in Breslau.]*
Breslau, Phil. Diss. v. 15. Jan. 1842

Petermann, A., de C. Lucilii vita et carminibus. 8maj. (2½ B.) Vratislaviae 842, (Schulz et soc.) *

Petermann, August: Vorbericht über die österreichische Expedition zur Untersuchung des Nowaja-Semlä-Meeres durch Schiffs-Lieutenant Weyprecht und Ober-Lieutenant Julius Payer. Juni — September 1871. (Geographie und Erforschung der Polar-Regionen. No. 51. Petermann's Geographische Mittheilungen. 1871. Heft 12. S. 457—463.) Gotha 1871. 7 S. 4°.

Petermann, A., Wandkarte von Deutschland. Gez. von H. Habenicht. 9 Sectionen. M. 1 : 1000000. Chromolith. Gotha, J. Perthes, 1866. Imp.-Fol. . . . . . (Br. Mus.)
——, —— 2. Aufl. Ebda. 1867. . . . . (Br. Mus.)
——, —— 6. Aufl. Ebda. 1876.
——, —— 9. Aufl. Ebda. 1882.
——, —— 10. Aufl. Ebda. 1886. Imp.-Fol. (M. 5.)

Petermann, A. West-Indien, Central-Amerika bis zum südlichen Canada. 1 : 7 500 000. Gotha 1882. 1 Bl. c. K. Ff.

Petermann, August Gottlieb [Praes.], s. Schmid, Christian: De valore pactorum quibus praeparantur contractus.

Petermann, August Gottlob (Leipzig), De affectuum morali aestimatione. Exercit. acad. Moder. Christian Gottl. Schwarz. [Altdorf] (J. W. Kohle) 10. X. 1713. 40 S. (5.—) 26136
Widm. v.: C. G. Schwarz.

— — **Dasselbe.** [Altdorf] (J. W. Kohle) 10. X. 1713. 40 S. (5.—) 26137
Widm. v.: C. G. Schwarz. — Gew.: Daniel Petermann (Vater).

Petermann, August Gottlob [Praes.], s. Herr, Friedrich Karl: De testamentis impuberum.

Petermann, August Gottlob [Praes.], s. Herr, Georg Karl: De valore possessorii summariissimi contra principem S. R. G. I. regalia vindicantem a subdito instituti.

— — De jure principum S. R. I. circa tutelam pacis ecclesiasticae. Disput. jur. Gießen (J. R. Vulpius) Okt. 1722. 47 S. (5.25) 26138
Widm. v.: Immanuel Weber.

— — Dasselbe. Gießen (E. H. Lammers) Okt. 1722. 1745. 51 S. (—.—) 26139
Widm. v.: Immanuel Weber.

Petermann, August Gottlob [Praes.], s. Nauendorff, Friedrich Gottlob von: Meditationes de separatione feudi et allodii petenda et perficienda.

Petermann, August Gottlob [Praes.], s. Schmidt, Johann Samuel: Dissertatio de exercitio iuris patronatus realis ad praediorum fructus referendo.

— — u. **Christian Schmid** (Görlitz / Lausitz), De valore pactorum quibus praeparantur contractus. Leipzig (Titian) 10. I. 1730. 44 S. (5.25) 26140

Petermann, Benj. Bened., Observationes medicae. Lps. 8°. 1706.

Petermann, C., die Anlage wasserdichter Abtrittgruben u. Dungstätten in den Städten u. Landgemeinden. 2. Thl. gr. 8. (26 S. m. 2 Steintaf.) Stuttgart 877. Roth. n. 1. 80
(1. u. 2.: n. 2. 80)

Petermann, C., Anlage u. Ausführung v. Brunnen u. Wasserleitungen. Ein Leitfaden zum Selbstunterricht f. Bau- u. Werkmeister, Gutsbesitzer, Gemeindebeamte zc. gr. 4. (IV, 76 S. m. 13 Steintaf. in qu. Fol.) Stuttgart 871. Roth. n. 4. 80

— **die Anlage wasserdichter Dungstätten u. Abtrittgruben. Ein Leitfaden f. Gutsverwalter, Maurermeister, Hausbesitzer u. Landwirthe.** gr. 8. (15 S. m. e. Steintaf.) Ebend. 871. — 50

Petermann, C.: Die Anlage wasserdichter Dungstätten und Abtrittgruben. Stuttgart 1871. [Beigeb.:] Die Anlage wasserdichter Abtrittgruben und Dungstätten in den Städten und Landgemeinden. T. 2. Stuttgart 1877

Petermann, Anleitung zur Behandlg., Reinigg. u. Ausbesserg. der Feldflaschen u. Kochgeschirre aus Aluminium. Nach offiz. Vorschriften u. Veröffentlichungen, sow. eig. Beobachtgn. zusammengestellt. 3., verb. Aufl. gr. 16. (16 S.) Leipzig 896. Zuckschwerdt & Co. n. — 20

Petermann, Anleitung z. Behandlung, Reinigung u. Ausbesserung d. Feldflaschen u. Kochgeschirre aus Aluminium. Nach offiziellen Vorschriften u. Veröffentlichgn., sowie eigenen Beobachtgn. zusammengestellt. 4. nach d. neuesten Erfahrungen verb. u. ergänzte Aufl. gr. 16. (16 S.) Leipzig 901. Zuckschwerdt & Co. n. — 20

— **Anleitung zur Untersuchung der im Bereiche der Bekleidungsämter zur Prüfung u. Abnahme gelang. Stoffe, Metalle u. d. Leders.** gr. 16. (52 S.) Leipzig 896. Zuckschwerdt & Co. 1. 50

Petermann, C., Beiträge z. Schleußen- u. Brückenbau. Lex.-8. (X, 114 S. m. 22 Taf.) Stuttgart 875. [Roth.] Holland & Josenhans. n. 9. 60; ermäß. Pr. 7. 50

— **Beiträge zum Schleußen- u. Brückenbau m. Berücksicht. der Wiesenwässerung.** Mit 22 lith. Taf. (in qu. Fol.) Lex.-8. (X, 114 S.) Stuttgart 875. Roth. n. 9. 60

Petermann, C. G., Rede bei Verpflichtung d. Kursächs. Regiment. Ku. f. zu d. neuen Fahnen. 8. Weißenfels 802. Böse. 2 gl.

Petermann's, E., Handbuch der Mehlspeisen, s. a. Blüher's Sammel-Ausgab. d. Gasthaus- u. Küchen-Welten. XII.

Petermann, E., Handbuch der Mehlspeisen. Anleitung zu e. leichten Bereitg. der besseren Mehl-Speisen, Gallerten, Sulzen u. Gefrorenen. 2., verm. u. verb. Aufl. 8. (142 S.) Leipzig 890. Blüher. n. 1. 50; cart. n. 2. —

Petermann, E., Handbuch der Mehlspeisen. Anleitung zur leichten Bereitg. der besseren Mehl-Speisen, Gallerten, Sulzen u. Gefrorenen. 3., verm. Aufl. 12. (155 S.) Leipzig 893. P. M. Blüher. n. 1. 50; geb. n. 2. —

Petermann, Meisterwerk der Speisen u. Getränke, s.: Blüher.

Petermann, Ernst [aus Leer '(Ostfriesl.)']: Über die Einwirkung von primären aromatischen Aminen auf Dinitrochlorbenzol und über die Umwandlungsproducte des Anilinderivates ... Marburg, Univ.-Buchdr. '(R. Friedrich)', 1896; 54 S., 1 Bl. 8.
Marburg, Phil. Fak., Inaug.-Diss. v. [22. Dez.] 1896

Petermann, F. A., die Schäden, hervorgerufen durch unsere heutige Schulbildung, und Vorschläge zu ihrer Abhilfe. Ein Mahnwort an Eltern und Lehrer. gr. 8. (VII, 68 S.) Braunschweig 881, Vieweg und Sohn. *

Petermann, Fr., Antrittspredigt, geh. am 21. Dez. 1828. Hrsg. v. d. sämmtl. Kirchenverwaltung dies. Gemeinde. gr. 8. (1 B.) Prag 829, (Borrosch u. André.)

Petermann, Friedrich

Petermann, Dienstunterricht f. d. Oekonomiehandwerker. gr. 16. (32 S.) Ebd. 896. — 30

Dienstunterricht für die Ökonomiehandwerker. Von Hauptm. [Friedrich] Petermann. 3. verb. u. verm. Aufl. Berlin: Zuckschwerdt & Co. 1907. (34 S.) 8° [F.] [08. 9398

Petermann, Friedrich Heinrich August, s. Petermann, August

Petermann, Fritz, s.a. Peter, Fritz.

PETERMANN, Fritz: Sprachliche Untersuchung des altfranzösischen Chastoiement d'un pere a son fiels. — 1905. 55 Bl. Diss. Graz, Univ.

Petermann, Geo., († d. 16. Dec. 1792.) erlaubte Beleuchtung e. Harwoodischen Abhandl. u. Tellerschen Antithesen. 8. Greiz 775.

Petermann, Georg, meine Erlebnisse in Belgien, Frankreich, Spanien u. Afrika. Kurzgefaßte Schilderung. 12. (1 B.) Meiningen 842, (Keyßner'sche Hofbuchh.) *

— evangel. Predigten aufs ganze Jahr. 8. Greiz. 771.

— 6 Predigten bei Gelegenheit d. Jubiläi. 8. Dresd. 785.

Petermann, H., Anleitung zum Unterrichte im Rechnen auf der Unterstufe der Elementarschulen, s.: Stein, F.

Petermann, H., das Offizier-Feldgepäck. Eine Zusammenstellg. der Feldausrüstungs-Gegenstände der Offiziere zu Fuß u. zu Pferd. gr. 8. (16 S.) Hannover 887. Helwing's Verl. n.n. — 25

Petermann, Heinrich, s. Petermann, Julius Heinrich

Petermann, Hermann Rudolf, s. Petermann, Rudolf

Petermann

— Johann Friedrich Carl (Leipzig), Problema juridicum an actionem injuriarum servi nostri et ancillae mercenariae, si modice castigentur, adversus dominos habeant? Präs. Traugott Thomasius. Leipzig (Breitkopf) 12. V. 1735. 27 S. (5.—) 26150
Gew.: Gottfried Thomasius.

— — Problema juridicum VIII. An actionem injuriarum servi nostri et ancillae mercenariae, si modice castigentur, adversus dominos habeant? Präs. Traugott Thomasius. Leipzig (Breitkopf) 12. V. 1735. 27 S. (5.—) 26151
Gew.: Gottfried Thomasius.

Petermann, Johannes, approb. Arzt aus Münster i. W.: Ein hyalines Endotheliom der Parotis mit Pigmentmetamorphose nebst Bemerkungen über die Natur der Mischgeschwülste der Parotis. *Würzburg 1902: P. Scheiner.* (34 S.) 8°
Würzburg, Med. Diss. v. 1902

Petermann, Julius Heinrich

Petermann, H., Beiträge zu der Geschichte der Kreuzzüge aus Armenischen Quellen. (Aus den Abhdlgn. d. k. Akad. d. Wiss. zu Berlin.) Berlin 860. Dümmler's Verlhdlg. in Comm. gr. 4. (108 S.) n. 1 ₰

Petermann, Beiträge zu einer Geschichte der Reformen des osmanischen Reiches, s. Beiträge.

Petermann, (Jul.) H(einr.), über den Dialect der Armenier von Tiflis. [Aus d. Abhandlgn. der k. Akad. der Wiss.] Berlin 867. (Dümmler's Verlag.) gr. 4. (33 S.) n. 11 ngr.

Petermann, Jul. Henr., Grammatica lingua armenicae. 8maj. ($17\frac{1}{4}$ B. u. 2 Tab., $1\frac{1}{2}$ B. gr. Fol.) Berolini 837, [Thome.] *

— de osticanis, Arabicis Armeniae Gubernatoribus. Comment. 4maj. Berlin 840. Eichler. n. $\frac{1}{4}$ ₰

— de Ostikanis, Arabicis Armeniae gubernatoribus. Comment. 4maj. (2 B.) Berolini 841, Eichler. *

Petermann, Iulius Henr. (geb. Glauchau 1801): De duabus pentateuchi paraphrasibus Chaldaicis. Particula I. De indole paraphraseos, quae Ionathanis esse dicitur. Berolini (1829). (85 S.) 8°
Berlin, Phil. Diss. v. 28. Jan. 1829

— s. Pauli epistola ad Philemonem.

Petermann, H., s.: Pentateuchus samaritanus.

Petermann, J. H., s.: Pistis Sophia.

Petermann, J. H., s.a. Porta linguarum orientalium.

— Porta linguarum orientalium, sive elementa linguarum syriacae, chaldaicae, arabicae, samaritanae, aethiopicae, armenicae etc. studiis academicis accomm. Pars IV. Et sub tit.: Brevis linguae arabicae grammatica, litteratura, chrestomathia cum glossario. In us. praelect. et studiorum privatorum scripsit. 16. Berlin 840. Eichler. $1\frac{5}{8}$ ₰

— ead. Pars II. Et. sub tit.: Brevis linguae chaldaicae grammatica, litteratura, chrestomathia cum glossario. 16. Ibid. 841. 1 ₰

— Porta linguarum orientalium, sive elementa linguarum syriacae, chaldaicae, arabicae, samaritanae, aethiopicae, armeniacae etc. studiis academicis accomm. Pars VI. — Et. s. titulo: Brevis linguae armeniacae grammatica, litteratura, chrestomathia cum glossario. In usum praelect. et studiorum privatorum scripsit. 16. ibid. 841. 1 ₰ (II, IV, VI: $3\frac{3}{8}$ ₰)

Petermann, (Jul.) H(einr.), Porta linguarum orientalium sive elementa linguarum hebraicae, chaldaicae, syriacae etc. studiis academicis accommodata. Pars 1. et 4. 8. Berlin, Eichler.

Inhalt:

Pars 1. Brevis linguae hebraicae grammatica, litteratura, chrestomathia cum glossario. In usum praelectionum et studiorum privatorum. (XIV und 240 S.) 864. 25 Ngr.

" 4. Brevis linguae arabicae grammatica, litteratura, chrestomathia cum glossario. In usum praelectionum et studiorum privatorum. Editio II. emendata et aucta. (V und 248 S.) 867. 1 Thlr. 15 Ngr.

Petermann, J. H., Porta linguarum orientalium sive elementa linguarum. Pars I—IV und VI. 8. Berlin 864—73, Karlsruhe, Reuther. *

Petermann, Jul. Henr., porta linguarum orientalium sive elementa linguarum. Studiis academicis accommodata. Pars II., III. et VI. 8. Berlin 872. 73. Eichler. à n. 4. —
II. Brevis linguae Chaldaicae grammatica, litteratura, chrestomathia cum glossario. In usum praelectionum et studiorum privatorum. 2. Ed. (VI, 186 S.)
III. Brevis linguae Samaritanae grammatica, litteratura, chrestomathia cum glossario. In usum praelectionum et studiorum privatorum. (VII, 167 S.)
VI. Brevis linguae Armeniacae grammatica, litteratura, chrestomathia cum glossario. In usum praelectionum et studiorum privatorum. 2. Ed. (XI, 203 S.)

—— Reisen im Orient. 1. Bd. Lex.-8. (VIII und 409 S. mit 1 Titelbild in Holzschn. und in Tondr.) Leipzig 860, Veit und Comp. *

—— dass. — 2. Bd. Lex.-8. (XIV und 471 S. nebst 1 chromolithogr. Karte in qu. Imp.-Fol. entworfen von H. Kiepert.) Ebendas. 861. *

—— Reisen im Orient. 2 Bde. 2. (Titel-)Ausg. Lex.-8. (XXII und 880 S. mit 1 Titelbild in Holzschn. und 1 chromolithogr. Karte in qu. Imp.-Fol., entworfen von H. Kiepert.) Leipzig (860,61)65, Veit und Comp.

— Thesaurus s. Liber magnus vulgo „Liber Adami" appellatus opus Mandacorum summi ponderis. 2 Tomi. Leipzig 867. T. O. Weigel. gr. 4. (766 S.) geb. n. 30 Thlr.

– Dasselbe, s.a. Thesaurus.

—— Versuch einer hebr. Formenlehre, sa Abhandlungen für die Kunde des Morgenlandes.

Petermann, H., Versuch einer hebräischen Formenlehre nach der Aussprache der heutigen Samaritaner. [= AKM. V. Band. No. 1.] Leipzig 1868.

— **Justus Gottfried** (Leipzig), De dysenteria. Theses med. Ex auctor. Jakob Gronovius. Leyden (A. Elzevier) 7. II. 1704. 29 S. (5.—) 26152
Widm. v.: Joh. Heinr. Michaelis. — Epistola gratulatoria v. Johann Adam Hofstetter.

Petermann, K.

— s.: Muttersprache, die.

Petermann, K., zur Reform-Frage. Fliegendes Wort. gr. 8. (35 S.) Neustrelitz 848, Barnewitz. n. 1/6 Thlr.

Petermann, K., einige Worte auf Veranlassung der von Langsfeldt in Güstrow erschien. Kritik d. sogen. Indicienbeweises im Untersuchungsprocesse. 8. (1 B.) Neubrandenburg 839, [Brünslow.] Thlr.

Petermann, K. H., kleiner Lieder-Schatz für Schule und Haus. Delitzsch 855. (Eißner.) 16. (88 S.) nn. 2½ ngr

Petermann, Karl, s.a. Petermann, Karl G.

Petermann, Karl [aus Grabow a. d. Oder]: Die öffentlichen Arbeitsnachweis-Bureaux der Schweiz. Bern 1897. 67 S. 1 Tabelle. 4°. (Sonder-Abdruck aus der 4. Lieferung der „Zeitschrift für schweiz. Statistik," 33. Jahrgang, 1897.)
Basel. Phil. Diss. 1897/98.

Petermann, Karl Ferd. [aus Mudisdorf i Sachsen]: Welchen Einfluss muss die Umgestaltung der Verkehrs- und landwirthschaftlichen Verhältnisse auf den Grad der Intensität und auf die Produktionsrichtung der sächsischen Landwirthschaft ausüben? ... Leipzig, Druck v. G. Reusche (1885); 4 | 72 S. 8°.
Leipzig, Phil. Fak., Inaug.-Diss. v. 29. Okt. 1885.

Petermann, Carl F., über den Einfluß, welchen die Umgestaltung der Verkehrs- und landwirthschaftlichen Verhältnisse auf den Grad der Intensität und auf die Produktionsrichtung der sächsischen Landwirthschaft ausübt. gr. 8. (III, 72 S.) Leipzig 886, H. Voigt. *

Petermann, Karl Friedrich

Petermann, C. F., Abriß der griechischen und römischen Geschichte für die unteren Stufen des historischen Unterrichts auf höheren Lehranstalten. Nordhausen 860. Haacke. 8. (V, 51 S.) n. 6 ngr

— lateinisches Elementar-Buch umfassend die Formenlehre nebst Uebungsstücken zum Uebersetzen aus dem Lateinischen in's Deutsche und aus dem Deutschen in's Lateinische. Potsdam 863. Riegel'sche Buchhdlg. gr. 8. (VII, 102 S.) n. 8 ngr

Petermann, Carl Friedr., die deutsche Geschichte im Abrisse für mittlere Stufen höherer Lehr-Anstalten. Im Anhange: Chronologische Tabellen der brandenburg.-preuß. Geschichte. Nordhausen 854. Büchting. gr. 8. (IV, 108 S.) 11¼ ngr

—— Lehrbuch der allgemeinen Geschichte. 1. Thl.: Geschichte des Alterthums. gr. 8. (VIII und 192 S.) Jena 855, Mauke. *

—— dass. — 2. Thl.: Geschichte des Mittelalters und der Neuzeit. gr. 8. (VIII und 268 S.) Ebds. 856. –

Petermann, C[arolus] Fr[edericus]: * De Platonis Lyside et quae insunt dialogo placitis philosophicis. 21 Bl. 4°
Halle-Wittenberg. Phil. Diss. v. 9. Okt. 1843
Geb. [Schöneberg b. Stargard 13. 12. 1818]

Petermann, K. F., Übersetzungsprobe aus der Germania des Tacitus nebst Bemerkk. über diesen Schriftsteller. Crossen 1869. 4.
Progr. höh. Bürgersch.

Petermann, C. F., ein Wort über allgemeine Grammatik und deren Berücksichtigung auf höheren Schulen. gr. 8. (30 S.) Berlin 877, [Wiegandt, Hempel und Parey.] Parey. *

Petermann, Karl Friedrich August

Petermann, Car. Frider. Aug., Commentat. praem. orn. de praeceptis juris Romani circa crimen vis. 8maj. (6½ B.) Rostochii 832, (Oeberg.)

Petermanni, Karl Fr. Aug., Commentatio praemio ornata de praeceptis juris Romani circa crimen vis. 8maj. Rost. 832. (Güstrow, Oeberg u. C.) 12 ggr

Petermann, Karl G.

Petermann u. Keller, Aufgaben zum Rechnen. — Auflösungen zu den Aufgaben zum Rechnen, s.: Keller, F. Ed.

Petermann, Karl, Aufgaben zum Tafelrechnen, s.: Berthelt, A.

Petermann, K., Aufgabenbuch f. den schriftlichen Gedankenausdruck der Kinder deutscher Volksschulen. Vorschule dazu, s.a. Thieme, O.

Petermann, C. G., Aufgabenbuch für den schriftlichen Gedankenausdruck der Kinder deutscher Volksschulen. 1. Heft: Untere und mittlere Stufe. 1—3. Aufl. 1849. und 4. und 5., unveränd. Aufl. 8. (VIII und 76 S.) Dresden 852, Adler und Dietze.

—— dass. — 2. Heft: Für Oberklassen. 1. Aufl. (VI und 202 S.) 1850. und 3., unveränd. Aufl. 8. (VIII und 228 S.) Ebds. 852. *

Petermann, C. G., Aufgabenbuch für den schriftlichen Gedankenausdruck der Kinder deutscher Volksschulen. 1. Heft: Untere und mittlere Stufe. 6. Aufl. 1854. und 7., unveränd. Aufl. 8. (VIII und 76 S.) Dresden 855(56,) Adler und Dietze. *

—— dass. — 2. Heft. für Oberklassen. 4., durchgeseh. Aufl. 8. (VIII und 228 S.) Ebds. 855. *

Petermann, C. G., Aufgabenbuch für den schriftlichen Gedankenausdruck der Kinder deutscher Volksschulen. 1 Heft: Untere und mittlere Stufe. 8—12. Aufl 8. (VIII und 76 S.) Dresden 857—61, [Adler] *
25 Exempl. *

Petermann, C. G., Aufgabenbuch für den schriftlichen Gedankenausdruck der Kinder deutscher Volksschulen. 1. Heft: Untere und mittlere Stufe. 14.—22., unveränd. Aufl. 8. (VIII und 76 S.) Dresden 862—68, Adler. *

Petermann, C. G., Aufgabenbuch für den schriftlichen Gedankenausdruck der Kinder deutscher Volksschulen. 1. Heft: Untere u. mittlere Stufe. 15—23., unveränd. Aufl. Dresden 865—70. Adler. 8. (VIII, 76 S.) n. 3½ ngr.

Petermann, K. G., Aufgabenbuch f. den schriftlichen Gedankenausdruck der Kinder deutscher Volksschulen. 1. u. 2. Hft. 8. Dresden 874. 75. Huhle. n. 1. 10
1. Untere u. mittlere Stufe. 28. Aufl. (VIII, 76 S.) n. — 40
2. Für Oberklassen. 16. unveränd. Aufl. (VIII, 228 S.) n. — 80

— Aufgabenbuch für den schriftlichen Gedankenausdruck der Kinder deutscher Volksschulen. 1. Hft. Untere u. mittlere Stufe. 3., verb. Aufl. 8. (VIII, 76 S.) Dresden 877. Huhle. n. — 40

Petermann, Karl G., Aufgabenbuch für den schriftlichen Gedankenausdruck der Kinder deutscher Volksschulen. 1. Heft: Untere und mittlere Stufe. 30. verb. Aufl. 8. (VIII, 76 S.) Dresden 877, Huhle. *
2. Heft. Ebendas. 1875. * 80 Pf.

Petermann's [Karl G.] Aufgabenbuch für den schriftlichen Gedankenausdruck der Kinder deutscher Volksschulen. Nach der 30. Aufl. des früheren ersten Heftes neu bearb. von O. Thieme. 1. und 2. Heft. [Mit neuer Rechtschreibung.] 8. (à Heft 52 S.) Dresden 881, Huhle. à Heft * 20 Pf. *
—— dass. — Nach der 15. Aufl. des früheren zweiten Heftes neu bearb. von O. Thieme. 3. und 4. Heft. [Mit neuer Rechtschreibung.] 8. (à Heft 56 S.) Ebendas. 882.
à Heft * 20 Pf. *

—— Aufgabenbuch für den schriftlichen Gedankenausdruck der Kinder deutscher Volksschulen. Neu bearb. von O. Thieme. 4 Hefte. 8. Dresden, Huhle. [1. Heft. 2.—5. Aufl. (52 S.) 882—87; 2. Heft. 2.—4. Aufl. (56 S.) 882—86; 3. und 4. Heft. 2. Aufl. (à 56 S.) 882.] à Heft * 20 Pf. *

Petermann's, Karl, Aufgabenbuch f. den schriftlichen Gedankenausdruck der Kinder deutscher Volksschulen. Nach der 30. Aufl. des früheren 1. [bezw. der 15. des früheren 2.] Heftes neu bearb. v. O. Thieme. 1.—4. Heft. 8. Dresd. 888—92, Huhle. [1. Heft. 12. Aufl. (52 S.); 2. Heft. 9. Aufl. (56 S.); 3. Heft. 4. Aufl. (64 S.); 4. Heft. 3. Aufl. (56 S.)] à Heft * — 20; * — 80
Vorschule, s. Thieme, O.

— Aufgabenbuch f. den schriftlichen Gedankenausdruck der Kinder deutscher Volksschulen. Neu bearb. v. O. Thieme. 1.—4. Hft. 8. Dresden, A. Huhle. à n. — 20
1. 14. Aufl. (52 S.) 894. — 2. 11. Aufl. (56 S.) 894. — 3. 6. Aufl. (64 S.) 892. — 4. 3., umgearb. Aufl. (56 S.) 8.2

Petermann's, K., Aufgabenbuch f. d. schriftlichen Gedankenausdruck d. Kinder deutscher Volksschulen. Neu bearb. v. O. Thieme. 2. u. 4. Hft. 8. Dresden 898. A. Huhle. à n. — 20
2. Nach d. 30. Aufl. d. früheren 1. Hfts. neu bearb. 13. Aufl. (56 S.)
4. Nach d. 15. Aufl. d. früh. 2. Hfts. neu bearb. 4., unveränd. Aufl. (56 S.)

— Aufgabenbuch für die Hand der Kinder bei dem schriftlichen Gedankenausdrucke u. bei Abfassung der verschiedenartigsten Geschäftsaufsätze 2. Hft.: für Oberklassen. 8. (VI u. 202 S.) Ebd. 850. — 2. Aufl.? — 3. unveränd. Aufl. 8. (VIII u. 228 S.) Ebd 852. n. ¼ ℛ; 25 Expl. n. 5 ℛ

—— Aufgabenbuch für die Hand der Kinder bei dem schriftlichen Gedankenausdrucke und bei Abfassung der verschiedenartigsten Geschäftsaufsätze. 2. Heft für Oberklassen. 5. und 6., unveränd. Aufl 8. (VIII und 228 S.) Dresden 857 59, [Adler.] *

—— Aufgabenbuch für die Hand der Kinder bei dem schriftlichen Gedankenausdrucke und bei Abfassung der verschiedenartigsten Geschäftsaufsätze. 2. Heft: Für Oberklassen. 8.—11., unveränd. Aufl. 8. (VIII und 228 S.) Ebendas. 862—68. *

Petermann, K. G., Aufgabenbuch für die Hand der Kinder bei dem schriftlichen Gedankenausdrucke und bei Abfassung der verschiedenartigsten Geschäftsaufsätze. 1. und 2. Heft. 8. Dresden 869—75, C. Adler. [Huhle.] (*M 1,10.) *
Inhalt:
Heft 1. Untere und mittlere Stufe. 23.—28. Aufl. (VIII, 76 S.) (* 35 Pf.) * 40 Pf.
" 2. Für Oberklassen. 12.—15. umgearb. Aufl. (VIII, 228 S.) (* 75 Pf.) * 80 Pf.

— Valentin Jamerai Düval, s. Volks- u. Jugendbibliothek, belehrende u. unterhaltende.

— Erzählungen rc., s. a. Erzählungen für die verschiedenen Stufen des Jugendalters.

—— Erzählungen für die verschiedenen Stufen des Jugendalters. 3. und 4. Bdchn. br 8. Leipzig 858,59, H. Fritzsche à Bdchn. 1 Thlr
Inhalt
Bdchn. 3. Erzählungen für das Kindesalter vom achten bis zum elften Jahre. (VIII und 252 S. mit 6 lithogr. Bildern in Tondr.)
" 4. Erzählungen für das Jugendalter vom elften bis zum vierzehnten Jahre. (VII und 204 S. mit 6 lithogr. Bildern in Tondr.)
1. und 2. Bdchn. erschienen unter dem Titel: Glatz, J., Erzählungen.

—— der Geburtstag unsers Königs Albert, gefeiert durch Darstellung Seines Lebens, sowie durch Gebete und Gesänge. Eine Festgabe, den vaterländ. Unterrichtsanstalten gewidmet. gr. 8. (32 S.) Leipzig 878, Klinkhardt. *

—— Geleitbrief für Confirmanden. Eine Mitgabe auf die Lebensreise nach dem Austritte aus der Schule. gr. 8. (31 S.) Leipzig 848, Arnoldische Buchh. *

—— Geographie, Geschichte und Verfassung des Königreichs Sachsen, s. Berthelt.

Petermann, Karl, Geschichte des Königr. Sachsen mit besond. Berücksichtigung der letzten vier Jahrhunderte u. der wichtigsten culturgeschichtlichen Erscheinungen. Für den Unterricht in vaterländ. Schulen bearb. Leipzig 868. Klinkhardt. gr. 8. (XVIII, 454 S.) n. 1 ℛ

— Geschichte des Königr. Sachsen m. besond. Berücksicht. der letzten 4 Jahrhunderte u. der wichtigsten culturgeschichtl. Erscheinungen. Für den Unterricht in vaterländ. Schulen bearb. 2., verb. Aufl. 8. (XXIII, 494 S.) Ebend. 880. n. 5. —

—— Geschichte des Königr. Sachsen mit besond. Berücksicht. der letzten vier Jahrhunderte und der wichtigsten culturgeschichtl. Erscheinungen. Für den Unterricht in vaterländ. Schulen bearb. 2. verb. Aufl. 10 Lfgn. 8. (XVIII, 494 S.) Leipzig 881, Klinkhardt. à Lfg. * 50 Pf. *

– Biblische Geschichten, s. Berthelt, A.

—— biblische Geschichten, s. Geschichten, biblische.

—— Handatlas für Schüler, s. Berthelt.

— größeres Handbuch für Schüler,
— kleineres Handbuch für Schüler, s. Berthelt, A.

—— s. Jäkel's, J. C., Geschichte der christlichen Kirche für evangel. Schulen.

— Kommentar zum größeren u. kleineren Handbuche f. Schüler, s. Berthelt, A.

— der deutsch-französische Krieg in den J. 1870 u. 1871. Eine Gedenkschrift, dem deutschen Volke u. seiner Jugend gewidmet. 8. (VIII, 174 S.) Leipzig 872. Klinkhardt. n. 1. 20

— der dreißigjähr. Krieg. Eine Festgabe für die evang. Schuljugend Deutschlands zur 200jähr. Jubelfeier des westphäl. Friedensschlusses d. 24. Oktbr. 1848. gr. 8. (48 S.) Dresden 848, Adler & Dietze. — Ein Schriftchen für Schule u. Haus. 2. Aufl. gr. 8. (48 S.) Ebd. 848. — 3. Aufl. gr. 8. (48 S.) Ebd. 848. 1/12 ₰

—— Lebensbilder, s. Lebensbilder.

—— s. Lebensbilder II. — Lebensbilder, neue I.

—— erstes Lesebuch nach der Schreiblesemethode, s. Lesebuch.

Petermann, Carl, drittes Lesebuch der freien deutschen Schule. Ster.-Ausg. New-York 867. Schmidt. gr. 8. (VI, 326 S.) cart. 1 ₰

Petermann, Karl, der kleine Leseschüler. Erster Unterricht im Lesen der Schreib- u. Druckschrift. gr. 8. (16 lith. S.) Gera 849. (Jllgen's Erben.) n. 1/12 ₰

— Philipp Melanchthon. Eine Denkschrift zur Erinnerung an seinen 300jährigen Todestag den 19. April 1860, für Schule u. Haus. 1—6. Aufl. Dresden 860. (Adler & Dietze. 8. (31 S.) n. 2 ngr.

—— 600 Originalbriefe für Schulen. Praktisches Handbuch für Lehrer beim Unterrichte im schriftlichen Gedankenausdrucke. gr. 8. (XV, 352 S.) Dresden 875, Huhle. *

—— Pflanzenkunde, s. Berthelt, A.

—— Rechenschule, s. Rechenschule.

— neue Rechenschule, s.: Berthelt, A.

— der Augsburger Religionsfriede. Eine Festgabe für die evangel. Schuljugend Deutschlands zur 300jähr. Jubelfeier den 25. Septbr. 1855. 1—9. Aufl. Dresden 855. Adler u. Dietze. gr. 8. (32 S.) n. 2 ngr.

—— vollständ. Spruchbuch zu Luthers kleinem Katechismus f. Lehrer beim Religionsunterrichte u. f. Schüler der Mittel- u. Oberklassen zum Auswendiglernen. 2., verb. Aufl. 8. (5 1/4 B.) Dresden 846, Naumann. *

— vollständiges Spruchbuch zu Luthers kleinem Katechismus f. Lehrer beim Religionsunterrichte u. für Schüler der Mittel- u. Oberklassen zum Auswendiglernen. 3. verb. Aufl. 8. (VI u. 83 S.) Ebd. 850. — 4. Aufl. 8. (VI u. 83 S.) Ebd. 851. — 5. durchges. Aufl. 8. (88 S.) Ebd. 852. geb. n. 1/6 ₰; 25 Expl. n. 3 ₰; roh n. 2 1/3 ₰

—— vollständiges Spruchbuch zu Luthers kleinem Katechismus mit Hinweisungen auf biblische Geschichte, auf bibl. Abschnitte und auf das Gesangbuch. Für Lehrer und Schüler. 7. Aufl. 1854. und 9., durchgeseh. Aufl. 8. (104 S.) Dresden 855, Adler und Dietze. *

—— vollständiges Spruchbuch zu Luthers kleinem Katechismus mit Hinweisungen auf bibl. Geschichte, auf bibl. Abschnitte und auf das Gesangbuch. Für Lehrer und Schüler. 11—15. Aufl. 8. (104 S.) Dresden 857—61, [Adler.] *

—— vollständiges Spruchbuch zu Luther's kleinem Katechismus mit Hinweisungen auf bibl. Geschichte, auf bibl. Abschnitte und auf das Gesangbuch. Für Lehrer und Schüler. 16.—27. Aufl. 8. (104 S.) Dresden 862—68, Adler. geb. *

—— vollständiges Spruchbuch zu Luthers kleinem Katechismus mit Hinweisungen auf bibl. Geschichte, auf bibl. Abschnitte und auf das Gesangbuch. Für Lehrer und Schüler. 28.—41. Aufl. 8. (101 S.) Dresden 869—75, C. Adler. [Huhle.] cart. *

Petermann, Karl G., vollständiges Spruchbuch zu Luther's kleinem Katechismus mit Hinweisungen auf bibl. Geschichte, auf bibl. Abschnitte und auf das Gesangbuch. Für Lehrer und Schüler. 42. und 43. Aufl. 8. (104 S.) Dresden 876,77, Huhle. cart. *

—— dass. — mit sämmtlichen Sprüchen, Liedern und Chorälen des „religiösen Memorirstoffes", sowie mit Hinweisungen auf bibl. Geschichte, bibl. Abschnitte, das Gesangbuch und den Lehrgang im Religionsunterrichte. Für Lehrer und Schüler. 44. Aufl. 8. (104 S.) Ebendas. 878. cart. *

—— vollständiges Spruchbuch zu Luthers kleinem Katechismus mit sämmtlichen Sprüchen, Liedern und Chorälen des „religiösen Memorirstoffes", sowie mit Hinweisungen auf bibl. Geschichte, bibl. Abschnitte, das Gesangbuch und den Lehrgang im Religionsunterrichte. Für Lehrer und Schüler. 45. Aufl. 8. (104 S.) Dresden 880, Huhle. cart. *

—— dass. — Mit Hinweisungen auf bibl. Geschichten, bibl. Abschnitte, das Gesangbuch und den Lehrgang im Religionsunterrichte. Für Lehrer und Schüler. 46. verb. Aufl. 8. (96 S.) Ebendas. 884. cart. *

—— Sprüche und Verse zur biblischen Geschichte und zur Feier der christl. Festtage. Für Lehrer beim ersten Religionsunterrichte und für Schüler der unteren Klassen zum Auswendiglernen. 8. (VI, 74 und die fünf Hauptstücke 8 S.) Leipzig 854, Klinkhardt. Thlr.

—— Dr. Martin Luther's letzte Tage nebst einem Abrisse seines Lebens, dargestellt für die evang. Schuljugend Deutschlands zur 300jähr. Erinnerungsfeier seines Todes d. 18. Febr. 1846. gr. 8. (2 B.) Leipzig, Arnoldische Buchh. Thlr. *

— der Passauer Vertrag oder der 2. Aug. 1552. Ein Schriftchen für evangel. Christen, insbesondere für die Schuljugend. [Abdr. aus Heger's Jugendbibliothek.] 8. (36 S.) Dresden 852, Liepsch & Reichardt. 2 ngr.

-- Vorbereitungsheft, s.: Berthelt, A.

— Vorlegeblätter für Anfänger im Zeichnen u. Schreiben. 8. (10 lith. S.) Gera 851, Illgen's Erben in Comm. 2 ngl

—— Wandtafeln, s. Wandtafeln.

Petermann, Karl Gottfried

— **Carl Gottfried** (Leipzig/Meißen), **De discrimine inter testamentum militare et testamentum pagani in hostico conditum. Präs. Christian Rau.** Leipzig (Jacobaeer) 31. XII. 1783. 11 S. (4.75)
Widm. v.: Christian Rau. **26141**

Petermann, Karl Maximilian Wilhelm

Petermann, Karl Max. Wlh., († d. 27. Sept. 1794.) Fabeln u. Erzähll. 2 Thle. 8. Coburg 754, 56. Rthl. 6 gl

— Folge der aus d. Hause Zollern entsprossenen Burggrafen zu Nürnberg, dann Kurfürsten u. Markgrafen zu Brandenburg, bis auf unsere Zeiten. 2e A. 4. Erlang. 785. 3e A. 788. (Die 1e A. s. Folge).

Petermann, Karl Max. Wlh., der Gleichgültige. 8. Bayr. 773.

Petermann, C. M. W., die Melone, e. Gedicht in sechs Ges. 4. Bayreuth, Lübeck.

MILCHTOPF, Der, ein altes Gedicht (von *Carl Maxim. Wilh. Petermann*, seit 1774 Consistorial-Vicepräsident in Bayreuth, geb. daselbst 3. Sept. 1722, † 27. Sept. 1794). O. O. u. J (1775). 8⁰. 32 S.
In der nachgeahmten Schreibart und Orthographie des XV. Jahrhunderts, gegen die freien Reichsstädte gerichtet. Höchst selten! Fehlt im Anon.-Lex. — v. Meusebach zu Koch's Compend. II. p. 337.

— der Milchtopf, ein altes Gedicht. 4. Bayreuth 775. Lübecks Erb. 3 gl

— kurze zuverlässige Nachricht v. d. Fichtelberg. 4. Bayr. 770.

— s. Schriften, denen ein Beywort kann gegeben werden.

§ **SCHRIFTEN**, denen ein Beywort nach Belieben kann gegeben werden. (Druckerst.) (3 zieml. freie Erzählungen (von *Carl Maxim. Wilh. Petermann*.) Bayreuth, bey Johann Andreas Lübeck. 1760. 8⁰. (In München: P. o. germ. 1346b.) (3 Mk. Bernh. Liebisch. Lpz., 1908.)
Tit., 1 Bl. Inh. u. 114 SS. (incl. 3 Bll. confuse Vorr. des Uebersetzers von Nr. 3). Sehr selten!
Inh.: 1) Fragment einer Reisebeschreibung nach Felusinien. S. 7. 2) Nachricht von dem Zuge der schönen B** durch unsre Gegend. S. 83. 3) Luwette, ein Feyenmärchen, erträglicher, als hundert andre. Aus d. Franzos. übersetzt. S. 93 ff.

– Versuche
in den Werken des guten Geschmacks (hrsg. von Carl Maximilian Wilh. Petermann). Bayreuth 1746.
Anon.-Lex. IV. p. 311 (nach Meusel u. Fikenscher).

Petermann, L., sächsisch-deutsche Geschichte. Ein Buch f. Schule u. Haus. II. u. III. Tl. gr. 8. Meißen, Sächsische Schulbuchh. 4.—; geb. 4.60
II. Geschichte Kursachsens. (VIII, 183 S.) 910. 2.20; geb. 2.60
III. Von der Erhebg. Sachsens zum Königreiche bis zur Gegenwart. (VIII, 124 S.) (910). 1.80; geb. 2.—
Tl. I ist noch nicht erschienen.

Petermann, Paul, Rechtschreibung der Speisen und Getränke, s. Blüher, Paul.

Petermann, Rhard. E., Führer durch Dalmatien. Hrsg. vom Vereine zur Förderg. der volkswirtschaftl Interessen des Königr. Dalmatien. Mit 165 Illustr. von Ludw. Hans Fischer, 4 geograph. Karten u. 4 Stadtplänen. gr. 8. (XV, 602 u. LX S.) Wien 899. A. Hölder.
Geb. in Leinw. n. 6. —

Guide en Dalmatie par Reinhard E. Petermann. Publié par la société protectrice des intérêts du royaume de Dalmatie. Traduction libre de l'allemand par la comtesse Marianne de Harrach. Avec 160 illustrations par Louis Jean Fischer. Vienne. Paris. 1900. [In Comm.] Hölder. Gr.-8⁰. VIII, 312, XXII S. K 5.—, geb. K 6.—

Petermann, Rhard. E., Wanderungen in den östlichen Niedern Tauern. Führer im Gebiete des grossen Bösenstein bis zum Seckauer Zinken nebst e. Anh. üb. den Zeyritzkampel. Illustrationen nach photograph. Aufnahmen v. Fr. Bossler. (173 S.) 12. Wien 903. A. Amonesta. Geb. in Leinw. n.n. 4. 50

Petermann, Rhard. E., Wien im Zeitalter Kaiser Franz Josephs I. Schilderungen. Mit 6 Kunstbeilagen nach Originalen v. W. Gause, L. Koch, Th. Zasche etc. u. zirka 300 Illustr. im Texte nach neuesten photograph. Aufnahmen v. R. Lechner (Wilh. Müller). (IV, 412 S.) 33×25,5 cm. Wien 908. R. Lechner's Sort.
Geb. in Leinw. 30. —

[Petermann, Hermannus Rudolphus]: * Dissertationis de Aeschyli elocutione pars. 45 S. 4⁰ (2⁰)
Halle-Wittenberg, Phil. Diss. v. 4. Jan. 1855
Geb. [Bleicherode (Kr. Grafsch. Hohenstein) 7. 6. 1827]

Petermann, Thdr., der deutsche Buchhandel u. seine Abnehmer, s. a. Zeit- u. Streitfragen, neue. III. 6. 7.

Petermann, Theodor. Der deutsche Buchhandel und seine Abnehmer. 64 S. ⟨S. 173—236⟩. 8. Dresden, v. Zahn & Jaensch, 1906. (M. 1.50)
(Neue Zeit- und Streit-Fragen. Hrg. von der Gehestiftung zu Dresden. Jahrg. 3. Heft 6 u. 7.)

Petermann, Thdr., sächsische Eisenbahnfragen. 1.—3. Heft. gr. 8. Leipzig, Lorentz. à Heft * 50 Pf. *
Inhalt:
Heft 1. Die Differential-Frachtsätze. Mit besond. Rücksicht auf die Leipziger Spiritus-Frachtdisparitäten behandelt. (18 S.) 876.
" 2. Die Leipzig-Dresdner und die sächsische Staatsbahn. (16 S.) 877.
" 3. Die Schattenseiten des neuen Tarif-Systems für den Güterverkehr der Eisenbahnen. (24 S.) 877.

Petermann, Thdr, Die Eisenbahnkämpfe in Deutschland und der Deutsch-Oesterreichische Eisenbahn-Verein. Wien 1875.

— das Ende einer Zeitung. (16 S.) gr. 8. Dresden 906. H. Henkler. n.' — 50

Petermann, Th.: Die Gehe-Stiftung zu Dresden in den ersten 15 Jahren ihrer Thätigkeit. 8°
Aus: Katalog d. Bibliothek d. Gehe-Stiftung. Bd 1. 2. Aufl. 1900. [oo. 6471 4

— die Gelehrtenschulen u. der Gelehrtenstand, s. a. Zeit- u. Streitfragen, neue. I. 3. 4.

Die Gelehrtenschulen und der Gelehrtenstand. Vortrag geh. 1903 im staatswiss. Praktikum d. Gehe-Stiftung von **Theodor Petermann**. *Dresden: Zahn & Jaensch 1904.* (51 S.) 8° [F.]
= **Zeit- u. Streit-Fragen, Neue.** Hrsg. von d. Gehestiftung. II. 3. 4. [o4. 1939

Petermann, Thdr, Gross- und Kleinbetrieb in den handwerksmässigen Gewerben nach der Volkszählung des Deutschen Reichs vom 1. Dec. 1875. Dresden 1880. 8. (D.)

Petermann, Theodor (Hrsg.), s. Großstadt, Die.

— Individualvertretung u. Gruppenvertretung, sa Zeit- u. Streitfragen, neue. III. 5.

Individualvertretung und Gruppenvertretung. Ein Beitrag z. Theorie d. Wahlrechts. Vortrag geh. zu Dresden 1906 von Theodor **Petermann.** Dresden: v. Zahn & Jaensch 1906. (31 S.) 8° [J.]
= **Zeit**- u. Streit-**Fragen**, Neue, hrsg. von d. Gehestiftung. H. 5. [06. 6010

— die Landwirthschaft u. die Statistik. Ein Vortrag, gehalten in der Oekonomischen Gesellschaft im Königreich Sachsen am 21. Oktbr. 1881. gr. 8. (27 S.) Dresden 882. Schönfeld's Verl. n. — 60

Petermann, Thdr., Orts-Statistik od. Gemeinde-Statistik? Zur Orientierg. üb. die Frage wegen Errichtg. städt. statist. Büreaus, m. besond. Rücksicht auf Dresden behandelt. gr. 8. (IV, 30 S.) Dresden 873. v. Zahn's Verl. n. 1. --

Raumbedarf der Gehe-Stiftung. (Verf.: Th[eodor] **Petermann.**) ([Dresden 1904.) (4 Bl.) 4°(2°) [Kopft. J.]
Beilage C z. Tagesordnung d. 31. Sitzung d. Stiftrates d. Gehe-Stiftung. [05. 273

Rede des Bibliotheksvorstandes bei der Eröffnung des erweiterten Lesezimmers der Gehestiftungsbibliothek in Dresden am 28. Juli 1905. Als Ms. gedr. [Verf.: Dr. Theodor **Petermann.**] ([Dresden] 1905.) (7 S.) 8° [Kopft.] [05. 10903

— staatswissenschaftliche Untersuchungen. I. Gemeinde u. Bürgerrecht. gr. 8. (VIII, 72 S.) Ebend. 873. n. 1. 20

Petermann, Valent., Jagd-Büchlein für Dilettanten oder angehende Jagdliebhaber. Enthltd. das Wissenswertheste des Jagdwesens im Allgemeinen; Belehrung über Jagdgewehre, deren richtigen Gebrauch, u. Anleitung ein geübter Schütze zu werden rc. Nebst einem erklär. Wörterbuche der Waidmannssprache. Nach den besten Quellen zusammengestellt u. bearb. Erfurt 867. Bartholomäus. gr. 16. (X, 143 S.) 15 ngr.

Petermann, Valent., Jagd-Büchlein für Dilettanten oder angehende Jagdliebhaber. 16. Wriezen a. d. O. 870. Erfurt, Bartholomäus. (M 1,50.)

Petermann, Valent., Jagd-Büchlein für Dilettanten oder angehende Jagdliebhaber. Enth. das Wissenswertheste des Jagdwesens im Allgemeinen; Belehrung über Jagdgewehre, deren richt. Gebrauch, und Anleitung ein geübter Schütze zu werden; Behandlung und Anwendung der zur hohen und niedern Jagd erforderl. Hunderaçen und viele andere beachtenswerthe Gegenstände mehr. Nebst einem erklär. Wörterbuche der Weidmannssprache und einem Jagdkalender für die Schonzeit des Wildes in Farbendr., a) für Norddeutschland, b) für Süddeutschland, mit dem bezügl. Gesetze vom 26. Febr. 1870. 16. (X, 146 S.) Wriezen a. d. O. 870, Riemschneider.

Petermann, Valentin, Jagd-Büchlein für Dilettanten oder angehende Jagdliebhaber. Enthaltend: das Wissenswertheste des Jagdwesens im Allgemeinen. Belehrung über Jagdgewehre, deren richtigen Gebrauch. Behandlung u. Anwendung der zur hohen u. niedern Jagd erforderlichen Hunderacen rc. Nebst einem erklärenden Wörterbuche der Waidmannssprache. Nach den besten Quellen bearb. u. zusammengestellt. 2., verm. Aufl., rev. von Edm. Wallner. 12. (180 S.) Erfurt 881. Bartholomäus. geb. n. 2. 50

Petermann, Walther, bacc. jur., Referendar am Kgl. Amtsgericht in Festenberg: Justinianisches Schatzrecht. Borna-Leipzig 1906: R. Noske. (VIII, 36 S.) 8° [J.]
Leipzig, Jur. Fak., Diss. v. 5. Okt. 1906
[Geb. 23. Apr. 83 Stargard i. P.; Wohnort: Festenberg; Staatsangeh.: Preußen; Vorbildung: König-Wilhelms-Gymn. Breslau Reife O. 02; Studium: Freiburg i. B. 1, Breslau 1, München 1, Breslau 3 S.; Rig. 20. Juli 05.]

Petermann, Wilhelm

Petermann, W., zur Kenntnis d. frühen Entwicklungsvorgänge am Ei des Igels vor Ausbildg. d. Medullarrisme, sa Arbeiten, morphologische I, 4.

Petermann, Wilhelm, a. Bochum i. W.: Aus dem anatomischen und zoologischen Institut der Kgl. Universität Münster i. W. Zur Kenntnis der frühen Entwicklungsvorgänge am Ei des Igels (Erinaceus europaeus L.) vor Ausbildung der Medullarrinne. Mit 2 Taf. u. 20 Fig. im Text. Leipzig: W. Engelmann 1906. (61 S.) 8° ¶(Aus: Zeitschrift f. wissensch. Zoologie Bd 85 H. 3 u. 4.)
Münster, Phil. Fak., Ref. Ballowitz, Diss. v. 6. Dez. 1906
[Geb. 28. Nov. 83 Bochum; Wohnort: Münster i. W.; Staatsangeh.: Preußen; Vorbildung: Oberrealsch. Bochum Reife O. 02; Studium: Münster 2, Göttingen 3, Münster 3 S.; Rig. 28. Apr. 06.]

Petermann, Wilhelm Ludwig

Petermann, Wilh. Ludw., Flora d. Bienitz u. seiner Umgebungen. kl. 16. (12 B. u. 1 Karte.) Leipzig 841, Fr. Fleischer. *

Petermann, Wilh. Ludw., Deutschlands Flora. Mit Abbild. sämmtl. Gattungen u. Untergattungen. 1—5. Lfg. schm. hoch 4. (à 6 B. u. 8 Taf. Abbild.) Leipzig 846, 47, Otto Wigand. à *

Petermann, Wilh. Ludw., Deutschlands Flora. Mit Abbildungen sämmtl. Gattungen und Untergattungen. 6—12. (letzte) Lfg. hoch 4. (S. 249—668 und 60 Stnt.) Leipzig 847—49, O. Wigand. à Lfg. *
Mit ill. Stnt. à Lfg. *
1—5. Lfg. Ebendas. 1846—47. * 3 Thlr. 10 Ngr. Mit ill. Stnt. * 5 Thlr.

—— Flora Lipsiensis excursoria, exhibens plantas phanerogamas circa Lipsiam tam sponte nascentes, quam in agris cultas, simul cum arboribus et fruticibus pomerii Lipsiensis. Acced.: Mappa geograph. sistens territorium Florae, et index gener. specierumq. synonymicus. 12maj. (30 B.) Lipsiae 838, Barth.

—— de flore gramineo, adjectis graminum circa Lipsiam tam sponte nascentium quam in agris cultorum descriptionibus genericis dissert. 8maj. (5¼ B., 1 Stnt. u. 1 Tab.) Lipsiae 835, Barth.

— **Wilhelm Ludw.,** De flore gramineo adiectis graminum circa Lipsiam tam sponte nascentium quam in agris cultorum descriptionibus genericis. Diss. botan. cum respons. Carl Just. Goldhorn. Leipzig (Staritz) 14. I. 1835. 80 S., 1 Taf. (4.25) 26153

—— Handbuch d. Gewächskunde, z. Gebr. bei Vorlesn., so wie z. Selbststud. gr. 8. (45 B.) Leipzig 836, Barth.

— in codicem botanicum Linnaeanum Index alphabeticus, sa Car. **Linnaei Systema.**

Petermann (W. L.). Index in cod. bot. Linn. Lips. 1840. 4°.

—— das Pflanzenreich, od. die f. Mediciner, Pharmaceuten, Droguisten, Künstler, Forstmänner u. Landwirthe insbesond. wichtigen, sowie f. Freunde d. Botanik überh. interessanten Gewächse, mit vorzügl. Berücksichtig. ihres Nutzens od. Schadens in vollständ. Beschreibn. dargest., nach d. natürl. Systeme geord. u. in naturgetr. Abbildn. gez. 1—33. Lfg. gr. Lex.-8. (B. 1—74. u. Taf. 1—192. ill.) Leipzig 838—43, Eisenach. à L. *

—— das Pflanzenreich 2c. in vollständ. Beschreibungen dargestellt, nach dem natürl. Systeme geordn. u. in naturgetreuen (ill.) Abbildungen. 34 – 48. Lfg. u. Schluß. gr. Lex.-8. (B. 75 – 119. u. Taf. 193 – 282. nebst Ttl. u. Register.) Leipzig 843, 44, Eisenach. à Lfg. *
Das vollständ. Werk kostet mit ill. Taf. * 33 Thlr. 15 Ngr., m. schwarz. Taf. * 14 Thlr. 15 Ngr.

—— dass. 2. Ausg. 2 Bde. hoch 4. (130 B. u. 282 ill. Kpfrt.) Leipzig 846, Eisenach. * 33 Thlr. 15 Ngr., mit schwarz. Abbild. * 14 Thlr., ohne Abbild. *

Petermann, W. L., d. Pflanzenreich in vollständ. Beschreib. aller wichtigen Gewächse dargestellt, nach d. natürl. Systeme geordnet u. durch naturgetreue Abbild. erläutert. 2 Bde. hoch 4. Mit 282 Kpf. 2 Ausg. Leipzig, 1847 (Werner) (14. —) 4. 20

—— analytischer Pflanzenschlüssel f. botanische Excursionen in der Umgegend von Leipzig. 16. (47⅞ B.) Leipzig 846, C. H. Reclam sen.

Petermann's, W. L., Schlüssel zu den Gattungen der in Nord- u. Mitteldeutschland vorkommenden Pflanzen nach dem künstlichen Systeme von Linné. Neue, rev. u. erweit. Ausg. gr. 16. (XII, 177 S.) Leipzig 879. A. Krüger. 1. 80; cart. 2. —; geb. 2. 20

—— Taschenbuch der Botanik. 16. (30½ B. u. 12 Taf. Abbild.) Leipzig 842, [Renger'sche Buchh.]

Petermann, Wilhelm Ludwig: Taschenbuch der Botanik. 484 S., gbd.

Leipzig: Volckmar 1842

JB 6.174

Petermännchen, Das. Geistergeschichte aus dem 13. Jahrhundert. Prag 1791. Prag u. Leipzig 1793. Leipzig 1801. V: *Spiess, Chn Hch.* (GGR V/507, Nr. 9/11); »Prag 1791/2« (Fidei-Commissbibliothek Wien 2/849) (WBL 36/160) (Ignatz Schwarz 9/2245) (KY 8/173) (BGE [3]VII/393) (wrztg 1794, Nr. 2919) (BiblPort)

Petermännchen, das, e. Geistergeschichte a. d. 13ten Jahrhunderte, v. Chr. Hch. Spieß. 2 Thle. 8. Prag, Neureutter. (Sommer in Lpz.) 793.

Petermännchen, das,. Schausp. nach Spieß. 8. Wien. (Liebeskind in Lpz.) 794.

Petermännchen, das; Schspl. nach Spieß. 2 Thle. 8. Wien 794. Wallishausser. 12 gl.

— — dasselb.. 3 Thle. (d. 3te auch unter dem Tit.: Mathilde, od. d. gelöste Zauber, v. C. Haller.) 8. Lpz. Joachim. 801.

— das,. Schausp. in 4 Aufz. v. Hensler, in 2 Thln. 8. Wien, Wallishaußer. 804.

Petermännchen, das. Eine höchst merkwürdige Ritter- u. Geister-Geschichte. Dem Volke erzählt von G. u. B. Ovm. 8. (69 S.) Urfahr-Linz 878. Kraußlich. — 20

Petermichl, Georg — Der Frühling. Belletristisches Volks-Album. Herausgegeben von — —. Wien, 1856. Druck von M. Lell. (30 S. 8.)

Petermichl, Georg — Die Jahreszeiten. Belletristisches Volks-Album. Herausgegeben von — — 3te Auflage. Wien, 1856. Druck von M. Lell. (31 S. 8.)

Petermöller, Franz [app. Arzt aus Wellingholzhausen bei Osnabrück]: Aus d. patholog. Institute zu Kiel. Über den sogenannten Geschlechtstypus des menschlichen Brustbeines. Kiel, Druck v. Schmidt & Klaunig, 1890; 24 S. 1 Bl. 8°
Kiel, Med. Fak., Inaug.-Diss. v. 6. März 1890

Petermöller, Frz., üb. den sogen. Geschlechtstypus d. menschlichen Brustbeines. Aus dem patholog. Institute zu Kiel. Inaug.-Diss. gr. 8. (24 S.) Kiel 890. (Lipsius & Tischer.) n. 1. —

Peternader, Ant., Handbuch zur Verfassung schriftlicher Aufsätze in ämtlichen und außerämtlichen Geschäften des gewöhnlichen bürgerlichen Lebens, mit Angabe des gesetzl. Stämpels hiezu, für Nichtjuristen, in der Provinz Tirol und Vorarlberg. gr. 8. (XVI und 310 S.) Innsbruck 847, (Wagner'sche Buchh.) *

—— Tirols Landes-Vertheidigung oder bisher größtentheils noch unbekannte Biografien, Skizzen und Anekdoten merkwürdiger tiroler Landesvertheidiger nebst dabei stattgefundenen Kämpfen, Kriegsberathungen, Reden 2c. 3 Thle. gr. 8. Innsbruck, (Pfaundler.) [1. (VIII und 204 S.) 849. * 20 Ngr., 2. und 3. (IV und 464 S.) 850. * 1 Thlr. 22 Ngr.] *

Peternader, Leo, Einleit. z. griech. Sprache f. die Kremsmünster-Schulen. 8. Steyer 776.

— Wörterbuch z. gründl. Verdolmetschung der griech. Schriftsteller, die sr. Einleit. beigefügt sind. 8. Steyer 777.

Peternel, Michael

Peternel, M Andeutungen zur Vaterlandskunde v. Krain. 9 S. – Laibach, OR., Progr. 1853

Peternel, M Andeutungen wie und von wem die Realschule zu beachten u. zu benützen sei, insbesondere in unserem Vaterlande Krain. 8 S. – Laibach OR, Progr 1857

Peternel, M.: Schule und Leben, insbesondere Realschule und gewerbliches Leben. 1 Th. 12 S. – Laibach OR., Progr 1858.

Peternel, M. Schule und Leben, insbesondere Realschule und gewerbliches Leben. 19 S. 4° – Laibach OR., Progr 1858, 1859

Peternel, M.: Geographische Skizze des Herzogtums Krain. 24 S. – Laibach OR., Progr 1855, 1856

Jahresbericht, Dritter — der k. k. vollständigen Unterrealschule in Laibach. Veröffentlicht am Schlusse des Schuljahres 1855. Laibach, 1855. Gedruckt bei Josef Blasnik. (42 S. 4.)
Inhalt: Michael Peternel: Geographische Skizze des Herzogthums Krain. — Disziplinargesetz für die k. k. Unterrealschule in Laibach. — Schulnachrichten.

Peternel, M.: Georg Freiherr v. Vega. Biogr. Skizze. 13 S. – Laibach OR., Progr. 1854.

Peters, Beichtvaters König Jacobs II. in England, Liebesgeschichte. 12. Hall.

Peters, Herr Diaconus D., u. die christkathol. Gemeinde zu Breslau. Von einem evangel. Laien. gr. 8. (3 B.) Liegnitz 845, Meisner.

Peters, Theodor. [Nachruf des Vereins deutscher Jngenieure.] (Berlin 1908)

Peters, s.: Aus unserer Mäßigkeitsarbeit.

Peters, s.: Entscheidungen des königl. preuß. Oberverwaltungsgerichts in Staatssteuersachen.

Peters, sa General-Bericht üb. das öffentliche Gesundheitswesen des Reg.-Bez. Bromberg.

Peters. General-Bericht üb. das öffentliche Gesundheitswesen d. Reg.-Bez. Bromberg f. die J. 1886, 1887, 1888. gr. 8. (VIII, 149 S.) Bromb. 890, (Mittler). * 3 —
Bericht 1883—86, s. XVIII. Bd. 2. Abthl. S. 653: Strahler. General-Bericht.

Peters, Diss. Quaestiones de medicina electrica et magnetica. Frcf. ad V. 4°.

1781

Peters, Uebersicht der Leistungen Bessel's, s.: Unterhaltungen, Königsberger, 2. Bd. 2. Hft.

Peters, (Lehrer) ..., s. Wandtafeln, 48.

(Peters,) 48 Wandtafeln zum Nachzeichnen auf Schiefertafeln, zum nützlichen u. angenehmen Gebrauche in Elementarschulen. gr. 4. (½ B. Text.) Crefeld 842, Schüller.

[Peters, Prof. in Wien:] Der Zerstorungsgeist der staatlichen Volksschule. Mainz: Kirchheim 1897.

Peters, A., Arithmetik für die mittleren Classen des Gymnasiums. Osnabrück 855. Fredewest. (Overwetter.) 8. (IV, 96 S.) 7½ ngr.

Peters, A. (Hrsg.), s. Barrikade, Die.

Peters: Ein Beitrag zur Verbesserung des kleinen lateinisch-deutschen Handwörterbuches von Dr.K.E.Georges. 13 S.– Osnabrück C., Progr. 1868.

Peters, A.: Zweiter Beitrag zur Verbesserung des kleinen lateinisch-deutschen Handwörterbuches von Dr. K.E. Georges. 19 S. – Osnabrück Carol., Progr. 1872.

Peters, A., s. Sonntags-Magazin.

Peters, A., die Tätigkeit des Stadtarztes u. des Stadtschularztes in Halle a. S., s.: Drigalski, v.

Peters, A. J., die katholische Charakterbildung u. die katholischen Jugendorganisationen. (48 S.) 8. Wien (908). G. Eichinger. — 40

Peters, A. J., „Heirat auf Probe". Zur Aufklärg. f. kathol. Kreise üb. die wahren Ziele d. „Eherechtsreform". 2., verm. u. verb. Aufl. (279 S.) 8. Wien 906. G. Eichinger. n. 1. 50

— Die „Neue Freie Presse" als Oberzensorin des Papstes Pius X. 2. Aufl. (32 S.) 8. Ebd. 907. — 25

— Die katholische Weltanschauung u. die glaubensfeindliche Presse. Rede, geh. in der Jahresversammlg. der Ortsgruppe „Innere Stadt" des Pius-Vereines. (20 S.) Ebd. 907. — 15

— „Klerikale Weltauffassung" u. „Freie Forschung". Ein offenes Wort an Professor Dr. Karl Menger. (41 S.) 8. Ebd. (908). 1. —

Peters, Adf., Deutschland u. die Freiheit. Preisgesänge. 8. (VIII u. 64 S.) Dresden 848, Kori. n. ⅓ ℛ

Peters, Adf., Germania im Herbst 1866. Zeitgedicht. Leipzig 867. Friese. 8. (24 S.) 7½ ngr.

—— Gesänge d. Liebe. gr. 12. (12¼ B.) Dresden 840, [Walther'sche Brlsh.]

— die symmetrischen Gleichungen mit zwei Unbekannten. Ein Methodensystem aus der höhern Algebra für Forscher, Lehrer u. Schüler der Wissenschaft. Mit vielen Uebungsbeispielen. gr. 8. (VIII u. 79 S.) Dresden 851, Adler & Dietze. ½ ℛ

Peters, Ad., allgemeinverständl. Himmelskunde, s. Schwartz, J. W.

Peters, Adf., im Ilsethal und Sonnenaufgang auf dem Brocken. Nebst einleitenden Gedichten und 1 (lithogr.) Ansicht des Brockens. Für frohe Harzwanderer. 16. (22 S.) Meißen 863. (Hannover, Lübemann.) 60 Pf.; geb.

Peters, Ado., neue Curvenlehre. Grundzüge e. Umgestaltung d. höh. Geometrie durch ihre ursprüngl. analyt. Methode. 8. (18 B. u. 4 Stnt.) Dresden 835, [Walther'sche Brlsh.]

Peters, Adf., Melodienbuch zu dem neuen Gesangbuche für Kirche, Schule u. Haus der Provinz Hannover. 8. (72 S.) Stade 880. Steudel son. cart. n.n. — 50

Peters, Ad.: General Dietrich von Miltitz . . . , s.a. Franke, Friedr.: Jahresbericht . . .

Peters, Adf., General Dietrich v. Miltitz, sein Leben und sein Wohnsitz. Nebst vier noch ungedruckten Briefen an ihn von seinem Jugendfreunde Novalis und 1 (lith.) Facsim. von dessen Handschrift. Zu der 50jähr. Jubelfeier der Völkerschlacht bei Leipzig. Meißen 863. Mosche. gr. 4. (VI, 39 S.) n. 15 ngr.

Peters, Adf., Natur und Gottheit. Preisgesänge. 16. (VII und 205 S.) Meißen 859, [Mosche.] * 25 Ngr.; geb. *

— Natur und Gottheit. Preisgesänge. Meißen 859. Schmidt. 16. (VII, 236 S.) n. 25 ngr.

— — 2. verm. Aufl. Leipzig 863. Friese. 16. (VII, 236 S.) 1 ℛ 10 ngr.

— Natur u. Gottheit. Preisgesänge. 3., verm. Aufl. Leipzig 866. Friese. gr. 16. (VII, 236 S.) geb. mit Goldschn. 1 ℛ

Peters, Adf., über die Nothwendigkeit der Einrichtung zweckmässiger mathemat.-naturwissenschaftlicher Lehrerbildungs-Anstalten an deutschen Universitäten. Dresden 854. Adler u. Dietze. gr. 4. (2 Bl., 40 S.) n. 10 ngr.

—— die in's Deutsche übers. Rheinfrage d. Franzosen, od. d. umgekehrte Spieß. In Prosa u. drei Liedern. Nebst e. Liede auf d. kölner Dom. gr. 12. (1 B.) Dresden 841, [Walther'sche Brlsh.] *

—— über d. Studium d. Mathematik auf Gymnasien. Ein Beitrag z. Beförder. e. gründl. Einsicht in den Begriff, den Charakter, die Bedeutung u. Lehrart dies. Wissenschaft. gr. 8. (6½ B.) Dresden 828, (Grimmer.)

Peters, Adolf Hermann Felix [app. Arzt aus Schwarzenberg i/S.]: Über die Gastrostomie ... Leipzig, Druck v. J. B. Hirschfeld, 1892; 35 S. 8.
Leipzig, Med. Fak., Inaug.-Diss. v. 1892
(Nicht für den Austausch)

Peters, Alb., d. Erkrankungen d. Auges im Kindesalter. (278 S.) gr. 8. Bonn 910. F. Cohen. 6. —

— Die angeborenen Fehler u. Erkrankgn. d. Auges. (VII, 262 S. m. 16 Abbildgn. u. 1 Taf.) gr. 8. Ebd. 909. 7. —

Peters, A., über Kopfschmerzen in Folge von Augenstörungen, s.a. Sammlung zwangloser Abhandlgn. aus d. Gebiete d. Augenheilkunde.

Über Kopfschmerzen in Folge von Augenstörungen. E. Beitr. z. Lehre v. d. Asthenopie. Von Prof. Dr. A[lbert] Peters ... *Halle a. S.: C. Marhold 1898.* (22 S.) 8.
— Sammlung zwangloser Abhandlungen aus d. Gebiete d. Augenheilkunde. Bd II. H. 7. 99. 68. 3

Peters, Albert (geb. am 19 Sept. 1862 in Meggen Westf.): '(Aus d. anat. Laboratorium in Bonn.)' — Ueber die Regeneration des Epithels der Cornea ... Bonn, Univ.-Buchdr. v. C. Georgi 1885. 32 S. 8.
Bonn, Med. Fak., Diss. v. 1 Aug. 1885

Tetanie und Staarbildung. E. Beitr. z. Pathologie u. patholog. Anatomie d. Linse. Von Dr. Albert Peters, Privatd. ... a. d. Univ. Bonn. M. 1 Taf. *Bonn: F. Cohen 1898.* (63 S., 1 Taf.) 1 Bd 4.(8.) 98. 2736

[Peters, Alexander]: *Über Liudprand, Bischof von Cremona. 89 Bl. 4° (2°)
Halle-Wittenberg, Phil. Diss. v. 15. Dez. 1875
Geb. [Torgau 19. 8. 1848]

Peters, Anna, christliches Bergißmeinnicht, s.: Werner, Thdr.

Peters, Anton: Beitrag zur Geschichte des Klosters Unser Lieben Frauen in Magdeburg. Verlust und Wiedererwerbung der Marien-Kirche. Magdeburg 1909: Baensch. S. 1—38. 4°
Magdeburg, Pd z. Kloster U. L. Fr. OP 1909 (329) [S 09. 354

Peters, Anton. Der anische Bürger: Hdbch d dt-redenden Bürgers der VS. NY. 1860.

Peters, Anton, approb. Arzt aus Bochum i. W.: Aus d. chirurg. Klinik zu Kiel. Zur Kasuistik der schwersten Formen von Perityphlitis. *Kiel 1902: Schmidt & Klaunig.* (27 S.) 8°
Kiel, Med. Diss. v. [15. Febr.] 1902

— **Anton Franz** (Kastellaun bei Koblenz), De diabetis symptomatibus. Diss. med.-pathol. Berlin (Nietack) 22. IX. 1832. 25 S. u. Biogr. (M.: E. Ruppert). (3.25) 26155
Oppon.: C. Holzschuher, C. Jehn, F. Kottenkamp. — Gew.: Gisbert Peters (Oheim).

Peters, (Otto August Armin (geb. Mühlenland bei Neustadt a. D. 21. 7. 1837): Leucaemiae exemplum. Berolini (1861). (32 S.) 8°
Berlin, Med. Diss. v. 29. Apr. 1861
[Verf. wurde laut Fakultäts-Album und Diplom am 2. Mai promoviert.]

Peters, Arno *Otto Johannes* [aus Obornik '(Prov. Posen)']: Über Immunisierungs- und Heilversuche von Tetanus bei weissen Mäusen ... Berlin, Buchdr. v. G. Schade, *1895;* 35 S., 2 Bl. 8.
Berlin, Med. Fak., Inaug.-Diss. v. 28. März 1895

Peters, Arnold, die Entstehung der Amtsverfassung im Hochstift Hildesheim (ca. 1220—1330). (IV, 64 S.) 8. Hannover 905. Gebr Jänecke. n. 1. 50
Sonderabdruck aus: Ztschr. d. hist. Ver. f. Niedersachsen".

Peters, A., Inventare der nichtstaatlichen Archive im Kreise Gronau, s.a. Forschungen zur Geschichte Niedersachsens. II, 4.

Inventare der nichtstaatlichen Archive im Kreise Gronau. Bearb. von Dr. A[rnold] Peters, Archivass. Hannover & Leipzig: Hahn 1909. 80 S. 8°
(Forschungen z. Geschichte Niedersachsens. Bd 2, H. 4.) 09. 15439

Peters, Arnold, Jugendklänge. Gedichte. (VIII, 148 S.) kl. 8. Berlin (906). C. A. Schwetschke & Sohn. n. 2. —; geb. n. 3. —

Peter, Arnold, von Wellhausen '(Ktn. Thurgau)': Zur Kenntniss der Thiophengruppe. Zür. Orell Füssli Cie Dr. 1885. 39 S. 8°.
Zürich, Phil. Diss. [v. 6. März 1885].

Peters, Arnold, aus Bodenburg: Die Reichspolitik des Erzbischofs Philipp von Köln (1167—1191). *Marburg 1899: R. Friedrich.* (107 S.) 8°
Marburg, Phil. Diss. v. [12. Mai] 1899

Peters, Arrien [app. Arzt aus Tetenbüll]: Beitrag zur Statistik der Erfolge der Massagebehandlung bei chronischen Krankheiten der weiblichen Beckenorgane nach Thure Brandt ... Kiel, Druck v. P. Peters, 1895; 39 S. 8.
Kiel, Med. Fak., Inaug.-Diss. v. [25. Juli] 1895

Peters, August
Des Rittmeisters Baron von Knollendorf Brautfahrt. Von Elfried von Taura [d.i. August Peters]. Stuttgart 1859.
In: Hausblätter. Bd 3.

Peters, Aug., Gedichte. gr. 16. (12½ B.) Chemnitz 811. [Schneeberg, Gödsche'sche Buchh.] *

Peters, August
Die Kriegskasse. Geschichte. Aus dem böhmischen Erzgebirge. Von Elfried von Taura [d.i. August Peters]. Stuttgart 1857.
In: Hausblätter. Bd 2.

Peters, August
Die Malerin von Dresden. Erzählung. Von Elfried von Taura [d.i. August Peters].
Prag: Kober & Markgraf 1859. 268 S. 8°
(Album. Bibliothek dt. Originalromane. Jg.14, Bd 20.)

Peters, August
Die stille Mühle. Eine Geschichte aus Deutsch-Böhmen. Von Elfried von Taura [d.i. August Peters].
Hannover: Rümpler 1856. 155 S. 8°

Peters, Aug., das Raffiniren u. Bleichen der fetten Oele u. des Thrans, nebst Mittheilung eines neuen, wohlfeilen Verfahrens, Rüböl auf einfache Weise, ohne Filtration, zu raffiniren, farbloses Leinöl darzustellen ꝛc. Nach eigenen Erfahrungen u. mit Benutzung der neuesten Erfindungen u. Verbesserungen. Mit 1 (lith.) Taf. Abbildgn. (in 4.). 8. (46 S.) Quedlinburg 852, Basse. ⅓ ₰

Peters, Aug., Rembrandt, s.a. Projections-Vorträge aus der Kunstgeschichte. 6 Heft.

Rembrandt. Vortrag zu e. Serie von 60 Latern-Bildern nach Orig.-Aufnahmen d. Kunstanst. Braun, Clement & Cie., Dornach u. Paris. Von Aug. Peters. Düsseldorf: Liesegang 1904. 29 S. 8°
(Projektions-Vorträge aus der Kunst-Geschichte. H. 6.) 05. 1965 5

Peters, August

Gottfried Silbermann. Lebensbild. Von Elfried von Taura [d.i. August Peters]. Stuttgart 1858.

In: Hausblätter. Bd 2.

Peters, Aug., kleine landschaftliche Studien nach Aquarellen. 4. (12 Farbendr.-Taf.) Leipzig 891. E. Baldamus, Sep.-Cto. n. 6. —; einzelne Blätter à — 75

Peters, August

Die Tochter des Wilddiebes. Eine Erzählung nach Thatsachen. Von Elfried von Taura [d.i. August Peters]. Prag: Kober & Markgraf 1857. 240 S. 8°

(Album. Bibliothek dt. Originalromane. Jg. 12, Bd 24.)

Peters, Aug., Werkzeichnungen für Zimmermalerei. 1. Serie. 12 Hfte. Fol. (1. Hft.: 4 Chromolith.) Braunschweig 882. Goerlitz u. zu Putlitz Verl. n. 15. —; einzelne Hfte. à n. 1. 50

Peters A, Werkzeichngen f. Zimmermalerei. (4 Bl) grfol In Mappe Stuttgart 1883

Peters, August

Die Witkowetze. Hist. Roman. Von Elfried von Taura [d.i. August Peters]. Th. 1.2. Wien: Markgraf 1863. 8°

(Album. Bibliothek dt. Originalromane. Jg. 18, Bd 5. 6.)

Peters, August

Záviš von Rosenberg, genannt von Falkenstein. Historischer Roman. Von Elfried von Taura [d.i. August Peters]. Bd 1-3. Prag: Kober & Markgraf 1860. 8°

(Album. Bibliothek dt. Originalromane. Jg. 15, Bd 18-20.)

Peters, Bernhard, (sacell. episc. Monast.): Die christlichen Begriffe der Sittlichkeit und Seligkeit und ihr innerer Zusammenhang gegenüber dem Vorwurf des Eudämonismus. *Münster i. W. 1902: Aschendorff.* (44 S.) 8° ¶(Erscheint vollst. in: Theol. Studien, hrsg. von d. Leo-Ges., Wien.) Münster, Kath.-theol. Diss. v. (30. Juli) 1902

[K.] **Peters, Bernhard**: Beiträge zur Jugendgeschichte Oktavians. 1. Oktavian vom Tode Cäsars bis z. Schlacht bei Mutina. Brilon, M. Friedländer's Buchdr., 1891; S. 7 35; 4° Brilon, G Petrinum, P 1891 (340)

Peters, Bhrd. Mich., eine besondre merkwürd. Reise v. Amsterdam nach Surinam u. v. da zurück nach Bremen, in den J. 1783, 84.; nebst Reisen u. Lebensgeschichte John Thomsons rc. 1r Thl. 8. Bremen 788.

Peters, C., u. H. Peters, Bautischler-Arbeiten m. Hülfstafeln zur Veranschlagung. (58 Bl. Zeichngn.) 51,5×35 cm. Nebst Textbuch. (VII, 172 S.) Lex. 8. Berlin 882. E. Wasmuth. In Mappe 8. —

Peter, Dr. C., Geschichte Rom's. 2. Aufl. Halle 1865—69. 4 Bde. 8°.
Bd. 1: Von den ältesten Zeiten bis auf die Gracchen.
Bd. 2: Von den Gracchen bis zum Untergange der Republik.
Bd. 3. Abth. 1 u. 2: Geschichte der Kaiser bis zum Tode Marc Aurel's.

Peters, C., die preußischen Grundbuchgesetze vom 5. Mai 1872 u. deren Einführg. im Gebiete d. kurhess. Rechts. gr. 8. (VI, 128 S.) Kassel 873. Kay. n. 2. 50

Peters, C., und C. Weyden, franz. Lesebuch für höhere Bürgerschulen und Gymnasien. gr. 8. Köln 836. Renard. 2/3 ℔ — 2e Aufl. gr. 8. Ebd. 840. 3/4 ℔

Peters, C., De rationibus inter artem rhetoricam et primi saeculi intercedentibus. 1907. 101 S.

Peters, C. A., s. Jh. Wlh. Schwartz, Materialien zum Katechisiren rc.

Peters, C. A. P., s. Peters, Christian August Friedrich

Peters, C. F., s. Peters, Karl Friedrich

Peters, C. F. W., s. Peters, Karl Friedrich Wilhelm

Peters, C. J. F., mathematische, physische und politische Geographie, mit 36 Fig. (Holzschn. im Text) u. 1 (lith.) Sternkarte (in Fol.). Für Navigationsschulen bearb. 854. (X, 230 S.) n. 20 ngr. — 2., verb. u. verm. Aufl. Wismar 855. Hinstorff. 8. (XIV, 257 S.) 22½ ngr.

Peters, C. J. F., mathematische physische u. politische Geographie. Für Navigationsschulen bearb. 3., verb. u. verm. Aufl. Rostock 867. Stiller'sche Hofbuchh. gr. 8. (XVII, 355 S. mit 41 Figg. in eingedr. Holzschn. u. 1 lith. Sternkarte in gr. 4.) n. 1 ℔ 10 ngr.

Peters, C. J. F., das Land Swante-Wustrow oder das Fischland. Eine geschichtliche Darstellung. Wustrow 862. (Schwerin, Stiller.) gr. 8. (VIII, 120 S. u. 1 lith. Karte in Fol.) n. 20 ngr.

Peters, C. W., Quadrat- u. Kubik-Tabellen. Abdr. aus des Verf. meklenburg. Rechen-Tabellen. gr. 8. (23 S.) Wismar 849, Hinstorff. 3 ngr.

— allgem. u. vollständ. meklenburg. Rechentabellen zur augenblicklichen u. sicheren Lösung aller im häusl. u. öffentl. Verkehrsleben öfter vorkommenden Rechnungsaufgaben. 1. Abth. gr. 8. (110 S.) Parchim 848, Hinstorff. n. 12 ngr.

Peters, Carl, s. Peters, Karl

Peters, Carl Ferdinand, s. Peters, Karl Ferdinand

Peters, Carl Friedrich Ad., s. Peters, Karl Ferdinand Ad.

Peters, Carl Guil., s. Peters, Karl Wilhelm

Peters, Ch. F. M., s. H. Alken, das Schöne u. Mangelhafte rc.

— — Katechismus der Hufbeschlagkunst. Anleitung. [Gekr. Pr.] (II.) Mit 18 H. (VIII., 71 S.) Schwerin 69. Stiller. Kart. M. 1.–

— Mechanische Untersuchungen an den Gelenken und dem Hufe des Pferdes. Mit 2 Taf. u. H. (104 S.) Berlin 79. Hirschwald. M. 2.80

Peters, Ch. J. M., s. Peters, Ch. F. M.

Peters, Chr., Genrebilder für den Zeichenunterricht progressiv geordnet. 1—4. Heft. qu. 4. (à 12 lithogr. Bl.) Langensalza 852—53, Schulbuchhandlung des thüringer Lehrervereins. à Heft * 10 Ngr. *

Peters, Christian August Friedrich

Peters, C. A. F. Abweichungen des Greenwicher Passageninstruments vom Meridiane, 1750—62. Danzig 1855. 4.

Peters, C. A. F.: Anweisung zur Anstellung von Beobachtungen über Ebbe und Fluth und die Gezeitenströmungen. 25 S. in: Anleitung zu wissenschaftlichen Beobachtungen auf Reisen, herausg. v. G. Neumayer. Aufl. 1. S. 82—106. Berlin 1875. 8°.

Peters, C. A. F., Bestimmung der Abweichungen des Greenwicher Passageinstruments vom Meridiane, s. Schriften, neueste, der naturforsch. Gesellschaft in Danzig.

Bestimmung der Länge des einfachen Secunden-Pendels auf dem Schlosse Güldenstein aus den von [Heinrich Christian] Schumacher in den Jahren 1829 und 1830 ausgeführten Beobachtungen v. Christian August Friedrich **Peters.** Altona. 1855. 4°

Peters, C. A. F., über die Bestimmung des Längenunterschiedes zwischen Altona und Schwerin, ausgeführt im J. 1858 durch galvanische Signale. Altona 861. (Hamburg, Mauke.) gr. 4. (268 S. u. 2 lith. Taf. in Fol.) n. 2 *ℛ* 20 *ngr.*

—— Bestimmung des Längenunterschiedes zwischen den Sternwarten von Altona und Kiel im J. 1867 ausgef. von Peters u. Kampf. Kiel 1873.

Peters, C. A. F., Bestimmung des Längenunterschiedes zwischen den Sternwarten von Göttingen und Altona. gr. 4. (104 S.) Berlin 880, (Friedberg und Mode.) **

—— Bestimmung des Längenunterschiedes zwischen den Sternwarten von Kopenhagen und Altona, im J. 1863 ausgef. von Peters und Lesser. Kjobenh. 1877.
Abdr. aus »Den danske gradmaling« Bd. 4. 1881.

Peters, C. A. F.: Die eigene B e w e g u n g des Sirius. 1851. 4°
Habil.-schr. Königsberg

Peters, C. A. P., Briefwechsel zwischen C. F. Gauss u. H. C. Schumacher. Altona 1860 - 65. 6 Bde. 8°.

Peters, C. A. F., Ueber die im Jahre 1869 mit einem von Lohmeier angefertigten Reversions-Pendel in Altona und in Berlin angestellten Beobachtungen. Altona 1870.

Peters, C. A. F. (Hrsg.), s. Z e i t s c h r i f t für populäre Mittheilungen.

Peters, Christian. Henr. Fred. (geb. Koldenbüttel in Schlesw.-Holst. 1813): De principio minimae actionis. Berolini (1836). (20 S.) 4°
Berlin. Phil. Diss. v. 28. März 1836

Peters, Cl., kurzgef. Einleitg. in d. Bücher d. hl. Schrift, nach Taylor's „Outline analysis", s.: S o n n t a g s s c h u l = L e h r e r = B i b l i o t h e k.

— d. Gegen=Mission der Adventisten. 12. (46 S.) Hamburg 896. Cassel, Verlagshaus der deutschen Baptisten J. G. Oncken Nachf. — 25

Peters, Claus, s. P e t e r s , Klaus

Peters, E., der Schneider=Lehrling. sa Koepper's, Gust., Handwerkerbibliothek. 12. Bd.

Peters E, der Schneider-Lehrling. (78 S) (Koeppers Handw.-Bibl. 12)
Leipzig 1908

Peters, Eberhardus (geb. am 6 Mai 1824 in Bonn): De legitimo pariendi tempore ... Bonnae, litt. L. Anschelii 1850. 30 S., 1 Bl. 8.
Bonn, Med. Fak., Diss. v. 12 Aug. 1850

Peters, Edw. D., Flammenofenpraxis im amerikanischen Kupferhüttenbetrieb. (21 S.) Lex.-8. Halle 905. W. Knapp. n. 2.—
Sonderabdruck aus: „Metallurgie".

— **Ell Otto** (Chemnitz), De blepharoplastice. Diss. med. Leipzig (Staritz) 25. X. 1836. 43 S., 1 Taf. (3.75) 26157
Gew.: Burkhard Wilhelm Seiler, Gotthelf August Peters, Christian Theophil Hoesel.

Peters, Emil

Peters, E., Anatomie u. Physiologie d. Nervensystems. — Geschlechtsleben u. Entartung. sa R e g e n e r a t i o n s = B i b l i o t h e k.

Anatomie und Physiologie des Nervensystems. Von E[mil] **Peters.** Köln: Volkskraft 1906. (32 S.) 8° [F.]
— Regenerations-Bibliothek. No 3. [o6. 14484

Peters, Emil, Referendar a. Lippstadt: Der Begriff sowie die staats- und völkerrechtliche Stellung der Eingeborenen in den deutschen Schutzgebieten nach deutschem Kolonialrechte. Göttingen 1906: Dieterich. (XII, 55 S.) 8° [F.]
Göttingen, Jur. Fak., Ref. Schoen, Diss. v. 28. Dez. 1906
[Geb. 22. Juni 82 Lippstadt; Wohnort: Hannover; Staatsangeh.: Preußen; Vorbildung: König-Wilhelms-Gymn. Magdeburg Reife O. 01; Studium: Halle 2, München 1, Halle 1, Göttingen 2 S.; Rig. 5. Nov. 06.]

Die Entartung und ihre Ursachen. Von E[mil] **Peters.** Köln: Volkskraft 1906. (IX, 192 S.) 8° [F.]
= **Peters**: Geschlechtsleben u. Nervenkraft. Bd 1. [o6. 14460

Entwickelungs-Geschichte der Tracht. Von Emil **Peters.** T. 1. 1. Aufl. Köln: Peters 1907. 8° A 12. 9 ℓ 6

Peters, Emil. Entwicklungsgeschichte der Tracht 1. Teil: Das Altertum. Köln. Volkskraft-Verlag 1907.
63 S m. 18 Abb. 8°.

Geschlechtsleben und Entartung. Von E[mil] **Peters.** Köln: Volkskraft 1906. (36 S.) 8° [F.]
— Regenerations-Bibliothek. No 2. [o6. 14483

— Geschlechtsleben u. Nervenkraft (1. Bd) Die Entartg. u. ihre Ursachen u. Wege zur Wiedergeburt v. Gesundheit, Lebenskraft u. Lebensfreude. (XII, 192 S.) 8. Köln(-Lindenthal) 906. „Volkskraft"-Verlag. n. 1.80; geb. n. 2.50

Peters, Emil [Dr. Oberl.]: Heinrich der Vogler, der verfasser von Dietrichs flucht und der Rabenschlacht. Berlin, R. Gaertners Verlagsbuchh., 1890; 21 S. 4°
Berlin, Dorotheenst. RG, OP 1890

Peters, E., Jahresbericht über die Fortschritte auf dem Gesammtgebiete der Agrikultur-Chemie, s. J a h r e s - b e r i c h t.

— die Kulturkrankheit. — Nervenreize u. ihre Wirkungen bei gesunden u. kranken Menschen (Wie bewahre ich meine Nervenkraft?), sa R e g e n e r a t i o n s = B i b l i o t h e k.

Die Kulturkrankheit. Wirkungen u. Folgen d. sinnl. Fehler. Chronische Krankheiten, Nervosität, ihre Entstehung u. ihr Zusammenhang. Von E[mil] **Peters.** Köln: Volkskraft 1906. (65 S.) 8° [F.]
— Regenerations-Bibliothek. No 4. [o6. 14485

Peters, Emil, Macht zum Glück! Ein Richtweg zu harmon. Entwickelg., Lebenskraft u. Lebensgenuss. (29 S) kl. 8. Bremen 904. (O. Melchers) n.n. — 30

Der griechische Physiologus u. seine orientalischen Übersetzgn. Von Prof. Dr. Emil **Peters.** *Berlin: S. Calvary & C. 1898.* (3 Bl., 105 S.) 1 Bd 8.
— Festschriften d. Gesellschaft f. deutsche Philologie. [No] 15. [98. 1131

Peters, Emil, der griechische Physiologus u. s. oriental. Übersetzgn. gr. 8. (VI, 106 S.) Berlin 898. Leipzig, O. R. Reisland. n. 3.—

Peters, Emil, die deutschen und österreichischen Programmabhandlungen des J. 1881, nach ihrem Inhalte im Verein mit Fachmännern geordnet und besprochen. gr. 8. (120 S.) Berlin 882, Friedberg und Mode.
Aus: Central-Organ für die Interessen des Realschulwesens, besonders abgedruckt.

Peters, E., Prostitution u. Geschlechtskrankheiten. Ihre gesundheitl., sittl., wirtschaftl. u. gesellschaftl. Schäden u. ihre Bekämpfg. (104 S.) 8. Berlin-Steglitz 908. Verlag „Kraft u. Schönheit". 1.—

Peters, Emil Fänrik Stals Sägner. En samling sanger af Joh. Ludw. Runeberg. Aus dem Schwedischen im Versmafse des Originals übersetzt, mit Einleitung und Anmerkungen versehen von E. P. 36 S. **Progr.** Dor. Rg. *Berlin* 1884.

Peters, E., Fänrik Ståls Sägner. En samling sånger af Johan Ludwig Runeberg. II., s. Festschrift zu dem 50jähr. Jubiläum des Dorotheenstädtischen Realgymnasiums zu Berlin.
I. : Runeberg, J. L. — Berlin 1884, Gaertner's Verlag *M 1.—,

Peters, Emil, so sollt ihr lieben! Physiologie, Psychologie u. Ethik der Liebe u. Ehe, Gattenwahl u. Zeugg. (183 S.) 8. München 907. [Seitz & Schauer.] Verlag der ärztl. Rundschau. 1.80

Peters, Emil [Prof. Dr.]: Die Vision des Tnugdalus. E. Beitr. z. Kulturgeschichte d. Mittelalters. Berlin, R. Gaertner, 1895; 30 S. 4.
Berlin, Dorotheenstädt. RG, OP 1895 (94)

— **Völkerdegeneration, s. a Regenerations-Bibliothek.**

Völkerdegeneration. Von E[mil] **Peters.** Köln: Volkskraft 1906. (51 S.) 8° [F.]
= [**Regenerations-Bibliothek.** No 1.] [16. 11480]

— **die Wahrheit über das dritte Geschlecht! Dem deutschen Volke zur Aufklärg. 1. u. 2. Aufl. (Je VII, 37 S.) 8. Ebd. (904).** n. — 50

— **Wann u. wie können Vater u. Mutter m. ihren Kindern üb. die Menschwerdung sprechen? 1.—5. Taus. (23 S.) 8. Ebd. 907.** — 40

Peters, Ernst, Referendar zu Mayen: Der Prozeßvergleich. Borna-Leipzig 1908: R. Noske. (VIII, 60 S.) 8° [F.]
Leipzig, Jur. Fak., Diss. v. 19. Juni 1908
[Geb. 2. Mai 82 Ochtendung; Wohnort: Mayen; Staatsangeh.: Preußen; Vorbildung: Friedrich-Wilhelms-Gymn. Trier Reife O. 03; Studium: Freiburg i. B. 3, Berlin 1, Bonn 2 S.; Rig. 20. Okt. 06.]

Peters, Ernst, approb. Arzt aus Husum: Aus d. pathologisch-anatom. Institute zu Kiel. Ueber plötzliche Todesfälle an Lungenentzündung bei scheinbar Gesunden. *Kiel 1899: P. Peters.* (23 S.) 8°
Kiel, Med. Diss. v. [17. Apr.] 1899

Peters, Eug. J., Anleitg. zur Kultur, Vermehrg. u. Verwerthg. d. Beerenobstes, s.: Universalbibliothek f. Obst- u. Gartenbau.

Peters, Eug. J., das Beerenobst. Anleitung zur Kultur u. Vermehrung der Erdbeere, Himbeere, Johannisbeere 2c. Nebst einer Sammlung von Rezepten zur Bereitung von Wein, Säften u. Syrup aus den Beerenfrüchten. 8. (III, 106 S.) Leipzig 879. Ruhl. n. 1. —

— Gartenbuch, s.: Bornhak.

Peters, Eug. J., kleines Taschen-Lexikon für Gärtner und Gartenfreunde. Enthaltend die richt. Benennung und Schreibart einer grossen Anzahl von Nutz- und Zierpflanzen, deren Synonyme, Vaterland etc. 16. (113 S.) Leipzig 880, Ruhl. *
geb. *

— **Taschenwörterbuch f. Gärtner u. Gartenfreunde, s.: Universalbibliothek f. Obst- u. Gartenbau.**

Peters, F., üb. die Aufbereitung der Steinkohlen im Ruhrbassin, s. a Schultz, die westfälische Kohlen-Industrie.

Peters, F: Ueber die Aufbereitung der Steinkohlen im Ruhrbassin. Dortmund 1883

Peters, F., Onkel August. Roman. 2 Bde. 8. (219 u. 214 S.) Leipzig 891. Dresden, E. Reißner. n. 6. —; geb. in 1 Bd. n. 7. —

Peters, F., die Burgcapelle zu Iben. Festprogramm zu Winckelmann's Geburtstag am 9. Decbr. 1869 hrsg. vom Vorstande des Vereins von Alterthumsfreunden im Rheinlande. gr. 4. (10 S. mit 3 lithogr. Taf. in gr. 4. und qu. Fol. und 3 eingedr. Holzschn.) Bonn 869, (Marcus.) *

Peters, F. (L.). Die Kreissecretärin. Roman. 8. (304 S.) Lpz. 892, Reißner. * 3 —; geb. * 4 —

Peters, F., aus Lothringen. Sagen u. Märchen, mitgeteilt v. F. P. 8. (214 S.) Leipzig 887. Reißner. n. 1. 50; cart. n. 1. 80

Peters, F., deutsche Märchen aus Lothringen. Dem Volke nacherzählt. 2. Aufl. (214 S.) kl. 8. Leipzig-Oetzsch 907. Leipzig-Gohlis, B. Volger. 2. 25

—— **Märchen aus Lothringen,** s. **Volksschriften, elsässische.**

Peters, F., v. Meier mit 'nem Jot. Norddeutsches Sittenbild in Gesprächsform. 8. (64 S.) Straßburg 898. Straßburger Druckerei u. Verlagsanstalt. n. 1. —

Peters, F. Einige Producte, die durch Einwirkung von Blei und von Kaliumnitrit auf Bleinitrat entstehen. In-8°. 31 S. Basel. Dissertat. 1893.

— andere Uebergangszeiten. Roman. 8. (VII, 160 S.) Ebd. 888. n. 1. 80

— Uebergangszeiten in den Reichslanden. Belletristische Skizze. 12. (VIII, 128 S.) Baden-Baden 883. Sommermeyer. n. 2. —

— Uebergangszeiten in den Reichslanden. Belletristische Skizze. 2. (Titel-)Aufl. 12. (VIII, 128 S.) Leipzig 888. Reinboth. n. 1. 80

Peters, Feod., Ziegler's graphische Darstellg. der trigonometrischen Funktionen, nebst Tafeln zur Konstruktion bestimmter Winkel u. Linien. Ein prakt. Hilfsmittel beim geometr. Zeichnen m. 6 Taf. u. 28 Textfig. gr. 8. (22 S.) Wiesbaden 902. C. W. Kreidel.
Geb. in Leinw. n. 3. —

Peters, Fr.

Peters, F., Beruf u. Vorbereitg. zum Ehestande. Winke u. Rathschläge aus Schrift, Kirchenlehre u. Erfahrg. 12. (IV, 191 S.) Mainz 887. Kirchheim. 1. —

— der wahre Dienstbote. 16. (80 S.) Ebd. 888. cart. n. — 75

— die Erziehung der Kinder. Rathschläge f. kathol. Eltern. 12. (IX, 137 S.) Ebd. 888. — 75

Peters, F., C. Ss. Red., d. Erziehung d. Kinder. Rathschläge f. kathol. Eltern. 2. Aufl. 12. (VIII, 139 S.) Mainz 896. F. Kirchheim. n. — 75

— der Oelgarten Gethsemani. Eine Hochschule christl. Tugend u. Vollkommenheit. 12. (XII, 296 S.) Ebd. 891. 1. 50

— das Leiden Christi. E. Hochschule christl. Tugend u. Vollkommenheit. Volksausg. 12. (XII, 296; XII, 374 u. XII, 232 S.) Ebd. 897. Geb. n. 4. —

Peters, Fr., das junge Mädchen im Verkehre m. der Welt. Fingerzeige u. Rathschläge. 2. Aufl. gr. 16. (IV, 168 S.) Mainz 892. F. Kirchheim. Geb. in Leinw. n. 1. 20

— das junge Mädchen im Verkehre m. d. Welt. Fingerzeige u. Rathschläge. 3. Aufl. 12. (IV, 168 S.) Ebd. 896. Geb. in Leinw. n. 1. 20

Peters, F., C. Ss. R., das junge Mädchen im Verkehre m. der Welt. Fingerzeige u. Ratschläge. 4 Aufl. (IV, 168 S.) gr. 16. Mainz 903. Kirchheim & Co. Geb. in Leinw. n. 1. 20

— die Pflichten der Eheleute. gr. 16. (III, 136 S.) Ebd. 889. cart. n. 1. —

— der Richterstuhl. Jesus vor dem jüd. Hohen Rathe u. dem heidn. Richter Pilatus. Eine Hochschule christl. Tugend u. Vollkommenheit. 12. (XII, 374 S.) Mainz 892. F. Kirchheim. 2. -

— die Schädelstätte od. Golgatha. D. Leidensgang d. Erlösers zur Schädelstätte u. s. Kreuzigg. E. Hochschule christl. Tugend u. Vollkommenheit. 12. (XII, 232 S.) Ebd. 896. n. 1. 80

— der verlorne Sohn. Aus d. Nachlasse. 12. (VIII, 152 S.) Ebd. 897. n. 1. —; geb. n. 1. 60

PETERS, FRANZ.
See Anzeiger für die chemische Industrie.

Peters: De attractione quadam temporum ac modorum linguae latinae. 15 S.– Deutsch-Crone, Progr. 1861.

Peters, Franz (geb. am 14 Jan. 1853 in Friesdorf bei Bonn): Einige Beobachtungen zur Diätetik des Säuglingsalters ... Bonn, Druck v. J. F. Carthaus (1876). 37 S., 1 Bl. 8.
Bonn, Med. Fak., Diss. v. 22 Juli 1876

Peters Frz., s.: Centralblatt f. Accumulatoren, Elementen- u. Accumobilenkunde.

— s.: Chemiker-Taschenbuch.

Peters, Frz., graphische Darstellung der Wahlen zum deutschen Reichstage, nebst Uebersicht der Wahlresultate u. der der engeren u. Nachwahlen vom 10. Jan. 1877 u. 30. Juli 1878. gr. 4. (5 color. Steintaf. in Imp.-Fol. u. qu. Fol.) Berlin 878. Straube. n. 5. —

Peters, Frz., angew. Elektrochemie, sa Bibliothek, elektrotechnische, 47.—50. Bd.

Angewandte Elektrochemie. Von Dr. Franz Peters. Mit Abb. Bd 1–3. *Wien, Pest, Leipzig: A. Hartleben 1897–98.* 4 Bde 8°
1. Die Primär- u. Secundär-Elemente. 1897.
2. Anorgan. Elektrochemie.
Abt. 1. Elektrochemie d. Metalloide u. d. Alkalimetalle. 1898.
Abt. 2. Elektrochemie d. Erdalkali-, Erd- u. Schwermetalle. 1898.
3. Organ. Elektrochemie. 1898.
= **Bibliothek, Elektrotechnische.** Bd 47–50. [oo. 11002 9

— Elektrometallurgie u. Galvanotechnik, sa Bibliothek, elektrotechnische. 53. Bd.

Elektrometallurgie und Galvanotechnik. Ein Hand- u. Nachschlagebuch f. d. Gewinnung u. Bearbeitung von Metallen auf elektr. Wege von Dr. Franz Peters. In 4 Bdn. Mit Abb. Bd 1–4. *Wien, Pest, Leipzig: A. Hartleben 1900.* 4 Bde 8°
1. Die Halb- u. Leichtmetalle. 2. Kupfer.
3. Edelmetalle. 4. Zink, Blei, Nickel u. Kobalt.
= **Bibliothek, Elektrotechnische.** Bd 53–56. [oo. 11004 9

— s.: Fortschritte der angew. Elektrochemie.

Anton Kob. 1822–1895. Ein Tiroler Künstlerleben. Geschildert nach s. eigenen Aufzeichnungen von Franz **Peters**. Bozen 1897: Auer. 23 S. 8° [10. 11636

Peters, Frz., Kupfer u. Verbindgn., s.: **Gmelin u. Kraut's** Handbuch der **anorganischen Chemie**.

Peters, Franz. De libro manuscripto Valciensi quum alia tum Ciceronis scripta nonnulla continente. [Varianten zum Laelius.] 12 S.
Deutsch-Crone, Progr. 1855

Peters, Franz, appr. Tierarzt: Aus d. Kgl. hyg. Inst. in Posen. Pathol. anat. Abt.: Busse. Ueber Rankenneurome am Rinderherzen. Mit 2 Taf. Posen 1910: Rosenthal. 41 S. 8°
Gießen, Veterinär-Med. Diss. v. 5. Aug. 1910, Ref. Bostroem
[Geb. 17. Febr. 75 Ruthe; Wohnort: Posen; Staatsangeh.: Preußen; Vorbildung: Gymn. Josephinum Hildesheim Reife O. 96; Studium: Jura Göttingen 3, Vet.-Med. Hannover Tierärztl. Hochsch. 8 S.; Rig. 23. Mai 10.] [U 10. 1241

Peters, Franz: Reden, gehalten bei der Einführung des Directors Dr. Franz Peters, s. Dillenburger.

Peters, Franz [Ger.-Ref. zu Breslau]: Die Regentschaft und Regierungsstellvertretung der deutschen Landesherren. . . . Breslau, Druck v. Robert Nischkowsky, 1889: VIII + 96 S. + 2 Bl. 8°
Breslau, Jur. Fak., Inaug.-Diss. v. 20 Jul. 1889

Peters, F., die Regentschaft u. Regierungsstellvertretung der deutschen Landesherren. gr. 8. (VI, 96 S.) Breslau 889. Koebner. n. 2. —

Peters, Franz (Hrsg.), s. Rundschau, Chemische.

Peters, Frz., die Tätigkeit der 2. badischen Ständekammer auf dem Landtag 1907/08. Ein Rückblick. (VIII, 300 S.) gr. 8. Heidelberg 908. Carl Pfeffer (Heidelberger Tageblatt). (Nur direkt.) 2. 50

Peters, Franz (Hrsg.), s. Technik, Elektrochemische

Peters, Franc., Theologumena Sophoclea. 8. (5 ½ B.) Münster 845, libr. Theissing. *

— Thermoelemente u. Thermosäulen, sa Monographien üb. angewandte Elektrochemie.

Thermoelemente und Thermosäulen. Ihre Herstellung u. Anwendung. Von Prof. Dr. Franz **Peters**. Mit 192 Abb. Halle: W. Knapp 1908. (VI, 184 S.) 8°
= **Monographien** über angewandte Elektrochemie. Bd 30. [08. 7434 8

Peters, Franc. De peccati in tragoediis Sophocleis vi et natura commentatio. 34 S.
Conitz, Progr. 1849

Peters, Fr.: Zur Wortstellung in den Oden des Horaz. 30 S. 4°.– Münster G., Progr. 1870.

Peters, Franz Adalbert Heinrich, s. Peters, Heinrich

St. Michael und seine Verehrung mit bes. Berücks. d. Erzdiöz. Köln von F[ranz] J[osef] **Peters**, Kaplan. *Köln: J. P. Bachem [1902].* (16 S., 8° [Umschlagt. F.]

Peters, Friedrich

Peters(-Siebenbollentin), Fr. (I.), Abhandlung über Schweinezucht und Schweinemast, nebst Anhang, enthaltend Blick in die Zukunft der deutschen Landwirthschaft. gr. 8. (57 S.) Wismar 880, Hinstorff'sche Hofbuchh. *

Peters, Fr., praktische Einführung der Sommer-Stallfütterung verbunden mit Fruchtwechselwirthschaft, mit besond. Berücksicht. des Molkereibetriebes. gr. 8. (272 S. mit 4 Stnt. in qu. Fol. und qu. gr. Fol.) Wismar 860, Hinstorff'sche Hofbuchh.

Peters, Fr., praktische Einführung der Sommer-Stallfütterung verbunden mit Fruchtwechselwirthschaft, mit besond. Berücksichtigung des Molkereibetriebes und der Schweinezucht. 2., ganz umgearb. und verm. Aufl. gr. 8. (XIV und 289 S. mit 3 Stnt. in qu. Fol. und gr. Fol.) Wismar 862, Hinstorff'sche Hofbuchh. *

— — 3. umgearb. u. stark verm. Aufl., m. Tit.: Viehzucht u. Milchwirthschaft in Verbindung mit Sommerstallfütterung u. Fruchtwechselwirthschaft. Sst. 1878. 319 S.

— **die Fissuren des Fesselbeins vom Pferde**, s.a. **Vorträge für Thierärzte.**

Peters, Fr., Die Fissuren des Fesselbeins vom Pferde, mit besonderer Berücksichtigung der Bewegungsvorgänge in den unteren Gelenken. Mit 8 Holzstichen u. 1 lith. Taf. S.-A. (32 S.) Jena 81. Dege & Hänel. (Dürselen, Wiesbaden.) M. 1.50

Peters, F., die Formveränderungen d. Pferdehufes bei Einwirkung der Last m. besond. Bezug auf die Ausdehnungs-Theorie. Nach eigenen Versuchen dargestellt. gr. 8. (IV, 67 S.) Berlin 883. Parey. n. 2. —

Peters, Frdr., s.: **Heilstätten**, deutsche, f. Lungenkranke.

Peters jun., Friedr., Katechismus der Hufbeschlagskunst. Anleitung zum Selbstunterricht im Hufbeschlag. Mit 18 in den Text gedr. Holzschn. Schwerin 856. Stiller. 8. (VIII, 50 S.) n. 10 *ngr.*

Peters, Fr., Katechismus der Hufbeschlagskunst. Anleitung zum Selbstunterricht im Hufbeschlag. Gekrönte Preisschrift. 2. verb. Aufl. Mit 18 in den Text gedr. Holzschn. Schwerin 860. Stiller. 8. (VIII, 71 S.) n. 10 *ngr.*

Peters, Friedrich: Die Pathologie der Kiemenspaltenresiduen mit besonderer Berücksichtigung der Divertikel des Recessus pharyngeus (Rosenmuelleri). Kirchhain N.-L. 1909: Schmersow. 34 S. 8°

Rostock, Med. Diss. v. 27. Juni 1910, Ref. Körner

[Geb. 5. Sept. 84 Bustorf; Wohnort: Rostock; Staatsangeh.: Preußen; Vorbildung: Königstädt. Gymn. Berlin Reife M. 03; Studium: Berlin 3, Tübingen 1, Kiel 1, Rostock 5 S.; Coll. 9. Dez. 08; Approb. 18. Juni 10.] [U 10. 3932

— **Revision der gesammten Wirthschaftsführung. Ackerbestellung u. Aussaat, Boden-Classification, Besprechung wichtiger landwirthschaftlicher Fragen, Fruchtfolge, Mistproduction, Mistverwerthung, Verwerthung des Futters rc. gr. 8. (VII, 236 S.) Wismar 882. Hinstorff's Verl.** n. 4. —

— Die Struktur der Hornblättchen in ihrer Beziehung zur Beweglichkeit des Hufbeins. gr. 8. (11 S.) Mit 4 H. S.-A. Dresden 88. Schönfeld.

Peters, Friedrich, approb. Arzt aus Cordshagen: Aus d. pharmakol. Institute zu Marburg. Pharmakologische Untersuchungen über Corydalisalkaloide. *Leipzig 1904: J. B. Hirschfeld.* (47 S.) 8°

Marburg, Med. Diss. v. 10. Febr. 1904

Peters, Fr. (I.), mechanische Untersuchungen an den Gelenken und dem Hufe des Pferdes. gr. 8. (VII, 104 S. mit 2 lithogr. Taf. und mehreren eingedr. Holzschn.) Berlin 879, Hirschwald. *

Peters, Fr. (II.), über die Ursachen der so allgemein beklagten, bedrückten Lage der Landwirthschaft. 1. und 2. Aufl. gr. 8. (32 S.) Wismar 879, Hinstorff'sche Hofbuchh. *

—— **Viehzucht und Milchwirthschaft in Verbindung mit Sommerstallfütterung und Fruchtwechselwirthschaft.** 3. umgearb. und stark verm. Aufl. der „Praktischen Einführung der Sommerstallfütterung". gr. 8. (XVI, 319 S. mit 3 Stnt.) Ebendas. 878. *

Peters, Friedrich, a. Neuende, Referendar: Wer kann eine Erbschaft annehmen oder ausschlagen? Rostock 1909: Boldt. 67 S. 8°

Rostock, Jur. Diss. v. 30. Jan. 1909, Ref. Matthiaß

[Geb. 25. März 80 Connhausen; Wohnort: Lübeck; Staatsangeh.: Oldenburg; Vorbildung: Gymn Wilhelmshaven Reife O. 04; Studium: Freiburg i. B. 3, Berlin 1, Göttingen 2 S.; Rig. 1. Nov. 08.] [U 09. 3081

Peters, Fr., Siebenbollentiner Züchtung u. Besprechung einiger Fragen die Viehzucht betr. gr. 8. (III, 43 S.) Wismar 884. Hinstorff's Verl. n. 1. —

Peters, Fr., Siebenbollentiner Züchtungen [2. Hft.] u. Besprechung einiger die Landwirthschaft betreffenden Fragen: Die Nothlage der Landwirthschaft u. welche Mittel kann der Landwirth anwenden, um diese Nothlage zu mildern. gr. 8. (III, 44 S.) Wismar 886. (Hinstorff's Verl.) n. 1. —

— dasselbe [3. Hft.] u. Besprechung einiger die Viehzucht betreffenden Fragen: Das epidemische Kälber- u. Ferkelsterben, sowie das epidemische Verkalben d. Kühe. gr. 8. (102 S.) Ebd. 888. n. 1. 50

—— dass. — [4. Heft.] Wie sollen wir unser Nutzvieh halten u. wie sollen Ställe eingerichtet sein, um das seuchenartige Kälber- u. Ferkelsterben zu beseitigen? gr. 8. (54 S.) Wismar 889, (Hinstorff's Verlag). 1 —

[1. Heft.] (Ebd.) 1884. * 1 —.

Peters, Fridericus Guilelmus (geb. am 11 Aug. 1801 in Rees a. Rh. Rgbz. Düsseldorf): De versione foetus quae caput ejus in partu praeire jubet ... Bonnae, ex off. Büschleriana (1826). 31 S. 8.

Bonn, Med. Fak., Diss. v. 21 Juli 1826

Peters, Fritz, Referendar: Begriff und Wirkungen des Rücktritts vom Vertrage nach dem Bürgerlichen Gesetzbuche. Göttingen 1909: Dieterich. VIII, 55 S. 8°

Heidelberg, Jur. Diss. v. 23. Sept. 1909, Ref. Heinsheimer

[Geb. 26. Aug. 85 Hannover; Wohnort: Moringen; Staatsangeh.: Preußen; Vorbildung: Lyz. Hannover Reife O. 05; Studium: Lausanne, München, Berlin, Göttingen zus. 7 S.; Rig. 2. Aug. 09.] [U 10. 1968

Peters, Fritz, a. Berlin: Zur Kenntnis des 2-Methylcumarins. (Berlin 1908: A. W. Schade.) (44 S.) 8°

Berlin, Phil. Fak., Ref. Gabriel, Diss. v. 14. März 1908

[Geb. 14. Sept. 83 Berlin; Wohnort: Berlin; Staatsangeh.: Preußen; Vorbildung: Friedrichs-Werdersche Oberrealsch. Berlin Reife M. 02; Studium: Berlin Techn. Hochsch. 6, Univ. 3 S.; Rig. 13. Febr. 08.]

Peters, Fritz, der Satzbau in Heliand in seiner Bedeutung f. die Entscheidung der Frage, ob Volksgedicht od. Kunstgedicht. gr. 4. (26 S.) Schwerin 886. (Stiller.) n. 1. —

Peters, G., die **Graphologie**. Eine Darstellung ihres Wesens u. ihrer Regeln als Leitfaden f. das Sammeln, Vergleichen u. Beurteilg. von Handschriften. Zusammengestellt u. m. über 100 Fksms. versehen. 12. (80 S.) Mülheim a/R. (900). F. Bagel. 1. —

Die Graphologie. Eine Darstellung ihres Wesens u. ihrer Regeln als Leitfaden f. d. Sammeln, Vergleichen u. Beurteilen von Handschriften. Zsgest. u. mit über 100 Faks. versehen von G. **Peters**. *Mülheim a. d. Ruhr: J. Bagel [1901].* (77 S.) 8° [F.]

— die Kunst des Bauchredens. Kurze Darstellung des Wesens u. der Entwicklg. des Bauchredens u. die Mittel diese Kunst leicht u. sicher zu erlernen, nebst einigen Vortragsbeispielen. Für Anfänger u. Dilettanten bearb. 12. (80 S.) Ebd. 899. n. — 50

— die Kunst des Kartenlegens. Eine übersichtl. u. leicht faßl. Anleitung zur Kartomantie. Nach e. vereinfachten System dargestellt. Mit e. Fig. u. mehreren Karten-Taf. 12. (79 S.) Ebd. 899. n. — 50

Peters, G., Menschenlos in schweren Zeiten. Aus dem Leben der Mennoniten Südrußlands. 61 S. Winnipeg, Mass

Peters, G., Novellen u. Erzählungen. 1. Bd. Der Raubschütz. — Die Jungfrau von Patras. 8. (13⅛ B.) Annaberg 839, Rudolph u. Dieterici.

Peters, G., d. Skatspiel u. seine verschied. Arten. Zur leichten Erlerng. desselben bes. f. Anfänger dargest. 12. (79 S.) Mülheim a/R. 897. J. Bagel. 1. —

— das Skatspiel u. seine verschiedenen Arten. Zur leichten Erlernung desselben besonders f. Anfänger dargestellt. (2.[Umschlag-]Aufl.) 12. (79 S.) Ebd. 1. —; ermäß. Pr. — 50

Streichholzkünste. Zur Unterhaltung u. Erheiterung geselliger Kreise gesamm. u. erfunden von G. **Peters**. Mit 94 Nummern u. 127 Fig. im Text. *Mülheim a. d. Ruhr: J. Bagel [1900].* (85 S.) 8° [F.]

Peters, G. W., Taschenbuch für Brennerei-Besitzer, Destillateure, Spiritushändler, Kaufleute u. Wirthe im Königreich Hannover. gr. 8. (VIII u. 63 S.) Hannover 852, Gebr. Jänecke. ½ ₰

Peters, G. W., Taschenbuch für Pharmaceuten, Chemiker, Destillateure, Brennerei-Besitzer, Spiritushändler rc. Zunächst für das Königreich Hannover und sodann die Zollvereins-Staaten herausg. Hannover 859. Rümpler. gr. 8. (VIII, 88 S.) n. 20 ngr.

Peters, Georg Wilhelm [aus Pommern]: Beschreibung eines Sympus apus. Ein Beitr. z. Anatomie d. Sirenenbildgn. '(M. 2 Taf.)' ... Greifswald, Druck v. J. Abel, 1892; 23 S., 2 Taf. 8.
Greifswald, Med. Fak., Inaug.-Diss. v. 16. Aug. 1892

Peters, Geo. Wilh., Fata Morgana. Soziales Drama in 4 Aufzügen. 8. (105 S.) Dresden 893. E. Pierson. n. 1. 50

[F.] Heinrich Kirchbach. Schausp. in 3 Aufz. v. Georg Wilhelm **Peters**. *Anklam: H. Wolter 1897.* (54 S.) 1 Bd 8.

[F.] Der Professor. Novelle v. Georg Wilhelm **Peters**. *Anklam: H. Wolter [1896].* (72 S.) 1 Bd 8.

Peters, Gottfried Ad. Herm., s. Peters, Hermann

Peters, Günther Johannes, a. Conhausen, Amtsbezirk Jever (Oldenburg): Über spontanen Geburtsverlauf bei verengtem Becken. Freiburg 1906: E. Kuttruff. (29 S.) 8°
Freiburg i. B., Med. Fak., Ref. Krönig, Diss. v. 1906
[Geb. 26. Mai 80 Conhausen (Amtsbezirk Jever); Wohnort: Freiburg i. B.; Staatsangeh.: Oldenburg; Vorbildung: Gymn. Wilhelmshaven Reife O. 01; Studium: München 1, Berlin 2, Freiburg i. B. 6 S.; Coll. 23. Febr. 06; Approb. 22. Jan. 06.]

Peters, Gust., über Siderosis. Inaugural-Dissertation. gr. 8. (34 S.) Kiel 881. (v. Maack.) n. 1. 20

Peters, Gustav A., Zum Jubelfeste der Turnerfarben, Hamburg 1886, 4 S., 8°.

Peters, Gust. Werner, Leipziger Anthologie. Gedichte ehemal. Leipziger Studenten seit 1870. Festgabe zum 500jähr. Jubiläum der Universität Leipzig, hrsg. v. P. (VIII, 183 S. m. 1 Vollbild.) kl. 8. Leipzig 909. G. Merseburger. Geb. in Leinw. 2.—; in Ldr. 3. 50

Peters, H., e. Beitrag zur Lohn-Reform, unter Zugrundelegg. der socialökonom. Ansichten v. Rodbertus-Jagetzow aufgestellt. gr. 8. (III, 67 S.) Tübingen 884. Laupp. n. 1. 20

Peters, H., Bilder aus d. Mineralogie u. Geologie. E. Handbuch f. Lehrer u. Lernende u. e. Lesebuch für Naturfreunde. M. 106 Abb. im Text. gr. 8. (VIII, 242 S.) Kiel 898. Lipsius & Tischer. n. 2. 80; geb. n. 3. 60

Peters, H., die Fürsorge f. die verwahrloste Jugend. Reisebericht an das Kuratorium des schleswig-holstein. Diesterweg-Stiftg. gr. 8. (46 S.) Flensburg 899. A. Westphalen. n. — 60

Peters, H., Hülfsbuch zur Aufstellung von Lohnregulativen u. Preisberechnungen für Bautischlerarbeiten mit Angabe des Materialbedarfs u. des durchschnittlichen Arbeitswerths nach Stunden u. Minuten zum praktischen Gebrauch für Behörden, Baumeister, Bauunternehmer u. Fachleute. Mit 53 (lith.) Bl. Zeichnungen (in gr. Fol.). gr. 8. (VI, 172 S.) Berlin 877. Wasmuth. n. 15. —

Peters, H., Hülfstafeln zu Preisberechnungen f. Zimmerarbeiten auf Grundlage der durchschnittlichen Leistung der Arbeiter nach dem Metermaß u. der Reichsmünze zum prakt. Gebrauch f. Behörden, Baumeister, Bauunternehmer u. Fachleute. 4. (IV, 79 S.) Schwerin 873. Stiller. n. 3. —

Peters, H. Vide: Jagekow, R.: Beitrag zur Lohnreform.

Peters, H., Lehrbuch d. Mineralogie u. Geologie f. Schulen u. f. die Hand d. Lehrers, zugleich ein Lesebuch f. Naturfreunde. Mit 111 Abbildgn. im Text u. e. geolog. Karte v. Deutschland. 2. Aufl. der „Bilder aus der Mineralogie u. Geologie". (X, 266 S.) gr. 8. Kiel 905. Lipsius & Tischer. n. 3. —; geb. in Leinw. n. 4. —

Peters, H., De recensendis Herodoti historiarum libris. Diss. 1884. 40 S.

Peters, H., die Reform der deutschen Schreibung. Vortrag, gehalten auf der allgemeinen schleswig-holsteinischen Lehrerversammlung in Neumünster. 1. Aug. 1879. gr. 8. (20 S.) Kiel 879. (Lipsius & Tischer.) n. — 40

Petri, H.: Commentationis de Aeschyli Supplicum stasimo primo. Part I. 8 S. – Herford, Progr. 1860.

Peters, H., Veranschlagung v. Zimmerarbeiten, zum prakt. Gebrauche f. Bau- u. Zimmermeister u. Fachleute bearb. (79 S.) gr. 8. Berlin 882. E. Wasmuth. 3. —

Peters, H. Helm, der Kammerjunker Friedrich Erich Valentin v. Berger zu Glücksburg, f. Hebungs-Beamter rc., nebst u. v. seinem vormaligen Privat-Comtoirgehülfen vor den Richterstuhl der öffentl. Meinung gestellt. gr. 8. (43 S.) Kopenhagen 847. (Klein.) n. ¼ ₰

Peters, H. L., Gebührenordnung für die Rechtsanwälte des deutschen Reiches, s.: Wolters, F.

Peters, H. L., Handbuch f. das Nassauische Gemeindewesen nach den jetzt bestehenden Bestimmungen. Nach amtl. Quellen zusammengestellt. 8. (X, 159 S.) Wiesbaden 882. Bechtold & Co. cart. 2.—

Peters, H. T., die Heteroceren-Raupen (u. -Puppen) d. P.'schen Manuskriptwerkes: Biologische Beiträge zur brasilianischen Schmetterlings-Fauna. gr. 8. (12 S. m. 10 Taf.) Neudamm (898—901). J. Neumann. Kart. n. 5. —

Peters, Hartw., neue Schleswig-Holstein-Lauenburgische Provinzial-Berichte, s. Provinzial-Berichte.

—— die wechselseit. Schuleinrichtung, e. bedeut. Schritt z. Verbesserung d. Volksschulen; gegen Einwürfe gerechtfertigt. gr. 8. (9¾ B.) Altona 829, [Aue.]

[PETERS, HARTW.], Sollen die Prediger in den Herzogthümern Schleswig und Holstein auf die Zoll-Freiheit unbedingt verzichten? Eine Frage, mit Gründen verneint von einem Prediger in den Herzogthümern. Altona. 1832. P.

Peters, Hartwig, Dr. F. A. W. Diesterweg's Urtheil üb. d. wechselseit. Schuleinrichtung in Erwägung gezogen. gr. 8. (5 B.) Altona 837, [Dessau,] Aue.

Peters, Heinr., Anmerkgn., s.: Lesebuch, deutsches, f. höh. Lehranstalten.

Peters, Heinrich [Dr.]: Beiträge zur Heilung der Überlieferung in Quintilians Institutio Oratoria. Cassel, Druck v. K. Gosewisch, 1889; S. 16—25; 4°
Cassel, st. RG, OP 1889 (374)

Peters, Heinrich, aus Ars (Mosel): Ueber Coxa vara. *München 1898 [vielm. 1899]: Kastner & Lossen.* (44 S.) 8°
München, Med. Diss. v. 1899

Peters, *Heinrich* [Dr.]: Einiges über unsern Handfertigkeits-Unterricht. Cassel, Buchdr. v. Gebr. Schneider, 1893; 34—35 S. 4.
Cassel, st. RG, OP 1893 (404)

Peters, *Franz Adalbert* Heinrich [aus Köthen '(Anhalt)']: Über die Entwicklung des allgemeinen Körperemphysems nach Lungenverletzungen ... Köthen, Druck v. P. Schettlers Erben, 1894; 34 S., 2 Bl. 8.
Halle, Med. Fak., Inaug.-Diss. v. 1. März 1894

Peters, Heinrich *Hans Christian* [app. Arzt aus Kiel]: Aus d. patholog. Institut zu Kiel. Gallenstein-Statistik nach den Befunden des pathologischen Instituts zu Kiel vom Jahre 1878—1889. . . . Kiel, Druck v. A. F. Jensen, 1890; 29 S., 1 Bl. 8°
Kiel, Med. Fak., Inaug.-Diss. v. [30. Sept.] 1890

Peters, Henr. (geb. Lüttelforst im Rheinl. 20. 11. 1834): De mastitide. Berolini (1862). (31 S.) 8°
Berlin, Med. Diss. v. 4. Dez. 1862

Peters, H(einrich): Symbola ad Ovidii artem epicam cognoscendam. Gottingae 1908: Dieterich. VIII, 96 S. 8°
Göttingen, Phil. Diss. v. 28. Nov. 1908, Ref. Leo
[Geb. 10. Mai 83 Scheeßel; Wohnort: Hamburg; Staatsangeh.: Preußen; Vorbildung: Gymn. Leer Reife O. 02; Studium: Tübingen 1, München 4, Göttingen 3, Rostock 1, Göttingen 2 S.; Rig. 1. Juli 08.] [U 09. 1389

Peters, Heinrich, Referendar in Elberfeld: Das Verfügungsrecht des Absenders nach § 433 H.G.B. Borna-Leipzig 1907: R. Noske. (VIII, 78 S.) 8° [F.]
Leipzig, Jur. Fak., Diss. v. 19. Jan. 1907
[Geb. 7. Febr. 84 Elberfeld; Wohnort: Elberfeld; Staatsangeh.: Preußen; Vorbildung: Realgymn. Elberfeld Reife O. 02; Studium: Bonn 4, München 1, Berlin 1, Bonn 2 S.; Rig. 18. Mai 06.]

Peters, Helmuth, appr. Tierarzt a. Wolfskehlen: Aus d. pharmakol. Institut der Universität Gießen. Über Jodipin-Resorption. Gießen 1905: v. Münchow. (23 S.) 8°
Gießen, Med. Fak., Ref. Geppert, Diss. v. 4. Okt. 1905
[Geb. 14. Sept. 75 Wolfskehlen; Wohnort: Wald-Michelbach; Staatsangeh.: Hessen; Vorbildung: Realgymn. Mainz Reife O. 93; Studium: Gießen 8 S.; Rig. 16. Mai 05.]

Peters, Hermann

Peters, H, Adressen u. Bezugsquellen f. Aerzte, *sa* Bibliothek, medicin., f. prakt. Aerzte.

Peters, [Hermann]: Adressen und Bezugsquellen für Aerzte in alphabetischer Reihenfolge. Leipzig 1897

Peters, Herm., Ansichten über Badekuren. 1. Aufl. 867., u. 2. Aufl. Leipzig 868. Priber. 8. (16 S.) 2½ ngr.

Peters, Herm., kurze Anweisung zur Hausapotheke d. Laien. 12. (VII, 38 S. m. Illustr. u. 2 Etiketten-Taf.) Berlin 891. J. Springer. Kart. n. 1. —

Peters, Herm., kurze Anweisg. zur Hausapotheke des Laien. 3. Aufl. gr. 16. (VIII, 40 S. m. 4 Abb. u. Etiketten.) Berlin 897. J. Springer. Kart. n. 1. —

Arbeitsprogramm für Wohlfahrtspflege, als Beitrag zum Glück auf dem Lande. Berufliche Heimatkunde u. einheitl. Lehrplan f. ländl. Fortbildungsschulen. Ministerial-Erlasse u.-Statistik. Im Anschluß an 'Theorie u. Praxis d. ländl. Fortbildungsschule' von Hermann **Peters**. Hildesheim: Gebr. Gerstenberg 1906. (VII, 104 S.) 8° [G.] [06. 12613 7

Peters Bearb.), s.a. Arzneimittel, Die neuesten, und ihre Dosierung. . .

PETERS
Die neuesten Arzneimittel und ihre Dosirung inclusive Serum- und Organtherapie in alphabetischer Reihenfolge. Für Aerzte und Apotheker bearbeitet von Sanitätsrath Dr. Peters. Leipzig und Wien. 1899. Deuticke. 16°. X, 136 S. Cart. fl. 1.20

Peters, [Hermann]: Die neuesten Arzneimittel und ihre Dosierung inclusive Serum- und Organotherapie in alphabetischer Reihenfolge. 2. Aufl. Leipzig und Wien 1900

Peters, Herm., die neuesten Arzneimittel u. ihre Dosirung inclusive Serum- u. Organtherapie in alphabetischer Reihenfolge. Für Aerzte u. Apotheker bearb. 3. Aufl. 12. (XIX, 496 S.) Wien 902. F. Deuticke. Geb. in Leinw. n. 6. —
1. Aufl. (XII, 136 S.) 899. Kart. n. 2. —. — 2. Aufl. (XV, 235 S.) 900. Kart. n. 3. —.

Die neuesten Arzneimittel und ihre Dosierung inkl. Serum- und Organtherapie in alphab. Reihenfolge. Für Ärzte u. Apotheker bearb. von San.R. Dr. [Gottfr. Ad. Herm.] Peters, Bad Elster. 4. Aufl. Leipzig & Wien: Deuticke 1904. VII, 602 S. 8° [04. 9169 11

Peters, Herm., die neuesten Arzneimittel u. ihre Dosierung inklusive Serum- u. Organtherapie in alphabetischer Reihenfolge. 5. Aufl., bearb. v. J. Haendel (VII, 760 S.) kl. 8. Wien 906. F. Deuticke. Geb in Leinw. n. 8. —
4. Aufl. (VIII, 692 S.) 904. Geb. n. 7. —.

— der Arzt u. die Heilkunst in der deutschen Vergangenheit, *sa* Monographien zur deutschen Kulturgeschichte.

Hermann Peters Der Arzt und die Heilkunst in der deutschen Vergangenheit. Mit 153 Abb. u. Beilagen nach d. Originalen aus d. 15.–18. Jh. Leipzig: E. Diederichs 1900. (130 S.) 4°
= Monographien z. deutschen Kulturgeschichte Bd 3.

Peters, Herm., über Badekuren bei Frauenkrankheiten. gr. 16. (36 S.) Leipzig 869, Priber.
Aus dessen Schrift „Für Frauen", besonders abgedruckt.

— Bäder u. Heilanstalten Deutschlands, Oesterreich-Ungarns u. der Schweiz. Cartonnirte Sonderausg. v. H. P. „Die Kurorte". 8. (VIII, 424 S.) Leipzig 893. C. G. Naumann. Kart. n. 3. —

Peters, Herm., allgemeines Bedürfnis u. besondere Aufgabe der ländlichen Fortbildungsschule im Zusammenhang m. der Volksschule. Einleitende Grundlegg zur „Theorie u. Praxis der ländl. Fortbildungsschule" desselben Verf. (69 S.) 8. Leipzig 906. H. Voigt. n. 1. —

– u. A. Trapp, Beruf u. Heimat. Lesebuch f. ländl. Fortbildungsschulen u. die bodenständ. Bevölkerg. Niedersachsens. (XII, 451 S.) gr. 8. Leipzig 910. H. Voigt. Geb. 3. —

Peters, Herm. (I.), die Blutarmut und Bleichsucht, s. a. Gesundheitsbücher, illustrierte.

Peters, Herm., die Blutarmut u. Bleichsucht. 2. Aufl. Mit 2 Taf. kolor. lith. Abbildgn. 8. (VIII, 61 S.) Leipzig 885. Weber. n. 1. —; geb. n. 2. —

—— Erfolge bei chronischen Rheumatismus und Tuberculosis pulmonum. gr. 8. (16 S.) Leipzig 865, Priber. *

— über Erkältung. Für Gebildete. Ebend. 868. gr. 8. (28 S. mit eingedr. Holzschn.) n. 10 ngr.

— — Mit Illustr. (in Holzschn.) 2. (Titel-)Aufl. Ebend. (868)70. gr. 8. (28 S.) 5 ngr.

Peters, Hermann [app. Arzt aus Münster i Westf.]: Ein Fall von Aneurysma der Aorta thoracica mit Perforation in die Trachea .. München, Druck v. V. Höfling, 1893; 30 S., 1 Bl. 8.
München, Med. Fak., Inaug.-Diss. v 1893

Peters, Herm., s. a. Fortbildungsschule, die ländliche, im Dienste der Wohlfahrtsarbeit.

Ländliche Fortbildungsschule. Berufl. Heimatkunde im Dienste d. Wohlfahrtsarbeit. Im Anschluß an „Theorie u. Praxis d. ländl. Fortbildungsschule" bearb. von Hermann **Peters**. 2. erw. u. verm. Aufl. Hildesheim: Gerstenberg 1909. X, 200 S. 8° [09. 10971 7

— für Frauen. Ebend. 869. gr. 8. (III, 142 S.) In engl. Einb. mit Goldschn. n. 1 ₰

— berufliche Heimatkunde u. einheitlicher Lehrplan f. ländliche Fortbildungsschulen. Ministerial-Erlasse u. -Statistik. Ortsstatut. Arbeitsprogramm f. Wohlfahrtspflege als Beitrag zum Glück auf dem Lande. Im Anschluß an „Theorie u. Praxis der ländl. Fortbildungsschule". (VIII, 101 S.) gr. 8. Hildesheim 906. Gebr. Gerstenberg. n. 1 75

– Berufliche Heimatkunde im Dienste der Wohlfahrtsarbeit. Ein Beitrag zum Glück auf dem Lande. Im Anschluß an „Theorie u. Praxis der ländl. Fortbildungsschule". (Ländliche Fortbildungsschule.) 2., erweit. u. verm. Aufl. (X, 200 S.) gr. 8. Hildesheim 909. Gerstenberg. 2. 50

—— zweiter Kurbericht des Bades Ottenstein bei Schwarzenberg in Sachsen. gr. 8. (7 S.) Leipzig 865, Priber.

– Die Kurorte, s. Bibliothek, Medicinische für praktische Ärzte

Peters, Herm., die Quellen u. Bäder Elster's. Leitfaden beim Gebrauch der Trink- u. Badekur. gr. 8. (57 S.) Leipzig 875. O. Wigand. n. 1. —

— die Quellen u. Bäder Elster's. Leitfaden bei Verordng. u. beim Gebrauch der Trink- u. Badekur in Elster. 2. Aufl. 8. (III, 50 S.) Leipzig 884. O. Wigand. n. 1. —

Peters, Hermann [aus Schwarza]: Über Sprache und Versbau der Chronik von Floreffe .. Halle a. S., Druck v. E. Karras, 1896; 1 Bl., 31 S. 8.
Halle, Phil. Fak., Inaug.-Diss. v [8. Dez.] 1896

— Theorie u. Praxis der ländlichen Fortbildungsschule im Zusammenhang m. der Volksschule. (VIII, 157 S. m. 3 Tab.) 8. Ebd. 905. n. 2. —

— die physikalische Therapie s. Bibliothek, der Phthise, medicinische f. praktische Ärzte.

—— die Untersuchung des Auswurfs auf Tuberkelbacillen. 8. (24 S.) Leipzig 886, O. Wigand. geb. *

Peters, Herm. (II.), aus pharmazeutischer Vorzeit in Bild und Wort. gr. 8. (X, 224 S.) Berlin 886, Springer. *
geb. *

PETERS, HERMANN.
* Aus pharmazeutischer Vorzeit in Bild und Wort. Berlin, 1886. pp. x–224. Neue Folge. Berlin, 1889. pp. xi–287. 2 vols., 8vo.
Handsomely illustrated with facsimiles of early cuts, title-pages and portraits, 83 in number. One section deals with "Goldmacherkunst." Vol. II has 92 illustrations. The chapter on mineralische Arzneistoffe is an interesting contribution to medical chemistry. For an American translation of vol. I see the following

Peters, Herm., aus pharmazeutischer Vorzeit in Bild u. Wort. 1. Bd. 2., verm. Aufl. gr. 8. (XIV, 305 S. m. Abbildgn. u. e. Facsim.) Berlin 891. Springer. n. 7. —; geb. n. 8. 75

— dasselbe. Neue Folge. gr. 8. (XI, 287 S. m. 92 Fig.) Ebd. 889. n. 7. —; geb. n. 8. 75

— aus pharmazeutischer Vorzeit in Bild u. Wort. Neue Folge. 2., verm. Aufl. gr. 8. (XIV, 321 S. m. Abb.) Ebd. 899. n. 7. —; geb. in Halbfrz. n. 8. 75

Peters, Herm., aus pharmazeutischer Vorzeit in Bild u. Wort. I. Bd. 3. umgearb. Aufl. (XIV, 296 S. m. Abbildgn. u. 1 Taf.) gr. 8. Berlin 910. J. Springer. 7. —; geb. in Halbldr. n 8. 75

— die klimatischen Winterkurorte Egyptens. Praktischer Leitfaden bei Verordnung u. beim Gebrauch derselben. gr. 8. (III, 47 S.) Ebend. 882. n. 1. —

Peters, Herm., die klimatischen Winterkurorte Central-Europa's u. Italiens. Praktischer Leitfaden bei Verordnung u. beim Gebrauch klimatischer Winterkurorte. Mit einer Karte (in Lichtdr.). gr. 8. (V, 191 S.) Leipzig 880. O. Wigand. 3. —

— **Hermann (Gottfried Hermann)** (Dresden), Nonnulla de angina pectoris. Diss. med. Leipzig (L. Schnauss) 21. VIII. 1861. 27 S. u. Biogr. (M.: C. Tolle). (3.—) 26158

Peters, Rev. Hermann Josef Gedenkbuch d goldenen Jubs d St Alphonsus Gemeinde in Wheeling, W Va. Pittsburg, 1906.

Peters, Hub., über die Einbettung des menschl. Eies u. das früheste bisher bekannte menschl. Placentationsstadium. Mit 14 lith. Taf. u. e. Abbildg. im Texte. Lex.-8. (III, 143 S.) Wien 899. F. Deuticke. n. 12. —

Peters, Hub., **die manuelle Correctur der Deflexionslagen, sa Beiträge zur klinischen Medicin u. Chirurgie.**

Die manuelle Correctur der Deflexionslagen. Aus d. geburtshilfl. Klinik d. Prof. Dr. Gustav Braun. Von Dr. Hubert **Peters.** Mit 4 Holzschn. Wien & Leipzig: Braumüller 1895. 113 S. 8°
(Beiträge z. klin. Medicin u. Chirurgie. H. 10.) (11. 9747 11

Peters, Hub., d. Urniere in ihrer Beziehg. zur Gynäkologie, sa Sammlung klin. Vorträge.

Die Urniere in ihrer Beziehung zur Gynäkologie. Nach e. gehaltenen Vortrage v. Hubert **Peters, Wien.** *Leipzig: Breitkopf & Härtel 1897.* (22 S.) 8.
= **Sammlung** Klinischer Vorträge. N. F. No 195. [97. 6700

Peters, J., Leitfaden f. den Unterricht in der Mineralogie, Botanik, Anthropologie u. Zoologie, s.: Lübstorf, W.

— Sammlung deutscher Gedichte f. Volks- u. Bürgerschulen. gr. 8. (VIII, 116 S.) Parchim 890. Wehdemann. cart. n. — 60

— Spruchverzeichnis zum Mecklenburg-Schwerinschen Landes-Katechismus. 3., verb. Aufl. 8. (28 S.) Parchim 891. G. Gerlach (durch H. Wehdemann). n. — 20

Peters, J., Spruchverzeichnis z. Mecklenburg-Schwerinschen Landes-Katechismus. 4., verb. Aufl. 8. (28 S.) Parchim 898. H. Wehdemann. n. — 25

Peters, J., Spruchverzeichnis zum mecklenburg-schwerinschen Landes-Katechismus. 6. Aufl. (28 S.) 8. Parchim 905. H. Wehdemann. n. — 25

Peters, J., der schwarze Staar der Pferde. Eine diagnost. u. forens. Studie. Mit 1 Taf. gr. 8. (VII, 74 S.) Berlin 886. Hirschwald. n. 2. 40

Peters, J., Tarife für das Zollgebiet der Dänischen Monarchie. 853. (92 S.) n. 20 *ngr.* — 2., vervollständigte Ausg. Itzehoe 858. Claussen. 4. (126 S.) n. 21 *ngr.*

Peters, J. B., s. Peters, Johann Baptist

Peters, J. C. A. Locke als pädagogischer Schriftsteller. Diss. Rostock 1872. 27 S. **Progr.**

Peters, J. K.

— Einleit. in d. theor. und prakt. Handlungswissensch. 1r Thl. gr. 4. Heidelb. Pfähler. (Sommer in Leipz.) 789.

— — dieselben. 1r Thl. gr. 8. Mannheim, Schwan und G. 798.

Peters, J. K., Entw. v. Gedank. auf d. Nothwendigk. einer systemat. Verbess. d. Handlungsstandes. 8. Mannh. Löffler. 785.

Peters, J. L. Ludwig, s. Peters, Johann Lucian Ludwig

Peters, J P, s.: Bueck, Joh. Nik.

Peters, Jak., über Blutlinien u. Verwandtschaftszuchten, s.a. Arbeiten der deutschen Gesellschaft f. Züchtungskunde. 3. Heft.

Peters, J.: Über Blutlinien und Verwandtschaftszuchten nach Erhebungen der Ostpreussischen Herdbuchgesellschaft. Hannover 1909. 13 S., 38 Taf.

(Arbeiten der Deutschen Gesellschaft für Züchtungskunde. Sitz Berlin. H. 3.)

Peters, Jak., s.: Heerdbuch, ostpreussisches.

Peters, Jakob: Aus d. Univ.-Frauenklin. zu Bonn. Ileus nach Ventrofixation. Bonn: Georgi 1908. 32 S. 8°
Bonn, Med. Diss. v. 17. Juni 1909, Ref. Fritsch
[Geb. 15. Jan. 80 Meckenheim; Wohnort Meckenheim; Staatsangeh.: Preußen; Vorbildung: Kgl. Gymn. Bonn Reife O. 03; Studium: Bonn 1, Würzburg 4, Bonn 5 S.; Coll. 30. Juni 08; Approb. 5. Juni 09.] [U 09. 357

— **das belgische Pferd u. seine Zucht. Mit kurzen Notizen üb. die Wiesen- u. Weideverhältnisse in Belgien. Bericht über Studienreisen, ausgeführt im Auftrage des Hrn. Ministers f. Landwirtschaft, Domänen u. Forsten. gr. 8. (VIII, 78 S. m. 10 Abbildgn.) Leipzig 901. R. C. Schmidt & Co.** n. 2. 50

(S) — Das belgische Pferd. 901. (KBL 32.) Jetzt: Hannover, M. u. H. Schaper.

Peters, Jac. L., Handbuch d. Handelskunde. Einfache Buchführg. Zum Selbstunterr. u. als Leitfaden f. Lehrer. 2 Thle. 4. Aufl. gr. 8. (VI, XII, 86 u. III, 65 S.) Hamburg 891. (J. Kriebel.) Geb. in Leinw. n. 3. —

— neue method. Schreibschule, s.: Koch, M. D.

Peters, Jac. L., neue Schreibschule für den Schul- u. Selbstunterricht. 4. (31 S.) Altona 882. Uflacker's Sort. n. 1. 80

— Vorlagebuch f. Kontorarbeiten. gr. 4. (IV, 78 S.) Hamburg 893. (J. Kriebel.) Geb. n. 2. 50

Peters, Jac. L., Vorlagebuch f. die Kontor-Arbeiten. 2. verb. Aufl. gr. 4. (IV, 108 S.) Hamburg (902). (J. Kriebel.) n. 2. —; Einbd. in Halbleinw. n.n.n. - 50; Schlüssel (88 S.) gr. 8. n. 1. 60

Peters, Jac. L., Vorlagebuch f. die Kontorarbeiten. 3. verb. Aufl. (IV, 108 S.) 30,5×22,5 cm. Hamburg (907). (J. Kriebel.) Geb. nn 2. 50

Vortrag auf der 25. Versammlung der Propstei-Synode Stormarn am 15. Juni 1909 in Ahrensburg, geh. von Pastor [Jan] Peters in Bergstedt. Wandsbek 1909. Puvogel. 15 S. 8°
[Über d. Mitarbeit d. Geistlichen an d. Ausgleich d. soz. Gegensätze.] [09. 18701 B

Peters, Jean: Die Anfänge des Christenthums im Grossherzogthum Luxemburg. (Auszug aus den „Publications de la Section historique de l'Institut r. g.-d. de Luxembourg", XXXII. Jahrg.) Luxemburg: V. Bück [1878]. 20 S. 8°

Peters, Jean [aus Köln]: Berechnung der Coordinaten und des Halbmessers des Mondes aus acht in den Jahren 1840 bis 1876 beobachteten Bedeckungen der Plejaden ... (Aus: Astr. Nachr., Bd. 138.) Kiel, Druck v. C. Schaidt, 1895; 1 Bl., 13—150 Sp. 4.
Bonn, Phil. Fak., Inaug.-Diss. v. 10. Juli 1895

Peters, Jean, u. Eloy Schoué: Bericht über die Besichtigung der Frühgärtnereien Deutschlands. Luxemburg: Jos. Beffort 1891. 21, 1 S. 8°

Peters, Jean: Bericht über die Monumenta Epternacensia im 23. Bande der Monumenta Germaniae historica. (Extrait des Publications de la Société archéologique du Grand-Duché de Luxembourg. XXXme année.) Luxemburg: V. Bück [1876]. 5 S. 4°

Peters, Jean: Die Bischofsweihe. Kurze Erklärung der Ceremonien bei dieser heiligen Handlung, von einem Priester des Apostolischen Vikariates Luxemburg. Der Reinertrag ist als Peterspfennig bestimmt. Luxemburg: Peter Brück 1863. 32 S. 8°

Peters, Jean: Die Luxemburger Bistumsfrage. (Auszug aus „Publications de la Section historique de l'Institut r. g.-d. de Luxembourg", Band XLII.) Luxemburg: Léon Bück 1892. 22 S. 8°

Peters, Jean: Sebastian Franz de Blanchart und seine Luxemburger Chronik. (Auszug aus „Publications de la Section historique de l'Institut grand-ducal de Luxembourg", vol. XLVI.) Luxemburg: Léon Bück 1897. 112 S. 8°

Peters, Jean: Der heilige Cyprian von Karthago, Bischof, Kirchenvater und Blutzeuge Christi in seinem Leben und Wirken dargestellt. Regensburg 1877. VIII, 599 S. 8°

Peters, Jean: Pater Ambrosius Faulbecker im Exil auf der Insel Ré. (Auszug aus „Publications de la Section historique de l'Institut grand-ducal de Luxembourg", vol. XLV). Luxemburg: Léon Bück 1896. 15 S. 8°

Peters, J., neuer Fundamentalkatalog des Berliner astronomischen Jahrbuchs nach den Grundlagen v. A. Auwers. sa Veröffentlichungen des königl. astronom. Rechen-Instituts zu Berlin. 33.

Neuer Fundamentalkatalog des Berliner Astronomischen Jahrbuchs nach den Grundlagen von A. Auwers. Für d. Epochen 1875 u. 1900 bearb. von Dr. J[ean] **Peters**, Observator. Berlin: F. Dümmler in Komm. 1907. (VIII, 110 S.) 8°
= **Veröffentlichungen** d. Kgl. Astron. Rechen-Instituts z. Berlin. No 33.
[ol. 80]

Peters, Jean: Die Lehre des h. Cyprian von der Einheit der Kirche gegenüber den beiden Schismen in Karthago und Rom. Dogmenhistorische Studie aus der Mitte des dritten Jahrhunderts. Eine Festschrift zur Feier der Inthronisation des ersten Bischofs von Luxemburg. Luxemburg: P. Brück 1870. 62 S. 8°

Peters, Jean: Eine Notiz zur Ortskunde. – Die Geschwister des Paters Ambrosius Faulbecker. – Der Bildercyclus des Luxemburger Stammbaumes aus Karlstein. (Auszug aus „Publications de la Section historique de l'Institut grand-ducal de Luxembourg", vol. XLVI). Luxemburg: Léon Bück 1898. 2,2,3 S. 8°

Peters, Jean: Nutzen. Behandlung und Anwendung der vorzüglichsten Kunstdünger: Chilisalpeter, Kainit, Superphosphate und Thomasschlacke. Vorträge. Luxemburg: Breithof 1889. 31 S. 8°

Peters, Jean: Das Obituarium der Abtei Echternach bevorwortet und herausgegeben. (Extrait des Publications de la Société archéologique du Grand-Duché de Luxembourg, XVIIme année.) Luxemburg: V. Bück 1872. 30 S. 4°

— Neue **Rechentafeln f. Multiplikation u. Division m. allen ein- bis vierstelligen Zahlen. (VI, 500 S.) 37,5×24,5 cm. Berlin 909.** G. Reimer.
Geb. in Leinw. 15. —

— **New calculating tables for multiplication and division by all numbers of from one to four places.** (VI. 500 S.) **37×24 cm. Ebd. 909. Geb. in Leinw. 15. —**

— **Nouvelles tables de calcul pour la multiplication et la division de tous les nombres de un à quatres chiffres. (VI, 500 S.) 37×24 cm. Ebd. 909.**
Geb. in Leinw. 15. —

— **Logarithmisch-trigonometrische Tafeln m. 8 Dezimalstellen,** s.: **Bauschinger, J.**

Peters, Jean: Der Abt Rudolph von Vanne und die Gründung der Altmünster-Abtei in Luxemburg. (Auszug aus „Publications de la Section historique de l'Institut grand-ducal de Luxembourg", vol. XLIV.) Luxemburg: Léon Bück 1895. 27 S. 8°

Peters, Ignaz

Peters, J.: Beitrag zur gothisch-hochdeutschen Wortforschung. 13 S. 8°.– Leitmeritz OR., Progr. 1871.

Peters, Ig.: Zur Etymologie vom ahd. agalastra Elster. S 26 - 29. – Leitmeritz OG., Progr. 1873.

Peters Ig.: **Gotische Conjecturen (zu Luc. I 4 und 5; 3, 5; 8, 14. Marc. 6, 19.) 10. (zu Matth. 9, 16; Luc. 8, 6) 4 Leitmeritz 76. 79. Progr.**

Peters, Johann

Fried' im Herzen! Fried' im Lande! Friede in der ganzen Welt! Tafellied comp. und Seiner Königlichen Hoheit dem durchlauchtigsten stellvertretenden Protector, Friedrich Wilhelm Kronprinz von Preussen, unterthänigst gewidmet von Joh. Peters. Or.·. Cöln im Juni 1869. [Köln: Selbstverl. 1869.] 2 Bl. 2° [Kupferst.] [Umschlagtit.]
Tt. 2564. Mit Noten für Singstimme u. Klavierbegleitung. „Brüder, lasst die Gläser klingen!"

Peters, Joh., Aristophanis judicium de summis suae aetatis tragicis. Dissertatio. Monasterii 858. (Theissing.) gr. 8. (2 Bl., 79 S.) n. 10 ngr.

Maurersinn. Zur Eröffnung der Tempelarbeit. (Mel.·. von [Joh.] Peters.) [Köln] o. J. 1 Bl. 8° [Kopftit.]
Lied ohne Noten: „Zum Beginnen, zum Vollenden . . ."

Maurersinn. Zur Eröffnung der Tempelarbeit. [Von Cramer.] (Mel.: von [Joh.] Peters.) [Köln: 1892.] 1 Bl. 8° [Kopftit.]
Ohne Noten: „Zum Beginnen, zum Vollenden . . ."

Peters: Quaestiones etymologicae et grammaticae de usu et vi digammatis eiusque immutationibus in lingua Graeca. 33 S.– Culm, Progr. 1864.

Peters, Joh., quaestiones etymologicae et grammaticae de usu et vi digammatis ejusque immutationibus in lingua graeca. Leipzig 864. Teubner. 4. (33 S.) n. 12 ngr.

Peters, Joh., de Socrate, qui est in Atticorum antiqua comoedia, disputatio. Leipzig 869. Teubner. gr. 4. (21 S.) n. 10 ngr.

Peters, [Johann Baptist], Prof. Dr., stellv. Dir. [Der Abschied des Direktors Wilhelm Liebhold.] *Bochum 1900: W. Stumpf.* (S. 30–32.) 4° [F.]
Bochum, st. OR, P 1900 (404)

Peters, J. B., Auswahl v. Abhandlungen aus der neuesten naturwissenschaftlich-polytechnischen Literatur Frankreichs. Zum Gebrauche an techn. Lehranstalten u. Realschulen, sowie zum Selbststudium f. Polytechniker, Ingenieure u. Industrielle. Mit sachl. u. sprachl. Anmerkgn. u. e. vollständig technolog. Wörterverzeichniß. Mit 12 in den Text eingedr. Holzschn. 1. Lfg. gr. 8. (X, 135 S.) Halle 876. Gesenius. n. 2. 25

Peters, J. B., Auswahl von Abhandlungen aus der neuesten natur-wissenschaftlich-polytechnischen Literatur Frankreichs. Zum Gebrauche an technischen Lehranstalten u. Realschulen, sowie zum Selbststudium für Polytechniker, Ingenieure u. Industrielle. Mit sachlichen u. sprachlichen Anmerkungen u. einem vollständigen technologischen Wörterverzeichniß. Mit 5 in den Text eingedr. Holzschn. 2. Lfg. gr. 8. (108 S.) Halle 877. Gesenius. n. 1. 80 (1. u. 2.: n. 4. 5)

Peters, J. B., Einführung in d. französischen kaufmänn. Briefwechsel. Zum Gebrauch an kaufmänn. Schulen u. z. Selbstunterr. 8. (X, 120 S.) Leipzig 898. Aug. Neumann. Geb. in Leinw. n. 2. —

Peters, J. B., Einführung in den französischen kaufmänn. Briefwechsel. Zum Gebrauch an kaufmänn. Schulen u. zum Selbstunterricht. 3. verb. Aufl. (4.—7. Tauf.) 8. (XI, 141 S.) Leipzig 903. A. Neumann. Geb. n. 2. —

Peters, J. B., Einführung in den französischen kaufmännischen Briefwechsel. Zum Gebrauch an kaufmänn. Schulen u. zum Selbstunterricht. 4. verb. Aufl. (7. bis 10. Tauf.) (XII, 160 S.) 8. Leipzig 905. Aug. Neumann. Geb. in Leinw. n. 2. —

Peters, J. B., Einführung in den französ. kaufmännischen Briefwechsel. Zum Gebrauch an kaufmänn. Schulen u. zum Selbstunterricht. 5. verb. Aufl. (10.—14. Tauf.) (XII, 160 S.) 8. Leipzig 907. Aug. Neumann. Geb. in Leinw. 2. —

Peters, J. B. Influence du dix-huitième siècle sur la littérature française. Bochum, G. S., 1867. 17 S. 4. **Progr.**

Peters, J. B. Einige Kapitel der französischen Grammatik in tabellarischer Uebersicht. Bochum, R., 1885. 25 S. 4. **Progr.**

Peters, J. B., Lehrbuch der französischen Sprache. 1. Elementarbuch. gr. 8. (XII, 197 S.) Leipzig 893. A. Neumann's Verl. n. 2. —; geb. in Leinw n. 2. 40
Den 2. Tl. bildet Französ. Schulgrammatik (1890), den 3. (Schluß-)Tl. Übungsbuch zur französ. Schulgrammatik (1887).

— Lehrbuch der französischen Sprache. II. Schulgrammatik. 8., verb. (Doppel-) Aufl. gr. 8. (XIV, 109 S.) Ebd. 896. n. 1. 40; geb. in Leinw. n.n. 1. 60

— dasselbe. 3. Tl. Übungsbuch z. französ. Schulgrammatik. 2., verb. (Doppel-) Aufl. gr. 8. (XII, 175 S.) Ebd. 897. n. 1. 80

— u. Adf. Gottschalk, kurzer Lehrgang der englischen Sprache f. kaufmännische Schulen u. ähnliche Anstalten m. beschränkter Kursusdauer. 2. verb. Aufl. (3.—6. Taus.) (XIII, 236 S.) 8. Ebd. 909. Geb. in Leinw. 2. 80

— Adf. Gottschalk, kurzer Lehrgang d. französischen Sprache f. kaufmännische Schulen u. ähnliche Anstalten m. beschränkter Kursusdauer. 2. verb. Aufl. (3. bis 6. Tauf.) (XIII, 224 S) 8. Ebd. 906. Geb. n. 2. 80

— dasselbe der französischen Sprache f. kaufmänn. Schulen u. ähnliche Anstalten m. beschränkter Kursusdauer. 3. verb. Aufl. (6.—9. Tauf.) (XVI, 224 S.) 8. Ebd. 908. Geb. in Leinw. 2. 80

— deutsches Lesebuch f. die oberen Klassen der Mittelschulen. gr. 8. (VIII, 326 S.) Berlin 873. Springer's Verl. n. 2. —

— englisches Lesebuch. — English reading-book. — Zum Gebrauche an Gewerbeschulen u. gehobenen Bürgerschulen m. sprachl. u. sachl. Anmerkgn. u. e. techn. Wortregister. gr. 8. (IX, 187 S.) Ebend. 873. n. 1. 80

—— englisches Lesebuch. Zum Gebrauche an höheren Lehranstalten [insbesondere an Gewerbe- und Realschulen], mit sprachl. und sachl. Anmerkungen, nebst einem technolog. Wortregister. 2. verb. und verm. Aufl. gr. 8. (XII, 238 S.) Berlin 878, Springer. *

Peters, J. B., englisches Lesebuch f. höhere Lehranstalten. 3. Aufl. gr. 8. (X, 271 S.) Berlin 886. Springer. n. 2. —

– und Adolf Gottschalk

— Englisches Lesebuch f. kaufmännische Schulen u. zum Selbststudium. Mit e. alphabet. Wörterbuch. (X, 255 S.) 8. Ebd. 910. Geb. 2. 80

— französisches Lesebuch. Zum Gebrauche an Gewerbeschulen u. gehobenen Bürgerschulen m. sprachl. u. sachl. Anmerkgn. nebst e. techn. Wortregister. — Lectures françaises à l'usage des écoles d'industrie et des institutions parallèles etc. — gr. 8. (XI. 151 S.) Leipzig 872. Brauns. n. 1. 60

—— französisches Lesebuch. Zum Gebrauche an höheren Lehranstalten, insbesondere an Gewerbe- und Realschulen, mit sprachl. und sachl. Anmerkungen, nebst einem technolog. Wortregister. 2. verb. und verm. Aufl. gr. 8. (XII, 202 S.) Leipzig 877, Brauns. *

Peters, J. B., französisches Lesebuch. Zum Gebrauche an höheren Lehranstalten, insbesondere an Gewerbe- u. Realschulen, mit sprachlichen u. sachlichen Anmerkungen, nebst einem technologischen Wortregister. 3., verb. u. verm. Aufl. gr. 8. (XII, 202 S.) Leipzig 882. Brauns. n. 1. 60

— Französisches Lesebuch f. kaufmännische Schulen u. zum Selbststudium. Mit e. Wörterbuch u. 1 Karte v. Frankreich. (VIII, 224 S.) 8. Ebd. 909. Geb. in Leinw. 2. 80

— deutsche Lyrik im Liede. 8. (XL, 518 S.) Leipzig 882. Neumann. 6. —; geb. m. Goldschn. n. 7. 50

— Materialien zu englischen Klassenarbeiten, sowie zu häuslichen schriftlichen Arbeiten u. mündlichen Übungen. Für obere Klassen höherer Lehranstalten. 8. (VIII, 87 S.) Leipzig 883. A. Neumann. n. 1. 20

— Materialien zu französischen Klassenarbeiten. Für obere Klassen höherer Lehranstalten. 8. (VIII, 71 S.) Ebend. 882. n. 1. —

Peters, J. B. Materialien zum Uebersetzen aus dem Deutschen ins Französische. Für obere Klassen höherer Lehranstalten. 2. verb. u. verm. Aufl. gr. 8. (VIII, 96 S.) Lpz. 892, Neumann's Verlag. * 1 20

Peters, J. B., Materialien zum Uebersetzen aus dem Deutschen ins Französische. Für Oberklassen höh. Lehranstalten. 3., umgearb. Aufl. (VIII, 128 S.) gr. 8. Leipzig 903. Aug. Neumann. n. 1. 50; geb. in Leinw. n. 1. 80

- Mustersammlung deutscher Gedichte f. Schule u. Haus. Mit e. Uebersicht der deutschen Metrik u. Poetik. gr. 8. (143 S.) Berlin 873. Springer's Verl. n. 1. —

Peters, J. B., englische Schulgrammatik in tabellarischer Darstellung. gr. 8. (VI, 62 S.) Leipzig 890. A. Neumann's Verl. n. 1. 30; geb. n. 1. 70

—— französische Schulgrammatik in tabellarischer Darstellung. gr. 8. (VIII, 84 S.) Leipzig 886, A. Neumann. *

— französische Schulgrammatik in tabellarischer Darstellung. 2., verb. Aufl. gr. 8. (X, 87 S.) Ebd. 890. n. 1. 50

Peters, J. B., Uebersicht der deutschen Metrik und Poetik zum Gebrauche an höheren Lehranstalten. 8. (44 S.) Berlin 873, Springer's Verlag. (* 50 Pf.) *

—— Uebersicht der deutschen Metrik und Poetik zum Gebrauche an höheren Lehranstalten. 2. umgearb. und verb. Aufl. 8. (VIII, 59 S.) Berlin 876, Springer. *

— Übersicht der deutschen Metrik u. Poetik zum Gebrauche an höheren Lehranstalten. 3., verb. u. verm. Aufl. 12. (VIII, 71 S.) Berlin 881. Springer. n. — 80

— Uebungs-Aufgaben zum Uebersetzen aus dem Deutschen ins Englische. Zum Gebrauche an reorganisirten Gewerbeschulen u. ähnl. Unterrichtsanstalten, sowie zum Selbststudium f. Polytechniker. Mit zahlreichen Anmerkgn. gr. 8. (84 S.) Halle 876. Gesenius. n. 1. 20; cart. n. 1. 40

— Uebungs-Aufgaben zum Uebersetzen aus dem Deutschen in's Französische. Zum Gebrauche der reorganisirten Gewerbeschulen u. ähnl. Unterrichtsanstalten Mit zahlreichen Anmerkgn. gr. 8. (IV, 54 S.) Halle 875. Gesenius. n. — 90; cart. n. 1. —

— Übungsbuch zur französischen Schulgrammatik. gr. 8. (X, 179 S.) Ebd. 887. n. 2. —

— französische Verbalformen der erstarrten [unregelmässigen] Konjugation zur Uebung d. freien mündlichen u. schriftlichen Ausdrucks. gr. 8. (IV, 71 S.) Ebd. 892. n. — 60

— französische Zeichensetzung u. Silbentrenng. als Anh. zu französ. Schulgrammatiken. [Aus: „P., französ. Schulgrammatik, 3. Aufl."] gr. 8. (8 S.) Ebd. 896. n.n. — 15

— **Johann Heinrich** (Emmerich/Rheinprov.), Nonnulla circa pathologiam dilatationis cordis hypertrophiae nuptae adjecta morbi historia. Diss. med. Berlin (Nietack) 29. XII. 1834. 29 S. u Biogr. (M.: Chr. Baute). (3.—) . 26159
Oppon.: C. von Weys, J. Proebsting, Th. Jellinghaus. — Gew.: J. L. Truestedt.

Peters, Th. Karl, Lehrgründe von d. Pflichten d. Vormünder u. vormundschaftl. Richter. 8. Cöln 789.

Peters, Johann Lucian Ludwig

Peters, L., Abhandll. aus dem Gebiete d. deutschen Privat- u. Lehnrechts. 1r Bd. 1s Hft. A. u. d. T.: Ueber d. Ursprung d. Lehnverbandes. gr. 8. Berl. 830. (Oehmigke). 1 ℔ 8 ℱ

Peters, J. L. Ludw., Abhandlungen aus d. Gebiete d. deutschen Privat- u. Lehnrechts. 1. Bd. 1. Hft. — A. u. d. T.: Ueber d. Ursprung d. Lehnverbandes. gr. 8. (14¾ B.) Berlin 831, Oehmigke.

Peters, L. Commentationes criticae de O C locis LXII 37 S. - Heiligenstadt, Progr 1869

—— Commentat. ad Tit. XLVII. legis Salicae qui inscribitur: de Reippus. 4maj. (5 B. u. 1 Stnt.) Berolini 830, Oehmigke.

— **Johann Lucian Ludwig** (Frankfurt), Commentatio ad titulum XLVII. legis Salicae qui inscribitur: de Reippus. Berlin (L. Oehmigke) 27. IV. 1830. 29 S., 1 Taf. (3.75) 26160

— — Dasselbe. Berlin (L. Oehmigke) 26. IV. 1830. 34 S., 1 Taf. (3.75) 26161
Gew.: Andreas Peters.

—— der Liberalismus in sein. weltgeschichtl. Entwickelung. gr. 8. (4¼ B.) Leipzig 831, [Weygand'sche Brlsh. L. Gebhardt.]

Peters, Th. Matth., s. Reden bei Taufen, Trauungen u. Leichenbegängnissen.

Peters, Joh. Valentin, Lehrbuch der französ. Stenographie, s.: Tansen, Alb.

Peters, Johannes, Rechtskandidat in Rostock: Der Abholungsanspruch nach dem Bürgerlichen Gesetzbuch. Hamburg-Altona 1907: Bock u. Schulz. (50 S.) 8°
Rostock, Jur. Fak., Ref. Matthiaß, Diss. v. 31. Mai 1907
[Geb. 12. März 75 Tetenbüll (Schleswig-Holstein); Wohnort: Rostock; Staatsangeh.: Preußen; Vorbildung: Gymn. Ratzeburg Reife O. 97; Studium: Kiel 2, München 2, Kiel 1, Göttingen 4, Rostock 2 S., Rig. 28. Nov. 06.]

Peters, Johs., der heilige Cyprian von Karthago, Bischof, Kirchenvater u. Blutzeuge Christi, in seinem Leben u. Wirken dargestellt. gr. 8. (VIII, 599 S.) Regensburg 877. Manz. n. 8. —

Peters, Joh., die Lehre d. h. Cyprian v. der Einheit der Kirche, gegenüber den beiden Schismen in Karthago u. Rom. Dogmenhistorische Studie aus der Mitte d. 3. Jahrh. Eine Festschrift. gr. 8. (62 S.) Luxemburg 870. Brück. 1. 20

Die Gesetzlichen Pensionsansprüche der Preußischen Staatsbeamten un ihrer Familienangehörigen. Hrsg von J[ohannes] Peters, Rechn I 9. neubearb. Ausg Elberfeld Baedeker 1904 (52 S.) 8° .75.] 105.2

Peters, J., die gesetzlichen Pensionsansprüche der preuß. Staatsbeamten u. ihrer Familienangehörigen. Neu bearb. u. hrsg. v. Otto Speckenbach. 10. Ausg. (64 S.) gr. 8. Elberfeld 908. A. Martini & Grüttefien. — 60

Peters, Johannes, approb. Tierarzt u. derzeit. Assist. am veterinär-anat. Inst. zu Gießen Aus d. veterinär-anat. Institut zu Gießen. Untersuchungen über die Kopfspeicheldrüsen bei Pferd, Rind und Schwein. *Gießen 1904: v. Münchow.* (46 S.) 8°
Gießen, Veterinär-med. Diss. v. 1904

Peters, Johs., de C. Valerii Flacci vita et carmine. Diss. inaug. gr. 8. (86 S.) Regimontani 890. (Leipzig, Fock.) n. 1. 50

Peters, Josef: Bestätigung und Genehmigung der Eheschliessung. Bonn Georgi 1909. 66 S. 8°
Heidelberg, Jur. Diss. v. 9. März 1909, Ref. Endemann
[Geb. 19. Juni 81 Monheim (Rhld.); Wohnort Monheim; Staatsangeh.: Preußen; Vorbildung Gymn. Neuß Reife M. 03, Studium. Freiburg i. B. 2, Bonn 6, Heidelberg 1 S., Rig. 27 Nov 08.] [U 09. 1873

Peters, Joseph [aus Erkelenz]: Aus d. chirurg. Klinik zu Bonn. Ueber Ecchondrome des Kehlkopfs sowie deren Behandlung. Isolierte Exstirpation des Ringknorpels ... Bonn, Buchdr. v. K. Drobnig, 1897; 31 S., 1 Bl. 8.
Bonn, Med. Fak., Inaug.-Diss. v [6. Juli] 1897

Peters, Joseph, approb. Arzt aus Darmstadt Aus d. pathol. Institut zu Giessen. Ueber einen Fall von Transposition beider Ventrikel mit korrigierter Transposition der grossen Gefässe. *Giessen 1901: v. Münchow.* (35 S.) 8°
Giessen, Med. Diss. v 1901

Peters, J[oseph] M.: Die Summen der ganzen positiven Potenzen der natürlichen Zahlen und ihre Darstellung als Funktionen der Summe dieser Zahlen. Cöln 1907: Kölner Verlags-Anst. u. Druckerei, A.-G. (21 S.) 4°
Cöln, HM I OP 1907 [149]

Peters, K., illustrierte Briefmarkensprache f. Liebende u. Verlobte. Enth. 64 f. mannigfache Fälle ausreich. Mitteilgn., resp. Fragen u. Antworten. Nebst e. Bestimmg. d. Tage u. Stunden durch verschied. Zeichen. qu. 16. (80 S. m. 4 Fig.) Mülheim a. R. 898. J. Bagel. n. — 60; erm. Pr n. — 25

Peters, K., die Geheimschreibekunst od. Kryptographik. Eine leichtfaßl. Anleitg. zu gegenteil Mitteilg. wicht. Geheimnisse, die nur mittelst e. Schlüssels gelesen od. entziffert werden können. Zum prakt. Gebrauche f. Liebende, Geschäftsfreunde u. Privatpersonen zusammengestellt u. m. vielen Schlüsseln od Tabellen versehen. (51 S.) qu. 16. Mülheim a. R. (905). J. Bagel. — 25

Peters, K., Kochbuch f. Zuckerkranke. 8. (111 S.) Regensburg 897. München, A. Schupp. n. 2. —

Peters, K., De Isocratis studio numerorum. Pr. 1888. 12 S. 4°.

Peters, Karl, Anthologie aus den römischen Elegikern. Mit besond. Berücksicht. Ovids. Für den Schulgebrauch erklärt v. K. P. 1. Hft. Ausg. A. Kommentar unterm Text. gr. 8. (121 S.) Gotha 891. F. A. Perthes. 1. 50; Ausg. B. Text u. Kommentar getrennt in 2 Hftn. (VIII, 46 u. 66 S.) 1. 50

— dasselbe. 2. Hft. Ausg. A. Kommentar unterm Text. gr. 8. (XVIII u. S. 123—247.) Ebd. 891. 1. 50; Ausg. B. Text u. Kommentar getrennt in 2 Hftn. (IV u. S. 49—114 u. XVI u. S. 67—126.) 1 50

Peters, Carl, zur Anwendung des Adrenalin u. ähnlicher Nebennierenpräparate in der Gynäkologie. (12 S.) gr. 8. Leipzig 904. B. Konegen. n. 1. —
Sonderabdruck aus: „Der Frauen-Arzt".

Peters, Carl, Aequatorial- u. Süd-Afrika nach e. Darstellung v. 1719. D. Kongo u. d. „Grosse Wald" 160 Jahre vor ihrer Entdeckg. durch Stanley. Ophir u. die portugies. Goldminen am Sambesi. Lex.-8. (16 S. m. 1 Karte) Berlin 895. D. Reimer. n. 1.—

Deutsch Ostafrikanische Gesellschaft. — Allgemeine Auskunft für den Auswanderer in die Deutsch-Ostafrikanische Kolonie Usagara. Von F JÜHLKE und CARL PETERS. Berlin, im April 1885. (Druck von F Hoffschläger in Berlin.) 8°

Peters, Karl, die operative Behandlung der Retroflexio uteri, m. besond. Berücksicht. der Alexander-Adamsschen Operation. Nach e. am 15. III. 1902 in der Gesellschaft f. Natur- u. Heilkunde zu Dresden geh. Vortrag. gr. 8. (20 S.) Dresden 902. G. Tamme. n. 1. —

Peters, Carl [aus Bonn]: Aus d. chirurg. Klinik zu Bonn. Beitrag zur Casuistik der Orbitaltumoren Bonn, Univ.-Buchdr. v. C. Georgi, 1894; 65 S. 8.
Bonn, Med. Fak., Inaug.-Diss v [2 März] 1894

Peters, Carl [aus Bielefeld]. Ueber die Berechtigung einer ausschliesslichen Pflanzennahrung für den Menschen (Vegetarismus). Berlin, Druck v H S. Hermann (1890), 2 Bl + 92 S. + 2 Bl. 8°
J Berlin, Med. Fak., Inaug.-Diss. v 30. Mai 1890

Peters, C. die Denkmäler auf dem Schlachtfelde von Leipzig. (10 Stahlstiche mit Unterschrift.) Leipzig, Ernst Hauptmann, o. J. (c 1860 ?). 12° Cart.

Peters, K, Deutsch-national. Kolonialpolitische Aufsätze. 1.—3. Aufl. gr. 8. (VII, 186 S.) Berlin 887. Walther & Apolant, Verl. n. 4. —

Peters, Carl, die deutsche Emin-Pascha-Expedition. Mit 32 Vollbildern u. 66 Textabbildgn. v. Rud. Hellgrewe in Berlin, dem Portr. d. Verf. nach Frz. v. Lenbach u. e. Karte in Farbendr. 1. 5 Tausend. gr. 8. (VII, 560 S.) München 891. Oldenbourg. n. 14. —; geb. n. 16. — auch; in 28 Lfgn. à — 50

Peters, Carl, die deutsche Emin Pascha-Expedition. Volksausg. 1.—10. Taus. (VIII, 446 S. m. Bildnis, 1 Fksm. u. 1 Karte.) gr. 8. Hamburg 907. Deutscher Kolonial-Verlag. Geb. in Leinw. 3. —

— England u. die Engländer. 1. u. 2. unveränd. Aufl. 1.—10. Taus. (VIII, 284 S.) gr. 8. Berlin 904. 905. C. A. Schwetschke & Sohn. n. 5. —; geb. n. 6 —

Peters'sche Expedition, s.: Kolonien.

— Gefechtweise u. Expeditionsführung in Afrika. gr. 8. (19 S.) Berlin 892. H. Walther. n. — 50

Peters, Carl, im Goldland des Altertums. Forschgn. zwischen Zambesi u. Sabi. Mit 50 an Ort u. Stelle gemachten Orig.-Illustr. v. Tennyson Cole, 50 photograph. Aufnahmen, 1 Heliograv. u. 2 Karten. gr. 8. (XVI, 408 S.) München 902. J. F. Lehmann's Verl. n. 14. —; geb. in Leinw. n. 16. —

— die Gründung v. Deutsch-Ostafrika. Kolonialpolitische Erinnergn. u. Betrachtgn. Mit 1 Kunstbeilage, 14 Abbildgn. u. 1 Fksm. 6.—10. Tausd. (VIII, 276 S.) 8. Berlin 906 C. A. Schwetschke & Sohn. n. 4. —; geb. n. 5 —

Weitherzige Kolonialpolitik. Von Dr. Carl Peters, London. *Berlin H Walther 1898* (23 S.) 8° [o.]
Aus Deutsches Wochenblatt ... 2

— die deutsch-ostafrikanische Kolonie in ihrer Entstehungsgeschichte u. wirthschaftlichen Eigenart 1. u. 2. Aufl. gr. 8. (44 S.) Ebd. 889. n. — 50

Peters, Carl [aus Schoenebeck]: Zur Constitution des Hesperidins und seines Spaltungskörpers der Rhamnose. . . . Berlin, Druck v. M. Driesner (1889), 58 S. u. 1 Taf. 8°
Berlin, Phil. Fak., Inaug.-Diss. v. 16. [handschr.] Aug. 1889

— Missbrauch der Amtsgewalt. gr. 8. (40 S.) Berlin 899. H. Walther. n. — 50

Peters, K., Notiz üb. das Vorkommen v. Radium im Monazitsand. s.: Haitinger, L.

Peters, Carl. Ophir. Nach den neuesten Forschgn. (36 S.) 8. Berlin 908. E. Felber. 1. —

— das goldene Ophir Salomo's. E. Studie zur Geschichte d. phönik. Weltpolitik. gr. 8. (VI, 64 S.) Ebd. 895. n. 1. 50

Peters, Carl, Arthur Schopenhauer als Philosoph u. Schriftsteller. Eine Skizze. 8. (86 S.) Berlin 880. Hentze. n. — 80

Peters, Karl, Schulwörterbuch zu Virgils Äneis. gr. 8. (VIII, 214 S.) Gotha 896. F. A. Perthes. n. 2. 50

— Schulwörterbuch zu Ovids sämtlichen Dichtungen. gr. 8. (VIII, 226 S.) Ebd. 894. n. 2. 50

— das deutsch-ostafrikanische Schutzgebiet. Im amtl. Auftr. M. 23 Vollbild. u. 21 Textabb., sow. 3 Karten. gr. 8. (XI, 467 S.) München 895. R. Oldenbourg. n. 17. —; geb. n. 18. 50

— Sonne u. Seele. (60 S.) 8. Leipzig 903. A. Pries. n. 1. 80

Peters, Carl (Friedr. Hubertus) (geb. Neuhaus an d. Elbe 27. 9. 1856) Untersuchungen zum Frieden von Venedig. VI. Mathildinische Güterfrage. Berlin (1879). (32 S.) 8° * Vollst. ersch. u. d. Tit. Untersuchungen zur Geschichte des Friedens von Venedig. Hannover Hahn 1879.
Berlin, Phil. Diss. v. 30. Juli [1879]

Peters, Carl, Untersuchungen zur Geschichte des Friedens von Venedig. Berliner Preisschrift. gr. 8. (VI, 160 S.) Hannover 879, Hahn'sche Buchh. *

Peters, Carl: Aus dem Hygienischen Institut zu Rostock. Untersuchungen über die Sterblichkeit in der Stadt Demmin i. Pommern in den Jahren 1681–1880. *Rostock 1898: Adler's Erben.* (42 S. mit Taf.) 8°
Rostock, Med. Diss. v. [16. Juli] 1898

Peters, Carl. Vergleichende Untersuchungen über die Ausbildung der sexuellen Reproduktionsorgane bei Convolvulus und Cuscuta. Diss. Phil. [II.] Univ. Zürich von K' P'... [Mit Figuren und 2 Tafeln.] 68 S. 8. Zürich (Druck Paul Rugraff, Schlettstadt i. E.,) 1908.

Arbeiten aus dem Laboratorium für allgemeine Botanik und Pflanzenphysiologie der Universität Zürich. [Heft] 12.

— die Urinkunde. 8. (24 S.) Ebd. 898. n. — 30

— was lehrt uns die englische Kolonialpolitik? [Aus: „Deutsches Wochenbl."] gr. 8. (34 S.) Berlin 897. H. Walther. n. — 80

— Willenswelt u. Weltwille. Studien u. Ideen zu einer Weltanschauung. gr. 8. (XIV, 404 S.) Leipzig 883. Brockhaus. n. 8. —

Peters, Karl, Oberarzt im 10. Feldart.-Regt.: Über die Wirksamkeit käuflicher Pepsin-, Pankreatin- und Trypsinpräparate. Nürnberg 1910: Hilz. 30 S. 8°
Erlangen, Med. Diss. v. 14. März 1910, Ref. Penzoldt
[Geb. 23. April 69 Mülheim a. R.; Wohnort: Erlangen; Staatsangeh.: Preußen; Vorbildung: Gymn. Kösfeld Reife O. 92; Studium: Bonn 5, Würzburg 9 S.; Coll. 28. Jan. 10; Approb. 21 März 00.] [U 10. 818

Peters, Carl. Mr Chamberlains Zollreform u. Deutschland. Vortrag, geh. im nationalliberalen Verein zu Hannover am 8. I. 1904. (IV, 20 S.) gr. 8. Hannover 904. Hahn. n. — 25

— **Carl Aug. Friedrich** (Mecklenburg), De hernia diaphragmatica. Diss. med. Göttingen (Dieterich) 20. IX. 1834. 39 S. (3.50) 26156
Gew.: Jo. Heinr. Fr. v. Hieronymus.

Peters, Karl F

— 2. *Amphicyon. Viverra. Hyotherium* (mit 3 Taf.) D 29. I. 169 „ 2.60
— 3. Rhinozeros. *Anchitherium* (mit 3 Taf.) D 30. I. 29 „ 2.50
Separatabdruck

— A Stromeyers Analyse des Minerals Szajbelyit S 47. I. 347 vgr
Separatabdruck

Peters, K. Die Aptychen der österr. Neocomien- und oberen Juraschichten. (Aus d. Jahrb. d. k. k. geol. Reichsanst.) Wien. 1854. 4.

Peters, C. F., Atlas des Aetna, siehe: Sartorius v. Waltershausen.

Peters, K. Bericht über die geol. Aufnahme in Kärnthen 1854. (Aus d. Jahrb. d. k. k. geol. Reichsanst.) Wien. 1855. 4

Peters, C., Beitrag zur Kenntniss der Lagerungsverhältnisse der oberen Kreideschichten an einigen Localitäten der östlichen Alpen. Aus d. Abhandlungen der k. k. geolog. Reichsanstalt. 1. Bd. 1. Abthl. Nr. 2. Mit 1 lith. Taf. (in Farbendr.) Imp. 4. (20 S.) Wien 852, Braumüller in Comm. n. 18 ngl. •

Peters, Carl (F. ?), Beitrag zur Kenntniss der Lagerungsverhältnisse der oberen Kreideschichten an einigen Localitäten der östlichen Alpen. Fol. (20 S. mit 1 ill. Stnt.) Wien 852, (Gerold's Sohn.) •
Aus: Abhandlungen der k. k. geolog. Reichsanstalt, 1. Bd. 1. Abthl., besonders abgedruckt.

— Bemerkungen über die Bedeutung der Balkan-Halbinsel als Festland in der Liasperiode. S. 48. I. 418 vgr.
Separatabdruck

Peters, Carl F., Bemerkungen über die Bedeutung der Balkan-Halbinsel als Festland in der Liasperiode. Lex.-8. (9 S.) Wien 864, (Gerold's Sohn.) *

Peters, Carl F., vorläufiger Bericht über eine geologische Untersuchung der Dobrudscha. [Aus d. Sitzungsber. der k. Akad. der Wiss.] Wien 865. (Gerold's Sohn.) gr. 8. (29 S.) n. 4 ngr.

Peters, Karl F., die Entwickelung geologischer Anschauungen im Volke. Ein populär-wissenschaftlicher Vortrag, zu Gunsten des steiermärkischen Volksbildungs-Vereines gehalten. gr. 8. (28 S.) Graz 880. Leuschner & Lubensky. n. — 40

Peters, K. Die Geologie und der Unterricht in Oesterreich. Ein Beitrag zur Lösung der Frage über den naturwissenschaftlichen Unterricht an den Mittelschulen. Wien. 1852. 8.

— Über die geographische Gliederung der unteren Donau. S. 52. [illegible] ngr
Separatabdruck

— Graz, s.: Ilwolf, F.

— Grundlinien zur Geographie und Geologie der Dobrudscha. 1. geograph. Thl. gr. 4. (64 S. mit 1 geolog. chromolithogr. Übersichtskarte in Fol., 1 Stnt., Ansicht von Tuldscha, und 21 in den Text gedr. Abbild. in Holzschn.) Wien 867, (Gerold's Sohn.) *

— dass. — 2. geolog. Thl. gr. 4. (63 S. mit 1 paläontolog. Stnt. und 36 in den Text gedr. Profilen und anderen Fig. in Holzschn.) Ebendas. 868. *
Vorstehende zwei Schriften des Verf. wurden aus: Denkschriften der k. Akademie der Wissenschaften, besonders abgedruckt.

Die salzburgischen Kalkalpen in dem Gebiete der Saale. (Aus d. Jahrb. der k. k. geol. Reichsanst.) Wien 1854. 4

Peters, C. Die Kalk- und Graphitlager bei Schwarzbach in Böhmen. (Aus d. Jahrb. d. k. k. geol. Reichsanst. Wien. 1853. 4.

Peters, Carl F., zur Kenntniss der Wirbelthiere aus den Miocänschichten von Eibiswald in Steiermark. (Vorläufiger Bericht.) [Aus d. Sitzungsber. d. k. Akad. d. Wiss.] Wien 868. (Gerold's Sohn.) Lex.-8. (4 S.) 1½ ngr.

— zur Kenntniss der Wirbelthiere aus den Miocänschichten von Eibiswald in Steiermark. [Aus d. Denkschr. d. k. Akad. der Wiss.] 1—3. Heft. Ebend. 869. gr. 4 n. 2 ₰ 15 ngr.
1. Die Schildkrötenreste. Mit 1 (eingedr.) Holzschn. u. 3 lith. Taff. (in 4. u. Fol.) (16 S.) n. 24 ngr.
2. Amphicyon. Viverra. — Hyotherium. Mit 3 (lith.) Taff. (20 S.) n. 26 ngr.
3. Rhinoceros, Anchitherium. Mit 3 (lith.) Taff. (20 S.) n. 25 ngr.

Peters, C., Kreideschichten, s.: Abhandlungen der k. k. geolog. Reichsanstalt. 1. Bd.

Peters Karl. Über Leimdsaure. S. 94. II. [illegible] ngr
Separatabdruck

— Leitfaden zum ersten Anschauungsunterricht aus der allgemeinen Anorganographie [Mineralogie]. Für Mittelschulen u. den Privatunterricht verfasst. Mit 58 (eingedr.) Holzschn. u. 3 lith. Taf. (in qu. 4.) gr. 8. (VI, 89 S.) Graz 874. Leuschner & Lubensky. n. 1. 80

— über den Lias von Fünfkirchen. Lex.-8. (53 S. mit eingedr. Holzschn. und 1 Stnt.) Wien 862, (Gerold's Sohn.) *

Peters, Carl F., über Methode der Geologie und deren Anwendung in der Praxis der Sanitätsbeamten und Badeärzte. Ein Cyclus von Vorlesungen, gehalten an der Grazer Universität. gr. 8. (VI, 103 S.) Graz 879, Leuschner und Lubensky. *

Peters, Karl F., Mineralogie, s.a Elementarbücher, naturwissenschaftliche.

— Mineralogie. Mit (eingedr. Holzschn.-)Abbildungen. 12. (VIII, 143 S.) Straßburg 882. Trübner. cart. n. — 80

— die Miocän-Localität Hidas bei Fünfkirchen in Ungarn. Lex.-8. (40 S. mit 1 lithogr. Terrainkarte und einem ill. Schichtentableau in gr. 4. und Imp.-Fol.) Wien 862, (Gerold's Sohn.) *
Vorstehende zwei Schriften des Verf. wurden aus: Sitzungsberichte der k. Akademie der Wissenschaften, besonders abgedruckt.

Peters, C. Nekrolog des Herrn Universitäts Prof. Josef Grailich. (Aus der Wiener Zeitung.) Wien 1859. 8

Peters, Karl F., die Nerineen des oberen Jura in Österreich. Mit 4 (lith.) Taf. Aus d. Sitzungsberichten d. k. Akad. d. W. Wien 855. (Gerold.) gr. 8. (33 S.) n. 17 ngr.

Peters, C. Mineralogische Notizen II. (Aus Leonhard und Bronn's Jahrb.) Stuttgart 1861. 8.

Peters, Carl F., Phoca pontica, Eichw. bei Wien. Lex.-8. (3 S.) Wien 867, (Gerold's Sohn.)
Aus: Sitzungsberichte der k. Akademie der Wissenschaften, besonders abgedruckt.

Peters, K. F. Über Reste [illegible] aus der [illegible] Miocänstufe der südlichen Steiermark. 1871

Peters, K. Die krystallinischen [illegible] im nördlichen Theile von Oberösterreich. (Aus d. Jahrb. d. k. k. geol. Reichsanstalt.) Wien. 1853. 4.

— Schildkrötenreste aus den österreichischen Tertiär-Ablagerungen. Mit 6 (lith.) Taf. Aus den Denkschriften d. k. Akad. d. W. Wien 855. (Gerold.) gr. 4. (22 S.) n. 1 ₰. 6 ngr.

— und Rich. Maly, über den Staurolith von St. Radegund. Lex.-8. (15 S. mit 1 chromolithogr. Taf.) Wien 868, (Gerold's Sohn.) *
Aus: Sitzungsberichte der k. Akademie der Wissenschaften, besonders abgedruckt.

Peters, Carl F., geologische und mineralogische Studien aus dem südöstlichen Ungarn, insbesond. aus der Umgegend von Rezbanya. Lex.-8. (81 S. mit 1 geognost. chromolithogr. Karte und 1 lithogr. Profiltaf. in Fol. und qu. Fol.) Wien 861, (Gerold's Sohn.) Thlr. *
Aus: Sitzungsberichte der k. Akademie der Wissenschaften, Jahrg. 1861, besonders abgedruckt.

Peters, C. Geologische Studien aus Ungarn. 1 Die Umgebung von Ofen. (Aus d. Jahrb. d. k. k. geol. Reichsanst.) Wien. 1857. 4°

Die geolog. Verhältnisse der Nordseite des Radstädter Tauern. (Aus dem Jahrb. d. k. k. geol. Reichsanst.) Wien. 1854. 4.

Die geolog. Verhältnisse [illegible] der Centralalpen. (Aus d. Jahrb. d. k. k. geol. Reichsanst.) Wien. 1854. 4

— Wegweiser für Studirende u. junge Doctoren der Medicin in Oesterreich von ihrem Abschiede vom Gymnasium bis in die Jahre der Hospitalspraxis. Mit einem Anhang, enthaltend die für Candidaten massgebenden Bestimmungen aus der Rigorosenordnung vom 13. April 1872. gr. 8. (80 S.) Graz 880. Leuschner & Lubensky. n. 1. 44

Peters, Carl Ferd., Dichtungen aus heiteren und ernsten Stunden. Dresden 854. Arnold. 8. (X, 262 S.) n. 1 ₰ 10 ngr.

Peters, K. F., die Donau u. ihr Gebiet, s.a Bibliothek, internationale wissenschaftliche.

Peters, Carl Ferdinand. Die Donau und ihr Gebiet. Eine geologische Skizze von K. F. P. Mit 71 Abbildungen in Holzschnitt. 8. Leipzig 1876
(Internationale wissenschaftliche Bibliothek. Band 19.)

Peters, Carl Ferd., eine moderne Capucinerpredigt, geh. in d. Harmoniegesellschaft in Dresden am Tage ihrer Stiftungsfeier d. 29. Nov. 1840. 4. (1 B.) Dresden 841, [Walther'sche Brlsh.] *

Peters, Karl Friedrich

Katalog der Edition (C. F.) Peters. [Nebst] Nachtrag. Leipzig: Peters [illegible] 6. 4°(8°) [10. 132

Peters, Carl Fried. (geb. Neu-Ruderig im Rheinl. [illegible]) De utilitate partus praematuri artificialis. Berolini (1850) ([illegible] S.) 8°
Berlin, Med. Diss. v. 6. Aug. 1850

Verzeichnis des Musikalien-Verlages von C. F. Peters Bureau de Musique in Leipzig. (Leipzig) 1892.

Peters, Karl Friedrich Ad.

Peters, Karl Fr. Ad., das Fest der 50jähr. Amtsführung eines evangel. Geistlichen, ein Fest gar hoher, dankbarer Freude. Predigt, bei Gelegenheit d. Amtsjubelfeier des Pastors Grünwald zu Kröslin. Nebst einem Anhange. gr. 8. Greifswald 836. (Koch.) n. 5 gr

Peters, Carl Friedr. Ad., welche Forderungen darf man mit Recht an uns machen, die wir evangel. Geistliche sind. Synodal-Predigt, üb. 1 Timoth. 1, v. 7, am 8. Juli 1833 in d. Kirche zu Wolgast geh. gr. 8. (1¼ B.) Greifswald, (Koch.)

Peters, Karl Friedrich Wilhelm

Peters, C. F. W. Bahnbestimmung der (87) Sylvia. 1868. 4°
Diss. Göttingen

Peters, C. F. W., ein Beitrag zur definitiven Einordnung der auf altfranzösisches System begründeten Messungen in das metrische System, s. Beiträge, metronomische.

— Dr. C. F. W., Beobachtungen mit dem Bessel'schen Pendel-Apparate in Königsberg u. Güldenstein, ausgeführt im Auftrage des geodät. Instituts. Mit einem Grundriss von Güldenstein. (Publikat. des geodät. Instituts). Hamburg 1874. 4°.

Peters, C. F. W., die Entfernung der Erde v. der Sonne, s. a. Sammlung gemeinverständl. wissenschaftl. Vorträge.

Peters C F W, die Entfernung d. Erde v. d. Sonne. (S. wiss. Vortr. 173) Berlin 1873

Peters, C. F. W., die Fixsterne, s. a. Wissen, das, der Gegenwart.

— Die Fixsterne. (Wissen der Gegenwart 16) Leipzig 1883

— General-Register, s.: Nachrichten, astronomische.

— zur Geschichte u. Kritik der Toisen-Maass-Stäbe, s. a. Beiträge, metronomische.

Peters C F W, zur Geschichte und Kritik der Toisen-Massstäbe. (Beiträge, Metronomische 5) 4° Berlin 1885

Die gegenseitige Lage der Sternwarten zu Altona und Kiel v. Carl Friedrich Wilhelm Peters. Kiel. 1884. 4°
⊙ (Publication des Königl. Preuß. Geodätischen Instituts.)

Peters, C. F. W., Lehrbuch der kosmischen Physik, s.: Müller, Joh.

Peters, C. F. W. Resultate aus Pendelbeobachtungen. 1880—81. Drei Abth. 4.

Peters, C. F. W., s. Sawitsch, A., Abriss der praktischen Astronomie.

— astronomische Tafeln u. Formeln. gr. 8. (XVI, 217 S.) Leipzig 871. Mauke. n. 9. —

Peters, Karl Wilhelm

Peters, Car. Guil. (geb. Rathebur bei Anklam [illegible]) De fractura vertebrarum. Berolini 1844 ([illegible] S.) 8°
Berlin, Med. Diss. v. 6. Mai 1844

Peters, Klaus

Peters, Claus, Slesvigensis: De rationibus inter artem rhetoricam quarti et primi saeculi intercedentibus. Kirchhainii Lusatorum 1907: M. Schmersow. (101 S.) 8°
Kiel, Phil. Fak., Ref. Sudhaus, Diss. v. 9. Dez. 1907
[Geb. 30. Mai 83 Busdorf b. Schleswig; Wohnort: Hamburg; Staatsangeh.: Preußen; Vorbildung: Königstädt. Gymn. Berlin Reife M. 01; Studium: Berlin 6, Kiel 3 S.; Rig. 28. Juli 06.]

Peters, Kurt: Ueber die Einwirkung von Dinatriummalonsäureester auf 2. 5-Dibromnormalhexan ... Berlin, A. W. Schade's Buchdr., 1892; 28 S., 1 Bl. 8.
Leipzig, Phil. Fak., Inaug.-Diss. v. [28. Jan.] 1892

Peters, Kurt, prakt. Arzt aus Stralsund: Combination von Phthise und Carcinom. *Stralsund 1904: Kgl. Regierungs-Buchdr.* (37 S.) 8°
Rostock, Med. Diss. v. [25. Febr.] 1904

Peters, Kurt: Thomas Reid als Kritiker von David Hume in den Hauptpunkten des erkenntnistheoretisch-logischen Teils ihrer Lehren. Berlin (1909): Dr. f. Bibliophilen. 100 S. 8°
Leipzig, Phil. Diss. v. 21. Sept. 1909, Ref. M. Heinze, Volkelt
[Geb. 18. Juni 80 Erfurt; Wohnort: Leipzig; Staatsangeh.: Preußen; Vorbildung: Gymn. Eisenach Reife O. 01; Studium: Tübingen 1, München 4, Göttingen 7 S.; Rig. 16. u. 19. Juli 09.] [U 10. 3205

Peters, L., s.a. Peters, Johann Lucian Ludwig

Peters, L. Zur Kritik und Erklärung des Prologs und der Parodos im äschyleischen Agamemnon. 21 S.
Heiligenstadt, Progr. 1859

Peters, L., studia Sophoclea. Commentationes criticae de Oedipi Colonei locis LXII. Gottingae 869. (Heiligenstadt, Delion.) gr. 4. (37 S.) n. 8 ngr.

Peters, L. Untersuchungen über die Keimlingskrankheiten der Zucker- und Runkelrüben, s. Hiltner, Lorenz

Peters, L., Über den Ursprung des Lehnsverbandes. Berlin 1831 8. (BKG.)

Peters, Leo: Beiträge zur Kenntnis der Wundheilung bei Helianthus annuus L. und Polygonum cuspidatum Sieb. et Zuccar. *Göttingen 1897: W. F. Kaestner.* (137 S. mit Taf.) 8°
Rostock, Phil. Diss. v. [10. Juli] 1897

Erzählungen zu den heiligen zehn Geboten. Von Lisbeth Peters. Hrsg. vom christl. Ver. im nördl. Deutschland. *Eisleben: P. Klöppel 1901.* (140 S.) 8° [Fl.] [01. 9193 3

Peters, Lisb., Erzählungen zu den sieben Seligpreisungen der Bergpredigt. (III, 192 S.) gr. 16. Eisleben 903. Christl. Verein im nördl. Deutschland. n. — 70; geb. n. 1.—

Peters, Lorenz [Dir. Dr.]: *Bericht über die Gedenkfeier der vor 50 Jahren begonnenen Entwickelung der Anstalt zum Gymnasium.* Hadamar, J. W. Hörter, Lithographie, Buch- u. Steindr., 1895; 9—13 S. 4.
Hadamar, k. G, P 1895 (396)

Peters, Lorenz *Gedenkfeier der vor 50 Jahren begonnenen Entwickelung des damaligen vierklassigen Pädagogiums zu einem Gymnasium.* 4 (S. 9—13). **Progr.** Kgl. G. *Hadamar* 1895 (396)

Peters, Lorenz Geschichte des Gymnasiums zu Hadamar. Festschrift zur Feier des 50jährigen Bestehens des jetzigen Gymnasiums am 13. August 1894. 8 (112 S., 1 Abb.).
Nicht im Tauschverkehr. **Progr.** Kgl. G. *Hadamar* 1894

Peters, L[orenz]: [Prof. Josef Mathi † 21. Juli 1900.] S. 11—12. 4. **Progr.** Kgl. Gymn. *Hadamar* 1901 (426).

Peters, Ludw., Deutsche Fibel. Mit (16) Bildern (in Holzschn.) zu Sprech- u. Anschauungsübungen. 8. (144 S.) Berlin 852, Mohr & Co. n. 1/6 ₰; mit Bildern in Tondr. n. 6 ngr

Peters, Ludw., deutsche Fibel. Mit Bildern zu Sprech- u. Anschauungsübungen. 2. Aufl. Berlin (858.) Mohr u. Co. 8. (144 S. u. 16 lith. Taf.) n. 5 ngr.

Peters, Ludw., deutsche Fibel. Mit Bildern zu Sprech- und Anschauungsübungen. 2. Aufl. 8. (144 S. mit 16 Stnt.) Berlin 859, [Kastner und Comp.] *

Peters, Ludw., deutsche Fibel. Mit Bildern zu Sprech- und Anschauungsübungen. 3. Aufl. Berlin 863. Kastner & Co. (Prausnitz.) 8. (144 S. m. Holzschn.) n. 5 ngr

Peters, Ludw., deutsche Fibel. Mit Bildern zu Sprech- u. Anschauungsübungen. 4. Aufl. Berlin 867. Prausnitz. 8. (144 S. mit 16 Holzschntaff.) cart. n. 5 ngr

—— der Sprachunterricht in der untersten Klasse der Volksschule. Zugleich eine Anweisung zum Gebrauch der „Deutschen Fibel." 8. (VIII und 160 S.) Berlin 853(59). [Kastner und Comp.]

—— deutsche Wandfibel. Ein mit der „Deutschen Fibel" im Einklang stehendes Mittel zum Anschauungs-, Sprech- und Lese-Unterricht. 22 Bog. in Imp.-Fol. Berlin 853(59). [Kastner und Comp.] *

Peters, Ludwig Karl Friedrich Robert, s. Peters, Robert

Peters, Luise [Wirkl. Name]
s. Otto, Luise [Pseud]

Peters, M., s.: Indianer- u. Volksbibliothek.

— auf d. Kriegspfade. E. Erzählg. aus d. Indianerleben. 8. (64 S. m. 4 Farbdr.) Berlin 897. A. Weichert. Geb. — 60

Peters, Marie: Mecklenburgische Bauerntänze. Schwerin i. M. 1909: Sandmeyer. 33 S. 8°
Schwerin i. M., Hense-Buddesche Schulen OP 1909 [239] [S 09. 355

Peters, Mart., der Bahnbrecher der modernen Predigt Johann Lorenz Mosheim, in seinen homiletischen Anschauungen dargestellt u. gewürdigt. Ein Beitrag zur Geschichte der Homiletik. (VI, 227 S.) gr. 8. Leipzig 910. A. Deichert Nachf. 4. 80

Peters, Mart., Heinrich Peter Wilhelm Peters. E. Lebensbild, zunächst Freunden u. Verwandten zu lieb zusammengest. gr. 8. (98 S.) Stade 894. F. Schaumburg. n. 1. 50

Peters, Max, Das Böttchergewerbe in Jena und Umgebung. Schriften des Vereins f. Socialpolitik, Bd. 70. gr. 8°. Leipzig 1897.

Peters, Max, die Entwickelung der deutschen Rhederei seit Beginn dieses Jahrhunderts. 1. Bd. gr. 8. (VIII, 185 S.) Jena 899. G. Fischer. n. 4. 50

Peters, Max, die Entwicklung der deutschen Reederei seit Beginn des 19 Jahrh. bis zur Begründg. des Deutschen Reichs. 2. Bd. Von der Mitte d. 19. Jahrh. bis zur Begründg. des Deutschen Reichs. (X, 236 S.) gr. 8 Jena 905. G. Fischer. n. 6. —; (Kplt. 10. 50)

Peters, Max, die weibliche Jugend u. ihre Organisation. (22 S.) 8. Berlin 908. (Buchh. Vorwärts.) — 15

— Die Porzellanmalerei in Jena. Schriften des Vereins für Socialpolitik, Bd. 70. gr. 8°. Leipzig 1897.

— Schiffahrtsabgaben, s. Schriften des Vereins f. Socialpolitik.

Schiffahrtsabgaben. Von Max **Peters.** T. 1—3 (in 2 Bden). Im Auftr. d. Ver. f. Socialpolitik hrsg. Leipzig: Duncker & Humblot 1906—08. 2 Bde 8° [G.]
1. Die Rechtslage. 1906.
2. Die wirtschaftl. Lage. 1908. 3. Die verkehrspolit. Lage. 1908.
= **Schriften** d. Vereins f. Socialpolitik. 115, 1—3. [08. 5333

— Schiffahrtsabgaben auf natürlichen Wasserstraßen nach deutschem Reichsrecht. Eine Erwiderg. auf die Kritik des Professors der Rechte Dr. Otto Mayer in Leipzig. (IX, 49 S.) gr. 8. Leipzig 907. Duncker & Humblot. 1. 20

— Der Weg zum Licht. Ein Weckruf an die deutsche arbeit. Jugend. Mit e. Vorwort v. Paul Göhre. (40 S.) 8. Berlin 907. Buchh. Vorwärts. — 25

Peters, Max*imilian Gerhard* [aus Kessenich]: Aus d. psychiatr. Klinik zu Bonn. Ueber „Combinirte Psychosen" ... Bonn, Druck v. E. Heydorn, *1893;* 29 S. 8.
Bonn, Med. Fak., Inaug.-Diss. v. [15. Juli] 1893

Der Greis in Schleswig-Holstein: bey der Zurückkunft und der Krönung seines innigstgeliebten Königs, Friederich des Sechsten. Ihrer Königl. Majestät Marie Louise [!] zur Ueberreichung an Ihren Gemahl geweihet v. Nicolaes **Peters.** Hermanns Sohn. o. O. u. J. (1808?) 8°.

Peters, Norb., die älteste Abschrift der zehn Gebote, der Papyrus Nash, untersucht. (51 S. m. 1 Taf.) gr. 8. Freiburg i/B. 905. Herder. n. 1. 50

Peters, Norb., Beiträge zur Text- u. Literarkritik sowie zur Erklärung der Bücher Samuel. gr. 8. (XI, 235 S.) Freiburg i/B. 899. Herder. n. 5. —

— Bibel u. Naturwissenschaft nach den Grundsätzen der katholischen Theologie. (VI, 66 S.) gr. 8. Paderborn 906 F. Schöningh. n. 1. —

Peters, Norb., die jüdische Gemeinde v. Elephantine-Syene u. ihr Tempel im 5. Jahrh. vor Christi Geburt. (IV, 57 S.) gr. 8. Freiburg i/B. 910. Herder. 1. 50

— Glauben u. Wissen im ersten biblischen Schöpfungsbericht. (XII, 80 S.) gr. 8 Paderborn 907. F. Schöningh. 1. 40

— Kirche u. Bibellesen od. die grundsätzliche Stellung der katholischen Kirche zum Bibellesen in der Landessprache. (VI, 58 S.) gr. 8. Ebd. 908. 1. —

— s.: Liber Iesu filii Sirach.

— Pabst Pius X. u. das Bibelstudium. Das apostol. Schreiben Quoniam in re biblica vom 27. III. 1906 u. andere Aktenstücke. Hrsg., übers. u. erläutert. (84 S.) gr. 8. Paderborn 906. F. Schöningh. n. 1. 10

Peters, Norbert, die Prophetie Obadjahs, untersucht u. erklärt. gr. 8. (VII, 140 S.) Paderborn 892. F. Schöningh. n. 4. —

— die grundsätzliche Stellung der katholischen Kirche zur Bibelforschung od. die Grenzen der Bibelkritik nach katholischer Lehre. (84 S.) gr. 8. Ebd. 905. n. 1. —

— der jüngst wiederaufgefundene hebräische Text des Buches Ecclesiasticus untersucht, hrsg., übers. u. m. krit. Noten versehen. gr. 8. (XVI, 92, 447 S.) Ebd. 902. n. 10. —

Peters, Norb., d. sahidisch-kopt. Uebersetzg. d. Buches Ecclesiasticus auf ihren wahren Wert f. d. Textkritik untersucht, s. Studien, biblische.

Die sahidisch-koptische Uebersetzung des Buches Ecclesiasticus auf ihren wahren Werth für die Textkritik untersucht v. Dr. Norbert Peters, Prof. . . . in Paderborn . . . *Freiburg: Herder 1898.* (8 S., 2 Bl., 69 S.) 8. = Studien, Biblische. Bd III. H. 3.

Peters, D., die evangel. Kirche u. der Christkatholicismus. Ein Beitrag zur Verständigung über das gegenwärtige Verhältniß beider. 8. (3¾ B.) Schweidnitz 845, Weigmann.

—— die evangel. Kirche u. das Glaubensbekenntniß der christkathol. Gemeinde zu Breslau. gr. 8. (2¼ B.) Liegnitz 845, Reisner.

Peters, D., Materialien z. Unterricht in d. evangel. Glaubenslehre. Zum Gebr. f. höh. Bildungs-Anstalten u. namentl. f. vorgeschrittenere Confirmanden. gr. 8. (6¾ B.) Liegnitz 840, Kuhlmey.

Peters, D. E., der Graf v. Gleiberg. Eine Balladendichtung. 16. (100 S.) Gießen 889. Ottmann's Verl. n. 1. —

Peters, Osk., die Besteuerung der Gesellschaften m. beschränkter Haftung nach dem Gesetze vom 6. III. 1906. Nr. 105 R.G.Bl. (47 S.) gr. 8. Wien 906. C. Fromme. Sonderabdruck aus: „Jurist. Blätter". — 85

Peters, Oswald

Peters, O., u. J. Hauri, Davos. Zur Orientirg f. Aerzte u. Kranke dargestellt. gr. 8. (IV, 160 S.) Davos 893. H. Richter. n. 2. 40

Peters, O[swald], und Hauri, J[ohann]. Davos. Zur Orientierung für Aerzte und Kranke dargestellt von Sanitätsrat Dr. med. O. P' und Pfarrer Dr. J. H' in Davos. 2., umgearb. Aufl. II + II + 167 S. 8. Chur, F. Schuler, 1905. [fr. 2. 80]

Peters, Otto

Peters, Bau-Polizei-Verordnungen u. ortsstatutarische Bestimmungen in Bauangelegenheiten für den Gemeindebezirk der Stadt Magdeburg, tabellarisch geordnet. (79 S. m. 1 farb. Plan.) gr. 8. Magdeburg 905. Creutz. Geb. in Leinw. n. 2. 80

— dasselbe, s. Polizei-Verordnung f. d. Gemeindebez. Magdeburg.

Peters, Bauvorschriften f. d. Bauzonen d. Stadt Magdeburg, s.: Baupolizei-Verordnungen, sämmtl., f. d. Gemeindebez. Magdeburg.

Peters, Beitrag zur Strassenreinigungsfrage m. Bezug auf die Verhältnisse der Stadt Magdeburg. 8. (14 S. m. 1 Plan.) Leipzig 901. F. Leineweber. n. — 70 Sonderabdruck aus: „Gesundheit".

Peters, Otto: Die lyrische Gesellschaftsdichtung im Zeitalter Richelieu's und Mazarin's. *Leipzig 1897: (Ilgner & Enslin).* (84 S.) 8°
Leipzig, Phil. Diss. v. [8. Sept.] 1897

Peters, O., u. L. Stendel. Karte vom Stadtkreise Magdeburg. Zusammengetragen aus dem städt. Vermessungsmaterial. 1 : 8000. 4 Blatt. Farbendruck. Imp.-Fol. Magdeb. 889, Rathke's Verlag. * 10 —; auf Leinw. m. Stäben ** 15 — Ausg. auf Whatman-Papier * 14 —

Peters, Otto, Magdeburg u. seine Baudenkmäler. Eine baugeschichtl. Studie, zugleich Führer zu Magdeburgs alten Bauten. Mit e. farb. Titelbild, zahlr. Textillustr. u. verschiedenen Plänen u. s. w. Lex.-8. (V, 224 S.) Magdeburg 902. Faber. n. 6. —; geb. in Halbleinw. n. 7. 50; in Leinw. n. 9. —

(8) Peters, Otto, Magdeburg u. seine Baudenkmäler. 902. (KVZ 32.) Erm. Pr. 2.50; kart. 3.50; geb. in Leinen 5. —

Peters, Otto [app. Arzt aus Tetenbüll]: Aus d. Augenklinik zu Kiel. Ueber das Pterygium. . . . Kiel, Druck v. H. Fiencke, 1890; 18 S. + 1 Bl. 8°
Kiel, Med. Fak., Inaug.-Diss. v. 25. Jun. 1890

Peters, Otto, üb. das Pterygium. Inaug.-Diss. gr. 8. (18 S.) Kiel 890. (Lipsius & Tischer.) n. — 80

Peters, Otto, der Wunderdoktor u. seine Mixturen im 20. Jahrh. Ein Beitrag zur Aufklärg. üb. das Geheimmittelunwesen. (23 S.) 8. Worms (909). H. Kräuter. — 50

Peters, O., der Central-Bahnhof zu Magdeburg, s.: Heim, L.

Peters, Otto August Armin, s. Peters, Armin

Peters, P. Karte vom Special-Forste Friedrichsmoor. 1 : 11 520. Schwerin. 1 Bl. c. I.

Peters jun., Paul, Blümchen als Ehestifter, s. Liebhaber-Theater.

Bliemchen als Ehestifter. Schwank in 1 Akt von Paul Peters jun. Mülheim a. d. Ruhr: J. Bagel [1904]. (32 S.) 8° [J.]
= Liebhaber-Theater. Bdch. 102.

Peters, Paul Darstellung elliptischer Funktionen durch Flächen. 32 S. u. 2 Taf. Progr. Wi. G. *Königsberg* 1883.

— das vertrauliche „Du", s. Vereinstheater. Nr. 121.

Das vertrauliche 'Du'. Schwank in 1 Akt von Paul Peters jun. *Mühlhausen i. Th.: G. Danner [1903].* (24 S.) 8° [F.]
= Vereinstheater. 121.

— ein modernes Geheimnis, s. a Vereinstheater, Nr. 142.

Ein modernes Geheimnis. Lustspiel in 1 Akt von Paul Peters jun. *Mühlhausen i. Th.: G. Danner [1904].* (20 S.) 8° [F.]
= Vereinstheater. 142.

— E. v. Bock Söhne, s.: Teich's Vereinstheater Nr. 21.

Peters, P., Kalif Storch, s. a Bloch's, Ludw., Kindertheater 95.

Kalif Storch. Ein Märchenspiel nach W. Hauff in 4 Aufz. von P[aul] Peters. *Berlin: E. Bloch (1903).* (18 S.) 8° [F.]
= Kinder-Theater, Ludwig Blochs. No 95.

— das Waldhaus, s. a Bloch's, Ludw., Kindertheater 96.

Das Waldhaus. Märchenspiel nach d. Grimmschen Märchen in 3 Aufz. von P[aul] Peters. *Berlin: E. Bloch (1903).* (20 S.) 8° [F.]
= Kinder-Theater, Ludwig Blochs. No 96.

Peters, Peter [aus Funnix in Hannover]: Ueber Behandlung incarcerierter gangränöser Hernien ... München, Buchdr. v. M. Ernst, 1892; 26 S. 8.
München, Med. Fak., Inaug.-Diss. v. 1893

PETERS, PT., Diss. inaug. sistens relationem de puero morbo coeruleo laborante cum nonnullis annotationibus. Kiliae. 1822. 4. P.

Peters, Peter, aus Hüls (Rheinland): Ueber Syphilis des Hodens und Nebenhodens. *Würzburg 1899: Becker.* (32 S.) 8°
Würzburg, Med. Diss. v. 1899

Peters, Peter Jung

Peters, P. Jung, 72 Aufgaben aus Kroymanns Uebungen d. Witzes u. Nachdenkens, mit Uebungen v. Schülern, die nach d. Pestalozzischen Methode im Rechnen unterrichtet werden. 8. Altona 813. Hammerich. 4 ßl.

— Auswahl mathemat. Aufgaben mit Auflös. von Schülern. 8. Altona 821. Hammerich. 10 ßl.

Auszug aus einer Chronik der Sankt Nicolai Gemeine auf Föhr für das Jahr 1820 v. Peter Jung Peters. (Altona. 1822.) Siehe in: Schriften der Schleswig-Holsteinischen patriotischen Gesellschaft. Bd. 5, Heft 2 und 3. 8°.

Chronik der Sanct Nicolai Gemeine auf Föhr für das Jahr 1821, von Peter Jung Peters. (Altona. 1822.) Siehe in: Schriften der Schleswig-Holsteinischen patriotischen Gesellschaft. Bd. 5, Heft 2 und 3. 8°.

— s. a Versuch e. Chronologie f. Volk.

Peters, P. J., Versuch e. Chronologie fürs Volk und für Volksschulen. Fol. 796. Jetzt Hammerich in Altona.

Peters, P. J., populäre Weltkunde, unter Berücksichtigung des Vaterlandes nach bewährten Quellen bearb. Wesselburen 867. (Heide, Clausen.) gr. 8. (VIII, 360 S.) n. 20 ngr.

(F) **Peters**, Q. J., Die katholische Charakterbildung und die katholischen Jugendorganisationen. 8°. (48 S.) K —.40
Wien: Eichinger Berg's Nachf. 1908.

Peters, Reinhold [aus Naugard (Pomm.)]: Ueber die Lumbalpunktion ... Berlin, Druck v. E. Ebering, 1897; 47 S. 8.
Berlin, Med. Fak., Inaug.-Diss. v. 11. Aug. 1897

Peters, Richard [Dr.]: Begleitwort zum Lehrplan des Französischen. Gandersheim, Druck v. C. F. Hertel, 1889; S. 3–20; 4°
Gandersheim, RPG, OP 1889 (653)

Peters, Rich., experimentelle Beiträge zur Pharmacodynamik des Monobromcamphers [Camphora monobromata]. Inaugural-Dissertation. gr. 8. (63 S.) Dorpat 880, (Karow.) *

Peters, Richard, Arzt: Ueber spitze Fremdkörper im Magen-Darmkanal. *Königsberg i. Pr. 1902: H. Jaeger.* (61 S.) 8°
Königsberg, Med. Diss. v. 31. Juli 1902

Peters, Richard, Referendar: Ist die Ueberlassung des Straßenkörpers an eine Straßenbahnunternehmung als Miete aufzufassen? Greifswald 1908: Abel. 39 S. 8°
Greifswald, Jur. Diss. v. 28. Okt. 1908, Ref. Sartorius
[Geb. 9. Juli 81 Greifswald; Wohnort: Greifswald; Staatsangeh.: Preußen; Vorbildung: Gymn. Greifswald Reife O. 01; Studium: Greifswald 7 S.; Rig. 18. Sept. 08.] [U 09. 1467

Peters, Rich., der Roman de Mahomet von Alexandre du Pont, eine sprachl. Untersuchung. Inaugural-Dissertation. gr. 8. (IV, 86 S.) Göttingen 884, (Dieterich's Verlag.) *

Peters, R. Der Roman de Mahomet von Alexandre du Pont, eine sprachliche Untersuchung. Diss. Erlangen 1885. 82 S.

Peters, Richard [pr. Arzt aus Schwerin]: Untersuchungen über das Lab und die labähnlichen Fermente. Preisschrift ... Rostock, Univ.-Buchdr. v. Adler's Erben, 1894; 60 S. 8.
Rostock, Med. Fak., Inaug.-Diss. v. [6. Mai] 1895

Peters, *Ludwig Karl Friedrich* Robert: Über den Einfluss der spanischen Literatur auf das französische Drama des XVII. Jahrhunderts ... [Erschien vollst. u. d. T.: P. Scarron's Jodelet Duelliste u. seine span. Quellen. M. e. Einl.: Die Resultate d. bisher. Forschg über d. span. Einfluss auf d. franz. Drama ... als Heft 6 von: Münchener Beitr. z. roman. u. engl. Philol. hrsg. v. Breymann u. Koeppel.] Naumburg a/S., Druck v. Lippert & C., 1893; 2 Bl., 34 S., 1 Bl. 8.
München, Phil. Fak., Inaug.-Diss. v. 1893

Peters, R., Paul Scarron's „Jodelet duelliste" u. seine spanischen Quellen. Mit e. Einleitg.: Die Resultate der bisher. Forschg. üb. den span. Einfluss auf das französ. Drama des XVII. Jahrh., s.: Beiträge, Münchener, zur romanischen u. englischen Philologie.

Peters, Rob., erfolgsichere Zimmergärtnerei Uebersichtliche Zusammenstellg. u. Beschreibg. der meisten im Handel vorkomm. Blüten- u. Blattpflanzen, die sich zur Ausschmückg unserer Wohnräume, Fenster, Balkone, Veranden, Korridore usw. f. längere od kürzere Dauer eignen, nebst genauer Anleitg. zu ihrer Pflege, Anzucht u. Vermehrg. im Zimmer. Mit 200 Abbildgn. im Text, 2 Vierfarbendr.- u. 4 Schwarzdr.-Taf. nach Handzeichngn. u. Aquarellen des Verf. (394 S.) Lex.-8. Berlin (906). [E. Eißelt] A. Parrhysius. n 6. —; geb. n. 7 —

Peters, Rud., Anleitung zur qualitativen chemischen Analyse, f. Zollbeamte unter Berücksicht. des Zolltarifgesetzes vom 25. XII. 1902 nebst zugehörigem Zolltarife u. des Entwurfs zu e. Anleitg. f. die Zollabfertigung bearb. (VIII, 75 S.) gr. 8. Dresden 904, (Annaberg, Graser.) Geb. n. 2. 50

— Schillers Braut v. Messina, s.: Klassiker, d. deutschen, erläutert u. gewürdigt f. höh. Lehranstalten. 22.

Peters, Rud., Chemie f. Zollbeamte. (XX, 180 S. m. Abb.) gr. 8. Dresden (908). (Annaberg, Graser's Sort.) Geb. in Leinw. nn 5. —

Peters, Rudolf, a. Marne: Über die Geographie im Guerino Meschino des Andrea de' Magnabotti. Halle a. S. 1906 (Junge & Sohn, Erlangen). (34 S.) 8° ¶(Die Fortsetzung erscheint in: 'Roman. Forschungen' Bd 22 H. 2.)
Halle, Phil. Fak., Ref. Suchier, Diss. v. 10. Nov. 1906
[Geb. 9. Apr. 80 Marne in Schlesw.-Holstein, Wohnort Halle a. S.; Staatsangeh.: Preußen; Vorbildung: Realgymn. Rendsburg Reife O. 01, Studium Halle 4, München 1, Paris 1, Oxford 1, Halle 3 S.; Rig. 12. Febr. 06.]

Peters, Rud., d. Glaube an d. Menschheit. Naturwissenschaftl. psycholog. u. geschichtl. begründ. 8. (X, 280 S.) Stuttgart 896. J. H. W. Dietz Nachf. n. 2.—

— dasselbe, s.a. Bibliothek, internat.

Peters, Rud., Gudrun, s.: Klassiker, die deutschen, erläutert u. gewürdigt f. höhere Lehranstalten usw.

Peters, Rud., Handbuch der evangelischen Religionslehre, s.: Christlieb-Fauth.

Peters, Rud., neues Handwerksburschen-Lexikon m. Kundensprache u. (farb.) Eisenbahnkarte v. Deutschland. (26 S.) kl. 8. Hamburg (910). Kramer's Sort. — 50

Peters, Rud., Lessings Nathan der Weise, s.: Klassiker, die deutschen, erläutert u. gewürdigt f. höh. Lehranstalten.

— **Rudolf (Georg Rudolf)** (Dresden), Ueber Oxydations- und Reduktionsketten und den Einfluss komplexer Ionen auf ihre elektromotorische Kraft. Diss. Leipzig (W. Engelmann) 1898. 46 S. u. Biogr. (2.—) 26162
Sep.-Abdr. aus „Zeitschr. f. physikal. Chemie" XXVI. Bd. 2. Heft.

Peters, Rud., d. Philipperbrief, f. d. Unterricht auf der Oberstufe höh. Lehranstalten erläut., s.a. Hilfsmittel z. evang. Religionsunterricht., Hft. 16.

[S.] Der Philipperbrief, f. d. Unterr. auf d. Oberstufe hoh. Lehranst. erl. v. Rudolf **Peters,** Oberl. zu Düsseldorf. *Berlin: Reuther & Reichard 1898.* (50 S.) 8.
= Hülfsmittel z. evang. Religionsunterricht f. ev. Religionslehrer H. 10. [98. 1920

— das Recht u. die Schranken des Historismus im Religionsunterricht an höheren Schulen. (29 S.) gr. 8. Tübingen 906. J. C. B. Mohr n. 1. 40
Sonderabdruck aus: „Theol. Arbeiten a. d. rhein. wiss. Prediger-Ver."

— Reise-Handbuch f. Wanderer nebst neuester (farb.) Eisenbahnkarte v. Deutschland. (22 S.) kl. 8. Ebd. (910). — 50

Peters, Thdr., Brosamen aus der heiligen Geschichte des alten und neuen Testamentes für die lieben Kleinen. 1.—6. Aufl. (76 S.) 1866—83; 7. Aufl. 16. (79 S.) Köln 884, Rommerskirchen's Buchh. geb. *

Peters, Thdr., Brosamen aus der heiligen Geschichte des alten und neuen Testamentes für die lieben Kleinen. 8. und 9. Aufl. 16. (79 S.) Köln 885,86, Rommerskirchen. geb. *

Peters, Thdr., Brosamen aus d. hl. Geschichte d. alten u. neuen Testamentes f. d. lieben Kleinen. 11. Aufl. 16. (79 S.) Köln 891. Rommerskirchen. Geb. n. — 40

Chemische Experimente. Handreichung f. Lehrer u. Seminaristen z. Schulgebr. u. z. Selbstbelehrung von Dr. phil. Th. **Peters,** M. Salomon, O. Meyer, Lehrer in Braunschweig. Mit 32 Fig. *Halle a. S.: Gebauer-Schwetschke 1903.* (VIII, 247 S.) 8° [03. 13408 3

Chemische Experimente. Handreichung f. Lehrer u. Seminaristen ... von Dr. phil. Th[eodor] **Peters,** M[ax] Salomon, O[tto] Meyer, Lehrern in Braunschweig. Mit 34 Fig. 2. erw. u. verb. Aufl. Halle: Gebauer-Schwetschke 1906. (IV, 253 S.) 8° [06. 18000 3

(5) **Peters,** Th., M. **Salomon,** O. **Meyer,** chem. Experimente 906. (KBL34.) Jetzt: Braunschweig, E. Appelhans & Co.

GESCHICHTE DES VEREINES DEUTSCHER INGENIEURE. Nach hinterlassenen Papieren von TH PETERS. Im Auftrage des Verbandes herausgegeben und bis 1910 vervollständigt. Berlin 1912. Selbstverlag des Vereines deutscher Ingenieure. 4°

Peters, Thdr., drei Gewissensfragen in Betreff der liberalen Zeitungen beantwortet. 2. Aufl. gr. 8. (48 S.) Münster 876. Theissing. — 50

Peters, Thdr., Feldzeugmeister Rudolf Prinz Lobkowitz. Ein Gedenkblatt seines militär. Wirkens. (44 S. m. 1 Bildnis.) gr. 8. Wien 908. L. W. Seidel & Sohn. 1. 50

Peters, Theodor [app. Arzt aus Güstrow]: Ueber die Resultate der Keuchhustenbehandlung in der medicinischen Poliklinik zu Kiel während der letzten Epidemie (Sommer 1889). . . Kiel, Druck v. H. Fiencke. 1889. 15 + 1 S. + 3 Bl. 8°
Kiel, Med. Fak., Inaug.-Diss. v. 2. Nov. 1889

Peters, Th., üb. die Resultate der Keuchhustenbehandlung in der medicinischen Poliklinik zu Kiel während der letzten Epidemie. [Sommer 1889.] Inaug.-Diss. gr. 8. (19 S.) Kiel 889. (Lipsius & Tischer.) n. 1. —

Peters, Th., die Schablonen-Malerei. Musterblätter f. Decorations-Maler. Aubeldr. v. C. F. Kaiser. 1. Hft. gr. 8. (7 Bl.) Hildesheim 883. Lax. n. 2. 50

Peters, Theodor [in Braunschweig]: Untersuchungen über den Zellkern in den Samen während ihrer Entwicklung, Ruhe und Keimung. Braunschweig, Druck v. F. Vieweg u. Sohn. 1891; 31 S. 8°
Rostock, Phil. Fak., Inaug.-Diss. v. 26. März 1891

Peters, Theodor, approb. Arzt aus Connhausen im Jeverlande, Grossh. Oldenburg: **Über Ureterenmissbildungen.** *Wilhelmshaven 1899: Th. Süss.* (40 S.) 8°
Freiburg i. B., Med. Diss. v. 1899

Peters, Theodor [aus Chemnitz]: Ueber das Verhalten der alkylisirten Acetessigsäurealkylester gegen Ammoniak und über den Einfluss von Alkoholen auf die Carboxyl-Alkylgruppe der Acetessigester. . . . Leipzig, Druck v. König & Fretor, 1888; 45 + 1 S. 8°
Leipzig, Phil. Fak., Inaug.-Diss. v. 7. Jan. 1889

Peters, Th. (Red.), s. Zeitschrift des Vereins deutscher Ingenieure.

Peters, Th., einfache Zimmer-Decorationen. qu. 4. (6 Steintaf.) Berlin 872. Grieben. n. 2. 50

Peters, Ulrich: Charakteristik der inneren Kirchenpolitik Friedrich Barbarossas. Hamburg 1909: Persiehl. VIII, 87 S. 8° ¶[Ersch. auch als Phil. Greifswalder Diss.]
Hamburg, Unterrichts-A. d. Klosters St. Johannis P. 1909 [120]
[S 09. 356

Peters, Ulrich: Charakteristik der inneren Kirchenpolitik Friedrich Barbarossas. Greifswald 1909: Persiehl, Hamburg. VIII, 87 S. 8° ¶(Ersch. auch als Progr. d. Unterr.-Anst. d. Klosters St. Johannis, Hamburg. Als Forts. soll e. Charakt. d. äußeren Kirchenpol. Friedr. Barb. erscheinen.)
Greifswald, Phil. Diss. v. 18. Jan. 1910, Ref. Bernheim
[Geb. 12. Juli 78 Langenhanshagen; Wohnort: Hamburg; Staatsangeh.: Schwarzburg-Rudolstadt, Vorbildung: Gymn. Neubrandenburg Reife O. 97; Studium: Greifswald 2, Erlangen 1, Bonn 3, Berlin 3 S.; Rig. 20. Dez. 09.]
[U 10. 1630

Peters, Ulr., Charakteristik der inneren Kirchenpolitik Friedrich Barbarossas. Progr. (VIII, 87 S.) gr. 8. Hamburg 909. (Herold.) nn 1. 50

Peters, Ulrich, Einj.-freiw. Arzt im 8. Inf.-Reg. „Prinz Johann Georg": Ueber combinierte Lymphangiomformen. Leipzig 1904: B. Georgi. (41 S.) 8°
Leipzig, Med. Fak., Ref. Trendelenburg, Diss. v. 9. Aug. 1904
[Geb. 10. Juli 76 Chemnitz; Wohnort: Leipzig-Gohlis; Staatsangeh.: Sachsen; Vorbildung: Gymn. Chemnitz Reife M. 97; Studium: Tübingen 4, Kiel 1, Leipzig 5 S.; Coll. 21. Nov. 04; Approb. 28. Juli 03.]

Peters, Ulrich: Die äußere Kirchenpolitik Friedrich Barbarossas bis zum Tode Rainalds von Dassel. Hamburg 1910: Persiehl. VII, 79 S. 8° ¶(Forts. d. P-Beil. 1909.)
Hamburg, Unterrichts-A d. Klosters St. Johannis, HM u. h. Lehrerinnen-Sm P 1910 [110] [S 10. 327

Peters, Valerius *(geb. Lódż in Pol. 23. 5. 1846)*: Ueber die Wirkung des Strychnin auf amblyopische und gesunde Augen. Danzig 1873. (48 S.) 8°
Breslau, Med. Diss. v. 28. [vielmehr 29.] Juli 1873

[F.] **Peters**, Victor [Dr. jur.]: Die rechtliche Natur der Unfallentschädigungs-Ansprüche nach den Reichs-Unfallversicherungsgesetzen ... Breslau, Druck v. J. Finger, 1896; 32 S. 8.
Erlangen, Jur. Fak., Inaug.-Diss. v. 1896

Peters, W., Anleitung zur chemischen Untersuchung des Wassers, s.: Linde, O.

Peters, W., der Arrest u. die einstweiligen Verfügungen nach preußischem Recht. gr. 8. (VIII, 99 S.) Berlin 884. H. W. Müller. n. 2. —

Peters, W. Auslegung d. 20. Kapitels der Offenbarung St. Johannis. Vortrag auf der Pastoren-Conferenz zu Hochkirch, 15. Mai 1889. 8. (33 S.) Hochkirch in Austral. 890. (Dresd., H. J. Naumann.) * — 75

Peters, W., die Ehescheidung u. die Ungültigkeits- oder Nichtigkeits-Erklärung der Ehe im Geltungsbereiche des preußischen allgemeinen Landrechts. 8. (XII, 114 S.) Berlin 881. Vahlen. cart. n. 2. —

Peters, W., zur neuesten Entwicklung des Genossenschaftswesens im Handwerk. (VIII, 117 S.) gr. 8. Crefeld 906. W. Greven. n. 3. —

Peters, W., die lutherische Kirche in ihrem Verhältnis u. in ihrer Stellung zu den übrigen Kirchengemeinschaften. 8. (VI, 162 S.) Murtoa 891. (Leipzig, H. J. Naumann.) n. 1. 50

Peters, W., der Richter ist vor der Thür! Auslegg. der Offenbarg. St. Johannis, nebst e. kurzen Anh. üb. das Verwandtschaftsverhältnis des Propheten Daniel zur Offenbarg. St. Johannis. gr. 8. (V, 415 S.) Zwickau 899. J. Herrmann. n. 4. —

Peters, W., siehe: *Schiller*.

Peters, W.: Kritische Studien über die Prüfung der vegetabilischen fetten Öle auf ihre Verfälschungen. Berlin, Druck d. Norddeutsch. Buchdr. u. Verlagsanst., 1888; 51 S. 8°
Erlangen, Phil. Fak., Inaug.-Diss. v. 1888

— warum sind wir aus der preußischen Landeskirche ausgetreten? 8. (19 S.) Königsberg 896. (Dresden, E. Steyer.) — 15

— die Civilprozeßordnung f. d. Deutsche Reich. Mit den Entscheidgn. d. Reichsgerichts u. den einschlagenden reichsrechtl. Bestimmgn. Nebst e. d. Gerichtsverfassungsgesetz enthalt. Anhang. 8. (VIII, 414 S.) Berlin 888. H. W. Müller. geb. n. 3. 50

Peters, W., die Civilprozeßordnung f. das Deutsche Reich. Mit den Entscheidgn. d. Reichsgerichts u. den einschlag. reichsrechtl. Bestimmgn. Nebst e. das Gerichtsverfassungsgesetz u. die Kostengesetze enth. Anh. 2., verm. Aufl. 12. (VIII, 498 S.) Berlin 893. H. W. Müller. Geb. in Leinw. n. 4. —

Peters, (W.), die Civilprozeßordnung f. das Deutsche Reich. (In der Fassg. des Gesetzes v. 17. V. 1898.) Mit den Entscheidgn. des Reichsgerichts u. den einschlag. reichsgerichtl. Bestimmgn. Nebst e. das Gerichtsverfassungsgesetz u. die Kostengesetze enth. Anh. Neu bearb. von K. Elsner v. Gronow. 3., verm. Aufl. 12. (XII, 657 S.) Berlin 899. H. W. Müller. Geb. in Leinw. n. 4. —

Peters, W., die Zivilprozeßordnung f. das Deutsche Reich. (In der Fassg. des Gesetzes vom 17. V. 1898.) Mit den Entscheidgn. des Reichsgerichts u. den einschlag. reichsgerichtl. Bestimmgn. Nebst e. das Gerichtsverfassungsgesetz u. die Kostengesetze enth. Anh. Bearb. v. K. Elsner v. Gronow. 4., verm. Aufl. (XVI, 708 S.) 8. Berlin 903. H. W. Müller. Geb. in Leinw. n. 5. —

— dasselbe. 4., verm. Aufl. Neue, um die Novelle v. 5. VI. 1905 verm. wohlfeile Ausg. (XVI, 708 S.) 8. Ebd. 907. Geb. in Leinw. n. 2. 40

Peters, W. L. [aus Hamburg]: Die Organismen des Sauerteigs und ihre Bedeutung für die Brotgährung. *Leipzig, Druck v. Breitkopf & Härtel*, 1889; 21 + 1 S. 4°
Strassburg, Math.-Naturw. Fak., Inaug.-Diss. v. 1889

Peters, W. M., besond. u. merkw. Reisen v. Amsterd. n. Surinam. 1r Thl. 8. Brem. Förster. (Müller.) 790.

Peters, Waldem., die Klagenkonkurrenz im römischen, gemeinen u. neuen bürgerlichen Rechte. gr. 8. (III, 74 S.) Berlin 902. O. Häring. n. 1. 50

Peters, Waldem., der schottische Rechtskörper in Vergangenheit u. Gegenwart. (XII, 135 S.) gr. 8. Berlin 907. F. Vahlen. 3. 60

Peters, Walter. Über die Einwirkung von Phenylhydrazin auf 1. 2, 4-Chlornitrobenzoësäure. Diss. Phil. [II.] Univ. Zürich. 38 S. 8. Wiesbaden, Rud. Bechtold & Comp., 1901.

Peters, Walther: Ein Fall von amyloider Degeneration der Schilddrüse. *Freiburg i. B.: Speyer & Kaerner 1898.* (26 S.) 8°
Freiburg i. B., Med. Diss. v. 1898

Peters, Walter, Referendar in Neuhaldensleben: Der „Finder" und der „Entdecker" im Rechte des Bürgerlichen Gesetzbuches für das Deutsche Reich. Rostock 1908: Adlers Erben. (X, 61 S.) 8°
Rostock, Jur. Fak., Ref. Matthiaß, Diss. v. 30. Juni 1908
[Geb. 13. Dez. 79 Neuhaldensleben; Wohnort: Neuhaldensleben, Staatsangeh.: Preußen; Vorbildung: Gymn. Neuhaldensleben Reife O. 97; Studium: München 1, Berlin 2, Halle 4 S.]

Peters, Walter, aus Wiesbaden (Hess.-Nass.) Über stereoisomere **Körper** aus dem Äthylacetylaceton durch Blausäureanlagerung. *Straßburg i. E. 1903: C. Müh & Co.* (38 S.) 8°
Straßburg, Math.-naturw. Diss. v. 1903

Peters, Wilfr., der Fuchs in der Falle. Ein Lustspiel in 1 Aufzug. (40 S.) kl. 8. Leipzig 908. Verlag f. Literatur, Kunst u. Musik. 1. —

Peters, Wilhelm, Dr. phil.: Über Ähnlichkeitsassoziation. Leipzig: J. A. Barth 1910. 48 S. 8° ¶ (Aus: Zeitschrift f. Psychol. u. Physiol. d. Sinnesorgane. Abt. 1, Bd 56.)
Würzburg, Phil. Hab.-Schr. v. 1910 [U 10. 4413

Eine ernste Aufgabe Festschrift z. Feier d. 10jahr Bestehens d. Damenabteilung A d. Kieler Turnvereins, E. V Hrsg v Turnrat d. Kieler Turnvereins. Vert. v Vorsitz Prof. W[ilhelm] **Peters**. (Kiel 1905 Vollbehr & Riepen.) (10 S.) 4°(8°) [F.] [08. 16013

Peters, Wilhelm, a. Düsseldorf ⟨Rheinpreussen⟩: Zur neuesten Entwicklung des Genossenschaftswesens im Handwerk. Marburg 1906: W. Greven, Crefeld. (VIII, 117 S.) 8°
Marburg, Phil. Fak., Ref. Troeltsch, Diss. v. 21. April 1906
[Geb. 11 Juli 78 Bollinghoven (Rheinl.); Wohnort. Düsseldorf; Staatsangeh. Preußen; Vorbildung: Gymn Neuß Reife O 98; Studium: Münster 7, Gießen 1 S.; Rig. 21 Juni 05.]

P e t e r s, Wilhelm: Zur neuesten Entwicklung des Genossenschaftswesens im Handwerk. Crefeld Greven 1906. Zugl Marburg, Diss.

Peters, Wilhelm, aus Wien Die **Farbenempfindung** der Netzhautperipherie bei Dunkeladaption und konstanter subjektiver Helligkeit. *Wien 1904: F. Rollinger u. Moessmer & Schulda.* (30 S.) 8°
Leipzig, Phil. Diss. v 1904

Peters, Wilhelm [Dr.]: Zur Geschichte der Wolfschen Prolegomena zu Homer Mitteilungen aus ungedruckten Briefen von Friedrich August Wolf an Karl August Böttiger Frankfurt a. M., Druck v. Enz & Rudolph, 1890; 18 S. 4°
Frankfurt a. M., f. Kaiser-Friedrichs-G, OP 1890

Peters, Wilh., die Heidflächen Norddeutschlands. Preisschrift. Hannover 862. Meyer. 8. (XII, 150 S. u. 2 lith. Taf.) n. 20 *ngr.*

Peters, Wilhelm (Hrsg.), s. J a h r e s b e r i c h t des Vereins zur Förderung der Jugend- u. Volksspiele in der Stadt Kiel (bezw des Kieler Jugendspielvereins).

Der Jugend das Beste Der Jugend zum Nutzen im Auftrage des Kieler Turnvereins hrgg v Wilhelm **Peters.** Kiel 1905 8° [Umschlagt

Peters, Wilh., observationes ad P. Ovidii Nasonis Heroidum epistulas. Dissertatio philologica. gr. 8. (75 S.) Lipsiae 882. (Göttingen, Vandenhoeck & Ruprecht.) n. 1. 60

Eine dringende Mahnung hrgg im Auftrage des Kieler Turnvereins Wilhelm **Peters.** Kiel 1903. 8°

Peters, W., die moderne Moorcultur, e. Führer f. die Theilnehmer an dem Ausfluge nach Haus Füchtel zur Besichtigg. der dort. Moordammculturen am 17. Juni 1874. Red. im Auftrage d. Präsidiums der internationalen landwirthschaftl. Ausstellg. zu Bremen u. d. Präsidiums d. Vereins gegen das Moorbrennen daselbst. gr. 8. (214 S.) Osnabrück 874. Rackhorst. n. 3. —

Eine unabweisbare Pflicht. Hrsg. im Auftr. d. Kieler Turnvereins E V von Prof. Wilhelm **Peters**, Oberl. zu Kiel. Kiel Christiansen 1910. 10 S. 8° [10. 8992

Peters, Wilhelm [aus Düsseldorf]: Aus d. medizin. Klinik zu Bonn. Ueber Pupillendifferenz bei Ausschluss einer Erkrankung des Auges und des Nervensystems . . . Bonn, Druck v. E. Heydorn, *1894;* 72 S. 8.
Bonn, Med. Fak., Inaug.-Diss. v [14. Juli] 1894

Peters, W., u. P. Hoffmann, die Veranstaltg. v. Jugendfesten an städt. Knabenschulen, s. a. **Volksfeste**, deutsche.

Peters, W., & P Hoffmann: Die Veranstaltung von Jugendfesten an städt. Knabenschulen. Leipzig 1900. 29 S. (Flugschriften für Volks- u. Jugendspiele. 4.)

Die Volks- und Jugendspielbewegung in Kiel v Wilhelm **Peters.** Dem 9 deutschen Kongreß für Volks- und Jugendspiele gewidmet von dem Kieler Jugendspielverein, E. V., Kiel Kiel 1908 8°

Peters, Wilh., die Wirkg. des Gesetzes vom 26. VII. 1897 auf das Handwerk, s.: Grunenberg, A.

— d. Wirkung des Gesetzes, s. Handwerkerbibl.

— s. Z i v i l p r o z e ß o r d n u n g, Die, für das Deutsche Reich.

Peters, Wilhelm Karl Hartwig

Peters, Wilh. (C. H.), **über Cercosaura und die mit dieser Gattung verwandten Eidechsen aus Südamerica. gr. 4. (61 S. mit 3 Stnt.) Berlin 862, (Dümmler's Verlag.) cart. ***
Aus: Abhandlungen der k. Akademie der Wissenschaften zu Berlin, besonders abgedruckt.

—— über die Säugethier-Gattung Chiromys (Aye-Aye). gr. 4. (22 S. mit 4 Stnt.) Berlin 866, (Dümmler's Verlag.) cart. *

Peters, Wilh. C. H., üb. Dinomys, e. merkwürdige neue Gattung v. Nagethieren aus Peru. [Aus: „Festschrift zur Feier d. 100jähr. Bestehens d. Gesellsch. naturforsch. Freunde zu Berlin."] Mit 4 Taf. in Steindr. (wovon 1 Chromolith.) Fol. (10 S.) Berlin 873. Dümmler's Verl. n. 3. —

— de serpentum familia uropeltaceorum. Commentatio zoologica. Accedunt tab. lith. duae. Berlin 861. G. Reimer. gr. 4. (22 S.) n. 2 *ℛ*

——, Jul. Vict. Carus und C. E. Adph. Gerstaecker, Handbuch der Zoologie, s. **Handbuch.**

— Jul. Vict. **Carus** und C. E. Adph. **Gerstaecker,** Handbuch der Zoologie. Leipzig 863. Engelmann. Lex.-8.
2. Bd.: Arthropoden bearb. von A. Gerstaecker. — Räderthiere, Würmer, Echinodermen, Coelenteraten u. Protozoen bearb. von J. Vict. Carus. (VIII, 642 S.) n. 3 *ℛ* 20 *ngr.*
1 Bd. erscheint später.

Peters, Wilh. C. H., über die Chiropterengattungen Mormops und Phyllostoma. Imp.-4. (26 S. mit 2 Stnt.) Berlin 857, (Dümmler's Verlagsh.) *

—— über einige merkwürdige Nagethiere (Spalacomys indicus, Mus tomentósus und Mus squamipes) des königl. zoolog. Museums. gr. 4. (20 S. mit 2 Stnt., wovon 1 ill.) Berlin 861, (Dümmler's Verlagsh.) *
Vorstehende zwei Schriften des Verf. wurden aus: Abhandlungen der k. Akademie der Wissenschaften zu Berlin, Jahrg. 1856 und 1860; besonders abgedruckt.

—— über die Chiropterengattung Nyctophilus. gr. 4. (17 S. mit 1 Stnt.) Berlin 861, (Dümmler's Verlagsh.) *

Peters, Guil. Car. Hartwig. (geb. Koldenbüttel 22. 4. 1815). Observationes ad anatomiam Cheloniorum. Pars I. Descriptio osteologica Hydromedusae Maximiliani. Pars II. De significatione ossium thoracem Cheloniorum formantium. Berolini (1838). (22 S.) 4°
Berlin, Med. Diss. v 17 Dez. 1838

Peters, W. C. H., Naturwissenschaftliche Reise nach Mossambique auf Befehl Sr. Maj. des Königs Friedrich Wilhelm IV. in den Jahren 1842 bis 1848 ausgeführt. Zoologie. I. (Thl.:) Säugethiere. Mit 46 Tafeln. Imp. 4. (XVI u. 202 S. m. 11 schw. u. 35 col., lith. u. Kupfer-Taf.) Berlin 852, G. Reimer. n. 28 *ℛ* Prachtausg. in Fol. n. 42 *ℛ*

—— naturwissenschaftliche Reise nach Mossambique auf Befehl Sr. Maj. des Königs Friedrich Wilhelm IV. in den J. 1842 — 1848 ausgeführt. Botanik. 2 Abthlgn. Imp.-4. Berlin, G. Reimer. [1. Abthl. (IV und S. 1—304 mit 48 Stnt.) 862. * 25 Thlr., 2. Abthl. (XXII und S. 305—584 mit 13 Stnt.) 864. * 12 Thlr.] cart. *

—— dass. — Zoologie. IV. Flussfische. Imp.-4. (XII und 116 S. mit 20 Kpfrt.) Ebendas. 868. cart. *

—— dass. — Zoologie. V. Insecten und Myriapoden. Bearb. in Verbindung mit Klug, Loew, Schaum, Hagen, Gerstäcker und Hopffer. Imp.-4. (XXI und 566 S. mit 35 Kpfrt.) Ebendas. 862. cart. * 38 Thlr.; mit ill. Kpfrn. *

Peters, Wilh. (C. H.), naturwissenschaftliche Reise nach Mossambique auf Befehl Sr. Maj. des Königs Friedrich Wilhelm IV. in den J. 1842—1848 ausgeführt. — Zoologie. IV. Flussfische. Berlin 868. Dümmler's Verl. Imp.-4. (XII, 116 S. mit 20 Kupfertaff.) cart. n. 12 ℛ

Peters, Wilh. C. H., naturwissenschaftliche Reise nach Mossambique, auf Befehl Sr. Maj. d. Königs Friedrich Wilhelm IV. in den Jahren 1842—1848 ausgeführt. Zoologie. III. Amphibien. Mit 33 (lith., zum Thl. color. Taf.) gr. 4. (XV, 191 S.) Berlin 882. G. Reimer. cart. n. 80. —

—— und H. Liechtenstein, über neue merkwürdige Säugethiere d. königl. zoologischen Museums, s. Liechtenstein.

—— über die an der Küste von Mossambique beobachteten Seeigel und insbesondere über die Gruppe der Diademen. (Gelesen in der königl. Akademie der Wissenschaften am 11. Aug. 1853.) gr. 4. (19 S. mit 1 Kpfrtf. in Fol.) Berlin 855, (G. Reimer.) *

—— über die Säugethier-Gattung Solenodon. gr. 4. (22 S. mit 3 Stnt. in qu. Fol., wovon 1 in Buntdr.) Berlin 863, (Dümmler's Verlag.) cart. *

Peters, Wilh. (C. H.), über die Säugethier-Gattung Solenodon. Fol. (22 S. mit 3 Stnt., wovon 1 in Buntdr.) Berlin 863, (G. Reimer.) *
Aus: Abhandlungen der k. Akademie der Wissenschaften zu Berlin, besonders abgedruckt.

— Ueber die von dem Könige Friedrich dem Grossen dem Dr Marcus Elieser Bloch bei der Bearbeitung seines grossen Fischwerkes gewährte Unterstützung. Berlin 1863.

— über Wohnen u. Wandern der Thiere. Vortrag, gehalten im wissenschaftlichen Verein zu Berlin am 2. März 1867. Berlin 867. Schroeder's Verlag. 8. (68 (S. n. 10 ngr.

—— zur Zucht der Schweine, insbesond. der engl. Racen. 2. Aufl. gr. 8. (IV und 81 S. mit 2 Stnt.) Hannover 862, Meyer. *

Peters, Wilib. Die geschäftliche Behandlung der Mahnsachen. Die hierfür maßgeb. Grundsätze d. dtschen. Civilprozeßordng. u. ihre Folgesätze. gr. 8. (III, 80 S.) Berl. 889, Siemenroth u. Worms. * 1 50

Peters, Wilib., die Beschleunigung u. Vereinfachung des bürgerlichen Streitverfahrens u. der Entwurf zur Justiznovelle. (20 S.) gr. 8. Berlin 908. F. Vahlen. — 60

Peters, Wilibald. (geb. Düben 19. 11 1847): De arrhae datione juris Romani. Berolini (1874). (VIII, 71 S.) 8°
Berlin, Jur Diss. v. 11 Juli 1874

Peters, Wilib., die Geschäftsordnung f. die Gerichtsschreibereien der preußischen Amtsgerichte. Erläutert v. P. 3 Lfgn. gr. 8. (XVI, 488 S.) Berlin 894. Siemenroth & Worms. n. 9. —; geb. n. 10. —

Peters, Wilib., die Geschäftsordnung f. d. Gerichtsschreibereien d. preuß. Amtsgerichte. B. 14. XII. 1896. Erläut. v. P. 2. Aufl. gr. 8. (XVI, 667 S.) Berlin 897. 98. Siemenroth & Troschel. n. 13. —; geb. n. 15. —
Erschien auch in 8 Lfgn. à n. 1. 60.

Peters, Wilib., die Geschäftsordnung f. die Gerichtsschreibereien der preußischen Amtsgerichte. Erläutert v. P. 3. Aufl., enth. die Geschäftsordnung f. die Gerichtsschreibereien der Amtsgerichte vom 26. XI. 1899. Bearb. v. Wilib. Peters u. Wilh. Boschan. gr. 8. (XXVIII, 708 S.) Berlin 900. 901. F. Siemenroth. n. 15. —; geb. in Halbfrz. n. 17. —
Erschien auch in 9 Lfgn. à n. 1. 50.

— Die Geschäftsordnung f. die Gerichtsschreibereien der preußischen Amtsgerichte. Erläutert v. P. 4. Aufl., enth. die Geschäftsordng. f. die Gerichtsschreibereien der Amtsgerichte vom 11. X. 1906. Bearb. unter Mitwirkg. v. Wilh. Boschan u. Erwin Prümers. (XXI, 747 S.) gr. 8. Berlin 907—09. F. Siemenroth. 15. —; geb. in Halbfrz. 17. —; auch in 9 Lfgn. z. Subskr.-Pr. n à 1. 50

— dasselbe. Nachtrag zur 4. Aufl., enth. die Textändergn. der allg. Verfügg. vom 29. I. 1910 m. Erläutergn. u. Ergänzgn. Bearb. v. P. u. Wilh. Boschan. (VIII, 92 S.) gr. 8. Ebd. 910. Geb. 2. 50

— s.: Hilfsbücher f. die gerichtliche Praxis.

— Prozeßverschleppung, Prozeßumbildung u. die Lehren der Geschichte. (V, 266 S.) gr. 8. Berlin 904. O. Häring. n. 5. —

Peters, Wilib., die Revisionsgründe d. österreichischen u. d. deutschen Zivilprozesses. Vortrag, geh. in der jurist. Gesellschaft in Wien. (24 S.) gr. 8. Leipzig 909. Veit & Co. — 80
Sonderabdruck aus: „Festschr. d. jurist. Gesellsch. in Leipzig z. 500jähr. Jubelfeier d. Univ. Leipzig"

Das englische bürgerliche Streitverfahren u. die deutsche Zivilprozeßreform (XII, 149 S.) gr. 8. Berlin 908. Frz. Vahlen. 4. —

Peters, Willy, Referendar in Braunschweig: Das Verhältnis der Hypothek zur hypothekarisch gesicherten Forderung im Bürgerlichen Gesetzbuche. Borna-Leipzig 1907: R. Noske. (XI, 74 S.) 8° [J.]
Leipzig, Jur. Fak., Diss. v. 15. April 1907
[Geb. 27. März 81 Boffzen; Wohnort: Braunschweig; Staatsangeh.: Braunschweig; Vorbildung: Lateinische Hauptsch. Halle a. S. Reife O. 00; Studium: Kiel 4, Leipzig 4 S.; Rig. 2. Febr. 04.]

Peters-Parchim, Karl, s.: Peers, K.

Peters & Rost (seit 1904) Vereinigte Fabriken für Laboratoriumsbedarf: Preis-Liste über chemische Apparate und Utensilien für wissenschaftliche und Fabriks-Laboratorien. Berlin (1904?)
Nebst Nachtrag. 1904

Peters & Rost: Preis-Liste über chemische Apparate und Utensilien für technologisch-chemische, hüttenmännische und Probir-Laboratorien. Berlin 1903

Peters & Rost: Preis-Liste über chemische Apparate und Utensilien für landwirthschaftliche Schulen. Berlin 1903

Peters-Brunnen, Der, am Würmflusse, bey Leutstetten. München 1817. V: *Klöckel, Jos. v.* (Bücher-Samml. d. hist. Ver. v. u. f. Oberbayern. Münch. 1867.)

Peters-Brunnen, der, am Würmflusse bey Leutstetten. München, Jos. Lindauer, 1817. 8. Cart. *)
*) [illegible] S. u. [illegible] Umschl. (Ansicht d. Brunnens u. Kärtchen v. Würmflusse). S. [illegible] Die Sage von d. Geburt Karl d. Gr. — Ortsgeschichtl. Nachrichten von Leutstetten. — [illegible]blick auf die Einsiedler am Würmsee. — Ueber Karl d. Gr. Geburtsstätte am Würmflusse.

Petersburg am Ende s. ersten Jahrh., s. a. Reimers.

Petersburg, (St.,) am Ende seines ersten Jahrhunderts. Mit Rückblicken auf Entstehung u. Wachsthum dieser Residenz unter d. versch ied. Regierungen während dieses Zeitraums. 2 Thle. (Von Hnr. Cph. v. Reimers). Mit Kpf. u. Plan. gr. 8. St. Petersb. u. Penig **804.** (Leipz. Leich). 7 rf Velinp. 10 rf

Petersburg am Ende seines ersten Jahrhunderts . . . St. Petersburg 1805. V: *Reimers, Hnr. Chph v.* (MS) (Wr) (EngG)

Petersdorf [Sachliches OW]

Petersdorf im **Riesengebirge** nebst seinen **Kolonien Hartenberg** und Kiesewald als Sommerfrischen. Hrsg. von d. Ortsgruppe d. R.-G.-V. Petersdorf im Riesengebirge. *(Petersdorf): Selbstverl. d. Ortsgruppe [1900].* (48 S.) 8° [F.] [00. 9021

Petersdorf [Schlagwort]

Petersdorf, s.: Schreiberhau.

Petersdorff, C. Julius Caesar num in bello gallico enarrando nonnulla e fontibus transscripserit. 4. (18 S.) Belgard 879. (Berlin, Mayer und Müller.) *

Petersdorff, Herm. v., Kaiserin Augusta. gr. 8. (XI, 116 S.) Leipzig 900. Duncker & Humblot. n. 2. —; geb. in Leinw. n. 2. 80
Sonderabdruck aus: „Allg. deutsche Biographie".

von Petersdorff, Herman [aus Stettin]: Beiträge zur Wirtschafts-, Steuer- und Heeresgeschichte der Mark im dreißigjährigen Kriege. . . . (Aus: „Forsch. z. brandenburg. u. preuß. Gesch." Bd. II) (Altenburg, Pierer'sche Hofbuchdr. Stephan Geibel & Co. 1888); 36 + 1 S. 8°
Berlin, Phil. Fak., Inaug.-Diss. v. 22. Dez. 1888

— Friedrich der Große. Ein Bild seines Lebens u. seiner Zeit. Mit 277 zeitgenöss. Bildern, 27 fksm. Schriftstücken, Beilagen u. Plänen. hoch 4. (IX, 576 S.) Berlin 902. A. Hofmann & Co. Geb. in Leinw. n. 16. —

Petersdorff, Herm. v., Friedrich der Große. Ein Bild seines Lebens u. seiner Zeit. Mit 277 zeitgenöss. Bildern, 27 fksm. Schriftstücken, Beilagen u. Plänen. 2. Aufl. (IX, 576 S.) hoch 4. Berlin 904. A. Hofmann & Co. n. 13. 50; geb. n. 16. —
Erschien auch in 18 Lfgn. à — 75.

— König Friedrich Wilhelm d. Vierte. gr. 8. (XVI, 254 S.) Stuttgart 900. J. G. Cotta Nachf. n. 4. 50; geb. n. 5. 50

Petersdorff, Herm. v., s.: Gregorovius, Ferd., Briefe an den Staatssekretär Hermann v. Thile.

Petersdorff, Herm. v., d. erste Hohenzollernkaiser im Dienste preuß. u. deutscher Größe. Zum 100jähr. Geburtstage Wilhelms I. 1. u. 2. Aufl. gr. 8. (V, 119 S. m. Bildn.) Leipzig 897. Breitkopf & Härtel. n. 1. 50

Petersdorff, Herm. v., Kleist-Retzow. Ein Lebensbild. (XII, 556 S. m. 1 Bildnis.) gr. 8. Stuttgart 907. J. G. Cotta Nachf. 8. —; geb. in Halbfrz. 10. —

— Königin Louise, s. a. Frauenleben. I.

Königin Luise. Von Dr. Herman v. **Petersdorff,** Kgl. Archivar. Mit 5 Kunstdr. *Bielefeld & Leipzig: Velhagen & Klasing 1903.* (181 S.) 8° [F.]
= Frauenleben. 1. [04. 2929

Königin Luise. Von Dr. Hermann v. **Petersdorff,** Kgl. Archivar. Mit 5 Kunstdr. 2. Aufl. Bielefeld & Leipzig: Velhagen & Klasing 1904. (181 S.) 8° [F.]
— Frauenleben. 1. [04. 3940 B

Königin Luise. Von Dr. Herman v. **Petersdorff,** Archivar. Mit 5 Kunstdr. 3. Aufl. Bielefeld & Leipzig: Velhagen & Klasing 1907. (182 S.) 8° [F.]
= Frauenleben. 1. [08. 11300

Königin Luise. Von Dr. Hermann v. **Petersdorff,** Kgl. ArchivR. Mit 5 Kunstdr. 4. Aufl. Bielefeld & Leipzig: Velhagen & Klasing 1910. 182 S. 8°
(Frauenleben. 1.) [10. 9766 B

— Elisabeth Staegemann u. ihr Kreis, s.: Schriften des Vereins f. die Geschichte Berlins.

Petersdorff, Hermann v. Der Streit über den Ursprung des deutsch-französischen Krieges. (Aus:) „Forschungen zur brandenburg. und preuss. Geschichte." IX. Bd. — :
Leipzig 1896.

— General Johann Adolph Freiherr v. Thielmann, e. Charakterbild aus der napoleon. Zeit. gr. 8. (XVI, 352 S. m. Bildnis.) Leipzig 894. S. Hirzel. n. 8. —

Petersdorff, Herm. v., ältere Universitäts-Matrikeln, s.: Friedlaender, Ernst.

— die Vereine deutscher Studenten. 9 Jahre akadem. Kämpfe. Im Auftrage d. Kyffhäuser-Verbandes unter Benutzg. der Vereinsarchive hrsg. unter Mitwirkg. v. Chrn. Rogge, Wald. Zetzsche u. a. gr. 8. (VII, 247 S.) Leipzig 891. Breitkopf & Härtel. n. 2. 50

— d. Vereine deutscher Studenten. 12 Jahre akadem. Kämpfe. Im Auftr. d. Kyffhäuser-Verbandes unt. Benutzg. d. Vereinsarchive hrsg. unt. Mitwirkg. v. Chr. Rogge, Wald. Zetzsche u. a. 2., verm. Aufl. gr. 8. (XII, 301 S.) Leipzig 895. Breitkopf & Härtel. n. 3. —

— die Vereine deutscher Studenten. 12 Jahre akadem. Kämpfe. Im Auftrage des Kyffhäuser-Verbandes unter Benutzg. der Vereinsarchive hrsg. unter Mitwirkg. von Chrn. Rogge, Waldem. Zetzsche u. a. 3., verb. Aufl. gr. 8. (XIV, 301 S.) Leipzig 900. Breitkopf & Härtel. n. 3. —

— wie das Deutsche Reich geworden ist, s. a. Hausbibliothek, vaterländische.

— wie das Deutsche Reich geworden ist. 1848—1871. E. Gedenkbuch, d. deutschen Volke dargebracht zur 25jähr. Wiederkehr d. Gründg. d. Reiches. Bearb. nach d. neuesten Darstellgn., insbes. Heinrich v. Sybel's Werke: „D. Begründg. d. Deutschen Reiches durch Wilhelm I." M. 70 Bildn. u. Ansichten. gr. 8. (248 S.) Berlin 895. W. Pauli's Nachf. n. 1. —; geb. in Leinw. n. 1. 65

Petersdorff, Herm. v., wie das Deutsche Reich entstanden ist. 1848—1871. Ein Gedenkbuch, d. deutschen Volke dargebracht zur 25jähr. Wiederkehr d. Gründg. d. Reichs. Bearb. nach d. neuesten Darstellgn., insbes. Heinrich v. Sybel's Werke: „D. Begründg. d. Deutschen Reiches durch Wilhelm I." Mit 88 Bildn. u. Ansichten im Text u. 16 Photogr.-Drucke nach Gemälden von A. v. Werner, W. Camphausen, Th. Rocholl u. A. gr. 4. (151 S.) Berlin 896. W. Pauli's Nachf. Geb. in Leinw. 12. —

Wie das Deutsche Reich geworden ist. 1848—1871. Ein Gedenkbuch, d. deutschen Volke dargebr. von Herman v. **Petersdorff**. Bearb. nach d. neuest. Darstellungen. Mit 70 Bildn. u. Ansichten. (In 15 Lfgn.) *Berlin: W. Pauli's Nachf. 1898.* (247 S.) 8° [F.]
(Vaterländ. Hausbibliothek. Lief.-Ausg.)

Petersdorff, Rudolf

Petersdorff, R.: Beiträge zur Geschichte Alexanders des Grossen. 32 S.– Flensburg, Progr. 1872.

Petersdorff, Rud., Beiträge zur Geschichte Alexanders d. Grossen. 4. (32 S.) Berlin 873. Weber. n. 1. —

—— dass. — 4. (32 S.) Flensburg 874. (Berlin, Calvary und Comp.) *

Petersdorff, Rud., Diodorus, Curtius, Arrianus, quibus ex fontibus expeditiones ab Alexandro in Asia usque ad Darii mortem factas hauserint. Dissertatio inauguralis historica. Danzig 870. (Kafemann.) gr. 8. (30 S.) n. 10 ngr.

Petersdorff, R., die sozialen Gegensätze u. ihre Ziele, f. die Schule u. Familie beleuchtet. gr. 8. (51 S.) Strehlen 892. E. Asser. n. 1. —

Petersdorff, Rud., Germanen u. Griechen. Übereinstimmungen in ihrer ältesten Kultur im Anschluss an die Germania des Tacitus u. Homer. gr. 8. (III, 135 S.) Wiesbaden 902. C. G. Kunze's Nachf. n. 2. 60

Petersdorff, R., e. neue Hauptquelle d. Q. Curtius Rufus. Beiträge zur Kritik der Quellen f. die Geschichte Alexanders d. Grossen. gr. 8. (III, 64 S.) Hannover 884. Hahn. n. 2. —

Petersdorff, Rudolf, Dir. Dr.: Die ersten 25 Jahre des Gymnasiums zu Strehlen. *Strehlen, Schl. 1898: T. Erler.* (32 S.) 4°
Strehlen, Schl., k. G, Festschr. 1898 (1899) No 210

Petersdorff, Rudolf, Dir. Dr.: Das Kaiser-Wilhelm-Denkmal des Gymnasiums zu Strehlen. Strehlen 1904: Paul Schwarzer. (20 S.) 4°
Strehlen Schl., k. G P 1904 (248)

Petersdorff, Rudolf [Dr., Dir.]: Übereinstimmende Nachrichten über die alten Griechen und Germanen aus Homer und Tacitus. 1. Tl. Strehlen, T. Erler's Buchdr., *1897;* 23 S. 4.
Strehlen i. Schl., k. G, P 1897 (213)

— die wichtigsten Punkte der Methodik im gymnasialen Unterricht. 1. Tl.: Allgemeine Grundsätze, die fremden Sprachen, Geschichte u. Geographie. gr. 4. (26 S.) Pr. Friedland 882. (Leipzig, Fock.) n. 1. 50

Petersdorff, Wilh., s.: Arbeits-Statistik der deutschen Gewerkvereine.

Peterseim, J., Exerzier-Reglement u. Instructions-Buch f. freiwillige u. Pflicht-Feuerwehren. Fol. (IV, 60 S. m. Abbildgn.) Breslau 886. Koebner. n. 2. —

Petersen, B. Consistorialrath, Stifter des Tondern'schen Seminars, s. Carstens, C. E.

Petersen, C. F. Zur Erinnerung an Bürgermeister Carl Friedrich Petersen. 12. (42 S.) Hamburg 892. L. Gräfe & Sillem. — 60

Petersen. — Der wegen Mordes zum Tode verurtheilte Hans Peter Petersen aus Clixbüll vor dem Schwurgericht zu Flensburg. [Aus der Flensb. nordd. Zeitung.] Flensburg 869. Exped. der norddeutschen Zeitung. 8. (40 S.) n. 2 ngr.

Petersen, Johanna Eleonora, geb. v. u. zu Merlau. Basel 869. Spittler. 8. (24 S.) 1 ngr.

Petersen, Dem Br. M. H., sowie dem Br. J. G. Lantz am Stiftungstage der sehr ehrw. Loge zu den 3 Rosen in Liebe gewidmet von ihren ihnen treu verbundenen Brüdern. Hamb. den 29. Jan. 1845. [»Dem schönsten Tag, der segensvoll erscheint . . .«] [Hamb. 1845.] V: *Overbeck*. (wolfstieg I, 893)

Petersen und Rosenbaum, Bericht an das Comité der Berlin-Sächsischen Eisenbahngesellschaft vom Juli 1838. 4.

Petersen, . . ., s. Fr. W. Elbers, Predigten.

Petersen, Gesetz-Sammlg. 1806—1902, s.: Grotefend, G. A.

(**Petersen.**) Personen und Zustände Berlins seit dem 18. März 1848. Ein Beitrag zur künftigen Geschichte Preußens. 2 Hefte. Leipzig, Keil u. Comp. 1849. 55, 59 S. 8.

Petersen: De Philocteta Euripidea. Erlangen 1863.
Schul-/Univ.-Schrift

Petersen. Die Raubzüge der Normannen in Westfranken von der Mitte des 9. Jahrhunderts bis zur Niederlassung Rollo's. (24.) 4. Luckau 1873.

Petersen, Studien nach der Natur. gr. Roy.-Fol. 1s Heft die Buche. 2s Heft die Eiche. Copenhagen, Gyldendal. Jedes Heft von 4 Blättern 2 Rthlr.

Petersen, . . ., Taschenliederbuch. (Samml. vorzügl. Gesellschaftslieder) mit Guitarre-Begleit. Hamb. u. Itzehoe, Schuberth u. N. 18 gr.

Petersen: Über den Unterricht in der Mathematik und Naturkunde auf Gymnasien. Kiel 1865.
Schul-/Univ.- Schrift

Petersen: Widerlegung von Hitzing's Ansicht über Makkabaeische Psalmen. 22 S.—Hadersleben, Progr. 1868.

Petersen A.: Einige Bemerkungen üb. das Lüften d. Würze. Münch. 1888. 6 S. Fig. (Sartr.). 4°.

Petersen, A., der beredte Däne. Kleines Handbuch d. dän. Sprache, enth.: Grammatik m. zahlreichen Beispielen; Gespräche, Lesestücke, deutsch-dän. Wörterverzeichnis. Mit sorgfält. Bezeichng. der Aussprache hrsg. 12. (168 S.) Bern 890. Heuberger. n. 1. —

Petersen, A, der beredte Schwede. Kleines Handbuch der schwed. Sprache, enth. Grammatik, Gespräche, Lesestücke u. Wörtersammlg. Eine Anleitg., in sehr kurzer Zeit, ohne Hilfe e. Lehrers, leicht u. richtig schwedisch lesen u. sprechen zu lernen. 12. (168 S.) Bern 890. Heuberger's Verl. n. 1. —

Petersen, A., die beiden Wittelsbacher: Ludwig der Strenge auf Rietburg Dezbr. 1255 und Ludwig I. der Leutselige auf Ludwigshöhe 1856. Im Rückblick auf die Eroberung der Rietburg durch Ludwig den Strengen im Jahre 1255 und im Hinblick auf den Einzug König Ludwig I. auf Ludwigshöhe den 7 Juni 1856 verfaßt. Landau (856.) Kaußler. 8. (28 S.) 3 ngr.

Tondern. — Tønder. Nach der Natur gez. v. **A. Chr. Petersen.** 1856. A. Nay lithogr. Em. Bærentzen & Co. lithogr. Inst. Copenh. Tondern. o. J 1 Bl. Fol. 42/63 cm.

Petersen, A. H., Rechenknecht f. Genossenschafts-Meiereien. Vereinfachte Tabellen zur Berechng. der den Milchlieferanten auszuzahlenden Geldbeträge. Zum Gebrauch f. Meiereivorstände ꝛc. berechnet u. zusammengestellt. Fol. (36 Bl. auf Leinw.) Meldorf 889. Bremer. geb. n. 6. 50

Petersen, A. Th., Beschreibung d. Kirchspiels Hollingstedt. Nach authent. Quellen bearb. Mit 9 nach der Natur gez. Illustr., 2 Karten u. 3 handschriftl. Nachbildgn. gr. 8. (VIII, 264 S.) Schleswig 890. Bergas. n. 6. —; geb. n. 7. —

Petersen, Adf., Chronik der Stadt Luckau, s **Vetter, Jul.**

Petersen, Adf., Chronik d. Familie Petersen. I. u. II. Tl. gr. 8. München, J. F. Lehmann's Verl. n. 10. —
I. (IV, 109 S. m. Bildn.) 895. n. 4. —
II. (IV, 186 S. m. 1 Bildn. u. 1 Stammtaf.) 898. n. 6. —

Petersen. Die französische Conjugation nach ihrer Entstehung aus dem Lateinischen. Glückstadt, G., 1855.
Progr.

Petersen, Adolf, Prof. Dr **Maximilian** von Baiern und die Kurwürde, mit Berücksichtigung der bairischen Flugschrift: Die Anhaltische Kanzlei, 1621 *Luckau 1890 [vielm. 1899]: Entlentner.* (S. 3—27) 4°
Luckau, k G., P 1890 (82)

De quarti libri Tibulliani elegidiis eorumque auctore pauca disputat Adolf **Petersen.** Glückstadt 1849 4° Gymn.-Progr

Petersen, Adolf· Über **Preußen** und dessen Fürsten s. **Petersen, Th**

Petersen, Adf., üb. das Werk der Erlösung als e. Erlösung durch das Blut Christi. [Aus: „Neue Jahrbb. f. deutsche Theologie".] gr. 8. (29 S.) Düsseldorf 894. C. Schaffnit. n. — 60

Petersen, Adolf Cornelius, s. **Almanach**. Privilegirter Schleswig-Holsteinischer Gemeinnütziger

Petersen, Adolf Cornelius, s. **Almanach**, Schleswig-Holsteinischer Gemeinnütziger.

Petersen, Alb., Ralves Carsten. Eine Geschichte aus Dithmarschens Vergangenheit. (207 S.) kl. 8. Husum 906. C. F. Delff. n. 2. 25; geb. n. 3. —

Petersen, Albert (geb. am 26 März 1851 in Deutz bei Köln): Ueber multiple Gehirnsclerose ... Bonn, Buchdr. v. P. Neusser 1873. 29 S., 1 Bl. 8.
Bonn, Med. Fak., Diss. v. 19 Juli 1873

Petersen, Andr Christ

Die Liebe als ein Wunder der Natur, bey der Brun- und Steverschen Hochzeit-Feyer, welche am 23ten Tage des October Monahts im Jahre 1742 vergnügt vollenzogen wurde zur Bezeugung seiner Freude . . . dargestellet von *Andr. Christ. Petersen* Rostock. Fol. 2 Bll. (Ebd.)

Petersen, Andreas S. F [aus Kopenhagen]: Beiträge zur Kenntnis der flüchtigen Bestandteile der Wurzel und des Wurzelstocks von Asarum europeum L. . . Berlin, Druck d. norddeutsch. Buchdr u. Verlagsanst., 1888; 40 S. + 1 Bl. 8°
Breslau, Phil. Fak., Inaug.-Diss. v. 14. Jan. 1888

Petersen, A. S. F., Beiträge zur Kenntnis der flüchtigen Bestandteile der Wurzel u. d. Wurzelstocks v. Asarum europaeum L. Inaug.-Diss. gr. 8. (38 S.) Berlin 888. (Breslau, Köhler.) n. 1. —

Petersen, Anna

Klaus Groth. Ein Erinnerungsblatt (v. A. P., d. i.: **Anna Petersen**). Ausschnitt aus: Die Gegenwart, 1899, Nr. 27. Berlin. 4°.

Petersen, Asmus

Petersen, A., Beschreibung der neuen Methode des Wiesenbaues. gr. 8. (97 S. mit 1 Stnt. in Fol.) Schleswig 863, (Heiberg's Buchh.) *

Petersen, August

Petersen, Dr. A., Beantwortung der jetzt wichtigen Frage: Ob u. wie dem Landbaue, den technischen Gewerben u. dem Handel mehrere Freiheiten zu geben, und diese mit den mannigfachen Verhältnissen im innern Staatsleben zu vereinigen sind? In besonderer Beziehung auf das Königreich Hannover. Ein Versuch. gr. 8°. Göttingen, Vandenhoeck u. R., 1831.

Petersen, Aug., Beiträge zur pathologischen Anatomie der graviden Tube. gr. 8. (84 S.) Berlin 902. S. Karger. n. 3. —

Petersen, Aug., Hauptmomente in der geschichtlichen Entwickelung der medicinischen Therapie. gr. 8. (VII, 400 S.) Kopenhagen 877, Höst und Sohn. *

Petersen, Aug., die Idee d. christl. Kirche. Zur wissenschaftl. Beantwortung d. Lebensfrage uns. Zeit; e. theolog. Versuch. 1. u. 2. Thl. gr. 8. Leipzig, Vogel.
1. analyt.-crit. Thl., in besond. Bezieh. auf Dr. R. Rothe's „Anfänge d. christl. Kirche." 1. Buch. (15 B.) 839. 1 Thlr.
2. synthet.-dogmat. Thl. — A. u. d. T.: Die Lehre v. d. Kirche. Drei Bücher. — 1. u. 2. Buch. Von d. Wesen u. Organition d. Kirche. (45 B.) 842. 3 Thlr. 6 Gr.

Petersen, Aug., die Idee der christl. Kirche. Zur wissenschaftl. Beantwortung der Lebensfrage unserer Zeit, ein theolog. Versuch. 3., historisch-pragmatischer Theil, 1. u. 2. Hälfte. Der Lehre von der Kirche 3. Buch, 1. u. 2. Hälfte. gr. 8. Leipzig, Vogel. [1. Hlfte. (16 B.) 844. 1 Thlr., 2. Hlfte. (45½ B.) 46. 1 Thlr. 26⅔ Ngr.]
1. u. 2. Thl. Ebendas. 1839, 42. 4 Thlr. 7½ Ngr.

Petersen, Aug., des Christen Lebenskampf. Predigt am Sonntage Septuages., den 27. Jan. 1861 in der Kirche des Friedensteins gehalten gr. 8. (15 S.) Gotha 861, F. A. Perthes.

— die protestantische Lehrfreiheit u. ihre Grenzen. Ein offenes Wort zum ersten deutschen Protestantentage. Frankfurt a. M. 865. Winter. 8. (IV, 64 S.) 7½ ngr.

— Schleiermacher als Reformator der deutschen Bildung. Festrede zu Schleiermacher's einhundertjähr. Geburtstage. Gotha 869. Schloeßmann. gr. 8. (36 S.) n. 5 ngr.

Petersen, Aug., Gottes friedebringender Segen in Kriegeszeit. Predigt am VI. Sonntage nach Trin., den 8. Juli 1866, zu Gotha in der Kirche des Friedensteins gehalten. 1—6. Abdr. Gotha 866. F. A. Perthes. gr. 8. (15 S.) 3 ngr.

— unsere Siegesfreude. Predigt am 12. Sonntage nach Trin. den 4. Septbr. 1870 zu Gotha in der Augustiner-Kirche gehalten. 2. Abdr. Gotha 870. F. A. Perthes. gr. 8. (15 S.) 3 ngr.

— wir sind Gottes Volk! Eine Landpredigt zum 1000jähr. Jubelfeste Deutschlands den 6. August 1843 gehalten u. fürs deutsche Volk herausgeg. gr. 8. (1 B.) Leipzig 843, Vogel.

Petersen, Axel, s.: Abhandlungen, germanistische, zum LXX. Geburtstag Konrad v. Maurers.

Petersen, B., die evangel. Kirche in ihrer Stellung zu den Bekenntnißschriften, m. besond. Berücksichtig. ihrer Verhältnisse in Preußen. gr. 8. (3 B.) Glogau 843, Flemming.

Petersen, Balthasar

Das Leben und Leiden. Tod und Auferstehung samt der Himmelfahrt Jesu Christi des Heilandes aus den Evangelisten beschrieben v. Balthasar Petersen. Bd. 1—4. Husum. 1781—83. 8°.

Petersen, Balth., Leben, Leiden, Tod und Auferst., s. d. Auferst. Jesu, a. d. 4 Evang. 4 Thle. gr. 8. Husum. (Korte, Flensb.) (Christiani in Schlesw.) 782—83.

Petersen, Balth., († d. 1. Jan. 1787.) Leben, Leiden, Tod u. Auferstehung, sammt d. Auferstehung Jesu, aus d. 4 Evang. 4 Thle. gr. 8. Husum 782, 83. Flensb. (Hammerich in Altona). 5 ℔

— die christl. Lehre v. d. Auserwählten im ewigen Leben. 2 Thle. gr. 8. Husum u. Flensb. 785, 86. (Korte). 4 ℔

Petersen, Bartheld Jürgen

— Der Abfall von Gott und Christo und von seinem Heil. U. St. 1717.

PETERSEN, BARTHELD JÜRGEN, Wunderbare göttliche Bekehrung nebst der daher entstandenen Verfolgung. U. St. 1712.

— Einfältiges Busz- und Bethwesen. U. St. 1713. P.

— Erinnerung des einfältigen Hirten-Knaben. U. St. 1720. P.

— Die Freudigkeit vor alle Kinder Gottes. U. St. 1715. P.

— Ein einfältiges Gespräch von der Nachfolge Christi. U. St. 1714.

— Des einfältigen Hirten-Knaben Neu-Jahres-Wunsch. Altona. 1720.

— Einfältiger Unterricht an alle Menschen, wie sie zu Gott und Christo kommen können. U. St. 1721.

Petersen, Benjamin (Wittenberg / Sachsen), De poena privata. Präs. Augustin von Leyser. Wittenberg (E. G. Eichsfeld) Febr. 1743. 8 S. (4.50) **26163**

Petersen, C., Absatzverhältnisse f. Molkereiwaren unt. bes. Berücksicht. d. Buttermarktes, s. a. Arbeiten d. deutschen Landwirtschafts-Gesellschaft, Hft. 31.

[F.] Absatzverhältnisse f. Molkereiwaren unter bes. Berücks. d. Buttermarktes. Vergl. Beobachtgn einer Studienreise in Engl., Frankr., Belgien, d. Niederl. u. Dänemark. Von Ökonomierath (C.) Petersen-Eutin. *Berlin: O. Thiele 1898.* (2 Bl., 181 S.) 1 Bd 8.
= Arbeiten d. Deutschen Landwirtschafts-Gesellschaft. H 31
[98. 8886

Petersen C.: Anleitung z. Betriebe d. Milchwirtschaft in 15 Vorträgen Danzig 1877. 242 S. 1 Skema.

Petersen, C., Anleitung zum Betriebe der Milchwirthschaft in 15 Vorträgen. 1. u. 2. durchgeseh. Aufl. gr. 8. (VII, 244 S. m. 1 Tab.) Bremen 878. Heinsius. n. 4. —

Petersen, C., Ansichten u. Baurisse der neuen Gebäude für Hamburgs öffentliche Bildungsanstalten, s. J. G. C. Lehmann.

Petersen C.: Bericht üb. die milchwirtschaftliche Ausstellung in London v. 13. bis 17. Oktober 1879 u. üb. die Beschickung derselben m. einer deutschen Kollektiv-Ausstellung. Oldenburg. U. A. 49 S. P.

Petersen, C., kritischer Bericht über die allgemeine land- und forstwirthschaftliche Ausstellung in Hannover 1881, speziell über die Thier-Ausstellung. Hrsg. von der deutschen Viehzucht- und Herdbuch-Gesellschaft. gr. 8. (43 S.) Bremen 881, Heinsius. *

Petersen, C., Bericht üb. e. Reise nach Schweden u. Dänemark, zur Instruction üb. das dortige Molkereiwesen, namentlich üb. das Swartz'sche Aufrahm-Verfahren, erstattet an das großherzogl. oldenburg. Staatsministerium. gr. 8. (52 S.) Oldenburg 875. Schulze. n. — 80

Petersen, C., Bericht üb. die internationale landwirtschaftliche Tier-Ausstellung in Hamburg 1883. Unter Mitwirkg. von v. Mendel-Oldenburg, Brödermann-Knegendorf, Schubart-Lüssow etc. 8. (VII, 167 S. m. dem Ausstellungsplan.) Bremen 883. Heinsius. n. 2. 25

Petersen, C., üb. die Bestimmung, Bildung u. größere Wirksamkeit d. geistl. Standes in d. protestant. Kirche. gr. 8. Ebend. 815.

Die Butter-Auktionen des Bezirks-Meiereiverbandes für Ostholstein, ihre Entwickelung und ihre Bedeutung dargestellt v [C.] **Petersen.** Tl. 2 Eutin. 1905. 8° geb. in 4°. = Arbeiten der Landwirtschaftskammer etc. H. 11 (unrichtig als 9 bezeichnet).

— zur Einrichtung von Molkerei-Schulen, s.: Boysen, C.

—— s.a. Forschungen auf dem Gebiete der Viehhaltung und ihrer Erzeugnisse.

Petersen, C. und F. Forschungen auf dem Gebiete der Viehhaltung und ihrer Erzeugnisse. Bremen 1880—85. 16 Hefte.

Petersen, C. (Eutin), über Hebung der Tierzucht unter besond. Berücksicht. der Rindviehzucht. Vortrag, gehalten im „Klub der Landwirte" in Berlin am 30. Novbr. 1886. 8. (28 S.) Bremen 887, Heinsius Nachf. *
Aus: Milch-Zeitung, besonders abgedruckt.

Petersen-Eutin, C. Vide: Johannsen-Sophienhof.

— ist auf Rindviehschauen nach Rassen od. nach Leistungen zu prämiiren? (Internationaler land- u. forstwirthschaftl. Congress zu Wien 1890, 84. Hft.) gr. 8. (11 S.) Wien 890. (Frick.) n. — 60

—— zur Lage der Absatzverhältnisse für die deutschen Molkerei-Erzeugnisse, hrsg. von der durch den milchwirtschaftl. Verein [begründet Bremen 1874] und die Vereinigungen der deutschen landwirtschaftl. Genossenschaften ernannten Kommission für den Absatz der Molkereiprodukte. gr. 8. (40 S.) Bremen 888, Heinsius Nachf. *

— d. Margarine-Frage. Referat, erstatt. auf d. Generalversammlg. des deutschen milchwirtschaftl. Vereins am 18. Febr. 1895 zu Berlin. (Schriften d. deutschen milchwirtschaftl. Vereins Nr. 22.) gr. 8. (58 S.) Bremen 895. Leipzig, M. Heinsius Nachf. n. 1.—

— u. H. **Schrott-Fiechtl, der ostholsteinische Meierei-Verband seit s. Gründg. im J. 1886. gr. 8. (56 S.) Lübeck 895. (Leipzig, M. Heinsius Nachf.)** n. 1.—

— das Milchbuttern u. das Regenwalder Butterfaß. 8. (49 S.) Bremen 878. Heinsius. n. — 80

— s.: Milch-Zeitung.

— die Rindviehzucht im landwirthschaftlichen Betriebe u. die Mittel zur Hebung derselben. gr. 8. (VI, 144 S.) Danzig 874. Kafemann. 3. —

Petersen, C., C. Boysen und Wilh. Fleischmann, Studien über das Molkereiwesen. Reiseskizzen aus Dänemark, Schweden und Finnland. Lex.-8. (VIII, 162 S. mit eingedr. Holzschn.) [Danzig 878, Kafemann.] Bremen 875, Heinsius. * geb. *

— die landwirthschaftlichen Thier-Ausstellungen. Ihre Organisation, sowie ihre Bedeutung u. Aufgabe für die Hebung der landwirthschaftlichen Thierzucht. gr. 8. (VI, 365 S.) Ebend. 883. n. 6. —; geb. n.n. 7. —

—— aus und über Ungarn. 8. (60 S.) Ebendas. 886. * 1 20
Aus: Milch-Zeitung, besonders abgedruckt.

Versuch zum Entwurf einer zeitgemässen Apotheker-Ordnung für die Herzogthümer Schleswig und Holstein v. (C.) **Petersen.** Schleswig. 1846. 8°.

— die landwirthschaftlichen Zölle als Mittel zur Hebung der Landwirthschaft, s.: Johanssen.

Petersen, C. F., Handbuch der griechischen Litteraturgeschichte. Mit einem Vorworte von Dr. Aug. Matthia. gr. 8. Hamburg 834. Hoffmann u. Campe. 2 ℳ
vgl. Petersen, F. C.

Bericht über die Taetigkeit der Kommission C2 (Geschaeftsfuehrer Dr. C. G. Joh. **Petersen**) in der Periode Februar 1903–Maerz 1906. Mit 5 Taf. u. 8 Kt. Copenhague: Host en comm. 1906. 274 S. 4°
(Conseil permanent internat. pour l'exploration de la mer. Rapports et procès-verbaux. Vol. 5.) 109.12335 10

Petersen, C. G. Joh., How to distinguish between mature and immature plaice throughout the year, s.: Publikations de circonstance du conseil permanent international pour l'exploration de la mer. No. 1

Petersen, C. L., steht unsere evangelisch-lutherische Kirche in ihrer Tauflehre auf dem Grunde des göttlichen Wortes, oder thun es die sogenannten Baptisten? Antwort eines Laien auf das von den Herren Rode u. C. Peters hrsg. offene Sendschreiben. Schleswig im Febr. 1880. 12. (52 S.) Breklum 880. Christl. Buchh. — 25

Petersen, C. W., populäre Einführung in die neuen Maaß- und Gewichtsverhältnisse. 1.—4. Aufl. gr. 8. (23 S.) Schleswig 870—72, Schulbuchh. [Bergas.] *

—— populær Fremstilling af de nye Maal- og Vægtforhold. gr. 8. (32 S.) Ebendas. 870. *

Petersen, C. W., Hefte aus der Volksschule. Für Schüler bearb. und hrsg. 2 Hefte. gr. 8. (à 16 S.) Schleswig 862, Heiberg's Buchh. *
Inhalt:
Heft 1. Sprachlehre. * 3 Ngr.
" 2. Geographie. * 2½ Ngr.

Petersen, C. W., Lesebuch für Unter- u. Mittelklassen der Volksschule. Der Schulfibel 2. Thl. Schleswig 869. Schulbuchh. 8. (VI, 156 S.) n. 4 ngr; geb. n. 6 ngr

—— kleines Rechenbuch. 2., verb. Aufl. 8. (52 S.) Schleswig 864, Heiberg's Buchh. cart. *

— Schulfibel. Verbesserte u. sehr erweiterte 5. Aufl. der Tabellenfibel. Nach der Schreib-Lese-Methode bearb. 1. Thl. Mit zahlreichen (eingedr.) Holzschn. Ebend. 869. 8. (IV, 100 S. mit 2 Holzschntaf.) geb. n. 5 ngr

—— Schulfibel nebst Lesebuch für die Unter- und Mittelstufe der Volksschule. 1. Thl.: Fibel und Lesebuch für die Unterstufe. 6. Aufl. 8. (100 S. mit eingedr. Holzschn. und 1 Holzschntaf.) Schleswig 873, Bergas. geb. *

— allgemeine Schulgeographie in Wort u. Bild. Für die Jugend Schleswig-Holsteins bearb. Schleswig 867. Schulbuchh. gr. 8. (IV, 128 S.) n. 10 ngr

—— Tabellen-Fibel. 4. Aufl. 8. (IV, 53 und 8 lithogr. S.) Schleswig 864, Heiberg's Buchh. cart. *

Petersen, Carl, s. Petersen, Karl

Petersen, Carl Friedrich Ludwig v., s. Petersen, Karl Friedrich Ludwig v.

Petersen, Carl S., s. Petersen, Karl S.

Petersen, Carl Theodor, s. Petersen, Karl Theodor

Petersen, Ch.: Memoria Christiani Nicolai Schmoeller civitatis hamburgensis nuper senatoris. (Mit Notizen über das Hamburger Schützenwesen). Hamburg, J. A. Meissner, 1847. 1255

Petersen, **Chr. P. N., de Collatione bonorum ad heredes ab intestato restricta, juxta leges Romanas et Danicas, tam antiquas, quam recentiores. 8. Kopenh. 825. Schubothe. 1 ₰ 6 gr**

Petersen, Christel, der Kanarienvogel, dessen Zucht, Wartg. u. Pflege, s. Krankheiten u. deren Heilg., sow. d. Veredlg. s. Gesanges. Nach langjähr. Beobachtgn. zusammengest. gr. 8. (32 S.) Hamburg 896. Grefe & Tiedemann. n. — 75

Petersen, Christian

Petersen, Chrstn., Ansichten u. Baurisse d. neuen Gebäude f. Hamburgs öffentl. Bildungsanstalten, s. Lehmann, J. G. C.

— s. Auswahl zweckmäß. Lieder.

— Ueber die Bedeutung mythologischer Darstellungen an Geschenken bei den Griechen. Pr. 1853. 24 S. 4°.

— Ueb. die Bedeutung mythol. Darstellungen an Geschenken bei d. Griechen. Pr. 1854. 28 S.

Petersen, Chrn., über die **Bedeutung** mythologischer Darstellungen an Geschenken bei den Griechen. Eine Festgabe. (Vortrag zur Feier von Winckelmann's Geburtstag, gehalten am 9. Dec. 1853. Abgedr. aus dem Michaelis-Programm d. Gymnasiums 1854.) Hamburg 855. Perthes-Besser u. Mauke gr. 8. (40 S.) n. 8 ngr.

Petersen, Chr., üb. die Bestimmung, Bildung u. größere Wirksamkeit d. geistl. Standes in d. protestant. Kirche. gr. 8. Altona 815. Hammerich. 3 gr

Petersen, Ch., Briefe zu einer nähern Verständigung über die neulich erschienenen Briefe des Hrn. C. Harms. gr. 8. Kiel. (Leipzig, Hartmann.) 818.

— Briefe zu einer nähern Verständigung üb. die neulich erschienenen Briefe d. Herrn C. Harms. gr. 8. Kiel 818. (Volkmar in Leipz.) 6 gr

— Caelo Vibenna u. Mastarna. S.-A. 1899. 7 S. m. Abb. 4°.

Petersen, C., De causis publicis Romanis inde ab anno CXXI usque ad annum LXXI a. Chr. n. actis. Diss 1880. 155 S. 4° 8.

— der Christ in der Einsamkeit. Ein Andachtsbuch z. häusl. u. tägl. Gebr. f. Christen jedes Alters u. Standes. 8. Schlesw 817. Koch. 6 gr

— Christenthum u. Christenglaube. Ein kleiner Katechismus f. die christl. Jugend. 12. Kiel 818. (Ebd.) 2 gr

— Il Diadumeno di Policleto. S.-A. 1890. 9 S. u. 1 Taf.

— Disco di ferro. S.-A. 1893. 10 S.

Petersen, Chrn., der Donnerbesen. Als 21. Bericht der Königl. Schleswig-Holstein-Lauenburgischen Gesellschaft für die Sammlung und Erhaltung vaterländischer Alterthümer. (Abdr. aus den „Jahrbüchern für die Landeskunde der Herzogthümer Schleswig, Holstein und Lauenburg.") Mit 7 Steindrtaf. Kiel 862. Akademische Buchhdlg. in Comm. gr. 8. (IV, 40 S.) n. 18 ngr.

— Ercole riportante i pomi delle Esperidi. S.-A. 1859. 14 S. m. 1 Pl.

Petersen, Chrstn., Erinnerung an J. J. Winckelmann's Einfluß auf Literatur, Wissenschaft u. Kunst. Eine Rede, gehalten an dessen Geburtstage dem 9. Decbr. 1842. gr. 8. (1¼ B.) Hamburg 842, Perthes-Besser u. Mauke.

Erlebnisse eines Predigers (d. i.. Christian **Petersen**) in dänischer Gefangenschaft (1848 April — August) tempi passati. Zum 24. März 1898. Ausschnitt aus Hamburgischer Correspondent. Abend-Ausgabe. Nr. 128—138. Hamburg. 1898. Fol. geb. in 4°.

—— Separatabzug. [Hamburg. 1898.] Fol.

Petersen, Ch. Die F[illegible] der Pallas Ath[illegible] in Athen und der Fr[illegible]s des Parthenon. Vortrag. Hamburg 18[illegible]. 4°

Petersen, Chrn. (II.), der Delphische Festcyclus des Apollon und des Dionysos, oder wie sich aus der Vielheit griech. Götter die Vorstellung einer göttl. Einheit entwickelt hat. gr. 4. (40 S.) Hamburg 859, (Perthes-Besser und Mauke.) *

Aus: Programm des Gymnasiums von Ostern 1859, besonders abgedruckt.

Petersen, Chr., Phaedri Epicurei vulgo Anonymi Hercul., de natura deorum fragm. Pr. 1833. 52 S. 4° 2.—

— über die Freiheit d. Prediger, so schlecht zu predigen als sie wollen. 8. Hamb. 814. Vollmer. (Herold jun.) 2 gr

***Petersen*, Chr., philosophiae Chrysippeae fundamenta in notionum dispositione posita e fragmento restituit. 8maj. Hamb. 827. (Aue in Altona). 2 ₰**

Petersen, (Chr.,) philosophiae Chrysippeae fundamenta in notionum dispositione posita e fragmentio restituit. gr. 8. Hamb. 827, (Busch in Alt.)

—— **Philosophiae Chrysippeae fundamenta** in notionum dispositione posita e fragmentis restituit. 8maj. (23½ B.) Altonae 837. (Dessaviae, Aue.) *

— Gamaliel; ein Wort z. Ehre der Bibel. 8. Schlesw. 817. Koch. 3 gr

Petersen, Chrn., Gebetbüchlein für Christenkinder. Mit einem Vorw. von Spieß. Saarbrücken 857. Neumann. 16. (3 Bl., 92 S.) n. 4 ngr.

— über die **Geburtstagsfeier** bei den Griechen nach Alter, Art u. Ursprung. Ein Beitrag zum Hausgottesdienst der alten Griechen. (Abdr. aus d. 2. Supplem.-Bde. der Jahrbücher für class. Philologie.) Leipzig 857. Teubner. gr. 8. (68 S.) 15 ngr.

—— zur Geschichte der Religion u. Kunst bei den Griechen. Zwei öffentl. Vorträge. gr. 8. (6 B.) Hamburg 845, Meissner. *

—— Geschichte d. hamburg. Stadtbibliothek. gr. 8. (17 B., 4 Abbild. u. 5 Taf. Facsim.) Hamburg 838, Perthes-Besser u. Mauke. Thlr. *

— Der geheime Gottesdienst bei den Griechen. Pr. 1848. 42 S. 4°.

— das **Gymnasium** der Griechen nach seiner baulichen Einrichtung beschrieben. (Aus d. Gymn.-Programm v. Ostern 1858.) Hamburg 858. Perthes-Besser u. Mauke in Comm. 4. (65 S. u. 1 lith. Taf.) n. 15 ngr.

Petersen, Chrstn., der Hausgottesdienst der alten Griechen. gr. 8. (73 S. mit 1 lithogr. Grundriss des griech. Hauses.) Cassel 851, Fischer.

—— **Hufeisen und Roßtrappen**, (a **Bericht**, 25., der Schleswig-Holsteinisch-Lauenburgischen Gesellschaft für die Sammlung und Erhaltung vaterländischer Alterthümer.

Petersen, Chrn, Hufeisen und Rosstrappen oder die Hufeisensteine in ihrer mythologischen Bedeutung erläutert. Mit 1 Tafel. Kiel 1865. 8.
Bericht 25. d. Schleswig-H.-L. Ges. . . . th.

Petersen, Chrn., die Kunst des Pheidias am Parthenon und zu Olympia. gr. 8. (VIII, 418 S.) Berlin 873, Weidmann'sche Buchh. *

– Dass., s.a. Petersen, Eugen

Petersen, Chr., praktischer Lehrgang der vereinfachten deutschen Stenographie, s.: Ahrens, L.

Petersen, Chrn., das Maussoleum, oder das Grabmal des Königs Maussolos von Karien. Ein Vortrag, gehalten zur Geburtstags-Feier J. J. Winckelmann's im J. 1865. Mit 2 Steintaff., die den Versuch einer neuen Restauration geben, u. eine Motivirung derselben. Hamburg 867. Nestler & Melle. gr. 4. (16 S.) n. 24 ngr.

– Kunstgeschichtl Miscellen. S.-A 1880. 5 S. 4°.

– Sul monumento di Adamklissi. S.-A. 1896. 15 S.

– Le muse Chigiane. S.-A. 1893. 14 S. u. 1 Taf.

—— de originibus historiae rom., seu de antiquissimis carminibus histor., de legibus regiis atque de commentar. regum. Praemiss. est indici scholar. in Gymnasio academ. a Paschate 1835 usque ad Pascha 1836 habendar. 4maj. (6½ B.) Hamburgi 835, (Perthes-Besser et Mauke.)

Petersen, Chrn. Die Pferdeköpfe auf den Bauernhäusern in Norddeutschland. Hamburg 1858. 12. . . . . th.

— die Pferdeköpfe auf den Bauerhäusern, besonders in Norddeutschland. Als 19. Bericht der Königl. Schleswig-Holstein-Lauenburgischen Gesellschaft für die Sammlung und Erhaltung vaterländischer Alterthümer. (Abdr. aus den „Jahrbüchern für die Landeskunde der Herzogthümer Schleswig, Holstein u. Lauenburg.") Mit 4 Steindrtaf. Kiel 860. Akademische Buchhdlg. gr. 8. (71 S.) n. 22½ ngr.

— s. Phaedri Epicurei.

— Die Reliefs an der Balustrade der Athena Nike n. neuen Zeichnungen u. Entwürfen. S.-A. 1881. 22 S.

—— Religion oder Mythologie, Theologie und Gottesverehrung der Griechen, s. Griechenland.

Petersen, C., Scaenica: I. Orchestra u. Konistra. II. Die Planconstruction d. griech. Theaters. III. Corpus inscr. gr. I 229 u. 230. S.-A. 1885. 15 S.

—— Hippocratis nomine quae circumferuntur scripta ad temporis rationes disposuit. Ps. I. Praemissum indici lectionum in Gymnasio academ. a. 1839 habendar. 4maj. (3¼ B.) Hamburgi, (Perthes-Besser et Mauke.)

— Spuren des Steinalters, welche sich bis in die Zeiten der beglaubigten Geschichte erhalten haben. Hamburg 868. (Mauke Söhne.) gr. 4. (16 S.) n. 6 ngr.

Petersen, Chr., Philolog.-histor. Studien auf d. Academ. Gymnasium in Hamburg, s. Studien.

– s. Timotheus.

PETERSEN, CHR., Vom Unterrichte im praktischen Rechnen. Kiel. 1824. 4. P. (Skoleprogr.).

—— Ursprung und Alter der Hesiodeischen Theogonie. gr. 4. (46 S.) Hamburg 862, (Mauke Söhne.) *
Aus: Osterprogramm des Gymnasiums, besonders abgedruckt.

—— die Verbreitung des Christenthums unter den Sachsen, mit besond. Rücksicht auf die dieselbe hemmenden und fördernden Umstände. Vortrag gehalten am 30. Jan. 1865 im Auftrage des Vereins für Hamburg. Geschichte. gr. 8. (32 S.) Hamburg 865, Mauke Söhne.

– Ueber d. Verhältnis des Bronzealters zur historischen Zeit bei den Völkern des Altertums. Gel. 1868. 24 S. 4°.

— über das Verhältniss des Broncealters zur historischen Zeit bei den Völkern des Alterthums. Ebend. 869. gr. 4. (24 S.) n. 8 ngr.

Petersen, Christian, Referendar in Flensburg Welchen Einfluss hat die Cession einer pfandrechtlich gesicherten Forderung auf das Rechtsverhältnis bezüglich des Pfandes? *Flensburg 1899: L. P. H. Maass.* (VII, 45 S.) 8°
Greifswald, Jur Diss. v 1899

—üb. d. hohen Werth d. Bibel. gr. 8. Schlesw. 816. Koch. 3gr

— das Zwölfgöttersystem der Griechen u. Römer, s. Sammlung gemeinverst. wissenschaftl. Vorträge.

— — 2. Abthlg. Hamburg 868. (Berlin, Calvary & Co.) gr. 4. (56 S.) n. 20 ngr.

– Das Zwölfgöttersystem der Griechen u. Römer, 1870. 40 S.

Petersen, Clairaut, über den Einfluß der Waldungen auf die Witterungsverhältnisse u. das Klima. gr. 8. (1½ B.) Altona 816, Schlüter.

Allgemeine Schulgeographie in Wort und Bild. Für die Jugend Schleswig-Holsteins bearb. v. Christoph Wilhelm Petersen. Schleswig. 1867 8°

Petersen, Daniel (Hrsg.), s. Auswahl zweckmäßiger Lieder aus dem schleswig-holsteinischen Gesangbuche

— — der Christ in der Einsamkeit. Ein Andachtsbuch zum häusl. und tägl. Gebrauch für Christen jedes Alters und Standes. 8. Ebend. 817.

Petersen, D., üb. die Freiheit d. Prediger, so schlecht zu predigen als sie wollen. 8. Hamb. Vollmer. 814.

Petersen, D., Gamaliel, ein Wort zur Ehre der Bibel. 8. Schleswig. Koch. 817. Rthlr.

(PETERSEN, DAN.), Gottwerth, der fromme Jugendfreund oder Anleitung zur Verehrung Gottes in Unterhaltungen über die Natur und das Menschenleben. Ein Buch für Bürger- und Landschulen. Altona. 1815. (O. m. T.: Timotheus. 3. Bd. Sm. St. o. A.). (Bd. 1—2. Sm. St. 1812—13 mglr. i K. B.).

Ueber den hohen Werth der Bibel. Eine Predigt, geh. am 1 Pfingsttage 1816 zu Bau bei Flensburg v. D. Petersen. Schleswig. 1816. 8°

Die Ansicht Hitzig's u. A., dass es Psalmen aus dem Zeitalter der Makkabäer gebe, widerlegt v. Detlev Friedrich Petersen. Flensburg. 1868. 4°. Hadersleben, Gymn.-Progr.

Petersen, Dominico [cand. med.]: Aus d. gynäkolog. Klinik zu Bonn. Ueber Extrauterinschwangerschaft ... Bonn, Druck v. E. Heydorn, 1894; 2 Bl., 38 S., 1 Bl. 8.
. Bonn, Med. Fak., Inaug.-Diss. v [10. März] 1894

Petersen, E., die wunderbare Geburt des Heilandes, s. a. Volksbücher, religionsgeschichtliche. I, 17.

Petersen, E. Die wunderbare Geburt des Heilandes. Von Pastor E. Petersen-Altona-Ottensen. 1 –5 Taus. Tübingen: Mohr 1909. 47 S. 8°
(Religionsgeschichtl. Volksbücher f. d. deutsche christl. Gegenwart. Reihe 1, H. 17.)

Petersen, E. v, s.: Gesetz üb. die allgemeine Wehrpflicht.

Petersen, E. Leitfaden f. d. katechet. Elementarunterricht in d. Sittenlehre. 8. Altona 805. Hammerich. 14 K

Petersen, E. F., zum Andenken an weil. Se. Maj. unsern Kaiser König Wilhelm I. v. Preußen. Worte, beim Trauergottesdienst am 16. März 1888 in der Domkirche zu Lübeck, zugleich vor versammelter Garnison, gesprochen. gr. 8. (11 S.) Lübeck 888. Schmersahl. n. — 30

Petersen, E. F. Der Geburtstag unseres Kaisers im J. 1889. Festpredigt. gr. 8. (11 S.) Lübeck 889. Schmersahl. * — 30

Petersen, E. F., D. Martin Luthers Leben und Wirken, s. Plitt, G.

— Philemon. Der Brief d. Apostels Paulus an diesen seinen Freund in neuen Betrachtgn. 8. (VII, 116 S.) Leipzig 889. Hinrichs' Verl. n. 1.20; geb. n. 1.80

— **Eduard Heinrich** (Hiesfeld / Rhein / Westfalen), Nonnulla ad historiam et methodum partus praematuri artificialis spectantia. Diss. med. Halle (H. Ruff) 10. V. 1836. 27 S. u. Biogr. (M.: J. C. Nolting). (2.50) 26164
Advers. part. suscep.: J. Schotte, H. G. Runge.

Petersen, Erich, a. Süderhaff: Zur vergleichenden Anatomie des Zentralzylinders der Papilionaceen-Keimwurzel. Dresden 1908: C. Heinrich. (29 S.) 8°
Kiel, Phil. Fak., Ref. Reinke, Diss. v. 13. April 1908
[Geb. 21 Juni 82 Suderhaff, Kr. Flensburg; Wohnort: Suderhaff; Staatsangeh.: Preußen; Vorbildung: Gymn. Flensburg Reife O. 04; Studium: München 1, Berlin 2, Kiel 3 S.; Rig 30. Nov 07.]

Petersen, Ernst [approb. Arzt aus Segeberg]: Ein Beitrag zur Statistik des Typhus abdominalis in Kiel. Kiel, Verl. v. Lipsius & Tischer, 1886; 20 + 2 S. u. 1 Taf. 8°.
Kiel, Med. Fak., Inaug.-Diss. v. 7. Aug. 1886.

Petersen, Eug., Ara pacis Augustae. Sonderausg. der Illustr. aus den Sonderschriften des österreich. archäolog. Institutes in Wien, Bd. II, f. Zwecke archäolog. Seminarübgn. gr. 4. (25 S. u. 8 Taf. Abbildgn. m. IX S. Text.) Wien 902. A. Hölder. Geb. n. 12.—

— **dasselbe,** s.: Sonderschriften des österr. archäolog. Institutes in Wien. II.

Artemis und Hippolytos (v. Eugen Petersen). [Sonderabdruck] aus den Mittheilungen des K. D. Archaeologischen Instituts Bd. 14. Rom. 1899. 8°

Petersen. Eug., Athen, s. a. Kunststätten, berühmte.

Athen von Eugen **Petersen**. Mit 122 Abb. Leipzig: E. A. Seemann 1908. (255 S.) 8°
= **Kunststätten**, Berühmte. Bd 41 108. 15,352

Petersen. E., De Atreo et Thyesta disputatio. Pr. 1877. 24 S. 4°. 1.

Petersen, Eug.: Kritische Bemerkungen zur ältesten Geschichte der griech. Kunst. 39 S. – Ploen, Progr. 1871

– Die Burgtempel der Athenaia. (147 S. m. 4 Abb.) gr. 8. Berlin 907. Weidmann. 4. —

— E., De Cerere Phigalensi atque de Diproeno et Scyllide disputatio. Pr. 187 15 S. 4°

Petersen, Eug., Comitium Rostra, Grab des Romulus. (42 S. m. Abbildgn.) Lex.-8. Rom 904. Loescher & Co. n.n. 1.60

Petersen, E., Emendationes (Callimachus. Eurip. Bacch. Valerius Max. Vitruv.) Pr. 1875. 13 S. 4° 1 —

Petersen, E., Die neueste Erklärung der Westgiebelgruppe d. Parthenon. S.-1876. 14 S. 4°. 1.

Eros und Psyche oder Nike v. Eugen **Petersen**. Rom 1901 8° Sonderabdruck aus d. Mitteilungen d. K. D. Archäologischen Instituts. Bd. 16

– De Dionysiorum judicibus. Pr. 1878. 25 S. 4°

Petersen, E., Trajans dakische Kriege. Nach dem Säulenrelief erzählt. I. Der erste Krieg. 8. (IV, 95 S.) Leipzig 899. B. G. Teubner. n. 1.80

Petersen, E., Trajans dakische Kriege. Nach dem Säulenrelief erzählt. II. Der zweite Krieg. (IV, 152 S. m. Abbildgn. u. 1 Taf.) gr. 8. Leipzig 903. B. G. Teubner. n. 3.— (I u. II: n. 4.80)

Petersen, Eug., die Kunst d. Pheidias am Parthenon u. zu Olympia. gr. 8. (VIII, 418 S.) Berlin 873. Weidmann. n. 8. —

- Dass., s.a. Petersen, Christian

Petersen, Eug., Alfr. v. Domaszewski, Guglielmo **Calderini,** die Marcus-Säule auf Piazza Colonna in Rom. gr. Fol. M. Text. (128 Taf.) Fol. (VII, 127 S. m. Abb.) München 896. Verlagsanstalt F. Bruckmann. In 2 Mappen, Text geb. in Halbleinw. n. 300.—

Petersen, Eugen: [Namensverzeichnis aller derer, welche dazu beigetragen haben, Eugen *Petersen* bei seinem Abgange von Rom ein Gedächtnis zu stiften.] Dat. Bln '05. 3 Bl., 1 Taf. 4°

Petersen, Eug., s. Reisen im südwestlichen Kleinasien.

Petersen Eugen & Felix von Luschan, Reisen in Lykien, Milyas und Kibyratis. Ausgeführt auf Veranlassung der österreichischen Gesellschaft für archäologische Erforschung Kleinasiens unter dienstlicher Förderung durch Seiner Majestät Raddampfer „Taurus" Commandant Baritz von Ikafalva, Folio (248 S. mit 40 Tafeln u. zahlreichen Illustrationen im Texte) geb. Wien: Gerold's Sohn 1889. 75 —

Petersen, Eug., vom alten Rom, s. a Kunststätten, berühmte, Bd. 1.

[E.] Vom alten Rom. Von Eugen Petersen. *Leipzig: E. A. Seemann 1898.* (3 Bl., 142 S.) 1 Bd 8.
= Kunststätten, Berühmte. No 1. [96. 10151 M

Petersen, E. Scaenica, s. Studien, Wiener, 7. Jahrg.

Petersen, Eugen. Zur altattischen Haartracht „Tettix". Wien 1906. Sp. 77—86. 4°.
Aus: Jahreshefte des österr. archäolog. Instituts Bd. IX. Beiblatt 1906.

Petersen, E., De vita Thucydidis. Pr. 1873. 21 S. 4°.

— ein Werk des Panainos. (36 S. m. Abbildgn.) 4. E. A. Seemann. n. 2. 50

Petersen, F., Geschichte d. Lübeck. Kirchen-Reformation, s. Geschichte 2c.

Petersen, F., warum feiern wir d. 25. Juni 1830 in Deutschland, u. besonders in Lübeck? Durch eine geschichtl. Darstell. der deutschen u. Lübeckischen Kirchen-Reformation bis z. Jahr 1830. beantw. 8. Lübeck 830. v. Rohden. 3 gl

—— Wünsche f. e. künftige Kirchen-Verfassung. Eine Vorles. gr. 8. (2½ B.) Lübeck 830, v. Rohden.

Petersen, F., zwei Zeit-Predigten am Michaelistage und am 18. Octbr. 1843 in der Dom-Kirche zu Lübeck gehalten. gr. 8. Lübeck 843, v. Rohden'sche Buchh. ⅛ ß

Petersen, F. C., allgem. Einleitung in d. Studium d. Archäologie. A. d. Dän. v. P. Friedrichsen. gr. 8. (23 B.) Leipzig 829, Hahn.

—— Handbuch d. griech. Litteraturgeschichte. Mit e. Vorw. v. Aug. Matthiä. gr. 8. (23 B.) Hamburg 834, Hoffmann u. Campe.
vgl. Petersen, C. F.

Petersen, F. C., De Libanio Sophista partic. II et IV. Gel. 1827, 28. 28, 16 S. 4°.

— Observationes in Sophoclis tragoediam, quae inscribitur Oedipus rex. 4maj. Kopenh. 810. Gyldendal. 8 gl

— — Observationes in Sophoclis tragoediam, quae inscribitur Oedipus rex. 4maj. Hafniae, Gyldendalia. 819.

Petersen, F. C., De statu culturae, qualis aetatibus heroicis apud Graecos fuerit. Gel. 1826. 21 S. 4°. 1.20

Petersen, F. C., de Aeschyli vita et fabulis commentatio. 8. Kopenh. 816. Schubothe. 20 gl

Petersen, F. G., s. Petersen, Georg Friedrich

Petersen, F. W., gems of poetry from every period of british literature. Selected for the use of youth. gr. 16. (XII, 252 S.) Leipzig 872. Hirt & Sohn. geb. 3. —

Petersen's, F. W., Grundregeln der deutschen Sprache. 853. (III, 69 S.) — 2., veränd. Aufl. Frankfurt a. M. 858. Jügel's Verlag. 8. (2 Bl., 60 S.) 7½ ngr.

Petersen, F. W., Grundregeln der deutschen Sprache. 3. verm. Aufl. Frankfurt a. M. 862. Jügel's Verlag. 8. (2 Bl., 80 S.) 7½ ngr.

Petersen, F. W., Grundregeln der deutschen Sprache. 4. Aufl. Frankfurt a. M. 867. Jügel's Verlag. 8. (III, 80 S.) 7½ ngr.

Petersen, F. W., Lehr- u. Lesebuch für den Unterricht in der engl. Sprache. gr. 8. (16½ B.) Leipzig 846, Friedr. Fleischer. -

Petersen, F. W., Lehr- u. Lesebuch für den Unterricht in der Englischen Sprache. 2. verb. u. durch ein Wörterbuch verm. Ausg. gr. 8. (VIII u. 312 S.) Leipzig 850, Fr. Fleischer. 24 ngr.

1.25 — Lehr- und Lesebuch für den Unterricht in der Englischen Sprache. 3. Aufl. 853. — 4. von neuem durchges. Aufl. Leipzig 856. F. Fleischer. gr. 8. (VIII, 312 S.) 24 ngr.

— Lehr- u. Lesebuch für den Unterricht in der Englischen Sprache. 5. verm. Aufl. Leipzig 860. Fr. Fleischer. gr. 8. (VIII, 335 S.) 24 ngr.

— Lehr- u. Lesebuch für den Unterricht in der englischen Sprache. 6., verm. Aufl. Leipzig 866. Fr. Fleischer. gr. 8. (VIII, 335 S.) 24 ngr.

— Lehr- u. Lesebuch f. den Unterricht in der engl. Sprache. 7. unveränd. Aufl. gr. 8. (VIII, 335 S.) Leipzig 873. Fr. Fleischer. 2. 40

Petersen, F. W., Lehr- u. Lesebuch für den Unterricht in der englischen Sprache. 8., unveränd. Aufl. gr. 8. (VIII, 335 S.) Leipzig 882. F. Fleischer. 2. 40; geb. n. 2. 70

Petersen, F. W., Lehr- u. Lesebuch f. den Unterricht in der englischen Sprache. 9. unveränd. Aufl. gr. 8. (VI, 335 S.) Leipzig 893. F. Fleischer. Geb. 2. 80

— Schlüssel zu den deutsch-englischen Aufgaben in dem englischen Lehrbuch. Frankfurt a. M. 853. Jügel's Verlag. gr. 8. (24 S.) 6 ngr.

Petersen, Ferdinand

Über die Aufgaben des Kieler Zweigvereins des vaterländischen Frauenvereins für den Fall eines Krieges. Vortrag v. Ferdinand Petersen. Siehe in: Jahresbericht des Vorstandes des Kieler Zweigvereins etc. für 1891. Kiel. 1892. 8°.

Der Beruf der Krankenschwester. Nach dem Vortrage v. [Ferdinand] Petersen auf dem 10. Schl.-Holst. Städtetag in Elmshorn. 17. Juni 1905, unter besonderer Berücksichtigung der Verhältnisse im Anschar-Schwestern- und Krankenhause in Kiel. (Kiel. 1905.) 8°

Petersen, Ferd., aus d. kgl. chirurgischen Poliklinik zu Kiel. [Aus: „Festschrift f. Fr. v. Esmarch".] gr. 8. (51 S. m. 15 Abb.) Kiel 893. Lipsius & Tischer. n. 1. 40

Vortrag des Univ.-Prof. Dr. [Ferdinand] Petersen-Kiel auf dem 10. Schleswig-Holsteinischen Städtetage in Elmshorn am 17. Juni 1905 über: Jetziger Stand und wünschenswerte Entwickelung der Krankenpflege in Schleswig-Holstein. Kiel 1905: Vollbehr & Riepen. 31 S. 8° [10. 13073 8

Petersen, Fr., Erlebnisse eines Schleswig'schen Predigers in den Friedens- u. Kriegsjahren 1838 bis 1850. Ein Beitrag zur Beurtheilung der dänischen kirchlichen u. nationalen Zustände. 2. Aufl. Frankfurt a. M. 856. Brönner. 8. (XVI, 374 S.) n. 1 ß

Petersen, Fr., die Schleswig'sche Geistlichkeit unter den wechselnden Staatsgewalten. Zugleich ein Beitrag zur Würdigung des Kampfes der Evangel. Kirchen-Zeitung wider die vertriebenen Geistlichen. gr. 8. (VI u. 60 S.) Kiel 851, Schwers. n. 1/4 ₰

Petersen, Fr., sind Aufruhr und Meineid im dänischen oder im schleswig-holsteinischen Feldlager zu suchen? Sendschreiben an den Bischof Thomander zu Lund in Schweden, veranlaßt durch dessen Vota auf dem skandinav. Kirchentage. gr. 8. (IX und 120 S.) Frankfurt a. M. 858, Brönner. *

—— der gegenwärtige Zustand der Kirche und Schule des Herzogth. Schleswig. Nach neuester eigener Anschauung. gr. 8. (63 S.) Frankfurt a. M. 857, Brönner. *

Petersen, Fr., Von Advent bis Neujahr in sieben gehaltenen Predigten, nebst einer Rede und einer Predigt über die Glocken. St. Johann 855. (Saarbrücken, Neumann.) gr. 8. (VIII, 92 S.) 10 ngr.

Petersen, Frid. (geb. Berlin 1. 12. 1837). De encephalomalaciae causis. Berolini (1862). (31 S.) 8°
Berlin, Med. Diss. v. 23. Dez. 1862

PETERSEN, [FRIEDR.], Für Harms gegen Wolf oder gemeinverständliche Würdigung des entstandenen Streits. Kiel. 1839.

Petersen, Frd., Haus-Choralbuch, s.: Müsehen, Carl.

Petersen, Frdr., Licht u. Recht aus Gottes Wort. Lutherisches Hausandachtsbuch, in Verbindung m. mecklenburg. Geistlichen hrsg. gr. 8. (VIII, 439 S.) Schwerin 901. F. Bahn. Geb. in Leinw. n. 1.20; m. Goldschn. n. 2.40

— Licht u. Recht aus Gottes Wort. Lutherisches Hausandachtsbuch, in Verbindg. m. mecklenburg. Geistlichen hrsg. 4. Aufl. (16.—20. Taus.) (VIII, 440 S.) 8. Schwerin 907. F. Bahn. Geb. in Leinw. n. 1.20

— Licht u. Recht aus Gottes Wort. Lutherisches Hausandachtsbuch, in Verbindg. m. mecklenburg. Geistlichen hrsg. 5. Aufl. (21.—25. Taus.) (VIII, 440 S.) 8. Schwerin 911. F. Bahn. Geb. in Leinw. 1.20

Petersen, Fr., zur Rechtfertigung Nordschleswigs, s. Zur.

Petersen, Friedrich: Zur Rechtfertigung Nordschleswigs. Votum eines nordschleswigschen Predigers [d. i.: Friedrich Petersen]. Kiel. 1850. 8°

Petersen, Friedrich, aus Eutin Untersuchungen über den elektrischen Widerstand der Milch. *Merseburg 1904: F. Stollberg.* (56 S.) 8°
Kiel, Phil. Diss. v. [9. Juli] 1904

Petersen, Friedrich Andreas

Dissertatio historica de Cimbris et Teutonis, primis Romanorum ex (verbessert aus et) Germania hostibus. Quam . dirigente Christophoro **Cellario.** placido eruditorum examini [illegible] a. d. 16. Dec. 1701 exponit Fridericus Andreas Petersen. Glucksburgensis Holsatus. Halae Magdeburgicae. (1701.) 4° k.

Petersen, Friedrich Karl

Petersen, Friedrich Carl [aus Flensburg] Ueber das Duboisin und das Pyrrolidin , Kiel, Druck v. A. F. Jensen, 1888; 27 S. 1 Bl. 8°
Rostock, Phil. Fak., Inaug. Diss. v. 1? März 1888

Petersen, G., kleines Lehrbuch der Geographie, nach den neuesten Staatsveränderungen, mit besond. Berücksicht. des Vaterlandes für Schulen und zum Selbstunterricht bearb. 5., verm. Aufl. gr. 12. (248 S.) Hamburg 848, Schuberth und Comp. Thlr. ⁵⁄₁₂
Mit Karten *

Petersen G. F.: Bemerkungen auf einer Reise von Hannover durch einen Theil d. Mecklenburgischen u. der Prignitz nach den preuss. Gestüts-Anstalten bei Neustadt an der Dosse, besonders v. u. üb. Pferdezucht. Hann. 1796. 173 S. 3 Tvl.
(=: Kleine Schriften vermischten Inhalts . H. 1).

Petersen, G. F., Diss. sistens epilepsiae consensualis singulare specimen. 21 pp. Frcf. ad V. 4°.
1727

Petersen, G. J., üb. die Harmonie im Weltenraum. 1. Bdchn. gr. 8. (III, 26 S. m. Fig.) Gleiwitz 899. A. Jaeger. n. 1.20

Petersen, Geo., über „Antike u. moderne Theaterbaukunst, sowie üb. das Theaterwesen". (32 S. m. Abbildgn. u. Titelbild.) gr. 8. Habelschwerdt 909. Franke. —75

Petersen, Geo., († d. .. Mai 1783.) s. Versuch zu einer genauern Prüfung v. Stellen in Sneedorfs Briefen.

Petersen, Geo. Friedr., die Kunst Baumwollen- u. Leinen-Garn u. Zeuge zu färben. Aus d. Artikel „L'art de teindre" im Dictionnaire technol. theils übers., theils ausgezogen u. auch zweckmäßiger geord. u. mit erläut. Anmerkn. vers. 8. (11½ B.) Hamburg 838, Berendsohn.

Petersen, F. G., Magazin für die Arithmetik. 2 Bde. 8. Celle, Richter. (Sommer in Leipz.) 785.

— Revision v. Mitteln, die Schulden eines Landes zu bezahlen. gr. 8. Lüneb. 815. Herold u. W. 10 gr

— kl. Schriften vermischten Inhalts, besonders in Bezug auf Pferde u. Pferdezucht. 1s Stck. (A. u. d. T.: Bemerkk. auf e. Reise nach d. Preuß. Gestütsanstalten bei Neustadt 2c.) Mit 3 Kpf. 8. Hannov. 796. Hahn. 14 gr

Petersen, Geo. Fr., Versuch eines Magazins f. die Arithmetik. 2 Stücke, 8. Celle 785, 86, (W. Rauck in Leipz.) 22 gr

— üb. Wirthschaftsanschläge od. Budgets. gr. 8. Götting. Dankwerts. 811.

— üb. Wirthschaftsanschläge od. Budgets. gr. 8. Götting. 811. (Vandenhöck u. R.) 9 gr

Peterser, G. F.: „Ueber Wirthschaftsanschläge oder Budgets. Ein Versuch, Privatwirthen, Commun- und Staats-Administratoren, besonders im Königreich Westphalen, gewidmet", Hannover 1811 (Hahn).

Petersen, Geo. Paysen, Beowulf. Aelteste deutsche Heldendichtg., nach dem Angelsächs. erzählt. Mit 6 Tonbildern v. Hans W. Schmidt. (VII, 96 S.) 8. Stuttgart (906). Loewe. Geb. 2.—

— Till Eulenspiegel, s. Erzählungen, lustige.

Petersen, Geo. Paysen, Geschichte aus der Heimatstadt. 8. (III, 164 S.) Hamburg 893. O. Meißner's Verl. 2.40; geb. n. 3.—

— Wahrhaftige Geschichte der Schildbürger u. wie Till Eulenspiegel sie besuchte. Nach alten Urkunden erzählt. Mit 4 Bunt- u. 32 Textbildern v. H. Grobet. (VII, 145 S.) 8. Ebd. (907). Geb. in Leinw. 3.—

— dasselbe. Mit 32 Textbildern v. H. Grobet. Volksausg. (VII, 145 S.) 8. Ebd. (907). Geb. 1.80

— fürs deutsche Haus. Märchen. Mit Zeichngn. von H. de Bruycker. 4. (VI, 226 S.) Hamburg 896. O. Meißner's Verl. Geb. n. 10.—

Petersen, Geo. Paysen, Onkel Toms Hütte nach Harriet Beecher-Stowe. Für die Jugend bearb. Mit 4 Bunt- u. 32 Textbildern v. Willy Planck. (VII, 150 S.) 8. Stuttgart (906). Loewe. Geb. in Leinw. 3.—

— dasselbe. Mit 32 Textbildern v. W. Planck. Volksausg. 2. Aufl. (VII, 150 S.) 8. Ebd. (906). Geb. 1.80

— Kieklinnewelt. Plattdeutsches Familienbuch. Eine Sammlg. v. Wiegenliedern u. Kinderreimen, Rätseln, Spielen u. Sprichwörtern, Märchen u. Gedichten in allen niederdeutschen Mundarten. Mit 100 (z. Tl. farb.) Bildern v. W. Schaefel. (VII, 216 S.) 4. Dresden 905. G. Kühtmann. Geb. in Leinw. n. 6.—

— Kapitän Kiene. Nach e. Erzählg. des Kapit. Marryat f. die deutsche Jugend bearb. (V, 149 S. m. 12 Farbdr.) 8. Ebd. (910). Geb. in Leinw. 3.—

— dasselbe. Volksausg. (V, 149 S. m. 12 Tonbildern.) 8. Ebd. (910). Geb. in Halbleinw. 1.80

— Mütterchen, erzähl uns was! Erzählungen, Gedichte, Lieder, Spiele, Rätsel u. Sprüche f. Kinderstube u. Kindergarten, gesammelt u. bearb. gr. 8. (VI, 377 S.) Ebd. 894. n. 3.—; geb. n. 4.—

Petersen, Geo. Paysen, Mütterchen, erzähl uns was! Erzählgn., Gedichte, Lieder, Spiele, Rätsel u. Sprüche, f. Kinderstube u. Kindergarten gesammelt u. bearb. 2 Bde. 2. Aufl. gr. 8. Hamburg 902. O. Meißner. In 1 od. 2 Bde. geb. n. 4.—
1. Frühling u. Sommer. (VI, 182 S.)
2. Herbst u. Winter. (III, 207 S.)

— Reinhart Rotfuchs. Die deutsche Tiersage, f. jung u. alt erzählt. Mit 6 Vollbildern v. Aug. Dressel. gr. 8. (VI, 290 S.) Leipzig 892. O. Spamer. n. 3.—; geb. in Leinw. n.n. 4.—

— Reinhart Rotfuchs. Die deutsche Tiersage f. jung u. alt erzählt. 2. [Titel-]Aufl. M. 6 Vollbild. v. Aug. Dressel. gr. 8. (VI, 290 S.) Leipzig (892) 899. O. Spamer. n. 3.—; geb. in Leinw. n. 4.—

— Reinhart Rotfuchs. Die deutsche Tiersage für jung u. alt erzählt. 3. [Titel-]Aufl. Mit 6 Vollbildern v. Aug. Dressel. (VI, 290 S.) 8. Leipzig [892] 906. O. Spamer. n. 2.50; geb. in Leinw. n 3.—

— Die Schildbürger u. die sieben Schwaben. Für die Jugend bearb. Mit 8 Bunt- u. 66 Textbildern v. H. Grobet. (VII, 146 u. 152 S.) 8. Ebd. (908). Geb. in Leinw. 5.—

— Lustige Schwabenstreiche. Für die Jugend erzählt. Mit 4 Bunt- u. 34 Textbildern v. H. Grobet. (VIII, 152 S.) 8. Ebd. (908). Geb. in Leinw. 3.—

— dasselbe. Mit 34 Textillustr. v. H. Grobet. Volksausg. (VIII, 152 S.) 8. Ebd. (908). Geb. 1.80

Petersen, Geo. Paysen, Till Eulenspiegels lustige Streiche. F. d. Jugend neu bearb. M. 6 Farbdr.- u. 17 Textbild. v. Eug. Klimsch. 2., durchges. Aufl. 4. (III, 94 S.) Stuttgart 898. F. Loewe. Geb. 3.—

— Till Eulenspiegels lustige Streiche. Für die Jugend neu bearb. Mit 6 Farbdr.- u. 17 Textbildern v. Eug. Klimsch. 5. Aufl. 4. (III, 94 S.) Stuttgart (901). Loewe. Geb. 3.—

— dasselbe. Mit 7 Einschalte- u. 17 Textbildern von E. Klimsch. 6. Aufl. 8. (V, 150 S.) Ebd. (902). Geb. 1.20

— Till Eulenspiegels lustige Streiche. Für die Jugend neu bearb. Mit 4 Bunt-, 6 Einschalte- u. 14 Textbildern v. E. Klimsch. 9. Aufl. (III, 193 S.) 8. Ebd. (904). Geb. in Leinw. n. 2.50

— dasselbe. Mit 6 Farbdr.- u. 17 Textbildern v. Eug. Klimsch. 11. Aufl. (III, 94 S.) Lex.-8. Ebd. (905). Geb. 3.—

— dasselbe. Mit 7 Einschalte- u. 17 Textbildern v. E. Klimsch. 13. Aufl. (Volksausg.) (III, 150 S.) 8. Ebd. (906). Geb. 1.20

Petersen, Geo. Paysen, Till Eulenspiegels lustige Streiche. Für die Jugend neu bearb. Mit 7 Einschalte- u. 17 Textbildern v. E. Klimsch. 17. Aufl. (V, 150 S.) 8. Stuttgart (909). Loewe. Geb. 1.20

— dasselbe. Mit 4 Bunt-, 6 Einschalte- u. 14 Textbildern v. E. Klimsch. 15. Aufl. (V, 193 S.) 8. Ebd. (907). Geb. 2.50

— dasselbe. Mit 6 Farbdr.- u. 17 Textbildern v. Eug. Klimsch. 19. Aufl. (IV, 94 S.) Lex. 8. Ebd. (910). Geb. in Halbleinw. 3.—

PETERSEN, G[EORG] P[T.], Der Bau des Tobacks und seine Fabrikation. Nach eigenen Erfahrungen. Kiel. 1813.

Petersen, G. P., Chronik der Reformations-Jubelfeyer in d. dänischen Staaten. s. Chronik.

Petersen, G. P., Erinnerungen aus d. Leben d. Königl. Justizrath Peter Matthiesen, vormaligen Land- u. Bezirkvoigts auf Föhr in Kopenhagen. Mit e. Gedächtnißrede v. C. Fr. Posselt u. Matthiesens Portrait. 8. Altona 825. (Hammerich). 15 gr

—die Kunst d. Tabaksbaues u. seine Fabrikation. Nach eignen Erfahrungen. 8. Kiel 18.. 2e Aufl. 813. (Altona, Hammerich). 12 gr

Niemann, Aug. Christ. Heinrich (Herausgeber): „Schleswig-Holsteinische Provinzialberichte", 11 Jahrgänge (in je 6 Stücken oder 2 Bänden) Altona 1788 bis 1798 (Hammerich). — Fortsetzung u. d. T.: „Blätter für Polizey und Cultur", Jahrgang 1 und 2: Kiel 1799, 1800; Jahrgang 3 und 4: Tübingen 1801, 1802 (v. Cotta). — Fortsetzung: „Neue Schleswig-Holsteinische Provinzialberichte", gesammelt von G. P. Petersen, 6 Jahrgänge: Kiel 1811 bis 1816.

Der Tod in seiner freundlichsten und gräßlichsten Gestalt: eine biographische Darstellung aus dem Leben eines ruhig entschlafenen 100jährigen Greises ... v. G[eorg] P[eter] Petersen. Eutin. 1801. 8°
[Zwischent.:] 1. Kurze biographische Darstellung der ... Lebensumstände ... des Joachim v. **Brocktorff** ...
2. Eine Gelegenheitsrede durch den Tod ... Joachim v. **Brocktorff** veranlaßt ...
3. Eine Gelegenheitsrede durch die Ermordung der Predigerwitwe **Berenberg** geb. Leifhold veranlaßt ...

Petersen, Georg Peter (Hrsg.), s. Zeitschrift für Kirche und Staat.

Petersen, Georg Wilhelm

– s. Predigten f. unser Jahrhundert.

— s.a. Samml. einiger (7) Predigten.

Petersen, Geo. Wilh., († d. 14. Dec. 1816.) Samml. einiger **Predigten, besond. in Rücksicht auf Hofleute. gr. 8. Lpz. 787. Weidmann. 20 gr**

Petersen, Gust., üb. die Verbreitung ansteckender Krankheiten durch Milchgenuss u. die dagegen zu ergreifenden sanitätspolizeilichen Massregeln, sa Vorträge, thiermedizinische.

Petersen, Gust., Über die Verbreitung ansteckender Krankheiten durch Milchgenuss und die dagegen zu ergreifenden sanitäts-polizeilichen Massregeln. S.-A. (24 S.) Leipzig 90. Felix. M. 1.50

Petersen, Gustav: Ueber die Verbreitung ansteckender Krankheiten durch Milchgenuss und die dagegen zu ergreifenden sanitätspolizeilichen Massregeln. Leipzig **1892.** 24 S.
(Thiermedizinische Vorträge. 2, H. 1.)

— Gustav Reinhold (Dorpat/Livland), De febris nervosae natura et origine. Diss. med.-pathol. Jena (Stranckmann) 24. VI. 1796. 46 S. (4.75)
26166
Gew.: Johann Ludwig von Mauchenheim dicto Bechtolsheim, Johann Christian von Damnitz.

Petersen, H., Abschiedspredigt üb. Phil. 1, 2—6 geh. zu Kalk am 2. Pfingsttag, den 2. Juni 1873. gr. 8. (13 S.) (Barmen 874. Klein.) n. — 50

Petersen, H., u. H. **Gocht,** Amputationen u. Exartikulationen. Künstliche Glieder, s.: Chirurgie, deutsche. Lfg. 29a.

Peterson. H. Bildnisse verdienter Lubecker, nebst deren Biographien. Herausgegeben im Jubeljahre des siebenhundertjährigen Bestehens der Stadt Lubeck. Gezeichnet und lithographirt von H. Hauttmann ... Lubeck. H. Petersen 1843. [Umschlagtit.]
6 Taf. in Lithogr. m. 6 Bl. Text. gr 2°

—— das Königr. Dännemark, nebst allen zu demſ. gehör. Ländern u. Besitzungen. Zunächst zum Gebr. in Gelehrten-Schulen u. Schullehrer-Seminarien ꝛc. 2., ganz umgearb., verb. u. verm. Aufl. 8. (9½ B.) Lunden 828. (Altona, Aue.)

Petersen, H., das Königr. Dänemark. 2e verm. Aufl. 8. Lund. 828. 3e Aufl. 829. (Aue in Altona). 10 gr

Petersen, H., zum Gedächtniß Kaiser Friedrich's III. Zwei Predigten üb. Psalm 39, V. 8 u. 10 u. Jac. 1, V. 12, geh. am 3. u. 4. Sonntag nach Trinitatis, den 17. u. 24. Juni 1888, in der Johanneskirche zu Düsseldorf. gr. 8. (28 S.) Düsseldorf 888. Voß & Co. n. — 40

— Gedanken üb. das Lesen der Bibel. gr. 8. (77 S.) Elberfeld 890. Könker. n. — 50

—— biblische Geographie, nebst einer chronologischen Tabelle zur biblischen Geschichte. Ein Seitenstück zu den biblischen Historien von Hübner, Kohlrausch, Trefurt u. A. zum bessern Verständniß derselben hrsg. gr. 12. (22 S.) Hamburg 847, Schuberth und Comp.

Petersen, H., Geschichte des Königreichs Dännemark ꝛc., s. H. J. Jacobsen.

—— die deutsche Geschichte, für Schulen und zum Selbstunterricht. 1. Aufl. 1851. 15 Ngr. und 2., verb. Aufl. 12. (192 S.) Hamburg 852, Schuberth und Comp. *

— die deutsche Geschichte für Schulen u. zum Selbstunterricht. gr. 12. (192 S.) Ebd. 851. ½ Thlr — 2. verb. u. verm. Aufl. 12. (192 S.) Ebd. 853. n. ⅓ Thlr

Petersen, H.: Die Grundlagen der Gaussischen Theorie..., s. Erman, A.

Petersen, H., ich lebe u. ihr sollt auch leben. 6 Betrachtgn. üb. 1. Corinther 15, der Gemeinde dargeboten. 8. (139 S.) Leipzig 887. [Gustorff] Wallmann. n. 1. 50; geb. n. 2. 40

Petersen, H., der Jugendfreund. Lehren der Tugend u. Weisheit, eine Auswahl von Fabeln, Erzählungen, Parabeln, Gesprächen u. Liedern zu Gedächtnißübungen u. zur Veredelung des Lese- u. Redetons, nebst ein. Anhange v. Gebeten. gr. 12. (4 B.) Hamburg 843, Schuberth u. Comp.

— Karte der biblischen Geographie für Volksschulen. gr. Fol. (2 lith. u. illum. Blätter.) Ebend. 845. n. ⅔ Thlr

—— Lehrbuch der Geographie, s. Omnibus für Wissenschaft.

Petersen, H., Lehrbuch der Geographie nach den neuesten Staatsveränderungen für Schule und Haus bearb. 6. Aufl. 1852. * 12½ Ngr. und 7., verb. und verm. Aufl. 12. (300 S.) Hamburg 855, Schuberth und Comp. *

Petersen, H., Lehrbuch der Geographie nach den neuesten Veränderungen für Schule und Haus bearb. 8. Aufl. Verb. und verm. von Friedr. Wilh. Klatt. (Jul. Schuberth's Handbibliothek. 6. Bd.) 8. (IX und 251 S.) Leipzig 860, Schuberth und Comp. *

Petersen, H., Lehrbuch der Geographie nach den neuesten Veränderungen für Schule u. Haus bearb. 9. Aufl. Verb. u. verm. von Frdr. Wilh. Klatt. Leipzig 870. Schuberth & Co. 8. (VII, 244 S.) n. 12 ngr

Petersen, H., Lehrbuch der Geographie nach den neuesten Veränderungen f. Schule u. Haus m. besond. Rücksicht auf das deutsche Reich u. Nordamerika. 10. Aufl. Verb. u. verm. v. Frdr. Wilh. Klatt. 8. (VIII, 256 S.) Leipzig 874. Schuberth & Co. 1. 20

—— kleines Lehrbuch der Geographie, nach den neuesten Staatsveränderungen. Mit besond. Berücksichtig. des Vaterlandes u. e. Abrisse der bibl. Geographie, für Schulen u. zum Selbst-Unterricht. 4., verm. u. verb. Aufl. (Schulausg.) gr. 12. (4½ B.) Hamburg 843, Schuberth u. Comp.

— kleines Lehrbuch der Geographie, nach den neuesten Staatsveränderungen, mit besond. Berücksicht. des Vaterlandes für Schulen u. zum Selbstunterricht bearb. 5. sehr verm. Aufl. (Abgedr. aus: Omnibus f. Wissenschaft ꝛc.) gr. 12. (248 S.) Ebd. 848. n. 1/3 ℛ; mit Karten geb. n. 2/3 ℛ

—— kleines Lehrbuch der Naturgeschichte, in Verbindung mit Technologie. Für Schulen u. z. Selbstunterricht. (Schulausg.) 12. (6 1/2 B.) Hamburg 844, Schuberth u. Comp. 7 1/2 Ngr. Familienausg., mit 6 ill. Kpfrn. * —

— kleines Lehrbuch der Naturgeschichte in Verbindung m. Technologie. Für Schulen u. zum Selbstunterricht bearb. 2. unveränd. (Titel-) Aufl. 12. (IV u. 149 S.) Ebd. (844) 848. n. 1/4 ℛ; Familienausg. mit 6 col. Kpfrn. 3/4 ℛ

—— kleines Lehrbuch der Weltgeschichte f. Schulen u. z. Selbstunterricht, mit besond. Berücksichtig. der vaterländ. Geschichte. 3., verm. u. verb. Aufl. Hamburg 844, Schuberth u. Comp. Schulausg. * 7 1/2 Ngr. Familienausg. *

—— kleines Lehrbuch der Weltgeschichte für Schulen und zum Selbstunterricht mit besond. Berücksicht. der vaterländ. Geschichte und als Anhang: Abriß der biblischen Geographie mit chronolog. Tabellen zur biblischen Geschichte. 4. Aufl. (III und 98 S.) 1848, und 5., verm. Aufl. gr. 12. (III und 120 S.) Hamburg 849, Schuberth und Comp. *
Familienausg. mit Kpfrn.

—— Lehrbuch der Naturgeschichte. 4. Aufl. Gänzlich umgearb., verm. und verb. von Friedrich Wilhelm Klatt. 8. (IV und 380 S.) Hamburg 856 (57,) Schuberth und Comp. *

—— Lehrbuch der Naturgeschichte für Schulen und zum Selbstunterrichte. 2. Aufl. (IV und 149 S.) 1848. * 7 1/2 Ngr. und 3., verm. und verb. Aufl. 12. (VII und 160 S.) Hamburg 852, Schuberth und Comp. *

—— Lehrbuch der Weltgeschichte für Schulen und zum Selbstunterrichte. 6., verm. und verb. Aufl. 12. (192 S.) Hamburg 852, Schuberth und Comp. *

— Lehrbuch der Weltgeschichte für Schulen. 7. Aufl. Durchges., vielfach verb. u. bis auf die neueste Zeit fortgeführt von J. Hennig. Hamburg 856. Schuberth u. Co. gr. 8. (IV, 187 S.) n. 12 ngr.

Petersen, H., Lehrbuch der Weltgeschichte für Schulen. 8. Aufl. Durchgesehen, verb., mit biograph. Uebersichten verm. und bis auf die neueste Zeit fortgeführt von F. W. Klatt. 8. (IV und 238 S.) Leipzig 863, Schuberth und Comp. *

— Lehrbuch der Weltgeschichte f. Schulen. 10. Aufl. durchgesehen, verb., m. biograph. Uebersichten verm. u. bis auf die neueste Zeit fortgeführt v. F. W. Klatt. 8. (278 S.) Ebend. 874. 1. 20

— d. Landesbußtags Mahnung, Trost u. Verheißung in schwerer Zeit. Predigt üb. 1 Petri 5, 5—7, geh. am Buß- u. Bettag, den 25. April 1888, in der Johanneskirche zu Düsseldorf. gr. 8. (16 S.) Düsseldorf 888. Voß & Co. n. — 30

—— Schreibvorschriften f. den Schul- u. Selbstunterricht. 2 Hfte., enthalt. 91 deutsche u. 74 lateinische Vorschriften. qu. 4. (24 B.) Hamburg 844, Schuberth u. Comp. à *

—— erstes Schulbuch f. Kinder. Eine Handfibel z. Lesenlernen. (Schulausg.) 12. (2 B.) Hamburg 845, Schuberth u. Comp. 3 3/4 Ngr. Familienausg. mit naturhistor. Abbild.

Petersen, H., kleine Schul-Geographie, nach den neuesten Staatsveränderungen, mit besonderer Berücksichtigung des Dänischen Staates. 3. verm. u. umgearb. Aufl. 8. Hamburg u. Itzehoe 841, Schuberth u. Comp. 1/4 ℛ — 4. verm. Aufl. (Schulausg.) unt. d. T.: Kleines Lehrbuch d. Geographie, nach den neuesten Staatsveränderungen ꝛc. gr. 12. Ebend. 843. 1/4 ℛ

—— methodisch geordnete Vorlegeblätter zur Uebung im Schön- und Schnellschreiben. Mit biblischem Texte. 2 Hefte. 2., wohlf. Ausg. qu. gr. 8. (22 lithogr. Bl.) Hamburg 850, Schuberth und Comp. à Heft * 7 1/2 Ngr. *

—— Wandtafeln für den ersten Schreibunterricht. 2 (lithogr.) Bog. (Deutsch — Englisch.) Imp.-Fol. Hamburg 849, Schuberth und Comp. *

Petersen, H., d. Cirkelschnitt bei d. Behandlg. d. Unterschenkelvaricen u. varikösen Unterschenkelgeschwüre, s.: Jahrbücher d. hamburg. Staatskrankenanstalten.

Petersen, H. F., Anw. z. Zerglied. der Mäuslein d. menschl. Körp. 8. Leipz. Geißler. 749.

Actenstücke über mein Verhalten als vorm. Deputirter. Für meine Mitbürger. Von H. N. Petersen. Flensburg. (1862.) 8°.

Petersen, H. T., Beschreibung des dänischen Gesammtstaates. Für Stadt- und Landbewohner so wie für Stadt-, Land- u. Privatschulen bearb. Oldenburg (857.) Fränckel. 8 (2 Bl., 91 S.) n. 4 ngr.

Petersen, H. T., Beschreibung des dänischen Gesammtstaates. Für Stadt- und Landbewohner sowie für Stadt-, Land- und Privatschulen bearb. 8. (IV und 91 S.) Oldenburg 859, Fränckel. *

Petersen, H. Th., kurze Beschreibung d. dän. Staates, mit besond. Berücksichtig. d. deutschen Hrzgth. Schleswig, Holstein u. Lauenburg. 2., mit e. Anh. d. allgem. Geographie verm. Aufl. 8. (5 1/8 B.) Hamburg 841, Schuberth u. Comp.

—— Exempelbuch f. d. ersten Anfänger im schriftl. Rechnen. Ein Hülfsbüchl. f. d. Lehrer, der e. zahlr. Elementarclasse gleichzeitig u. ohne Zeitverlust in d. vier Grundrechnungsarten üben will. 16. (2 1/4 B.) Hamburg 838, [Niemeyer.]

—— kleine Schul-Geographie, nach d. neuesten Staatsveränderungen, mit besond. Berücksichtig. d. dän. Staates. 3., verm. u. umgearb. Aufl. 8. (5 3/4 B.) Hamburg 841, Schuberth u. Comp.

In jedem Jahre bräuchliche Anleitung zur Hausandacht für die Gemeinden der ev.-luth. Kirche Schleswig-Holsteins v. H. W. Petersen. Apenrade. 1897. 8°

[8.] Petersen, Hans: Beitrag zur Flora von Alsen. *Sonderburg, Druck v. C. F. la Motte jr., 1891:* 50 S. 8°
Sonderburg, k. RPG, OP 1891 (290)

Petersen, Hans, cand. med.: Beiträge zur Kenntnis des Baues und der Entwickelung des Selachierdarmes. T. 2. Magen und Darm. Mit 18 Fig. im Text. Jena: Fischer 1908. 28 S. 8° ¶ (Ersch. vollst. in: Jenaische Zeitschr. f. Naturwiss. Bd 44. N. F. 37, H. 1.)
Jena, Phil. Diss. v. 15. Sept. 1908, Ref. Haeckel
[Geb. 28. Nov. 85 Othmarschen; Wohnort: Othmarschen; Staatsangeh.: Preußen; Vorbildung: Realgymn. Altona Reife O. 05; Studium: Jena 8 S.; Rig. 9. Mai 08.] [U 09. 2208

Kurze Beschreibung des Dänischen Staates, mit besonderer Berücksichtigung der Deutschen Herzogthümer Schleswig, Holstein und Lauenburg. Zum Gebrauch für die Schuljugend. Verfasst v. Hans Petersen. Hamburg und Itzehoe. 1840. 8°.

— kurze Beschreibung des Dänischen Staates, mit besond. Berücksichtigung der Deutschen Herzogthümer Schleswig, Holstein und Lauenburg. Zum Gebrauch für die Schuljugend. 2e mit einem Anhange der allgem. Geographie verm. Aufl. 8. Hamburg 841. Schuberth u. Comp. 1/6 ℛ

Petersen, H., Beschreibung des Dänischen Staates, mit besonderer Berücksichtigung der Herzogthümer Schleswig u. Holstein. Für Schulen u. z. Selbstunterricht. 5. völlig umgearb. Aufl. 8. (IV u. 80 S.) Hamburg 847, Schuberth & Co. n. 4 ngl.

Petersen, Hans, Franziska's Erlebnisse, s.: Geschichten, intime.

Petersen, Hans, Gust. Koken, Rob. Gleich, A. Bock u. E. Dellinghausen, Pompeji u. seine Ausgrabungen. Rundgemälde. Photographiert nach dem Originale. 8 Blatt. qu. 4. München 892. F. Hanfstaengl. In Leinw.-Decke n. 6. —

Petersen, Hans, Deutschland's Ruhmestage zur See. 20 Bilder aus der deutschen Seekriegsgeschichte in Kupferlichtdr. nach Orig.-Gemälden, m. Text v. Rhold. Werner. 7 Lfgn. Imp.-Fol. (20 Bl. m. 10 S. Text.) München (899). J. F. Lehmann's Verlag. à Lfg. 5. —; einzelne Blatt 4. —; gerahmt n. 8. —; Leinw.-Mappe n.n. 5. —

Petersen, H.: Zum deutsch-dänischen S t r e i t . Eine Erwiderung v. H. Petersen. Ausschnitt aus: Die Grenzboten. Jg. 55, Nr. 36. Leipzig. 1896. 4⁰, in 8⁰ gebunden.

Petersen, Hans, Afrika's Westküste. 56 Photogr. gr. 4. Hamburg 885. O. Meissner's Verl. In Kasten. n. 90. —; einzelne Blätter à n. 3. —

Petersen, Harald (Red.), s. N o r d m a r k , Die.

Petersen, Harry [aus Mellendorf bei Hannover]: Deutsche Altertümer in der Wiener Genesis ... Göttingen, Druck d. Dieterich'schen Univ.-Buchdr., 1897; 2 Bl., 98 S. 8.
Göttingen, Phil. Fak., Inaug.-Diss. v. [14. Juni] 1897

Petersen, Hartwig, s.: Verhandlungen d. Vereins f. naturwissenschaftl. Unterhaltg. zu Hamburg.

Petersen, Heinrich, Gerichtsrefer. aus Rostock: Begriff, Wesen und Rechtsnatur des Verlöbnisses, seine Eingehung und Auflösung nach dem Bürgerl. Gesetzbuch. Jena 1908: Neuenhahn. 80 S. 8°
Jena, Jur. Diss. v. 13. Aug. 1908, Ref. Fehr
[Geb. 19. März 80 Lübeck; Wohnort: Lübeck; Staatsangeh.: Lübeck; Vorbildung: Realgymn. Lübeck Reife O. 02; Studium: Marburg 1, Kiel 2, Göttingen 1, Bonn 4 S.; Rig. 19. Mai 08.] [U 09. 2111

Ein Wort an meine Landsleute. Geschrieben Ende Novembers 1863. Von Heinrich Petersen. Rendsburg. 1864. 8⁰.

PETERSEN, HENR. CHR. CLAIRAUT, Quaedam de inflammatione. Specimen inaug. Kiliae. 1822. 4. P.

PETERSEN, HENR. FRID., Diss. inaug. med. de pleuritide. Kilonii. u. A. [175*]. 4. P.

⊙ Ueber den Unterricht in der Mathematik und Naturkunde auf Gymnasien v. [Heinrich Jacob Reinhold] Petersen. Kiel. 1863. 4⁰. Gymn.-Progr.

Petersen, Henry, über den Gottesdienst u. den Götterglauben des Nordens während der Heidenzeit. Eine antiquarische Untersuchung. Autoris. Uebersetzung von Minna Riess. gr. 8. (153 S.) Gardelegen 882. Manger in Comm. n.n. 4. 50

Der A- und der B-Kanal. Schiffahrtsstraßen zwischen d. Schlei, d. Eckernförder Hafen u. d. Kaiser Wilhelm-Kanal von Hermann Petersen auf Möhlhorst. [Nebst] Nachtrag. Anliegend 3 Karten. Eckernförde 1905: J. C. Schwensen. 2 Bde 8° [F.] [06. 14463

Petersen, H[ermann], Referendar: Die Einrede des nicht erfüllten Vertrages ⟨Zurückbehaltungsrecht⟩ nach dem Bürgerlichen Gesetzbuche des Deutschen Reiches. *Doberan 1900: H. Rehse & Co.* (84 S.) 8°
Rostock, Jur. Diss. v. [24. Juni] 1900

Petersen, Hermann, s. F e i e r , Die, des Geburtstages des Königs Wilhelm I. ...

Ein Fünfundachtziger. Von Hermann Petersen. Eckernförde: Selbstverl. 1905. (236 S.) 8° [F.]
= Petersen: Aus meinem Leben. 3. [06. 14468

Petersen, Herm., das Gebet des Herrn, in neun Betrachtungen der Gemeinde ausgelegt. gr. 8. (VII, 127 S.) Düsseldorf 881. Voß & Co. n. 2. 50; geb. n. 4. —

Petersen, Hermann, aus Mittelnkirchen: Grundzüge der Ethik Jakob Böhme's. *Erlangen 1901: H. Vollrath.* (58 S.) 8°
Erlangen, Phil. Diss. v. 2. Nov. 1900

Petersen, H.: Der Husumer H a f e n b a u , s. K a u p , von

Der .... Kanal, eine Schifffahrtsstraße zwischen der Schlei, dem Eckernförder Hafen und dem Nord-Ostsee-Kanal von H[ermann] Petersen auf Möhlhorst. Anliegend 4 Karten. Eckernförde 1893: J. C. Schwensen. (48 S.) 8° [F.]
[Umschlagt.:] Schlei-Eckernförde-Nord-Ostsee-Kanal. [07. 3804

Petersen, Herm., aus meinem Leben. III. Ein Fünfundachtziger. (236 S.) 8. Eckernförde 905. (C. Heldt.)
I u. II sind noch nicht erschienen. Geb. n. 4. —

Petersen-Möhlhorst, Herm., aus meinem Leben. I.—III. 8. Hamburg, Verlagsanstalt u. Druckerei-Ges. 10.—; geb. in Leinw. 12. 25
I. Die goldene Kindheit. (331 S.) 908. 3.50; geb. 4. 25
II. Die Lehrzeit. (335 S.) 908. 3.50; geb. 4. 25
III. Ein Fünfundachtziger. (Neue [Titel-]Ausg.) (236 S.) [905.] 908. 3.—; geb. 3. 75

Das christliche Leben nach der Lehre des Apostels Paulus, der Gemeinde dargest. in 37 Predigten, geh. zu Düsseldorf von H[ermann] Petersen, Pfarrer. Gütersloh: C. Bertelsmann 1908. (VIII, 394 S.) 8° [F.] [08. 2880

—— die Lehre der zwölf Apostel. Mitteilungen über den handschriftl. Fund des Metropoliten Philotheos Bryennios und Bemerkungen zu demselben. gr. 8. (15 S.) Flensburg 884. (Leipzig, Drescher.) *

Die Lehrzeit. Von Hermann Petersen-Möhlhorst. Hamburg: P. Hartung 1908. (335 S.) 8° [F.]
= Petersen: Aus meinem Leben. 2. [08. 13112

Petersen, Herman., de Sophistae, dialogi Platonis, ordine nexu consilio. 4. (44 S.) Kiel 871. (Universitäts-Buchh.) n. 1. 20

Project zu einem Marine- und Handels-Canal von Husum über Schleswig nach Eckernförde zur Verbindung der Nordsee mit der Ostsee. Entw. Husum im December 1848 v. Hermann Petersen. Vermessen, nivellirt u. gez. v. J. Jansen u. A. G. Bussmann. 1 : 60000. (Schleswig. 1849.) Lithogr. 1 Bl. Quer-Fol., 52/101 cm. Aufgez. a. Carton.

Aus: Der Norddeutsche Kanal etc. zwischen Eckernförde und Husum. Schleswig. 1849. (Geerz Gesch. S. 142.)

Petersen, Herm., was wir als Christen am Alten Testament haben. 3 Predigten, geh. am 26. Jan., 2. u. 9. Febr. 1896 in d. Johanneskirche zu Düsseldorf. gr. 8. (47 S.) Düsseldorf 896. C. Schaffnit. n. — 50

Peterson, Hugo, approb. Arzt aus Neapel: Aus d. pathol. Institut zu München. Ein neuer Fall von Schilddrüsentuberkulose. *München 1901: Kastner & Lossen.* (22 S.) 8° München, Med. Diss. v. 1901

Petersen, Hugo, Herzog Gothland. Trauerspiel in 5 Aufzügen. gr. 8. (III, 63 S.) Berlin 900. Dr. R. Wrede. n. 1.—

Petersen, Hugo [Arzt aus Glückstadt]: Zur Kenntnis der pathologischen Anatomie der Puerperaleklampsie ... Leipzig, Druck v. A. Edelmann, Univ.-Buchdr., *1896;* 43 S., 1 Bl. 8. Leipzig, Med. Fak., Inaug.-Diss. v. 24. Apr. 1896

Petersen, Hugo, Kulturfeinde. Schauspiel in 4 Aufzügen. (III, 120 S.) 8. Dresden (908). E. Pierson. 2. —

Petersen, J.

Blätter der Erinnerung an den Mathematiker und Mechaniker Hans Momsen aus Fahretoft in Nordfriesland v. J. Petersen. Bredstedt. 1874. 8°

Petersen, J., Cherubim. Kurze Zusammenstellg. d. wichtigsten Ansichten u. Erklärgn. seit Luther. gr. 8. (48 S.) Gütersloh 898. C. Bertelsmann. n. — 80

Petersen, J., populäre Einführung in die neuen Maaß- u. Gewichtsverhältnisse. 1—3. Aufl. Schleswig 870. Schulbuchh. gr. 8. (21 S.) n. 4 ngr.

— Elektrolyse d. Alkalisaltze d. organischen Säuren. 1—3. Leipz. 1900. (86) S. (Særtr.).

— populaer Fremstilling af de nye Maal- og Vaegtforhold. Ebend. 870. gr. 8. (32 S.) n. 4 ngr.

Petersen J.: Ueber den Hippokratismus. Wiesb. u. A. (12) S. (Særtr.). P.

Petersen, Knud Laward, Herzog v. Schleswig. Historisches Schauspiel in 5 Aufzügen u. e. Vorspiel: Die Wenden in Schleswig. Titelblatt gezeichnet v. C. C. Feddersen. 2. neubearb. Aufl. (100 S. m. Bildnis.) kl. 8. Flensburg 904. (G. Soltau.) n. 1.—

Petersen, J., zweistimmige Lieder für höhere Bürger- u. Realschulen, sowie für mittlere u. untere Classen der Gymnasien. Hamburg 860. (Altona, Mentzel.) 12. (76 S.) n. 10 ngr.

Petersen, J., das Melken. Eine Preisschrift. Nach dem dän. Original „Malkearbejdet". Übers. u. hrsg. v. C. Wulff. 3. verb. Aufl. Mit Anh.: Milch-Merkblatt, hrsg. v. kaiserl. Gesundheitsamt in Berlin. (20 S. m. 1 Fig.) gr. 8. Gießen (908). E. Roth. — 50

Petersen, J., og H. Rickmer's, fortsattet tydsk Sproglære, s. Rickmers, H.

Vortrag über die Frage der Gemeindeteilung geh. v. J. Petersen auf der Pinneberger Propstei-Synode am 7. Juni 1905. Blankenese. (1905.) 8° Bei: Protokoll der 23. ordentl. Versammlung der Pinneberger Propsteisynode 1905.

— Was wird aus Eurem Sohn?, s.: Flugblätter des Bundes deutscher Jugendvereine. I, 2.

Petersen, J. A., merkantil. Adreß- u. Nachweisungbuch v. den 3 Hansestädten Hamburg, Lübeck u. Bremen sammt den Städten u. Flecken ihres Gebiets. 8. (339 S.) Flensburg 848. (Hamburg, Jowien.) n. 1 ₰ 4 ngr

Petersen, J. A., mercantilisches Addreßbuch der Herzogthümer Schleswig, Holstein und Lauenburg. 1838. 8. Rendsburg 840. (Kiel, Bünsow.) $^5/_8$ ₰

Petersen, J. A., mercantil. Addreßbuch d. Hrzgth. Schleswig, Holstein u. Lauenburg. 8. ($13^1/_4$ B.) Rendsburg 838. (Kiel, Näck.)

Petersen, J. A. Jagd- und Sporthunde. Mit 52 Taf. In-fol. 100 S. Zürich, Hofer & Co. 1897. 16 —

Petersen, J. A., Pferde, Pferdezucht u. Sport in Ost-Indien. Mit 8 Vollbildern u. vielen Textillustr. nach Orig.-Zeichngn. d. Verf. gr. 8. (VIII, 136 S.) Berlin 892. R. v. Decker. n. 6. —

— dasselbe. Mit 8 Vollbildern u. vielen Textillustr. nach Orig.-Zeichngn. des Verf. 2. (Titel-) Ausg. gr. 8. (VIII, 136 S.) Neudamm 894. J. Neumann. n. 6. —

— Statistik des Handels, der Schifffahrt und Industrie der Herzogthümer Schleswig, Holstein u. Lauenburg. 8. Kiel 835. Bünsow. $^3/_4$ ₰

— Statistik d. Handels, d. Schifffahrt u. d. Industrie d. Hrzgth. Schleswig u. Holstein. 8. (23 B.) Rendsburg 835. (Kiel, Näck.)

— Wanderungen durch d. Hrzgth. Schleswig, Holstein u. Lauenburg. 1. Sect. 2 Lfgn., 2. Sect. u. 3. Sect. 1—15 Lfg. Mit Ansichten. gr. 8. Rendsburg 839—45. (Kiel, Bünsow.) à L. * ½ Thlr. *

Petersen, J. A., Wanderungen durch die Herzogthümer Schleswig, Holstein u. Lauenburg. 3. Section. Nordfriesland. 12—14. Lfg. 8. (6 B. u. 5 Stnt.) Rendsburg 842, 43. (Kiel, Naeck.) à *
Vgl. 9. Bd. 2. Abthl. S. 118.

Petersen, J. A., Windhunde, laut jagende Hunde, Schweisshunde (Greyhounds u. Hounds), d. Jagdreiters, d. Hetz- u. Laufhundjägers Gehülfen. Scizzen m. Text u. Rassezeichen. gr. 4. (III, 108 S. m. Abb. u. 40 Taf.) Zürich 897. Hofer & Co. In Leinw.-Mappe n. 16. —

Petersen, J. D., kurzer Abriß der Erdbeschreibung nach den neuesten Bestimmungen für Schulen. 2te verb. und verm. Aufl. gr. 8. Essen. Bädeker. 818.

Petersen, (J. D.,) kurzer Abriß d. Erdbeschreibung nach den neuesten Bestimmungen, für Schulen. 3e, durchaus verb. u. verm. Aufl. 8. Essen 826, Bädeker.

Petersen, J. Eleonor., Herzensgespräch m. Gott, m. K. 8. Frankf. 715.

— verklärte Offenbar. J. Christi. 8. 717.

Petersen, J. F., Anschauungs- u. Denkübungen nach dem Leben. In Dispositionen f. Mittel- u. Oberclassen der Volksschulen. 1—8. Hft. gr. 8. (640 S.) Halle 875. 76. Buchh. d. Waisenh. à n. 1. —

Petersen, J. F., Anschauungs- u. Denkübungen nach dem Leben. Zu Dispositionen von Mittel- u. Oberclassen der Volksschulen. Mit einer Einleitung u. einem alphabetisch geordneten Inhaltsverzeichniß von C. B. Petersen. 9—11. (Schluß-)Hft. gr. 8. (XX u. S. 641—880.) Halle 877. Buchh. d. Waisenh. à n. 1. —

Petersen, J. K. Fr., der Kirchensprengel Weitmar, oder üb. die Gegend, wo Herrmann d. Varus schlug; nebst 1 Karte in Steindr. 8. Essen. 823. (Bädecker). 1 ₰ 4 gr

Petersen, (J. C. Fr.,) der Kirchsprengel Weltmar od. über die Gegend, wo Hermann den Varus schlug, nebst 1 Karte in Steindr. 8. Essen 824, Bädeker.

Petersen, J. Schmidt-
s. Schmidt-Petersen. A12. 11:46

Schule und Alkoholfrage. Vortrag, geh. ... 1909 zu London, von J[akob] Petersen, Kiel. Langensalza: Beyer 1910. 17 S. 8°
(Pädagogisches Magazin. H. 392.) 11. 9510

Petersen, Jak., († 1792.) s. 1) Pt. Fr. Suhm, Geschichte Dänemarks rc. 2) E. Viborg, Beschreibung der Sandgewächse rc.

Petersen, Jans, die erste Geige, s.: Bleb, Gust.

Petersen, Jens Pet., Kinder aus Nordschleswig. Freie Aufsätze v. Dorfkindern aus der Nordmark. Gesammelt v. P. (VI, 64 S.) gr. 8. Leipzig 909. E. Wunderlich. — 80; geb. n 1. —

Petersen, Ingwer, († 1787.) gemeinnütz. Erklärr. d. ganzen heil. Schrift. nach Luthers Uebersetzung. 8. Flensb. 780. (Altona, Hammerich). 20 gr

Petersen, Ingwer., gemeinnütz. Erläuterungen d. ganz. heil. Schrift u. Luthers Uebers. 8. Flensb. Korte. (Christiani in Schlesw.) 780.

— üb. die gemeinsten Fehler im Predigen. 8. Flensb. 773. (Altona, Hammerich). 4 gr

Petersen, Jh., Chronika, oder Zeitbuch d. Lande zu Holstein, Stormarn, Ditmarschen u. Wagrien. Für unsere Zeit lesbar gemacht v. C. Chr. Kruse. 1r u. 2r Thl. gr. 8. Altona 827, 28. Hammerich. 1 ₰ 8 gr 3r Thl. A. u. d. T.: Adam Olearius, kurzer Begriff e. holstein. Chronik. Eine Fortsetz. v. G. Petersens Chronika bis z. J. 1663. Für unsre Zeit lesbar gemacht v. C. Chr. Kruse. gr. 8. Altona 829. Aue. 12 gr

Petersen, Jh., Geschichte Dänemarks, s. Grimm, Mark.

PETERSEN, JOH., De plegmatia alba dolente puerperarum. Diss. inaug. Kiliæ. 1840. P.

Petersen, Joannes [Flensburgensis]: In Galeni de placitis Hippocratis et Platonis libros quaestiones criticae. . . . Gottingae, *Altenburgi typ. offic. aulicae Pierrerianae (St. Geibel & Soc.).* 1888; 64 S. 1 Bl. 8°
Göttingen, Phil. Fak., Inaug.-Diss. v. 1. Aug. 1888

Petersen, J., in Galeni de placitis Hippocratis et Platonis libros quaestiones criticae. gr. 8. (64 S.) Göttingen 888. (Vandenhoeck & Ruprecht's Verl.) n. 1. 40

Petersen, Johann Christian

Petersen, J. C., Anleitung zum gründlichen und fertigen Rechnen. 8. Hamburg, Hoffmann und Campe. 816.

Petersen, Joh. Chr., Anleitung zum gründl. u. fertigen Rechnen. Ein Rechnenb. f. Bürger- u. Landschulen. 2., verb. u. mit d. neuesten Veränderungen in Waaren- u. Cours-Berechnungen verm. Aufl., hrsg. v. H. H. W. Arendt. 8. (16 B.) Hamburg 829, A. Campe.

— Etwas üb. Schulwesen im hamburg. Waisenhause rc. 8. Hamburg 800. Gundermann. (Aue in Altona). 4 gr

MÄHRKEN, Een eenfeldig, un dabie Hartlike Wunsck, aß Hanß mit siner Greeten, ick meehne, aß de Wollvörnehme Gesell Hr. Hanß Christopher Baartich, mit dem dägtsahmen Mädten Junffer Wendel Greet Petersen Hochtiedt maakte. (Vf. *Joh. Chr. Petersen.*) O. O. u. J. 2 Bll. 4°. — (In Rostock, Landes-Archiv.)

Petersen, Johann Christian [Praes.] s. Möller, Johann Peter: De omissione nociva.

— Joh. Christian (Rostock) De osculo nocivo vulgo Vom Schädlichen Kuß. Disput. jur. circul. Präs. Casp. Matthaeus Müller. Rostock (J. Weppling) 3. IX. 1704. 40 S. (5.25) 26172

Petersen, Johann Christian.
Predigten nach seinem Tode hsg. ... Rostock 1808. H: *Dahl, Johann Christian Wilh.* (winer)

Petersen, Jh. Chr. f., († d. 12. [13.] Oct. 1806.) Predigten, nach seinem Tode hrsgg. (v. Dahl). gr. 8. Rostock 808. Stiller. 1 ₰

Petersen, Johann Christian Benjamin

Petersen, Joh. Chrstn. Benj., Agende u. Union vor d. Richterstuhle d. h. Schrift u. d. Geschichte. Mit besond. Rücksicht auf die seit d. J. 1830 in Schlesien entstand. kirchl. Bewegungen betrachtet. gr. 8. (20 B.) Berlin 837, Enslin'sche Buchh.

—— die Branntweinpest in ihren schreckl. Folgen f. Leib u. Seele, u. d. Heilmittel geg. dieselbe. Dargest. in 3 Pred. 8. (3 B.) Glogau 839, Flemming.

Petersen, J. Chr. B., wie steht Preußens König zu seinem Volke? und wie steht sein Volk zu ihm, dem Könige? Eine Ansprache an das christl. Volk über die Ereignisse vom 31. Octbr. 1848 an. gr. 8. (15 S.) Wriezen 848, (Roeder.)

Petersen, J. Chr. B., wie steht Preußens König zu seinem Volke? u. wie steht sein Volk zu ihm, dem Könige? Eine Ansprache an das christl. Volk über die Ereignisse vom 31. Octbr. 1848 an. gr. 8. (15 S.) Wriezen 848, Weiße. 2 ngr

Petersen, Johann Friedrich

Petersen, Joh. Fr., s.a. Bemerkungen über das Leben Jesu.

(Petersen, Joh. Friedr.,) Bemerkungen üb. d. Leben Jesu in seinem Verhältnisse zu d. menschl. Leben überh. gr. 8. (3 B.) Lübeck 838, Aschenfeldt.

— comment. exeget. theolog. in Cap. XV. Epist. Pauli ad Corinth. 8maj. Götting. 783. Dieterich. 2 gr

— Johann Friedrich (Lübeck), Commentatio theol. qua exponitur quid ecclesiae Christianae notio et in catholico et in nostro systemate valeat. Göttingen (H. Dieterich) 4. VI. 1822. VIII, 72 S. (4.—) **26173**
Gew.: Johann Caspar Lindenberg, Adolph Rodde.

— s.a. Die Heiligkeit und Gerechtigkeit Gottes.

(——) die Heiligkeit u. d. Gerechtigkeit Gottes sind d. herrlichsten Offenbarungen d. göttl. Liebe. gr. 8. (5¾ B.) Lübeck 835, Aeschenfeldt.

Petersen, J. F., schleswig-holsteinisches Lesebuch für Schule u. Haus. 1. Thl. Schleswig 866. Schulbuchh. 8. (XVI, 307 S.) n. 11 ngr.

— — 2. Thl. 1. Aufl. 866. u. 2. Aufl. Ebend. 867. gr. 8. (XIV, 602 S.) n. 20 ngr.

—— Plan eines allgemeinen deutschen Lesebuchs nebst Motivirung. Der 16. Allgemeinen deutschen Lehrerversammlung zur Beachtung vorgelegt von G. Ehmsen. gr. 8. (32 S.) Schleswig 867, Schulbuchh.

Petersen, J. F., Vorschule zu sämmtlichen Ausgaben von J. F. Petersen's Lesebüchern für Schule u. Haus. Schleswig 867. Schulbuchh. 8. n. 6 ngr.
1. Heft. Fibel. (32 S.) Einzeln cart. n. 3 ngr.
2. " Erstes Lesebuch. (78 S.) Einzeln n.n. 4½ ngr.

— Vorschule zu sämmtlichen Ausg. v. dessen Lesebüchern. 2. Thl. Erstes Lesebuch f. Schule u. Haus. 2., verm. Aufl. gr. 8. (III, 87 S.) Schleswig 872. Bergas. n. — 50

Petersen, Johann Peter Christian

Populäre Einführung in die neuen Maaß- und Gewichtsverhältnisse v. [Johann Peter Christian] **Petersen.** 2 Aufl. Schleswig. 1870 8°

Petersen, Johann Peter Julius

Johann Peter Julius **Petersen** de Horatio aliorum auctorum aemulo in epistola ad Pisones scribenda. Hadersleben. 1870. 4° Gymn.-Progr. 18 S

Petersen, Johann Wilhelm

Petersen, J. W., Erforschung des Wortes σαβαχθανί. (s. l.) 1701. 8.

— Erklär. d. Proph. Daniels. 4. Frankf. u. Leipz. Brönner. 720.

— — Ezechiels. 4. Ebend. 719.

— — d. Proph. Jeremiä. 4. Frankf. und Leipz. Brönner. 719.

— — d. Pr. Jesaiä. 4. Ebend. 719.

— Erklär. d. Hohenliedes Salom. 4. Büding. Stöhr. 728.

— Erklär. d. Offenbar. Johann. 4. Frankf. 718.

— Erklär. d. 12 kl. Propheten. 4. Frankf. u. Lpz. Brönner 723.

— — d. Psalmen Davids. 4. Ebend. 719.

Petersen, J. W., Geheimniß v. d. Arbeitern im Weinberg. 8. Frankf. Mezler. 713.

— Geheimniß des Erstgebohrnen all. Creatur. 8. Ebend. 711.

— Geheimn. der Wiederbringung aller Dinge. 3 Thle Fol. Frankf. Brönner. 701—10.

— s.a. Geschichte der deutschen Nationalneigung z. Trunke.

(**Petersen**, Joh. Wilh.,) Geschichte der deutschen Nationalneigung zum Trunke. Leipzig 1782. 8. (D.)

— Gleichnisse d. Herrn, darin d. Heimlichk. rc. durch Christen ausgespr. sind. 4. Ebend. (a. Bohn, Hamb.) 722.

— d. Hochzeit des Lammes u. d. Braut, d. d. Zusammenk. Christi, m. K. 8. Offenb. 709.

— Jesus Christus gestern und heute rc. u. s. vielf. Oekonomien. 4. Ebend. 721.

Petersen, J. W., mystischer Joseph. 8. Frankf. 707. Rthlr.

Lebens-Beschreibung Johannis Wilhelmi Petersen Der Heiligen Schrifft Doctoris, vormahls Professoris zu Rostock ... endlich Superintendentis in Lüneburg. Die zweyte Edition. Auffs neue mit Fleisz übersehen, von vielen Druckfehlern gesäubert, und mit einer neuen Vorrede vermehret; Auch am Ende ... ein Catalogus aller meiner gedruckten und noch ungedruckten Schrifften angefüget. Auff Kosten eines wohlbekanten Freundes. 1719.

— d. triumphirende ew. Liebe Gottes. 8. Ebend. 718.

— d. Macht d. Kinder in d. letzt. Zeit. 8. Ebend. 709.

— verkl. Offenbar. Jesu Chr. 8. Frankf. Brönner. 717.

— bekräft. Origenes, in d. Lehre v. d. Wiederbring. aller Dinge. 8. Ebend. 716.

— s. Ossian's Gedichte.

— Petachia, od. d. Bibelvorbilder. 4. Frankf. Brönner 716.

— Petachia, od. Erklar. d. Weish. Salom. 4. Büding Stohr. 728.

— s. J. W. Placidus, Literatur.

— Spruchkatechism. 12. Breslau, Meyer. 729.

— Stimme a. Zion. 3 Thle. 12. Halle, Waisenhaus. 701.

— Uranias, s. opera Dei magna carm. heroico. celebr. 4 Halae. 720.

— apost. Zusammenhang, dar. d. verkl. Evang., sow. in d. Apostelgesch., als in all. Epist., der Sinn des Geistes hervorleuchtet. 4. Ebend. 722.

Petersen, Johannes: Die **Behandlung** der Geologie und Mineralogie im naturwissenschaftlichen und geographischen Unterricht. 1. T. *Hamburg 1898: Lütcke & Wulff.* (29 S.) 4°
Hamburg, R in Eimsbüttel, P 1898 (770)

Petersen, Johannes, Dr [I.] Die **Behandlung** der Geologie und Mineralogie im naturwissenschaftlichen und geographischen Unterricht. T. 2. — [II.] Bemerkungen zum propädeutischen Unterricht in der Chemie (und Mineralogie). *Hamburg 1899: Lütcke & Wulff.* (19 S.) 4° ¶ [I Forts. d. P-Beil. 1898.]
Hamburg, R in Eimsbüttel, P 1899 (783)

Petersen, Johs., **Beiträge** zur Petrographie v. Sulphur Island, Peel Island, Hachijo u. Mijakeshima. [Aus: „Jahrb. d. Hamburg. wiss. Anstalten".] Lex.-8. (58 S. m. 4 Abbildgn. u. 2 Taf.) Hamburg 891. (L. Gräfe & Sillem.) n. 2. 50

Petersen, Johs., das Beobachtungshaus der Erziehungsanstalten, sa Beiträge zur Kinderforschung u. Heilerziehung.

Das Beobachtungshaus der Erziehungsanstalten. Nach einem in Frankfurt a. M. geh. Vortrage. Von Dr. J[ohannes] **Petersen**, Dir d. Waisenhauses in Hamburg. Langensalza: Beyer 1909. 19 S. 8°
(Beiträge z. Kinderforschung u. Heilerziehung. H. 64.) [11. 3647

— Berufsvormundschaft (Generalvormundschaft), s.: Schriften des deutschen Vereins f. Armenpflege u. Wohltätigkeit (Klumker, Chr. J.)

Petersen, Johs. (I.). Der **Boninit** v. Peel Island. Nachtrag zu den Beiträgen zur Petrographie v. Sulphur Island u. s. w. Lex.-8. (9 S.) Hamb. 891, (Gräfe u. Sillem). * — 50

Petersen, Johs., **Ergebnisse** der petrographischen Untersuchung der im zentralen Tiën-schan u. dsungarischen Ala-tau während der Saposchnikow'schen Expedition im Sommer 1902 v. Dr. Max Friederichsen gesammelten krystallinen Gesteins. (52 S. m. 4 Lichtdr.-Taf. 3 Karten.) gr. 8. Hamburg 904. L. Friederichsen & Co. n. 7. 50
Sonderabdruck aus: „Friederichsen, Forschungsreise in den zentralen Tiën-schan u. dsungar. Ala-tau".

Petersen, Johs., **Faust** u. Brand. Hamlet. Zwei Vorträge. gr. 8. (VII, 64 S.) Gotha 890. F. A. Perthes. n. 1. 20

— Die öffentliche Fürsorge f. die sittlich gefährdete u. die gewerblich tätige Jugend, sa Aus Natur u. Geisteswelt.

Die öffentliche Fürsorge für die hilfsbedürftige Jugend. Von Dr Johannes **Petersen**, Dir., Hamburg. Leipzig: B. G. Teubner 1907. (IV, 131 S.) 8° [F.]
— Natur, Aus, u. Geisteswelt. Bdch. 161. [07. 10839

Petersen, Johs., **Geschiebestudien.** Beiträge zur Kenntniss der Bewegungsrichtgn. des diluvialen Inlandeises. 1. u. 2. Thl. gr. 8. Hamburg, L. Friederichsen & Co. n. 5. 40
1. Mit 1 Orig.-Kartenskizze. (64 S.) 899. n. 2. 40
2. Mit 2 Orig.-Karten. (S. 65—156.) 900. n. 3. —
Sonderabdrucke aus: „Mitth. der geograph. Gesellschaft in Hamburg".

— u. P. **Vogt,** die hamburgischen Gesetze üb. die öffentliche Jugendfürsorge, nebst dem Gesetz üb. das Armenwesen, sa Boysen's Sammlung hamburgischer Gesetze. Nr. 8.

Die hamburgischen Gesetze über die öffentliche Jugendfürsorge mit Anm. versehen u. hrsg. von Dr. J[ohannes] **Petersen**, Dir., u. Dr. P[aul] Vogt, Landrichter, nebst e. Anh. enth. d. Gesetz über d. Armenwesen v. 11. Sept. 1907. Hamburg: C. Boysen 1908. (103 S.) 8° [F.]
— **Sammlung,** Boysens, hamburg. Gesetze. No. 8. [08. 1788

Carl Christian **Gottsche** † Gedächtnisrede geh in der Geogr Gesellschaft in Hamburg am 4 Nov 1909 nebst einem Verzeichnis der von Gottsche veröffentlichten wissenschaftlichen Arbeiten v Johannes Petersen Sonderabzug aus den Mitteilungen der Geogr Gesellschaft in Hamburg Bd. 24 (Hamburg. 1909) 8°

Der schwarze Graf. Tragödie in fünf Acten v. Johannes **Petersen.** (Den Bühnen gegenüber Manuscript.) Leipzig. 1876. 8°.

Petersen, Johs., **Gebrüder Hagedorn.** Schauspiel in 5 Akten. gr. 8. (107 S.) Leipzig 881. Mutze. n. 1. —

Petersen, Johs., **Gebrüder Hagedorn.** Schauspiel in 5 Akten. 2. Aufl. (107 S.) 8. Leipzig 910. O. Mutze. 1. 20

Petersen, Johs., d. **Reisen** d. „Jason" u. d. „Hertha" in d. antarktische Meer 1893/94 u. d. wissenschaftl. Ergebnisse dieser Reisen, nebst e. Orig.-Karte d. Dirck Gherritz-Archipels m. Begleitworten v. L. Friederichsen. [Aus: „Mittheilgn. der geograph. Gesellsch. in Hamburg 1891—92".] gr. 8. (61 S.) Hamburg 895. L. Friederichsen & Co. n. 3. —

Petersen, Johs., **Korfiz Lind.** Tragödie in 4 Akten. (113 S.) 8. Garding (904). H. Lühr & Dircks. n. 1. 20

Petersen, Johs., **Naturforschung** u. Glaube, sa Volksbücher, religionsgeschichtliche. V. 3.

Naturforschung und Glaube von Dr Johannes **Petersen** 1 10. Taus. Halle a. S Gebauer-Schwetschke 1905. (41 S.) 8° [F.]
= **Volksbücher,** Religionsgeschichtl., f. d. deutsche christl. Gegenwart. Reihe 5, H. 3 [05. 1099

Petersen, Johannes: N a t u r f o r s c h u n g und Glaube Von Dr. Johannes Petersen-Hamburg. 2. Aufl. Tübingen: Mohr 1907 42 S. 8°
(Religionsgeschichtliche Volksbücher f d. deutsche christl. Gegenwart. Reihe 5, H. 3.)

Petersen, J., **Nordseestrand** u. Inselland, s.: Frahm, L.

Rahel. Tragödie in vier Acten v. Johannes **Petersen.** Den Bühnen gegenüber Manuscript. Leipzig. 1881 8°

Petersen, Johs., **Richard III.,** sa Sammlung gemeinverständlicher wissenschaftlicher Vorträge.

Richard III. Ein Vortrag von Johannes **Petersen.** *Hamburg: Verlagsanst. u. Dr A. G. 1901.* (45 S.) 8° [F.]
= **Sammlung** gemeinverständl. wiss. Vorträge. N.F Ser 15, H. 358. [01. 1086]

Petersen, Johann: Mikroskopische und chemische U n t e r s u c h u n g e n am Enstatitporphyrit aus den Cheviot-Hills. Kiel 1884.

Die Hamburgische Waisenpflege im Jahre 1904. Festschrift zur Feier des dreihundertjährigen Bestehens des hamburgischen Waisenhauses. Hrgg. v. Johannes **Petersen.** Hamburg. 1904. 4°.

— der **Zustand** d. Erdinnern, sa Sammlung gemeinverständlicher wissenschaftlicher Vorträge.

Petersen (Johannes), Der Zustand des Erdinnern. (Sammlung, Neue Folge V. 118.) Hamburg 1891. 8.

Petersen, John, über **Erziehung** durch Musik u. über Talent. 8. (44 S.) Berlin 897. Schlesinger. — 40

[J.] Über Erziehung durch Musik und über Talent. Von John **Petersen**
Berlin Schlesinger [1898] (44 S.) 1 Bd 8. 98. 4258

Petersen, Julius

Petersen, J., der Alkohol. Kurzgefaßte übersichtl. Darstellg. der Alkoholfrage m. besond. Berücksicht. der Bedürfnisse der Schule. Mit Abbildgn. u. graph. Darstellgn. 1. bis 13. Taus. (24 S. m. 1 Taf.) 8. Kiel 905. 906. R. Cordes. n. — 40

Petersen, J., der Becher. Eine Sammlg. v. Lesestücken zur Alkoholfrage. (27 S.) 8. Hamburg 908. Deutschlands Großloge II. — 30

Petersen Julius [app. Arzt aus Nordhastedt] Aus d. chirurg. Universitätsklinik zu Kiel. Beitrag zur Kenntnis der Enchondrome. Kiel, Druck v. L. Handorff, 1889 28 S. + 2 Bl. 8°
Kiel, Med. Fak., Inaug.-Diss. v. 11. Apr. 1889

Petersen, Jul., Beitrag zur Kenntniss der Enchondrome. Inaug.-Diss. gr. 8. (28 S.) Kiel 889. (Lipsius & Tischer.) n. 1. —

Petersen, J., die Berufung zur Erbschaft u. die letztwilligen Verfügungen überhaupt, s. a. Beiträge zur Erläuterung u. Beurtheilung d. Entwurfes e. bürgerl. Gesetzbuches f. das Deutsche Reich.

Petersen, Jul.: Die Berufung zur Erbschaft und die letztwilligen Verfügungen überhaupt nach dem Entwurfe eines BGB. für das Deutsche Reich. Berlin 1889. 16)
(Beiträge zur Erl. u. Beurth. d. Entw. e. BGB. hrsg. von Bekker. H. 16.)

Petersen, J. s. Boysen's Sammlung hamb. Gesetze. Nr. 8.

— das Deutschtum in Elsaß-Lothringen, s. a. Kampf, der, um das Deutschtum. 6. Hft.

Das Deutschtum in Elsass-Lothringen. Von Dr. Julius Petersen Reichsger R. a. D. in München. Mit 1 Karte. *München J. F. Lehmann 1902* (138 S.) 8° [J.]
= Kampf um d. Deutschtum H 5. [02. 3331]

— u. Wilh. Frhr. v. **Pechmann**, Gesetz, betr. die Kommanditgesellschaften auf Aktien u. die Aktiengesellschaften. Vom 18. Juli 1884. Erläutert. 7 Lfgn. gr. 8. (XVIII, 688 S.) Leipzig 887—890. Roßberg. n. 12. —; geb. n. 14. 50
Bildet zugleich Supplement zu „Puchelt, E. S., Kommentar zum Allgemeinen deutschen Handelsgesetzbuch".

—— u. Wilh. Frhr. v. Pechmann. Gesetz, betr. die Kommanditgesellschaften auf Aktien u. die Aktiengesellschaften. Vom 18. Juli 1884. Erläuter. 4.—7. (Schluß-)Lfg. gr. 8. Lpz., Roßberg. [4. Lfg. (S. 289—384.) 889. * 1 60; 5. Lfg. (S. 385—480.) 890. * 1 60; 6. u. 7. Lfg. XVIII, S. 481—688.) 890. * 4 —.] Subscr.-Pr. * 7 20
1.—3. Lfg. Ebd. 1887,88. * 4 80. — Compl. geb. ** 14 50.
Bildet zugleich Supplement zu: Puchelt, E. S. Kommentar zum Allgemeinen deutschen Handelsgesetzbuch. 3. Aufl.

Petersen, Jul., s.: Goethe's, Joh. Wolfg. v., Briefe an Frau v. Stein.

Petersen, J., Hauptmomente in der geschichtlichen Entwickelung der medicinischen Therapie. gr. 8. (VII, 100 S.) Kopenhagen 877. Höst & Sohn. n. 9. —

Petersen, Jul., Hauptmomente in der älteren Geschichte der medicinischen Klinik. gr. 8. (III, 311 S.) Kopenhagen 890. Höst & Sohn. n. 7. —

Petersen, Jul., Kausalität, Determinismus u. Fatalismus. (VIII, 166 S.) gr. 8. München 909. J. F. Lehmann's Verl. 4. —

Petersen, Jul., Kinematik. Deutsche Ausg., unter Mitwirkg. d. Verf. besorgt von R. v. Fischer-Benzon. 8. (80 S.) Kopenhagen 884. Höst & Sohn. n. 2. —

—— die Konkurs-Ordnung für das deutsche Reich nebst Einführungs-Gesetz. Für den prakt. Gebrauch erläutert. 4 Lfgn. gr. 8. Ebendas. [1. Lfg. (S. 1—156.) 878. *M 3.; 2. Lfg. 1. Hälfte. (S. 157—236.) 879. *M 1,50.; 2. Lfg. 2. Hälfte bis 4. (Schluss-)Lfg. (XXII, S. 237—571.) 879. *M 6,70.] *

Petersen, Jul. (II.) und Geo. **Kleinfeller**, Konkursordnung für das Deutsche Reich, nebst dem Einführungsgesetz und dem Reichsgesetz vom 21. Juli 1879, betr. die Anfechtung von Rechtshandlungen eines Schuldners ausserhalb des Konkursverfahrens. Für den prakt. Gebrauch erläutert. 2. vollständ. umgearb. Aufl. 1. Lfg. gr. 8. (IV, 160 S.) Lahr 888, Schauenburg. *

— u. Geo. **Kleinfeller**, Konkursordnung f. das Deutsche Reich, nebst dem Einführungsgesetz u. dem Reichsgesetz vom 21. Juli 1879, betr. die Anfechtg. v. Rechtshandlgn. e. Schuldners ausserhalb d. Konkursverfahrens. Für den prakt. Gebrauch erläutert. 2., vollständig umgearb. Aufl. 4. Lfg. gr. 8. (XX, 716 S.) Lahr 889. 890. Schauenburg. n. 18. —

— u. Geo. **Kleinfeller**, Konkursordnung f. das Deutsche Reich, nebst dem Einführungsgesetz, den konkursrechtl. Bestimmgn. d. Genossenschaftsgesetzes u. dem Reichsgesetz vom 21. Juli 1879, betr. die Anfechtg. v. Rechtshandlgn. e. Schuldners ausserhalb d. Konkursverfahrens. Für den prakt. Gebrauch erläutert. 3., verm. Aufl. gr. 8. (XX, 729 S.) Lahr 892. M. Schauenburg. n. 18. —

— u. Geo. **Kleinfeller**, Konkursordng. f. das Deutsche Reich nebst den Einführungsgesetzen, den konkursrechtlichen Bestimmgn. des Genossenschaftsgesetzes u. dem Anfechtungsgesetze. Erläutert v. P. u. K. 4. Aufl., auf Grund der Reichsgesetze vom 17. V. 1898 u. der Bekanntmachg. des Reichskanzlers vom 20. V. 1898 bearb. v. Geo. Kleinfeller. gr. 8. (XX, II u. 846 S.) Lahr 900/901. M. Schauenburg. n. 24. —; geb. n.n. 27. 50

Petersen, Jul. (I.), Lehrbuch der Dynamik fester Körper. Deutsche Ausg., unter Mitwirkung des Verf. besorgt von R. v. Fischer-Benzon. gr. 8. (216 S.) Kopenhagen 887, Höst und Sohn. *

Petersen, Jul., Lehrbuch der elementaren Planimetrie. Deutsche Ausg., unter Mitwirkung des Verfassers besorgt von R. v. Fischer-Benzon. gr. 8. (105 S. m. eingedr. Fig.) Kopenhagen 881. Höst & Sohn. n. 1. 60

Petersen, Jul. (II.). Lehrbuch der elementaren Planimetrie. Deutsche Ausg. unter Mitwirkg. d. Verf. besorgt v. R. v. Fischer-Benzon. 2. verb. u. m. e. Anh. verm. Ausg. gr. 8. (108 S. m. Fig.) Kopenhagen 891, Høst & Søn. * 1 60

— Lehrbuch der Statik fester Körper. Deutsche Ausg., unter Mitwirkung des Verfassers besorgt von R. von Fischer-Benzon. gr. 8. (VI, 165 S. m. eingedr. Holzschn.) Ebend. 882. n. 3. 60

— Lehrbuch der Stereometrie. Ins Deutsche übers. unter Mitwirkg. d. Verf. von R. v. Fischer-Benzon. gr. 8. (94 S. m. eingedr. Fig.) Ebend. 885. n. 1. 60

Petersen, Jul.: Die Steiner'sche Lösung der Malfattischen Aufgabe. 1880. 4°

Petersen, Jul. (II.), Methoden und Theorien zur Auflösung geometrischer Constructionsaufgaben, angewandt auf etwa 400 Aufgaben. Unter Mitwirkung des Verf. nach der 2. Aufl. des Orig. ins Deutsche übertragen von R. v. Fischer-Benzon. 8. (IX, 108 S.) Kopenhagen 879, Höst und Sohn. *

Französ. Ausgl. *M 3,50.; engl. Ausg. *M 5.

Schillers Persönlichkeit. Urtheile der Zeitgenossen und Documente gesam. v. Julius Petersen. Th. 2. 3. Weimar. 1908—09. 8°

Petersen, Jul., das Rittertum in d. Darstellung d. Johannes Rothe, *sa* Quellen u. Forschungen zur Sprach- u. Culturgeschichte der germanischen Völker. 106. Heft.

Petersen, Julius, Dr. phil.: Das Rittertum in der Darstellung des Johannes Rothe. ⟨Kap. 1—3.⟩ Strassburg: Trübner 1909. 40 S. 8° ¶(Ersch. vollst. als: Quellen u. Forschungen z. Sprach- u. Culturgesch. d. german. Völker. H. 106.)
München, Phil. Hab.-Schr. v. 1900
(Nicht für den Austausch) |U 09. 3543

Petersen, Jul., Schiller u. die Bühne, *sa* Palaestra. XXXII.

Petersen, Julius, aus Straßburg: Schiller und die Bühne. *Berlin 1903: H. John, Halle a. S.* (56 S.) 8° ¶(Erscheint vollst. als: Palaestra, Bd 32.)
Berlin, Phil. Diss. v. 1. Juli 1903

Schiller und die Bühne. Ein Beitrag z. Litteratur- u. Theatergeschichte d. klassischen Zeit von Dr. Julius Petersen. *Berlin: Mayer & Müller 1904.* (497 S.) 8°
= Palaestra. 32. [04. 103,7 10

Petersen, J., Schule u. Alkoholfrage, *sa* Magazin, pädagogisches.

Sport und Alkoholgenuß. Von J[ulius] **Petersen**. Hamburg: Deutschlands Großloge II des I. O. G. T. 1908. (23 S.) 8° [F.] [08. 13331 8

— **zum Streit üb. Klagegrund u. Klageänderung. [Aus: „Sächs. Archiv f. bürgerl. Recht".] Lex.-8. (54 S.) Leipzig 892. Roßberg.** n. 1. 50

— **Theorie der algebraischen Gleichungen. 8. (XII, 335 S.) Ebend. 878.** n. 10. —

— **die ebene Trigonometrie u. die sphärischen Grundformeln. Ins Deutsche übers. unter Mitwirkg. d. Verf. von R. v. Fischer-Benzon. gr. 8. (67 S. m. eingedr. Fig.) Ebend. 885.** n. 1. 25

Petersen, Jul., Vorlesgn. über Funktionstheorie. gr. 8. (VI, 328 S. m. Fig.) Kopenhagen 898. A. F. Höst & Sohn. n. 10. —

— **über Wert des Streitgegenstandes u. Prozesskosten. Erläutergn. zu d. §§ 2—9 u. 87—100 d. Civilprozessordng. [Aus: „P., Kommentar zur Civilprozessordng."] gr. 8. (VII, 68 S.) Ebd. 895.** n. 2. 50

— **Willensfreiheit, Moral u. Strafrecht. (VIII, 235 S.) gr. 8. München 905. J. F. Lehmann's Verl.** n. 5. —; geb. n. 6. —

Petersen, Jul. (I.), die Civilprozess-Ordnung für das Deutsche Reich nebst Einführungs-Gesetz. Für den prakt. Gebrauch erläutert. 2 Bde. gr. 8. Lahr, Schauenburg. [1. Bd. 1. Lfg. (S. 1—148.) 877. *M 3.; 2. und 3. Lfg. (S. 149—518.) 878. *M 7. — 2. Bd. 1. Lfg. (S. 1—160.) 878. *M 3.; 2. und 3. Lfg. (S. 161—480.) 879. *M 6.; 4. und 5. (Schluss-)Lfg. (S. 481—965.) 879. *M 7,50.] *

Petersen, Jul. (II.), die Civilprozess-Ordnung für das Deutsche Reich nebst Einführungsgesetz erläutert. 2. verm. und verb. Aufl. 3 Abthlgn. gr. 8. Lahr, Schauenburg. [1. Abthl. (S. 1—480.) 882. *M 9.; 2. Abthl. (S. 481—800.) 882. *M 6.; 3. Abthl. (XII, S. 801—1217.) 883. *M 7,50.] *

Petersen, Jul., die Civilprozessordnung f. das Deutsche Reich, nebst Einführungsgesetz. Für den prakt. Gebrauch erläutert. 3., vollständig umgearb. Aufl. (In 7—8 Lfgn.) 1. Lfg. gr. 8. (VII u. S. 1—160.) Lahr 895. M. Schauenburg. n. 4. —

Petersen, Jul., d. Civilprozessordnung f. d. Deutsche Reich, nebst Einführungsgesetz. Für den prakt. Gebrauch erläut. 3., vollst. umgearb. Aufl. 2.—6. Lfg. gr. 8. (1. Bd. LXXXVII u. S. 161—868.) Lahr 895—898. M. Schauenburg. à Lfg. n. 4. —
(1 Bd. kplt.: n. 18. —)

— **dasselbe. Für d. prakt. Gebrauch erläut. unt. Mitwirkg. v. Ernst Anger. 3., vollst. umgearb. Aufl. II. Bd. 1. Lfg. gr. 8. (S. 1—160.) Ebd. 898.** n. 4. —
Weiter nicht erschienen, da inzwischen eine 4. Auflage auf Grund d. neuen bürgerl. Gesetzbuches herausgegeben wurde.

Petersen, Jul., die Civilprozessordnung f. das Deutsche Reich in der Fassung des Gesetzes vom 17. V. 1898 nebst den Einführungsgesetzen. Für den prakt. Gebrauch erläutert unter Mitwirkung von Ernst Anger. 4. vollständig umgearb. Aufl. 2 Bde. gr. 8. (XXIII, 927 u. CXXXIV, 795 S.) Lahr 899—901. M. Schauenburg. Subskr.-Pr. n. 42. —; geb. in Halbfrz. n. 50. —;
Ladenpr. n. 44. —; geb. n. 51. —

Petersen, Jul., die Civilprozessordnung f. das Deutsche Reich in der Fassung des Gesetzes v. 17. V. 1898 nebst den Einführungsgesetzen. Für den prakt. Gebrauch erläutert. 5. Aufl. Bearb. v. Ernst Remelé u. Ernst Anger. 2 Bde. (XIX, 896; VIII, 840 u. LXXIX S.) gr. 8. Lahr 903—906. M. Schauenburg. n. 36. —; geb. in Halbfrz. n. 43. —; in 1 Bd. geb. n. 42. —

— Kommentar zur Zivilprozessordnung. 5. Aufl. Anh. Die durch das Gesetz vom 1. VI. 1909 abgeänd. Bestimmgn. des Gerichtsverfassungsgesetzes, der Zivilprozessordnung, des Gerichtskostengesetzes u. der Gebührenordnung f. Rechtsanwälte. Für den prakt. Gebrauch erläutert v. E. Remelé. (VIII, 82 S. u. 24 Bl.) gr. 8. Lahr 910. M. Schauenburg. 2. 50
Hauptwerk. Ebd. 903—06. 36.—; geb. 43.—.

Petersen, Jürgen Schmidt [approb. Arzt aus Oevenum a. Föhr]: Aus d. patholog. Institute zu Kiel. Ueber einen Fall von Melanosarkom des Rectums .... Kiel, Druck v. Schmidt & Klaunig, 1888; 20 S. + 2 Bl. 8°
Kiel, Med. Fak., Inaug.-Diss. v. 8. Jun. 1888

Petersen, Karl

Petersen, Carl, Referendar: Die Bestätigung nichtiger und anfechtbarer Rechtsgeschäfte nach gemeinem Recht und B.G.B. Elmshorn 1905. (107 S.) 8° [F.]
Rostock, Jur. Fak., Ref. Matthiaß, Diss. v. 7. März 1906
[Geb. 1. Febr. 75 Elmshorn; Wohnort: Elmshorn; Staatsangeh.: Preußen; Vorbildung: Gymn. Christianeum Altona Reife O. 96; Studium: Königsberg 1, Berlin 3, Kiel 2 S.; Rig. 20. Febr. 04.]

Petersen, Carl: Aus der medizinischen Klinik zu Kiel. Ueber Endotheliom der Pleura. *Kiel 1897: P. Peters.* (33 S. mit Tab.) 8°
Kiel, Med. Diss. v. [6. Sept.] 1897

Petersen, Karl, Assistenzarzt d. med. Poliklinik zu Greifswald, aus Mittelnkirchen, Hann.: Über chronisch-submuköse **Laryngitis.** *Greifswald 1900: J. Abel.* (34 S.) 8°
Greifswald, Med. Diss. v. 14. Dez. 1900

Petersen, Karl, appr. Arzt a. Gleidingen (Kreis Hildesheim), Unterarzt b. 8. Westpreuß. Inf.-Reg. Nr. 175: Das traumatische Malum Pottii und seine Differentialdiagnose gegenüber dem Spätgibbus der traumatischen Spondylitis. Berlin (1907): G. Schade. (42 S.) 8°
Berlin, Med. Fak., Ref. Heubner, Diss. v. 25. Juni 1907
[Geb. 12. Juni 82 Gleidingen, Hannover; Wohnort: Gleidingen; Staatsangeh.: Preußen; Vorbildung: Kaiser-Wilhelms-Gymn. Hannover Reife O. 01; Studium: Göttingen 1, Berlin K. W. A. 8 S.; Coll. 21. Juni 07; Approb. 19. Juni 07.]

Petersen, Carl, die Sielbau-Frage. gr. 8. (1¼ B.) Hamburg 843, Perthes-Besser u. Mauke.

Petersen, Karl, a. Flensburg: Die Urteile Boileaus über die Dichter seiner Zeit. Kiel 1906: A. F. Jensen. (192 S.) 8°
Kiel, Phil. Fak., Ref. Körting, Diss. v. 18. Juni 1906
[Geb. 30. Dez. 79 Flensburg; Wohnort: Flensburg; Staatsangeh.: Preußen; Vorbildung: Oberrealsch. Flensburg Reife M. 00; Studium: Marburg 2, Berlin 1, Kiel 1, Grenoble 1, Kiel 6 S.; Rig. 1. Juni 06.]

Petersen, Karl Friedrich Ludwig v.

Petersen, Carl Friedrich Ludwig von. Poëtischer Nachlass. Manuscript für seine Freunde. Köln [1846]. H: *Frantzen, Eduard.* (R-N)

Petersen, Karl S.

Petersen, Carl S., der Däne Claudius Clausson Swart (Claudius Clavus), s.: Björnbo, Axel Anthon.

Petersen, Karl Skovgaard-

Des Glaubens Bedeutung für den, der in der Welt vorwärts kommen will. Von C. Skovgaard-**Petersen,** Pastor. Deutsche vom Verf. veranst. Ausg. *Berlin: Reuther & Reichard 1901.* (192 S.) 8° [F.] [01. 7738

Des Glaubens Bedeutung im Kampf ums Dasein. Ein Appell von C. Skovgaard-**Petersen,** Pastor. Deutsche, vom Verf. veranst. Ausg. 2. Taus. *Berlin: Reuther & Reichard 1902.* (193 S.) 8° [F.] [01. 6311

Des Glaubens Bedeutung im Kampf ums Dasein. Ein Appell von C. Skovgaard-Petersen, Pastor. Deutsche, vom Verf. autor. Ausg. (Übers.: Pastor O. Gleiss, Jevenstedt.) 2. verb. Aufl. *Berlin: Reuther & Reichard 1902.* (273 S.) 8° [F.] [02. 9163

Ein Blick in die Tiefe der Liebe Gottes von C. Skovgaard-**Petersen.** Gütersloh: C. Bertelsmann 1908. (95 S.) 8° [F.] [08. 2873

Das Buch der Jugend. Von C[arl] Skovgaard-**Petersen.** Autor. Übers. aus d. Dän. von D. Walther Bleibtreu, Pfarrer. Berlin: Warneck 1910. 271 S. 8° [11. 4322

Das Geheimnis des Glaubens. Ein Wegweiser f. d. prakt. Glaubensleben von C. Skovgaard-**Petersen.** Deutsche autor. Ausg. von P. O[tto] Gleiss. Gütersloh: C. Bertelsmann 1906. (V, 207 S.) 8° [F.] [06. 3196

Das Geheimnis des Glaubens. Ein Wegweiser f. d. prakt. Glaubensleben von C. Skovgaard-**Petersen.** Deutsche autor. Ausg. von O. Gleiss. Gütersloh: C. Bertelsmann 1906. (V, 207 S.) 8° [F.] [06. 13139 6

Petersen, Karl Theodor

Petersen, Carl Thdr., über einige neue Produkte aus den Verbindungen von Aldehyden mit saurem schwefligsaurem Ammoniak. Inaugural-Dissert. Göttingen 857. (Vandenhoeck u. Ruprecht.) 8. (32 S.) n. 6 ngr.

Petersen, Klaus [pr. Arzt aus St. Margarethen]: Aus d. patholog. Institute in Kiel. Über Hydronefrose bei abnormem Gefässverlaufe ... Kiel, Druck v. A. F. Jensen, 1893; 11 S., 1 Bl. 8.
Kiel, Med. Fak., Inaug.-Diss. v. [3. Juli] 1893

Petersen, Lauritz, William Brandt. Erzählung. Berechtigte Übersetzg. aus dem Dän. v. A. Christiansen. (291 S.) 8. Schwerin 911. F. Bahn. 3.60; geb. 4.50

Petersen, Lorens [app. Arzt aus Rackebüll]: Ueber das Angioma cavernosum in den Muskeln ... Kiel, Druck v. P. Peters, 1894; 15 S. 8.
Kiel, Med. Fak., Inaug.-Diss. v. [18. Sept.] 1894

Petersen, Lorenz: Ueber den Schadensersatz bei nichtigen Verträgen nach dem gemeinen Recht und nach dem bürgerl. Gesetzbuch für das deutsche Reich. *Kiel 1897: P. Peters.* (88 S.) 8°
Erlangen, Jur. Diss. v. 1897

Petersen, M., Cosmogoniarum quarumdam antiquissimarum comparatio. Pr. 1842. 86 S. 1.50

Petersen, M., üb. Hornhautflecke als Ursache der Myopie u. Anisometropie. [Aus der Augenklinik zu Kiel.] Inaug.-Diss. gr. 8. (26 S.) Kiel 887. Lipsius & Tischer. n. — 80

Petersen, M. M., Specimen commentarii novi in C. Caesaris de bello Gallico et de b. Civ. libros. Pr. 1852. 28 S. 4°. 1.20

Petersen, Magn., s. Castiglioni, Reise.

Petersen, Maria, das erste Schuljahr. Ein Wegweiser auf dem Gebiet des Anfangsunterrichtes nach Fröbelscher Methode, im Anschluß an die Ausführungs-Bestimmungn. vom 12. XII. 1908. (19 S.) 8. Düsseldorf (909). (F. Baedeker.) — 60

Petersen, Marie: Prinzessin Ilse

— dasselbe, s. a Bibliothek der Gesamt-Litteratur d. In- u. Auslandes.

Petersen, Marie, Prinzessin Ilse, s. a Hesse's, Max, Volksbücherei.

— dasselbe, s. a Jugendbibliothek, illustrierte.

— dasselbe, s. a Jugendschriften, hrsg. vom Lehrerhausvereine f. Oberösterreich. 2.

— dasselbe, s. a Meyer's Volksbücher.

Petersen, Marie, Prinzessin Ilse, s. a Schatzgräber, der.

— dasselbe, s. a Universal-Bibliothek.

[**Petersen, Marie**]. *Prinzessin Ilse.* Ein Märchen aus dem Harzgebirge. Illustrirte Pracht-Ausgabe. 5. Aufl. Berlin, A. Duncker, 1853. 47 S. m. einigen reiz. Holzschnitten nach W. Georgy u. 7 getönten lithogr. Tafeln nach J. Helfft u. A. Haun. Gr.-4°. Grüner Orlwd. m. großer goldgepr. Deckelkompos. (Märchenfiguren), Goldschnitt. 14.—
Schönste Ausgabe des s. Zt. sehr beliebten Jungmädchenbuches. — Etwas lose.

Petersen, Marie, Prinzessin Ilse. Ein Märchen aus dem Harzgebirge. 14. und 15. Aufl. 1872,73. ℳ 2,70., und 16. und 17. Aufl. 16. (68 S.) Berlin 874, Gebr. Paetel.
geb. mit Goldschn.

Petersen Marie, Prinzessin Ilse. Ein Märchen aus dem Harzgebirge. 18.—20. Aufl. 16. (68 S.) Berlin 875—79, Gebr. Paetel. geb. mit Goldschn. *

Petersen, Marie, Prinzessin Ilse. Ein Märchen aus dem Harzgebirge. 21. und 22. Aufl. 16. (68 S.) Berlin 881,82, Gebr. Paetel. geb. mit Goldschn. *

Petersen, Marie, Prinzessin Ilse. Ein Märchen aus dem Harzgebirge. 24. Aufl. 12. (70 S.) Berlin 889. Gebr. Paetel. geb. m. Goldschn. n. 3. —

— dasselbe. 12. (68 S.) Berlin 890. Norddeutsches Verlags-Institut, J. Jolowicz. geb. m. Goldschn. n. 1. 50

— dasselbe. 12. (57 S.) Harzburg 890. Stolle. geb. n. 1. 50

— dasselbe. 12. (57 S.) Leipzig 890. Fock. geb. m. Goldschnitt. n. 1. —

— dasselbe, Die Irrlichter. 16. (204 S.) Halle a/S. 890. Gesenius. geb. m. Goldschn. n. 2. —

— Prinzessin Ilse. Die Irrlichter. 2. Aufl. 12. (226 S.) Halle a/S. 898. H. Gesenius. Geb. in Leinw. m. Goldschn. n. 2. —

Petersen, Marie, Prinzessin Ilse. Ein Märchen aus dem Harzgebirge. 16. (63 S.) Leipzig 894. W. Fiedler. Geb. m. Goldschn. 1. —

— Prinzessin Ilse. E. Märchen aus d. Harzgebirge. (Neudr.) 12. (57 S.) Leipzig 896. G. Fock, Verlag. Geb. m. Goldschn. n. 1. —

— dasselbe, s.: Reuter's Bibliothek f. Gabelsberger-Stenographen.

— dasselbe. Die Irrlichter. 4. Aufl. 12. (226 S.) Halle 898. H. Gesenius. Geb. in Leinw. m. Goldschn. n. 2. —

Petersen, Marie, Prinzessin Ilse. — Die Irrlichter. 5. u. 6. Aufl. 12. (à 226 S.) Halle (900. 902.) H. Gesenius. Geb. in Leinw. m. Goldschn. n. 2. —

Petersen, Marie, die Irrlichter. Ein Märchen. 12. Aufl. 16. (159 S.) Berlin 868, A. Duncker.
geb. mit Goldschn.

— dasselbe, sa Elzevier-Ausgaben, illustr., Bd. 13.

— dasselbe, sa Reuter's Bibliothek f. Gabelsberger-Stenographen.

—— die Irrlichter. Ein Märchen. 13.—23. Aufl. 1868—74. ℳ 2,70., und 24.—26. Aufl. 16. (159 S.) Ebendas. 874—76.
geb. mit Goldschn.

—— die Irrlichter. 27.—32. Aufl. 16. (159 S.) Ebendas. 876—79. geb. mit Goldschn. *

—— die Irrlichter. 33.—37. Aufl. 16. (159 S.) Ebendas. 880—83. geb. mit Goldschn. *

—— dass. — 40. und 41. Aufl., s. Paetel's Miniatur-Ausgaben-Collection.

Petersen, Marie, die Irrlichter. 42.—44. Aufl. 12. (164 S.) Berlin 887,88, Gebr. Paetel. geb. mit Goldschn. *

— dasselbe. 12. (171 S.) Berlin 890. Norddeutsches Verlags-Institut. geb. m. Goldschn. n. 2. —

— dasselbe. 12. (139 S.) Leipzig 890. Fock. geb. m. Goldschn. n. 1. 20

— die Irrlichter. 46. Aufl. 12. (164 S.) Berlin 891. Gebr. Paetel. Geb. in Leinw. m. Goldschn. n. 3. —

— die Irrlichter. Prinzessin Ilse. 2 Märchen. 8. (142 S.) Leipzig 894. Greßner & Schramm. Kart. — 60

Petersen, Marie, d. Irrlichter. 47. Aufl. 12. (164 S.) Berlin 896. Gebr. Paetel. n. 2. —; geb. in Leinw. m. Goldschn. n. 3. —

— dasselbe. Die Irrlichter. 7. Aufl. (226 S.) kl. 8. Halle (906). H. Gesenius. Geb. in Leinw. n. 2. —

Petersen, Mart., die preußischen Auseinandersetzungs- u. Rentenguts-Gesetze. gr. 8. (VII, 435 S.) Berlin 899. C. Heymann's Verlag. n. 7. 50

Petersen, Mart. Entlarvung d. höheren Bauschwindel-Systems od. d. modernen Raubrittertums der Jetztzeit. Eine Großstadt-Studie. gr. 8. (IV, 51 S.) Hamb.-Eimsbüttel 891, Boysen u. Bonardel. [* 1 50] * — 50

Petersen, M., Gesetz betr. die Gründung neuer Ansiedlungen, sa Taschen-Gesetzsammlung. 63. Bd.

Petersen, M., Gesetz betreffend die Gründung neuer Ansiedlungen in den Provinzen Ostpreußen, Westpreußen, Brandenburg, Pommern, Posen, Schlesien Sachsen und Westfalen, vom 10. August 1904. Unter Benutzung der amtlichen Materialien erläutert. Berlin, 1905. 172 S.

Petersen, Matthias [approb. Arzt aus Nordhackstedt, Kreis Flensburg]: Aus der Augenklinik zu Kiel. Über Hornhautflecke als Ursache der Myopie und Anisometropie .... Kiel, Verl. v. Lipsius & Tischer, 1887; 26 S. + 1 Bl. 8°.
Kiel, Med. Fak., Inaug.-Diss. v. 18. Mai 1887.

Petersen, Max: Zur Brutpflege der Lophobranchier. Naumburg a. S. 1906: Lippert & Co. (42 S.) 8° ¶(Aus: Zoologische Jahrbücher Bd 24 Abt. f. Syst. 1906.)
Greifswald, Phil. Fak., Ref. Müller, Diss. v. 14. Dez. 1906
[Geb. 1. Sept. 82 Magdeburg; Wohnort: Magdeburg; Staatsangeh.: Preußen; Vorbildung: Realgymn. Stettin Reife M. 01; Studium: Greifswald 2, Berlin 1, Greifswald 6 S.; Rig. 10. März 06.]

Petersen, Minna, die praktische Landwirthin. Ein Handbuch f. angeh. Landwirthinnen u. junge Hausfrauen auf dem Lande, sowie auch zum Gebrauche f. Haushaltungsschulen. Mit e. Vorworte v. E. Kirstein. gr. 8. (VIII, 278 S. m. Abbildgn. u. 1 Taf.) Berlin 893. [B. Grundmann.] Neudamm, J. Neumann. n. 2. 50; kart. n. 3. —; geb. n. 4. —

Petersen, Minna, die prakt. Landwirtin. E. Handbuch f. angeh. Landwirtinnen u. junge Hausfrauen auf dem Lande. 2., neu bearb. Aufl. gr. 8. (VII, 296 S. m. 242 Abb. u. 3 Farbdr.) Neudamm 898. J. Neumann. Geb. in Leinw. n. 5. —; Schulausg., kart. n. 3. —

Petersen, N., Danske Forskrifter til Brug for Borger-og Almueskoler 1—4. Hft. qu. 8. (48 lith. Bl.) Copenhagen 847, Bing. (à 6 ngl) 24 ngl

Petersen, Nicol Matthias

Petersen, N. M., populäre Astronomie. Gespräch zwischen einem plattdeutsch sprechenden Bauer und seinem ihn hochdeutsch belehrenden Pastor. gr. 16. (III, 91 S.) Dresden 871, Heinsius' Sortiment. [Gilbers.]

Petersen, Nicol. Matthias, Cosmogoniarum quarundam antiquissimarum comparatio. 4maj. (4½ B.) Grimae 842, (Gebhardt.)

Petersen, N. M., plattdütsche Fabeln, Vertellungen un Märken in Angelnner Mundart. Dresden 865. (Burbach.) gr. 16. (VIII, 176 S.) n. 15 ngr

— plattdütsche Fabeln, Vertellungen un Märken. 2. Ausg. gr. 16. (III, 176 S.) Ebend. 871. n. 1. —

Petersen, N. M., tabellar. Grundriß d. Weltgeschichte. Ein Leitfaden b. Unterr. u. Privatfleißes. kl. Fol. (5 B.) Leipzig 831, Magazin f. Industrie.

Petersen, N. M., Nordisk Mythologi. Forelæsninger. gr. 8. (442 S.) Kjøbenhavn 843, Schubothe. n. 2⅓ ₰

—— Dän. Sprachlehre f. Deutsche. 8. (7 B.) Kopenhagen 850, Brummer.

Petersen, N. M., Verzeichniss der in der Bibliothek der königl. Landesschule zu Grimma vorhandenen Musikalien aus dem 16. u. 17. Jahrh. (Abdr. aus dem Programm der k. Landesschule zu Grimma vom Jahre 1861.) Grimma 862. (Gensel.) gr 4. (24 S.) n. 10 ngr

Petersen, O. v., u. C. v. Stürmer, die Verbreitung der Syphilis, der venerischen Krankheiten u. der Prostitution in Russland. gr. 8. (IV, 170 S.) Berlin 899. S. Karger. n. 6. —; f. die Abonnenten der „Dermatolog. Zeitschrift" n. 4. —

Petersen, O. G

— Uber das Auftreten bicollateraler Gefässbündel in verschiedenen Pflanzenfamilien u. üb. den Werth derselben für die Systematik. (Leipz. 1882). (44) S. 5 Tvl. (Særtr.). P.

Petersen, O. G., Halorrhagidaceae, sa Engler, A., u. K. Prantl, die natürlichen Pflanzenfamilien.

— *Halorrhagidaceae* [Leipz.] (1893). (12) S. Fig. (Særtr.) 4°.

Petersen, O. G. Musaceae, Zingiberaceae, Cannaceae, Marantaceae, sa Engler, A. u. K. Prantl. Die natürlichen Pflanzenfamilien.

— *Musaceae, Zingiberaceae, Cannaceae, Marantaceae* (4 Særtr. i 1 Vol.). [Leipz. 188*]. 43 S. Fig. 1 Tvl. 4°.

Petersen O. G.: Ueber Quernetze in Gefässen. Cassel 1888. 2 S. (Særtr.) P

Petersen, O. G., Trigoniaceae, Vochysiaceae, s.: Engler, A., u. K. Prantl, die natürl. Pflanzenfamilien, III, 4.

Petersen, Oscar, Livländer, Experimentelle Studien über Pathogenese und Therapie der Cystitis. Diss. Dorpat. 8°. 61 pp. 1874.

Petersen, Oskar v Die Verbreitung der Syphilis, der venerischen Krankheiten und der Prostitution in Russland. Von Prof Dr. O[skar] v. Petersen, Prof. zu St. Petersburg, u. Dr C v Stürmer, Arzt zu St. Petersburg.
Berlin: S. Karger 1899 (170 S.) 8°
= Zeitschrift, Dermatologische. Bd 6, Erg. H.

Petersen, Otto: Beitrag zum Einfluss des Siliziums auf das System Eisen-Kohlenstoff. Halle: Knapp 1907. 34 S. 4°
¶ Ausz. in: Metallurgie. Jg. 3. 1906; Mitteilungen aus d. Eisenhüttenmänn. Institut d. Kgl. Techn. Hochschule Aachen. Bd 2. 1908 [Nr 99].
Aachen, Dr.-Ing.-Diss. v. 1. 6. 1907

Petersen, Otto, approb. Arzt aus Eddelack ⟨Holstein⟩ Über Paralyse der Placentarinsertionsstelle. *Erlangen 1898: F. Junge.* (24 S.) 8°
Erlangen, Med. Diss. v. 1898

Petersen, Otto, allerhand Unterhaltung u. Kurzweil. Eine Sammlung v. Rätseln, geistreichen Schnurrpfeifereien, überrasch. Experimenten, arithmet. u. physikal. Aufgaben, Karten- u. Zauberkunststücken, Streichholzaufgaben, Vortragsstücken u.s.w. Gesamm. u. hrsg. (80 S. m. Abb.) 8. Hamburg (909). Paustian Gebrüder. 1.20; geb. in Leinw. 1 50

Petersen, Otto Hellmut, a. Kiel: Aus der Königlichen Universitäts-Frauenklinik zu Kiel. Über den Sitz des Fruchtkuchens und die Bedeutung dieses Sitzes für die Geburt. Leipzig G. Thieme 1900. (26 S.) 8
Kiel, Med. Fak., Ref Werth, Diss. v. 6. März 1900
[Geb. 18 Juni 82 Kiel, Wohnort Kiel, Staatsangeh. Preußen, Vorbildung: Gymn. Kiel Reife 01 (?) Studium: Tübingen 2, Kiel 2, München 2, Tübingen 2 S., Coll. 19. Aug. 05 Approb. 28 Febr. 06.]

Petersen, P. Annotationum ad C. Tacitum specim. I. II. (Ann. Hist.) 23 und 20 S. . . . .
Kreuznach, Progr. 1829, 1835

Petersen, P., Annotationum in Corn. Tacitum spec. I. 4. (3½ B.) Crucenaci 830. (Francoforti ad M., Kettembeil.)

Petersen, P., Annotationum in Cornel. Tacitum spec. II., c. appendicula de cod. Neapolitano, quo dialogus de oratoribus cont. 4. (4½ B.) Confluentibus 835. (Francofurti ad M., Kettembeil.) ✦
Spec. I. Ibid. 1830. ' 6 Gr.

Petersen, P. J. H. Vossii comment. in Virgilii eclog. IX. in
Kreuznach, Progr. 1831

Geschichtliches über Lindau in Angeln. Gesam. zur 100jähr. Jubelfeier der Niederlegung ⟨Parcellierung⟩ des vorm. adeligen Guts Lindau und der damit verbundenen Aufhebung der Leibeigenschaft und Dienstpflichtigkeit v P. Petersen in Boren. Kappeln. 1884. 8°.

Petersen, P Ueber Preussen und dessen Fürsten als Schirmherrn des Protestantismus. Zur Feier des 22. März 1868. 10 S. – Glückstadt, Progr 1869.

Recht muss doch Recht bleiben. Predigt zur 50j. Gedächtnisfeier der schleswig-holsteinischen Erhebung am 24. März 1898 über Psalm 94.15 v. P. Petersen. Meldorf. 1898. 8°.

— s. J. H. Voss, Commentarius nonae eclogae etc.

Petersen, P., der Cellulosen-Verband. gr. 8. (20 S.) Neuwied 885. Heuser's Verl. — 75

Ich bin ein Mensch. und nehme Theil an dem was die ganze Menschheit angeht. Ansprache. gehalten in der Quartal-Versammlung des Hamburger Vereins gegen das Branntweintrinken. am Sonntag den 14. April 1844 v. **P. M. Petersen.** Hamburg. 1844. 8°.

Petersen, P. N., Nautilia. Ein Andachts- u. Erbauungsbuch für Seefahrer. 12. (6 B.) Altona 845, (Lehmkuhl.) *

Petersen, P. N., Nautilia. Ein Andachts- und Erbauungsbuch für Seefahrer. 2. Aufl. Hamburg 857. (Leipzig, Rein.) 8. (4 Bl., 135 S.) 15 ngr.

PETERSEN, PETER, Beschreibung der Kgl. Reise-Apotheque nebst einer kurzen Anweisung, wie die Krankheiten, welche denen Reisenden gewöhnlich zustossen, erkannt und gehoben werden. Aus dem Schwedischen ins Teutsche übers. von P. W. Eutin. 1767. (U. B.).

Petersen, P., Beschr. d. königl. Reiseapotheke, n. Anw. alle Krankh. a. Reis. zu erkenn. ꝛc. 8. Lübeck, Donatius 769.

Petersen, Pet., der Entwicklungsgedanke in der Philosophie Wundts, *sa* Beiträge z. Kultur- u. Universalgeschichte.

Petersen, Peter: Der Entwicklungsgedanke in der Philosophie Wundts. Zugleich e. Beitr. z. Methode d. Kulturgeschichte. Leipzig: Voigtländer 1908. VI, 132 S. 8° ¶(Ersch. auch als: Beiträge z. Kultur- u. Universalgeschichte. H. 9.)
Jena, Phil. Diss. v. 10. Okt. 1908, Ref. Eucken
[Geb. 26. Juni 84 Großenwiehe; Wohnort: Flensburg; Staatsangeh.: Preußen; Vorbildung: Gymn. Flensburg Reife O. 04; Studium: Leipzig 2, Kiel 3, Leipzig 3 S.; Rig. 23. Mai 08.] [U 09. 2209

Petersen, Pet., Erbrecht u. Agrarverfassung in Schleswig-Holstein, s.: Sering, Max.

Erlebnisse des Buchdruckers Peter **Petersen.** Bearb. v. Eduard Henning. Kiel. 1851. 8°.

Petersen's, Peter, zufallende Gedanken auf dem Wege zur Jenaer Jubelfeier u. zum Hamburger Kirchentage im Sommer 1858. Altona 859. Hestermann. 8. (93 S.) n. 10 ngr.

Petersen, P[eter]: Grundbesitz und Erbsitten in Schleswig-Holstein und Lauenburg. *Berlin 1902: (W. Rosenberg).* (VII, 117 S.) 8°
Rostock, Phil. Diss. v. [23. Mai] 1901

PETERSEN, PT. (autor), De incrementis prudentiæ ecclesiasticæ ex prudentia scholastica faciendis diss. epistolica ad Ulr. Selmer. Wittenbergæ. 1720. 4. P. [I Anl. af S.s Bryllup med Margr. C. Petersen].

Petersen, Pet., Telse Kampen. Eine Erzählg. aus Dithmarschens großer Zeit. (288 S.) 8. Stuttgart 909. J. F. Steinkopf. Geb. in Leinw. 4. —

Petersen, Peter: Aus der Münchener Universitäts-Kinderklinik des Herrn Prof. v. Ranke. Zur Kasuistik der Vergiftung mit Cicuta virosa. *München 1898: Kastner & Lossen.* (30 S.) 8°
München, Med. Diss. v. 1898

Die Layen-Bibel, das ist: schrifft-mäßiger und catechetischer Vortrag der gantzen christlichen Lehre, welche einem jeden Christen zur Seeligkeit zu wissen nöthig ist. Mit biblischen Sprüchen bekräfftiget . . . und ans Licht gestellet cum approbatione superiorum v. Petro **Petersen.** Flenßburg. 1711. 8°

Petersen, Pet., Layenbibel, d. i., schriftmäß. und katechet. Vortr. d. ganz. christl. Lehre. 8. Langens. 746.

Petersen, Pet., d. Ziegenzucht in Deutschland. Ihre Mängel u. Mittel zu ihrer Hebg. Nach seinen im Auftrage des preuß. Landwirtschaftsministeriums angestellten Forschgn. dargestellt. 8. (VIII, 78 S.) Berlin 899. [Deutscher Dorfschriften-Verlag.] Deutscher Verlag. n. 1. —

Ⓑ **Petersen,** Pet., die Ziegenzucht in Deutschland. 899. (KBL 32.) Jetzt: Stuttgart, E. Leupoldt.

Petersen, Philipp Ernst

Petersen, Ph. Er., († ... 1793.) Abhandl. über verschied. d. Ackerbau betreff. Gegenstände. 8. Flensb. 779. Korte. 5 ß

Petersen, P. E., Abh. üb. Gegenst. d. Ackerbau betr. 8. Flensb. Korte. (Christiani in Schleswig.) 779.

Versuch eines kurzen Entwurfs. nach welchem ein gründliches und ordentliches Lehrgebäude von dem Feldbaue eingerichtet. und die dazu erforderlichen Materien zusammen getragen werden könnten. Zur Erläuterung eines unmaßgeblichen Vorschlags an die Dänische Acker-Academie. um die Lehre von der Landwirthschaft systematisch auszuarbeiten. aufgesetzt v. Philipp Ernst **Petersen.** o. O. u. J. Bei: Philipp Ernst Lüders, Die Königlich-Dänische Acker-Academie etc. Flensburg. 1763. 4° k.

Petersen, Rich., die Aufgaben des grossstädtischen Personenverkehrs u. die Mittel zu ihrer Lösung, *sa* Vorträge, städtebauliche. I, 8.

Die Aufgaben des großstädtischen Personenverkehrs und die Mittel zu ihrer Lösung von Richard **Petersen,** Obering. Berlin: Ernst 1908. 64 S. 4°(8°)
(Städtebauliche Vorträge. Vortragszyklus 1 Bd 1, H. 8.) [u. 1550

Die Bedingungen der Rentabilität von Stadtschnellbahnen. Von Oberingen. Richard **Petersen.** 1ᵗᵉ Taus. Berlin: Deutscher Städteverl. 1908. (21 S.) 4° [S.] [08. 3615

— Zeichnerische Darstellung v. Ertragsberechnungen f. wirtschaftliche Unternehmungen der Städte (Stadtbahnen, Strassenbahnen, Elektrizitäts-, Gas-, Wasser-Werke usw.), *sa* Vorträge, städtebauliche. II, 8.

Zeichnerische Darstellung von Ertragsberechnungen für wirtschaftliche Unternehmungen der Städte. (Stadtbahnen, Strassenbahnen, Elektrizitäts-, Gas-, Wasser-Werke usw.) Von Richard **Petersen,** Obering. Mit 26 Abb. Berlin: Ernst 1909. 47 S. 4°(8°)
(Städtebauliche Vorträge. Bd 2, H. 8.) [11. 1816

Petersen, Richard [aus Cammin]: Sechs Fälle von Empyem nach Influenza. . . . Würzburg, P. Scheiner's Buchdr., 1890; 38 S. 8°
Würzburg, Med. Fak., Inaug.-Diss. v. 1890

— Gross-Berlin, s.: Eberstadt, Rud.

— Der Personenverkehr u. die Schnellbahnprojekte in Berlin. (24 S. m. Abb. u. 8 Taf.) 33×24,5 cm. Berlin 907. G. Ziemsen. 1.50
Sonderabdr. aus: „Deut. Strassen- u. Kleinbahn-Zeitg."

Petersen, Rich., Henrik Steffens. Ein Lebensbild. Aus dem Dän. v. A. Michelsen. Mit (lith.) Portr. gr. 8. (VII, 419 S.) Gotha 884. F. A. Perthes. n. 6. —

Über die numerischen Verhältnisse der Leukocyten bei der Lungentuberkulose. Mit e. Einl. über Zählung d. Leukocyten u. deren Zahl bei Gesunden. Physiol.-klin. Untersuchungen von Dr. med. R(ichard) Kjer-**Petersen.** Mit 19 Taf. Würzburg: A. Stuber 1906. (217 S.) 4°(8°)
= Beiträge z. Klinik d. Tuberkulose. Suppl. Bd 1. [06. 11668

Petersen, Robert

Ansprache, gehalten bei der Erinnerungsfeier an jüngst verstorbene frühere Angehörige der Klosterschule Ilfeld. Von Prof. Rob. **Petersen.** Ilfeld 1909: Eckert. 11 S. 8° [11.:677

Petersen, Rob., Ansprache, geh. bei der Erinnerungsfeier an jüngst verstorbene frühere Angehörige der Klosterschule Ilfeld. (11 S.) 8. Ilfeld 909. Prof. Rob. Petersen. — 35

Petersen, Th., s.: **Entscheidungen** d. hamburg. Gerichte u. s. w. zu d. Reichsgesetzen, betr. d. Krankenversicherg. d. Arbeiter.

— d. hamburg. Gesetz, betr. die **Krankenversicherung** d. Dienstboten, v. 16. VII. 1890. M. Einleitg. u. Erläutergn. 12. (X, 66 S.) Hamburg 896. Grefe & Tiedemann. Kart. n. 1. —

Petersen, Th., die **Invaliditäts- u. Altersversicherung** im hamburgischen Staatsgebiete. Handausgabe d. Reichsgesetzes vom 22. Juni 1889, nebst sämmtl. f. das Reich u. das hamburg. Staatsgebiet ergangenen Ausführungsbestimmgn. u. e. ausführl. Sachregister. Im amtl. Auftrage bearb. gr. 8. (VIII, 230 S.) Hamburg 891. Gräfe. n. 2. 70

Petersen, Th., die **Invalidenversicherung** im hamburgischen Staatsgebiete. Handausg. des Reichsgesetzes vom 13. VII. 1899 nebst sämmtl. f. das Reich u. das hamburg. Staatsgebiet ergangenen Ausführungsbestimmungen u. e. ausführl. Sachregister. Im amtl. Auftrage bearb. 2., neu bearb. u. erheblich verm. Aufl. Lex.-8. (VIII, 718 S.) Hamburg 900. Grefe & Tiedemann. n. 7. 50; geb. in Halbleinw. n.n. 10. —

— das **Krankenversicherungsgesetz** vom 15. Juni 1883 in der Fassung d. Gesetzes vom 10. Apr. 1892, nebst dem Gesetz üb. die eingeschriebenen Hülfskassen vom 7. Apr. 1876 in der Fassg. d. Gesetzes vom 1. Juni 1884 u. den in den Unfallversicherungsgesetzen vom 6. Juli 1884 u. 5. Mai 1886 enth. die Krankenversicherg. betr. Bestimmgn. Mit Berücksicht. der Materialien, der Ausführungsbestimmgn. u. insbesondere auch der Rechtsprechg. bearb. gr. 8. (XI, 436 S.) Hamburg 892. (Gaßmann's Sort.) n. 6. —

— das **Krankenversicherungsgesetz** v. 15. VI. 1883 in d. Fassg. d. Gesetzes v. 10. IV. 1892, nebst d. Gesetz üb. d. eingeschrieb. Hilfskassen v. 7. IV. 1876 in d. Fassg. d. Gesetzes v. 1. VI. 1884 u. d. in d. Unfallversicherungsgesetzen v. 6. VII. 1884 u. 5. V. 1886 enthalt., d. Krankenversicherg. betr. Bestimmgn. Mit Berücksicht. d. Materialien, der Ausführungsbestimmgn. u. insbes. auch der Rechtsprechg. bearb. 3., neu bearb. u. erhebl. verm. Aufl. gr. 8. (XVII, 655 S.) Ebd. 897. n. 6. —

— das **Krankenversicherungsgesetz** v. 15. VI. 1883 in der Fassung der Gesetze v. 10. IV. 1892 u. 30. VI. 1900, nebst dem Gesetz üb. die eingeschriebenen Hilfskassen v. 7. IV. 1876 in der Fassg. des Gesetzes v. 1. VI. 1884 u. den in den Unfallversicherungsgesetzen v. 6. VII. 1884, 5. V. 1886 u. v. 30. VI. 1900, sowie in dem Invalidenversicherungsgesetz vom 13. VII. 1899 enthaltenen, die Krankenversicherg. betr. Bestimmgn. Mit Berücksicht. der Materialien, der Ausführungsbestimmgn. u. insbesondere auch der Rechtsprechung bearb. 4., neu bearb. u. erheblich verm. Aufl. gr. 8. (XVI, 812 S.) Ebd. 902. n. 12. —; auch in 6 Lfgn. à n. 2. —

Petersen, Th., das Krankenkassenversicherungsgesetz vom 15. VI. 1883, in der Fassung der Gesetze vom 10. IV. 1892, vom 26. VII, 1897, vom 30. VI. 1900 u. vom 25. V. 1903 nebst dem Gesetz über die eingeschriebenen Hilfskassen vom 7. IV. 1876 in der Fassg. des Gesetzes vom 1. VI. 1884 u. den in den Unfallversicherungsgesetzen vom 6. VII. 1884, 5. V. 1886 u. vom 30. VI. 1900, sowie in dem Invalidenversicherungsgesetz vom 13. VII. 1899 enthaltenen, die Krankenversicherg. betr. Bestimmgn. Mit Berücksicht. der Materialien, der Ausführungsbestimmgn. u. insbesondere auch der Rechtsprechg. bearb. 5., neubearb. u. erheblich verm. Aufl. (XIII, 840 S.) Lex.-8. Hamburg 906. Grefe & Tiedemann. n. 12. —; geb. n. 15. —

Petersen, Th., das Krankenversicherungsgesetz v. 15. VI. 1883, in der Fassung der Gesetze v. 10. IV. 1892, v. 26. VII. 1897, v. 30. VI. 1900 u. v. 25. V. 1903 nebst dem Gesetz über die eingeschriebenen Hülfskassen vom 7. IV. 1876 in der Fassung des Gesetzes v. 1. VI. 1884 u. den in den Unfallversicherungsgesetzen v. 6. VII. 1884, 5. V. 1886 u. v. 30. VI. 1900, sowie in dem Invalidenversicherungsgesetz v. 13. VII. 1899 enthaltenen, die Krankenversicherg. betr. Bestimmgn. Mit Berücksicht. der Materialien, der Ausführungsbestimmgn. u. insbesond. auch der Rechtsprechg. bearb. 6., neu bearb. u. erheblich verm. Aufl. (XIII, 960 S.) Lex. 8. Hamburg 908. Grefe & Tiedemann. 12. —

Petersen, Th., Narayana od. die Bekehrg. e. Hindu, s.: Missionsschriften, kleine Hermannsburger. Nr. 27.

Petersen, Th., Perpetua u. ihre Leidensgenossen, s.: **Erzählungen**, christliche. Nr. 22.

Ueber Preussen und dessen Fürsten als Schirmherrn des Protestantismus. Festrede zur Vorfeier des Geburtstages Wilhelms I am 21. März 1868 gehalten v. [Th. so statt] Adolf **Petersen.** Glückstadt 1869. 4°. Gymn.-Progr.

Petersen, Th., Jal Singh, der tapfere Sikh. Siwa Das, der Hindudoktor, s.: Missionsschriften, kleine Hermannsburger.

Petersen, Thdr., aus den Oetzthaler Alpen. Reiseberichte u. topograph. Beiträge. Mit 11 Kunstbeilagen (Holzschntaf. u. chromolith.) u. einer (chromolith.) Specialkarte in 6 Blatt. [Aus: „Zeitschr. d. deutschen u. österr. Alpenver."] gr. 8. (IV, 168 S.) München 876. Lindauer in Comm. n. 15. —

Petersen, Thdr., die chemische Analyse. Ein Leitfaden für die qualitative u. quantitative Analyse. In methodolog. Anordnung bearb. Mit in den Text gedr. Holzschn. (3 Thle.) Berlin 863, 64. J. Springer. gr. 8. n. 3 Thlr 10 ngr.
1. u. 2. Thl.: Die qualitative Analyse. (VIII, 270 S.) n. 1 Thlr 15 ngr.
3. Thl.: Die quantitative Analyse. Mit 36 in den Text gedr. Holzschn. u. 1 Taf. in Farbendr. (in 4.) (VII, 270 S.) n. 1 Thlr 25 ngr.

Petersen, Theodor, Medizinalpraktikant a. Elmshorn: **Aus d.** Königl. Med. Klinik zu Kiel. Ein Beitrag zur Langeschen **Injektionsbehandlung bei Ischias.** Kiel 1907: A. Beig, Pinneberg. (16 S.) 8°
Kiel, Med. Fak., Ref. Quincke, Diss. v. 17. Juli 1908
[Geb. 30. Okt. 79 Elmshorn; Wohnort: Elmshorn; Staatsangeh.: Preußen; Vorbildung: Gymn. Christianeum Altona Reife O. 02; Studium: Kiel, Freiburg i. B., München; Coll. 21. Juni 07; Approb. 1. Juli 08.]

Petersen Th., üb. einige neue Producte a. d. Verbindungn. v. Aldehyden m. saurem schwefligsaurem Ammoniak 1857. —.36

Petersen, Thdr., Schutzhütten u. Unterkunftshäuser in den Alpen Europas. Tabelle. qu. Fol. Frankfurt a/M. 884. Mahlau & Waldschmidt. n. — 40

Petersen, Theodor Aus der Silvrettagruppe [A.] 8. [München 1871.]

– (Hrsg.), s. Touristen - Zeitung, Deutsche.

Petersen, Thdr., die Typentheorie und die Molekularformeln. Eine Uebersicht für Studirende der Chemie. gr. 8. (VI und 90 S.) Berlin (861)62, Springer's Verlag. *

Petersen (Theod.), Untersuchungen über die Grünsteine. I. Allgem. Theil. (Sep.-Abdr. Neues Jahrb. f. Mineralogie 1872.) 8.

PETERSEN, THEODORUS FRANCISCUS, Einleitung in die Choreographie, oder die Kunst einen Tantz durch Charactere und Figuren zu beschreiben, nebst 6 französischen Contre- und 12 englischen Country-Täntzen für das erste halbe Jahr 1768. Hamburg. 1768. (M. 11 Nodetvl.).

Petersen, Thdr. Frz., prakt. Einleit. in die Chorographie od. die Kunst, e. Tanz durch Charaktere u. Figuren zu beschreiben rc. für das 2e u. letzte halbe Jahr 1769. Hamb. 769.

— prakt. vollständ. Einleit. in d. Chorographie od. Tanzzeichnungskunst, nach d. französ. Original; mit 12 vollständ. engl. Tänzen, nebst e. Beitrag z. Aufnahme d. geordneten Tanzes. 1r Thl. mit Kpf. u. Touren. kl. 8. Schlesw. 791.

Petersen, Frau Thusnelda, s.: Kühl, Thusnelda.

Erörterung der Frage. wer eigentlich die Sleymünde verstopfet hat? als eine kleine Probe von des seel. Ulrich Petersens Beschreibung der Stadt Sleswig. anstatt einer Einladungs-Schrift an alle hohen Patronen etc. das öffentliche Schul-Examen etc. Ihrer Gegenwart zu würdigen. heraus gegeben v. Andreas Hojer. (Sleswig. 1743.) 4° k. Gymn.-Progr.

Petersen, W., der Meineid in seinen schreckl. Folgen. Ein poet. Versuch. 8. (7 B.) Hamburg 830, [Nestler u. Melle.]

—— die fromme Mutter u. ihre edlen Kinder im Kampfe mit d. Froste u. d. Hungersnoth beim beginnenden Februar d. J. 1850. In 3 Gesängen. 8. (5¾ B.) Hamburg, [Nestler u. Melle.]

—— Sendschreiben an e. Landprediger, z. Widerlegung d. ersten u. zweiten Sendschreibens des Hrn. rc. K. G. Bretschneiders rc. 8. (15 B.) Hamburg 831, [Nestler u. Melle.]

— Sendschreiben an einen Landprediger z. Widerlegung des ersten u. zweiten Sendschreibens K. G. Bretschneiders. 8. Hamb. 832. Nestler. 16 gGr.

Petersen, V. H., Situationsplan von Brake mit Hafen und Eisenbahn-Anlagen. 1:2000. Autogr. qu. Fol. Bremen 879, v. Halem. *

Petersen, Viggo, neues dänisch-norwegisches u. deutsches Taschenwörterbuch, s.: Nissen, C. A.

Petersen, Vikt., s.: Laukhard's, Magister F. Ch., Leben u. Schicksale.

Petersen, Waldemar, aus Kiel Das Discontgeschäft. *Kiel 1898: H. Fiencke.* (27 S.) 8°
Erlangen, Jur. Diss. v 1898

Petersen, W., Allgemeine Elektrotechnik, s.: Kittler, E.

Petersen, Waldemar, Dr.-Ing.: Elektrostatische Maschinen. Mit 9 Abb. 1907 44 S. 8° ¶ Eine erw. Bearbeitung nebst sehr vielen Ergänzungen soll demnächst in d. elektrotechn. Fachpresse erscheinen; bis 1913 nicht ersch.
Darmstadt Tc. H., Hab.-Schr. v. 5. 7. 1907

Petersen, Waldemar: Eine neue Spannungsregelung. Mitteilung der Arbeitsweise. Theorie des Reguliervorganges. 1907. 48 S. 8° ¶ Auch bei Enke in Stuttgart.
Darmstadt, Dr.-Ing.-Diss. v. 12. 6. 1907

Wechselstrommaschinen Synchron- und Asynchronmaschinen. Einankerumformer. Kollektormotoren. Von Dr. ing W[aldemar] Petersen, Darmstadt. Mit 425 Abb. Stuttgart Enke 1910. XIII, 700 S. 8°
(Kittler, E. Allgemeine Elektrotechnik Bd 3.) [10. 9773 H

Petersen, Walther [aus Aachen]: Aus d. med. Klinik d. Univ. Bonn. Ein Fall von ausgedehnter Höhlenbildung im Grosshirn. . . . Bonn, Univ.-Buchdr. v. Carl Georgi, 1890; 41 + 1 S. + 1 Bl. 8°
Bonn, Med. Fak., Inaug.-Diss. v. 5. März 1890

Petersen, Walt., Greek diminutives in — ιον. A study in semantics. (VII, 299 S.) gr. 8. Weimar 910. R. Wagner Sohn. 12. —

Petersen, Walther: Über Immunisirung und Serumtherapie bei der Staphylomykose. *Tübingen: H. Laupp 1897.* (51 S.) 8°
• (Aus: Beiträge zur klinischen Chirurgie, Bd 19 H. 2.)
Heidelberg, Med. Hab.-Schr v [31. Okt.] 1897

Petersen, Wilh. (W. Helm), d. Adoptivkind. E. Volksstück in 4 Akten. 12. (III, 58 S.) Schleswig 898. J. Bergas. n. 1. —

Petersen, Wilh., Amt u. Stellung des Volksschullehrers. (64 S.) gr. 8. Berlin (903). Gerdes & Hödel. n. 1. —

Beiträge zur Morphologie der Lepidopteren. Von Wilhelm Petersen. Mit 5 Schemata u. 4 Taf. *St. Pétersbourg: Acad. Imp. d. Sc. 1900* (144 S.) 4°
— Mémoires de l'Académie Impériale d. sciences de St.-Petersbourg Ser 8. Classe physico-mathem. Vol. 9, No 6. [01. 1303

Petersen, Wilh. (J.). Fauna baltica. Die Schmetterlinge der Ostseeprovinzen Russlands. Nach der analyt. Methode bearb. 1. Thl.: Rhopalocera [Tagfalter]. gr. 8. (50 S. m. eingedr. Abbildgn.) Reval 890. (Berl., Friedländer u. Sohn.) * 2 —

Petersen, Wilh., kleine englische Grammatik, zum wörtl. Auswendiglernen beim ersten Unterricht in der engl. Sprache, sowie zur Wiederholg. f. reifere Schüler u. Schülerinnen zusammengestellt. 8. (IV, 51 S.) Halle 883. Buchh. d. Waisenhauses. cart. n. — 60

Petersen, W., s.: Jahresbericht der Heidelberger chirurgischen Klinik.

Petersen, W, Lehrbuch der englischen Sprache. gr. 8. (VIII, 248 S.) Leipzig 887. Gräbner. n. 2. —; geb. n. 2. 40

Petersen, Wilh., Lehrbuch der englischen Sprache 2., verm. Aufl. gr. 8. (VIII, 270 S.) Leipzig 893. G. Gräbner. n. 2. 40; geb. in Leinw. n. 2. 80

Petersen, W., Lepidopteren-Fauna v. Estland m. Be- Berücksicht. der benachbarten Gebiete. gr. 8. (217 S.) Reval 902. F. Kluge. n. 4. —
Sonderabdruck a: „Beiträge z. Kunde Est-, Liv- u. Kurlands".

Petersen, Wilh., englisches Lesebuch f. deutsche Schulen. In Uebereinstimmg. m. den neuesten minister. Erlassen nach pädagog. Grundsätzen geordn. u. m. e. Wörterbuche verseh. gr. 8. (VIII, 250 S.) Hannover 897. Norddeutsche Verlagsanstalt O. Goedel. Geb. in Leinw. n. 2. 50

Die Morphologie der Generationsorgane der Schmetterlinge und ihre Bedeutung für die Artbildung. Von Wilhelm **Petersen** Mit 64 Fig S.-Peterburg Akad Nauk 1904 (84 S.) 4°
- **Mémoires** de l'Académie Imp. d. sciences de St-Petersbourg Ser 8. Cl. phys.-math. Vol. 16, No 8. [05. 1964 3

Petersen, W., die Prostitution in Berlin, s. a. Zeitfragen d. christlichen Volkslebens.

PETERSEN, Wilh., Die Prostitution in Berlin. Heilbronn 1887. 8°. (In Dresden, Bibl. d. Gehestiftung.) (1 franc Adolf Geering, Basel, 1896.)

Petersen, Wilh., quaestiones de historia gentium atticarum. Dissertatio. gr. 8. (150 S.) Schleswig 880. Borgas. n. 3. —

— quaestiones Ovidianae. Dissertatio. gr. 4. (56 S.) Kiel 877. Lipsius & Tischer. n. 2. 40

- Eine neue Spannungsregelung. Mitteilung der Arbeitsweise. Theorie des Regnliervorganges. (48 S. m. 7 eingedr. Taf.) Lex. 8. Stuttgart 907. F. Enke. 2. —

Petersen, Wilh. (II.). Geographische Tabellen [in 8 Tln.]. Ein prakt. Hilfsbuch f. den Unterricht in der Geographie. 8 Tle. 8. Dessau, Kahle. à Tl. * — 40
1. Deutschland. (36 S.) 890. — 2. Europa m. Ausnahme Deutschlands. (43 S.) 891. — 3. Asien, Afrika, Amerika, Australien, nebst e. Anh., enth. das Wichtigste aus der mathemat. Geographie. (39 S.) 891.

— geographische Tabellen. Ein prakt. Hilfsbuch f. den Unterricht in der Geographie. 3 Tle. 8. Dessau, R. Kahle. à n — 40
1. Deutschland. 2., verm. Aufl. (34 S.) 894.
2. Europa m. Ausnahme Deutschlands. (43 S.) 891.
3. Asien, Afrika, Amerika, Australien, nebst e. Anh., enth. das Wichtigste aus der mathemat. Geographie. (39 S.) 891.

— **geographische Tabellen in 3 Tln. E. prakt. Hilfsbuch f. d. Unterricht in d. Geographie. 2. u. 3. Tl. 2., verm. u. verb. Aufl. gr. 8. Dessau 897. Anhalt. Verlagsanstalt. à n. — 40**
2. Europa m. Ausnahme Deutschlands. (45 S.)
3. Asien, Afrika, Amerika, Australien, nebst e. Anh., enth. d. Wichtigste aus d. mathemat. Geographie. (41 S.)

Petersen, Wilh., geographische Tabellen in 3 Tln. Ein prakt. Hilfsbuch für den Unterricht in der Geographie. 1. Tl.: Deutschland. 3. verm. u. verb. Aufl. gr. 8. (36 S.) Berlin (902). Gerdes & Hödel. n. — 40
2. u. 3. Tl. jetzt Ebd. 897. à n. — 40.

— **geographische Tabellen in 3 Tln. Ein prakt. Hilfsbuch f. den Unterricht in der Geographie. 2. u. 3 Tl 3., verm. u. verb. Aufl. 8. Ebd. à n. — 40**
2. Europa m. Ausnahme Deutschlands. (40 S.) (905.)
3. Asien, Afrika, Amerika, Australien, nebst e. Anh., enth. das Wichtigste aus der mathemat. Geographie. (905.)

Petersen, Wilh., aus Transkaukasien u. Armenien. Reisebriefe. gr. 8. (IX, 140 S.) Leipzig 885. Duncker & Humblot. n. 3. —

Petersen, Wilh., Träume u. Rätsel. Gedichte, m. Buchschmuck v. Herm. Pfeiffer. (95 S. m. Abbildgn.) Darmstadt (907). H. Hohmann. 1.80; geb. 2. 80

— der neusprachliche Unterricht u. die modernen Reformbestrebungen. gr. 8. (30 S.) Leipzig 892. G. Gräbner. n. — 60

Der Neusprachliche Unterricht und die modernen Reformbestrebungen von Dr Wilhelm **Petersen**, Tönning a. d. Eider Leipzig: G Gräbner 1893 (30 S.) 8° [07. 7717

Petersen, Wilh., Welches sind die Veränderungen und Epochen der deutschen Hauptsprache seit Karl d. Gr ? Eine gekr. Preisschr. Mannheim 1787.
Enth. in: Schrr. d. deut. Ges. in Mannheim. Bd. 3. (D.)

Petersen, Wilhelm Gottfried Heinrich

— — **De jure praesentandi. Diss. jur. Präs. Ern. Jo. Fried. Mantzel. Rostock (J. J. Adler) 27. VI. (1754). 25 S. (5.25) 26175**
Widm. v.: Ern. Jo. Fried. Mantzel.

— **Wilhelm Gottfried Heinrich** (Rostock), **De successione Germanica pactitia haut. reciproca. Präs. Anton Ludwig Seip. Göttingen (J. Chr. L. Schultze) April 1751. 48 S. (5.25) 26174**
Widm. v.: Anton Ludwig Seip.

Petersen - Eutin, C., s. Petersen

Petersen-Wagner, Julie, s. a. Stickmuster-Sammlung.

Petersen-Wagner's, Julie, Stickmuster-Zeitung. Vorlagen f. Bunt- u. Weissstickerei. 1.—3. Jahrg. Octbr. 1888—Septbr. 1891. à 24 Nrn. (B.) Imp.-Fol. Leipzig, (Hobbing). à Jahrg. n. 4. —

— Stickmuster-Zeitung. Vorlagen f. Bunt- u. Weissstickerei. Deutsche Ausg. 4.—7. Jahrg. Oktbr. 1891—Septbr. 1895. à 24 Nrn. (Bog.) Imp.-Fol. Kopenhagen. (Leipzig, Kössling.) à Jahrg. n. 4. —

Petersen-Wagner's, Julie, Stickmuster-Zeitung. Vorlagen f. Bunt- u. Weissstickerei. Deutsche Ausg. 8.—11. Jahrg. Oktbr. 1895—Septbr. 1899. à 24 Nrn. (Bog.) Imp.-Fol. Kopenhagen. (Leipzig, Kössling.) à Jahrg. 4. —
Kann auch vierteljährlich bezogen werden.

Petersen-Wagner's, Julie, Stickmuster-Zeitung. Vorlagen f. Bunt- u. Weissstickerei. Deutsche Ausg. 12.—15. Jahrg. Oktbr. 1899—Septbr. 1903. à 24 Nrn. Imp.-Fol. (à 1 Bog.) Kopenhagen. (Leipzig, Kössling.) à Jahrg. 4. —

Petersen-Wagner's, Julie, Stickmuster-Zeitung. Vorlagen f. Bunt- u. Weissstickerei. Deutsche Ausg. 16.—19. Jahrg. Nach dem 29.—32. Jahrg. der dän. Orig.-Ausg. Oktbr. 1903—Septbr. 1907. à 24 Nrn. (à 1 Bog.) Imp.-Fol. Kopenhagen. (Leipzig, Kössling.) à Jhrg. n. 4 —

Petersen-Wagner's, Julie, Stickmuster-Zeitung. Vorlagen f. Bunt- u. Weissstickerei. Deutsche Ausg. 20.—23. Jahrg. Nach dem 33.—36. Jahrg. der dän. Orig.-Ausg. Oktbr. 1907—Septbr. 1911. à 24 Nrn. (à 1 Bog.) 86,5×63,5 cm. Kopenhagen. (Leipzig, Kössling.) à Jahrg. 4. —

Petersenn, C., Geschichte, medicinische, des russisch-türkischen Krieges in den J. 1828 und 1829, s. Geschichte.

Petersenn, Carl, Beiträge zur Kenntniss von dem Verhalten des putriden Giftes im faulenden Blute. Diss. Dorpat. 8°. 48 pp. 1869.

Petersens, (J.,) Chronika oder Zeitbuch d. Lande zu Holstein, Stormarn, Ditmarschen u. Wagrien. Für unsere Zeit lesbar gemacht v. C. Ch. Kruse. gr. 8. Altona 827, Hammerich.

Petersfelsen, der. Ein Märchen für fromme u. verständ. Kinder. 16. (32 S.) Paderborn 899. Bonifacius-Druck.
= [Märchenbücher f. Kinder.] No 26. n. —10

Petershagen [Schlagwort]

Petershagen, s.: Mark.

Petershagen, C. G. Th., vollständige Anweisung zur Cultur des Weinstocks. Dessen Fortpflanzung, Veredlung, Krankheiten, Feinde rc., so wie auch über die gangbarsten u. den verschiedenen Verhältnissen angemessenen Arten des Weinschnitts u. die zweckmäßigste Einrichtung der Weinlese rc. 8. (12¼ B.) Quedlinburg 843, Basse.

Petersilie, Alwin

Petersilie, A., textliche Darstellung der öffentl. u. privaten Volks-, Mittel- u. höh. Mädchenschulen, sowie der sonstigen nied. Unterrichtsanstalten, s.: Statistik, preußische. 176. Hft.

Petersilie, A., Denkschrift üb. das Volksschulwesen im preußischen Staate, s.: Schneider, K.

— u. E. Petersilie, Diensteinkommen der preußischen unmittelbaren Staatsbeamten. Nachtrag zum Taschenkalender f. Verwaltungsbeamte auf d. J. 1909. (67 S.) kl. 8. Berlin (909). C. Heymann. —60; f. Käufer des Taschenkalenders kostenfrei.

— die Entwickelung der eingetrag. Genossenschaften in Preussen während des letzten Jahrzehnts, sa Zeitschrift des königl. preuss. statistischen Landesamts. 24. Erg.-Hft.

Preuss. Central-Genossenschafts-Kasse. Die Entwickelung der eingetragenen Genossenschaften in Preussen während des letzten Jahrzehnts. Mit 3 graph. Darstellungen. Bearb. von Dr. A[lwin] Petersilie, Geh. Reg.R. Berlin 1906: (W. Koebke). (68, 62 S.) 4°
Aus: Zeitschr. d. Kgl. Preuß. Statist. Landesamts. Erg.H. 24. [6. 1348 3

Die Entwickelung der eingetragenen Genossenschaften in Preußen während des letzten Jahrzehnts. Bearb. von Dr. A[lwin] Petersilie, Geh. Reg.R. Mit 3 graph. Darstellungen. Berlin: Kgl. Statist. Landesamt 1906. (68, 62* S.) 4°
= Zeitschrift d. Kgl. Preuß. Statist. Landesamts. Erg.H. 24. [6. 1973

Festschrift zur Feier des 50jährigen Bestehens der Landschaft der Provinz Sachsen. Hrgg. im Auftrage des Ausschusses von der Direktion. Verfaßt vom Landschaftssyndikus Dr. Petersilie. (Halle a. S. 1914.) 4°
[Umschlagt.:] Festschrift zur Feier des 50jährigen Bestehens der Landschaft der Provinz Sachsen. 1864—1914.

Petersilie, A., Mitteilungen zur deutschen Genossenschaftsstatistik, sa Zeitschrift des königl. preuss. statistischen Landesamts. Erg.-Heft.

Mitteilungen zur deutschen Genossenschaftsstatistik für 1901, 1903 u. 1904. Bearb. v. A. Petersilie. Berlin. 1904—1906. = Zeitschrift d. Preussischen statistischen Landesamts, Erg.-H. 21, 22 u. 25. 4°.

Mitteilungen zur deutschen Genossenschaftsstatistik für 1905 1906. 1907. 1908. 1909. 1910. 1911. 1912. Bearb. v. A. Petersilie. Berlin. 1907—1914. 4° = Zeitschrift des Königlich Preußischen Statistischen Landesamts. Erg.-H. 26. 27. 29. 33. 36. 38. 40. 41.

Petersilie, A., d. ges. nied. Schulwesen im preuß. Staate, s.: Schneider, K.

— Das gesamte niedere Schulwesen im Preußischen Staate im Jahre 1906, s.: Statistik, preußische.

Statistik der Gärtnerei in Preussen nach d. Erhebung v. 2. Mai 1906. Bearb. von Dr. A[lwin] Petersilie, Geh. Reg.R. u. Prof. Berlin: Kgl. Statist. Landesamt 1910. IV, 40*, 155 S. 4°
(Zeitschrift d. Kgl. Preuß. Statist. Landesamts. Erg.H. 35.) [11. 3989

Petersilie, A., die veränderlichen Tafeln des rc. preußischen Normalkalenders, s.: Foerster, W.

— u. E. Petersilie, s.: Taschen-Kalender f. Verwaltungsbeamte.

— d. öffentl. Unterrichtswesen im Deutschen Reiche u. in den übrigen europ. Kulturländern, sa Hand- u. Lehrbuch d. Staatswissenschaften, 3. Abth., 3. Bd.

Das öffentliche Unterrichtswesen im Deutschen Reiche und in den übrigen europäischen Kulturländern. Von Dr. A[lwin] Petersilie, Prof. ... in Berlin. Bd I. II. *Leipzig: C. L. Hirschfeld 1897.* 2 Bde 8.
I. I. Theoret. Grundlage u. geschichtl. Entwickelg d. öffentl. Unterr.
II. Verwaltungsrechtl. Gliederg ... (IX, 448 S.)
II. III. Verfassungsmässige Organisation ... (X, 608 S.)
= Hand- u. Lehrbuch d. Staatswissenschaften. Abt. 3. Bd 3. [98. 158

Petersilie, A.: Die Volks- und Mittel schulen, sowie die sonstigen niederen Schulen im preussischen Staate ..., s. Schneider, K.

Petersilie, A., die öffentlichen Volksschulen in Preussen im Jahre 1878, s.: Zeitschrift des königl. preussischen statistischen Bureaus.

Petersilie, A.: Die Oeffentlichen Volksschulen in Preussen (einschliesslich Mittelschulen und höhere Mädchenschulen) und die zur Unterhaltung derselben erforderlichen persönlichen und sächlichen Gesammtaufwendungen im Jahre 1878. Bearb. v. A. Petersilie. Berlin. 1882.
= Zeitschrift des Königlich Preussischen Statistischen Bureaus. Ergänzungsheft 10. 4°

Petersilie, A., s. Zeitschrift d. kgl. preuss. stat. Landesamtes. Heft XXVII.

Petersilie, Erich, Entstehung u. Bedeutung der preußischen Städteordnung. Eine Festschrift zum 19. XI. 1908. (VI, 154 S.) gr. 8. Leipzig 908. Dürr'sche Buchh. 2. —

— Die endgültigen Ergebnisse der Viehzählung vom 1. XII. 1906, bezw. vom 2. XII. 1907 im preußischen Staate sowie in den Fürstentümern Waldeck u. Pyrmont, sa Statistik, preußische.

Die endgültigen Ergebnisse der außerordentlichen Viehzählung vom 1. Dezember 1906 im preußischen Staate sowie in den Fürstentümern Waldeck und Pyrmont. Mit 1 Taf. Im amtl. Auftr. bearb. von Dr. Erich Petersilie. Berlin: Kgl. Statist. Landesamt 1908. XXXIV, 67 S. 4°
(Preußische Statistik. 210.) [09. 14555 10

Die endgültigen Ergebnisse der Viehzählung vom 2. Dezember 1907 im preußischen Staate. Der Viehstand d. Haushaltungen nach d. einzelnen Viehgattungen u. nach Gruppen d. einzelnen Viehgattungen. Im amtl. Auftr. bearb. von Dr. Erich Petersilie. Berlin: Kgl. Statist. Landesamt 1910. XXXIV, 385 S. 4°
(Preußische Statistik. 219.) [11. 3733

Petersilie, Erich, aus Berlin: Die landwirtschaftlichen Hauptbetriebe in Preußen in den Jahren 1882 und 1895 nach Anzahl, Anbaufläche und Größenklassen. *Erlangen 1904: Junge & Sohn.* (138 S.) 8°
Erlangen, Phil. Diss. v. 18. Dez. 1903

Petersilie, Erich, 222 Commers- u. Studentenlieder-Texte, sa Deutschlands Liederschatz, 2. Bdchn.

222 Commers- und Studentenlieder-Texte. Zsgest. von cand. phil. Erich Petersilie. Salon-Ausg. *Charlottenburg Berlin: A. Michow (1891).* (100 S.) 8° [F.]
= Liederschatz, Deutschlands. Bdch. 2. [illegible]

Petersilie, Erich: Schiffahrt und Güterverkehr auf dem Rheine während der Jahre 1891 bis 1900. Auf Veranlass. d. Zentralkommission f. d. Rheinschiffahrt bearb. von Erich Petersilie. Mannheim: Zentralkommission 1908. VII, 571 S. 4°

Die Sparkasse des Kreises Teltow von 1858–1908. Auf Anregung d. Kreisausschusses verf. von Dr. Erich **Petersilie**. Berlin 1908: R. Rohde. (87 S.) 2° [08. 6936

Petersilie, E. (Hrsg.), s. Taschenkalender für Verwaltungsbeamte.

Petersilie, Erich, Untersuchungen üb. die Kriminalität in der Prov. Sachsen, s. Gerichtssaal, der. 64. Bd. Beilageheft.

Petersilie, Erich, Gerichtsref. in Halle a/S.: **Untersuchungen** über die Kriminalität in der Provinz Sachsen. Ein Beitrag zur Landeskunde auf statist. Grundlage. *Halle a. S. 1904.* (36 S.) 8° [F.] ¶(Erschien vollst. 1904 als: Gerichtssaal, Bd 64, Beil.-H.)
Halle, Phil. Diss. v. 1904

Untersuchungen über die Kriminalität in der Provinz Sachsen. Ein Beitrag z. Landeskunde auf statist. Grundlage. Von Dr. phil. Erich Petersilie, Ger.Ref. in Halle a.S. *Stuttgart: F. Enke 1904.* (195 S.) 8° [F.]
= Gerichtssaal, Der. Bd 64, Beilageheft. [illegible]

-- **Der Viehstand in Preussen im J. 1908, m. 1 graph. Darstellg. (31 S. u. 2 farb. Kartenbl.) 32,5×23,5 cm. Berlin 909. Verlag des k. statist. Landesamts. 1. 20**
Sonderabdr. a.: „Ztschr. d. kgl. preuss. statist. Landesamts".

— **Wingolf. — Home sweet home, s. Michow-Bücher, 15. Bd.**

Wingolf, eine Studentengeschichte. Home sweet home. Zwei Novellen v. Erich **Petersilie** ... *Charlottenburg: A. Michow 1898.* (109 S.) 1 Bd 8.
= **Michow-Bücher.** Bd 15. [98. 8726

Petersilienblätter. Taschenbuch f. Haushaltung u. Küche. V. C. H. breit 12. Erfurt 830. (Müller). 14 gr 832. Hbg. Pr. 10 gr

Petersilienblätter. Taschenbuch f. Haushaltung u. Küche, mit e. Speise-Verzeichniß f. jede Jahreszeit. Von C. H. 1. Aufl. 830. 14 Gr., 2., unveränd. (u. wohlf.) Ausg. (à 6½ B.) Breit 12. Erfurt 833, Hennings u. Hopf.

Petersinsel, die St., in d. Bieler See, (v. Siegm. Wagner). Mit 8 illum. Kpf. 4. Bern 796.

Petersmann, J., Geschichte d. Altertums, s.: Bolz, B.

Petersmann, J., s.: Spamer's illustrierte Weltgeschichte.

Petersmann Josef: De correlatione, quae dicitur, in periodis hypotheticis apud Latinos.
II. 1887 PN 477 Diss. Wien, Univ. 1466

Petersohn, Chr. Jaak, s. Chr. G. Thomasson, finn. Mythologie.

Petersohn, Karl, d. Construction d. Wissens. 8. Mannheim, Schwan und G. 806.

Petersohn, Karl Gph., († 1819.) Abhandl. üb. d. Construction d. Wissens. 8. Manh. 806. Schwan u. G. 10 gr

— Beitrr. z. latein. Schulgrammatik nach d. Paragraphen d. Bröderschen Grammatik. gr. 8. Heidelb. 815. Mohr. 12 gr

Petersohn's, C., Beiträge zur latein. Schulgrammatik. Heidelb. 816. 8. 11 gr.

— die 12 Monate mit ihren Blüthen u. Tagen. Eine Samml. deutscher Aufsätze z. Uebersetzen ins Latein. Nebst e. ausführl. Wörterverzeichn. in lexical. u. grammat. Rücksicht. gr. 8. Karlsruhe 818. Marx. 1 ℛ 9 gr (Ist auch der Pseudonymus Karl **Edmund**).

Peterson, drei Vorträge üb. die Anwendung der Elektrizität auf dem Lande, s.: Veröffentlichungen der Landwirtschaftskammer f. die Rheinprovinz. (Strahl.)

Peterson, Carl Theodor, s. Peterson, Karl Theodor

Peterson, Ester, Besuche in den Frauengemächern in Madura, s.: Lotosblumen, indische. Nr. 1.

Peterson, F. F. W. A., „Ob Schrift? Ob Geist?" von G. A. Wislicenus, kritisch beleuchtet. gr. 8. (1⅝ B.) Berlin 845, Oehmigke, Verlagsh. *

Peterson, Frz., Predigten über den christlichen Glauben nach dem apostolischen Glaubensbekenntniß. 3 Thle. gr. 8. Berlin 859, Wiegandt und Grieben. [1. Thl. (VII und 104 S.) * 15 Ngr., 2. und 3. (V und 243 S.) 2. Thl. * 18 Ngr., 3. Thl. * 15 Ngr.] *

Peterson, Frz., allgemeine Religionsgeschichte, vom Standpunkte christl. Offenbarung dargestellt. (In 5 Bdn. à 5 Hftn.) 1. Bd. 1. Hft. gr. 8. (S. 1–48.) Graudenz 852, Röthe in Comm. n. 6 ngr

Peterson, Frz., allgemeine Religionsgeschichte, vom Standpunkte christlicher Offenbarung dargestellt und zum Besten der inneren Mission herausgegeben. 1. Bd. 2—4. Heft u. 2—5. Bd. Graudenz 852—55. Röthe in Comm. gr. 8. (1. Bd.: S. 49—208; 2. Bd.: 384 S.; 3. Bd.: 228 S.; 4. Bd.: 223 S.; 5. Bd.: 247 S.) n. 4 ℛ 24 ngr

Peterson, Gust. (geb. Bonn 1826): Venaesectio in morbis psychicis omnino fere rejicienda. Berolini (1852). (31 S.) 8°
Berlin, Med. Diss. v. 23. Dez. 1852

Peterson, Heinr., zur Geschichte der Glasfarben-Erzeugung in Joachimsthal, s. Monographien des Museums f. Geschichte der österr. Arbeit.

PETERSON, H.
Zur Geschichte der Glasfarben-Erzeugung in Joachimsthal. Wien, 1894. 8vo.

Peterson, Heinr., über Vergangenheit, Gegenwart und Zukunft unseres Planeten. Anregung für denkende Naturfreunde. gr. 8. (IV, 49 S.) Wien 882, (Gerold's Sohn.) *

Peterson, J., bunte Bilder zur Unterhaltung in müßigen Augenblicken. 8. (9⅛ B.) Marienwerder 843, (Levysohn.) *

Cherubim. Kurze Zsstellg d. wichtigsten Ansichten u. Erklärgn seit Luther m. Zusätzen v. J. **Peterson**, Pastor ... in Jersey City. *Gütersloh: C. Bertelsmann 1898.* (2 Bl., 48 S.) 1 Bd 8. [98. 9031

Peterson, J., das Musikfest, ein romant. Epos in achtzeil. Stanzen u. sechs Gesängen. gr. 8. (15 B.) Marienwerder 840, (Baumann.) *

Peterson, J. Osc. (Justus), Dr. Densmore's Irrtümer. 5 Briefe üb. Ernährungsfragen. 8. (48 S.) Stuttgart 894. A. Zimmer. n. -- 60

— die Küche der Zukunft. Grundgesetzliches f. Kochpraxis u. Lebensmittellehre. 8. (94 S.) Lichtenthal 894. (Leipzig, Th. Grieben.) n. 1.—

— unsere Nahrungsmittel in ihrer volkswirtschaftlichen u. gesundheitlichen Bedeutung. Eine prakt. Ernährungslehre f. Gesunde u. Kranke. 8. (VIII, 335 S. m. 2 Tab.) Stuttgart 894. A. Zimmer. n. 4.--

Peterson, Dr. Julius. Das Dttum in Elsaß-Lothrigen. Der Kampf um das Dttum series. Munchen, 1902.

Peterson, Karl, über Kurven u. Flächen. (Deutsch bearb. vom Autor.) 1. Liefg. Moskau 868. (Leipzig, Wagner.) gr. 8. (VI, 106 S.) n. 25 *ngr.*

Peterson, Carl, kleines Schulgesangbuch. Eine Auswahl geistl. Lieder zum Gebrauch bei Schulandachten u. zum Auswendiglernen. 8. (43 S.) Riga 886. (Mellin & Neldner.) cart. n.n. -- 50

Peterson, Karl Theodor

Peterson, Carl Theodor. Ueber einige neue Produkte aus den Verbindungen von Aldehyden mit saurem schwefligsaurem Ammoniak. Göttingen, 1857.

Peterson, Louise, s.a. Velten, Erna

Peterson, Luise, Heiderösslein u. andere Erzählgn. f. junge Mädchen. Mit Titelbild. (215 S.) 8. Berlin (909). Verlag Jugendhort. Geb. 4.--

[F.] Neue Lebenswege. In der Fremde. Erzählgn f. junge Mädchen v. Erna Velten (d. i. Louise Peterson). M. 3 ganzseit. Tonbild. u. 10 Textill. v. W. Schäfer. *M. Gladbach & New York: A. Riffarth [1897].* (144 S., 3 Taf.) 1 Bd 8.
— Bibliothek für junge Mädchen. Bdch. VII. [98. 4375

-- Die Schwestern. Eine Erzählg. f. junge Mädchen. Mit Titelbild. (195 S.) 8. Ebd. (909). Geb. 4.—

Peterson, Mart., Entlarvung d. höheren Bauschwindel-Systems od. d. modernen Raubrittertums der Jetztzeit. Eine Grossstadt-Studie. gr. 8. (IV, 51 S.) Hamburg-Eimsbüttel 891. Boysen & Bonardel. n. 1.50

Peterson-Kinberg, Willy, wie e. moderne Teerdestillation m. Dachpappenfabrik eingerichtet sein muß. (VIII, 222 S. m. 77 Abbildgn. u. 1 Taf.) 8. Wien 904. A. Hartleben. n. 4.—; geb. n. 4.80

— wie entstand Weltall u. Menschheit? Hat Gott die Welt aus dem Nichts geschaffen? Hatten die ersten Menschen, Adam u. Eva, keine Vorfahren? Mit zahlreichen farb. u. schwarzen Taf., Karten, Beilagen u. Textabbildgn. 1.—5. Tausf. (VIII, 300 S.) 8. Stuttgart 906. Strecker & Schröder. n. 2.—; geb. in Leinw. n. 2.80

Peterspfennig, der, sa Volksaufklärung Nr. 7.

Peterspfennig, der. Dem Papste zum Schutz, seinem Feinde zum Trutz. Ein Büchlein für den kathol. Bürger u. Landmann. München 860. Lentner. 16. (26 S.) n. 2 *ngr.*

— ein, sa Lang, Ludw., und Wörner.

—— ein. Album deutscher Dichter und Schriftsteller hrsg. von Ludw. Lang und Bern. Wörner. 8. (VI und 346 S.) München 861, Expedition des Münchener Sonntagsblattes.

Peterssen, Friedrich Carl, s. Peterssen, Friedrich Karl

Peterssen, F. C., aus Frankreich. Bilder u. Skizzen. 8. (VIII, 470 S.) Berlin 887. Janke. n. 5.—

Peterssen, Frdr. Carl, Genrebilder aus dem modernen Babel. Stuttgart 870. Kröner. br. 8. (IV, 252 S.) 20 *ngr.*

— Pariser Leben. Federzeichnungen u. Plaudereien. 2 Bdchn. München 867. Merhoff's Verl. 8. (V, 170 S., 193 S.) Jedes Bdchen. 15 *ngr.*

Von der Teufelsbank. Von Friedrich Carl Peterssen. *Breslau: S. Schottlaender [1900].* (151 S.) 8° [F.]
— Unterwegs und Daheim. [8, 3.] [01. 1309

Peterssen, Frdr. Carl, von der Teufelsbank. (Unterwegs u. Daheim.) schmal 8. (151 S.) Breslau (901). Schles. Buchdruckerei rc. n. — 75; geb. n. 1.—

Peterssen, G. R., das eheliche Güterrecht in den Städten u. Flecken des Fürstenthums Osnabrück. Osnabrück 863. Meinders. gr. 8. (XII, 396 S.) n. 1 *ℛ* 20 *ngr.*

— Polizeistrafgesetz für Hannover, sa Polizeistrafgesetz.

Peterssen, G. R: Polizeistrafgesetz für das Kgr. Hannover vom 25. Mai 1847 u. die hauptsächl. mit ihm in Verbindung stehenden Gesetze u. Verordnungen. Hannover: Rümpler 1855.
— — u. Gesetz über die Untersuchung u. Aburtheilung von Polizeivergehen durch die Verwaltungsbehörden, vom 28. April 1859. Daselbst 1859.

Peterssen, G. R., Polizeistrafgesetz für das Königreich Hannover vom 25. Mai 1847 u. Gesetz über die Untersuchung u. Aburtheilung von Polizeivergehen durch die Verwaltungsbehörden vom 28. April 1859, sowie der hauptsächlichsten, mit denselben in Verbindung stehenden Gesetze, Verordnungen u. Bekanntmachungen. 2. Aufl. Hannover 865. Rümpler. gr. 8. (XVIII, 589 S.) n. 1 *ℛ* 20 *ngr.*

Peterssen, Garrelt Peters: Ein Fall von angeborenem, multiplem Kavernom. Mit 1 Taf. Giessen 1910: v. Münchow. 26 S. 8°
Gießen, Med. Diss. v. 3. Aug. 1910, Ref. Voit
[Geb. 12. Juli 68 Jemgum; Wohnort: Jugenheim a. B.; Staatsangeh.: Preußen; Vorbildung: Gymn. Leer Reife O. 89; Studium: Greifswald Theol. 2, Med. 2, Kiel 7, Würzburg 1 S.; Coll. 11. Juli 10; Approb. 24. Febr. 96.] [U 10. 1155

Peterssen, Matthias (Boitz. / Mecklenburg), De eo quod juris est circa actus, per progressionem initos. Diss. jur. Präs. Val. Joh. Beselin. Rostock (N. Schwiegerovius) 23. X. 1723. 29 S. (5.—) 26176
Widm. v.: V. J. Beselin.

Peterssen, O., Die schwedische Alkoholgesetzgebung u. das Gotenburger System. Aus dem Schwed. v. R. Kraut. (88 S.) 8. Hamburg '07, Deutschlands Grossloge II. 1.—

Petersson, Albert. diplom. Ingenieur aus Landskrona. Schweden: Ueber Messungen des Thomsoneffectes. Zür. Zürcher u. Furrer Dr. 1895. 65 S., 1 Taf. 8°.
Zürich, Phil. Diss. II. S. [v. 29. Oct. 1895].

Petersson Gerda Troili-: Ueber den Kohlensäuregehalt d. Atmosphäre. Stockh. 1898. 17 S. (Særtr.). P.

Petersson, Gerda Troili-: Studien üb. saure Milch u. Zähmilch. (Leipz. 1899). (14) S. (Særtr.). P.

Petersson, (Julius Ferd.) Hugo (geb. Potsdam 19.6.1828): De capite obstipo. Berolini (1852). (30 S.) 8°
Berlin, Med. Diss. v. 13. Okt. 1852

Petersson, Osk., die schwedische Alkoholgesetzgebg. u. das Gotenburger System. Aus dem Schwed. übers. v. R. Kraut. (88 S.) 8. Hamburg 907. Deutschlands Grossloge II. 1.—

Petersthal [Schlagwort]

Petersthal, s.: Baden. Woerl. J. E.

Petersthal-Reichenbach [Schlagwort]

Petersthal-Reichenbach, s.: Geologische Karten, Spezialkarte (Baden).

Petery, J. L. v., Bemerkungen u. Mittheilungen üb. d. Tirailleur-System. 16. (7½ B. u. 5 Stnt.) Trier 832, Gall. (Berlin, Mittler.)

Petery, Julius Maria, die blutigen Ereignisse zu Schweidnitz am 31. Juli u. in den ersten Tagen des Aug. 1848. Vollständ. u. authent. Bericht. Nebst Beschreibung der Beerdigungsfeierlichkeiten u. der v. Lasker am Grabe der Gemordeten gehalt. Rede. 8. (31 S.) Schweidnitz 848, Heege. n. 2 ngr

v. **Petery,** Leop., s. 1) Bruchstücke üb. d. kleinen Krieg. 2) Taschenbuch f. preuß. Infanteristen.

Peterwardein [Schlagwort]

Peterwardein — Plan der Umgebung von — reambulirt u. gez. von Aug. Brosch u. Carl Bakonyi etc. 28,800. 1867/68. 6 Bl.

PETERWARDEIN. Eigentliche und umständliche Nachricht von der herrlichen Victorie, so ... Ihro Majestät am 5. Aug. 1716 bey Peterwardein, unter heldenmässiger und tapfferer Anführung des ... Printz Eugenii von Savoyen ... über die grosse türckische Macht verliehen, aus vilen dießfals herausgekommenen Piecen zusammen getragen, sammt hochbesagten Hrn. Gen. Lieutemamts vorhero zu dieser Schlacht gemachten unvergleichlichen Disposition, woran sich sowohl die Infanterie als Cavallerie und Artillerie zu halten hatten; wie auch einer Lista derer in dieser blutigen Bataille auf kayserlicher Seite sowohl todt geblieben als auch blessirten hohen Officiren und Gemeinen. Augspurg: Casp. Brechenmacher (1716). (8 f.) 1 t. - 200 mm

Petery, J. L. v., Hauptm. und Compagnie-Chef im k. preuss. 30. Inft.-Reg. Bemerkungen und Mittheilungen über das Tirailleur-System. (Mit 5 Taf.) 12. Trier 1832.

Petery, Julius Maria. Die blutigen Ereignisse in Schweidnitz am 31. Juli und in den ersten Tagen des August 1848. Nebst Beschreibung der Beerdigungsfeierlichkeiten und der von Dr. Lasker am Grabe der Gemordeten gehaltenen Rede. Schweidnitz 1848. 31 S. 8.

Petetin, Erforschung üb. die Ordenstugenden zum Gebrauche der Klosterfrauen während der hl. Exercitien. (VIII, 169 S.) gr. 16. Straßburg (903). F. X. Le Roux & Co. n. —40

— Monat des hl. Rosenkranzes. Gebete, welche Se. Heil. Leo XIII. vorgeschrieben hat (latein. Text m. deutscher Uebersetzg.), nebst zwei Methoden zur Anbetg. des Rosenkranzes. (51 S.) kl. 8. Ebd. (904). n. —20

Petetin, J. H. D., memoires sur la découverte des Phenomènes, q. présentent la Catalepsie et le somnambulisme. 8. Strassb. 787. Acad. (Leipz., Hinrichs). 8 gr

Petetin, J. H. D., Théorie du Galvanisme. gr. 8. Paris. (B. Fleischer, Leipz.) 806.

Péteut, Paul. Jean-Baptiste Dubos. Contribution à l'histoire des doctrines esthétiques en France. Thèse Phil. Berne. II + 99 p. 8. Tramelan, A. Zachmann-Vuille, 1902.

Péteut, P[aul]. Was die Grossmutter erzählt. Märchenspiel in Ton, Wort und Bild. Deutsch von Frl. M[arie] Garraux. Musik arrangiert von W[ilhelm] Rennefahrt. Illustrationen [Umschlag und 8 Tafeln] von R[udolf] Münger. 68 S. 4. Bern, Gustav Grunau, 1905. [cart. fr. 2. 50]

Peth, Jak., Geschichte des Theaters u. der Musik zu Mainz. Ein Beitrag zur deutschen Theatergeschichte. gr. 8. (XIV, 352 S.) Mainz 879. Brickarts. n. 4. 50

Peth, Jakob. Geschichte des Theaters und der Musik zu Mainz. Mainz 1879. Nachtrag. Mainz 1883.

Pethke, Ernst, u. a., Spaß muß sein! (95 S.) 8. Leipzig (910). G. Richter. 1.—

Pethö, Julius, Die Kreide-<Hypersenon->Fauna des Peterwardeiner <Pétervárader> Gebirges <Fruska Gora>. (In 2 Lfgen.) (Hrsg.: L[ajos] v. Lóczy; Vorr.: Dr. Anton Koch.) Stuttgart: E. Schweizerbart 19(05–)06. (S. 57–336, Taf. 5–26.) 4° [Umschlagt.]
— **Palaeontographica.** Bd 52, Lfg 2–6.

Pethybridge, George H(erbert), aus Plymouth, Engl.: Beiträge zur Kenntnis der Einwirkung der anorganischen Salze auf die Entwicklung und den Bau der Pflanzen. *Göttingen 1899: W. F. Kaestner.* (95 S.) 8°
Göttingen, Phil. Diss. v. [27. Febr.] 1900

Pethybridge, George H., Beiträge zur Kenntnis der Einwirkung der anorganischen Salze auf die Entwicklung u. den Bau der Pflanzen. Diss. gr. 8. (95 S.) Göttingen 899. (Vandenhoeck & Ruprecht.) n. 2. 30

Kolibri 360 GmbH
Ferdinand-Jühlke-Straße 7
99095 Erfurt, Deutschland
produktsicherheit@kolibri360.de